D1582166

SOINS INFIRMIERS

Théorie et pratique 2

Ouvrages parus dans cette collection :

Notes au dossier – Guide de rédaction pour l'infirmière, Diane St-Germain avec la collaboration de Sylvie Buisson, Francine Ménard et Kim Ostiguy, 2001.

Diagnostics infirmiers, interventions et bases rationnelles – Guide pratique, 4ᵉ édition, Marilynn E. Doenges, Monique Lefebvre et Mary Frances Moorhouse, 2001.

L'infirmière et la famille – Guide d'évaluation et d'intervention, 2ᵉ édition, Lorraine M. Wright et Maureen Leahy, adaptation française de Lyne Campagna, 2001.

L'examen clinique dans la pratique infirmière, sous la direction de Mario Brûlé et Lyne Cloutier avec la collaboration de Odette Doyon, 2002.

Manuel de diagnostics infirmiers, traduction de la 9ᵉ édition, Lynda Juall Carpenito, adaptation française de Lina Rahal, 2003.

Guide des médicaments, 2ᵉ édition, Judith Hopfer Deglin et April Hazard Vallerand, adaptation française sous la direction de Nathalie Archambault et Sylvie Delorme, 2003.

Soins infirmiers en pédiatrie, Jane Ball et Ruth Bindler, adaptation française de Kim Ostiguy et Isabelle Taillefer, 2003.

Soins infirmiers en périnatalité, 3ᵉ édition, Patricia Wieland Ladewig, Marcia L. London, Susan M. Moberly et Sally B. Olds, adaptation française de Francine Benoit, Manon Bernard, Pauline Roy et France Tanguay, 2003.

Soins infirmiers – Psychiatrie et santé mentale, Mary C. Townsend, adaptation française de Pauline Audet avec la collaboration de Sylvie Buisson, Roger Desbiens, Édithe Gaudet, Jean-Pierre Ménard, Irène Robitaille et Denise St-Cyr-Tribble, 2004.

La dose exacte – De la lecture de l'ordonnance à l'administration du médicament, Lorrie N. Hegstad et Wilma Hayek, adaptation française de Monique Guimond avec la collaboration de Julie Bibeau, 2004.

Pour plus de renseignements sur ces ouvrages, consultez notre site Internet :
erpi.com/competencesinfirmieres

SOINS INFIRMIERS

Théorie
et
pratique 2

BARBARA KOZIER, GLENORA ERB, AUDREY BERMAN, SHIRLEE SNYDER

Adaptation française sous la direction de
SOPHIE LONGPRÉ ET LYNE CLOUTIER

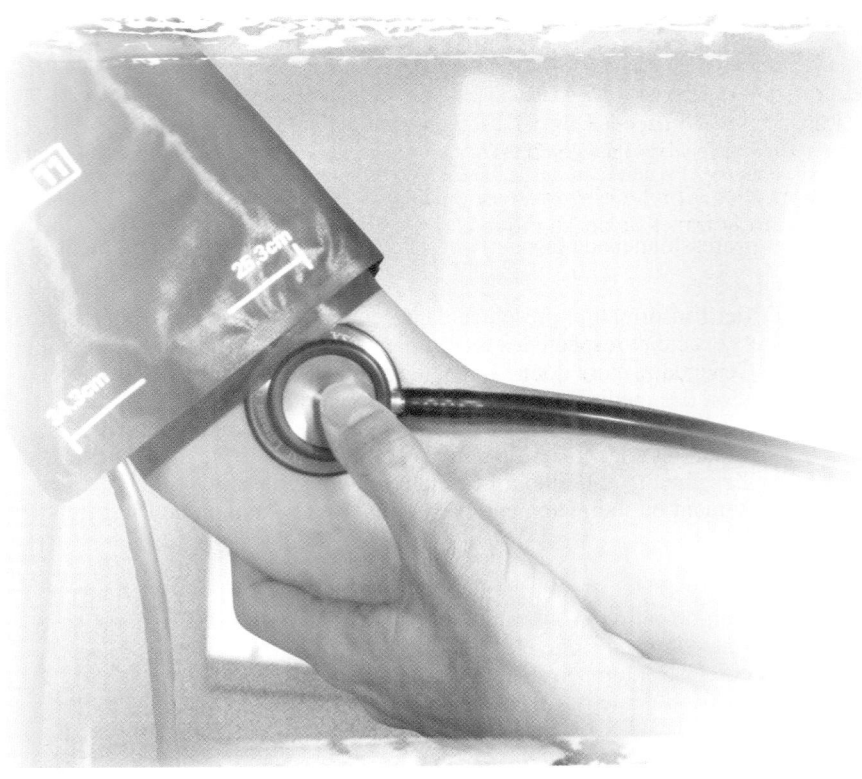

avec la participation de
CAROLINE LONGPRÉ

et la collaboration de
HUGO LAPLANTE

COMPAGNON WEB

Le Compagnon Web (www.erpi.com/kozier.cw)
est réalisé et mis à jour sous la direction de
MARIE DALBEC

ÉDITIONS DU RENOUVEAU PÉDAGOGIQUE INC.

5757, RUE CYPIHOT, SAINT-LAURENT (QUÉBEC) H4S 1R3
TÉLÉPHONE : (514) 334-2690   TÉLÉCOPIEUR : (514) 334-4720
erpidlm@erpi.com   www.erpi.com

Direction, développement de produit :
Sylvain Giroux

Supervision éditoriale :
Sylvie Chapleau

Traduction :
Annie Desbiens, Marie-Claude Désorcy, Catherine Ego,
Pénélope Mallard, Angèle Maranda, Pierrette Mayer

Révision linguistique :
Jacques Audet, Émery Brunet, Jacqueline Gendrot,
Véra Pollak, Andrée Quiviger, Jean-Pierre Regnault,
Philippe Sicard

Correction d'épreuves :
Odile Dallaserra, Carole Laperrière

Demande de droits de reproduction :
Chantal Bordeleau

Direction artistique :
Hélène Cousineau

Supervision de la production :
Muriel Normand

Conception graphique et couverture :
Frédérique Bouvier, Marie-Hélène Martel

Photographie de la couverture :
Université du Québec à Trois-Rivières, Service des ressources
pédagogiques et des médias, Claude Demers

Infographie :
Infographie DN

Cette édition révisée tient maintenant compte de la norme de documentation du plan thérapeutique infirmier (PTI) publiée par l'OIIQ après la sortie de l'ouvrage. Le texte a été retouché à de nombreux endroits et un nouvel appendice présente notamment les composantes du PTI et son arrimage avec les autres outils de documentation liés à la planification des soins. Le Compagnon Web présente un exemple de situation clinique et du PTI qui y serait associé.

Dans cet ouvrage, les termes désignant les professionnels de la santé ont valeur de générique et s'appliquent aux personnes des deux sexes.

Les auteurs et l'éditeur ont pris soin de vérifier l'information présentée dans ce manuel. Ils se sont également assurés que la posologie des médicaments est exacte et respecte les recommandations et les pratiques en vigueur au moment de la publication de ce manuel. Cependant, étant donné l'évolution constante des recherches, des modifications dans les traitements et l'utilisation des médicaments deviennent nécessaires. Nous vous prions de vérifier l'étiquette-fiche de chaque médicament et les instructions de chaque appareil avant de procéder à une intervention. Cela est particulièrement important dans le cas de nouveaux médicaments, de médicaments peu utilisés et de techniques peu courantes. Les auteurs et l'éditeur déclinent toute responsabilité pour les pertes, les lésions ou les dommages entraînés, directement ou indirectement, par la mise en application de l'information contenue dans ce manuel.

Dépôt légal : 2e trimestre 2005   20329   ISBN 978-2-7613-1576-0 (volume 1)
Bibliothèque nationale du Québec   20371   ISBN 978-2-7613-1858-7 (volume 2)
Bibliothèque nationale du Canada   30255   ISBN 978-2-7613-1859-4 (ensemble)
Imprimé au Canada

Préface

De nos jours, l'infirmière doit constamment évoluer et se perfectionner pour être en adéquation avec les exigences d'un système de santé qui connaît de profonds bouleversements. L'infirmière doit avoir des compétences théoriques, pratiques et relationnelles afin de participer efficacement aux activités d'une équipe de professionnels de la santé, dont le travail repose sur la collaboration. Elle doit recourir à la pensée critique et faire preuve de créativité pour appliquer des stratégies pertinentes à des personnes ayant différents antécédents culturels, et ce, dans des contextes de plus en plus diversifiés. Elle se doit aussi d'être enseignante, leader et gestionnaire. L'infirmière doit savoir gérer le changement, et être prête à prodiguer des soins dans des milieux divers, à des personnes de tous âges, notamment à un nombre croissant de personnes âgées. Elle doit comprendre les approches complémentaires et parallèles en santé, sans pour autant perdre de vue son rôle unique — une combinaison de dévouement, de sensibilité, de caring, d'empathie, d'engagement et de compétences — qui repose sur des connaissances scientifiques et des données probantes.

Soins infirmiers – Théorie et pratique est divisé en deux volumes. Le premier aborde les fondements de la pratique infirmière. Le second est davantage orienté vers les questions cliniques et on y trouve de très nombreux procédés de soins, allant des procédés de base jusqu'aux procédés plus avancés comme ceux qui portent sur les soins relatifs à une trachéostomie.

Dans son ensemble, l'ouvrage rend compte des recherches les plus récentes et de l'importance croissante du vieillissement, du bien-être et des soins à domicile. Nous avons élaboré le texte de telle manière qu'il puisse convenir à une grande variété de théories et de modèles conceptuels.

Organisation du manuel

Le sommaire présenté en page deux de couverture permet une consultation et un repérage rapide des chapitres. La table des matières détaillée qui se trouve au début du manuel est claire et facile à suivre. L'ouvrage se divise en dix parties. La partie 1, *Nature des soins infirmiers*, regroupe cinq chapitres présentant de façon complète les concepts préliminaires des soins infirmiers. Ces chapitres ont été adaptés en profondeur afin, notamment, de présenter les nombreux et récents changements survenus dans les aspects juridiques de la profession infirmière. On traite également de l'organisation des soins de santé au Québec, un enjeu de société aujourd'hui. Les cinq chapitres de la partie 2, *Soins de santé contemporains*, reflètent les changements du système de distribution des soins de santé, des soins communautaires, de la promotion de la santé, des soins à domicile et de l'informatique. Dans la partie 3, *Croyances et pratiques en matière de santé*, quatre chapitres présentent les croyances et les pratiques en matière de santé de personnes et de familles ayant des antécédents culturels différents. La partie 4, *Démarche systématique dans la pratique infirmière*, expose ce modèle important. Chaque chapitre est consacré à une étape spécifique

de la démarche. Le chapitre 15 associe pensée critique et pratique infirmière. Une étude de cas aidera les étudiantes à appliquer le contenu de cette partie à toutes les étapes de la démarche, soit : chapitre 16, *Collecte des données* ; chapitre 17, *Analyse et interprétation des données* ; chapitre 18, *Planification* et chapitre 19, *Interventions et évaluation*. Dès cette partie et tout au long du manuel, nous faisons référence aux nouveaux diagnostics de NANDA International de 2003-2004. La partie 5, *Développement au cours des âges de la vie* se compose de trois chapitres dans lesquels les auteurs abordent les âges de la vie et le développement, de la conception à l'âge adulte. Le caring, la compassion, le réconfort, la communication, l'enseignement, la délégation des tâches, la gestion et le leadership sont abordés dans la partie 6, *Aspects essentiels du rôle de l'infirmière*. Il s'agit là d'éléments indispensables pour offrir des soins infirmiers pertinents et efficaces. La partie 7, *Promotion de la santé psychosociale*, comprend six chapitres exposant un vaste éventail d'éléments qui influent sur la santé, notamment la perception sensorielle, le concept de soi, la sexualité, la spiritualité, le stress et l'adaptation, et la perte, le deuil et la mort. L'infirmière doit tenir compte de tous ces aspects pour donner des soins adaptés. Le volume deux débute avec la partie 8, *Évaluation de la santé*, qui couvre les signes vitaux et l'examen physique dans deux chapitres distincts, de sorte que les novices comprendront les résultats normaux de la collecte des données avant de découvrir ce que sont des résultats anormaux. Dans la partie 9, *Composantes essentielles des soins cliniques*, les auteurs mettent l'accent sur les aspects universels des soins, à savoir asepsie, sécurité, hygiène, examens paracliniques, administration des médicaments, intégrité de la peau et soins des plaies, et soins infirmiers périopératoires. La partie 10, *Promotion de la santé physiologique*, présente plusieurs concepts physiologiques qui constituent la pierre angulaire des soins infirmiers, notamment activité et exercice, sommeil et repos, soulagement de la douleur, nutrition et alimentation, élimination intestinale, élimination urinaire, oxygénation, circulation, et équilibre hydrique, électrolytique et acidobasique.

Encadrés

Le texte de ce manuel est enrichi par de nombreux encadrés de divers types, qui viennent en général préciser des aspects pratiques des soins infirmiers.

EXERCICES D'INTÉGRATION. Tout au long du manuel, les questions posées dans cette rubrique encouragent la novice à faire preuve d'esprit critique, c'est-à-dire à analyser, comparer, examiner, interpréter, évaluer l'information, etc. Ces encadrés contiennent des questions tirées de brèves études de cas. Un ensemble de questions suit la plupart des plans de soins et de traitements infirmiers. Puisqu'il n'y a ni bonnes ni mauvaises réponses à ces questions, des *Pistes de réflexion* correspondant à chaque question se trouvent à l'Appendice A.

DIAGNOSTICS INFIRMIERS, RÉSULTATS ESCOMPTÉS ET INTERVENTIONS. La Classification des interventions de soins infirmiers (CISI/NIC) et la Classification des résultats de soins infirmiers (CRSI/NOC) se trouvent dans les plans de soins et de traitements infirmiers et dans les encadrés *Diagnostics infirmiers, résultats de soins infirmiers et interventions.* Au chapitre 18, *Planification*, ces systèmes de classification sont expliqués avec des exemples afin de familiariser les novices avec ce nouveau langage. L'appendice D présente les domaines et les catégories de la taxinomie de la CISI/NIC et l'appendice E donne les échelles d'évaluation de la CRSI/NOC.

ÉVALUATION POUR LES SOINS À DOMICILE. Dans le contexte du virage ambulatoire, toutes les infirmières doivent être en mesure de participer à la planification et au suivi des soins à domicile. Dans les chapitres cliniques, la rubrique *Évaluation pour les soins à domicile* guide l'infirmière et l'incite à évaluer: (a) la personne: autonomie, niveau de connaissance, besoin d'aides techniques et ainsi de suite; (b) la famille/les proches aidants: réactions et capacités d'aider la personne; (c) les ressources communautaires, notamment les organismes qui prodiguent des soins à domicile, les groupes de soutien et les entreprises de fournitures et d'équipement.

ENSEIGNEMENT. Les étudiantes trouveront dans ces encadrés les concepts et les outils dont elles ont besoin pour aider les personnes qu'elles soignent à faire preuve d'autonomie, à résoudre leurs problèmes, à comprendre les effets des médicaments, à observer les traitements prescrits et à modifier leurs habitudes de vie.

PROCÉDÉS. Les procédés intégrés dans ce manuel, très abondamment illustrés, respectent le cadre de la démarche systématique de la pratique infirmière au Québec. Les étudiantes y trouveront ce qui suit: objectifs, collecte des données, planification, liste de matériel, intervention – comprenant la préparation et l'exécution étape par étape – et évaluation. Afin de ne pas alourdir indûment la présentation des procédés et d'en signaler les particularités, les justifications données dans chaque procédé sont uniquement celles qui lui sont propres. Ainsi, on n'expliquera pas chaque fois pourquoi il faut se laver les mains. Les justifications des actions qu'il faut répéter chaque fois qu'on exécute un procédé sont présentées dans l'aide-mémoire qui accompagne l'ouvrage.

LES ÂGES DE LA VIE. Ces encadrés présentent des soins infirmiers adaptés aux nourrissons, aux enfants, aux adolescents et aux personnes âgées.

SOINS À DOMICILE. On explique à l'infirmière les modifications à apporter aux soins lorsqu'ils sont prodigués à domicile. On y trouve également les informations dont l'infirmière a besoin pour faire son enseignement avant le congé.

CONSEILS PRATIQUES. Ici, les étudiantes ont instantanément accès à des résumés de ce qu'il faut et ne faut pas faire en matière clinique. Les novices y découvriront des conseils d'une grande sagesse et des rappels alors qu'elles se préparent à vivre leurs premières expériences cliniques.

RÉSULTATS DE RECHERCHE. Ces encadrés mettent en lumière les recherches en soins infirmiers et des pratiques fondées sur des données probantes appliquées à la pratique infirmière. À maintes reprises, des recherches typiquement québécoises ont été ajoutées.

ENTREVUE D'ÉVALUATION. Ces encadrés proposent une série de questions relatives à un problème de santé particulier. Ils guident l'infirmière dans le choix des questions à poser afin de recueillir les données subjectives nécessaires à l'élaboration de l'anamnèse.

PLAN DE SOINS ET DE TRAITEMENTS INFIRMIERS. Ces plans se trouvent dans certains chapitres cliniques et fournissent une collecte des données, des diagnostics infirmiers de NANDA, des résultats escomptés et des interventions infirmières propres à un scénario clinique spécifique. La plupart des plans sont suivis d'exercices d'intégration.

SCHÉMA DU PLAN DE SOINS ET DE TRAITEMENTS INFIRMIERS. Un *Schéma du plan de soins et de traitements infirmiers* suit chaque *Plan de soins et de traitements infirmiers.* Ces schémas représentent le plan de soins et de traitements de la personne en mettant l'accent sur le processus de prise de décision. La présentation visuelle met en lumière les priorités du plan pour les novices.

ALERTE CLINIQUE. Ces alertes mettent en évidence des informations particulièrement importantes pour l'infirmière, notamment en matière de sécurité.

CONSIDÉRATIONS CULTURELLES. Ces encadrés orientés vers la pratique proposent des réponses à la question suivante: «Qu'est-ce que l'infirmière doit faire différemment pour tenir compte des antécédents culturels de la personne qu'elle soigne?». Les considérations culturelles ont été adaptées à la réalité canadienne; c'est ainsi qu'on invite les infirmières à tenir compte, par exemple, des heures d'ensoleillement dans le chapitre sur le sommeil.

RÉVISION DU CHAPITRE. À la fin de chaque chapitre, une section présente une synthèse. Les *Concepts clés* se composent d'un résumé des concepts du chapitre (sous forme de liste à puces). Les étudiantes qui liront ces concepts avant de prendre connaissance du chapitre cibleront mieux leur attention. Cette rubrique est également utile pour réviser rapidement le contenu du chapitre après en avoir terminé la lecture.

QUESTIONS DE RÉVISION. Ces questions permettront aux étudiantes de procéder à une révision rapide sous forme de questions à choix multiple, de faire le point sur leurs connaissances et d'étoffer ce qu'elles auront appris après avoir lu le chapitre. Les réponses se trouvent à l'Appendice B.

BIBLIOGRAPHIE. Une bibliographie en anglais et en français pertinente aux sujets du chapitre peut inciter l'étudiante à rechercher des informations supplémentaires et ainsi à approfondir ses connaissances.

Matériel complémentaire

L'ouvrage est accompagné d'un Compagnon Web accessible à l'adresse www.erpi.com/kozier. L'étudiante y trouvera des questions préparatoires à l'exécution de certains procédés de même que des grilles à utiliser lorsqu'elle s'exerce à l'application de ces procédés. Ces grilles font ressortir les étapes clés de chaque procédé. Le Compagnon Web offre en outre une section réservée aux professeures qui utilisent l'ouvrage dans leur enseignement ; on y présente les réponses à toutes les questions.

L'ouvrage est aussi accompagné d'un aide-mémoire qui sera fort utile à l'étudiante en stage. On y trouve des abréviations qu'elle devra utiliser dans la consignation des notes au dossier, des valeurs normales des signes vitaux et une foule d'autres informations qui l'aideront à mieux interpréter les données qu'elle recueillera auprès de la personne. Cet aide-mémoire rappelle aussi les justifications des actions les plus courantes (se laver les mains, s'assurer que l'intimité de la personne est préservée, etc.). Ainsi, l'aide-mémoire, facile à manipuler et à portée de main, répond clairement à plusieurs questions pertinentes en pratique clinique.

Adaptation française

La version française a été réalisée par une équipe chevronnée de professeures et de cliniciennes du Québec. Toutes ont eu le souci de mettre à jour les notions contenues dans l'édition américaine en adaptant, chaque fois que c'était pertinent, le contenu à la réalité québécoise et ce, toujours en utilisant le vocabulaire le plus précis et actualisé possible. Parmi les très nombreux ajouts, notons qu'on a notamment modifié certains procédés (selon les Principes pour le déplacement sécuritaire des bénéficiaires – chapitre 42) et remplacé certaines photographies par d'autres plus exactes et précises. De nouvelles illustrations ont aussi été ajoutées dans le texte courant, tout comme des tableaux qui résument des informations clés. Un pharmacien a révisé tout ce qui concerne la pharmacologie, et particulièrement le chapitre portant sur l'administration des médicaments (chapitre 39). On a en outre ajouté des appendices afin de rendre l'ouvrage encore plus pratique. Ces appendices portent sur les diagnostics infirmiers, la taxinomie de la CISI/NIC, les abréviations, symboles, préfixes et suffixes courants, et l'outil PUSH (Pressure Ulcer Scale for Healing) pour l'évaluation des plaies de pression.

Remerciements

Un tel travail d'adaptation nécessite la collaboration de nombreuses personnes. Nous tenons d'abord à souligner le travail remarquable fait par les adaptatrices qui ont eu non seulement le souci de mettre à jour les informations américaines mais qui ont de plus fait un travail de recherche impressionnant afin de s'assurer de l'adéquation avec la réalité québécoise.

De nombreux consultants de tous les milieux ont été sollicités, ce qui a permis de confirmer que nous utilisons les plus récents outils élaborés par nos propres collègues ainsi que de vérifier l'application clinique des différents procédés ou autres activités de soins. Évidemment, tous les traducteurs et les réviseurs linguistiques, travaillant dans l'ombre d'une telle production, ont donné le meilleur d'eux-mêmes, allant au-delà du mot ou du verbe, tentant de comprendre la réalité très complexe des sciences infirmières.

Nos plus sincères remerciements vont sans nul doute à toute l'équipe des Éditions du Renouveau Pédagogique, particulièrement à M. Jean-Pierre Albert, vice-président, qui nous a fait confiance et nous a soutenues tout au long de cette aventure, à M. Sylvain Giroux, directeur, développement de produits, pour son engagement, et à Mme Sylvie Chapleau, éditrice, qui, par son exceptionnel sens du professionnalisme, nous a permis de faire plus d'un pas en avant.

Pour terminer, un merci tout spécial à nos conjoints, enfants et familles qui, malgré eux, ont accepté de sacrifier un peu, beaucoup, de leur temps avec nous afin que nous puissions mener à terme, et à bien, cette extraordinaire aventure.

Sophie Longpré
Lyne Cloutier

daptation

Cet ouvrage a été adapté sous
la direction de

Sophie Longpré, inf., M.Sc.
Professeure, Département des sciences
infirmières – Université du Québec
à Trois-Rivières

Lyne Cloutier, inf., M.Sc.
Professeure, Département des sciences
infirmières – Université du Québec
à Trois-Rivières

avec la participation de

Alexandrine Côté, inf., avocate
Gestionnaire d'unités spécialisées
en cardiologie ; Chargée de projet
en interdisciplinarité – Hôpital Charles
Lemoyne, Centre affilié universitaire et
régional de la Montérégie

Michèle Côté, inf., Ph.D.
Professeure, Département des sciences
infirmières ; Directrice, Comité de
programmes de premier cycle en sciences
infirmières – Université du Québec
à Trois-Rivières

Clémence Dallaire, inf., Ph.D.
Professeure agrégée, Faculté des sciences
infirmières – Université Laval

Caroline Longpré, inf., M.Sc.
Enseignante en soins infirmiers –
Cégep régional de Lanaudière à Joliette

Marie-Josée Martel, inf., M.Sc.
Professeure, Département des sciences
infirmières – Université du Québec
à Trois-Rivières

Luc Mathieu, inf., DBA
Professeur adjoint, Département des
sciences infirmières, Faculté de médecine
et des sciences de la santé – Université de
Sherbrooke

Chantal Saint-Pierre, inf., Ph.D.
Directrice, Département des sciences
infirmières ; Directrice, Module des sciences
de la santé – Université du Québec en
Outaouais

Liette St-Pierre, inf., Ph.D.
Professeure, Département des sciences
infirmières – Université du Québec
à Trois-Rivières

et la collaboration de

Hugo Laplante, B. Pharm., M.Sc.
Pharmacien – Hôpital Saint-François
d'Assise – CHUQ

et, pour la réalisation du
Compagnon Web,

Marie Dalbec, B.Sc.inf.

L'équipe d'adaptation et l'éditeur tiennent à remercier les personnes suivantes, qui ont apporté des commentaires utiles sur différentes parties de l'ouvrage.

Jocelyne Aupin
Infirmières premières assistantes
en chirurgie

Nathalie Beaulieu
Cégep de Sainte-Foy

Hélène Bédard
Cégep André-Laurendeau

Manon Bellehumeur
Ordre des infirmières et infirmiers
du Québec

Gisèle Besner
Centre hospitalier de l'Université
de Montréal

Noëlla Bisaillon
Cégep Saint-Jean-sur-Richelieu

Francine Boily
Collège François-Xavier-Garneau

Anne Bourbonnais
Institut gériatrique de Montréal

Josée Bureau
Cégep de Trois-Rivières

Louise Campagna
Hôpital Maisonneuve-Rosemont

Franco Carnevale
Hôpital de Montréal pour enfants du Centre
universitaire de santé McGill

Francine Cloutier
Corporation des infirmières et infirmiers
de salle d'opération du Québec

Françoise Côté
Université Laval

Solange Coulombe
Collège de Bois-de-Boulogne

Josée Courchesne
Collège de Bois-de-Boulogne

Rolande d'Amour
Agence de santé publique du Canada

France Désilet
Cégep André-Laurendeau

Maryse Dumas
Collège Édouard-Montpetit

Marcelle Fleury
Ordre des infirmières et infirmiers
du Québec

Anabelle Fréchette
Hôpital Maisonneuve-Rosemont

Guylaine Germain
Collège Édouard-Montpetit

Françoise Giguère
Cégep de Saint-Jérôme

Lucie Hogue
Association des CLSC et des CHSLD
du Québec

Danièle Laferrière
Collège Montmorency

Martine Laplaca
Cégep de Saint-Jérôme

Céline Laramée
Collège de Maisonneuve

Kathleen Lechasseur
Université Laval

Marthe L'Espérance
Cégep de Chicoutimi

Renée Martin
Collège de Sherbrooke

Jacinthe Naud
Centre hospitalier régional
de Lanaudière

Patricia O'Loulke
Hôpital Royal Victoria

Caroline Paradis
Hôpital Maisonneuve-Rosemont

Jocelyne Paquette
Hôpital Charles LeMoyne

Sylvain Poulin
Cégep de Limoilou

Diane Pronovost
Collège de Shawinigan

Hélène Racine
Centre hospitalier universitaire McGill

Marie-Josée Robitaille
Association pour la santé et la sécurité
du travail secteur affaires sociales

Odette Roy
Hôpital Maisonneuve-Rosemont

Marie Savaria
Hôpital du Haut-Richelieu

André St-Julien
Cégep du Vieux Montréal

Sophie Tessier
Cégep de Trois-Rivières

Esther Therrien
Psychologue spécialisée dans
l'accompagnement des familles vivant
un deuil

Monique Tremblay
CLSC Paul-Gilbert

Catherine Vachon-Michaud
Centre hospitalier Pierre-Le Gardeur

Mélanie Valade
Collège Édouard-Montpetit

Lorraine Vanier
Clinique de la douleur du Centre hospitalier
de l'Université de Montréal

Guide visuel
Soins infirmiers – Théorie et pratique

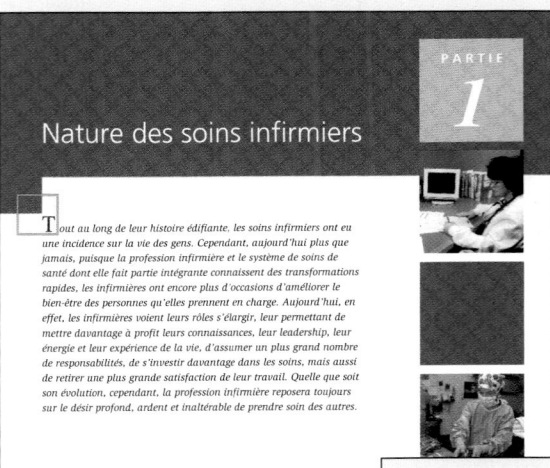

PARTIE

1

Nature des soins infirmiers

Tout au long de leur histoire édifiante, les soins infirmiers ont eu une incidence sur la vie des gens. Cependant, aujourd'hui plus que jamais, puisque la profession infirmière et le système de soins de santé dont elle fait partie intégrante connaissent des transformations rapides, les infirmières ont encore plus d'occasions d'améliorer le bien-être des personnes qu'elles prennent en charge. Aujourd'hui, en effet, les infirmières voient leurs rôles s'élargir, leur permettant de mettre davantage à profit leurs connaissances, leur leadership, leur énergie et leur expérience de la vie, d'assumer un plus grand nombre de responsabilités, de s'investir davantage dans les soins, mais aussi de retirer une plus grande satisfaction de leur travail. Quelle que soit son évolution, cependant, la profession infirmière reposera toujours sur le désir profond, ardent et inaltérable de prendre soin des autres.

CHAPITRES

1. LES SOINS INFIRMIERS D'HIER À AUJOURD'HUI
2. FORMATION ET RECHERCHE INFIRMIÈRES AU QUÉBEC ET DANS LE RESTE DU CANADA
3. PENSÉE PHILOSOPHIQUE ET SOINS INFIRMIERS
4. CADRE JURIDIQUE DE LA PROFESSION INFIRMIÈRE
5. VALEURS, MORALE ET ÉTHIQUE

Objectifs d'apprentissage
Points les plus importants que l'étudiante devrait comprendre après avoir étudié le chapitre.

Mots clés
Termes relatifs aux notions fondamentales du chapitre, qui apparaissent en caractères gras à la page indiquée.

MOTS CLÉS

Angiographie, 1113
Anuscopie, 1112
Ascite, 1115
Biochimie sanguine, 1099
Biopsie, 1114
Canule, 1115
Coloscopie, 1112
Créatinine, 1097
Cystoscope, 1113
Cystoscopie, 1113
Densité urinaire, 1109
Échocardiographie, 1113
Échographie, 1113
Électrocardiogramme (ECG), 1113
Électrocardiographie, 1113
Épreuve d'effort (ECG à l'effort), 1113
Expectoration, 1110
Formule sanguine complète (FSC ou hémogramme), 1097
Gaz sanguins artériels, 1099
Hématocrite, 1097
Hémoglobine, 1097
Hémoglobine A$_{1c}$, 1099
Hémoptysie, 1111
Imagerie par résonance magnétique (IRM), 1113
Indices globulaires, 1097
Leucocytes (globules blancs), 1097
Manomètre, 1114
Niveau maximal, 1099
Niveau minimal, 1099
Osmolalité sérique, 1099
Osmolalité urinaire, 1110
Paracentèse abdominale, 1115
Polyglobulie, 1097
Ponction, 1114
Ponction lombaire, 1114
Ponction veineuse, 1097
Prélèvement des urines d'une période déterminée, 1105
Prélèvement par mi-jet (ou prélèvement stérile), 1105
Prélèvement par miction spontanée (ou au hasard), 1105
Radiopharmaceutique, 1114
Réactif, 1109
Rectoscopie, 1112
Rectosigmoïdoscopie, 1112
Reins, uretères et vessie, 1112
Salive, 1110
Sang occulte, 1102
Scintigraphie pulmonaire, 1113

Étapes des examens paracliniques

Les examens paracliniques comprennent trois étapes : avant l'examen, pendant l'examen et après l'examen.

Avant l'examen

La préparation de la personne représente l'aspect le plus important de cette étape. Une bonne évaluation et une collecte des données approfondie (données biologiques, sociologiques, culturelles et spirituelles, par exemple) aident l'infirmière à établir ses stratégies de communication et d'enseignement. Ainsi, avant de soumettre une femme en âge de procréer à un examen radiologique, il est important de lui demander s'il se peut qu'elle soit enceinte. Il faudra alors prendre des précautions particulières ou reporter l'examen si nécessaire.

L'infirmière doit aussi savoir quel matériel et quelles fournitures requiert l'examen lui-même. Elle peut se poser les questions suivantes : Quel genre d'échantillon faudra-t-il prélever et de quelle manière le sera-t-il ? La personne devra-t-elle être à jeun avant l'examen ? Si oui, depuis combien de temps ? L'examen exige-t-il l'administration d'une substance de contraste et, si c'est le cas, sera-t-elle injectée ou avalée ? Faut-il demander à la personne de ne pas boire de liquides ou, au contraire, doit-elle en absorber ? Doit-elle prendre ses médicaments ou non ? Quelle est la durée de l'examen ? Doit-elle signer un formulaire de consentement ? Répondre à ces questions permet d'éviter des erreurs coûteuses et certains désagréments pour toutes les personnes en cause. La plupart des établissements de soins mettent à la disposition de l'équipe soignante des renseignements pertinents sur les différents examens paracliniques. Le laboratoire et l'établissement de soins peuvent aussi fournir de l'information supplémentaire.

ENSEIGNEMENT

Préparation aux examens paracliniques

- Expliquer à la personne et à sa famille ce qu'elle doit faire et ne pas faire (par exemple, quand et quoi boire ou manger, le nombre d'heures durant lesquelles elle doit être à jeun).
- Expliquer à la personne comment elle se sentira au cours de l'examen (sensation de chaleur après l'injection d'une substance de contraste, par exemple).
- Demander à la personne si une description du matériel utilisé l'aiderait à se préparer à l'examen.
- Encourager la personne à poser des questions et à exprimer ses peurs et ses inquiétudes. Découvrir ce que d'autres personnes ont pu lui dire sur l'examen qu'elle doit subir.
- Dire à la personne dans combien de temps les résultats seront disponibles.
- Inscrire au dossier de la personne ce qui lui a été enseigné ainsi que ses réponses. S'il y a lieu, inscrire les titres de la documentation ou du matériel audiovisuel utilisés.

Sources : *A Manual of Laboratory & Diagnostic Tests*, 6e éd., de F. Fischbach, 2000, Philadelphie : Lippincott ; *Nurse's Quick Reference to Common Laboratory and Diagnostic Tests*, 3e éd., de F. Fischbach, 2002, Philadelphie : Lippincott.

Pendant l'examen

Au cours de l'examen, il s'agit principalement de prélever des échantillons et d'effectuer certains examens paracliniques ou d'aider à les faire. L'infirmière respecte les précautions habituelles et fait appel aux techniques stériles appropriées. Pendant l'intervention, elle fournit à la personne un soutien psychologique et physique, tout en assurant une surveillance appropriée (signes vitaux, saturation en O$_2$, ECG). Elle s'assure aussi que les échantillons sont étiquetés, entreposés et transportés correctement, car des erreurs ou des retards risquent de fausser les résultats des examens.

Après l'examen

Cette étape est marquée par des activités de suivi et d'observation. Au besoin, l'infirmière compare les résultats des examens précédents et actuels, et elle adapte les interventions infirmières. De plus, elle transmet les résultats aux membres de l'équipe soignante concernés.

OBJECTIFS D'APPRENTISSAGE

Après avoir étudié ce chapitre, vous pourrez :

- Décrire sommairement la structure et le fonctionnement du système respiratoire.
- Décrire les processus de ventilation (inspiration et expiration) et de respiration (échanges gazeux).
- Expliquer le rôle et la fonction du système respiratoire dans le transport de l'oxygène vers les tissus de l'organisme et du gaz carbonique provenant de ceux-ci.
- Nommer les facteurs qui influent sur la fonction respiratoire.
- Nommer des manifestations courantes d'une perturbation de la fonction respiratoire.
- Nommer et décrire des interventions infirmières qui visent à stimuler la fonction respiratoire et l'oxygénation.
- Expliquer l'emploi de mesures thérapeutiques visant à améliorer la fonction respiratoire, telles que la médication, l'inhalothérapie, l'oxygénothérapie, l'utilisation d'une canule oropharyngée ou nasopharyngée, la trachéostomie, l'aspiration des sécrétions, la percussion et le drainage postural.
- Énoncer des critères pour évaluer la réaction d'une personne aux mesures visant à assurer une oxygénation adéquate.

OXYGÉNATION

Gaz incolore et inodore, l'oxygène constitue environ 21 % de l'air que nous respirons et est essentiel à toutes les cellules vivantes : son absence entraîne la mort. Bien que toutes les fonctions organiques influent sur la distribution d'oxygène aux tissus, c'est la fonction respiratoire qui intervient le plus directement dans ce processus. La perturbation de celle-ci peut altérer la capacité de bien respirer, la qualité des échanges gazeux et la participation de la personne aux activités de la vie quotidienne.

Processus par lequel se font les échanges gazeux entre la personne et son environnement, la **respiration** comprend deux composantes :

1. La ventilation pulmonaire, à savoir le mouvement de l'air entre l'atmosphère et les alvéoles pulmonaires.
2. La diffusion de l'oxygène et du gaz carbonique entre les alvéoles et les capillaires pulmonaires.

PARTIE 10
Promotion de la santé physiologique

CHAPITRE **48**

Adaptation française :
Sophie Longpré, inf., M.Sc.
Professeure, Département des sciences infirmières
Université du Québec à Trois-Rivières

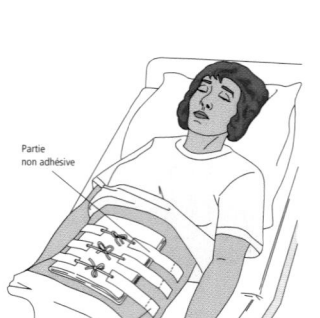

Partie
non adhésive

recherche a montré que certains nouveaux matériaux utilisés dans la fabrication des pansements sont préférables aux compresses (Ovington, 2001b). Voir l'encadré *Conseils pratiques – Questions relatives à l'utilisation de pansements humides*.

CONSEILS PRATIQUES

Questions relatives à l'utilisation de pansements humides

- Afin que la compresse reste humide, changez-la fréquemment ou réhumidifiez-la en versant régulièrement de la solution saline. Si vous la laissez sécher et qu'elle adhère à la surface des tissus, vous provoquerez une douleur chez la personne et vous romprez le tissu cicatriciel en la retirant.
- Afin de bien se cicatriser, une plaie a besoin de chaleur et d'humidité. L'évaporation de la solution saline provoque le refroidissement, la vasoconstriction et la déshydratation de la plaie.

Conseils pratiques

Recommandations sur les choses à faire et à ne pas faire auprès des personnes soignées.

Enseignement

Résumés des éléments les plus importants de l'enseignement à la personne soignée et aux proches aidants.

ENSEIGNEMENT

Promotion d'une bonne respiration

- Tenez-vous droit lorsque vous êtes assis ou debout, afin de permettre une dilatation maximale des poumons.
- Faites régulièrement de l'exercice.
- Respirez par le nez.
- Inspirez de manière à permettre une expansion maximale de la cage thoracique.
- Abstenez-vous de fumer la cigarette, le cigare ou la pipe.
- Renoncez à l'emploi de pesticides et de produits d'entretien domestique irritants, ou réduisez-en l'utilisation.

- Ne faites pas brûler de déchets dans la maison.
- Évitez l'exposition à la fumée secondaire.
- Utilisez des matériaux de construction qui ne libèrent pas de vapeurs.
- Assurez-vous, s'il y a lieu, que la fournaise, le four et le poêle à bois sont adéquatement ventilés.
- Militez en faveur d'un environnement sain.

s'assoient fréquemment sur le lit et se penchent au-dessus de la table de lit (placée à une hauteur appropriée) en utilisant habituellement un oreiller comme support. Cette position orthopnéique constitue une variante de la position de Fowler haute. Elle présente un avantage supplémentaire du fait que les organes abdominaux n'exercent pas [...] duit dans la pos[...] orthopnéique, [...] thorax contre la [...]

de les examiner pour noter leurs caractéristiques ni d'obtenir un prélèvement pour l'analyse. Les expectorations peuvent être décrites selon plusieurs caractéristiques, telles que la couleur, l'aspect, la consistance et la quantité (voir le tableau 48-4).

Respirat[...]

L'infirmière peu[...] en l'incitant à f[...] manière à élimi[...] suffisamment [...] **expectorer** (c'e[...] des sécrétions [...]

RÉSULTATS DE RECHERCHE

Les crises de dyspnée à domicile : l'expérience de couples

Le but de cette étude consistait à déterminer comment les couples vivent l'expérience d'une crise de dyspnée. Pour qu'un couple soit sélectionné, l'homme devait avoir fait l'objet d'un diagnostic de bronchopneumopathie chronique obstructive et avoir expérimenté une crise de dyspnée au cours de la dernière année. À l'aide de deux entrevues semi-structurées, le conjoint et la conjointe décrivaient l'expérience de la crise de dyspnée. Trois grands thèmes ont émergé de l'analyse de contenu des entrevues : la mort d'un des conjoints est imminente et terrifiante ; l'échec des efforts personnels et des traitements ou, au contraire, le désir de relever à nouveau le défi avec les professionnels de la santé ; la transformation de la vie de couple par suite de cet épisode. À ces trois thèmes se rattachent une série de sous-thèmes, desquels on peut tirer des conclusions et proposer des interventions infirmières spécifiques.

Implications : Voici les recommandations que cette étude propose à la pratique infirmière : les programmes d'enseignement devraient inclure les conjoints afin d'accroître leur confiance et leur capacité à gérer la crise ; l'infirmière devrait sensibiliser ceux-ci aux signes précurseurs d'une crise ; elle devrait porter une plus grande attention aux pensées et aux sentiments des couples concernant la répétition des crises ; finalement, elle devrait promouvoir le respect de la perception de la personne quant à sa qualité de vie.

Source : « Les crises de dyspnée à domicile : l'expérience de couples », de L. Gagné, J. Pépin et C. Michaud, 2000, *L'infirmière du Québec*, vol. 7, n° 6, p. 20-30.

Résultats de recherche

Résumés de recherche en soins infirmiers qui mettent l'accent sur la pratique fondée sur des données probantes et sa pertinence pour l'infirmière novice.

Considérations culturelles

Encadrés précisant comment l'infirmière peut modifier les soins qu'elle prodigue en fonction du milieu culturel de la personne.

CONSIDÉRATIONS CULTURELLES

Douleur

L'infirmière est en position de pouvoir lorsqu'elle a à décider de croire ou non à la description subjective que la personne fait de sa douleur. Par conséquent, il est important qu'elle établisse une relation efficace et constructive avec cette personne souffrante. Pour ce faire, l'infirmière doit adopter les comportements suivants :

- Respecter l'individualité de la personne :
  - En admettant qu'elle peut avoir des croyances différentes en matière de douleur.
  - En s'informant de ses croyances et de ses moyens de soulager la douleur.
- Respecter la réaction de la personne à la douleur :
  - En lui reconnaissant le droit de manifester face à la douleur la réaction qu'elle a apprise dans sa culture.
  - En gardant à l'esprit que les manières d'exprimer la douleur varient considérablement et qu'aucune n'est bonne ou mauvaise.

EXPÉRIENCES PASSÉES

Les expériences de douleur passées modifient la sensibilité d'une personne à la douleur. Souvent, les gens qui ont déjà éprouvé de la douleur ou qui ont été témoins de celle d'un proche redoutent davantage la douleur anticipée que les gens qui n'ont jamais souffert. En outre, l'efficacité ou l'échec des mesures de soulagement de la douleur expérimentées par le passé influent sur les attentes reliées à l'analgésie. Par exemple, une personne qui a tenté en vain diverses mesures de soulagement peut accueillir avec pessimisme les interventions infirmières.

SENS DE LA DOULEUR

Certaines personnes acceptent la douleur mieux que les autres, selon les circonstances et l'interprétation qu'elles lui donnent. Une personne qui associe la douleur à une issue positive peut manifester une tolérance étonnante. Ainsi, une femme qui donne naissance à un enfant ou un athlète qui subit une intervention chirurgicale pour prolonger sa carrière supportent bien la douleur en raison des bénéfices qui lui sont associés. Ces personnes [...] passager et non [...] vie quotidienne. [...] une souffrance [...] peuvent y réagir [...] elles ne lui trou[...] voir la douleur [...] à leur mode de [...]nte.

Cheminement clinique

Plans de soins en collaboration portant sur certains diagnostics ; les soins d'urgence ; les interventions chirurgicales. Définissent la collecte des données, les interventions, les traitements et les résultats escomptés qu'on désire atteindre en une période prédéterminée.

CHEMINEMENT CLINIQUE

Traitement des plaies

COLLECTE DES DONNÉES

Jean Alary est un ouvrier du bâtiment âgé de 42 ans. Il s'est blessé au travail lorsqu'il a été heurté par une brouette pleine de ciment et propulsé en bas d'un échafaudage d'une hauteur de 2 m. Il a souffert de plusieurs ecchymoses et d'une lacération de 9 m sur la face antérieure de la jambe gauche. Sur le lieu de l'accident, les ambulanciers ont couvert la lacération d'un pansement de compression stérile. Avant l'irrigation et le nettoyage de la plaie avec du peroxyde et du soluté physiologique, on avait trouvé des particules de ciment et des saletés. Sa plaie a été suturée à l'aide d'un fil de soie et il a obtenu son congé. M. Alary doit se présenter au service de consultation externe dans 10 jours

pour faire retirer ses points de suture. Il a demandé à l'infirmière s'il pouvait appliquer une crème à l'aloès sur la plaie et boire une tisane que prépare sa femme.

EXAMEN PHYSIQUE

Taille : 1,78 m (5 pi 10 po)
Poids : 72,6 kg (160 lb)
Température : 37 °C
Pouls : 88 bpm
Fréquence respiratoire : 24/min
Pression artérielle : 136/90 mm Hg

DURÉE PRÉVUE DU TRAITEMENT : de 7 à 10 jours

Résultats escomptés	La personne exprime sa compréhension de ce qu'on lui enseigne, notamment des soins à apporter à la plaie, des signes et des symptômes à signaler, ainsi que du suivi à assurer.	Au moment de l'enlèvement des points de suture : • La personne est afébrile. • Elle a une plaie sèche et propre dont les lèvres sont bien fermées ; cicatrisation par première intention.
	Date Consultation externe	Date Activités quotidiennes de la personne pendant 10 jours
Connaissances insuffisantes	Fournir des directives simples et brèves au sujet de la plaie et du traitement. Inciter la personne à poser des questions et à demander de l'aide.	Observer les indications écrites sur les soins à apporter à une plaie et sur le changement du pansement. Téléphoner à l'infirmière pour toute question ou problème et revenir à la clinique dans 10 jours.

Plan de soins et de traitements infirmiers

Ces plans aident l'étudiante à aborder les soins et les traitements sous l'angle de la démarche systématique dans la pratique infirmière. Ils sont suivis d'exercices d'intégration qui permettent l'application des connaissances.

PLAN DE SOINS ET DE TRAITEMENTS INFIRMIERS

Troubles de la perception sensorielle

COLLECTE DES DONNÉES		*DIAGNOSTIC INFIRMIER*	RÉSULTATS DE SOINS INFIRMIERS [Nº CRSI/NOC] ET INDICATEURS*
Anamnèse Julie Berger, une veuve âgée de 80 ans, vient d'emménager dans un établissement de soins prolongés après avoir été opérée pour une cataracte. Elle éprouve depuis peu certaines difficultés d'audition. Inquiets de sa sécurité physique et de son manque de contacts sociaux, ses enfants l'ont incitée à quitter sa maison. Auparavant, Mᵐᵉ Berger a	**Examen physique** Taille : 1,60 m (5 pi 3 po) Poids : 55,3 kg (122 lb) Température : 37 ºC Pouls : 72 bpm Respirations : 18/minute Pression artérielle : 128/74 mm Hg Épreuve de Rinne : négative	*Trouble de la perception sensorielle (surcharge sensorielle), relié au changement de cadre de vie et au déficit auditif, comme en témoignent la désorientation par rapport au temps, aux lieux et aux personnes, l'agitation et les perturbations du comportement.*	Orientation [0901]. Indicateurs constamment démontrés : • S'identifie soi-même. • Reconnaît les personnes clés. • Reconnaît les endroits habituels. • Identifie correctement le jour, le mois, l'année, la saison.

Schéma du plan de soins et de traitements infirmiers

Faisant suite au plan de soins et de traitements infirmiers, ces schémas en constituent une représentation visuelle qui reprend le processus de prise de décision clinique.

SCHÉMA DU PLAN DE SOINS ET DE TRAITEMENTS INFIRMIERS

Troubles de la perception sensorielle

J. B. 80 ans, ♀, veuve

• À vécu seule dans sa maison de manière autonome pendant 15 ans.
• Vient d'être opérée pour une cataracte.
• Éprouve certaines difficultés d'audition.
• Enfants inquiets pour sa sécurité physique et son manque de contacts sociaux ; l'ont incitée à quitter sa maison.
• Est hospitalisée à l'unité de soins prolongés depuis trois jours.
• Présente des signes de confusion.

• Désorientée par rapport aux personnes, au temps et aux lieux.
• Agitée.
• Repliée sur elle-même.
• Ses phrases manquent de logique.
• « J'ai peur des étranges créatures qui vivent dans cet orphelinat », a-t-elle dit.
• Signes vitaux dans les limites normales.
• Radiographie des poumons, hémogramme, analyse d'urine : rien à signaler.

Trouble de la perception sensorielle (surcharge sensorielle), relié au changement de cadre de vie et au déficit auditif

Orientation. Indicateurs constamment démontrés :
• s'identifie elle-même, reconnaît les personnes clés, s'oriente correctement dans les endroits habituels, identifie le jour, le mois, l'année, la saison.
Comportements visant à compenser un déficit auditif. Indicateurs souvent démontrés :
• La personne adopte des postures qui favorisent l'audition.
• informe son entourage des techniques qui favorisent son audition.
• élimine les bruits ambiants.
• utilise un appareil auditif ou autres auxiliaires sensoriels.

Amélioration de la communication : déficience auditive

[...] réalité | S'adresser à la personne sur un ton clair, lent et au volume adéquat.

Aider la personne à utiliser des auxiliaires auditifs.

Toucher la personne afin d'obtenir son attention.

Créer un environnement comportant peu de stimuli pour une personne dont la désorientation augmente avec la stimulation.

Écouter attentivement la personne.

Utiliser des mots simples et des phrases courtes.

Encourager la personne dans des activités concrètes, qui se concentrent sur un élément en dehors de soi, concret et orienté par rapport à la réalité.

Les résultats escomptés ont été obtenus. La personne :
• Reconnaît l'infirmière à son nom.
• Sait que Noël arrive dans trois semaines.
• Est impatiente d'aller faire les emplettes avec son groupe.
• Se lave et fait son lit.
• Utilise son appareil auditif toute la journée.

[...] des périodes [...]antes de repos [...] de sommeil [...]rant le jour.

Diagnostic infirmier ☐   Résultats escomptés ☐   Interventions infirmières ▓   Activités ▓   Évaluation ▓

Évaluation pour les soins à domicile

Éléments de la collecte des données qui guideront les soins infirmiers à domicile.

ÉVALUATION POUR LES SOINS À DOMICILE

Oxygénation

PERSONNE
• Capacités en matière de soins personnels : capacité de se déplacer et d'effectuer sans aide les activités de la vie quotidienne.
• Exercice et activité : nature et fréquence de l'exercice physique ; perception de l'énergie nécessaire pour pratiquer les activités de loisirs par opposition à l'énergie qu'il faut réellement.
• Aides techniques requises : oxygène d'appoint ; humidificateur ; nébuliseur ou inhalateur ; déambulateur, canne ou fauteuil roulant ; barres d'appui, chaise de douche ou tout autre dispositif visant à améliorer la sécurité et à réduire au minimum la dépense d'énergie ; pèse-personne pour vérifier régulièrement le poids.
• Facteurs nuisant au dégagement des voies respiratoires ou aux échanges gazeux, ou réduisant la tolérance à l'activité : polluants à l'intérieur du domicile, comme la fumée de cigarette, la poussière et les allergènes, dus notamment à la présence d'animaux ; taux d'humidité de l'air trop faible ; obstacles tels que les escaliers.
• Niveau actuel des connaissances : nécessité d'éviter la consommation de tabac et d'éliminer les autres polluants en général ; réduction de la teneur en sel des aliments et application d'autres restrictions alimentaires s'il y a lieu ; activités recommandées ; médication ; nécessité de réduire au minimum les risques d'infection pulmonaire ; utilisation du nébuliseur, de l'inhalateur ou du matériel dispensateur d'oxygène prescrit ; niveau d'activité.

FAMILLE ET AIDANTS NATURELS
• Disponibilité, habiletés et réactions de l'aidant naturel : capacité et volonté de fournir les soins requis (préparation des repas ; aide pour les activités de la vie quotidienne, pour le transport et les emplettes, pour les soins et les traitements tels les percussions et le drainage postural).
• Modifications des rôles au sein de la famille et capacité d'adaptation : effets sur la situation financière, l'exercice du rôle de parent et de conjoint, la sexualité, le rôle social.
• Substituts potentiels du principal aidant naturel ou soins de relève : un autre membre de la famille ou un bénévole, par exemple ; soignant ou service d'aide ménagère rétribués ; service de relève communautaire (un centre de jour pour adultes ou pour personnes âgées, par exemple).

COMMUNAUTÉ
• Environnement : température et humidité ambiantes habituelles ; présence de polluants atmosphériques comme les gaz d'échappement des voitures ; fumée et polluants industriels ; fumée provenant de la combustion de champs de culture.
• Connaissances actuelles et expérience relatives aux ressources communautaires : équipement médical, accessoires fonctionnels et fournisseurs ; services d'inhalothérapie et de physiothérapie ; organismes de soins à domicile ; pharmacies de quartier ; possibilités d'aide financière ; organismes de soutien et d'éducation tels une association pulmonaire locale ou un groupe d'entraide pour personnes atteintes de BPCO.

Entrevue d'évaluation

Encadrés présentant le type et l'éventail de questions pertinentes dans des cas précis de collecte des données.

[...]me facteur influant sur le transport de l'oxygène a [...]re d'**érythrocytes** (ou globules rouges) et à l'**héma-** [...]matocrite est le pourcentage du volume sanguin [...]upent les érythrocytes. Chez les hommes, le taux [...]ythrocytes circulant dans le sang s'élève normale-[...] à environ 5×10^{12}/L, tandis qu'il est approximativement de $4,5 \times 10^{12}$/L chez les femmes. Habituellement, l'hématocrite se situe entre 40 et 54 % chez les hommes, et entre 37 et 48 % chez les femmes. Un accroissement excessif de l'hématocrite entraîne une augmentation de la viscosité du sang, ce qui ralentit le débit cardiaque et, par conséquent, le transport d'oxygène. Une diminution excessive de l'hématocrite, comme celle qu'on observe dans les cas d'anémie, réduit également le transport d'oxygène.

L'exercice influe aussi directement sur le transport d'oxygène. Chez les athlètes qui s'entraînent intensivement, le transport d'oxygène atteint jusqu'à 20 fois le taux normal, ce qui s'explique en partie par l'augmentation du débit cardiaque et de la quantité d'oxygène qu'utilisent les cellules.

[...]roduit continuellement le processus [...] passe des cellules aux poumons sous

la ventilation. Des variations des trois gaz sanguins (oxygène, gaz carbonique et hydrogène) susceptibles de déclencher l'action des chimiorécepteurs, c'est normalement l'accroissement de la concentration de gaz carbonique qui stimule le plus la respiration. Toutefois, chez les personnes atteintes de certaines insuffisances respiratoires chroniques, comme l'**emphysème**, la concentration d'oxygène, et non celle de gaz carbonique, joue le rôle le plus important dans la régulation de la respiration. Pour ces personnes, la réduction de la concentration d'oxygène constitue le facteur qui stimule le plus fortement la respiration. On appelle parfois ce phénomène « pulsion hypoxique ». Chez ces personnes, si la concentration d'oxygène dans le sang augmente, la fréquence respiratoire diminue. C'est pourquoi on ne leur donne de l'oxygène d'appoint qu'en faible concentration.

▶ **ALERTE CLINIQUE** *L'administration d'oxygène d'appoint à une personne souffrant d'une bronchopneumopathie chronique obstructive risque en fait de causer un arrêt de la respiration.* ■

ENTREVUE D'ÉVALUATION

Oxygénation

PROBLÈMES RESPIRATOIRES ACTUELS
• Avez-vous remarqué quelque changement que ce soit dans votre respiration (par exemple, de l'essoufflement, de la difficulté à respirer, le besoin d'être en position assise ou debout pour respirer, ou une respiration rapide et superficielle) ?
• Si vous avez noté des changements, quelles activités provoquent les symptômes ?
• Combien d'oreillers utilisez-vous pour dormir ?

ANTÉCÉDENTS D'AFFECTIONS RESPIRATOIRES
• Avez-vous souffert de rhumes, d'allergies, d'asthme, de tuberculose, de bronchite, de pneumonie ou d'emphysème ?
• À quelle fréquence avez-vous souffert de ces affections ? Combien de temps ont-elles duré ? Comment ont-elles été traitées ?
• Avez-vous été exposé à un polluant quelconque ?

MODE DE VIE
• Fumez-vous ? Si oui, en quelle quantité ? Sinon, avez-vous déjà fumé et quand avez-vous cessé ?

DESCRIPTION DES EXPECTORATIONS
• Quand crachez-vous ?
• Quelle est la quantité, la couleur, la consistance et l'odeur des crachats ?
• Du sang est-il parfois mêlé aux crachats ?

PRÉSENCE DE DOULEUR THORACIQUE
• Ressentez-vous de la douleur quand vous respirez ou que vous faites une activité physique ?
• À quel endroit ressentez-vous de la douleur ?
• Décrivez la douleur. Que ressentez-vous ?
• Avez-vous mal lorsque vous inspirez ou expirez ?
• Combien de temps la douleur dure-t-elle et de quelle façon agit-elle sur votre respiration ?
• Éprouvez-vous d'autres symptômes lorsque la douleur est présente (par exemple, de la nausée, de l'essoufflement, de la difficulté à respirer, des étourdissements ou des palpitations) ?
• Après quelles activités ressentez-vous de la douleur ?
• Que faites-vous pour soulager la douleur ?

Alerte clinique

Informations importantes, relatives notamment à la sécurité. On les a détachées du texte afin de les mettre en évidence.

Diagnostics infirmiers, résultats de soins infirmiers et interventions

Guides pour l'établissement des diagnostics infirmiers, des résultats de soins infirmiers et des interventions. Ils présentent une collecte des données ainsi que la CRSI/NOC et la CISI/NIC associées aux diagnostics infirmiers dont on traite dans le chapitre.

DIAGNOSTICS INFIRMIERS, RÉSULTATS DE SOINS INFIRMIERS ET INTERVENTIONS

Douleur

COLLECTE DES DONNÉES	DIAGNOSTICS INFIRMIERS: DÉFINITION	EXEMPLES DE RÉSULTATS DE SOINS INFIRMIERS [Nº CRSI/NOC]: DÉFINITION	INDICATEURS	INTERVENTIONS CHOISIES [Nº CISI/NIC]: DÉFINITION	EXEMPLES D'ACTIVITÉS CISI/NIC
Marie-Louise Audette, âgée de 75 ans, a fait une chute et s'est fracturé la hanche droite. Elle a subi hier une intervention chirurgicale visant à réduire la fracture. Elle évalue la douleur ressentie au siège de l'opération à 6 sur une	*Douleur aiguë : Expérience sensorielle et émotionnelle désagréable, associée à une lésion tissulaire réelle ou potentielle, ou décrite dans des termes évoquant une telle lésion (Association*	Contrôle de la douleur [1605]: *Actions personnelles mises en place afin de contrôler la douleur.*	Souvent démontrés. • Identifie les facteurs favorisants. • Utilise des analgésiques à bon escient. • Signale les symptômes à un profes-	Administration d'analgésiques [2210]: *Utilisation d'agents pharmacologiques pour réduire ou éliminer la douleur.*	• Déterminer la localisation de la douleur, ses caractéristiques, son type et son intensité avant d'administrer un médicament. • Conseiller à la personne de faire la demande de l'analgésique si besoin avant que la douleur ne devienne trop intense. • Assurer le bien-être de la personne, lui faire pratiquer des activités de relaxation, pour favoriser l'action de

Procédé

Description détaillée des techniques que l'étudiante devra utiliser auprès des personnes qu'elle soigne. Exposées selon la démarche systématique, les étapes des procédés sont accompagnées de justifications en caractères italiques de couleur.

PROCÉDÉ 48-1

Administration d'oxygène au moyen de lunettes nasales, d'un masque facial ou d'une tente faciale

Avant d'administrer de l'oxygène, vérifier : (a) quelle est l'ordonnance d'oxygène, notamment quel dispositif et quel débit ou concentration d'oxygène (en litres par minute) il faut utiliser ; (b) la teneur en oxygène (PO$_2$) et en gaz carbonique (PaCO$_2$) du sang artériel de la personne (la PaO$_2$ se situe normalement entre 80 et 100 mm Hg, et la PaCO$_2$ entre 35 et 45 mm Hg) ; (c) si la personne souffre de BPCO.

Objectifs

Lunettes nasales

■ Administrer de l'oxygène en concentration relativement faible, lorsqu'un apport minimal en oxygène est requis.

■ Permettre l'administration continue d'oxygène pendant que la personne boit ou mange.

Masque facial

■ Fournir un apport modéré d'oxygène ; la concentration d'oxygène et la teneur en vapeur d'eau que fournit un masque facial sont plus élevées que celles de lunettes nasales.

Tente faciale

■ Procurer une teneur en vapeur d'eau élevée.
■ Administrer de l'oxygène lorsque la personne supporte mal un masque.
■ Administrer de l'oxygène à un débit élevé lorsque le dispositif est relié à un système de type Venturi.

COLLECTE DES DONNÉES

Voir le procédé 34-11 : Examen du thorax et des poumons, à la page 877.

Évaluez

■ La couleur de la peau et des membranes : notez s'il y a lieu la présence de cyanose.

■ La présence de signes cliniques d'intoxication par l'oxygène : irritation de la trachée, toux, dyspnée et réduction de la ventilation pulmonaire.

Déterminez

■ Les signes vitaux, en particulier le pouls et la qualité de celui-ci, de même que la fréquence, le rythme et l'amplitude

Les âges de la vie

Particularités de l'application d'un procédé ou d'une activité de soins en fonction de l'âge de la personne soignée.

LES ÂGES DE LA VIE

Développement du système respiratoire

NOUVEAU-NÉS ET NOURRISSONS
■ La fréquence respiratoire atteint sa valeur maximale chez les nouveau-nés, chez qui elle est très variable : elle se situe entre 40 et 80 respirations par minute.
■ Chez les nourrissons, la fréquence respiratoire est en moyenne d'environ 30 respirations par minute.
■ À cause de la structure de leur cage thoracique, les nourrissons pratiquent presque uniquement la respiration diaphragmatique, aussi appelée « respiration abdominale », car l'abdomen se soulève et s'abaisse à chaque respiration.

ENFANTS
■ La fréquence respiratoire diminue graduellement, de sorte qu'elle est en moyenne d'environ 25 respirations par minute chez les enfants d'âge préscolaire, et de 12 à 18 respirations par minute à la fin de l'adolescence, ce qui est aussi la fréquence chez les adultes.
■ Les infections du système respiratoire supérieur sont fréquentes chez les nouveau-nés, les nourrissons et les enfants. Le risque d'obstruction des voies aériennes par un corps étranger, comme une pièce de monnaie ou un petit jouet, est également élevé chez les nourrissons et les enfants d'âge préscolaire. La fibrose kystique du pancréas est une affection héréditaire touchant les poumons, qu'un mucus épais et tenace (qui ne s'écoule pas facilement) obstrue éventuellement. L'asthme est aussi une affection chronique qui apparaît souvent durant l'enfance. Chez un enfant asthmatique, divers stimuli, tels les allergènes, l'exercice et l'air froid, provoquent une réaction des voies aériennes, qui se contractent, deviennent œdémateuses et sécrètent une quantité excessive de mucus. La circulation de l'air s'en trouve ralentie, et la respiration de l'enfant peut devenir sifflante parce que l'air se déplace dans des voies rétrécies.

PERSONNES ÂGÉES
■ Le risque d'affections respiratoires aiguës, comme la pneumonie, ou chroniques, comme l'emphysème pulmonaire et la bronchite chronique, est plus élevé chez les personnes âgées. Celles-ci sont aussi susceptibles de souffrir de bronchopneumopathie chronique obstructive (BPCO), surtout si elles ont été exposées à la fumée de cigarette ou à des polluants industriels pendant plusieurs années.
■ La pneumonie ne présente pas nécessairement le symptôme habituel de la fièvre ; elle présente plutôt des symptômes atypiques, tels la confusion, la faiblesse, un manque d'appétit et une augmentation des fréquences cardiaque et respiratoire.
■ Les interventions de l'infirmière devraient viser à optimiser l'effort respiratoire et les échanges gazeux. Ainsi, l'infirmière devrait :
• Inciter au bien-être et à la prévention des affections en insistant sur la nécessité de bien s'alimenter, de faire de l'exercice et de se faire vacciner, notamment contre la grippe (influenza) et la pneumonie.
• Inciter la personne à ingérer une plus grande quantité de liquide, à moins que ce ne soit contre-indiqué en raison d'un autre problème de santé, comme une insuffisance cardiaque ou rénale.
• Inviter la personne à adopter une posture appropriée et à changer fréquemment de position, ce qui facilite la dilatation des poumons, de même que le mouvement de l'air et des liquides.
• Enseigner à la personne des exercices de respiration de manière à améliorer les échanges d'air (voir les encadrés *Enseignement* insérés dans le présent chapitre).
• Espacer ou regrouper les activités de la personne de manière à ne pas l'épuiser.
• Inciter la personne à prendre de petits repas, quitte à en prendre plus souvent, afin de réduire la distension gastrique, qui risque d'accroître la pression qui s'exerce sur le diaphragme.
• Enseigner à la personne à éviter les températures très froides ou très chaudes, qui exigent un effort accru du système respiratoire.
• Informer la personne de l'action et des effets secondaires des médicaments, y compris ceux qui sont administrés par inhalation, et des traitements.

pas stériles, il est recommandé d'appliquer une technique stérile à toute intervention d'aspiration, pour ne pas introduire d'agents pathogènes dans les voies respiratoires.

Il existe des cathéters d'aspiration à extrémité distale ouverte et des cathéters à extrémité distale biseautée (figure 48-31 ■). Les seconds irritent moins les tissus respiratoires, mais les premiers sont plus efficaces pour éliminer les bouchons de mucus épais. On utilise un cathéter d'aspiration buccale, ou dispositif de Yankauer, pour aspirer les sécrétions de la cavité buccale (figure 48-32 ■). La majorité des cathéters d'aspiration sont munis d'un orifice qui permet de régler l'aspiration et qui se trouve sur le côté. Le cathéter est relié à une tubulure, qui est elle-même reliée à un récipient collecteur et à une jauge de régulation d'aspiration (figure 48-33 ■).

L'aspiration oropharyngée ou nasopharyngée élimine les sécrétions des voies respiratoires supérieures ; l'aspiration endotrachéale permet d'éliminer les sécrétions de la trachée et des bronches. L'infirmière doit décider à quel moment il est nécessaire de procéder à l'aspiration, en se fondant sur les signes de détresse respiratoire qu'émet la personne ou sur certaines indications démontrant que celle-ci est incapable de tousser et d'expectorer ses sécrétions. La dyspnée, des bruits respiratoires tels des crépitants rudes, un changement de la coloration de la peau (cyanose) ou une diminution de la SaO$_2$ (saturation du sang artériel en oxyhémoglobine) indiquent qu'il est nécessaire de procéder à une aspiration. À cet égard, l'infirmière doit faire preuve de jugement clinique, car l'aspi-

Soins à domicile

Modifications des procédés qui sont nécessaires lorsque la personne est soignée à domicile.

SOINS À DOMICILE

Soins relatifs à une trachéostomie
■ Pour les trachéostomies ayant plus d'un mois, appliquer une simple technique propre pour les soins (Humphrey, 1998).
■ Sensibiliser l'aidant naturel à l'importance d'une bonne technique de lavage des mains.
■ Indiquer à l'aidant naturel qu'il est possible de rincer la canule interne à l'eau du robinet.
■ Enseigner à l'aidant naturel le procédé relatif aux soins de la trachéostomie et l'observer pendant qu'il l'applique.
■ Expliquer à l'aidant naturel les signes et les symptômes d'infection du siège de la trachéostomie ou des voies respiratoires inférieures.
■ Fournir à la personne et à l'aidant naturel le nom et le numéro de téléphone de professionnels de la santé avec qui ils peuvent communiquer en tout temps en cas d'urgence ou s'ils ont besoin de conseils.

FIGURE 48-31 ■ Deux types de cathéters d'aspiration des sécrétions : *A*, cathéter à extrémité distale ouverte. *B*, cathéter à extrémité distale biseautée.

EXERCICES D'INTÉGRATION

M. Curry, un Afro-Canadien de 50 ans souffrant de diabète, a fait un infarctus il y a trois semaines. Il va bien et suit actuellement un programme de réadaptation cardiaque. Un régime alimentaire lui a été prescrit pour le diabète. Son traitement médicamenteux se limite à une aspirine par jour et à un antihypertenseur. À l'occasion d'un examen de routine, vous lui demandez comment il se sent et si ses médicaments lui conviennent. Avec réticence, il vous avoue qu'il a certains problèmes sexuels. Pour l'inciter à s'exprimer plus librement sur le sujet, vous manifestez de l'intérêt envers ses préoccupations en soulignant qu'il est tout à fait normal qu'il vous expose ses inquiétudes dans ce domaine. M. Curry déclare qu'il a de la difficulté à atteindre l'érection mais, surtout, qu'il craint d'avoir une autre crise cardiaque pendant l'acte sexuel.

- Selon vous, pourquoi M. Curry hésite-t-il à vous parler de ses problèmes sexuels ?
- Quels sont les facteurs qui déterminent la capacité de l'infirmière à analyser les inquiétudes sexuelles des personnes en leur présence ?
- Quel rapport existe-t-il entre la santé et la fonction sexuelle ?
- Quelle serait, selon vous, l'intervention la plus judicieuse à mettre en œuvre auprès de M. Curry ?

Voir l'appendice A : Exercices d'intégration – Pistes de réflexion.

RÉVISION DU CHAPITRE

Concepts clés

- La sexualité joue un rôle important dans le développement de l'identité personnelle, des relations interpersonnelles, de l'intimité et de l'amour.
- Dans l'acception la plus large du terme, la sexualité touche toutes les dimensions de l'être et du comportement.

posséder des connaissances précises et complètes sur la sexualité ; cerner et accepter ses propres valeurs et comportements sexuels et ceux des autres ; et enfin, se sentir très à l'aise pour recueillir et transmettre l'information sur la sexualité.

Exercices d'intégration

Brève étude de cas suivie en général de cinq questions destinées à stimuler l'application de la pensée critique. Des pistes de réflexion se trouvent à l'appendice A.

Révision du chapitre

Concepts clés

Résumé du contenu du chapitre. L'étudiante peut lire ce résumé avant d'étudier le chapitre afin de prendre connaissance des concepts les plus importants. Elle peut également s'en servir pour faire une révision rapide après avoir étudié le chapitre.

RÉVISION DU CHAPITRE

Concepts clés

- Les accidents sont une cause importante de décès dans tous les groupes d'âge au Canada.
- L'infirmière doit bien connaître les caractéristiques d'un environnement sécuritaire, que ce soit pour une personne ou un groupe, qu'il s'agisse d'un établissement de soins, d'un domicile ou d'un lieu public.
- Le risque d'accident et de blessure involontaire est présent dans tous les groupes d'âge ; le risque varie selon l'âge et le stade de développement de la personne.
- L'infirmière doit évaluer les facteurs ayant une incidence sur la sécurité d'un individu : l'âge et le stade de développement, le mode de vie, la mobilité et l'état de santé, les fonctions sensorielles, le niveau de cognition, l'état psychosocial, la capacité de communiquer, le sens de la prudence et la sensibilisation à la sécurité ainsi que

instructions ; (g) demeurer disponible aussi longtemps que la situation n'est pas revenue à la normale.
- Les chutes sont une cause fréquente de blessure chez la personne âgée.
- La prévention des chutes est une préoccupation constante dans les établissements de soins.
- Les ridelles du lit ne protègent pas une personne contre les chutes. Au contraire, une personne qui tente de contourner ou d'enjamber une ridelle pour sortir de son lit court un plus grand risque de tomber.
- Les précautions à prendre en cas de crise convulsive sont des mesures de sécurité qu'applique l'infirmière pour protéger la personne contre les blessures.
- Le manque de surveillance et le rangement inadéquat des

Questions de révision

Ces questions à choix multiple aident l'étudiante à vérifier ses connaissances et à les approfondir. Les réponses ainsi que les justifications se trouvent à l'appendice B.

Questions de révision

1. Un incendie se déclare dans une chambre d'un établissement de soins. Que doit d'abord faire l'infirmière ?
   a) Composer le code d'urgence de l'établissement.
   b) Éloigner toute personne en danger.
   c) Lutter contre le feu.
   d) Fermer les portes et les fenêtres.

2. Quelle est la principale cause d'accident chez le jeune adulte et l'adulte d'âge moyen ?
   a) Les accidents de la route.
   b) La noyade et les armes à feu.
   c) Les chutes.
   d) Le suicide et l'homicide.

3. Une femme âgée est hospitalisée. Elle utilise un déambulateur dans ses déplacements. Comme elle prend des diurétiques, elle se lève souvent la nuit pour aller aux toilettes. Que doit faire l'infirmière pour assurer la sécurité de cette personne ?
   a) Laisser la lumière allumée dans les toilettes.
   b) Différer l'administration des diurétiques.

   c) Mettre une chaise d'aisances à sa disposition.
   d) Relever les ridelles de son lit.

4. Lequel des diagnostics infirmiers suivants de NANDA s'applique le mieux au trottineur ?
   a) Le risque de suffocation.
   b) Le risque d'accident.
   c) Le risque d'intoxication.
   d) Le risque de syndrome d'immobilisation.

5. Un homme âgé de 75 ans a été hospitalisé à la suite d'un accident vasculaire cérébral. Il est incapable de se déplacer seul ; il est parfois désorienté et tente de sortir de son lit. Parmi les mesures de sécurité suivantes, quelle est la mieux adaptée à cette personne ?
   a) Immobiliser l'homme dans son lit.
   b) Demander à un proche de rester à son chevet.
   c) Évaluer son état toutes les 15 minutes.
   d) Installer un détecteur de mouvement qui signale ses tentatives de sortir du lit.

Voir l'appendice B : Réponses aux questions de révision.

Bibliographie

Chacun des chapitres propose des références pertinentes et à jour en anglais et en français permettant à l'étudiante de se documenter davantage sur un thème en particulier ou de connaître l'état de la recherche sur une pratique ou une affection.

BIBLIOGRAPHIE

En anglais

Ball, J., & Bindler, R. (2003). *Pediatric nursing : Caring for children.* (3rd ed.) Upper Saddle River NJ: Prentice Hall Health.

Bernardo, L. M. (2002). Emergency nurses' role in pediatric injury prevention. *Nursing Clinics of North America. 37*(1), 135–143.

Brenner, Z. R. (1999). Toward restraint-free care. *American Journal of Nursing, 98*(12), 16F–16I.

Capezuti, E., Talerico, K. A., Cochran, I., Becker, H., Strumpf, N., & Evans, L. (1999). Individualized interventions to prevent bed-related falls and reduce siderail use. *Journal of Gerontological Nursing, 25*(11), 26–34.

Centers for Medicare & Medicaid Services, Department of Health and Human Services. (2001). *Conditions of participation for hospitals : Patients' rights* (CMS-DHHS Publication No. 42CFR482.13). Retrieved March 31, 2003, from http://www.access.gpo.gov/nara/cfr/waisidx_01/42cfr482_01.html

Cohen, S. M. (2001). Lead poisoning : A summary of treatment and prevention. *Pediatric Nursing, 27*(2), 125–130.

Dibartolo, V. (1998). 9 steps to effective restraint use. *RN, 61*(12), 23–24.

Dunn, K. S. (2001). The effect of physical restraints on fall rates in older adults who are institutionalized. *Journal of Gerontological Nursing, 27*(10), 41–48.

Gentleman, B., & Malozemoff, W. (2001). Falls and feelings: Description of a psychosocial group nursing intervention. *Journal of Gerontological Nursing, 27*(10), 35–39.

Grossman, D. C., Cummings, P., Koepsell, T. D., Marshall, J., D'Ambrosio, L., Thompson, R. S., et al. (2000). Firearm safety counseling in primary care pediatrics: A randomized, controlled trial. *Pediatrics, 106*(1), 22–26.

Hall-Long, B. A., Schell, K., & Corrigan, V. (2001). Youth safety education and injury prevention program. *Pediatric Nursing, 27*(2), 141–146.

Harrison, B., Booth, D., & Algase, D. (2001). Studying fall risk factors among nursing home residents who fell. *Journal of Gerontological Nursing, 27*(10), 26–34.

Heinzer, M. M. (2002). The walking wounded : The faces of domestic violence in the community. *Holistic Nursing Practice, 16*(3), vi–viii.

Heinzer, M. M., and Krumm, J. R. (2002). Barriers to screening for domestic violence in an emergency department. *Holistic Nursing Practice. 16*(3), 24–33.

Howard, P. K. (2001). Firearm safety and children : Access and attitudes. *Journal of Emergency Nursing, 27*(3), 272–275.

Howard, P. K. (2001). An overview of a few well-known national children's gun safety programs and ENA's newly developed program. *Journal of Emergency Nursing, 27*(5), 485–488.

Jackman, G. A., Farah, M. M., Kellermann, A. L., & Simon, H. K. (2001). Seeing is believing : What do boys do when they find a real gun ? *Pediatrics, 107*(6), 1247–1250.

Jech, A. O. (2001). Of human bondage. Alternatives to restraints help reduce risks to patients. *Nurse Week, 2*(6), 21–22.

Johnson, M., Maas, M., & Moorhead, S. (Eds.). (2000). *Nursing outcomes classification (NOC)* (2nd ed.). St. Louis, MO: Mosby.

Kimbell, S. (2001). Before the fall. Keeping your patient on his feet. *Nursing, 31*(8), 44–45.

Kobs, A. (1998). Questions and answers from the JCAHO. Restraints revisited. *Nursing Management, 29*(1), 17–18.

McCloskey, J. C., & Bulechek, G. M. (Eds.). (2000). *Nursing interventions classification (NIC)* (3rd ed.). St. Louis, MO: Mosby.

Melillo, K. D., & Futrell, M. (1998). Wandering and technological devices. Helping caregivers ensure the safety of confused older adults. *Journal of Gerontological Nursing, 24*(8), 32–38.

Morse, J. M. (2001). Preventing falls in the elderly. *Reflections on Nursing Leadership. 27*(1), 26–27.

NANDA International. (2003). *NANDA nursing diagnoses : Definitions and classification 2003-2004.* Philadelphia: Author.

Patrick, L., & Blodgett, A. (2001). Selecting patients for falls—prevention protocols. An evidence-based approach on a geriatric rehabilitation unit. *Journal of Gerontological Nursing, 27*(10), 19–25.

Patrick, L., Leber, M. Scrim, C., Gendron, I., & Eisenrr-Parsche, P. (1999). A standarized assessment and intervention protocol for managing risk for falls on a geriatric rehabilitation unit. *Journal of Gerontological Nursing, 25*(4), 40–47.

Rawsky, E. (1998). Review of literature on falls among the elderly. *Image : Journal of Nursing Scholarship. 30*(1), 47–52.

Resnick, B. (1999). Falls in a community of older adults : Putting research into practice. *Clinical Nursing Research. 8*(3), 251–266.

Rigler, S. K. (1999). Preventing falls in older adults. *Hospital Practice, 34.* 117–120.

R ubriques

ENSEIGNEMENT

ENTREVUE D'ÉVALUATION

PLAN DE SOINS ET DE TRAITEMENTS INFIRMIERS

PROCÉDÉ

RÉSULTATS DE RECHERCHE

SCHÉMA

SCHÉMA DU PLAN DE SOINS ET DE TRAITEMENTS INFIRMIERS

SOINS À DOMICILE

Table des matières

PARTIE 4
Démarche systématique dans la pratique infirmière...325

PARTIE 5

Développement au cours des âges de la vie...469

5

Chapitre 21
Croissance et développement 471

PARTIE 6
Aspects essentiels du rôle
de l'infirmière...559

6

Chapitre 24
Caring, compassion et communication
thérapeutique 561

PARTIE 7
Promotion de la santé psychosociale...637

7

PARTIE 9

Composantes essentielles des soins cliniques...933

9

Chapitre 35
Asepsie 935

Chapitre 36
Sécurité 991

PARTIE 10
Promotion de la santé physiologique...1291

10

Évaluation de la santé

L'examen clinique consiste en une observation attentive de la personne et de ses réactions dans son environnement. Il s'agit d'un processus interactif de collecte des données que l'infirmière utilise pour définir l'état de santé actuel et à venir de la personne, pour assurer la surveillance clinique appropriée, ainsi que pour évaluer l'efficacité des soins et des traitements (Brûlé, Cloutier et Doyon, 2002). L'examen clinique complet doit renseigner non seulement sur l'état physiologique de la personne, mais aussi sur son état psychosocial, spirituel, culturel, environnemental et développemental. L'infirmière a aussi régulièrement l'occasion d'effectuer des examens cliniques partiels, axés sur les besoins particuliers de la personne qu'elle soigne.

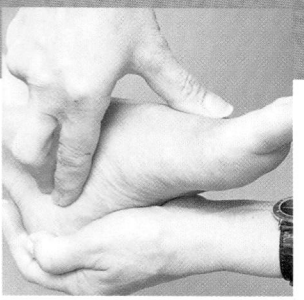

CHAPITRES

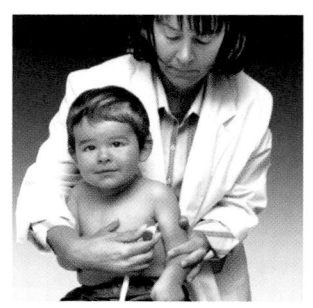

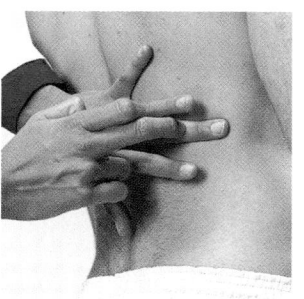

Après avoir étudié ce chapitre, vous pourrez :

- Énumérer les facteurs qui influent sur les signes vitaux.
- Décrire les facteurs qui peuvent avoir des effets sur la fiabilité de la mesure des signes vitaux.
- Indiquer quelles sont les limites de la normale pour chacun des signes vitaux.
- Expliquer les variations normales des signes vitaux qui sont liées à l'âge.
- Exposer les facteurs qui influent sur la thermorégulation.
- Comparer les différentes méthodes utilisées pour mesurer la température corporelle : buccale, tympanique, rectale et axillaire.
- Présenter les interventions infirmières à prendre dans les cas d'anomalie de la température corporelle.
- Désigner les endroits du corps où le pouls peut être mesuré et expliquer l'utilité de chacune de ces mesures.

- Nommer les caractéristiques à évaluer lors de l'examen des pouls.
- Expliquer comment évaluer le pouls apexien et le pouls apexien-radial.
- Décrire la physiologie de la respiration et les mécanismes qui régulent la respiration.
- Nommer les éléments qui font partie de l'évaluation de la respiration.
- Établir la différence entre la pression systolique et la pression diastolique.
- Décrire les diverses méthodes utilisées pour mesurer la pression artérielle et indiquer quels sont les endroits du corps où on peut la mesurer.
- Expliquer comment on mesure l'oxygénation du sang à l'aide d'un sphygmooxymètre.

PARTIE 8
Évaluation de la santé

CHAPITRE

33

SIGNES VITAUX

Adaptation française :
Lyne Cloutier, inf., M.Sc.
Professeure, Département des sciences infirmières
Université du Québec à Trois-Rivières

Les **signes vitaux**, ou **paramètres fondamentaux**, sont la température corporelle, le pouls, la respiration et la pression artérielle. Récemment, certaines organisations américaines (la Veterans Administration, par exemple) ont ajouté un cinquième signe vital, la douleur, qui serait évalué en même temps que chacun des autres signes vitaux. L'évaluation de la douleur est d'ailleurs traitée au chapitre 44 🔗. On mesure souvent la sphygmooxymétrie en même temps que les signes vitaux habituels. Les signes vitaux doivent être analysés dans une perspective globale afin d'évaluer l'homéostasie de l'organisme ; ils peuvent révéler des modifications homéostasiques qui ne seraient pas perceptibles autrement. Il ne faut pas prendre ces mesures de façon automatique ou routinière ; elles doivent être le fruit d'une démarche scientifique et rigoureuse. On évalue les signes vitaux en fonction de l'état de santé actuel et antérieur de la personne ; on les compare ensuite aux valeurs habituelles chez cette personne (si elles sont connues) et aux valeurs normales (voir le tableau 33-1).

TABLEAU 33-1

Variations des signes vitaux liées à l'âge

Âge	Température buccale en degrés Celsius (Fahrenheit)	Pouls (moyenne et limites de la normale)	Respiration (moyenne et limites de la normale)	Pression artérielle (mm Hg)
Nouveau-né	36,8 (98,2) (axillaire)	130 (80-180)	35 (30-80)	73/55
1 an	36,8 (98,2) (axillaire)	120 (80-140)	30 (20-40)	90/55
5-8 ans	37 (98,6)	100 (75-120)	20 (15-25)	95/57
10 ans	37 (98,6)	70 (50-90)	19 (15-25)	102/62
Adolescent	37 (98,6)	75 (50-90)	18 (15-20)	120/80
Adulte	37 (98,6)	80 (60-100)	16 (12-20)	120/80
Personne âgée (> 70 ans)	37 (98,6)	70 (60-100)	16 (15-20)	Possibilité de hausse de la pression diastolique

Il revient à l'infirmière d'exercer son jugement pour déterminer quand et à quelle fréquence évaluer les signes vitaux d'une personne, en fonction de son état de santé. Ce faisant, elle doit tenir compte des règles en vigueur dans son établissement concernant l'évaluation des signes vitaux et du fait que le médecin peut ordonner de mesurer un signe vital en particulier (« pression artérielle q̄ 2 h », par exemple). Les évaluations prescrites par le médecin devraient cependant être considérées comme un minimum ; l'infirmière mesurera les signes vitaux aussi souvent que l'état de santé de la personne l'exige. L'encadré 33-1 donne quelques exemples de situations où l'infirmière est appelée à mesurer les signes vitaux.

Quelquefois, c'est un autre membre de l'équipe de soins qui prend les signes vitaux. L'infirmière doit cependant se rappeler qu'avant de confier cette tâche à une infirmière auxiliaire elle doit avoir évalué la personne qu'elle soigne et s'être assurée qu'elle est dans un état stable ou, si elle est atteinte d'une affection chronique, que son état n'est pas précaire et que la mesure des signes vitaux fait donc partie des soins usuels. Dans ces circonstances, l'infirmière auxiliaire peut mesurer les signes vitaux, les noter et transmettre les résultats, mais c'est à l'infirmière qu'il incombe d'interpréter ces résultats.

ENCADRÉ 33-1

Quand mesurer les signes vitaux

- Lorsqu'une personne entre dans un établissement de soins, afin d'obtenir les valeurs initiales.
- Lorsqu'un changement se produit dans l'état physique général d'une personne ou que celle-ci présente des symptômes tels que douleur thoracique, sensation de chaleur ou perte de connaissance.
- Avant et après une intervention chirurgicale ou un examen paraclinique effractif.
- Avant et (ou) après l'administration d'un médicament susceptible d'influer sur la fonction respiratoire ou la fonction cardiovasculaire (par exemple, avant d'administrer de la digoxine).
- Avant et après toute intervention infirmière susceptible d'influer sur les signes vitaux (par exemple, lorsqu'une personne qui était alitée commence à se lever).

Température corporelle

La **température corporelle** renseigne sur l'équilibre entre la chaleur produite et la chaleur perdue. La mesure de la température corporelle s'exprime en unités de chaleur appelées *degrés*. Il existe deux températures corporelles : la température centrale et la température de surface. La **température centrale** est la température des tissus profonds du corps, comme la cavité abdominale et la cavité pelvienne. Elle est relativement constante. La température centrale normale représente en fait une plage de températures (figure 33-1 ■). La **température de surface** est la température de la peau, du tissu sous-cutané et du tissu adipeux. Contrairement à la température centrale, la température de surface monte et descend en fonction des facteurs environnementaux.

Le métabolisme basal produit continuellement de la chaleur. Lorsque la quantité de chaleur produite par l'organisme est égale à la quantité de chaleur perdue, on dit que le corps maintient sa **thermorégulation** (figure 33-2 ■).

Un certain nombre de facteurs influent sur la production de chaleur de l'organisme. Voici les cinq plus importants d'entre eux :

1. *Métabolisme basal.* Le **métabolisme basal** est la quantité d'énergie dépensée par l'organisme pour maintenir des activités essentielles comme la respiration. Le métabolisme basal ralentit avec l'âge. En général, plus la personne est jeune, plus son métabolisme basal est élevé (Marieb, 1998, p. 952).

2. *Activité musculaire.* L'activité musculaire, y compris les frissons, augmente la vitesse du métabolisme basal.

3. *Production de thyroxine.* La production accrue de thyroxine accélère le métabolisme cellulaire dans tout l'organisme. Cet effet s'appelle **thermogenèse chimique**. La thermogenèse chimique est le processus par lequel l'accélération du métabolisme cellulaire stimule la production de chaleur dans l'organisme.

4. *Adrénaline, noradrénaline et stimulation sympathique.* La sécrétion d'adrénaline et de noradrénaline active instantanément le métabolisme cellulaire de nombreux tissus. Ces hormones influent directement sur les cellules hépatiques et musculaires, ce qui entraîne une accélération du métabolisme cellulaire.

5. *Fièvre.* La fièvre augmente la vitesse du métabolisme et, par conséquent, fait monter la température corporelle.

L'organisme cède de la chaleur selon quatre mécanismes : par radiation, par conduction, par convection et par évaporation. On donne le nom de **radiation** au transfert de chaleur d'un objet à un autre par rayonnement infrarouge sans qu'il y ait contact direct entre les deux

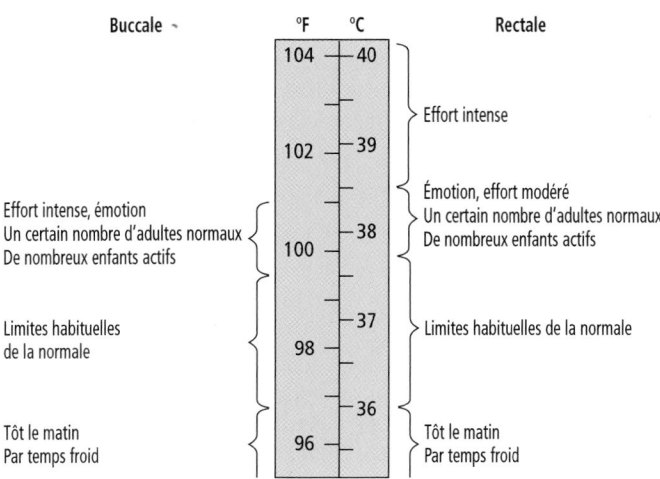

FIGURE 33-1 ■ **Plages de la température corporelle chez les personnes normales.** (Source : *Fever and the Regulation of Body Temperature*, de E. F. Dubois, 1948, Springfield : Charles C. Thomas. Reproduit avec la permission de Charles C. Thomas Publisher Ltd, Springfield, Illinois.)

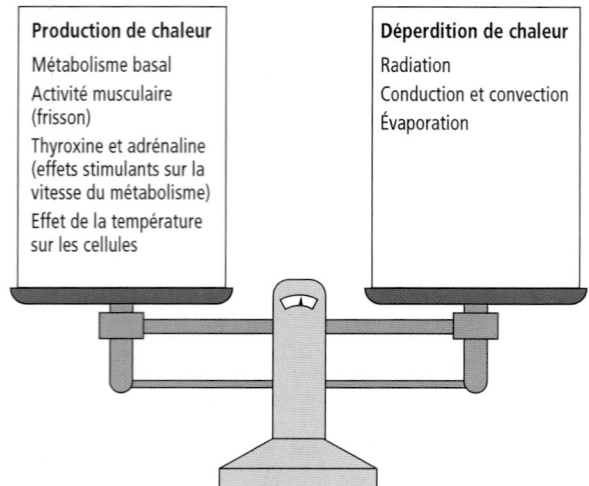

Production de chaleur	Déperdition de chaleur
Métabolisme basal	Radiation
Activité musculaire (frisson)	Conduction et convection
Thyroxine et adrénaline (effets stimulants sur la vitesse du métabolisme)	Évaporation
Effet de la température sur les cellules	

FIGURE **33-2** ■ Tant que la production de chaleur est égale à la déperdition de chaleur, la température corporelle demeure constante. Les facteurs qui contribuent à la production de chaleur (et donc à l'augmentation de la température corporelle) figurent sur le plateau de gauche de la balance ; les facteurs qui participent à la déperdition de chaleur (et donc à la diminution de la température corporelle) apparaissent à droite. (Source : *Human Anatomy and Physiology*, 4ᵉ éd., (p. 953), de Elaine N. Marieb. Copyright © 1998 by The Benjamin Cummings Publishing Company. Reproduit avec la permission de Pearson Education, Inc.)

objets. Par exemple, le rayonnement représente 60 % de la déperdition de chaleur chez une personne nue se trouvant dans une pièce où la température ambiante est normale (Guyton, 1996). L'infirmière doit notamment tenir compte de ce phénomène lorsqu'elle fait une toilette à l'éponge : seule la partie du corps qu'on est en train de laver doit être découverte.

On appelle **conduction** le transfert de chaleur d'une molécule à une autre. Le transfert de chaleur par conduction exige qu'il y ait contact entre les molécules et que la température de l'une des molécules soit inférieure à celle de l'autre. Chez l'être humain, ce mécanisme produit habituellement une perte minime de chaleur, sauf par exemple lors de l'immersion du corps dans de l'eau glacée. La quantité de chaleur transférée dépend de la différence de température entre les deux molécules, ainsi que de l'ampleur et de la durée du contact. La perte de chaleur par conduction explique pourquoi une personne âgée qu'on couche sur une table de radiographie glacée peut souffrir d'une chute de la température corporelle.

La **convection** représente la dispersion de chaleur par déplacement d'air. Habituellement, on trouve une couche d'air chaud tout près de la surface de la peau. Lorsqu'il y a des déplacements d'air autour du corps, cet air réchauffé s'éloigne de la peau et est remplacé par de l'air plus frais. Le corps perd toujours une petite quantité de chaleur par convection. Cette perte est plus importante lorsqu'on administre de l'oxygène ou que la personne se trouve dans un courant d'air froid.

Le terme **évaporation** désigne la perte continue d'humidité provenant des voies respiratoires, des muqueuses de la bouche et de la peau. Cette perte continue d'humidité s'appelle **perte insensible d'eau**, et la perte de chaleur qui en résulte se nomme **perte insensible de chaleur**. La perte insensible de chaleur représente environ 10 % de la perte de chaleur basale. Lorsque la température corporelle monte, la perte de chaleur par évaporation est plus grande.

Régulation de la température corporelle

La thermorégulation est assurée par trois systèmes : un système de récepteurs situés dans les tissus superficiels et profonds de l'organisme ; un système intégrateur (centre thermorégulateur) situé dans l'hypothalamus ; et un système effecteur qui règle la production et la déperdition de chaleur. La plupart des récepteurs sensoriels se trouvent dans la peau. La peau renferme plus de récepteurs sensibles au froid que de récepteurs sensibles à la chaleur.

Lorsque toute la peau du corps devient froide, trois processus physiologiques s'enclenchent pour faire monter la température corporelle :

1. Les frissons accroissent la production de chaleur.
2. La transpiration est inhibée pour réduire la perte de chaleur.
3. La vasoconstriction réduit la perte de chaleur.

Le **centre thermorégulateur** est constitué d'un groupe de neurones de la région antérieure de l'hypothalamus.

Lorsque les récepteurs de l'hypothalamus détectent une élévation de température, ils produisent des influx nerveux qui font baisser la température, c'est-à-dire qui ralentissent la production de chaleur et accélèrent la déperdition de chaleur. Ce résultat est obtenu grâce à la transpiration et à la vasodilatation périphérique.

Lorsque les récepteurs détectent le froid, des influx nerveux sont envoyés afin d'accélérer la production de chaleur et de ralentir la déperdition de chaleur.

Des mécanismes se déclenchent alors – la vasoconstriction, les frissons et la production d'adrénaline notamment – afin d'activer le métabolisme cellulaire et, par le fait même, la production de chaleur. La stimulation du centre thermorégulateur incite la personne à prendre les mesures nécessaires pour se réchauffer ou se rafraîchir, selon le cas (par exemple, elle s'habillera plus chaudement ou cherchera un endroit plus frais).

Facteurs influant sur la température corporelle

Pour savoir quelles sont les variations normales de température et pour comprendre la signification des écarts par rapport à la normale, l'infirmière doit bien connaître les facteurs qui peuvent modifier la température corporelle d'une personne ; en voici quelques-uns :

1. *Âge.* La température ambiante a une action importante sur le nourrisson. Il faut donc prendre les mesures nécessaires pour le protéger contre les températures extrêmes. Jusqu'à la puberté, la température corporelle de l'enfant est plus variable que celle de l'adulte. De façon générale, les personnes âgées, surtout celles de plus de 75 ans, sont particulièrement sensi-

bles à l'hypothermie (températures sous 36 °C), notamment en raison d'une alimentation déficiente, d'une perte de tissu sous-cutané, d'un manque d'exercice et d'une perte d'efficacité des mécanismes de thermorégulation. Le dérèglement des mécanismes de thermorégulation rend également les personnes âgées particulièrement sensibles aux températures extrêmes.

2. *Variations diurnes (rythmes circadiens).* La température corporelle présente des variations normales au cours de la journée. Elle peut fluctuer de 1,0 °C entre l'aurore et la fin de l'après-midi. C'est entre 20 heures et minuit que la température corporelle est à son niveau le plus élevé et c'est pendant le sommeil, soit entre 4 et 6 heures du matin, qu'elle se trouve à son niveau le plus bas (figure 33-3 ■).

3. *Effort.* L'activité musculaire peut faire monter considérablement la température corporelle, qui peut atteindre de 38,3 à 40 °C (mesure rectale).

4. *Hormones.* En général, les fluctuations de température sont plus marquées chez les femmes que chez les hommes. Lors de l'ovulation, la sécrétion de progestérone provoque une élévation de la température corporelle d'environ 0,3 à 0,6 °C au-dessus de la température basale (Ladewig, London et Olds, 1998).

5. *Stress.* La stimulation du système nerveux sympatique peut faire augmenter la production d'adrénaline et de noradrénaline, ce qui accroît l'activité métabolique et la production de chaleur. La température corporelle d'une personne vivant un stress intense peut donc être plus élevée.

6. *Milieu ambiant.* Les températures extrêmes du milieu ambiant peuvent influer sur les mécanismes de thermorégulation. Si on prend la mesure dans une pièce très chaude et que la température corporelle de la personne ne peut pas baisser par convection, conduction ou radiation, elle sera élevée. De même, si la personne est à l'extérieur par une journée très froide et qu'elle n'est pas vêtue suffisamment, sa température corporelle sera basse.

Anomalies de la température corporelle

Il existe deux grandes anomalies de la température corporelle : la pyrexie et l'hypothermie.

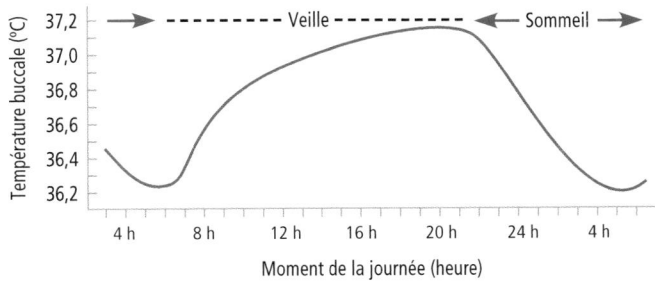

FIGURE 33-3 ■ Températures buccales normales au cours d'une journée de 24 heures chez un adulte jeune et en santé.

PYREXIE

Quand la température dépasse la limite habituelle, on parle de **pyrexie**, d'**hyperthermie**, ou de **fièvre** (dans la langue courante). Une très forte fièvre, atteignant par exemple 41 °C, se nomme **hyperpyrexie** (figure 33-4 ■). La personne qui a de la fièvre est dite **fébrile** (pyrétique) ; celle qui n'en a pas est dite **afébrile** (apyrétique).

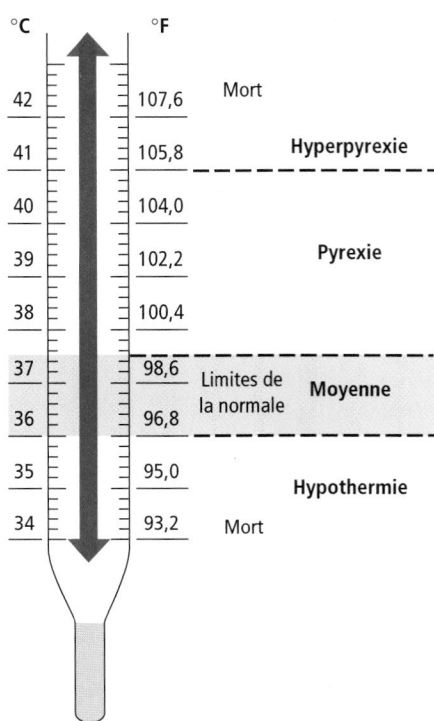

FIGURE 33-4 ■ Termes utilisés pour décrire les anomalies de la température corporelle (mesures buccales) ; les températures sont indiquées en degrés Celsius et en degrés Fahrenheit.

Il existe quatre sortes de fièvre : intermittente, rémittente, récurrente et constante. Lors d'une **fièvre intermittente**, la température corporelle s'élève puis revient à la normale ou sous la normale, à intervalles réguliers. Lors d'une **fièvre rémittente**, la température corporelle connaît des fluctuations importantes (de plus de 2 °C) sur une période de 24 heures, toujours au-dessus de la normale. La **fièvre récurrente** se caractérise par l'alternance de périodes fébriles de quelques jours avec des périodes afébriles de un ou deux jours. Enfin, lors d'une **fièvre constante**, la température demeure au-dessus de la normale et fluctue peu. Quand la température s'élève rapidement au-dessus de la normale puis revient à la normale en quelques heures, on parle de **pic de fièvre**.

Les signes cliniques de la fièvre varient selon les phases de la maladie : apparition, évolution ou régression (voir l'encadré 33-2). Ces symptômes et signes se déclenchent quand des changements se produisent dans la valeur de référence du système de thermorégulation régi par l'hypothalamus. Lorsque les conditions sont normales, les mécanismes de *déperdition* de chaleur

Symptômes et signes cliniques de la fièvre

33-2

DÉBUT, APPARITION (PHASE DES FRISSONS)

- Augmentation de la fréquence et de l'amplitude du pouls
- Augmentation de la fréquence et de l'amplitude respiratoires
- Frissonnements
- Peau froide et pâle
- Sensation de froid
- Lits unguéaux cyanosés
- Piloérection (chair de poule)
- Cessation de la sudation
- Tremblements

ÉVOLUTION (PRÉSENCE DE LA FIÈVRE)

- Absence de frissons
- Peau rouge et chaude au toucher
- Photosensibilité
- Yeux vitreux
- Augmentation de la fréquence du pouls et de la respiration
- Soif accrue
- Déshydratation, légère ou grave
- Somnolence, agitation, délire ou convulsion
- Lésions herpétiques de la bouche (chez certaines personnes)
- Perte d'appétit (si la fièvre se prolonge)
- Malaise, faiblesse et courbatures

RÉGRESSION (DISPARITION PROGRESSIVE DES SYMPTÔMES ET DES SIGNES)

- Peau rouge et chaude au toucher
- Transpiration, diaphorèse
- Diminution des frissons
- Déshydratation possible

se déclenchent chaque fois que la température centrale dépasse 37 °C, ramenant ainsi la température au niveau de la valeur de référence. À l'inverse, les mécanismes de *production* de chaleur se déclenchent chaque fois que la température centrale descend en deçà de 37 °C, faisant monter la température jusqu'au niveau de la valeur de référence.

Dans les cas de fièvre, la valeur de référence du *thermostat* hypothalamique passe soudainement de la normale à une valeur au-dessus de la normale (par exemple, 39,5 °C), en raison des effets que la destruction tissulaire, les substances pyrogènes ou la déshydratation peuvent avoir sur l'hypothalamus. Même si la valeur de référence change rapidement, la température centrale du corps (c'est-à-dire la température du sang) atteint cette nouvelle valeur seulement quelques heures plus tard. Dans l'intervalle, les mécanismes de production de chaleur qui entraînent habituellement une hausse de la température corporelle se déclenchent : frissons, sensation de froid, froideur de la peau attribuable à la vasoconstriction, tremblements.

Lorsque la température atteint la nouvelle valeur de référence, la personne n'a plus chaud ni froid et elle n'a plus de frissons. Selon la gravité de la fièvre, d'autres symptômes et signes peu-

vent apparaître. Les températures très élevées, de 41 à 42 °C par exemple, endommagent les cellules de l'organisme, surtout dans le cerveau, où la destruction des neurones est irréversible. Les dommages au foie, aux reins et à d'autres organes peuvent également suffire à perturber le fonctionnement de l'organisme et à provoquer la mort dans certains cas.

Lorsque la cause de la fièvre disparaît de manière soudaine, la valeur de référence du thermostat hypothalamique revient rapidement à une valeur moins élevée, parfois à sa valeur normale. Dans ce cas, l'hypothalamus essaie d'abaisser la température à 37 °C, et les mécanismes de déperdition de chaleur qui font baisser la température corporelle se déclenchent : la personne présente une sudation excessive, et sa peau devient chaude et rouge à cause de la vasodilatation soudaine. Ce changement d'état soudain est appelé *régression*, ou stade de *défervescence* de la pyrexie.

Durant la phase des frissons, les mesures prises visent à réduire la déperdition de chaleur. Les processus physiologiques de l'organisme tentent alors d'élever la température centrale jusqu'à la nouvelle valeur de référence.

Lorsqu'une personne est fiévreuse, les interventions de l'infirmière tendent à favoriser les processus physiologiques normaux de l'organisme, à accroître le bien-être et à prévenir les complications. L'infirmière doit surveiller de près les signes vitaux.

Durant la phase de régression, les processus de l'organisme tentent de ramener la température centrale à la valeur de référence normale ou abaissée. L'infirmière doit alors prendre les mesures nécessaires pour favoriser la déperdition de chaleur et réduire la production de chaleur. Les interventions infirmières destinées à la personne fiévreuse figurent dans l'encadré 33-3.

Interventions infirmières dans les cas de fièvre

33-3

- Mesurer les signes vitaux.
- Évaluer la coloration et la température de la peau.
- Examiner les résultats des examens paracliniques, notamment la numération des leucocytes et l'hématocrite, pour voir s'ils indiquent une infection ou une déshydratation.
- Retirer les couvertures si la personne a chaud, mais lui en fournir d'autres si elle a froid, particulièrement si elle présente des frissons.
- Procurer un apport liquidien (de 2 500 à 3 000 mL par jour) et nutritionnel adéquat pour répondre aux besoins métaboliques accrus et prévenir la déshydratation, à moins de contre-indications liées à l'état de santé.
- Mesurer les ingesta et les excreta.
- Réduire l'activité physique afin de limiter la production de chaleur, surtout durant la phase de vasodilatation.
- Administrer des antipyrétiques (médicaments qui font baisser la fièvre) selon l'ordonnance.
- Aider la personne à maintenir une bonne hygiène buccale pour garder ses muqueuses humides.
- Laver la personne à l'éponge, à l'eau tiède, pour favoriser la déperdition de chaleur par conduction.
- Veiller à ce que les vêtements et la literie restent secs.

HYPOTHERMIE

L'**hypothermie** est l'abaissement de la température centrale sous la limite inférieure de la normale. Les trois mécanismes physiologiques de l'hypothermie sont les suivants : (a) déperdition excessive de chaleur ; (b) production de chaleur ne suffisant pas à contrer la déperdition de chaleur ; et (c) perturbation des mécanismes de thermorégulation de l'hypothalamus. Les signes cliniques de l'hypothermie figurent dans l'encadré 33-4.

ENCADRÉ

Signes cliniques de l'hypothermie 33-4

- Baisse de la température corporelle, ralentissement du pouls et de la respiration
- Frissons marqués (au début)
- Sensation de froid
- Peau pâle, fraîche et cireuse
- Hypotension
- Diminution du débit urinaire
- Perte de coordination musculaire
- Désorientation
- Somnolence évoluant vers le coma

L'hypothermie peut survenir de manière accidentelle ou induite. L'hypothermie accidentelle peut provenir : (a) de l'exposition au froid ; (b) de l'immersion dans l'eau froide ; ou (c) du fait que l'habillement ou l'abri sont inadéquats en regard de la température environnante. Chez les personnes âgées, le problème peut être aggravé par le ralentissement du métabolisme ou par l'utilisation de sédatifs.

La conduite à tenir en cas d'hypothermie consiste à retirer la personne de l'environnement froid et à la réchauffer. S'il s'agit d'une hypothermie légère, on se sert de couvertures ordinaires ; en cas d'hypothermie grave, on utilise une couverture hyperthermique (couverture réglée électroniquement à une température précise) et on administre des liquides intraveineux chauds. Les vêtements mouillés occasionnent une plus forte déperdition de chaleur en raison de la grande conductivité de l'eau ; on doit donc les remplacer par des vêtements secs. L'encadré 33-5 présente les interventions infirmières dans les cas d'hypothermie.

On appelle hypothermie induite l'abaissement délibéré de la température corporelle d'une personne dans le but de réduire les besoins des tissus en oxygène. L'hypothermie induite peut toucher tout le corps ou une partie seulement. Elle est parfois indiquée avant une intervention chirurgicale (opération au cœur ou au cerveau, par exemple). L'encadré *Diagnostics infirmiers, résultats de soins infirmiers et interventions* montre comment utiliser la démarche systématique dans la pratique infirmière en cas d'anomalie de la température corporelle.

Évaluation de la température corporelle

On mesure la température corporelle à quatre endroits du corps : la bouche, le rectum, les aisselles et le tympan. Chaque méthode comporte ses avantages et ses inconvénients (voir le tableau 33-2).

ENCADRÉ

Interventions infirmières dans les cas d'hypothermie 33-5

- Installer la personne dans un environnement chaud.
- Lui mettre des vêtements secs.
- La couvrir avec des couvertures chaudes.
- Garder ses membres près de son corps.
- Couvrir sa tête avec un bonnet ou lui fabriquer un turban.
- Lui administrer des liquides chauds par voie orale ou intraveineuse.
- Appliquer des coussins chauffants.

La température corporelle est souvent mesurée par voie *orale*. Cette méthode renseigne sur la température corporelle plus rapidement que la méthode rectale. Si la personne vient d'ingérer des aliments, des liquides froids ou chauds, ou bien si elle vient de fumer, l'infirmière doit attendre une trentaine de minutes avant de prendre sa température buccale, car la température des aliments, des liquides ou de la fumée peut modifier la température de la bouche.

La température *rectale* est considérée comme la plus fiable. Dans certains établissements, la méthode rectale est contre-indiquée pour les personnes ayant des antécédents d'infarctus du myocarde, car on craint que l'insertion du thermomètre dans le rectum provoque une stimulation vagale qui, à son tour, pourrait causer des lésions myocardiques. Toutefois, ce point de vue ne fait pas l'unanimité. La méthode rectale est contre-indiquée chez les personnes ayant subi une chirurgie rectale ou chez les personnes présentant de la diarrhée, une affection rectale, une immunodépression, une anomalie de la coagulation ou des hémorroïdes proéminentes.

Les *aisselles* sont l'endroit le plus sûr pour mesurer la température chez les nouveau-nés, car elles sont faciles d'accès et excluent le risque de perforation rectale. Toutefois, certaines études montrent que la méthode axillaire est peu précise pour évaluer une fièvre (Bindler et Ball, 2003). L'infirmière doit savoir quelles sont les règles en vigueur dans l'établissement lorsqu'elle mesure la température chez un nouveau-né, un nourrisson ou un jeune enfant. Lorsqu'il s'agit d'un adulte, la méthode axillaire est utilisée si la personne souffre d'une inflammation buccale, a la mâchoire immobilisée par des fils métalliques, se remet d'une chirurgie de la bouche, ne peut respirer par le nez ou est confuse, ou encore si les autres méthodes sont contre-indiquées dans son cas.

On peut aussi mesurer la température centrale sur la *membrane du tympan*, ou sur un tissu voisin du conduit auditif. À l'instar des tissus sous-linguaux, la membrane tympanique est très vascularisée ; l'apport de sang vient principalement des rameaux de l'artère carotide externe. On utilise des thermomètres tympaniques à infrarouges dans de nombreux établissements de soins.

TYPES DE THERMOMÈTRES

Autrefois, on mesurait la température corporelle au moyen de *thermomètres à mercure* en verre. Le thermomètre en verre peut être dangereux, cependant : s'il casse dans la bouche de la personne, celle-ci est exposée au mercure (qui est toxique pour les humains) et au verre cassé. En 1997, le Comité de santé

DIAGNOSTICS INFIRMIERS, RÉSULTATS DE SOINS INFIRMIERS ET INTERVENTIONS

Anomalies de la température corporelle

DIAGNOSTICS INFIRMIERS : DÉFINITION	EXEMPLES DE RÉSULTATS DE SOINS INFIRMIERS [Nº CRSI/NOC] : DÉFINITION	INDICATEURS	INTERVENTIONS CHOISIES [Nº CISI/NIC] : DÉFINITION	EXEMPLES D'ACTIVITÉS CISI/NIC (VOIR AUSSI LES ENCADRÉS 33-3 ET 33-5)
Risque de température corporelle anormale : Risque d'incapacité de maintenir sa température corporelle dans les limites de la normale.	Hydratation [0602] : Quantité d'eau dans les compartiments intracellulaire et extracellulaire du corps.	• Muqueuses humides. • Absence de fièvre.	Régulation de la température [3900] : Obtention ou maintien d'une température corporelle à l'intérieur des limites de la normale.	• Prendre la température au moins toutes les deux heures, si nécessaire. • Favoriser un apport adéquat de nutriments et de liquides.
Hyperthermie : Élévation de la température corporelle au-dessus des limites de la normale.	Thermorégulation [0800] : Équilibre entre la production, le gain et la perte de chaleur.	• Température de la peau dans les limites de la normale. • Température corporelle dans les limites de la normale. • La personne transpire quand il fait chaud.	Traitement de la fièvre [3740] : Soins donnés à une personne souffrant d'hyperthermie d'origine non environnementale.	• Mesurer les ingesta et les excreta. • Appliquer des sacs de glace recouverts de serviettes à l'aine. • Ne couvrir la personne que d'un drap si nécessaire.

environnementale du Québec s'est donné comme objectif d'éliminer le mercure dans les établissements de soins; à l'heure actuelle, la plupart d'entre eux n'utilisent plus de thermomètres à mercure. Par ailleurs, comme on les emploie encore dans certains endroits, l'infirmière doit savoir comment s'en servir sans danger.

Bien que les thermomètres (tout comme les ampoules fluorescentes) ne contiennent pas beaucoup de mercure, l'infirmière doit prendre certaines précautions s'ils cassent. Le mercure non scellé s'évapore lentement dans l'air, et ces vapeurs de mercure sont toxiques. L'infirmière doit d'abord s'assurer qu'il n'y a pas d'enfant ou d'animaux de compagnie à proximité. Après avoir enfilé des gants de caoutchouc, elle doit ôter avec un essuie-tout les perles de mercure sur les vêtements, la peau ou les autres surfaces, puis déposer l'essuie-tout immédiatement dans un sac de plastique, qu'elle jettera ensuite. Si le mercure a éclaboussé une surface poreuse (de la moquette, par exemple) dont il est impossible de le retirer, il peut être nécessaire d'appeler un entrepreneur spécialisé dans ce genre de service. Si le mercure a éclaboussé une surface lisse, l'infirmière peut glisser un morceau de carton plié sous les billes de mercure et déverser celles-ci dans un contenant à large bec. Elle peut utiliser une lampe de poche pour chercher les perles de mercure, car celui-ci reflète la lumière. Il faut placer dans un sac de plastique tout le mercure recueilli, puis sceller le sac avec du ruban adhésif. Après le nettoyage, l'infirmière doit se doucher ou se laver. Il faut bien aérer la pièce pendant quelques jours. On ne doit pas utiliser d'aspirateur ni de balai pour ramasser le mercure, car ils disperseraient les perles et seraient contaminés. Il ne faut pas non plus jeter le mercure dans la cuvette des toilettes ou dans un tuyau de vidange, ni laver ou réutiliser les objets contaminés. L'infirmière doit se renseigner auprès de ses collègues pour savoir s'il existe une procédure particulière en cas de déversement de produits toxiques.

> **! ALERTE CLINIQUE** *Lorsque l'infirmière doit utiliser des thermomètres à mercure en verre, elle pourrait profiter de l'occasion pour recommander qu'on les remplace par des thermomètres moins dangereux après s'en être débarrassé comme il convient.* ■

Le réservoir d'un thermomètre buccal peut être allongé, court, mince ou arrondi (figure 33-5 ■). Le thermomètre à réservoir arrondi peut servir à mesurer la température rectale ainsi que les autres températures. Dans certains établissements, on se sert d'un code de couleurs pour l'utilisation des thermomètres : par exemple, les thermomètres à réservoir rouge servent à prendre la température rectale et les thermomètres à réservoir bleu, la température buccale ou axillaire.

On peut aussi mesurer la température corporelle à l'aide d'un *thermomètre électronique*. Le thermomètre électronique donne un résultat en quelques secondes seulement (de 2 à 60 secondes, selon le modèle). Le matériel nécessaire comprend un boîtier portatif à piles, une sonde que l'infirmière branche au boîtier et une gaine de plastique jetable dont elle recouvre la sonde (figure 33-6 ■). Certains modèles ont un circuit et une sonde différents selon l'endroit choisi pour prendre la température.

Les *bandelettes thermosensibles* permettent d'obtenir une indication générale de la température de surface. Toutefois,

TABLEAU

33-2

Avantages et inconvénients des quatre méthodes utilisées pour prendre la température corporelle

Endroit	Avantages	Inconvénients
Bouche	Facile d'accès.	Le thermomètre à mercure en verre peut casser si la personne le mord.
		Résultat peu fiable si la personne vient d'ingérer un aliment, un liquide chaud ou froid, ou vient de fumer.
		Peut blesser la bouche si la personne vient de subir une chirurgie buccale.
Rectum	Mesure fiable.	Désagréable et peu commode pour la personne ; difficile pour la personne incapable de se tourner sur le côté.
		Peut blesser le rectum si la personne vient de subir une chirurgie rectale.
		Le thermomètre rectal en verre ne réagit pas aux changements des températures artérielles aussi rapidement que le thermomètre buccal, ce qui peut être dangereux si la personne est fébrile et qu'on n'obtient pas sa température réelle.
		La présence de selles peut empêcher l'insertion adéquate du thermomètre. Si la selle est molle, le thermomètre peut être enfoncé dans la selle plutôt que contre la paroi du rectum.
Axillaire	Méthode sûre et non effractive.	On doit laisser en place un bon moment (de 6 à 9 minutes) le thermomètre à mercure en verre pour obtenir une mesure exacte.
Membrane tympanique	Facile d'accès ; renseigne sur la température centrale.	Peut être désagréable ; comporte un risque minime de blessure de la membrane si le thermomètre est inséré trop profondément.
	Très rapide.	Le résultat peut varier entre deux mesures consécutives, ainsi qu'entre une mesure prise dans l'oreille droite et une autre prise dans l'oreille gauche. La présence de cérumen peut également influer sur le résultat.

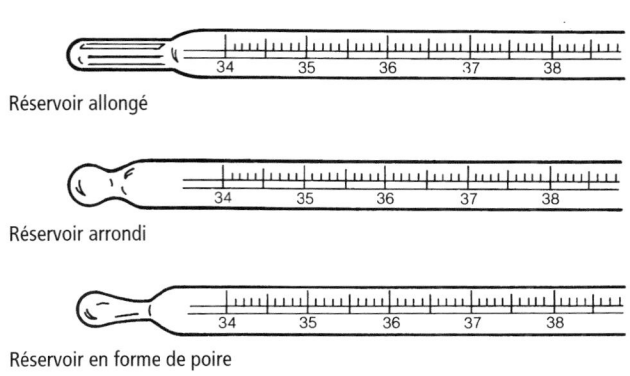

Réservoir allongé

Réservoir arrondi

Réservoir en forme de poire

FIGURE 33-5 ■ Trois types de réservoirs de thermomètre à mercure en verre (en degrés Celsius).

FIGURE 33-6 ■ Thermomètre électronique. Remarquez la sonde et son enveloppe jetable.

elles ne renseignent pas très précisément sur la température corporelle. Les bandelettes thermosensibles contiennent des cristaux liquides qui changent de couleur selon la température. Lorsqu'on applique la bandelette sur la peau, habituellement sur le front, les chiffres inscrits sur la bandelette réagissent en changeant de couleur (figure 33-7 ■). La peau doit être sèche. Après avoir laissé la bandelette sur la peau durant le laps de temps indiqué par le fabricant (environ 15 secondes), une couleur apparaît sur la bandelette. Cette méthode est particulièrement utile à la maison.

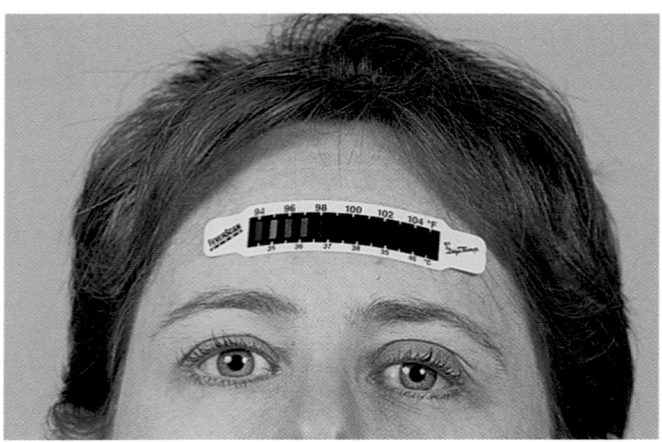

FIGURE **33-7** ■ Bandelette cutanée thermosensible.

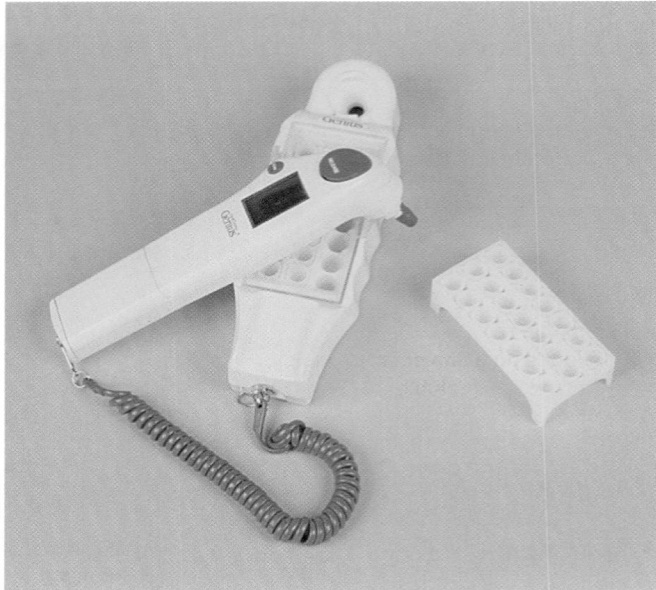

FIGURE **33-8** ■ Thermomètre tympanique à infrarouges servant à mesurer la température de la membrane tympanique.

Pour mesurer la température, le *thermomètre à infrarouges* enregistre l'énergie infrarouge émise par une source de chaleur ; dans le conduit auditif, la source de chaleur est la membrane tympanique (figure 33-8 ■). Le thermomètre à infrarouges n'entre pas en contact avec la membrane du tympan.

ÉCHELLES DE TEMPÉRATURE

La mesure de la température corporelle s'exprime en degrés Celsius ou Fahrenheit. Parfois, l'infirmière doit convertir les Celsius en Fahrenheit, ou l'inverse. Pour convertir les degrés Fahrenheit en degrés Celsius, on soustrait 32 de la température en Fahrenheit et on multiplie le résultat par la fraction 5/9, c'est-à-dire :

$$°C = (\text{température en } °F - 32) \times 5/9.$$

Par exemple, si la température en °F est de 100,

$$°C = (100 - 32) \times 5/9 = (68) \times 5/9 = 37,7.$$

Pour convertir les degrés Celsius en degrés Fahrenheit, on multiplie la température par la fraction 9/5 et on ajoute 32 au résultat, c'est-à-dire :

$$°F = (\text{température en } °C \times 9/5) + 32.$$

Par exemple, si la température en °C est de 40,

$$°F = (40 \times 9/5) + 32 = (72) + 32 = 104.$$

Le procédé 33-1 explique comment mesurer la température corporelle.

PROCÉDÉ 33-1

Évaluation de la température corporelle

Objectifs

- Obtenir les valeurs initiales pour les évaluations ultérieures.
- Déterminer si la température centrale se situe dans les limites de la normale.
- Déterminer les changements de la température centrale qui surviennent en réaction aux traitements administrés (par exemple, antipyrétiques, immunosuppresseurs, intervention chirurgicale effractive).

- Assurer la surveillance clinique des personnes qui présentent un risque d'anomalie de la température corporelle (par exemple, personnes atteintes d'une infection ou susceptibles de l'être ; personnes ayant été exposées à des températures extrêmes).

Évaluez

- Les symptômes et les signes de fièvre.
- Les symptômes et les signes d'hypothermie.
- L'endroit du corps le plus approprié pour prendre la température.
- Les facteurs qui peuvent influer sur la température centrale.

Matériel

- Thermomètre
- Enveloppe ou gaine pour la sonde
- Lubrifiant hydrosoluble si la température est prise par voie rectale
- Gants jetables
- Serviette (pour essuyer l'aisselle) si la température est prise par voie axillaire
- Papiers-mouchoirs ou essuie-tout

Préparation

Assurez-vous que tout le matériel fonctionne correctement. Au besoin, secouez le thermomètre en verre jusqu'à ce que la température indique 35 °C. *Le liquide indicateur ne descendra pas sous la valeur de départ si la température de la personne est inférieure à cette valeur. En s'assurant que le thermomètre indique une très basse température, l'infirmière est en mesure d'observer que le liquide indicateur a monté jusqu'à la température réelle de la personne.*

Exécution

1. Expliquez à la personne ce que vous allez faire, pourquoi vous allez le faire et comment elle peut coopérer. Expliquez-lui aussi que les résultats serviront à planifier les soins ou les traitements.

2. Lavez-vous les mains et observez les autres mesures de prévention des infections. Mettez des gants si vous mesurez la température par voie rectale.

3. Assurez-vous que l'intimité de la personne est préservée.

4. Installez la personne dans la position appropriée (par exemple, position latérale ou position de Sim si vous prenez la température par voie rectale).

5. Mettez le thermomètre en place (voir l'encadré 33-6).

   - Enveloppez la sonde d'une gaine protectrice, s'il y a lieu.
   - Si vous prenez la température par voie rectale, lubrifiez le thermomètre.

6. Attendez le temps nécessaire : de 2 à 3 minutes pour la température buccale ou rectale avec un thermomètre en verre, de 6 à 9 minutes pour la température axillaire avec un thermomètre en verre. Si vous prenez la température avec un thermomètre électronique ou à infrarouges, une lumière ou un son indiquera que la mesure a été enregistrée et que le résultat est disponible. Pour ce qui est des bandelettes thermosensibles, lisez les instructions sur l'emballage pour savoir combien de temps il faut attendre avant d'obtenir le résultat.

! ALERTE CLINIQUE *N'oubliez pas de noter la température affichée dans la fenêtre du boîtier avant d'y ranger la sonde. Sur plusieurs modèles, en effet, le résultat affiché s'efface lorsqu'on replace la sonde dans le boîtier.* ■

7. Retirez le thermomètre et débarrassez-vous de la gaine jetable ou essuyez le thermomètre avec un mouchoir.

8. Lisez la température et notez-la sur la fiche. Si la température est manifestement trop élevée, trop basse ou peu compatible avec l'état de la personne, reprenez-la en employant un autre thermomètre ou une autre méthode.

9. Lavez le thermomètre au besoin et rangez-le.

10. Consignez la température dans le dossier de la personne (figure 33-9 ■). La température rectale peut être notée au moyen d'un « R » inscrit à côté du résultat ou bien en encerclant le point sur le graphique. La température axillaire peut être notée à l'aide des lettres « AX » ou inscrite sur un graphique et accompagnée d'un X.

- Comparez la température de la personne avec les données initiales, avec les températures normales pour son âge et avec ses températures précédentes. Analysez le résultat en tenant compte du moment de la journée ainsi que des autres signes vitaux de la personne.

- Effectuez le suivi approprié. Par exemple, avisez le médecin, administrez un médicament ou modifiez l'environnement de la personne. Dans le cadre du suivi, l'infirmière enseigne à la personne les mesures qui peuvent faire baisser la fièvre : augmentation de l'apport liquidien, exercice de toux et de respiration profonde, retrait des vêtements ou des couvertures en trop.

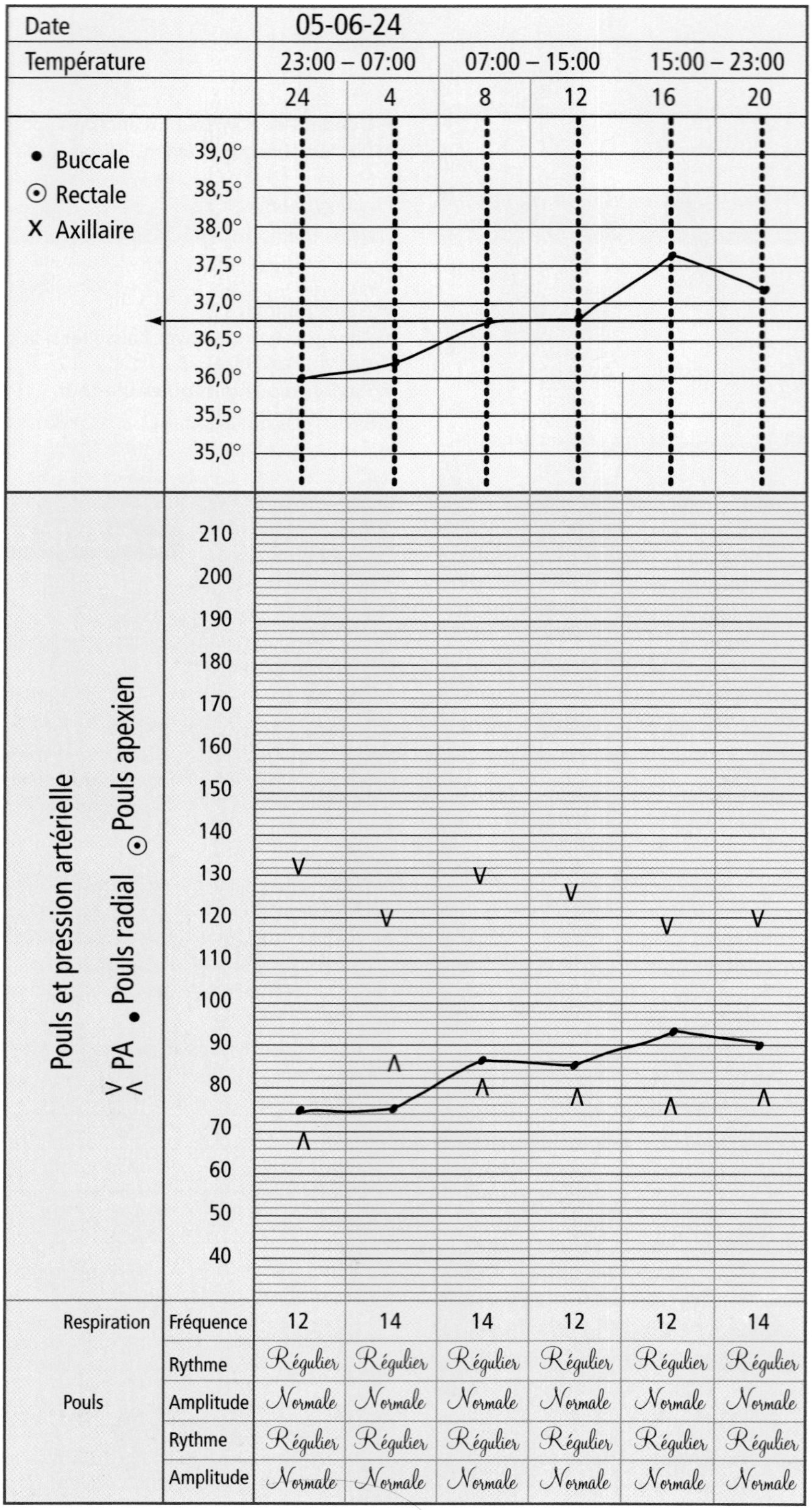

Date		05-06-24					
Température		23:00 – 07:00		07:00 – 15:00		15:00 – 23:00	
		24	4	8	12	16	20

	Respiration	Fréquence	12	14	14	12	12	14
		Rythme	Régulier	Régulier	Régulier	Régulier	Régulier	Régulier
Pouls		Amplitude	Normale	Normale	Normale	Normale	Normale	Normale
		Rythme	Régulier	Régulier	Régulier	Régulier	Régulier	Régulier
		Amplitude	Normale	Normale	Normale	Normale	Normale	Normale

FIGURE 33-9 ■ Relevé des signes vitaux.

Position du thermomètre

Température buccale

Placer la sonde à côté du frein de la langue (figure 33-10 ■).

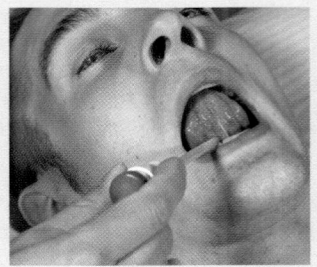

FIGURE **33-10** ■ Insertion du thermomètre dans la bouche.

Température axillaire

Essuyer l'aisselle si elle est très humide.

Placer la sonde du thermomètre au centre de l'aisselle (figure 33-12 ■).

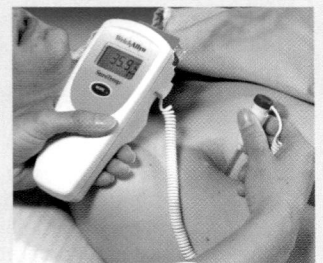

FIGURE **33-12** ■ Insertion du thermomètre au centre de l'aisselle.

Température rectale

Enfiler des gants propres.

Demander à la personne de respirer profondément durant l'insertion (figure 33-11 ■).

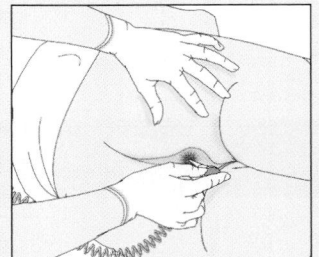

FIGURE **33-11** ■ Insertion du thermomètre dans le rectum.

Température tympanique

Tirer le pavillon de l'oreille vers l'arrière et le haut (figure 33-13 ■).

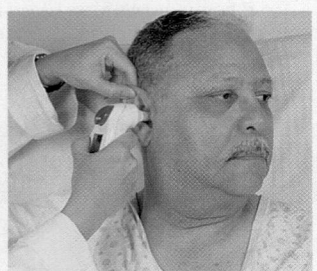

FIGURE **33-13** ■ Tirer le pavillon de l'oreille vers le haut et l'arrière pendant l'insertion du thermomètre tympanique.

S'il y a résistance au cours de l'insertion, ne pas faire pénétrer de force le thermomètre. Dans le cas d'un adulte, insérer sur une longueur de 3,5 cm.

Pointer la sonde légèrement vers l'avant, c'est-à-dire vers le tympan. Insérer la sonde lentement en lui faisant suivre un mouvement circulaire, jusqu'à ce qu'elle soit stable.

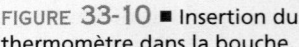

LES ÂGES DE LA VIE

Température

NOURRISSONS

- Prendre la température sous l'aisselle. Il faut parfois tenir le bras de l'enfant contre sa poitrine (figure 33-14 ■).
- La méthode axillaire n'est pas toujours aussi fiable que les autres méthodes pour détecter la fièvre chez les jeunes enfants (Bindler et Ball, 2003).
- La méthode tympanique est rapide et commode. Placer l'enfant sur le dos et stabiliser sa tête. Ensuite, tirer doucement le pavillon de l'oreille vers l'arrière et légèrement vers le bas. Diriger le bout de la sonde vers l'avant et insérer juste assez profondément pour que la sonde bouche le conduit.
- Éviter d'employer la méthode tympanique si l'enfant a une infection de l'oreille ou des drains tympaniques.
- La méthode rectale est peu recommandée chez les nourrissons.

ENFANTS

- Les méthodes tympanique et axillaire sont les plus utilisées.
- Si on opte pour la méthode tympanique, faire asseoir l'enfant sur les genoux d'un adulte et demander à l'adulte de tenir doucement la tête de l'enfant contre lui ou contre elle. Si l'enfant a plus de 3 ans, tirer légèrement le pavillon de l'oreille vers l'arrière et le haut (figure 33-15 ■).
- Éviter de recourir à la méthode tympanique si l'enfant a une infection de l'oreille ou des drains tympaniques.
- La méthode buccale peut être utilisée chez les enfants de plus de 3 ans, mais on recommande alors d'employer un thermomètre électronique.

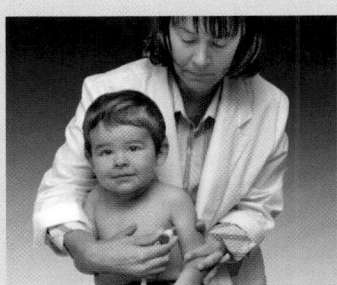

FIGURE **33-14** ■ Insertion du thermomètre sous l'aisselle.

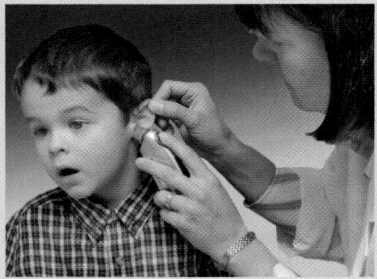

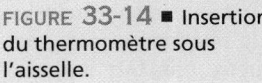

FIGURE **33-15** ■ Pour la méthode tympanique, tirer le pavillon de l'oreille vers l'arrière et le haut s'il s'agit d'un enfant de plus de 3 ans.

LES ÂGES DE LA VIE (SUITE)

- Si on prend la température rectale, installer l'enfant en position ventrale sur les genoux d'un adulte, ou alors en position couchée sur le côté, les genoux fléchis. Insérer le thermomètre dans le rectum à une profondeur de 2,5 cm.

PERSONNES ÂGÉES
- Chez les personnes âgées, la température corporelle a tendance à être plus basse que chez les adultes d'âge mûr.
- Les personnes âgées sont particulièrement sensibles aux changements de la température interne ou ambiante. Leurs mécanismes de thermorégulation ne sont pas aussi efficaces que ceux de l'adulte plus jeune, et le risque d'hypothermie et d'hyperthermie est plus élevé.

- Les personnes âgées peuvent présenter une importante accumulation de cérumen dans l'oreille, ce qui peut nuire à l'enregistrement de la température tympanique.
- Les personnes âgées sont particulièrement sujettes aux hémorroïdes. Inspecter l'anus avant de prendre la température rectale.
- Chez la personne âgée, la température corporelle n'est pas toujours un bon indicateur de la gravité de la maladie. Ainsi, une personne âgée peut avoir une pneumonie ou une infection urinaire et ne faire qu'une fièvre légère. Si d'autres symptômes sont présents, comme la confusion et l'agitation, il faut évaluer la personne pour en déterminer la cause.

SOINS À DOMICILE

Température
- Montrer à la personne comment utiliser correctement le thermomètre et comment lire le résultat. Examiner le thermomètre qu'elle utilise à la maison pour s'assurer qu'il est sûr et qu'il fonctionne bien. Observer la personne et le proche aidant pour s'assurer qu'ils savent comment prendre la température et lire le résultat. Expliquer qu'il est important de noter le type de température mesurée (rectale, buccale, axillaire ou tympanique) et le type de thermomètre utilisé. Expliquer également pourquoi il faut utiliser toujours le même thermomètre.
- Expliquer à la personne comment entretenir le thermomètre (le laver avec du savon et de l'eau tiède) et comment prévenir la contamination croisée.

- S'assurer que la personne dispose de lubrifiant si elle utilise la méthode rectale.
- Demander à la personne ou à un membre de son entourage de prendre contact avec un professionnel de la santé si la température est de 38,5 °C ou plus.
- Lorsque l'infirmière effectue une visite à domicile, elle doit avoir un thermomètre avec elle pour le cas où celui de la personne ne fonctionnerait pas bien.
- S'assurer que la personne sait comment noter sa température.
- Expliquer les mesures à prendre pour maintenir un milieu ambiant adéquat pendant la maladie et lorsque les conditions climatiques sont extrêmes (chauffage, air climatisé, vêtements et literie appropriés, etc.).

Pouls

Le **pouls** correspond à l'afflux sanguin produit par la contraction du ventricule gauche du cœur. Cet afflux sanguin représente le volume d'éjection systolique et la quantité de sang qui est propulsée dans les artères à chaque contraction ventriculaire.

Le **débit cardiaque** est le volume de sang pompé dans les artères par le cœur. Il est égal au produit du volume d'éjection systolique et de la fréquence cardiaque (FC) par minute. Par exemple, 65 mL × 70 battements par minute = 4,55 L par minute. Chez l'adulte au repos, le cœur pompe environ 5 L de sang par minute.

Chez une personne en santé, le pouls est le reflet des battements cardiaques : la fréquence du pouls est la même que la fréquence des contractions ventriculaires du cœur. Toutefois, dans certaines maladies cardiovasculaires, les battements du cœur et la fréquence du pouls peuvent différer. Par exemple, le cœur d'une personne peut produire un débit cardiaque très faible qui ne sera pas perceptible dans un pouls périphérique éloigné du cœur. Dans ce cas, l'infirmière auscultera les battements du cœur et palpera le pouls périphérique. Le **pouls**
périphérique est un pouls situé loin du cœur, par exemple derrière la malléole, au poignet ou dans le cou. À l'inverse, le **pouls apexien** est le pouls central, c'est-à-dire situé à l'apex du cœur.

Facteurs influant sur le pouls

La fréquence du pouls s'exprime en battements par minute (BPM). Elle varie en fonction d'un certain nombre de facteurs. L'infirmière doit tenir compte de chacun des facteurs suivants lorsqu'elle évalue le pouls d'une personne :

- *Âge.* Au cours du vieillissement, la fréquence du pouls diminue graduellement. Le tableau 33-1 présente les variations normales de la fréquence du pouls depuis la naissance jusqu'à l'âge adulte.
- *Sexe.* Après la puberté, la fréquence moyenne du pouls est légèrement plus basse chez l'homme que chez la femme.
- *Exercice.* Normalement, la fréquence du pouls augmente selon l'activité. L'augmentation est souvent moindre chez l'athlète professionnel que chez la plupart des gens, car le cœur de l'athlète est plus volumineux, plus fort et plus efficace.

- *Fièvre.* La fréquence du pouls augmente : (a) lorsque la pression artérielle diminue à la suite de la vasodilatation périphérique causée par une hausse de la température corporelle ; et (b) lorsque le métabolisme basal s'accélère.
- *Médicaments.* Certains médicaments entraînent une diminution de la fréquence du pouls, tandis que d'autres entraînent une augmentation. Par exemple, les cardiotoniques abaissent la fréquence cardiaque, tandis que l'adrénaline l'augmente.
- *Hypovolémie.* La perte de sang entraîne normalement une augmentation de la fréquence du pouls. Chez l'adulte, la diminution du volume sanguin circulant entraîne une modification de la fréquence cardiaque qui vise à accroître la pression artérielle pendant que l'organisme compense pour la perte de volume sanguin. Toutefois, les adultes en santé peuvent perdre jusqu'à 10 % de leur volume sanguin circulant sans subir de modification significative de la fréquence cardiaque.
- *Stress.* Le stress stimule le système nerveux autonome et, de ce fait, intensifie l'activité du cœur dans son ensemble. Le stress accroît la fréquence ainsi que l'amplitude des battements cardiaques. La peur et l'anxiété ainsi que la perception d'une douleur intense stimulent le système nerveux autonome.
- *Position du corps.* Quand une personne est assise ou debout, le sang s'accumule habituellement dans les vaisseaux capacitifs du système veineux. Cette accumulation entraîne une diminution transitoire du retour du sang veineux vers le cœur et une baisse subséquente de la pression artérielle ainsi qu'une augmentation de la fréquence cardiaque.
- *Maladie.* Certaines affections entraînent une anomalie de la fréquence du pouls au repos, par exemple certaines maladies du cœur ou d'autres affections s'accompagnant d'une perturbation de l'oxygénation.

Endroits utilisés pour prendre le pouls

Il existe huit types de pouls, selon l'endroit du corps où on le prend (figure 33-16 ■) :

1. Carotidien : sur le côté du cou, à l'endroit où la carotide passe entre la trachée et le muscle sternocléidomastoïdien.

> **! ALERTE CLINIQUE** *Il ne faut jamais oblitérer simultanément les deux carotides, car on risque d'occasionner une diminution de la pression artérielle ou de la fréquence cardiaque.* ■

2. Apexien : à la pointe du cœur. Chez l'adulte, la pointe du cœur est située sur le côté gauche du thorax, environ 8 cm à gauche du sternum, au quatrième, cinquième ou sixième espace intercostal. Chez l'enfant de 7 à 9 ans, le pouls apexien se trouve au quatrième ou cinquième espace intercostal. De 4 à 7 ans, on perçoit le pouls apexien à la ligne médioclaviculaire au cinquième espace intercostal. Avant 4 ans, il est situé à gauche de la ligne médioclaviculaire au quatrième espace intercostal (figure 33-17 ■).

3. Brachial : à la face interne du biceps du bras, ou en position médiane du pli du coude.

4. Radial : là où l'artère radiale traverse le radius, à la partie antérieure du poignet, du côté du pouce.

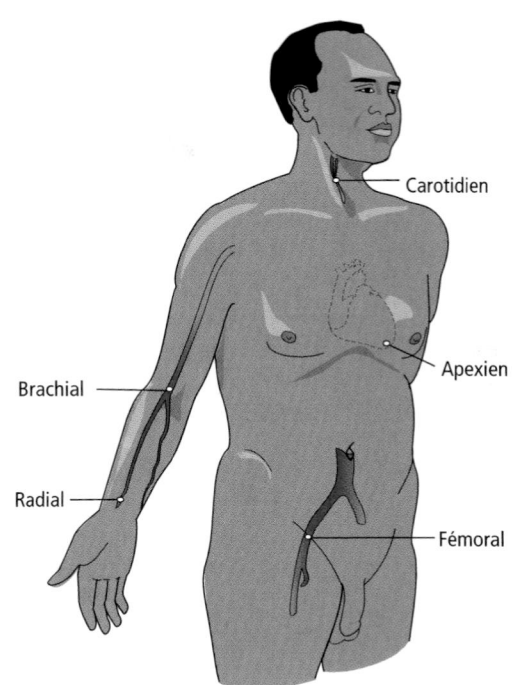

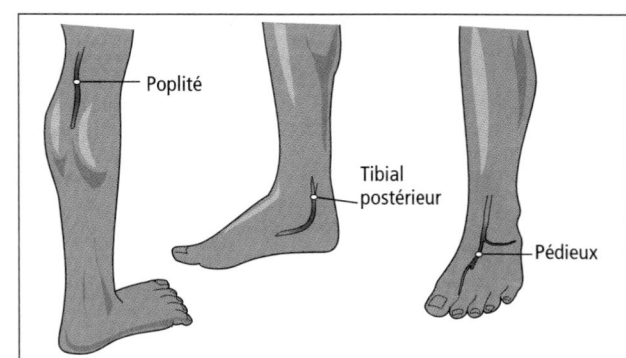

FIGURE **33-16** ■ Les huit endroits où prendre le pouls.

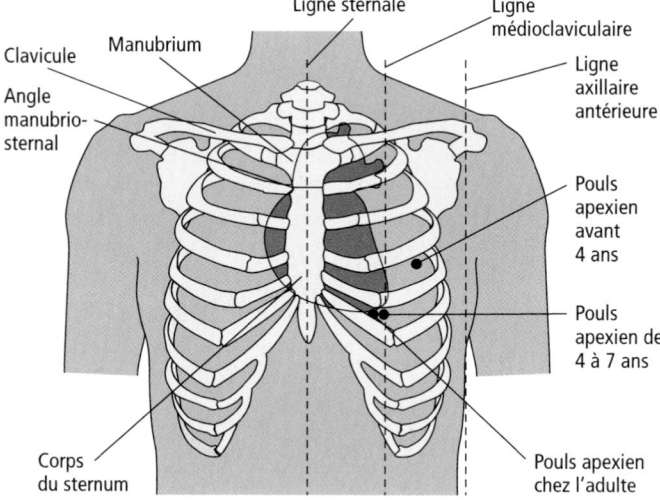

FIGURE **33-17** ■ Emplacement du pouls apexien chez un enfant de moins de 4 ans, chez un enfant de 4 à 7 ans et chez un adulte.

5. Fémoral : là où l'artère fémorale traverse le ligament inguinal.

6. Poplité : là où l'artère poplitée traverse l'arrière du genou.

7. Tibial postérieur : sur la face interne de la cheville, là où l'artère tibiale postérieure passe derrière la malléole interne.

8. Pédieux : là où l'artère pédieuse traverse les os du pied, sur une ligne imaginaire tracée du milieu de la cheville jusqu'à l'espace entre le gros orteil et le deuxième orteil.

Le pouls radial est le plus utilisé chez l'adulte. On le trouve aisément chez la plupart des gens et il est facilement accessible. Le tableau 33-3 explique à quoi sert chacun des pouls.

L'encadré *Diagnostics infirmiers, résultats de soins infirmiers et interventions* donne un exemple de la démarche systématique dans la pratique infirmière dans les cas d'anomalie du pouls.

Évaluation du pouls

Le plus souvent, on prend le pouls par palpation (perception tactile) ou par auscultation (perception auditive). On calcule la fréquence cardiaque en comptant le nombre de pulsations (qui correspondent aux battements) perçues pendant 30 secondes si le rythme cardiaque est régulier et pendant 60 secondes si le rythme cardiaque est irrégulier. Pour tous les pouls, sauf pour le pouls apexien, la palpation s'effectue avec le bout des trois doigts du milieu. L'infirmière utilise un stéthoscope pour évaluer le pouls apexien et les bruits du cœur fœtal. Elle utilisera un Doppler (figure 33-18 ■) pour palper les pouls difficiles à évaluer. Cet appareil peut détecter le mouvement des

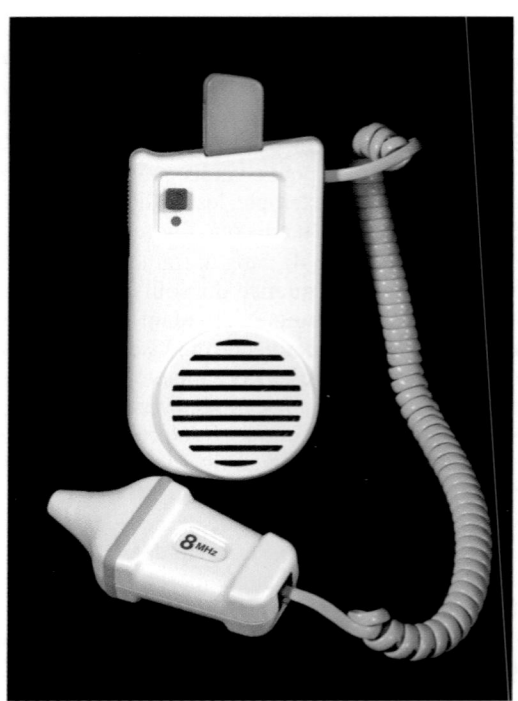

FIGURE 33-18 ■ Doppler.

érythrocytes dans un vaisseau sanguin et le transmettre au moyen d'un haut-parleur incorporé.

Normalement, on palpe un pouls en appliquant une pression modérée avec les trois doigts du milieu de la main. La pulpe très sensible du bout des doigts est la plus appropriée pour détecter les pouls. Une pression trop forte des doigts peut oblitérer le pouls, tandis qu'une pression trop faible ne permettra pas de le détecter. L'infirmière installe confortablement la personne avant d'évaluer son pouls au repos. Elle doit également tenir compte des éléments suivants :

- *Médicaments.* Tous les médicaments qui peuvent influer sur la fréquence cardiaque.
- *Activité physique.* Si la personne vient de faire un effort physique, l'infirmière attendra 15 minutes avant de prendre la mesure.
- *Données initiales.* On doit tenir compte de la fréquence cardiaque habituelle de la personne. Par exemple, un athlète en bonne condition physique peut avoir une fréquence cardiaque inférieure à 60 BPM.

Lorsqu'elle évalue le pouls, l'infirmière note les données suivantes : la fréquence, le rythme, l'amplitude, la résistance artérielle périphérique, la présence ou l'absence de symétrie. Une fréquence cardiaque excessivement rapide (de plus de 100 BPM chez un adulte, par exemple) se nomme **tachycardie**. Chez l'adulte, les fréquences cardiaques de 60 BPM et moins sont désignées par le terme **bradycardie**. Si la personne présente une tachycardie ou une bradycardie, l'infirmière doit évaluer le pouls apexien.

Le **rythme du pouls** correspond au rythme des battements et aux intervalles qui les séparent. Normalement, les intervalles sont égaux entre les battements. Lorsque le rythme du pouls est irrégulier, on dit qu'il y a **dysrythmie,** ou **arythmie**. La

TABLEAU 33-3 Utilité des divers pouls	
Pouls	**Raisons d'utiliser ce pouls**
Radial	Facile d'accès.
Carotidien	Utilisé en cas d'arrêt cardiaque.
	Utile pour évaluer la circulation au cerveau.
Apexien	Habituellement utilisé chez les nourrissons et les enfants de moins de 3 ans.
	Utilisé pour évaluer les discordances avec le pouls radial.
	Utilisé lors de l'administration de certains médicaments (digoxine).
Brachial	Utilisé pour mesurer la pression artérielle.
	Utilisé dans les cas d'arrêt cardiaque chez les nourrissons.
Fémoral	Utilisé dans les cas d'arrêt cardiaque.
	Utilisé chez les nourrissons et les enfants.
	Permet d'évaluer la circulation dans une jambe.
Poplité	Permet d'évaluer la circulation dans la partie inférieure de la jambe.
Tibial postérieur	Permet d'évaluer la circulation dans le pied.
Pédieux	Permet d'évaluer la circulation dans le pied.

DIAGNOSTICS INFIRMIERS, RÉSULTATS DE SOINS INFIRMIERS ET INTERVENTIONS

Irrigation tissulaire périphérique inefficace

DIAGNOSTIC INFIRMIER : DÉFINITION	EXEMPLE DE RÉSULTAT DE SOINS INFIRMIERS [Nº CRSI/NOC] : DÉFINITION	INDICATEURS	INTERVENTION CHOISIE [Nº CISI/NIC] : DÉFINITION	EXEMPLES D'ACTIVITÉS CISI/NIC
Irrigation tissulaire périphérique inefficace : Diminution de la nutrition et de l'oxygénation cellulaires, consécutive à la circulation capillaire insuffisante.	Circulation [0407] : *Capacité du sang de circuler dans les petits vaisseaux des extrémités et de maintenir la fonction tissulaire.*	• Pouls périphériques distaux bien frappés • Pouls périphériques distaux symétriques	Surveillance des signes vitaux [6680] : *Collecte et analyse des données sur l'état cardiovasculaire et respiratoire ainsi que sur la température corporelle dans le but de déterminer et prévenir les complications.*	• Surveiller la présence et la qualité des pouls. • Prendre les pouls apexien et radial simultanément et noter la différence. • Surveiller le rythme et la fréquence cardiaques.

dysrythmie peut se manifester par des battements irréguliers imprévisibles – on dit alors que le pouls est irrégulièrement irrégulier – ou par un enchaînement prévisible de battements irréguliers – on dit alors qu'il est régulièrement irrégulier. Si l'on décèle de la dysrythmie, il faut évaluer le pouls apexien. Un électrocardiogramme (ECG) est nécessaire pour préciser l'étiologie.

L'**amplitude du pouls** correspond au volume de sang éjecté à chaque battement. Habituellement, l'amplitude du pouls est la même à chaque battement. Pour qualifier l'amplitude du pouls, on utilise divers termes qui vont d'absent à bondissant. Le pouls normal est perceptible par une pression modérée des doigts, et on peut l'oblitérer en exerçant une pression plus grande. On qualifie le débit sanguin puissant et difficile à oblitérer de pouls bien frappé ou bondissant. Un pouls facilement oblitéré avec les doigts est un pouls faible, filant ou presque imperceptible. Pour évaluer l'amplitude, on peut se servir d'une échelle comme la suivante, qui va de 0 à 3 :

- 0 : pouls imperceptible, absent.
- +1 : pouls très faible, filant, presque imperceptible, qui s'oblitère à la pression.
- +2 : pouls perceptible, normal, impossible à oblitérer.
- +3 : pouls bondissant, très fort.

La résistance artérielle périphérique reflète la capacité de la paroi artérielle à modifier sa morphologie en fonction du volume et de la pression du sang. À la palpation, l'artère normale et saine est droite, lisse, ronde et élastique. Les personnes âgées ont souvent des artères rigides qui sont sinueuses (tortueuses) et irrégulières à la palpation.

Lorsque l'infirmière évalue un pouls périphérique pour déterminer l'apport sanguin à une partie donnée du corps, elle doit également évaluer le pouls correspondant de l'autre côté du corps. Cette seconde évaluation lui fournira des données qu'elle pourra comparer aux données de sa première évaluation. Par exemple, si l'infirmière évalue l'irrigation du pied droit, elle prend le pouls pédieux droit, puis le pouls pédieux gauche. Si les deux pouls sont semblables, on dit que les pouls pédieux sont égaux bilatéralement.

Le procédé 33-2 explique comment évaluer un pouls périphérique.

ÉVALUATION DU POULS APEXIEN

L'évaluation du pouls apexien est indiquée si le pouls périphérique de la personne est irrégulier ou non accessible, ou si la personne présente une affection cardiovasculaire, respiratoire ou rénale. La mesure du pouls apexien s'effectue avant l'administration de médicaments susceptibles de modifier la fréquence cardiaque. La région apexienne est également indiquée pour évaluer le pouls des nouveau-nés, des nourrissons et des enfants de moins de trois ans. Le procédé 33-3 explique comment prendre le pouls apexien.

ÉVALUATION DU POULS APEXIEN-RADIAL

L'évaluation du **pouls apexien-radial** peut être indiquée dans le cas de certaines maladies cardiovasculaires. Normalement, la fréquence à l'apex et la fréquence radiale sont identiques. Si la fréquence à l'apex est supérieure à la fréquence radiale, cela peut indiquer que l'éjection du sang par le cœur est trop faible pour que l'onde soit perceptible à la palpation périphérique, ou encore que les pulsations ne sont pas transmises, en raison d'une affection vasculaire périphérique. Tout écart entre la fréquence à l'apex et la fréquence radiale est appelé **pouls déficitaire**, et doit être signalé rapidement. La fréquence radiale n'est jamais supérieure à la fréquence à l'apex.

Le pouls apexien-radial peut être pris par deux infirmières ou une seule, mais les résultats sont plus sûrs quand deux infirmières procèdent à l'évaluation. Le procédé 33-4 explique comment s'y prendre pour évaluer le pouls apexien-radial.

PROCÉDÉ 33-2

Évaluation d'un pouls périphérique

Objectifs

- Obtenir les valeurs initiales auxquelles on pourra comparer les valeurs subséquentes.
- Déterminer si la fréquence du pouls se situe dans les limites de la normale.
- Déterminer si le rythme du pouls est régulier.
- Déterminer si l'amplitude du pouls est normale.
- Comparer les pouls périphériques correspondants des deux côtés du corps.

- Être à l'affût des changements qui surviennent dans l'état de santé de la personne et les évaluer.
- Assurer la surveillance clinique d'une personne qui présente ou qui pourrait présenter des anomalies du pouls (antécédents de maladie cardiaque ou de dysrythmie, utilisation d'un cardiostimulateur, hémorragie, douleur aiguë, perfusion de grandes quantités de liquides, fièvre).

COLLECTE DES DONNÉES

Évaluez

- Les signes cliniques d'une modification de la fonction cardiovasculaire autres que la fréquence du pouls, son rythme ou son amplitude (par exemple, dyspnée, fatigue, pâleur, cyanose, palpitations, syncope, anomalie de l'irrigation tissulaire périphérique se manifestant par une cyanose et une peau froide).

- Les facteurs qui peuvent influer sur la fréquence du pouls (par exemple, émotions, activité physique).
- L'endroit du corps le plus approprié à la prise du pouls.

PLANIFICATION

Matériel

- Montre munie d'une trotteuse ou d'un chronomètre.

- Si l'infirmière utilise un Doppler: sonde de transducteur, gel conducteur, papiers-mouchoirs ou essuie-tout.

INTERVENTION

Préparation

Si on utilise un Doppler, s'assurer que l'appareil fonctionne correctement.

Exécution

1. Expliquez à la personne ce que vous allez faire, pourquoi vous allez le faire et comment elle peut coopérer en restant calme et immobile. Expliquez-lui aussi que les résultats serviront à planifier les soins ou le traitement.

2. Lavez-vous les mains et observez les autres mesures de prévention des infections.

3. Assurez-vous que l'intimité de la personne est préservée.

4. Choisissez l'endroit où prendre le pouls. Normalement, l'infirmière prend le pouls radial, à moins qu'il soit impossible de l'exposer ou qu'il faille évaluer la circulation d'un autre endroit du corps.

5. Aidez la personne à s'installer confortablement. Quand on prend le pouls radial, la paume de la main vers le sol, la personne peut laisser son bras reposer le long de son corps ou plier son bras à un angle de 90° pour que son avant-bras repose sur sa poitrine. Si la personne peut s'asseoir, l'avant-bras peut reposer sur la cuisse, la paume vers le sol ou vers le corps.

6. Palpez le pouls et comptez les pulsations. Posez le bout des deux ou trois doigts du milieu, légèrement mais fermement, à l'endroit de la pulsation (figure 33-19 ■).

   • Comptez les pulsations durant 30 secondes et multipliez par deux. Notez le pouls en battements par minute sur la fiche. L'infirmière doit compter les pulsations pendant une minute entière si c'est la première fois qu'elle prend le pouls de la personne, si elle établit les valeurs initiales ou si le pouls est irrégulier. Si le pouls est irrégulier, il faut prendre le pouls apexien.

7. Évaluez le rythme et l'amplitude du pouls.

   • Pour évaluer le rythme du pouls, notez les caractéristiques des intervalles entre les battements. Lorsque le pouls est normal, les intervalles entre les battements sont égaux. S'il s'agit de l'évaluation initiale, on compte pendant une minute entière.

   • Évaluez l'amplitude du pouls. Le pouls normal est perceptible avec une pression modérée des doigts et présente une pression égale à chaque battement. Si le débit est puissant, on dit que le pouls est bondissant; s'il est facilement oblitéré, on dit qu'il est faible ou filant. Notez le rythme et l'amplitude du pouls sur la fiche.

8. Notez la fréquence du pouls, son rythme et son amplitude dans le dossier de la personne, ainsi que les interventions infirmières (voir la figure 33-9 dans le procédé 33-1). Notez les autres données pertinentes (par exemple, variation de la fréquence du pouls comparativement à la normale pour cette personne, coloration ou température anormale de la peau).

INTERVENTION (suite)

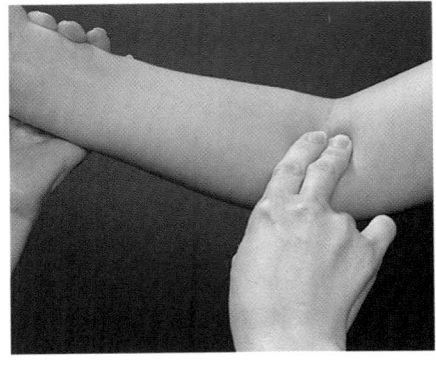

A

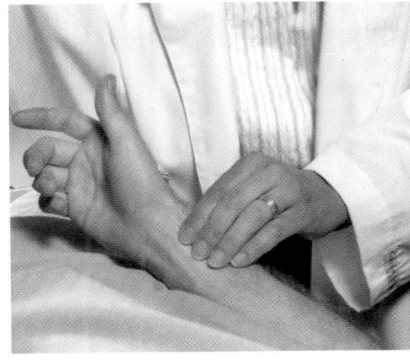

B

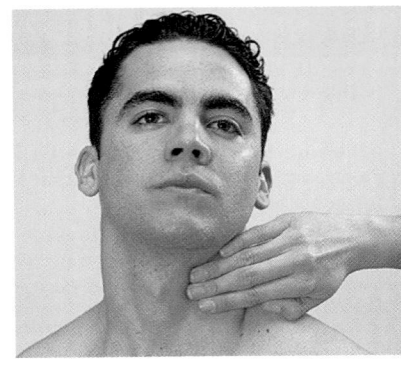

C

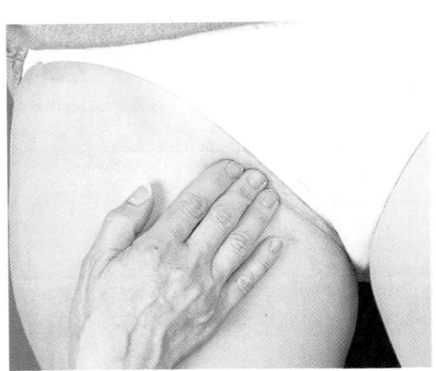

D

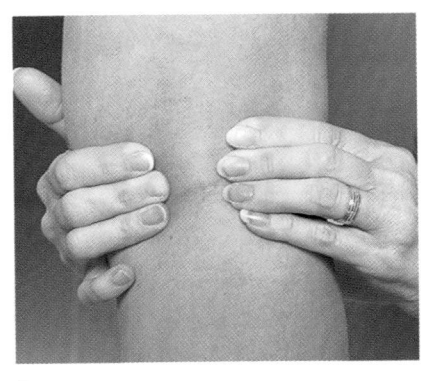

E

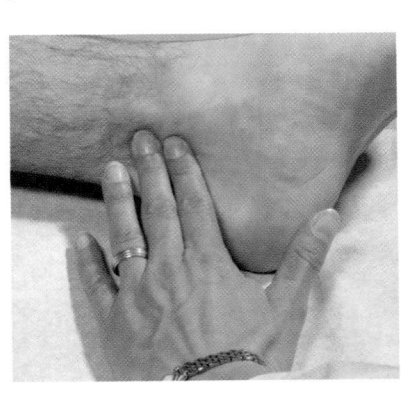

F

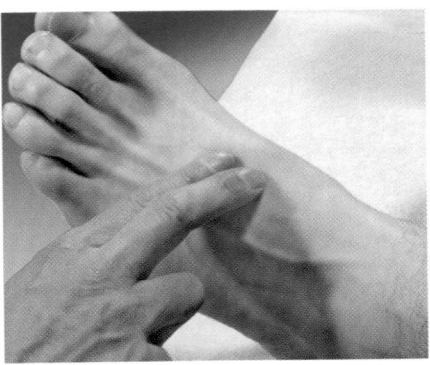

G

FIGURE 33-19 ■ Évaluation des pouls : *A,* brachial ; *B,* radial ; *C,* carotidien ; *D,* fémoral ; *E,* poplité ; *F,* tibial postérieur ; *G,* pédieux.

Variante : utilisation d'un doppler

- Appliquez un gel conducteur sur la sonde, sur la partie étroite du boîtier de plastique qui renferme le transducteur ou sur la peau de la personne. *Les ultrasons ne se déplacent pas bien dans l'air. Le gel crée un espace hermétique qui favorise la transmission des ultrasons.*
- Appuyez sur le bouton de démarrage.
- Maintenez la sonde contre la peau, à l'endroit choisi. Exercez une pression légère et gardez la sonde en contact avec la peau (figure 33-20 ■).

Une pression trop grande peut oblitérer le débit sanguin et, par le fait même, le signal.

- Réglez le volume, au besoin. Distinguez les bruits artériels des bruits veineux. Les bruits artériels émettent un son distinctif de pulsation, de pompage. Les bruits veineux sont beaucoup plus faibles, intermittents et varient en fonction des respirations. Les bruits artériels et veineux sont perceptibles simultanément quand on se sert d'un Doppler, car les principales artères et veines sont proches les unes des autres

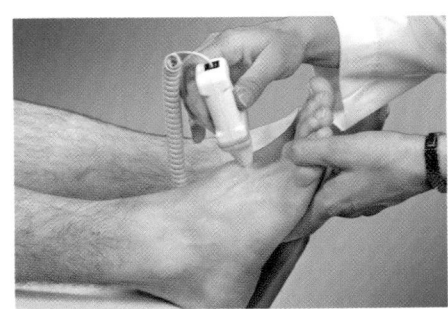

FIGURE 33-20 ■ Évaluation du pouls à l'aide d'un Doppler.

PROCÉDÉ 33-2 (SUITE)

Évaluation du pouls périphérique (suite)

INTERVENTION (suite)

dans tout le corps. Si les bruits artériels ne sont pas facilement audibles, il faut repositionner la sonde.

- Après avoir évalué le pouls, essuyez le gel sur la sonde afin d'en protéger la surface. Nettoyez le transducteur avec une

solution aqueuse. *L'alcool et les autres désinfectants peuvent endommager le transducteur.* Essuyez également le gel sur la peau de la personne.

ÉVALUATION

- Comparez la fréquence du pouls à la valeur initiale ou aux limites de la normale pour l'âge de la personne.
- Mettez la fréquence et l'amplitude du pouls en rapport avec les autres signes vitaux ; mettez le rythme et l'amplitude du pouls en rapport avec les données initiales et avec l'état de santé de la personne.

- Si vous mesurez des pouls périphériques, évaluez l'égalité, la fréquence et l'amplitude des deux côtés.
- Assurez le suivi nécessaire (par exemple, prévenir le médecin ou administrer des médicaments).

PROCÉDÉ 33-3

Évaluation du pouls apexien

Objectifs

- Mesurer la fréquence cardiaque chez un nouveau-né, un nourrisson, un enfant de moins de 3 ans ou un adulte dont le pouls périphérique est irrégulier.
- Établir les données initiales auxquelles pourront être comparées les données des évaluations subséquentes.

- Déterminer si la fréquence cardiaque est dans les limites de la normale et si le rythme est régulier.
- Assurer la surveillance clinique de la personne qui présente une maladie cardiaque ou qui reçoit des médicaments visant à améliorer l'activité cardiaque.

COLLECTE DES DONNÉES

Évaluez

- Les signes cliniques d'une modification cardiovasculaire autres que la fréquence, le rythme et l'amplitude du pouls (par exemple, dyspnée, fatigue, pâleur, cyanose, syncope).

- Les facteurs susceptibles de modifier la fréquence du pouls (par exemple, émotions, activité physique ainsi que médicaments pouvant modifier la fréquence cardiaque, comme la digoxine, les bêtabloquants ou les inhibiteurs calciques).

PLANIFICATION

Matériel

- Montre munie d'une trotteuse ou d'un chronomètre numérique

- Stéthoscope
- Tampons antiseptiques

INTERVENTION

Exécution

1. Expliquez à la personne ce que vous allez faire, pourquoi vous allez le faire et comment elle peut coopérer. Expliquez-lui aussi que les résultats serviront à planifier les soins ou les traitements.

2. Lavez-vous les mains et observez les autres mesures de prévention des infections.

3. Assurez-vous que l'intimité de la personne est préservée.

4. Aidez la personne à s'installer confortablement en décubitus dorsal ou en

position assise. Exposez la partie du thorax qui correspond à l'apex du cœur.

5. Repérez le **choc apexien**. Il s'agit de trouver la zone de la pointe du cœur où le pouls apexien est le plus clairement audible. Le choc apexien est également appelé **choc de pointe**.

INTERVENTION (suite)

- Palpez l'angle manubriosternal (articulation formée par le manubrium et la partie supérieure du sternum). *Il est perceptible juste sous la fourchette sternale, sous la forme d'une protubérance* (voir la figure 33-17).

- Glissez l'index juste à gauche de cet angle pour palper la deuxième côte. Au-dessous de cette côte se trouve le deuxième espace intercostal.

- Posez le majeur ou l'annulaire dans le troisième espace intercostal et continuez de palper vers le bas jusqu'au cinquième espace intercostal.

- Déplacez l'index sur le côté, le long du cinquième espace intercostal, jusqu'à la ligne médioclaviculaire. Normalement, le choc apexien est palpable le long de cette ligne ou en son milieu (voir la figure 33-17).

6. Auscultez et comptez les battements cardiaques.

- Nettoyez les embouts auriculaires et la membrane du stéthoscope à l'aide de tampons antiseptiques. *La membrane du stéthoscope doit être nettoyée et désinfectée après l'auscultation de chaque personne.*

- Tenez la membrane du stéthoscope dans la paume de la main pendant quelques secondes *pour la réchauffer.*

- Insérez les embouts auriculaires du stéthoscope dans les oreilles en suivant la direction des conduits auditifs externes, ou légèrement vers l'avant, *pour favoriser la perception auditive.*

- Tapotez doucement la membrane du stéthoscope avec le doigt *pour vous assurer que vous utilisez le bon côté.* Au besoin, faites pivoter le pavillon du stéthoscope pour le placer du côté de la membrane (figure 33-21 ■).

- Posez la membrane du stéthoscope à l'endroit où le choc apexien a été palpé et auscultez les bruits cardiaques normaux B$_1$ et B$_2$, qui ressemblent à des « boum-poum » (figure 33-22 ■). *En général, la fréquence cardiaque est davantage perceptible au niveau*

de l'apex du cœur. Chaque « boum-poum » correspond à un battement. *Les deux bruits cardiaques sont produits par la fermeture des valvules cardiaques. Le bruit cardiaque B$_1$ (« boum ») est émis quand les valvules mitrale et tricuspide se referment à la fin du remplissage ventriculaire (diastole). Le bruit cardiaque B$_2$ (« poum ») est émis quand les valvules sigmoïdes (aortique et pulmonaire) se referment après l'éjection du sang des ventricules (systole).*

- Si le rythme est régulier, comptez les battements cardiaques pendant 30 secondes, puis multipliez par 2.

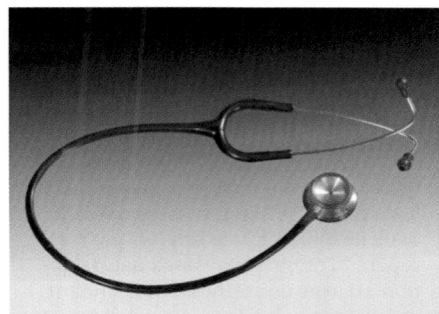

A

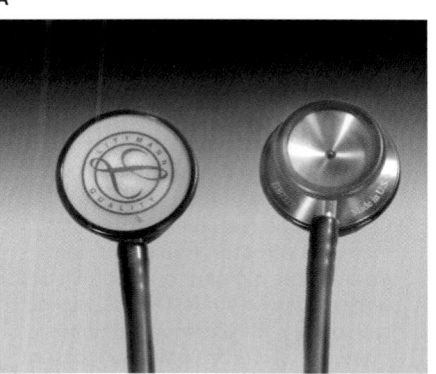

B

FIGURE 33-21 ■ *A,* stéthoscope avec cupule et membrane (aussi appelée diaphragme). *B,* gros plan d'une membrane et d'une cupule.

Si le rythme est irrégulier, comptez les battements pendant une minute entière afin d'obtenir une évaluation plus fiable.

7. Évaluez le rythme et l'amplitude de la pulsation.

- Pour évaluer le rythme de la pulsation, examinez les caractéristiques des intervalles entre les battements. Lorsque le pouls est normal, les battements sont séparés par des intervalles égaux.

- Évaluez l'amplitude de la pulsation. Normalement, les pulsations ont une amplitude similaire et peuvent être qualifiées de fortes ou faibles.

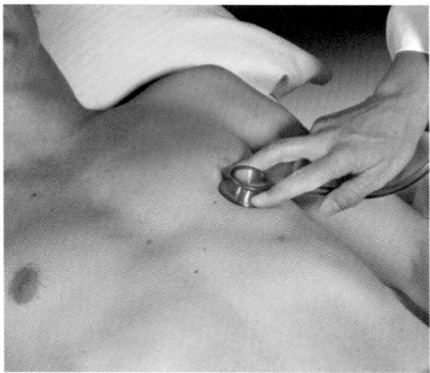

FIGURE 33-22 ■ Auscultation du pouls apexien. Remarquez comment on applique la membrane sur le thorax.

8. Notez au dossier de la personne l'endroit où le pouls a été mesuré, la fréquence du pouls, son rythme et son amplitude, ainsi que les interventions infirmières. Consignez également les autres données pertinentes (par exemple, variation de la fréquence du pouls par rapport aux valeurs normales pour la personne, remplissage capillaire, pression artérielle).

ÉVALUATION

- Analysez les résultats de la fréquence, du rythme et de l'amplitude du pouls en tenant compte des autres signes vitaux et de l'état de santé de la personne.
- Prévenir le médecin si l'évaluation révèle une anomalie (par exemple, tachycardie ou bradycardie, rythme irrégulier, faible amplitude du pouls, pâleur, cyanose, dyspnée).

- Assurez le suivi nécessaire (par exemple, administrer les médicaments prescrits à la suite de l'évaluation du pouls apexien).

PROCÉDÉ 33-4

Évaluation du pouls apexien-radial

Objectif

- Déterminer l'état de la circulation périphérique ou détecter la présence d'un pouls déficitaire.

COLLECTE DES DONNÉES

Évaluez

- Les signes cliniques du choc hypovolémique (hypotension, pâleur, cyanose, peau froide et moite).

PLANIFICATION

Matériel

- Montre munie d'une trotteuse ou d'un chronomètre numérique
- Stéthoscope
- Tampons antiseptiques

INTERVENTION

Préparation

Si l'infirmière souhaite utiliser la méthode requérant deux personnes, elle doit d'abord s'assurer que la deuxième infirmière est disponible.

Exécution

1. Expliquez à la personne ce que vous allez faire, pourquoi vous allez le faire et comment elle peut coopérer. Expliquez-lui aussi que les résultats serviront à planifier les soins ou les traitements.
2. Observez les mesures de prévention des infections.
3. Assurez-vous que l'intimité de la personne est préservée.
4. Aidez la personne à s'installer confortablement dans la position décrite pour la prise du pouls apexien, c'est-à-dire en décubitus dorsal ou en position assise. Exposez la partie du thorax qui correspond à l'apex du cœur. Si on a déjà évalué le pouls antérieurement, informez-vous de la position que la personne avait prise lors de cette évaluation et utilisez la même position. *On disposera ainsi de mesures comparables.*

5. Repérez les régions apexienne et radiale. Si vous utilisez la méthode requérant deux infirmières, une des infirmières repère la pulsation à l'apex par palpation ou avec un stéthoscope, pendant que l'autre palpe le pouls radial (voir les procédés 33-2 et 33-3).
6. Comptez la fréquence des pouls apexien et radial.

Méthode requérant deux infirmières

- Placez une montre à un endroit que les deux infirmières peuvent voir. L'infirmière qui prend le pouls radial peut tenir la montre.
- Convenez d'un moment pour commencer à compter. Habituellement, on choisit le moment où l'aiguille des secondes arrive sur le 12, le 3, le 6 ou le 9, ou, si c'est une montre numérique, sur un chiffre pair. Au moment choisi, l'infirmière dit « Départ ». *En procédant ainsi, on s'assure de compter les battements de façon simultanée.*
- Les deux infirmières comptent chacune la fréquence du pouls pendant 60 secondes. Elles s'arrêtent quand l'infirmière qui mesure le pouls radial dit « Stop ». *Il est nécessaire de*

compter les battements pendant une minute entière pour obtenir une bonne évaluation des différences entre les deux pouls.

- L'infirmière qui prend le pouls apexien en évalue également le rythme et l'amplitude. Si le pouls est irrégulier, notez si les battements irréguliers surviennent au hasard ou de manière prévisible.
- L'infirmière qui mesure le pouls radial en évalue également le rythme et l'amplitude.

Méthode requérant une seule infirmière

- Évaluez le pouls apexien pendant 60 secondes.
- Évaluez le pouls radial pendant 60 secondes.

7. Notez dans le dossier de la personne la fréquence, le rythme et l'amplitude des pouls apexien et radial ; indiquez si le pouls est déficitaire. Inscrivez les autres données pertinentes (par exemple, variation de la fréquence du pouls par rapport aux valeurs normales pour la personne ; autres observations, comme la pâleur, la cyanose et la dyspnée).

ÉVALUATION

- Analysez la fréquence et le rythme du pouls en tenant compte des autres signes vitaux, et comparez-les aux données initiales et à l'état de santé de la personne.
- Signalez au médecin tout changement par rapport aux mesures antérieures ou tout écart entre les deux pouls.
- Assurez le suivi nécessaire (par exemple, administrez les médicaments prescrits ou prenez les mesures exigées relativement au pouls déficitaire).

LES ÂGES DE LA VIE

Pouls

Nourrissons

- Chez un nouveau-né, un nourrisson ou un enfant de moins de 3 ans, on prend le pouls apexien pour établir les valeurs initiales qui pourront être comparées aux résultats des évaluations ultérieures, pour déterminer si la fréquence cardiaque se trouve dans les limites de la normale et pour s'assurer que le rythme est régulier.
- Placer le bébé en décubitus dorsal; lui donner une tétine s'il pleure ou s'il est agité. Les pleurs et l'activité physique haussent la fréquence du pouls. C'est pour cette raison que, chez les jeunes enfants, on prend le pouls apexien avant de prendre la température corporelle.
- Chez le nourrisson, la zone apexienne se trouve dans le quatrième espace intercostal, à côté de la ligne médioclaviculaire.
- Les pouls brachial, poplité et fémoral peuvent être palpés. Comme les jeunes enfants ont une pression artérielle peu élevée et une fréquence cardiaque rapide, les autres pouls périphériques sont parfois difficiles à percevoir.

Enfants

- Pour prendre un pouls périphérique, installer l'enfant confortablement dans les bras de l'adulte qui l'accompagne, ou demander à l'adulte de rester tout près. La présence de l'adulte peut atténuer l'anxiété de l'enfant et permettre d'obtenir des résultats plus justes.
- Pour évaluer le pouls apexien, aider le jeune enfant à s'installer en décubitus dorsal ou en position assise (figure 33-23 ■).
- Faire une démonstration à l'enfant en lui permettant de toucher au stéthoscope avant de commencer l'auscultation afin d'atténuer son anxiété et d'obtenir sa coopération (figure 33-24 ■).
- En général, la pointe du cœur se trouve dans le quatrième espace intercostal chez les jeunes enfants, et dans le cinquième espace intercostal chez les enfants de 7 ans ou plus.
- Repérer la pulsation à l'apex le long du quatrième espace intercostal, entre la ligne médioclaviculaire et la ligne axillaire antérieure (voir la figure 33-17).

Personnes âgées

- Si la personne a les mains ou les bras agités de tremblements, il sera difficile de prendre son pouls radial.

- Chez la personne âgée, il est préférable d'utiliser la mesure du pouls apexien à cause d'anomalies cardiaques telles qu'une diminution du débit cardiaque, une sténose des valvules cardiaques ou des arythmies.
- Les personnes âgées présentent souvent une anomalie de la circulation périphérique, de sorte que l'on devrait également prendre les pouls pédieux ou tibial postérieur pour en vérifier la régularité, l'amplitude et la symétrie.

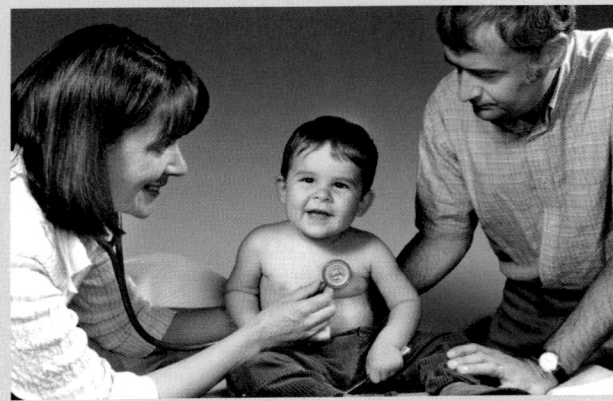

FIGURE 33-23 ■ Auscultation du pouls apexien chez l'enfant.

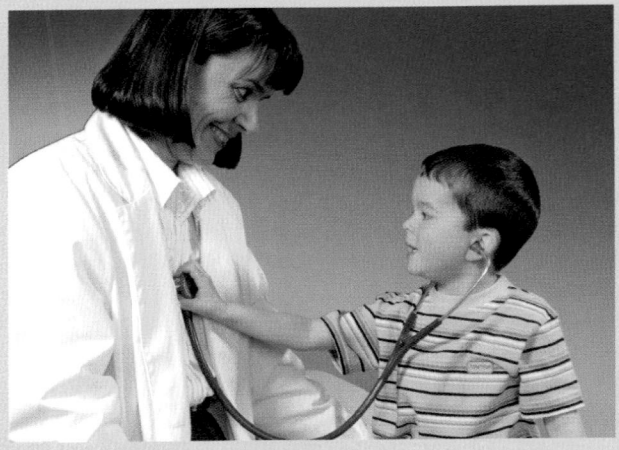

FIGURE 33-24 ■ Enfant jouant à prendre le pouls apexien.

SOINS À DOMICILE

Pouls

- Expliquer à la personne pourquoi elle doit prendre son pouls et sa pression artérielle.
- Expliquer à la personne qu'elle doit également mesurer son pouls avant de prendre des médicaments qui peuvent modifier la fréquence cardiaque. Lui dire aussi de signaler à l'infirmière ou au médecin tout changement notable dans la fréquence ou le rythme cardiaque (régularité).

Respiration

La **respiration** est le phénomène par lequel l'oxygène est absorbé et le gaz carbonique, rejeté. La **respiration externe** représente l'échange d'oxygène et de gaz carbonique entre les alvéoles des poumons et le sang pulmonaire, tandis que la **respiration interne** représente l'échange de ces mêmes gaz entre le sang circulant et les cellules des tissus de l'organisme; la respiration interne a donc lieu dans tout l'organisme.

On nomme **inspiration** l'absorption d'air dans les poumons, et **expiration** l'expulsion d'air hors des poumons, vers le milieu ambiant. La **ventilation** désigne le mouvement de l'air qui entre dans les poumons et en sort.

En gros, il existe deux sortes de respiration: la **respiration costale** (ou **thoracique**) et la **respiration diaphragmatique** (ou **abdominale**). La respiration costale fait intervenir surtout les intercostaux externes des muscles accessoires, tels les muscles sternocléidomastoïdiens. Elle se caractérise par un mouvement thoracique vers le haut et l'extérieur. La respiration diaphragmatique se caractérise plutôt par la contraction et le relâchement du diaphragme; on la reconnaît par le mouvement de l'abdomen qui accompagne le mouvement du diaphragme.

Mécanismes de la respiration et régulation

Voici comment se déroule l'*inspiration* en temps normal (figure 33-25 ■): le diaphragme se contracte (s'aplatit), les côtes se soulèvent et s'avancent, et le sternum s'avance également, ce qui entraîne l'expansion de la cage thoracique et permet aux poumons de se dilater. Au cours de l'*expiration* (figure 33-26 ■), le diaphragme se décontracte, les côtes s'abaissent vers l'intérieur et le sternum se déplace également vers l'intérieur, ce qui provoque une diminution du volume de la cage thoracique au fur et à mesure que les poumons se compriment. Normalement, la respiration se déroule sans effort et de façon automatique. Chez l'adulte, une inspiration dure normalement de 1 à 1,5 seconde et une expiration, de 2 à 3 secondes.

La respiration est régulée par des chimiorécepteurs centraux et périphériques qui réagissent à la fluctuation des concentrations artérielles d'oxygène (O_2), de gaz carbonique (CO_2) et d'hydrogène (H^+). Pour plus de détails concernant ce processus, consulter le chapitre 48 ⟲.

Évaluation de la respiration

On doit évaluer la respiration *au repos* quand la personne est détendue, car l'effort influe sur la respiration, c'est-à-dire qu'il en augmente la fréquence et l'amplitude. L'anxiété peut également modifier la fréquence et l'amplitude respiratoires. Dans certains cas, l'infirmière devra évaluer la respiration après l'effort afin d'apprécier la tolérance à l'effort. Avant d'évaluer la respiration d'une personne, l'infirmière doit prendre en considération les facteurs suivants:

- Le cycle respiratoire habituel de la personne
- L'effet des problèmes de santé sur la respiration
- Les médicaments ou les traitements administrés et leur effet sur la respiration
- Les rapports entre la respiration et la fonction cardiovasculaire

Lorsqu'on évalue la respiration, on évalue la fréquence, l'amplitude, le rythme, la qualité et l'efficacité de la respiration.

La *fréquence respiratoire* se mesure habituellement en respirations par minute. On appelle **eupnée** une respiration dont la fréquence et l'amplitude sont normales, **bradypnée** une respiration anormalement lente et **tachypnée**, ou **polypnée**, une respiration anormalement rapide. L'**apnée** est l'absence de respiration. Le tableau 33-1 présente les fréquences respiratoires des divers groupes d'âge.

Facteurs influant sur la respiration

Certains facteurs influent sur la fréquence respiratoire. Les facteurs qui entraînent une augmentation de la fréquence respiratoire sont l'effort (il accélère le métabolisme), le stress (il prépare l'organisme à la «réaction de lutte ou de fuite»), la hausse de la température ambiante et la diminution de la concentration d'oxygène. Les facteurs qui peuvent ralentir la fréquence respiratoire sont la baisse de la température ambiante, certains médicaments (les opioïdes, par exemple) et l'augmentation de la pression intracrânienne.

> **! ALERTE CLINIQUE** *La respiration d'un adulte qui dort peut descendre sous les 10 respirations par minute. On doit prendre d'autres signes vitaux pour déterminer son état de santé.* ■

On peut évaluer l'*amplitude* respiratoire en observant le mouvement de la cage thoracique ou en posant sa main sur le thorax de la personne. L'amplitude respiratoire est généralement qualifiée de normale, de profonde ou de superficielle. La *respiration profonde* se traduit par l'inspiration et l'expiration d'un grand volume d'air qui fait se dilater complètement les poumons. La *respiration superficielle* se caractérise par l'échange d'un faible volume d'air et par une sollicitation minimale du tissu pulmonaire. Lors d'une inspiration et d'une expiration normales, un adulte inhale environ 500 mL d'air. Ce volume est appelé **volume courant**. Pour plus de détails concernant le volume et la capacité pulmonaires, voir le chapitre 48 ⟲.

La position du corps influe également sur la quantité d'air inhalée. Quand la personne est couchée, deux processus physiologiques supprimant la respiration sont à l'œuvre: l'augmentation du volume de sang circulant dans la cavité thoracique et la compression du thorax. De cette manière, la personne qui se trouve en décubitus dorsal présente une ventilation pulmonaire plus faible; elle est donc prédisposée à une stase circulatoire et, par conséquent, à l'infection. Certains médicaments influent également sur l'amplitude respiratoire; les narcotiques, tels que la morphine, et les barbituriques pris à fortes doses, comme le sécobarbital, dépriment les centres respiratoires du cerveau et, par le fait même, provoquent une baisse de la fréquence et de l'amplitude respiratoires. L'**hyperventilation** désigne une respiration profonde et rapide, tandis que l'**hypoventilation** caractérise une respiration très superficielle.

Le **rythme respiratoire** a trait à la régularité des inspirations et des expirations. Normalement, la respiration s'effectue à intervalles égaux. Le rythme respiratoire peut être *régulier* ou *irrégulier*. Le rythme respiratoire du jeune enfant a tendance à être moins régulier que celui de l'adulte. Pour plus de détails concernant les rythmes respiratoires anormaux, consulter le chapitre 48 ⟲.

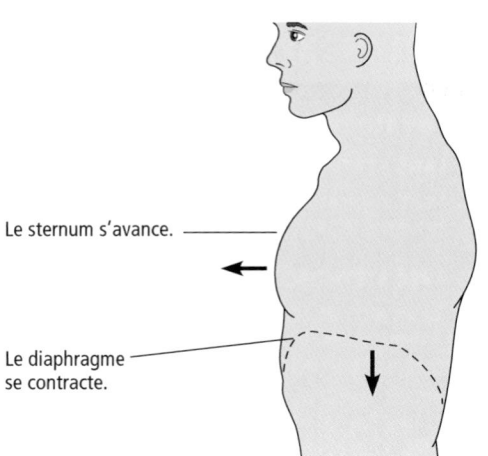

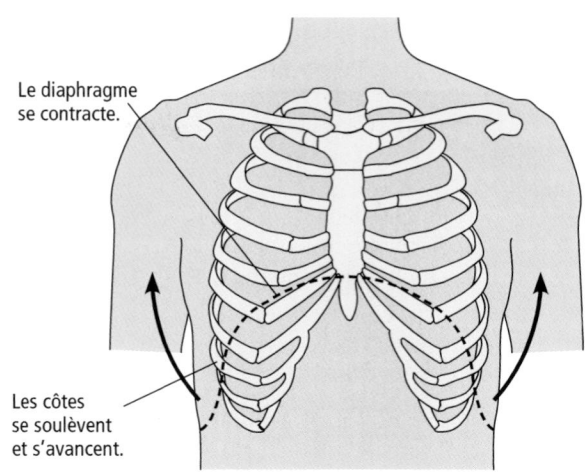

Le sternum s'avance.

Le diaphragme se contracte.

Le diaphragme se contracte.

Les côtes se soulèvent et s'avancent.

FIGURE **33-25** ■ Inspiration. *À gauche :* vue de profil ; *à droite :* vue de face.

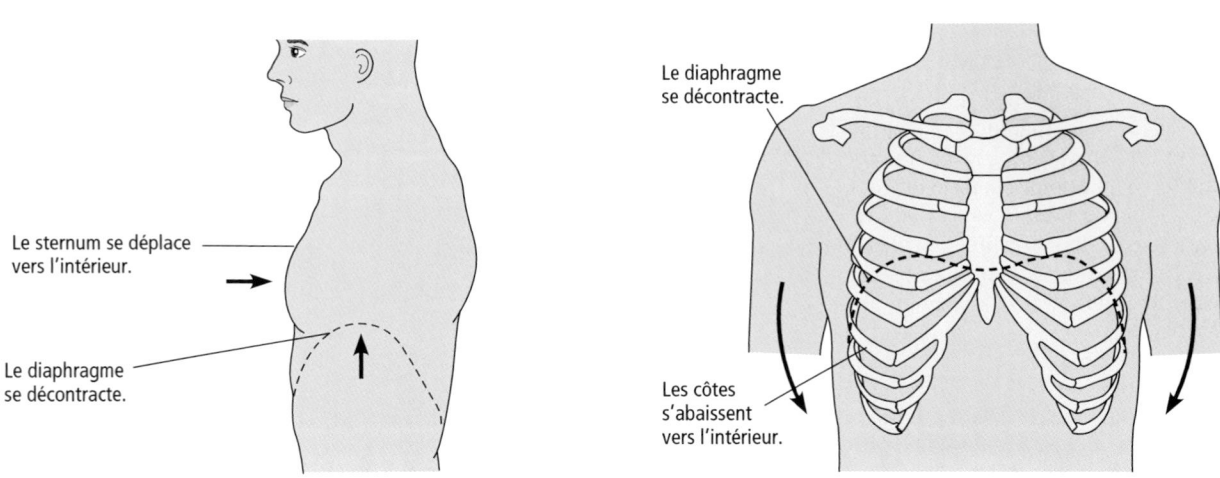

Le sternum se déplace vers l'intérieur.

Le diaphragme se décontracte.

Le diaphragme se décontracte.

Les côtes s'abaissent vers l'intérieur.

FIGURE **33-26** ■ Expiration. *À gauche :* vue de profil ; *à droite :* vue de face.

Les **caractéristiques de la respiration** désignent les aspects de la respiration qui diffèrent de l'eupnée. Citons-en deux : l'effort requis pour respirer et le bruit respiratoire. Habituellement, la respiration ne nécessite aucun effort. Certaines personnes doivent toutefois faire un effort délibéré pour respirer, auquel cas on parle de *respiration laborieuse.*

Le bruit de la respiration est également très significatif. La respiration normale est silencieuse. Un certain nombre de bruits anormaux, par exemple les sifflements, sont perceptibles par l'infirmière. De nombreux bruits respiratoires sont causés par la présence de liquide dans les poumons ; c'est à l'aide du stéthoscope qu'on les perçoit le plus clairement. Le chapitre 34 🔗 présente les méthodes utilisées pour évaluer les bruits respiratoires. L'encadré 33-7 explique en détail les anomalies des rythmes respiratoires et les termes employés pour décrire les divers rythmes et bruits de la respiration.

L'efficacité de la respiration se mesure en partie à la captation, par le sang, de l'oxygène provenant de l'air inspiré et à la libération, dans l'air expiré, du gaz carbonique provenant du sang. La **sphygmooxymétrie** permet de mesurer indirectement la quantité d'oxyhémoglobine (hémoglobine saturée en oxygène) qui se trouve dans le sang artériel. À l'aide d'un sphygmooxymètre appliqué sur un doigt, un orteil ou une autre partie du corps, on peut obtenir une lecture numérique de la fréquence du pouls de la personne et de la saturation en oxygène de son hémoglobine (voir le procédé 33-7). L'encadré *Diagnostics infirmiers, résultats de soins infirmiers et interventions* donne un exemple de la démarche systématique dans la pratique infirmière pour les cas d'anomalies de la respiration.

Le procédé 33-5 présente les étapes à suivre pour évaluer la respiration.

Particularités de la respiration et des bruits respiratoires

Respiration

FRÉQUENCE

- *Tachypnée :* respiration rapide (> 20/min).
- *Bradypnée :* respiration anormalement lente (< 12/min).
- *Apnée :* cessation de la respiration.

AMPLITUDE

- *Hyperventilation :* dilatation excessive des poumons se caractérisant par une respiration profonde et rapide.
- *Hypoventilation :* dilatation insuffisante des poumons se caractérisant par une respiration superficielle.

RYTHME

- *Respiration de Cheyne-Stokes :* périodes d'apnée entrecoupées d'une série de respirations d'amplitude croissante suivie d'une autre série d'amplitude décroissante ; respiration dont l'amplitude est variable (avec des périodes d'apnée) et dont le rythme est régulièrement irrégulier.

PARTICULARITÉS

- *Dyspnée :* respiration difficile et laborieuse durant laquelle la personne a l'impression persistante de manquer d'air, ce qui crée un sentiment de détresse.
- *Orthopnée :* incapacité à respirer en position de décubitus dorsal, à moins d'utiliser plusieurs oreillers ; par conséquent, la personne doit rester assise ou debout.

Bruits respiratoires

AUDIBLES SANS STÉTHOSCOPE

- *Stridor :* bruit inspiratoire aigu et strident causé par une obstruction dans le larynx ou la trachée.

AUDIBLES AVEC STÉTHOSCOPE

- *Sibilant :* bruit aigu et continu perceptible à l'expiration, et parfois à l'inspiration, lorsque l'air s'écoule dans un conduit aérien rétréci ou partiellement obstrué.
- *Ronchis :* bruits humides perceptibles au moment où l'air passe à travers des sécrétions humides dans les voies respiratoires.

MOUVEMENTS THORACIQUES

- *Tirage intercostal :* inspiration visible à cause de la rétraction présente aux espaces intercostaux.
- *Tirage sous-sternal :* inspiration visible à cause de la rétraction présente sous les rebords costaux.
- *Tirage sus-sternal :* inspiration visible à cause de la rétraction présente au-dessus des clavicules.

SÉCRÉTIONS ET TOUX

- *Hémoptysie :* présence de sang dans les expectorations.
- *Toux productive :* toux accompagnée d'expectorations.
- *Toux non productive :* toux sèche sans expectorations.

DIAGNOSTICS INFIRMIERS, RÉSULTATS DE SOINS INFIRMIERS ET INTERVENTIONS

Mode de respiration inefficace

DIAGNOSTIC INFIRMIER : DÉFINITION	EXEMPLE DE RÉSULTAT DE SOINS INFIRMIERS [Nº CRSI/NOC] : DÉFINITION	INDICATEURS	INTERVENTION CHOISIE [Nº CISI/NIC] : DÉFINITION	EXEMPLES D'ACTIVITÉS CISI/NIC
Mode de respiration inefficace : L'inspiration et/ou l'expiration sont insuffisantes pour maintenir une ventilation adéquate.	État respiratoire : ventilation [0403] : *Mouvement de l'air à l'inspiration et à l'expiration pulmonaires.*	• Fréquence respiratoire selon les valeurs normales • Facilité respiratoire	Surveillance de l'état respiratoire [3350] : *Collecte et analyse des données présentes chez une personne afin d'assurer chez elle la liberté des voies respiratoires et le processus normal des échanges gazeux respiratoires.*	• Surveiller les respirations bruyantes telles que les sibilances ou les ronflements. • Vérifier la fréquence, le rythme, l'amplitude et les efforts respiratoires.

PROCÉDÉ 33-5

Évaluation de la respiration

Objectifs

- Obtenir les données initiales auxquelles pourront être comparés les résultats des évaluations ultérieures.
- Être à l'affût des anomalies respiratoires et déceler les changements.
- Évaluer la respiration avant d'administrer un médicament comme la morphine (une respiration anormalement lente peut justifier l'espacement des doses ou le retrait du médicament).

- Surveiller la respiration après l'administration d'un anesthésique général ou de tout médicament qui influe sur la respiration.
- Surveiller les facteurs de risque d'anomalies de la respiration (par exemple, fièvre, douleur, anxiété aiguë, bronchopneumopathie obstructive chronique, infection respiratoire, œdème aigu du poumon, embolie pulmonaire, traumatisme thoracique, pneumothorax, lésion du tronc cérébral).

COLLECTE DES DONNÉES

Évaluez

- La coloration de la peau et des muqueuses (par exemple, cyanose ou pâleur).
- La position adoptée pour respirer (par exemple, position orthopnéique).
- Les signes d'anoxie cérébrale (par exemple, irritabilité, agitation, somnolence ou perte de conscience).

- Les mouvements thoraciques (par exemple, tirage intercostal, sus-sternal ou sous-sternal).
- La tolérance à l'effort.
- La douleur thoracique.
- La dyspnée.
- Les médicaments pouvant modifier la fréquence respiratoire.

PLANIFICATION

Matériel

- Montre munie d'une trotteuse ou d'un chronomètre numérique

INTERVENTIONS

Préparation

Pour faire une évaluation de routine de la respiration, informez-vous de l'emploi du temps de la personne et choisissez le moment propice. La personne qui vient de faire de l'exercice doit se reposer pendant 10 minutes pour laisser sa respiration revenir à la normale.

Exécution

1. Expliquez à la personne ce que vous allez faire, pourquoi vous allez le faire et comment elle peut coopérer. Expliquez-lui aussi que les résultats serviront à planifier les soins et les traitements.
2. Observez les mesures de prévention des infections.
3. Assurez-vous que l'intimité de la personne est préservée.
4. Observez ou palpez et comptez les mouvements respiratoires.
   - Consciente que l'infirmière compte ses mouvements respiratoires, la personne a parfois tendance à modifier

délibérément sa respiration. Si c'est le cas, posez une main sur sa cage thoracique afin de sentir les mouvements du thorax (figure 33-27 ■) qui accompagnent la respiration, ou croisez le bras de la personne sur son thorax et observez les mouvements thoraciques tout en faisant mine de prendre le pouls radial.
   - Comptez la fréquence respiratoire pendant 30 secondes si la respiration est régulière. Comptez durant une minute entière si elle est irrégulière. Une inspiration et une expiration correspondent à un seul cycle respiratoire.
5. Observez l'amplitude, le rythme et les particularités de la respiration.
   - Observez les mouvements thoraciques pour évaluer l'amplitude respiratoire. *Une respiration profonde permet d'échanger un grand volume d'air, tandis qu'une respiration superficielle donne lieu à l'échange d'un petit volume d'air.*

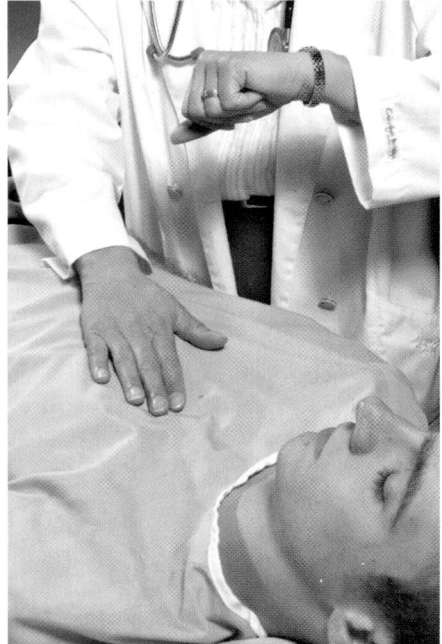

FIGURE 33-27 ■ Évaluation de la respiration.

PROCÉDÉ 33-5 (SUITE)

Évaluation de la respiration (suite)

INTERVENTIONS INFIRMIÈRES (suite)

- Observez les mouvements respiratoires pour déterminer si la respiration est régulière ou irrégulière. *Normalement, les cycles respiratoires sont entrecoupés d'intervalles égaux.*

- Observez le caractère de la respiration, c'est-à-dire le bruit qu'elle produit et les efforts qu'elle requiert. *Normalement, la respiration est silencieuse et s'accomplit sans effort.*

6. Consignez la fréquence, l'amplitude, le rythme et les caractéristiques de la respiration (voir la figure 33-9).

ÉVALUATION

- Analysez la fréquence respiratoire en tenant compte des autres signes vitaux, en particulier la fréquence du pouls, le rythme et l'amplitude respiratoires, et mettez ces données en rapport avec les données initiales et l'état de santé de la personne.
- Prévenez le médecin si la fréquence respiratoire est anormalement lente ou anormalement rapide, et signalez tout changement dans la respiration par rapport à la dernière

évaluation ; prévenez le médecin si le rythme est irrégulier, si l'amplitude est inadéquate ou si elle présente un caractère anormal (orthopnée, sifflement, stridor ou ronchis, dyspnée).
- Assurez le suivi nécessaire (par exemple, administrez les médicaments ou les traitements prescrits, installez la personne dans une position qui facilite la respiration et faites appel à d'autres membres de l'équipe de soins, notamment à l'inhalothérapeute).

LES ÂGES DE LA VIE

Respiration

NOURRISSONS

- Le bébé qui pleure aura une fréquence respiratoire anormalement élevée ; on doit le calmer avant d'évaluer sa respiration.
- Au besoin, poser doucement la main sur l'abdomen du bébé pour le sentir se soulever et s'abaisser au cours du cycle respiratoire.

ENFANTS

- Comme le jeune enfant a une respiration diaphragmatique, observer l'abdomen qui se soulève et s'abaisse. Au besoin, poser doucement la main sur l'abdomen de l'enfant pour le sentir se soulever et s'abaisser au cours du cycle respiratoire.

PERSONNES ÂGÉES

- Demander à la personne de rester calme, ou alors compter les respirations, sans le lui dire, après avoir pris le pouls.
- Le vieillissement s'accompagne de modifications physiologiques qui amoindrissent l'efficacité de l'appareil respiratoire. Toute modification de la fréquence respiratoire ou du type de respiration doit être signalée sans tarder.

SOINS À DOMICILE

Respiration

- Surveiller la fréquence respiratoire après l'administration de dépresseurs respiratoires tels que la morphine.
- Évaluer l'environnement domestique pour déceler les facteurs susceptibles de perturber la respiration (gaz d'échappement, propane, émanations de peinture, fumée de tabac).
- S'il s'agit d'un enfant, demander à un adulte de le tenir et de l'empêcher de s'agiter pendant que l'infirmière compte ses respirations.

pression systolique représente la pression du sang provenant de la contraction ventriculaire, c'est-à-dire la pression produite au sommet de l'onde sanguine. La **pression diastolique** représente la pression du sang au moment où les ventricules sont au repos. La pression diastolique est donc la pression la plus basse, présente en tout temps dans les artères. La différence entre la pression systolique et la pression diastolique est appelée **pression différentielle**.

La pression artérielle se mesure en millimètres de mercure (mm Hg) et s'exprime sous forme de fraction. Le chiffre de la pression systolique s'inscrit au-dessus de celui de la pression diastolique. La pression artérielle idéale d'un adulte en bonne santé est de 120/80 mm Hg. Les anomalies de la pression artérielle peuvent révéler un certain nombre de problèmes de santé. Comme la pression artérielle varie considérablement d'une personne à l'autre, il est important que l'infirmière sache quelle est la pression artérielle usuelle de la personne soignée. Par exemple, si la pression artérielle préopératoire d'une per-

Pression artérielle

La **pression artérielle** renseigne sur la pression exercée par le sang qui circule dans les artères. Comme le sang se déplace par ondes, ou vagues, on distingue deux mesures de la pression artérielle : la pression systolique et la pression diastolique. La

sonne est de 180/100 mm Hg et que cette personne présente une pression de 120/80 mm Hg après l'intervention chirurgicale, l'infirmière doit signaler au médecin cette forte baisse de pression.

Déterminants de la pression artérielle

La pression artérielle est le résultat de nombreux facteurs : l'action de pompage du cœur, la résistance vasculaire périphérique (la résistance opposée par les vaisseaux sanguins dans lesquels le sang circule), le volume sanguin et la viscosité du sang.

ACTION DE POMPAGE DU CŒUR

Lorsque le pompage du sang par le cœur est faible, la quantité de sang éjectée dans les artères (faible débit cardiaque) diminue, ce qui entraîne une baisse de la pression artérielle. Lorsque le pompage est vigoureux et qu'une grande quantité de sang est éjectée dans la circulation (débit cardiaque élevé), la pression artérielle augmente.

RÉSISTANCE VASCULAIRE PÉRIPHÉRIQUE

La résistance vasculaire périphérique peut faire monter la pression artérielle, et tout particulièrement la pression diastolique. La taille des artérioles et des capillaires, l'élasticité des artères ainsi que la viscosité du sang font partie des facteurs qui contribuent à la résistance du système artériel.

Le diamètre intérieur, ou lumière, des artérioles et des capillaires détermine en grande partie la résistance périphérique qui s'oppose au sang. Plus la lumière d'un vaisseau est petite, plus la résistance est grande. Normalement, les artérioles sont dans un état de constriction partielle. Une hausse de la vasoconstriction entraîne une augmentation de la pression du sang, tandis qu'une baisse la fait diminuer.

Si les tissus élastiques et musculaires des artères sont remplacés par des tissus fibreux, les artères perdent une bonne partie de leur capacité de se contracter et de se dilater. Plus courante chez les personnes d'âge mûr et chez les personnes âgées, cette affection est appelée **artériosclérose**.

VOLUME SANGUIN

Lorsque le volume sanguin diminue (consécutivement à une hémorragie ou à une déshydratation, par exemple), et qu'il y a donc moins de liquide dans les artères, la pression artérielle baisse. À l'inverse, lorsque le volume sanguin augmente (consécutivement à une rapide perfusion de liquides intraveineux, par exemple), la pression artérielle monte parce qu'il y a une plus grande quantité de liquide en circulation.

VISCOSITÉ SANGUINE

La pression artérielle est plus haute lorsque le sang est très visqueux (épais), c'est-à-dire lorsque la proportion d'érythrocytes est élevée par rapport au plasma sanguin. Cette proportion est appelée **hématocrite**. La **viscosité sanguine** augmente considérablement lorsque l'hématocrite dépasse 60 à 65 %.

Facteurs influant sur la pression artérielle

L'âge, l'effort, le stress, le sexe, les médicaments, les variations quotidiennes et les processus morbides font partie des facteurs qui déterminent la pression.

- *Âge.* Le nouveau-né a une pression systolique moyenne de 75 mm Hg environ. Cette pression augmente avec l'âge et atteint un sommet au début de la puberté, puis elle a tendance à diminuer quelque peu. Chez les personnes âgées, les artères sont moins élastiques ; elles sont plus rigides et s'adaptent moins à la pression du sang. Cette perte d'élasticité entraîne une hausse de la pression systolique. Comme les parois des artères ne se rétractent pas lorsque la pression diminue, la pression diastolique est également élevée (voir le tableau 33-1).

- *Effort.* L'activité physique augmente le débit cardiaque, et donc la pression sanguine ; par conséquent, avant d'évaluer la pression artérielle au repos d'une personne qui vient de faire de l'exercice, l'infirmière doit laisser la personne se reposer 30 minutes.

- *Stress.* La stimulation du système sympathique accroît le débit cardiaque et la vasoconstriction des artérioles, ce qui fait monter la pression artérielle. Toutefois, la douleur chronique peut causer une diminution considérable de la pression artérielle par inhibition du centre vasomoteur et par vasodilatation.

- *Sexe.* Après la puberté, les femmes ont habituellement une pression artérielle moins élevée que les hommes de leur âge : il semble que cette différence soit attribuable aux variations hormonales. Après la ménopause, les femmes présentent généralement une pression artérielle plus élevée.

- *Médicaments.* De nombreux médicaments peuvent faire monter ou baisser la pression artérielle.

- *Variations quotidiennes.* En général, c'est tôt le matin que la pression artérielle est le plus faible, au moment où le métabolisme est à son plus lent. Elle augmente ensuite graduellement au cours de la journée et atteint son maximum vers la fin de l'après-midi ou au début de la soirée.

- *Processus morbide.* Les maladies qui modifient le débit cardiaque, le volume sanguin, la viscosité sanguine ou l'élasticité des artères ont un effet direct sur la pression artérielle.

Hypertension

Quand les valeurs de la pression artérielle sont au-dessus de 140/90 mm Hg, on parle d'**hypertension**. Celle-ci est généralement asymptomatique et joue souvent un rôle dans les infarctus du myocarde (crises cardiaques). Une hypertension de cause inconnue est appelée *hypertension primaire*, tandis qu'une hypertension de cause connue est appelée *hypertension secondaire*. Au Canada, 21,1 % des adultes (de 18 à 74 ans) sont atteints d'hypertension. Dans le groupe des 18 à 34 ans, 6,2 % des gens sont hypertendus, et cette proportion passe à 56,8 % dans le groupe des 65-74 ans (Joffres, Hamet, MacLean, L'Italien et Fodor, 2001). On pose un diagnostic d'hypertension lorsque la moyenne de deux valeurs diastoliques ou plus, prises lors de deux visites succédant à l'évaluation initiale, atteint 90 mm Hg ou plus, ou lorsque la moyenne de plusieurs valeurs systoliques dépasse 140 mm Hg. Un suivi doit d'emblée être établi lorsque ces valeurs sont atteintes (figure 33-28 ■). Les facteurs associés à l'hypertension sont l'épaississement des parois artérielles, ce qui réduit la lumière des artères, et la diminution de l'élasticité des artères, ainsi qu'un certain nombre de facteurs liés au mode de vie tels que le tabagisme, l'obésité (particulièrement l'obésité abdominale), la sédentarité et l'hypercholestérolémie.

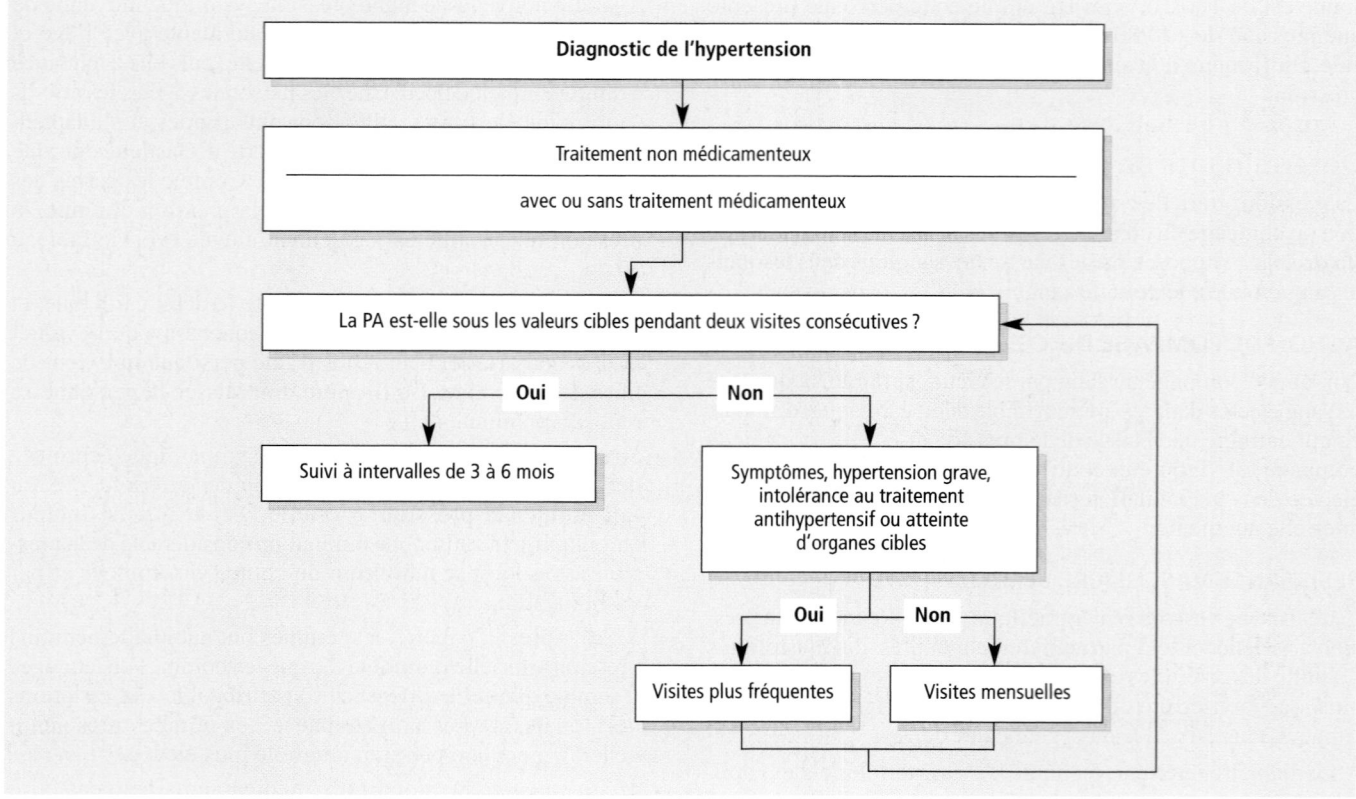

FIGURE 33-28 ■ **Recommandations à l'égard du suivi de la pression artérielle chez les adultes.** (Source : *Programme éducatif canadien sur l'hypertension : Recommandations de 2004 pour l'évaluation et le traitement de l'hypertension*, de F. Feldman, D. Drouin et N. Campbell, 2004. Reproduction autorisée par Denis Drouin, chairman, Implementation Task Force for CHEP.)

Dans le cadre du suivi, la personne doit prendre régulièrement sa pression artérielle, la faire mesurer par un professionnel de la santé et apporter à son mode de vie des changements susceptibles d'abaisser sa pression artérielle.

Hypotension

L'**hypotension** désigne une pression artérielle au-dessous de la normale, c'est-à-dire une pression systolique qui se situe de manière constante entre 85 et 110 mm Hg chez un adulte dont la pression est habituellement plus élevée. L'**hypotension orthostatique** désigne une pression artérielle qui chute quand la personne s'assoit ou se met debout. Habituellement, l'hypotension orthostatique résulte d'une hypovolémie (faible volume de liquide intravasculaire, déshydratation), d'une défaillance des mécanismes régulant la vasoconstriction ou encore du fait que le système nerveux autonome ne peut déclencher une vasoconstriction suffisante. Il est important de surveiller de près les personnes qui présentent de l'hypotension orthostatique afin de prévenir les chutes. Lorsque l'infirmière pense qu'une personne peut souffrir d'hypotension orthostatique, elle doit :

- Installer la personne en décubitus dorsal pendant 10 minutes.
- Mesurer son pouls et sa pression artérielle.
- L'aider à s'asseoir ou à se lever lentement et la soutenir si elle perd connaissance.
- Lorsque la personne est restée deux minutes assise ou debout, évaluer à nouveau le pouls et la pression artérielle aux mêmes endroits que la première fois.

- Ne pas enlever le brassard entre les deux mesures, mais vérifier s'il est bien au bon endroit.
- Noter les résultats ; une augmentation de 40 battements par minute ou une chute de pression artérielle de 15 mm Hg sont révélatrices de signes vitaux orthostatiques anormaux.

Évaluation de la pression artérielle

On mesure la pression artérielle à l'aide d'un sphygmomanomètre, qui comporte un *brassard*, un *manomètre* et un *stéthoscope*. Le *brassard* du sphygmomanomètre comprend une chambre pneumatique en caoutchouc (figure 33-29 ■). La chambre pneumatique est recouverte de tissu et reliée à deux tubes. Un des tubes est rattaché à une poire qui permet de gonfler la chambre pneumatique. La poire est munie d'une valve. Lorsqu'on tourne la valve dans le sens contraire à celui des aiguilles d'une montre, la poire relâche l'air contenu dans la chambre pneumatique. Lorsqu'on resserre la valve (lorsqu'on la tourne dans le sens des aiguilles d'une montre), l'air pompé dans la chambre pneumatique y demeure.

L'autre tube est relié au manomètre. Le manomètre indique la pression de l'air dans la chambre pneumatique. Il existe deux types de manomètres : le manomètre *anéroïde* et le manomètre au *mercure* (figure 33-30 ■). Le manomètre anéroïde est un cadran calibré muni d'une aiguille qui indique les mesures.

Le manomètre au mercure est un cylindre calibré rempli de mercure. La pression est indiquée au point où la courbe du **ménisque** (dôme en forme de croissant) s'élève (figure 33-31 ■). Il

RÉSULTATS DE RECHERCHE

Combien de temps le patient doit-il rester allongé ou se tenir debout pour la mesure de la pression artérielle orthostatique?

Lance (*et al.*) a mené une étude portant sur la mesure de la pression artérielle orthostatique; en effet, il n'existait pas de consensus, ni dans la documentation scientifique, ni au sein de leur propre établissement, au sujet de la méthode à utiliser pour effectuer cette mesure. Trente-cinq adultes ne souffrant pas d'affection particulière ont fait de l'exercice, ont fait prendre leur pouls et leur pression artérielle au repos, puis ont fait évaluer leur pouls, leur pression artérielle et la présence de vertiges en position debout. On a examiné les variables suivantes: temps requis pour se reposer et revenir aux valeurs initiales, ainsi que temps nécessaire pour qu'apparaissent des signes de chute de pression artérielle ou de vertiges en position debout.

Les résultats de l'étude de Lance et al. indiquent qu'il faut 10 minutes de repos pour revenir aux valeurs initiales, ce qui représente 5 minutes de plus que la norme alors en vigueur aux États-Unis et 5 minutes de moins que les 15 minutes recommandées dans la documentation consultée. Les mesures du pouls, de la pression artérielle et des vertiges, prises au moment où les sujets se mettaient debout et deux minutes plus tard, étaient suffisantes. Les mesures prises après des périodes plus longues passées en position debout ne présentaient pas de différences significatives par rapport aux valeurs notées à deux minutes.

Implications: Les auteures reconnaissent qu'on pourrait difficilement appliquer ces résultats à l'ensemble de la population, puisque les sujets étaient des adultes jeunes (moins de 25 ans) et bien portants. Cependant, elles ont considéré leurs résultats comme suffisamment sûrs pour instaurer leur façon de faire dans leur propre établissement, tout en recommandant qu'on mène d'autres études sur les patients présentant un risque élevé de variations orthostatiques. L'article de Lance et al. est clair et bien rédigé; on pourrait facilement s'en servir pour reproduire cette étude. Les infirmières doivent continuer d'explorer les pratiques cliniques comme celles-ci, qui n'ont pas fait l'objet d'études ou qui ne font pas consensus dans les textes scientifiques.

Source: « Comparison of Different Methods of Obtaining Orthostatic Vital Signs », de R. Lance *et al.*, 2000, *Clinical Nursing Research*, n° 9, p. 479-491.

est important de se placer au même niveau que le ménisque de mercure pour lire le résultat.

Dans certains établissements, on utilise des *sphygmomanomètres électroniques* (figure 33-32 ■). Avec ce type de sphygmomanomètre, il n'est pas nécessaire de se servir d'un stéthoscope pour entendre les bruits de la pression systolique et de la pression diastolique. Les sphygmomanomètres électroniques, tout comme les sphygmomanomètres anéroïdes, doivent être étalonnés régulièrement pour assurer leur bon fonctionnement.

On se sert également d'appareils Doppler pour évaluer la pression artérielle systolique (voir la figure 33-18, plus haut dans le chapitre). Ces appareils peuvent être utiles dans les cas où il est difficile de percevoir la pression artérielle (chez les nouveau-nés, les personnes obèses et les personnes en état de choc, par exemple).

Les brassards utilisés avec le manomètre existent en plusieurs tailles, car la chambre pneumatique située à l'intérieur doit avoir une longueur et une largeur appropriées au bras de la personne (figure 33-33 ■). Si la chambre pneumatique est trop étroite, la valeur de la pression artérielle sera trop élevée; si elle est trop large, la valeur sera trop basse. La taille du brassard doit être appropriée: la largeur de la chambre pneumatique doit correspondre à au moins 40 % de la circonférence du bras, tandis que sa longueur doit couvrir au moins 80 % de la circonférence du bras. Le brassard normalement utilisé chez l'adulte a une largeur de 12 cm et une longueur de 23 cm. Un brassard trop petit risque de surestimer la pression artérielle, alors qu'un brassard trop grand peut la sous-estimer (figure 33-34 ■, *A*). L'infirmière peut utiliser les points de repère suggérés par les fabricants pour savoir si le brassard convient (figure 33-34 ■, *B*).

Les brassards sont faits de tissu non extensible afin que la pression exercée soit égale partout sur le membre. La plupart des brassards tiennent en place au moyen de bandes de velcro.

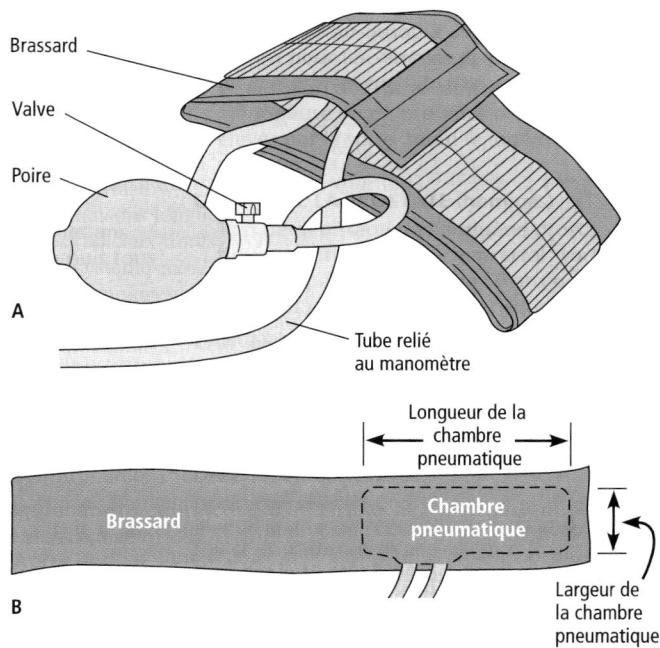

FIGURE 33-29 ■ *A*, brassard et poire; *B*, chambre pneumatique contenue dans le brassard.

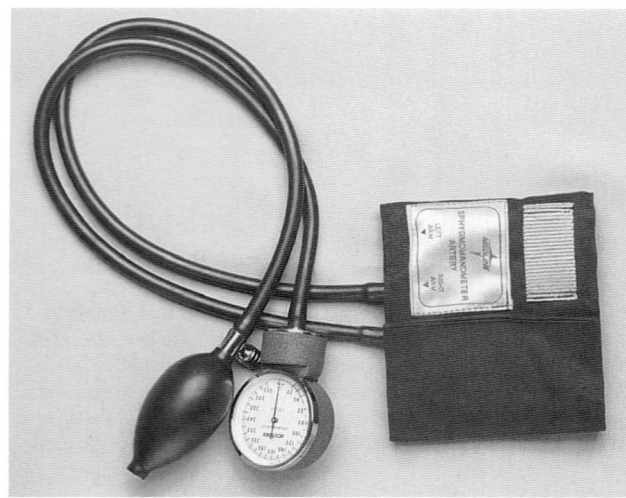

A

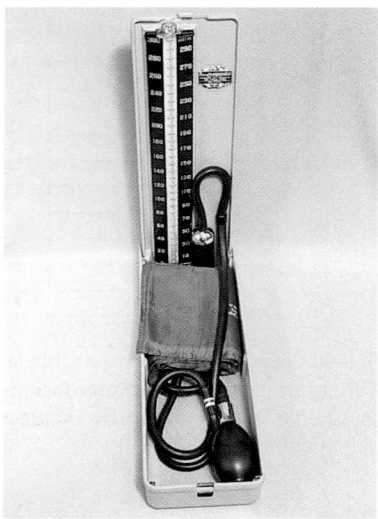

B

FIGURE **33-30** ■ Matériel servant à mesurer la pression artérielle. *A*, sphygmomanomètre anéroïde ; *B*, sphygmomanomètre au mercure.

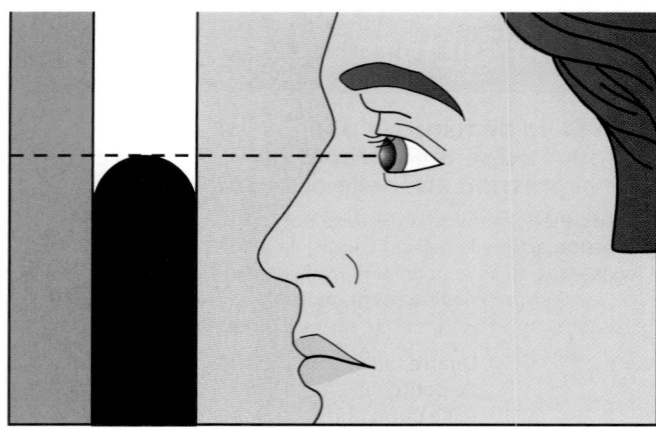

FIGURE **33-31** ■ Pour lire correctement le résultat indiqué par le sphygmomanomètre au mercure, il faut se placer de façon à ce que les yeux soient au même niveau que le ménisque.

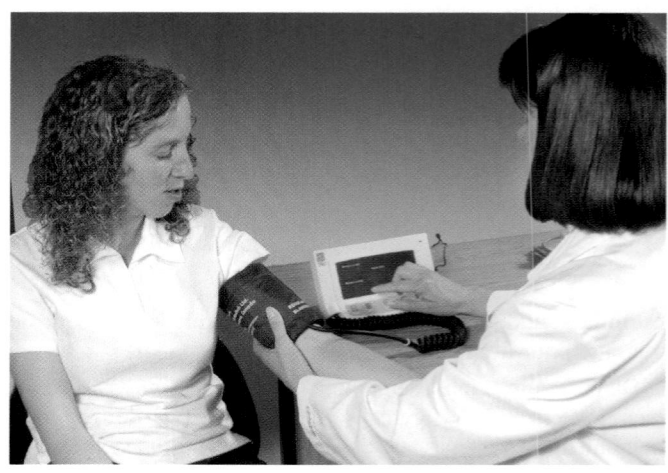

FIGURE **33-32** ■ Les appareils de surveillance automatique de la pression artérielle enregistrent la pression systolique, la pression diastolique et la pression moyenne (gracieuseté de VSM Med Tech).

OÙ PRENDRE LA PRESSION ARTÉRIELLE

On mesure habituellement la pression artérielle sur le bras de la personne, plus précisément sur l'artère brachiale, à l'aide d'un stéthoscope. En général, l'évaluation de la pression artérielle sur la cuisse est indiquée dans les cas suivants :

■ On ne peut mesurer la pression artérielle sur les bras (à cause de brûlures ou de blessures, par exemple).

■ On doit comparer la pression artérielle dans une cuisse à celle de l'autre cuisse.

On ne mesure la pression artérielle ni dans le bras ni dans la cuisse pour les raisons suivantes :

■ L'épaule, le bras ou la main (la hanche, le genou ou la cheville) sont blessés ou malades.

■ La personne a un plâtre ou un épais bandage sur une partie de son membre.

■ La personne s'est fait enlever des ganglions axillaires ou fémoraux de ce côté.

■ La personne a une fistule artérioveineuse (pour l'hémodialyse, par exemple) dans ce membre.

MÉTHODES SERVANT À ÉVALUER LA PRESSION ARTÉRIELLE

On peut mesurer la pression artérielle directement ou indirectement. La *méthode directe (et effractive)* consiste à insérer un cathéter dans l'artère radiale ou fémorale. La pression artérielle est représentée par des ondes sur l'oscilloscope qui est relié au cathéter. Si le cathéter est inséré correctement, la méthode directe permet de mesurer la pression artérielle de façon très précise.

Les deux *méthodes indirectes et non effractives* qui servent à mesurer la pression artérielle sont l'*auscultation* et la *palpation*. La méthode *auscultatoire* est celle qui est utilisée la plupart du temps. Elle nécessite un sphygmomanomètre et un stéthoscope. Lorsqu'on l'applique correctement, la méthode auscultatoire donne une lecture relativement fiable.

FIGURE 33-33 ■ Quatre tailles courantes de brassard: brassard de petite taille pour nourrisson ou jeune enfant; taille petite, moyenne ou grande pour adultes.

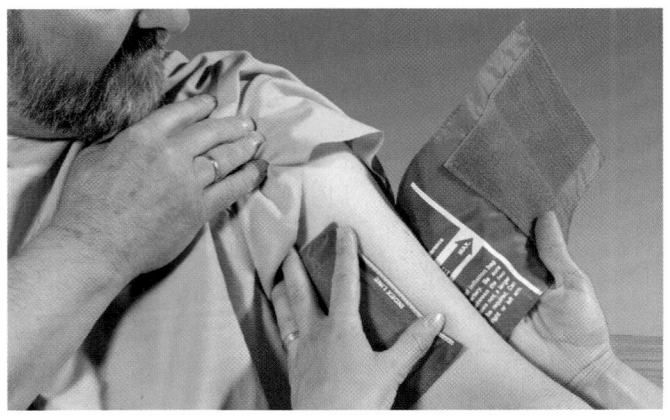

A

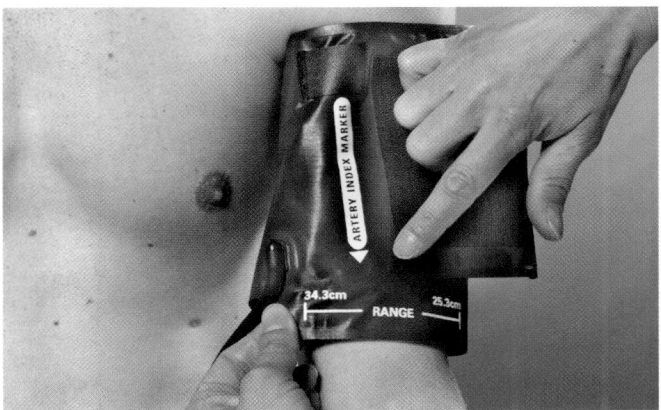

B

FIGURE 33-34 ■ Il faut s'assurer que la chambre pneumatique couvre au moins 80 % de la circonférence du bras: A, dans cet exemple, la taille du bras de la personne dépasse la circonférence maximale autorisée par le fabricant; B, la taille du brassard convient à la personne.

Lorsqu'elle évalue la pression artérielle à l'aide d'un stéthoscope, l'infirmière peut percevoir les cinq phases qui correspondent aux **bruits de Korotkoff** (figure 33-35 ■). Tout d'abord, elle gonfle le brassard à environ 30 mm Hg au-dessus de la valeur à laquelle le pouls n'est plus perceptible à la palpation; cette valeur correspond au moment où la circulation sanguine

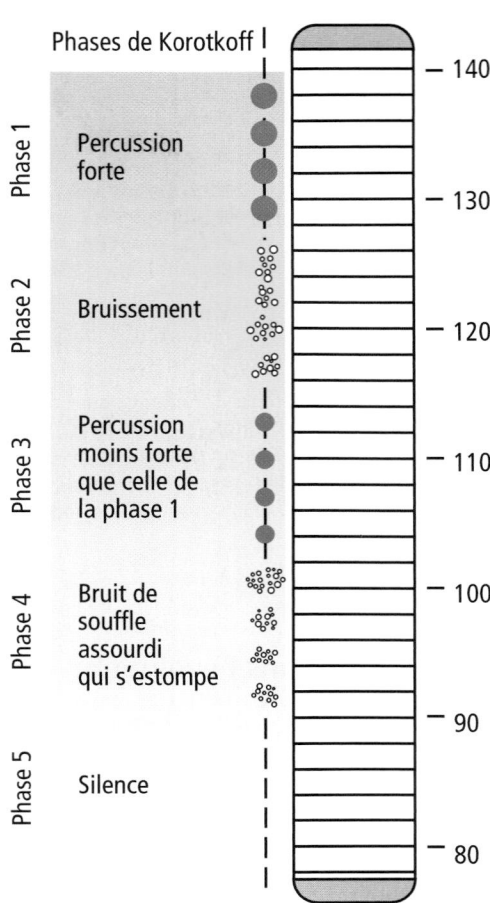

FIGURE 33-35 ■ Les bruits de Korotkoff se divisent en cinq phases. Dans l'illustration, la pression artérielle est de 138/92.

dans l'artère est oblitérée. Ensuite, l'infirmière relâche lentement la pression (2 mm Hg par battement); ce faisant, elle observe les valeurs indiquées par le manomètre et les fait correspondre aux bruits entendus au stéthoscope. Les cinq bruits sont émis, mais ils ne sont pas toujours perceptibles (voir l'encadré 33-8).

On a parfois recours à la *méthode par palpation* quand les bruits de Korotkoff ne sont pas audibles et que l'on n'a pas de Doppler pour amplifier les sons, ou quand on veut vérifier une mesure parce qu'on observe un trou auscultatoire. Le **trou auscultatoire**, présent surtout chez les personnes âgées hypertendues, est la disparition temporaire des bruits normalement audibles sur l'artère brachiale lorsque la pression du brassard est suffisamment élevée, suivie de la réapparition des bruits lorsque la pression est réduite. Cette disparition temporaire des bruits se produit durant la dernière partie de la phase 1 et durant la phase 2, et peut s'étendre sur une plage de 40 mm Hg. Si l'infirmière n'a pas estimé la pression systolique par palpation avant l'auscultation, il se peut qu'elle commence à écouter les bruits au milieu de cette plage seulement et qu'elle sous-estime la pression systolique. Lorsque l'infirmière utilise la palpation pour évaluer la pression artérielle, elle utilise une pression modérée pour palper les pulsations de l'artère pendant qu'elle relâche la pression du brassard. À la première pulsation palpée, elle lit la pression indiquée sur le sphygmomanomètre.

Bruits de Korotkoff

Phase 1. Pression à laquelle les premiers bruits de percussion forts et clairs se font entendre. Ces bruits deviennent graduellement plus intenses. Pour s'assurer qu'il ne s'agit pas de bruits parasites, l'infirmière doit percevoir au moins deux bruits de percussion consécutifs. Le premier son perçu lorsque le brassard se dégonfle correspond à la pression systolique.

Phase 2. Période du dégonflage où les bruits prennent le caractère d'un bruissement assourdi.

Phase 3. Période où le sang circule librement dans l'artère de plus en plus dilatée, où le bruit perçu devient plus sec et plus intense et où il ressemble de nouveau à une percussion, mais moins forte que durant la phase 1.

Phase 4. Période où les bruits s'assourdissent et deviennent plus doux, plus bruissants.

Phase 5. Pression à laquelle le dernier bruit se fait entendre. Ce dernier son est suivi du silence. La pression à laquelle le dernier bruit se fait entendre correspond à la pression diastolique chez les adultes*.

* La phase 5 (seconde pression diastolique) peut correspondre à une pression de zéro si les sons étouffés sont perçus même quand il n'y a plus d'air dans la poire. Dans ce cas, l'infirmière inscrit tout d'abord la valeur systolique, puis le dernier bruit entendu (qui correspondra alors au K4) et ensuite un zéro (par exemple, 190/100/0). Cette situation peut se produire chez les femmes enceintes ou chez les personnes qui souffrent d'une insuffisance de la valvule aortique.

Erreurs fréquentes dans l'évaluation de la pression artérielle

On ne pourrait trop insister sur l'importance de l'évaluation exacte de la pression artérielle, puisqu'un grand nombre de jugements cliniques reposent sur les valeurs de la pression artérielle. Celle-ci représente un indicateur essentiel de l'état de santé de la personne ; elle guide un très grand nombre d'interventions infirmières et médicales. Parmi les raisons qui peuvent expliquer les erreurs de mesure de la pression artérielle, mentionnons la hâte de l'infirmière et les attentes inconscientes. Par exemple, une infirmière peut se laisser influencer par les antécédents de la personne (il peut s'agir d'un diagnostic ou d'une mesure antérieure) et « entendre » une valeur compatible avec ses attentes. Il est également fréquent de constater que, malheureusement, bien des professionnels de la santé arrondissent les valeurs de la pression artérielle à 0 ou à 5, alors que l'écart de devrait pas dépasser 2 mm Hg (Vanasse *et al.*, 1997). Le tableau 33-4 énumère les effets de certaines erreurs de mesure.

Le procédé 33-6 expose en détail l'évaluation de la pression artérielle.

Pourquoi les mesures de la pression artérielle sont erronées

Erreur	Effet
Brassard trop petit	Valeurs faussement élevées
Brassard trop grand	Valeurs faussement basses
Bras non soutenu	Valeurs faussement élevées
Repos insuffisant avant l'évaluation	Valeurs faussement élevées
Brassard enroulé trop lâchement ou de façon inégale	Valeurs faussement élevées
Dégonflage trop rapide du brassard	Pression systolique faussement basse et pression diastolique faussement élevée
Dégonflage trop lent du brassard	Pression diastolique faussement élevée
Non-utilisation du même bras	Valeurs irrégulières
Bras placé au-dessus du niveau du cœur	Valeurs faussement basses
Évaluation immédiatement après un repas, pendant que la personne fume ou pendant qu'elle ressent de la douleur	Valeurs faussement élevées
Non-perception du trou auscultatoire	Pression systolique faussement basse et pression diastolique faussement basse

PROCÉDÉ 33-6

Évaluation de la pression artérielle

Objectifs

- Obtenir une mesure initiale de la pression artérielle afin de pouvoir la comparer aux valeurs subséquentes.
- Déterminer l'état hémodynamique de la personne (par exemple, volume d'éjection systolique et résistance des vaisseaux sanguins).
- Déceler et surveiller les changements de la pression artérielle qui résultent d'un processus morbide ou d'un traitement médical (par exemple, présence ou antécédents de maladie cardiovasculaire, maladie rénale, état de choc, douleur aiguë, perfusion rapide de liquides intraveineux).

COLLECTE DES DONNÉES

Évaluez

- Les signes et les symptômes d'hypertension (par exemple, céphalées, tintements d'oreille, bouffées de chaleur au visage, saignements de nez, fatigue).
- Les signes et les symptômes d'hypotension (par exemple, tachycardie, étourdissements, confusion mentale, agitation, peau froide et moite, peau pâle et cyanosée).
- Les facteurs pouvant modifier la pression artérielle (par exemple, activité physique, stress émotionnel, douleur et mesure prise peu après que la personne a fumé ou ingéré de la caféine).

PLANIFICATION

Matériel

- Stéthoscope
- Brassard de taille appropriée
- Sphygmomanomètre

INTERVENTION

Préparation

1. Assurez-vous que le matériel est intact et fonctionne correctement. Vérifiez que la tubulure de caoutchouc du sphygmomanomètre ne fuit pas.
2. Assurez-vous que la personne n'a ni fumé ni ingéré de la caféine au cours des 30 minutes qui précèdent la mesure.
3. Assurez-vous que la personne se repose en position assise pendant au moins 5 minutes avant la mesure.

Exécution

1. Expliquez à la personne ce que vous allez faire, pourquoi vous allez le faire et comment elle peut coopérer. Expliquez-lui aussi que les résultats serviront à planifier les soins et les traitements.
2. Lavez-vous les mains et observez les autres mesures de prévention des infections.
3. Assurez-vous que l'intimité de la personne est préservée.
4. Aidez la personne à s'installer dans une position appropriée.
   - L'adulte devrait être en position assise, le dos appuyé, à moins d'indication contraire. Les deux pieds doivent reposer à plat sur le sol, *étant donné que le fait de se croiser les jambes au niveau des genoux entraîne une hausse des pressions diastolique et systolique* (Foster-Fitzpatrick, Ortiz, Sibilano, Marcantonio et Braun, 1999).
   - Le coude doit être légèrement fléchi, la paume de la main tournée vers le haut et le pli du coude soutenu à la hauteur du cœur. Si la personne se trouve dans une autre position durant l'évaluation de la pression artérielle, il faut le préciser à côté du résultat. La pression artérielle est normalement semblable en position assise, debout et couchée ; toutefois, chez certaines personnes, elle peut varier considérablement en fonction de la position. *La pression artérielle augmente lorsque le bras se trouve plus bas que le cœur et diminue lorsqu'il est plus haut que le cœur.*
   - Dénudez le haut du bras sans rouler la manche.
5. Enroulez le brassard dégonflé de manière uniforme autour de la partie supérieure du bras. Repérez l'artère brachiale (voir la figure 33-19). Appliquez le centre de la chambre pneumatique directement sur l'artère (nombre de fabricants ont placé à cet endroit une flèche qui indique où le brassard devrait être superposé à l'artère brachiale). *La chambre pneumatique contenue dans le brassard doit être placée directement sur l'artère ; on s'assure ainsi qu'elle sera comprimée adéquatement et que la valeur obtenue sera exacte.*
   - Pour un adulte, placez le bord inférieur du brassard à environ 3 cm au-dessus du pli du coude.
6. S'il s'agit de l'évaluation initiale de la personne, mesurez la pression systolique d'abord par palpation. *L'évaluation initiale renseigne l'infirmière sur la pression maximale à laquelle il faut gonfler le brassard du manomètre lors des évaluations ultérieures. Elle prévient également la surestimation de la pression systolique ou la sous-estimation de la pression diastolique dans le cas où il y aurait un trou auscultatoire.*
   - Palpez l'artère brachiale avec le bout des doigts.
   - Fermez la valve de la poire en la tournant dans le sens des aiguilles d'une montre.

PROCÉDÉ 33-6 (SUITE)

Évaluation de la pression artérielle (suite)

INTERVENTION (suite)

- Gonflez le brassard jusqu'à ce que le pouls brachial soit oblitéré. À cette pression, le sang ne peut plus circuler dans l'artère. Notez la pression indiquée sur le sphygmomanomètre au moment où le pouls est oblitéré. *La valeur indiquée est une estimation de la pression maximale requise pour mesurer la pression systolique.*

- Dégonflez le brassard rapidement et complètement, et attendez une minute. *Cette période d'attente donne au sang emprisonné dans les veines le temps de recommencer à circuler.*

7. Placez le stéthoscope adéquatement.
   - Nettoyez les écouteurs avec de l'alcool ou un autre désinfectant.
   - Insérez les écouteurs dans les oreilles de façon à ce que les embouts soient dirigés vers l'avant. *On perçoit mieux les bruits lorsque les écouteurs suivent la direction du conduit auditif.*
   - Assurez-vous que le stéthoscope pend librement entre les écouteurs et la membrane. *Le frottement du stéthoscope contre un objet peut oblitérer les bruits du sang dans l'artère.*
   - Placez la membrane ou la cupule du stéthoscope sur l'artère brachiale. *Comme la pression artérielle est un bruit de basse fréquence, elle est davantage audible avec la cupule, mais elle est également audible avec la membrane.* Maintenez le stéthoscope en place avec le pouce et l'index.

8. Auscultez la pression artérielle de la personne.
   - Gonflez le brassard jusqu'à ce que le manomètre indique 30 mm Hg au-dessus de la pression à laquelle le pouls brachial a disparu à la palpation.
   - Ouvrez un peu la valve pour dégonfler lentement le brassard et permettre à la pression de redescendre à un rythme de 2 mm Hg par battement. *Un dégonflage trop rapide ou trop lent du brassard peut fausser l'enregistrement.*
   - Au fur et à mesure que la pression descend, notez la valeur indiquée par le manomètre au K1 et au K5.
   - Dégonflez le brassard rapidement et complètement.
   - Attendez une minute ou deux avant de prendre d'autres mesures. *Cette attente permet au sang emprisonné dans les veines de circuler à nouveau.*

- Refaites les mêmes étapes une ou deux fois, au besoin, *pour confirmer l'exactitude du résultat.*

9. S'il s'agit de l'évaluation initiale de la personne, refaites les mêmes étapes sur l'autre bras. *Il ne devrait pas y avoir d'écart de plus de 10 mm Hg entre les résultats des deux bras. Le bras sur lequel on a obtenu la pression la plus élevée est celui qu'on doit utiliser pour les mesures ultérieures.*

Variante : mesure de la pression artérielle par palpation

S'il n'est pas possible d'utiliser un stéthoscope pour mesurer la pression artérielle ou si les bruits de Korotkoff ne sont pas perceptibles, palpez le pouls radial ou brachial pendant le dégonflage du brassard. La valeur indiquée par le manomètre au moment où le pouls réapparaît correspond à une pression artérielle située entre les valeurs systolique et diastolique auscultées.

Variante : mesure de la pression artérielle dans la cuisse

- Aidez la personne à se coucher sur le ventre. Si la personne ne peut pas se placer dans cette position, évaluez la pression artérielle pendant qu'elle est couchée sur le dos, les genoux légèrement fléchis. *Une légère flexion du genou facilite l'application du stéthoscope sur l'artère poplitée (figure 33-36 ■).*

- Exposez la cuisse ; veillez à ne pas dévêtir la personne davantage qu'il ne faut.

- Repérez l'artère poplitée (voir la figure 33-16).

- Enroulez le brassard autour de la cuisse de manière uniforme ; assurez-vous que vous placez la chambre pneumatique sur la face postérieure de la cuisse et le bord inférieur du brassard au-dessus du genou. *Pour obtenir la bonne mesure, le milieu de la chambre pneumatique doit être posé directement sur l'artère poplitée postérieure.*

- S'il s'agit de l'évaluation initiale de la personne, évaluez d'abord la pression systolique par palpation de l'artère poplitée.

Variante : utiliser un appareil de surveillance électronique indirecte de la pression artérielle

- Placez le brassard sur le membre selon les directives du fabricant (voir la figure 33-32).
- Mettez l'appareil en marche.
- S'il y a lieu, réglez le nombre de minutes désiré entre les mesures qui seront prises.
- Lorsque les lectures sont terminées, notez le résultat qui s'affiche.

! ALERTE CLINIQUE

Les brassards de sphygmomanomètres automatiques peuvent être laissés en place pendant plusieurs heures. Cependant, il faut retirer le brassard périodiquement pour inspecter la peau. ■

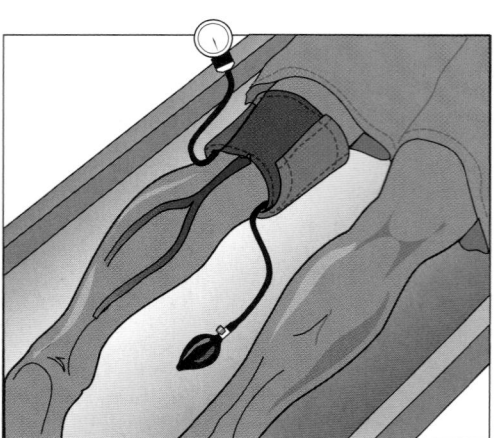

FIGURE 33-36 ■ Mesure de la pression artérielle dans la cuisse : emplacement de l'artère poplitée et application du brassard.

INTERVENTION (suite)

10. Retirez le brassard.
11. Essuyez le brassard avec le désinfectant recommandé. *Les brassards peuvent se contaminer considérablement avec le temps.* L'utilisation de brassards jetables pourrait atténuer le risque de propagation des infections, mais il ne s'agit pas d'une pratique courante au Canada.

12. Inscrivez les chiffres de pression artérielle à la valeur paire la plus rapprochée de la mesure observée si un appareil à mercure ou un appareil anéroïde a été utilisé.
13. Utilisez les abréviations BD et JD pour bras droit et jambe droite, et BG et JG pour bras gauche et jambe gauche. Notez tout écart de plus de 10 mm Hg entre les valeurs des deux bras ou des deux jambes.

ÉVALUATION

- Analysez les résultats des mesures de la pression artérielle en tenant compte des autres signes vitaux, des données initiales et de l'état de santé de la personne.
- Signalez tout changement significatif de la pression artérielle, de même que les résultats suivants :
  • Pression systolique supérieure à 140 mm Hg (chez un adulte)

• Pression diastolique supérieure à 90 mm Hg (chez un adulte)
• Pression systolique inférieure à 100 mm Hg (chez un adulte)
- Assurez le suivi nécessaire (par exemple, administration de médicaments). Si la pression artérielle est considérablement plus élevée ou plus basse que d'habitude, prenez les mesures de précaution qui s'imposent.

LES ÂGES DE LA VIE

Pression artérielle

NOURRISSONS

- Utiliser un stéthoscope pédiatrique muni d'une petite membrane.
- Le bord inférieur du brassard peut être placé plus près du pli du coude du bébé.
- Utiliser la palpation si on ne parvient pas à ausculter avec un stéthoscope.
- Les pressions dans le bras et la jambe sont équivalentes chez les enfants de moins de un an.
- Voici une formule rapide pour déterminer la pression systolique normale d'un jeune enfant :

  PA systolique normale = 80 + (2 × âge de l'enfant en années)

ENFANTS

- Expliquer chaque étape à l'enfant et dites-lui ce qu'il ressentira. Faites une démonstration avec une poupée.
- Utiliser la technique de la palpation si l'enfant a moins de 3 ans.
- La *largeur* de la chambre pneumatique devrait représenter 40 % de la circonférence du bras et la *longueur*, de 80 à 100 %.
- Prendre la pression artérielle avant d'effectuer d'autres interventions désagréables afin que la pression artérielle ne soit pas indûment élevée en raison de la douleur ou des malaises (figure 33-37 ■).
- Chez l'enfant, la pression diastolique est considérée comme étant le début de la phase 4, autrement dit le moment où les sons sont étouffés.
- Chez l'enfant, la pression dans la cuisse est plus élevée d'environ 10 mm Hg que la pression dans le bras.

PERSONNES ÂGÉES

- Chez les personnes âgées, la peau est parfois très fragile. On ne doit pas laisser le brassard comprimer le bras plus longtemps que nécessaire pour la mesure.
- Si la personne prend des antihypertenseurs, s'informer du moment où elle a pris sa dernière dose.
- Chez les personnes âgées, la perte d'efficacité des barorécepteurs, combinée à la prise de médicaments vasodilatateurs (antihypertenseurs), accroît le risque d'hypotension orthostatique. En mesurant la pression artérielle lorsque la personne est couchée, assise et debout, et en notant tout écart entre les mesures, on peut déceler l'hypotension orthostatique.
- Si la personne a des contractures dans le bras, évaluer la pression artérielle par palpation, en s'assurant que son bras est en position détendue. Si cela est possible, prendre la pression artérielle dans une cuisse.

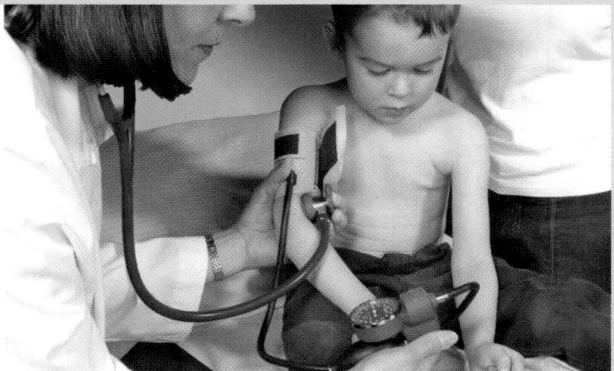

FIGURE 33-37 ■ Mesure de la pression artérielle chez le jeune enfant.

SOINS À DOMICILE

Pression artérielle

- Si la personne prend sa propre pression artérielle à la maison, utiliser le même matériel ou l'étalonner avec un système réputé pour son exactitude.
- Observer la personne (ou un membre de son entourage) pendant qu'elle prend sa pression artérielle et lui donner l'enseignement dont elle a besoin, le cas échéant.
- Si la personne est dans un fauteuil ou un lit bas, se placer de façon à tenir le bras de la personne à la hauteur de son cœur et à avoir le manomètre à la hauteur des yeux.

Saturation en oxygène

Le **sphygmooxymètre** (ou saturomètre) est un appareil non effractif qui mesure la saturation en oxygène du sang artériel (SaO_2) au moyen d'un capteur qu'on pose sur le doigt (figure 33-38 ■), l'orteil, le nez, le lobe d'une oreille ou le front (dans le cas d'un nouveau-né, on le pose sur la main ou le pied). Le sphygmooxymètre peut déceler l'hypoxémie avant l'apparition des signes et symptômes (par exemple, peau rouge et lits unguéaux rouges).

Le capteur du sphygmooxymètre comporte deux parties : (a) deux diodes électroluminescentes (DEL) – une rouge, une infrarouge – qui font passer une lumière à travers les ongles, les tissus, le sang veineux et le sang artériel ; et (b) un photodétecteur placé directement en face des deux diodes (par exemple, de l'autre côté du doigt, de l'orteil ou du nez). Le photodétecteur mesure la quantité de lumière rouge et infrarouge absorbée par l'hémoglobine oxygénée et désoxygénée dans le sang artériel ; cette mesure correspond à la SaO_2. Une SaO_2 normale se situe entre 95 et 100 % ; une SaO_2 inférieure à 70 % menace le pronostic vital.

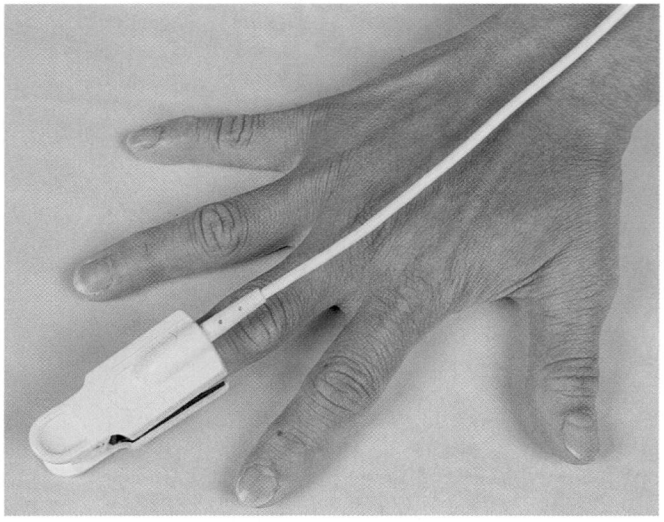

FIGURE **33-38** ■ Capteur de sphygmooxymètre sur le bout du doigt (adulte).

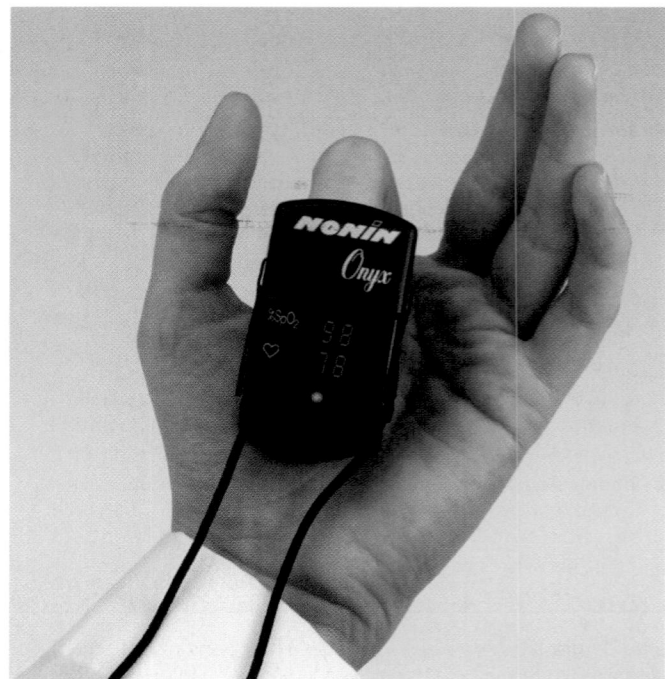

FIGURE **33-39** ■ Capteur de sphygmooxymètre appliqué sur le bout du doigt. (Reproduit avec l'aimable autorisation de Nonin Medical, Inc.).

Il existe plusieurs types de sphygmooxymètres et de capteurs. L'appareil complet comprend un raccord d'entrée pour le câble du capteur, et un moniteur qui indique : (a) la saturation en oxygène (sous la forme d'un pourcentage) ; (b) la fréquence cardiaque. Il existe également des appareils sans moniteur (figure 33-39 ■). Un système d'alarme prédéfini indique les SaO_2 trop élevées et trop basses ainsi qu'une fréquence de pouls trop élevée ou trop basse. Les limites supérieure et inférieure de la SaO_2 sont habituellement préréglées à 100 % et 85 %, respectivement, pour les adultes. Les limites supérieure et inférieure de la fréquence du pouls sont généralement préréglées à 140 et 50 BPM pour les adultes. On peut toutefois modifier ces limites selon les directives des fabricants.

Facteurs influant sur le résultat de la saturation en oxygène

- *Hémoglobine.* Si l'hémoglobine est complètement saturée en oxygène, la SaO_2 semblera normale même si l'hémoglobine totale est basse. Autrement dit, le sphygmooxymètre indiquera une valeur normale même si la personne est très anémique et présente une oxygénation insuffisante.
- *Circulation.* Le sphygmooxymètre ne fournira pas de lecture fiable si la circulation sanguine est anormale dans la partie du corps se trouvant sous le capteur.
- *Activité physique.* Lorsque la personne frissonne ou s'agite à l'endroit sur lequel se trouve le capteur, l'enregistrement de la saturation en oxygène peut se trouver compromis.

Le procédé 33-7 explique en détail comment s'y prendre pour mesurer la saturation en oxygène.

PROCÉDÉ 33-7

Mesure de la saturation en oxygène

Objectifs

- Mesurer la saturation en oxygène du sang artériel (SaO$_2$).
- Déceler la présence d'hypoxémie avant l'apparition de signes visibles.

COLLECTE DES DONNÉES

Évaluez

- L'endroit le plus approprié pour placer le capteur du sphygmo-oxymètre, selon l'âge et l'état physique de la personne.
- L'état général de la personne, y compris les facteurs de risque d'hypoxémie (par exemple, maladie respiratoire ou cardiaque) et le taux d'hémoglobine.
- Les signes vitaux, la coloration de la peau et des lits unguéaux, et l'irrigation tissulaire des extrémités.
- La présence d'une allergie aux substances adhésives.

PLANIFICATION

Dans un grand nombre de centres hospitaliers et de cliniques, le personnel peut utiliser des sphygmooxymètres en même temps que d'autres appareils de mesure des signes vitaux (dans certains cas, le sphygmooxymètre est intégré au sphygmomanomètre électronique). Dans d'autres établissements, le nombre de sphygmo-oxymètres est limité et l'infirmière doit en faire la demande auprès de la centrale de distribution des fournitures.

Matériel

- Dissolvant pour vernis à ongles, au besoin
- Tampons à l'alcool
- Drap ou serviette
- Sphygmooxymètre

INTERVENTION

Préparation

S'assurer que le matériel de sphygmo-oxymétrie fonctionne bien.

Exécution

1. Expliquez à la personne ce que vous allez faire, pourquoi vous allez le faire et comment elle peut coopérer. Expliquez-lui aussi que les résultats serviront à planifier les soins et les traitements.
2. Observez les mesures de prévention des infections.
3. Assurez-vous que l'intimité de la personne est préservée.
4. Choisissez un capteur approprié au poids de la personne, à sa taille et à l'endroit choisi pour mesurer la saturation en oxygène. *Comme les limites de poids des capteurs se chevauchent, on peut utiliser un capteur pédiatrique si l'adulte est très frêle.*
   - Si la personne est allergique aux substances adhésives, utilisez une pince ou un capteur sans adhésif. Si vous utilisez une extrémité, évaluez le pouls proximal et le remplissage capillaire au point le plus proche de l'endroit choisi.
   - Si la personne présente une anomalie de l'irrigation tissulaire causée par une affection vasculaire périphérique ou par la prise de médicaments vaso-constricteurs, utilisez un capteur nasal ou un capteur adhésif sur le front. Évitez d'appliquer le capteur sur une jambe où la circulation est anormale ou sur un membre utilisé pour des perfusions ou un monitorage effractif.
5. Préparez l'endroit de la mesure.
   - Nettoyez l'endroit choisi avant d'appliquer le capteur.
   - Il est parfois nécessaire d'enlever le vernis à ongles ou les ongles en acrylique des femmes qui en portent, *car ceux-ci peuvent nuire à l'enregistrement de la saturation en oxygène.*
6. Appliquez le capteur et branchez-le au sphygmooxymètre.
   - Assurez-vous que les diodes et le photodétecteur sont alignés en vis-à-vis, c'est-à-dire face à face de chaque côté du doigt, de l'orteil, du nez ou du lobe d'oreille. *De nombreux capteurs comportent des marques qui facilitent l'alignement des diodes et du photodétecteur.*
   - Branchez le câble du capteur au raccord d'entrée du sphygmo-oxymètre. Mettez l'appareil en marche selon les directives du fabricant. *Si le câble est bien branché, un signal se fera entendre à chaque pulsation artérielle.*
   - Assurez-vous que la bande de lumière ou l'onde affichée par le sphygmooxymètre fluctue à chaque pulsation et reflète l'amplitude du pouls (selon les modèles, cette particularité peut être absente).
7. Réglez l'alarme et assurez-vous qu'elle fonctionne correctement.
   - Assurez-vous que l'alarme indique des limites supérieure et inférieure appropriées pour la saturation en oxygène et pour la fréquence du pouls. Au besoin, modifiez les limites selon les directives du fabricant. Assurez-vous que les alarmes auditives et visuelles fonctionnent correctement avant de vous éloigner de la personne. Une tonalité se fera entendre et un nombre clignotera sur le moniteur.
8. Préservez l'intégrité de la peau de la personne.
   - Si vous devez utiliser un produit adhésif pour appliquer le capteur sur un doigt ou un orteil, inspectez ou modifiez l'emplacement du capteur toutes les quatre heures, ou toutes les deux heures s'il s'agit d'un capteur à tension de ressort.

PROCÉDÉ 33-7 (SUITE)

Mesure de la saturation en oxygène (suite)

INTERVENTION (suite)

9. Assurez-vous que l'enregistrement n'est pas faussé.
   • Pour réduire les artefacts dus aux mouvements, utilisez un capteur adhésif ou immobilisez la partie du corps sur laquelle se trouve le capteur. *Les mouvements du doigt ou de l'orteil de la personne peuvent être interprétés comme des pulsations artérielles par le sphygmo-oxymètre.*
   • S'il y a trop de lumière (par exemple, soleil direct, lampes opératoires, lampes thérapeutiques), couvrez le capteur avec un drap ou une serviette. *Une trop forte lumière peut être captée par le photodé-tecteur et fausser l'enregistrement.*

10. Notez la saturation en oxygène sur la feuille appropriée aux intervalles souhaités.

ÉVALUATION

- Analysez la saturation en oxygène de la personne et comparez les résultats aux mesures antérieures. Mettez la SaO_2 en rapport avec la fréquence du pouls et avec les autres signes vitaux.

- Assurez le suivi nécessaire (par exemple, prévenir le médecin, modifier l'oxygénothérapie ou donner des soins respiratoires).

LES ÂGES DE LA VIE

Sphygmooxymétrie

NOURRISSONS

- Si on ne dispose pas d'un capteur de petite taille pour le doigt ou l'orteil d'un nourrisson, on peut utiliser un capteur conçu pour le lobe de l'oreille ou pour le front.
- Pour les nourrissons, les limites supérieure et inférieure de la SaO_2 sont habituellement préréglées à 95 % et 80 % respectivement.
- Les limites supérieure et inférieure de la fréquence cardiaque pour les nourrissons sont habituellement préréglées à 200 et 100 BPM respectivement.

ENFANTS

- Montrer à l'enfant que le capteur n'est pas douloureux. Débrancher la sonde chaque fois qu'on le peut pour permettre à l'enfant de se mouvoir librement (figure 33-40 ■).

PERSONNES ÂGÉES

- L'utilisation de médicaments vasoconstricteurs, une anomalie de la circulation sanguine ou l'épaississement des ongles peut fausser l'enregistrement de la SaO_2 par un capteur appliqué sur le doigt ou l'orteil.

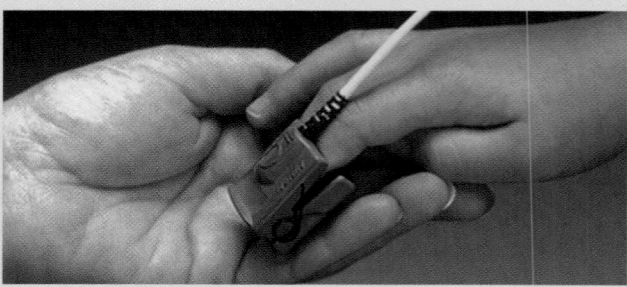

FIGURE 33-40 ■ Capteur de sphygmooxymètre posé sur le doigt d'un enfant. (Reproduit avec l'aimable autorisation de Norin Medical, Inc.)

SOINS À DOMICILE

Sphygmooxymétrie

- La sphygmooxymétrie est une façon rapide, peu coûteuse et non effractive d'évaluer l'oxygénation. Comme le brassard automatique utilisé pour la mesure de la pression artérielle, le sphygmooxymètre permet d'enregistrer la fréquence du pouls. On l'utilise pour les soins ambulatoires ou les soins à domicile selon les besoins.

- Si la personne à domicile a besoin d'une surveillance fréquente ou continue de son oxygénation, on peut lui enseigner ou enseigner à ses proches comment utiliser et entretenir le matériel de sphygmooxymétrie. Rappeler à la personne et à son entourage d'alterner les endroits où ils appliquent le capteur et d'inspecter régulièrement la peau.

EXERCICES D'INTÉGRATION

Vous vous présentez au chevet d'une femme âgée avec l'intention de prendre sa pression artérielle, mais elle refuse.

1. Quelles questions poserez-vous à cette personne ?

Après de longues explications, la personne accepte enfin qu'on prenne sa pression artérielle. Après avoir gonflé le brassard, vous êtes incapable de percevoir le moindre bruit.

2. Que dites-vous à la personne ?

Lorsque vous êtes enfin en mesure de prendre la pression, vous obtenez les valeurs suivantes : 180/110.

3. Avant de recourir à quelque intervention que ce soit, que devez-vous vérifier ?

4. Le sphygmooxymètre qui se trouve sur le doigt de la personne indique 85 %. La peau de la personne est chaude et a une coloration normale. La personne est éveillée et elle sait où elle se trouve, sa température est de 37,1 °C et son pouls apexien est de 78. Quelles seront vos prochaines interventions ; pourquoi ?

Voir l'appendice A : Exercices d'intégration – Pistes de réflexion.

RÉVISION DU CHAPITRE

Concepts clés

- Les signes vitaux renseignent sur des changements physiologiques qui pourraient passer inaperçus.
- La température corporelle résulte de l'équilibre entre la production de chaleur par le corps et la déperdition de chaleur par le corps.
- Les facteurs qui influent sur la température corporelle sont l'âge, les variations quotidiennes, l'effort, les hormones, le stress et la température ambiante.
- Il existe quatre sortes de fièvre : intermittente, rémittente, récurrente et constante. Les signes cliniques de la fièvre varient au cours de son évolution.
- Lors d'une fièvre, la valeur de référence du « centre thermorégulateur » passe soudainement de la normale à une valeur plus élevée que la normale, mais il se passe plusieurs heures avant que la température centrale n'atteigne la nouvelle valeur de référence.
- L'hypothermie comprend trois mécanismes : la déperdition excessive de chaleur, la production insuffisante de chaleur par les cellules de l'organisme et l'anomalie croissante de la thermorégulation hypothalamique.
- La température corporelle peut se mesurer par voie buccale, tympanique, rectale ou axillaire. L'infirmière choisit la méthode la plus appropriée à l'âge de la personne et à son état.
- La fréquence et l'amplitude du pouls renseignent sur le volume d'éjection systolique, l'élasticité des artères et le débit cardiaque.
- Normalement, le pouls périphérique est le reflet de la fréquence cardiaque de la personne, mais il peut différer de la fréquence cardiaque si la personne est atteinte d'une cardiopathie ; dans ce cas, l'infirmière prendra le pouls apexien et le comparera au pouls périphérique.

- De nombreux facteurs influent sur la fréquence du pouls d'une personne : l'âge, le sexe, l'effort, la fièvre, certains médicaments, l'hypovolémie, le stress (dans certaines situations), les changements de position et la maladie.
- Bien que le pouls radial soit celui qu'on mesure le plus souvent, il existe sept autres endroits du corps où l'on peut évaluer le pouls, selon la situation.
- La différence entre le pouls apexien et le pouls radial s'appelle pouls déficitaire.
- Normalement, la respiration est silencieuse et s'accomplit sans effort, de façon automatique. On l'évalue en observant sa fréquence, son amplitude, son rythme, sa qualité et son efficacité.
- La pression artérielle renseigne sur le débit cardiaque, la résistance vasculaire périphérique, le volume sanguin et la viscosité du sang.
- De nombreux facteurs influent sur la pression artérielle, notamment l'âge, l'effort, le sexe, certains médicaments, les variations quotidiennes et la maladie.
- L'hypotension orthostatique désigne la chute de pression artérielle qui se produit quand une personne qui était allongée s'assoit, ou quand une personne assise se met debout.
- Un brassard trop large ou trop étroit faussera l'enregistrement de la pression artérielle.
- Lorsqu'on mesure la pression artérielle, l'artère doit se trouver à la même hauteur que le cœur.
- Le sphygmooxymètre mesure le pourcentage de saturation de l'hémoglobine en oxygène. Une saturation normale se situe entre 95 et 100 %.
- Le capteur du sphygmooxymètre peut être appliqué sur le doigt, la main, le pied ou le nez.

RÉVISION DU CHAPITRE (SUITE)

Questions de révision

33-1. Vous prenez la température d'une personne à huit heures du matin au moyen d'un thermomètre oral électronique. Le résultat indiqué est de 36,1 °C. Tous les autres signes vitaux de la personne sont dans les limites de la normale. Quelle sera votre prochaine intervention ?

a) Vous attendez 15 minutes et vous prenez de nouveau la température de la personne.

b) Vous vérifiez quelle était la température corporelle de la personne lorsqu'elle a été mesurée la dernière fois.

c) Vous prenez la température à nouveau, mais avec un autre thermomètre.

d) Vous inscrivez la température dans son dossier puisqu'elle est normale.

33-2. Dans laquelle de ces situations prendriez-vous le pouls apexien plutôt que le pouls radial ?

a) La personne est en état de choc.

b) Vous voulez vérifier la réaction d'une personne lorsqu'elle passe de la position couchée à la position assise.

c) La personne présente une arythmie.

d) La personne a subi une intervention chirurgicale il y a moins de 24 heures.

33-3. Pour préparer une personne à des examens paracliniques, vous devez prendre ses signes vitaux. Toutefois, la personne est au téléphone. Comment prendrez-vous sa fréquence respiratoire ?

a) Vous comptez les respirations pendant les moments où la personne écoute son interlocuteur (les moments où elle ne parle pas).

b) Vous dites à la personne qu'il est important de mettre fin à sa conversation téléphonique, qu'elle pourra la reprendre plus tard.

c) Vous attendez au chevet de la personne jusqu'à ce que celle-ci raccroche, puis vous comptez ses respirations.

d) Vous notez « remis à plus tard » sur votre feuille, étant donné que la personne n'est manifestement pas en détresse respiratoire, et vous revenez plus tard pour la prendre.

Voir l'appendice B : Réponses aux questions de révision.

BIBLIOGRAPHIE

En anglais

Bindler, R. C. & Ball, J. W. (2003). *Clinical skills manual for pediatric nursing : Caring for children* (3rd ed.). Upper Saddle River, NJ : Prentice Hall Health.

Braun, S. K., Preston, P., & Smith, R. N. (1998). Getting a better read on thermometry. *RN, 61*(3), 57–60.

Bushey, P., Chulay, M., & Holland, S. (1997). Correlation of indirect blood pressure measurements and systemic blood pressure. *Critical Care Nurse, 17,* 12.

Carroll, M. (2000). An evaluation of temperature measurement. *Nursing Standard, 14*(44), 39–43.

Consult stat. (2000). Tips for getting more reliable O_2 saturation reading. *RN, 63*(2), 73.

Cowan, T. (1997). Product review : Ambulatory blood pressure monitors. *Professional Nurse, 12,* 373–376.

DuBois, E. F. (1948). *Fever and the Regulation of Body Temperature.* Springfield, IL : Charles C. Thomas.

Faria, S. H. (1999). Assessment of vital signs in the child. *Home Care Provider, 4,* 222–223.

Faria, S. H. (1999). Patient assessment : Assessment of peripheral arterial pulses. *Home Care Provider, 4,* 140–141.

Foster-Fitzpatrick, L., Ortiz, A., Sibilano, H., Marcantonio, R., & Braun, L. T. (1999). The effects of crossed leg on blood pressure measurement. *Nursing Research, 48,* 105–108.

Graves, J. W. (1999). The clinical utility of out-of-office self-measurement of blood pressure. *Home Healthcare Consultant, 6*(11), 26–29.

Guyton, A. C. (1996). *Textbook of medical physiology* (9th ed.). Philadelphia : W. B. Saunders.

Howell, M. (2002). Professional nurse study. The correct use of pulse oximetry in measuring oxygen status. *Professional Nurse, 17,* 416–418.

Hwu, Y., Coates, V. E., & Lin, F. (2000). A study of the effectiveness of different measuring times and counting methods of human radial pulse rates. *Journal of Clinical Nursing, 9,* 146–52.

Jevon, P., Ewens, B., & Lowe, R. (2001). Practical procedures for nurses : Measuring apex and radial pulse. *Nursing Times, 96*(50), 43–44.

Joffres, M. R., Hamet, P., MacLean, D. R., L'Italien, G. J. & Fodor G. (2001). Distribution of blood pressure and hypertension in Canada and the United States. *American Journal of Hypertension, 14*(11), 1099-1105.

Johnson, M., Maas, M., & Moorhead, S. (Eds.). (2000). *Nursing outcomes classification (NOC)* (2nd ed.). St. Louis, MO : Mosby.

Karch, A. M., & Karch, F. E. (2000). Practice errors : When a blood pressure isn't routine. *American Journal of Nursing, 100*(3), 23.

Ladewig, P. W., London, M. L., & Olds, S. B. (1998). *Maternal–newborn nursing care : The nurse, the family, and the community* (4th ed.). Menlo Park, CA : Addison Wesley Longman.

Lance, R., Link, M. E., Padua, M., Clavell, L. E., Johnson, G., & Knebel, E. (2000). Comparison of different methods of obtaining orthostatic vital signs. *Clinical Nursing Research, 9,* 479–491.

Lanham, D. M., Walker, B., Klocke, E., & Jennings, M. (1999). Accuracy of tympanic temperature readings in children under 6 years of age. *Pediatric Nursing, 25*(1), 39–42.

Latman, N. S., Hans, P., Nicholson, L., DeLee-Zint, S., Lewis, K., & Shirey, A. (2001). Evaluation of clinical thermometers for accuracy and reliability. *Biomedical Instrumentation and Technology, 35,* 259–265.

Lee, V. K., McKenzie, N. E., & Cathcart, M. (1999). Ear and oral temperatures under usual practice conditions. *Research for Nursing Practice, 1*(1). Retrieved March 18, 2003, from http://www.graduateresearch. com/lee.htm

Marieb, E. N. (1998). *Human anatomy and physiology* (4th ed.). Menlo Park, CA : Benjamin/ Cummings.

McCloskey, J. C., & Bulechek, G. M. (Eds.). (2000). *Nursing interventions classification (NIC)* (3rd ed.). St. Louis, MO : Mosby.

McConnell, E. A. (1999). Do's & don'ts : Performing pulse oximetry. *Nursing, 29*(11), 17.

McConnell, E. A. (2000). Do's & don'ts : Using a Doppler device. *Nursing, 30*(7), 17.

NANDA International. (2003). NANDA *nursing diagnoses : Definitions and classification 2003-2004.* Philadelphia : Author.

National Institutes of Health, National Heart, Lung, and Blood Institute. (1997). *The sixth report of the Joint National Committee on Prevention, Detection, Evaluation, and Treatment of High Blood Pressure* (NIH Publication #98-4080). Retrieved December 26, 2002, from http://www. nhlbi.nih.gov/ guidelines/hypertension/jnc6.pdf

Nicholls, P. H. (1997). Consult stat. Wrist and finger BP monitors offer accurate alternatives. *RN, 60,* 64.

Nicoll, L. H. (2002). Heat in motion: Evaluating and managing temperature. *Nursing, 32*(5 Supp.), 1–10.

O'Toole, S. (1998). Temperature measurement devices. *Professional Nurse, 13,* 779–782.

Schiff, L. (2000). Pulse oximeters. *RN 63*(8), 65–66, 68.

Torrance, C., & Elley, K. (1997). Practical procedures for nurses: Assessing pulse—2. *Nursing Times, 93*(42), insert 2.

Torrance, C., & Semple, M. (1997). Practical procedures for nurses: Assessing pulse—1. *Nursing Times, 93*(41), insert 2.

Weiss, M. E., Sitzer, V., Clarke, M., Haley, K., Richards, M., Sanchez, A., et al. (1998).

A comparison of temperature measurements using three ear thermometers. *Applied Nursing Research, 11,* 158–166.

Woo, E. K. (1998). Device errors: Infant skin temperature probes: Follow these safety tips for use. *Nursing, 27*(7), 31.

En français

Brûlé, M., Cloutier, L. et Doyon, O. (dir.) (2002). *L'examen clinique dans la pratique infirmière.* Saint-Laurent: Éditions du Renouveau Pédagogique.

Comité de santé environnementale du Québec (1997). *Guide de gestion du mercure dans les établissements de santé.* Montréal: Association des hôpitaux du Québec.

Feldman, R., Drouin, D., Campbell, N. (2004). *Programme éducatif canadien sur l'hypertension: Recommandations de 2004 pour l'évaluation et le traitement de l'hypertension.*

Johnson M. et Maas, M. (dir.). (1999). *Classification des résultats de soins infirmiers CRSI/NOC,* Paris: Masson.

McCloskey, J. C. et Bulechek, G. M. (dir.). (2000). *Classification des interventions de soins infirmiers CISI/NIC,* 2e éd., Paris: Masson.

NANDA International. (2004). *Diagnostics infirmiers: Définitions et classification 2003-2004,* Paris: Masson.

Vanasse, A., Laplante, P., Xhignesse, M., Delisle, E., Grant, A. et Bernier, R. (1997). Les omnipraticiens préfèrent arrondir le dernier chiffre de la valeur de la tension artérielle. *Hypertension Canada,* avril, 4 et 5.

Après avoir étudié ce chapitre, vous pourrez:

- Définir les objectifs de l'examen physique.

- Expliquer les quatre techniques d'examen.

- Expliquer la signification de certains résultats de l'examen physique.

- Dégager les résultats escomptés de l'examen physique.

- Énumérer les étapes de certaines techniques d'examen.

- Décrire l'ordre dans lequel l'examen physique devrait se dérouler.

- Expliquer comment adapter les différentes techniques d'examen à l'âge de la personne.

PARTIE 8
Évaluation de la santé

EXAMEN PHYSIQUE

CHAPITRE

34

Adaptation française:
Sophie Longpré, inf., M.Sc.
Professeure, Département
des sciences infirmières
Université du Québec
à Trois-Rivières

L a première partie de la description du champ de pratique des infirmières, telle qu'on peut la lire dans la *Loi sur les infirmières et les infirmiers* (article 36), précise que « l'exercice infirmier consiste à évaluer l'état de santé d'une personne ». De plus, l'évaluation de la condition physique et mentale d'une personne symptomatique est une des 14 activités réservées aux infirmières (OIIQ, 2003). L'examen clinique d'une personne est donc une partie importante des soins infirmiers et comporte deux composantes : (1) l'anamnèse décrite au chapitre 16 ⚭, qui consiste à recueillir des données subjectives au moyen d'une entrevue ; (2) l'examen physique, expliqué dans le présent chapitre, qui consiste à recueillir des données objectives au moyen de techniques spécifiques. Au début des procédés décrits dans ce manuel, certaines informations à recueillir auprès de la personne sont énumérées. Les anamnèses relatives à des sujets précis sont toutefois élaborées, au moyen des encadrés *Entrevue d'évaluation,* dans les chapitres portant sur ces thèmes.

Il existe trois types d'examen physique : (a) l'examen physique complet (par exemple, lors de l'admission de la personne dans un établissement de soins) ; (b) l'examen d'un appareil ou d'une fonction (par exemple, l'examen de la fonction cardio-vasculaire) ; (c) l'examen d'une région du corps (par exemple, l'examen du genou d'une personne souffrant de douleur articulaire au genou).

Examen physique

Pour faire un examen physique complet, on peut examiner la personne de manière systématique, soit de la tête aux pieds. Toutefois, la façon de procéder peut varier en fonction de l'âge de la personne, de la gravité de son affection, des préférences de l'infirmière, du lieu de l'examen et des priorités de soins. L'encadré 34-1 explique l'ordre dans lequel on devrait effectuer un examen systématique de la tête aux pieds. Quelle que soit la méthode employée, il faut tenir compte également de l'énergie que la personne peut fournir et du temps dont elle dispose. L'infirmière doit effectuer l'examen physique de façon systématique et efficace afin d'occasionner le moins de changements de position possible pour la personne.

Souvent, l'infirmière doit évaluer une partie précise du corps plutôt que tout le corps. Différentes raisons justifient de faire ces évaluations ciblées : les symptômes de la personne, les observations de l'infirmière, le motif de consultation, les interventions infirmières appliquées et les traitements médicaux. Le tableau 34-1 donne quelques exemples de ce genre d'évaluation.

Voici quelques-uns des objectifs de l'examen physique :
- Obtenir des données initiales sur les capacités fonctionnelles de la personne.
- Compléter, confirmer ou réfuter les données recueillies lors de l'anamnèse de la personne.
- Obtenir des données qui aideront à établir les priorités de soins et le plan de soins et de traitements infirmiers.
- Évaluer les effets physiologiques des soins donnés et, de ce fait, évaluer l'évolution du problème de santé ou des traitements de la personne.
- Poser des jugements cliniques sur l'état de santé d'une personne.

ENCADRÉ

Examen physique de la tête aux pieds

34-1

- Inspection générale
- Signes vitaux
- Tête
  - Cheveux, cuir chevelu, crâne, visage
  - Yeux et vision
  - Oreilles et ouïe
  - Nez et sinus
  - Bouche et oropharynx
  - Nerfs crâniens
- Cou
  - Muscles
  - Ganglions lymphatiques
  - Trachée
  - Glande thyroïde
  - Artères carotides
  - Veines du cou
- Membres supérieurs
  - Peau et ongles
  - Force et tonus musculaires
  - Amplitude des mouvements
  - Pouls brachial et radial
  - Réflexes bicipitaux
  - Réflexes tendineux
  - Sensation
- Dos et thorax
  - Peau
  - Forme du thorax
  - Poumons
  - Colonne vertébrale
  - Cœur
  - Seins et aisselles
- Abdomen
  - Peau
  - Bruits abdominaux (intestinaux ou vasculaires)
  - Organes spécifiques (par exemple foie, vessie)
  - Pouls fémoraux
- Membres inférieurs
  - Peau et ongles d'orteil
  - Démarche et équilibre
  - Amplitude des mouvements
  - Pouls poplité, tibial postérieur et pédieux
  - Réflexes tendineux et plantaires
- Organes génitaux
  - Testicules
  - Vagin
  - Urètre
- Anus et rectum

■ Déterminer les éléments qui justifient des interventions visant la promotion de la santé ou la prévention de la maladie.

Lorsqu'elle procède à un dépistage du cancer ou qu'elle donne de l'information à une personne à ce sujet, l'infirmière doit tenir compte des recommandations de la Société canadienne du cancer en matière de dépistage précoce (voir l'encadré 34-2).

TABLEAU
34-1

Évaluations infirmières effectuées en fonction de la situation de la personne

Situation	Exemples d'examen physique
La personne souffre d'une douleur abdominale.	Inspecter, ausculter et palper l'abdomen ; évaluer les signes vitaux.
La personne est admise pour traumatisme crânien.	Évaluer l'état neurologique à l'aide de l'échelle de Glasgow (voir le tableau 34-10, plus loin dans ce chapitre) ; évaluer la taille et la réaction des pupilles à la lumière ; évaluer les signes vitaux.
L'infirmière se prépare à administrer un cardiotonique à une personne.	Évaluer le pouls apical et le comparer avec les données initiales.
La personne vient de se faire poser un plâtre sur une jambe.	Évaluer la circulation périphérique aux orteils, le temps de remplissage capillaire, le pouls pédieux si possible, et les signes vitaux.
L'apport liquidien de la personne est minimal.	Évaluer le signe du pli cutané, les ingesta et les excreta, et les signes vitaux.

ENCADRÉ
34-2

Recommandations concernant le dépistage précoce du cancer chez les personnes asymptomatiques

CANCER COLORECTAL (hommes et femmes)

■ Toucher rectal : lors de l'examen annuel à partir de 40 ans.

■ Recherche de sang occulte dans les selles : tous les 2 ans à partir de 50 ans. Si le test est positif, effectuer une coloscopie, une sigmoïdoscopie ou un lavement baryté en double contraste.

CANCER DU SEIN (femmes)

■ Autoexamen des seins : chaque mois à partir de l'âge de 20 ans.

■ Examen clinique des seins : tous les ans pour les femmes de 20 à 39 ans, puis tous les 2 ans à partir de 40 ans.

■ Mammographie : tous les 2 ans à partir de 50 ans.

■ Dépistage sélectif (mammographie) pour les femmes de 70 ans et plus, et pour les femmes à haut risque, de 40 à 49 ans.

CANCER DU COL ET DE L'UTÉRUS (femmes)

■ Test de Papanicolaou (test de Pap) : chaque année pour toutes les femmes qui sont ou ont été sexuellement actives ou qui ont plus de 18 ans. (Après des résultats normaux à deux examens annuels consécutifs, les femmes peuvent passer le test de Pap tous les 3 ans jusqu'à l'âge de 69 ans ou selon le jugement du médecin.) En général, on recommande

le test de Pap chaque année jusqu'à 35 ans, et tous les 3 ans jusqu'à 69 ans.

■ Examen pelvien : tous les 1 à 3 ans (effectué avec le test de Pap, donc depuis l'âge de 18 ans jusqu'à 39 ans), puis tous les ans pour les femmes de plus de 40 ans.

■ Échantillon de tissu endométrial à la ménopause ou en présence d'un risque élevé ; par la suite, selon le jugement du médecin.

CANCER DE LA PROSTATE (hommes)

■ Test de dépistage de l'antigène prostatique spécifique et toucher rectal : tous les ans à partir de l'âge de 50 ans pour les hommes qui présentent un risque élevé.

CANCER DU POUMON

Aucune ligne directrice.

CANCER DE L'OVAIRE

Aucune ligne directrice.

DÉPISTAGE GÉNÉTIQUE

Approche sélective.

Sources : Société canadienne du cancer, (page consultée le 10 août 2004), [en ligne], <http:www.cancer.ca/ccs/internet/frontdoor/0,,3172___langId-fr,00.html> ; Stratégie canadienne de lutte contre le cancer : groupe de travail sur le dépistage, (page consultée le 10 août 2004), [en ligne], <http://www.cancercontrol.org/>.

Préparation de la personne

La plupart des personnes ont besoin qu'on leur explique en quoi consiste l'examen physique. L'infirmière doit donc préciser à la personne quand et où l'examen aura lieu, pourquoi il est important de le faire et comment il se déroulera. L'examen physique est habituellement sans douleur ; il demeure cependant important de déterminer d'avance les positions qui pourraient être contre-indiquées pour une personne. Au besoin, l'infirmière doit aider la personne à se dévêtir et à enfiler la chemise d'hôpital.

La personne devrait vider sa vessie avant l'examen physique afin de se sentir plus détendue et de faciliter la palpation de l'abdomen et de la région pubienne. Si une analyse d'urine est nécessaire, on doit prélever l'échantillon dans un contenant conçu pour cet usage.

Quand l'infirmière évalue un adulte, elle doit se rappeler que des personnes d'un même âge peuvent présenter de grandes différences. L'encadré 34-3 présente quelques éléments à considérer lors de l'examen physique des adultes, plus particulièrement des personnes âgées.

Si la personne est âgée ou frêle, l'infirmière doit effectuer l'examen physique en plusieurs étapes afin de ne pas la fatiguer. L'infirmière doit rassurer la personne en lui expliquant au fur et à mesure les étapes de l'examen.

Le déroulement de l'examen diffère selon que la personne est un enfant ou un adulte. Avec un enfant, il faut toujours commencer avec les interventions les moins effractives ou incommodantes, puis progresser vers les interventions les plus effractives. L'examen de la tête et du cou, du cœur et des poumons, et de l'amplitude des mouvements peut être fait au début de l'examen physique, tandis que l'examen des oreilles, de la bouche, de l'abdomen et des organes génitaux peut être gardé pour la fin.

ENCADRÉ

Examen physique de l'adulte et de la personne âgée | 34-3

- Tenez compte des changements physiologiques attribuables au vieillissement.
- Tenez compte de la rigidité musculaire et articulaire due au vieillissement ou aux antécédents de chirurgie orthopédique. Chez certaines personnes, vous devrez modifier la position habituellement utilisée pour l'examen.
- Exposez seulement les parties du corps qui doivent être examinées pour que la personne ne frissonne pas.
- Donnez à la personne tout le temps dont elle a besoin pour répondre à vos questions et pour s'installer dans les positions demandées.
- Tenez compte des différences culturelles. Par exemple, une personne peut désirer la présence d'un membre de sa famille lorsqu'elle se dévêt.
- Demandez l'aide d'un interprète si la personne ne parle pas la même langue que vous.
- Demandez à la personne comment elle souhaite se faire appeler (par exemple, madame ou mademoiselle).
- Adaptez les techniques d'examen aux déficits sensoriels ; par exemple, assurez-vous que la personne porte ses lunettes ou sa prothèse auditive.

Préparation de l'environnement

Il est important de préparer le lieu dans lequel se déroulera l'examen. De plus, il faut choisir le moment de l'examen de façon à ce qu'il convienne, si possible, tant à la personne qu'à l'infirmière. La pièce doit être bien éclairée et le matériel, prêt à être utilisé.

Il est important également de préserver l'intimité de la personne. La plupart des gens deviennent embarrassés si une partie de leur corps est dévêtue, ou encore ils ont peur que d'autres personnes les voient ou les entendent durant l'examen. La famille et les amis ne devraient pas être présents pendant l'examen, sauf si la personne le demande.

Si la personne est détendue, l'examen ne devrait pas l'incommoder. La pièce doit être assez chaude pour être confortable pour la personne, même si celle-ci est dévêtue.

Position

La personne doit changer de position à plusieurs reprises durant l'examen physique. L'infirmière doit tenir compte de la capacité de la personne à prendre les positions demandées. Elle doit également prendre en considération la condition physique de la personne, son niveau d'énergie et son âge. Certaines positions sont embarrassantes ou inconfortables ; on ne doit pas les prolonger indûment. L'examen physique doit se dérouler de façon à ce que l'infirmière puisse examiner plusieurs parties du corps à partir de la même position, ce qui réduit au minimum le nombre de changements de position requis (voir le tableau 34-2).

Utilisation de draps

L'infirmière doit utiliser des draps de façon à n'exposer que la partie examinée. L'exposition du corps peut être embarrassante pour la personne. Les draps lui permettent de se couvrir et de ne pas avoir froid.

Instruments

Tout le matériel requis pour l'examen physique doit être propre, fonctionnel et d'accès facile. Souvent, le matériel est étalé sur un plateau, prêt à être utilisé.

Le tableau 34-3 montre quelques instruments.

Techniques d'examen

On utilise quatre techniques pour effectuer l'examen physique : l'inspection, la palpation, la percussion et l'auscultation. Ce chapitre décrit en détail ces techniques telles qu'elles s'appliquent pour différentes parties du corps.

INSPECTION

L'**inspection** consiste à examiner visuellement, c'est-à-dire à faire un examen physique en se servant du sens de la vue. L'inspection doit être délibérée, systématique et effectuée selon des critères précis. L'infirmière effectue une inspection directe lorsqu'elle inspecte à l'œil nu, et une inspection indirecte lorsqu'elle se sert d'un instrument, tel un otoscope (utilisé pour voir l'intérieur de l'oreille). En plus des observations visuelles, l'infirmière peut noter ses observations olfactives (ce qu'elle sent) et auditives (ce qu'elle entend). Elle utilise l'inspection pour évaluer la couleur des surfaces cutanées ainsi que la forme,

TABLEAU

34-2 Positions requises pour l'examen physique, selon les parties du corps examinées

Position	Description	Parties examinées	Précautions
Décubitus dorsal avec genoux fléchis	Position couchée sur le dos avec les genoux fléchis et les hanches tournées vers l'extérieur; petit oreiller sous la nuque; pieds à plat sur la table d'examen ou oreiller sous les genoux	Tête et cou, thorax antérieur, poumons, cœur, seins, aisselles, membres, pouls périphériques, signes vitaux, vagin	Peut être contre-indiquée si la personne a un problème cardiovasculaire ou respiratoire. Indiquée pour l'examen abdominal: le fléchissement des genoux diminue la tension exercée sur la musculature abdominale.
Décubitus dorsal	Position couchée sur le dos avec les jambes étendues; avec ou sans oreiller sous la nuque	Tête, cou, thorax antérieur, poumons, cœur, seins, aisselles, abdomen, membres, pouls périphériques	Position mal tolérée par les personnes présentant des troubles cardiovasculaires et respiratoires. Non utilisée pour l'examen abdominal en raison de la tension accrue des muscles abdominaux.
Position assise	Position assise, le dos non appuyé, les jambes pendantes	Tête, cou, thorax postérieur et antérieur, poumons, seins, aisselles, cœur, signes vitaux, membres supérieurs et inférieurs, réflexes ostéo-tendineux	Les personnes âgées et les personnes faibles ont besoin de s'adosser.
Lithotomie (position gynécologique)	Position couchée sur le dos, les jambes surélevées et les pieds dans des étriers, les hanches alignées avec le bord de la table	Organes génitaux, rectum et organes reproducteurs de la femme	Position pouvant être inconfortable et fatigante pour les personnes âgées; cause souvent de l'embarras.
Décubitus latéral gauche (position de Sims)	Position couchée sur le côté, le bras inférieur derrière le corps, la jambe supérieure fléchie à la hanche et au genou, le bras supérieur fléchi à l'épaule et au coude	Anus, rectum, vagin, prostate	Position difficile pour une personne âgée ou dont l'amplitude des mouvements est limitée.
Décubitus ventral	Position couchée sur le ventre, la tête tournée sur le côté, avec ou sans petit oreiller	Thorax postérieur, mouvement de la hanche	Position souvent mal tolérée par les personnes âgées et celles qui présentent des problèmes cardiovasculaires et respiratoires.

la position, la taille, la couleur et la symétrie des parties du corps. L'éclairage, qu'il soit naturel ou artificiel, doit permettre à l'infirmière de voir clairement. Lorsque l'infirmière procède à une observation auditive, la pièce doit être calme. On peut combiner l'inspection et les autres techniques d'examen.

PALPATION

La **palpation** consiste à examiner le corps de la personne en se servant du sens du toucher. L'infirmière doit utiliser diffé-rentes parties de ses mains. Les nombreuses terminaisons nerveuses qui se trouvent dans la pulpe des doigts rendent celle-ci très sensible à la discrimination tactile et permettent à l'infirmière de déterminer, par exemple, une pulsation artérielle. La paume et les doigts servent à délimiter des organes. La paume ou le rebord cubital permettent de percevoir des vibrations, tandis que le dos de la main permet de percevoir la température de la peau. La palpation est donc utilisée pour déterminer: (a) la texture (des cheveux, par exemple); (b) la

TABLEAU
34-3

Matériel et fournitures utilisés pour l'examen physique

Matériel et fournitures		Utilité
Lampe de poche ou crayon lumineux		Pour aider à voir le pharynx ou pour évaluer les pupilles.
Miroir buccal à main		Pour observer le pharynx et la cavité buccale.
Spéculum nasal		Pour voir les cornets nasaux inférieur et moyen ; habituellement, on utilise en plus un crayon lumineux pour s'éclairer.
Otoscope		Instrument d'éclairage servant à voir la membrane du tympan et le conduit auditif externe (on peut aussi utiliser l'otoscope pour inspecter la cavité nasale).
Marteau à réflexes		Instrument muni d'une tête de caoutchouc pour vérifier les réflexes ostéotendineux.
Diapason		Instrument métallique (de différentes fréquences) servant à tester l'acuité auditive et la sensibilité vibratoire.
Spéculum vaginal		Pour examiner le col et le vagin.
Cotons-tiges (écouvillons)		Pour prélever des échantillons.
Compresses stériles		Pour absorber le liquide.
Gants		Pour protéger l'infirmière.
Lubrifiant		Pour faciliter l'insertion de certains instruments (spéculum vaginal).
Abaisse-langues		Pour abaisser la langue durant l'inspection de la bouche et du pharynx.

température (de la peau d'une partie du corps, par exemple); (c) la vibration (d'une articulation, par exemple); (d) la position, la taille, la consistance et la mobilité des organes ou des masses; (e) la distension (de la vessie, par exemple); (f) la pulsation; (g) la présence d'une douleur à la pression.

Il existe deux types de palpation: superficielle et profonde. La *palpation superficielle* (ou légère) doit toujours précéder la *palpation profonde*, car la pression forte des doigts peut émousser le sens du toucher ou provoquer des douleurs rendant le reste de l'examen difficile. Pour la palpation superficielle, l'infirmière étend les doigts de sa main dominante sur la surface de la peau et y appuie doucement tout en décrivant un mouvement circulaire avec la main (figure 34-1 ■). La palpation est dite superficielle lorsque la dépression est inférieure à 3 cm.

Lorsqu'il est nécessaire de déterminer les détails d'une masse, l'infirmière appuie plusieurs fois plutôt que de maintenir la pression des doigts sur la peau. L'encadré 34-4 décrit les caractéristiques à évaluer lors de la palpation d'une masse. La palpation profonde (plus de 3 cm) se fait avec les deux mains (bimanuelle) ou avec une seule main. Pour exécuter la palpation profonde bimanuelle, l'infirmière étend sa main dominante comme pour la palpation légère, puis elle place la pulpe des doigts de sa main non dominante sur la face dorsale de l'articulation interphalangienne distale des trois doigts du milieu de

la main dominante (figure 34-2 ■). La main du dessus exerce une pression pendant que la main du dessous demeure détendue pour mieux percevoir les sensations tactiles. Pour faire la palpation profonde avec une seule main, on applique une pression sur la partie à palper avec la pulpe des doigts de la main dominante. Souvent, l'autre main est utilisée pour supporter une masse ou un organe par en dessous (figure 34-3 ■).

> **! ALERTE CLINIQUE** *La palpation profonde doit être faite avec prudence, en douceur et sans brusquerie, afin de ne pas provoquer ou exacerber inutilement une douleur abdominale.* ■

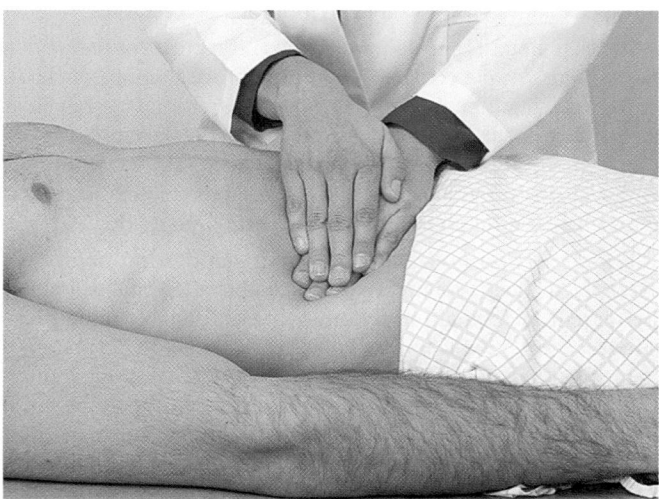

FIGURE **34-2** ■ Position des mains pour la palpation profonde bimanuelle.

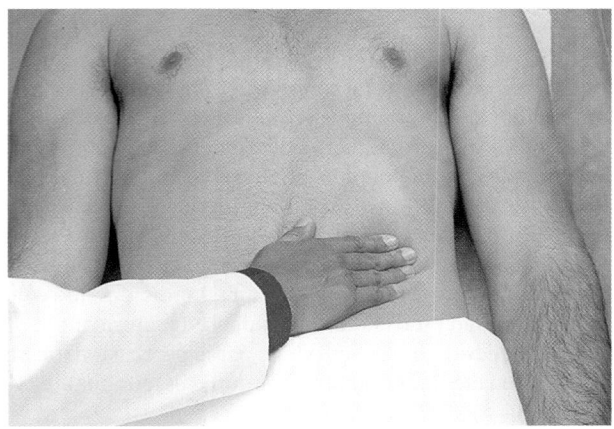

FIGURE **34-1** ■ Position de la main pour la palpation superficielle.

ENCADRÉ

Caractéristiques à évaluer lors de la palpation d'une masse
34-4

Emplacement: région du corps, face postérieure ou antérieure

Taille: longueur et largeur en centimètres

Forme: ovale, ronde, allongée, irrégulière

Consistance: molle, ferme, dure

Texture: lisse, nodulaire

Mobilité: fixe, mobile

Pulsatilité: présente ou absente

Douleur provoquée: degré de sensibilité à la palpation

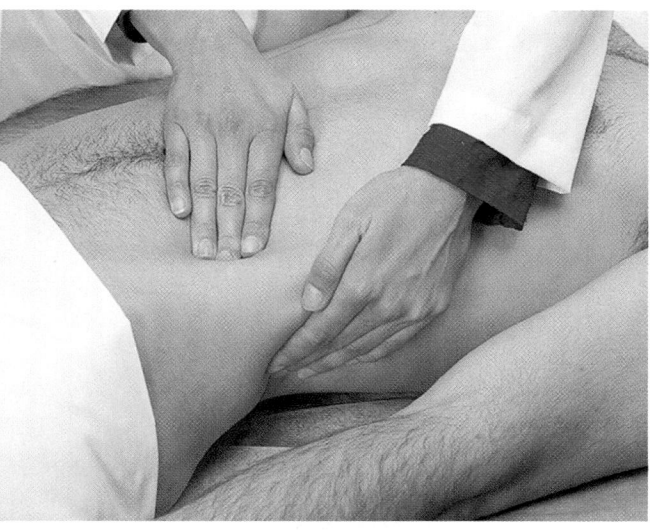

FIGURE **34-3** ■ Palpation profonde dans laquelle la main du dessous soutient le corps pendant que la main du dessus palpe l'organe.

Voici quelques principes directeurs concernant la palpation :

- L'infirmière doit avoir les mains propres et chaudes, ainsi que les ongles courts.
- Elle doit palper les endroits les plus sensibles en dernier.
- Elle doit faire la palpation profonde après la palpation superficielle.

L'efficacité de la palpation dépend en grande partie du degré de relaxation de la personne. Pour aider celle-ci à se détendre, l'infirmière peut : (a) la couvrir d'un drap ; (b) l'aider à s'installer confortablement ; (c) s'assurer que ses mains à elle sont chaudes avant de commencer. Durant la palpation, l'infirmière doit être attentive aux signes verbaux et faciaux de la personne pour s'assurer qu'elle ne lui fait pas mal.

PERCUSSION

La **percussion** consiste à percuter une partie du corps pour produire des sons audibles ou des vibrations perceptibles.

Il existe deux types de percussions : directe et indirecte. La *percussion directe* consiste à percuter directement la partie du corps avec la pulpe de deux, trois ou quatre doigts, ou avec la pulpe du majeur. Les percussions doivent être rapides, et le mouvement doit partir du poignet (figure 34-4 ■). Habituellement, cette technique n'est pas utilisée pour percuter le thorax, mais elle est utile pour percuter les sinus d'un adulte.

La *percussion indirecte* consiste à percuter un objet (par exemple, un doigt) contre la partie du corps qu'on veut examiner. Le majeur de la main non dominante, qui agit comme **plessimètre**, doit être placé fermement sur la peau de la personne. Seules la phalange distale et l'articulation de ce doigt sont en contact avec la peau. Avec le bout du majeur fléchi de son autre main (appelé doigt percuteur) qui agit comme un marteau à réflexes, l'infirmière percute le plessimètre, habituellement à l'articulation interphalangienne distale (figure 34-5 ■). Certaines infirmières choisissent plutôt un point situé entre les articulations distale et proximale pour disposer d'un plessimètre plus confortable. Le mouvement doit partir du poignet : l'avant-bras

FIGURE **34-4** ■ **Percussion directe.** On se sert d'une main pour percuter la surface du corps.

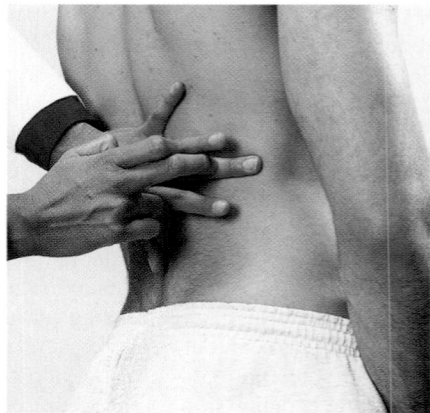

FIGURE **34-5** ■ **Percussion indirecte.** Avec le doigt d'une main, on percute le doigt de l'autre main.

doit demeurer immobile. L'angle entre le plessimètre et le doigt percuteur doit être de 90° ; les percussions doivent être fermes, rapides et courtes afin que le son produit soit clair.

La percussion permet de délimiter les contours des organes internes, donc d'en déterminer la taille et la forme. La percussion permet aussi de savoir si un tissu est rempli d'air, de liquide ou s'il est solide. La percussion produit cinq types de sons : la matité franche, la submatité, la sonorité, l'hypersonorité et le tympanisme. La **matité franche** est un bruit extrêmement mat produit par un tissu très dense, comme un muscle ou un os. La **submatité** est un bruit sourd produit par un tissu dense comme le foie, la rate ou le cœur. La **sonorité** est un bruit creux comme celui produit par des poumons remplis d'air. L'**hypersonorité** n'est pas un bruit normal. On le décrit comme un son fort qui se fait entendre sur un poumon emphysémateux. Enfin, le **tympanisme** est un bruit musical ou bourdonnant produit par un estomac rempli d'air. Si on considère les cinq types de sons comme un continuum, la matité franche correspond au tissu le plus dense (renfermant le moins d'air), tandis que le tympanisme correspond au tissu le moins dense (renfermant le plus d'air). Pour décrire les sons produits par la percussion, on qualifie leur intensité, leur tonalité, leur durée et leur qualité (voir le tableau 34-4).

AUSCULTATION

L'**auscultation** permet d'entendre les bruits produits par les organes du corps. Elle peut être directe ou indirecte. L'*auscultation directe* consiste à écouter les bruits sans aide auditive, par exemple une respiration sifflante ou le crépitement d'une articulation. L'*auscultation indirecte* consiste à écouter au moyen d'un stéthoscope, lequel transmet les sons aux oreilles de l'infirmière. Le stéthoscope sert surtout à écouter les bruits provenant de l'intérieur du corps, par exemple les borborygmes intestinaux ou les bruits valvulaires du cœur ; il sert aussi à évaluer la pression artérielle.

Le stéthoscope devrait mesurer entre 30 et 35 cm de longueur et son diamètre intérieur devrait être d'environ 0,3 cm. Certains ne sont munis que d'une seule membrane ; il est préférable d'utiliser un stéthoscope comportant une membrane en forme de cloche (cupule) et une autre en forme de disque aplati (diaphragme) (voir la figure 33-21 à la page 799). Le diaphragme

TABLEAU
34-4

Sons produits par la percussion

Type de son	Intensité	Tonalité	Durée	Qualité	Exemples de région du corps produisant ce son
Matité franche	Faible	Aiguë	Courte	Très mat	Muscle, os
Submatité	Moyenne	Moyenne	Moyenne	Sourd	Cœur, foie
Sonorité	Modérée à forte	Grave	Longue	Creux	Poumon normal
Hypersonorité	Très forte	Très grave	Très longue	Fort	Poumon emphysémateux
Tympanisme	Forte	Aiguë (reconnaissable principalement par le timbre musical)	Courte	Bourdonnant	Estomac rempli d'air

transmet le mieux les sons aigus (par exemple, les murmures vésiculaires), tandis que la cupule transmet le mieux les sons graves (par exemple, certains bruits cardiaques). Les embouts auriculaires du stéthoscope doivent entrer confortablement dans les oreilles, un peu vers l'avant. L'infirmière pose la membrane du stéthoscope fermement mais légèrement contre la peau de la personne. Si la personne est très poilue, on peut humidifier les poils avec un linge humide pour les plaquer contre la peau et éliminer les bruits de frottement sur la membrane.

On décrit les sons auscultés en fonction de quatre caractéristiques : leur tonalité, leur intensité, leur durée et leur qualité. La **tonalité** (**fréquence**) correspond à la fréquence des vibrations (le nombre de vibrations par seconde). Les sons graves ou de basses fréquences tels que certains bruits cardiaques (par exemple, le souffle de sténose valvulaire) comportent moins de vibrations par seconde que les sons aigus (ou de hautes fréquences) tels que les souffles bronchiques. On appelle **intensité** la force d'un bruit (fort ou faible). Certains bruits de l'organisme sont forts, par exemple le souffle trachéal perçu près de la trachée ; d'autres sont faibles, comme les bruits cardiaques normaux perçus à l'apex. La **durée** d'un son correspond à sa longueur (son long ou court). Enfin, la **qualité** d'un son est sa description subjective ; par exemple, on dira qu'un son ressemble à un bruissement, à un sifflement ou à un gargouillement.

Données d'ordre général

L'infirmière commence l'examen par l'observation de l'état général et mental de la personne, suivie de la mesure des signes vitaux, de la taille et du poids. Elle recueille plusieurs de ces données générales pendant qu'elle dresse l'anamnèse et qu'elle note des détails comme la constitution morphologique, la posture, l'hygiène et l'état mental.

État général et état mental

L'aspect général et le comportement d'une personne doivent être évalués en rapport avec son milieu culturel et socioéconomique, son degré de scolarité et sa situation actuelle. Par exemple, une personne qui vient de perdre un de ses proches pourra sembler,

avec raison, déprimée. L'âge de la personne, le sexe et l'origine ethnique sont d'autres facteurs qu'il importe de considérer quand on interprète des données indiquant un risque accru d'une affection. Le procédé 34-1 explique comment faire l'examen de l'état général et de l'état mental.

Signes vitaux

L'infirmière mesure les signes vitaux : (a) pour obtenir les données initiales auxquelles elle pourra comparer les données des évaluations ultérieures ; (b) pour déceler les problèmes de santé présents et potentiels. Voir le chapitre 33 ⃝ pour savoir comment évaluer la température, le pouls, la respiration, la pression artérielle et l'oxymétrie. Voir le chapitre 44 ⃝ pour savoir comment évaluer la douleur.

LES ÂGES DE LA VIE

Données d'ordre général

NOURRISSONS

- Pour mesurer la taille d'un enfant de moins de deux ans, installez-le en décubitus dorsal, les genoux légèrement fléchis.
- Pesez l'enfant sans vêtements.
- Mesurez le périmètre crânien de l'enfant de moins de deux ans.

ENFANTS

- Pesez l'enfant de plus de deux ans en sous-vêtements.

PERSONNES ÂGÉES

- Laissez plus de temps à la personne pour répondre.
- Adaptez les techniques d'interrogation si la personne présente un déficit visuel ou auditif.
- Les adultes plus âgés qui souffrent d'ostéoporose peuvent perdre plusieurs centimètres de taille. Notez la taille.
- Lorsque vous posez à la personne une question concernant son poids, vous devez être précise en ce qui concerne la quantité et le temps. Par exemple : « Avez-vous perdu plus de deux kilogrammes au cours des deux derniers mois ? »

PROCÉDÉ 34-1

Examen de l'état général et de l'état mental

PLANIFICATION

Matériel

Aucun

INTERVENTION

Exécution

1. Expliquez à la personne ce que vous allez faire, pourquoi vous allez le faire et comment elle peut coopérer. Expliquez-lui aussi que les résultats serviront à planifier les soins ou les traitements.

2. Lavez-vous les mains et observez les autres mesures de prévention des infections.

3. Assurez-vous que l'intimité de la personne est préservée.

Examen physique	Observations courantes	Particularités
4. Observez la constitution morphologique, la taille et le poids, et mettez-les en rapport avec l'âge, le mode de vie et l'état de santé.	Proportionnés, varient selon le mode de vie.	Personne extrêmement mince ou obèse.
5. Observez la posture et la démarche, ainsi que les positions debout et assise.	Posture détendue, droite; mouvements coordonnés.	Posture tendue, avachie, voûtée; manque de coordination des mouvements; tremblements.
6. Observez l'apparence générale de la personne. Mettez ces données en contexte avec les activités de la personne juste avant l'examen physique.	Apparence propre et soignée.	Apparence malpropre et non soignée.
7. Notez l'odeur du corps et de l'haleine, toujours dans le contexte des activités de la personne avant l'examen physique.	Aucune odeur corporelle, ou alors légère odeur reliée au travail ou à l'exercice; aucune odeur d'haleine.	Mauvaise odeur corporelle; odeur d'ammoniac; haleine d'acétone; haleine fétide.
8. Observez les signes de douleur dans la posture ou l'expression faciale.	Aucun signe de douleur.	Corps penché vers l'avant à cause d'une douleur abdominale, d'une crispation ou d'une respiration laborieuse.
9. Notez les signes évidents de santé ou d'affection (par exemple, coloration de la peau, respiration).	Apparence saine.	Pâleur; faiblesse; affection évidente.
10. Évaluez l'attitude de la personne.	Attitude coopérative.	Attitude négative, hostile; repli sur soi.
11. Notez l'affect et l'humeur de la personne; évaluez la pertinence de ses réactions.	Réactions appropriées à la situation.	Réactions inappropriées à la situation.
12. Notez si la personne parle peu ou beaucoup (quantité et débit), la qualité de son discours (force, clarté, inflexion) et son organisation (cohérence de la pensée, présence de généralisations excessives, précision).	Discours compréhensible, débit modéré; associations d'idées.	Débit rapide ou lent; généralisations abondantes; manque d'associations; fabulation.
13. Évaluez la cohérence et l'organisation de la pensée.	Séquence logique; pensée sensée; sens de la réalité.	Séquence illogique; fuite des idées; confusion.
14. Notez les données dans le dossier de la personne, en utilisant des formulaires ou des listes de vérification enrichies de notes explicatives au besoin. La figure 16-4 illustre un exemple de collecte des données sur l'aspect général de la personne.		

ÉVALUATION

- Effectuez un examen de suivi détaillé des autres systèmes de l'organisme, selon les résultats qui ne correspondent pas aux observations courantes ou qui ne sont pas compatibles avec les résultats attendus pour la personne. Mettez les résultats en rapport avec les données de l'évaluation précédente, au besoin.

- Signalez au médecin les données qui ne correspondent pas aux observations courantes.

SOINS À DOMICILE

Données d'ordre général

- Évaluez la personne en privé autant que possible. Si vous avez besoin qu'un membre de la famille vous relate des événements ou serve d'interprète, demandez d'abord la permission de la personne.
- Utilisez votre propre matériel autant que possible pour mesurer les signes vitaux. Apportez avec vous un ruban pour mesurer la taille. Rappelez-vous qu'il est possible que le pèse-personne de la personne ne soit pas exact.

! ALERTE CLINIQUE *Avant de commencer un examen physique, il est bon que l'infirmière revoie les politiques de l'établissement pour s'assurer qu'elle dispose du matériel nécessaire et qu'elle sait comment faire l'examen physique de manière systématique.* ■

Taille et poids

Chez les adultes, le rapport entre la masse corporelle et la taille donne une idée générale de l'état de santé. En demandant à la personne son poids et sa taille avant de les mesurer, l'infirmière peut également se faire une idée du concept de soi chez cette personne. Un écart trop grand entre les réponses de la personne et les mesures de l'infirmière peut indiquer la présence d'un problème de concept de soi actuel ou potentiel. Il est important également que l'infirmière et la personne décèlent les pertes ou les gains de poids qui ne sont pas intentionnels.

L'infirmière mesure la taille à l'aide d'une toise fixée au pèse-personne ou sur le mur. La personne doit retirer ses chaussures et se tenir droite, les pieds joints ; ses talons, ses fesses et l'arrière de sa tête doivent être appuyés contre la toise. L'infirmière fait glisser le bras coulissant du pèse-personne jusqu'à ce qu'il repose sur la tête de la personne, ou alors elle place un petit objet plat comme une règle ou une baguette sur la tête de la personne ; dans ce dernier cas, la taille de la personne correspond au bord inférieur de l'objet.

Habituellement, on mesure le poids de la personne au moment de l'admission, puis de façon régulière, par exemple chaque matin avant le déjeuner. Lorsque l'exactitude de la mesure est essentielle, l'infirmière doit chaque fois utiliser le même pèse-

personne (car chaque instrument peut être calibré différemment), prendre les mesures à la même heure chaque jour et s'assurer que la personne retire ses chaussures et porte toujours le même genre de vêtements. La personne se tient debout sur la plate-forme, et l'infirmière lit le résultat indiqué sur le panneau numérique ou par la tige de métal. Si la personne ne peut pas se tenir debout, on peut la peser directement dans son fauteuil roulant ou sur une chaise de pesée (figure 34-6 ■), ou sur une balance-civière (un dispositif spécialement conçu pour peser une personne en position couchée). La balance-civière est un pèse-personne fixé à un appareil de levage (figure 34-7 ■) ; elle est faite d'une sangle en tissu ou d'un dispositif semblable à une civière. La personne est soulevée mécaniquement au-dessus du lit et la mesure de son poids s'inscrit sur un écran numérique.

Téguments et phanères

L'examen de la fonction tégumentaire porte sur la peau, les cheveux, les poils et les ongles. Lorsque l'infirmière examine la fonction tégumentaire, elle doit commencer par une inspection générale sous un bon éclairage, de préférence la lumière du jour sans soleil direct.

Peau

L'examen physique de la peau comporte l'inspection et la palpation. L'infirmière peut évaluer toute la surface cutanée en une seule fois, ou elle peut évaluer l'état de la peau en même temps qu'elle examine chaque partie du corps de la personne. Dans certains cas, elle doit également faire appel à son sens olfactif pour déceler les odeurs cutanées inhabituelles ; celles-ci sont habituellement plus évidentes dans les plis de la peau ou sous les aisselles. Les odeurs corporelles fortes sont fréquemment liées à l'hygiène corporelle, à l'hyperhidrose (sudation excessive) ou à la bromhidrose (sudation nauséabonde).

La **pâleur** résulte soit d'une altération de la circulation artérielle, soit d'une anémie. Elle peut être difficile à déceler chez les personnes à la peau foncée. La pâleur se caractérise habituellement par l'absence de tons rouges sous-jacents dans la peau et se voit parfois plus facilement sur la muqueuse buccale. Chez les personnes à la peau brune, la pâleur peut se manifester par une coloration brun-jaune. Chez les personnes à la peau noire, la peau sera gris cendré. Dans tous les cas, la pâleur est habituellement plus évidente dans les régions moins pigmentées telles que la conjonctive palpébrale, la muqueuse buccale, le lit unguéal, la paume de la main et la plante du pied.

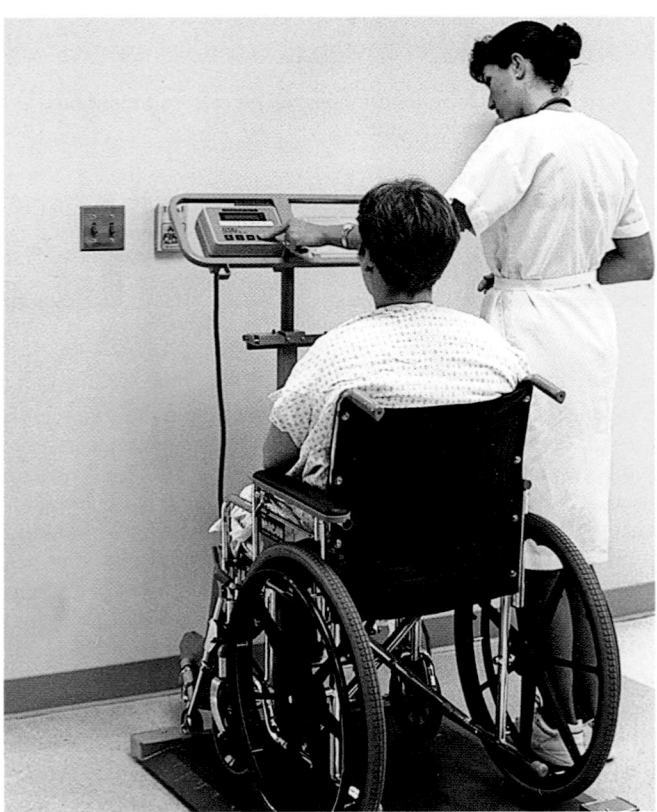

FIGURE **34-6** ■ Chaise de pesée.

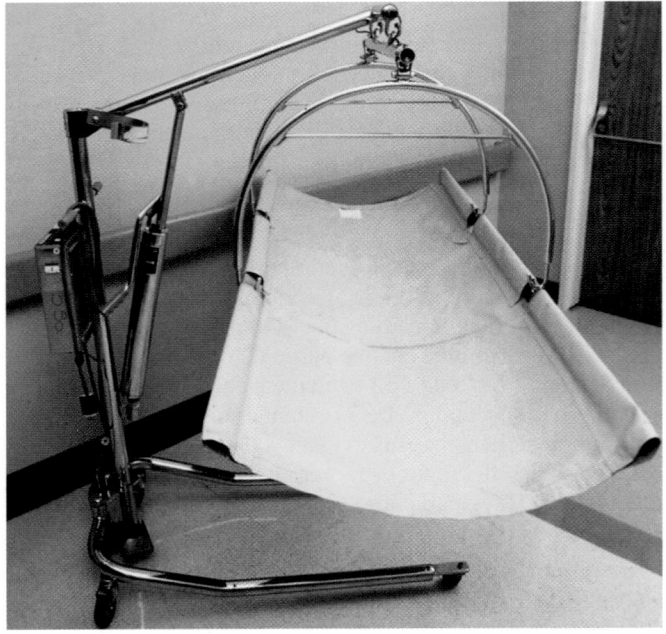

FIGURE **34-7** ■ Pèse-personne fixé à un appareil de levage.

La **cyanose** (coloration bleutée) est plus évidente sur les lits unguéaux, les lèvres et la muqueuse buccale. Elle est causée par une teneur insuffisante de l'hémoglobine en oxygène. Chez les personnes à la peau foncée, l'inspection minutieuse de la conjonctive palpébrale (membrane tapissant l'intérieur des pau-

pières), de la paume des mains et de la plante des pieds peut également révéler la présence de cyanose. Parfois, un **ictère** (coloration jaune) apparaît sur la conjonctive d'abord, puis sur les muqueuses et la peau. L'ictère reflète une augmentation de la concentration de bilirubine dans le sang, souvent associée à une augmentation de l'hémolyse des globules rouges. L'infirmière doit faire attention de ne pas confondre l'ictère et la pigmentation naturellement jaunâtre de la conjonctive des personnes à la peau foncée ou noire. Si l'infirmière soupçonne un ictère, elle doit également inspecter la partie postérieure du palais dur pour voir si une coloration jaune est présente. L'**érythème** est une rougeur associée à différentes éruptions.

Certaines régions de la peau des personnes à la peau foncée sont moins pigmentées, comme les paumes, les lèvres et les lits unguéaux. On observe parfois une hyperpigmentation (pigmentation accrue) ou une hypopigmentation (pigmentation réduite) dues à une répartition inégale de la mélanine (pigment foncé) ou à une altération des mélanocytes dans l'épiderme. La tache de naissance est un exemple d'hyperpigmentation délimitée, tandis que le vitiligo est un exemple d'hypopigmentation. Le **vitiligo**, qui se caractérise par des plaques de peau hypopigmentée, est causé par la destruction des mélanocytes dans cette région. L'albinisme est l'absence totale ou partielle de mélanine dans la peau, les cheveux et les yeux. Certaines colorations localisées peuvent indiquer la présence de problèmes tels qu'un œdème ou une infection. L'**œdème** est la présence d'un excès de liquide interstitiel. La peau recouvrant un œdème est enflée, brillante et tendue ; elle est souvent plus pâle ou, si l'œdème s'accompagne d'une inflammation, plus rouge que la peau avoisinante. Le plus souvent, l'œdème généralisé est causé par une altération de la circulation veineuse ; dans certains cas, il est dû à une dysfonction cardiaque ou à une anomalie veineuse.

> **! ALERTE CLINIQUE** *Si c'est possible et que la personne est d'accord, prendre une photographie numérique ou instantanée des lésions cutanées significatives et l'ajouter au dossier. Mettre un instrument de mesure dans la photo pour montrer la taille des lésions.* ■

Une lésion cutanée est une altération de l'intégrité de la peau. Les lésions cutanées primaires sont celles qui apparaissent initialement en réaction à certains changements dans le milieu externe ou interne de la peau (figure 34-8 ■, *A* à *H*). Les lésions cutanées secondaires résultent d'une altération des lésions primaires. Cette altération peut être causée par la chronicité, le traumatisme ou l'infection de lésions primaires. Par exemple, une vésicule ou une phlyctène (lésion primaire) peut se rompre et causer une érosion (lésion secondaire). Le tableau 34-5 montre des lésions secondaires. L'infirmière a la responsabilité de décrire les lésions cutanées avec précision ; elle doit indiquer leur emplacement (par exemple, le visage), leur répartition (c'est-à-dire les parties du corps touchées), leur configuration (la disposition ou la position des lésions les unes par rapport aux autres), de même que leur couleur, leur forme, leur taille, leur fermeté, leur texture et les caractéristiques des lésions individuelles.

Le procédé 34-2 explique comment faire l'examen de la peau.

A. Macule, tache. Plate, non palpable, altération de la couleur de la peau. Les macules mesurent entre 1 mm et 1 cm de diamètre, et sont circonscrites. Exemples : taches de rousseur, rougeole, pétéchies, nævus plat. Les taches mesurent plus de 1 cm et peuvent avoir un contour irrégulier. Exemples : angiome plan, vitiligo (taches blanches), rubéole.

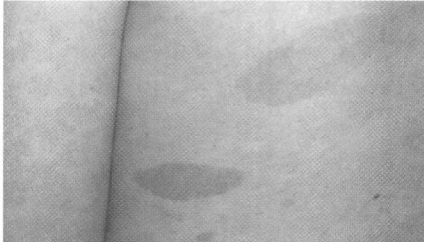

Macules café au lait multiples

D. Nodule, tumeur. Masse dure, pleine et surélevée qui s'étend plus profondément dans le derme qu'une papule. Les nodules ont un contour circonscrit et mesurent entre 0,5 et 2 cm. Exemples : carcinome spinocellulaire, fibrome. Les tumeurs mesurent plus de 2 cm et peuvent avoir un contour irrégulier. Exemples : mélanome malin, hémangiome.

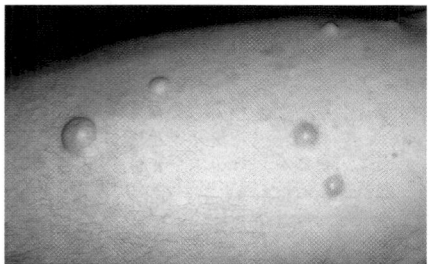

Neurofibromes périphériques

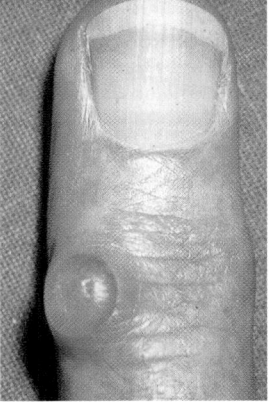

B. Papule. Saillie pleine, circonscrite. Les papules mesurent moins de 0,5 cm. Exemples : verrues, acné, boutons, nævus saillant.

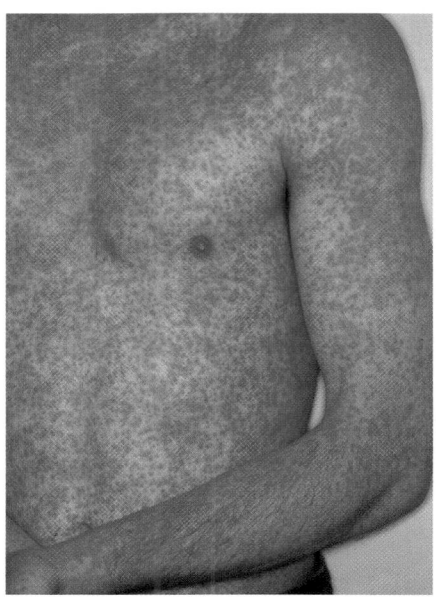

Éruption médicamenteuse papulaire (avec la permission de D. Bennion, MD)

E. Pustule. Vésicule ou bulle remplie de pus. Exemples : acné simple, impétigo.

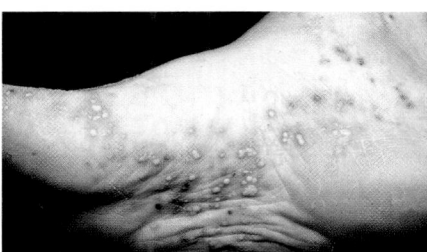

Psoriasis pustuleux chronique

G. Kyste. Masse semi-pleine ou remplie de liquide, encapsulée, saillante, qui prend naissance dans le tissu sous-cutané ou le derme, et qui mesure plus de 1 cm. Exemples : kyste sébacé ou épidermoïde, chalazion.

Kyste mucoïde du doigt

C. Plaque. Les plaques sont surélevées et mesurent plus de 0,5 cm. Exemples : psoriasis, rubéole.

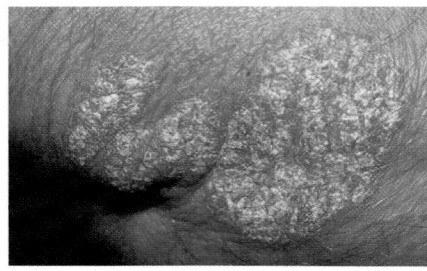

Psoriasis

F. Vésicule, bulle. Masse translucide, circonscrite, ronde ou ovale, remplie de liquide séreux ou de sang, et mesurant moins de 0,5 cm pour les vésicules. Exemples : herpès, varicelle à ses débuts, petite cloque de brûlure. Les bulles mesurent plus de 0,5 cm. Exemples : grosse phlyctène, brûlure au deuxième degré, herpès.

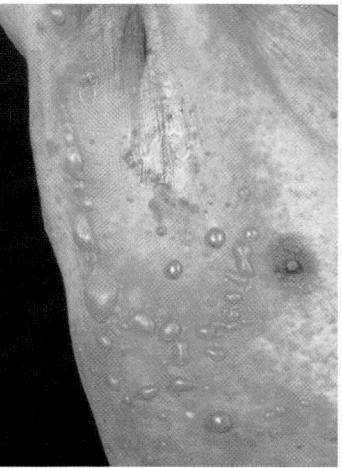

Pemphigoïde

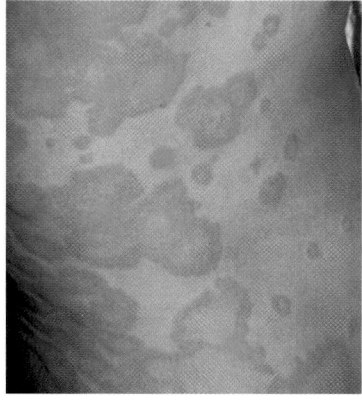

H. Papule ortiée (ou œdémateuse). Accumulation de liquide d'œdème localisée, formant des rougeurs, aux bords irréguliers. Sa taille peut varier. Exemples : urticaire, piqûres de moustique.

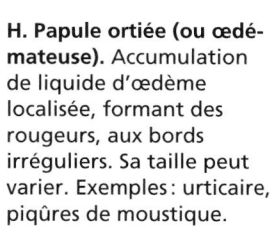

Papule ortiée allergique

FIGURE **34-8** ■ **Lésions cutanées primaires.** (Sources : *A à G : Dermatology Secrets in Color*, 2ᵉ éd., de J. E. Fitzpatrick et J. L. Aeling, 2001, Philadelphia : Hanley & Belfus, Inc., Reproduction autorisée par Elsevier ; *H : American Academy of Dermatology*. Tous droits réservés.)

TABLEAU
34-5

Lésions cutanées secondaires

**ATROPHIE
(ou amincissement)**

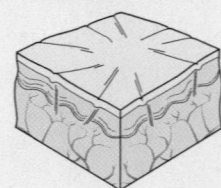

Surface cutanée translucide, sèche, à texture de papier, parfois plissée, due à un amincissement de la peau par perte de collagène et d'élastine.

Exemples: Peau âgée, stries.

ÉROSION

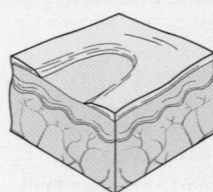

Usure de l'épiderme superficiel causant une dépression humide et peu profonde. Comme l'érosion ne s'étend pas dans le derme, elle guérit sans laisser de cicatrice.

Exemples: Égratignures, vésicules rompues.

LICHÉNIFICATION

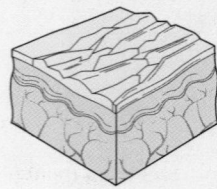

Surface épidermique rugueuse, épaisse et dure causée par une irritation chronique telle que l'égratignure et le frottement.

Exemples: Dermite chronique.

SQUAME

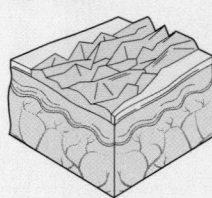

Lamelle graisseuse et kératinisée qui se détache de la peau. Peut être de couleur blanche, grise ou argent. La texture varie d'épaisse à mince.

Exemples: Peau sèche, pellicule, psoriasis et eczéma.

CROÛTE

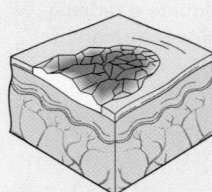

Dessèchement de sang, de sérum ou de pus laissé sur la surface de la peau après la rupture d'une vésicule ou d'une pustule. La croûte peut être rouge-brun, orangée ou jaunâtre.

Exemples: Eczéma, impétigo, herpès ou croûtes après une abrasion.

ULCÈRE

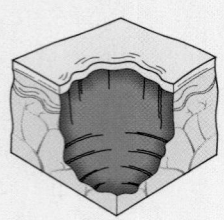

Perte de tissu cutané profonde aux contours irréguliers, s'étendant dans l'épiderme ou le derme. Peut saigner. Peut laisser une cicatrice.

Exemples: Plaie de pression, ulcère variqueux, chancres.

FISSURE

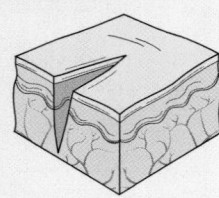

Fente linéaire aux bords effilés, qui s'étend jusqu'au derme.

Exemples: Gerçures au coin de la bouche ou sur les mains, pied d'athlète.

CICATRICE

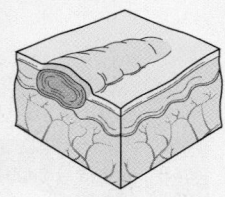

Section plate et irrégulière de tissu conjonctif qui succède à la guérison d'une lésion ou d'une plaie. Les cicatrices fraîches sont rouges ou violacées; avec le temps, elles deviennent argentées ou blanchâtres.

Exemples: Plaie chirurgicale ou blessure guérie, acné guéri.

CHÉLOÏDE

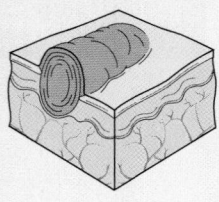

Excédent de tissu cicatriciel en relief, irrégulier et de couleur foncée, causé par l'accumulation de collagène durant la cicatrisation. S'étend au-delà du siège de la lésion initiale.

Exemples: Chéloïde due à un perçage d'oreille ou à une chirurgie.

EXCORIATION

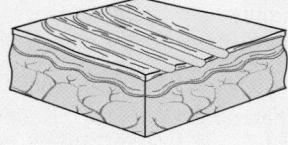

Érosion linéaire causée par le grattage.

PROCÉDÉ 34-2

Examen physique de la peau

PLANIFICATION

- Revoyez les caractéristiques des lésions cutanées primaires et secondaires au besoin (voir la figure 34-9 et le tableau 34-5).
- Assurez-vous que l'éclairage est adéquat.

Matériel
- Règle graduée en millimètres
- Gants d'examen
- Loupe

INTERVENTION

Exécution

1. Expliquez à la personne ce que vous allez faire, pourquoi vous allez le faire et comment elle peut coopérer. Expliquez-lui aussi que les résultats serviront à planifier les soins ou les traitements.

2. Lavez-vous les mains et observez les autres mesures de prévention des infections.

3. Assurez-vous que l'intimité de la personne est préservée.

4. Demandez à la personne de vous informer de ses antécédents : douleurs ou démangeaisons ; présence et propagation de lésions, d'ecchymoses, d'abrasion, de taches pigmentées ; problèmes de peau ; signes et symptômes associés, antécédents familiaux ; présence de problèmes chez d'autres membres de la famille ; maladies systémiques connexes ; médication, lotions, remèdes maison ; peau excessivement moite ou sèche ; tendance à faire des ecchymoses ; lien entre le problème cutané et la saison, le stress, les activités professionnelles, un voyage récent, l'environnement domestique, les contacts personnels, etc. ; contacts récents avec des allergènes (par exemple, peinture métallique).

Examen physique	Observations courantes	Particularités
5. Inspectez la couleur de la peau (de préférence à la lumière du jour, sans soleil direct).	Varie entre le brun clair et le brun foncé ; de rougeaude à rose pâle ; de jaune à une nuance olive.	Pâleur, cyanose, ictère, érythème.
6. Vérifiez l'uniformité de la couleur.	Généralement uniforme, sauf dans les régions exposées au soleil ; régions moins pigmentées (paumes, lèvres, lits unguéaux) chez les personnes à la peau foncée.	Régions présentant une hyperpigmentation ou une hypopigmentation.
7. Évaluez l'œdème, le cas échéant (région, couleur, température, forme et profondeur de l'empreinte laissée sur la peau par la pression du doigt) (voir l'encadré 34-5).	Aucun œdème.	Œdème.

Échelle d'évaluation d'un œdème

34-5

Mesure de l'œdème qui prend le godet (profondeur du godet en centimètres et temps de retour à la normale)

1+ Trace (0-0,5 cm, rapide)

2+ Léger (0,5-1,5 cm, 10 à 15 secondes)

3+ Modéré (1,5 cm-2,5 cm, 1 à 2 minutes)

4+ Sévère (> 2,5 cm, 2 à 5 minutes)

8. Inspectez, palpez et décrivez les lésions cutanées. Mettez des gants si les lésions sont ouvertes ou s'il y a un écoulement. Palpez les lésions pour déterminer leur forme et leur texture. Décrivez les lésions selon leur emplacement, leur répartition, leur couleur, leur configuration, leur taille, leur forme, leur type ou leur structure (voir l'encadré 34-6).	Taches de rousseur, quelques taches de naissance, quelques nævus plans ou saillants ; aucune abrasion ni autre lésion.	Altérations nombreuses de l'intégrité de la peau.

PROCÉDÉ 34-2 (SUITE)

Examen physique de la peau (suite)

INTERVENTION (suite)

ENCADRÉ

Description des lésions cutanées

34-6

- *Type ou structure.* On classe les lésions cutanées dans l'une des deux catégories suivantes : les *lésions primaires* (celles qui apparaissent initialement en réaction à une altération du milieu interne ou externe de la peau) et les *lésions secondaires* (celles qui n'apparaissent pas initialement, mais qui résultent d'une altération des lésions primaires, comme la chronicité, le traumatisme ou l'infection). Par exemple, une vésicule (lésion primaire) peut se rompre et causer une érosion (lésion secondaire).
- *Taille, forme et texture.* Notez la taille en millimètres et vérifiez les caractéristiques de la lésion : circonscrite ou irrégulière ; forme ronde ou ovale ; plate, en relief ou formant une dépression ; pleine, molle ou dure ; rugueuse ou épaissie ; remplie de liquide ou squameuse.
- *Couleur.* Il n'y a parfois aucune dyschromie, ou une seule coloration (rouge, brune ou noire), ou encore plusieurs colorations, par exemple une ecchymose (bleu) dans laquelle une coloration initiale rougeâtre ou bleue s'affadit pour passer au jaunâtre. Lorsque les altérations de couleur se limitent aux contours d'une lésion, on les dit *circonscrites* ; lorsqu'elles s'étendent sur une grande surface, on les qualifie de *diffuses*.
- *Répartition.* On décrit la répartition des lésions selon leur emplacement sur le corps et selon leur symétrie ou leur asymétrie dans des parties comparables du corps.
- *Configuration.* La configuration correspond à la disposition des lésions les unes par rapport aux autres. Les lésions peuvent être annulaires (disposées en cercle), regroupées ou groupées, linéaires (alignées), arquées (en forme d'arc), métamériques (sur une bande de peau correspondant à un trajet nerveux comme dans le zona) ou suivre un vaisseau lymphatique (comme dans la cellulite).

Examen physique

9. Observez et palpez la peau pour en mesurer le degré d'humidité.

10. Palpez la peau pour apprécier la température corporelle. Avec le dos des doigts, comparez les deux pieds et les deux mains de la personne.

11. Évaluez l'élasticité (signe du pli cutané) en pinçant la peau.

12. Notez les données au dossier, en utilisant des formulaires ou des listes de vérification enrichies de notes explicatives au besoin. Dessinez l'emplacement des lésions cutanées sur des diagrammes du corps (figure 34-9 ■).

Observations courantes

Humidité dans les plis de la peau et sous les aisselles (varie selon la température et l'humidité ambiantes, la température corporelle et l'activité).

Uniforme ; dans les limites de la normale.

La peau pincée revient instantanément à son état initial.

Particularités

Humidité excessive (par exemple, hyperthermie) ; sécheresse excessive (par exemple, déshydratation).

Hyperthermie généralisée (par exemple, fièvre) ; hypothermie généralisée (par exemple, état de choc) ; hyperthermie localisée (par exemple, infection) ; hypothermie localisée (par exemple, artériosclérose).

La peau demeure pincée ou reprend sa forme très lentement (par exemple, déshydratation).

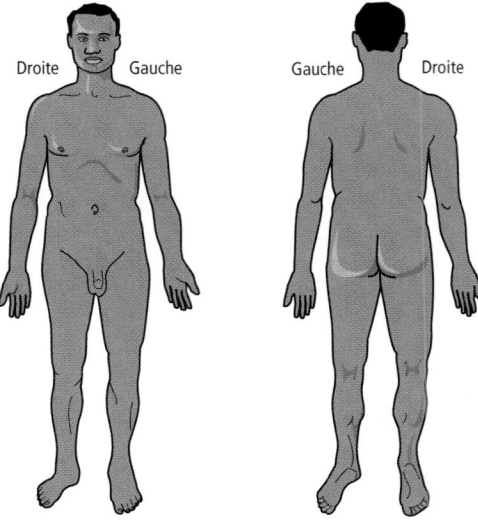

FIGURE 34-9 ■ Diagrammes servant à indiquer l'emplacement des lésions.

ÉVALUATION

- Comparez les résultats de l'examen actuel avec ceux de l'examen précédent, si possible, pour déterminer si les lésions ou les anomalies ont changé.

- Signalez au médecin les données qui ne correspondent pas aux observations courantes.

LES ÂGES DE LA VIE

Examen physique de la peau

NOURRISSONS

- Les nourrissons présentent parfois un ictère pendant les quelques semaines qui suivent la naissance.
- Les nourrissons présentent parfois du milium, c'est-à-dire de petites papules blanches sans base érythémateuse (de la taille d'une tête d'épingle) sur le nez et le visage, et du vernix caseosa (substance blanche crémeuse et grasse sur la peau).
- Chez les bébés à la peau foncée, on observe parfois une hyperpigmentation dans la région du sacrum.
- Si le bébé présente une éruption, informez-vous des antécédents de vaccination.
- Évaluez l'élasticité de la peau en pinçant doucement la peau de l'abdomen.

ENFANTS

- Chez les enfants à la peau foncée, on observe parfois une hyperpigmentation dans la région du sacrum.
- À mesure que la puberté approche, la peau peut devenir plus huileuse et l'acné peut apparaître.
- Si l'enfant présente une éruption, informez-vous des antécédents de vaccination.

PERSONNES ÂGÉES

- Les altérations de la peau surviennent à un plus jeune âge chez les Blancs que chez les Noirs.
- La peau perd de son élasticité et se ride. Les rides apparaissent d'abord sur le visage et le cou, qui renferment beaucoup de collagène et de fibres élastiques.
- La peau semble mince et translucide à cause de la perte de derme et de graisses sous-cutanées.

- La peau est sèche et squameuse, car les glandes sébacées et sudoripares deviennent moins actives avec l'âge. La sécheresse de la peau s'observe plus fréquemment sur les membres.
- Après avoir été pincée, la peau prend plus de temps pour reprendre sa position naturelle.
- En raison de la diminution normale de l'élasticité de la peau en périphérie chez les personnes âgées, évaluez l'état hydrique en pinçant la peau du sternum ou de la clavicule.
- Des macules brun clair à brun foncé, appelées *lentigo sénile*, apparaissent normalement sur le dos de la main et dans d'autres régions cutanées qui sont exposées au soleil. Ces macules peuvent mesurer de 1 à 2 cm.
- Des lésions verruqueuses (*verrue séborrhéique*) aux bords irréguliers et à la surface squameuse apparaissent souvent sur le visage, les épaules et le tronc. Ces lésions bénignes sont d'abord jaunâtres ou brun clair, puis elles deviennent brun foncé ou noires.
- Le *vitiligo* a tendance à augmenter avec l'âge.
- Les molluscum pendulum (*acrochordons*) apparaissent plus souvent dans le cou et la région axillaire. Ces lésions cutanées sont molles, pédiculées et souvent de couleur chair; leur grosseur varie.
- Des vaisseaux sanguins dilatés visibles, rouge clair et fins (*télangiectasie*) apparaissent souvent à cause de l'amincissement du derme et de la perte de soutien dans les parois des vaisseaux sanguins.
- Des lésions roses ou rougeâtres aux contours flous (*kératose sénile*) peuvent apparaître vers l'âge de 50 ans, souvent sur le visage, les oreilles, le dos des mains et les bras. Ces lésions peuvent devenir malignes si elles ne sont pas traitées.

SOINS À DOMICILE

Examen physique de la peau

- Lorsque vous faites une visite à domicile, apportez une lampe de poche au cas où l'éclairage serait insuffisant au domicile de la personne.
- Si des lésions cutanées semblent indiquer de mauvais traitements physiques, suivez les politiques de signalement de votre établissement. Des ecchymoses, la présence de

brûlures à des endroits inhabituels ou d'autres lésions difficilement explicables peuvent être des signes de violence. Si ces lésions sont présentes sur un adulte ou un enfant en âge de parler, faites l'examen physique et l'entrevue seule avec lui.

Cheveux et poils

Pour évaluer les cheveux et les poils, l'infirmière procède par inspection, en tenant compte de l'âge de la personne et de son origine ethnique. Elle doit aussi évaluer l'hygiène capillaire de la personne et les facteurs qui l'influencent. Une bonne partie de ces données peuvent être recueillies lors de l'entrevue d'évaluation.

Les cheveux normaux sont souples et également répartis sur le crâne. Chez les personnes qui présentent une carence protéique importante, les cheveux sont secs, rudes et de couleur terne ; ils semblent rougeâtres ou déteints. Certains traitements pour le cancer peuvent causer une **alopécie** (chute des cheveux), tandis que certaines affections rendent les cheveux plus rêches. Par exemple, l'hypothyroïdie peut rendre les cheveux très fins et cassants.

Le procédé 34-3 explique comment faire l'examen des cheveux et des poils.

PROCÉDÉ 34-3

Examen physique des cheveux et des poils

PLANIFICATION

Matériel

- Gants jetables

INTERVENTION

Exécution

1. Expliquez à la personne ce que vous allez faire, pourquoi vous allez le faire et comment elle peut coopérer. Expliquez-lui aussi que les résultats serviront à planifier les soins ou les traitements.

2. Lavez-vous les mains et observez les autres mesures de prévention des infections.

3. Préservez l'intimité de la personne.

4. Demandez à la personne si elle a récemment eu une teinture, si elle s'est fait friser ou défriser les cheveux, si elle a eu un traitement de chimiothérapie (en cas d'alopécie) ou si elle utilise un agent vasodilatateur ou un agent qui fait pousser les cheveux (Minoxidil), et si elle souffre d'une affection, telle que l'hypothyroïdie, qui pourrait être liée à des cheveux secs et cassants.

Examen physique	Observations courantes	Particularités
5. Vérifiez si la répartition des cheveux est uniforme sur le cuir chevelu.	Cheveux répartis également sur le cuir chevelu.	Plaques sans cheveux (pelade ou alopécie).
6. Évaluez l'épaisseur de la chevelure.	Chevelure épaisse.	Cheveux très minces (par exemple, hypothyroïdie).
7. Inspectez la texture des cheveux pour voir s'ils sont très gras ou très secs.	Cheveux souples et soyeux.	Cheveux cassants (par exemple, hypothyroïdie) ; cheveux très gras ou très secs.
8. Recherchez la présence d'infections ou d'infestations en séparant la chevelure par mèches et en inspectant l'arrière des oreilles ainsi que la base de la nuque.	Aucune infection ni infestation.	Pellicules, lésions, lentes (œufs de poux) et teignes.
9. Évaluez la pilosité.	Variable.	Femme : hirsutisme (pilosité excessive).
10. Notez les données au dossier de la personne.		

ÉVALUATION

- Signalez au médecin les données qui ne correspondent pas aux observations courantes.

LES ÂGES DE LA VIE

Examen physique des cheveux

NOURRISSONS
■ Il est normal pour les nourrissons d'avoir très peu de poils ou de cheveux, ou d'en avoir beaucoup.

ENFANTS
■ À mesure que la puberté approche, les poils axillaires et pubiens apparaissent.

PERSONNES ÂGÉES
■ Les personnes âgées ont parfois moins de cheveux, de poils pubiens et de poils axillaires.
■ Chez la femme âgée, les poils des sourcils et certains poils faciaux deviennent rêches.
■ Les poils des sourcils, des oreilles et des narines deviennent plus raides et rêches.

SOINS À DOMICILE

Examen physique des cheveux

■ Lorsque vous faites une visite à domicile, demandez à voir les produits capillaires utilisés par la personne. Aidez-la, au besoin, à déterminer si les produits employés sont appropriés à son type de cheveux et de cuir chevelu (cheveux gras ou secs, par exemple). Donnez, si nécessaire, des conseils en matière d'hygiène capillaire.

■ Lorsque vous faites une visite à domicile, examinez le matériel et les instruments que la personne utilise pour ses cheveux. Profitez-en pour lui donner des conseils sur les peignes et les brosses qu'elle devrait utiliser, et rappelez-lui les mesures de précaution à prendre lorsqu'elle se sert d'appareils électriques comme le séchoir à cheveux.

Ongles

Quand elle fait l'examen des ongles, l'infirmière inspecte la forme de la table unguéale, l'angle entre l'ongle et le lit unguéal, la texture de l'ongle, la couleur du lit unguéal et l'intégrité des tissus autour des ongles. La figure 34-10 ■ montre les parties de l'ongle.

La table unguéale est normalement incolore et convexe. L'angle entre l'ongle et le lit unguéal est normalement de 160° (figure 34-11 ■, A). La koïlonychie est une anomalie de l'ongle : celui-ci courbe vers le haut telle une cuillère à partir du lit unguéal (figure 34-11 ■, B). On peut observer cette anomalie chez les personnes atteintes d'anémie ferriprive. Lorsque l'angle

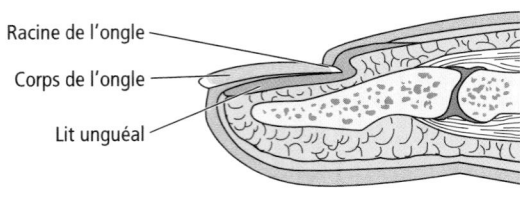

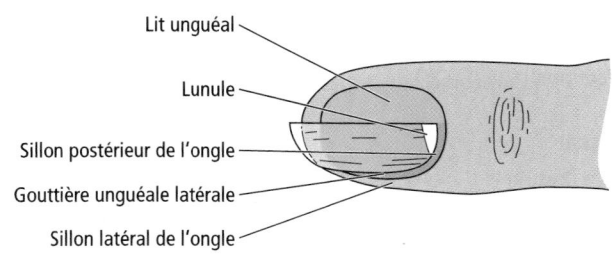

Racine de l'ongle
Corps de l'ongle
Lit unguéal

Lit unguéal
Lunule
Sillon postérieur de l'ongle
Gouttière unguéale latérale
Sillon latéral de l'ongle

FIGURE 34-10 ■ Les parties de l'ongle.

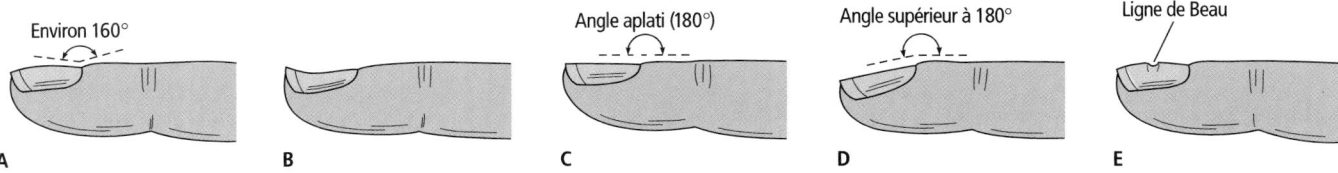

Environ 160°   Angle aplati (180°)   Angle supérieur à 180°   Ligne de Beau
A   B   C   D   E

FIGURE 34-11 ■ *A,* Ongle normal ; on voit la forme convexe et l'angle d'environ 160° formé par la table unguéale. *B,* Ongle en cuillère que l'on peut observer chez les personnes présentant une anémie ferriprive. *C,* Début d'hippocratisme digital. *D,* Hippocratisme digital avancé (peut être causé par un manque d'oxygène pendant une longue période). *E,* Ligne de Beau sur l'ongle (peut être due à une maladie ou à un accident grave).

entre l'ongle et le lit unguéal est de 180° ou plus (figure 34-11 ■, *C* et *D*), il s'agit d'une autre anomalie, l'**hippocratisme digital**. L'hippocratisme digital peut être causé par une hypoxie tissulaire prolongée.

Normalement, la texture de l'ongle est lisse. Les personnes âgées ont parfois les ongles excessivement épais à cause d'une piètre irrigation ou d'une infection fongique chronique. Des ongles excessivement minces ou la présence de rainures ou de sillons peuvent être l'indice d'une anémie ferriprive de longue date. Les lignes de Beau sont des dépressions horizontales qui peuvent être provoquées par un accident ou une affection grave (figure 34-11 ■, *E*).

Le lit unguéal est très vascularisé, d'où sa couleur rose chez les personnes de race blanche. Une coloration bleutée ou vio-

lacée des lits unguéaux peut révéler une cyanose, tandis que leur pâleur peut être l'indice d'une altération de la circulation.

Le tissu entourant l'ongle est normalement constitué d'épiderme intact. Le périonyxis est une inflammation des tissus entourant l'ongle (d'origine bactérienne ou mycosique); habituellement, cette inflammation se manifeste par une peau sensible, érythémateuse et œdématiée. Le test de la pression du doigt sur le lit unguéal permet de vérifier le **temps de remplissage capillaire**, c'est-à-dire la circulation périphérique. Normalement, le lit unguéal devient blanc pendant la pression du doigt et redevient rose dès que la pression cesse. Un remplissage capillaire lent peut indiquer des problèmes circulatoires.

Le procédé 34-4 explique comment faire l'examen des ongles.

PROCÉDÉ 34-4

Examen physique des ongles

PLANIFICATION

Matériel
Aucun

INTERVENTION

Exécution

1. Expliquez à la personne ce que vous allez faire, pourquoi vous allez le faire et comment elle peut coopérer. Expliquez-lui aussi que les résultats serviront à planifier les soins ou les traitements.

2. Lavez-vous les mains et observez les autres mesures de prévention des infections.

3. Assurez-vous que l'intimité de la personne est préservée.

4. Demandez à la personne de vous informer de ses antécédents pertinents : diabète, maladie circulatoire périphérique, traumatisme ou affection grave.

Examen physique	Observations courantes	Particularités
5. Inspectez la table unguéale *pour évaluer sa courbe et son angle.*	Forme convexe ; l'angle de la table unguéale mesure environ 160° (voir la figure 34-11, *A*).	Ongles en cuillère (voir la figure 34-11, *B*) ; hippocratisme digital (180° ou plus) (voir la figure 34-11, *C* et *D*).
6. Inspectez la texture des ongles de doigts et d'orteils.	Texture lisse.	Ongles excessivement épais ou minces, ou présence de sillons ou de rainures ; lignes de Beau (voir la figure 34-11, *E*).
7. Inspectez la couleur des ongles de doigts et d'orteils.	Lit très vascularisé et rose chez les personnes à la peau claire ; les personnes à la peau foncée peuvent présenter une pigmentation brune ou noire dans des rayures longitudinales.	Coloration bleutée ou violacée (peut indiquer une cyanose) ; pâleur (peut indiquer une mauvaise circulation).
8. Inspectez les tissus autour des ongles.	Épiderme intact.	Périonyxis (inflammation).
9. Vérifiez le temps de remplissage capillaire : exercez une pression sur le lit unguéal ; la peau doit blanchir durant la pression, puis reprendre sa coloration rosée rapidement, une fois la pression relâchée.	La couleur rose ou habituelle revient rapidement (généralement en moins de quatre secondes).	Remplissage capillaire lent (peut indiquer une altération de la circulation).

INTERVENTION (suite)

10. Notez les données au dossier de la personne, en utilisant des formulaires ou des listes de vérification enrichies de notes explicatives au besoin.

ÉVALUATION

■ Effectuez un examen de suivi détaillé des autres fonctions, selon les résultats qui ne correspondent pas aux observations courantes ou qui ne sont pas compatibles avec les résultats attendus pour la personne. Mettez les résultats en rapport avec les données de l'évaluation précédente, au besoin.

■ Signalez au médecin les données qui ne correspondent pas aux observations courantes.

LES ÂGES DE LA VIE

Examen physique des ongles

NOURRISSONS
■ Les ongles des nourrissons poussent très vite, sont extrêmement minces et se déchirent facilement.

ENFANTS
■ Des ongles d'orteils pliés, bleuis ou incarnés peuvent indiquer que le bébé porte des chaussures trop petites.
■ Si l'enfant se ronge les ongles, discutez-en avec les parents.

PERSONNES ÂGÉES
■ Les ongles poussent plus lentement et épaississent.
■ Des bandes longitudinales apparaissent souvent sur les ongles, qui ont également tendance à se fendre.
■ L'apparition de bandes au travers des ongles peut indiquer une carence protéique; les taches blanches, une carence en zinc; et les ongles en cuillère, une carence en fer.

SOINS À DOMICILE

Examen physique des ongles
■ S'il y a lieu, conseillez la personne ou son entourage au sujet du soin des ongles (notamment comment les couper pour éviter l'inflammation et l'infection).

Tête

Lorsqu'elle examine la tête, l'infirmière doit inspecter et palper simultanément, en plus d'ausculter. Elle doit examiner le crâne, la face, les yeux, les oreilles, le nez, les sinus, la bouche et le pharynx.

Crâne et face

Il existe plusieurs formes de crâne, toutes aussi normales les unes que les autres. On nomme les différentes parties de la tête d'après les os sous-jacents à ces parties : frontal, pariétal, occipital, processus mastoïde, mandibule, maxillaire et zygomatique (figure 34-12 ■).

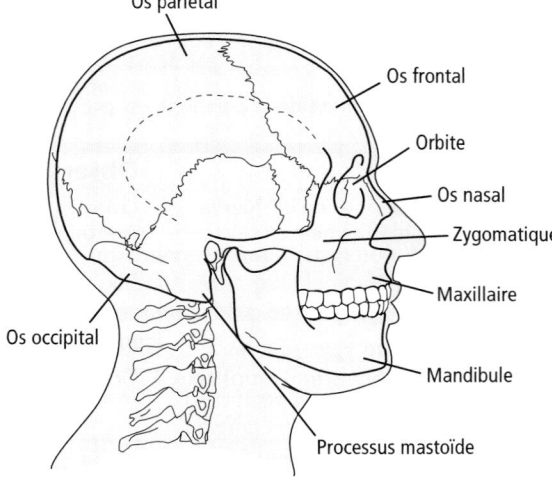

FIGURE 34-12 ■ Os de la tête.

Un grand nombre d'affections peuvent entraîner une altération de la forme ou de l'état du visage. Ainsi, une affection rénale ou cardiaque peut causer un œdème des paupières. L'hyperthyroïdie peut causer de l'**exophtalmie**, c'est-à-dire une protrusion des globes oculaires accompagnée d'une élévation des paupières supérieures, ce qui donne un regard étonné ou fixe. L'hypothyroïdie, ou myxœdème, peut causer une bouffissure du visage, un assèchement de la peau, un épaississement des traits ainsi qu'un amincissement des cheveux et des sourcils. Une sécrétion accrue d'hormones surrénales ou la prise prolongée de fortes doses de corticostéroïdes peut entraîner un arrondissement du visage, appelé *faciès lunaire*, et augmenter la pilosité de la lèvre supérieure, du menton et des favoris. Une affection prolongée, l'inanition et la déshydratation peuvent creuser les orbites, les joues et les tempes. Le procédé 34-5 explique comment faire l'examen du crâne et du visage.

Yeux et vision

Pour beaucoup de gens, le sens de la vue est le plus important parce qu'il leur permet d'interagir librement avec leur environnement et de jouir de la beauté qui les entoure. Pour maintenir une vision optimale, il faut faire examiner sa vue régulièrement.

PROCÉDÉ 34-5

Examen physique du crâne et de la face

PLANIFICATION

Matériel

Aucun

INTERVENTION

Exécution

1. Expliquez à la personne ce que vous allez faire, pourquoi vous allez le faire et comment elle peut coopérer. Expliquez-lui aussi que les résultats serviront à planifier les soins ou les traitements.

2. Lavez-vous les mains et observez les autres mesures de prévention des infections.

3. Assurez-vous que l'intimité de la personne est préservée.

4. Demandez à la personne de vous informer de ses antécédents : présence de masses, démangeaisons, desquamation ou pellicules ; perte de conscience, étourdissements, convulsions, céphalées, douleur faciale, traumatisme facial. Demandez-lui aussi quand et comment les masses sont apparues ; posez-lui des questions à propos de la durée du problème actuel, de la cause connue du problème, des symptômes qui y sont associés, de son traitement et de sa récurrence.

Examen physique	Observations courantes	Particularités
5. Inspectez le crâne pour en évaluer la taille, la forme et la symétrie.	Crâne rond (symétrique, avec saillie des os frontal, pariétal et occipital) ; contour lisse.	Manque de symétrie ; crâne gros avec nez et front proéminents ; mandibule plus longue (peut indiquer une quantité excessive d'hormone de croissance ou un épaississement des os).
6. Palpez le crâne *pour y déceler des nodules, des masses et des dépressions.* Palpez en faisant un mouvement circulaire avec le bout des doigts. Commencez sur le front et palpez jusqu'à la ligne médiane, puis palpez chaque côté de la tête.	Crâne lisse, consistance uniforme ; absence de nodules ou de masses.	Kystes sébacés ; déformations locales causées par un traumatisme.
7. Inspectez les traits faciaux (par exemple, symétrie des structures et de la répartition des cheveux).	Traits faciaux symétriques ou légèrement asymétriques ; fentes palpébrales de même taille ; plis nasolabiaux symétriques.	Excès de poils faciaux ; amincissement des sourcils ; traits asymétriques ; exophtalmie ; myxœdème ; faciès lunaire.
8. Inspectez les yeux pour déceler un œdème ou des yeux creux.	Sans œdème, ni yeux creux.	Œdème périorbitaire ; yeux creux.
9. Notez la symétrie des mouvements faciaux. Demandez à la personne d'élever les sourcils, de les froncer et de les abaisser, de gonfler les joues, de sourire et de montrer les dents. Voir le procédé 34-17, *Évaluation de la fonction neurologique*, à la page 908.	Mouvements faciaux symétriques.	Mouvements faciaux asymétriques (par exemple, l'œil du côté atteint n'ouvre pas complètement) ; mâchoire ou paupière inférieure tombante ; mouvements faciaux involontaires (par exemple, tics ou tremblements).
10. Notez les données au dossier de la personne, en utilisant des formulaires ou des listes de vérification enrichies de notes explicatives au besoin.		

ÉVALUATION

- Effectuez un examen de suivi détaillé des autres fonctions, selon les résultats qui ne correspondent pas aux observations courantes ou qui ne sont pas compatibles avec les résultats attendus pour la personne. Mettez les résultats en rapport avec les données de l'évaluation précédente, au besoin.

- Signalez au médecin les résultats qui ne correspondent pas aux observations courantes.

LES ÂGES DE LA VIE

Examen physique du crâne et de la face

NOURRISSONS

- Chez la plupart des nouveau-nés, la forme de la tête dépend, au cours de la première semaine, de la méthode d'accouchement.
- La fontanelle postérieure se ferme habituellement avant la huitième semaine de vie, mais la fontanelle antérieure peut demeurer ouverte jusqu'à 18 mois.
- La maîtrise volontaire de la tête apparaît normalement vers l'âge de six mois.

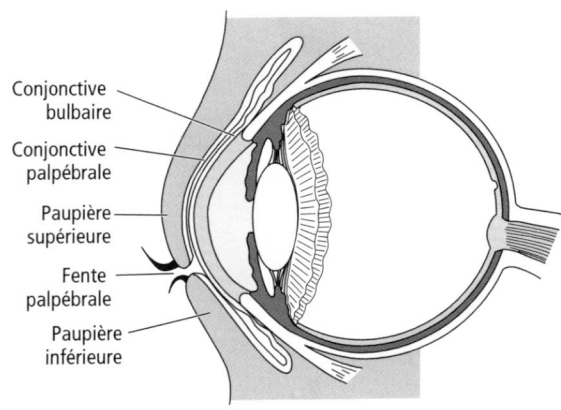

FIGURE **34-14** ■ Structures anatomiques externes de l'œil droit, vue latérale.

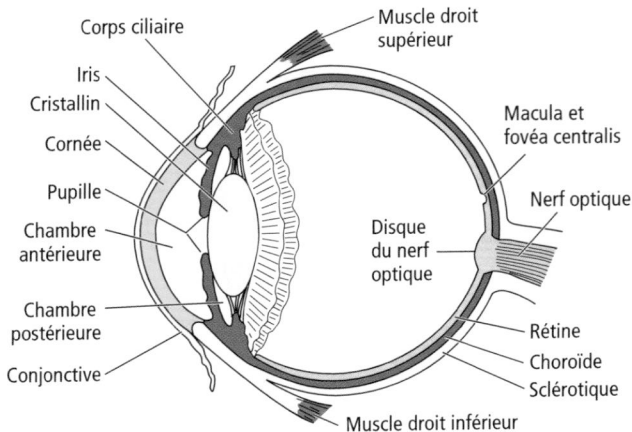

FIGURE **34-15** ■ Structures anatomiques internes de l'œil droit, vue latérale.

Avant l'âge de 40 ans, on recommande un examen tous les 3 à 5 ans, ou plus fréquemment si la personne a des antécédents familiaux de diabète, d'hypertension, de dyscrasie sanguine ou d'affection oculaire (par exemple, un glaucome). Après l'âge de 40 ans, on recommande un examen tous les 2 ans pour vérifier l'apparition d'un glaucome.

L'examen des yeux doit être effectué dans le cadre de l'examen physique initial ; si la personne vit dans un centre de soins de longue durée, l'infirmière doit refaire l'examen des yeux périodiquement. L'examen de l'œil comprend l'évaluation de l'**acuité visuelle** (capacité de l'œil de discerner les détails dans une image), les mouvements oculaires, les **champs visuels** (espace qu'une personne peut voir lorsqu'elle regarde droit devant elle) et les structures externes. La plus grande partie de l'examen de l'œil se fait par inspection. L'infirmière doit par ailleurs tenir compte des changements liés à l'âge et, si la personne porte des lentilles cornéennes ou un œil artificiel, des habitudes d'hygiène individuelles. Les figures 34-13 ■, 34-14 ■ et 34-15 ■ montrent les structures anatomiques de l'œil.

Un grand nombre de personnes portent des lunettes ou des lentilles cornéennes pour corriger des erreurs de réfraction courantes : la **myopie** (difficulté à voir de loin), l'**hypermétropie** (difficulté à voir de proche) et la **presbytie** (perte d'élasticité

du cristallin et, donc, perte de la capacité de voir les objets rapprochés). La presbytie apparaît vers l'âge de 45 ans. Au début, la personne remarque qu'elle a de la difficulté à lire le journal. Souvent, elle aura besoin de deux corrections visuelles (lunettes bifocales) : une pour la vision de proche et la lecture, l'autre pour la vision de loin. L'**astigmatisme** se caractérise par une courbure inégale de la cornée qui empêche la mise au point sur les lignes horizontales et verticales. L'astigmatisme est un problème répandu qui accompagne parfois la myopie et l'hypermétropie.

Il existe trois types d'échelles pour mesurer l'acuité visuelle (figure 34-16 ■). L'être humain n'acquiert une vision dite normale (vision de 6/6 ou 20/20) qu'à l'âge de six ans. On doit adresser à un ophtalmologiste les personnes qui obtiennent un dénominateur de 12 (40) ou plus au test de l'échelle de Snellen, avec ou sans correction visuelle.

Les affections visuelles inflammatoires les plus courantes sont la conjonctivite, la dacryocystite, l'orgelet, l'uvéite ainsi que les contusions ou hématomes des paupières et des structures avoisinantes. La **conjonctivite** (inflammation de la conjonctive bulbaire et palpébrale) peut être causée par un corps étranger, une substance chimique, un allergène, une bactérie ou un virus. La conjonctivite bactérienne se manifeste par une rougeur, des démangeaisons et un écoulement mucopurulent. Au cours du

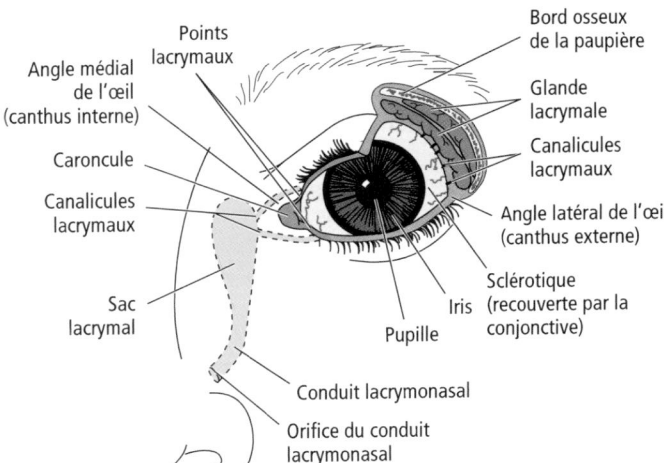

FIGURE **34-13** ■ Structures externes et appareil lacrymal de l'œil gauche.

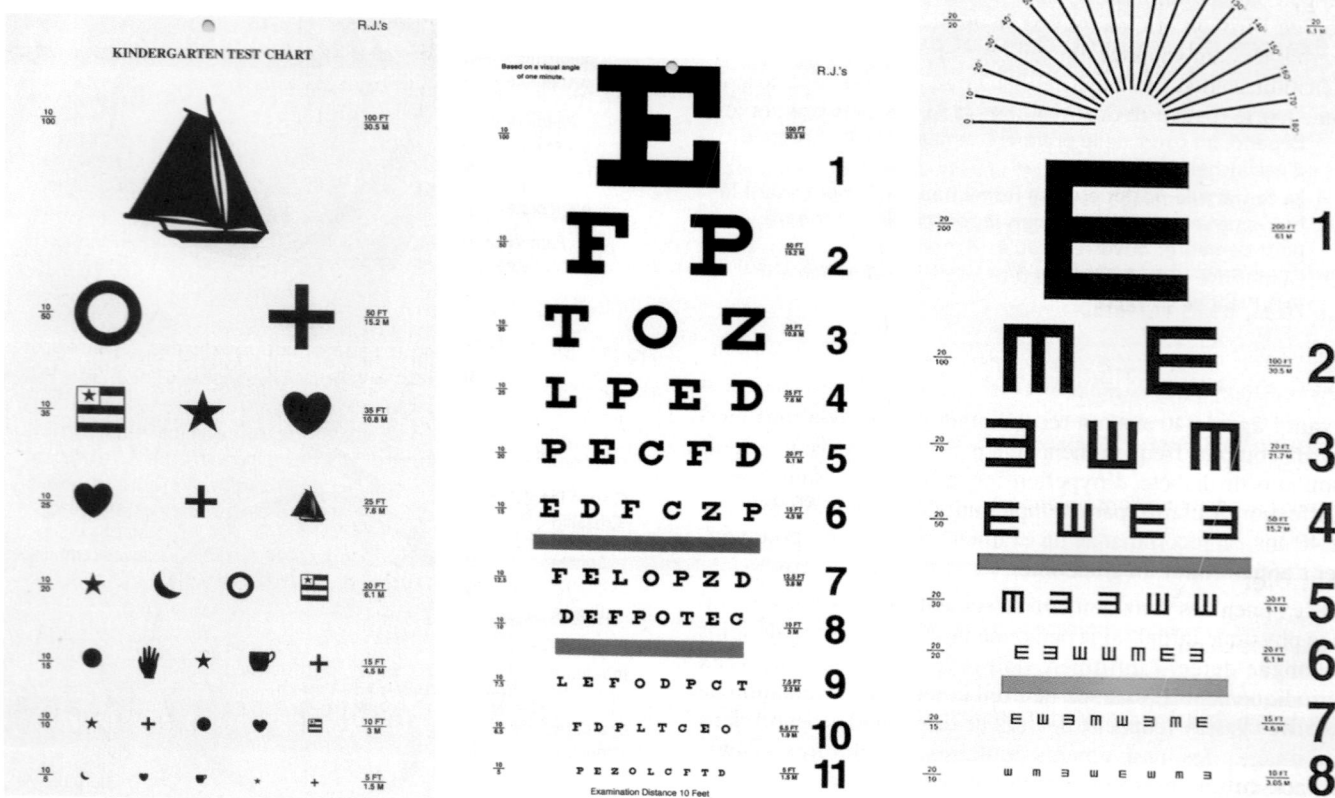

FIGURE 34-16 ■ Trois échelles servant à mesurer l'acuité visuelle : échelle conçue pour les enfants d'âge préscolaire (*à gauche*) ; échelle standard de Snellen (*au centre*) ; et échelle des *E* de Snellen, conçue pour les personnes incapables de lire (*à droite*).

sommeil, les paupières peuvent coller ensemble à cause de l'écoulement qui sèche et finit par former une croûte. La **dacryocystite** (inflammation du sac lacrymal) se manifeste par un larmoiement et un écoulement du conduit lacrymonasal. L'**orgelet** se caractérise par une rougeur, un œdème et une sensibilité d'un follicule ciliaire et des glandes qui débouchent sur le bord des paupières. L'*uvéite* (inflammation de l'uvée, qui comprend la choroïde, le corps ciliaire et l'iris) peut découler d'une infection locale ou systémique ; elle se caractérise par une douleur profonde, un larmoiement et de la photophobie (sensibilité à la lumière). Quant aux contusions et aux hématomes (« œil au beurre noir »), ils sont causés par un traumatisme.

Les **cataractes** apparaissent le plus souvent chez les personnes de plus de 65 ans. Cette affection est caractérisée par une opacité du cristallin ou de sa capsule qui bloque les rayons de lumière. Dans de nombreux cas, on enlève le cristallin atteint pour le remplacer par un implant intraoculaire. Les cataractes peuvent également toucher le jeune enfant dont le cristallin s'est mal développé durant la gestation par suite d'une rubéole contractée par la mère au cours du premier trimestre de la grossesse. Le **glaucome** est une altération de la circulation de l'humeur aqueuse qui entraîne une augmentation de la pression intraoculaire. Souvent asymptomatique, il est la princi-

pale cause de cécité chez les personnes de plus de 40 ans. On peut stabiliser un glaucome diagnostiqué précocement. Les signes du glaucome aigu sont la vision trouble ou floue, la perte de vision périphérique, la mise au point difficile sur les objets rapprochés, la difficulté à ajuster la vue dans une pièce sombre et la perception de halos irisés autour des sources de lumière.

La ptose est une anomalie caractérisée par le fait que la paupière supérieure se trouve au même niveau ou plus bas que le bord pupillaire supérieur de l'iris. La ptose est habituellement liée au vieillissement, à un œdème causé par une allergie médicamenteuse ou une affection systémique (par exemple, une affection rénale), à une dysfonction congénitale du muscle de la paupière, à une affection neuromusculaire (par exemple, une myasthénie grave) ou à une lésion du nerf crânien III. On appelle ectropion le retournement de la paupière inférieure vers l'extérieur, et entropion son retournement vers l'intérieur. Ces anomalies sont fréquemment reliées à un processus de cicatrisation ou au vieillissement.

Normalement, les pupilles sont noires, de même diamètre (entre 3 et 7 mm environ) et bordées d'un contour lisse et rond. Une pupille trouble indique souvent la présence d'une cataracte. La dilatation exagérée de la pupille (**mydriase**) est l'indice d'une lésion ou d'un glaucome, ou est associée à certains médicaments (par exemple, l'atropine). À l'inverse, la contraction exagérée de la pupille (**myosis**) peut indiquer une inflammation de l'iris ou être causée par des médicaments tels que la morphine. Le myosis est une altération qui peut aussi dépendre du vieillissement. L'inégalité des deux diamètres pupillaires (anisocorie) peut être due à une affection du système nerveux central, mais il faut se rappeler qu'une légère différence entre les deux diamètres peut être normale. L'iris est normalement plat et rond. Un renflement vers la cornée peut indiquer une pression intraoculaire accrue.

Le procédé 34-6 explique comment faire l'examen des structures de l'œil et de l'acuité visuelle.

PROCÉDÉ 34-6

Examen physique des structures de l'œil et de l'acuité visuelle

PLANIFICATION

Installez la personne dans un endroit propice à l'examen des yeux et de la vision.

Matériel

- Coton-tige
- Boule de coton
- Gants jetables
- Règle graduée en millimètres
- Crayon lumineux ou lampe de poche
- Échelle de Snellen ou échelle des *E* de Snellen
- Carte opaque

INTERVENTION

Exécution

1. Expliquez à la personne ce que vous allez faire, pourquoi vous allez le faire et comment elle peut coopérer. Expliquez-lui aussi que les résultats serviront à planifier les soins ou les traitements.

2. Lavez-vous les mains, mettez des gants et observez les autres mesures de prévention des infections.

3. Assurez-vous que l'intimité de la personne est préservée.

4. Interrogez la personne sur ses antécédents: antécédents familiaux de diabète, hypertension, dyscrasie sanguine ou affection, lésion ou chirurgie oculaire; date du dernier examen des yeux; utilisation actuelle de médicament pour les yeux; habitudes d'hygiène si la personne porte des lentilles cornéennes; symptômes actuels de problèmes oculaires (par exemple, baisse de l'acuité visuelle, vision trouble, larmoiement, taches, photophobie, démangeaisons ou douleur).

Examen physique	Observations courantes	Particularités
Structures externes de l'œil		
5. Inspectez les sourcils pour évaluer leur alignement, la répartition des poils, la qualité de la peau et le mouvement (demandez à la personne de hausser et de baisser les sourcils).	Poils uniformément répartis; peau intacte. Sourcils symétriquement alignés; mouvements égaux.	Perte de poils; desquamation de la peau. Mouvements asymétriques.
6. Inspectez les cils *pour voir s'ils sont uniformément répartis et s'ils courbent dans la bonne direction.*	Poils uniformément répartis, courbés légèrement vers l'extérieur.	Poils tournés vers l'intérieur (voir entropion, ci-dessous).
7. Inspectez les paupières *pour en évaluer les caractéristiques superficielles* (par exemple, qualité et texture de la peau), la position par rapport à la cornée, la capacité de cligner, la fréquence des clignements. Pour examiner correctement la paupière supérieure, haussez le sourcil en le prenant avec le pouce et l'index, puis demandez à la personne de fermer les yeux (figure 34-17 ■). Inspectez la paupière inférieure pendant que les yeux sont fermés.	Peau intacte; aucun écoulement; aucune dyschromie. Les paupières ferment symétriquement. Environ 15 à 20 clignements involontaires par minute; clignements bilatéraux. Quand les paupières s'ouvrent, on ne constate aucune sclérotique visible au-dessus des iris; les bords inférieur et supérieur des iris sont légèrement couverts.	Rougeur, tuméfaction, desquamation, croûte, plaques, écoulement, nodules, lésions. La fermeture des paupières est asymétrique, incomplète ou douloureuse. Clignements rapides, monoculaires, absents ou trop peu fréquents. Ptose, ectropion ou entropion; bordure sclérotique visible entre la paupière et l'iris.

PROCÉDÉ 34-6 (SUITE)

Examen physique des structures de l'œil et de l'acuité visuelle (suite)

INTERVENTION (suite)

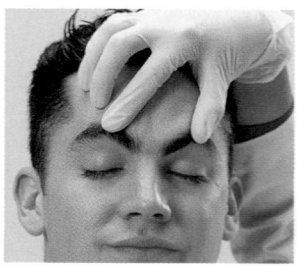

FIGURE 34-17 ■ Inspection des paupières supérieures.

Examen physique

8. Inspectez la conjonctive bulbaire (celle reposant sur la sclérotique) *pour en évaluer la couleur et la texture, et pour rechercher la présence de lésions.* Avec le pouce et l'index, rétractez les paupières en appuyant sur la peau recouvrant l'os de l'orbite, puis demandez à la personne de regarder vers le haut, vers le bas, vers un côté puis vers l'autre.

9. Inspectez la conjonctive palpébrale (celle qui revêt les paupières) en retournant les paupières. Notez-en la couleur et la texture, et recherchez la présence de lésions. Retournez la paupière inférieure et demandez à la personne de regarder vers le haut. Ensuite, rétractez doucement la paupière inférieure avec les index.

Observations courantes

Conjonctive transparente; capillaires parfois évidents; la sclérotique semble blanche (jaunâtre chez les personnes à la peau foncée).

Conjonctive brillante, lisse et rose ou rouge clair.

Particularités

Conjonctive jaune indiquant un ictère (par exemple, une affection du foie); très pâle (par exemple, une anémie), rougeâtre; lésions ou nodules (peuvent indiquer une atteinte mécanique, chimique, allergène ou bactérienne).

Conjonctive extrêmement pâle (anémie possible); très rouge (inflammation); présence de nodules ou d'autres lésions.

ENCADRÉ
34-7

Éversion de la paupière supérieure

■ Demandez à la personne de regarder vers le bas en gardant les yeux légèrement ouverts. *La fermeture des paupières ferait se contracter le muscle orbiculaire, ce qui empêcherait l'éversion des paupières.*

■ Saisissez délicatement les cils de la personne entre le pouce et l'index. Tirez doucement vers le bas. *Une traction vers le haut ou vers l'extérieur causerait une contraction musculaire.*

■ Placez un coton-tige sur la paupière supérieure, à environ 1 cm du bord, puis poussez-le doucement vers le bas en tenant les cils (figure 34-18 ■). *Cette technique permet de pratiquer l'éversion de la paupière, c'est-à-dire de la tourner à l'envers.*

■ Avec le coton-tige ou le pouce, maintenez les cils ou le bord de la paupière retournés contre le bord supérieur de l'orbite (figure 34-19 ■).

■ Inspectez la conjonctive pour en évaluer la couleur et la texture, et pour vérifier la présence de lésions et de corps étrangers.

■ Pour remettre la paupière à l'endroit, tirez délicatement sur les cils, vers l'avant, et demandez à la personne de regarder vers le haut en clignant des yeux. De cette façon, la paupière reprend instantanément sa position.

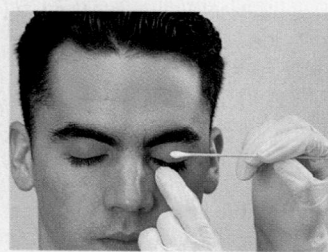

FIGURE 34-18 ■ Retournement de la paupière supérieure.

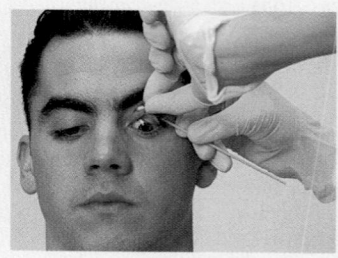

FIGURE 34-19 ■ Maintien de la paupière en position retournée.

INTERVENTION (suite)

Examen physique	Observations courantes	Particularités
10. Effectuez l'éversion des paupières supérieures si vous soupçonnez un problème (voir l'encadré 34-7).		
11. Inspectez et palpez la région de la glande lacrymale (voir l'encadré 34-8).	Aucun œdème et aucune sensibilité dans la région de la glande lacrymale.	Tuméfaction ou sensibilité dans la région de la glande lacrymale.
12. Inspectez et palpez le sac lacrymal et le conduit lacrymonasal (voir l'encadré 34-8).	Aucun œdème ni larmoiement.	Signes de larmoiement accru; écoulement de liquide à la palpation du sac lacrymal.

ENCADRÉ

Palpation de la région de la glande lacrymale, du sac lacrymal et du conduit lacrymonasal — 34-8

- Recherchez un œdème entre la paupière inférieure et le nez.
- Avec le bout de l'index, palpez la région de la glande lacrymale (figure 34-20 ■).

- Observez les signes de larmoiement.
- Avec le bout de l'index, palpez à l'intérieur du bord orbital inférieur, près de l'angle médial de l'œil (figure 34-21 ■).

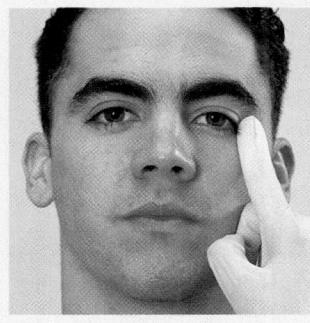

FIGURE **34-20** ■
Palpation de la région de la glande lacrymale.

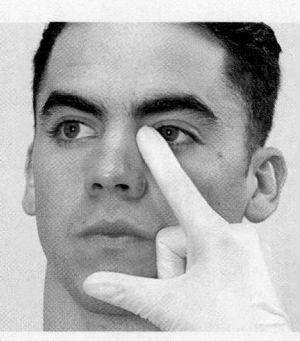

FIGURE **34-21** ■
Palpation du sac lacrymal et du conduit lacrymonasal.

Examen physique	Observations courantes	Particularités
13. Inspectez la cornée pour en évaluer la transparence et la texture. Demandez à la personne de regarder droit devant elle. Tenez un crayon lumineux obliquement par rapport à l'œil et déplacez-le lentement d'un côté à l'autre de la surface cornéenne.	Cornée transparente, brillante et lisse; détails de l'iris visibles. Chez les personnes âgées, il est possible de distinguer un mince anneau grisâtre autour de l'iris, appelé arc cornéen.	Cornée opaque; surface non lisse (à cause d'un trauma ou d'une abrasion). La présence d'un arc cornéen chez une personne de moins de 40 ans peut être le signe d'une dyslipidémie.
14. Faites le test de sensibilité cornéenne (réflexe cornéen) *pour vérifier la fonction du nerf crânien V (nerf trijumeau).* Demandez à la personne de garder les deux yeux ouverts et de regarder droit devant elle. Approchez-vous à côté de la personne, par derrière, et touchez légèrement la cornée avec le bout étiré d'une boule de coton. *Si on se place derrière elle, la personne ne voit pas le mouvement et ne peut donc pas avoir une réaction anticipée.*	La personne cligne quand la boule de coton lui touche l'œil, ce qui indique que le nerf trijumeau est intact.	Un des yeux ou les deux yeux de la personne ne réagissent pas. À noter que le port de lentilles cornéennes fait diminuer ce réflexe.

PROCÉDÉ 34-6 (SUITE)

Examen physique des structures de l'œil et de l'acuité visuelle (suite)

INTERVENTION (suite)

Examen physique

15. Inspectez la chambre antérieure pour en évaluer la transparence et la profondeur. Utilisez le même éclairage oblique que pour le test de la cornée.

16. Inspectez les pupilles pour évaluer leur couleur, leur forme et la symétrie de leurs diamètres. Certains établissements fournissent des réglettes indiquant les diamètres pupillaires. La figure 34-22 ■ illustre les différents diamètres pupillaires.

Observations courantes

Chambre intérieure transparente.

Aucune ombre sur l'iris.

Profondeur d'environ 3 mm.

Pupilles de couleur noire; diamètres égaux; entre 3 et 7 mm de diamètre; bord lisse et rond; iris plat et rond.

Particularités

Chambre trouble.

Ombres en forme de demi-lune sur le côté opposé de l'iris.

Chambre peu profonde (possibilité de glaucome).

Pupilles troubles, mydriase, myosis, anisocorie; bombement de l'iris vers la cornée.

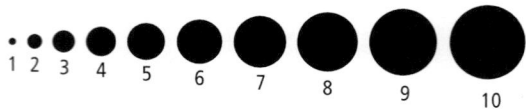

FIGURE 34-22 ■ Diamètres pupillaires, en millimètres.

17. Évaluez la réaction à la lumière de chaque pupille (le réflexe photomoteur direct et le réflexe photomoteur consensuel), *afin de vérifier le fonctionnement du nerf crânien III, soit le nerf moteur oculaire commun* (voir l'encadré 34-9).

18. Évaluez la réaction d'accommodation de chaque pupille (nerf crânien III, soit le nerf moteur oculaire commun) (voir l'encadré 34-9).

La pupille éclairée se contracte (réflexe photomoteur direct).

La pupille non éclairée se contracte (réflexe photomoteur consensuel).

Les pupilles se contractent quand la personne regarde un objet rapproché; elles se dilatent quand la personne regarde un objet éloigné; les yeux convergent quand la personne regarde un objet qui est près de son nez (10 cm).

Aucune des deux pupilles ne se contracte.

Réactions inégales.

Aucune réaction.

Une des deux pupilles ou les deux ne se contractent pas ou ne se dilatent pas; une des deux pupilles ou les deux ne convergent pas.

ENCADRÉ

Évaluation des réflexes photomoteurs

34-9

RÉFLEXE PHOTOMOTEUR DIRECT ET RÉFLEXE PHOTOMOTEUR CONSENSUEL

- Assombrissez partiellement la pièce.
- Demandez à la personne de regarder droit devant elle.
- Avec un crayon lumineux ou une petite lampe de poche, approchez-vous de la personne par le côté en éclairant la pupille.
- Observez la réaction de la pupille éclairée. Elle devrait se contracter (réflexe photomoteur direct).
- Dirigez à nouveau le rayon lumineux sur la pupille, puis observez la réaction de l'autre pupille. Elle devrait également se contracter (réflexe consensuel).

RÉFLEXE D'ACCOMMODATION

- Tenez un objet (le crayon lumineux, par exemple, ou n'importe quel objet) à environ 10 cm de la voûte du nez.
- Demandez à la personne de regarder le haut de l'objet, puis de regarder un objet éloigné situé derrière le crayon (par exemple, le mur du fond). Demandez à la personne de faire alterner son regard entre l'objet rapproché et l'objet éloigné.
- Observez la réaction pupillaire. Les pupilles devraient se contracter quand la personne regarde l'objet rapproché et se dilater quand elle regarde l'objet éloigné.
- Ensuite, déplacez le crayon vers le nez de la personne. Les yeux devraient converger. Si les résultats de l'examen sont normaux, inscrivez PERRLA (pour *pupilles égales, rondes, réaction à la lumière et accommodation*).

INTERVENTION (suite)

Examen physique

Champs visuels

19. Évaluez les champs visuels périphériques *pour vérifier la fonction de la rétine et les voies nerveuses de l'œil au cerveau et au nerf crânien II (nerf optique)* (voir l'encadré 34-10).

Observations courantes

Quand la personne regarde droit devant, elle peut voir des objets en périphérie.

Particularités

Champ visuel plus petit que la normale (possibilité de glaucome); hémianopsie (altération du champ visuel) dans un œil ou dans les deux yeux (lésion d'un nerf).

ENCADRÉ

Évaluation des champs visuels périphériques

34-10

- Demandez à la personne de s'asseoir en face de vous, à une distance de 60 à 90 cm.
- Dites-lui de se couvrir l'œil droit avec une carte et de regarder votre nez.
- Couvrez ou fermez l'œil se trouvant directement en face de l'œil couvert de la personne (autrement dit, fermez l'œil gauche alors que la personne ferme l'œil droit) et regardez le nez de la personne.
- Prenez un objet (un crayon, par exemple), étendez le bras et déplacez l'objet dans différents points du champ visuel périphérique (figure 34-23 ■). L'objet devrait être tenu à égale distance de la personne et de vous. Demandez à la personne d'indiquer le moment où elle commence à voir l'objet.
  a) Pour vérifier la moitié temporale du champ visuel de l'œil gauche, étendez le bras et déplacez-le dans le champ périphérique droit de la personne. On peut voir les objets périphériques à angle droit (90°) par rapport au point de vision central.
  b) Pour vérifier le champ visuel supérieur de l'œil gauche, étendez le bras droit et déplacez-le en descendant dans le champ périphérique supérieur. Le champ visuel supérieur est normalement de 50°, car la saillie des orbites empêche de voir au-delà.
  c) Pour vérifier le champ visuel inférieur de l'œil gauche, étendez le bras droit et déplacez-le en montant dans le champ périphérique inférieur. Le champ de vision inférieur est normalement de 70°, en raison de la présence des joues.
  d) Pour vérifier le champ nasal de l'œil gauche, étendez le bras gauche et déplacez-le de la périphérie vers ce

champ visuel. Le champ visuel nasal est normalement à 50° du point de vision central, à cause de la présence du nez.
- Refaites les mêmes étapes pour l'œil droit, mais en inversant les côtés.

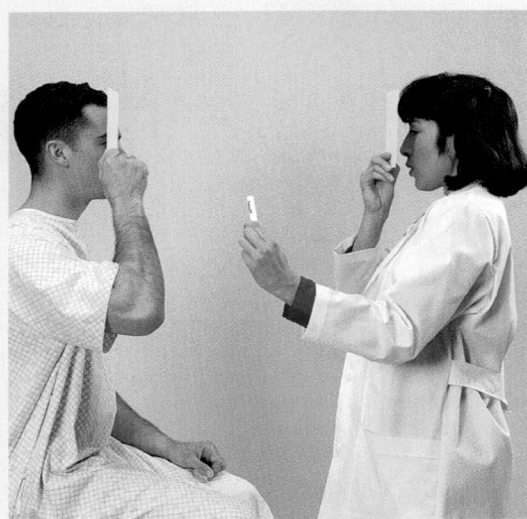

FIGURE 34-23 ■ Évaluation du champ visuel périphérique gauche de la personne.

Muscles de l'orbite

20. Évaluez les six mouvements oculaires *pour vérifier l'alignement des yeux et la coordination.* On peut faire cet examen physique chez des enfants de six mois et plus (voir l'encadré 34-11).

Les mouvements des deux yeux sont coordonnés et simultanés; l'alignement est parallèle. Un nystagmus peut normalement être perçu lorsque l'œil est en position latérale extrême (le muscle étant alors étiré au maximum).

Les mouvements des yeux ne sont pas coordonnés ou ne sont pas parallèles; un des yeux ou les deux ne suivent pas le crayon dans des directions précises (par exemple, strabisme).

Le nystagmus (oscillations rythmiques et involontaires des yeux) peut indiquer la présence d'une lésion neurologique.

PROCÉDÉ 34-6 (SUITE)

Examen physique des structures de l'œil et de l'acuité visuelle (suite)

INTERVENTION (suite)

Évaluation des six mouvements oculaires

- Placez-vous droit devant la personne et tenez le crayon lumineux (ou tout objet) à une distance confortable, soit à environ 30 cm des yeux de la personne.
- Demandez à la personne de garder la tête immobile devant elle tout en suivant des yeux le mouvement du crayon lumineux.
- Déplacez le crayon lumineux de manière lente et ordonnée en suivant les six directions du regard (ces directions sont indiquées par des flèches dans la figure 34-24 ■), en revenant au centre de l'œil après chaque direction.
- Arrêtez le mouvement du crayon de temps à autre, de façon à pouvoir déceler la présence d'un nystagmus.

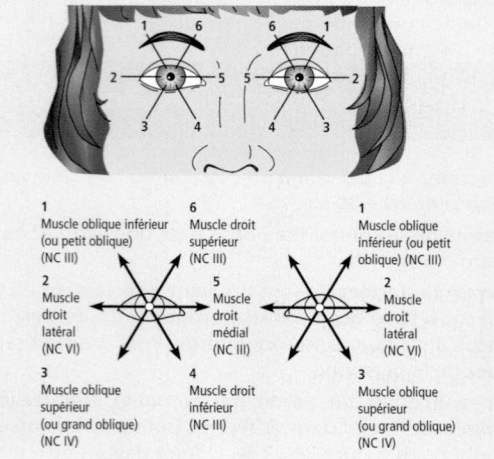

FIGURE 34-24 ■ Mouvements des yeux selon les six muscles qui les dirigent.

Examen physique	Observations courantes	Particularités
Acuité visuelle		
21. Évaluez la vision de près : sous un éclairage approprié, demandez à la personne de lire un article de magazine ou de journal tenu à une distance de 36 cm. Si la personne porte normalement des lunettes ou des lentilles cornéennes, elle doit les porter durant l'examen.	Capacité de lire les caractères d'imprimerie.	Incapacité de lire les caractères d'imprimerie (à moins que ce problème ne soit causé par le processus de vieillissement).
22. Pour évaluer la vision éloignée, demandez à la personne de porter ses lunettes ou ses lentilles (voir l'encadré 34-12).	Vision de 6/6 (20/20) sur l'échelle de Snellen.	Dénominateur de 12 (40) ou plus sur l'échelle de Snellen avec les lunettes ou les lentilles.

Évaluation de la vision éloignée

- Demandez à la personne de se tenir debout ou assise devant l'échelle de Snellen ou une échelle de caractères (figure 34-25 ■), de porter ses lunettes ou ses lentilles cornéennes s'il y a lieu, de se couvrir l'œil non examiné et de lire les lettres figurant sur l'échelle.
- Prenez trois mesures : une de l'œil droit, une de l'œil gauche et une des deux yeux.
- Notez le résultat pour chaque œil et pour les deux yeux, c'est-à-dire la plus petite ligne dont la personne est capable de lire au moins la moitié des lettres.

À la fin de chaque ligne de l'échelle de Snellen figurent des nombres standard (fractions). La ligne du haut indique 6/60 (20/200). Le numérateur (nombre du haut) est toujours 6 (ou 20), soit la distance à laquelle la personne se tient

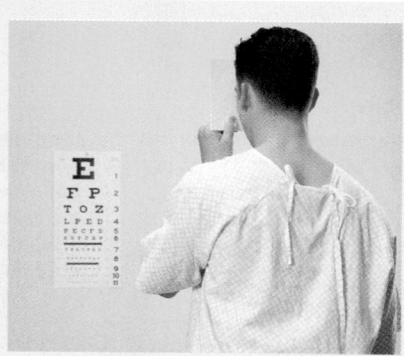

FIGURE 34-25 ■ Évaluation de la vision éloignée.

INTERVENTION (suite)

devant l'échelle (6 mètres ou 20 pieds). Le dénominateur (nombre du bas) est la distance à laquelle l'œil normal peut lire cette ligne de l'échelle. Donc, une personne ayant une vision de 6/12 peut lire à 6 mètres de l'échelle la ligne qu'un œil normal peut lire à 12 mètres de l'échelle. L'acuité visuelle est notée «s̄c» (sans correction) ou «c̄c» (avec correction). On peut également indiquer combien de lettres la personne a manquées à la plus petite ligne; par exemple, «acuité visuelle de 6/12 – 2 c̄c» signifie que la personne porte des lunettes ou des lentilles et a manqué deux lettres de la ligne 6/12.

Examen physique	Observations courantes	Particularités
23. Évaluez d'une autre manière l'acuité visuelle si la personne est incapable de lire la ligne du haut de l'échelle de Snellen, soit la ligne 6/60 (voir l'encadré 34-13).		Vision fonctionnelle seulement (par exemple, perception de la lumière, mouvements de la main, compte des doigts à 30 cm de distance).

ENCADRÉ

34-13

Tests de vision

COMPTE DES DOIGTS
Placez une main à 30 cm du visage de la personne, allongez quelques doigts en tenant les autres dans la paume, et demandez à la personne de compter vos doigts. Si la personne indique le bon nombre de doigts, inscrivez « compte les doigts à 30 cm ».

MOUVEMENTS DE LA MAIN
Placez une main à environ 30 cm du visage de la personne et déplacez-la lentement d'avant en arrière en l'immobilisant de temps à autre. Demandez à la personne d'indiquer à quel moment la main cesse de bouger. Si la personne l'indique correctement, inscrivez « perception adéquate des mouvements de la main à 30 cm ».

PERCEPTION DE LA LUMIÈRE
Pointez le crayon lumineux vers l'œil de la personne en vous tenant à côté d'elle, puis éteignez la lumière. Demandez à la personne d'indiquer à quel moment elle perçoit la lumière et à quel moment elle ne la perçoit plus. Si la personne l'indique correctement, la perception de la lumière est intacte; inscrivez « perception adéquate de la lumière ».

24. Notez les résultats au dossier de la personne, en utilisant des formulaires ou des listes de vérification enrichies de notes explicatives au besoin.

ÉVALUATION

- Effectuez un examen de suivi détaillé des autres fonctions, selon les résultats qui ne correspondent pas aux observations courantes ou qui ne sont pas compatibles avec les résultats attendus pour la personne. Mettez les résultats en rapport avec les données de l'évaluation précédente, au besoin.

- Signalez au médecin les résultats qui ne correspondent pas aux observations courantes. Les personnes qui obtiennent un dénominateur de 12 (ou 40) et plus pour l'échelle de Snellen ou une autre échelle, avec ou sans verres correcteurs, ont besoin d'être adressées à un ophtalmologiste.

 SOINS À DOMICILE

Examen physique de l'œil et de la vision
- Lorsque vous faites une visite à domicile, vous devez apporter votre matériel.
- Profitez de l'occasion pour parler des soins oculaires et de la nécessité de faire examiner sa vue régulièrement.

! ALERTE CLINIQUE *On peut utiliser l'échelle de Rosenbaum pour évaluer la vision rapprochée. Cette échelle est formée de quelques paragraphes de texte ou de caractères de différentes grosseurs imprimés sur des fiches de 9 cm sur 16 cm. Assurez-vous que la personne sait lire avant de lui présenter le texte.* ■

LES ÂGES DE LA VIE

Examen physique de l'œil et de la vision

NOURRISSONS

- Les nourrissons de quatre semaines sont capables, normalement, de regarder un objet et de le suivre des yeux.
- La capacité de mise au point binoculaire est normalement présente vers l'âge de six mois.

ENFANTS

- Une bride épicanthique couvre parfois l'angle médial de l'œil, particulièrement chez les Asiatiques ; elle donne l'impression que les yeux sont mal alignés.
- La sclérotique des enfants à la peau foncée est parfois plus foncée et présente de petites macules brunes.
- Pour évaluer l'acuité visuelle des enfants d'âge préscolaire, on peut utiliser des cartes d'illustrations ou l'échelle des *E*. L'acuité visuelle doit être d'environ 6/6 (ou 20/20) à l'âge de 6 ans.

PERSONNES ÂGÉES

Acuité visuelle

- L'acuité visuelle diminue à mesure que le cristallin vieillit, s'opacifie et perd de son élasticité.
- La sensibilité de la vision périphérique diminue.
- L'adaptation à la lumière (à l'éblouissement) et à l'obscurité diminue.
- L'accommodation aux objets distants s'améliore dans de nombreux cas, mais l'accommodation aux objets rapprochés diminue.
- La vision des couleurs est altérée ; les personnes âgées ont de la difficulté à percevoir les pourpres et à discriminer les couleurs pastel.

- La majorité des personnes âgées portent des verres correcteurs pour la presbytie. L'altération de la vision est due à la perte d'élasticité et de transparence du cristallin.

Structures externes de l'œil

- La peau autour de l'orbite de l'œil devient plus foncée.
- Le globe oculaire peut sembler enfoncé dans son orbite en raison de la perte de tissus adipeux dans l'orbite.
- Les plis cutanés des paupières supérieures peuvent sembler proéminents, et les paupières inférieures peuvent s'affaisser.
- Les yeux ont tendance à être secs parce que les glandes lacrymales produisent moins de larmes.
- Un mince anneau blanc grisâtre (arc sénile) apparaît au pourtour de la cornée. Il provient d'une accumulation de lipides sur la cornée. La transparence de la cornée diminue avec l'âge.
- L'iris peut sembler pâle, avec quelques dyschromies dues à la dégénérescence pigmentaire.
- La conjonctive de l'œil peut sembler plus pâle que chez l'adulte plus jeune, et elle peut prendre une coloration jaunâtre à cause des dépôts adipeux.
- La réaction pupillaire (adaptation à la lumière et accommodation) est normalement égale dans les deux yeux ; elle peut être moins vive que chez l'adulte plus jeune.
- Les diamètres pupillaires peuvent sembler plus petits, inégaux et irréguliers à cause de l'altération musculaire dans l'iris.

Oreilles et ouïe

L'examen physique de l'oreille comprend l'inspection et la palpation directes de l'oreille externe, l'inspection du conduit auditif externe et du tympan au moyen d'un **otoscope** et l'évaluation de l'acuité auditive. Habituellement, on examine l'oreille durant l'examen physique initial ; une réévaluation périodique peut s'avérer nécessaire pour les personnes recevant des soins de longue durée ou pour celles qui souffrent de troubles de l'audition.

L'oreille se compose de trois repères anatomiques : l'oreille externe, l'oreille moyenne et l'oreille interne. La plupart des structures mentionnées dans les sections suivantes sont illustrées dans la figure 34-26 ■. L'oreille externe comprend le **pavillon**, ou auricule, et le **conduit auditif externe**. Le pavillon comprend le **lobule**, l'**hélix** (courbe postérieure du bord supérieur du pavillon), l'**anthélix** (courbe antérieure du bord supérieur du pavillon), le **tragus** (saillie cartilagineuse à l'entrée du conduit auditif) et la **fosse triangulaire** (dépression de l'anthélix). Bien qu'il ne fasse pas partie de l'oreille, le **processus mastoïde**, une saillie osseuse derrière l'oreille, est lui aussi un repère anatomique important. Le conduit auditif externe est courbe ; il mesure environ 2,5 cm de longueur chez l'adulte et se termine au tympan. La peau dont il est recouvert possède un fin duvet, des glandes et des terminaisons nerveuses. Les glandes sécrètent du **cérumen** (cire de l'oreille) qui lubrifie et protège le conduit.

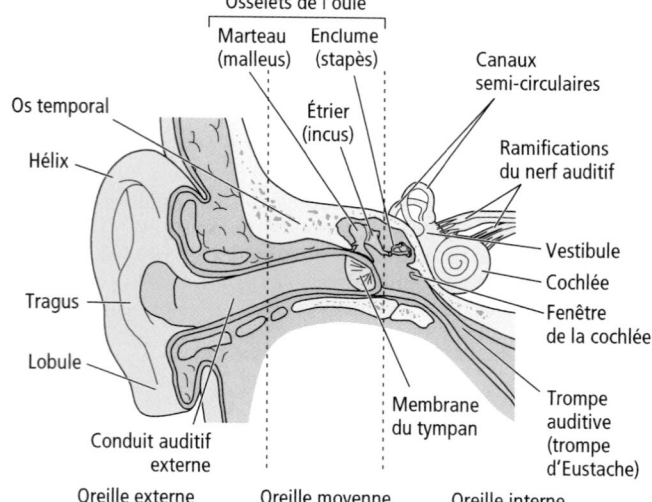

FIGURE **34-26** ■ Structures de l'oreille externe, de l'oreille moyenne et de l'oreille interne.

La courbure du conduit auditif externe change avec l'âge. Chez le nourrisson et le jeune enfant, le conduit courbe vers le haut. Quand l'enfant atteint l'âge de trois ans, le conduit auditif prend une courbure descendante, qui est celle du conduit à l'âge adulte.

L'oreille moyenne est une cavité remplie d'air qui commence à la **membrane du tympan** (ou **tympan**) et qui renferme trois petits os qu'on appelle **osselets de l'ouie** : le **marteau** (malleus), le plus facile à voir, l'**enclume** (incus) et l'**étrier** (stapès). La **trompe auditive** (**trompe d'Eustache**), une autre partie de l'oreille moyenne, relie l'oreille moyenne au nasopharynx. La trompe stabilise la pression de l'air entre l'atmosphère externe et l'oreille moyenne ; par conséquent, elle prévient la rupture du tympan et les malaises causés par les variations de pression importantes.

L'oreille interne (organe de l'audition et de l'équilibre) contient la **cochlée**, une structure en forme de coquillage essentielle à la transmission du son et à l'audition, ainsi que le **vestibule** et les **canaux semi-circulaires**.

La transmission du son et l'audition sont des processus complexes. On peut résumer ces processus ainsi : le son se transmet par conduction aérienne ou par conduction osseuse. La transmission par conduction aérienne se déroule comme suit :

1. Un stimulus sonore pénètre dans le conduit externe et le traverse jusqu'au tympan.
2. Le stimulus fait vibrer le tympan et les vibrations se transmettent aux osselets.
3. Les vibrations traversent les osselets jusqu'à l'orifice de l'oreille interne (fenêtre du vestibule).

4. La cochlée reçoit les vibrations sonores.
5. La cochlée transmet les vibrations au nerf auditif (nerf crânien VIII) et au cortex cérébral.

La transmission du son se fait par conduction osseuse quand les os du crâne transportent le son directement au nerf auditif.

Les évaluations audiométriques permettent de mesurer l'audition à divers décibels ; on recommande de les faire pour les enfants et les personnes âgées. L'un des déficits auditifs courants liés au vieillissement est la diminution de la capacité d'entendre les sons aigus, comme les *f*, les *s* et les *ch*. L'utilisation d'une prothèse auditive ne réussit pas toujours à améliorer cette surdité de perception.

La **surdité de transmission** (**perte conductive**) est due à l'interruption de la transmission du son à travers les structures de l'oreille externe et de l'oreille moyenne. Les causes possibles de la surdité de transmission sont la déchirure du tympan ou l'obstruction du conduit auditif (causée par un œdème, par exemple). La **surdité de perception** (**perte neurosensorielle**) est due à une atteinte de l'oreille interne, du nerf auditif ou du centre de l'audition situé dans le cerveau. La **surdité mixte** combine une surdité de perception et une surdité de transmission. Le procédé 34-7 explique comment faire l'examen des oreilles et de l'ouïe.

PROCÉDÉ 34-7

Examen physique des oreilles et de l'ouïe

PLANIFICATION

Il est important de faire l'examen des oreilles et de l'ouïe dans un endroit calme où la personne pourra se tenir assise ou debout, à la même hauteur que vous.

Matériel
- Otoscope muni de spéculums de différentes tailles.

INTERVENTION

Exécution

1. Expliquez à la personne ce que vous allez faire, pourquoi vous allez le faire et comment elle peut coopérer. Expliquez-lui aussi que les résultats serviront à planifier les soins ou les traitements.
2. Lavez-vous les mains et observez les autres mesures de prévention des infections.
3. Assurez-vous que l'intimité de la personne est préservée.
4. Demandez à la personne de vous informer de ses antécédents : antécédents familiaux de troubles auditifs ou de surdité ;

autres problèmes otiques ; antécédents de prises de médicaments, particulièrement si la personne se plaint de tintements d'oreille ; problème auditif (début, facteurs favorisants et conséquences sur les activités quotidiennes) ; utilisation d'un appareil auditif (début de l'utilisation, nom du médecin).

5. Aidez la personne à s'installer confortablement, si possible en position assise.

Examen physique	Observations courantes	Particularités
Pavillon de l'oreille 6. Inspectez le pavillon des oreilles *pour en évaluer la couleur, la symétrie, la taille et la position.* Pour inspecter la position, notez la hauteur et l'angle du bord supérieur du pavillon par rapport à la hauteur des yeux.	Même couleur que la peau du visage. Pavillons symétriques. La partie supérieure des pavillons est alignée avec le canthus externe de l'œil (l'angle latéral de l'œil). Les pavillons forment un angle d'environ 10° par rapport à la verticale (figure 34-27 ■).	Couleur bleutée des lobes (par exemple, cyanose), pâleur (par exemple, engelure), rougeur excessive (inflammation ou fièvre). Asymétrie. Implantation basse des oreilles (associée à une anomalie congénitale, comme la trisomie 21).

PROCÉDÉ 34-7 (SUITE)

Examen physique des oreilles et de l'ouïe (suite)

INTERVENTION (suite)

Examen physique	Observations courantes	Particularités

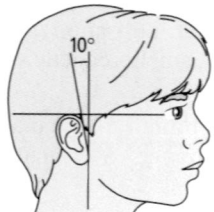

Alignement normal

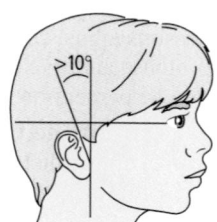

Implantation basse des oreilles et déviation de l'alignement

FIGURE **34-27** ■ Alignement des oreilles.

7. Palpez les pavillons *pour en évaluer la texture, l'élasticité et les zones sensibles.*

   - Tirez doucement le pavillon vers le haut, vers le bas, puis vers l'arrière.
   - Pliez le pavillon vers l'avant (il devrait revenir sur lui-même).
   - Poussez sur le tragus.
   - Appliquez une pression sur le processus mastoïde.

Pavillons mobiles, fermes, non mous ; le pavillon revient sur lui-même lorsqu'on le plie ; aucune douleur à la pression ni à la traction.

Lésions (par exemple, kystes) ; peau squameuse (par exemple, séborrhée) ; sensibilité à la pression ou à la traction (peut indiquer une inflammation ou une infection de l'oreille externe).

Conduit auditif externe et membrane du tympan

8. Avec un otoscope, inspectez le conduit auditif externe : cérumen, présence de lésions cutanées, de pus et de sang (voir l'encadré 34-14).

Le tiers distal contient des follicules pileux et des glandes.

Cérumen sec, couleur gris-brun ; ou cérumen collant et humide dans différents tons de brun.

Rougeur et écoulement.

Desquamation.

Obstruction due à une quantité excessive de cérumen.

ENCADRÉ
34-14

Inspection des oreilles avec un otoscope

- Fixez un spéculum à l'otoscope. Utilisez le plus grand diamètre qui puisse entrer dans l'oreille sans incommoder la personne. Cela permet d'avoir la meilleure vision possible de tout le conduit et du tympan.

- Repoussez légèrement la tête de la personne vers son épaule opposée et redressez le conduit auditif. Pour redresser le conduit auditif d'un adulte, tirez doucement le pavillon vers le haut et l'arrière (figure 34-28 ■). Le redressement du conduit auditif permet de mieux voir le conduit et la membrane du tympan.

- On peut tenir l'otoscope de deux façons : (a) à l'endroit, c'est-à-dire le manche vers le bas et le spéculum vers le haut, parallèlement à l'axe du cou de la personne (figure 34-29 ■) ; ou (b) à l'envers, les doigts et la face cubitale de la main appuyés contre la tête de la personne. Cette technique stabilise la tête, ce qui prévient les lésions du tympan qui pourraient se produire en cas de mouvement brusque de la tête.

- Insérez doucement le spéculum de l'otoscope dans le conduit auditif, en prenant soin de ne pas l'appuyer contre la peau délicate de celui-ci (comme les deux premiers tiers du conduit sont osseux, on incommoderait la personne si on appuyait le spéculum contre sa paroi).

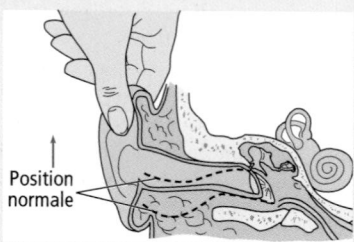

Position normale

FIGURE **34-28** ■ Pour redresser le conduit auditif chez un adulte, tirez le pavillon de l'oreille vers le haut et l'arrière.

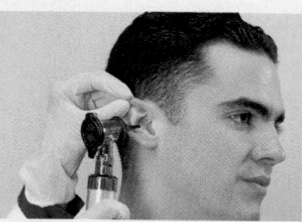

FIGURE **34-29** ■ Insertion de l'otoscope.

INTERVENTION (suite)

Examen physique

9. Inspectez le tympan pour évaluer la couleur, le reflet lumineux et la translucidité.

Observations courantes

Couleur gris perle, reflet lumineux, translucide (figure 34-30 ■).

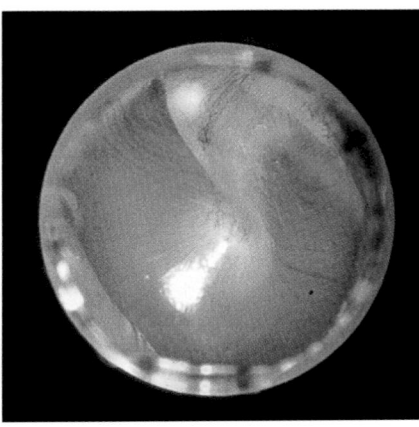

FIGURE **34-30** ■ Tympan gauche normal.

Particularités

Couleur rose ou rougeâtre, opacité.

Couleur jaune ambre, blanche, bleue ou rouge foncé.

Pas de reflet lumineux.

Surface mate.

Tests d'acuité auditive générale

10. Évaluez la réaction de la personne aux tons de voix normaux. Si la personne a de la difficulté à entendre une voix normale, faites les tests décrits aux points 10A et 10B.

Voix normale audible.

Voix normale inaudible (par exemple, la personne demande à l'infirmière de répéter des mots ou des phrases, se penche vers elle pour mieux entendre, tourne la tête, met ses mains en cornet près de ses oreilles ou parle fort).

10A. Faites passer l'épreuve du murmure.
- Demandez à la personne de boucher une de ses oreilles. Placez-vous à 30 cm de la personne et dites d'une voix normale (en couvrant vos lèvres) : bleu, chemise, vent.
- Demandez à la personne de répéter les mots ou de répondre à la question que vous avez posée.

  Refaites la même chose pour l'autre oreille.

Capacité d'entendre et de répéter les trois mots.

Incapacité d'entendre le murmure dans une des oreilles ou dans les deux.

10B. *Épreuves au diapason*

Utilisez l'épreuve de Weber *pour évaluer la latéralisation du son* (voir l'encadré 34-15).

Le son est perçu également par les deux oreilles ou localisé au centre de la tête (Weber négatif).

Le son est mieux perçu par l'oreille atteinte, ce qui indique une surdité de transmission, ou le son est mieux perçu par l'oreille non atteinte, ce qui indique une surdité de perception (son latéralisé : Weber positif).

Utilisez l'épreuve de Rinne *pour comparer la conduction aérienne et la conduction osseuse* (voir l'encadré 34-15).

L'audition par conduction aérienne (CA) est supérieure à l'audition par conduction osseuse (CO), c'est-à-dire que CA > CO (Rinne positif).

Le temps de conduction osseuse est égal ou supérieur au temps de conduction aérienne, c'est-à-dire que CO > CA ou CO = CA (Rinne négatif ; peut indiquer une surdité de transmission).

PROCÉDÉ 34-7 (SUITE)

Examen physique des oreilles et de l'ouïe (suite)

INTERVENTION (suite)

Épreuves au diapason

ÉPREUVE DE WEBER

Cette épreuve permet de vérifier la latéralisation des sons et ainsi d'évaluer la conduction osseuse.

- Tenez le manche du diapason à sa base. Faites vibrer le diapason en le frappant doucement contre le dos de la main, près des jointures. Il devrait tinter doucement.
- Placez la base du diapason sur le sommet de la tête de la personne (figure 34-31 ■) et demandez-lui où elle entend le son.

ÉPREUVE DE RINNE

Cette épreuve permet de comparer la conduction aérienne et la conduction osseuse.

- Tenez le manche d'un diapason vibrant sur le processus mastoïde d'une oreille (figure 34-32 ■, *A*) jusqu'à ce que la personne n'entende plus le diapason.
- Immédiatement, déplacez les branches du diapason encore vibrant devant le conduit auditif de la personne (figure 34-32 ■, *B*). Repoussez les cheveux de la personne s'il le faut. Demandez à la personne si elle peut maintenant entendre le son. Normalement, l'audition par conduction aérienne est meilleure que par conduction osseuse. Les vibrations du diapason sont normalement entendues plus longtemps par conduction aérienne.

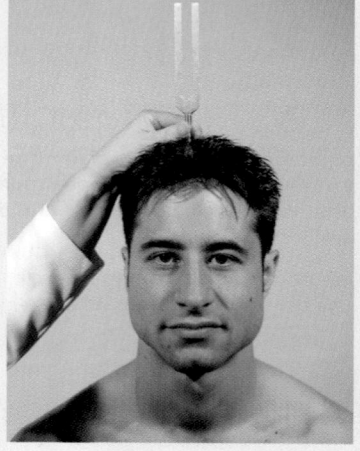

FIGURE 34-31 ■ Placez la base du diapason sur le crâne de la personne (épreuve de Weber).

A

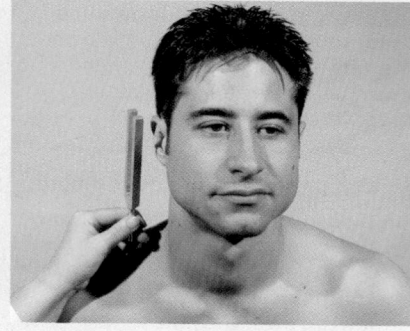

B

FIGURE 34-32 ■ Positions du diapason dans l'épreuve de Rinne : *A,* base du diapason posée sur le processus mastoïde ; *B,* branches du diapason placées devant l'oreille de la personne.

11. Notez les résultats au dossier de la personne, en utilisant des formulaires ou des listes de vérification enrichies de notes explicatives au besoin.

ÉVALUATION

- Effectuez un examen de suivi approfondi du système nerveux, selon les résultats qui ne correspondent pas aux observations courantes ou qui ne sont pas compatibles avec les résultats attendus pour la personne. Mettez les résultats en rapport avec les données de l'évaluation précédente, au besoin.

- Signalez au médecin les résultats qui ne correspondent pas aux observations courantes.

LES ÂGES DE LA VIE

Examen physique des oreilles et de l'ouïe

NOURRISSONS
- Pour évaluer l'ouïe générale, faites tinter une clochette derrière le bébé ou demandez au parent d'appeler l'enfant par son nom pour voir s'il réagit. À l'âge de trois ou quatre mois, l'enfant devrait tourner la tête vers le son ou la voix.

ENFANTS
- Pour inspecter le conduit auditif et le tympan d'un enfant de moins de 3 ans, tirez doucement le pavillon de son oreille vers le bas et l'arrière, puis insérez le spéculum sur une profondeur de 0,5 cm à 1,5 cm seulement.

PERSONNES ÂGÉES
- La peau de l'oreille peut sembler sèche et moins élastique à cause de la perte de tissu conjonctif.
- Des poils hirsutes apparaissent le long de l'hélix, de l'anthélix et du tragus.

- Le pavillon devient plus large et plus long, et le lobe s'allonge.
- Le cérumen s'assèche.
- La membrane du tympan est plus translucide et moins souple. La réaction à la lumière peut diminuer légèrement d'intensité.
- Une surdité de perception peut apparaître.
- Une surdité généralisée (presbyacousie) apparaît pour toutes les fréquences de son, mais le premier symptôme est la difficulté à entendre les sons aigus *f*, *s* et *ch*. Les personnes qui éprouvent cette difficulté entendent mal ce que les autres disent, ce qui peut donner lieu à des comportements qui semblent confus ou inappropriés.

SOINS À DOMICILE

Examen physique des oreilles et de l'ouïe
- Au besoin, demandez à l'adulte qui accompagne le jeune enfant d'aider à le tenir durant l'examen.
- Assurez-vous que l'examen est effectué dans un endroit tranquille. Les personnes âgées, en particulier, ont de la difficulté à passer les épreuves d'audition s'il y a trop de bruit autour d'elles.

Nez et sinus

L'examen du nez peut se faire très simplement, à l'aide d'une lampe de poche. Néanmoins, l'utilisation d'un spéculum nasal et d'un crayon lumineux, ou encore d'un otoscope muni d'un embout nasal, facilite l'examen.

L'examen physique du nez comprend l'inspection et la palpation de la partie externe (le tiers supérieur du nez est osseux; le reste se compose de cartilage), la vérification de la perméabilité des cavités nasales et l'inspection des cavités nasales.

Si la personne se plaint d'un trouble olfactif, l'infirmière peut vérifier le sens olfactif de la personne en lui demandant d'identifier des odeurs telles que celle du café ou de la menthe. Elle demande à la personne de fermer les yeux, puis elle place sous son nez des flacons contenant différentes odeurs.

L'infirmière inspecte et palpe les sinus faciaux (figure 34-33 ■). Seuls les sinus frontaux et maxillaires peuvent être évalués par l'examen physique. Le procédé 34-8 explique comment faire l'examen du nez et des sinus.

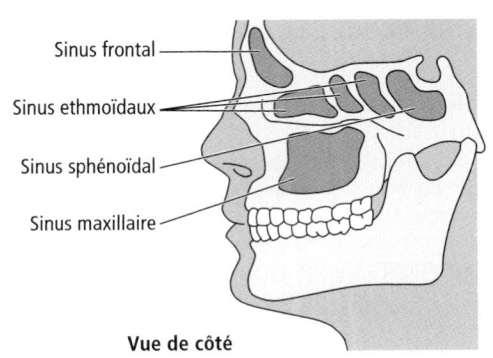
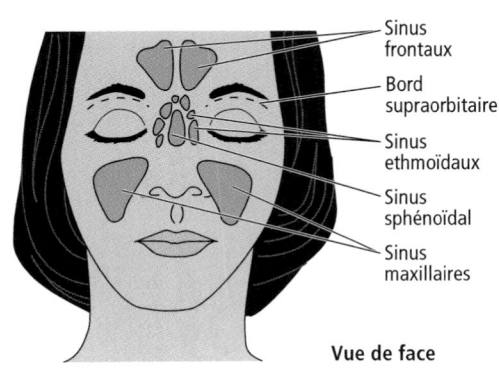

FIGURE 34-33 ■ Sinus faciaux.

PROCÉDÉ 34-8

Examen physique du nez et des sinus

PLANIFICATION

Matériel

- Spéculum nasal
- Lampe de poche ou crayon lumineux

INTERVENTION

Exécution

1. Expliquez à la personne ce que vous allez faire, pourquoi vous allez le faire et comment elle peut coopérer. Expliquez-lui aussi que les résultats serviront à planifier les soins ou les traitements.

2. Lavez-vous les mains et observez les autres mesures de prévention des infections.

3. Assurez-vous que l'intimité de la personne est préservée.

4. Interrogez la personne sur ses antécédents: allergies, difficulté à respirer par le nez, infections des sinus, traumatisme du nez ou du visage, saignements de nez; traitement médicamenteux; altération de l'odorat.

5. Aidez la personne à s'installer confortablement, en position assise si possible.

Examen physique	Observations courantes	Particularités
Nez		
6. Inspectez la partie extérieure du nez: forme, taille, couleur et battement des ailes du nez, écoulement.	Nez symétrique et droit. Aucun battement des ailes du nez ou écoulement. Couleur uniforme.	Nez asymétrique. Battement des ailes du nez, écoulement nasal. Rougeurs ou lésions cutanées.
7. Palpez légèrement le nez pour vérifier s'il y a une sensibilité au toucher, des masses ou un déplacement des os et des cartilages.	Aucune sensibilité au toucher; aucune lésion.	Sensibilité à la palpation; présence de lésions.
8. Vérifiez la perméabilité des deux cavités nasales. Demandez à la personne de fermer la bouche, d'exercer une pression sur une narine et de respirer par l'autre. Faites refaire la même chose, mais avec la narine opposée.	La personne respire aisément par chacune des deux narines.	Le passage de l'air est entravé dans une des narines ou dans les deux.
9. Inspectez les cavités nasales avec une lampe de poche ou un spéculum nasal (voir l'encadré 34-16).		

ENCADRÉ
Utilisation du spéculum nasal
34-16

- Tenez le spéculum avec la main droite pour inspecter la narine gauche de la personne et avec la main gauche pour inspecter sa narine droite.
- Demandez à la personne de pencher la tête légèrement vers l'arrière.
- Placez-vous en face de la personne, insérez le bout du spéculum fermé (lame contre lame) sur une profondeur d'environ 1 cm ou jusqu'au point où les lames s'élargissent. Lorsque vous faites bouger l'ouverture du spéculum, faites-le de haut en bas (à la verticale) et non de gauche à droite (à l'horizontale), afin de ne pas appliquer de pression sur la délicate cloison nasale (figure 34-34 ■).
- Avec l'index, stabilisez le spéculum contre le côté du nez. Utilisez l'autre main pour placer la tête, puis pour tenir la source lumineuse.
- Ouvrez le spéculum autant que possible et inspectez le vestibule de la cavité nasale, la partie antérieure de la cloison, le cornet nasal inférieur, le méat moyen du nez et le cornet nasal moyen. Le cornet nasal supérieur est rarement visible en raison de sa position (figure 34-35 ■).
- Inspectez la muqueuse des narines, l'intégrité de la cloison et sa position.

ENCADRÉ

Utilisation du spéculum nasal (suite)

34-16

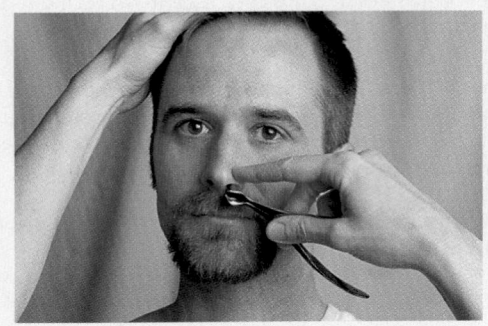

FIGURE 34-34 ■ Inspection des cavités nasales au moyen d'un spéculum nasal.

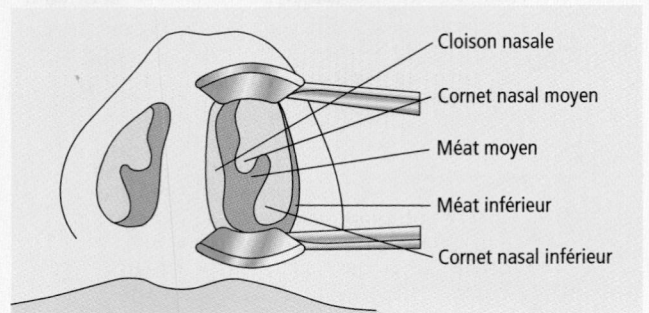

Cloison nasale
Cornet nasal moyen
Méat moyen
Méat inférieur
Cornet nasal inférieur

FIGURE 34-35 ■ Cornets inférieur et moyen des cavités nasales.

Examen physique

10. Recherchez la présence de rougeurs, d'œdème, de tumeurs et d'écoulement.

11. Inspectez la cloison entre les deux cavités nasales.

Sinus faciaux

12. Palpez les sinus maxillaires et frontaux à la recherche d'une sensibilité au toucher.

13. Notez les résultats au dossier de la personne, en utilisant des formulaires ou des listes de vérification enrichies de notes explicatives au besoin.

Observations courantes

Muqueuse rose.

Écoulement clair, liquide.

Aucune lésion.

Cloison nasale intacte et située au milieu.

Aucune sensibilité au toucher.

Particularités

Muqueuse rouge, œdémateuse.

Écoulement anormal (par exemple, purulent).

Présence de lésions (par exemple, polypes).

Cloison déviant vers la gauche ou la droite, cloison perforée.

Sensibilité dans un ou plusieurs sinus.

ÉVALUATION

- Effectuez un examen de suivi approfondi des autres fonctions à partir des résultats qui ne correspondent pas aux observations courantes ou qui ne sont pas compatibles avec les résultats attendus pour la personne. Mettez les résultats en rapport avec les données de l'évaluation précédente, au besoin.

- Signalez au médecin les données qui ne correspondent pas aux observations courantes.

LES ÂGES DE LA VIE

Examen physique du nez et des sinus

NOURRISSONS

- Il n'est habituellement pas nécessaire d'utiliser un spéculum pour examiner la cloison, les cornets et le vestibule des nourrissons. Au lieu d'utiliser un spéculum, poussez doucement le bout du nez vers le haut avec le pouce et éclairez l'intérieur des narines.

ENFANTS

- Il n'est habituellement pas nécessaire d'utiliser un spéculum pour examiner la cloison, les cornets et le vestibule des enfants. L'instrument pourrait même effrayer l'enfant. Au lieu d'utiliser un spéculum, poussez doucement le bout du nez vers le haut avec le pouce et éclairez l'intérieur des narines.

- Les sinus ethmoïdaux se développent jusqu'à l'âge de six ans. Les problèmes de sinus chez les enfants de moins de six ans sont rares.

PERSONNES ÂGÉES

- Le sens de l'odorat diminue considérablement à cause de la diminution du nombre de fibres nerveuses olfactives et de l'atrophie des fibres restantes. Les personnes âgées ont plus de difficulté à reconnaître et à distinguer les odeurs.

- L'hypertension ou d'autres altérations des artères peuvent causer des saignements de nez.

Bouche et oropharynx

La bouche et l'oropharynx se composent de plusieurs structures : les lèvres, la muqueuse buccale, la langue et le plancher buccal, les dents et les gencives, le palais mou et le palais dur, l'uvule palatine, les glandes salivaires et les amygdales. La figure 34-36 ■ montre les structures anatomiques de la bouche.

Vers l'âge de 25 ans, la plupart des gens ont leurs dents permanentes. Pour plus de détails sur la structure des dents, voir le chapitre 37 ⬁.

Normalement, trois paires de glandes salivaires débouchent dans la cavité orale : la parotide, la submandibulaire et la sublinguale. La *glande parotide* est la plus grosse et elle se vide dans le conduit parotidien situé en face de la seconde molaire. La *glande submandibulaire* se vide dans le conduit submandibulaire, situé à côté du frein de la langue sur le plancher buccal. La *glande sublinguale* se trouve dans le plancher buccal et comporte plusieurs ouvertures.

Les **caries** dentaires et la **parodontite** sont les deux affections dentaires les plus répandues. Les deux sont habituelle-

ment associées aux dépôts de plaque et de tartre. La **plaque dentaire** est un film invisible qui adhère à l'émail de la dent ; elle renferme des bactéries, de la salive ainsi que des morceaux de cellules épithéliales et de leucocytes. Lorsque la plaque dentaire n'est pas enlevée, elle se transforme en tartre dentaire. Le **tartre dentaire** est un dépôt dur et visible de plaque et de bactéries mortes qui adhère au collet des dents. L'accumulation de tartre peut altérer les fibres qui fixent les dents aux gencives et, à la longue, altérer le tissu osseux. La parodontite se caractérise par la **gingivite** (gencives rouges et enflées), les saignements, le déchaussement des dents et la formation de petites poches entre les dents et les gencives. À un stade avancé de l'affection, les dents sont mobiles et du pus s'écoule lorsqu'on exerce une pression sur les gencives.

Parmi les autres affections possibles, mentionnons la **glossite** (inflammation de la langue), la stomatite (inflammation de la muqueuse orale) et la **parotidite** (inflammation de la glande parotide).

Le procédé 34-9 explique comment faire l'examen de la bouche et de l'oropharynx.

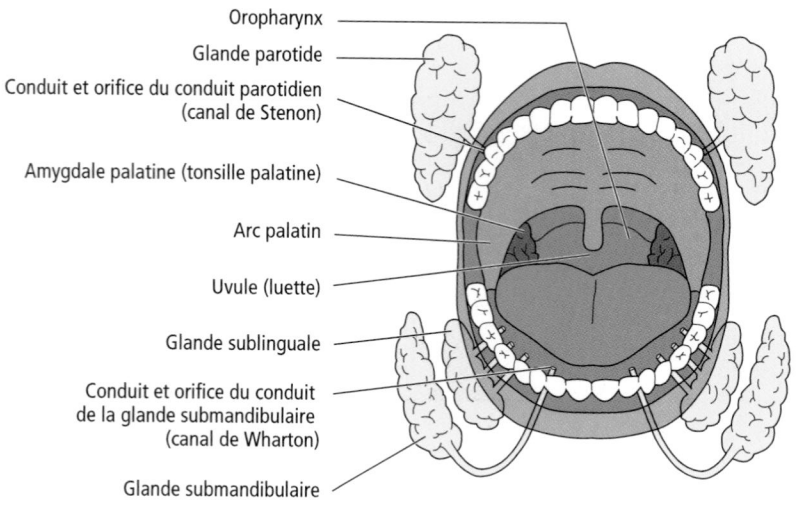

FIGURE **34-36** ■ Structures anatomiques de la bouche.

PROCÉDÉ 34-9

Examen physique de la bouche et de l'oropharynx

PLANIFICATION

Si possible, aidez la personne à s'asseoir la tête appuyée contre une surface ferme, telles la tête de lit ou la table d'examen. Il sera ainsi plus facile pour la personne de ne pas bouger la tête.

Matériel
- Gants d'examen
- Abaisse-langue
- Compresses de gaze de 5 cm × 5 cm
- Lampe de poche ou crayon lumineux

INTERVENTION

Exécution

1. Expliquez à la personne ce que vous allez faire, pourquoi vous allez le faire et comment elle peut coopérer. Expliquez-lui aussi que les résultats serviront à planifier les soins ou les traitements.

2. Lavez-vous les mains et observez les autres mesures de prévention des infections.

3. Assurez-vous que l'intimité de la personne est préservée.

4. Demandez à la personne de vous informer de ses antécédents : hygiène buccodentaire, dernière visite chez le dentiste ; date d'apparition des lésions ou des ulcères, le cas échéant ; malaises liés à une prothèse dentaire ; traitement médicamenteux en cours.

5. Aidez la personne à s'installer confortablement, en position assise autant que possible.

Examen physique	Observations courantes	Particularités
Lèvres et muqueuse buccale		
6. Inspectez les lèvres *pour évaluer la symétrie de leur contour, leur couleur et leur texture.* Demandez à la personne de pincer les lèvres comme pour siffler.	Couleur rose uniforme (un peu plus foncée, c'est-à-dire légèrement bleutée, chez les personnes d'origine méditerranéenne ou à la peau foncée).	Pâleur ; cyanose.
	Texture lisse et humide.	Phlyctènes ; œdème généralisé ou localisé ; fissures, croûtes ou squames (peuvent provenir d'un excès d'humidité, d'une carence nutritionnelle ou d'un déficit liquidien).
	Contours symétriques.	
	Capacité de pincer les lèvres.	Incapacité de pincer les lèvres (peut indiquer une lésion du nerf facial).
7. Inspectez et palpez l'intérieur des lèvres et la muqueuse buccale *pour en évaluer la couleur, l'humidité et la texture.* Vérifiez s'il y a des lésions (voir l'encadré 34-17).	Couleur rose uniforme (pigmentation tachetée brune chez les personnes à la peau foncée).	Pâleur ; plaques blanches (leucoplasie).
		Sécheresse excessive.
	Texture lisse, douce, brillante et élastique (muqueuse buccale plus sèche chez les personnes âgées à cause d'une diminution de la salivation).	Kystes muqueux ; irritations dues aux prothèses ; abrasions ; ulcérations ; nodules.
Dents et gencives		
8. Inspectez les dents et les gencives pendant l'examen de l'intérieur des lèvres et de la muqueuse buccale (voir l'encadré 34-17).	32 dents permanentes.	Dents manquantes ; prothèses mal ajustées.
	Émail lisse, blanc et brillant.	Dyschromies brunes ou noires de l'émail (taches ou présence de caries).
	Gencives roses (taches bleutées ou foncées chez les personnes à la peau foncée).	Gencives très rouges.
	Gencives humides et fermes.	Texture spongieuse des gencives ; saignement ; sensibilité (peut indiquer une parodontite)
	Aucune récession gingivale.	Récession et atrophie gingivales ; œdème qui couvre partiellement les dents.
9. Inspectez les prothèses. Demandez à la personne d'enlever toutes ses prothèses dentaires. Inspectez leur état ; prenez en note les parties brisées ou usées, le cas échéant.	Prothèses lisses et intactes.	Prothèses mal ajustées ; irritation et excoriation sous les prothèses.

PROCÉDÉ 34-9 (SUITE)

Examen physique de la bouche et de l'oropharynx (suite)

INTERVENTION (suite)

Inspection et palpation des lèvres, des muqueuses, des dents et des gencives

INTÉRIEUR DES LÈVRES ET DENTS ANTÉRIEURES

- Enfilez des gants d'examen.
- Demandez à la personne de relâcher les muscles de sa bouche. Pour faciliter l'examen, tirez la lèvre de la personne vers l'extérieur.
- Saisissez la lèvre de chaque côté entre le pouce et l'index (figure 34-37 ■).
- Palpez les lésions pour évaluer leur taille, leur sensibilité et leur consistance.
- Inspectez les dents et les gencives antérieures.

MUQUEUSE BUCCALE ET DENTS POSTÉRIEURES

- Demandez à la personne d'ouvrir la bouche. Avec un abaisse-langue, écartez la joue (figure 34-38 ■). Examinez la muqueuse buccale de haut en bas et de l'arrière vers l'avant. Une lampe de poche ou un crayon lumineux peut vous aider à mieux y voir. Refaites la même chose, mais de l'autre côté de la bouche.
- Demandez à la personne d'ouvrir la bouche de nouveau. En utilisant un crayon lumineux pour mieux voir, passez un doigt sur l'intérieur de la joue. Un autre doigt peut suivre sur l'extérieur de la joue.
- Examinez les dents postérieures. Afin de mieux voir les molaires, utilisez les index des deux mains pour écarter la joue (figure 34-39 ■). Demandez à la personne de relâcher les lèvres, de fermer puis d'ouvrir les mâchoires. La fermeture des mâchoires permet d'observer l'alignement des dents et la perte de dents, tandis que l'ouverture des mâchoires permet d'observer les obturations et les caries. Notez le nombre de dents, leur couleur, l'état des obturations, les caries dentaires et le tartre au collet des dents.

Notez la présence et l'ajustement des prothèses partielles ou complètes.

GENCIVES

- Inspectez les gencives autour des molaires. Notez-en la couleur; vérifiez s'il y a des saignements, un déchaussement (décollement de la gencive sur la dent), un œdème ou des lésions.
- Évaluez la texture des gencives en appuyant légèrement dessus avec l'abaisse-langue.

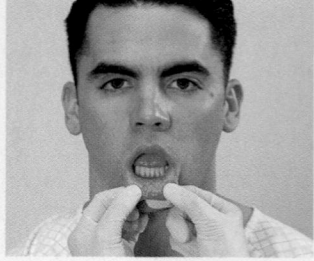

FIGURE 34-37 ■ Inspection de la muqueuse de la lèvre inférieure.

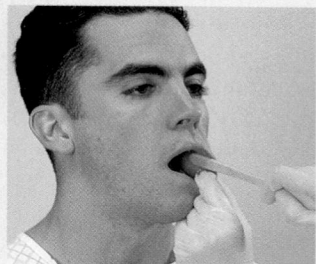

FIGURE 34-38 ■ Inspection de la muqueuse buccale avec un abaisse-langue.

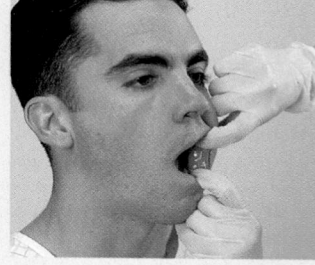

FIGURE 34-39 ■ Inspection des dents postérieures.

Examen physique	Observations courantes	Particularités
10. Inspectez la surface de la langue *pour en évaluer la position, la couleur et la texture.*	Position centrale.	Position déviée par rapport au centre (peut indiquer une lésion du nerf hypoglosse [crânien XII]); tremblement excessif.
	Couleur rose (pigmentation brunâtre sur les bords de la langue chez les personnes à la peau foncée); humide; légèrement rugueuse; mince enduit blanchâtre.	Langue rouge et lisse (peut indiquer une carence en fer, en vitamine B_{12} ou en vitamine B_3).
	Bords latéraux lisses; aucune lésion.	Langue pâteuse, sèche (associée à une déshydratation).
	Papilles saillantes.	Nodules, ulcérations, dyschromies (taches blanches ou rouges); zones sensibles.

INTERVENTION (suite)

Examen physique	Observations courantes	Particularités

Examen physique

Langue et plancher de la bouche

11. Inspectez le mouvement de la langue. Demandez à la personne de rouler la langue vers le haut et de la bouger d'un côté à l'autre.

12. Inspectez la base de la langue, le plancher de la bouche et le frein. Demandez à la personne de placer le bout de sa langue contre le plafond de sa bouche.

13. Palpez la langue et le plancher de la bouche à la recherche de nodules ou d'excoriations. Pour palper la langue, saisissez-en le bout avec un morceau de compresse de gaze (pour la stabiliser) et, avec l'index de l'autre main, palpez le dos de la langue, ses bords et sa base (figure 34-40 ■).

Pour évaluer la fonction des nerfs glossopharyngien et hypoglosse, voir l'évaluation neurologique plus loin dans ce chapitre (tableau 34-11).

Observations courantes

La langue bouge librement ; aucune sensibilité.

Base lisse avec veines proéminentes.

Langue et plancher buccal lisses, sans nodules perceptibles à la palpation.

Particularités

Mobilité réduite.

Œdème, ulcération.

Œdème, nodules.

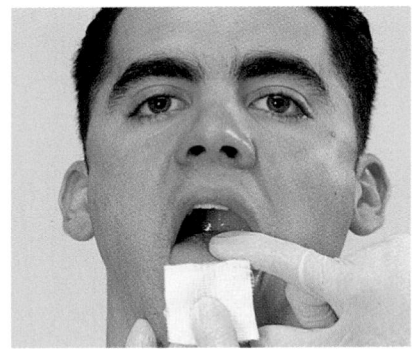

FIGURE **34-40** ■ Palpation de la langue.

Glandes salivaires

14. Inspectez les ouvertures des canaux salivaires pour voir s'il y a un œdème ou une rougeur (voir la figure 34-36).

Même couleur que la muqueuse buccale et le plancher buccal.

Inflammation (rougeur et œdème).

Palais et uvule

15. Inspectez le palais dur et le palais mou *pour en évaluer la couleur, la forme et la texture, et pour rechercher la présence de saillies osseuses.* Demandez à la personne d'ouvrir grande la bouche et de pencher la tête vers l'arrière. Ensuite, appuyez sur le tiers moyen de la langue avec un abaisse-langue et éclairez la bouche avec un crayon lumineux pour bien voir à l'intérieur.

Palais mou : lisse et de couleur rose clair.

Palais dur : rose plus clair et texture plus rugueuse que le palais mou.

Dyschromie (ictère ou pâleur).

Palais dur et mou de la même couleur.

Irritations.

Végétations osseuses (exostoses) dans le palais dur.

16. Inspectez l'uvule (luette) pour en évaluer la position et la mobilité tout en examinant les palais. Pour observer l'uvule, demandez à la personne de dire « Ah » afin que le palais mou se soulève.

Uvule située au milieu du palais mou.

Déviation latérale à cause d'une tumeur ou d'un traumatisme ; immobilité (peut indiquer une lésion du nerf trijumeau [crânien V] ou du nerf vague [crânien X]).

PROCÉDÉ 34-9 (SUITE)

Examen physique de la bouche et de l'oropharynx (suite)

INTERVENTION (suite)

Examen physique	Observations courantes	Particularités
Oropharynx et amygdales		
17. Inspectez l'oropharynx *pour en évaluer la couleur et la mobilité.* Inspectez un côté à la fois pour éviter de déclencher le réflexe nauséeux. Pour exposer un côté de l'oropharynx, appuyez sur ce côté de la langue avec un abaisse-langue, au tiers moyen de la langue, tandis que la personne penche la tête vers l'arrière et ouvre grande la bouche. Utilisez un crayon lumineux pour éclairer la bouche au besoin.	Paroi postérieure rose et lisse.	Rougeur ou œdème ; présence de lésions, de plaques ou d'un écoulement.
18. Inspectez les amygdales (entre les piliers) *pour en évaluer la couleur et la grosseur, et pour vérifier s'il y a un écoulement.*	Amygdales roses et lisses. Aucun écoulement. Amygdales de taille normale (voir l'encadré 34-18 pour une échelle de grandeur permettant de décrire la taille des amygdales) ou non visibles.	Inflammation. Présence d'écoulement. Œdème.

ENCADRÉ 34-18

Échelle d'évaluation du volume des amygdales

- *Stade 1 (normal) :* Les amygdales se trouvent derrière les piliers amygdaliens (les structures molles supportant le palais mou).
- *Stade 2 :* Les amygdales se trouvent entre les piliers et l'uvule.
- *Stade 3 :* Les amygdales touchent l'uvule.
- *Stade 4 :* Une des amygdales ou les deux touchent la ligne médiane de l'oropharynx.

Examen physique	Observations courantes	Particularités
19. Déclenchez le réflexe nauséeux en appuyant sur le tiers postérieur de la langue avec un abaisse-langue.	Réflexe présent.	Réflexe absent (peut indiquer un problème touchant le nerf glossopharyngien [nerf crânien IX] ou le nerf vague [nerf crânien X]).
20. Notez les données au dossier de la personne, en utilisant des formulaires ou des listes de vérification enrichies de notes explicatives au besoin.		

ÉVALUATION

- Effectuez les examens de suivi nécessaires de la fonction neurologique et des autres fonctions, selon les résultats qui ne correspondent pas aux observations courantes ou qui ne sont pas compatibles avec les résultats attendus pour la personne. Mettez les résultats en rapport avec les données de l'évaluation précédente, au besoin.
- Signalez au médecin les résultats qui ne correspondent pas aux observations courantes.

SOINS À DOMICILE

Examen physique de la bouche et de l'oropharynx

- Bien que certaines personnes soient réticentes à parler de leurs habitudes d'hygiène personnelle, profitez de cette évaluation pour enseigner à toute la famille les soins buccodentaires adéquats. Conseillez aux personnes qui en ont besoin de consulter un dentiste.

LES ÂGES DE LA VIE

Examen physique de la bouche et de l'oropharynx

NOURRISSONS

- Inspectez le palais pour vous assurer que le bébé n'a pas une fente palatine.

ENFANTS

- Le développement des dents de l'enfant doit correspondre à celui de son âge.
- Les taches blanches sur les dents peuvent indiquer une ingestion excessive de fluor.
- Il arrive souvent que les bébés bavent beaucoup, jusqu'à l'âge de un à deux ans.
- Les amygdales sont normalement plus grosses chez les enfants que chez les adultes, et elles s'étendent souvent au-delà des piliers du palais jusqu'à l'âge de 11 ou 12 ans.

PERSONNES ÂGÉES

- La muqueuse buccale est parfois plus sèche que chez la personne plus jeune, en raison de l'activité réduite des glandes salivaires. Une diminution importante de la salivation touche seulement les personnes âgées qui prennent certains médicaments d'ordonnance (par exemple, antidépresseurs, antihistaminiques, décongestionnants, diurétiques, antihypertenseurs, tranquillisants, antispasmodiques, antinéoplasiques). La sécheresse peut également être liée à la déshydratation.
- Une certaine récession gingivale (déchaussement des dents) est parfois observable, ce qui donne l'impression que les dents de la personne sont plus grandes.
- Les gencives peuvent avoir une pigmentation brunâtre, surtout chez les Noirs.
- Le sens du goût s'émousse, en commençant par le sucré et le salé. Certaines personnes âgées ajoutent plus de sel ou de sucre qu'avant à leurs aliments. Cette altération du goût est due à l'atrophie des papilles gustatives et à une diminution de l'odorat. Elle indique une diminution des fonctions des nerfs crâniens V et VII.
- On remarque fréquemment des veines gonflées et tortueuses (varices), qui ne sont source d'aucun problème chez la personne âgée.
- On peut aussi remarquer des taches, des érosions, des dents ébréchées et des abrasions causées par la perte de dentine.
- La perte de dents est courante à la suite d'une affection dentaire, mais on peut l'éviter par une bonne hygiène buccodentaire.
- Le réflexe nauséeux est parfois lent.
- Les personnes âgées confinées à domicile ou dans un centre d'hébergement et de soins de longue durée ont souvent des dents ou des prothèses endommagées, car leur situation ne leur permet pas d'obtenir facilement des soins dentaires. Faites un examen approfondi des dents manquantes et de celles nécessitant des réparations, qu'il s'agisse de dents naturelles ou de prothèses.

Cou

L'examen du cou comprend l'évaluation des muscles, des ganglions lymphatiques, de la trachée, de la glande thyroïde, des artères carotides et des veines jugulaires. On détermine les parties du cou par les muscles sternocléidomastoïdiens qui divisent chaque côté du cou en deux triangles: le triangle antérieur et le triangle postérieur (figure 34-41 ■). Le triangle antérieur comprend la trachée, la glande thyroïde, les ganglions cervicaux antérieurs et l'artère carotide (figure 34-42 ■); la carotide longe la partie avant du muscle sternocléidomastoïdien. Le triangle postérieur renferme les ganglions lymphatiques postérieurs (figure 34-43 ■).

Chaque muscle sternocléidomastoïdien commence au haut du sternum et du tiers médial de la clavicule, et se termine au processus mastoïde de l'os temporal situé derrière l'oreille. Les sternocléidomastoïdiens font tourner et fléchir latéralement la tête. Chaque muscle trapèze commence sur l'occiput du crâne et se termine au tiers latéral de la clavicule. Ces muscles permettent de faire bouger la tête sur le côté et l'arrière, de soulever le menton et de hausser les épaules.

Les ganglions lymphatiques cervicaux qui recueillent la lymphe de la tête et des structures du cou sont regroupés en *chaînes* (voir la figure 34-43 et le tableau 34-6). La chaîne cervicale profonde n'est pas illustrée dans la figure 34-43, car elle se trouve sous le muscle sternocléidomastoïdien.

Le procédé 34-10 explique comment faire l'examen du cou.

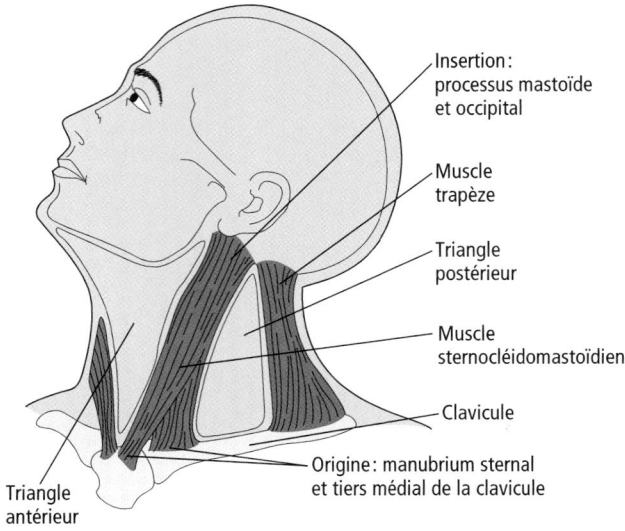

FIGURE **34-41** ■ Principaux muscles du cou.

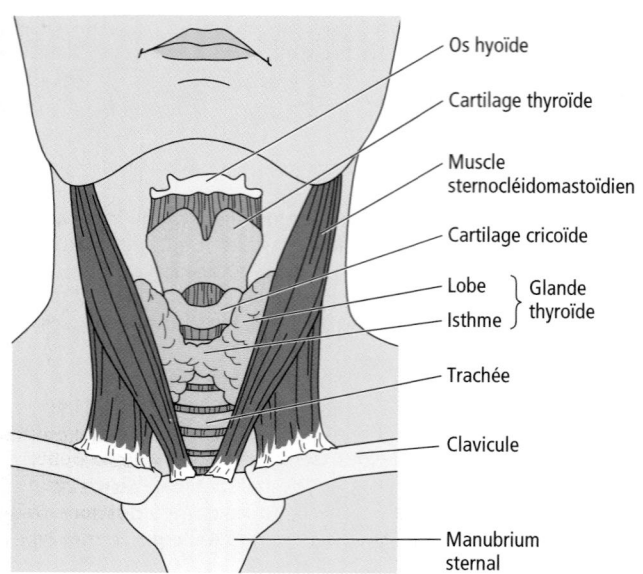

FIGURE **34-42** ■ Structures du cou.

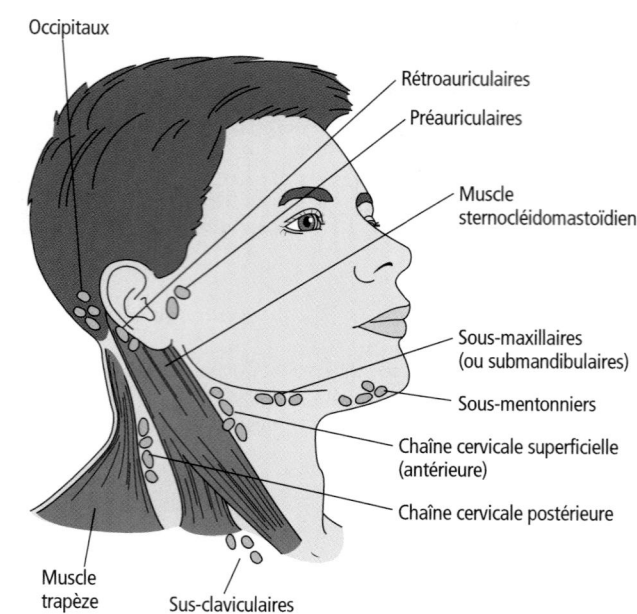

FIGURE **34-43** ■ Ganglions lymphatiques du cou.

TABLEAU
34-6

Ganglions lymphatiques de la tête et du cou

Chaînes	Emplacement	Région drainée
Tête		
Occipitaux	À la base du crâne sur la nuque	Région occipitale du cuir chevelu et structures profondes de la nuque
Rétroauriculaires	Derrière le pavillon de l'oreille et devant le processus mastoïde	Région pariétale de la tête et une partie de l'oreille
Préauriculaires	Devant le tragus de l'oreille	Front et haut du visage
Plancher buccal		
Sous-maxillaires (ou submandibulaires)	Le long du bord médian de la mâchoire inférieure, à la moitié d'une droite allant de l'angle de la mâchoire au menton	Menton, lèvre supérieure, joue, nez, dents, paupières, une partie de la langue et du plancher buccal
Sous-mentonniers	Derrière le bout de la mandibule, sur la ligne médiane, sous le menton	Tiers antérieur de la langue, des gencives et du plancher buccal
Cou		
Chaîne cervicale superficielle (antérieure)	Le long de la partie antérieure du muscle sternocléidomastoïdien	Peau et cou
Chaîne cervicale postérieure	Le long de la face antérieure du muscle trapèze	Régions postérieure et latérale du cou, occiput et mastoïde
Chaîne cervicale profonde	Sous le muscle sternocléidomastoïdien	Larynx, glande thyroïde, trachée et partie supérieure de l'œsophage
Sus-claviculaires	Au-dessus de la clavicule, dans l'angle entre la clavicule et le muscle sternocléidomastoïdien	Régions latérales du cou et poumons

PROCÉDÉ 34-10

Examen physique du cou

PLANIFICATION

Matériel

Aucun

INTERVENTION

Exécution

1. Expliquez à la personne ce que vous allez faire, pourquoi vous allez le faire et comment elle peut coopérer. Expliquez-lui aussi que les résultats serviront à planifier les soins ou les traitements.

2. Lavez-vous les mains et observez les autres mesures de prévention des infections.

3. Assurez-vous que l'intimité de la personne est préservée.

4. Demandez à la personne de vous informer de ses antécédents : problèmes de masses au cou ; douleur ou raideur cervicale ; date à laquelle les masses sont apparues et manière dont elles sont apparues ; diagnostics antérieurs de problèmes de la thyroïde ; autres traitements en cours (par exemple, chirurgie, radiation).

Examen physique	Observations courantes	Particularités
Muscles du cou		
5. Inspectez les muscles du cou (sterno-cléidomastoïdien et trapèze) *pour vérifier la présence d'anomalies ou de masses.* Demandez à la personne de garder la tête droite.	Muscles de même taille ; tête centrée.	Œdème unilatéral du cou ; tête penchée d'un côté (indique la présence d'une masse, une lésion, une faiblesse musculaire, un raccourcissement du sternocléidomastoïdien, des cicatrices).
6. Observez le mouvement de la tête. Demandez à la personne d'effectuer les mouvements suivants :	Mouvements coordonnés et sans à-coups ni douleur.	Tremblement, spasme ou raideur musculaire.
• Mettre le menton sur la poitrine *(permet de vérifier la fonction du sternocléidomastoïdien).*	Flexion de la tête à 45°.	Amplitude articulaire réduite ; mouvements douloureux ; mouvements involontaires (par exemple, hochement de la tête lié à la maladie de Parkinson).
• Pencher la tête vers l'arrière de façon à ce que le menton pointe vers le haut *(permet de vérifier la fonction du muscle trapèze).*	Hyperextension à 60°.	Hyperextension inférieure à 60°.
• Déplacer la tête de façon à ce que l'oreille s'approche de l'épaule de chaque côté *(permet de vérifier la fonction du muscle sternocléidomastoïdien).*	Flexion latérale de la tête à 40°.	Flexion latérale inférieure à 40°.
• Tourner la tête vers la droite et vers la gauche *(permet de vérifier la fonction du muscle sternocléidomastoïdien).*	Rotation latérale de la tête à 70°.	Rotation latérale inférieure à 70°.
7. Évaluez la force musculaire.		
• Demandez à la personne de tourner la tête vers la droite alors que votre main oppose une résistance à ce mouvement. Faites refaire le même mouvement vers la gauche *(permet de vérifier la force du sternocléidomastoïdien).*	Force égale des deux côtés.	Force inégale.
• Demandez à la personne de hausser les épaules alors que vos mains opposent une résistance à ce mouvement *(permet de vérifier la force des trapèzes).*	Force égale des deux côtés.	Force inégale.

PROCÉDÉ 34-10 (SUITE)

Examen physique du cou (cou)

INTERVENTION (suite)

Examen physique	Observations courantes	Particularités
Ganglions lymphatiques 8. Palpez tout le cou à la recherche de ganglions lymphatiques; suivez les lignes directrices indiquées dans l'encadré 34-19.	Ganglions non perceptibles à la palpation, ou très petits (moins de 1 cm) et mobiles.	Ganglions œdémateux, palpables, parfois douloureux (liés à une infection) ou fixes (liés à une tumeur).

ENCADRÉ 34-19

Palpation des ganglions lymphatiques du cou

- Placez-vous devant la personne et faites-lui pencher la tête légèrement vers l'avant ou vers le côté examiné pour détendre les tissus mous et les muscles.
- Palpez les ganglions avec la pulpe des doigts. Décrivez un mouvement circulaire léger avec le bout des doigts.
- Pour examiner les ganglions sous-mentonniers et sous-maxillaires (submandibulaires), placez le bout des doigts sous la mandibule du côté le plus proche de la main qui palpe, puis tirez doucement la peau et le tissu sous-cutané latéralement sur la mandibule pour que le tissu roule sur les nœuds.
- Pour palper les ganglions sus-claviculaires, demandez à la personne de pencher la tête vers l'avant pour relâcher les tissus de la partie antérieure du cou et détendre les épaules afin que les clavicules descendent. Placez-vous face à la personne et utilisez la main du côté examiné (par exemple, la main gauche pour les ganglions droits de la personne). Utilisez la main libre pour faire pencher la tête de la personne au besoin. Posez l'index et le majeur sur la clavicule à côté du sternocléidomastoïdien (figure 34-44 ■).
- Pour palper les ganglions cervicaux antérieurs et postérieurs, déplacez le bout des doigts lentement, en décrivant un mouvement circulaire, sur les muscles sternocléidomastoïdien et trapèze respectivement.
- Pour palper les ganglions cervicaux profonds, refermez les doigts autour du muscle sternocléidomastoïdien.

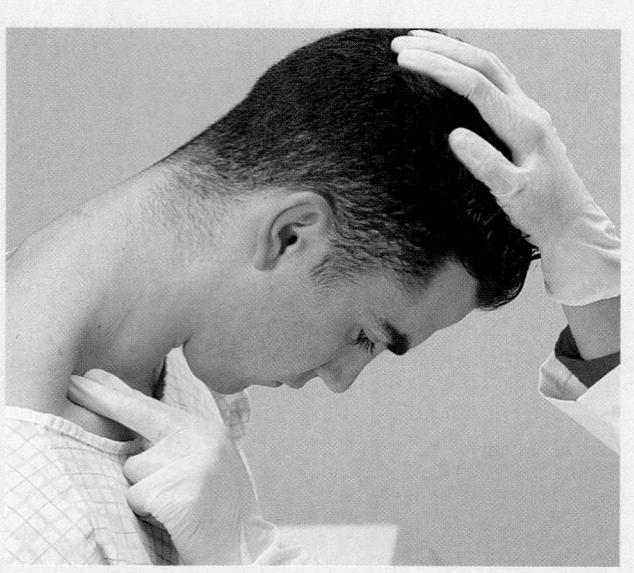

FIGURE 34-44 ■ Palpation des ganglions lymphatiques sus-claviculaires.

Trachée 9. Palpez la trachée pour rechercher une déviation latérale. Placez le bout d'un doigt ou du pouce sur la trachée, dans la fourchette sternale (voir la figure 34-42, plus haut), puis déplacez le doigt latéralement à gauche et à droite dans les espaces bordés par la clavicule, la face antérieure du muscle sterno-cléidomastoïdien et la trachée.	Ligne médiane du cou centrale; espaces égaux des deux côtés.	Déviation vers un côté, pouvant indiquer une tumeur cervicale; hypertrophie thyroïdienne; œdème des ganglions lymphatiques.
Glande thyroïde 10. Inspectez la glande thyroïde. • Placez-vous devant la personne. • Observez la moitié inférieure du cou au-dessus de la glande thyroïde *pour vérifier la symétrie et les masses visibles.*	Glande non visible à l'inspection.	Glande volumineuse ou œdème localisé.

Examen physique

- Demandez à la personne de placer la tête légèrement vers l'arrière et d'avaler. Au besoin, donnez-lui un verre d'eau pour faciliter la déglutition. *Celle-ci permet de vérifier comment la thyroïde et le cartilage cricoïde bougent, et si la déglutition fait saillir la glande.*

11. Palpez la glande thyroïde *pour vérifier si elle est lisse.* Recherchez les œdèmes, les masses ou les nodules. L'encadré 34-20 montre les méthodes de palpation.

Observations courantes

La glande monte durant la déglutition mais n'est pas visible.

Les lobes ne sont pas toujours perceptibles à la palpation.

Lorsqu'on les palpe, les lobes sont petits, lisses, en position médiane, indolores, et ils se soulèvent librement à la déglutition.

Particularités

La glande ne se déplace pas lors de la déglutition.

Nodules solitaires.

ENCADRÉ
Palpation de la glande thyroïde
34-20

Placez-vous devant ou derrière la personne, et demandez-lui de baisser légèrement le menton. L'abaissement du menton fait se relâcher les muscles du cou et facilite la palpation.

MÉTHODE DERRIÈRE LA PERSONNE
- Placez vos mains autour du cou de la personne et le bout de vos doigts sur la moitié inférieure du cou, à la hauteur de la trachée (figure 34-45 ■).
- Demandez à la personne d'avaler (donnez-lui une gorgée d'eau au besoin) et vérifiez si l'isthme de la thyroïde est élargi lorsqu'il monte. L'isthme se trouve de l'autre côté de la trachée, sous le cartilage cricoïde (voir la figure 34-42 plus haut).
- Pour examiner le lobe droit de la glande thyroïde, demandez à la personne de baisser le menton légèrement et de tourner un peu la tête vers la droite (le côté examiné).

- Avec les doigts de la main gauche, déplacez la trachée légèrement vers la droite.
- Refaites chaque étape, mais en inversant les côtés, pour examiner le lobe gauche de la glande thyroïde.

MÉTHODE DEVANT LA PERSONNE
- Placez le bout de l'index et celui du majeur sur la trachée, et palpez l'isthme de la thyroïde pendant que la personne déglutit.
- Pour examiner le lobe droit de la thyroïde, demandez à la personne de baisser le menton légèrement et de tourner un peu la tête vers la droite. Avec les doigts de la main droite, déplacez la trachée légèrement vers la droite de la personne (à votre gauche). Avec les doigts de la main gauche, palpez le lobe droit de la thyroïde (figure 34-46 ■).
- Pour examiner le lobe gauche de la glande thyroïde, refaites les mêmes étapes, mais en inversant les côtés.

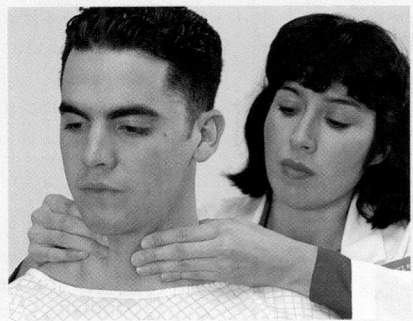

FIGURE 34-45 ■ Placez le bout des doigts sur la trachée pour commencer la palpation de la glande thyroïde (méthode derrière la personne). Avec les doigts de la main droite, palpez le lobe droit de la glande thyroïde. Demandez à la personne d'avaler pendant la palpation.

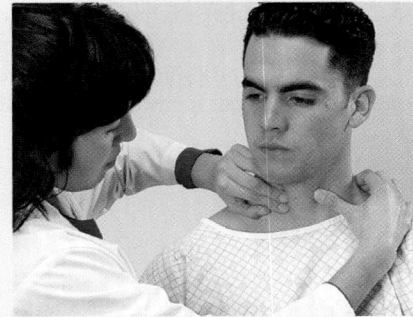

FIGURE 34-46 ■ Palpation de la glande thyroïde (méthode devant la personne).

12. Si la glande semble volumineuse, auscultez la région thyroïdienne à la recherche d'un bruit (bruit évoquant un débit sanguin turbulent). Utilisez la cupule du stéthoscope (la membrane en forme de cloche).

Absence de bruit.

Présence d'un bruit.

PROCÉDÉ 34-10 (SUITE)

Examen physique du cou (suite)

INTERVENTION (suite)

13. Notez les données au dossier de la personne, en utilisant des formulaires ou des listes de vérification enrichies de notes explicatives au besoin.

ÉVALUATION

- Effectuez les examens de suivi nécessaires des autres fonctions, selon les résultats qui ne correspondent pas aux observations courantes ou qui ne sont pas compatibles avec les résultats attendus pour la personne. Mettez les résultats en rapport avec les données de l'évaluation précédente, au besoin.

- Signalez au médecin les données qui ne correspondent pas aux observations courantes.

LES ÂGES DE LA VIE

Examen physique du cou

NOURRISSONS ET ENFANTS

- Examinez le cou pendant que le nourrisson ou l'enfant est étendu sur le dos. Soulevez la tête et tournez-la d'un côté à l'autre pour déterminer la mobilité du cou.
- Le cou d'un nourrisson est normalement court, ce qui rend difficile la palpation de la trachée. Le cou s'allonge vers l'âge de trois ans.

Thorax et poumons

Il est souvent essentiel d'effectuer l'examen physique du thorax et des poumons pour évaluer la ventilation de la personne. L'altération de la fonction respiratoire peut apparaître lentement ou rapidement. Chez les personnes atteintes d'une bronchopneumopathie chronique obstructive (BPCO) telle que la bronchite chronique et l'emphysème, l'altération s'installe plutôt graduellement.

La posture de la personne est importante. Les personnes aux prises avec une BPCO ont parfois tendance à se tenir penchées vers l'avant ou, même, à hausser les bras pour garder leurs clavicules surélevées. Ce faisant, elles essaient de dilater davantage leur cage thoracique afin d'avoir moins d'efforts à faire pour respirer.

Repères anatomiques de la paroi thoracique

Avant de commencer l'examen physique, l'infirmière doit bien connaître les lignes imaginaires qui divisent le thorax afin de pouvoir repérer chaque côte et certains processus épineux. Ces repères anatomiques aident également à localiser les organes sous-jacents (par exemple, les lobes du poumon) et à en noter clairement les particularités. La figure 34-47 ■ montre les lignes antérieures, latérales et postérieures. La ligne médiosternale

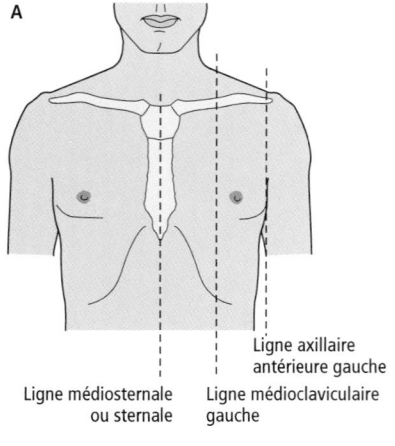
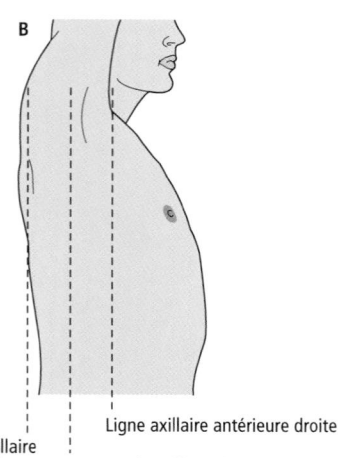
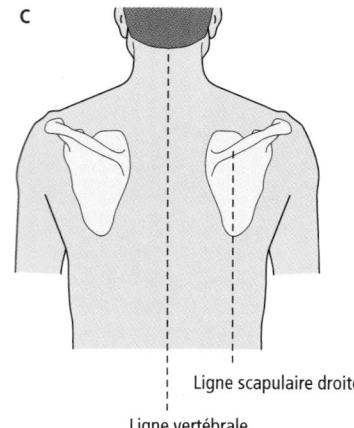

Ligne médiosternale ou sternale
Ligne médioclaviculaire gauche
Ligne axillaire antérieure gauche
Ligne axillaire postérieure droite
Ligne médioaxillaire droite
Ligne axillaire antérieure droite
Ligne scapulaire droite
Ligne vertébrale

FIGURE 34-47 ■ Repères anatomiques de la paroi thoracique : *A*, repères antérieurs du thorax ; *B*, repères latéraux du thorax ; *C*, repères postérieurs du thorax.

(ou ligne sternale) est une ligne verticale qui passe par le centre du sternum. Les lignes médioclaviculaires (droite et gauche) sont des lignes verticales qui partent du milieu des clavicules. Les lignes axillaires antérieures (droite et gauche) sont des lignes verticales qui partent des plis axillaires antérieurs (figure 34-47 ■, *A*). La figure 34-47 ■, *B* montre les trois lignes imaginaires de la face latérale du thorax. Les lignes axillaires postérieures (droite et gauche) sont des lignes verticales qui partent des plis axillaires postérieurs. Les lignes médioaxillaires (droite et gauche) sont des lignes verticales qui partent du creux ou du centre de l'aisselle. La figure 34-47 ■, *C* montre les repères anatomiques de la paroi thoracique postérieure. La ligne vertébrale est une ligne verticale qui longe les vertèbres. Les lignes scapulaires (droite et gauche) sont des lignes verticales qui partent des angles inférieurs des omoplates.

Il est essentiel de savoir repérer chaque côte et certains processus épineux pour localiser les lobes pulmonaires sous-jacents. La figure 34-48 ■, *A* montre une vue antérieure du thorax et des lobes pulmonaires sous-jacents ; la figure 34-48 ■, *B*, une vue postérieure ; et la figure 34-48 ■, *C*, les vues latérales droite et gauche. Chaque poumon est d'abord divisé en lobes supérieur et inférieur par une grande scissure oblique qui com-

mence au processus épineux de la troisième vertèbre thoracique (T3) et qui se termine à la sixième côte de la ligne médioclaviculaire. Le lobe supérieur droit s'abrège en LSD ; le lobe inférieur droit, en LID ; le lobe supérieur gauche, en LSG ; le lobe inférieur gauche, en LIG. Le poumon droit est ensuite divisé par une petite scissure dans le lobe supérieur droit, ce qui crée le lobe moyen droit LMD. De la ligne médioaxillaire droite au niveau de la cinquième côte, cette scissure longe la face antérieure du poumon droit presque horizontalement et va rejoindre la ligne sternale au niveau de la quatrième côte.

Ces repères, c'est-à-dire la troisième vertèbre thoracique (T3) ainsi que les quatrième, cinquième et sixième côtes, sont situés comme suit. L'**angle manubriosternal** (**angle de Louis**), qui se trouve à la jonction du **sternum** et du **manubrium** (la partie supérieure du sternum qui ressemble à une poignée et qui se joint aux clavicules), est le point de départ qui permet de localiser les côtes antérieures. De la fourchette sternale, on palpe le manubrium jusqu'à ce qu'on sente un petit renflement. Ce petit renflement est la jonction entre le manubrium et le corps du sternum d'où s'attache, de chaque côté, la deuxième côte (figure 34-49 ■). On peut alors palper et compter les côtes distales ainsi que les espaces intercostaux à partir de la deuxième

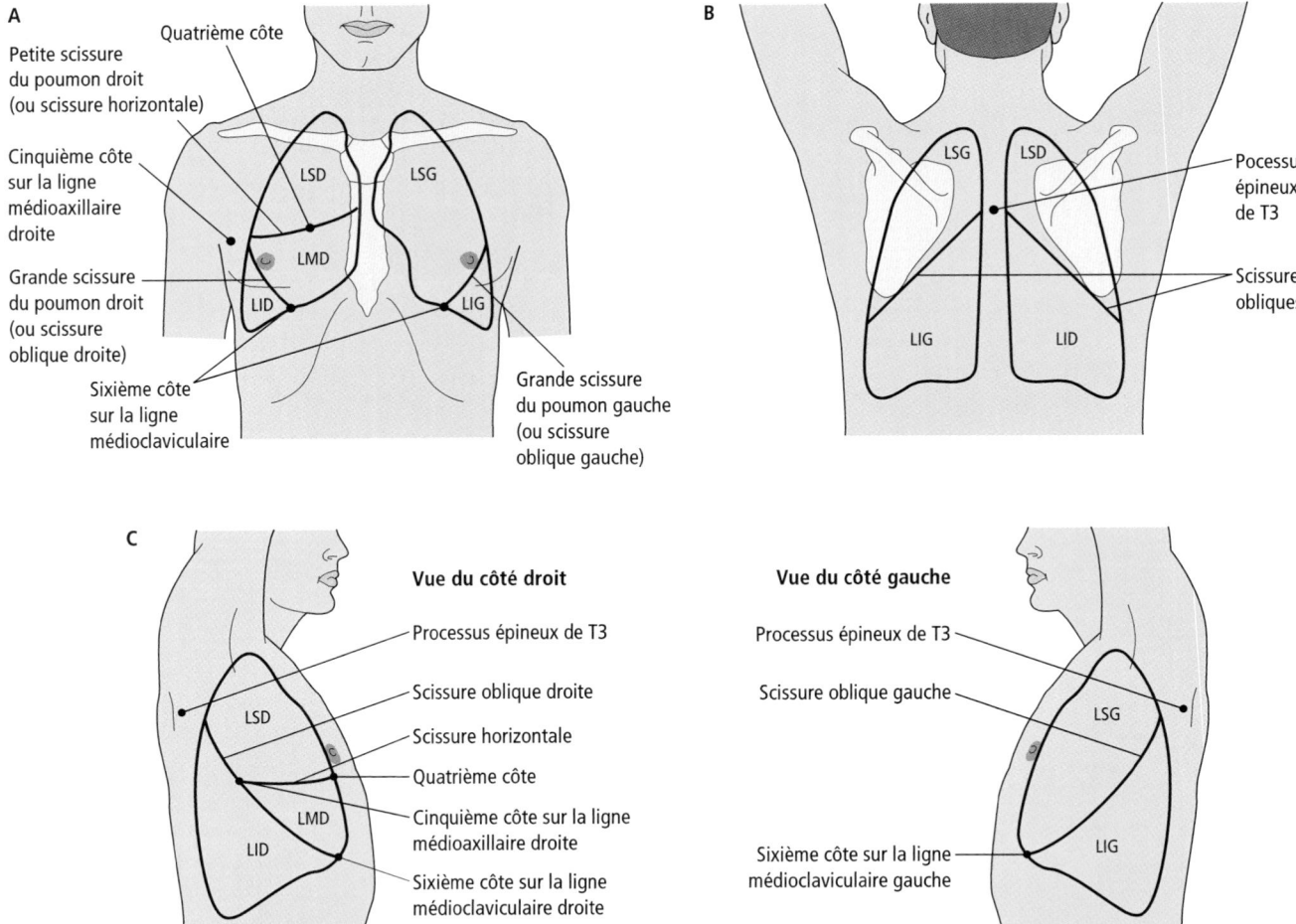

FIGURE **34-48** ■ Repères thoraciques : *A*, repères antérieurs du thorax et lobes pulmonaires sous-jacents ; *B*, repères postérieurs du thorax et lobes pulmonaires sous-jacents ; *C*, repères latéraux du thorax et lobes pulmonaires sous-jacents.

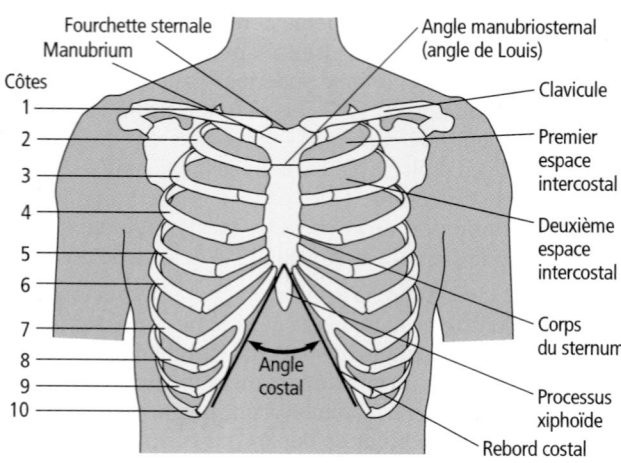

FIGURE 34-49 ■ Situation des côtes antérieures, de l'angle manubriosternal et du sternum.

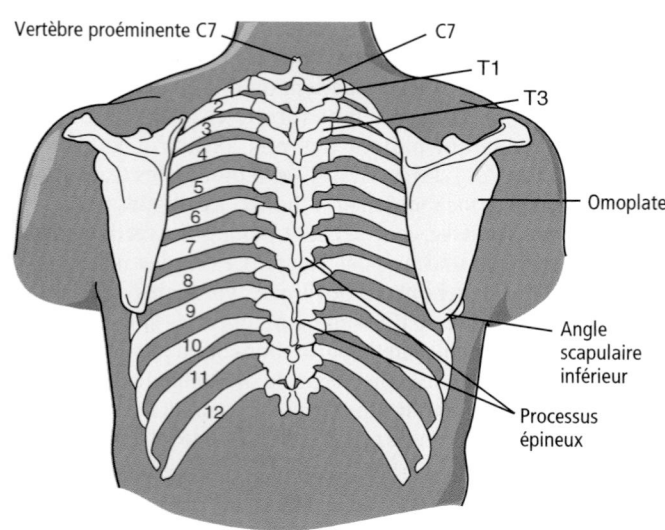

FIGURE 34-50 ■ Situation des côtes postérieures par rapport aux processus épineux.

côte. Il est important de noter que chaque espace intercostal est numéroté selon le rang de la côte située *au-dessus*. Quand elle palpe pour localiser une côte, l'infirmière devrait suivre la ligne médioclaviculaire plutôt que le sternum, car les cartilages des côtes sont très rapprochés les uns des autres au niveau du sternum. Seules les sept premières côtes sont fixées directement au sternum.

Il est plus difficile de compter les côtes sur la face postérieure du thorax que sur sa face antérieure. Pour localiser les lobes pulmonaires sous-jacents, le repère anatomique pour la face postérieure est T3. Pour trouver T3, le point de départ est le processus épineux de la septième vertèbre cervicale (C7), également appelée *vertèbre proéminente* (figure 34-50 ■). Lorsque la personne fléchit le cou vers l'avant, on peut observer et palper un processus proéminent. Il s'agit du processus épineux de la septième vertèbre cervicale. Si on observe deux processus

épineux, celui du haut est C7 et celui du bas est le processus épineux de la première vertèbre thoracique (T1). Ensuite, l'infirmière palpe et compte les processus épineux de C7 à T3. Jusqu'à T4 inclusivement, chaque processus épineux est adjacent à la côte dont le rang correspond ; par exemple, T3 est adjacent à la troisième côte. Après T4, cependant, les processus épineux se projettent obliquement, ce qui fait que le processus épineux de chaque vertèbre se trouve non pas au-dessus de la côte au rang de laquelle il correspond mais au-dessous. Ainsi, le processus épineux de T5 est adjacent à la sixième côte.

Forme et volume du thorax

Chez l'adulte, le thorax est ovale. Son diamètre antéropostérieur est deux fois plus petit que son diamètre transversal (figure 34-51 ■). La forme générale du thorax est elliptique ; cela signifie

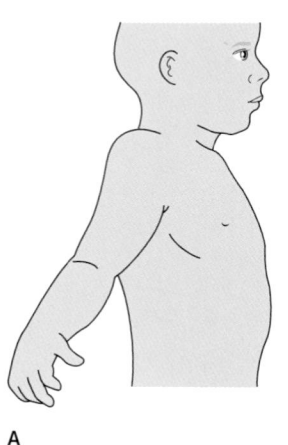
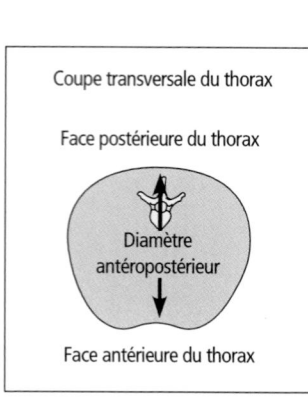
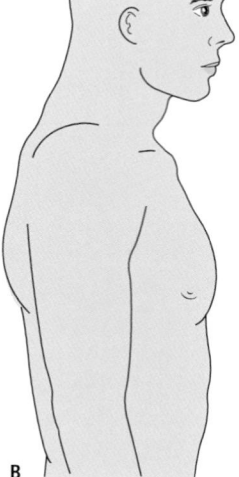
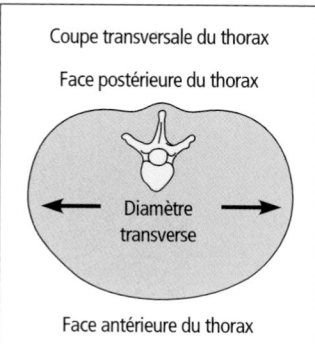

FIGURE 34-51 ■ Configurations du thorax qui montrent le diamètre antéropostérieur et le diamètre transverse : *A*, nourrisson ; *B*, adulte.

que le diamètre de son sommet est plus petit que celui de sa base. Chez l'adulte plus âgé, la cyphose et l'ostéoporose altèrent les diamètres de la cavité thoracique, car les côtes se déplacent vers le bas et l'avant.

Il existe plusieurs déformations du thorax (figure 34-52 ■). Le thorax en carène (*pectus carinatum*), une déformation permanente, peut être causé par le rachitisme. Le thorax en carène se caractérise par une réduction du diamètre transverse, un accroissement du diamètre antéropostérieur et une protrusion du sternum. À l'inverse, le thorax en entonnoir (*pectus excavatum*) est une anomalie congénitale qui se traduit par un enfoncement du sternum et un rétrécissement du diamètre antéropostérieur. Comme le sternum pointe vers l'arrière chez les personnes présentant un thorax en entonnoir, la pression accrue qu'il exerce sur le cœur peut en altérer le fonctionnement. Quant au thorax en tonneau, il s'agit d'une anomalie dans laquelle le ratio du diamètre antéropostérieur au diamètre transverse est de 1 à 1. Le thorax en tonneau touche les personnes atteintes de cyphose dorsale (incurvation convexe excessive de la colonne thoracique) et de BPCO. La scoliose est une déviation latérale de la colonne.

Bruits respiratoires

Le tableau 34-7 décrit les bruits respiratoires normaux. Les bruits respiratoires anormaux sont des bruits respiratoires normaux (par exemple, des bruits bronchiques), mais qu'on perçoit dans une région différente de l'arbre pulmonaire (par exemple, des bruits bronchiques perçus là où l'on devrait plutôt entendre les murmures vésiculaires). Enfin, les **bruits surajoutés** (ou **adventices**) se produisent lorsque l'air passe dans des voies respiratoires rétrécies ou remplies de liquide ou de mucosités, ou lorsque le revêtement de la plèvre est enflammé. Les bruits surajoutés sont des bruits qui se surajoutent aux bruits normaux de la respiration. Le tableau 34-8 décrit les quatre types de bruits surajoutés : les **crépitants**, les ronchi, les sibilants et le frottement pleural. Ce dernier, tout comme le stridor, est un bruit extrapulmonaire. L'absence de bruits respiratoires dans certaines régions pulmonaires est également une donnée significative qu'on peut lier à l'affaissement ou à l'extirpation d'un lobe.

Pour l'examen physique des poumons et du thorax, on recourt aux quatre techniques d'examen : l'inspection, la palpation, la percussion et l'auscultation. Le procédé 34-11 explique comment faire l'examen du thorax et des poumons.

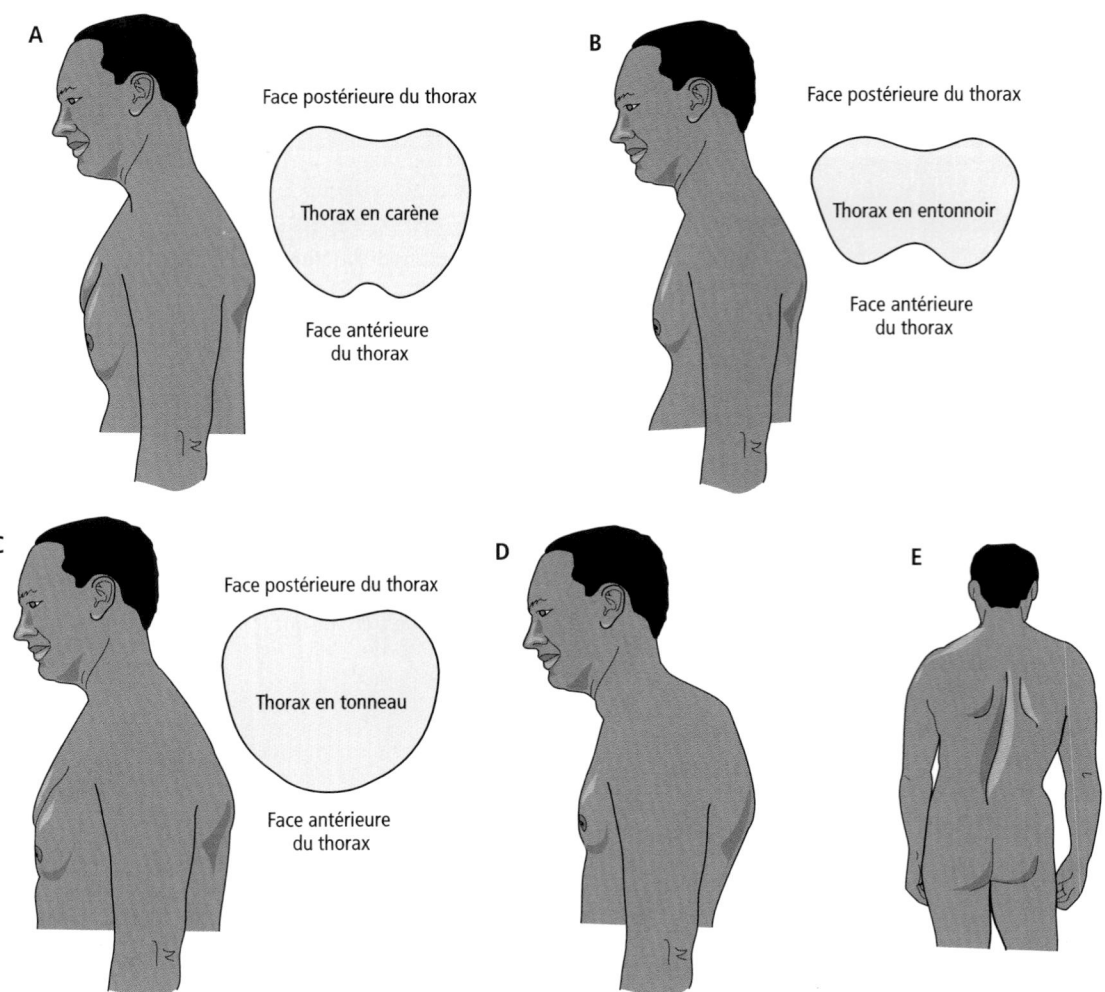

FIGURE **34-52** ■ Déformations du thorax : *A*, thorax en carène ; *B*, thorax en entonnoir ; *C*, thorax en tonneau ; *D*, cyphose ; *E*, scoliose.

TABLEAU
34-7

Bruits respiratoires normaux

Type de bruit	Description	Région	Caractéristiques
Murmures vésiculaires	Sons doux, de tonalité basse et d'intensité faible, ressemblant à des « soupirs légers », produits par le déplacement de l'air dans les conduits aériens les plus étroits (bronchioles et alvéoles).	Perçus au niveau de tous les lobes pulmonaires (à la face antérieure, à la face postérieure et aux faces latérales). Perçus le plus clairement à la base des poumons puisqu'ils sont alors loin des autres bruits respiratoires normaux.	Perceptibles le plus clairement à l'inspiration, qui est environ trois fois plus longue que la phase expiratoire (ratio de 3:1).
Bronchovésiculaires	Sons de tonalité et d'intensité moyennes, ressemblant à un léger sifflement, produits par le déplacement de l'air dans les conduits aériens moyens (bronches).	Entre les omoplates et sur le côté du sternum, à la hauteur des premier et deuxième espaces intercostaux.	Phases inspiratoire et expiratoire égales (ratio 1:1).
Bronchiques	Sons d'intensité élevée, forts et « rauques », produits par le déplacement de l'air au niveau de la bifurcation des deux bronches principales, droite et gauche.	Partie antérieure du thorax à la hauteur du manubrium; difficilement audibles sur la face postérieure.	Plus forts que les bruits bronchovésiculaires; phase inspiratoire courte et phase expiratoire longue (ratio 1:2).

TABLEAU
34-8

Bruits surajoutés (adventices) audibles au stéthoscope

Nom	Description	Cause	Région
Crépitants	Crépitants fins: sons doux, de haute tonalité, très brefs et intermittents. On peut simuler les crépitants fins en roulant une mèche de cheveux près de l'oreille. Ils sont perçus surtout à la fin de l'inspiration, mais peuvent l'être à l'expiration également. Ne s'éliminent pas toujours avec la toux. Crépitants rudes: sons forts, de basse tonalité, plus longs, audibles surtout à l'inspiration et au début de l'expiration. Leur son est comparable à celui d'un feu de bois qui pétille. Ils peuvent diminuer si la personne tousse.	L'air passe dans des conduits aériens remplis de liquide ou de mucosités.	Habituellement, les crépitants fins sont perçus au niveau des petits conduits ou des alvéoles, et les crépitants rudes, au niveau des structures pulmonaires plus hautes.
Ronchi	Bruits continus, de basse tonalité, rauques, forts, ressemblant à un ronflement ou à un gémissement. Ils sont perçus le plus clairement à l'expiration, mais peuvent être audibles aussi à l'inspiration.	L'air s'écoule dans des conduits que des sécrétions, un œdème ou une tumeur ont fait rétrécir.	S'ils sont forts, les ronchi s'entendent dans la plupart des régions pulmonaires, mais ils prédominent au niveau de la trachée et des bronches.
Sibilants	Sons continus, de tonalité élevée, musicaux et grinçants. Davantage audibles à l'expiration. Habituellement non modifiés par la toux.	L'air passe dans une bronche contractée par des sécrétions, un œdème ou une tumeur. Un sibilant audible à l'oreille témoigne d'un bronchospasme sévère.	Audibles dans toutes les plages pulmonaires.
Frottement pleural	Grattement ou grincement superficiel qu'on peut entendre à l'inspiration ou à l'expiration. Ne disparaît pas à la toux.	Frottement des revêtements pleuraux enflammés.	Le plus souvent audible dans les régions correspondant aux plus grandes dilatations thoraciques (plages thoraciques inférieure antérieure et latérale).

PROCÉDÉ 34-11

Examen physique du thorax et des poumons

PLANIFICATION

Habituellement, par souci d'efficacité, vous devez d'abord examiner la face postérieure du thorax, puis sa face antérieure. Pour l'examen des faces postérieure et latérale, demandez à la personne de se découvrir jusqu'à la taille et de s'asseoir. Pour la face antérieure, la personne peut être assise ou couchée sur le dos. La position assise est toutefois préférable, car elle maximise l'expansion de la cage thoracique. Un bon éclairage est également essentiel, surtout pour l'inspection thoracique.

Matériel
- Stéthoscope
- Marqueur
- Règle graduée en centimètres

INTERVENTION

Exécution

1. Expliquez à la personne ce que vous allez faire, pourquoi vous allez le faire et comment elle peut coopérer. Expliquez-lui aussi que les résultats serviront à planifier les soins ou les traitements.

2. Lavez-vous les mains et observez les autres mesures de prévention des infections.

3. Assurez-vous que l'intimité de la personne est préservée.

4. Demandez à la personne de vous informer de ses antécédents : affections telles que cancer, allergies, tuberculose ; habitudes ou mode de vie néfastes comme le tabagisme et les risques professionnels (par exemple, émanations toxiques) ; traitements médicamenteux en cours ; problèmes actuels (par exemple, œdème, toux, sifflement, douleur).

Examen physique

Face postérieure du thorax

Examen physique	Observations courantes	Particularités
5. Inspectez la forme des faces postérieure et latérale du thorax, et vérifiez-en la symétrie. Comparez le diamètre antéropostérieur et le diamètre transverse.	Le ratio des deux diamètres est de 1:2. Thorax symétrique.	Thorax en tonneau ; ratio accru du diamètre antéropostérieur au diamètre transverse.
6. Inspectez l'alignement de la colonne à la recherche de déformations. Demandez à la personne de se lever. Observez de côté les trois courbures normales : cervicale, thoracique et lombaire.	Colonne alignée verticalement.	Courbures rachidiennes excessives (cyphose, lordose).
• Pour déceler la déviation latérale de la colonne (scoliose), placez-vous derrière la personne en position debout et observez son dos. Demandez à la personne de se pencher vers l'avant en fléchissant la taille ; observez son dos.	La colonne vertébrale est droite ; les épaules et les hanches sont à égale hauteur à gauche et à droite.	La colonne vertébrale dévie d'un côté ; souvent, cette déviation s'accentue quand la personne fléchit la taille. Les épaules ou les hanches gauches et droites ne sont pas à la même hauteur.
7. Palpez la face postérieure du thorax.		
• Si la personne ne se plaint d'aucun problème respiratoire, évaluez rapidement la température et l'intégrité de la peau du thorax.	Peau intacte ; température uniforme.	Lésions cutanées ; hyperthermie.
• Si la personne se plaint d'un problème respiratoire, palpez toutes les plages thoraciques *pour vérifier la présence de masses, de zones sensibles ou de mouvements anormaux.* Évitez la palpation profonde sur les zones sensibles, surtout si vous soupçonnez qu'une côte est fracturée ; *une palpation profonde pourrait déplacer un fragment d'os contre les poumons.*	Paroi thoracique intacte ; aucune sensibilité ; aucune masse.	Masses, saillies ; dépressions ; zones sensibles ; structures mobiles (par exemple, une côte).

PROCÉDÉ 34-11 (SUITE)

Examen physique du thorax et des poumons (suite)

INTERVENTION (suite)

Examen physique

8. Palpez la face postérieure du thorax *pour évaluer l'amplitude thoracique et la symétrie des mouvements.* Placez les paumes des deux mains sur la partie inférieure de la face postérieure du thorax, appuyez vos pouces de chaque côté de la colonne et placez vos autres doigts en éventail sur les côtés (figure 34-53 ■). Demandez à la personne de prendre une grande respiration ; observez alors le mouvement de vos mains et vérifiez s'il y a un décalage dans le mouvement.

Observations courantes

Amplitude thoracique symétrique et complète (autrement dit, quand la personne prend une respiration profonde, vos pouces doivent s'écarter de manière symétrique et égale ; normalement, les pouces s'écartent de 3 à 5 cm au cours de l'inspiration profonde).

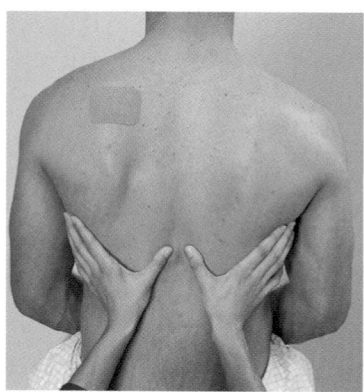

FIGURE 34-53 ■ Position des mains de l'infirmière pour évaluer l'amplitude thoracique et la symétrie des mouvements à la face postérieure du thorax.

Particularités

Expansion thoracique asymétrique ou réduite.

9. Palpez le thorax pour évaluer les vibrations vocales qui sont perceptibles lorsque la personne parle.
   - Posez la paume des mains ou la face cubitale de la main sur la face postérieure du thorax, en partant du sommet des poumons (figure 34-54 ■, point *A*).
   - Demandez à la personne de répéter des mots comme « trente-trois ».
   - Reprenez la palpation, mais en descendant peu à peu vers la base des poumons, du point *B* au point *E*.
   - Comparez les vibrations vocales d'un poumon avec celles de l'autre ; comparez aussi les vibrations vocales du sommet avec celles de la base de chaque poumon, en utilisant les deux mains simultanément sur les côtés correspondants.

Symétrie bilatérale des vibrations vocales.

C'est au sommet des poumons que les vibrations sont le plus clairement perçues.

Une voix grave (celle d'un homme) est plus facilement perceptible par palpation qu'une voix haute (celle d'une femme).

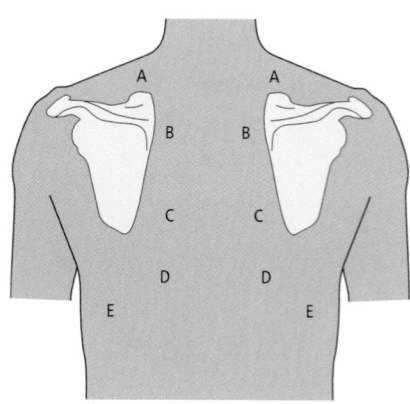

FIGURE 34-54 ■ Ordre systématique de la palpation des vibrations vocales sur la face postérieure du thorax.

Vibrations absentes (liées par exemple au pneumothorax ou à une obstruction bronchique).

Vibrations réduites (liées par exemple à la présence de muscles ou de tissus adipeux denses).

Vibrations accrues (liées à une augmentation de la densité du tissu pulmonaire consécutive à une pneumonie, par exemple, un processus qu'on appelle condensation).

INTERVENTION (suite)

Examen physique	**Observations courantes**	**Particularités**
10. Percutez le thorax (voir l'encadré 34-21).	La sonorité est perçue lors de la percussion de tout le parenchyme pulmonaire, sauf au niveau des omoplates. Le plus bas point de sonorité se trouve à la hauteur du diaphragme (c'est-à-dire à la hauteur de la huitième à la dixième côte sur la face postérieure). *Remarque :* La percussion d'une côte ou d'une omoplate rend un son de matité.	Asymétrie à la percussion. Régions de matité ou de submatité vis-à-vis le tissu pulmonaire (liées à une augmentation de la densité [condensation] du tissu pulmonaire ou à une masse).
11. Percutez le thorax *pour évaluer l'excursion diaphragmatique* (le mouvement du diaphragme pendant l'inspiration et l'expiration maximales) (voir l'encadré 34-21).	Mouvements bilatéraux de 3 à 5 cm chez la femme et de 5 à 6 cm chez l'homme. Le diaphragme se trouve habituellement un peu plus haut du côté droit.	Mouvements réduits (liés à une affection pulmonaire).

ENCADRÉ

Percussion du thorax

34-21

BRUITS NORMAUX DE LA PERCUSSION

La percussion du thorax sert à déterminer si le tissu pulmonaire sous-jacent est rempli d'air, de liquide ou d'une substance solide, ainsi qu'à déterminer les positions et les frontières de certains organes. Étant donné que la percussion pénètre à une profondeur de 5 à 7 cm, elle permet de détecter les lésions superficielles plutôt que les lésions profondes. Le tableau 34-4, présenté plus haut, décrit les bruits et les tonalités produits par la percussion.

- Demandez à la personne de fléchir la tête et de plier les bras sur la poitrine. Cette position sépare les omoplates et expose plus de tissu pulmonaire à la percussion.
- Percutez les espaces intercostaux à des intervalles d'environ 5 cm, en procédant de manière systématique (figure 34-55 ■).
- Comparez un côté du poumon avec l'autre.
- Percutez la face latérale du thorax, quelques centimètres à la fois, de l'aisselle à la huitième côte.

PERCUSSION POUR ÉVALUER L'EXCURSION DIAPHRAGMATIQUE

- Demandez à la personne de prendre une respiration et d'expulser complètement l'air de ses poumons, et percutez le thorax de haut en bas le long de la ligne scapulaire, jusqu'à ce qu'une matité soit émise à la hauteur du diaphragme. Marquez ce point avec un marqueur. Demandez à la personne de respirer normalement, puis refaites la même chose de l'autre côté du thorax.
- Demandez à la personne de prendre quelques respirations normales, puis de prendre une grande inspiration et de bloquer sa respiration, le temps que vous poursuiviez la percussion le long de la ligne scapulaire à partir du point précédemment tracé jusqu'à la nouvelle limite de matité. Marquez cette nouvelle limite d'un point et, après que la personne aura pris quelques respirations normales, refaites la même chose de l'autre côté.
- Mesurez la distance entre les deux marques (figure 34-56 ■).

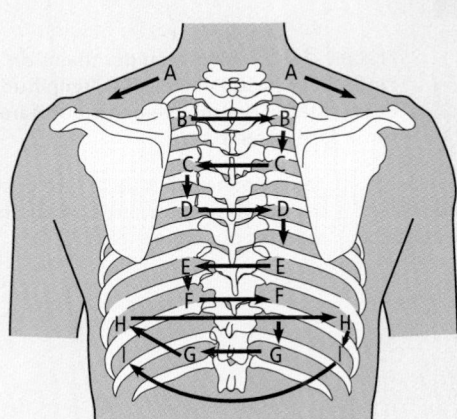

FIGURE **34-55** ■ Ordre à suivre pour percuter la face postérieure du thorax.

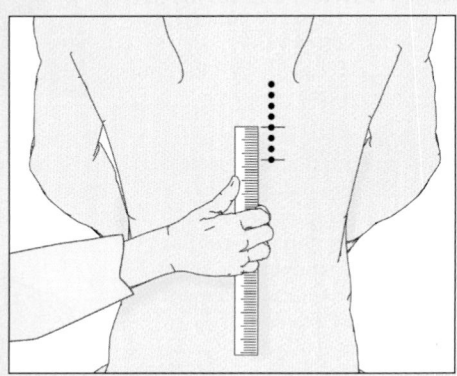

FIGURE **34-56** ■ Évaluation de l'excursion diaphragmatique.

PROCÉDÉ 34-11 (SUITE)

Examen physique du thorax et des poumons (suite)

INTERVENTION (suite)

Examen physique

12. Auscultez le thorax avec le diaphragme du stéthoscope *(cette membrane transmet mieux les bruits respiratoires aigus que la cupule).*
    - Utilisez la méthode de percussion en zigzag).
    - Demandez à la personne de respirer lentement et profondément par la bouche. Auscultez les bruits respiratoires à chaque point durant une inspiration et une expiration complètes.
    - Comparez l'auscultation de chaque point avec l'auscultation du point correspondant du côté opposé du thorax.

Face antérieure du thorax

13. Observez les caractéristiques de la respiration (fréquence, amplitude et rythme).

14. Inspectez l'angle costal (angle formé par l'intersection des marges costales).

15. Palpez la face antérieure du thorax (voir la section précédente sur la palpation de la face postérieure).

16. Palpez la face antérieure pour évaluer l'amplitude et la symétrie des mouvements du thorax.
    - Placez les paumes de vos deux mains sur la partie inférieure du thorax ; placez vos doigts en éventail sur le côté, le long des côtes inférieures, les pouces appuyés contre les rebords costaux (figure 34-57 ■).
    - Demandez à la personne de respirer profondément pendant que vous observez le mouvement de vos mains.

17. Palpez les vibrations vocales de la même façon que pour la face postérieure et dans l'ordre indiqué à la figure 34-58 ■. Si les seins de la personne sont gros et qu'on ne peut pas les déplacer suffisamment pour la palpation, on n'effectue habituellement pas cette partie de l'examen.

Observations courantes

Bruits respiratoires normaux tels que les murmures vésiculaires, les bruits bronchovésiculaires et les bruits bronchiques (voir le tableau 34-7).

Respiration calme, rythmée et aisée, d'amplitude normale (voir le chapitre 33 🔗, page 802).

Angle costal d'environ 45° (voir la figure 34-49, plus haut).

Mouvements symétriques entiers ; les pouces s'écartent normalement de 3 à 5 cm.

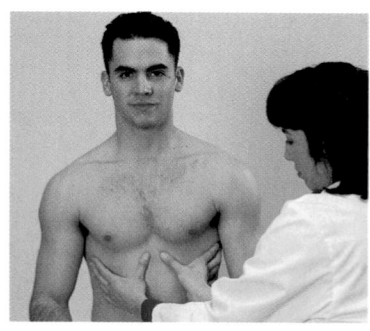

FIGURE 34-57 ■ Position des mains de l'infirmière lorsqu'elle évalue l'amplitude et la symétrie des mouvements du thorax sur la face antérieure.

Vibrations pareilles aux vibrations vocales de la face postérieure ; elles sont normalement plus faibles vis-à-vis du cœur et du tissu mammaire.

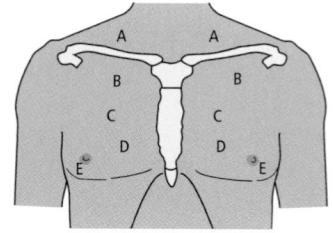

FIGURE 34-58 ■ Méthode systématique pour palper les vibrations vocales sur la face antérieure du thorax.

Particularités

Bruits respiratoires anormaux : bruits normaux diminués ou augmentés.

Bruits surajoutés : crépitants, ronchi, sibilants ou frottement pleural (voir le tableau 34-8).

Absence de bruits respiratoires (liée à l'affaissement ou à l'ablation chirurgicale d'un lobe de poumon).

Voir l'encadré 33-7, page 804, pour plus de détails sur les bruits et les caractéristiques d'une respiration anormale.

Angle costal plus grand que 45° (lié à la bronchopneumopathie chronique obstructive).

Mouvements thoraciques réduits ou asymétriques.

Tout comme celles de la face postérieure, ces vibrations peuvent être absentes, réduites ou augmentées.

INTERVENTION (suite)

Examen physique

18. Percutez la face antérieure du thorax de manière systématique.
    • Commencez au-dessus des clavicules dans l'espace susclaviculaire, puis continuez en descendant vers le diaphragme (figure 34-59 ■).
    • Comparez un côté du poumon avec l'autre côté.
    • Déplacez le tissu mammaire de la femme pour pouvoir faire l'examen.

Observations courantes

On perçoit la sonorité jusqu'à la sixième côte, à la hauteur du diaphragme, mais on perçoit une matité franche vis-à-vis des zones musculaires ou osseuses lourdes, une submatité vis-à-vis du cœur et du foie, et un tympanisme vis-à-vis de l'estomac (figure 34-60 ■).

Particularités

Asymétrie des bruits de percussion. Zones de matité franche et de submatité vis-à-vis du tissu pulmonaire.

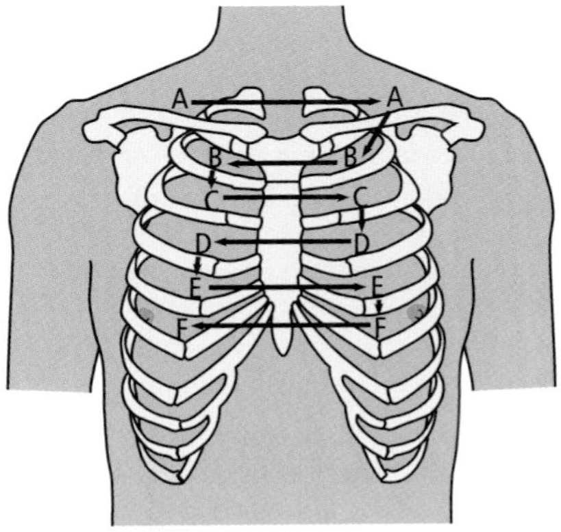

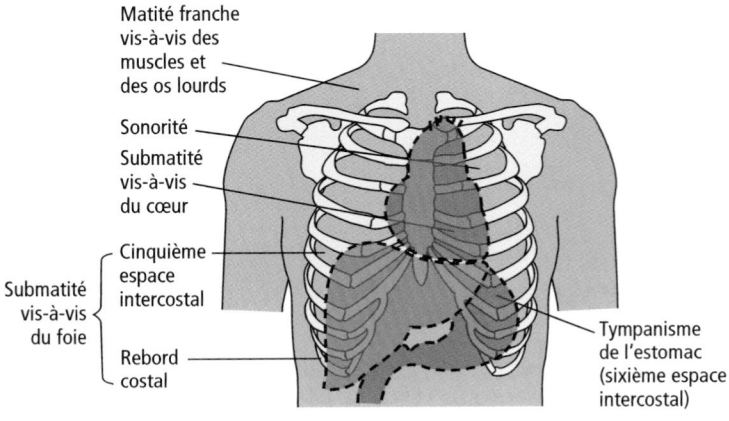

FIGURE **34-59** ■ Ordre à suivre pour percuter la face antérieure du thorax.

FIGURE **34-60** ■ Bruits normaux produits par la percussion de la face antérieure du thorax.

19. Auscultez la trachée.

Bruits trachéaux, intenses, rudes et encore plus forts que les bruits bronchiques. Inspiration et expiration de durées équivalentes.

Bruits surajoutés (voir le tableau 34-8).

20. Auscultez la face antérieure du thorax. Suivez l'ordre recommandé pour la percussion (voir la figure 34-59), en partant de la région vis-à-vis des bronches, entre le sternum et les clavicules.

Murmures vésiculaires, bruits bronchovésiculaires et bruits bronchiques (voir le tableau 34-7).

Bruits surajoutés (voir le tableau 34-8).

21. Notez les résultats au dossier de la personne, en utilisant des formulaires ou des listes de vérification enrichies de notes explicatives au besoin.

ÉVALUATION

Mettez les résultats de l'évaluation en rapport avec ceux de l'évaluation antérieure si possible. Signalez au médecin les données qui ne correspondent pas aux observations courantes.

LES ÂGES DE LA VIE

Examen physique du thorax et des poumons

NOURRISSONS

- Le thorax est arrondi, c'est-à-dire que le diamètre antéro-postérieur (mesure entre la face antérieure et la face postérieure) est égal au diamètre transverse. Il est également cylindrique, le diamètre de son sommet étant presque égal au diamètre de sa base.
- Pour évaluer les vibrations vocales, placez la main sur le thorax du bébé pendant qu'il pleure.
- Les bruits auscultés sont plus forts et plus rauques.
- La respiration des bébés a tendance à être plus abdominale que thoracique.

ENFANTS

- Vers l'âge de six ans, le diamètre antéropostérieur a diminué (proportionnellement au diamètre transverse).
- La respiration des enfants a tendance à être plus abdominale que thoracique jusqu'à l'âge de six ans.

PERSONNES ÂGÉES

- La courbure thoracique peut être accentuée (cyphose) à cause de l'ostéoporose et de l'altération des cartilages qui entraînent un affaissement des vertèbres. Cela peut nuire à l'effort respiratoire normal.
- La cyphose et l'ostéoporose altèrent la taille de la cage thoracique, car les côtes se déplacent vers le bas et l'avant.
- Le diamètre antéropostérieur du thorax augmente, ce qui donne l'impression que la personne a un thorax en tonneau.

Cet accroissement de diamètre est dû à la perte de force musculaire dans le thorax et le diaphragme, et à la dilatation constante des poumons consécutive à la pression expiratoire excessive exercée sur les alvéoles.

- La fréquence et le rythme respiratoires demeurent inchangés au repos; la fréquence augmente normalement à l'effort mais prend plus de temps pour revenir à la normale.
- Les muscles inspiratoires deviennent moins puissants et le volume de réserve inspiratoire diminue. On constate alors une baisse de l'amplitude thoracique.
- L'expiration peut nécessiter l'utilisation des muscles accessoires. Le volume de réserve expiratoire augmente significativement, en raison de la quantité accrue d'air qui reste dans les poumons à la fin d'une respiration normale.
- Les poumons ne se vident pas complètement.
- Les petits conduits aériens perdent leur soutien cartilagineux et leur élasticité; en conséquence, ils ont tendance à se refermer, surtout dans les parties basses ou déclives des poumons.
- Le tissu élastique des alvéoles perd de son extensibilité et devient fibreux. La capacité de faire un effort diminue.
- Les cils des voies respiratoires deviennent moins nombreux et le détachement des mucosités se fait alors moins efficacement; les personnes âgées présentent donc un plus grand risque d'infection pulmonaire.

Cœur et vaisseaux

Cœur

Pour évaluer le cœur, l'infirmière doit recourir à l'observation (inspection), à la palpation et à l'auscultation, dans cet ordre. L'auscultation est plus significative lorsqu'on a recueilli d'autres données au préalable. Habituellement, on évalue le cœur dans le cadre de l'examen physique initial; des réévaluations sont parfois nécessaires pour les personnes hospitalisées dans un centre de soins de longue durée, les personnes à risque et celles qui sont atteintes d'affections cardiaques. Lors de cet examen, la personne doit être en position semi-assise.

Chez l'adulte d'âge moyen, la plus grande partie du cœur se trouve derrière le sternum, légèrement à sa gauche. Une petite portion (l'oreillette droite) se prolonge à droite du sternum. La partie supérieure du cœur (les deux oreillettes) se nomme la *base*; elle pointe vers l'arrière du corps. La partie inférieure (la pointe du ventricule gauche) est appelée l'*apex*; elle est orientée vers l'avant. En fait, l'apex du ventricule gauche touche la paroi thoracique sur la ligne médioclaviculaire (LMC) ou un peu à gauche de cette ligne, à la hauteur du cinquième espace intercostal gauche (5e EICG), lequel se trouve juste sous le mamelon gauche (voir la figure 33-17, page 793). C'est à cet endroit qu'on peut percevoir le **choc de pointe** (ou choc apexien). Le choc de pointe témoigne de la force de la contraction ventriculaire.

Les bruits cardiaques peuvent être perçus par auscultation. Les deux premiers bruits normaux du cœur sont produits par

> **! ALERTE CLINIQUE** *Il importe de se rappeler que la base des poumons correspond à la portion inférieure (celle du bas), tandis que la base du cœur désigne la portion supérieure (celle du haut).* ■

la fermeture des valvules. Le premier bruit cardiaque, B_1, se produit lorsque les valvules auriculoventriculaires (valvules AV) se ferment, c'est-à-dire lorsque les ventricules sont suffisamment remplis. Un très faible écart sépare le temps de fermeture de la valvule AV droite de la fermeture de la valvule AV gauche, ce qui fait que l'on n'entend qu'un seul son, mais de basse tonalité, qu'on appelle «boom». Lorsque les ventricules ont chassé le sang dans l'aorte et dans les artères pulmonaires, les valvules sigmoïdes se ferment, produisant le second bruit, B_2, plus intense et plus court que B_1, et qu'on appelle «poom». Ces deux bruits, B_1 et B_2, se font entendre dans un intervalle de une seconde ou moins, selon la fréquence cardiaque.

Les deux bruits du cœur sont audibles dans toute la région précordiale, mais on les perçoit le plus clairement au niveau des foyers tricuspidien, mitral, aortique et pulmonaire (figure 34-61 ■). Chaque foyer est associé avec la fermeture d'une valvule: le foyer aortique avec la valvule aortique (à l'intérieur de l'aorte à sa sortie du ventricule gauche); le foyer pulmonaire avec la valvule pulmonaire (dans l'artère pulmonaire à sa sortie du ventricule droit); le foyer tricuspidien avec la valvule tricuspide (entre l'oreillette droite et le ventricule droit) ; et le foyer mitral (ou apexien) avec la valvule mitrale (entre l'oreillette gauche et le ventricule gauche).

La systole et la diastole sont associées aux bruits cardiaques. La **systole** est la période qui correspond à la contraction des ventricules. Elle commence avec le premier bruit cardiaque et se termine au second bruit. Elle est plus courte que la diastole. La **diastole** est la période qui correspond au remplissage ventriculaire. Elle commence avec le second bruit et se termine avec le premier bruit suivant. Normalement, aucun autre bruit n'est entendu durant ces périodes (figure 34-62 ■). Une infirmière expérimentée pourrait toutefois percevoir d'autres bruits (B_3 et B_4) durant la diastole. De basse tonalité, ces deux bruits sont le mieux perçus dans le foyer mitral, avec la cupule du stéthoscope, lorsque la personne est couchée sur le côté gauche. Le troisième bruit (B_3) est entendu au début de la diastole, tout de suite après B_2, et ce bruit de galop ventriculaire peut être reproduit à haute voix en disant « Kentuck-*ky* ». Il disparaît souvent lorsque la personne se relève pour s'asseoir. Ce troisième bruit physiologique peut se produire chez les enfants, les jeunes adultes ou lors du dernier trimestre de grossesse. Chez les adultes plus âgés, la présence de ce bruit traduit généralement

une insuffisance cardiaque ou un épisode aigu d'insuffisance cardiaque. Le quatrième bruit (B_4) se produit vers la toute fin de la diastole, juste avant B_1 ; il correspond au son « *Ten* » dans « *Ten*-nessee ». B_4 est rarement audible chez les jeunes adultes en santé. Il arrive souvent qu'on l'entende chez les personnes âgées, où il peut être un signe d'hypertension. Ces bruits anormaux (B_3 et B_4) se produisent lorsque le sang est projeté, pendant la diastole (remplissage ventriculaire) sur des parois ventriculaires non compliantes ou dont la compliance est diminuée (insuffisance cardiaquée, infarctus du myocarde en phase aiguë).

Le tableau 34-9 décrit les bruits cardiaques normaux.

Vaisseaux centraux

Les artères carotides fournissent du sang oxygéné à la tête et au cou (figure 34-63 ■). Étant donné que les carotides fournissent une grande partie de l'apport de sang au cerveau, leur occlusion prolongée peut causer de graves lésions cérébrales. Les pouls carotidiens concordent avec la pression d'éjection systolique ; par conséquent, ils reflètent mieux la fonction cardiaque que les pouls périphériques. Lorsque le débit cardiaque est réduit, les pouls périphériques sont difficiles ou impossibles à percevoir, alors que les pouls carotidiens demeurent faciles à percevoir.

On ausculte aussi la carotide pour rechercher la présence d'un souffle. Le **souffle** est créé par une turbulence du flux sanguin, laquelle provient soit d'un rétrécissement de la lumière de l'artère (souvent observé avec le vieillissement), soit d'une affection qui accroît le débit cardiaque, par exemple l'anémie ou l'hyperthyroïdie. À la palpation, le souffle peut être accompagné d'un **frémissement**. Il s'agit d'une sensation de tremblement comme celui produit par le ronronnement d'un chat ou l'eau circulant dans un tuyau d'arrosage. Le frémissement traduit également un flux sanguin turbulent dû à une obstruction artérielle.

Les veines jugulaires ramènent le sang de la tête et du cou directement dans la veine cave supérieure et le côté droit du cœur. Les veines jugulaires externes sont superficielles et parfois

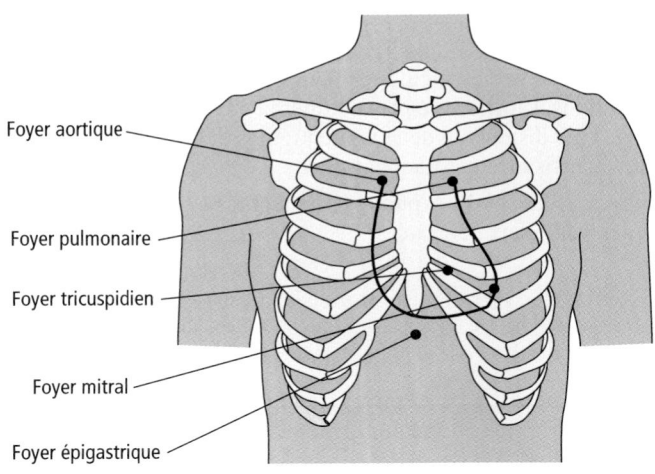

FIGURE **34-61** ■ Sites auscultatoires de la région précordiale.

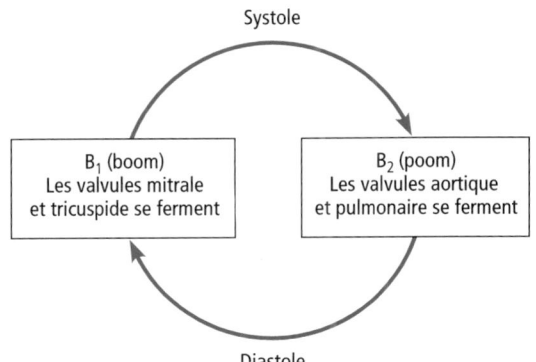

FIGURE **34-62** ■ Rapport entre les bruits cardiaques et les périodes de la systole et de la diastole.

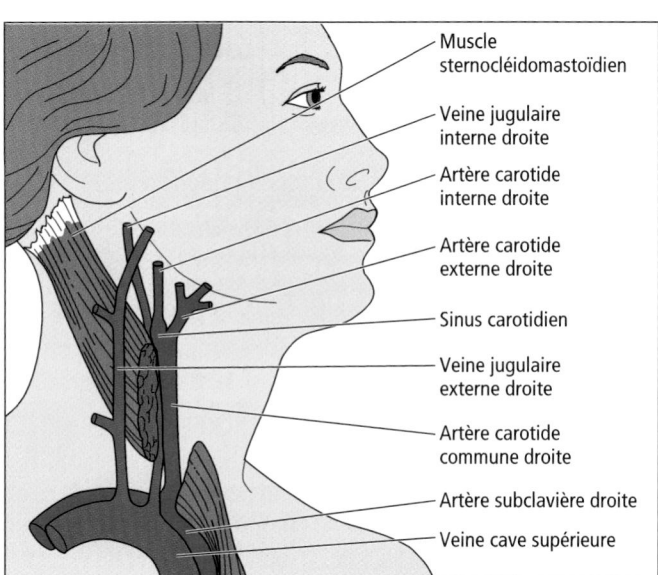

FIGURE **34-63** ■ Artères et veines du côté droit du cou.

TABLEAU
34-9

Bruits cardiaques normaux

Bruit ou phase	Description	Foyers			
		Aortique	**Pulmonaire**	**Tricuspidien**	**Mitral**
B₁	Mat, grave et plus long que B₂; perçu comme un « boom »	Moins intense que B₂	Moins intense que B₂	Plus fort ou aussi fort que B₂	Plus fort ou aussi fort que B₂
Systole	Intervalle normalement silencieux entre B₁ et B₂				
B₂	Tonalité plus élevée que B₁; perçu comme un « poom »	Plus fort que B₁	Plus fort que B₁; anormal si plus fort que le bruit aortique B₂ chez un adulte de plus de 40 ans	Intensité inférieure ou égale à B₁	Intensité inférieure ou égale à B₁
Diastole	Intervalle normalement silencieux entre B₂ et B₁				

visibles au-dessus de la clavicule. Les veines jugulaires internes longent l'artère carotide plus profondément et peuvent transmettre des pulsations à la peau du cou. Normalement, les veines externes du cou sont gonflées et visibles lorsqu'une personne est couchée; elles sont plates et invisibles lorsque la personne est debout, la gravité favorisant le retour veineux. Lorsqu'elle

inspecte les veines jugulaires pour évaluer la distension et les pulsations, l'infirmière peut estimer la pression veineuse jugulaire. Une distension de la veine jugulaire droite peut indiquer une insuffisance cardiaque droite.

Le procédé 34-12 explique comment faire l'examen du cœur et des vaisseaux centraux.

PROCÉDÉ 34-12

Examen physique du cœur et des vaisseaux centraux

PLANIFICATION

Pour faire l'examen du cœur, on installe habituellement la personne en position semi-assise. Tenez-vous à droite de la personne: cela facilite l'inspection et la palpation de la région précordiale.

Matériel

- Stéthoscope
- Règle graduée en centimètres

INTERVENTION

Exécution

1. Expliquez à la personne ce que vous allez faire, pourquoi vous allez le faire et comment elle peut coopérer. Expliquez-lui aussi que les résultats serviront à planifier les soins ou les traitements.

2. Lavez-vous les mains et observez les autres mesures de prévention des infections.

3. Assurez-vous que l'intimité de la personne est préservée.

4. Demandez à la personne de vous informer de ses antécédents: antécédents familiaux d'affection cardiaque (incidence et âge), hypercholestérolémie, AVC, obésité, cardiopathie congénitale, artériopathie, hypertension et rhumatisme articulaire aigu; antécédents personnels de rhumatisme articulaire aigu, de souffle cardiaque, de coronaropathies, de varices ou d'insuffisance cardiaque; symptômes actuels pouvant indiquer une cardiopathie (fatigue, dyspnée, orthopnée, œdème, toux,

douleur thoracique, palpitations, syncope, hypertension, hémoptysie) ; états pouvant nuire à la fonction cardiaque (par exemple, obésité, diabète, affection pulmonaire, affections endocriniennes) ; habitudes de vie néfastes qui

augmentent le risque d'affection cardiaque (par exemple, tabagisme, consommation excessive d'alcool, mauvaise alimentation, manque d'exercice et stress).

Examen physique	Observations courantes	Particularités
5. Palpez les différents foyers à la recherche de frémissements (voir l'encadré 34-22).	Aucun frémissement perçu.	Frémissements perçus dans un ou plusieurs foyers (peut indiquer un souffle).
• Palpez le foyer mitral à la recherche du choc apexien.	Choc apexien palpable chez la plupart des personnes dans le cinquième espace intercostal près de la ligne médioclaviculaire gauche.	Choc de pointe déplacé vers le côté ou le bas (peut indiquer une hypertrophie du cœur).
	Diamètre de 1 à 2 cm.	Diamètre supérieur à 2 cm (peut indiquer une hypertrophie du cœur ou un anévrisme).

ENCADRÉ

Palpation des foyers aortique, pulmonaire, tricuspidien et mitral de la région précordiale 34-22

- Situez l'angle de Louis. On le sent au toucher comme une saillie sur le sternum.
- Descendez vos doigts de chaque côté de l'angle jusqu'à ce que vous sentiez le deuxième espace intercostal. Le deuxième espace intercostal droit de la personne correspond au foyer aortique, tandis que le deuxième espace intercostal gauche correspond au foyer pulmonaire.
- En partant du foyer pulmonaire, descendez les doigts de trois espaces intercostaux en longeant le sternum. Le cinquième espace intercostal gauche situé tout près du

sternum correspond au foyer tricuspidien ou à la région du ventricule droit.
- En partant du foyer tricuspidien, déplacez vos doigts sur la gauche, à environ 5 à 7 cm de la ligne sternale, c'est-à-dire près de la ligne médioclaviculaire gauche. Il s'agit du foyer mitral (ou apexien), ou choc de pointe. Si vous avez de la difficulté à trouver le choc de pointe, demandez à la personne de se tourner sur le côté gauche, car cette position rapproche le cœur de la paroi thoracique.

6. Auscultez le cœur dans les quatre foyers : aortique, pulmonaire, tricuspidien et mitral (apexien). L'auscultation ne se limite pas nécessairement à ces foyers, mais vous devez déplacer votre stéthoscope pour trouver les bruits les plus audibles chez la personne.	B_1 : perçu dans tous les foyers. Habituellement plus fort dans le foyer mitral.	Intensité accrue ou réduite dans un ou plusieurs foyers.
	B_2 : perçu dans tous les foyers. Habituellement plus fort à la base du cœur.	Intensité variant avec les battements.
L'encadré 34-23 décrit les étapes à suivre pour ausculter le cœur.	Systole : intervalle silencieux, légèrement plus court que la diastole à une fréquence cardiaque normale (de 60 à 90 battements/ minute).	Présence de bruits durant la systole ou la diastole.

ENCADRÉ

Auscultation du cœur 34-23

- Éliminez toutes les sources de bruit ambiant. Les bruits cardiaques sont de faible intensité ; le bruit ambiant peut vous empêcher de les entendre.
- Installez la personne en décubitus dorsal, la tête surélevée de 30 à 45°.
- Utilisez les deux membranes du stéthoscope pour ausculter tous les foyers.

- Dans chaque foyer d'auscultation, recherchez B_1 et B_2.
- Lorsque vous auscultez, concentrez-vous sur un bruit à la fois dans chaque foyer : le premier bruit, suivi de la systole, suivie du deuxième bruit, suivi de la diastole. La systole et la diastole sont normalement des intervalles silencieux.
- Par la suite, réexaminez le cœur pendant que la personne est en position assise. Certains bruits sont plus facilement audibles dans une position que dans une autre.
- Installez ensuite la personne sur le côté gauche afin d'ausculter le foyer mitral.

PROCÉDÉ 34-12 (SUITE)

Examen physique du cœur et des vaisseaux centraux (suite)

INTERVENTION (suite)

Examen physique	Observations courantes	Particularités
	Diastole : intervalle silencieux, légèrement plus long que la systole à une fréquence cardiaque normale.	
	B_3 : peut être perçu chez les enfants et les jeunes adultes.	B_3 chez un adulte.
	B_4 : peut être perçu chez les personnes âgées.	B_4 peut être un signe d'insuffisance cardiaque.
Artères carotides		
7. Palpez l'artère carotide en faisant très attention (voir l'encadré 34-24).	Amplitude des pouls symétrique.	Amplitude asymétrique (sténose ou thrombose).
	Pulsations pleines ; sensation de poussée.	Pulsations diminuées (peut indiquer une altération du débit cardiaque).
	La qualité des pulsations demeure la même lorsque la personne respire, tourne la tête et passe de la position assise à la position couchée.	Pulsations amplifiées.
	Parois artérielles élastiques.	Parois artérielles épaissies, durcies, rigides (indique une athérosclérose).
8. Auscultez l'artère carotide pour déceler la présence d'un souffle (voir l'encadré 34-24).	Aucun souffle perçu à l'auscultation.	Présence d'un souffle dans l'une des artères ou dans les deux (peut indiquer une occlusion).

ENCADRÉ

Palpation et auscultation de l'artère carotide

34-24

PALPATION

- Palpez une seule artère carotide à la fois afin que l'autre carotide continue d'assurer un débit sanguin adéquat au cerveau. On prévient ainsi l'ischémie. L'ischémie est l'arrêt ou l'insuffisance de la circulation sanguine dans une partie du corps, causés par la constriction ou l'obstruction d'un vaisseau sanguin.
- Évitez d'appuyer trop fort sur la région et de la masser trop fort. Une pression trop grande peut oblitérer l'artère et le massage du sinus carotidien peut entraîner une bradycardie. Le sinus carotidien est une petite dilatation située à l'endroit où l'artère carotide interne commence, juste au-dessus de la bifurcation de l'artère carotide primitive, dans le tiers supérieur du cou.

- Demandez à la personne de tourner la tête légèrement vers le côté examiné. Ce mouvement rend l'artère carotide plus facilement accessible.

AUSCULTATION

- Déplacez légèrement la tête de la personne de façon à l'éloigner du côté examiné. Il vous sera ainsi plus facile de placer le stéthoscope.
- Auscultez l'artère carotide sur un côté, puis sur l'autre.
- Recherchez la présence de souffles.
- Si vous percevez un souffle, palpez doucement l'artère pour déceler un frémissement.

Examen physique	Observations courantes	Particularités
Veines jugulaires		
9. Inspectez les veines jugulaires pour déceler une distension ; la personne doit être en position semi-Fowler (angle de 30 à 45°), la tête appuyée sur un petit oreiller.	Veines non visibles (indiquant que le côté droit du cœur fonctionne normalement).	Turgescence des veines (peut indiquer une insuffisance cardiaque droite ou une hypervolémie).
10. Si vous constatez une turgescence des jugulaires, évaluez la pression veineuse jugulaire (PVJ).	À 45°, la mesure est inférieure à 4,5 cm.	À 45°, une mesure supérieure à 4,5 cm est considérée comme élevée (peut indiquer une insuffisance cardiaque droite).

INTERVENTION (suite)

Examen physique

- Repérez le point d'oscillation le plus haut sur la veine jugulaire interne droite. On peut utiliser tant la jugulaire interne que la jugulaire externe, mais la jugulaire interne est la plus fiable. La jugulaire externe est plus facilement affectée par l'obstruction ou les angulations à la base du cou.
- Mesurez la hauteur verticale de ce point en centimètres à partir de l'angle manubriosternal (figure 34-64 ■).

Observations courantes

Particularités

Turgescence unilatérale (peut être causée par une obstruction locale).

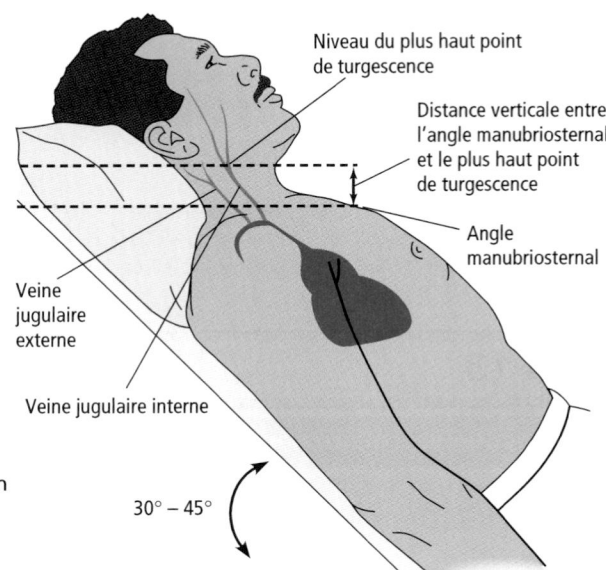

Niveau du plus haut point de turgescence

Distance verticale entre l'angle manubriosternal et le plus haut point de turgescence

Angle manubriosternal

Veine jugulaire externe

Veine jugulaire interne

30° – 45°

FIGURE **34-64** ■ Recherche du point d'oscillation le plus haut sur la veine jugulaire.

11. Notez les résultats au dossier de la personne, en utilisant des formulaires ou des listes de vérification enrichies de notes explicatives au besoin.

ÉVALUATION

- Effectuez les examens de suivi nécessaires, selon les résultats qui ne correspondent pas aux observations courantes ou qui ne sont pas compatibles avec les résultats attendus pour la personne. Mettez les résultats en rapport avec les données de l'évaluation précédente, au besoin.

- Signalez au médecin les données qui ne correspondent pas aux observations courantes.

Vaisseaux périphériques

L'examen de la fonction vasculaire périphérique comprend la mesure de la pression artérielle, la palpation des pouls périphériques et l'inspection de la peau et des tissus. Cet examen permet d'évaluer la **perfusion sanguine** des membres (c'est-à-dire l'apport de sang aux membres). Souvent, certains aspects de l'examen vasculaire périphérique sont intégrés dans d'autres parties de l'examen physique. Par exemple, on mesure généralement la pression artérielle au début de l'examen physique (voir la section sur la mesure de la pression artérielle au chapitre 33 ⧄). Le chapitre 33 ⧄ décrit les points de palpation du pouls ainsi que la façon de mesurer les divers pouls.

Le procédé 34-13 explique comment faire l'examen de la fonction vasculaire périphérique.

LES ÂGES DE LA VIE

Examen physique du cœur et des vaisseaux centraux

NOURRISSONS

- Un dédoublement du deuxième bruit du cœur peut être perçu lorsque le bébé respire profondément et que la valvule aortique se ferme juste avant la valvule pulmonaire. S'il est perçu aussi durant la respiration normale, le dédoublement est anormal et il peut indiquer une communication interauriculaire.

ENFANTS

- Les bruits du cœur sont plus forts parce que la paroi thoracique est plus mince.
- Un troisième bruit du cœur, mieux perçu à l'apex, est présent chez le tiers des enfants environ.
- Chez les enfants de moins de huit ans, le choc de pointe se trouve plus haut et plus sur le côté.

PERSONNES ÂGÉES

- Si la personne n'est atteinte d'aucune affection, la taille de son cœur demeure la même tout au long de sa vie.
- Le débit cardiaque et la force de contraction diminuent avec l'âge, ce qui réduit la tolérance à l'effort.
- Après l'effort, la fréquence cardiaque revient à sa valeur de repos plus lentement chez les personnes âgées que chez les personnes jeunes.
- B_4 est entendu chez la majorité des personnes.
- La présence d'extrasystoles est fréquente; mais, lorsqu'elles sont au nombre de 10 et plus par minute, les extrasystoles sont considérées comme anormales.
- Des stress physiques et émotionnels soudains peuvent entraîner des arythmies et de l'insuffisance cardiaque.

PROCÉDÉ 34-13

Examen de la fonction vasculaire périphérique

PLANIFICATION

Matériel
- Montre
- Appareil à ultrasons (Doppler), si nécessaire

INTERVENTION

Exécution

1. Expliquez à la personne ce que vous allez faire, pourquoi vous allez le faire et comment elle peut coopérer. Expliquez-lui aussi que les résultats serviront à planifier les soins ou les traitements.
2. Lavez-vous les mains et observez les autres mesures de prévention des infections.
3. Assurez-vous que l'intimité de la personne est préservée.
4. Demandez à la personne de vous informer de ses antécédents: affection cardiaque, varices, insuffisance artérielle chronique et hypertension; mode de vie (exercice, niveau d'activité et tolérance à l'effort, tabagisme, alcool).

Examen physique	Observations courantes	Particularités
Pouls périphériques		
5. Palpez les pouls périphériques des deux côtés du corps de la personne de façon individuelle, simultanée et systématique. S'il est difficile de palper certains des pouls périphériques, utilisez un appareil à ultrasons (Doppler).	Pouls: amplitudes de 2+, symétriques, rythme régulier, fréquence dans les limites de la normale (voir le chapitre 33 🔗).	Amplitudes asymétriques (indiquent une altération de la circulation sanguine). Absence de pulsation (indique une occlusion ou un spasme artériels). Pouls d'amplitude diminuée, filant (indique une altération du débit cardiaque). Amplitude augmentée (peut indiquer une hypertension, un accroissement du débit cardiaque ou une surcharge circulatoire).

INTERVENTION (suite)

Examen physique

Veines périphériques

6. Inspectez les veines périphériques des bras et des jambes pour déceler la présence de veines superficielles et évaluer leur aspect lorsque les jambes sont en position déclive et lorsqu'elles sont surélevées.

7. Examinez les veines périphériques de la jambe *pour déceler une phlébite* (voir l'encadré 34-25).

Observations courantes

En position déclive, présence de distension et de saillies nodulaires au mollet.

En position surélevée, des veines s'affaissent (les veines peuvent sembler tortueuses ou distendues chez les personnes âgées).

Aucune sensibilité dans les membres.

Circonférence des membres inférieurs symétrique.

Particularités

Veines distendues dans la cuisse, dans la jambe ou sur la partie postérolatérale du mollet entre le genou et la cheville.

Sensibilité à la palpation.

Peau chaude et rouge sur la veine.

Œdème d'un mollet ou d'une jambe.

ENCADRÉ

Examen des veines périphériques de la jambe pour déceler une phlébite

34-25

- Inspectez les mollets pour détecter une rougeur ou un œdème dans les régions veineuses.
- Palpez les mollets pour évaluer la fermeté et la tension des muscles, pour déceler la présence d'un œdème sur le dos du pied et pour vérifier si la peau est chaude par endroits. La palpation complète l'inspection, surtout chez les personnes dont la pigmentation cutanée empêche de bien déceler les rougeurs.

- Palpez les mollets de chaque côté pour en vérifier la sensibilité.

Perfusion sanguine périphérique

8. Inspectez la peau des mains et des pieds *pour en évaluer la couleur et la température.* Recherchez un œdème ou une altération de la peau.

Peau rose.

Cyanose (insuffisance artérielle).

Pâleur qui augmente lorsque le membre est surélevé et couleur rouge sombre lorsque le membre est abaissé (insuffisance artérielle chronique).

Pigmentation brune autour des chevilles (insuffisance chronique des veines ou des artères).

Température cutanée ni trop chaude ni trop froide.

Absence d'œdème.

Texture élastique et humide.

Peau fraîche ou froide (insuffisance artérielle).

Œdème marqué (insuffisance veineuse).

Peau mince et brillante, ou épaisse, cireuse, brillante et fragile, présentant des ulcérations et peu de poils (insuffisance chronique artérielle ou veineuse).

9. Évaluez la circulation artérielle si vous soupçonnez la présence d'une insuffisance artérielle (voir l'encadré 34-26).

Test de coloration : retour de la coloration originale des orteils en 10 à 12 secondes. Le remplissage des veines du dessus du pied prend de 15 à 18 secondes.

Test de remplissage capillaire : retour de la coloration en moins de trois ou quatre secondes.

Retour retardé de la coloration initiale ou aspect marbré de la peau ; remplissage veineux retardé ; rougeur marquée des bras ou des jambes (indique une insuffisance artérielle).

Retour retardé de la coloration (insuffisance artérielle).

10. Notez les données au dossier de la personne, en utilisant des formulaires ou des listes de vérification enrichies de notes explicatives au besoin.

PROCÉDÉ 34-13 (SUITE)

Examen de la fonction vasculaire périphérique (suite)

INTERVENTION (suite)

Examen de la circulation artérielle

TEST DE COLORATION

- Aidez la personne à s'installer en décubitus dorsal. Demandez-lui de surélever ses jambes à environ 30 cm au-dessus du niveau du cœur durant environ une minute; ensuite, faites asseoir la personne et demandez-lui de laisser pendre ses jambes.
- Calculez le nombre de secondes qui s'écoulent avant le retour de la coloration initiale et le remplissage veineux. La coloration originale revient normalement en 10 à 12 secondes, tandis que les veines des pieds se remplissent en 15 à 18 secondes environ.

TEST DE REMPLISSAGE CAPILLAIRE

- Pressez, entre le pouce et l'index, un ongle de pied ou de main de la personne, suffisamment fort pour faire blanchir le tissu sous l'ongle.
- Relâchez la pression, puis observez à quelle vitesse la coloration normale revient. Normalement, elle revient en moins de trois ou quatre secondes.

AUTRES

- Inspectez les ongles des mains pour déceler des signes de problèmes circulatoires. Voir la section sur l'examen des ongles au début du présent chapitre.
- Voir également, dans ce chapitre, l'examen physique des pouls périphériques.

ÉVALUATION

- Effectuez les examens de suivi nécessaires du cœur ou des vaisseaux centraux, selon les résultats qui ne correspondent pas aux observations courantes ou qui ne sont pas compatibles avec les résultats attendus pour la personne. Mettez les résultats en rapport avec les données de l'évaluation précédente, au besoin.

- Signalez au médecin les résultats qui ne correspondent pas aux observations courantes.

LES ÂGES DE LA VIE

Examen de la fonction vasculaire périphérique

NOURRISSONS

- La palpation des pouls dans les membres inférieurs (particulièrement les pouls fémoraux) est essentielle au dépistage d'une sténose de l'aorte (coarctation).

PERSONNES ÂGÉES

- L'efficacité générale des vaisseaux sanguins diminue à mesure que les cellules des muscles lisses sont remplacées par du tissu conjonctif. Les membres inférieurs sont plus susceptibles de montrer des signes d'altération artérielle et veineuse, en raison de leur position plus distale et déclive.
- L'examen de la fonction vasculaire périphérique doit toujours porter sur la température des membres inférieurs et supérieurs, la coloration de la peau, les pouls, la présence d'œdème, l'intégrité de la peau et la sensation. Toute différence dans la symétrie des résultats doit être notée.
- Les artères centrales s'amincissent et se dilatent.
- Les artères périphériques s'épaississent et se dilatent moins efficacement à cause de l'artériosclérose des parois des vaisseaux.

- Les vaisseaux sanguins s'allongent; ils deviennent plus tortueux et plus proéminents. Les varicosités sont plus fréquentes.
- Dans certains cas, les artères sont plus facilement palpables à cause de la perte de tissu de soutien. Cependant, les pouls les plus distaux des membres inférieurs sont souvent plus difficiles à palper à cause de la diminution de l'irrigation artérielle.
- La pression systolique et la pression diastolique augmentent, mais l'accroissement de la pression systolique est plus prononcé. En conséquence, la tension différentielle augmente. Les personnes dont la pression artérielle est supérieure à 140/90 doivent être suivies.
- L'œdème périphérique est fréquent; il est souvent causé par une insuffisance veineuse chronique ou une carence protéinique (hypoalbuminémie).

SOINS À DOMICILE

Examen de la fonction vasculaire périphérique

■ Profitez de cette partie de l'examen physique pour enseigner les soins appropriés des membres inférieurs à la personne qui est atteinte d'une affection vasculaire ou qui risque de l'être. Donnez de l'information sur les soins de la peau et des ongles, l'exercice et les positions favorisant la circulation.

Seins et aisselles

Les seins des hommes et des femmes doivent être inspectés et palpés. Les hommes ont un peu de tissu glandulaire sous chaque mamelon ; cette région est propice à l'apparition de tumeurs malignes. Quant aux femmes d'âge moyen, elles ont du tissu glandulaire dans tout le sein. Chez les femmes, la plus grande portion du tissu glandulaire du sein est située dans le quadrant supéroexterne. À partir de ce quadrant, le tissu mammaire s'étend jusqu'à l'aisselle ; ce prolongement est appelé prolongement axillaire (figure 34-65 ■). La majorité des tumeurs du sein se développent dans le quadrant supéroexterne et dans le prolongement axillaire. Cette façon de diviser le sein en cinq parties (les quatre quadrants et le prolongement axillaire) permet à l'infirmière de préciser, durant l'examen, les données qu'elle consigne.

Il faut conseiller à la personne de faire un autoexamen des seins une fois par mois, de même que l'informer des mesures de dépistage recommandées (voir l'encadré 34-27).

Le procédé 34-14 explique comment faire l'examen des seins et des aisselles.

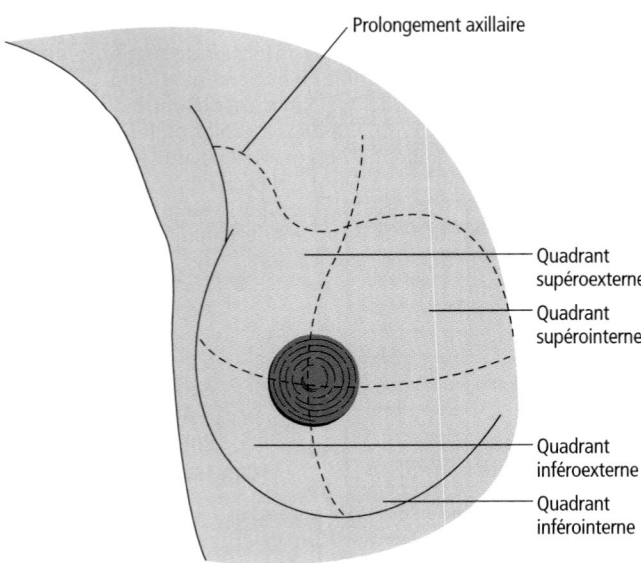

FIGURE **34-65** ■ Les quatre quadrants et le prolongement axillaire.

ENCADRÉ

Mesures de dépistage précoce du cancer du sein

34-27

- **Autoexamen des seins :** mensuel à partir de l'âge de 20 ans
- **Examen clinique des seins par un professionnel de la santé :** tous les ans pour les femmes de 20 à 39 ans, puis tous les 2 ans pour les femmes de 40 ans et plus
- **Mammographie :** tous les 2 ans pour les femmes de 50 ans à 70 ans

- **Dépistage sélectif** (mammographie) pour les femmes de 70 ans et plus, ou pour les femmes à haut risque, de 40 à 49 ans

PROCÉDÉ **34-14**

Examen des seins et des aisselles

PLANIFICATION

Matériel

- Règle graduée en centimètres

INTERVENTION

Exécution

1. Expliquez à la personne ce que vous allez faire, pourquoi vous allez le faire et comment elle peut coopérer. Demandez-lui si elle a déjà eu un examen clinique des seins. Expliquez-lui aussi que les résultats serviront à planifier les soins ou les traitements.

2. Lavez-vous les mains et observez les autres mesures de prévention des infections.

3. Assurez-vous que l'intimité de la personne est préservée.

PROCÉDÉ **34-14** (SUITE)

Examen des seins et des aisselles (suite)

INTERVENTION (suite)

4. Demandez à la personne de vous informer de ses antécédents : autoexamen des seins ; technique d'examen et moment du cycle menstruel ; antécédents de masses, diamètre de ces masses ; douleur ou sensibilité dans les seins et lien avec le cycle menstruel ; écoulement du mamelon ; antécédents de prise de médicaments (certains médicaments, comme les contraceptifs oraux, les corticostéroïdes, la digitale et les diurétiques, peuvent causer un écoulement mammaire, tandis que l'œstrogénothérapie peut être liée à l'apparition de kystes ou de tumeurs cancéreuses) ; facteurs de risque pouvant être liés à l'apparition du cancer du sein (par exemple, mère, sœur ou tante ayant eu un cancer du sein ; consommation excessive d'alcool, diète riche en gras saturés et en protéines animales, obésité, prise de contraceptifs oraux, premières règles avant l'âge de 12 ans, ménopause après l'âge de 55 ans, première grossesse après l'âge de 30 ans).

Examen physique

5. Faites asseoir la personne. Inspectez les seins *pour en évaluer la taille, la symétrie, ainsi que le contour ou la forme.*

Observations courantes

Femmes : forme arrondie ; grosseur légèrement asymétrique ; symétrie d'ensemble.

Hommes : Seins au même niveau que la paroi thoracique ; en cas d'obésité, les seins ont une forme semblable à celle de la femme.

Particularités

Changement récent dans la grosseur d'un sein ; œdème ; asymétrie marquée ; masse.

6. Inspectez la peau du sein pour y déceler les anomalies suivantes : dyschromies ou hyperpigmentations, rétractions, capiton ou fossette cutanée, zones hypervascularisées, œdème (figure 34-66 ■).

Peau de couleur uniforme (de même apparence que la peau de l'abdomen ou du dos).

Vaisseaux diffus disposés symétriquement à l'horizontale ou à la verticale chez les personnes à la peau claire.

Vergetures ; nævus.

Dyschromies locales ou hyperpigmentations.

Rétractions, capiton ou fossette cutanée (dus à du tissu cicatriciel ou à une tumeur invasive).

Régions hypervascularisées localisées et unilatérales (liées à un accroissement du débit sanguin).

L'œdème prend un aspect de peau d'orange à cause du grossissement des pores.

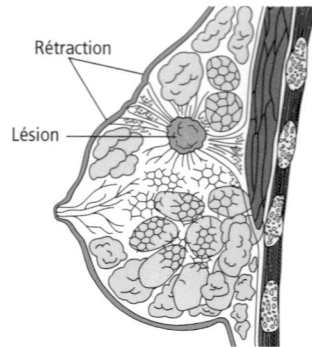

Rétraction

Lésion

FIGURE **34-66** ■ Lésions causant une rétraction de la peau.

7. Accentuez la rétraction du tissu mammaire en demandant à la personne de :
   • Lever les deux bras au-dessus de la tête.
   • Presser les deux mains l'une contre l'autre (figure 34-67 ■).
   • Mettre les mains sur les hanches en effectuant une pression vers l'intérieur (figure 34-68 ■).

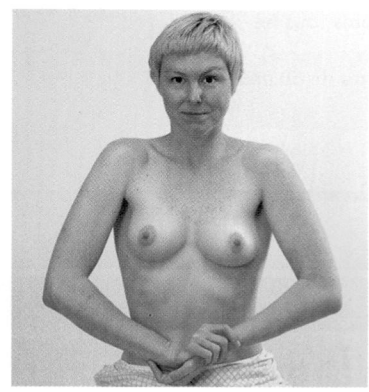

FIGURE **34-67** ■ Presser les mains l'une contre l'autre accentue la rétraction du tissu mammaire.

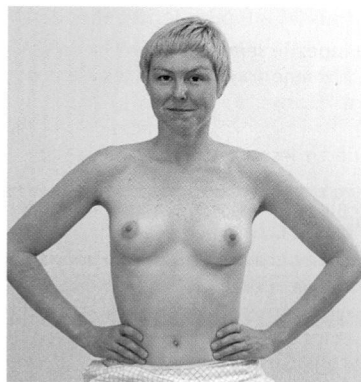

FIGURE **34-68** ■ Presser les mains sur les hanches accentue la rétraction du tissu mammaire.

8. Inspectez l'aréole *pour en évaluer la taille, la forme, la symétrie, la couleur et la surface, et pour y déceler la présence d'une lésion ou d'une masse.*

Aréoles rondes ou ovales, et pareilles des deux côtés.

La couleur peut varier considérablement, de rose pâle à brun foncé.

Glandes sébacées (glandes de Montgomery) disposées irrégulièrement sur la surface de l'aréole.

Asymétrie, masse ou lésion.

Modification récente de la couleur de l'aréole.

INTERVENTION (suite)

Examen physique

9. Inspectez les mamelons *pour en évaluer la taille, la forme, la position, la couleur, ainsi que pour y rechercher la présence d'un écoulement ou d'une lésion.*

10. Palpez les ganglions lymphatiques axillaires, sus-claviculaires et sous-claviculaires (figure 34-69 ■); demandez à la personne de s'asseoir, de placer ses bras en abduction et de les appuyer sur vos avant-bras. Pour la palpation des ganglions lymphatiques claviculaires, voir la page 870. Utilisez la pulpe de vos doigts pour palper les quatre régions de l'aisselle :

    • Le bord du grand pectoral (pectoralis major) le long de la ligne axillaire antérieure

    • La paroi thoracique dans la région médioaxillaire

    • La partie supérieure de l'humérus

    • Le bord antérieur du grand dorsal le long de la ligne axillaire postérieure

Observations courantes

Mamelons ronds, de même diamètre ; couleur similaire ; doux et lisses ; pointant dans la même direction.

Aucun écoulement, sauf si la femme est enceinte ou allaite.

Inversion d'un mamelon ou des deux mamelons depuis la puberté.

Aucune sensibilité au toucher, aucune masse ni aucun nodule.

Particularités

Grosseur et couleur différentes des deux mamelons.

Écoulement, croûtes ou fissures.

Inversion récente d'un mamelon ou des deux mamelons.

Sensibilité, masses ou nodules.

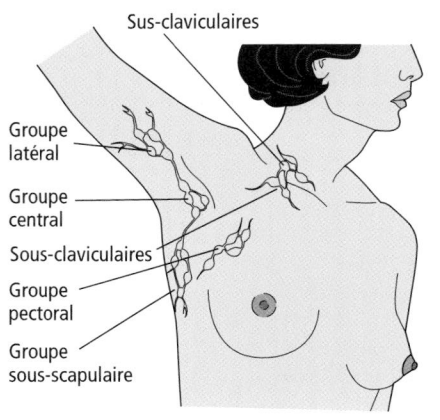
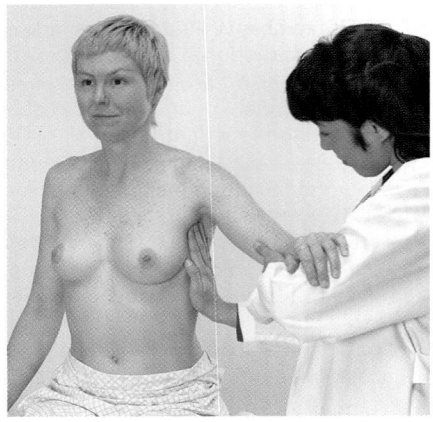

Sus-claviculaires

Groupe latéral

Groupe central

Sous-claviculaires

Groupe pectoral

Groupe sous-scapulaire

A   B

FIGURE 34-69 ■ Repérage et palpation des ganglions lymphatiques qui drainent le côté du sein : *A,* ganglions lymphatiques ; *B,* palpation de l'aisselle.

11. Palpez le sein *pour y rechercher la présence d'une masse, d'une sensibilité au toucher ou d'un écoulement des mamelons.* Voir l'encadré 34-28, qui décrit les méthodes de palpation.

12. Palpez l'aréole et les mamelons *pour y rechercher la présence de masses.* Demandez à la femme de presser chaque mamelon pour vérifier s'il y aurait un écoulement. S'il y a un écoulement, pressez l'aréole vers le mamelon *pour déterminer le lobe qui produit l'écoulement* ; aussi, notez alors la quantité, la couleur, la consistance et l'odeur de l'écoulement. Notez également toute sensibilité au toucher.

13. Enseignez à la personne la technique d'autoexamen des seins (voir le chapitre 29 ⊂⊃).

14. Notez les résultats au dossier de la personne, en utilisant des formulaires ou des listes de vérification enrichies de notes explicatives au besoin.

Aucune sensibilité au toucher, aucune masse ni aucun nodule, aucun écoulement.

Aucune sensibilité au toucher, aucune masse ni aucun nodule, aucun écoulement.

Sensibilité au toucher, masses, nodules ou écoulement.

Sensibilité au toucher, masses, nodules ou écoulement.

PROCÉDÉ 34-14 (SUITE)

Examen des seins et des aisselles (suite)

INTERVENTION (suite)

Palpation du sein

Pour effectuer la palpation du sein, on demande habituellement à la personne de se coucher sur le dos. Lorsque la personne est en décubitus dorsal, les seins s'aplatissent uniformément sur la paroi thoracique, ce qui facilite la palpation. Si la personne a des antécédents de masses mammaires, qu'elle présente un risque élevé de cancer du sein ou qu'elle a les seins tombants, il est recommandé de l'examiner à la fois en décubitus dorsal et en position assise.

- Si la personne dit avoir une bosse au sein, palpez d'abord le sein « normal » pour obtenir des données de base pour la comparaison avec l'autre sein.
- Pour que les seins s'aplatissent encore davantage, demandez à la personne d'étirer le bras et de placer sa main derrière sa tête. Ensuite, placez un petit oreiller ou une serviette enroulée sous l'épaule de la personne.
- Pour palper le sein, utilisez la pulpe de vos trois doigts du milieu (collés ensemble) et décrivez des mouvements circulaires.
- Choisissez l'une des trois séries de mouvements suivantes :
  a) Mouvements suivant les aiguilles d'une montre ou les rayons d'une roue (figure 34-70 ■)
  b) Mouvements suivant des cercles concentriques (figure 34-71 ■)
  c) Mouvements suivant des lignes verticales (figure 34-72 ■)
- Choisissez un point pour commencer la palpation, puis procédez de manière systématique jusqu'au dernier point de palpation afin de vous assurer de palper tout le sein.
- Portez une attention particulière au quadrant supéro-externe et au prolongement axillaire.

- Si vous détectez une masse, notez les données suivantes :
  a) *Situation :* emplacement exact relativement aux quatre quadrants et au prolongement axillaire, ou relativement au cadran (voir la figure 34-70), puis distance du mamelon en centimètres.
  b) *Taille :* longueur, largeur et épaisseur de la masse en centimètres ; si vous pouvez en déterminer les bords définis, notez-en les données.
  c) *Forme :* masse ronde, ovale, lobulée, indistincte ou irrégulière.
  d) *Consistance :* masse dure ou molle.
  e) *Mobilité :* masse mobile ou fixe.
  f) *Peau recouvrant la bosse :* peau rougie, capitonnée ou rétractée.
  g) *Mamelon :* mamelon déplacé ou rétracté.
  h) *Sensibilité :* douleur au toucher.

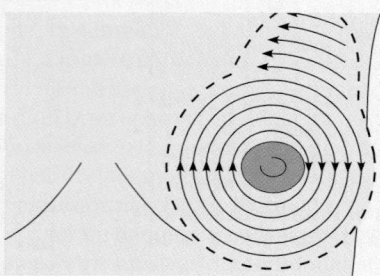

FIGURE **34-71** ■ Palpation suivant des cercles concentriques.

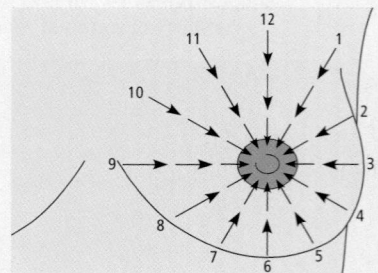

FIGURE **34-70** ■ Palpation suivant les aiguilles d'une montre ou les rayons d'une roue.

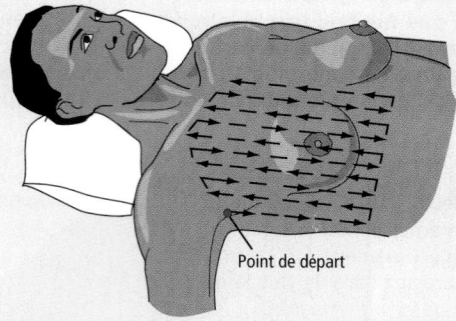

Point de départ

FIGURE **34-72** ■ Palpation suivant des lignes verticales.

ÉVALUATION

- Effectuez les examens de suivi nécessaires, selon les résultats qui ne correspondent pas aux observations courantes ou qui ne sont pas compatibles avec les résultats attendus pour la personne. Mettez les résultats en rapport avec les données de l'évaluation précédente, au besoin.

- Signalez au médecin les résultats qui ne correspondent pas aux observations courantes.

LES ÂGES DE LA VIE

Examen des seins et des aisselles

NOURRISSONS

- Chez les nourrissons, on remarque quelquefois, jusqu'à l'âge de deux semaines, une hypertrophie mammaire et un écoulement blanc des mamelons (lait des nouveau-nés).

ENFANTS

- Chez la fille, les seins commencent à se développer vers l'âge de 12 ou 13 ans. Le développement des seins se déroule en cinq étapes. Un des seins peut se développer plus rapidement que l'autre.
  - Stade 1 : élévation des mamelons.
  - Stade 2 : élargissement des aréoles.
  - Stade 3 : augmentation du volume des seins.
  - Stade 4 : saillie des aréoles et des mamelons.
  - Stade 5 : récession des aréoles vers l'âge de 14 ou 15 ans, de sorte que seuls les mamelons saillent.
- Chez les garçons, les seins peuvent se développer un peu au début de l'adolescence. Cette croissance mammaire transitoire peut durer deux ans et elle n'atteint que le stade 2.
- La gynécomastie, c'est-à-dire l'hypertrophie du tissu mammaire chez le garçon, peut survenir durant la puberté et ne toucher qu'un seul sein.

FEMMES ENCEINTES

- Le sein, l'aréole et le mamelon grossissent.
- L'aréole et le mamelon foncent ; les mamelons deviennent plus saillants ; de petites glandes appelées glandes de Montgomery apparaissent çà et là sur l'aréole, formant de petites bosses.
- Les veines superficielles deviennent plus visibles ; des vergetures linéaires et irrégulières peuvent apparaître.
- Un liquide jaunâtre et épais (le colostrum) peut être exprimé des mamelons après le premier trimestre.

PERSONNES ÂGÉES

- Chez la femme, les seins changent de forme après la ménopause ; souvent, ils deviennent affaissés ou flasques ; ils n'ont plus la fermeté d'avant.
- Il devient plus facile de détecter les lésions mammaires en raison de la perte de tissu conjonctif.
- La grosseur des seins demeure à peu près la même. Le tissu glandulaire s'atrophie, mais la quantité de tissu adipeux dans les seins (surtout dans les quadrants inférieurs) augmente chez la plupart des femmes.

Abdomen

L'infirmière trouve et décrit les points de repère de l'abdomen selon deux méthodes de division courantes : la division en quadrants et la division en régions. Pour diviser l'abdomen en quadrants, l'infirmière doit s'imaginer une ligne verticale qui part du processus xiphoïde et se termine à la symphyse pubienne, puis une ligne horizontale qui passe par l'ombilic (figure 34-73 ■). On obtient ainsi quatre quadrants : le quadrant

supérieur droit (*1*), le quadrant supérieur gauche (*2*), le quadrant inférieur droit (*3*) et le quadrant inférieur gauche (*4*). La seconde méthode consiste à diviser l'abdomen en neuf régions. Pour visualiser les neuf régions, l'infirmière doit imaginer deux lignes verticales et deux lignes horizontales. Les deux lignes verticales partent des points situés au milieu des ligaments inguinaux et se dirigent vers le haut. Quant aux deux lignes horizontales, l'une passe par le bord des côtes inférieures et l'autre, par les

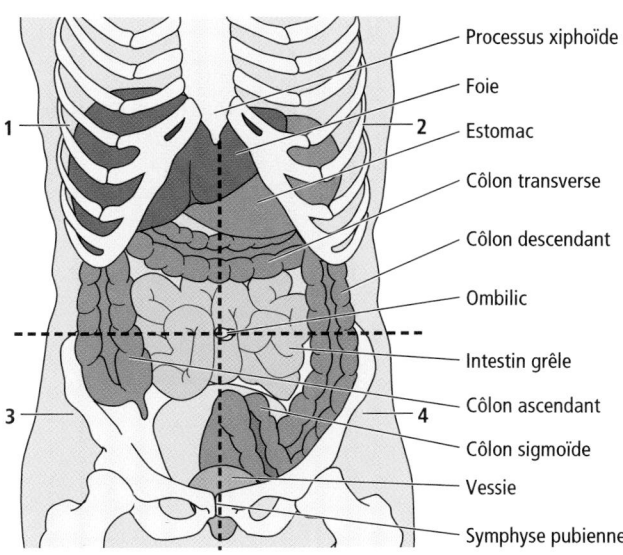

FIGURE **34-73** ■ Les quatre quadrants abdominaux et les organes sous-jacents : *1,* quadrant supérieur droit ; *2,* quadrant supérieur gauche ; *3,* quadrant inférieur droit ; *4,* quadrant inférieur gauche.

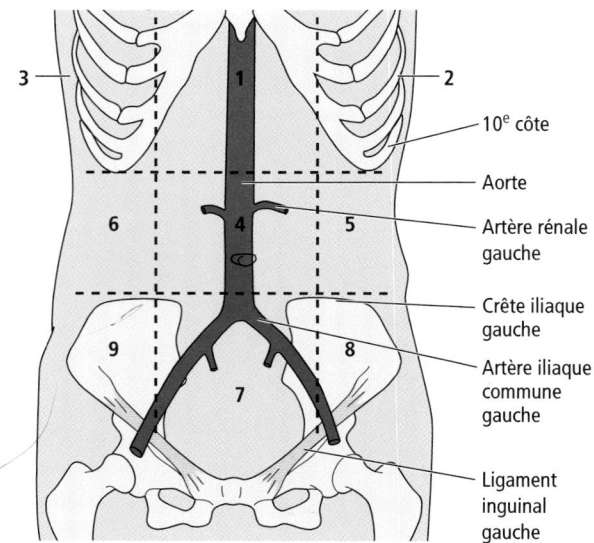

FIGURE **34-74** ■ Les neuf régions abdominales : *1,* région épigastrique ; *2* et *3,* hypocondres gauche et droit ; *4,* région ombilicale ; *5* et *6,* flancs gauche et droit ; *7,* région hypogastrique (sus-pubienne) ; *8* et *9,* régions iliaques (inguinales) gauche et droite.

crêtes iliaques (figure 34-74 ■). Chaque région abdominale renferme certains organes ou certaines parties d'organes (voir les encadrés 34-29 et 34-30).

En outre, les médecins utilisent souvent les repères anatomiques suivants pour situer les signes et les symptômes abdominaux : le processus xiphoïde du sternum, les rebords costaux, l'épine iliaque antérosupérieure, les ligaments inguinaux (arcades crurales) et le bord supérieur de la symphyse pubienne (figure 34-75 ■).

L'examen de l'abdomen fait appel aux quatre techniques d'examen, dans l'ordre suivant : l'inspection, l'auscultation, la percussion et la palpation. L'auscultation se fait avant la palpation et la percussion, car la palpation et la percussion stimulent le péristaltisme intestinal, ce qui peut augmenter la motilité intestinale et, donc, les bruits intestinaux. L'accroissement des bruits intestinaux peut fausser les résultats. Le procédé 34-15 explique comment faire l'examen de l'abdomen.

ENCADRÉ **34-29**

Organes correspondant aux quatre quadrants abdominaux

QUADRANT SUPÉRIEUR DROIT
Foie
Vésicule biliaire
Duodénum
Tête du pancréas
Glande surrénale droite
Lobe supérieur du rein droit
Angle hépatique du côlon
Côlon ascendant distal
Portion du côlon transverse

QUADRANT SUPÉRIEUR GAUCHE
Lobe gauche du foie
Estomac
Rate
Loge supérieure du rein gauche
Corps et queue du pancréas
Glande surrénale gauche
Angle splénique du côlon
Portion du côlon transverse
Côlon descendant proximal

QUADRANT INFÉRIEUR DROIT
Lobe inférieur du rein droit
Cæcum
Appendice
Côlon ascendant proximal
Ovaire droit
Trompe de Fallope droite
Uretère droit
Cordon spermatique droit
Partie de l'utérus

QUADRANT INFÉRIEUR GAUCHE
Lobe inférieur du rein gauche
Côlon sigmoïde
Côlon descendant distal
Ovaire gauche
Trompe de Fallope gauche
Uretère gauche
Cordon spermatique gauche
Partie de l'utérus

ENCADRÉ **34-30**

Organes correspondant aux neuf régions abdominales

HYPOCONDRE DROIT
Lobe droit du foie
Vésicule biliaire
Partie du duodénum
Angle hépatique du côlon
Moitié supérieure du rein droit
Glande surrénale

FLANC DROIT
Côlon ascendant
Moitié inférieure du rein droit
Partie du duodénum et du jéjunum

RÉGION ILIAQUE DROITE
Cæcum
Appendice
Extrémité inférieure de l'iléum
Uretère droit
Cordon spermatique droit
Ovaire droit

RÉGION ÉPIGASTRIQUE
Aorte
Extrémité pylorique de l'estomac
Partie du duodénum
Pancréas
Partie du foie

RÉGION OMBILICALE
Épiploon
Mésentère
Partie inférieure du duodénum
Partie du jéjunum et de l'iléum

RÉGION HYPOGASTRIQUE (sus-pubienne)
Iléum
Vessie
Utérus

HYPOCONDRE GAUCHE
Estomac
Rate
Queue du pancréas
Angle splénique du côlon
Moitié supérieure du rein gauche
Glande surrénale

FLANC GAUCHE
Côlon descendant
Moitié inférieure du rein gauche
Partie du jéjunum et de l'iléum

RÉGION ILIAQUE GAUCHE
Côlon sigmoïde
Uretère gauche
Cordon spermatique gauche
Ovaire gauche

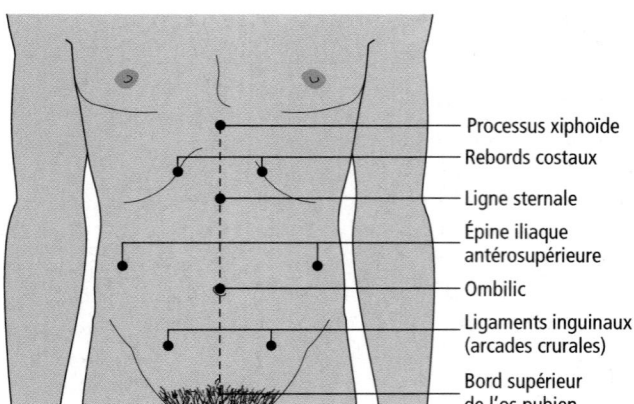

Processus xiphoïde
Rebords costaux
Ligne sternale
Épine iliaque antérosupérieure
Ombilic
Ligaments inguinaux (arcades crurales)
Bord supérieur de l'os pubien

FIGURE **34-75** ■ Repères couramment utilisés pour situer les régions abdominales.

PROCÉDÉ 34-15

Examen de l'abdomen

PLANIFICATION

- Pour que l'examen soit moins incommodant, assurez-vous que la personne a vidé sa vessie au préalable.
- Assurez-vous que la pièce est assez chaude, car la personne devra se dévêtir.

Matériel
- Lampe d'examen
- Ruban à mesurer
- Crayon hydrosoluble pour la peau
- Stéthoscope

INTERVENTION

1. Expliquez à la personne ce que vous allez faire, pourquoi vous allez le faire et comment elle peut coopérer. Expliquez-lui aussi que les résultats serviront à planifier les soins ou les traitements.
2. Lavez-vous les mains et observez les autres mesures de prévention des infections.
3. Assurez-vous que l'intimité de la personne est préservée.
4. Demandez à la personne de vous informer de ses antécédents : incidence de douleur abdominale (région touchée, moment et ordre d'apparition des symptômes, chronologie) ; caractéristiques de la douleur ; fréquence de la douleur ; symptômes associés à la douleur (par exemple, nausées, vomissements, diarrhée) ; habitudes intestinales ; incidence de la constipation ou de la diarrhée (demander à la personne de décrire ses symptômes) ; altération de l'appétit, intolérances alimentaires,

aliments ingérés au cours des 24 dernières heures ; signes et symptômes spécifiques (par exemple, brûlures d'estomac, flatulence, éructations, difficulté à avaler, hématémèse [vomissement de sang], sang ou mucus dans les selles, facteurs qui aggravent ou qui soulagent les symptômes) ; problèmes et traitements antérieurs (par exemple, ulcères d'estomac, ablation de la vésicule biliaire, antécédents d'ictère).

5. Aidez la personne à s'installer en décubitus dorsal ; demandez-lui de laisser reposer ses bras confortablement sur les côtés. Placez de petits oreillers sous ses genoux et sa tête afin de réduire la tension des muscles abdominaux. N'exposez que l'abdomen de la personne, entre la ligne du thorax et la région pubienne, afin qu'elle ne frissonne pas (le frissonnement ferait se contracter les muscles abdominaux).

Examen physique

Inspection de l'abdomen

6. Inspectez l'abdomen *pour vérifier l'intégrité de la peau* (voir la description de l'examen de la peau, plus haut dans ce chapitre).

7. Inspectez l'abdomen *pour en évaluer le contour et la symétrie* :
- Demandez à la personne de s'installer en décubitus dorsal ; placez-vous à côté d'elle et observez le contour de son abdomen (ligne de profil, depuis le rebord costal jusqu'à l'os pubien).
- Demandez à la personne d'inspirer profondément et de garder son souffle (*il est alors possible de voir un foie ou une rate hypertrophiés*).
- Placez-vous au pied du lit et évaluez la symétrie du contour.
- Si vous constatez une distension, mesurez le tour de taille en plaçant un ruban autour de l'abdomen à la hauteur de l'ombilic (figure 34-76 ■).

Observations courantes

Peau sans tache.

Couleur uniforme.

Stries blanc argenté (vergetures) ou cicatrices chirurgicales.

Abdomen plat, arrondi (convexe) ou scaphoïde (concave).

Aucun signe d'hypertrophie du foie ni de la rate.

Contour symétrique.

Particularités

Présence d'une éruption ou d'autres lésions.

Peau tendue et brillante (peut indiquer une ascite, un œdème).

Stries violacées (associées à la maladie de Cushing).

Abdomen distendu.

Signes d'hypertrophie du foie ou de la rate.

Contour asymétrique, par exemple voussures localisées autour de l'ombilic, des ligaments inguinaux ou d'une cicatrice (possibilité de hernie ou de tumeur).

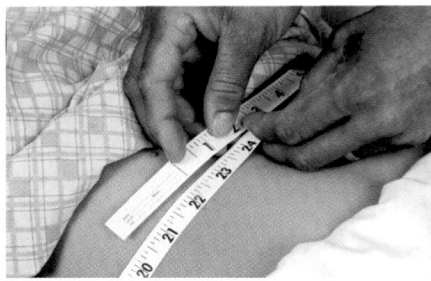

FIGURE **34-76** ■ Mesure de la circonférence de l'abdomen.

PROCÉDÉ 34-15 (SUITE)

Examen de l'abdomen (suite)

INTERVENTION (suite)

Examen physique	Observations courantes	Particularités
8. Observez les mouvements abdominaux qui accompagnent la respiration, le péristaltisme et les pulsations aortiques.	Mouvements symétriques liés à la respiration. Péristaltisme visible chez les personnes très minces. Pulsations aortiques chez les personnes minces dans la région épigastrique.	Mouvements restreints par la douleur ou par un processus morbide. Péristaltisme visible chez une personne non mince (avec obstruction intestinale). Pulsations aortiques marquées.
9. Observez la disposition des vaisseaux sanguins.	Aucune disposition visible des vaisseaux.	La disposition visible des veines (veines dilatées) est liée à l'insuffisance hépatique, à une ascite ou à une obstruction de la veine cave inférieure.
Auscultation de l'abdomen 10. Auscultez l'abdomen pour percevoir les bruits intestinaux, les bruits vasculaires et les frottements péritonéaux. L'encadré 34-31 explique la méthode d'auscultation.	Bruits intestinaux audibles. Absence de bruits artériels. Absence de frottements.	Bruits intestinaux absents, hypoactifs ou hyperactifs. Bruit fort vis-à-vis de la région aortique (possibilité d'anévrisme). Bruit sur les artères rénales ou iliaques.

ENCADRÉ

Auscultation de l'abdomen

34-31

Réchauffez-vous les mains et réchauffez les membranes du stéthoscope. Le contact du froid sur la peau de la personne peut provoquer une contraction abdominale qui serait perçue à l'auscultation.

AUSCULTATION DES BRUITS INTESTINAUX

- Utilisez le diaphragme. Les bruits intestinaux sont relativement aigus ; le diaphragme est la membrane du stéthoscope qui amplifie le mieux ces bruits. Une certaine pression du stéthoscope est adéquate.
- Demandez à la personne à quand remonte son dernier repas. Normalement, peu après un repas ou longtemps après, les bruits intestinaux sont accrus. Ils sont à leur plus fort lorsque le dernier repas remonte à plusieurs heures. De quatre à sept heures après un repas, on peut entendre les bruits intestinaux de façon continue vis-à-vis de la région de la valvule de Bauhin (iléocæcale), alors que le contenu de la digestion de l'intestin grêle traverse cette valvule pour passer au gros intestin.
- Placez le diaphragme du stéthoscope dans chacun des quatre quadrants de l'abdomen, comme il est montré dans la figure 34-77 ■.
- Écoutez les bruits intestinaux actifs : ce sont des bruits de gargouillement irréguliers qui se produisent toutes les

5 à 20 secondes environ. La durée d'un bruit isolé peut varier de moins d'une seconde à plusieurs secondes.
- Les bruits intestinaux normaux sont considérés comme audibles. Les bruits intestinaux anormaux caractérisent soit l'absence de bruits, soit des bruits hypoactifs (très faibles et rares [par exemple, un seul bruit par minute]), soit des bruits hyperactifs ou amplifiés (aigus, forts, impétueux et fréquents [par exemple, un bruit toutes les trois secondes]). Les bruits hyperactifs sont aussi appelés borborygmes. L'absence complète de bruits (aucun bruit perçu pendant cinq minutes) indique une cessation de la motilité intestinale. Les bruits hypoactifs indiquent une diminution de la motilité et sont habituellement liés à la manipulation des intestins durant une chirurgie, à une inflammation, à un iléus paralytique ou à une occlusion intestinale prolongée. Les bruits hyperactifs indiquent une augmentation de la motilité intestinale et sont généralement liés à la diarrhée, au début d'une occlusion intestinale ou à l'utilisation de laxatifs.

AUSCULTATION DES BRUITS VASCULAIRES

- Utilisez la cupule du stéthoscope vis-à-vis de l'aorte, des artères rénales, des artères iliaques et des artères fémorales (figure 34-78 ■).
- Recherchez la présence de souffles (dus à un débit sanguin restreint par des vaisseaux étroits).

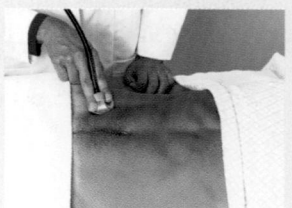

FIGURE 34-77 ■ Auscultation de l'abdomen pour percevoir les bruits.

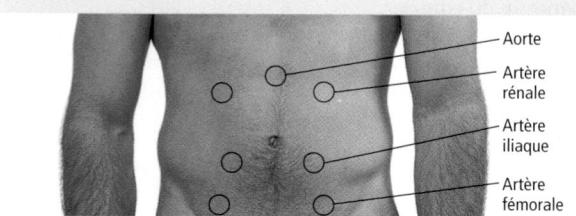

Aorte
Artère rénale
Artère iliaque
Artère fémorale

FIGURE 34-78 ■ Régions de l'abdomen à ausculter.

INTERVENTION (suite)

Auscultation de l'abdomen (suite)

FROTTEMENTS PÉRITONÉAUX
- Le frottement péritonéal est un bruit rude et grinçant qui ressemble à celui de deux morceaux de cuir qu'on frotte ensemble. Le frottement péritonéal peut être dû à une inflammation, à une infection ou à une augmentation importante de la taille d'un organe.

- Pour ausculter la région de la rate, placez le stéthoscope dans la région inférieure gauche de la cage thoracique, sur la ligne axillaire antérieure, et demandez à la personne de respirer profondément. Une respiration profonde peut accentuer le bruit d'un frottement.
- Pour ausculter la région du foie, placez le stéthoscope dans la région inférieure droite de la cage thoracique.

Examen physique

Percussion de l'abdomen
11. Percutez plusieurs endroits dans chacun des quatre quadrants afin de déceler un tympanisme (gaz dans l'estomac et les intestins) ou une matité (sonorité diminuée, absente ou matité franche vis-à-vis d'une masse solide ou d'un liquide). Procédez de manière systématique : commencez dans le quadrant supérieur droit, puis passez au quadrant supérieur gauche, puis au quadrant inférieur gauche, puis au quadrant inférieur droit (figure 34-79 ■). Respectez cet ordre, puis, en dernier lieu, percutez les zones douloureuses.

Observations courantes

Tympanisme au niveau de l'estomac et des intestins remplis de gaz ; submatité, surtout au niveau du foie et de la rate ; matité au niveau d'une vessie pleine.

Particularités

Grandes régions de matité (liées à la présence d'un liquide ou d'une tumeur).

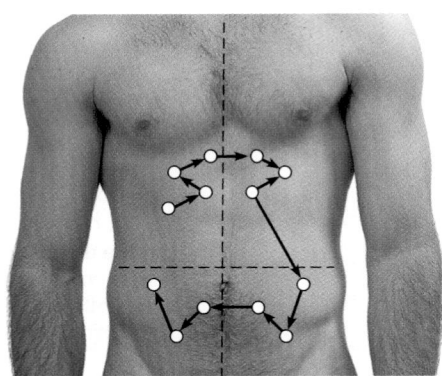

FIGURE 34-79 ■ Percussion systématique dans les quatre quadrants.

Percussion du foie
12. Percutez le foie pour déterminer sa taille (voir l'encadré 34-32).

De 6 à 12 cm sur la ligne médioclaviculaire ; de 4 à 8 cm sur la ligne sternale.

Hypertrophie (associée aux affections hépatiques).

Palpation de l'abdomen
13. Pour commencer, utilisez la palpation légère pour déceler les endroits sensibles au toucher ou la défense musculaire. Explorez systématiquement les quatre quadrants (voir l'encadré 34-33 pour la technique de palpation).

Aucune sensibilité au toucher ; abdomen détendu, tension légère et uniforme.

Sensibilité au toucher et hypersensibilité.

Masses superficielles.

Zones localisées de tension accrue.

14. Utilisez la palpation profonde sur les quatre quadrants (voir l'encadré 34-33).

Une sensibilité au toucher peut être présente près du processus xiphoïde, sur le cæcum et sur le côlon sigmoïde.

Zones localisées ou généralisées de sensibilité au toucher.

Masses mobiles ou fixes.

PROCÉDÉ 34-15 (SUITE)

Examen de l'abdomen (suite)

INTERVENTION (suite)

Percussion du foie

Lorsque vous percutez l'abdomen pour déterminer la grosseur du foie, commencez sur la ligne médioclaviculaire droite, sous l'ombilic, et procédez comme suit :

1. Percutez les zones tympaniques en allant vers le haut, jusqu'à ce qu'un bruit de percussion mat indique le bord inférieur du foie. Indiquez cet endroit avec un marqueur (figure 34-80 ∎).

2. Ensuite, percutez en descendant la ligne médioclaviculaire droite ; commencez dans une zone de sonorité pulmonaire, puis descendez jusqu'à ce qu'un bruit de percussion mat indique le bord supérieur du foie (habituellement du cinquième au septième espace intercostal). Marquez l'endroit.

3. Mesurez la distance entre les deux marques (bord supérieur et bord inférieur du foie) en centimètres pour établir la taille du foie.

4. Refaites les étapes 1 à 3 sur la ligne sternale.

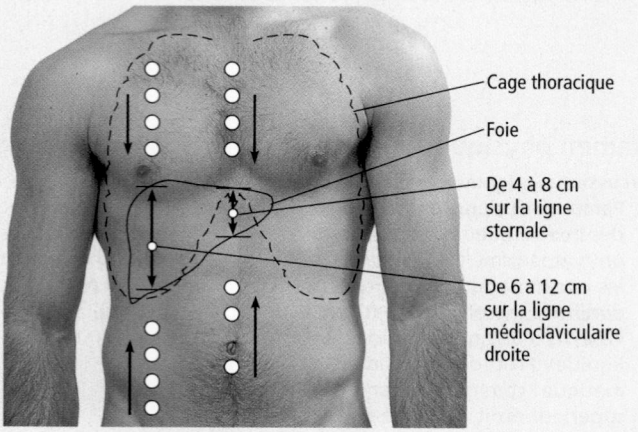

FIGURE 34-80 ∎ Zone de percussion permettant de déterminer la taille du foie.

Palpation de l'abdomen

On se sert de la palpation pour détecter la sensibilité au toucher, la présence de masses ou une distension, ainsi que le contour et la position des organes abdominaux (par exemple, le foie ou la rate). Avant la palpation : (a) assurez-vous que la position de la personne est propice à la décontraction des muscles abdominaux ; (b) réchauffez-vous les mains. Le contact du froid sur l'abdomen de la personne peut causer une tension musculaire susceptible de fausser la palpation.

PALPATION LÉGÈRE
- Placez la paume de votre main légèrement au-dessus de l'abdomen de la personne, vos doigts parallèles à l'abdomen.
- Avec la pulpe de vos doigts, pressez légèrement la paroi abdominale sur une profondeur d'environ 1 cm ou la profondeur du tissu sous-cutané (figure 34-81 ∎).
- Déplacez la pulpe des doigts dans un léger mouvement circulaire.
- Notez les zones de sensibilité au toucher, de douleur superficielle ou de défense musculaire, ainsi que les masses. Pour déterminer les points sensibles, demandez à la personne de les indiquer et observez la modification de ses expressions faciales.
- Si la personne est très chatouilleuse, commencez par appuyer votre main sur sa main, puis glissez votre main directement sur son abdomen et continuez l'examen.

PALPATION PROFONDE
- Palpez les endroits sensibles en dernier.
- Posez la moitié distale de la face palmaire des doigts d'une main sur la paroi abdominale *ou* utilisez la méthode bimanuelle de palpation décrite plus haut dans ce chapitre, page 829.

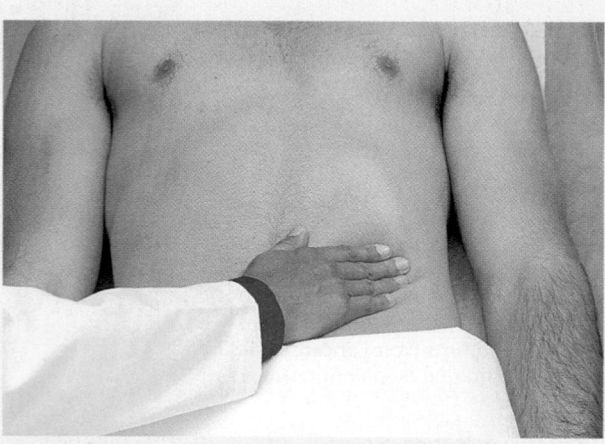

FIGURE 34-81 ∎ Palpation légère de l'abdomen.

Cage thoracique

Foie

De 4 à 8 cm sur la ligne sternale

De 6 à 12 cm sur la ligne médioclaviculaire droite

INTERVENTION (suite)

Palpation de l'abdomen (suite)

- Pressez la paroi abdominale jusqu'à une profondeur de 4 à 5 cm environ (figure 34-82 ■).
- Notez les masses et la structure des parties sous-jacentes. Si vous constatez la présence d'une masse, déterminez sa grosseur, son emplacement, sa mobilité, son contour, sa consistance et vérifiez-en la sensibilité au toucher. Certaines structures abdominales normales peuvent passer pour des masses : les bords latéraux du grand droit de l'abdomen, le côlon rempli de matières fécales, l'aorte et l'utérus.
- Vérifiez si une douleur est provoquée par la décompression brusque de la paroi abdominale après palpation, dans les régions où la personne dit avoir mal. Avec une main, pressez lentement et profondément sur la région indiquée, puis retirez la main rapidement. Si la personne ne se plaint pas de douleur durant la pression mais qu'elle dit avoir mal au moment où l'on retire la main, elle présente une douleur à la décompression brusque. Cela indique une inflammation péritonéale que vous devez signaler au médecin sans tarder.

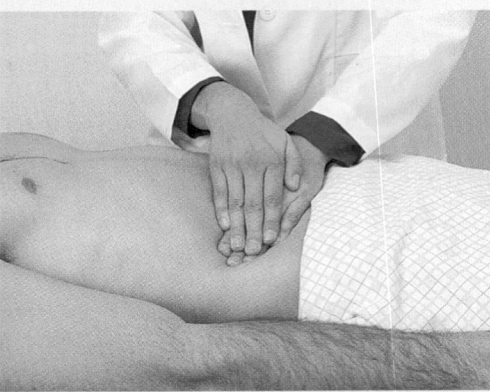

FIGURE 34-82 ■ Palpation profonde bimanuelle de l'abdomen.

Examen physique

Palpation du foie

15. Palpez le foie pour y déceler une hypertrophie ou une sensibilité au toucher. Les méthodes de palpation sont expliquées à l'encadré 34-34.

Observations courantes

Il arrive que le foie ne soit pas palpable.

Les bords sont lisses.

Particularités

Hypertrophie (donnée anormale, même si le foie est lisse et non sensible).

Foie lisse mais sensible ; nodulaire ou dur.

Palpation du foie

Il existe deux méthodes bimanuelles pour palper le foie. La première méthode consiste à placer une main sur le bord antérieur de la cage thoracique et l'autre main sur le bord postérieur de la cage thoracique.

- Placez-vous du côté droit de la personne.
- Placez la main gauche sur le thorax postérieur, au niveau de la onzième ou de la douzième côte. Servez-vous de cette main pour pousser vers le haut et soutenir les structures sous-jacentes pendant que vous palpez la région antérieure correspondante.
- Placez la main droite sur la cage thoracique, à un angle de 45° environ à droite du muscle grand droit ou parallèlement au muscle droit, vos doigts pointant vers la cage thoracique (figure 34-83 ■, A).
- Pendant que la personne expire, enfoncez la main graduellement et doucement vers le bas et l'avant, sous le rebord costal, jusqu'à une profondeur de 4 à 5 cm. Durant

l'expiration, la paroi abdominale se relâche, ce qui facilite la palpation profonde.

- Maintenez la position de la main et demandez à la personne d'inspirer profondément. L'inspiration fait descendre le foie, dont le bord inférieur devient alors palpable.
- Pendant que la personne inspire, palpez le bord du foie. Normalement, il est ferme et son contour est régulier. Si vous n'arrivez pas à palper le foie du premier coup, demandez à la personne de prendre deux ou trois autres respirations profondes pendant que vous palpez à nouveau, en appuyant un peu plus fort si nécessaire. Le foie est plus difficile à palper si la personne est obèse, tendue ou très svelte.
- Si le foie est hypertrophié (c'est-à-dire palpable en-dessous du rebord costal), mesurez le nombre de centimètres dont il dépasse la région costale.

La seconde méthode est la méthode du « crochet ».

- Placez-vous près de l'épaule de la personne, votre regard tourné vers les membres inférieurs.

PROCÉDÉ 34-15 (SUITE)

Examen de l'abdomen (suite)

INTERVENTION (suite)

Palpation du foie (suite)

- Enroulez, avec les doigts des deux mains, le rebord costal droit.
- Demandez à la personne d'inspirer profondément et tentez de déterminer les caractéristiques du bord inférieur du

foie qui, en descendant et en poussant sur la paroi abdominale, vient ainsi pousser sur les doigts et les fait se dérouler légèrement (figure 34-83 ■, B).

Les techniques et les principes utilisés pour palper le foie sont les mêmes pour les deux méthodes.

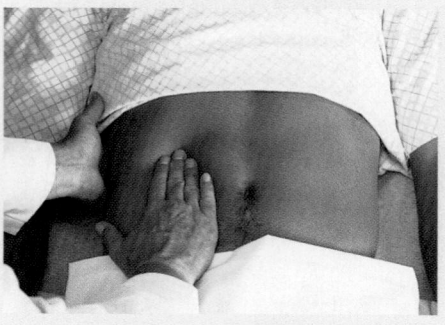
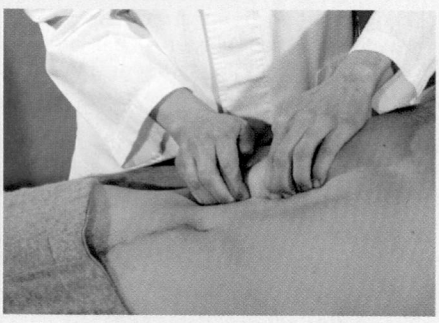

A   B

FIGURE 34-83 ■ Palpation du foie : A, palpation bimanuelle ; B, palpation bimanuelle par la méthode du « crochet ».

Examen physique

Palpation de la vessie

16. Palpez la région au-dessus de la symphyse pubienne si vous croyez que la personne a des antécédents de rétention urinaire (figure 34-84 ■).

Observations courantes

Vessie non palpable.

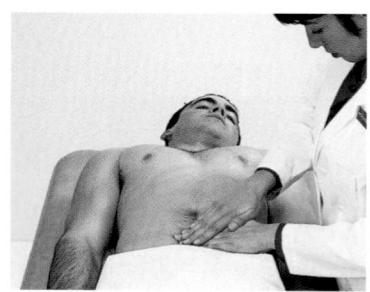

FIGURE 34-84 ■ Palpation de la vessie.

Particularités

Vessie distendue et palpable : masse lisse, ronde et tendue (indique une rétention urinaire).

17. Notez les données au dossier de la personne, en utilisant des formulaires ou des listes de vérification enrichies de notes explicatives au besoin.

ÉVALUATION

- Effectuez les examens de suivi nécessaires d'autres fonctions, selon les résultats qui ne correspondent pas aux observations courantes ou qui ne sont pas compatibles avec les résultats attendus pour la personne. Mettez les résultats en rapport avec les données de l'évaluation précédente, au besoin.

- Signalez au médecin les données qui ne correspondent pas aux observations courantes.

LES ÂGES DE LA VIE

Examen de l'abdomen

NOURRISSONS

- L'abdomen des nouveau-nés et des nourrissons est rond.

ENFANTS

- Les jeunes enfants ont un petit ventre rond, caractéristique qu'ils gardent jusqu'à l'âge de cinq ans environ.
- Le péristaltisme est habituellement plus visible chez l'enfant que chez l'adulte.
- Les enfants sont parfois incapables d'indiquer les endroits sensibles ; c'est en observant leur expression faciale que vous pouvez déterminer ces endroits.
- Le foie est relativement plus gros que chez l'adulte, toutes proportions gardées. Vous pouvez le palper à 1 ou 2 cm sous le rebord costal droit.
- Si l'enfant est chatouilleux, se défend ou a peur, distrayez-le en lui proposant une tâche qui sollicite sa concentration (comme presser les mains ensemble).

PERSONNES ÂGÉES

- Les personnes âgées ont l'abdomen arrondi en raison d'une augmentation du tissu adipeux et d'une diminution du tonus musculaire.
- La paroi abdominale est plus lâche et plus mince, ce qui rend la palpation plus facile et plus précise que chez les gens plus jeunes. Il se produit également une atrophie musculaire et une perte de tissu conjonctif.
- Le seuil de la douleur est souvent élevé ; certains problèmes abdominaux majeurs (comme l'appendicite ou d'autres affections aiguës) peuvent donc passer inaperçus.
- Il faut distinguer la douleur gastro-intestinale de la douleur cardiaque. La douleur gastro-intestinale peut se situer dans le thorax ou l'abdomen, tandis que la douleur cardiaque est

habituellement ressentie dans la poitrine. Les facteurs qui aggravent la douleur gastro-intestinale sont généralement liés soit à une ingestion alimentaire, soit à un apport alimentaire insuffisant ; la personne peut habituellement soulager la douleur gastro-intestinale en prenant des antiacides, en mangeant, en se tenant droite. L'activité et l'anxiété sont les principaux facteurs susceptibles d'aggraver la douleur cardiaque ; le repos ou la nitroglycérine peuvent la soulager.

- Les selles passent par les intestins moins rapidement chez les personnes âgées que chez les adultes plus jeunes ; aussi, dans plusieurs cas, la perception des stimuli qui donnent envie d'aller à la selle s'émousse.
- L'incontinence fécale peut toucher les personnes âgées qui sont confuses ou qui présentent un déficit neurologique.
- Un grand nombre de personnes âgées croient à tort que l'absence de selle quotidienne est synonyme de constipation. Lorsque vous voulez établir si la personne est constipée ou non, vous devez tenir compte de certains facteurs : l'alimentation de la personne, ses activités, son traitement médicamenteux, la fréquence des selles et les caractéristiques de la défécation (notamment si elle est facile ou difficile).
- L'incidence du cancer du côlon est plus élevée chez les personnes âgées que chez les jeunes adultes. Une altération de la fonction intestinale, un saignement rectal et la perte de poids en sont des symptômes. L'altération de la fonction intestinale est cependant associée à de nombreux facteurs, dont l'alimentation, l'exercice et les médicaments.
- Souvent, la personne âgée absorbe moins bien les médicaments oraux que l'adulte plus jeune.
- Le métabolisme de certains médicaments dans le foie peut perdre de son efficacité avec l'âge.

 SOINS À DOMICILE

Examen de l'abdomen

- Assurez-vous que vous avez avec vous le matériel requis pour examiner la personne à domicile, y compris un ruban à mesurer et un marqueur.
- Il est parfois plus facile d'examiner une personne à son domicile, car les lieux lui sont familiers. Utilisez des oreillers pour aider la personne à bien s'installer.
- Un examen abdominal complet n'est pas toujours nécessaire. Axez votre examen sur les antécédents de la personne et sur les symptômes qu'elle présente.

Fonction musculosquelettique

La fonction musculosquelettique comprend les muscles, les os et les articulations. Le choix entre un examen de la fonction musculosquelettique partiel et un examen exhaustif sera fonction des besoins et des problèmes de la personne. Habituellement,

quand l'infirmière évalue la fonction musculosquelettique, elle examine la force musculaire, le tonus musculaire, la taille des muscles et la symétrie du développement musculaire, les fasciculations et les tremblements. Les **fasciculations** sont des mouvements fins, rapides et saccadés touchant habituellement un petit nombre de fibres musculaires. Les **tremblements** peuvent faire intervenir des groupes importants de fibres musculaires ou bien de petits faisceaux de fibres musculaires. Le **tremblement intentionnel** est plus visible quand la personne effectue un mouvement volontaire comme tenir une tasse de café, tandis que le **tremblement de repos** s'observe davantage quand la personne est au repos et qu'elle diminue son activité.

Lorsqu'on examine les os, on évalue leur forme. Lorsqu'on examine les articulations, on évalue les éléments suivants : sensibilité au toucher, œdème, gonflement ou tuméfaction, crépitation (bruit d'os frottant contre un os), présence de nodules et amplitude articulaire. On doit également examiner la posture de la personne en position assise et debout. Pour plus de détails sur la posture, voir le chapitre 42 .

Le procédé 34-16 explique comment faire l'examen de la fonction musculosquelettique.

PROCÉDÉ 34-16

Examen de la fonction musculosquelettique

PLANIFICATION

Matériel

- Goniomètre
- Ruban à mesurer

INTERVENTION

Exécution

1. Expliquez à la personne ce que vous allez faire, pourquoi vous allez le faire et comment elle peut coopérer. Expliquez-lui aussi que les résultats serviront à planifier les soins ou les traitements.
2. Lavez-vous les mains et observez les autres mesures de prévention des infections.
3. Assurez-vous que l'intimité de la personne est préservée.

4. Demandez à la personne de vous informer de ses antécédents : douleur musculaire (début, région touchée, qualité, signes associés [rougeur et œdème des articulations], facteurs d'aggravation et de soulagement) ; mouvements restreints ou incapacité à accomplir les activités quotidiennes ; antécédents de blessures sportives ; perte de capacité fonctionnelle sans douleur.

Examen physique	Observations courantes	Particularités
Muscles		
5. Inspectez les muscles *pour en évaluer le volume.* Comparez les muscles d'un côté du corps (par exemple, les muscles du bras, de la cuisse et de la jambe) aux mêmes muscles de l'autre côté du corps. S'il y a un écart, mesurez la circonférence des membres avec un ruban à mesurer.	Muscles de même volume des deux côtés.	Atrophie (diminution de volume) ou hypertrophie (augmentation de volume).
6. Inspectez les muscles et les tendons *pour voir s'il y a des contractures (raccourcissement).*	Aucune contracture.	Position anormale d'une partie du corps, par exemple un pied tombant (pied fléchi vers le bas).
7. Inspectez les muscles *pour voir s'il y a des fasciculations ou des tremblements.* Pour inspecter les tremblements des mains et des bras, demandez à la personne d'étirer les bras vers l'avant.	Aucune fasciculation ; aucun tremblement.	Fasciculations ou tremblements.
8. Palpez les muscles au repos *pour déterminer le tonus musculaire* (état de tension normal d'un muscle au repos).	Muscles normalement fermes.	Atonie (manque de tonus).
9. Palpez les muscles pendant que la personne est active et aussi pendant qu'elle est passive, *pour voir s'il y a de la flaccidité, de la spasticité ou des à-coups dans les mouvements.*	Mouvements coordonnés et sans à-coups.	Flaccidité (faiblesse, relâchement musculaire) ou spasticité (contraction musculaire involontaire et soudaine).
10. Vérifiez la force musculaire (voir les épreuves suggérées dans l'encadré 34-35). Comparez le côté droit et le côté gauche.	Force égale des deux côtés du corps.	25 % ou moins de la force normale.
Os		
11. Inspectez les os du squelette pour en évaluer la structure et y déceler les anomalies.	Aucune déformation.	Os mal alignés.
12. Palpez les os pour y déceler les régions qui présentent un œdème ou une sensibilité au toucher.	Aucune sensibilité au toucher ; aucun œdème.	Sensibilité au toucher ou œdème (peut indiquer la présence d'une fracture, d'un néoplasme ou d'ostéoporose).

INTERVENTION (suite)

Évaluation et classification de la force musculaire

MUSCLE (ACTIVITÉ)

Sternocléidomastoïdien : Demandez à la personne de tourner la tête d'un côté contre la résistance de votre main. Faites la même chose de l'autre côté.

Trapèze : Demandez à la personne de hausser les épaules contre la résistance de vos mains.

Deltoïde : Demandez à la personne de lever les bras et de résister pendant que vous poussez vers le bas avec vos deux mains.

Biceps : Demandez à la personne d'étirer entièrement chaque bras et d'essayer de les fléchir pendant que vous tentez de les maintenir en extension.

Triceps : Demandez à la personne de fléchir chaque bras et d'essayer de les étirer pendant que vous tentez de les maintenir en flexion.

Muscles du poignet et des doigts : Demandez à la personne d'écarter les doigts en éventail et d'essayer de les garder ainsi pendant que vous tentez de les refermer.

Force de préhension : Demandez à la personne de saisir votre index et les doigts du milieu de vos mains pendant que vous essayez de retirer les doigts.

Muscles de la hanche : Demandez à la personne de se placer en décubitus dorsal, les deux jambes en extension, puis de lever une jambe à la fois contre la résistance de vos mains.

Abduction de la hanche : Demandez à la personne de se placer en décubitus dorsal, les deux jambes étendues. Posez vos mains sur la face latérale de chaque genou ; demandez à la personne d'écarter ses jambes contre la résistance de vos mains.

Adduction de la hanche : Demandez à la personne de se placer dans la même position que pour l'abduction de la hanche. Placez vos mains entre les genoux de la personne ; demandez-lui d'essayer de coller ses jambes contre la résistance de vos mains.

Ischiojambiers : Demandez à la personne de se placer en décubitus dorsal, les deux genoux fléchis, et de résister pendant que vous essayez d'étirer ses jambes.

Quadriceps : Demandez à la personne de se placer en décubitus dorsal, les genoux partiellement en extension, et de résister pendant que vous essayez de faire fléchir ses genoux.

Muscles des chevilles et des pieds : Demandez à la personne de résister pendant que vous essayez de mettre son pied en dorsiflexion ; demandez-lui aussi de résister quand vous tentez de lui faire fléchir le pied.

CLASSIFICATION DE LA FORCE MUSCULAIRE

0 : 0 % de la force normale ; paralysie complète.

1 : 10 % de la force normale ; aucun mouvement, la contraction du muscle est palpable ou visible.

2 : 25 % de la force normale ; mouvement musculaire complet contre la gravité, avec soutien.

3 : 50 % de la force normale ; mouvement normal contre la gravité.

4 : 75 % de la force normale ; mouvement complet normal contre la gravité et contre une légère résistance.

5 : 100 % de la force normale ; mouvement complet normal contre la gravité et contre une pleine résistance.

Examen physique	Observations courantes	Particularités
Articulations		
13. Inspectez les articulations *pour y déceler les tuméfactions.* Palpez chaque articulation pour déterminer s'il y a sensibilité au toucher, à-coups dans les mouvements, œdème, crépitation ou nodules.	Aucune tuméfaction. Aucune sensibilité au toucher, ni œdème, ni crépitation, ni nodules. Mouvements articulaires sans à-coups.	Tuméfaction dans une ou plusieurs articulations. Sensibilité au toucher, œdème, crépitation ou nodules.
14. Évaluez l'amplitude articulaire. Voir le chapitre 42 🔗, où sont décrits les mouvements articulaires. • Demandez à la personne de faire bouger certaines parties de son corps. On peut mesurer l'amplitude articulaire à l'aide d'un **goniomètre**. Le goniomètre est un instrument qui mesure en degrés les angles de l'articulation examinée (figure 34-85 ■).	L'amplitude articulaire varie jusqu'à un certain point, selon le bagage génétique de la personne et son niveau d'activité physique.	Amplitude articulaire réduite dans une ou plusieurs articulations. 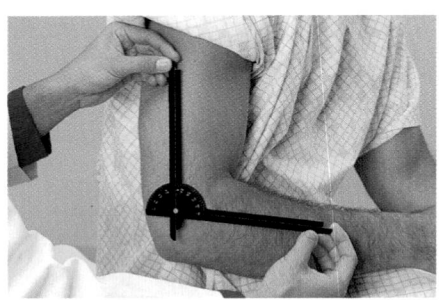
15. Notez les données au dossier de la personne, en utilisant des formulaires ou des listes de vérification enrichies de notes explicatives au besoin.		

FIGURE **34-85** ■ On utilise le goniomètre pour mesurer l'amplitude des mouvements articulaires.

PROCÉDÉ 34-16 (SUITE)

Examen de la fonction musculosquelettique (suite)

ÉVALUATION

- Effectuez les examens de suivi nécessaires d'autres fonctions, selon les résultats qui ne correspondent pas aux observations courantes ou qui ne sont pas compatibles avec les résultats attendus pour la personne. Mettez les résultats en rapport avec les données de l'évaluation précédente, au besoin.

- Signalez au médecin les données qui ne correspondent pas aux observations courantes.

LES ÂGES DE LA VIE

Examen de la fonction musculosquelettique

NOUVEAU-NÉ
- Palpez les clavicules du nouveau-né. La perception d'une masse et d'une crépitation peut indiquer la présence d'une fracture consécutive à un accouchement vaginal.
- Lorsque vous étirez les bras et les jambes du nouveau-né, ils doivent revenir naturellement en position fœtale.

NOURRISSON
- Vérifiez la force musculaire. Pour ce faire, tenez le nourrisson doucement sous les bras. Si sa force est normale, le nourrisson ne devrait pas s'affaisser sur vos mains.
- Vérifiez si le nourrisson présente une dysplasie de la hanche (luxation congénitale). Pour ce faire, vérifiez s'il présente des plis fessiers asymétriques, une abduction asymétrique des jambes ou un raccourcissement apparent du fémur.
- Le nourrisson devrait être capable de s'asseoir sans soutien vers l'âge de huit mois.

TROTTINEUR
- La pronation des pieds est courante chez les enfants âgés de 12 à 30 mois.
- Le genu varum (jambe arquée) est normal chez l'enfant jusqu'à un an après l'apprentissage de la marche.

- La lordose est courante chez les enfants de moins de cinq ans.
- Observez l'enfant dans ses activités normales afin de vérifier sa fonction motrice.

PERSONNES ÂGÉES
- La masse musculaire diminue progressivement avec l'âge, mais cette diminution varie considérablement d'une personne à l'autre.
- Chez la personne âgée, la rapidité de mouvement, la force, la résistance à la fatigue, le temps de réaction et la coordination diminuent. Ce déclin est lié à l'altération de la conduction nerveuse et du tonus musculaire.
- Les os deviennent plus fragiles, et l'ostéoporose entraîne une réduction de la masse osseuse totale. Par conséquent, la personne âgée est prédisposée aux fractures et à la compression des vertèbres.
- Chez la plupart des personnes âgées, on peut observer une altération des articulations due à l'arthrose.
- Notez toutes les cicatrices chirurgicales laissées par des chirurgies de remplacement.

SOINS À DOMICILE

Examen de la fonction musculosquelettique

- Lorsque vous faites une visite à domicile, vous devez observer comment la personne se déplace dans son milieu naturel. Lorsque vous évaluez un enfant, vous devez lui demander de se dévêtir pour ne garder que son sous-vêtement.

- Un examen complet des articulations, des os et des muscles n'est pas toujours nécessaire. Vous devez choisir l'étendue de l'examen à effectuer en fonction des antécédents de la personne et des symptômes qu'elle présente.

Fonction neurologique

L'évaluation de la fonction neurologique peut prendre de une à trois heures. En général, cependant, on fait d'abord quelques tests de dépistage courants. Si les résultats de ces tests sont préoccupants, on effectue une évaluation plus poussée. L'étendue de l'évaluation de la fonction neurologique dépend des trois facteurs suivants : (a) les principaux symptômes de la personne ;

(b) sa condition physique (son niveau de conscience et sa capacité de se déplacer), car plusieurs parties de l'évaluation de la fonction neurologique nécessitent le mouvement et la coordination des membres ; (c) le désir de la personne de participer et de coopérer.

L'évaluation de la fonction neurologique est composée des éléments suivants : (a) l'état mental, notamment l'état neurologique ; (b) les nerfs crâniens ; (c) les réflexes ; (d) les fonctions motrice et cérébelleuse ; (e) la fonction sensitive. Certaines parties de l'évaluation neurologique sont intégrées à d'autres parties de l'examen physique. Par exemple, l'infirmière peut effectuer une bonne partie de l'examen de l'état mental pendant qu'elle dresse l'anamnèse de la personne et qu'elle observe son apparence générale. Elle peut également évaluer la fonction de plusieurs nerfs crâniens. Les nerfs crâniens II, III, IV, V (réflexe cornéen) et VI sont évalués en même temps que les yeux et la vue, tandis que le nerf crânien VIII est évalué en même temps que les oreilles et l'audition.

État mental

L'examen de l'état mental donne des renseignements sur les fonctions cérébrales générales de la personne, tant intellectuelles (cognitives) qu'émotionnelles (affectives).

Si l'infirmière note un trouble de la parole, de la mémoire, de la concentration ou des opérations de la pensée pendant qu'elle dresse l'anamnèse de la personne, elle doit procéder à un examen plus approfondi durant l'évaluation de la fonction neurologique. Les principales composantes de l'état mental sont le langage, l'orientation, la mémoire, l'attention et le calcul ainsi que l'état neurologique.

LANGAGE

Toute altération de la capacité de s'exprimer oralement, par écrit ou par signes, ou de la capacité de comprendre le langage parlé ou écrit, causée par une affection ou une lésion cérébrale, est appelée **aphasie**. Il existe deux types d'aphasie : sensorielle (trouble de la compréhension) et motrice (trouble de l'expression).

L'aphasie sensorielle est l'incapacité de comprendre le langage parlé ou écrit ; elle peut donc être de nature auditive ou visuelle. La personne atteinte d'aphasie auditive est incapable de comprendre le contenu symbolique associé aux sons, tandis qu'une personne atteinte d'aphasie visuelle est incapable de comprendre les symboles écrits.

L'aphasie motrice est l'incapacité de s'exprimer par la parole, par écrit ou par signes. Parfois, la personne se rappelle les mots, mais elle n'arrive pas à agencer les sons pour créer ces mots.

ORIENTATION

Cette partie de l'examen de l'état mental donne des renseignements sur la capacité de la personne de reconnaître les personnes, de se situer dans le temps et l'espace, et de savoir qui elle est.

MÉMOIRE

L'infirmière évalue la mémoire récente (ou mémoire à court terme) – information présentée quelques secondes à quelques heures auparavant – et la mémoire à long terme – information remontant à plusieurs mois ou années.

ATTENTION ET CALCUL

Cette partie de l'évaluation neurologique donne des renseignements sur la capacité de la personne de se concentrer sur une tâche mentale normalement accomplie par une personne d'intelligence normale.

ÉTAT NEUROLOGIQUE

L'état neurologique global s'évalue selon un continuum qui va de l'état d'éveil au coma, c'est-à-dire de la personne tout à fait consciente qui répond spontanément aux questions, jusqu'à la personne dans le coma qui ne réagit à aucun stimulus verbal. De nos jours, un grand nombre de professionnels de la santé utilisent, pour évaluer l'état neurologique, l'échelle de Glasgow qui, à l'origine, servait à prédire le rétablissement des traumatisés crâniens. Plus précisément, l'échelle de Glasgow permet d'évaluer trois éléments : l'ouverture des yeux, la réponse motrice et la réponse verbale. Le score maximal est de 15 points ; la personne est alors tout à fait consciente et pleinement orientée. Un score de 8 ou moins correspond au coma.

Nerfs crâniens

L'infirmière doit connaître les fonctions associées à chaque nerf crânien ainsi que les méthodes utilisées pour évaluer chacun d'eux et en déceler les particularités. Dans certains cas, il faut évaluer chaque nerf ; dans d'autres, la vérification de quelques fonctions nerveuses seulement suffit.

Réflexes

Un **réflexe** est une réponse automatique du corps à un stimulus. Il n'est pas volontairement appris ni conscient. Le réflexe ostéotendineux est provoqué par la stimulation (percussion) d'un tendon, qui fait se contracter le muscle qui lui est associé. La qualité d'un réflexe varie d'une personne à l'autre et en fonction de l'âge. Chez la personne âgée, les réflexes deviennent parfois moins vifs.

On vérifie les réflexes au moyen d'un marteau à réflexes. On note ensuite le réflexe sur une échelle de 0 à 4. Il faut une certaine expérience pour pouvoir noter les réflexes d'une personne. Normalement, on vérifie quelques réflexes au cours de l'examen physique : (a) le réflexe bicipital ; (b) le réflexe tricipital ; (c) le réflexe styloradial ; (d) le réflexe rotulien ; (e) le réflexe achilléen ; (f) le réflexe plantaire.

Fonctions motrice et cérébelleuse

L'évaluation des fonctions motrice et cérébelleuse donne des renseignements sur la proprioception et sur la coordination ou l'harmonie des mouvements. Les structures qui interviennent dans la proprioception sont les propriocepteurs, les cornes postérieures de la moelle, le cervelet et le système vestibulaire (innervé par le nerf crânien VIII) dans le labyrinthe de l'oreille interne.

Les **propriocepteurs** sont des terminaisons nerveuses sensorielles. Situés principalement dans les muscles, les tendons, les articulations et l'oreille interne, les propriocepteurs informent le cerveau sur les mouvements et la position du corps. Les stimuli envoyés par les propriocepteurs longent les cornes postérieures de la moelle. Une dysfonction des cornes postérieures de la moelle entraîne donc une altération de la sensibilité kinesthésique et de la sensibilité proprioceptive. La personne atteinte d'une telle dysfonction doit surveiller les mouvements de ses bras et de ses jambes pour s'assurer de leur position.

Le cervelet contribue : (a) à la maîtrise de la posture ; (b) à la coordination et à la fluidité des mouvements, de concert avec le cortex cérébral ; (c) à la maîtrise des muscles squelettiques afin de maintenir l'équilibre.

Fonction sensitive

La fonction sensitive comprend le toucher, la douleur, la température, le sens de la position et du mouvement, et la discrimination tactile. Les deux premières fonctions s'évaluent dans le cadre de l'examen de routine. En général, on vérifie les fonctions du toucher et de la douleur sur le visage, les bras, les jambes, les mains et les pieds, mais on peut également faire ces vérifications sur toutes les parties du corps. Si la personne se plaint d'engourdissement, de sensations bizarres ou de paralysie, on doit examiner plus attentivement la sensibilité des régions en cause. Pour ce faire, l'infirmière examine les réactions de la personne aux stimuli appliqués sur la peau tous les 2 cm environ, en notant clairement les sensations tactiles ou douloureuses anormales. Cet examen prend du temps. Plusieurs types de réactions tactiles sont anormales : la personne peut présenter une perte totale de sensibilité (anesthésie), une sensibilité amplifiée (hyperesthésie), une sensibilité diminuée (hypoesthésie) ou une sensibilité anormale telle une sensation de brûlure, de douleur ou de choc électrique (paresthésie).

Un certain nombre de problèmes de santé, dont le diabète et les affections cardiaques liées à l'artériosclérose, entraînent une perte de sensation protectrice dans les membres. Cette perte de sensation empêche la personne de sentir les lésions tissulaires et, par le fait même, augmente le risque de lésions graves nécessitant l'amputation. Par exemple, le risque d'amputation

des membres inférieurs après un diagnostic de diabète est de 6 % dans les diabètes évoluant depuis 20 ans, et de 11 % après 30 ans. Les amputations des membres inférieurs sont généralement dues à une infection d'un pied qui guérit mal et, finalement, évolue vers une gangrène ; quant à la lésion initiale, elle est souvent attribuable à la perte de la sensibilité protectrice du pied associée à la neuropathie périphérique. Si la lésion se cicatrise difficilement, c'est en raison d'une diminution du débit sanguin et de l'apport en éléments nutritifs au niveau des membres inférieurs, diminution imputable, dans la majorité des cas, à une affection vasculaire périphérique. L'Association canadienne du diabète (2003) émet les lignes directrices suivantes concernant le dépistage de la neuropathie périphérique. Le dépistage doit être effectué annuellement afin de repérer les personnes qui présentent un risque d'ulcères du pied diabétique. Le dépistage doit commencer au moment du diagnostic chez les personnes atteintes de diabète de type 2, et cinq ans après le diagnostic de diabète de type 1 chez les personnes d'âge postpubertaire. Il faut effectuer le dépistage de la neuropathie périphérique en évaluant la perte de sensibilité au monofilament de 10 g du gros orteil ou la perte de sensibilité à la vibration du gros orteil.

Une évaluation neurologique détaillée comprend l'examen du sens de la position (statesthésie), de la sensibilité thermique et de la sensibilité tactile. L'infirmière vérifie habituellement trois types de discrimination : la **discrimination tactile**, c'est-à-dire la capacité de sentir si la peau est stimulée en un ou deux points par une pression ; la **stéréognosie**, soit la reconnaissance des objets par le toucher et la manipulation ; et l'**extinction** (par stimulation simultanée), c'est-à-dire l'incapacité de percevoir le toucher sur un côté du corps lorsque deux endroits symétriques du corps sont touchés simultanément.

Le procédé 34-17 explique comment faire l'évaluation de la fonction neurologique.

PROCÉDÉ 34-17

Évaluation de la fonction neurologique

PLANIFICATION

Si possible, évaluez d'abord si un examen neurologique complet est indiqué. L'étendue de l'examen détermine ensuite la préparation de la personne, le matériel à utiliser et le moment de l'examen.

Matériel (selon l'étendue de l'examen)
- Marteau à réflexes
- Abaisse-langues (dont un cassé diagonalement pour vérifier la sensibilité à la douleur)
- Boule de coton pour évaluer la sensation au toucher léger
- Éprouvettes d'eau chaude et d'eau froide pour vérifier la sensibilité à la température (facultatif)

INTERVENTION

Exécution

1. Expliquez à la personne ce que vous allez faire, pourquoi vous allez le faire et comment elle peut coopérer. Expliquez-lui aussi que les résultats serviront à planifier les soins ou les traitements.

2. Lavez-vous les mains et observez les autres mesures de prévention des infections.

3. Assurez-vous que l'intimité de la personne est préservée.

4. Demandez à la personne de vous informer de ses antécédents : douleur dans la tête, le dos ou les membres, moment d'apparition, facteurs qui soulagent ou qui aggravent ; manque

Exécution

d'orientation par rapport au temps, aux lieux et aux personnes ; trouble de la parole ; tout antécédent de perte de conscience, de syncope, de convulsions, de trauma, de picotement ou d'engourdissement, de tremblements ou de tics, de claudication, de paralysie, de mouvements musculaires involontaires, de perte de mémoire, de sautes d'humeur ; antécédents de problèmes olfactifs, visuels, gustatifs, tactiles ou auditifs.

Langage

5. L'aphasie fait référence à toute altération ou perte de la capacité de s'exprimer oralement, par écrit ou par signes, ou de comprendre le langage écrit ou parlé à cause d'une affection ou d'une lésion du cortex cérébral. Si la personne présente un trouble de la parole :
   • Pointez des objets courants et demandez-lui de les nommer.
   • Demandez-lui de lire quelques mots et d'établir des correspondances entre les mots écrits et des images.
   • Demandez-lui de suivre des consignes verbales et écrites simples comme « pointez vos orteils » ou « levez votre bras gauche ».

Orientation

6. Pour déterminer si la personne est orientée dans le temps, dans l'espace et par rapport aux personnes, posez-lui des questions en faisant preuve de tact. Demandez-lui de vous dire la ville où elle habite, l'heure, la date, le jour, la durée de sa maladie, les noms de ses proches. Parfois, des questions plus directes s'avèrent nécessaires, comme les suivantes : « Où êtes-vous en ce moment ? » « Quel jour sommes-nous ? » La plupart du temps, la personne acceptera de se faire poser ce genre de question si vous lui demandez d'abord : « Êtes-vous confus (confuse) à l'occasion ? » Si la personne est incapable de répondre à ces questions, vous devez également faire une évaluation de qui elle pense être en lui demandant de dire son nom complet.

Mémoire

7. Vérifiez si la personne a des pertes de mémoire. Demandez-lui si elle a des problèmes de mémoire. Si elle semble en avoir, vérifiez les deux types de mémoire : la mémoire récente et la mémoire à long terme.
   Pour évaluer la mémoire récente :
   • Demandez à la personne de répéter une suite de trois chiffres, par exemple 7-4-3, énoncés lentement.

• Augmentez graduellement le nombre de chiffres, par exemple 7-4-3-5, 7-4-3-5-6 et 7-4-3-5-6-7-2, jusqu'à ce que la personne soit incapable de les répéter correctement.
• Recommencez avec une suite de trois chiffres, mais cette fois en demandant à la personne de les répéter à rebours. Normalement, une personne est capable de répéter une suite de cinq à huit chiffres à l'endroit, et une suite de quatre à six chiffres à l'envers.
• Nommez trois choses à la personne (par exemple, une couleur, un objet, une adresse, ou alors un nombre de trois chiffres) et demandez-lui de les nommer à son tour. Plus tard, au cours de l'entrevue, demandez-lui de les nommer à nouveau.
• Demandez à la personne de se rappeler une information échangée plus tôt au cours de l'entrevue (par exemple, votre nom).
• Demandez à la personne de se rappeler des événements qui ont eu lieu plus tôt dans la journée (par exemple, comment elle s'est rendue à l'endroit où elle se trouve en ce moment). Ses réponses devraient cependant être corroborées par un témoin.
Pour évaluer la mémoire à long terme, demandez à la personne de décrire un événement passé (une maladie, une chirurgie) ou de vous donner une date d'anniversaire.

Attention et calcul

8. Pour vérifier l'*attention* de la personne, c'est-à-dire sa capacité de se concentrer, demandez-lui de réciter l'alphabet ou de compter à rebours à partir de 100. Pour vérifier *sa capacité de calculer*, demandez-lui de soustraire, par exemple, 7 ou 3 de 100, de façon répétée (donc 100, 93, 86, 79, ou alors 100, 97, 94, 91). Normalement, un adulte peut soustraire 7 de 100 jusqu'à 0 en environ 90 secondes en ne faisant que trois erreurs ou moins. Comme le niveau de scolarité et les différences de langue ou de culture influent sur la capacité de calculer, ce test n'est pas approprié pour toutes les personnes.

État neurologique

9. Évaluez l'état neurologique global selon l'échelle de Glasgow : ouverture des yeux, réponse motrice et réponse verbale. Un résultat de 15 points à l'évaluation indique que la personne est consciente et tout à fait orientée.

Une personne dans le coma obtient une note de 8 ou moins (voir le tableau 34-10 à la page 918).

Nerfs crâniens

10. Pour en savoir plus sur les fonctions spécifiques et sur les méthodes d'évaluation de chaque nerf crânien, voir le tableau 34-11 à la page 918. Un moyen mnémotechnique peut être utilisé afin de se rappeler le nom des 12 nerfs crâniens. Vous n'avez qu'à vous rappeler une phrase de 12 mots où chaque mot commence par la première lettre de chacun des nerfs crâniens : « **o**h **o**h **m**a **p**etite **m**émoire, **t**u **f**ournis **au g**rand **v**izir **s**a **g**loire ». Vérifiez chaque nerf qui n'a pas été examiné dans une autre partie de l'examen.

Réflexes

11. Vérifiez les réflexes à l'aide d'un marteau à réflexes. Comparez un côté du corps avec l'autre côté pour évaluer la symétrie de la réponse. La réponse peut être décrite sur une échelle de 0 à +4, comme celle présentée à l'encadré 34-36.

Réflexe bicipital
Le réflexe bicipital donne des renseignements sur l'intégrité de la moelle épinière au niveau de C5 et de C6.
• Faites fléchir partiellement le bras de la personne au niveau du coude, puis faites-lui reposer le bras sur ses cuisses, la paume vers le bas.
• Placez le pouce de votre main non dominante sur le tendon du biceps de la personne.
• Percutez (un petit coup vers le bas) votre propre pouce avec le marteau à réflexes.
• Observez la flexion (qui, normalement, est légère) et palpez la contraction du biceps sous votre pouce (figure 34-86 ■, *A*).

Réflexe tricipital
Le réflexe tricipital donne des renseignements sur l'intégrité de la moelle épinière au niveau de C6, de C7 et de C8.
• Faites fléchir le bras de la personne au niveau du coude en le soutenant dans la paume de votre main non dominante.
• Palpez le tendon du triceps à une distance d'environ 2 à 5 cm au-dessus du coude.
• Avec le marteau à réflexes, percutez le tendon (figure 34-86 ■, *B*).
• Observez l'extension du coude qui, normalement, est légère.

PROCÉDÉ 34-17 (SUITE)

Évaluation de la fonction neurologique (suite)

INTERVENTION (suite)

> **! ALERTE CLINIQUE** *Toutes les questions que l'on pose à la personne durant l'évaluation de la fonction neurologique et tous les tests qu'on lui fait passer doivent être appropriés à son âge, à sa langue, à son niveau d'instruction et à son milieu culturel.* ∎

ENCADRÉ

Échelle d'évaluation des réflexes | 34-36

0	Aucun réflexe
+1	Réflexe moins vif que la normale (hyporéflexie)
+2	Réaction normale
+3	Réflexe plus vif que la normale (hyperréflexie)
+4	Réflexe très vif (anormal)

Réflexe styloradial
Le réflexe styloradial donne des renseignements sur l'intégrité de la moelle épinière au niveau de C5 et de C6.
• Posez le bras de la personne en position relâchée sur votre avant-bras ou sur sa propre jambe.
• Avec le marteau à réflexes, percutez le tendon du radius à une distance de 2 à 5 cm au-dessus du poignet (figure 34-86 ∎, *C*).
• Observez la flexion et la supination de l'avant-bras, qui devraient se faire normalement. On observe aussi parfois une légère extension des doigts de la main.

Réflexe rotulien
Le réflexe rotulien donne des renseignements sur l'intégrité de la moelle épinière au niveau de L2, de L3 et de L4.
• Demandez à la personne de s'asseoir sur le bord de la table d'examen de façon à ce que ses jambes pendent librement.
• Repérez le tendon rotulien directement sous la rotule.
• Avec le marteau à réflexes, percutez le tendon directement (figure 34-86 ∎, *D*).
• Observez l'extension de la jambe en même temps que la contraction du quadriceps, qui devraient être normales.
• Si aucune réaction ne se produit et que la personne semble tendue, demandez-lui de joindre ses deux mains à la façon de deux crochets et de tirer. *Cette action aide la personne à se relaxer; une fois la personne détendue, on obtient un meilleur réflexe.*

Réflexe achilléen
Le réflexe achilléen donne des renseignements sur l'intégrité de la moelle épinière au niveau de S1 et de S2.

• Demandez à la personne de se placer dans la même position que pour le réflexe rotulien. Placez la cheville de la personne légèrement en dorsiflexion en tenant son pied avec votre main.
• Avec le marteau à réflexes, percutez le tendon d'Achille juste au-dessus du talon (figure 34-86 ∎, *E*).
• Observez et palpez la flexion plantaire normale du pied (le pied doit se recourber vers le bas).

Réflexe plantaire
Le réflexe plantaire est superficiel. Il est parfois absent chez les adultes bien portants ou très tendus.
• Utilisez un objet moyennement pointu, comme la poignée du marteau à réflexes ou une clé.
• Frottez le bord externe de la plante du pied de la personne; en partant du talon, remontez vers l'avant-pied, puis traversez l'avant-pied vers le gros orteil (figure 34-86 ∎, *F*).
• Observez la réaction de la personne. Normalement, les cinq orteils doivent plier vers le bas; cette réaction correspond à un réflexe plantaire normal. Si on observe l'extension du gros orteil et la mise en éventail des autres orteils, il s'agit du signe ou du réflexe de Babinski.

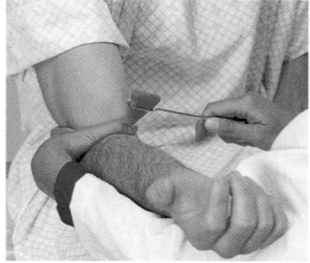
A

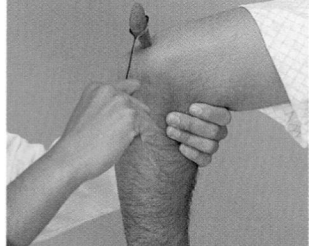
B

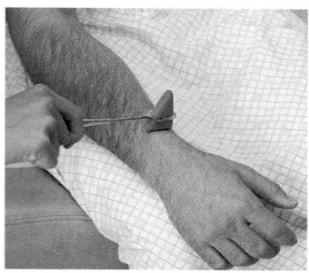
C

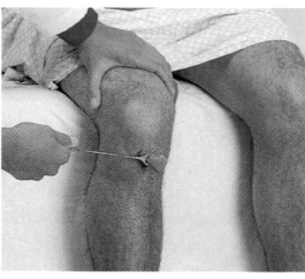
D

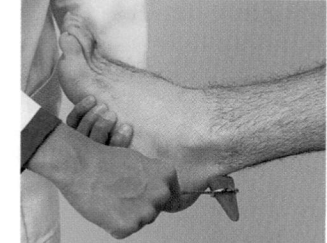
E

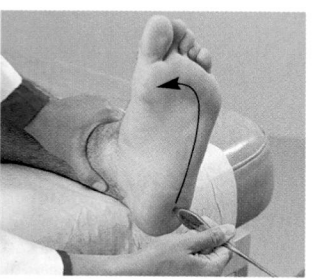
F

FIGURE 34-86 ∎ Évaluation des réflexes: *A,* réflexe bicipital; *B,* réflexe tricipital; *C,* réflexe styloradial; *D,* réflexe rotulien; *E,* réflexe achilléen; *F,* réflexe plantaire.

INTERVENTION (suite)

Examen physique

Fonction motrice

12. *Épreuve d'équilibre et de motricité globale*
En général, on utilise l'épreuve de Romberg et une autre épreuve pour évaluer la motricité globale et l'équilibre.

Démarche
Demandez à la personne de marcher dans la pièce et de revenir sur ses pas ; observez sa démarche.

Épreuve de Romberg
Demandez à la personne de se tenir debout, les pieds joints, les bras reposant de chaque côté du corps, d'abord les yeux ouverts, puis les yeux fermés durant 60 secondes. Demeurez proche de la personne lors de cette épreuve, afin de la soutenir *si elle venait à perdre l'équilibre.*

Debout sur un pied les yeux fermés
Demandez à la personne de fermer les yeux et de se tenir debout sur un pied, puis sur l'autre. Demeurez tout près de la personne au cas où elle perdrait l'équilibre.

Marche talon-orteils
Demandez à la personne de marcher sur une ligne droite en faisant toucher les orteils d'un pied au talon de l'autre pied.

Observations courantes

La posture de la personne est droite et sa démarche est stable ; ses bras se balancent dans le sens contraire de ses jambes.

Romberg négatif : un certain vacillement est normal, mais la personne devrait être capable de maintenir une posture droite et stable.

La personne garde son équilibre durant au moins cinq secondes.

La personne est capable de marcher sur une ligne droite (figure 34-87 ▪).

Particularités

Posture inadéquate et instable, démarche irrégulière et chancelante, posture très ample ; la personne plie les jambes seulement à partir des hanches ; elle a des mouvements rigides ou des mouvements auxquels les bras ne participent pas.

Romberg positif : la personne est incapable de maintenir la position des pieds ; elle écarte les pieds ou avance un pied pour garder l'équilibre.
Si la personne n'arrive pas à garder l'équilibre les yeux fermés, elle pourrait être atteinte d'ataxie sensitive consécutive à une perte proprioceptive.
Si elle n'arrive pas non plus à garder l'équilibre les yeux ouverts, elle pourrait être atteinte d'ataxie cérébelleuse (après un AVC, par exemple).

La personne n'arrive pas à garder l'équilibre durant au moins cinq secondes.

La personne doit prendre une posture ample pour arriver à demeurer droite.

FIGURE **34-87** ▪ Marche talon-orteils.

PROCÉDÉ 34-17 (SUITE)

Évaluation de la fonction neurologique (suite)

INTERVENTION (suite)

Examen physique	Observations courantes	Particularités
Marche sur les talons et sur la pointe des pieds Demandez à la personne de faire quelques pas sur la pointe des pieds, puis sur les talons.	La personne est capable de faire quelques pas sur les orteils et quelques pas sur les talons.	La personne est incapable de maintenir son équilibre sur les orteils ou sur les talons.

13. Tests de motricité fine pour les extrémités des membres supérieurs

Épreuve doigt-nez
Demandez à la personne de mettre ses bras en abduction et en extension à la hauteur des épaules et de toucher rapidement son nez avec un index puis avec l'autre index, en alternance. Si cette épreuve est facile pour la personne, demandez-lui de la refaire les yeux fermés.

La personne touche son nez avec l'un et l'autre index, alternativement et rapidement (figure 34-88 ■).

La personne manque son nez ou réagit lentement.

FIGURE 34-88 ■ Épreuve doigt-nez.

Pronation et supination des mains sur les cuisses
Demandez à la personne de taper sur ses cuisses avec les mains, paumes tournées vers le bas, puis paumes tournées vers le haut, et de répéter ces gestes l'un après l'autre et de plus en plus rapidement.

La personne peut taper sur ses cuisses avec les mains tour à tour en supination et en pronation, de plus en plus vite (figure 34-89 ■).

Mouvements lents, maladroits et irréguliers ; difficulté à faire alterner supination et pronation.

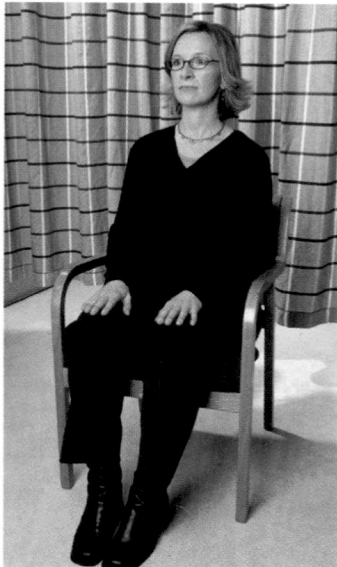 

FIGURE 34-89 ■ La personne tape sur ses cuisses avec les mains tour à tour en pronation et en supination.

INTERVENTION (suite)

Examen physique

Doigt-nez-doigt de l'infirmière
Demandez à la personne de toucher son nez, puis votre index, et de répéter ce geste de plus en plus rapidement ; tenez votre index à une distance d'environ 45 cm du nez de la personne.

Observations courantes

Mouvements rapides et coordonnés (figure 34-90 ■).

Particularités

La personne manque le doigt de l'infirmière ; ses mouvements sont lents.

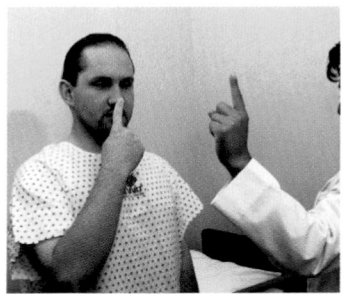
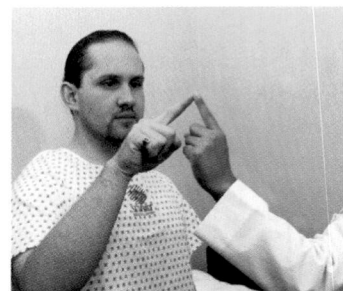

FIGURE 34-90 ■ La personne touche son nez, puis l'index de l'infirmière.

Doigts-doigts
Demandez à la personne d'ouvrir les bras et de les lever à la hauteur des épaules, puis de refermer les bras devant elle de manière à ce que le bout des doigts d'une main touche le bout des doigts correspondants de l'autre main ; demandez à la personne de faire ce test les yeux ouverts, puis les yeux fermés, d'abord lentement, puis rapidement.

La personne effectue le mouvement de manière précise et rapide (voir la figure 34-91 ■).

La personne effectue le mouvement lentement et est incapable de bien faire toucher exactement le bout des doigts d'une main au bout des doigts correspondants de l'autre main.

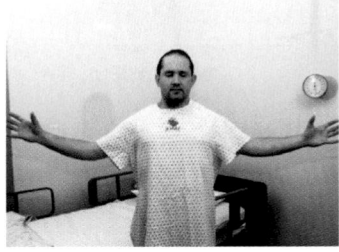
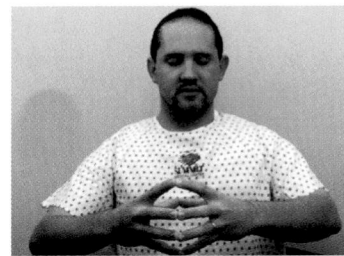

FIGURE 34-91 ■ Test des doigts-doigts en vis-à-vis.

Mouvements alternatifs rapides des doigts
Demandez à la personne de toucher son pouce avec chaque doigt de la même main, aussi rapidement que possible.

La personne touche son pouce avec chaque doigt de la même main (figure 34-92 ■).

La personne n'arrive pas à faire ce mouvement fin avec une de ses mains ou avec les deux.

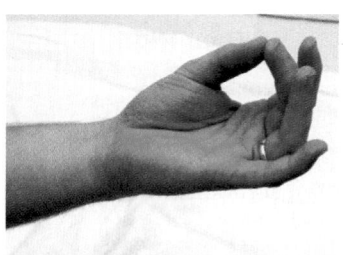

FIGURE 34-92 ■ Test des mouvements alternatifs rapides des doigts.

PROCÉDÉ 34-17 (SUITE)

Évaluation de la fonction neurologique (suite)

INTERVENTION (suite)

Examen physique	Observations courantes	Particularités

Examen physique

14. Tests de motricité fine pour les extrémités des membres inférieurs.

Demandez à la personne de s'étendre sur le dos pour faire ces tests.

Talon sur le tibia opposé
Demandez à la personne de placer le talon d'un pied sous le genou de la jambe opposée et de descendre le talon sur le tibia jusqu'au pied. Demandez-lui de faire la même chose avec l'autre pied. La personne peut s'asseoir pour faire ce test.

Observations courantes

La coordination de la personne est la même des deux côtés (figure 34-93 ■).

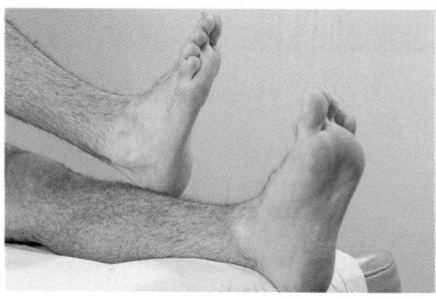

FIGURE 34-93 ■ Talon sur le tibia de la jambe opposée.

Particularités

La personne a des tremblements ou est maladroite; le talon s'éloigne du tibia.

Orteil ou avant-pied sur le doigt de l'infirmière
Demandez à la personne de toucher votre doigt avec le gros orteil de chacun de ses pieds.

Mouvements sans à-coups, coordonnés (figure 34-94 ■).

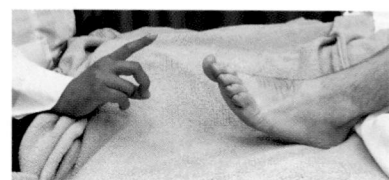 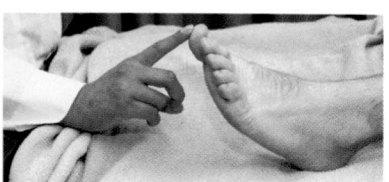

FIGURE 34-94 ■ L'orteil ou l'avant-pied touche le doigt de l'infirmière.

La personne manque votre doigt; manque de coordination.

15. Sensibilité superficielle
Comparez la sensibilité superficielle de régions symétriques du corps.
La sensibilité au toucher varie d'une région cutanée à l'autre.
- Demandez à la personne de fermer les yeux et de répondre « oui » chaque fois qu'elle sent la boule de coton toucher sa peau.
- Avec une boule de coton, effleurez un endroit précis, puis effleurez le même endroit de l'autre côté du corps (figure 34-95 ■).
- Touchez le front, la joue, la main, l'avant-bras, l'abdomen, le pied et la jambe inférieure. Touchez d'abord un endroit précis du membre (par exemple, la main avant le bras, le pied avant la jambe), *car on peut présumer que la fonction sensorielle est intacte si la personne perçoit le stimulus sensoriel dans la partie la plus distale du membre.*

Légère sensation tactile ou chatouillement.

Anesthésie, hyperesthésie, hypoesthésie ou paresthésie.

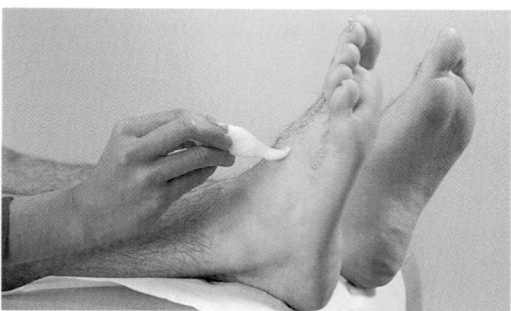

FIGURE 34-95 ■ Évaluation de la sensibilité superficielle.

INTERVENTION (suite)

Examen physique

- Demandez à la personne d'indiquer l'endroit où elle a perçu le toucher. *On vérifie ainsi si la personne est capable d'indiquer à quel endroit on l'a touchée.*
- Si vous constatez une dysfonction sensorielle, déterminez les limites de la sensation en appliquant un stimulus tactile tous les 2,5 cm dans la région. Pour le dossier de la personne, faites ensuite une représentation graphique qui délimite la région de la perte sensorielle.

16. Sensibilité à la douleur
   Évaluez la sensibilité à la douleur.
   - Demandez à la personne de fermer les yeux et de dire « pointu », « non pointu » ou « je ne sais pas » chaque fois que vous la touchez avec l'extrémité cassée ou arrondie d'un abaisse-langue.
   - Touchez au hasard, tour à tour avec le bout pointu et le bout non pointu, différentes régions du corps de la personne, par exemple la main, l'avant-bras, le pied, la jambe inférieure, l'abdomen (figure 34-96 ■). Ne testez pas le visage de la même façon. *L'alternance des extrémités pointue et non pointue de l'instrument permet d'évaluer plus précisément la réaction de la personne.*
   - Allouez au moins deux secondes entre chaque stimulus afin de prévenir l'effet cumulatif (des stimuli trop rapprochés pourraient être perçus comme un seul stimulus).

17. Sensibilité à la température
   Vous n'avez pas à vérifier la sensibilité à la température si la sensibilité à la douleur s'avère dans les limites de la normale. L'évaluation de la sensibilité à la température peut s'avérer utile lorsque la sensibilité à la douleur est anormale ou nulle.
   - Touchez différentes zones cutanées avec des éprouvettes d'eau chaude et d'eau froide.
   - Demandez à la personne d'indiquer « eau chaude », « eau froide » ou « je ne sais pas ».

18. Sens de la position et du mouvement
   Souvent, on évalue la sensibilité proprioceptive (sens de la position et du mouvement) sur les doigts du milieu et sur les gros orteils.
   - Pour tester les doigts, soutenez le bras de la personne avec une main, puis soutenez la paume de la personne avec l'autre main. Pour vérifier les orteils, placez les talons de la personne sur la table d'examen.

Observations courantes

La personne est capable de différencier les extrémités pointue et non pointue.

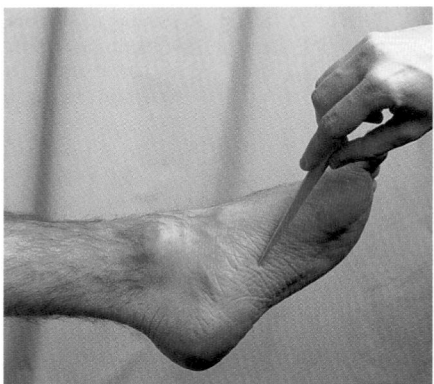

FIGURE **34-96** ■ Évaluation de la sensibilité à la douleur à l'aide d'un abaisse-langue cassé.

Capacité de distinguer le stimulus chaud du stimulus froid.

La personne peut déterminer aisément la position de son doigt ou de son orteil.

Particularités

Régions où la sensibilité est accrue, réduite ou absente (en faire une représentation graphique pour le dossier de la personne).

Zones de sensibilité émoussée ou nulle (quand la sensibilité à la douleur est émoussée, la sensibilité à la température est habituellement altérée également, car la répartition des nerfs est semblable pour ces deux sensations).

La personne est incapable de déterminer la position d'un ou de plusieurs doigts ou orteils.

PROCÉDÉ 34-17 (SUITE)

Évaluation de la fonction neurologique (suite)

INTERVENTION (suite)

Examen physique	Observations courantes	Particularités
• Demandez à la personne de fermer les yeux. • Saisissez le majeur ou le gros orteil de la personne entre votre pouce et votre index, puis faites bouger le doigt ou l'orteil en exerçant la même pression des deux côtés vers le haut et vers le bas, ou étirez-le, et demandez à la personne de dire dans quelle position se trouve son doigt ou son orteil. • Faites bouger le doigt ou l'orteil rapidement vers le haut et le bas, puis cessez subitement le mouvement en demandant à la personne dans laquelle des trois positions se trouve son doigt ou son orteil.		
19. Discrimination Pour tous ces tests, la personne doit fermer les yeux.		

Discrimination tactile
Stimulez la peau avec, tour à tour, un morceau d'un abaisse-langue coupé en deux et avec les deux morceaux; demandez chaque fois à la personne si elle perçoit un ou deux stimulus.
	La perception varie considérablement d'un adulte à l'autre pour les différentes parties du corps. Normalement, une personne peut distinguer le stimulus simple (un seul point de contact) du stimulus double (deux points de contact) si la distance minimale séparant les deux points de contact est respectée. Ces distances minimales varient en fonction des différentes parties du corps :
	  Bouts des doigts : 3 mm
	  Orteils : 3-8 mm
	  Paumes des mains : 8-12 mm
	  Poitrine, avant-bras : 40 mm
	  Dos : 50-70 mm
	  Haut du bras, cuisse : 75 mm
		La personne est incapable de dire si une seule ou deux régions cutanées sont stimulées par une pression.

Stéréognosie (capacité de reconnaître des objets en les touchant) Placez des objets familiers (par exemple, une clé, un trombone ou une pièce de monnaie) dans la main de la personne et demandez-lui de les identifier sans les regarder.	La personne est capable de nommer les objets courants.	La personne est incapable de reconnaître les objets courants.
Graphesthésie (capacité de reconnaître les chiffres) Tracez un chiffre sur la paume de la personne avec un instrument, puis demandez-lui d'indiquer le chiffre.	La personne est capable d'indiquer le chiffre que vous avez écrit dans sa paume.	La personne est incapable d'indiquer le chiffre que vous avez écrit dans sa paume.
Stimulation simultanée Stimulez simultanément deux régions symétriques du corps de la personne (comme les cuisses, les joues ou les mains).	Les deux stimuli sont perçus.	Incapacité de percevoir le toucher d'un côté du corps lorsque deux régions symétriques sont touchées en même temps (souvent observée chez les personnes atteintes de lésions du cortex sensoriel).

INTERVENTION (suite)

Examen physique

20. Notez les données au dossier de la personne. Au besoin, utilisez des formulaires ou des listes de vérification enrichies de notes explicatives. Décrivez les données anormales de manière objective. Par exemple, écrivez : « Quand on lui a demandé de compter à rebours par multiples de trois, la personne a fait sept erreurs et terminé en quatre minutes. »

ÉVALUATION

- Effectuez les examens de suivi nécessaires, selon les résultats qui ne correspondent pas aux observations courantes ou qui ne sont pas compatibles avec les résultats attendus pour la personne. Mettez les données obtenues en rapport avec les données de l'évaluation précédente, au besoin.

- Signalez au médecin les données qui ne correspondent pas aux observations courantes.

LES ÂGES DE LA VIE

Évaluation de la fonction neurologique

NOURRISSONS

- Les réflexes fréquemment vérifiés chez les nouveau-nés sont le réflexe de succion (quand on touche la joue du bébé, la tête se tourne du côté stimulé) ; le réflexe de préhension (les doigts du bébé s'enroulent autour d'un objet) ; le réflexe tonique du cou (quand le bébé est couché sur le dos, la tête tournée sur un côté, le bras et la jambe de ce côté sont en extension tandis que le bras et la jambe du côté opposé sont en flexion [position de l'escrimeur]). La plupart de ces réflexes disparaissent avant l'âge de six mois.

ENFANTS

- Présentez l'examen à l'enfant comme un jeu, autant que possible.
- La persistance du réflexe de Babinski est anormale chez les enfants qui ont commencé à marcher ou qui ont plus de deux ans.
- Le test de Denver II constitue, pour les enfants de moins de cinq ans, une évaluation neurologique détaillée, particulièrement pour la fonction motrice.
- Notez la capacité de l'enfant de comprendre et de suivre des consignes.
- Évaluez la mémoire immédiate et la mémoire récente ; pour ce faire, utilisez des noms de personnages de dessins animés. Un enfant peut normalement retenir un nombre d'éléments équivalent à son âge moins un an.
- Cherchez à déceler des signes d'hyperactivité ou de trouble d'attention.
- L'enfant devrait être capable de marcher à reculons vers l'âge de deux ans, de se balancer sur un seul pied pendant cinq secondes vers l'âge de quatre ans, de marcher les orteils collés au talon de l'autre pied vers l'âge de cinq ans, et de marcher à reculons les orteils collés au talon de l'autre pied vers l'âge de six ans.

- L'épreuve de Romberg est appropriée pour des enfants de plus de trois ans.

PERSONNES ÂGÉES

- Une évaluation neurologique complète peut prendre beaucoup de temps. Divisez-la en plusieurs parties, s'il le faut, ou faites une pause si la personne se sent fatiguée.
- L'altération de l'état mental n'est pas une conséquence normale du vieillissement, mais plutôt une conséquence de troubles physiques ou psychologiques (fièvre, déséquilibres liquidiens et électrolytiques, traitement médicamenteux). L'altération soudaine et marquée de l'état mental résulte habituellement d'un état pathologique précis ; elle est souvent réversible si on la traite. L'altération chronique, subtile et insidieuse de l'état mental provient habituellement de la démence et est généralement irréversible.
- L'intelligence et l'apprentissage ne sont pas altérés par le vieillissement. Toutefois, plusieurs facteurs inhibent l'apprentissage (par exemple, l'anxiété, la maladie, la douleur, les barrières culturelles).
- La mémoire récente devient souvent moins efficace. La mémoire lointaine n'est habituellement pas altérée.
- Comme le vieillissement est souvent accompagné de la perte de membres de l'entourage, la dépression est un problème répandu. Les sautes d'humeur, la perte de poids, l'anorexie, la constipation et l'insomnie peuvent se manifester.
- Le stress de se retrouver dans une situation non familière peut causer de la confusion chez la personne âgée.
- À mesure qu'une personne vieillit, ses réflexes peuvent devenir moins vifs.
- Comme la personne âgée se fatigue plus facilement que les autres adultes, on effectue souvent l'évaluation neurologique et l'examen physique séparément.

LES ÂGES DE LA VIE (SUITE)

- Le nombre de neurones fonctionnels du système nerveux et des organes sensoriels diminue progressivement avec l'âge, mais la personne âgée arrive généralement à bien fonctionner, car la réserve de neurones est abondante.
- La transmission des influx nerveux et la réaction aux stimuli sont plus lentes.
- Un grand nombre de personnes âgées présentent des troubles auditifs, visuels ou olfactifs, une altération de la sensibilité à la température et à la douleur, une perte de mémoire et une altération de l'état mental.
- La coordination diminue ; entre autres, les mouvements alternatifs des doigts ralentissent. L'équilibre en position debout demeure intact, et l'épreuve de Romberg reste négative.
- Les réflexes peuvent devenir plus marqués ou moins marqués. La perte du réflexe achilléen est courante, et le réflexe plantaire peut être difficile à obtenir.
- Lorsque vous évaluez la fonction sensitive, vous devez laisser à la personne le temps de réagir. Normalement, chez la personne âgée, la perception du toucher superficiel et de la douleur superficielle reste intacte, la perception de la douleur profonde est diminuée, et la perception de la température est réduite. Aussi, on observe souvent une perte partielle ou totale du sens de la position dans le gros orteil.

TABLEAU
34-10

Niveaux de conscience : échelle de Glasgow		
Capacité mesurée	**Réponse**	**Score**
Ouverture des yeux	Spontanée	4
	Stimulus verbal	3
	Stimulus douloureux	2
	Aucune réaction	1
Réponse motrice	Obéit aux consignes	6
	Localise le site de la douleur	5
	Mouvement de retrait de tout le corps	4
	Adopte une position de flexion des bras (décortication)	3
	Adopte une position d'extension des bras et des jambes (décérébration)	2
	Aucune réaction	1
Réponse verbale	Orientée	5
	Confuse	4
	Inappropriée	3
	Incompréhensible	2
	Aucune réponse	1

TABLEAU
34-11

Fonctions des nerfs crâniens et méthodes d'évaluation				
Nerf crânien	**Nom du nerf**	**Composante**	**Fonction**	**Méthode d'évaluation**
I	Olfactif	Sensitive	Odorat	Demandez à la personne de fermer les yeux et d'identifier diverses odeurs non irritantes telles que le café ou la vanille.
II	Optique	Sensitive	Vue et champs visuels	Demandez à la personne de lire l'échelle de Snellen ; vérifiez les champs visuels par confrontation ; faites un examen ophtalmologique.
III	Moteur oculaire commun	Motrice	Mouvements du globe oculaire ; mouvements de constriction de la pupille ; mouvements des muscles ciliaires du cristallin ; soulèvement de la paupière supérieure	Évaluez les six mouvements oculaires et le réflexe pupillaire.

Fonctions des nerfs crâniens et méthodes d'évaluation (suite)

Nerf crânien	Nom du nerf	Composante	Fonction	Méthode d'évaluation
IV	Pathétique	Motrice	Mouvement du globe oculaire, plus particulièrement vers le bas et le côté	Évaluez les six mouvements oculaires.
V	Trijumeau Branche ophtalmique	Mixte Sensitive	Sensibilité de la cornée, de la peau du visage et de la muqueuse nasale.	Pendant que la personne regarde vers le haut, effleurez la sclérotique latérale de l'œil pour susciter le réflexe de clignement. Pour tester la sensibilité superficielle, demandez à la personne de fermer les yeux, puis effleurez son front et son visage avec une boule de coton. Pour tester la sensibilité profonde, utilisez tour à tour les extrémités pointue et non pointue d'un abaisse-langue brisé en deux endroits symétriques du visage.
	Branche maxillaire	Sensitive	Sensibilité de la peau du visage et de la cavité orale antérieure (langue et dents).	Évaluez la sensibilité cutanée de la même façon que pour la branche ophtalmique.
	Branche mandibulaire	Motrice et sensitive	Muscles de la mastication; sensibilité de la peau du visage	Demandez à la personne de serrer les dents.
VI	Moteur oculaire externe	Motrice	Mouvements du globe oculaire; mouvement latéral.	Évaluez les directions du regard.
VII	Facial	Motrice et sensitive	Expression faciale; goût (deux tiers antérieurs de la langue).	Demandez à la personne de sourire, de relever les sourcils, de les froncer, de gonfler les joues, de fermer les yeux fort.
				Demandez-lui d'identifier différentes saveurs placées sur le bout et les côtés de la langue : sucre (sucré), sel, citron (sur); repérez les régions du goût.
VIII	Auditif Branche vestibulaire	Sensitive	Équilibre	Les méthodes d'évaluation sont les mêmes que celles décrites pour la fonction cérébelleuse.
	Branche cochléaire	Sensitive	Ouïe	Évaluez la capacité de la personne d'entendre le langage parlé et les vibrations du diapason.
IX	Glossopharyngien	Motrice et sensitive	Déglutition, mouvements de la langue, goût (partie postérieure de la langue).	Demandez à la personne de reconnaître des saveurs sur la partie postérieure de la langue. Demandez-lui de bouger la langue d'un côté à l'autre et de haut en bas.
X	Vague	Motrice et sensitive	Sensibilité du pharynx et du larynx; déglutition; mouvement des cordes vocales.	Évaluez-le en même temps que le nerf IX; évaluez l'élocution de la personne pour déceler la raucité de la voix.
XI	Spinal	Motrice	Mouvement de la tête; haussement des épaules.	Demandez à la personne de hausser les épaules et de tourner la tête en résistant à la force de vos mains (refaites la même chose de l'autre côté).
XII	Grand hypoglosse	Motrice	Protrusion de la langue; mouvement de la langue vers le haut et le bas ainsi que d'un côté à l'autre.	Demandez à la personne de tirer la langue au milieu, puis de la bouger d'un côté à l'autre.

Organes génitaux et région inguinale chez la femme

L'examen des organes génitaux et reproducteurs de la femme comprend l'examen des ganglions lymphatiques inguinaux ainsi que l'inspection et la palpation des organes génitaux externes. L'étendue de l'examen des organes génitaux et reproducteurs dépend des besoins et des problèmes de la femme qui consulte.

S'il s'agit d'une adolescente active sexuellement ou d'une femme adulte, l'examen doit inclure un test de Papanicolaou pour détecter le cancer du col. Si l'infirmière constate un écoulement vaginal excessif ou anormal, elle doit en prélever un échantillon pour le dépistage des infections transmissibles sexuellement (ITS).

L'examen des organes génitaux est un examen qu'appréhendent beaucoup de filles et de femmes, notamment parce que la position de lithotomie en met plusieurs mal à l'aise. L'infirmière doit expliquer l'examen au préalable et procéder de manière objective et efficace.

Le procédé 34-18 explique comment faire l'examen des organes génitaux et de la région inguinale.

PROCÉDÉ 34-18

Examen des organes génitaux et de la région inguinale chez la femme

PLANIFICATION

Matériel
- Gants d'examen
- Drap
- Éclairage supplémentaire, au besoin

INTERVENTION

Exécution

1. Expliquez à la femme ce que vous allez faire, pourquoi vous allez le faire et comment elle peut coopérer. Expliquez-lui aussi que les résultats serviront à planifier les soins ou les traitements.
2. Lavez-vous les mains et observez les autres mesures de prévention des infections.
3. Assurez-vous que l'intimité de la femme est préservée.
4. Demandez à la personne de vous informer de ses antécédents : âge de l'apparition des règles, date des dernières règles, régularité du cycle, durée, quantité, présence de douleurs menstruelles ; douleurs durant les rapports sexuels ; écoulement vaginal ; nombre de grossesses et de naissances menées à terme, complications du travail et de l'accouchement ; mictions fréquentes et impérieuses la nuit ; présence de sang dans les urines, mictions douloureuses, incontinence ; antécédents d'infections transmissibles sexuellement (ITS).
5. Aidez la femme à s'installer sur le dos, les pieds surélevés dans les étriers de la table d'examen (position de lithotomie, voir le tableau 34-2). Sinon, aidez la femme à s'installer sur le dos, les genoux fléchis et les cuisses ouvertes.

Examen physique	Observations courantes	Particularités
6. Inspectez la pilosité et notez la répartition des poils, la quantité et leurs caractéristiques.	Il peut y avoir de grandes différences d'une femme à l'autre ; poils habituellement crépus chez la femme adulte qui a des menstruations ; clairsemés et moins crépus après la ménopause. Répartition en triangle inversé.	Poils pubiens rares (peut indiquer un problème hormonal). Les poils pubiens ne devraient pas s'étendre jusque sur l'abdomen.
7. Inspectez la peau de la région pubienne pour y déceler des anomalies : parasites, inflammation, œdème et lésions. Pour évaluer adéquatement la peau de cette région, séparez les petites lèvres des grandes lèvres.	Peau intacte, aucune lésion. Peau de la vulve légèrement plus foncée que sur le reste du corps. Lèvres arrondies, pleines et relativement symétriques chez la femme adulte.	Poux, lésions, cicatrices, fissures, œdème, érythème, excoriations, cicatrices d'épisiotomie, varicosités ou leucoplasie.
8. Inspectez le clitoris, l'orifice de l'urètre ainsi que l'orifice vaginal au moment où l'on sépare les petites lèvres des grandes lèvres.	Le clitoris ne dépasse pas 1 cm de largeur et 2 cm de longueur. L'orifice urétral est une petite ouverture de la même couleur que les tissus avoisinants. Aucune inflammation, aucun œdème ni écoulement.	Présence de lésions. Présence d'inflammation, d'œdème ou d'écoulement.

INTERVENTION (suite)

Examen physique	Observations courantes	Particularités

Examen physique

9. Notez les odeurs qui se dégagent.

10. Palpez les ganglions lymphatiques inguinaux (figure 34-97 ▪). Utilisez la pulpe de vos doigts et décrivez un mouvement circulaire pour vérifier s'il y a tuméfaction ou sensibilité au toucher.

Observations courantes

Aucune odeur particulière.

Aucune tuméfaction ni sensibilité au toucher.

Particularités

Odeur de poisson pourri, caractéristique de certaines infections vaginales.

Tuméfaction et sensibilité au toucher.

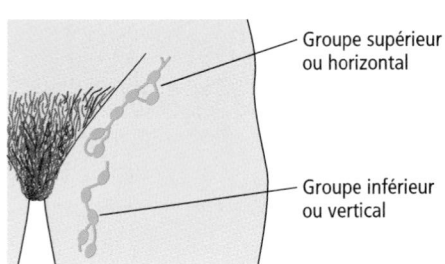

Groupe supérieur ou horizontal

Groupe inférieur ou vertical

FIGURE **34-97** ▪ Ganglions lymphatiques de la région inguinale.

11. Consignez les données au dossier de la femme. Au besoin, utilisez des formulaires ou des listes de vérification enrichies de notes explicatives.

ÉVALUATION

▪ Effectuez les examens de suivi nécessaires selon les résultats qui ne correspondent pas aux observations courantes ou qui ne sont pas compatibles avec les résultats attendus pour la personne. Mettez les données obtenues en rapport avec les données de l'évaluation précédente, au besoin.

▪ Signalez les données qui ne correspondent pas aux observations courantes au médecin pour que la femme subisse un examen vaginal interne.

Les infirmières sont souvent appelées à collaborer à cet examen et doivent être familiarisées avec la technique. L'examen des organes génitaux internes comprend : (a) la palpation des glandes de Skene et de Bartholin ; (b) l'examen des muscles pelviens ; (c) l'insertion d'un spéculum vaginal pour examiner le col et le vagin ; (d) le prélèvement d'un frottis.

L'examen au spéculum vaginal comporte l'insertion d'un spéculum de plastique ou de métal (ce dernier est de moins en moins utilisé), composé de deux lames et d'une vis ajustable (figure 34-98 ▪). Il existe différentes tailles de spéculum (petit, moyen et grand) ; on doit choisir la taille qui convient à la femme. Habituellement, on choisit un petit spéculum pour une jeune femme vierge ou pour une femme plus âgée qui est inactive sexuellement. Autrement, la taille à choisir dépend des antécédents sexuels et obstétriques de la femme. Si on n'a pas besoin de prélever un échantillon, on lubrifie le spéculum avec un lubrifiant hydrosoluble. La plupart du temps, on lubrifie le spéculum avec de l'eau chaude. Après avoir examiné le col de l'utérus, l'infirmière prélève des échantillons dans une ou plusieurs régions.

Voici les tâches qui incombent à l'infirmière lorsqu'elle collabore à l'examen des organes génitaux internes d'une femme :

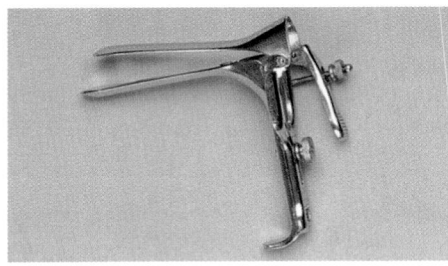

FIGURE **34-98** ▪ Spéculum vaginal.

1. *Rassembler le matériel.* Préparer les draps, les gants, un spéculum vaginal de taille appropriée, de l'eau chaude ou un lubrifiant, les fournitures requises pour la cytologie et la culture.

2. *Préparer la femme.* Dire à la femme de ne pas se donner de douche vaginale avant l'examen. Expliquer le déroulement de l'examen. Il ne devrait durer qu'une dizaine de minutes. Normalement, il est indolore. Aider la femme à s'installer en position de lithotomie, au besoin, et la couvrir convenablement.

3. *Rassurer et informer la femme durant l'examen.* Cela signifie que l'infirmière doit expliquer ce qu'elle fait et encourager la femme à respirer profondément pour relâcher ses muscles pelviens.

4. *Aider la femme après l'examen.* Aider la femme à se relever et lui fournir une serviette pour les soins d'hygiène périnéale. Noter tout écoulement vaginal. Normalement, les caractéristiques des mucosités cervicales varient tout au long du cycle menstruel ; claires et transparentes au début, elles deviennent par la suite blanches et épaisses, et même filandreuses. Il existe trois sortes d'infections vaginales ; elles produisent chacune un écoulement caractéristique. Les infections à levures, appelées candidoses, produisent un écoulement épais, blanc, grumeleux et collant. Les infections à *Trichomonas* produisent un écoulement abondant, clair, gris ou vert, mousseux et malodorant. Enfin, les infections bactériennes produisent un écoulement malodorant.

5. *Noter les détails de l'examen.* Inscrire la date et l'heure de l'examen, le nom du professionnel de la santé qui l'a effectué, ainsi que les examens et les interventions effectuées par l'infirmière.

LES ÂGES DE LA VIE

Examen des organes génitaux et des ganglions lymphatiques inguinaux chez la personne de sexe féminin

NOURRISSONS

- On peut maintenir le bébé en décubitus dorsal sur les genoux de sa mère, les genoux écartés et soutenus en position fléchie.
- À cause de l'œstrogène maternel, les lèvres et le clitoris du nouveau-né de sexe féminin peuvent être œdémateux et hypertrophiés, et il peut y avoir un écoulement vaginal.

ENFANTS

- Assurez-vous que le parent ou le tuteur de l'enfant autorise l'examen, puis expliquez à l'enfant comment l'examen va se dérouler. Il ne faut pas oublier qu'on enseigne aux enfants d'âge préscolaire à ne pas laisser toucher leurs « parties intimes ».
- Pour une adolescente, l'examen se limite à l'inspection des organes génitaux externes, à moins que la jeune fille soit sexuellement active. Si c'est le cas et que la jeune fille présente un écoulement vaginal accru ou anormal, vous devez prélever un échantillon pour le dépistage des ITS. L'encadré 34-37 montre les cinq stades de développement de la pilosité pubienne durant la puberté.
- Le clitoris est la région où les chancres syphilitiques sont le plus susceptibles d'apparaître chez les jeunes femmes.

PERSONNES ÂGÉES

- Les lèvres sont atrophiées et aplaties chez les femmes âgées.
- Le clitoris est la région où des lésions cancéreuses sont le plus susceptibles d'apparaître chez la femme âgée.
- L'atrophie de la vulve résulte de la diminution de la vascularité, de l'élasticité, des tissus adipeux et du taux d'œstrogène. Cette altération fragilise la vulve, qui est plus facilement irritée.
- Le milieu vaginal devient plus sec et plus alcalin à cause de l'altération de la flore vaginale et de la prédisposition à la vaginite. La dyspareunie (coït difficile ou douloureux) est également courante.
- Le col et l'utérus rapetissent.
- Les trompes de Fallope et les ovaires s'atrophient.
- L'ovulation et la production d'œstrogène cessent.
- Les saignements vaginaux non associés à l'hormonothérapie sont anormaux chez la femme plus âgée.
- Le prolapsus de l'utérus peut apparaître chez les femmes âgées, surtout chez celles qui ont eu plusieurs grossesses.
- Les femmes âgées peuvent souffrir d'arthrose et trouver la position de lithotomie inconfortable.

ENCADRÉ

Les cinq stades de développement de la pilosité pubienne chez la femme

34-37

Stade 1 Préadolescence. Aucun poil pubien, seulement un fin duvet.

Stade 2 Habituellement vers 11-12 ans. De longs poils frisés, légèrement pigmentés et clairsemés, apparaissent sur le bord des grandes lèvres.

Stade 3 Habituellement vers 12-13 ans. Les poils foncent, deviennent plus frisés et atteignent la symphyse pubienne.

Stade 4 Habituellement vers 13-14 ans. Le poil commence à ressembler à celui de l'adulte, mais il n'est pas aussi épais et on ne le retrouve pas sur les cuisses.

Stade 5 Maturité sexuelle. Le poil a l'apparence qu'il garde chez la femme adulte, et il apparaît sur la face interne du haut des cuisses (figure 34-99 ■).

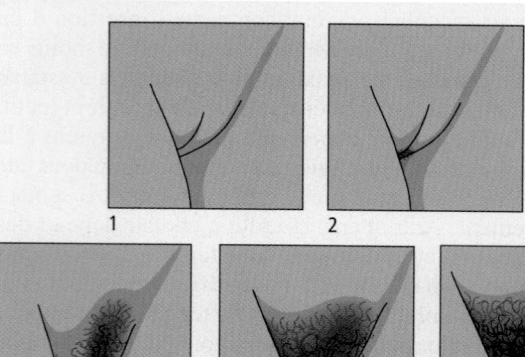
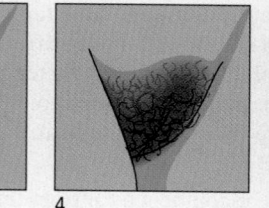
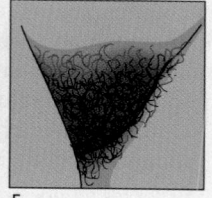

FIGURE **34-99** ■ Stades de développement de la pilosité pubienne chez la femme.

Organes génitaux et région inguinale chez l'homme

Chez l'homme adulte, l'examen comprend l'inspection des organes génitaux externes, la recherche de hernies et l'examen de la prostate. L'infirmière qui possède les connaissances nécessaires peut effectuer l'examen des organes génitaux externes masculins. Chez l'homme, l'urètre permet le passage tant de l'urine que du sperme et fait partie à la fois de la fonction génitale et de la fonction urinaire (figure 34-100 ■). Par conséquent, ces deux fonctions sont examinées en même temps lors de l'examen physique.

L'examen des organes génitaux masculins par une personne de sexe féminin est de plus en plus courant. La plupart des hommes acceptent de se faire examiner par une femme, surtout si elle procède avec naturel et professionnalisme. Si l'infirmière ne se sent pas à l'aise ou que la personne manifeste de la réticence, l'infirmière peut déléguer cette partie de l'examen à un collègue masculin.

Le développement des caractères sexuels secondaires s'évalue en fonction de l'âge du jeune homme. Le tableau 34-12 montre les cinq stades de développement de la pilosité pubienne, du pénis, des testicules et du scrotum durant la puberté.

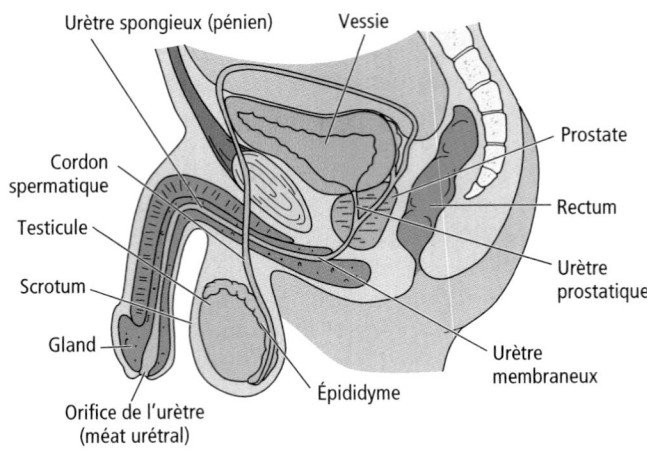

FIGURE **34-100** ■ Appareil génito-urinaire de l'homme.

Chez tous les hommes, on doit chercher la présence de hernies inguinales ou fémorales. Une **hernie** est la saillie d'un segment d'intestin dans la paroi inguinale ou le canal inguinal. La portion d'intestin déborde parfois dans le scrotum. Dans le cas d'une hernie inguinale indirecte, le segment d'intestin fait saillie

TABLEAU
34-12

Développement de la pilosité pubienne et des organes génitaux externes chez le jeune homme (de 12 à 16 ans)			
Stade	**Pilosité**	**Pénis**	**Testicules et scrotum**
1 (préadolescent)	Aucun poil, seulement un duvet comme celui qu'on trouve sur l'abdomen.	Grosseur proportionnelle à la taille du garçon, comme durant l'enfance.	Grosseur proportionnelle à la taille du garçon, comme durant l'enfance.
2	Poils clairsemés, longs, légèrement pigmentés à la base du pénis.	Légère augmentation de volume.	Augmentent de volume, peau scrotale plus foncée, tendant vers le rouge.
3	Poils plus foncés, commencent à devenir frisés et rêches ; commencent à couvrir la symphyse pubienne.	S'allonge.	Continuent à augmenter de volume.

TABLEAU
34-12

Développement de la pilosité pubienne et des organes génitaux externes chez le jeune homme (12 à 16 ans) (suite)

Stade	Pilosité	Pénis	Testicules et scrotum
4	Poils plus foncés et plus épais; s'étendent sur les côtés.	Augmente de longueur et de largeur; le gland se développe.	Continuent d'augmenter de volume; la couleur fonce.
5	Pilosité adulte qui s'étend sur l'intérieur des cuisses, l'ombilic et l'anus.	Apparence adulte.	Apparence adulte.

dans l'anneau inguinal profond. Le segment d'intestin peut demeurer dans ce canal, sortir par l'anneau inguinal superficiel ou déborder dans le scrotum. Dans le cas d'une hernie inguinale directe, la hernie entre dans le canal inguinal directement par une faiblesse de la paroi abdominale, juste derrière l'anneau inguinal superficiel. Elle ne traverse pas le canal inguinal. La hernie fémorale se produit plus bas et plus latéralement que la hernie inguinale, et elle peut ressembler à un ganglion lymphatique œdémateux.

Le cancer de la prostate est le cancer le plus répandu chez l'homme adulte. Il touche principalement les hommes de plus de 50 ans. L'examen de la prostate se fait en même temps que l'examen du rectum et de l'anus (voir le procédé 34-20).

Le cancer des testicules est beaucoup plus rare que le cancer de la prostate, et il touche surtout les jeunes hommes de 15 à 35 ans. Le cancer des testicules se développe le plus souvent sur les faces antérieure et latérale du testicule. L'auto-examen des testicules devrait être fait tous les mois (voir le chapitre 29 🔗).

On utilise les techniques d'inspection et de palpation pour examiner les organes génitaux masculins. Le procédé 34-19 explique comment examiner les organes génitaux et la région inguinale chez l'homme.

PROCÉDÉ 34-19

Examen des organes génitaux et de la région inguinale chez l'homme

PLANIFICATION

Matériel
- Gants d'examen

INTERVENTION

Exécution

1. Expliquez à l'homme ce que vous allez faire, pourquoi vous allez le faire et comment il peut coopérer. Expliquez-lui aussi que les résultats serviront à planifier les soins ou les traitements.

2. Lavez-vous les mains et observez les autres mesures de prévention des infections.

INTERVENTION

3. Assurez-vous que l'intimité de l'homme est préservée.

4. Demandez à l'homme de vous informer de ses antécédents: habitudes et problèmes en matière de mictions, maîtrise de la vessie, incontinence urinaire, mictions fréquentes ou impérieuses, douleur abdominale; symptômes d'infections transmissibles sexuellement; tuméfaction pouvant indiquer la présence d'une hernie; antécédents familiaux de néphrite, de tumeur maligne de la prostate ou du rein.

Examen physique	Observations courantes	Particularités
Pilosité pubienne 5. Inspectez la répartition des poils, leur quantité et leurs caractéristiques.	Pilosité sombre, rêche, frisée, distribuée selon le stade de maturation sexuelle, propre, exempte de poux.	Perte de poils par plaques, pilosité peu abondante, présence de poux.
Pénis 6. Inspectez le corps de la verge et le gland *pour y déceler la présence de lésions, de nodules, de tuméfaction ou d'inflammation.*	Peau intacte. Semble légèrement ridée; la couleur varie autant que celle de la peau des autres régions du corps. Le prépuce se rétracte facilement. Petite quantité de smegma blanc épais entre le gland et le prépuce.	Présence de lésions, de nodules, de tuméfaction ou d'inflammation.
7. Inspectez le méat urétral *pour y déceler la présence d'une tuméfaction, d'une inflammation ou d'un écoulement.* • Comprimez légèrement le gland de l'homme ou demandez-lui de le faire lui-même afin d'ouvrir le méat urinaire et de vérifier la présence d'un écoulement. • Si l'homme se plaint d'un écoulement, demandez-lui de presser son pénis à partir de la base de l'urètre (le pouce posé sur la face antérieure et les autres doigts posés sur la face dorsale), de saisir la base de son pénis et de faire glisser ses doigts vers le corps de la verge en exerçant une pression modérée.	Orifice en forme de fente; couleur rosée; situé au bout du pénis. Sans tuméfaction, inflammation ni écoulement.	Inflammation; écoulement. Anomalie de la position du méat urétral (par exemple, hypospadias, méat situé sur le dessous du corps de la verge; épispadias, méat sous la face dorsale du pénis).
8. Palpez le pénis *pour y déceler la présence d'une sensibilité, d'un épaississement ou de nodules.* Utilisez votre pouce et vos deux premiers doigts.	Pénis lisse et semi-ferme. On peut facilement le faire bouger sur les structures sous-jacentes.	Présence d'une sensibilité au toucher, d'un épaississement ou de nodules. Immobilité.
Scrotum 9. Inspectez le scrotum *pour en évaluer l'apparence, la grosseur et la symétrie.* • *Pour faciliter l'inspection du scrotum durant l'examen physique,* demandez à l'homme de tenir son pénis sur le côté. • Inspectez toutes les surfaces cutanées en étalant la peau plissée et en soulevant le scrotum pour observer la partie postérieure.	La peau du scrotum est lâche et plus foncée que celle du reste du corps. La grosseur varie selon la température (les muscles dartos se contractent au froid et se relâchent à la chaleur). Le scrotum est anatomiquement asymétrique (le testicule gauche est habituellement plus bas que le testicule droit).	Dyschromies; resserrement de la peau (peut indiquer la présence d'un œdème ou d'une masse). Asymétrie marquée de la taille.
10. Palpez le scrotum *pour évaluer l'état des testicules sous-jacents, de l'épididyme et du cordon spermatique.* Palpez les deux testicules simultanément pour les comparer. L'encadré 34-38 explique la méthode de palpation.	Les testicules sont caoutchouteux, lisses, sans nodules ni masses. Chaque testicule mesure environ 2×4 cm. L'épididyme est élastique, normalement sensible et plus mou que le cordon spermatique. Le cordon spermatique est ferme.	Les testicules sont hypertrophiés, et leur surface est inégale (possibilité de tumeur). L'épididyme est non élastique et douloureux (inflammation).

PROCÉDÉ 34-19 (SUITE)

Examen des organes génitaux et de la région inguinale chez l'homme (suite)

INTERVENTION (suite)

Palpation du scrotum

- Avec vos deux premiers doigts et votre pouce, palpez chaque testicule pour en évaluer la grosseur, la consistance, la forme et la texture, ainsi que pour y déceler la présence de masses. Si vous examinez un adolescent, assurez-vous aussi que les testicules sont descendus dans le scrotum; notez l'absence d'un ou des deux testicules dans le scrotum.
- Palpez l'épididyme entre votre pouce et votre index. L'épididyme est situé au haut du testicule et se prolonge derrière lui.
- Palpez le cordon spermatique entre votre pouce et votre index. Le cordon spermatique est habituellement situé dans la partie latérale supérieure du scrotum et est ferme au toucher.

- Si vous palpez une tuméfaction, une surface irrégulière ou des nodules durant l'examen du scrotum, essayez de voir la lésion par transillumination. Pour ce faire, mettez la pièce dans l'obscurité et allumez une lampe de poche derrière le scrotum pour faire passer la lumière dans la masse. La présence d'une tuméfaction formée de liquide séreux fait passer la lumière, qui devient rougeâtre, tandis que la présence de tissus ou de sang ne laisse pas passer la lumière.
- Décrivez toutes les masses scrotales : grosseur, taille, position, consistance, sensibilité et lésion visible par transillumination.

Examen physique	Observations courantes	Particularités
11. Inspectez les deux régions inguinales *pour y déceler la présence de masses*; l'homme devrait être debout autant que possible. • Premièrement, demandez à l'homme de rester détendu. • Ensuite, demandez-lui de retenir son souffle, puis de pousser comme s'il voulait déféquer. Cela peut rendre la hernie plus visible.	Aucune tuméfaction ni masse apparente.	Tuméfaction ou masse perçue (hernie inguinale ou fémorale possible).
12. Recherchez d'éventuelles hernies en suivant la méthode indiquée dans l'encadré 34-39.	Aucun renflement palpable.	Renflement palpable.
13. Consignez les données de l'examen au dossier de la personne. Au besoin, utilisez des formulaires ou des listes de vérification enrichies de notes explicatives.		

Palpation d'une hernie

HERNIE DIRECTE

- Avec votre main droite pour le côté droit de la personne ou votre main gauche pour le côté gauche de la personne, avancez votre index dans la peau lâche du scrotum, pour atteindre l'anneau inguinal interne (ou superficiel).
- Demandez à l'homme de pousser comme pour déféquer.
- Si l'homme présente une hernie, un renflement sera palpable dans cette région.

HERNIE INDIRECTE

- Essayez de placer l'index ou le petit doigt dans la lumière du canal inguinal pendant que l'homme fléchit le genou du même côté.

- Lorsque le doigt est rendu le plus loin possible, demandez-lui de pousser comme pour déféquer.
- Si une hernie est présente, vous sentirez une masse de tissu qui touche votre doigt puis qui s'en éloigne.

HERNIE FÉMORALE

- À nouveau, palpez la région inguinale directement, d'abord pendant que l'homme est décontracté, puis pendant qu'il pousse.
- Si une hernie fémorale est présente, vous sentirez un renflement, surtout quand l'homme pousse.

ÉVALUATION

- Effectuez les examens de suivi nécessaires selon les résultats qui ne correspondent pas aux observations courantes ou qui ne sont pas compatibles avec les résultats attendus pour la personne. Mettez les résultats de l'examen en rapport avec les données de l'évaluation précédente, au besoin.

- Signalez au médecin les résultats qui ne correspondent pas aux observations courantes.

LES ÂGES DE LA VIE

Examen des organes génitaux et de la région inguinale chez la personne de sexe masculin

NOURRISSONS
- Le prépuce du bébé non circoncis est normalement serré autour du gland durant les deux ou trois premiers mois; il ne se rétracte pas facilement.

ENFANTS
- On palpe habituellement le scrotum pour déterminer si les testicules sont descendus.
- Assurez-vous que le parent ou le tuteur de l'enfant autorise l'examen, puis expliquez à l'enfant comment l'examen va se dérouler. Il ne faut pas oublier qu'on enseigne aux enfants d'âge préscolaire à ne pas laisser toucher leurs « parties intimes ».
- Chez les jeunes garçons, le réflexe crémastérien peut faire en sorte que le testicule remonte dans le canal inguinal du côté stimulé. Demandez au garçon de s'asseoir les jambes croisées, si possible; cette position étire le muscle et diminue le réflexe.

- Le tableau 34-12 montre les cinq stades de développement de la pilosité pubienne, du pénis ainsi que des testicules et du scrotum.

PERSONNES ÂGÉES
- Le pénis rapetisse avec l'âge; la grosseur et la fermeté des testicules diminuent également.
- La production de testostérone décroît.
- L'homme âgé a besoin de plus de temps et de plus de stimulation physique directe pour avoir une érection, mais il peut maintenir son érection plus longtemps que lorsqu'il était plus jeune.
- Le sperme est moins abondant et moins visqueux.
- Les mictions fréquentes, la nycturie, les mictions goutte à goutte ainsi que la difficulté à amorcer le jet et à terminer la miction sont habituellement dues à l'hypertrophie de la prostate.

Rectum et anus

L'examen du rectum est une partie essentielle de l'examen physique. Il comprend l'inspection et la palpation (toucher rectal). L'étendue de l'examen du rectum et de l'anus dépend des problèmes signalés par la personne au cours de l'anamnèse.

Le procédé 34-20 explique comment examiner l'anus et le rectum.

PROCÉDÉ 34-20

Examen du rectum et de l'anus

PLANIFICATION

Matériel
- Gants d'examen
- Lubrifiant hydrosoluble

INTERVENTION

Exécution

1. Expliquez à la personne ce que vous allez faire, pourquoi vous allez le faire et comment elle peut coopérer. Expliquez-lui aussi que les résultats serviront à planifier les soins ou les traitements.

2. Lavez-vous les mains et observez les autres mesures de prévention des infections.

PROCÉDÉ 34-20 (SUITE)

Examen du rectum et de l'anus (suite)

INTERVENTION (suite)

3. Assurez-vous que l'intimité de la personne est préservée. Couvrez-la convenablement pour éviter d'exposer son corps inutilement.

4. Demandez à la personne de vous informer de ses antécédents : sang clair dans les selles, selles noires et goudronneuses, diarrhée, constipation, douleur abdominale, gaz excessifs, hémorroïdes ou douleur rectale ; antécédents familiaux de cancer colorectal ; date et résultats du dernier prélèvement de selles pour présence de sang occulte ; dans le cas d'une personne de sexe masculin, signes ou symptômes d'hypertrophie de la prostate (jet urinaire lent, retard de la miction, mictions fréquentes, mictions goutte à goutte et nycturie).

5. Comme le toucher rectal peut causer de l'appréhension et de l'embarras chez la personne, il est important que vous l'aidiez à se détendre ; demandez-lui, notamment, de respirer lentement et profondément (la tension peut entraîner un spasme des sphincters anaux, ce qui rendrait l'examen incommodant). Expliquer aussi à la personne les sensations qu'elle est susceptible d'éprouver (envie de déféquer, passage de flatuosité). Aidez la personne à s'installer. Si la personne est un adulte, installez-la en décubitus latéral gauche (position de Sims), la jambe supérieure très fléchie. Si c'est une femme, aidez-la à s'installer en décubitus dorsal, les hanches tournées vers l'extérieur et les genoux fléchis, ou dans la position de lithotomie (figure 34-101 ■). Si c'est un homme, il peut aussi rester debout, penché sur la table d'examen. Cette position est souvent utilisée pour examiner la prostate.

Position	Description
Décubitus latéral gauche (position de Sims) 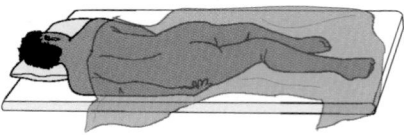	La personne est couchée sur le côté gauche, le bras inférieur derrière le dos, la jambe supérieure fléchie au niveau de la hanche et du genou, le bras supérieur fléchi au niveau de l'épaule et du coude.
Lithotomie (position gynécologique) 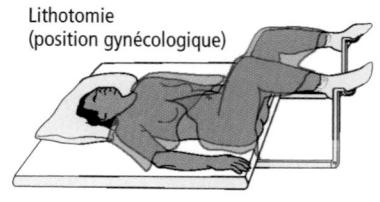	La personne est couchée sur le dos, les pieds installés dans des étriers, les hanches alignées avec le bord de la table d'examen.
Décubitus dorsal, les genoux fléchis 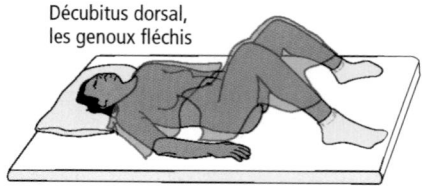	La personne est couchée sur le dos, les genoux fléchis, les hanches tournées vers l'extérieur, les pieds à plat sur la table ou le lit ; on peut mettre un petit oreiller sous sa tête.

FIGURE 34-101 ■ Décubitus latéral gauche ; lithotomie ; décubitus dorsal.

Examen physique

6. Inspectez la peau de l'anus et les tissus avoisinants *pour en évaluer la couleur et pour y déceler la présence de lésions.* Ensuite, demandez à la personne de pousser comme pour déféquer. *Cette poussée crée une légère pression sur la peau qui peut mettre en évidence des fissures rectales, un prolapsus rectal, des polypes ou des hémorroïdes internes.* Pour situer les données anormales dans cette région, décrivez-les par rapport aux aiguilles d'une horloge (midi correspondant à la symphyse pubienne).

Observations courantes

Peau périanale intacte ; généralement un peu plus pigmentée que la peau des fesses.

La peau anale est normalement plus pigmentée, plus épaisse et plus humide que la peau périanale, et habituellement sans poils.

Particularités

Présence de fissures (lésions linéaires), d'ulcères, d'excoriations, d'inflammation, d'abcès, d'hémorroïdes externes (veines dilatées qui prennent l'aspect d'une boule de chair rouge), bosses ou tumeurs, orifice en fistule, prolapsus rectal (différents degrés de saillie de la muqueuse rectale par l'anus).

INTERVENTION (suite)

Examen physique

7. Palpez le rectum *pour évaluer la tonicité du sphincter anal et pour y déceler la présence de nodules, de masses ou d'une sensibilité au toucher.* L'encadré 34-40 décrit la technique de palpation.

Observations courantes

Bonne tonicité du sphincter anal.

Particularités

Hypertonicité du sphincter anal (parfois due à la présence d'une fissure anale ou d'une autre lésion qui entraîne une contraction).

Hypotonicité du sphincter anal (due à une chirurgie rectale ou à un déficit neurologique).

Paroi rectale sensible et nodulaire.

ENCADRÉ

Palpation du rectum

34-40

- Mettez des gants et lubrifiez votre index. Demandez à la personne de pousser comme pour déféquer. Cela permet au sphincter de se relâcher.
- Introduisez doucement votre index ganté dans le rectum en direction de l'ombilic. Le canal anal (distance entre l'orifice anal et la jonction anorectale) est court (moins de 3 cm). La paroi postérieure du rectum suit la courbe du coccyx et du sacrum. Votre doigt devrait être capable de palper sur une distance de 6 à 10 cm.

- Ne forcez jamais l'insertion de votre doigt. Si des lésions sont douloureuses ou qu'un saignement se produit, cessez l'examen.
- Demandez à la personne de serrer le sphincter anal autour de l'index, puis notez le tonus du sphincter.
- Tournez doucement le doigt pour palper toutes les parois anales et rectales; cherchez la présence de nodules, de masses et de points sensibles.
- Notez la position de toute anomalie du rectum (par exemple, « paroi antérieure, 2 cm en amont du sphincter anal interne »).

8. Après avoir retiré votre doigt du rectum, observez les matières fécales restées sur le gant.

9. Consignez les résultats de l'examen au dossier de la personne. Au besoin, utilisez des formulaires ou des listes de vérification enrichies de notes explicatives.

Matières fécales de couleur brune.

Présence de mucus, de sang ou de selles goudronneuses.

ÉVALUATION

- Effectuez les examens de suivi nécessaires, selon les résultats qui ne correspondent pas aux observations courantes ou qui ne sont pas compatibles avec les résultats attendus pour la personne. Mettez les résultats de l'examen en rapport avec les données de l'examen précédent, au besoin.

- Signalez au médecin les résultats qui ne correspondent pas aux observations courantes.

LES ÂGES DE LA VIE

Examen du rectum et de l'anus

NOURRISSONS
- Un toucher léger de l'anus devrait provoquer une brève contraction anale.
- On n'effectue pas systématiquement l'examen rectal chez les nourrissons.

ENFANTS
- La présence d'un érythème ou de marques de grattage peut indiquer une oxyurose (affection parasitaire).
- On n'effectue pas systématiquement l'examen rectal chez les enfants.

EXERCICES D'INTÉGRATION

Une femme de 75 ans est admise à l'unité de soins après avoir été trouvée inconsciente sur le plancher de son appartement. Elle est maintenant éveillée, mais elle bouge avec lenteur. Ses signes vitaux sont dans les limites de la normale.

1. Dans toute situation, l'infirmière doit être en mesure de déterminer ses priorités. Quelles sont les trois fonctions que l'on devrait examiner en premier chez cette personne ? Justifiez votre réponse.

2. Pendant que l'infirmière recueille les données sur les antécédents de cette personne, que devrait-elle faire si celle-ci ne lui donne que des réponses d'un seul mot ou ne lui répond que par gestes ?

3. Étant donné que la personne souffre peut-être encore de sa chute, il ne lui est pas facile de prendre les positions requises pour se faire examiner. Comment l'infirmière peut-elle organiser l'examen physique de façon à éviter que les changements de position soient trop nombreux ?

4. Si la personne est incapable de fournir ses antécédents récents, quelles autres sources l'infirmière peut-elle consulter pour obtenir les données dont elle a besoin ?

Voir l'appendice A : Exercices d'intégration – Pistes de réflexion.

RÉVISION DU CHAPITRE

Concepts clés

- L'examen physique sert à évaluer la fonction et l'intégrité des différentes parties du corps.

- L'examen physique peut être complet ou se limiter à certaines fonctions de l'organisme.

- L'examen physique se déroule méthodiquement et de façon à occasionner le moins de changements de position possible.

- Différentes parties de l'examen physique s'intègrent aux étapes de la collecte des données, des interventions et de l'évaluation de la démarche systématique.

- Les données recueillies au cours de l'examen physique complètent, confirment ou réfutent les données recueillies au cours de l'anamnèse de la personne.

- Les données de l'anamnèse de la personne déterminent la forme et l'étendue de l'examen physique.

- Les données recueillies durant l'examen physique aident l'infirmière à poser des diagnostics infirmiers, à planifier les soins et les traitements de la personne et à évaluer les résultats escomptés.

- La collecte des données initiales fournit des données de base sur les capacités fonctionnelles de la personne ; ces données peuvent ensuite être comparées avec les résultats des examens subséquents.

- L'examen physique nécessite la connaissance des techniques d'inspection, de palpation, de percussion et d'auscultation ; l'infirmière utilise ces techniques dans cet ordre durant tout l'examen physique, sauf pour l'examen de l'abdomen, où l'auscultation se fait après l'inspection et avant la percussion et la palpation.

- Pour être en mesure de faire l'examen physique, l'infirmière doit avoir une bonne connaissance des structures et des fonctions normales des différentes parties de l'organisme.

Questions de révision

34-1. Lequel des bruits suivants l'infirmière peut-elle s'attendre à percevoir à l'auscultation d'un poumon normal ?

    a) Tympanisme dans le lobe supérieur droit.
    b) Sonorité dans le lobe supérieur gauche.
    c) Hypersonorité dans le lobe inférieur gauche.
    d) Matité au-dessus du dixième espace intercostal gauche.

34-2. La personne doit s'asseoir droit durant la palpation :

    a) de l'abdomen.
    b) du cœur.
    c) des seins.
    d) de la tête et du cou.

34-3. Lors de l'auscultation de l'abdomen, laquelle des données suivantes doit-on signaler au médecin ?

    a) Un souffle au niveau de l'aorte.
    b) L'absence de bruits intestinaux durant 60 secondes.
    c) Des bruits intestinaux continus au niveau de la valvule iléocæcale.
    d) Une grande irrégularité des bruits intestinaux.

34-4. Une infirmière est incapable de trouver le pouls poplité d'une personne au cours de l'examen de routine. Que doit-elle faire alors ?

    a) Prendre le pouls pédieux.
    b) Prendre le pouls fémoral.
    c) Mesurer la pression artérielle sur la cuisse.
    d) Demander à une autre infirmière de chercher le pouls.

Questions de révision (suite)

34-5. Laquelle des données suivantes fait partie des caractéristiques attendues pour un adulte âgé?
a) Les poils faciaux deviennent plus fins et plus doux.
b) La vision périphérique, la vision des couleurs et la vision nocturne diminuent.
c) La sensibilité aux odeurs augmente.
d) La fréquence et le rythme respiratoires sont irréguliers au repos.

Voir l'appendice B : Réponses aux questions de révision.

BIBLIOGRAPHIE

En anglais

Addison, R. (1999). Practical procedures for nurses. Digital rectal examination. *Nursing Times, 95*(41), insert 2p.

Ayello, E. A. (2000). On the lookout for peripheral vascular disease. *Nursing, 30*(6), 64hh1–hh2, 64hh–hh4.

Barton, M. B., Harris, R., & Fletcher, S. W. (1999). Does this patient have breast cancer? The screening clinical breast examination : Should it be done? How? *Journal of the American Medical Association, 282,* 1270–1280.

Faria, S. H. (1999). Assessment of peripheral arterial pulses. *Home Care Provider, 4,* 140–141.

Greenberger, N. J. (1998). Techniques for physical assessment of acute abdominal pain : Getting the most out of the history and physical exam. *Journal of Critical Illness, 13,* 735–742.

Hayko, D. M. (1998). Clinical practice : Peripheral vascular assessment of the lower extremities. *Home Health Focus, 5*(1), 1, 2, 5.

Hayko, D. M. (1999). Clinical practice : Assessing the lungs. *Home Health Focus, 5*(10), 73, 75.

Hines, S. E. (2000). Performing a focused physical examination. *Patient Care, 34*(23), 76–78, 87–89, 93–94, 99, 103–104, 106.

Hood, B. (1999). Physical assessment of the older adult receiving IV therapy at home, CINA conference '99. *Official Journal of the Canadian Intravenous Nurses Association, 15,* 27–30.

Jackson, R., Alghareeb, M., Alaradi, I., & Tomi, Z. (1999). The diagnosis of skin disease. *Dermatology Nursing, 11,* 275, 278–283.

Kacker, A., Gonzales, D. A., & Selesnick, S. H. (1999). The otoscopic examination : What to look for : Where to search. *Consultant 39,* 2397–2402, 2405–2406.

Klingman, L. (1999a). Assessing the female reproductive system : A guide through the gynecologic exam. *American Journal of Nursing, 99*(8), 37–43.

Klingman, L. (1999b). Assessing the male genitalia. *American Journal of Nursing, 99*(7), 47–50.

Langan, J. C. (1998). Abdominal assessment in the home : From A to ZZZ. *Home Healthcare Nurse, 16,* 51–57.

Lillibridge, J., & Wilson, M. (1999). Registered nurses' descriptions of their health assessment practices. *International Journal of Nursing Practice, 5*(1), 29–37.

LoBuono, C. (2001). How to perform an effective clinical breast exam. *Patient Care, 35*(24), 11–17.

O'Hanlon-Nichols, T. (1998a). Basic assessment series : A review of the adult musculoskeletal system : A guide to a key aspect of patient care. *American Journal of Nursing, 98*(6), 48–52.

O'Hanlon-Nichols, T. (1998b). Basic assessment series : Gastrointestinal system. *American Journal of Nursing, 98*(4), 48–53.

O'Hanlon-Nichols, T. (1998c). Basic assessment series : The adult pulmonary system. *American Journal of Nursing, 98*(2) Continuing Care Extra Ed. 39–45.

O'Hanlon-Nichols, T. (1999). Neurologic assessment. *American Journal of Nursing, 99*(6), 44–50.

Owen, A. (1998). Respiratory assessment revisited : Refresh your technique for spotting pulmonary problems. *Nursing, 28*(4), 48–49.

Smith, R. A., Cokkinides, V., von Eschenbach, A. C., Levin, B., Cohen, C., Runowicz, C. D., et al. (2002). American Cancer Society recommendations for early detection of cancer. *CA : A Cancer Journal for Clinicians, 52,* 8–22.

Walton, J. C., Miller, J., & Tordecilla, L. (2001). Elder oral assessment and care. *MEDSURG Nursing, 10*(1), 37–44.

Watson, R. (2000). Assessing cardiovascular functioning in older people. *Nursing Older People, 12*(6), 27–28.

Watson, R. (2001). Assessing the musculoskeletal system in older people. *Nursing Older People, 13*(5), 29–30.

Willis, K. C. (2001). Gaining perspective on peripheral vascular disease. *Nursing, 31*(2), 32hh1–hn4.

Yacone-Morton, L. A. (2002). Perfecting your skills : Cardiac assessment. *RN, 30*(4), 36–39.

En français

Association canadienne du diabète. *Les lignes directrices de pratique clinique 2003,* (page consultée le 10 août 2004), [en ligne], <http://www.diabetes.ca/cpgfrancais/searchresults.aspx ?&Neuropathy=True>.

Bates, B., Bickley, L. et Hoekelman, R. A. (2001). *Guide de l'examen clinique,* 4e éd., Paris : Arnette.

Baxter, N. (2001). Les femmes devraient-elles procéder régulièrement à l'auto-examen des seins pour le dépistage du cancer du sein ?, *Le Médecin du Québec, 36*(11), 117-127.

Brûlé, M., Cloutier, L. et Doyon, O. (dir.). (2002). *L'examen clinique dans la pratique infirmière,* Saint-Laurent : Éditions du Renouveau Pédagogique.

Chapada, C. (1999). L'examen clinique des seins par l'infirmière, *L'infirmière canadienne, 95*(2), 38-43.

Epstein, O., Perkin, G. D., de Bono, D. P. et Cookson, J. (2000). *Examen clinique, éléments de sémiologie médicale,* Bruxelles : de Boeck Université.

Gérontologie en institution. *Guide de réalisation du MMS ou examen de l'état mental de Folstein,* (page consultée le 11 novembre 2004), [en ligne], <http://membres.lycos.fr/papidoc/35mmsfolsteinscore.html>.

Ordre des infirmières et infirmiers du Québec. (avril 2003). *Notre profession prend une nouvelle dimension : des pistes pour mieux comprendre la loi sur les infirmières et les infirmiers et en tirer avantage dans notre pratique,* Montréal : OIIQ.

Société canadienne du cancer. *Dépistage du cancer de la prostate,* (page consultée le 10 août 2004), [en ligne], <http:// www.cancer.ca/ccs/internet/standard/0,3182,3172_10175_74569371_langId-fr,00.html>.

Société canadienne du cancer. *Dépistage du cancer du col utérin,* (page consultée le 10 août 2004), [en ligne], <http://www.cancer.ca/ccs/internet/standard/0,3182,3172_10175_L_74575144_langId-fr,00.html>.

Société canadienne du cancer. *Le dépistage pourrait considérablement réduire le nombre de décès dus au cancer colorectal,* (page consultée le 10 août 2004), [en ligne], <http:// www.cancer.ca/ccs/internet/mediareleaselist/0,3208,3172_210504898_7322269_langId-fr,00.html>.

Société canadienne du cancer du sein. *Dépistage précoce du cancer du sein,* (page consultée le 10 août 2004), [en ligne], <http://www.cancer.ca/ccs/internet/standard/0,3182,3172_10175_74567690_langId-fr,00.html>.

Stratégie canadienne de lutte contre le cancer. *Groupe de travail sur le dépistage,* (page consultée le 10 août 2004), [en ligne], <http://209.217.127.72/sclcc/pdf/finalscreeningJan2002_fr.PDF>.

Tortora, G. J. et Grabowski, S. R. (2001). *Principes d'anatomie et de physiologie,* Saint-Laurent : Éditions du Renouveau Pédagogique.

RESSOURCES ET SITES WEB

Société canadienne du cancer. <http://www.cancer.ca/ccs/internet/frontdoor/0,,3172___langId-fr,00.html>

Stratégie canadienne de lutte contre le cancer. <http://www.cancercontrol.org/>.

Composantes essentielles des soins cliniques

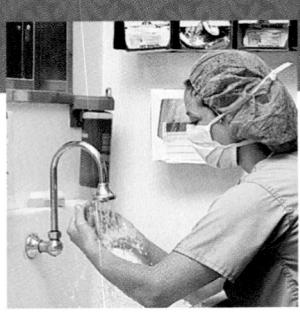

De toutes les composantes des soins cliniques, la pratique sécuritaire est la plus importante ; elle est primordiale. Elle imprègne chaque étape de la démarche systématique de la pratique infirmière. Les activités de promotion d'une pratique sécuritaire comprennent l'évaluation des risques, la prévention de l'infection, le maintien d'un milieu sécuritaire et la prévention des accidents, que ce soit dans les établissements de soins, dans les unités de soins ambulatoires, en soins à domicile ou en soins communautaires.

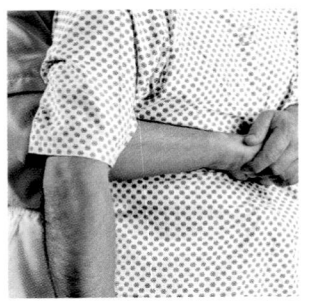

CHAPITRES

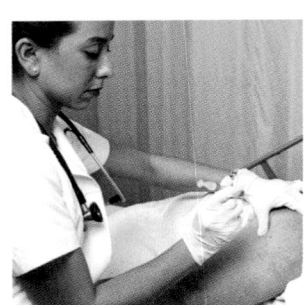

Après avoir étudié ce chapitre, vous pourrez:

- Expliquer les concepts d'asepsie médicale et d'asepsie chirurgicale.

- Nommer les facteurs de risque d'infection nosocomiale.

- Nommer les signes d'une infection locale et ceux d'une infection généralisée.

- Nommer les facteurs influant sur la capacité d'un microorganisme à provoquer un processus infectieux.

- Nommer des barrières anatomiques et physiologiques qui protègent l'organisme contre les microorganismes.

- Distinguer l'immunité active de l'immunité passive.

- Énoncer des diagnostics infirmiers pertinents et nommer des facteurs prédisposants de l'infection dans le cas de la personne qui présente un risque.

- Énoncer des interventions susceptibles de réduire le risque d'infection.

- Décrire des mesures susceptibles de rompre chaque maillon de la chaîne de transmission de l'infection.

- Comparer, en faisant ressortir les ressemblances et les différences, les mesures de prévention qui permettent de réduire le risque d'infection : précautions universelles, précautions applicables aux liquides organiques, pratiques de base et précautions additionnelles, systèmes d'isolement par catégories ou par maladies.

- Appliquer correctement les pratiques aseptiques : se laver les mains, mettre et enlever de façon appropriée un masque, une blouse, des gants jetables ; ensacher le matériel ; manipuler le matériel utilisé dans différents contextes de soins.

- Décrire les mesures à prendre en cas d'exposition à un agent pathogène transmissible par le sang ou d'autres liquides organiques.

PARTIE 9
Composantes essentielles des soins cliniques

CHAPITRE
35

ASEPSIE

Adaptation française:
Caroline Longpré, inf., M.Sc.

Enseignante en soins infirmiers

Cégep régional de Lanaudière à Joliette

En matière de prévention de l'infection, la responsabilité de l'infirmière est incontestable. Aussi la pratique infirmière comprend-elle, d'une part, l'élaboration de programmes de prévention (en collaboration avec d'autres professionnels de la santé) et, d'autre part, la mise en place de mécanismes de dépistage et de surveillance dans les situations qui présentent un risque d'infection (Lévesque-Barbès, 2004). L'infirmière joue donc un rôle dans la création ou le maintien d'un milieu sécuritaire sur le plan biologique. Les microorganismes sont partout : dans l'eau, dans le sol, sur la peau et les muqueuses de l'être humain, notamment dans le tractus intestinal et d'autres zones ouvertes sur l'extérieur (par exemple, bouche, voies respiratoires supérieures, vagin et voies urinaires inférieures). La majorité de ces microorganismes sont inoffensifs, et certains sont même fort utiles, car ils remplissent des fonctions essentielles. Ainsi, des microorganismes intestinaux de souche bactérienne (par exemple, entérobactéries) produisent des substances, les **bactériocines**, qui peuvent détruire d'autres souches

MOTS CLÉS

de bactéries, habituellement étroitement apparentées. Certains microorganismes produisent des substances qui ressemblent aux antibiotiques ou des métabolites toxiques qui ralentissent la croissance de divers autres microorganismes. D'autres forment la **flore microbienne normale** d'une partie du corps (c'est-à-dire l'ensemble des microbes qui y résident), mais sont susceptibles de provoquer une infection dans d'autres parties de l'organisme. Ainsi, *Escherichia coli* réside normalement dans le gros intestin, mais il cause fréquemment l'infection des voies urinaires. Le tableau 35-1 passe en revue les principaux microorganismes de la flore microbienne normale de l'être humain.

Une **infection** est l'invasion et la prolifération de microorganismes dans des tissus. Un *agent pathogène* est un microorganisme susceptible de provoquer une infection. Si la présence d'un agent pathogène ne déclenche pas les signes cliniques d'une affection, l'infection est alors *asymptomatique* (ou *subclinique*). Certaines de ces infections peuvent causer des dommages importants ; ainsi, une infection à cytomégalovirus (CMV) chez une femme enceinte peut provoquer une affection grave chez l'enfant à naître. L'anomalie détectable de la fonction normale d'un tissu correspond à une **affection** (ou **maladie**).

Les microorganismes se différencient par leur **virulence** (c'est-à-dire leur capacité à provoquer une affection selon l'intensité de leur pouvoir pathogène), par la gravité des affections qu'ils causent et par leur degré de transmissibilité. Par exemple, le virus du rhume se transmet plus facilement que le bacille de la lèpre (*Mycobacterium leprae*).

TABLEAU
35-1

Exemples de microorganismes présents dans la flore microbienne normale

Partie du corps	Microorganisme
Peau	*Staphylococcus epidermidis* *Propionibacterium acnes* *Staphylococcus aureus* *Corynebacterium xerosis* *Pityrosporum ovale* (levure)
Voies nasales	*Staphylococcus aureus* *Staphylococcus epidermidis*
Oropharynx	*Streptococcus pneumoniae*
Bouche	*Streptococcus mutans* *Lactobacillus* *Bacteroides* *Actinomyces*
Intestins	*Bacteroides* *Fusobacterium* *Eubacterium* *Lactobacillus* *Streptococcus* *Enterobacteriaceæ* *Shigella* *Escherichia coli*
Ostium externe de l'urètre	*Staphylococcus epidermidis*
Urètre (inférieur)	*Proteus*
Vagin	*Lactobacillus* *Bacteroides* *Clostridium* *Candida albicans*

Si un agent pathogène est transmissible, que ce soit par contact direct ou indirect, par vecteur, par véhicule ou par voie aérienne, l'affection qu'il provoque est appelée **affection transmissible** (ou **maladie transmissible**).

La **pathogénicité** (ou **pouvoir pathogène**) est la capacité de causer une affection, et on appelle agents pathogènes les microorganismes susceptibles de provoquer un problème de santé, tels que les bactéries, les virus et les parasites. Plusieurs microorganismes normalement inoffensifs déclenchent des affections dans certaines conditions. Les « véritables » agents pathogènes causent des affections ou des infections même chez les individus en bonne santé, alors que les **agents pathogènes opportunistes** provoquent des affections seulement chez les personnes sensibles (par exemple, celles qui sont immunodéprimées). La **sepsie** est l'état d'infection, et elle peut prendre différentes formes (par exemple, choc septique). Les infections représentent la première cause de décès dans le monde et une cause importante d'affections et de décès au Canada. La lutte contre la propagation des microorganismes ainsi que la prévention des infections transmissibles et autres infections font l'objet de mesures à l'échelle internationale, nationale, provinciale, communautaire et individuelle. L'Organisation mondiale de la santé est le principal organisme de réglementation à l'échelle internationale. Au pays, de nombreux organismes sont préoccupés par la problématique des infections, notamment l'Association canadienne de microbiologie clinique et des maladies contagieuses (ACMCMC), le Conseil canadien d'agrément des services de santé (CCASS), la Société canadienne des maladies infectieuses (SCMI), l'Association pour la prévention des infections à l'hôpital et dans la communauté – Canada (CHICA – Canada), la Division des infections nosocomiales et professionnelles de Santé Canada et, particulièrement, le Laboratoire de lutte contre la maladie (LLCM). Aux États-Unis, le service des Centers for Disease Control and Prevention (CDC) constitue le service de santé publique le plus important à l'échelle nationale pour la lutte contre les affections ; le service de santé de chaque État surveille les épidémies et les affections, et publie des rapports d'influence sur le sujet.

Au sens propre, l'**asepsie** est l'absence d'agents pathogènes ; en pratique, elle correspond aux mesures à prendre pour réduire le risque du déplacement des microorganismes d'un endroit à un autre. Il en existe deux principaux types : l'asepsie médicale et l'asepsie chirurgicale.

L'**asepsie médicale** comprend toutes les pratiques visant à circonscrire un microorganisme donné dans une zone donnée et à réduire le nombre, la croissance et la propagation des microorganismes. Dans ce cas, on dit d'un objet qu'il est **propre** s'il est presque exempt de microorganismes et qu'il est **souillé** (**sale** ou **contaminé**) s'il porte vraisemblablement des microorganismes, y compris des agents pathogènes.

L'**asepsie chirurgicale** (ou **technique stérile**) désigne l'ensemble des pratiques visant à maintenir un espace ou un objet exempt de tout microorganisme ; elle comprend les mesures destinées à détruire tous les microorganismes et les spores. On l'applique au cours de toutes les interventions portant sur une partie stérile du corps.

Types d'agents pathogènes

On classe les agents pathogènes en quatre grands types : bactéries, virus, mycètes et parasites. Les **bactéries** constituent de loin le groupe le plus nombreux. Elles s'adaptent à leur environnement et elles se multiplient par synthèse cellulaire. Plusieurs centaines d'espèces de bactéries, qui provoquent des affections chez les êtres humains, survivent dans l'air et sont transportées par l'air, l'eau, les aliments, le sol, les tissus et les liquides organiques ainsi que par divers objets inanimés. La majorité des microorganismes énumérés dans le tableau 35-1 sont des bactéries. Les **virus** sont essentiellement des acides nucléiques ; ils doivent donc pénétrer dans des cellules vivantes pour se reproduire. Les familles de virus les plus courantes comprennent les variantes de *Rhinovirus* (ils sont la cause du rhume) ainsi que les virus de l'hépatite, de l'herpès et de l'immunodéficience humaine (VIH). Les **mycètes** comprennent les levures et les moisissures. *Candida albicans* est une levure qui fait partie de la flore microbienne vaginale normale. Les **parasites** vivent aux dépens d'autres organismes vivants ; ils comprennent les protozoaires, tels que l'agent qui cause la malaria, les helminthes (vers) et les arthropodes (mites, puces et tiques).

Types d'infections

La **colonisation** est le processus par lequel des souches de microorganismes en viennent à faire partie de la flore normale. Dans cet état, les microorganismes croissent et se multiplient sans provoquer de problèmes de santé. Une infection se produit lorsque des microorganismes, provenant soit de l'extérieur ou de la flore normale, envahissent une partie du corps où les défenses sont inefficaces et qu'ils endommagent les tissus. Une infection est considérée comme une affection quand les signes et les symptômes en sont uniques et distinguables de tout autre état.

Une infection est soit locale, soit généralisée. Une **infection locale** est circonscrite à une partie délimitée de l'organisme, où les agents pathogènes résident. Quand ces derniers se propagent et causent des dommages à d'autres parties du corps, il s'agit d'une **infection généralisée.** Si la culture d'un prélèvement sanguin révèle la présence de microorganismes, on parle dans ce cas de **bactériémie.** Quand cette dernière évolue en infection généralisée, il s'agit de **septicémie.**

On distingue par ailleurs entre l'**infection aiguë** et l'**infection chronique** : en général, la première apparaît de façon brusque ou est de courte durée ; la seconde évolue lentement, sur une longue période, et dure des mois ou même des années.

Infections nosocomiales

Une **infection nosocomiale** est associée à la prestation de soins dans un établissement de santé. Elle se manifeste soit pendant le séjour d'une personne dans un établissement, soit après son congé. Les agents pathogènes nosocomiaux (par exemple, bacille de la tuberculose et VIH) peuvent infecter aussi le personnel médical et paramédical et provoquer de graves problèmes de santé.

Les infections nosocomiales et la résistance aux antibiotiques attirent davantage l'attention depuis quelques années. Elles « constituent des problèmes de santé publique majeurs » (INSPQ, 2004). Dorénavant, les personnes hospitalisées en soins actifs présentent un risque plus élevé d'infection nosocomiale et ce, pour plusieurs raisons : la clientèle est de plus en plus gravement malade ; de nouveaux traitements et techniques, d'une efficacité accrue, permettent à la personne de survivre, mais ils affaiblissent ses réactions de défense ; les greffes d'organe et l'infection à VIH augmentent ; le continuum de soins soumet la personne à de nombreux transferts, que ce soit d'un établissement à un autre ou d'un service à un autre.

Les services où les infections nosocomiales sont les plus fréquentes sont les soins médicaux intensifs et les soins chirurgicaux. Selon des rapports du National Nosocomial Infection Surveillance (NNIS) System, les infections nosocomiales ont le plus souvent comme site les voies urinaires, les voies respiratoires, le sang circulant et les plaies (voir le site Web du NNIS, <www.cdc.gov/ncidod/hip/SURVEILL/NNIS.HTM>). Les microorganismes qui causent des infections nosocomiales proviennent soit des personnes elles-mêmes (source **endogène**), soit du milieu ou du personnel hospitalier (source **exogène**), mais il semble que la majorité de ces infections soient d'origine endogène. Les microorganismes infectieux les plus courants sont *Escherichia coli, Staphylococcus aureus* et les entérocoques.

En matière d'infections nosocomiales, il existe de nombreux facteurs prédisposants. L'**infection iatrogène** résulte directement d'une intervention diagnostique ou thérapeutique. C'est le cas d'une bactériémie reliée à la présence d'un cathéter intravasculaire. Cependant, les infections nosocomiales ne sont pas toutes d'origine iatrogène, ni toutes évitables.

L'affaiblissement d'une personne, dont les défenses normales sont amoindries par une chirurgie ou une affection, est également un facteur prédisposant de l'infection nosocomiale.

Les mains du personnel infirmier constituent un véhicule courant de dissémination de microorganismes. Un lavage des mains inadéquat est donc un important facteur favorisant la propagation d'agents pathogènes nosocomiaux.

Des coûts considérables sont associés aux infections nosocomiales, tant pour les individus ou les milieux de soins que pour les sources de financement (compagnies d'assurances et ressources gouvernementales). Ces infections allongent l'hospitalisation et l'absence au travail ; elles causent des incapacités, des indispositions et, même, la mort (voir le tableau 35-2).

> **! ALERTE CLINIQUE**   *Une personne peut transmettre des microorganismes potentiellement infectieux à une autre personne sans être elle-même atteinte d'une infection. En fait, des microorganismes considérés comme normaux pour un individu peuvent causer une infection chez un autre individu.* ■

Chaîne de transmission de l'infection

La chaîne de transmission de l'infection (figure 35-1 ■) est formée de six maillons : agent étiologique (ou pathogène), réservoir ou source (lieu de résidence normal), porte de sortie du réservoir, mode de transmission, porte d'entrée de l'hôte réceptif et hôte réceptif lui-même.

Agent étiologique

La capacité de provoquer un processus infectieux dépend du nombre de microorganismes présents, de leur virulence, de leur activité (pathogénicité), de leur capacité à pénétrer dans le corps

TABLEAU
35-2

Infections nosocomiales

Microorganismes les plus courants	Causes
Voies urinaires	
Escherichia coli	Technique de cathétérisation inadéquate
Espèces d'*Enterococcus*	Contamination d'un système de drainage hermétique
Pseudomonas æruginosa	Lavage des mains inadéquat
Champ opératoire	
Staphylococcus aureus	Lavage des mains inadéquat
Espèces d'*Enterococcus*	Technique de changement de pansement inadéquate
Pseudomonas æruginosa	
Sang circulant	
Staphylocoques à coagulase négative	Lavage des mains inadéquat
Staphylococcus aureus	Technique inadéquate : administration d'un soluté, installation d'un cathéter
Espèces d'*Enterococcus*	ou soins du site d'insertion
Pneumonie	
Staphylococcus aureus	Lavage des mains inadéquat
Pseudomonas æruginosa	Technique d'aspiration inadéquate
Espèces d'*Enterobacter*	

humain, de la réceptivité de l'hôte et de leur capacité de vivre à l'intérieur de ce dernier.

Certains microorganismes, comme le virus de la variole, ont la capacité d'infecter presque tous les individus réceptifs qui y sont exposés ; d'autres, par contre, tels que le bacille de la tuberculose, n'infectent qu'un nombre relativement faible d'individus d'une population réceptive exposée et, le plus souvent, il s'agit de personnes qui souffrent de dénutrition, qui vivent dans un endroit surpeuplé ou dont la fonction immunitaire est affaiblie (par exemple, personnes âgées, porteuses du VIH ou atteintes d'un cancer).

Réservoir (ou source)

Il existe de nombreux **réservoirs** (ou **sources**) de microorganismes ; les plus courants sont les êtres humains, la flore normale de chaque individu, les plantes, les animaux et l'environnement dans son ensemble. En fait, c'est chaque individu qui constitue la principale source d'infection tant pour les autres que pour lui-même (voir le tableau 35-3). Par exemple, un individu atteint de la grippe la transmet fréquemment à d'autres. On appelle **porteur** un individu ou un animal faisant fonction de réservoir d'un agent pathogène donné qui ne peut pas se manifester généralement par les signes cliniques d'une affection. Le moustique *Anopheles* sert de réservoir au parasite qui cause le paludisme tout en n'étant pas touché. Il existe aussi des porteurs qui présentent des affections, dont les signes cliniques sont évidents, comme les chiens atteints de la rage. Le virus du Nil occidental se transmet habituellement aux êtres humains par la piqûre d'un moustique infecté en se nourrissant du sang d'oiseaux qui sont porteurs du virus (Santé Canada, 2004a). Dans ces deux derniers cas, l'état de porteur peut être bref (porteur temporaire) ou s'étendre sur une très longue période (porteur chronique). Les aliments, l'eau et les fèces peuvent aussi constituer des réservoirs.

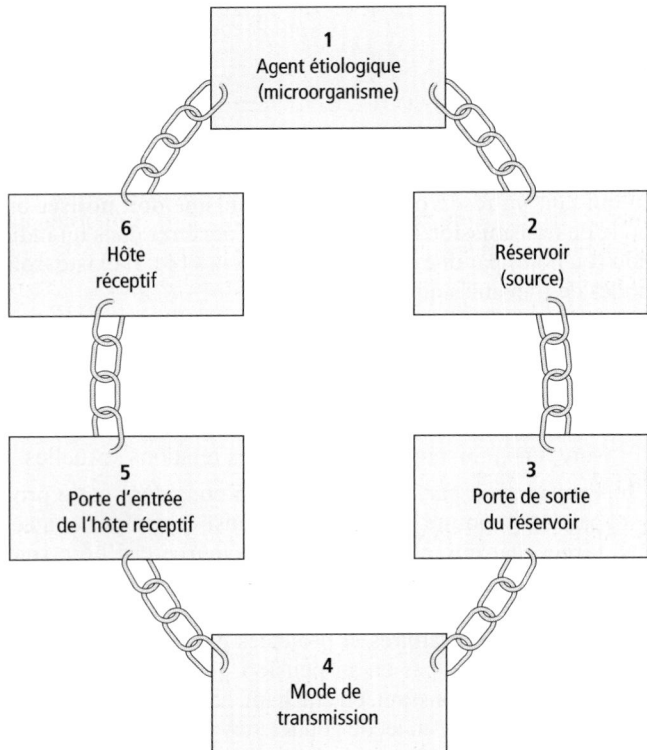

FIGURE 35-1 ■ Chaîne de transmission de l'infection.

Porte de sortie du réservoir

Avant de provoquer une infection chez un hôte, le microorganisme doit sortir du réservoir où il réside. Le tableau 35-3 passe en revue les cas les plus courants de réservoirs corporels, selon les agents pathogènes et les portes de sortie.

TABLEAU
35-3

Réservoirs corporels, agents pathogènes communs et portes de sortie

Réservoir corporel	Agents pathogènes communs	Portes de sortie
Voies respiratoires	Virus parainfluenza *Mycobacterium tuberculosis* *Staphylococcus aureus*	Bouche ou nez : quand on éternue, tousse, expire ou parle.
Tractus gastro-intestinal	Virus de l'hépatite A Espèces de *Salmonella*	Bouche : salive, vomissures. Anus : fèces. Stomies.
Voies urinaires	Entérocoques *Escherichia coli* *Pseudomonas æruginosa*	Méat urétral et déviation urinaire.
Conduits des organes reproducteurs	*Neisseria gonorrhoeæ* Herpès simplex virus de type 2 Virus de l'hépatite B (HBV)	Vagin : sécrétions vaginales. Méat urinaire : sperme, urine.
Sang	Virus de l'hépatite B Virus de l'immunodéficience humaine (VIH) *Staphylococcus aureus* *Staphylococcus epidermis*	Plaie ouverte, site d'insertion d'une aiguille, effraction de la peau ou de la surface d'une muqueuse.
Tissu	*Staphylococcus aureus* *Escherichia coli* Espèces de *Proteus* *Streptococcus* bêtahémolitique des groupes A et B	Exsudat d'une coupure ou d'une plaie.

Mode de transmission

En quittant un réservoir, un microorganisme doit utiliser un mode de transmission quelconque pour pénétrer dans un individu (ou hôte) par une porte d'entrée accessible. Il existe trois modes de transmission.

1. *Contact direct.*

   a) Transmission par contact direct. La transmission par **contact direct** est le transfert immédiat de microorganismes d'une personne à une autre par le toucher, une éclaboussure, une morsure, un baiser ou des relations sexuelles.

   b) Propagation par gouttelettes. On considère cette propagation comme une forme de transmission par contact direct, car elle n'a lieu que si la source et l'hôte sont éloignés de moins de un mètre. Les macrogouttelettes, dont le diamètre est supérieur à 5 μm, sont produites par les voies respiratoires et projetées dans l'air, mais elles n'y demeurent pas en suspension. Il peut arriver qu'en éternuant, en toussant, en crachant, en chantant ou en parlant, on projette un jet de gouttelettes sur la conjonctive ou les muqueuses des yeux, du nez ou de la bouche d'une autre personne.

2. *Contact indirect.* La transmission par **contact indirect** s'effectue soit par véhicule, soit par vecteur.

   a) **Transmission par véhicule.** On entend par *véhicule* toute substance qui sert d'intermédiaire dans le transport d'un agent pathogène et son introduction dans un hôte réceptif par une porte d'entrée appropriée. Tout objet inanimé, tel qu'un mouchoir, un jouet, un vêtement, un ustensile de cuisine, un instrument chirurgical ou un pansement, peut jouer le rôle de véhicule. L'eau, les aliments, le sang, le sérum et le plasma sont également des véhicules. Par exemple, un porteur du virus de l'hépatite A peut contaminer des aliments ou de l'eau en les manipulant ; ceux-ci pourront ensuite être ingérés par un hôte réceptif.

   b) **Transmission par vecteur.** On entend par *vecteur* un animal ou un insecte (aérien ou rampant) qui sert d'intermédiaire dans le transport d'un agent pathogène. La transmission se fait par l'injection de salive au cours d'une piqûre ou par le dépôt de fèces ou d'autres substances sur le site d'une morsure ou d'une lésion de la peau.

3. *Transmission aérienne.* La **transmission aérienne (transmission par voie aérienne** ou **transmission par l'air)** désigne la dissémination dans l'air (aérosolisation) de microorganismes par l'intermédiaire de noyaux de poussière ou de microgouttelettes qui demeurent en suspension dans l'air pendant de longues périodes et qui peuvent se trouver à plus de un mètre de l'individu. Un **noyau de gouttelette,** c'est-à-dire le résidu d'une gouttelette, émise par un hôte infecté (atteint, par exemple, de tuberculose, de zona ou de rougeole) et ensuite évaporée, peut rester dans l'air durant de longues périodes. Des particules de poussière contenant un agent pathogène (par exemple, spores de *Clostridium difficile* dans le sol) sont également transportées par voie aérienne. De telles substances voyagent dans les courants d'air jusqu'à une porte d'entrée du corps, soit généralement les voies respiratoires d'un hôte réceptif. La figure 35-2 ■ illustre les modes de transmission des microbes.

Direct **Indirect** **Gouttelettes**

CONTACT

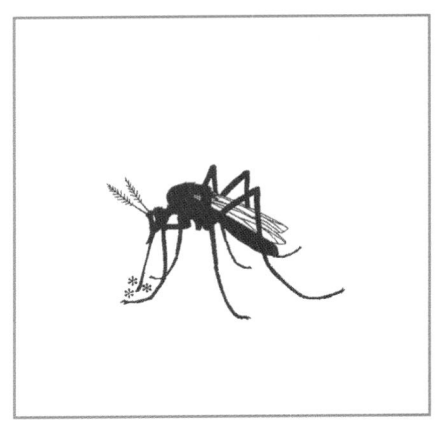

VOIE AÉRIENNE **VÉHICULE** **VECTEUR**

FIGURE 35-2 ■ Modes de transmission des microbes. (Source : « Pratiques de base et précautions additionnelles visant à prévenir la transmission des infections dans les établissements de santé », (p. 13), supplément du *Guide de prévention des infections, Version révisée des techniques d'isolement et précautions,* juillet 1999, de Santé Canada, *Relevé des maladies transmissibles au Canada,* 25S4, (page consultée le 12 novembre 2004), [en ligne], <www.phac-aspc.gc.ca/publicat/ccdr-rmtc/99pdf/cdr25s4f.pdf>. Reproduit avec la permission du Ministre des Travaux publics et Services gouvernementaux Canada, 2005.)

Porte d'entrée de l'hôte réceptif

Pour qu'une personne soit infectée, il faut que des microorganismes pénètrent dans son corps. La peau est une barrière de protection contre les agents pathogènes ; cependant, toute lésion de la peau, telle une blessure, constitue une porte d'entrée. Un microorganisme pénètre souvent dans un hôte par la même voie qu'il a empruntée pour quitter le réservoir où il se trouvait. Les muqueuses et l'appareil respiratoire sont des portes d'entrée très courantes.

Hôte réceptif

On appelle hôte réceptif (ou hôte non immunisé) toute personne qui présente un risque d'infection. Un **hôte affaibli** est un individu qui présente un plus grand risque, c'est-à-dire qu'il est plus susceptible de contracter une infection pour une ou plusieurs raisons. Un affaiblissement des défenses naturelles de l'organisme et divers autres facteurs peuvent accroître la réceptivité à l'infection. En voici quelques exemples : l'âge (très jeune enfant ou personne très âgée), un traitement immunodépresseur lié à un cancer, une affection chronique, une transplantation d'organe ou une immunodéficience.

Défenses de l'organisme contre les infections

Un individu en bonne santé possède des mécanismes de défense qui le protègent contre les infections. On classe ces défenses en deux catégories : les **défenses non spécifiques** protègent contre tous les microorganismes, qu'on y ait ou non déjà été exposé ; les **défenses spécifiques** (ou **immunologiques**) protègent contre des bactéries, des virus, des mycètes ou d'autres agents pathogènes donnés.

Défenses non spécifiques

Les défenses non spécifiques de l'organisme comprennent d'une part les barrières anatomiques et physiologiques et d'autre part la réaction inflammatoire.

BARRIÈRES ANATOMIQUES ET PHYSIOLOGIQUES

La peau et les muqueuses intactes forment la première ligne de défense du corps contre les microorganismes. À moins qu'elles ne soient fendillées ou rompues, elles constituent une barrière efficace contre les bactéries. Les multiples couches de l'épiderme constituent un obstacle pour les microbes. Les mycètes peuvent vivre sur la peau, mais ils ne peuvent la traverser. La sécheresse de la peau contribue à éloigner les bactéries, qui se concentrent dans les régions moites du corps, comme le périnée et les aisselles. Les bactéries de la flore normale de la peau font obstacle à la multiplication des autres bactéries : elles consomment les nutriments disponibles ; les déchets de leur métabolisme inhibent la croissance des autres bactéries. Les sécrétions normales rendent la peau légèrement acide, et l'acidité inhibe elle aussi la croissance bactérienne. Le sébum produit par les glandes sébacées de la peau et la transpiration contribuent à la résistance de la peau et des muqueuses aux infections.

Les muqueuses qui tapissent les cavités corporelles sécrètent du mucus qui en lubrifie et humecte la surface. Les cavités nasales remplissent une fonction de défense : l'air s'y déplace selon un parcours sinueux, il entre en contact avec les muqueuses humides et les poils (vibrisses), qui piègent les microorganismes, la poussière et les corps étrangers. Les cils présents au niveau des voies respiratoires supérieures rejettent à l'extérieur les poussières et les microbes qui ont été aspirés. Les poumons contiennent des **macrophages** (gros phagocytes) alvéolaires. Les **phagocytes** sont des cellules qui ingèrent des microorganismes, d'autres cellules et des particules étrangères.

Chaque ouverture du corps a ses propres mécanismes de défense. La cavité buccale rejette régulièrement des cellules épithéliales de la muqueuse, ce qui débarrasse la bouche de microorganismes colonisateurs. Le flux de salive, qui a partiellement un effet tampon, contribue à prévenir les infections. La salive contient des agents antimicrobiens, tels que la lactoferrine, le lysozyme et l'IgA (immunoglobuline) sécrétoire.

Les larmes, produites par l'appareil lacrymal, protègent l'œil contre les infections ; elles chassent continuellement les microorganismes et contiennent un lysozyme inhibiteur. Le tractus gastro-intestinal possède aussi des défenses contre les infections. Le degré élevé d'acidité du suc gastrique inhibe normalement la croissance microbienne. La flore normale du gros intestin contribue à empêcher les agents pathogènes de s'y installer. De plus, le péristaltisme aide à repousser les microbes à l'extérieur du corps.

Le vagin a lui aussi des mécanismes de défense naturels contre les infections. Au moment de la puberté, des bactéries du genre *Lactobacillus* dégradent par fermentation les sucres présents dans les sécrétions vaginales, ce qui crée un pH de 3,5 à 4,5 dans le vagin. La faiblesse du pH inhibe la croissance de plusieurs agents pathogènes. L'orifice de l'urètre héberge normalement plusieurs microorganismes, dont *Staphylococcus epidermis coagulase* (qui provient de la peau) et *Escherichia coli* (qui provient des fèces). On pense que le flot d'urine déloge les bactéries, qu'il les empêche de monter dans l'urètre et qu'il a un effet bactériostatique. De plus, la muqueuse intacte agit comme barrière.

RÉACTION INFLAMMATOIRE

L'**inflammation** est une réaction de défense locale et non spécifique des tissus, déclenchée par une lésion ou un agent pathogène. Il s'agit d'un mécanisme d'adaptation qui détruit ou dilue l'agent nocif, prévient l'extension de la lésion et favorise la réparation des tissus endommagés. L'inflammation se caractérise par cinq signes : (a) la douleur, (b) la tuméfaction, (c) la rougeur, (d) la chaleur et, dans le cas d'une lésion grave, (e) la perte fonctionnelle de la partie du corps atteinte. En général, les mots qui se terminent par le suffixe *-ite* désignent un processus inflammatoire. Ainsi, l'*appendicite* est l'inflammation de l'appendice et la *gastrite,* l'inflammation de l'estomac.

> **! ALERTE CLINIQUE** *On peut se rappeler facilement les signes d'une inflammation en pensant à « quatre heures » : rougeur, tumeur (d'où « tuméfaction »), chaleur et douleur.* ∎

On classe les agents nocifs en trois catégories : les agents physiques, les agents chimiques et les microorganismes. Les *agents physiques* comprennent les objets qui causent des traumatismes aux tissus, la chaleur et le froid intenses ainsi que les rayonnements. Les *agents chimiques* comprennent les substances irritantes provenant de l'extérieur du corps (par exemple, acides forts, alcalis, substances toxiques et gaz irritants) ou de l'intérieur (par exemple, acide chlorhydrique produit par le corps en quantité excessive dans l'estomac). Les *microorganismes* comprennent de nombreux représentants des bactéries, des virus, des mycètes et des parasites.

La réaction inflammatoire se subdivise en trois phases qui s'enchaînent de manière dynamique :

Première phase : réactions vasculaires et cellulaires (vasodilatation et augmentation de la perméabilité des vaisseaux sanguin)

Deuxième phase : production d'exsudat

Troisième phase : réparation tissulaire

Réactions vasculaires et cellulaires. Au début d'une inflammation, les vaisseaux sanguins du site de la lésion se contractent pendant un court laps de temps. Cette contraction est rapidement suivie par la dilatation des petits vaisseaux sanguins (due à la libération d'histamine par les tissus endommagés), ce qui accroît l'apport de sang dans la région atteinte. Cette augmentation, l'**hyperémie,** provoque la rougeur et la chaleur caractéristiques de l'inflammation.

La perméabilité des vaisseaux sanguins augmente au site atteint à cause de la vasodilatation, qui est une réaction à la mort de cellules, et à cause de la libération de médiateurs chimiques (par exemple, bradykinine, sérotonine et prostaglandines) et d'histamine. Ce phénomène provoque l'arrivée de grandes quantités de liquide, de protéines et de **leucocytes** (ou **globules blancs**) dans les espaces interstitiels, ce qui se manifeste sur le plan clinique par la tuméfaction (ou œdème) et la douleur, caractéristiques de l'inflammation. La douleur est causée par la pression qu'exerce l'accumulation de liquide sur les terminaisons nerveuses locales et par les médiateurs chimiques, qui irritent probablement ces terminaisons. Si une quantité excessive de liquide est déversée dans des régions comme la cavité pleurale ou la cavité péricardique, le fonctionnement des organes peut s'en trouver gravement entravé. Dans d'autres régions, comme les articulations, la mobilité s'en trouve réduite.

Le débit sanguin ralentit lorsque les vaisseaux sont dilatés, ce qui accroît l'apport de leucocytes dans les tissus atteints. Normalement, les globules sanguins se déplacent dans les vaisseaux suivant la ligne médiane, tandis que le plasma ne contenant pas de globules circule autour de ces derniers, le long de la paroi des vaisseaux. Si le débit sanguin ralentit, les leucocytes s'agrègent ou s'alignent le long de la paroi interne des vaisseaux. On appelle ce phénomène **margination.** Les leucocytes traversent alors la paroi des vaisseaux et se rendent dans les espaces interstitiels des tissus endommagés : c'est la **migration.** Le simple passage de globules sanguins à travers la paroi des vaisseaux est la **diapédèse.** Les globules quittent la circulation sanguine là où se trouve l'inflammation. Les leucocytes sont attirés vers les tissus atteints par **chimiotactisme.**

En réaction à la sortie de leucocytes des vaisseaux sanguins, la moelle osseuse produit de grandes quantités de ces globules, qu'elle libère dans le sang circulant : c'est la **leucocytose.** On ne connaît pas précisément le mécanisme à l'origine de ce phénomène, mais il s'agit là d'un autre signe d'inflammation. La numération des globules blancs, qui se situe normalement entre 5 et 10×10^9/L de sang, peut atteindre et même dépasser 20×10^9/L en cas d'inflammation.

Production d'exsudat. Au cours de la deuxième phase d'une inflammation, il y a production d'**exsudat,** formé de liquide qui s'est échappé des vaisseaux sanguins, de phagocytes morts, de cellules tissulaires mortes et de substances libérées par celles-ci. Le **fibrinogène** (protéine plasmatique qui se transforme en fibrine lorsqu'elle est libérée dans les tissus), la thromboplastine (substance libérée par les cellules des tissus atteints) et des plaquettes s'entrelacent pour former un réseau qui constitue une barrière autour de la région endommagée et prévient la propagation de l'agent nocif. C'est donc au cours de cette deuxième phase que l'agent nocif est mis hors d'état de nuire et que l'exsudat est éliminé par drainage lymphatique.

La nature et la quantité de l'exsudat varient selon les tissus atteints et selon l'intensité et la durée de l'inflammation. On distingue trois principaux types d'exsudats (voir le chapitre 40) : séreux, purulents et sanguinolents (ou hémorragiques).

Réparation tissulaire. La troisième phase de la réaction inflammatoire est la réparation des tissus atteints ; celle-ci se fait par régénération ou par remplacement au moyen de la formation de tissu fibreux (ou cicatriciel). La **régénération** est le remplacement des cellules tissulaires détruites par des cellules identiques ou ayant une structure et une fonction similaires. Le processus ne se limite pas au remplacement individuel des cellules endommagées : il organise les nouvelles cellules de manière à restaurer la structure et la fonction des tissus. La capacité qu'a un tissu de produire de nouvelles cellules varie

considérablement selon sa nature. Par exemple, le tissu épithélial de la peau, du tube digestif et des voies respiratoires a un grand pouvoir de régénération, dans la mesure où les structures de soutien sous-jacentes sont intactes. C'est aussi le cas des tissus osseux, des tissus lymphoïdes et de la moelle osseuse. Par contre, les tissus nerveux, musculaires et élastiques, entre autres, ont une faible capacité de régénération.

Lorsque la régénération est impossible, la réparation est assurée par la formation de tissu fibreux. Le **tissu fibreux** (ou **cicatriciel**) a la capacité de proliférer dans les conditions inhabituelles que constituent l'ischémie et un pH modifié. L'exsudat inflammatoire et le réseau serré de fibrine (protéine filamenteuse) fournissent le support nécessaire à la formation de tissus. Les tissus atteints sont remplacés par des éléments du tissu conjonctif du collagène, des capillaires sanguins et des vaisseaux lymphatiques ainsi que par d'autres substances reliées aux tissus. Au début de ce processus, il y a formation d'un **tissu de granulation** : un tissu fragile et gélatineux, d'apparence rosée ou rougeâtre à cause de ses nombreux nouveaux capillaires. Par la suite, ce tissu rétrécit (les capillaires se contractent ou même disparaissent) et les fibres de collagène se contractent, de sorte qu'il reste un tissu fibreux, plus ferme : la **cicatrice.**

Défenses spécifiques

Les défenses spécifiques du corps font intervenir le système immunitaire. L'**antigène** est une substance qui provoque un état de sensibilité ou l'**immunité.** Si les protéines proviennent de l'organisme lui-même, l'antigène est appelé **autoantigène.**

La réponse immunitaire comprend deux composantes : l'immunité humorale et l'immunité à médiation cellulaire. Ces mécanismes fournissent des protections distinctes qui toutefois se recoupent.

IMMUNITÉ HUMORALE

L'**immunité humorale** est aussi appelée défenses liées aux anticorps, car elle dépend en bout de ligne des lymphocytes B, qui produisent les anticorps. Les **anticorps** (ou **immunoglobulines**) font partie des protéines plasmatiques. Les défenses liées aux anticorps protègent l'organisme principalement durant les phases extracellulaires d'une infection bactérienne ou virale.

On distingue deux principaux types d'immunité, active et passive ; dans chaque cas, l'immunité est soit naturelle, soit artificielle (voir le tableau 35-4). Dans le cas de l'**immunité active,** l'hôte réagit à la présence d'un antigène naturel (par exemple, agent pathogène) ou artificiel (par exemple, vaccin) en produisant des anticorps. Les lymphocytes B s'activent lorsqu'ils reconnaissent l'antigène. Ils se différencient alors en plasmocytes ; ceux-ci sécrètent des anticorps et des protéines sériques qui se lient spécifiquement à la substance étrangère et déclenchent diverses réactions d'élimination. Les lymphocytes B produisent des molécules d'anticorps de cinq différentes classes d'immunoglobulines, désignées généralement par une lettre (« Ig » est l'abréviation d'immunoglobuline) : IgM, IgG, IgA, IgD et IgE. Si une analyse de laboratoire révèle la présence d'IgM, cela indique que l'individu est atteint d'une infection. Avant que la réponse anticorps devienne efficace, les phagocytes du sang se lient aux substances étrangères et les ingèrent. Ce processus s'accélère en présence d'anticorps IgG (signe que l'individu a déjà souffert d'une infection du même type et qu'il

TABLEAU

35-4

Types d'immunité

Immunité	Source d'antigènes ou d'anticorps	Durée
1. Active	L'organisme réagit à la présence d'un antigène en produisant des anticorps.	Longue période.
a) Naturelle	En cas d'infection active, l'organisme produit des anticorps.	Toute la vie.
b) Artificielle	On administre des antigènes (vaccins ou anatoxines) afin de stimuler la production d'anticorps.	Plusieurs années ; il faut renforcer l'immunité au moyen de rappels.
2. Passive	Les anticorps proviennent d'une source extérieure, animale ou humaine.	De courte durée.
a) Naturelle	La mère immunisée transmet les anticorps au bébé grâce au placenta et au colostrum.	De six mois à un an.
b) Artificielle	On injecte un antisérum (anticorps) provenant d'un animal ou d'une autre personne.	De deux à trois semaines.

a ainsi acquis l'immunité). Dans le cas de l'**immunité passive** (ou **immunité acquise**), l'hôte acquiert naturellement (par exemple, allaitement maternel) ou artificiellement (par exemple, injection d'antisérum) des anticorps provenant d'une source extérieure.

IMMUNITÉ À MÉDIATION CELLULAIRE

La réponse immunitaire à médiation cellulaire fait intervenir des cellules spécialisées, les **lymphocytes T.** Quand ils sont exposés à un antigène, les tissus lymphoïdes libèrent dans le système lymphatique un grand nombre de lymphocytes T activés, qui pénètrent ensuite dans la circulation sanguine. On divise les lymphocytes T en trois grands groupes : (a) les lymphocytes T auxiliaires, qui jouent un rôle dans les fonctions du système immunitaire ; (b) les lymphocytes T cytotoxiques, qui s'attaquent aux microorganismes (parfois, aux cellules du corps) et les détruisent ; (c) les lymphocytes T suppresseurs, capables de supprimer les fonctions des lymphocytes des deux autres groupes. En l'absence d'**immunité à médiation cellulaire**, comme dans le cas d'une infection causée par le virus de l'immunodéficience humaine (VIH), l'individu est « sans défense » contre la majorité des infections virales, bactériennes et fongiques.

Facteurs prédisposants de l'infection

Le fait qu'un microorganisme cause ou non une infection est déterminé par un ensemble de facteurs prédisposants. Nous avons déjà abordé le sujet dans le cas des infections nosocomiales. Ces facteurs peuvent se regrouper en trois catégories : les facteurs liés à l'hôte réceptif, les facteurs liés aux mesures thérapeutiques et les facteurs liés à la médication.

Facteurs liés à l'hôte réceptif

L'un des plus importants facteurs est la réceptivité (ou sensibilité) de l'hôte, qui dépend de l'âge, de l'hérédité, du stress vécu, de l'état nutritionnel, de l'administration d'une thérapie médicale et d'affections préexistantes.

L'âge influe sur le risque d'infection : les défenses du nouveau-né et de la personne âgée sont plus faibles. Les infections sont

une cause importante de décès chez le nourrisson, car son système immunitaire n'a pas encore atteint la maturité et il n'est protégé que pendant les deux ou trois premiers mois de vie par les immunoglobulines reçues passivement de sa mère. De un à trois mois, le nourrisson commence à synthétiser ses propres immunoglobulines. La vaccination antidiphtérique, antitétanique et anticoquelucheuse débute généralement à deux mois, lorsque le système immunitaire du bébé est capable de réagir (voir le tableau 35-5).

> Le respect d'un calendrier standard permet d'assurer la meilleure protection. Cependant, il se peut que l'on doive modifier le calendrier recommandé à cause de rendez-vous manqués ou d'une maladie intercurrente. En général, on ne reprend pas une série vaccinale qui a été interrompue, peu importe le laps de temps écoulé. (Santé Canada, 2002a, p. 61).

Il existe des calendriers de vaccination systématique pour les enfants âgés de plus de sept ans qui n'auraient pas été immunisés pendant la première enfance (voir l'exemple dans Santé Canada, 2002a, p. 62).

Les réponses immunitaires s'affaiblissent avec l'âge. Bien qu'il en reste encore beaucoup à apprendre sur le vieillissement, on sait qu'il réduit l'immunité contre l'infection. En raison de la prévalence de la grippe, qui peut causer la mort, Santé Canada (2004b) transmets les conseils et les recommandations du Comité consultatif national de l'immunisation (CCNI) : c'est ainsi qu'on recommande à la personne âgée, particulièrement celle atteinte d'une affection cardiaque, d'une affection respiratoire, d'une affection métabolique ou d'une néphropathie chronique, de se faire vacciner une fois par année. On recommande de plus l'administration du vaccin antipneumococcique à la personne âgée qui n'a pas été vaccinée au cours des cinq dernières années (voir le tableau 35-6).

Le risque d'infection dépend aussi de facteurs génétiques : certains individus ont une sensibilité héréditaire à telle ou telle infection. C'est le cas notamment des personnes présentant une déficience en immunoglobulines sériques, qui jouent un rôle important dans les mécanismes de défense internes de l'organisme.

La nature, le nombre et la durée des facteurs de stress physique ou émotionnel que subit un individu peuvent aussi influer sur sa réceptivité. Le stress fait augmenter le taux de cortisone dans le sang et si celui-ci demeure élevé pendant une longue période, il s'ensuit un affaiblissement des réactions anti-inflammatoires et une baisse des réserves d'énergie, ce qui provoque un état

TABLEAU
35-5

Calendrier de vaccination systématique pour les nourrissons et les enfants, selon Santé Canada

Âge à la vaccination	DcaT[1]	VPTI	HiB[2]	RRO	dT[3] ou dTCa[10]	Hép. B[4] (3 doses)	V	PC	MC
Naissance						Première			
2 mois	X	X	X			année		X[8]	X[9]
4 mois	X	X	X			de vie ou		X	X
6 mois	X	(X)[5]	X			pré-		X	X
12 mois				X		adolescence	X[7]	X	
18 mois	X	X	X	(X)[6] ou		(9-13 ans)			ou
4-6 ans	X	X		(X)[6]					
14-16 ans					X[10]				X[9]

DcaT   Vaccin contre la diphtérie, la coqueluche (acellulaire) et le tétanos

VPTI   Vaccin inactivé contre le poliovirus

Hib   Vaccin conjugué contre *Haemophilus influenzæ* de type b

RRO   Vaccin contre la rougeole, la rubéole et les oreillons

dT   Anatoxines diphtérique et tétanique de type « adultes »

dTCa   Vaccin contre la diphtérie, le tétanos et la coqueluche (acellulaire) pour les adolescents et les adultes

Hép. B   Vaccin contre l'hépatite B

V   Vaccin contre la varicelle

PC   Vaccin conjugué contre le pneumocoque

MC   Vaccin conjugué contre le méningocoque de type C

1. Le vaccin DCaT (diphtérie, coqueluche acellulaire, tétanos) est le vaccin privilégié pour toutes les doses de la série vaccinale, y compris dans le cas des enfants qui ont reçu ≥ 1 dose du vaccin DCT (composant anticoquelucheux à germes entiers).

2. Le calendrier indiqué pour Hib s'applique aux vaccins HbOC ou PRP-T. Si l'on utilise le vaccin PRP-OMP, on administrera la première dose à 2 mois, la deuxième dose à 4 mois et la dose de rappel à 12 mois.

3. La préparation associant les anatoxines diphtérique et tétanique (dT) sous forme adsorbée de type « adultes » est destinée aux personnes de ≥ 7 ans. Elle contient moins d'anatoxine diphtérique que les préparations destinées aux enfants plus jeunes et risque moins d'entraîner des effets secondaires chez les personnes plus âgées.

4. Le vaccin contre l'hépatite B peut être administré systématiquement aux jeunes enfants ou aux préadolescents, selon la politique [en vigueur] ; il est recommandé d'administrer trois doses à des intervalles de 0, 1 et 6 mois. La deuxième dose devrait être administrée au moins 1 mois après la première dose, et la troisième dose, au moins 2 mois après la deuxième dose. Il existe un calendrier à deux doses pour les adolescents.

5. Il n'est pas nécessaire d'administrer cette dose systématiquement. On peut le faire pour des raisons de commodité.

6. Il est recommandé d'administrer une deuxième dose du RRO, au moins 1 mois après l'administration de la première dose afin de mieux protéger les sujets contre la rougeole. On peut, pour des raisons de commodité, administrer le vaccin à la période de vaccination suivante, soit à l'âge de 18 mois, ou entre 4 à 6 ans durant la période précédant l'entrée à l'école (selon la politique [en vigueur]), ou à tout âge qui convient entre ces deux périodes. On n'a pas établi s'il était nécessaire d'administrer une seconde dose du vaccin contre les oreillons et la rubéole, mais il est possible que ce soit bénéfique (dose intégrée pour des raisons de commodité dans le RRO). La seconde dose de RRO devrait être donnée en même temps que le DCaT-VPTI (± Hib) de façon que les taux de réception du vaccin soient élevés.

7. Les enfants de 12 mois à 12 ans devraient recevoir une dose du vaccin contre la varicelle. Les jeunes de ≥ 13 ans devraient recevoir deux doses à au moins 28 jours d'intervalle.

8. Le calendrier recommandé, le nombre de doses et l'administration subséquente du vaccin polysaccharidique 23-valent contre le pneumocoque varient selon l'âge de l'enfant au début de la vaccination.

9. Le calendrier recommandé et le nombre de doses du vaccin contre le méningocoque varient selon l'âge de l'enfant au début de la vaccination.

10. Préparation de dTCa pour adultes avec une teneur réduite en anatoxine diphtérique.

On trouvera dans la source indiquée ci-dessous des informations complémentaires, notamment sur les précautions à prendre et les contre-indications dont il faut tenir compte.

Source : *Guide canadien d'immunisation*, 6e éd., (p. 62-64), de Santé Canada, Direction générale de la santé de la population et de la santé publique, Centre de prévention et de contrôle des maladies infectieuses, 2002, (page consultée le 17 novembre 2004), [en ligne], < www.phac-aspc. gc.ca/publicat/cig-gci/pdf/guide_immuniz_cdn-2002-6.pdf >. Reproduit avec la permission du Ministre des Travaux publics et Services gouvernementaux Canada, 2005.

d'épuisement et une diminution de la résistance à l'infection. Par exemple, une personne en convalescence à la suite d'une opération chirurgicale importante ou d'un traumatisme grave est plus susceptible de contracter une infection qu'un individu en bonne santé.

La résistance à l'infection est aussi tributaire de l'état nutritionnel. Étant donné que les anticorps sont des protéines, une nutrition inadéquate peut altérer la capacité d'un individu à les synthétiser, surtout si ses réserves de protéines sont affaiblies (par exemple, dans le cas d'un traumatisme, d'une chirurgie

TABLEAU

35-6

Immunisation systématique des adultes, selon Santé Canada

Vaccin ou anatoxine	Indications	Doses subséquentes
Diphtérie (préparation destinée aux adultes)	Tous les adultes	Tous les 10 ans, de préférence en association avec l'anatoxine tétanique (dT)
Tétanos	Tous les adultes	Tous les 10 ans, de préférence sous forme de dT
Influenza	Adultes de ≥ 65 ans ; adultes de < 65 ans à risque de complications de la grippe et certains autres groupes	Tous les ans au moyen de la formulation courante
Pneumocoque	Adultes de ≥ 65 ans ; états comportant un risque accru d'infections pneumococciques	Dose unique
Rougeole	Tous les adultes nés en 1970 ou après qui sont réceptifs à la rougeole	De préférence en association avec les vaccins RRO
Rubéole	Femmes réceptives en âge de procréer et certains travailleurs de la santé	De préférence en association avec les vaccins RRO
Oreillons	Adultes nés en 1970 ou après qui n'ont jamais eu les oreillons	De préférence en association avec les vaccins RRO

Source : *Guide canadien d'immunisation*, 6e éd., (p. 74), de Santé Canada, Direction générale de la santé de la population et de la santé publique, Centre de prévention et de contrôle des maladies infectieuses, 2002, (page consultée le 17 novembre 2004), [en ligne], < www.phac-aspc.gc.ca/publicat/cig-gci/pdf/guide_immuniz_cdn-2002-6.pdf >. Reproduit avec la permission du Ministre des Travaux publics et Services gouvernementaux Canada, 2005.

Recommandations liées à l'immunisation des adultes, selon Santé Canada

La mise à jour du statut vaccinal devrait faire partie du bilan de santé de tous les adultes.

La prévention des maladies infectieuses par l'immunisation doit se poursuivre pendant toute la vie et être adaptée, dans chaque cas, aux risques inhérents au travail, aux voyages à l'étranger, aux maladies sous-jacentes, au mode de vie et à l'âge. Tous les adultes devraient recevoir des doses adéquates de tous les vaccins recommandés systématiquement.

Antigènes recommandés

Tous les adultes canadiens doivent maintenir leur immunité à l'égard du tétanos et de la diphtérie, de préférence au moyen des anatoxines combinées (dT).

Il faut veiller en priorité à ce que les enfants reçoivent la série vaccinale recommandée, y compris la dose prévue au départ de l'école, soit entre 14 et 16 ans, et que les adultes aient reçu la vaccination primaire complète.

Pour garantir que les adultes reçoivent les doses de rappel recommandées, on peut :

1) continuer d'offrir des doses de dT tous les 10 ans au milieu de chaque décennie, c'est-à-dire à 15 ans, 25 ans, 35 ans, etc.

2) à tout le moins, examiner le statut vaccinal au moins une fois durant la vie adulte, par exemple à 50 ans, et offrir une seule dose de dT à toute personne qui n'en a pas reçu dans les 10 années précédentes.

De plus, on peut offrir aux personnes appelées à se rendre dans des régions où elles sont susceptibles d'être exposées à la diphtérie une dose de rappel de dT si plus de 10 ans se sont écoulés depuis leur dernière dose.

Les personnes de ≥ 65 ans devraient recevoir le vaccin contre l'influenza tous les ans et une dose de vaccin contre le pneumocoque une fois au cours de leur vie. Pour assurer une couverture maximale, il peut être nécessaire de mettre au point des stratégies particulières de rappel à l'intention des personnes qui risquent le plus de souffrir de complications de l'influenza (par exemple, celles qui souffrent d'une maladie cardio-pulmonaire chronique). Les adultes de < 65 ans qui souffrent d'une maladie qui les met à risque élevé de complications de l'influenza et des infections pneumococciques devraient également recevoir le vaccin contre l'influenza chaque année ainsi qu'une dose unique de vaccin contre le pneumocoque.

Les adultes nés avant 1970 peuvent être considérés comme immunisés contre la rougeole. Les adultes nés en 1970 ou après qui ne disposent pas de preuves d'immunisation ou chez qui l'épreuve sérologique est négative devraient recevoir le vaccin contre la rougeole (en association avec les vaccins contre la rubéole et les oreillons [RRO]). Pour une protection optimale, les adultes qui ont déjà reçu une dose de vaccin contre la rougeole devraient en recevoir une seconde. On accordera la priorité aux travailleurs de la santé, aux étudiants du niveau collégial et aux voyageurs appelés à se rendre dans des régions où la rougeole est épidémique.

La plupart des personnes nées avant 1970 peuvent également être considérées comme immunisées contre les oreillons. Il est recommandé d'administrer le vaccin contre les oreillons (en même temps que le vaccin contre la rougeole et la rubéole [RRO]) aux jeunes adultes qui n'ont jamais eu les oreillons.

On devrait administrer le vaccin contre la rubéole à toutes les adolescentes et les femmes en âge de procréer à moins qu'elles ne fournissent une preuve de séroconversion ou de vaccination. Il est préférable d'utiliser le vaccin combiné contre la rougeole, la rubéole et les oreillons (RRO). De plus, il y aurait lieu d'administrer le vaccin RRO aux travailleurs de la santé des deux sexes qui sont réceptifs à la rubéole et qui peuvent, par leurs contacts personnels fréquents, exposer des femmes enceintes à la rubéole.

Au Canada, l'on recommande une immunisation universelle contre l'hépatite B. Il faudrait fournir aux adultes les occasions de se faire vacciner. En outre, les adultes qui, par leur travail, leur mode de vie ou leur milieu, risquent davantage d'être exposés à l'hépatite B devraient recevoir le vaccin contre l'hépatite B lors d'une rencontre clinique propice.

L'administration de doses de rappel du vaccin anticoquelucheux acellulaire pourrait être recommandée dans l'avenir pour prévenir l'apparition et la propagation de la maladie. Il faut pousser les recherches dans ce domaine.

On trouvera dans la source indiquée ci-dessous des informations complémentaires, notamment sur les précautions à prendre et les contre-indications dont il faut tenir compte.

Source : *Guide canadien d'immunisation*, 6ᵉ éd., (p. 72-73), de Santé Canada, Direction générale de la santé de la population et de la santé publique, Centre de prévention et de contrôle des maladies infectieuses, 2002, (page consultée le 17 novembre 2004), [en ligne], < www.phac-aspc.gc.ca/publicat/cig-gci/pdf/guide_immuniz_cdn-2002-6.pdf >. Reproduit avec la permission du Ministre des Travaux publics et Services gouvernementaux Canada, 2005.

LES ÂGES DE LA VIE

Personnes âgées

Le vieillissement normal prédispose à l'infection et entraîne un ralentissement du processus de guérison. En effet, la structure et la fonction des organes et des agents biochimiques protecteurs se modifient avec l'âge, de sorte qu'ils sont moins efficaces chez la personne âgée que chez le jeune adulte. La peau, les voies respiratoires, le système gastro-intestinal, les reins et le système immunitaire subissent des changements, mais, dans des conditions normales, ils continuent d'assurer l'homéostasie de l'individu. Cependant, s'ils sont affaiblis par le stress, une affection, une infection, un traitement ou une chirurgie, ils fournissent difficilement les efforts requis et ne sont donc pas capables d'assurer une protection adéquate. Dans le cas de la personne âgée, il faut tenir compte de certains facteurs, en particulier les suivants :

- Il arrive souvent que la personne âgée a une alimentation déficiente. Or, certains éléments, notamment des protéines en quantité suffisante, sont essentiels au développement et au maintien du système immunitaire.
- La présence d'une affection chronique (par exemple, le diabète, plus fréquent chez la personne âgée) accroît le risque d'infection et ralentit le processus de guérison. En effet, les affections chroniques s'accompagnent d'anomalies du métabolisme et de la circulation périphérique, ce qui diminue l'apport d'oxygène aux tissus.
- Le système immunitaire réagit lentement à l'introduction d'antigènes, de sorte qu'il décèle leur présence seulement

après qu'ils ont eu le temps de se reproduire plusieurs fois. De plus, l'efficacité des lymphocytes T est souvent réduite en raison de leur immaturité.

- La réaction inflammatoire normale (rougeur, tuméfaction et chaleur) est retardée, et on observe tout d'abord des réponses atypiques à l'infection, telles que les suivantes : confusion, désorientation, agitation, incontinence, chutes, léthargie et fatigue générale.
- La perte d'autonomie et la médication sont d'autres facteurs qui augmentent la vulnérabilité de la personne âgée à l'infection.

Il est important de tenir compte de tous ces facteurs en matière de détection précoce ou de traitement auprès de la personne âgée, qu'il s'agisse d'infection potentielle ou de retard dans la guérison. En matière d'infection, les interventions infirmières suivantes, entre autres, visent la promotion de la prévention :

- Fournir et enseigner des moyens d'améliorer l'état nutritionnel.
- Appliquer des techniques d'asepsie stricte afin de réduire le risque d'infection (surtout, nosocomiale).
- Inciter la personne âgée à se faire vacciner régulièrement contre la grippe et la pneumonie.
- Être à l'affût des signes d'infection atypiques, qui ne sont pas toujours marqués, et intervenir rapidement pour établir un diagnostic et, au besoin, administrer un traitement.

ou d'une affection débilitante, comme un cancer). L'état nutritionnel peut être modifié, bien sûr par les habitudes alimentaires, mais aussi par l'état de santé, les médicaments et certaines variables socioéconomiques.

Tout état de santé qui affaiblit les défenses de l'organisme contre les infections constitue donc un risque pour la personne. Voici quelques exemples : les affections pulmonaires chroniques entravent l'activité ciliaire et affaiblissent la barrière muqueuse ; les acrosyndromes ralentissent le débit sanguin ; les brûlures détruisent l'intégrité de la peau ; les affections chroniques ou débilitantes réduisent les réserves de protéines ; les affections du système immunitaire, telles que la leucémie et l'anémie aplastique, perturbent la production de leucocytes. Le diabète

est une importante affection sous-jacente qui prédispose la personne à l'infection, car l'affaiblissement de l'état vasculaire périphérique et l'augmentation du taux de glucose sérique accroissent la sensibilité à l'infection. Les plaies constituent des portes d'entrée à l'infection ; l'incontinence, surtout fécale, représente une source de transmission de bactéries ; certains comportements présentent un risque d'infection, comme le tabagisme ou des habitudes d'hygiène inadéquates.

Facteurs liés aux mesures thérapeutiques

Certaines thérapies médicales prédisposent à l'infection. Par exemple, la radiothérapie administrée pour lutter contre un cancer détruit non seulement les cellules cancéreuses, mais aussi des cellules saines, ce qui accroît la sensibilité à l'infection. Certaines techniques diagnostiques prédisposent aussi à l'infection, surtout quand il y a effraction de la peau ou pénétration dans une cavité stérile pendant l'intervention.

Facteurs liés à la médication

Certains médicaments augmentent la sensibilité à l'infection. Les médicaments cytotoxiques (ou anticancéreux) interfèrent avec les fonctions de la moelle osseuse et il s'ensuit une production insuffisante de leucocytes, qui jouent un rôle essentiel dans la lutte contre les infections. Les anti-inflammatoires, comme les hormones corticosurrénales, inhibent la réaction inflammatoire, défense essentielle contre l'infection. Même certains antibiotiques utilisés pour traiter les infections ont parfois des effets indésirables : ils peuvent détruire la flore microbienne normale, ce qui favorise la prolifération de souches normalement incapables de croître et de se multiplier dans l'organisme. Il arrive aussi que l'administration d'antibiotiques accroisse la résistance de certaines souches de microbes.

« L'augmentation de la *résistance aux antimicrobiens* au Canada est une source de plus en plus grande d'inquiétudes. » (Bayer Canada, 2002) En effet, cette résistance réduit l'efficacité des antibiotiques et représente une menace pour la santé et le bien-être des individus. Et c'est sans compter les répercussions sur les coûts du système de santé ; par exemple, une personne qui n'est pas guérie d'une infection en prenant un médicament retournera voir son médecin et prendra d'autres médicaments.

> L'évolution des microorganismes résistants aux antimicrobiens (MRA), tels que *Staphylococcus aureus* résistant à la méthicilline (SARM), les entérocoques résistants à la vancomycine (ERV) et les bacilles Gram négatifs résistants à de nombreux antibiotiques constitue un défi de taille pour les professionnels de la lutte anti-infectieuse. On ignore si cette situation est imputable à l'insuffisance des pratiques, à un manque d'observance des pratiques, à la réduction de l'effectif et des employés professionnels ou encore à un manque de ressources. (Santé Canada, 1999, p. 5)

Ce phénomène est aujourd'hui tellement répandu qu'aux États-Unis les CDC ont mis sur pied une campagne de prévention (Campaign to Prevent Antimicrobial Resistance in Healthcare Settings) ; il s'agit d'un ensemble de mesures en douze étapes, fondé sur quatre stratégies : prévention de l'infection, diagnostic et traitement efficaces de l'infection, utilisation judicieuse des antibiotiques et prévention de la transmission. Au Canada, un programme semblable a été mis sur pied :

> Le PICRA est un programme national intégré de surveillance de la résistance antimicrobienne élaboré par Santé Canada en collaboration avec des partenaires fédéraux et provinciaux. L'un des objectifs clés du PICRA est de surveiller les tendances du développement de la résistance antimicrobienne (RAM) dans la chaîne alimentaire. En mars 2004, le PICRA a publié son premier rapport annuel, qui résume des données collectées en 2002 sur la résistance antimicrobienne à l'aide d'échantillons prélevés sur des humains et des animaux. (Santé Canada, 2004c)

Le problème est préoccupant. Tout en augmentant ses activités d'éducation et de sensibilisation sur la RAM, Santé Canada mène d'autres travaux dans divers domaines, tels que la recherche, la surveillance et l'élaboration de politiques (Santé Canada, 2004c).

> **! ALERTE CLINIQUE** *Des médicaments d'usage courant, comme l'aspirine et l'ibuprofène, ont des effets analgésiques (soulagement de la douleur), antipyrétiques (réduction de la fièvre) et anti-inflammatoires. Par ailleurs, l'acétaminophène est analgésique et antipyrétique, mais ce n'est pas un anti-inflammatoire.* ■

DÉMARCHE SYSTÉMATIQUE
dans la pratique infirmière

Collecte des données

À cette étape, l'infirmière procède à l'examen de santé de la personne afin d'obtenir des données sur l'anamnèse, l'examen physique et les examens paracliniques.

■ Anamnèse

L'anamnèse permet à l'infirmière d'évaluer l'importance du risque d'infection et de relever tous les symptômes de la personne susceptibles d'indiquer la présence d'une infection. Afin de déterminer si une personne présente un risque d'infection, l'infirmière examine son dossier clinique et structure l'entrevue de manière à rassembler des données sur les facteurs prédisposants de l'infection, en particulier ce qui concerne l'âge, les facteurs génétiques, les infections récurrentes, les antécédents vaccinaux, les facteurs de stress émotionnel actuels, l'état nutritionnel, les mesures thérapeutiques actuelles et la médication (voir l'encadré *Entrevue d'évaluation*).

■ Examen physique

Les signes et les symptômes d'une infection varient en fonction de la région du corps atteinte. Par exemple, l'éternuement, l'écoulement nasal aqueux ou muqueux et la congestion nasale accompagnent fréquemment les infections du nez ou des sinus ; une fréquence élevée des mictions et un aspect trouble ou une modification de la couleur de l'urine accompagnent fréquemment les infections urinaires. Un processus infectieux local provoque souvent des anomalies de la peau et des muqueuses :

- Tuméfaction locale
- Rougeur locale
- Douleur ou sensibilité provoquée par le toucher ou le mouvement
- Chaleur perceptible au site de l'infection
- Perte fonctionnelle de la région du corps touchée, selon le site et la gravité de l'infection

De plus, des substances de différentes couleurs s'écoulent des plaies ouvertes.

Dans le cas d'une infection généralisée, on peut observer les signes suivants :

- Fièvre.
- Dans le cas de forte fièvre, accélération du pouls et de la fréquence cardiaque.

ENTREVUE D'ÉVALUATION

Personne présentant un risque d'infection

- À quand remonte votre dernière vaccination contre la diphtérie, le tétanos, la poliomyélite, la rubéole, la rougeole, la grippe, l'hépatite et la pneumonie à pneumocoques ?

- À quand remonte votre dernier test cutané à la tuberculine ?

- Quelles infections avez-vous déjà eues et quels traitements vous a-t-on administrés ?

- Certaines de ces infections sont-elles réapparues ?

- Prenez-vous un antibiotique, un anti-inflammatoire (par exemple, de l'aspirine ou de l'ibuprofène) ou un médicament contre le cancer ?

- Avez-vous été soumis récemment à un examen diagnostic ou à une thérapie qui a nécessité la pénétration d'un instrument à travers la peau ou dans une cavité du corps ?

- Avez-vous déjà subi des interventions chirurgicales ? Lesquelles ?

- Décrivez vos habitudes alimentaires. Mangez-vous des aliments très variés ?

- Prenez-vous des vitamines ?

- Sur une échelle de 1 à 10, comment évaluez-vous votre niveau de stress des six derniers mois ?

- Avez-vous ressenti une baisse d'énergie ou d'appétit, des nausées, des maux de tête ou d'autres signes (par exemple, difficulté à uriner, modification de la fréquence des mictions ou mal de gorge) ?

Remarque : Au cours de toute entrevue portant sur les antécédents thérapeutiques, l'infirmière doit s'adapter à la personne, selon la culture de cette dernière, sa langue, son niveau de connaissances et ses capacités intellectuelles : niveau de langage et termes, exemples et techniques d'enseignement.

- Malaises et perte d'énergie.

- Anorexie et, dans certains cas, nausées et vomissements.

- Intumescence et sensibilité des ganglions lymphatiques qui drainent la région infectée.

Examens paracliniques

Certaines données de laboratoire, comme les suivantes, indiquent la présence d'une infection :

- Numération des globules blancs (ou leucocytes) élevée. La numération se situe normalement entre 4,5 et 11,0 × 10^9/L.

- Augmentation de certains types de leucocytes, mise en évidence par la formule leucocytaire. Certaines infections s'accompagnent de l'augmentation ou de la réduction du nombre de certains types de leucocytes (voir le chapitre 38 GD).

- Vitesse de sédimentation des hématies élevée. Normalement, les globules rouges se déposent lentement, mais le processus inflammatoire augmente la vitesse de sédimentation.

- **Culture** d'urine, de sang, d'expectorations ou d'autres liquides organiques. La culture (croissance de microorganismes dans un milieu approprié en laboratoire) peut révéler la présence d'agents pathogènes.

Analyse

NANDA désigne les problèmes associés à la transmission de microorganismes par le diagnostic infirmier *Risque d'infection* : risque de contamination par des organismes pathogènes.

En posant ce diagnostic, l'infirmière doit préciser les facteurs de risque :

1. Facteurs physiopathologiques : affections ou troubles entraînant un affaiblissement des mécanismes de défense, par exemple, le cancer, l'insuffisance rénale, des troubles hématologiques et le diabète, ainsi que des affections entraînant des troubles de la circulation, telles que l'obésité ou la maladie vasculaire périphérique.

2. Facteurs liés au contexte, tels que l'immobilisation prolongée, la malnutrition, le stress, la présence d'un traumatisme ou le contact avec des agents contagieux.

3. Facteurs liés à la croissance et au développement, tels que l'âge (par exemple, bébé, jeune enfant ou personne âgée).

4. Facteurs liés au traitement ou à la médication (par exemple, la présence d'un site d'invasion microbienne, tel que la dialyse ou l'alimentation parentérale totale, ou des interventions qui entraînent un affaiblissement des mécanismes de défense, telles que la radiothérapie et les immunosuppresseurs).

Une personne atteinte d'une infection ou qui présente un risque élevé d'infection est toute désignée pour éprouver d'autres problèmes physiques et psychologiques. Voici quelques exemples de diagnostics infirmiers et de problèmes associés à la présence d'une infection :

- *Complication potentielle d'une infection : fièvre.*

- *Mobilité physique réduite* si la personne est fatiguée, reçoit des perfusions ou si elle éprouve de la douleur.

- *Alimentation déficiente : Apport nutritionnel inférieur aux besoins métaboliques* si la personne est incapable d'ingérer, de digérer ou d'absorber les aliments, en raison de facteurs biologiques, psychologiques ou économiques.

- *Douleur aiguë :* Expérience sensorielle et émotionnelle désagréable, associée à une lésion tissulaire réelle ou potentielle.

- *Interactions sociales perturbées* ou *Isolement social* si la personne doit être soumise à un isolement thérapeutique.

- *Diminution situationnelle de l'estime de soi :* développement d'une perception négative de sa propre valeur en réaction au processus infectieux.

- *Anxiété :* sentiment d'appréhension généré par des changements dans les activités de la vie quotidienne résultant de la présence de l'infection ou du traitement que celle-ci nécessite, comme l'absence du travail ou l'incapacité d'accomplir les tâches habituelles.

L'encadré *Diagnostics infirmiers, résultats de soins infirmiers et interventions* présente un exemple de diagnostic infirmier, accompagné d'un résultat de soins infirmiers et d'une intervention.

DIAGNOSTICS INFIRMIERS, RÉSULTATS DE SOINS INFIRMIERS ET INTERVENTIONS

Risque d'infection

DIAGNOSTIC INFIRMIER : DÉFINITION	EXEMPLE DE RÉSULTAT DE SOINS INFIRMIERS [N° CRSI/NOC] : DÉFINITION	INDICATEURS*	INTERVENTION CHOISIE [N° CISI/NIC] : DÉFINITION	EXEMPLES D'ACTIVITÉS CISI/NIC
Risque d'infection : Risque de contamination par des organismes pathogènes.	Connaissance : contrôle de l'infection [1807] : *Niveau de compréhension de la prévention et du contrôle de l'infection.*	• Description des méthodes de transmission des infections. • Description des mesures destinées à augmenter la résistance aux infections. * L'échelle d'évaluation employée dans la CRSI s'étend de *Aucun* (1) à *Total* (5). Voir l'appendice E.	Contrôle de l'infection [6540] : *Réduction des risques de contamination et de transmission d'agents infectieux.*	• Enseigner à la personne les techniques pour le lavage approprié des mains. • Favoriser un apport nutritionnel approprié. • Administrer les antibiotiques, si nécessaire.

Planification

Dans le cas d'une personne sensible à l'infection, les principaux objectifs sont les suivants :

- Maintenir ou restaurer les défenses.
- Prévenir la dissémination des agents pathogènes.
- Réduire ou éliminer les problèmes associés à l'infection.

Les résultats de soins infirmiers dépendent de l'état de la personne. L'encadré *Diagnostics infirmiers, résultats de soins infirmiers et interventions* propose un exemple de résultat, établi durant la phase de planification. Les méthodes infirmières utilisées pour atteindre les trois grands objectifs énoncés plus haut comprennent généralement : (a) l'emploi de techniques minutieuses d'asepsie médicale et chirurgicale de manière à prévenir la dissémination d'agents potentiellement pathogènes ; (b) la mise en application de mesures visant à renforcer les défenses de l'hôte réceptif ; (c) l'enseignement à la personne de mesures de protection destinées à prévenir les infections et, en présence d'infection, la propagation d'agents pathogènes.

Planification des soins à domicile

La personne hospitalisée à cause d'une infection continuera souvent d'avoir besoin de soins après son congé pour éliminer complètement l'infection ou s'adapter à un état chronique. En outre, certaines personnes présentent un risque élevé de réinfection ou d'infection opportuniste à la suite d'une thérapie destinée à lutter contre un agent pathogène.

Au moment de planifier le congé, l'infirmière doit connaître les risques que la personne et sa famille présentent ainsi que leurs besoins, leurs forces et leurs ressources. L'encadré *Évaluation pour les soins à domicile* passe en revue les données d'évaluation nécessaires à la planification du congé. À l'aide des données recueillies

sur la situation à domicile, l'infirmière adapte le plan d'enseignement à la personne et à sa famille (voir les encadrés *Enseignement*).

Interventions

L'infirmière applique chaque fois qu'elle en a l'occasion des méthodes de prévention de l'infection. S'il est impossible de prévenir l'infection, les objectifs sont alors le traitement des personnes atteintes et la prévention de la propagation à d'autres personnes. Dans les sections suivantes, il est question des interventions infirmières spécifiques, qui tiennent compte de la chaîne de transmission de l'infection, qui visent à prévenir la transmission d'agents pathogènes et qui favorisent les soins à la personne infectée (voir le tableau 35-7).

Prévention des infections nosocomiales

L'application méticuleuse de l'asepsie médicale et de l'asepsie chirurgicale est indispensable pour prévenir le transport d'agents potentiellement pathogènes. Comme nous l'avons déjà souligné, les infections nosocomiales sont contractées dans un milieu de soins. Il est possible de prévenir de nombreuses infections nosocomiales des façons suivantes : lavage des mains selon une technique appropriée ; contrôle du milieu ; techniques stériles, si elles sont justifiées ; identification et prise en charge de la personne présentant un risque d'infection.

Lavage des mains

Le lavage des mains est important dans tous les milieux de soins. On considère qu'il s'agit d'une des mesures de prévention des infections les plus efficaces. Toute personne est susceptible d'héberger des microorganismes, habituellement inoffensifs pour elle, mais potentiellement dangereux pour une autre personne –

ÉVALUATION POUR LES SOINS À DOMICILE

Infection

PERSONNE ET ENVIRONNEMENT

- Capacité d'autonomie en matière de soin des plaies : rassembler et utiliser les fournitures nécessaires à l'application d'une technique propre ou aseptique pour changer les pansements ou soigner une plaie.
- Capacité d'autonomie en matière d'hygiène et de soins personnels : assurer le confinement de matières potentiellement infectieuses, comme les substances provenant de la toux ou des éternuements et les liquides organiques (urine, fèces, exsudats) ; se laver les mains et appliquer toute mesure de protection requise.
- Capacité d'autonomie en matière de prise de médicaments : faire preuve d'une dextérité suffisante pour prendre des pilules, administrer des antibiotiques par voie intraveineuse et entreposer les médicaments de façon sécuritaire.
- Équipement : présence d'eau courante et d'une salle de bain permettant le soin des plaies ; présence de poubelles et d'un système d'élimination des déchets permettant le confinement des matières potentiellement infectieuses.

FAMILLE

- Disponibilité, habiletés et réactions du proche aidant : présence de personnes capables d'aider à soigner les plaies, à administrer les médicaments et à faire les courses si la personne est limitée dans ses activités ; présence d'un proche aidant capable de comprendre les mesures de lutte contre l'infection et ne souffrant pas d'anxiété excessive.
- Proches sensibles à l'infection : présence et état vaccinal des enfants, des personnes âgées ou de tout autre individu qui présente un risque élevé de contracter l'infection.

COMMUNAUTÉ

- Ressources : être au courant des ressources disponibles : aide financière, approvisionnement en fournitures et aide en hygiène familiale.

ENSEIGNEMENT

Aménagement du milieu

- Discuter des changements à apporter au domicile afin de prévenir les lésions tissulaires (par exemple, rembourrage, rampes d'escalier, objets présentant un danger).
- Examiner les moyens de régler la température ambiante et la circulation d'air (surtout si la personne héberge un agent pathogène transmissible par voie aérienne).
- Déterminer s'il est approprié que des visiteurs et des membres de la famille s'approchent de la personne.
- Décrire la façon de faire l'entretien du lit et de la chambre ainsi que le mode d'utilisation de l'équipement ménager en général.

PRÉVENTION DE LA CONTAGION

- Enseigner à tous les membres de la famille la technique adéquate de lavage des mains et les autres mesures d'hygiène appropriées.
- Discuter de l'emploi de savon antimicrobien et de désinfectants efficaces.
- S'assurer que les proches aidants ont des gants et les autres dispositifs de protection requis par le type d'infection ou de risque, et qu'ils savent s'en servir correctement.
- Expliquer le cycle infectieux en faisant ressortir les relations qui existent entre l'hygiène, le repos, l'activité et la nutrition.
- Enseigner la façon appropriée d'administrer les médicaments.
- Enseigner la façon appropriée de nettoyer l'équipement et les fournitures réutilisables.

LUTTE CONTRE L'INFECTION

- Enseigner à la personne et aux membres de la famille les signes et les symptômes de l'infection. Leur préciser les situations dans lesquelles il faut communiquer avec un professionnel de la santé.
- Enseigner à la personne et aux membres de la famille comment éviter de contracter une infection.
- Suggérer des techniques sécuritaires de préparation et de conservation des aliments.
- Insister sur la nécessité que tous les membres de la famille reçoivent les vaccins appropriés.

SOIN DES PLAIES

- Enseigner à la personne et à sa famille les signes de guérison et les signes d'infection d'une plaie.
- Expliquer la technique appropriée pour changer un pansement et jeter un pansement souillé.
- Passer en revue les facteurs qui favorisent la guérison d'une plaie.

AUTRES RESSOURCES

- Fournir l'information appropriée sur les ressources communautaires, les organismes de soins à domicile, les sources d'approvisionnement en fournitures et les centres de vaccination.

---

ou pour elle-même, s'il existe une porte d'entrée. Pour prévenir la propagation de microorganismes, il est important que la personne soignée et l'infirmière se lavent les mains dans les occasions suivantes : avant de manger ; après avoir utilisé le bassin hygiénique ou être allée aux toilettes ; après le contact des mains avec toute substance corporelle (par exemple, expectorations, exsudat d'une plaie). De plus, l'infirmière devrait se laver les mains dans les situations suivantes : avant de prodiguer des soins et après les avoir prodigués, peu importe la nature des soins et la personne soignée ; après avoir enlevé des gants ; avant de préparer des médicaments ; après avoir touché à des articles contaminés ; avant d'exécuter une technique aseptique (OIIQ, 2000 ; Bouffard et Roy, 2002 ; Santé Canada, 2003). Dans ces circonstances, l'eau et un savon liquide ordinaire sont suffisants (Bouffard et Roy, 2002 ; Santé Canada, 2003).

En soins intermédiaires, il est recommandé de procéder selon une des façons suivantes : se laver les mains avec une mousse antimicrobienne ou un gel détergent ; se laver vigoureusement les mains à l'eau courante, pendant au moins 10 secondes, avec un savon granuleux, un savon en feuille ou un savon antimicrobien liquide. Dans les endroits où le risque d'infection est élevé (par

exemple, une pouponnière), il y a habituellement un distributeur de savon antimicrobien installé près des lavabos. Selon diverses études, la facilité d'utilisation de la mousse ou du gel antimicrobien (qui s'emploient sans eau et sont très efficaces) inciterait les

ENSEIGNEMENT

Prévention de l'infection à la maison

- Lavez-vous les mains dans les situations suivantes : avant de manipuler des aliments ou de manger ; après être allé aux toilettes ; avant et après la prestation d'un traitement effectué à domicile ; après avoir touché à n'importe quelle substance corporelle (par exemple, exsudats d'une plaie).
- Gardez les ongles courts et propres, et entretenez-les afin d'éliminer les bords rugueux et les petites peaux, susceptibles d'héberger des microorganismes.
- Ne partagez aucun article d'hygiène (par exemple, brosse à dents, débarbouillette, serviette).
- Lavez les fruits et les légumes avant de les consommer.
- Gardez au froid tout aliment dont le contenant ou l'emballage a été ouvert.
- Lavez l'équipement utilisé (par exemple, bassin réniforme) à l'eau et au savon, et désinfectez-le avec une solution chlorée.
- Mettez les pansements contaminés et les objets jetables contenant des liquides organiques dans des sacs de plastique résistant à l'humidité.

- Mettez les aiguilles usagées dans un contenant non perforable à couvercle vissé. Étiquetez le contenant pour éviter de le jeter dans les ordures ménagères.
- Lavez la literie souillée séparément. Rincez-la à l'eau froide ; puis, de préférence, lavez-la à l'eau chaude en ajoutant une tasse d'agent de blanchiment ou de Lysol.
- Évitez de tousser, d'éternuer ou même d'expirer directement vers une autre personne ; couvrez-vous la bouche et le nez pour prévenir la transmission de microorganismes par voie aérienne.
- Surveillez l'apparition de tout signe ou symptôme d'infection, et rapportez-en la présence à la personne responsable au service de santé.
- Maintenez un apport liquidien suffisant afin de favoriser la production et l'évacuation d'urine, ce qui contribue à chasser les microorganismes de la vessie et de l'urètre.

TABLEAU

Interventions infirmières visant à rompre la chaîne de transmission de l'infection

35-7

Maillon de la chaîne de transmission	Interventions	Explications
Agent étiologique (ou pathogène)	S'assurer que tous les objets ont été nettoyés correctement et désinfectés ou stérilisés avant usage.	Le nettoyage approprié, la désinfection et la stérilisation réduisent ou éliminent la présence des microorganismes.
	Enseigner à la personne et aux proches aidants les méthodes appropriées pour nettoyer, désinfecter et stériliser les objets.	La connaissance et l'application de moyens pour réduire ou éliminer la présence des microorganismes sont efficaces et diminuent le risque de transmission.
Réservoir (source)	Changer les pansements et les bandages souillés ou mouillés.	Les pansements humides constituent un milieu favorable à la croissance et à la multiplication des microorganismes.
	Aider la personne dans les soins appropriés de la peau et les soins buccodentaires.	L'application de mesures d'hygiène réduit le nombre de microorganismes résidents ou transitoires ainsi que le risque d'infection.
	Manipuler de façon appropriée la literie mouillée ou souillée.	La literie humide ou souillée héberge plus de microorganismes que la literie sèche.
	Jeter les fèces et l'urine dans des récipients appropriés.	L'urine et surtout les fèces contiennent de nombreux microorganismes.
	S'assurer que tous les contenants à liquide, tels que les carafes à eau de chevet et les bouteilles de dispositifs d'aspiration ou de drainage, sont munis d'un couvercle ou d'un bouchon.	Une exposition prolongée à l'air accroît le risque de contamination et favorise la croissance microbienne.
	Vider les bouteilles des dispositifs d'aspiration ou de drainage à la fin de chaque quart de travail ou avant qu'elles ne soient pleines, ou selon les directives de l'établissement de santé.	Les produits de drainage contiennent des microorganismes qui prolifèrent avec le temps et peuvent se transmettre.
Porte de sortie du réservoir	Éviter de parler, de tousser ou d'éternuer au-dessus d'une plaie ouverte ou d'un champ stérile et se couvrir la bouche et le nez pour tousser ou éternuer.	Ces mesures réduisent le nombre de microorganismes qui s'échappent des voies respiratoires.

Maillon de la chaîne de transmission	Interventions	Explications
Mode de transmission	Se laver les mains dans les situations suivantes : avant et après un contact avec une personne soignée ; après avoir touché à des substances corporelles ; avant d'effectuer un procédé effractif. Insister auprès de la personne et des proches aidants sur l'importance de se laver les mains dans les situations suivantes : avant de manipuler des aliments ; avant de manger ; après être allé aux toilettes ; après avoir touché des matières infectieuses.	Le lavage des mains est un moyen important de lutte contre la transmission de microorganismes et de prévention.
	Porter des gants pour manipuler des sécrétions ou des excrétions.	Le port de gants évite de souiller ses mains ou ses vêtements.
	Porter une blouse d'hôpital s'il y a un risque de souiller ses vêtements avec des substances corporelles.	Le port d'une blouse évite de souiller ses vêtements.
	Placer les matières souillées à éliminer dans un sac à déchets résistant à l'humidité.	L'emploi d'un sac résistant à l'humidité prévient la transmission de microorganismes à d'autres personnes.
	Tenir solidement le bassin hygiénique afin d'éviter d'en répandre le contenu, et évacuer l'urine et les fèces dans des récipients appropriés.	Les fèces, en particulier, contiennent un grand nombre de microorganismes.
	Instaurer et mettre en œuvre des précautions aseptiques avec toutes les personnes.	Toutes les personnes sont susceptibles d'héberger des agents potentiellement pathogènes, transmissibles aux autres.
	Porter un masque et un protecteur oculaire au cours des contacts rapprochés avec une personne atteinte d'une infection transmissible par gouttelettes (provenant des voies respiratoires).	Le port d'un masque et d'un protecteur oculaire réduit la propagation de microorganismes par gouttelettes.
	Porter un masque et un protecteur oculaire lorsqu'il y a un risque d'aspersion avec des liquides organiques (par exemple, durant un procédé d'irrigation).	Le port d'un masque et d'un protecteur oculaire protège contre les microorganismes présents dans les substances corporelles de la personne.
Porte d'entrée de l'hôte réceptif	Appliquer une technique stérile pour les procédés effractifs (par exemple, injection ou cathétérisme).	Au cours de l'application d'un procédé effractif, on franchit les barrières naturelles du corps contre les microorganismes.
	Appliquer une technique stérile lorsqu'une plaie ouverte est exposée ou pour manipuler des pansements.	Une plaie ouverte est sensible à l'infection microbienne.
	Placer les aiguilles et les seringues jetables usagées dans un récipient non perforable en vue de leur élimination.	Une lésion causée par une aiguille contaminée avec du sang ou un autre liquide organique provenant d'une personne infectée ou porteuse d'un agent pathogène est un mode de transmission important du VHB (virus de l'hépatite B) et du VIH (virus de l'immunodéficience humaine) chez les travailleurs de la santé.
	Fournir à toutes les personnes des articles de toilette individuels.	Un individu a moins de résistance aux microorganismes de la flore d'une autre personne qu'à ceux de sa propre flore.
Hôte réceptif	Maintenir l'intégrité de la peau et des muqueuses de la personne.	La peau et les muqueuses intactes protègent contre l'invasion de microorganismes.
	S'assurer que la personne a un régime alimentaire équilibré.	Un régime alimentaire équilibré fournit les protéines et les vitamines nécessaires à la formation et à la bonne santé des tissus.
	Renseigner les gens sur l'importance de la vaccination.	La vaccination protège les individus contre des affections causées par des agents pathogènes virulents.

travailleurs de la santé à respecter davantage les normes en matière de lavage des mains (Bischoff, Reynolds, Sessler, Edmond et Wenzel, 2000). Les CDC américains et Santé Canada (1999) recommandent l'emploi d'agents antimicrobiens ou antiseptiques pour le lavage des mains dans les situations suivantes :

- Quand on est au courant de la présence de bactéries multirésistantes.
- Avant l'application d'un procédé effractif.
- Dans certains services, tels que la pouponnière et les soins intensifs.
- Avant de prodiguer des soins à une personne immunodéprimée.
- Avant de prodiguer des soins à une personne ayant des lésions cutanées étendues.
- Avant de toucher des dispositifs implantés par voie percutanée.

Il faut souligner le fait que le lavage des mains avec du savon ordinaire ou antimicrobien peut endommager la peau à cause de l'effet d'assèchement des détergents et de certaines autres substances chimiques (CDC, 2002). Si une infirmière souffre d'une dermatite, la personne soignée court alors un risque plus élevé d'infection, puisque le lavage des mains ne réduit pas la numération bactérienne sur la peau atteinte de dermatite ; l'infirmière présente elle aussi un risque plus élevé, car la barrière normale de la peau est rompue. Malgré les essais effectués avec des lotions, des hydratants et des crèmes émollientes, aucune recherche n'a encore confirmé que l'emploi de tels produits réduit efficacement le problème. Le tableau 35-8 présente les différents savons et agents antiseptiques pour le lavage des mains ; le procédé 35-1 décrit les diverses techniques appropriées de lavage des mains.

TABLEAU
35-8

Savons et agents antiseptiques pour le lavage des mains

Produit	Indications	Considérations spéciales
Savon ordinaire, savon en pain, liquide*, granules	Soins courants aux patients/résidents/clients. Lavage des mains souillées par des saletés, du sang ou d'autres matières organiques.	Peuvent contenir de très faibles concentrations d'agents antimicrobiens visant à empêcher la prolifération microbienne dans le produit. Le savon en pain doit être conservé dans un support qui permet l'écoulement de l'eau ; les plus sûrs sont les savonnettes qui peuvent être changées souvent.
Agents antiseptiques sans eau : • produits de rinçage • mousses • serviettes antiseptiques • serviettes avec désinfectant	Solution de rechange reconnue aux agents traditionnels. À utiliser dans les cas où les installations de lavage des mains sont inadéquates, peu commodes ou inaccessibles (par exemple, ambulances, soins à domicile, vaccination de masse). À utiliser dans les situations où l'approvisionnement en eau a été interrompu (par exemple, les pannes intentionnelles, les catastrophes naturelles).	Non efficaces si les mains sont souillées par des saletés ou très contaminées par du sang ou d'autres matières organiques. À utiliser selon les recommandations du fabricant. L'efficacité varie selon la concentration d'alcool dans le produit. Il faut avoir des crèmes hydratantes à portée de la main pour protéger l'intégrité de la peau.
Agents antiseptiques	Ils peuvent être utilisés pour un lavage antiseptique des mains avant un acte invasif (p. ex., installer une canule ou un dispositif intravasculaire). Pour prodiguer des soins aux personnes ayant un déficit immunitaire sévère. Fondé sur le risque de transmission (par exemple, micro-organismes particuliers). Unités de réanimation. Pouponnières de soins intensifs. Lavage pré-chirurgical en salle d'opération. Pour prodiguer des soins aux personnes infectées par un organisme résistant aux antimicrobiens.	On peut opter pour des agents antiseptiques si l'on estime important de réduire la flore résidente ou si la contamination microbienne est forte. Il faut les privilégier si l'on désire avoir une action antimicrobienne rémanente sur les mains. Ils sont généralement disponibles en formulations liquides*. L'activité et les propriétés des agents antiseptiques varient de l'un à l'autre. L'usage courant de l'hexachlorophène n'est pas recommandé, car il est neurotoxique et risque d'être absorbé par la peau. Les contenants d'alcool doivent être entreposés dans des endroits convenant aux produits inflammables.

* Il vaut mieux utiliser des contenants jetables dans le cas des produits liquides. Il faut laver et sécher à fond les contenants réutilisables avant de les remplir de nouveau. Il faut également respecter et documenter les calendriers d'entretien courant. Il faut conserver les produits liquides dans des contenants fermés, qui ne doivent pas être remplis à pleine capacité.

Source : « Lavage des mains, nettoyage, désinfection et stérilisation dans les établissements de santé », (p. 3), de Santé Canada, décembre 1998, supplément du *Guide de prévention des infections, Relevé des maladies transmissibles au Canada*, 24S8, (page consultée le 21 novembre 2004), [en ligne], <www.phac-aspc.gc.ca/publicat/ccdr-rmtc/98pdf/cdr24s8f.pdf>. Reproduit avec la permission du Ministre des Travaux publics et Services gouvernementaux Canada, 2005.

RÉSULTATS DE RECHERCHE

La possibilité d'employer autre chose que de l'eau et du savon inciterait-elle à respecter davantage les directives concernant le lavage des mains ?

Le grand public et les établissements de santé peuvent se procurer sur le marché des gels à base d'alcool qui remplacent l'eau et le savon pour le lavage des mains. Cependant, il existe peu d'études sur la capacité de ces produits à détruire les microorganismes, l'influence de leur emploi sur la fréquence du lavage des mains et leurs effets sur la peau. Earl, Jackson et Rickman (2001) ont conçu une recherche en trois étapes portant sur la fréquence du lavage des mains et menée auprès des infirmières, des médecins et du personnel auxiliaire (techniciens et thérapeutes) de deux services de soins intensifs.

Au cours de la première étape, qui a duré quatre semaines, les chercheurs ont comparé le nombre d'occasions de se laver les mains avant une intervention quelconque avec le nombre de fois où le lavage des mains a réellement été effectué. Au cours de la deuxième étape, on a installé des distributeurs de gel à base d'alcool à l'intérieur et à l'extérieur des chambres des personnes hospitalisées, et on a compté, pendant quatre semaines, à la fois les occasions de se laver les mains à l'eau et au savon ou avec du gel et le nombre de fois où le lavage des mains avait réellement été effectué. Au cours de la troisième étape, on a enregistré, entre la dixième et la quatorzième semaine après l'installation des distributeurs, les occasions de se laver les mains et le nombre de fois où le lavage des mains a réellement été effectué.

Les chercheurs ont obtenu les résultats suivants : l'observation des normes a été de 39,6 % au cours de la première étape, de 52,6 % au cours de la deuxième étape et de 57 % au cours de la troisième étape. Ce sont, en ordre décroissant, le personnel auxiliaire, les infirmières et les médecins qui se sont le plus conformés aux règles. Le personnel a utilisé le gel plutôt que de l'eau et du savon dans 50 à 60 % des cas. Bien qu'on n'ait pas déterminé le temps total (incluant les déplacements pour se rendre au lavabo et en revenir) alloué au lavage des mains, il est ressorti que moins de temps (7,5 secondes) avait été con-sacré à l'antisepsie à l'aide du gel au cours de la troisième étape qu'à l'eau et au savon au cours de la première étape (9,4 secondes).

Implications : Bien que le pourcentage de l'observation des normes en matière d'asepsie ait augmenté après l'installation de distributeurs de gel, les chercheurs ont exprimé leur inquiétude devant la constatation que la fréquence à la fin de l'étude n'était encore que de 60 %, compte tenu de toutes les situations nécessitant l'asepsie. Cependant, l'emploi de gel requiert effectivement moins de temps et est fort probablement plus efficace que le lavage à l'eau et au savon effectué en neuf secondes, ce qui est insuffisant. Les auteurs reconnaissent que leur étude comporte des faiblesses, dues notamment à l'effet de Hawthorne, couramment présent et selon lequel les participants ont tendance à modifier leur comportement simplement parce qu'ils savent qu'on effectue une recherche. Dans le cas présent, les prestateurs de soins ont peut-être prêté davantage attention à l'asepsie des mains durant l'étude qu'à l'habitude. En outre, il est impossible d'étendre les résultats par extrapolation à d'autres établissements de santé ou à d'autres services que les soins intensifs.

Toutefois, l'étude met clairement en évidence le besoin d'évaluer l'efficacité des procédés conçus pour accroître la sécurité et la santé des prestateurs de soins et des personnes hospitalisées, d'intervenir et d'effectuer une nouvelle évaluation. Il serait facile d'effectuer la même recherche dans d'autres milieux de soins et de généraliser les résultats de manière à inclure d'autres variables, dont la réduction des coûts et du temps requis.

Source : « Improved Rates of Compliance with Hand Antisepsis Guidelines : A Three-phase Observational Study », de M. E. Earl, M. M. Jackson et L. S. Rickman, 2001, *American Journal of Nursing, 101*(3), p. 26-33.

PROCÉDÉ 35-1

Lavage des mains

Objectifs
- Réduire le nombre de microorganismes sur les mains.
- Réduire le risque de transmission de microorganismes.
- Réduire le risque de contamination croisée.
- Réduire le risque de transmission d'agents pathogènes à soi-même.

COLLECTE DES DONNÉES

Évaluez
- La présence de facteurs prédisposants de l'infection.
- L'utilisation de médicaments immunodépresseurs.
- L'application récente d'une technique de diagnostic ou d'un traitement qui nécessite l'effraction de la peau ou la pénétration d'une cavité du corps.
- L'état nutritionnel actuel.
- Les signes et les symptômes d'une infection :

- Signes localisés : par exemple, tuméfaction, rougeur, douleur ou sensibilité à la pression ou au mouvement, chaleur perceptible au site examiné, perte fonctionnelle de la région du corps touchée et présence d'exsudat.
- Signes systémiques : par exemple, fièvre, augmentation du pouls et de la fréquence respiratoire, manque d'énergie, anorexie et intumescence (ou hypertrophie) des ganglions lymphatiques.

PROCÉDÉ 35-1 (SUITE)

Lavage des mains (suite)

PLANIFICATION

Déterminer l'endroit où vous pouvez vous laver les mains : eau courante et savon (ou substitut).

Matériel
- Savon
- Eau courante tiède
- Serviettes de papier jetables ou aseptisées, ou serviettes en ratine propres

INTERVENTION

Préparation

Examinez vos mains.

- Vous devriez toujours garder vos ongles courts. *Des ongles naturels courts ont moins tendance à héberger des microorganismes, à causer des égratignures aux autres personnes ou à perforer les gants.* De nombreux établissements de santé interdisent aux membres du personnel de la santé directement en contact avec les personnes soignées de porter des ongles artificiels de quelque sorte que ce soit.
- Enlevez tous vos bijoux. *Des microorganismes peuvent se loger dans la monture des bijoux et sous les bagues. Il est plus facile de se laver les mains et les bras si on ne porte aucun bijou.*
- Vérifiez si la peau de vos mains a subi des effractions (par exemple, envies ou coupures). Il peut être nécessaire d'affecter une infirmière présentant des plaies vives à des tâches qui ne comportent qu'un faible risque de transmission d'agents pathogènes.

Exécution

1. Si vous vous lavez les mains en présence de la personne, expliquez-lui ce que vous vous apprêtez à faire et pourquoi c'est nécessaire.
2. Ouvrez le robinet et réglez le débit.
   - Il existe cinq modèles courants de robinets.
     - a) Robinet actionné avec la main.
     - b) Robinet actionné avec le genou. On utilise le genou pour régler le débit et la température de l'eau (figure 35-3 ■).
     - c) Robinet actionné avec le pied. On règle le débit et la température de l'eau en appuyant sur une pédale (figure 35-4 ■).
     - d) Robinet actionné avec le coude. On commande ce robinet avec le coude plutôt qu'avec la main.
     - e) Robinet actionné par un détecteur infrarouge. Un détecteur de mouvement commande la fermeture et l'ouverture de ce robinet.

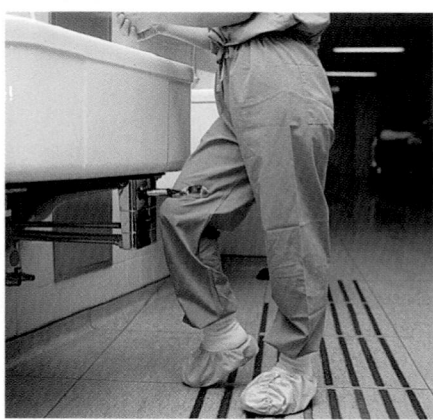

FIGURE 35-3 ■ Robinet actionné avec le genou.

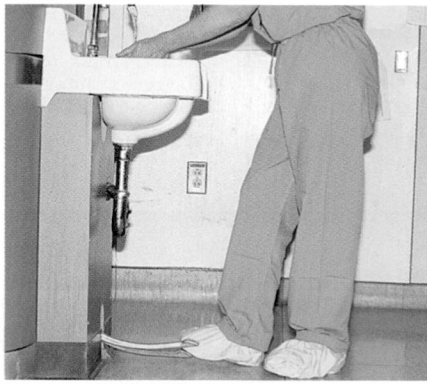

FIGURE 35-4 ■ Robinet actionné avec le pied.

- Réglez les commandes de manière à obtenir de l'eau tiède. *Le lavage à l'eau tiède enlève moins de substance grasse (qui protège la peau) que le lavage à l'eau chaude.*
3. Rincez complètement les mains en les tenant sous le jet d'eau, puis appliquez du savon.
   - Gardez les mains plus basses que les coudes, de manière à ce que l'eau s'écoule le long des bras vers les doigts. *L'eau doit s'écouler de la région la moins contaminée vers la région la plus contaminée ; on considère généralement que les mains sont plus contaminées que les avant-bras.*
   - Appliquez de 2 à 4 ml de savon liquide. S'il s'agit d'un pain de savon ou de savon en granules ou en feuilles, frottez-le vigoureusement entre vos mains.
4. Lavez-vous les mains à fond et rincez-les sous l'eau du robinet.
   - Lavez-vous les paumes et le dos des mains, ainsi que les poignets, en les frottant vigoureusement dans des mouvements circulaires. Entrecroisez les doigts et les pouces, et effectuez des mouvements de va-et-vient avec les mains (figure 35-5 ■) pendant 10 à 15 secondes, c'est-à-dire le temps nécessaire pour éliminer les microbes de la peau. *Les mouvements circulaires contribuent à l'élimination mécanique des microorganismes. L'entrecroisement des doigts et des pouces permet de nettoyer les espaces interdigitaux.*
   - Frottez les extrémités des doigts contre la paume de l'autre main. On néglige souvent les ongles et les extrémités des doigts en se lavant les mains.
   - Rincez-vous les mains.

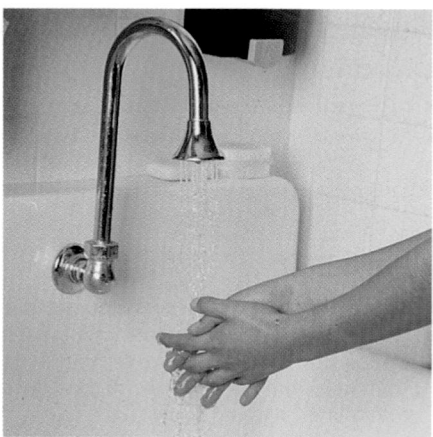

FIGURE 35-5 ■ Entrecroisement des doigts pendant le lavage des mains.

INTERVENTION (suite)

5. Séchez-vous à fond les mains et les bras.
   - Séchez-vous complètement les mains et les bras avec une serviette de papier ou de ratine propre. *La peau moite gerce facilement, et les gerçures créent des lésions.*
   - Jetez la serviette en papier ou en ratine à l'endroit approprié.
6. Fermez le robinet.
   - S'il s'agit d'un robinet actionné avec la main, manipulez-le avec une serviette en papier (figure 35-6 ■). *On évite ainsi de contaminer de nouveau ses mains avec les microorganismes qui peuvent se trouver sur le robinet.*

Variante: lavage des mains avant l'application d'une technique stérile

- Suivez les trois premières étapes de la méthode de lavage décrite précédemment; à l'étape 4, tenez les mains plus hautes que les coudes en gardant les mains et les bras sous le jet d'eau, de manière à ce que l'eau s'écoule des doigts vers les coudes; on peut alors considérer que les mains sont plus propres que les coudes (figure 35-7 ■). *De cette façon, l'eau s'écoule de la région où il y a le moins de microorganismes vers la région où le nombre de microorganismes est relativement plus élevé.*

- Appliquez du savon et lavez-vous les mains selon l'étape 4 décrite précédemment, en prenant soin de garder les mains plus hautes que les coudes.
- Après vous être lavé et rincé les mains, séchez d'abord à fond une main avec une serviette en papier en effectuant des mouvements circulaires, des doigts jusqu'au coude. Utilisez une autre serviette pour sécher l'autre main et l'autre avant-bras. *L'emploi de deux serviettes prévient le transfert de microorganismes d'un coude (région la moins propre) à la main opposée (région la plus propre).*

Variante: lavage des mains sans eau à l'aide d'un rince-mains antiseptique (Bouffard et Roy, 2002)

- Assurez-vous que vos mains sont propres. Si elles sont souillées, lavez-les d'abord avec du savon ou une serviette humide commerciale.
- Versez de 3 à 5 ml de rince-mains dans la paume d'une main.
- Trempez la main opposée dans le rince-mains.
- Frottez-vous les ongles de chaque main dans le rince-mains et contre la paume de l'autre main.
- Frictionnez toute la surface des doigts et des mains jusqu'à la base des poignets, et ce tant que le rince-mains n'est pas évaporé.

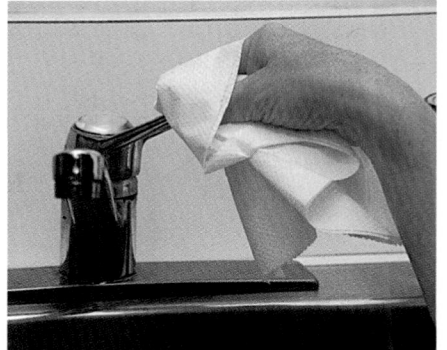

FIGURE **35-6** ■ On utilise une serviette en papier pour manipuler un robinet actionné avec la main.

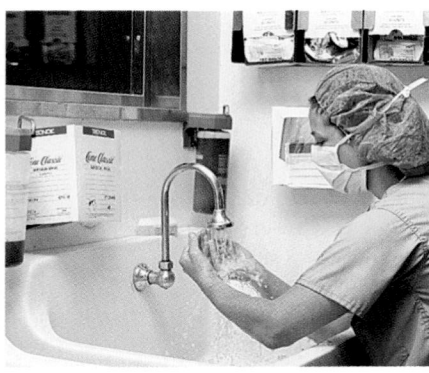

FIGURE **35-7** ■ On garde les mains plus hautes que les coudes pour se laver les mains avant d'appliquer une technique stérile.

ÉVALUATION

Il n'existe pas d'évaluation consacrée de l'efficacité du lavage des mains chez les infirmières. Cependant, le service de contrôle de la qualité des établissements de santé surveille la fréquence des infections des personnes hospitalisées et analyse les situations où des prestateurs de soins jouent un rôle dans la transmission d'agents pathogènes. En matière de prévention de l'infection, plusieurs recherches ont montré l'influence bénéfique d'un lavage des mains minutieux sur l'état de santé des personnes en ce qui concerne la prévention des infections (voir la bibliographie à la fin du chapitre).

Soutien des défenses d'un hôte réceptif

Nous sommes continuellement en contact avec les microorganismes qui sont partout autour de nous. Normalement, les défenses naturelles d'un individu s'opposent au développement d'une infection. La *réceptivité* (ou *sensibilité*) correspond au degré de risque qu'un individu a de contracter une infection, c'est-à-dire la probabilité qu'un agent pathogène provoque une infection chez lui. Les mesures suivantes réduisent cette sensibilité:

- Hygiène. L'intégrité de la peau et des muqueuses constitue une barrière contre la pénétration de microorganismes dans le corps. En outre, des soins buccodentaires adéquats, y compris l'utilisation de la soie dentaire, réduisent le risque d'infection de la bouche. Le fait de se laver régulièrement le corps et les cheveux à fond avec du savon et du shampoing élimine des microorganismes et des poussières qui pourraient causer une infection.

- Nutrition. Un régime alimentaire équilibré favorise la santé de tous les tissus, contribue à préserver l'intégrité de la peau et accroît la capacité de la peau à repousser les microorganismes. Une alimentation adéquate joue un rôle important dans la préservation et la régénération des tissus; de plus, elle contribue au bon fonctionnement du système immunitaire.

- Apport liquidien. L'ingestion de liquides permet l'évacuation de liquides, qui chassent de la vessie et de l'urètre des microorganismes susceptibles de causer une infection.

- Repos et sommeil. Le repos et le sommeil sont essentiels pour rester en bonne santé et refaire ses énergies (voir le chapitre 43 ⟳).

- Stress. Un degré élevé de stress prédispose à l'infection. L'infirmière peut aider la personne à se familiariser avec des techniques de réduction du stress.
- Vaccination. Historiquement, la vaccination a permis de réduire de façon considérable l'incidence des maladies infectieuses. On recommande de commencer l'immunisation de l'enfant peu de temps après sa naissance et de la terminer durant la petite enfance, sauf pour les rappels (voir le tableau 35-5). On administre les vaccins soit par injection, soit par inhalation, soit sous forme de solution orale, soit par pulvérisation nasale. On utilise couramment des vaccins combinés pour réduire le nombre d'administrations de vaccins. Étant donné qu'on modifie fréquemment le calendrier de vaccination, il est recommandé d'en faire une mise à jour annuelle.

Il existe des programmes de vaccination pour les groupes qui présentent un risque élevé, comme le personnel de la santé, les personnes âgées atteintes d'une affection chronique et les individus qui voyagent à l'étranger. Par exemple, on recommande l'administration du vaccin contre l'hépatite B à tous les travailleurs de la santé.

Nettoyage, désinfection et stérilisation

On peut rompre les deux premiers maillons de la chaîne de transmission de l'infection, soit l'agent étiologique et le réservoir, en utilisant des **antiseptiques** (produits chimiques qui inhibent ou éliminent la croissance de microorganismes sur les tissus vivants; par exemple, la peau), en utilisant des **désinfectants** (substances qui détruisent les microorganismes pathogènes, à l'exception des spores) et en recourant à la stérilisation. « Le nettoyage, la désinfection et la stérilisation de l'équipement servant aux soins des patients jouent un rôle important pour ce qui est de freiner la transmission des infections liées au matériel réutilisable. » (Santé Canada, 1998)

NETTOYAGE

La propreté inhibe la croissance des microorganismes. Lorsqu'elle nettoie des objets manifestement souillés, l'infirmière doit toujours porter des gants pour éviter le contact direct avec des agents pathogènes. On peut nettoyer la plupart des objets utilisés pour les soins, qu'il s'agisse d'une pince ou d'une alèse, en procédant comme suit: on les rince d'abord à l'eau froide pour éliminer toute matière organique, on les lave ensuite à l'eau chaude et au savon, puis on les rince à fond. Voici la marche à suivre pour nettoyer des objets en établissement de santé:

1. Rincer l'objet à l'eau froide pour en éliminer toute matière organique. *L'eau chaude fait coaguler les protéines contenues dans la matière organique et accroît généralement ainsi l'adhérence de cette dernière.* Le sang et le pus sont des exemples de matière organique.
2. Laver l'objet à l'eau chaude et au savon. *L'action émulsifiante du savon réduit la tension superficielle et facilite ainsi l'élimination des souillures. Le lavage déloge la matière émulsifiée.*
3. Utiliser un agent abrasif, comme une brosse à soies dures, pour nettoyer les objets comportant des rainures ou des angles. *Le frottement contribue à déloger les matières étrangères.*
4. Rincer l'objet à fond à l'eau tiède ou chaude.
5. Sécher l'objet, qui est ensuite considéré comme propre.

 SOINS À DOMICILE

Lavage des mains

- Garder les ongles propres, courts et bien taillés.
- Se laver soigneusement les mains avant de prodiguer des soins directs et après avoir terminé.
- S'il n'y a pas d'eau courante, utiliser un agent pour le lavage des mains qui ne nécessite pas d'eau.
- Certaines infirmières préfèrent apporter avec elles leur savon bactéricide et des serviettes en papier.
- Fermer toujours le robinet à l'aide d'une serviette en papier propre.
- Enseigner les techniques de lavage des mains à la personne et aux membres de sa famille.
- Discuter de l'emploi de savon antibactérien et de désinfectants.
- Expliquer les signes et les symptômes de l'infection; préciser les situations qui demandent de communiquer avec un professionnel de la santé.
- Enseigner les mesures de prévention des infections:
  - Ne partagez pas vos articles d'hygiène personnelle (par exemple, brosse à dents).
  - Lavez les fruits et les légumes avant de les consommer.
  - Nettoyez et désinfectez l'équipement après son utilisation.
  - Jetez de façon appropriée les objets contaminés (par exemple, pansements souillés).
  - Jetez de façon appropriée les objets pointus usagés (par exemple, aiguilles et seringues).
  - Insister sur l'importance d'une vaccination appropriée pour tous les membres de la famille.

6. Nettoyer la brosse et la cuvette, qui sont considérées comme souillées tant qu'elles n'ont pas été nettoyées de façon appropriée, généralement à l'aide d'un désinfectant.

DÉSINFECTION

Un désinfectant est une substance chimique, comme le phénol et les composés de l'iode, utilisée pour décontaminer des objets inanimés. Plusieurs désinfectants sont corrosifs et toxiques pour les tissus du corps humain. Un antiseptique est une substance chimique utilisée pour décontaminer la peau ou les tissus. Plusieurs désinfectants et antiseptiques contiennent les mêmes composants chimiques, mais la concentration en est plus élevée dans les désinfectants.

On considère que les antiseptiques et les désinfectants possèdent tous deux des propriétés bactéricides ou bactériostatiques. Un agent *bactéricide* détruit les bactéries, tandis qu'un agent *bactériostatique* empêche la croissance et la reproduction de certaines bactéries. Certaines substances sont actives contre une large gamme de bactéries; cependant, dans le cas où un microorganisme est bel et bien identifié, on devrait employer un agent reconnu comme toxique pour ce microorganisme. Seulement quelques-unes des substances habituellement efficaces contre les autres bactéries réussissent à inhiber les bactéries sporulées, telles que *Clostridium difficile* (communément appelée *C. difficile*), qui cause un grand nombre de diarrhées nosocomiales, et *Bacillus anthracis,* agent de transmission de l'anthrax. Le tableau 35-9 passe en revue les caractéristiques des agents antiseptiques et le tableau 35-10, les principales catégories de désinfectants chimiques, selon leurs avantages et leurs inconvénients.

TABLEAU 35-9

Caractéristiques des agents antiseptiques

Groupe et sous-groupe	Bactéries à Gram positif	Bactéries à Gram négatif	*Mycobacterium tuberculosis*	Champignons	Virus	Vitesse d'élimination des bactéries sensibles	Inactivation par le mucus ou les protéines	Observations
Alcools	Bon	Bon	Bon	Bon	Bon	Rapide	Moyenne	Titre optimal 70 % à 90 % avec addition d'émollients (par exemple, la glycérine ou l'alcool cétylique le rendent moins desséchant), non recommandé pour le nettoyage physique de la peau; bon pour l'antisepsie des mains et la préparation du champ opératoire.
Chlorhexidine 2 % et 4 % solution aqueuse	Bon	Bon	Passable	Passable	Bon	Intermédiaire	Minimale	A des effets rémanents; bon pour le lavage des mains et la préparation du champ opératoire ou de la peau du patient avant l'opération; ne pas utiliser près des muqueuses; toxicité signalée pour les oreilles et les yeux; activité neutralisée par des surfactants non ioniques.
Hexachlorophène 3 % solution aqueuse	Bon	Mauvais	Mauvais	Mauvais	Mauvais	Lente	Minimale	A une activité rémanente et cumulative après un usage répété (le lavage avec de l'alcool réduit l'action rémanente), peut être toxique si absorbé par la peau, surtout chez les bébés prématurés; bon pour le lavage des mains, mais non pour la préparation du champ opératoire; spectre limité d'activité antimicrobienne.
Composés iodés, iode dans l'alcool	Bon	Bon	Bon	Bon	Bon	Rapide	Marquée	Causent des « brûlures » de la peau, mais très rarement si la teinture est à 1 %, surtout si elle est enlevée après quelques minutes; trop irritants pour le lavage des mains, mais excellents pour la préparation du champ opératoire.
Iodophores	Bon	Bon	Passable	Bon	Bon	Intermédiaire	Moyenne	Moins irritants pour la peau que l'iode; bons pour le lavage des mains et la préparation du champ opératoire; rapidement neutralisés en présence de matières organiques comme le sang et les crachats.
Para-chloro-méta-xylenol (PCMX)	Bon	Passable*	Passable	Passable	Passable	Intermédiaire	Minimale	
Triclosan	Bon	Bon	Passable	Mauvais	Bon	Intermédiaire	Minimale	Activité neutralisée par des surfactants non ioniques.

* Activité améliorée par l'ajout d'un agent chélateur comme l'EDTA.

Nota : Certains de ces agents, notamment l'iode ou la chlorhexidine, sont combinés à l'alcool pour former des teintures et sont vendus en formulations combinées.

Source : « Lavage des mains, nettoyage, désinfection et stérilisation dans les établissements de santé », (p. 4), de Santé Canada, décembre 1998, supplément du *Guide de prévention des infections, Relevé des maladies transmissibles au Canada*, 24S8, (page consultée le 21 novembre 2004), [en ligne], <www.phac-aspc.gc.ca/publicat/ccdr-rmtc/98pdf/cdr24s8f.pdf>. Reproduit avec la permission du Ministre des Travaux publics et Services gouvernementaux Canada, 2005.

TABLEAU

35-10

Principales catégories de désinfectants chimiques et avantages et inconvénients relatifs de chacun
IL FAUT SUIVRE LES RECOMMANDATIONS DU FABRICANT QUANT À LA CONCENTRATION ET À LA DURÉE D'EXPOSITION.

Désinfectant	Usage	Avantages	Inconvénients
Alcools	Désinfectants à niveau d'activité intermédiaire. Désinfection des thermomètres, des surfaces extérieures de certaines pièces d'équipement (par exemple, stéthoscopes). Matériel utilisé pour les soins à domicile. Antiseptiques pour la peau.	Action rapide. Sans résidus. Ne tachent pas.	Volatils. L'évaporation peut réduire la concentration. Inactivés par les matières organiques. Peuvent durcir le caoutchouc ou détériorer les colles. Utilisation contre-indiquée en salle d'opération.
Chlores	Désinfectants à niveau d'activité intermédiaire. Désinfection des bassins d'hydrothérapie, du matériel de dialyse, des mannequins de formation en réanimation cardiorespiratoire. Désinfectants efficaces après un déversement de sang ; des solutions aqueuses (5 000 ppm) servent à décontaminer le secteur où le sang a été enlevé ; la poudre de dichloroiso-cyanurate de sodium peut être versée directement sur les déversements de sang à des fins de décontamination et de nettoyage subséquent. Matériel utilisé pour les soins à domicile.	Faible coût. Action rapide. Facilement accessibles en dehors des hôpitaux.	Corrosifs pour les métaux. Inactivés par les matières organiques. Irritants pour la peau et les muqueuses. Instables lorsque dilués pour usage courant (1:9 parties d'eau). Utiliser dans des endroits bien ventilés. La durée de conservation diminue lorsqu'il est dilué.
Oxyde d'éthylène	Utilisé comme gaz pour la stérilisation des instruments médicaux sensibles à la chaleur.	Stérilisant pour l'équipement sensible à la chaleur ou à la pression.	Action lente ; il faut faire aérer pendant plusieurs heures pour éliminer les résidus. L'un de ses supports (chloro-fluorocarbure) est maintenant un produit chimique à usage restreint.
Formaldéhyde	Utilisation très limitée comme stérilisant chimique. Sert parfois à traiter les hémodialyseurs. Sous forme gazeuse, il sert à décontaminer les armoires de sûreté des laboratoires.	Actif en présence de matières organiques.	Cancérigène. Toxique. Très irritant. Odeur piquante.
Glutaraldéhydes	Formulations à 2 % – désinfection de haut niveau pour l'équipement sensible à la chaleur. Servent le plus souvent pour les endoscopes, les appareils d'inhalothérapie et l'équipement d'anesthésie.	Non corrosifs pour les métaux. Actifs en présence de matières organiques. Utilisables avec les instruments munis de lentilles. La stérilisation peut se faire en 6 à 10 heures.	Extrêmement irritants pour la peau et les muqueuses. La durée de conservation diminue lorsqu'il est dilué (efficacité de 14 à 30 jours selon la formulation). Coût élevé. Il faut surveiller la concentration dans les solutions réutilisables. Fixatif.
Peroxyde d'hydrogène	À 3 % – désinfectant à faible niveau d'activité. Soins à domicile. Nettoie les sols, les murs et les meubles. La formulation antiseptique peut être appliquée sur les blessures.	Oxydant puissant. Action rapide. Se décompose en eau et oxygène.	Peut être corrosif pour l'aluminium, le cuivre, le bronze ou le zinc.

Désinfectant	Usage	Avantages	Inconvénients
	À 6 % – désinfectant à niveau d'activité élevé. Efficace pour la désinfection de haut niveau des endoscopes souples. Désinfection des lentilles de contact souples. Les concentrations plus élevées servent de stérilisants chimiques dans des machines spécialement conçues pour la décontamination des instruments médicaux sensibles à la chaleur.		
Iodophores	Désinfectants à niveau d'activité intermédiaire pour certains instruments (bassins d'hydrothérapie, thermomètres). Désinfectants à faible niveau d'activité pour les surfaces dures et les instruments qui n'entrent pas en contact avec les muqueuses (par exemple, supports pour infusion, fauteuils roulants, lits, sonnettes d'appel).	Action rapide. Relativement peu toxiques et peu irritants.	Nota : Les iodophores antiseptiques ne conviennent PAS à la désinfection des surfaces dures. Corrosifs pour le métal sauf s'ils sont combinés avec des inhibiteurs. Le désinfectant peut brûler les tissus. Inactivés par les matières organiques. Peuvent tacher les tissus et les matières synthétiques.
Acide peracétique	Désinfectant ou stérilisant à niveau d'activité élevé pour l'équipement sensible à la chaleur. Les concentrations plus élevées servent de stérilisants chimiques dans des machines spécialement conçues pour la décontamination des instruments médicaux sensibles à la chaleur.	Décomposition inoffensive (eau, oxygène, acide acétique, peroxyde d'hydrogène). Action rapide à basse température. Actif en présence de matières organiques.	Peut être corrosif. Instable lorsque dilué.
Composés phénoliques	Désinfectants à niveau d'activité faible ou intermédiaire. Nettoient les sols, les murs et les meubles. Nettoient les surfaces dures et les instruments qui n'entrent pas en contact avec les muqueuses (par exemple, supports pour I.V., fauteuils roulants, lits, sonnettes d'appel).	Laissent un film résiduel sur les surfaces. Disponibles sur le marché avec ajout de détergents pour un nettoyage-désinfection en une seule étape.	Ne pas utiliser dans les pouponnières. Usage non recommandé sur les surfaces qui touchent aux aliments. Peuvent être absorbés par la peau ou le caoutchouc. Un usage répété peut rendre collants certains revêtements de sol synthétiques.
Composés d'ammonium quaternaire	Désinfectants à faible niveau d'activité. Nettoient les sols, les murs et les meubles. Nettoient les déversements de sang.	En général, non irritants pour les mains. Ont habituellement des propriétés détergentes.	NE PAS utiliser pour désinfecter des instruments. Non corrosifs. Utilisation limitée comme désinfectant à cause de leur spectre microbicide étroit.

Source : « Lavage des mains, nettoyage, désinfection et stérilisation dans les établissements de santé », (p. 15-16), de Santé Canada, décembre 1998, supplément du *Guide de prévention des infections*, *Relevé des maladies transmissibles au Canada*, 24S8, (page consultée le 21 novembre 2004), [en ligne], <www.phac-aspc.gc.ca/publicat/ccdr-rmtc/98pdf/cdr24s8f.pdf>. Reproduit avec la permission du Ministre des Travaux publics et Services gouvernementaux Canada, 2005.

Pour désinfecter des objets, l'infirmière doit se conformer aux directives de l'établissement de santé et tenir compte des facteurs suivants :

1. Nature et quantité des agents pathogènes : certains microorganismes sont faciles à détruire, tandis que d'autres exigent un contact prolongé avec le désinfectant.

2. Concentration du désinfectant et durée du contact recommandées.

3. Température des lieux : la majorité des désinfectants sont conçus pour être utilisés à température ambiante.

4. Utilisation de savon : certains désinfectants sont inefficaces en présence de savon ou de détergent.

5. Présence de matière organique : la présence de salive, de sang, de pus ou d'excrétions rend facilement inactifs de nombreux désinfectants.

6. Surfaces à décontaminer : le désinfectant doit entrer en contact avec toutes les surfaces à traiter.

STÉRILISATION

La **stérilisation** est un processus qui détruit tous les microorganismes, y compris les spores et les virus. Il existe quatre méthodes courantes de stérilisation : par chaleur humide, par gaz, par eau bouillante et par irradiation.

Stérilisation par chaleur humide. La stérilisation par chaleur humide (ou par la vapeur) peut se faire selon deux méthodes : avec de la vapeur sous pression ou de la vapeur libre. Avec la première méthode, la température dépasse le point d'ébullition de l'eau. Dans un autoclave, la pression de la vapeur se situe entre 100 et 120 kPa et la température, entre 121 et 123 °C. On se sert de la vapeur libre, dont la température est de 100 °C, pour stériliser les objets qui seraient détruits par la température et la pression très élevées d'un autoclave. Il est généralement nécessaire de laisser les objets dans la vapeur pendant 29 minutes, trois jours consécutifs. Pendant les intervalles, les spores retournent à l'état végétatif, ce qui les rend de nouveau vulnérables à la chaleur.

Stérilisation par gaz. L'oxyde d'éthylène gazeux détruit les microorganismes en modifiant leur métabolisme. Il est également efficace contre les spores. Ses principaux avantages sont son pouvoir de pénétration élevé et son efficacité pour le traitement d'objets sensibles à la chaleur ; son principal inconvénient réside dans le fait qu'il est toxique pour les humains.

Stérilisation par eau bouillante. À la maison, la stérilisation par eau bouillante est la méthode la plus pratique et la moins coûteuse. Elle ne permet toutefois pas de détruire les spores et certains virus, car la température de l'eau bouillante ne dépasse pas 100 °C. À la maison, il est recommandé de laisser les objets à désinfecter au moins 15 minutes dans l'eau bouillante. Cette méthode de stérilisation n'est pas acceptable dans un établissement de santé.

Stérilisation par irradiation. Le rayonnement, ionisant ou non ionisant, sert à désinfecter et à stériliser. La lumière ultraviolette est un rayonnement non ionisant utilisé pour la désinfection. Son principal inconvénient tient à son faible pouvoir de pénétration. Le rayonnement ionisant est efficace pour la stérilisation industrielle des aliments, des médicaments et d'autres produits sensibles à la chaleur. Son principal avantage réside dans son efficacité pour traiter des objets difficiles à stériliser ; son principal inconvénient est le coût très élevé de l'équipement.

L'infirmière doit se familiariser avec les normes de nettoyage, de désinfection et de stérilisation de l'établissement de santé où elle travaille ; dans le contexte des soins à domicile, elle doit être en mesure d'enseigner à la personne et aux membres de sa famille les techniques appropriées.

Mesures de précaution

Dans les établissements de santé, on applique différentes mesures de précaution pour réduire le risque de transmission de microorganismes ou d'agents potentiellement pathogènes aux membres du personnel, aux personnes qui requièrent des soins et aux visiteurs.

En 1983, les CDC américains ont énoncé des directives en matière de précautions à prendre, selon lesquelles les établissements de santé peuvent choisir entre deux systèmes : l'isolement par catégories et l'isolement par maladies (Garner et Simmons, 1983).

Le *système d'isolement par catégories* (ou *isolement selon les mécanismes de transmission*) comprend sept catégories principales : isolement strict, précautions contre la transmission par contact, isolement respiratoire, isolement de tuberculose, précautions digestives, précautions applicables aux exsudats et précautions applicables aux liquides organiques (en particulier, le sang).

Le *système d'isolement par maladies* définit des précautions à prendre selon telle ou telle infection. Dans le cas de certaines maladies infectieuses, il peut s'agir des précautions suivantes : chambre individuelle munie d'un dispositif de ventilation spécial ; cohabitation dans la même chambre de personnes infectées par le même microorganisme ; port d'une blouse afin de prévenir les dépôts importants de souillures sur les vêtements.

En 1987, les CDC américains ont énoncé des recommandations (révisées en 1988) prônant l'application des **précautions universelles** (ou **PU**) ; il s'agit de techniques utilisées avec toutes les personnes afin de réduire le risque de transmission d'agents pathogènes non déterminés (CDC, 1987 ; U.S. Department of Health and Human Services, Public Health Service, 1988). Au Canada, c'est à cette époque que le Laboratoire de lutte contre la maladie (LLCM) a entériné les précautions universelles. « Le Comité directeur chargé de l'élaboration des guides de prévention des infections a été mis sur pied par le Bureau de l'épidémiologie des maladies transmissibles du Laboratoire de lutte contre les maladies de Santé Canada (LLCM). » (Santé Canada, 1999, p. 3) On considère désormais que toutes les personnes sont susceptibles d'être porteuses d'une affection transmissible par le sang ou par certains liquides organiques (par exemple, sperme ; sécrétions vaginales ; liquides céphalorachidien, synovial, pleural, péritonéal, péricardique et amniotique). Les précautions universelles font obstacle à la propagation des **agents pathogènes transmissibles par le sang** ou par d'autres liquides organiques et donc susceptibles de causer chez d'autres personnes des infections virales graves et difficiles à traiter, dont le virus de l'hépatite B, le virus de l'hépatite C et le VIH. Parmi les précautions universelles, on trouve les suivantes : le port de gants, d'une blouse et d'un masque à l'occasion du contact avec du sang ou d'autres liquides organiques ; la sécurité du travail et le contrôle de l'environnement pour prévenir les blessures tant chez le personnel que chez les personnes soignées (Santé Canada, 1999). Les CDC américains recommandent d'appliquer les précautions universelles parallèlement aux systèmes d'isolement par catégories et par maladies, et non de remplacer ceux-ci par celles-là.

Une approche plus globale se développe : le système des **précautions applicables aux liquides organiques** (ou **PLO**). Il s'agit d'appliquer les principes des précautions universelles à tous les liquides organiques, en mettant l'accent sur une barrière à l'intervention plutôt qu'au diagnostic. Cette approche comprend des mesures générales de prévention des infections, appliquées à toutes les personnes, sauf celles qui sont atteintes d'une des rares affections transmissibles par voie aérienne. Le système se fonde sur les hypothèses suivantes (Jackson, 1993) :

1. Tous les individus présentent un risque accru d'infection si des microorganismes entrent en contact avec leurs muqueuses ou une partie non intacte de leur peau.

2. Tous les individus hébergent probablement des agents potentiellement pathogènes dans tous les sites et substances humides de leur organisme.

3. Il existe toujours un pourcentage indéterminé de personnes hospitalisées et de membres du personnel de la santé infectés par des microorganismes qui se trouvent dans leur sang ou dans des sites et substances humides de leur organisme.

L'expression « substance de l'organisme » (ou « substance corporelle ») comprend le sang, certains liquides organiques, l'urine, les fèces, les exsudats de plaie, les sécrétions buccales et tout autre produit ou tissu du corps.

En plus des actions et des précautions dont il est question dans le présent chapitre, on accorde beaucoup d'importance à la prévention des lésions causées par des instruments acérés (voir le chapitre 39 ⊂⊃), aux mesures à prendre en cas d'exposition à des agents pathogènes transmissibles par le sang et à l'information à donner aux employés en matière de dangers organiques. Aux États-Unis, un règlement fédéral prescrit, dans la majorité des cas, l'étiquetage des récipients contenant des déchets réglementés ainsi que celui des réfrigérateurs et des congélateurs où sont entreposés du sang ou d'autres matières potentiellement infectieuses. Les étiquettes réglementaires sont d'un orange fluorescent ou rouge orangé, et elles portent le symbole de danger biologique (ou risque biologique) représenté à la figure 35-8 ▪. Il en va de même au Québec, en vertu du *Règlement sur les déchets biomédicaux* de la *Loi sur la qualité de l'environnement* (Gouvernement du Québec, 2004).

Mesures de prévention recommandées

En 1996, aux États-Unis, le Hospital Infection Control Practices Advisory Committee (HICPAC) des CDC américains a publié de nouvelles directives en matière de systèmes de prévention pour les hôpitaux (Garner et HICPAC, 1996). Au Canada, le Laboratoire de lutte contre la maladie (LLCM) a adapté les lignes directrices de ces systèmes (Santé Canada, 1999) ; dans un souci de clarté, nous précisons les termes employés en anglais :

Premier palier : pratiques de base (*standard precautions*)

Deuxième palier : précautions additionnelles (*transmission-based precautions*)

FIGURE **35-8** ▪ Mise en garde contre le danger (ou risque) biologique. (Source : « Occupational Exposure to Bloodborne Pathogens : Final Rule » [29 CFR Part 1910.1030], U.S. Department of Labor, Occupational Safety and Health Administration, 1991, *Federal Register, 56*[235], 64175-64182.)

PREMIER PALIER : PRATIQUES DE BASE

Les **pratiques de base** s'appliquent à toutes les personnes hospitalisées, indépendamment du diagnostic ou de la possibilité d'un état infectieux. Elles concernent le sang, tous les autres liquides organiques, les sécrétions et les excrétions, à l'exception de la sueur (peu importe qu'il y ait du sang présent ou visible), la peau non intacte et les muqueuses. « Elles tiennent compte du risque de transmission des infections par contact avec des bénéficiaires asymptomatiques et avec des éléments contaminés de l'environnement du bénéficiaire infecté ou colonisé. » (ASSTSAS, 2000) Il s'agit donc d'une combinaison des principales composantes des précautions universelles (PU) et des précautions applicables aux liquides organiques (PLO). Les pratiques de base recommandées sont décrites dans l'encadré 35-1.

DEUXIÈME PALIER : PRÉCAUTIONS ADDITIONNELLES

Les précautions additionnelles à prendre contre la transmission s'appliquent en combinaison avec les pratiques de base dans le cas d'une personne dont on sait qu'elle est atteinte d'une infection transmissible par voie aérienne, par gouttelettes ou par contact, ou qu'on soupçonne de l'être. Les trois catégories de précautions additionnelles sont employées séparément ou en combinaison, mais elles s'ajoutent toujours aux pratiques de base. Elles tiennent compte de toutes les situations ou affections énumérées précédemment dans les classifications par catégories ou par maladies, élaborées par les CDC américains en 1983. L'encadré 35-1 passe en revue ces précautions additionnelles.

On applique les **précautions additionnelles contre la transmission par voie aérienne** dans le cas d'une personne dont on sait qu'elle est atteinte d'une affection grave transmissible par voie aérienne (par l'intermédiaire de noyaux de gouttelettes dont le diamètre est inférieur à 5 µm) ou qu'on soupçonne de l'être. La rougeole, la varicelle (y compris le zona disséminé) et la tuberculose sont des exemples de telles affections (Santé Canada, 1999). (*Remarque :* Les CDC américains ont élaboré des directives spéciales concernant la prévention de la transmission de la tuberculose : on trouve les informations les plus récentes sur le site Web de la Division of Tuberculosis Elimination, <www.cdc.gov/nchstp/tb>.)

Mesures de prévention recommandées aux hôpitaux

Premier palier : pratiques de base

- Les pratiques de base s'appliquent à toutes les personnes hospitalisées.

- Elles concernent (a) le sang, (b) tous les liquides organiques, les excrétions et les sécrétions, à l'exception de la sueur, (c) la peau non intacte (ou rompue) et (d) les muqueuses.

- Elles visent à réduire le risque de transmission de microorganismes de source connue ou inconnue.

1. Se laver les mains après avoir été en contact avec du sang ou d'autres liquides organiques, des sécrétions, des excrétions ou des objets contaminés, peu importe si on portait des gants ou non.

   a) Se laver les mains immédiatement après avoir retiré les gants (s'il y a lieu).

   b) Pour le lavage habituel des mains, utiliser du savon non antimicrobien.

   c) Utiliser un agent antimicrobien ou antiseptique pour la lutte contre des poussées infectieuses données.

2. Porter des gants propres pour toucher à du sang ou à d'autres liquides organiques, des sécrétions, des excrétions ou des objets contaminés (par exemple, blouse souillée).

   a) Des gants propres font l'affaire. On porte des gants stériles pour prévenir l'introduction de microorganismes dans le corps.

   b) Retirer les gants avant de toucher à des objets ou des surfaces non contaminés.

   c) Se laver les mains immédiatement après avoir retiré les gants.

3. Porter un masque et des lunettes de sécurité ou un écran facial s'il y a un risque d'éclaboussures de sang, d'un autre liquide organique, de sécrétions ou d'excrétions.

4. Porter une blouse propre, non stérile, si les soins à la personne risquent d'entraîner des éclaboussures de sang, d'un autre liquide organique, de sécrétions ou d'excrétions, afin de protéger les vêtements.

   a) Enlever précautionneusement une blouse souillée afin d'éviter le transfert de microorganismes à d'autres personnes (par exemple, personnes soignées et autres travailleurs de la santé).

   b) Se laver les mains après avoir retiré sa blouse.

5. Manipuler précautionneusement le matériel utilisé pour les soins s'il est souillé de sang, d'un autre liquide organique, de sécrétions ou d'excrétions, afin d'éviter le transfert de microorganismes à d'autres personnes ou au milieu.

   a) S'assurer que le matériel réutilisable est propre et correctement recyclé.

   b) Éliminer de façon appropriée le matériel jetable.

6. Manipuler, transporter et traiter le linge souillé avec du sang, un autre liquide organique, des sécrétions ou des excrétions de manière à éviter la contamination de ses vêtements et le transfert de microorganismes à d'autres personnes ou au milieu.

7. Prévenir les lésions causées par tout instrument usagé, comme un scalpel ou une aiguille, et placer ces objets dans un contenant non perforable.

Deuxième palier : précautions additionnelles

TRANSMISSION PAR VOIE AÉRIENNE

Appliquer les pratiques de base du premier palier et prendre les précautions additionnelles suivantes :

1. Installer la personne dans une chambre individuelle où la pression de l'air est négative ; renouveler l'air de 6 à 12 fois par heure ; évacuer l'air à l'extérieur ou utiliser un système de filtration d'air. La porte de la chambre doit demeurer fermée.

2. S'il est impossible d'installer la personne dans une chambre individuelle, lui faire partager la chambre d'une personne infectée par le même microorganisme (sauf dans le cas des personnes atteintes de tuberculose).

3. Mettre un masque ou un respirateur (N95) avant d'entrer dans la chambre d'une personne atteinte de primo-infection tuberculeuse ou qu'on soupçonne de l'être.

4. Les personnes réceptives ne devraient pas entrer dans la chambre d'une personne atteinte de rougeole ou de varicelle ; si elles doivent le faire, elles devraient porter un masque.

5. Limiter les déplacements de la personne à l'extérieur de la chambre, sauf pour les besoins essentiels ; lui faire porter un masque chirurgical pendant les déplacements.

TRANSMISSION PAR GOUTTELETTES

Appliquer les pratiques de base du premier palier et prendre les précautions additionnelles suivantes :

1. Installer la personne dans une chambre individuelle.

2. S'il est impossible d'installer la personne dans une chambre individuelle, lui faire partager la chambre d'une personne infectée par le même microorganisme. On peut laisser la porte de la chambre ouverte.

3. Ne laisser personne (y compris les visiteurs) s'approcher à moins de un mètre de la personne infectée.

4. Porter un masque pour travailler à moins de un mètre de la personne ; si celle-ci tousse, la protection oculaire peut être indiquée pendant la prestation de soins.

5. Limiter les déplacements de la personne à l'extérieur de la chambre, sauf pour les besoins essentiels ; lui faire porter un masque chirurgical pendant les déplacements.

TRANSMISSION PAR CONTACT

Appliquer les pratiques de base du premier palier et prendre les précautions additionnelles suivantes :

1. Installer la personne dans une chambre individuelle.

2. S'il est impossible d'installer la personne dans une chambre individuelle, lui faire partager la chambre d'une personne infectée par le même microorganisme. On peut laisser la porte de la chambre ouverte.

3. Porter des gants selon les consignes données dans les pratiques du premier palier.

   a) Changer de gants après avoir été en contact avec des matières infectieuses.

   b) Retirer les gants avant de quitter la chambre.

   c) Se laver les mains avec un agent antimicrobien immédiatement après avoir retiré des gants.

   d) Après s'être lavé les mains, ne pas toucher à des surfaces potentiellement contaminées ni à aucun objet se trouvant dans la chambre.

4. Mettre une blouse selon les consignes données dans les pratiques de base du premier palier avant d'entrer dans une chambre dans les cas suivants : il y a un risque de contact avec des surfaces ou des objets contaminés ; la personne est incontinente ; elle souffre de diarrhée ; elle a une colostomie ; les exsudats de plaie ne sont pas retenus par un pansement.

a) Une fois dans la chambre, retirer la blouse.

b) S'assurer que l'uniforme n'entre pas en contact avec des surfaces potentiellement contaminées.

5. Limiter les déplacements de la personne à l'extérieur de la chambre.

6. Dans la mesure du possible, réserver le matériel de soins à une seule personne ou à un groupe de personnes infectées par le même agent pathogène. Par exemple, les thermo-mètres et les brassards de sphygmomanomètre doivent être nettoyés et désinfectés avant d'être utilisés pour une autre personne.

Sources : « Guidelines for Isolation Precautions in Hospitals », de J. S. Garner et HICPAC, 1996, *Infection Control Hospital Epidemiology, 17*, 53-80, et 1996, *American Journal of Infection Control, 24*, p. 24-52 ; « Pratiques de base et précautions additionnelles visant à prévenir la transmission des infections dans les établissements de santé », supplément du *Guide de prévention des infections, Version révisée des techniques d'isolement et précautions,* juillet 1999, de Santé Canada, *Relevé des maladies transmissibles au Canada,* 25S4, (page consultée le 12 novembre 2004), [en ligne], <www.phac-aspc.gc.ca/publicat/ccdr-rmtc/99pdf/cdr25s4f.pdf>.

On applique les **précautions additionnelles contre la transmission par gouttelettes** dans le cas d'une personne dont on sait qu'elle est atteinte d'une affection grave transmissible par gouttelettes (particules dont le diamètre est supérieur à 5 μm) ou qu'on soupçonne de l'être. Voici quelques exemples de telles affections : diphtérie (pharyngée) ; pneumonie à mycoplasmes ; coqueluche ; oreillons ; rubéole ; pharyngite streptococcique, pneumonie et fièvre scarlatine chez les nouveau-nés et les jeunes enfants ; peste pulmonaire.

On applique les **précautions additionnelles contre la transmission par contact** dans le cas d'une personne dont on sait qu'elle est atteinte d'une affection grave, facilement transmissible par contact direct ou par des objets de son environnement, ou qu'on soupçonne de l'être. Selon les CDC américains (Garner et HICPAC, 1996 ; Santé Canada, 1999), les affections de ce type comprennent les suivantes : infections gastro-intestinales, respiratoires ou cutanées ; infections de plaie et colonisation par des bactéries résistantes aux antibiotiques ; infections dues à des agents entéropathogènes, y compris *Clostridium difficile, Escherichia coli 0157 :H7* (agent de transmission de l'entérite hémorragique), *Shigella,* et virus de l'hépatite A chez les personnes qui portent des couches ou sont incontinentes ; infections à virus respiratoire syncytial, à virus parainfluenza ou à entérovirus chez les nourrissons et les jeunes enfants ; infections cutanées très contagieuses (par exemple, herpès, impétigo, pédiculose et gale).

On applique en outre des précautions spéciales contre la transmission par contact dans le cas des infections dues à des entérocoques résistants à la vancomycine (ERV). Les CDC américains et Santé Canada recommandent alors d'utiliser un savon antimicrobien pour le lavage des mains et d'éviter d'employer le même matériel pour les personnes atteintes et pour celles qui ne le sont pas. La personne infectée par un ERV devrait être installée dans une chambre individuelle ou partager une chambre avec des personnes infectées elles aussi par un ERV, et l'isolement doit se poursuivre au moins jusqu'à ce que trois cultures effectuées à une semaine d'intervalle soient négatives (HICPAC, 1995).

Certaines affections requièrent l'application d'une combinaison de pratiques de base et de précautions additionnelles contre la transmission. Par exemple, dans le cas d'une personne infectée par le coronavirus (agent de transmission du SRAS, syndrome respiratoire aigu sévère), il est recommandé d'appliquer les pratiques de base (y compris la protection oculaire), les précautions additionnelles contre la transmission par contact et les précautions additionnelles contre la transmission par voie aérienne. La figure 35-9 ■ donne des exemples de fiches à utiliser pour les précautions additionnelles qu'on peut afficher à la porte d'entrée de la chambre.

Personne immunodéprimée

La personne immunodéprimée est très sensible à l'infection. Il arrive fréquemment qu'elle soit infectée par ses propres microorganismes et par des microorganismes transmis soit par les mains du personnel de santé, soit par des objets ou des substances non stériles (par exemple, aliments, eau, air, équipement servant aux soins). Parmi les personnes immunodéprimées, on trouve les suivantes :

■ La personne qui souffre d'une affection, telle que la leucémie, qui affaiblit les défenses contre les agents pathogènes.

■ La personne dont la peau est endommagée sur une grande surface, comme dans les cas de dermatite grave ou chez le grand brûlé, de sorte qu'il est impossible de panser efficacement les régions touchées.

Dans ce domaine, les directives des CDC américains de 1996 (Garner et HICPAC, 1996) et de 1997, ainsi que celles de Santé Canada (1999), comprennent l'application des pratiques de base et des précautions additionnelles décrites plus haut.

Mise en œuvre des pratiques de base

La mise en œuvre des pratiques visant à prévenir la transmission de microorganismes est généralement la responsabilité de l'infirmière ; elle est fondée sur un examen complet de la personne, qui prend en compte l'état de ses mécanismes de défense normaux, sa capacité à appliquer les précautions requises et la source ou le mode de transmission de l'agent

PRÉCAUTIONS CONTRE LA TRANSMISSION PAR GOUTTELETTES

Aux visiteurs : veuillez vous présenter au poste de soins infirmiers avant d'entrer dans la chambre.

PLACEMENT DU PATIENT

Maintenir une distance d'au moins 1 mètre (3 pieds) entre les patients. On peut laisser la porte ouverte.

MASQUE

Masque chirurgical à moins d'un (1) mètre (3 pieds) du patient.

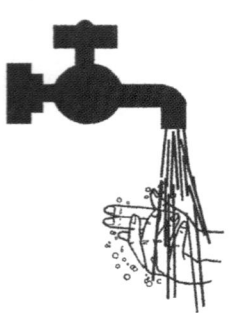

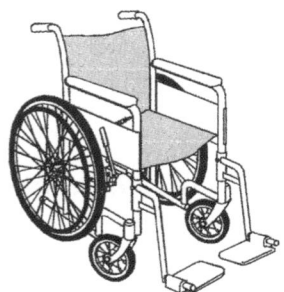

LAVAGE DES MAINS

Avant tout contact direct avec le patient.
Après avoir touché des articles contaminés.
Après tout contact direct avec le patient.

TRANSPORT DU PATIENT

Transport uniquement lorsque c'est essentiel.
Le patient doit porter un masque chirurgical durant le transport.
Avertir le bureau de réception du service.

PRÉCAUTIONS CONTRE LA TRANSMISSION AÉRIENNE

Aux visiteurs : veuillez vous présenter au poste de soins infirmiers avant d'entrer dans la chambre.

PLACEMENT DU PATIENT

Chambre à un lit.
Tenir la porte fermée.

MASQUE

Masque spécial de haute efficacité avant d'entrer dans la chambre.

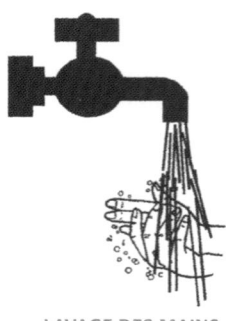

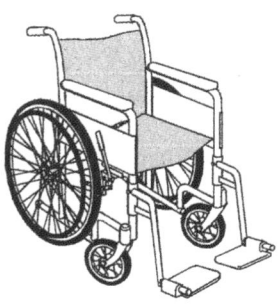

LAVAGE DES MAINS

Avant tout contact direct avec le patient.
Après avoir touché des articles contaminés.
Après tout contact direct avec le patient.

TRANSPORT DU PATIENT

Transport uniquement lorsque c'est essentiel.
Le patient doit porter un masque chirurgical durant le transport.
Avertir le bureau de réception du service.

FIGURE **35-9** ■ **Précautions contre la transmission de l'infection.** (Source : « Pratiques de base et précautions additionnelles visant à prévenir la transmission des infections dans les établissements de santé », (p. 88-90), supplément du *Guide de prévention des infections, Version révisée des techniques d'isolement et précautions,* juillet 1999, de Santé Canada, *Relevé des maladies transmissibles au Canada,* 25S4, (page consultée le 12 novembre 2004), [en ligne], <www.phac-aspc.gc.ca/ publicat/ccdr-rmtc/99pdf/cdr25s4f.pdf>. Reproduit avec la permission du Ministre des Travaux publics et Services gouvernementaux Canada, 2005.)

pathogène. À l'aide de ces informations, l'infirmière décide si elle doit porter des gants, une blouse, un masque ou un protecteur oculaire. Mais quel que soit l'état de la personne, *l'infirmière doit se laver les mains avant de lui prodiguer des soins et après l'avoir fait.*

En plus des pratiques et des précautions décrites dans le présent chapitre, l'infirmière doit aussi appliquer des techniques aseptiques dans de nombreuses interventions dont il est question dans ce manuel. En voici quelques exemples :

■ Utiliser l'asepsie stricte pour effectuer n'importe quel procédé effractif (par exemple, insérer une aiguille ou un cathéter intraveineux, aspirer les voies respiratoires, insérer une sonde vésicale) ou changer un pansement chirurgical.

■ Manipuler les aiguilles et les seringues prudemment pour prévenir les accidents.

■ Changer les tubulures à perfusion intraveineuse et les contenants à soluté conformément aux normes établies par l'hôpital (par exemple, toutes les 48 ou 72 heures).

■ Vérifier la date de péremption inscrite sur toutes les fournitures stériles et s'assurer que les emballages sont intacts.

■ Prévenir les infections urinaires en maintenant le flux urinaire vers le bas dans un drainage hermétique. Ne pas irriguer un cathéter, sauf sur prescription. Effectuer régulièrement l'entretien des cathéters et nettoyer la région périnéale à l'eau et au savon. Éviter que le sac de drainage ou le bec de vidange touche au sol.

PRÉCAUTIONS CONTRE LA TRANSMISSION PAR CONTACT

Aux visiteurs : veuillez vous présenter au poste de soins infirmiers avant d'entrer dans la chambre.

PLACEMENT DU PATIENT

Maintenir une distance d'au moins 1 mètre (3 pieds) entre les patients. On peut laisser la porte ouverte.

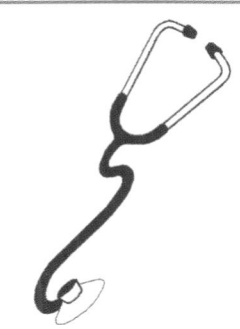

MATÉRIEL

Utiliser uniquement pour un patient ou désinfecter après usage.

BLOUSE

S'il y a risque de contamination ou de souillure.

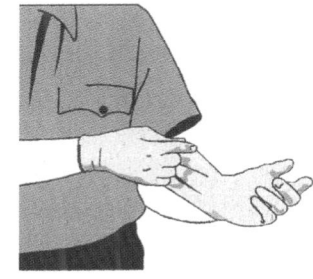

GANTS

En entrant dans la chambre du patient ou en arrivant à son chevet.

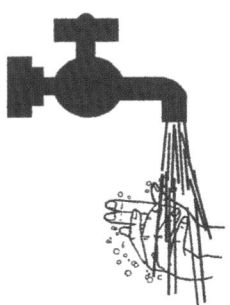

LAVAGE DES MAINS

Après avoir retiré les gants. Après avoir touché à des articles contaminés.

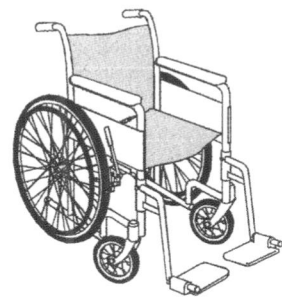

TRANSPORT DU PATIENT

Transport uniquement lorsque c'est essentiel. Avertir le bureau de réception du service.

FIGURE **35-9** ■ (SUITE)

■ Appliquer des mesures pour prévenir les effractions cutanées et l'accumulation de sécrétions dans les poumons (par exemple, inciter la personne à changer de position, à tousser et à respirer profondément environ toutes les deux heures).

Équipement de protection individuelle

En présence d'un risque d'exposition à du matériel potentiellement infectieux, tous les prestateurs de soins doivent porter des gants propres ou stériles, une blouse, un masque et un protecteur oculaire.

GANTS

L'infirmière a trois bonnes raisons pour porter des gants. Premièrement, ils protègent ses mains quand elle manipule des substances corporelles (par exemple, sang, urine, fèces, expectorations) ou touche aux muqueuses ou à la peau non intacte d'une personne. Deuxièmement, le port de gants réduit le risque que l'infirmière transmette des microorganismes de sa propre flore normale à la personne soignée. Aussi l'infirmière qui présente des plaies vives ou des coupures aux mains doit-elle porter des gants. Troisièmement, le port de gants réduit le risque que les mains de l'infirmière ne transmettent des microorganismes d'une personne (ou d'un objet) à une autre personne. Dans tous les cas, il est indispensable que l'infirmière change de gants à chaque contact avec une autre personne. De plus, il faut toujours se laver les mains immédiatement après avoir enlevé des gants, surtout pour les deux raisons suivantes : (a) les gants peuvent avoir des défauts de fabrication ou s'endommager durant leur utilisation et laisser ainsi entrer des microorganismes ; (b) on peut contaminer ses mains en retirant les gants.

> **! ALERTE CLINIQUE** *On doit considérer le port de gants comme une mesure supplémentaire ; il ne remplace pas le lavage des mains.* Santé Canada, 1999 ■

Bon nombre des gants utilisés pour la prévention des infections sont en latex ou en caoutchouc, comme divers autres objets servant aux soins (cathéters, brassards de sphygmomanomètre, toiles cirées, tubulures à perfusion intraveineuse, bas et bandages, pansements adhésifs). En raison de l'utilisation fréquente de gants, la personne qui souffre d'une maladie chronique et le personnel de la santé présentent de plus en plus souvent des réactions allergiques au latex. Les gants de latex lubrifiés avec du talc ou de l'amidon de maïs ont un effet particulièrement allergisant, car l'allergène du latex adhère à la poudre, qui se transforme en aérosol durant le port des gants et est inhalé par l'utilisateur. Les gants en latex portant l'étiquette « hypoallergène » contiennent tout de même une quantité mesurable de latex ; on ne devrait donc pas en porter si on est sensible au latex ou si c'est le cas également chez la personne soignée. Selon des études récentes, entre 6 et 17 % du personnel de la santé souffre, à divers degrés, d'une allergie au latex (Corbin, 2002). Les personnes qui présentent le plus grand risque d'allergie au latex sont celles qui ont déjà d'autres affections allergiques et celles qui sont exposées au latex fréquemment ou durant de longues périodes.

Les réactions allergiques au latex sont locales ou généralisées ; il peut s'agir de dermatite, d'urticaire, d'asthme ou de réaction anaphylactique. On devrait évaluer la présence d'allergies au moyen d'un questionnaire complet sur les antécédents des utilisateurs. Il faut demander à la personne si elle a déjà eu des réactions indésirables en présence de certains objets, tels qu'un ballon, un condom ou des gants en caoutchouc à usage domestique. Parmi les méthodes employées pour prévenir la sensibilisation ou l'exposition au latex, on note évidemment l'utilisation de produits ne contenant pas de latex, mais aussi le recours aux barrières entre les objets en latex et la peau ainsi que l'utilisation de gants sans poudre ou le lavage des gants avant leur emploi. La personne qui souffre d'allergies graves devrait éviter tout contact avec des produits en latex. Les gants non stériles à usage médical vendus au Canada doivent porter le symbole d'accréditation « AQL » (Average Quality Level) ou « NQA » (norme de qualité acceptable) de l'Office des normes générales du Canada, qui s'assure que les normes nationales sont respectées au moment de la fabrication (Bouffard et Roy, 2002). La NQA donne une indication statistique du nombre de trous par lot de gants. La norme ISO 2859 détermine des plans d'échantillonnage pour mesurer les propriétés d'emploi des gants : plus l'indice est faible, meilleurs sont les gants.

On explique dans le procédé 35-2 comment mettre et retirer des gants.

BLOUSE

L'infirmière porte une blouse (ou blouse d'hôpital) imperméable, propre ou jetable, ou un tablier en plastique durant les interventions où elle risque de souiller ses vêtements. Dans les établissements de soins, on applique généralement la *technique de la blouse à usage unique*, c'est-à-dire qu'on ne porte la même blouse qu'une fois : après avoir retiré sa blouse, l'infirmière la jette (si elle est en papier) ou elle la met dans le panier à linge. Elle se lave ensuite les mains, avant de quitter la chambre.

On explique dans le procédé 35-2 comment mettre et retirer une blouse.

> **! ALERTE CLINIQUE** *Le fait de porter une chemise d'hôpital (destinée aux personnes soignées) par-dessus l'uniforme n'est pas une mesure de prévention des infections.* ∎

L'infirmière devrait porter une blouse stérile pour changer les pansements d'une personne qui présente des plaies d'une grande étendue (par exemple, brûlures).

MASQUE

Le port du masque vise à réduire le risque de transmission de microorganismes par gouttelettes, par voie aérienne ou par éclaboussures de substances corporelles. Les CDC américains recommandent le port du masque dans les situations suivantes :

1. Quand on se trouve à proximité d'une personne atteinte d'une infection transmissible par gouttelettes (par exemple, rougeole, oreillons et affections respiratoires aiguës chez les enfants). Rappelons que ces gouttelettes sont de grosses particules qui ne parcourent généralement pas plus d'un mètre, de sorte que cette transmission ne peut se faire qu'à l'occasion de contacts rapprochés.

2. Quand on entre dans une chambre occupée par une personne atteinte d'une infection transmissible par aérosol de fines particules (ou noyaux de gouttelettes), c'est-à-dire par voie aérienne (par exemple, tuberculose pulmonaire et SRAS). Les aérosols sont de fines particules en suspension dans l'air et peuvent parcourir de plus grandes distances que les gouttelettes. Il est donc recommandé de porter un masque qui s'adapte plus étroitement au visage et qui a un pouvoir de filtration plus élevé qu'un masque chirurgical.

Il existe plusieurs sortes de masques, qui diffèrent par leur capacité de filtration et leur façon de s'adapter aux formes du visage. Le masque chirurgical jetable est efficace pour la majorité des soins prodigués par l'infirmière, mais celle-ci doit le changer quand il est mouillé ou sale. Après usage, on jette les masques de ce genre dans un contenant à déchets. Différents respirateurs jetables, qui protègent contre les particules, sont efficaces contre la transmission de microorganismes par gouttelettes, par voie aérienne ou par éclaboussures. D'autres sont efficaces pour prévenir l'inhalation des agents de transmission de la tuberculose. Aux États-Unis, le National Institute for Occupational Safety and Health (NIOSH) met à l'épreuve et approuve les respirateurs de ce genre. Actuellement, les respirateurs de type « N » ont une efficacité de 95 % (respirateurs N95) ; ils répondent aux critères de lutte contre la tuberculose et le SRAS (Santé Canada, 2003a).

Au cours de l'application de techniques exigeant l'asepsie chirurgicale (techniques stériles), le port du masque a deux objectifs : (a) prévenir la transmission par gouttelettes de microorganismes exhalés à proximité d'un champ stérile ou d'une plaie ouverte ; (b) protéger l'infirmière contre les éclaboussures de substances corporelles.

Étant donné que l'efficacité des masques jetables et des respirateurs pour la prévention de la transmission par voie aérienne n'a pas été démontrée, les établissements de santé évitent généralement d'affecter à une personne qui est atteinte d'une affection transmissible de cette façon un prestateur de soins qui y est réceptif. Cependant, le prestateur de soins immunisé contre une affection donnée (par exemple, varicelle, tuberculose, rougeole, oreillons, rubéole) peut s'occuper de personnes qui en sont atteintes.

On explique dans le procédé 35-2 comment mettre et retirer un masque.

PROTECTION OCULAIRE

On recommande le port d'un protecteur oculaire (lunettes à coques ou écran facial) et d'un masque lorsqu'il y a un risque d'éclaboussures de substances corporelles dans le visage (voir le procédé 35-2). Si l'infirmière porte des verres correcteurs, elle doit tout de même porter, par-dessus ceux-ci, des lunettes de protection munies de surfaces latérales et supérieures pour bien protéger l'œil et les cils.

PROCÉDÉ 35-2

Mettre et retirer l'équipement de protection individuelle (gants, blouse, masque, protecteur oculaire)

Objectif

Protéger tous les individus, y compris soi-même, contre la transmission de matière potentiellement infectieuse.

COLLECTE DES DONNÉES

Déterminez les activités que vous aurez à accomplir dans la chambre de la personne à soigner. *C'est en fonction de ces activités qu'on détermine l'équipement de protection individuelle à utiliser.*

PLANIFICATION

- Mettre et retirer l'équipement de protection individuelle demandent du temps. Il faut donc en tenir compte dans la planification des soins.
- Déterminez les fournitures qui se trouvent déjà dans la chambre de la personne et celles qu'il faut y apporter.
- Vérifiez s'il faut prendre des mesures spéciales pour transporter des prélèvements ou d'autres objets à l'extérieur de la chambre.

Matériel

Établissez la liste du matériel nécessaire en fonction des activités à accomplir. Au besoin, vérifiez si vous pouvez vous procurer facilement des fournitures supplémentaires.
- Blouse
- Masque
- Protecteur oculaire
- Gants propres

INTERVENTION

Préparation

Pour vous laver les mains, revoyez le procédé 35-1. Retirez ou fixez solidement tout objet qui risque de tomber, comme votre insigne porte-nom.

Exécution

1. Expliquez à la personne ce que vous vous apprêtez à faire et pourquoi c'est nécessaire.
2. Lavez-vous les mains.
3. Mettez une blouse propre.
   - Prenez une blouse propre et dépliez-la devant vous en évitant de la faire toucher à quoi que ce soit.
   - Glissez les mains et les bras dans les manches.
   - Nouez les attaches de l'encolure pour assujettir la blouse.
   - Rabattez les panneaux arrière le plus possible vers le centre et, selon le cas, attachez les cordons fixés à la taille ou assujettissez la ceinture (figure 35-10 ■). *Le chevauchement des panneaux permet de bien couvrir l'arrière de l'uniforme. Les attaches à la taille empêchent la blouse de s'ouvrir, ce qui évite la contamination accidentelle de l'uniforme.*
4. Mettez le masque.
   - Repérez l'extrémité supérieure du masque, généralement pourvue d'une étroite bande métallique.
   - Tenez le masque par les deux attaches supérieures (ou les boucles, selon le cas).

- Placez l'extrémité supérieure du masque sur l'arête de votre nez et, selon le cas, nouez les attaches supérieures à l'arrière de la tête ou passez les boucles autour de vos oreilles. Si vous portez des lunettes, placez l'extrémité supérieure du masque en-dessous. *Cela réduit le risque de formation de buée sur les verres.*
- Placez l'extrémité inférieure du masque sous le menton et nouez

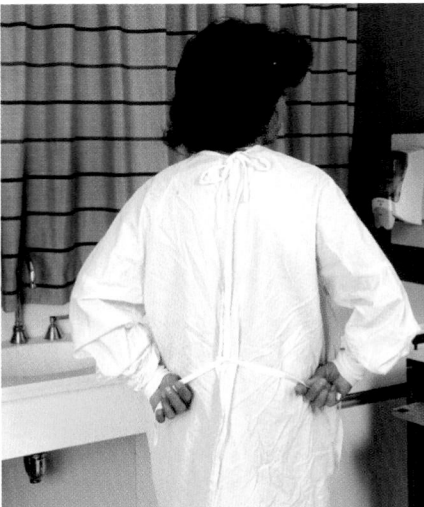

FIGURE 35-10 ■ Le chevauchement des panneaux arrière de la blouse protège l'uniforme.

les attaches inférieures sur la nuque (figure 35-11 ■). *Le masque est efficace seulement s'il couvre à la fois le nez et la bouche, car l'air circule dans l'un et l'autre.*
- Si le masque est muni d'une bande métallique, ajustez-la fermement sur l'arête de votre nez. *Un bon ajustement prévient, d'une part, la libération et l'inhalation de microorganismes sur les côtés du masque et, d'autre part, la formation de buée sur les verres.*
- Ne portez le masque qu'une seule fois ; ne le gardez que le temps prescrit par le fabricant ou tant qu'il est sec. *Un masque ne sert qu'une seule fois, car il devient inefficace dès qu'il est humide.*
- Ne laissez pas pendre un masque usagé à votre cou.

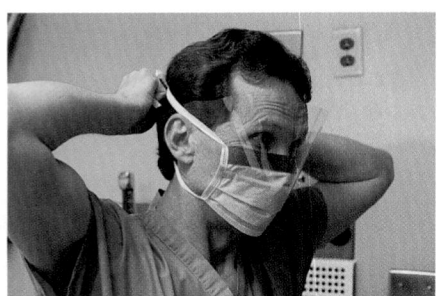

FIGURE 35-11 ■ Un masque et un protecteur oculaire couvrent le nez, la bouche et les yeux.

PROCÉDÉ 35-2 (SUITE)

Mettre et retirer l'équipement de protection individuelle (gants, blouse, masque, protecteur oculaire) (suite)

INTERVENTION (suite)

5. Mettez un protecteur oculaire, à moins que le masque en comporte un.

6. Mettez des gants jetables propres.
   - Aucune technique particulière n'est nécessaire.
   - Si vous portez une blouse, remontez les gants de manière à en couvrir les poignets. Sinon, remontez les gants de manière à couvrir vos poignets.

7. Pour retirer l'équipement de protection individuelle, enlevez d'abord les gants, puisque ce sont eux qui sont les plus souillés.
   - Si vous portez une blouse qui s'attache à la taille sur le devant, dénouez les attaches avant d'enlever vos gants.
   - Retirez le premier gant en le saisissant par la partie qui couvre la paume, juste sous le poignet, en prenant soin de ne le toucher qu'avec votre autre gant et de ne pas toucher votre peau (figure 35-12 ■). *On évite ainsi que la partie contaminée du gant usagé n'entre en contact avec la peau du poignet ou de la main.*
   - Retirez complètement le gant en le retournant sur lui-même.
   - Tenez le gant retourné avec les doigts de votre main encore gantée. Placez l'index et le majeur de la main non gantée à l'intérieur du poignet de l'autre gant (figure 35-13 ■). *On évite ainsi de toucher avec la main nue à la surface externe du second gant souillé.*
   - Ramenez le second gant sur les doigts en le retournant sur lui-même de façon à couvrir le premier gant. *Les parties souillées des deux gants n'étant pas exposées, on prévient ainsi la transmission de microorganismes par contact direct.*
   - Avec la main non gantée, finissez de retirer le second gant en continuant de le retourner sur lui-même. Puis, jetez les gants dans le contenant à déchets (figure 35-14 ■).

8. Lavez-vous les mains.

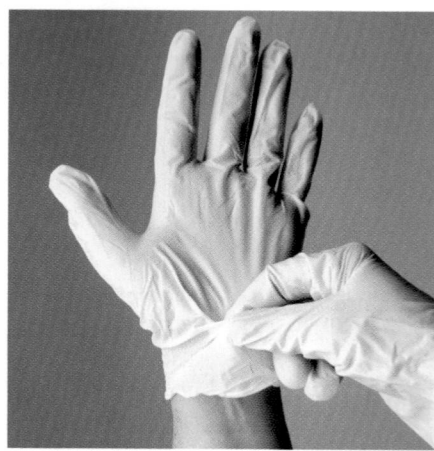

FIGURE 35-12 ■ Pour retirer le premier gant contaminé, on le saisit par la partie qui recouvre la paume de la main, juste sous le poignet.

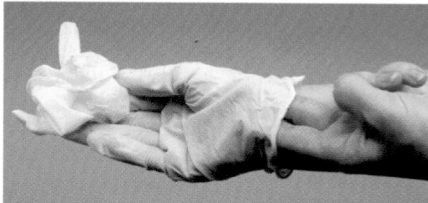

FIGURE 35-13 ■ On insère deux doigts dans le second gant contaminé pour le retourner.

FIGURE 35-14 ■ Façon de tenir des gants contaminés qu'on a retirés en les retournant sur eux-mêmes.

9. Retirez votre masque.
   - Si le masque est muni d'attaches, dénouez d'abord les liens inférieurs. *On évite ainsi de faire glisser la partie supérieure du masque sur le haut de la poitrine.*
   - Dénouez les attaches supérieures et, tout en les tenant fermement, retirez le masque de votre visage. *On évite ainsi que les mains entrent en contact avec la partie contaminée et humide du masque.*
     ou
     Si le masque est muni de boucles, soulevez ces dernières en les éloignant de vos oreilles et de votre visage.
   - S'il s'agit d'un masque jetable, jetez-le dans le contenant à déchets.
   - Si vos mains sont entrées accidentellement en contact avec la partie souillée du masque, lavez-vous les mains de nouveau.

10. Retirez votre blouse juste avant de quitter la chambre. À moins que votre blouse ne soit souillée d'une quantité importante de substances corporelles, il n'y a pas de précautions particulières à prendre pour l'enlever. Si elle est très souillée, procédez comme suit :
    - Dans la mesure du possible, évitez de toucher aux parties souillées de la surface extérieure. Le haut de la blouse peut être souillé si, par exemple, on a tenu un enfant atteint d'une infection respiratoire.
    - Saisissez l'intérieur de l'encolure de la blouse et faites glisser le vêtement le long de vos bras.
    - Enroulez la blouse sur elle-même, la partie souillée vers l'intérieur. Mettez-la ensuite dans le contenant approprié.

11. Retirez le protecteur oculaire. S'il s'agit d'un modèle jetable, mettez-le à l'endroit approprié ; sinon, mettez-le dans le contenant prévu pour les articles à nettoyer.

ÉVALUATION

Effectuez le suivi requis par les soins donnés à la personne. S'il s'est produit une défaillance quelconque de l'équipement et qu'il est possible qu'une personne ait été exposée à du matériel potentiellement infectieux, reportez-vous à l'encadré *Conseils pratiques – Marche à suivre en cas d'exposition au sang et aux autres liquides organiques teintés de sang* (p. 984).
Assurez-vous que tout l'équipement requis est disponible pour le personnel de soins qui prendra la relève.

Élimination ou décontamination des fournitures et de l'équipement contaminés

Une bonne partie des fournitures et de l'équipement est constituée de matériel jetable, à usage unique. Cependant, certains articles sont réutilisables. Les établissements de soins émettent des directives précises pour le traitement des fournitures et de l'équipement souillés (élimination, nettoyage, désinfection ou stérilisation) ; l'infirmière doit donc se familiariser avec les pratiques en vigueur. Un traitement approprié est essentiel pour les deux raisons suivantes :

- Il aide à prévenir l'exposition accidentelle de travailleurs de la santé à des objets contaminés par des substances corporelles.

- Il aide à prévenir la contamination du milieu.

Mise en sac. La plupart des articles n'ont pas à être mis dans un sac, à moins d'être (probablement) contaminés avec de la matière infectieuse, telle que du pus, du sang ou un autre liquide organique, des fèces ou des sécrétions en provenance des voies respiratoires. Il faut enfermer les objets contaminés dans des sacs robustes, d'où les microorganismes ne peuvent s'échapper, avant de les retirer de la chambre. Certains établissements de soins emploient des étiquettes ou des sacs d'une couleur donnée pour indiquer qu'il s'agit de déchets infectieux.

Les CDC américains recommandent l'application des méthodes suivantes (U.S. Department of Health and Human Services, Public Health Service, 1988) :

- Employer un seul sac s'il est résistant, s'il est étanche aux microorganismes et s'il est possible d'y mettre les objets contaminés sans en salir ni en contaminer l'extérieur.

- Si on ne peut pas satisfaire aux conditions précédentes, mettre le sac dans un deuxième sac.

Suivre les directives émises par l'établissement de soins ou appliquer les directives suivantes des CDC américains pour manipuler et mettre des objets souillés dans un sac :

- Placer les déchets et l'équipement jetable souillé, y compris les pansements et les tissus, dans un contenant à déchets muni d'un sac de plastique. Certains établissements traitent séparément les déchets secs et les déchets humides ; dans ce cas, on incinère les déchets secs, y compris les serviettes de papier et les autres objets jetables. Il n'y a aucune précaution particulière à prendre pour éliminer l'équipement jetable non contaminé.

- Avant de sortir de la chambre, mettre l'équipement réutilisable manifestement souillé dans un sac étiqueté. Puis, acheminer le sac vers le centre de décontamination. Dans certains établissements, il faut utiliser deux sacs et séparer, d'une part, les contenants en verre et les objets en métal et, d'autre part, les objets en caoutchouc ou en plastique. En effet, il est possible de stériliser le verre et le métal dans un autoclave, mais ce procédé endommage le caoutchouc et le plastique, qui nécessitent donc l'utilisation d'autres méthodes, telles que la stérilisation par gaz.

- Démonter les plateaux servant à des procédés particuliers : certaines parties sont jetables, tandis que d'autres doivent être envoyées au service de blanchisserie ou au centre de nettoyage ou de décontamination.

- Mettre les vêtements souillés de la personne dans un sac avant de les envoyer à son domicile ou au service de blanchisserie de l'établissement de soins.

Linge et literie. On doit manipuler et agiter le moins possible le linge et les articles de literie souillés avant de les mettre dans le sac à lessive ; on évite ainsi une contamination microbienne importante de l'air et des personnes présentes. Fermer le sac avant de l'envoyer au service de blanchisserie, selon les directives de l'établissement de soins.

Prélèvements. Si on met les prélèvements dans un contenant muni d'un couvercle, étanche et portant une mise en garde contre le danger biologique, il n'y a pas d'autres précautions particulières à prendre. Bien sûr, il faut faire attention à ne pas contaminer l'extérieur du contenant en y déposant le prélèvement. Si cela se produit, il faut mettre le contenant dans un sac en plastique scellé pour l'envoyer au laboratoire. Cette façon de faire permet d'éviter que les autres membres du personnel touchent de leurs mains des matières potentiellement infectieuses.

Vaisselle. Il n'y a pas de précautions particulières à prendre en ce qui concerne la vaisselle. On évite la contamination de la vaisselle en se lavant les mains avant de manger. Certains établissements de soins trouvent pratique la vaisselle jetable ; après usage, on la jette dans un contenant à déchets.

Sphygmomanomètre. Il n'est pas nécessaire de prendre des précautions particulières en ce qui concerne le sphygmomanomètre, à moins qu'il ne soit manifestement contaminé par de la matière infectieuse. Dans ce cas, les directives énoncées par l'établissement de soins doivent être appliquées. La méthode de nettoyage varie selon qu'il s'agit d'un appareil portatif ou à prise murale.

Thermomètre. Les thermomètres réutilisables doivent être désinfectés après chaque utilisation. Il faut vérifier les directives de l'établissement de soins. Il faut prendre garde de ne pas contaminer l'environnement avec l'embout jetable d'un thermomètre électronique (par exemple, en le déposant sur un lit).

Aiguilles, seringues et objets acérés jetables. Les aiguilles, les seringues ainsi que les objets pointus et tranchants (par exemple, lancettes, scalpels et débris de verre) doivent être mis dans un contenant non perforable. Afin de prévenir les lésions punctiformes, on utilise des systèmes sécuritaires ou sans aiguille et on évite de retirer l'aiguille de la seringue ou de la replacer dans sa gaine avant de la jeter. Le chapitre 39 🕮 traite de la prévention des piqûres accidentelles avec des aiguilles.

Déplacement d'une personne atteinte d'une infection

On ne doit déplacer à l'extérieur de sa chambre une personne atteinte d'une infection qu'en cas d'absolue nécessité. L'infirmière applique alors les précautions et les mesures appropriées pour prévenir la contamination du milieu. Par exemple, elle s'assure que tout dispositif de drainage de plaie est recouvert de façon sécuritaire ; si la personne est atteinte d'une affection transmissible par voie aérienne, elle lui met un masque chirurgical. De plus, l'infirmière doit avertir le personnel du service qui reçoit la personne du risque d'infection, afin qu'on y prenne toutes les mesures requises. Il est toujours important de suivre les directives de l'établissement de soins.

Besoins psychosociaux d'une personne en isolement

La personne qui nécessite l'application d'un système d'isolement risque de faire face à divers problèmes résultant de son isolement social et des précautions particulières prises pendant la prestation des soins. Deux des problèmes les plus courants sont la privation sensorielle et la baisse de l'estime de soi reliée à un sentiment d'infériorité. La *privation sensorielle* se produit lorsque le milieu ne fournit pas les stimuli normaux, comme la communication interpersonnelle. L'infirmière doit donc surveiller les signes cliniques courants de la privation sensorielle : ennui, inactivité, lenteur d'esprit, rêve éveillé, allongement du sommeil, désorganisation de la pensée, anxiété, hallucinations et panique.

Le chapitre 28 ⬭ contient des informations sur le développement de l'estime de soi et sur les facteurs qui la perturbent. Une personne peut éprouver un *sentiment d'infériorité* à cause de sa perception de l'infection ou des précautions requises. Pour beaucoup de Nord-Américains, la propreté est une valeur importante, et l'idée d'être « souillé », « contaminé » ou « sale » peut susciter chez un individu un sentiment de culpabilité ou d'infériorité. Même si ces perceptions sont évidemment erronées, une personne infectée peut se sentir « moins bonne » que les autres et se blâmer d'être dans cet état. Dans ce cas, le diagnostic infirmier *Risque de diminution situationnelle de l'estime de soi* est approprié.

L'infirmière doit prodiguer des soins dans le but de prévenir ces problèmes ou d'y remédier. Ainsi, dans le cas d'une personne en isolement, les interventions infirmières suivantes sont appropriées :

1. Évaluer les besoins de la personne en matière de stimuli.

2. Prendre des mesures pour répondre aux besoins de la personne, notamment les suivantes : lui parler régulièrement et lui proposer différentes activités : inciter un enfant à jouer, inviter un adulte à lire, à regarder la télévision ou à écouter la radio ; fournir une alimentation variée pour stimuler le sens du goût ; stimuler le sens de la vue en incitant la personne à regarder par la fenêtre.

3. Expliquer à la personne la nature de l'infection et les interventions requises afin de l'aider à comprendre et à ainsi mieux accepter la situation.

4. Adopter une attitude chaleureuse et manifester son acceptation. Éviter de faire preuve d'irritation à l'égard des précautions ou de répulsion à l'égard de l'infection.

5. Ne pas appliquer des précautions plus rigoureuses que celles qu'exigent le diagnostic et l'état de santé de la personne.

Mise en œuvre de techniques stériles

Un objet est considéré comme stérile seulement s'il est totalement exempt de microorganismes. Il est évident que la technique stérile est appliquée non seulement dans les salles d'opération, de travail et d'accouchement ainsi que dans les services de diagnostics spéciaux, mais aussi au cours de différents procédés exécutés en soins généraux (par exemple, administration d'injection, changement de pansement d'une plaie, cathétérisme vésical ou administration de thérapie intraveineuse). Tous les principes de l'asepsie chirurgicale sont respectés, comme dans la salle d'opération ou d'accouchement ; cependant, les techniques stériles décrites ci-dessous ne sont pas toujours toutes requises. Par exemple, avant une intervention en salle d'opération, l'instrumentiste met généralement un masque et un bonnet, se brosse les mains conformément aux normes de l'asepsie chirurgicale, puis met une blouse et des gants stériles. En soins généraux, il suffit souvent que l'infirmière se lave les mains et mette des gants stériles. Le tableau 35-11 passe en revue les principes de base de l'asepsie chirurgicale et les pratiques qui y sont reliées.

TABLEAU

35-11

Principes de base et pratiques de l'asepsie chirurgicale	
Principes	**Pratiques**
Tout objet utilisé dans un champ stérile doit être stérile.	Chaque objet est stérilisé de la façon appropriée avant son utilisation (par exemple, chaleur humide, gaz ou irradiation).
	Toujours vérifier si l'emballage d'un objet stérile est intact et sec, et lire la date de péremption. On peut emmagasiner les objets stériles seulement pendant un laps de temps donné ; ensuite, ils ne sont plus considérés comme stériles. Le contenu de tout emballage qui semble avoir été ouvert ou est déchiré, perforé ou mouillé est considéré comme non stérile.
	Les surfaces d'entreposage doivent être propres, sèches et éloignées du sol et de tout poste d'eau courante.
	Avant d'utiliser du matériel stérile, toujours vérifier l'indicateur chimique de stérilisation sur l'emballage. Il s'agit souvent d'une bande, soit qui scelle l'emballage, soit qui est insérée dans celui-ci, et qui change de couleur durant la stérilisation (ce qui indique que le contenu a été soumis à un procédé de stérilisation). Si le changement de couleur n'est pas visible, on considère que le contenu n'est pas stérile. Les trousses stériles qu'on trouve dans le commerce qui n'ont pas d'indicateur portent l'inscription « stérile ».
Un objet stérile n'est plus considéré comme stérile s'il entre en contact avec un objet non stérile.	Ne manipuler les objets stériles qui entreront en contact avec une plaie ouverte ou seront introduits dans une cavité du corps qu'avec des pinces stériles ou avec les mains recouvertes de gants stériles. Selon le cas, jeter ou stériliser de nouveau tout objet qui entre en contact avec un objet non stérile. En cas de doute sur la stérilité d'un objet, on suppose qu'il est non stérile.

Principes	Pratiques
Tout objet stérile qui se trouve hors du champ de vision de l'infirmière ou à un niveau plus bas que sa taille n'est plus considéré comme stérile.	Un champ stérile laissé sans surveillance n'est plus considéré comme stérile. Il ne faut pas perdre de vue les objets stériles : l'infirmière ne doit jamais tourner le dos à un champ stérile. Seul le panneau avant (de la taille aux épaules) d'une blouse stérile et la partie des manches qui s'étend de 5 cm au-dessus du coude jusqu'au poignet sont considérés comme stériles. Ne jamais perdre de vue ses mains revêtues de gants stériles et les maintenir plus haut que sa taille ; toucher uniquement à des objets stériles. En salle d'opération comme ailleurs, seul le dessus d'une table recouverte de champs opératoires (linges stériles) est considéré comme stérile. Si un champ stérile devient non stérile, il faut créer un nouveau champ stérile avant de poursuivre l'intervention.
Un objet stérile n'est plus stérile après avoir été exposé durant une longue période à des micro-organismes transmissibles par voie aérienne.	Quand on procède à une intervention aseptique, garder les portes de la pièce fermées et réduire au minimum les allées et venues, car l'air en mouvement transporte des poussières et des micro-organismes. Maintenir la zone où une intervention aseptique a lieu aussi propre que possible en nettoyant fréquemment à l'aide d'un détergent germicide, de manière à réduire au minimum le nombre de microorganismes. Garder les cheveux propres et courts ou les recouvrir d'une résille pour éviter que des cheveux tombent sur des objets stériles. Les microorganismes présents sur les cheveux peuvent rendre non stérile un champ stérile. Porter un bonnet chirurgical dans la salle d'opération, la salle d'accouchement et l'unité de soins aux brûlés. Éviter d'éternuer ou de tousser au-dessus d'un champ stérile, ce qui le rendrait non stérile, car les gouttelettes contenant des microorganismes provenant des voies respiratoires sont projetées jusqu'à un mètre. Certains établissements de soins recommandent à toutes les personnes de porter un masque qui couvre la bouche et le nez quand elles travaillent au-dessus d'un champ stérile ou d'une plaie ouverte. L'infirmière atteinte d'une infection bénigne des voies respiratoires supérieures ne devrait pas effectuer d'intervention aseptique. Parler le moins possible en travaillant au-dessus d'un champ stérile ; au besoin, tourner la tête de côté pour ce faire. Afin de prévenir la chute de microorganismes sur un champ stérile, éviter d'étendre le bras au-dessus (à moins de porter des gants stériles) ou de déplacer des objets non stériles au-dessus.
La force de gravité fait s'écouler les liquides vers le bas.	Si on ne porte pas de gants, toujours tenir des pinces mouillées les mâchoires vers le bas. Autrement, du liquide peut s'écouler le long des branches et contaminer les mains : quand on inclinera de nouveau les pinces vers le bas, le liquide coulera jusqu'aux mâchoires et les contaminera. Pendant le lavage des mains chirurgical, garder les mains plus hautes que les coudes pour éviter que des microorganismes présents sur les avant-bras soient transportés jusqu'aux mains.
En passant à travers un objet stérile, la vapeur d'eau transporte, par capillarité, des microorganismes présents sur les surfaces non stériles situées plus haut ou plus bas vers la surface stérile où l'objet est posé.	On pose les objets stériles sur une barrière hydrofuge stérile. Un contenant placé sur un champ stérile permet de recueillir du liquide (par exemple, soluté physiologique stérile ou antiseptique) ; si le liquide se répand accidentellement, il ne pourra pas franchir la barrière hydrofuge. Veiller à ce que l'enveloppe stérile de l'équipement stérile reste sèche. Les surfaces humides ont tendance à attirer les microorganismes présents dans l'air. Remplacer les linges stériles dès qu'ils sont mouillés s'ils ne sont pas posés sur une barrière stérile.
On considère que les bords d'un champ stérile ne sont pas stériles.	On considère que le bord (bande large de 2,5 cm sur chaque côté) d'un champ _____ n'est pas stérile, car il est en contact avec des surfaces non stériles. Placer tous les objets stériles à plus de 2,5 cm du bord d'un champ stérile. Tout objet stérile déplacé dans cette bande de 2,5 cm est considéré comme non _____
Il est impossible de stériliser la peau : on la considère donc comme non stérile.	Utiliser des gants ou des pinces stériles pour manipuler les objets stériles. Avant de procéder à une intervention aseptique, se laver les mains afin de réduire le nombre de microorganismes qu'elles hébergent.
Une attitude consciencieuse, la vigilance et l'honnêteté sont essentielles au maintien de l'asepsie chirurgicale.	Quand un objet stérile devient non stérile, son apparence n'est pas nécessairement modifiée. Dès qu'on se rend compte qu'un objet stérile devient contaminé, il faut immédiatement remédier à la situation ou en faire part à la personne responsable. Ne jamais préparer à l'avance un champ stérile, mais toujours le faire en vue d'une utilisation immédiate.

Champ stérile

Un **champ stérile** est une zone exempte de microorganismes. L'infirmière crée souvent un champ stérile à l'aide de la partie la plus intérieure d'un emballage stérile ou à l'aide de champs opératoires (ou linges stériles). Une fois le champ stérile créé, on peut y placer les fournitures et les solutions stériles. L'utilisation de pinces stériles pour manipuler ou déplacer les fournitures stériles est fréquente dans de nombreuses circonstances.

On utilise divers matériaux pour emballer les fournitures qu'on veut garder stériles. Dans l'industrie, on se sert souvent de plastique, de papier ou de verre. Autrefois, on conservait fréquemment les liquides stériles (exemple, eau stérile servant aux irrigations) dans de grands contenants dans lesquels on puisait plus d'une fois. De nos jours, on considère cette pratique comme indésirable, puisqu'il n'y a aucune certitude que le liquide restera stérile après l'ouverture du récipient. On privilégie donc l'utilisation de contenants à dose unique (qui contiennent la quantité requise pour une seule utilisation); s'il y a lieu, on jette la portion non utilisée.

Le procédé 35-3 démontre comment créer et maintenir un champ stérile.

PROCÉDÉ 35-3

Création et maintien d'un champ stérile

Objectif

S'assurer que les objets stériles restent stériles.

COLLECTE DES DONNÉES

Examinez le dossier clinique de la personne ou discutez avec cette dernière ou un membre de l'équipe de soins de la nature exacte de l'intervention qui nécessite un champ stérile.

Déterminez si la personne est atteinte d'une infection ou le risque d'infection qu'elle présente, de même que sa capacité de coopérer au cours de l'intervention.

PLANIFICATION

Afin de fournir l'enseignement approprié à la personne et de vous assurer que les fournitures requises sont disponibles, dans la mesure du possible, déterminez : (a) les fournitures et les techniques déjà utilisées auprès de la même personne pour effectuer l'intervention planifiée; (b) si l'intervention devra être répétée.

Planifiez l'intervention en tenant compte des directives du médecin, de la nécessité de l'intervention et des activités de la personne.

Matériel

- Champs opératoires (linges stériles) dans un emballage intact
- Équipement stérile nécessaire (par exemple, gaze stérile dans son emballage, bol stérile dans son emballage, solution antiseptique, pinces stériles)

INTERVENTION

Préparation

- Assurez-vous que l'emballage est propre et sec; si on note la présence d'humidité sur la face intérieure d'un emballage en plastique ou sur la face extérieure d'une enveloppe en tissu, on considère que le contenu est contaminé et qu'il doit être jeté ou stérilisé de nouveau, selon le cas.
- Vérifiez la date de péremption inscrite sur l'emballage du matériel stérilisé et soyez à l'affût du moindre indice qui indiquerait que l'emballage a déjà été ouvert.
- Suivez les directives de l'établissement de soins en matière d'élimination ou de décontamination du matériel emballé et potentiellement contaminé.

Exécution

1. Expliquez à la personne ce que vous allez faire, pourquoi vous allez le faire et comment elle peut coopérer. Expliquez-lui aussi que les résultats serviront à planifier les soins ou les traitements.
2. Observez les autres mesures appropriées de prévention de l'infection (voir les procédés 35-1 et 35-2).
3. Assurez-vous que l'intimité de la personne est préservée.
4. Ouvrez le paquet; s'il y a lieu, retirez d'abord l'enveloppe de plastique.

Comment ouvrir un paquet posé sur une surface de travail

- Déposez le paquet au centre de la surface de travail, de manière que le rabat supérieur de l'emballage se déplie dans la direction opposée à vous. *On évite ainsi d'étendre par la suite le bras directement au-dessus du contenu stérile exposé, ce qui risquerait de contaminer celui-ci.*
- En faisant le tour du paquet (et non en avançant la main au-dessus), saisissez le premier rabat entre le pouce et l'index, par sa face externe (figure 35-15 ■).

En ne touchant que l'extérieur de l'emballage, on s'assure que la face interne reste stérile.
Dépliez le rabat de manière qu'il repose à plat sur la partie de la surface la plus éloignée de vous.

- Procédez de la même façon pour les rabats gauche et droit, en commençant

FIGURE **35-15** ■ Ouverture du premier rabat de l'emballage d'un paquet stérile.

INTERVENTION (suite)

par celui qui se trouve sur le dessus. Dépliez le rabat gauche avec la main gauche et le rabat droit avec la main droite (figure 35-16 ▪). *En utilisant tour à tour chacune de ses mains, on évite de les faire passer au-dessus du contenu stérile.*

- Dépliez le quatrième rabat vers vous en le prenant par le coin, légèrement replié (figure 35-17 ▪). Assurez-vous que le rabat n'entre en contact avec aucun objet. *Si la face interne du rabat entre en contact avec un objet non stérile, elle devient contaminée.*

Variante : comment ouvrir un paquet sans le déposer sur une surface

- Tenez le paquet avec une main, de manière que le rabat supérieur se déplie dans la direction opposée à vous.
- Avec votre main libre, ouvrez l'emballage selon la manière décrite plus haut, en éloignant bien les coins du centre (figure 35-18 ▪). *On considère que les mains sont contaminées ; elles ne devraient donc jamais entrer en contact avec le contenu du paquet.*

Variante : comment ouvrir un paquet emballé industriellement

- Si l'un des coins du couvercle n'est pas scellé, tenez le contenant avec une main et retirez le couvercle avec votre main libre (figure 35-19 ▪).
- Si le dessus de l'emballage n'est que partiellement scellé, prenez une extrémité avec chaque main et séparez délicatement les deux feuillets (figure 35-20 ▪).

5. Créez un champ stérile à l'aide du champ opératoire.
   - Ouvrez l'emballage du champ opératoire selon la méthode décrite précédemment.
   - Saisissez entre le pouce et l'index le coin du champ opératoire qui est replié sur le dessus.
   - Sortez le champ opératoire de l'emballage et laissez-le se déplier librement, en évitant de le faire toucher à quelque objet que ce soit (figure 35-21 ▪). *Si le champ opératoire entre en contact avec la surface extérieure de l'emballage ou n'importe quelle autre surface non stérile, il est considéré comme contaminé.*
   - Jetez l'emballage.
   - Avec votre main libre, prenez précautionneusement le champ opératoire par un autre coin et tenez-le loin de vous.
   - Étendez le champ opératoire sur une surface propre et sèche, de manière que ce soit l'extrémité libre (ou inférieure) qui se trouve le plus loin de vous (figure 35-22 ▪). *En plaçant l'extrémité inférieure*

FIGURE 35-16 ▪ Ouverture du rabat droit avec la main droite.

FIGURE 35-17 ▪ Ouverture du dernier rabat, en le prenant par le coin et en tirant vers soi.

FIGURE 35-18 ▪ Comment ouvrir un paquet sans le déposer sur une surface.

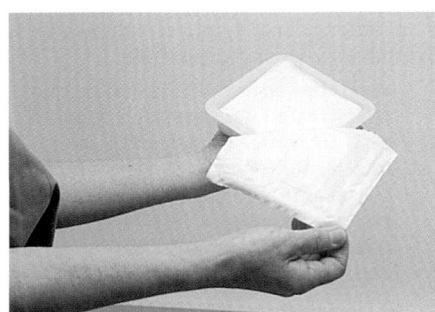

FIGURE 35-19 ▪ Comment ouvrir un emballage stérile dont le couvercle comporte un coin non scellé.

FIGURE 35-20 ▪ Comment ouvrir un paquet stérile dont l'emballage comporte une extrémité partiellement scellée.

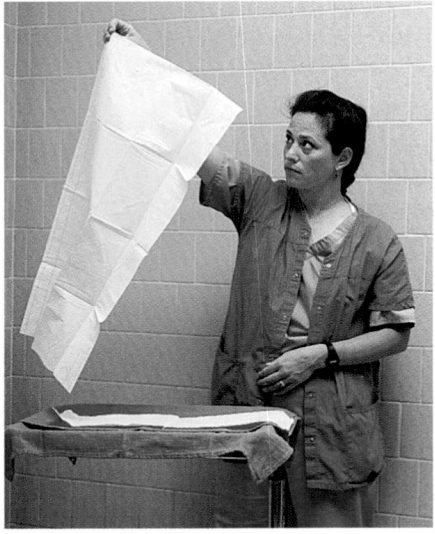

FIGURE 35-21 ▪ Comment laisser un champ opératoire se déplier librement, en évitant de le faire toucher à quelque objet que ce soit.

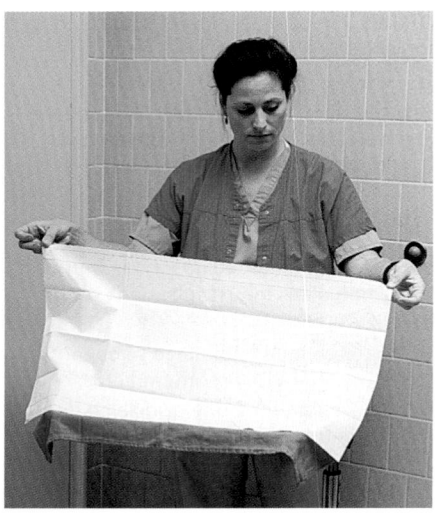

FIGURE 35-22 ▪ Comment étendre un champ opératoire sur une surface de travail.

PROCÉDÉ 35-3 (SUITE)

Création et maintien d'un champ stérile (suite)

INTERVENTION (suite)

loin de soi, on évite de se pencher au-dessus du champ opératoire, ce qui risquerait de le contaminer.

6. Disposez le matériel stérile nécessaire sur le champ opératoire.

Comment disposer des fournitures emballées sur un champ stérile

- Ouvrez chaque emballage selon la méthode décrite précédemment.
- Avec votre main libre, prenez les coins de l'emballage et tenez-les contre votre poignet opposé (figure 35-23 ■). *Ainsi, l'emballage stérile recouvre la main non stérile.*

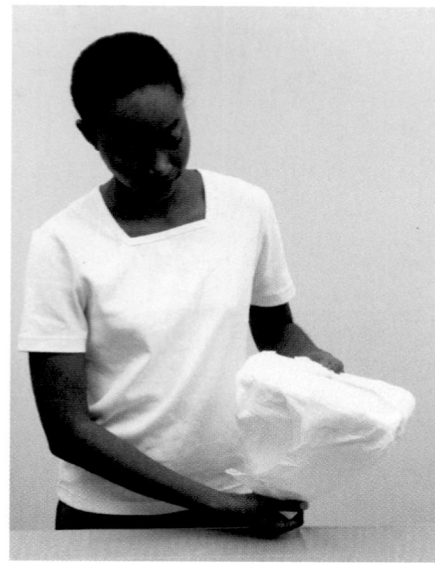

FIGURE 35-23 ■ Comment disposer des fournitures stériles sur un champ stérile.

- Disposez le bol stérile, le champ opératoire et les autres fournitures stériles selon une diagonale plutôt qu'en avançant la main au-dessus du champ stérile.
- Jetez l'emballage.

Variante : comment disposer des fournitures emballées industriellement sur un champ stérile

- Ouvrez chaque emballage selon la méthode décrite précédemment.
- Tenez le paquet à une quinzaine de centimètres au-dessus du champ stérile et laissez-y tomber le contenu (figure 35-24 ■). *Rappelez-vous que le bord du champ est considéré comme contaminé sur une largeur de 2,5 cm. Si on tient le paquet à une hauteur*

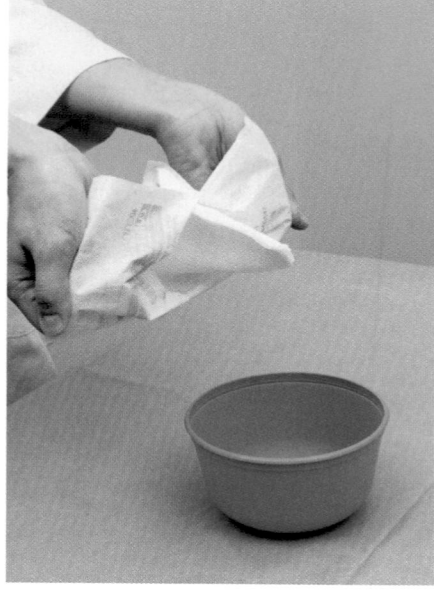

FIGURE 35-24 ■ Comment disposer de la gaze industriellement emballée sur un champ stérile.

d'une quinzaine de centimètres, il est très peu probable que la face externe de l'emballage touche et contamine ainsi le champ stérile.

Comment verser une solution dans un bol stérile

Il est parfois nécessaire de verser un liquide (par exemple, soluté physiologique) dans un récipient placé sur un champ stérile. Les bouteilles et les fioles non emballées et contenant une solution stérile sont considérées comme stériles à l'intérieur, mais contaminées à l'extérieur, car il est possible qu'on les ait manipulées. Cependant, on stérilise parfois l'extérieur aussi bien que l'intérieur des bouteilles utilisées en salle d'opération ; dans ce cas, on manipule les bouteilles avec des gants stériles.

- Avant de verser quelque liquide que ce soit, lisez l'étiquette trois fois *afin de vous assurer qu'il s'agit de la bonne solution et que la concentration (dosage) correspond bien à celle qui est prescrite.*
- Dans la mesure du possible, demandez la quantité exacte de solution. *Une fois qu'un contenant stérile est ouvert, on ne peut en garantir la stérilité pour une utilisation ultérieure.* Suivez les directives de l'établissement de soins sur le traitement

de la portion non utilisée d'une solution stérile dont le contenant a été ouvert.

- Retirez le couvercle ou le bouchon de la bouteille et tournez-le à l'envers avant de le déposer sur une surface non stérile. *L'intérieur du couvercle ou du bouchon reste ainsi stérile, car il n'entre en contact avec aucune surface non stérile.*
- Inclinez légèrement la bouteille de manière que l'étiquette soit sur le dessus (figure 35-25 ■). *Ainsi, le liquide qui pourrait s'écouler sur la face externe de la bouteille ne pourra ni endommager l'étiquette ni la rendre illisible.*

FIGURE 35-25 ■ Comment verser un liquide stérile dans un bol stérile.

- Tenez la bouteille de liquide entre 10 et 15 cm au-dessus du bol et à côté du champ stérile, de manière que la bouteille surplombe celui-ci le moins possible. *En tenant la bouteille à la hauteur indiquée, on risque moins de contaminer le champ stérile en y touchant ou en avançant la main au-dessus.*
- Versez la solution lentement *afin d'éviter les éclaboussures. Si on n'utilise pas de champ tampon (comportant une couche hydrofuge) et que le champ opératoire est posé directement sur une surface non stérile, l'humidité suffit à contaminer le champ stérile, car elle permet à des microorganismes de traverser le champ opératoire par capillarité.*
- S'il est possible que la bouteille soit réutilisée, refermez-la bien avec le couvercle et inscrivez sur l'étiquette la date et l'heure de son ouverture. *Le fait de replacer immédiatement le*

INTERVENTION (suite)

couvercle permet de maintenir stériles la face intérieure de celui-ci et la solution. Les pratiques varient d'un établissement de soins à l'autre : dans certains, on n'utilise les contenants de solution stérile qu'une seule fois et on les jette, tandis qu'ailleurs, on les conserve pendant 24 heures.

7. Manipulez les fournitures stériles à l'aide de pinces stériles. On utilise généralement celles-ci pour déplacer un objet stérile : par exemple, pour transférer de la gaze stérile de son emballage au plateau stérile de la trousse de pansements. Il existe des pinces jetables, alors que d'autres sont stérilisées après usage. Parmi les pinces d'usage courant, on trouve les pinces hémostatiques (figure 35-26 ■) et les pinces à tissus (figure 35-27 ■).

   • Tenez toujours une pince dont les mâchoires sont mouillées plus basse que votre poignet, à moins de porter des gants stériles (figure 35-28 ■). *Dans cette position, la force de gravité empêche le liquide de s'écouler sur vos mains, qui ne sont pas stériles ; autrement, le liquide qui touche les mains peut revenir sur les mâchoires de la pince et les contaminer.*

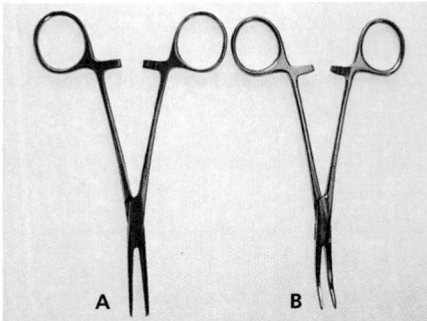

FIGURE **35-26** ■ Pinces hémostatiques : *A,* droite ; *B,* courbée. (Source : Jerry Marshall.)

   • Tenez toujours une pince stérile à un niveau plus haut que votre taille. *Tous les objets qu'on tient plus bas que la taille sont considérés comme contaminés.*
   • Gardez toujours dans votre champ de vision une pince stérile que vous tenez à la main. *Une pince stérile qui n'est plus dans le champ de vision de l'utilisateur peut se contaminer sans que celui-ci s'en aperçoive. On devrait considérer comme non stérile toute pince qu'on n'a pas gardée dans son champ de vision.*
   • Si vous prenez des fournitures stériles avec une pince, assurez-vous que celle-ci n'entre pas en contact avec les bords ou la face externe de l'embal-

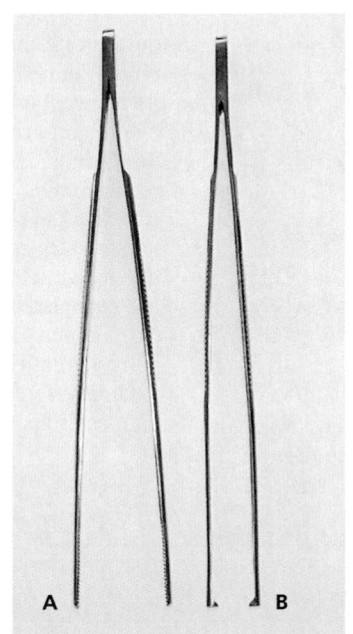

FIGURE **35-27** ■ Pinces à tissus : *A,* mousse ; *B,* à griffes. (Source : Jerry Marshall.)

lage. *Les bords et la face externe d'un emballage sont considérés comme non stériles.*
   • Si les branches d'une pince ont touché votre main nue, déposez la pince de manière que les branches se trouvent à l'extérieur du champ stérile. *Au contact de la main nue, les branches de la pince sont contaminées par les microorganismes qui s'y trouvent.*
   • En déposant un objet stérile sur un champ stérile à l'aide d'une pince humide, évitez de faire toucher la pince au champ opératoire absorbant si celui-ci repose sur une surface non stérile et s'il n'y a pas de champ opératoire tampon.

8. Consignez au dossier l'utilisation d'une technique stérile pour la réalisation de l'intervention.

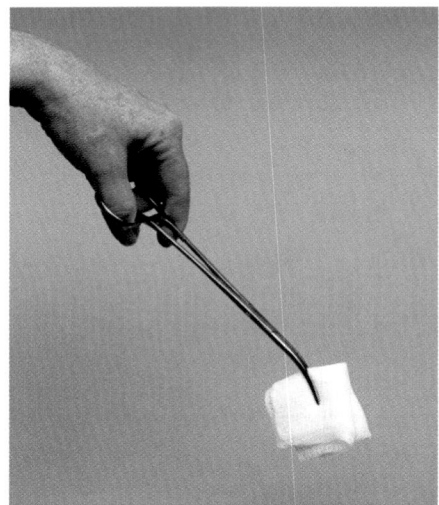

FIGURE **35-28** ■ Sans gant, il faut toujours tenir une pince plus basse que son poignet.

ÉVALUATION

Effectuez tout suivi requis par les soins donnés à la personne.
Assurez-vous que toutes les fournitures stériles seront disponibles en quantité suffisante pour l'utilisateur suivant.

SOINS À DOMICILE

Champ stérile

- Nettoyer et assécher une surface plane pour créer le champ stérile.
- Garder les animaux domestiques à l'extérieur de la pièce où on procède à une intervention stérile, tant durant la préparation que durant la réalisation.
- Jeter toute matière contaminée dans un sac résistant à l'humidité. Vérifier les directives de l'établissement de soins en matière d'élimination des déchets biomédicaux.
- Ne laisser aucun instrument chez la personne ni à un autre endroit où quelqu'un pourrait le trouver par hasard.

Certains instruments, neufs ou usagés, sont acérés ou susceptibles de causer des lésions. De plus, les instruments usagés peuvent transmettre une infection. Vérifier les directives de l'établissement de soins en matière de nettoyage du matériel réutilisable et d'élimination des instruments à usage unique.

- S'il y a lieu, enseigner à la personne et aux membres de sa famille les principes d'utilisation d'un champ stérile.

Gants stériles

On peut mettre des gants stériles selon la méthode ouverte ou selon la méthode fermée. La première est plus courante, sauf en salle d'opération, car la seconde requiert le port d'une blouse stérile. On recommande le port de gants dans de nombreuses interventions afin de garder le matériel stérile et de protéger les plaies de la personne, s'il y a lieu.

À l'ouverture de l'emballage, on remarque que le poignet des gants stériles est rabattu sur une largeur d'environ 5 cm et que les paumes sont placées sur le dessus. La taille des gants (par exemple, 6 ou 7½) est généralement indiquée sur l'emballage.

Les gants, qu'ils soient en latex, en nitrile ou en vinyle, servent à protéger l'infirmière du contact avec du sang ou d'autres liquides organiques. Comparativement au vinyle, le latex et le nitrile sont plus souples, ils s'adaptent parfaitement aux mains, ils assurent une plus grande liberté de mouvement et ils ont en outre la propriété de redevenir automatiquement étanches quand ils sont accidentellement percés de trous minuscules. Il est donc recommandé de porter des gants de latex ou de nitrile pour effectuer des tâches qui : (a) exigent de la flexibilité ; (b) imposent un stress au matériau (par exemple, tourner un robinet, manipuler des instruments acérés ou se servir de ruban adhésif) ; (c) comportent un risque élevé d'exposition à des agents pathogènes. Les gants de vinyle conviennent très bien dans les autres situations.

On décrit dans le procédé 35-4 comment mettre et retirer des gants stériles selon la méthode ouverte.

PROCÉDÉ 35-4

Mettre et retirer des gants stériles selon la méthode ouverte

Objectifs

- Faciliter la manipulation des objets stériles sans les contaminer.
- Prévenir la transmission d'agents potentiellement pathogènes, par l'intermédiaire des mains de l'infirmière, à une personne présentant un risque élevé d'infection.

COLLECTE DES DONNÉES

Examinez le dossier clinique de la personne et les interventions prescrites afin de déterminer exactement celles qui nécessitent le port de gants stériles. Vérifiez si la personne est allergique au latex en consultant son dossier et en lui posant explicitement la question.

PLANIFICATION

Passez en revue les étapes de l'intervention et déterminez le moment précis où il faut mettre des gants. Déterminez les fournitures qu'il faut vous procurer pour effectuer l'intervention. Ayez toujours en réserve une paire de gants stériles.

Matériel

- Paires de gants stériles

INTERVENTION

Préparation

Assurez-vous que les gants sont effectivement stériles.

Exécution

1. Expliquez à la personne ce que vous allez faire et pourquoi vous allez le faire.

2. Observez les autres mesures appropriées de prévention de l'infection (voir les procédés 35-1, 35-2 et 35-3).

3. Assurez-vous que l'intimité de la personne est préservée.

4. Ouvrez l'emballage de gants stériles.
   - Déposez d'abord l'emballage de gants stériles sur une surface propre et sèche. *Une surface le moindrement humide peut suffire à contaminer les gants.*
   - Certains gants ont un double emballage. Dans ce cas, ouvrez l'emballage extérieur tout en évitant de contaminer les gants (voir le procédé 35-3).
   - Retirez le paquet de l'emballage extérieur.
   - Ouvrez l'emballage intérieur selon l'étape 4 du procédé 35-3 ou selon les directives du fabricant. Certains manufacturiers fournissent une marche à suivre à l'aide d'étapes numérotées pour déplier les rabats; il peut y avoir des onglets repliés qui servent à saisir les rabats. S'il n'y a pas d'onglets, saisir les rabats de manière à ne pas toucher la surface intérieure avec les doigts. *Ainsi, la surface intérieure, qui est en contact avec les gants stériles, reste stérile.*

5. Mettez le premier gant, de préférence à votre main dominante.
   - Si les gants ont été emballés côte à côte, prenez d'abord le gant destiné à votre main dominante entre le pouce et l'index de votre main non dominante: saisissez-le par la partie du poignet qui se trouve sous le rabat en n'en touchant que la face intérieure (figure 35-29 ■). *Les mains ne sont pas stériles. On évite de contaminer la face extérieure des gants en touchant uniquement à la face intérieure.*
   ou

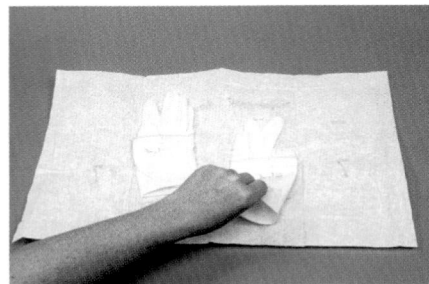

FIGURE 35-29 ■ Comment prendre le premier gant stérile.

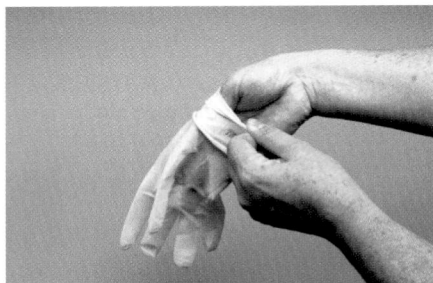

FIGURE 35-30 ■ Comment mettre le premier gant stérile.

- Si les gants ont été emballés l'un sur l'autre, saisissez le poignet du gant qui se trouve sur le dessus (selon la façon expliquée plus haut) avec la main opposée (par exemple, s'il s'agit du gant de la main gauche, prenez-le avec votre main droite).
- Insérez la main dans le gant et mettez celui-ci en le tirant de l'autre main; gardez le pouce de la main que vous gantez contre la paume durant l'insertion (figure 35-30 ■). *Cela réduit le risque de contamination de l'extérieur du gant avec le pouce.*
- Laissez le poignet du gant rabattu sur lui-même.

6. Mettez le second gant sur l'autre main.
   - Prenez le second gant en insérant les doigts de votre main gantée (stérile) sous la partie rabattue du poignet, tout en gardant le pouce près de la paume (figure 35-31 ■). *On évite ainsi de contaminer accidentellement le gant avec la main non gantée.*

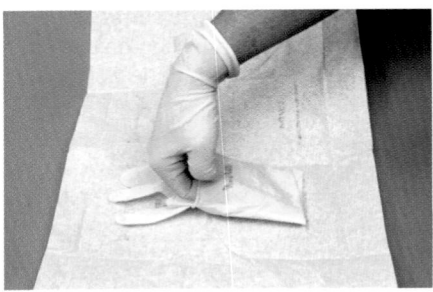

FIGURE 35-31 ■ Comment prendre le second gant stérile.

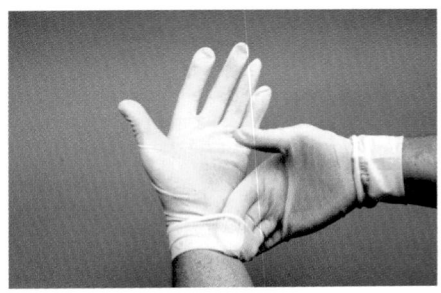

FIGURE 35-32 ■ Comment mettre le second gant stérile.

- Mettez précautionneusement le second gant en gardant le pouce de la main gantée le plus loin possible de la paume (figure 35-32 ■). *On évite ainsi de contaminer le pouce ganté par le contact avec le bras.*
- Ajustez chaque gant pour lui faire épouser parfaitement vos mains, puis dépliez-en précautionneusement le poignet vers le haut en glissant vos doigts sous le rabat.

7. Après l'intervention, retirez et jetez les gants.
   - Il n'y a pas de technique particulière pour enlever des gants stériles. S'ils sont souillés de sécrétions, retirez-les en les roulant sur eux-mêmes (voir la façon d'enlever des gants jetables, décrite dans le procédé 35-2).

8. Consignez au dossier l'utilisation d'une technique stérile pour réaliser l'intervention.

ÉVALUATION

Effectuez tout suivi requis par les soins donnés à la personne.
Assurez-vous que toutes les fournitures stériles seront disponibles en quantité suffisante pour l'utilisateur suivant.

Blouse stérile

C'est presque uniquement en salle d'opération ou d'accouchement, où l'asepsie chirurgicale est indispensable, qu'on revêt une blouse stérile et qu'on met des gants selon la méthode fermée. Celle-ci nécessite le port d'une blouse stérile, car on manipule les gants à travers les manches de la blouse. Avant de revêtir la blouse et les gants, on met d'abord un bonnet et un masque, et on effectue un lavage de mains chirurgical.

On décrit la marche à suivre pour revêtir une blouse stérile et des gants stériles selon la méthode fermée dans le procédé 35-5.

PROCÉDÉ 35-5

Mettre une blouse stérile et des gants stériles selon la méthode fermée

Objectifs
- Permettre à l'infirmière de travailler à proximité d'un champ stérile et de manipuler librement des objets stériles.
- Prévenir la transmission des microorganismes présents sur les mains, les bras ou les vêtements de l'infirmière.

COLLECTE DES DONNÉES

Examinez le dossier de la personne et les interventions prescrites afin de déterminer exactement celles qui nécessitent le port d'une blouse stérile et de gants stériles. Vérifiez si la personne est allergique au latex en consultant son dossier et en lui posant explicitement la question.

PLANIFICATION

Passez en revue les étapes de l'intervention et déterminez le moment précis où il faut mettre la blouse stérile et les gants stériles. Déterminez les fournitures qu'il faut vous procurer pour effectuer l'intervention. Ayez toujours en réserve une paire de gants stériles.

Matériel
- Blouse stérile dans un emballage stérile
- Paires de gants stériles

INTERVENTION

Préparation
Assurez-vous que les gants sont effectivement stériles.

Exécution
1. Expliquez à la personne ce que vous allez faire et pourquoi vous allez le faire.
2. Respectez les autres mesures appropriées de prévention de l'infection (voir les procédés 35-1, 35-2, 35-3 et 35-4).
3. Assurez-vous que l'intimité de la personne est préservée.

Comment revêtir une blouse stérile
4. Ouvrez l'emballage des gants stériles.
   - Retirez l'emballage extérieur des gants stériles et déposez l'emballage intérieur sur le champ stérile. L'emballage intérieur reste stérile tant qu'on n'y touche pas. Voir l'étape 4 du procédé 35-3.
5. Sortez la blouse stérile de son emballage.
6. Lavez-vous et séchez-vous les mains minutieusement. Revoyez la section *Variante : lavage des mains avant l'application d'une technique stérile* du procédé 35-1 et suivez les directives de l'établissement de soins.
7. Revêtez la blouse stérile.
   - Saisissez la blouse stérile par le pli situé près de l'encolure. Tenez la blouse loin de vous et laissez-la se déplier librement en évitant qu'elle touche quelque objet que ce soit, y compris votre uniforme. *La blouse n'est plus considérée comme stérile si l'extérieur entre en contact avec un objet non stérile.*
   - Faites glisser vos mains sous les épaules de la blouse, puis faites glisser partiellement les bras dans les manches, sans toucher à l'extérieur de la blouse (figure 35-33 ■).
   - Si vous devez mettre des gants stériles selon la méthode fermée (décrite ci-après), faites glisser vos mains dans les manches jusqu'à ce qu'elles soient tout près des poignets de la blouse. *ou*
   - Si vous devez mettre des gants stériles selon la méthode ouverte, faites glisser vos mains dans les manches jusqu'à ce qu'elles dépassent des poignets de la blouse.
   - Faites-vous aider par une collègue. Demandez-lui : (a) de saisir les attaches fixées à l'encolure, sans toucher à l'extérieur de la blouse ; (b) de les tirer vers le haut jusqu'à ce que la blouse couvre l'encolure de votre uniforme, à l'avant et à l'arrière ; (c) de nouer les attaches. La description de la façon de revêtir une blouse se poursuit à l'étape 11.

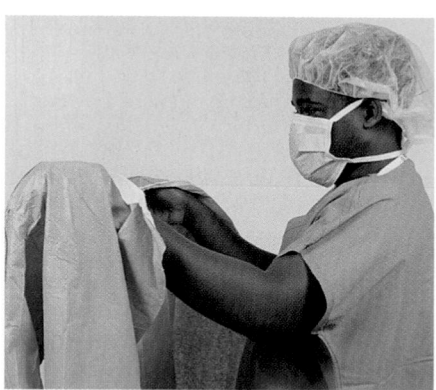

FIGURE 35-33 ■ Comment revêtir une blouse stérile.

Comment mettre des gants stériles selon la méthode fermée
8. Ouvrez l'emballage stérile contenant les gants stériles.
   - Ouvrez l'emballage des gants stériles ; vos mains doivent encore se trouver à l'intérieur des manches de la blouse (figure 35-34 ■).
9. Mettez le gant à votre main non dominante (les figures 35-35 à 35-37 illustrent le cas d'une personne droitière).
   - Saisissez le gant entre le pouce et l'index de votre main dominante sans

INTERVENTION (suite)

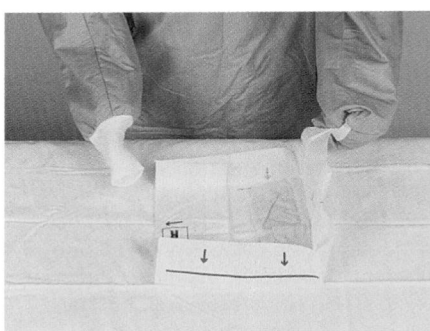

FIGURE **35-34** ■ Comment ouvrir l'emballage de gants stériles.

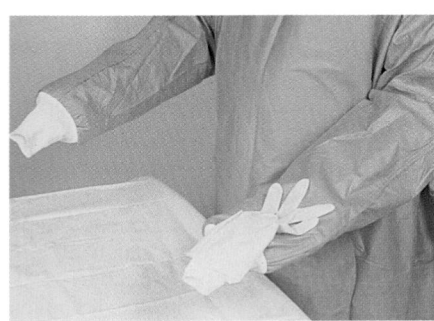

FIGURE **35-35** ■ Comment disposer le premier gant stérile en vue de le mettre sur la main non dominante.

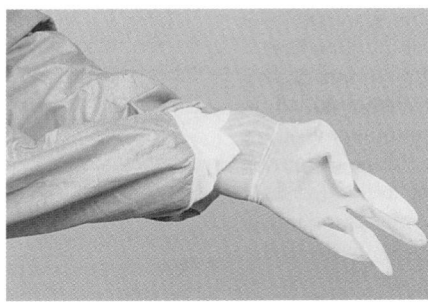

FIGURE **35-36** ■ Comment mettre le premier gant stérile.

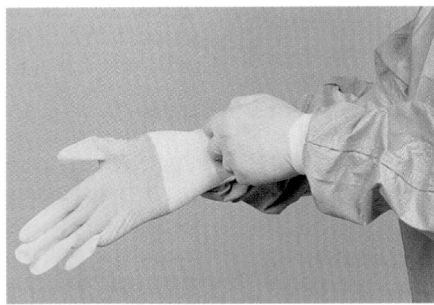

FIGURE **35-37** ■ Comment insérer les doigts de la main dominante dans le second gant stérile.

sortir cette dernière de la manche de la blouse.

- Déposez le gant sur le poignet de la manche opposée de la blouse, de manière que le pouce se trouve en dessous et que l'ouverture soit orientée vers vos doigts (figure 35-35 ■). Tournez la paume de votre main dominante vers le haut, en la gardant toujours à l'intérieur de la manche.
- Avec votre main non dominante, saisissez le rabat du gant à travers le poignet de la manche et maintenez-le fermement.
- Avec votre main dominante toujours à l'intérieur de la manche, saisissez la face supérieure du rabat du gant et tirez-le de manière qu'il recouvre le poignet de la blouse.
- Tirez la manche vers le haut de manière que le poignet de la blouse recouvre votre poignet lorsque vous glissez les doigts de votre main non dominante dans les doigts du gant (figure 35-36 ■).

10. Mettez le gant à la main dominante.
- Placez les doigts de votre main gantée sous le rabat de l'autre gant.
- Déposez le gant sur le poignet de votre autre manche.
- Allongez les doigts dans le gant, tout en tirant celui-ci par-dessus le poignet de la blouse (figure 35-37 ■).

Comment finir de revêtir la blouse

11. Finissez de revêtir la blouse.
- Faites-vous aider par une collègue : demandez-lui de tenir l'attache de la taille à l'aide de gants stériles, d'une pince stérile ou d'un champ stérile. *On s'assure ainsi que l'attache reste stérile.*
- Tournez sur vous-même trois quarts de tour, puis prenez l'attache et nouez-la solidement sur l'avant de la blouse.
ou
- Faites-vous aider par une collègue : demandez-lui de prendre les deux attaches situées de chaque côté de la blouse et de les nouer à l'arrière, tout en s'assurant que l'uniforme est entièrement couvert par la blouse.
- Lorsqu'on porte une blouse stérile, on considère que le devant de celle-ci est stérile de la taille aux épaules. Les manches doivent être stériles à partir du poignet jusqu'à 5 cm au-dessus du coude ; ainsi, quand on effectue un brossage chirurgical, on peut déplacer les bras au-dessus d'un champ stérile sans le contaminer. *Les zones de la blouse qui s'humidifient rapidement et où le frottement est important, comme l'encolure, les épaules, le dessous des bras et les poignets, ne sont pas considérés comme stériles.*

12. Enlevez votre blouse et vos gants usagés.
- Il n'existe pas de technique particulière pour retirer des vêtements stériles. S'ils sont souillés, enlevez-les en les retournant sur eux-mêmes (voir la technique pour retirer une blouse et des gants jetables, décrite dans le procédé 35-2).

13. S'il y a lieu, consignez au dossier l'utilisation d'une technique stérile pour la réalisation de l'intervention.

ÉVALUATION

Effectuez tout suivi requis par les soins donnés à la personne.
Assurez-vous que toutes les fournitures stériles seront disponibles en quantité suffisante pour l'utilisateur suivant.

Prévention des infections chez le personnel de la santé

Le National Institute for Occupational Safety and Health (NIOSH), partie intégrante des CDC, est également un organisme de recherche qui fait partie du U.S. Department of Health and Human Services. Il examine les conditions de travail présentant des dangers potentiels et publie des recommandations liées à la prévention des affections et des blessures en milieu de travail. Il a notamment publié, en 1999, une étude sur la prévention des piqûres accidentelles survenues avec des aiguilles dans les milieux de soins ; selon cette étude, on peut éviter la majorité des blessures de ce genre. C'est cette publication, entre autres, qui a mené à l'élaboration du *Needlestick Safety and Prevention Act*, entré en vigueur en avril 2001.

Dans le domaine, le Canada a aussi un organisme : « Le Réseau de surveillance canadien des piqûres d'aiguilles (RSCPA) a été mis en place en 2000 pour exercer une surveillance des travailleurs de la santé exposés au sang et aux autres liquides organiques et de leur séroconversion ultérieure à la suite de l'exposition. » (Santé Canada, 2003b) Aux États-Unis, l'Occupational Safety and Health Administration (OSHA), un organisme qui fait partie du U.S. Department of Labor, publie des règlements visant à prévenir les accidents du travail, y compris l'exposition des travailleurs de la santé aux agents pathogènes transmissibles par le sang ; c'est le même organisme qui assure l'application des règlements. L'OSHA définit l'**exposition professionnelle** comme le risque normal de contact soit de la peau, des yeux et des muqueuses avec du sang ou avec une autre matière potentiellement infectieuse, soit par voie parentérale avec de telles substances, ce risque étant associé à l'accomplissement des tâches d'un employé (U.S. Department of Labor, Occupational Safety and Health Administration, 1991). Au pays, Santé Canada (1997) a publié un document intitulé « Un protocole intégré pour la prise en charge des travailleurs de la santé exposés à des agents pathogènes transmissibles par le sang ». L'exposition des travailleurs de la santé est défini « comme une blessure percutanée causée par de l'équipement contaminé avec du sang ou des liquides organiques […], ou un contact des muqueuses ou de la peau non intacte avec du sang ou des liquides organiques […]. Le contact du sang avec une peau intacte n'est pas une exposition […] » (Santé Canada, 2002b, p. 189).

Au Québec, il y a l'Association paritaire pour la santé et la sécurité du travail du secteur affaires sociales (ASSTSAS), « vouée exclusivement à la prévention en santé et en sécurité du travail dans le secteur de la santé et des services sociaux ». La mission de l'ASSTSAS peut s'énoncer comme suit : « Une organisation de services qui se regroupent en quatre grandes catégories : information, formation, assistance technique, recherche et développement. Un partenaire de choix en prévention pour les établissements du secteur de la santé et des services sociaux du Québec, qui sont sa clientèle première. » (Association paritaire pour la santé et la sécurité du travail du secteur affaires sociales, 2004)

En milieu clinique, il existe trois principaux modes de transmission des infections :

- Plaies punctiformes causées par une aiguille ou un autre objet acéré contaminé.
- Contact de la peau avec un liquide infectieux qui s'infiltre par une lésion ou une effraction de la peau.
- Contact d'une muqueuse avec un liquide infectieux, qui s'introduit ensuite dans l'organisme à travers celle-ci (yeux, bouche ou nez).

Le RSCPA, dont nous avons parlé plus haut, a mené une étude d'observation pendant 24 mois (d'avril 2000 à mars 2002). En ce qui concerne les expositions professionnelles au SLO (sang et autres liquides organiques), il en ressort ce qui suit :

> Les piqûres d'aiguilles représentaient 65,7 % de ces expositions, les éclaboussures de liquides provenant de patients, 13,7 %, les coupures avec un objet piquant ou tranchant, 8,6 %, les piqûres avec un objet autre qu'une aiguille, 7,2 %, les égratignures, 1,9 %, le contact direct avec un patient, 1,8 %, et les morsures, 1,2 %. Le sang ou les dérivés sanguins étaient en cause dans 82,5 % des expositions […]. (Santé Canada, 2003b)

L'application de mesures appropriées et de l'asepsie médicale en général, l'emploi judicieux d'équipement de protection (gants, masque, blouse, lunettes de sécurité, couvre-chaussures) et la prudence dans les milieux cliniques permettent de réduire de façon importante le risque de blessures chez les professionnels la santé. Par ailleurs, le risque qu'un travailleur de la santé soit infecté à la suite d'une exposition à un agent pathogène varie considérablement selon la nature de cet agent : les évaluations sont de 30 % pour le virus de l'hépatite B (chez les travailleurs non immunisés), de 1,8 % pour celui de l'hépatite C et de 0,3 % pour le VIH (CDC, 2001). Les mesures à prendre après une exposition possible à l'un de ces virus ont été définies par les CDC et sont décrites dans le guide d'accompagnement *Practice Guidelines* (directives cliniques) ; l'Association paritaire pour la santé et la sécurité du travail du secteur affaires sociales (2000) traite également de ces mesures. L'hépatite C, dont l'épidémie à l'échelle mondiale est plus importante que celle du sida, suscite actuellement une grande inquiétude chez tous les travailleurs de la santé, car il n'existe pas encore de vaccin contre cette affection ni de prophylaxie postexposition (ou traitement PPE). La prévention demeure donc le principal objectif.

Au moment de l'embauche, l'infirmière doit s'assurer d'une couverture vaccinale lui permettant d'être immunisée contre la diphtérie, le tétanos, la rougeole, la poliomyélite et l'hépatite B ; de plus, idéalement, elle devrait veiller à planifier son calendrier annuel de vaccination pour l'influenza. Selon chaque situation qui présente un risque particulier, elle doit recevoir les vaccins spécifiques nécessaires (par exemple, hépatite A et BCG) (Santé Canada, 1999 et 2002a). Enfin, cette liste n'est pas exhaustive ; par exemple, les infirmières en obstétrique devraient se faire vacciner contre la rougeole afin de protéger les femmes enceintes et les fœtus. L'infirmière doit manipuler avec prudence les instruments piquants et tranchants, les conserver et les éliminer de façon sécuritaire. Par exemple, il est recommandé d'utiliser un contenant muni d'un enlève-lame, résistant aux perforations et facile à utiliser, et manipuler avec le plus grand soin les lames contaminées (Rhinehart et Friedman, 1999, p. 103 ; Santé Canada, 1999, p. 21).

Recommandations sur les mesures à prendre en cas d'exposition

Il est important de prendre les mesures qui s'imposent en cas d'exposition significative afin de limiter l'accroissement ou la répétition du contact. L'établissement de soins doit prévoir des mesures d'urgence à appliquer en cas d'accident afin de donner des soins immédiats à la personne touchée et de l'envoyer rapidement consulter les ressources appropriées (Association paritaire pour la santé et la sécurité du travail du secteur affaires sociales, 2000). Le tableau 35-12 passe en revue les principaux facteurs de risque de transmission et de maladie après une exposition à une personne infectée ou colonisée.

La figure 35-38 ■ présente le cheminement logique de la gestion d'un cas d'exposition à une maladie infectieuse diagnostiquée.

> **! ALERTE CLINIQUE** *L'infirmière devrait décider à l'avance si elle désire ou non recevoir des médicaments anti-VIH en cas d'exposition au virus, puisque le traitement doit être commencé dans l'heure qui suit l'exposition.* ■

TABLEAU
35-12

Facteurs de risque de transmission et de maladie après une exposition à une source infectée ou colonisée

	Risque plus élevé de transmission	Risque plus faible de transmission
Patient source	Incontinence fécale; selles non contenues par les couches	Continence
	Diarrhée	Hygiène satisfaisante
	Lésions cutanées ou plaies exsudatives non couvertes par des pansements	Lésions cutanées ou plaies couvertes par des pansements
	Sécrétions abondantes et non maîtrisées des voies respiratoires	Capacité de maîtriser les sécrétions des voies respiratoires
	Patient d'une unité de soins intensifs ou exigeant des soins directs importants	Capacité de prendre soin de soi-même
	Présence de dispositifs invasifs	Observance des précautions
	Observance médiocre des mesures d'hygiène et des précautions contre la transmission, par exemple, patient confus	
Microbe	Capacité de survivre dans l'environnement (par exemple, ERV, *C. difficile*, rotavirus	Incapacité de survivre pendant longtemps dans l'environnement
	Présence d'un inoculum important	Présence d'un inoculum réduit
	Faible dose infectieuse, par exemple, Shigella	Dose infectieuse élevée, par exemple, Salmonella
	Forte pathogénicité, virulence élevée	Faible pathogénicité, faible virulence
	Aéroporté	Courte période d'infectiosité
	Propagation par contact	
	Capacité de coloniser des dispositifs invasifs	
	Souvent présent chez les porteurs ou des sujets asymptomatiques	
Environnement	Services d'entretien ménager inadéquats	Services d'entretien ménager adéquats
	Partage du matériel de soins entre plusieurs patients, sans nettoyage entre les patients, par exemple, thermomètres, meubles d'aisances	Matériel réservé à un seul patient
	Établissements surpeuplés	Espace suffisant entre les lits
	Installations communes (par exemple, cabinets, baignoires, lavabos)	Installations sanitaires privées
	Ratio patients-personnel infirmier élevé	Faible ratio patients-personnel infirmier
	Absence de chambres en pression négative (si microorganisme aéroporté)	
Patient hôte	Patient d'une unité de soins intensifs ou exigeant des soins directs importants	Capacité de prendre soin de soi-même
	Interventions ou dispositifs invasifs	Absence de dispositifs à demeure
	Peau non intacte	Peau et muqueuses intactes
	Affaiblissement, grave affection sous-jacente	Système immunitaire compétent
	Sujet très jeune ou très âgé	
	Antibiothérapie récente	
	Immunosuppression	

Source : « Pratiques de base et précautions additionnelles visant à prévenir la transmission des infections dans les établissements de santé », (p. 23), supplément du *Guide de prévention des infections, Version révisée des techniques d'isolement et précautions,* juillet 1999, de Santé Canada, *Relevé des maladies transmissibles au Canada,* 25S4, (page consultée le 12 novembre 2004), [en ligne], <www.phac-aspc.gc.ca/publicat/ccdr-rmtc/99pdf/cdr25s4f.pdf>. Reproduit avec la permission du Ministre des Travaux publics et Services gouvernementaux Canada, 2005.

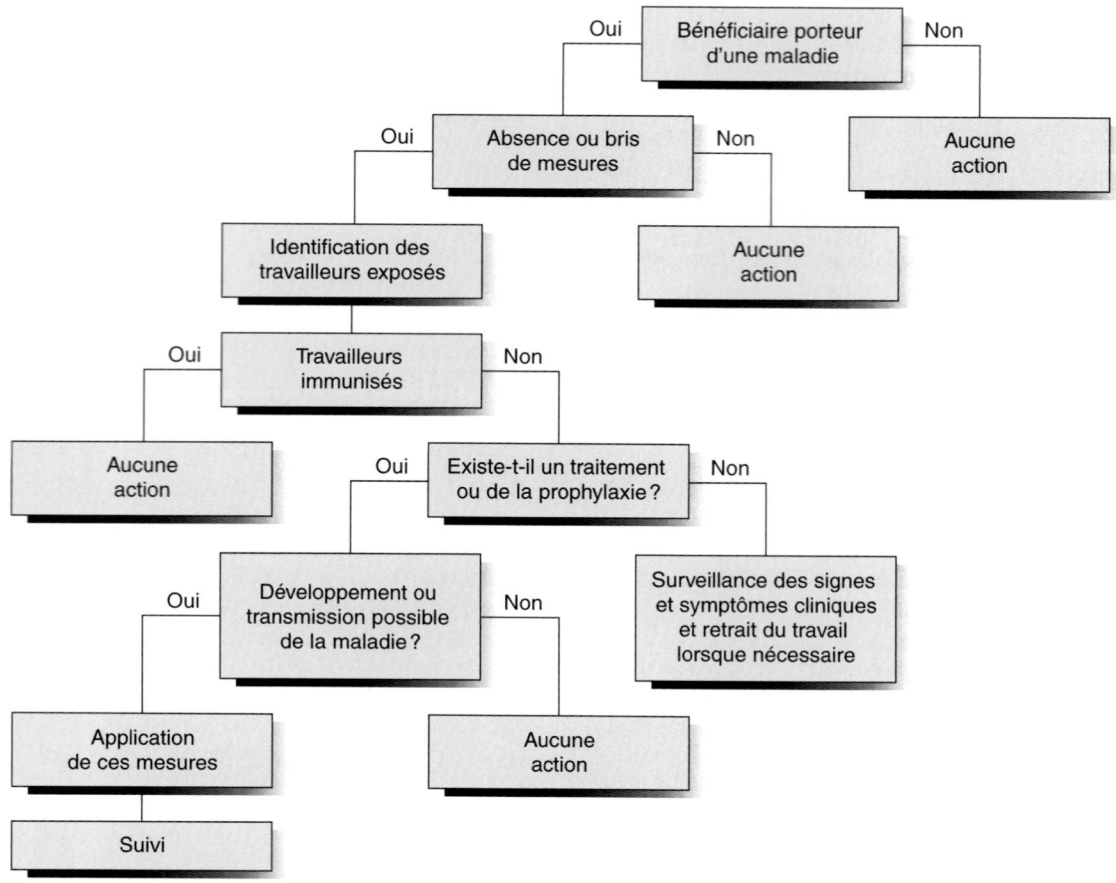

FIGURE 35-38 ■ Cheminement de la gestion d'un cas d'exposition à une maladie infectieuse diagnostiquée.
(Source : *Guide de référence en prévention des infections à l'intention des travailleurs et des comités paritaires de santé et de sécurité du travail (CPSST)*, (p. 54), de l'Association paritaire pour la santé et la sécurité du travail du secteur affaires sociales, 2000, Montréal : ASSTSAS, (page consultée le 23 novembre 2004), [en ligne], <www.asstsas.qc.ca/documentation/publications/gp56-total.pdf>.)

CONSEILS PRATIQUES

Marche à suivre en cas d'exposition au sang et aux autres liquides organiques teintés de sang

- Signaler immédiatement l'accident à la personne désignée comme responsable dans l'établissement de soins.

- Remplir un formulaire de compte rendu de blessure (inscription au Registre des accidents du travail).

- Recueillir les informations de base permettant de déterminer s'il s'agit d'une exposition significative et de faciliter l'évaluation du risque de transmission de l'infection :

  - Date, heure, lieu de l'exposition, tâche précise qui était effectuée au moment de l'exposition.

  - Description de l'exposition : type de liquide et estimation de la quantité ; type d'exposition ; partie du corps exposée, description de la blessure. Préciser : état de la peau, surface touchée et durée du contact ; s'il y a lieu, description détaillée de l'objet ou de l'instrument souillé qui est en cause.

  - Identification et coordonnées des personnes concernées, dont l'individu source (dans la mesure du possible et si la loi le permet, collecte de renseignements sur ce dernier).

- Dans la mesure du possible et si l'individu y consent : vérifier si ce dernier est atteint de l'hépatite B, de l'hépatite C ou du VIH.

- Transmission des résultats des tests aux personnes qui prodiguent des soins à l'individu.

- Si l'infirmière exposée y consent : tests de dépistage d'anticorps anti-hépatite B, anti-hépatite C et anti-VIH.

- En cas de lésion punctiforme ou de lacération (coupures, piqûres, égratignures) :

  - Favoriser le saignement de la plaie, en évitant les traumas sur le pourtour immédiat.

  - Laver ou nettoyer le site de la plaie à l'eau et au savon ; ne pas brosser ni utiliser de solution hydratante.

  - Rincer la région à l'eau.

  - S'assurer que la personne reçoive le traitement requis, s'il y a lieu.

- En cas d'exposition d'une muqueuse (yeux, nez, bouche) :
  - Rincer abondamment et le plus rapidement possible la région touchée avec un soluté physiologique ou de l'eau pendant 5 à 10 minutes.
  - Si des éclaboussures ont touché la bouche de la personne, celle-ci doit cracher et se rincer la bouche à plusieurs reprises à l'eau claire.
- En cas d'exposition cutanée :
  - Nettoyer la région exposée à l'eau et au savon ; ne pas brosser ni utiliser de solution irritante.

PROTOCOLE DE POSTEXPOSITION

- Administrer un traitement postexposition si cela est médicalement indiqué.
- Proposer à la personne exposée des consultations médicales et psychologiques portant sur le risque d'infection et sur le risque de transmission de l'infection à d'autres personnes.
- Chaque établissement de santé doit établir un schéma thérapeutique particulier en fonction de la disponibilité des médicaments et des profils de résistance à l'échelle locale (Santé Canada, 1997).

VIH

- « Au Canada, la Surveillance nationale des cas d'exposition professionnelle au virus de l'immunodéficience humaine révèle que les expositions percutanées, par exemple, par des piqûres d'aiguilles (62 %) et des instruments chirurgicaux (6 %), représentent la principale cause de transmission potentielle du VIH aux travailleurs de la santé. Onze pour cent des expositions au sang se produisent par les muqueuses et 13 % par de la peau non intacte. » (Santé Canada, 2002b)
- En cas de risque élevé d'exposition (grand volume de sang provenant d'un individu chez qui le titre du VIH est élevé), il est recommandé d'administrer la trithérapie, qui doit être commencée dans l'heure qui suit.
- En cas de faible risque d'exposition (faible volume de sang ne provenant pas d'un individu chez qui le titre du VIH est élevé), on peut envisager d'administrer une bithérapie, qui doit être commencée dans l'heure qui suit.
- Le traitement médicamenteux doit être administré pendant quatre semaines.
- Il existe divers régimes médicamenteux : on utilise couramment la zidovudine, la lamivudine, la didanosine et l'indinavir.
- Effectuer des tests de détection des anticorps anti-VIH peu de temps après l'exposition (tests de référence), après six semaines, après trois mois et après six mois.

HÉPATITE B

- Effectuer des tests de détection des anticorps anti-HBs de un à deux mois après l'administration de la dernière dose de vaccin.

HÉPATITE C

- Effectuer des tests de détection des anticorps anti-VHC et de l'ALT (tests de référence) ; refaire les tests de quatre à six mois plus tard.

Rôle de l'infirmière en prévention des infections

Dans le contexte actuel des soins de santé, il est essentiel que l'infirmière demeure vigilante dans l'application de mesures de prévention des infections et ce, surtout lorsque les soins se complexifient et que la charge de travail est importante. C'est alors que le risque de non-observance est le plus élevé. (OIIQ, 2000)

Chaque établissement de soins doit se doter d'un comité interdisciplinaire de prévention des infections ; ce comité doit inclure des représentants des laboratoires cliniques, du service de l'entretien ménager et du service de l'entretien du matériel, du service de diététique et des unités de soins. L'infirmière en prévention des infections joue un rôle important au sein de ce comité. Elle a reçu une formation spécialisée qui lui permet de se tenir au courant des recherches les plus récentes et des nouvelles pratiques qui ont cours en matière de prévention, de détection et de traitement des infections. Toutes les infections doivent être signalées à l'infirmière responsable de manière à permettre l'enregistrement de ces affections et la réalisation d'analyses statistiques en vue de l'amélioration des pratiques de prévention. L'infirmière en prévention des infections joue aussi parfois un rôle dans la formation des employés et dans l'application du plan de prévention de l'exposition à des agents pathogènes transmissibles par le sang, plan recommandé par l'OSHA. Dans le domaine, l'Association des infirmières et infirmiers en prévention des infections (AIIPI) est une association professionnelle reconnue au Québec en prévention des infections.

DÉMARCHE SYSTÉMATIQUE
dans la pratique infirmière

Évaluation

L'infirmière juge de l'atteinte des résultats de soins infirmiers pour la personne à l'aide des données recueillies au cours de la prestation des soins : signes vitaux, bruits respiratoires, état de la peau, caractéristiques de l'urine ou d'autres produits de drainage, résultats des analyses sanguines, etc. Des exemples de résultats de soins infirmiers et d'indicateurs sont énumérés dans l'encadré *Diagnostics infirmiers, résultats de soins infirmiers et interventions*.

Si les résultats escomptés n'ont pas été atteints, l'infirmière devra peut-être se poser des questions comme les suivantes :

- A-t-on appliqué des mesures appropriées pour prévenir l'effraction de la peau et les infections pulmonaires ?
- A-t-on utilisé une technique aseptique stricte au cours des interventions effractives ?
- Les médicaments prescrits affectent-ils le système immunitaire ?
- Doit-on déplacer la personne pour réduire le risque de transmission de microorganismes ?
- La personne et sa famille ont-ils mal compris les directives qu'on leur a données ou ont-ils omis de s'y conformer ?

EXERCICES D'INTÉGRATION

Mme Cortez est âgée de 76 ans. Elle vit seule, est autonome et ne demande d'aide qu'en cas d'absolue nécessité. Il y a six mois, elle était active et en bonne santé, jusqu'à ce qu'elle contracte une infection persistante des voies respiratoires supérieures. Comme elle était incapable de préparer elle-même ou de se procurer des repas, elle a perdu du poids et s'est très affaiblie. Elle a finalement fait les démarches nécessaires pour obtenir des soins médicaux, mais elle n'est pas encore complètement guérie. Le médecin en soins de première ligne a demandé son admission dans un établissement de soins actifs à cause d'un problème de dyspnée, de toux productive, de déshydratation et de carence alimentaire.

1. Le médecin pense que Mme Cortez pourrait être atteinte d'une pneumonie. Quelles données font croire qu'elle présente un risque accru de contracter une telle infection ?

2. Quelles autres informations ou données cliniques seraient utiles pour planifier les soins et les traitements infirmiers ?

3. Tout en sachant qu'on applique les pratiques de base à l'égard de toutes les personnes hospitalisées, pourquoi ces précautions risquent-elles d'être insuffisantes pour prévenir la transmission de l'infection respiratoire dont souffre Mme Cortez à d'autres personnes sensibles ?

4. Que peut faire l'infirmière pour prévenir la transmission de l'infection dont Mme Cortez est atteinte à d'autres personnes hospitalisées et pour éviter, en même temps, que Mme Cortez ne contracte une infection d'une autre personne ?

5. Vous observez un membre du personnel infirmier au moment où il sort de la chambre de Mme Cortez. Il s'arrête au lavabo pour se laver les mains : il ouvre les robinets, prend du savon et frotte ses mains l'une contre l'autre sous le jet d'eau pendant environ 5 secondes. Il ferme ensuite les robinets avec ses mains nues et se sèche les mains. Devriez-vous intervenir ? Si oui, que devriez-vous dire à ce membre du personnel infirmier ?

Voir l'appendice A : Exercices d'intégration – Pistes de réflexion.

RÉVISION DU CHAPITRE

Concepts clés

- On trouve des microorganismes partout. La majorité sont inoffensifs et certains sont même utiles, mais plusieurs sont susceptibles de causer des infections chez la personne sensible (réceptive).

- La prévention efficace des maladies infectieuses est une responsabilité internationale, nationale, communautaire et individuelle.

- L'asepsie est l'ensemble des mesures visant à prévenir l'introduction de microbes dans l'organisme.

- Les pratiques d'asepsie médicale limitent le nombre, la croissance et la transmission des microorganismes.

- Les pratiques d'asepsie chirurgicale visent à maintenir un espace ou des objets exempts de tout microorganisme.

- Les infections nosocomiales ont une incidence relativement élevée. Elles touchent principalement les voies respiratoires, les voies urinaires, le sang circulant et les plaies.

- Les principaux facteurs favorisant les infections nosocomiales sont les suivants : procédés effractifs, thérapies médicales, réceptivité chez un grand nombre de personnes, utilisation inappropriée d'antibiotiques et lavage inadéquat des mains après avoir été en contact avec une personne ou des substances corporelles.

- Une infection risque de se développer si rien ne vient rompre la chaîne de transmission de l'infection, composée des six maillons suivants : agent pathogène, réservoir (source), porte de sortie, mode de transmission, porte d'entrée et hôte réceptif.

- La peau et les muqueuses intactes constituent la première ligne de défense du corps contre les microorganismes.

- Des microorganismes de la flore normale libèrent des bactériocines et des substances apparentées aux antibiotiques qui inhibent la croissance microbienne et détruisent les bactéries étrangères.

- Des sécrétions corporelles (par exemple, salive et larmes) contiennent des enzymes qui agissent comme agents antibactériens.

- La réaction inflammatoire réduit les dommages causés par des agents physiques, chimiques ou microbiens, et elle favorise la réparation des tissus endommagés.

- L'immunité est la résistance de l'organisme à des agents infectieux spécifiques.

- L'immunité est soit active, soit passive ; dans les deux cas, elle peut être naturelle ou artificielle.

- Les personnes suivantes présentent un risque d'infection accru : la personne très âgée ou très jeune ; celle dont l'état nutritionnel est médiocre ; celle qui a une carence en immunoglobulines sériques ; celle qui est soumise à plusieurs facteurs de stress ; celle qui n'a pas reçu une vaccination appropriée ; celle qui souffre déjà d'une affection ; celle qui est soumise à certaines thérapies.

- La prévention des infections chez la personne saine ou malade et la prévention de la transmission de microorganismes d'une personne infectée à une autre sont deux fonctions importantes de l'infirmière.

- L'infirmière doit connaître les sources et les modes de transmission des microorganismes.

- Les microorganismes sont invisibles à l'œil nu et, sur le plan éthique, l'infirmière a l'obligation d'assurer l'application

Concepts clés (suite)

de méthodes aseptiques appropriées afin de protéger les personnes, les proches aidants et le personnel en soins de santé, y compris elle-même.

■ En présence d'un risque d'exposition à du matériel potentiellement infectieux, tous les membres du personnel en soins de santé doivent mettre des gants propres ou stériles, une blouse, un masque et un protecteur oculaire.

■ Si un travailleur de la santé est malgré tout exposé à des substances présentant un risque élevé de contamination par des agents pathogènes transmissibles par le sang, on doit immédiatement appliquer les pratiques de postexposition et envisager l'administration d'un traitement approprié.

Questions de révision

35-1. Si un individu est porteur chronique d'un agent pathogène, le moyen le plus efficace d'en prévenir la transmission est :
   a) d'éliminer le réservoir.
   b) de bloquer la porte de sortie du réservoir.
   c) de bloquer la porte d'entrée chez l'hôte.
   d) de réduire la sensibilité (réceptivité) de l'hôte.

35-2. Des études ont montré que la mesure de prévention des infections la plus efficace est :
   a) le lavage des mains avant et après tout contact avec une personne soignée.
   b) le port de gants et d'un masque au cours de la prestation de soins directs.
   c) l'application de précautions additionnelles.
   d) l'administration d'antibiotiques prophylactiques à large spectre.

35-3. Une personne est soumise à des précautions additionnelles contre la transmission par contact parce qu'elle a un ulcère au pied, accompagné de pertes de substance. Au cours de la prestation de soins à cette personne, les techniques de prévention appropriées comprennent :
   a) le port d'un masque durant le changement du pansement.
   b) l'utilisation de plateaux-repas et de couverts jetables.

   c) l'application des pratiques de base au cours de toutes les interactions avec la personne.
   d) l'application d'une technique aseptique chirurgicale à l'occasion de tout contact direct avec la personne.

35-4. Laquelle des pièces d'équipement de protection individuelle suivantes une même infirmière peut-elle réutiliser au cours d'un même quart de travail si elle s'occupe d'une seule personne ?
   a) Des lunettes de protection.
   b) Une blouse.
   c) Un masque chirurgical.
   d) Des gants propres.

35-5. Pendant qu'une infirmière est en train de mettre des gants stériles selon la méthode ouverte, le rabat du premier gant glisse sur lui-même sur une distance d'environ 60 mm. La meilleure solution à ce problème est de :
   a) retirer le gant et mettre une nouvelle paire de gants.
   b) mettre le second gant, puis ramener le rabat à sa position initiale avec l'autre main, couverte d'un gant stérile.
   c) demander à une collègue de ramener le rabat à sa position initiale.
   d) laisser le rabat dans sa nouvelle position.

Voir l'appendice B : Réponses aux questions de révision.

BIBLIOGRAPHIE

En anglais

Assadian, O., El-Madani, N., Seper, E., Mustafa, S., Aspock, C., Koller, W., et al. (2002). Sensor-operated faucets : A possible source of nosocomial infection ? *Infection Control and Hospital Epidemiology, 23,* 44–46.

Bischoff, W. E., Reynolds, T. M., Sessler, C. N., Edmond, M. B., & Wenzel, R. P. (2000). Handwashing compliance by health care workers : The impact of introducing an accessible, alcohol-based hand antiseptic. *Archives of Internal Medicine, 160,* 1017–1021.

Bockhold, K. M. (2000). Who's afraid of hepatitis C ? *American Journal of Nursing, 100*(5), 26–31.

Bolyard, E. A., Tablan, O. C., Williams, W. W., Pearson, M. L., Shapiro, C. N., & Deitchman,

S. D. (1998). Guideline for infection control in healthcare personnel. *Infection Control and Hospital Epidemiology, 19*(6), 407–463.

Centers for Disease Control. (1987). Recommendations for prevention of HIV transmission in health-care settings. *Morbidity and Mortality Weekly Report (suppl.), 36*(2s), 1S–18S.

Centers for Disease Control. (1997). 1997 USPHS/IDSA guidelines for the prevention of opportunistic infections in persons infected with human immunodeficiency virus. *Morbidity and Mortality Weekly Report, 46*(RR12), 1–46.

Centers for Disease Control and Prevention. (2001). Updated U.S. Public Health Service guidelines for the management of occupational exposures to HBV, HCV, and HIV and recommendations for postexposure prophylaxis. *Morbidity and Mortality Weekly Report 50*(RR-11), 1–67.

Centers for Disease Control and Prevention. (2002). Guideline for hand hygiene in healthcare settings : Recommendations of the Healthcare Infection Control Practices Advisory Committee and the HICPAC/SHEA/APIC/IDSA Hand Hygiene Task Force. *Morbidity and Mortality Weekly Report, 51*(No. RR-16).

Centers for Disease Control and Prevention. (2003). *Recommended childhood and adolescent immunization schedule, United States, 2003.* Retrieved March 25, 2003 from http ://www.cdc.gov/nip/recs/child-schedule.htm

Corbin, D. E. (2002). Latex allergy & dermatitis. *Occupational Health & Safety, 71,* 36–38, 89.

Earl, M. E., Jackson, M. M., & Rickman, L. S. (2001). Improved rates of compliance with hand antisepsis guidelines : A three-phase observational study. *American Journal of Nursing, 101*(3), 26–33.

BIBLIOGRAPHIE (SUITE)

Friedman, M. M., & Rhinehart, E. (1999). Putting infection control principles into practice in home care. *Nursing Clinics of North America, 34,* 463–482.

Garcia-Martin, M., Lardelli-Claret, P., Jimenez-Moleon, J. J., Bueno-Cavanillas, A., de Dios Luna del Castillo, J., & Galvez-Vargas, R. (2001). Proportion of hospital deaths potentially attributable to nosocomial infection. *Infection Control and Hospital Epidemiology, 22,* 708–714.

Garner, J. S., & Favero, M. S. (1998). Guideline for handwashing and hospital environmental control, 1985, updated. *Morbidity and Mortality Weekly Report, 37*(24). Available from http://www.cdc.gov

Garner, J. S., & Hospital Infection Control Practices Advisory Committee. (1996). Guidelines for isolation precautions in hospitals. *Infection Control Hospital Epidemiology, 17,* 53–80, and *American Journal of Infection Control, 24,* 24–52.

Garner, J. S., & Simmons, B. P. (1983). *CDC guideline for isolation precautions in hospitals* (HHS Publication No. CDC 83-8314). Atlanta, GA: U.S. Department of Health and Human Services, Public Health Service, Centers for Disease Control.

Global Consensus Conference. (1999). Final recommendations. *American Journal of Infection Control, 27,* 503–513.

Greenberg, D., Speert, D. P., Mahenthiralingam, E., Henry, D. A., Campbell, M. E., & Scheifele, D. W. (2002). « Emergence of penicillin-non-susceptible Streptococcus pneumoniae invasive clones in Canada », *Journal of Clinical Microbiology, 40,* 68-74.

Gritter, M. (1998). The latex threat. *American Journal of Nursing, 98*(9), 26–33.

Guidelines for preventing opportunistic infections among hematopoietic stem cell transplant recipients. (2000). *Morbidity and Mortality Weekly Report, 49*(RR-10), 1–128.

Hanchett, M. (1998). Implementing standard precautions in home care. *Home Care Manager, 2*(2), 16–20.

Hench, C., & Simpkins, S. (2002, June 17). Hepatitis C: Risk factors, assessment and diagnosis. *NurseWeek,* pp. 19–20.

Hench, C., & Simpkins, S. (2002, July 1). Hepatitis C: Treatment, prevention, and nursing interventions. *NurseWeek,* pp. 22–23.

Hospital Infection Control Practices Advisory Committee. (1995). Recommendations for preventing the spread of vancomycin resistance. *American Journal of Infection Control, 23,* 87–94; *Infection Control and Hospital Epidemiology, 16,* 105–113; and *Morbidity and Mortality Weekly Report, 44*(No. RR-12), 1–13.

Jackson, M. M. (1993). Infection precautions: What works and what does not. *CRNA: The Clinical Forum for Nurse Anesthetists, 4*(2), 77–82.

Jarvis, J. R. (2001). Infection control and changing health-care delivery systems. *Emerging Infectious Diseases, 7,* 170–173.

Johnson, M., Maas, M., & Moorhead, S. (Eds.). (2000). *Nursing outcomes classification (NOC).* (2nd ed.). St. Louis, MO: Mosby.

Kiernan, M. (1999). Handwashing in infection control. *Community Nurse, 5*(7), 19–20.

Kingston, J. (1999). Infection control: Is everybody doing it? *Nursing Times, 95*(44), 60–62.

Larson, E. L., & Aiello, A. E. (2001). Hygiene and health: An epidemiologic link? *American Journal of Infection Control, 29,* 232–238.

Lenehan, G. (2002). Latex allergy: Separating fact from fiction. *Nursing, 32*(3), 58–63.

Mayone-Ziomek, J. M. (1998). Handwashing in health care. *Medsurg Nursing, 6,* 364–369.

McCloskey, J. C., & Bulechek, G. M. (Eds.). (2000). *Nursing interventions classification (NIC).* (3rd ed.). St. Louis, MO: Mosby.

McConnell, E. A. (1999). Proper hand-washing technique. *Nursing, 29*(4), 26.

Metules, T. J. (2000). Tips for nurses who wash too much. *RN, 63*(3), 34–37.

Metules, T. J. (2001). Protect your eyes. *RN, 64*(10), 69–71.

NANDA International. (2003). NANDA *nursing diagnoses: Definitions and classification 2003-2004.* Philadelphia: Author.

National Institute for Occupational Safety and Health. (1999). *Preventing needlestick injuries in health care settings.* Cincinnati, OH: U.S. Department of Health and Human Services, Public Health Service, Centers for Disease Control and Prevention, National Institute for Occupational Safety and Health, DHHS Publication No. 2000-108.

Notice to readers: Recommended adult immunization schedule—United States, 2002–2003. (2002). *MMWR, 51,* 904–908.

Occupational Safety and Health Association. (1999). Potential for allergy to natural rubber latex gloves and other natural rubber products. (Technical information bulletin). Retrieved March 23, 2003, from http://www.osha.gov/dts/tib/tib_data/tib19990412.html

Parker, L. J. (1999). Importance of handwashing in the prevention of cross-infection. *British Journal of Nursing, 8*(716), 718–720.

Perry, C., & Barnett, J. (1998). Principles of universal precautions. *Emergency Nurse, 6*(6), 25–28.

Rhinehart, E., & Friedman, M. (1999). *Infection control in home care,* Gaithersburg: Aspen.

Richards, M. J., Edwards, J. R., Culver, D. H., & Gaynes, R. P. (2000). Nosocomial infections in combined medical-surgical intensive care units in the United States. *Infection Control and Hospital Epidemiology, 21,* 510–515.

Rosenheimer, L. (1999). Establishing an effective infection control and surveillance program in the home care setting. *Home HealthCare Consultant, 6*(12), 38–42.

Schick, R. (1999). Product focus: Hand-washing techniques. *Nursing Homes, 48*(6), 63–67.

Seal, D. V., Hay, R. J., & Middleton, K. R. (2000). *Skin and wound infection:*

Investigation and treatment in practice. London: Martin Dunitz.

Seay, S. J., Gay, S. L., & Strauss, M. (2002). Tracheostomy emergencies. *American Journal of Nursing, 102*(3), 59, 61, 63.

Shulmeister, L. (1999). I know handwashing is important, but... *Clinical Journal of Oncology Nursing, 3,* 139–140.

Stone, S. P. (2001). Hand hygiene: The case for evidence-based education. *Journal of the Royal Society of Medicine, 94,* 278–281.

U.S. Department of Health and Human Services, Centers for Disease Control and Prevention. (1997, September 8). Draft guidelines for infection control in healthcare personnel, 1997. *Federal Register, 62,* 173.

U.S. Department of Health and Human Services, Public Health Service. (1988). Update: Universal precautions for prevention of transmission of human immunodeficiency virus, hepatitis B virus, and other bloodborne pathogens in health care settings. *Morbidity and Mortality Weekly Report, 37*(24), 377–388.

U.S. Department of Labor, Occupational Safety and Health Administration. (1991). Occupational exposure to bloodborne pathogens: Final rule. 29 CFR Part 1910.1029. *Federal Register, 56*(235), 64175–64182.

Ward, D. J. (2001). Infection control policies in nursing homes. *Nursing Standard, 15*(46), 40–44.

Wilson, J., & Jenner, E. A. (2001). *Infection control in clinical practice.* (2nd ed.). Philadelphia: W. B. Saunders.

Winslow, E. H., & Jacobsen, A. F. (2001). Combatting infection: The case against artificial nails, *Nursing, 31*(10), 30.

Worthington, K. (2001). You've been stuck: What do you do? *American Journal of Nursing, 101*(3), 104.

Xavier, G. (1999). Asepsis. *Nursing Standard, 13*(36), 49-53, 56.

Zhanel, G. G., Palatnick, L., Nichol, K. A., Bellyou, T., Low, D. E., & Hoban, D. J. (2003). Antimicrobial resistance in respiratory tract *Streptococcus pneumoniae* isolates: Results of the Canadian Respiratory Organism Susceptibility Study, 1997 to 2002. *Antimicrobial Agents and Chemotherapy, 2003, 47*(6), 1867-1874.

En français

Association paritaire pour la santé et la sécurité du travail du secteur affaires sociales (ASSTSAS). (2000). *Guide de référence en prévention des infections à l'intention des travailleurs et des comités paritaires de santé et de sécurité du travail (CPSST),* Montréal: ASSTSAS, (page consultée le 23 novembre 2004), [en ligne], <www.asstsas.qc.ca/documentation/publications/gp56-total.pdf>.

Association paritaire pour la santé et la sécurité du travail du secteur affaires sociales (ASSTSAS). (2004). *Ce qu'est l'ASSTSAS,* Montréal: ASSTSAS, (page consultée le 29 novembre 2004), [en ligne], <www.asstsas.qc.ca/apropos/default.asp>.

Bayer Canada. (2002). *Traitement des maladies infectieuses. La résistance aux antimicrobiens,* Division des soins de santé, (page consultée le 18 novembre 2004), [en ligne], <www.bayerhealth.com/pharmaceuticals/resistance_f.asp>.

Bouffard, L. et Roy, F. (2002). *Guide de prévention des infections à l'intention des infirmières en soins de pieds,* Montréal : OIIQ.

Carpenito, L. J. (2003). *Manuel de diagnostics infirmiers,* traduction de la 9ᵉ édition, Saint-Laurent : Éditions du Renouveau Pédagogique.

Dart, F. (2004). *La coprologie sur le Web, Glossaire,* pages personnelles, (page consultée le 15 novembre 2004), [en ligne], <coproweb.free.fr/gbearemi/dico/glossbact.htm>.

Gouvernement du Québec. (2004). *Règlement sur les déchets biomédicaux, Loi sur la qualité de l'environnement,* Québec : Gouvernement du Québec, (page consultée le 12 février, 2005), [en ligne], <www2.publicationsduquebec.gouv.qc.ca/dynamicSearch/telecharge.php?type=3&file=/Q_2/Q2R3_001.HTM>.

Institut national de santé publique du Québec (INSPQ). (2004). *Maladies infectieuses. Épidémiologie et surveillance des maladies infectieuses,* Québec : Gouvernement du Québec, (page consultée le 15 novembre 2004), [en ligne], <www.inspq.qc.ca/domaines/MaladiesInfectieuses/EpidemiologieSurveillance.asp?D=4&D4=1>.

Johnson, M. et Maas, M. (dir.). (1999). *Classification des résultats de soins infirmiers CRSI/NOC,* Paris : Masson.

Lévesque-Barbès, H. (2004). *Perspectives de l'exercice de la profession d'infirmière,* Montréal : OIIQ, (page consultée le 11 janvier 2005), [en ligne], <www.oiiq.org/uploads/publications/autres_publications/perspective2004.pdf>.

McCloskey, J. C. et Bulechek, G. M. (dir.). (2000). *Classification des interventions de soins infirmiers CISI/NIC,* 2ᵉ éd., Paris : Masson.

NANDA International. (2004). *Diagnostics infirmiers : Définitions et classification 2003-2004,* Paris : Masson.

Ordre des infirmières et infirmiers du Québec (OIIQ). (2000). *Avis. Application des mesures de prévention des infections,* Québec : OIIQ, Direction de la qualité de l'exercice, (page consultée le 29 novembre 2004), [en ligne], <www.oiiq.org/uploads/publications/avis/avis_prevention_infection.pdf>.

Santé Canada. (1997). « Un protocole intégré pour la prise en charge des travailleurs de la santé exposés à des pathogènes transmissibles par le sang », *Relevé des maladies transmissibles au Canada,* mars, 23S2, 1-16, (page consultée le 29 novembre 2004), [en ligne], <www.phac-aspc.gc.ca/publicat/ccdr-rmtc/97vol23/23s2/index_f.html#tdm>.

Santé Canada. (1998). « Lavage des mains, nettoyage, désinfection et stérilisation dans les établissements de santé, supplément du *Guide de prévention des infections, Relevé des maladies transmissibles au Canada,* 24S8, (page consultée le 21 novembre 2004), [en ligne], <www.phac-aspc.gc.ca/publicat/ccdr-rmtc/98pdf/cdr24s8f.pdf>.

Santé Canada. (1999). « Pratiques de base et précautions additionnelles visant à prévenir la transmission des infections dans les établissements de santé », supplément du *Guide de prévention des infections, Version révisée des techniques d'isolement et précautions, Relevé des maladies transmissibles au Canada,* juillet, 25S4, (page consultée le 12 novembre 2004), [en ligne], <www.phac-aspc.gc.ca/publicat/ccdr-rmtc/99pdf/cdr25s4f.pdf>.

Santé Canada. (2002a). *Guide canadien d'immunisation,* 6ᵉ éd., Direction générale de la santé de la population et de la santé publique, Centre de prévention et de contrôle des maladies infectieuses, (page consultée le 17 novembre 2004), [en ligne], < www.phac-aspc.gc.ca/publicat/cig-gci/pdf/guide_immuniz_cdn-2002-6.pdf >.

Santé Canada. (2002b). « La prévention et la lutte contre les infections professionnelles dans le domaine de la santé », *Relevé des maladies transmissibles au Canada,* mars, 28S1, 1-287, (page consultée le 17 novembre 2004), [en ligne], < www.phac-aspc.gc.ca/publicat/ccdr-rmtc/02pdf/28s1f.pdf>.

Santé Canada. (2003a). *Guide de prévention des infections pour les travailleurs de la santé dans les établissements de soins et autres établissements. Syndrome respiratoire aigu sévère (SRAS),* (page consultée le 23 novembre 2004), [en ligne], <www.rrsss17.gouv.qc.ca/santepub/pdf/sras/Guide%20pr%C3%A9vention%20%C3%A9tablissements%20SC%2001-05-2003.pdf>.

Santé Canada. (2003b). « Mise à jour – Surveillance des travailleurs de la santé exposés au sang, aux autres liquides organiques et aux agents pathogènes à diffusion hématogène dans les centres hospitaliers canadiens : du 1ᵉʳ avril 2000 au 31 mars 2002 », *Relevé des maladies transmissibles au Canada,* 15 décembre, 29(24), Agence de santé publique du Canada, (page consultée le 29 novembre 2004), [en ligne], <www.phac-aspc.gc.ca/publicat/ccdr-rmtc/03vol29/rm2924fa.html>.

Santé Canada. (2004a). *Virus du Nil occidental – Protégez-vous !,* Service d'information national sur le virus du Nil occidental, (page consultée le 17 novembre 2004), [en ligne], <www.hc-sc.gc.ca/francais/virus_nil/index.html>.

Santé Canada. (2004b). « Une déclaration d'un comité consultatif (DCC), Comité consultatif national de l'immunisation (CCNI), Déclaration sur la vaccination antigrippale pour la saison 2004-2005 », *Relevé des maladies transmissibles au Canada,* 15 juin 2004, 20(DCC-3), (page consultée le 17 novembre 2004), [en ligne], <www.health.gov.on.ca/english/providers/program/pubhealth/flu/flu_04/implementation_package/naci_statement.pdf>.

Santé Canada. (2004c). *Le programme intégré canadien de surveillance de la résistance antimicrobienne (PICRA),* Ottawa : Direction générale des produits de santé et des aliments, Santé Canada, (page consultée le 13 février 2005), [en ligne], <www.hc-sc.gc.ca/vetdrugs-medsvet/cipars_faq_f.html>.

Tortora, G. J. et Grabowski, S. R. (2001). *Principes d'anatomie et de physiologie,* Saint-Laurent : Éditions du Renouveau Pédagogique.

RESSOURCES ET SITES WEB

Association des microbiologistes du Québec. <www.cam.org/~amq>.

Association pour la prévention des infections à l'hôpital et dans la communauté. <www.chica.org>.

Centre for Microbial Diseases and Immunity Research. <www.cmdr.ubc.ca>.

Collège royal des médecins et chirurgiens du Canada. <rcpsc.medical.org>.

Conseil canadien d'agrément des services de santé. <www.cchsa.ca>.

Fondation canadienne d'allergie, d'asthme et d'immunologie. <www.allergyfoundation.ca>.

Laboratoire national de microbiologie. <www.nml.ca>.

Réseau canadien de recherche sur les bactérioses. <www.cbdn.ca>.

Réseau canadien pour les essais VIH. <www.hivnet.ubc.ca/ctnf.html>.

Section des infections nosocomiales et professionnelles (Santé Canada). <www.phac-aspc.gc.ca/nois-sinp/index_f.html>.

Société canadienne d'allergie et d'immunologie clinique. <www.csaci.medical.org>.

Société canadienne de santé internationale. <www.csih.org>

Société canadienne d'immunologie. <www.csi.ucalgary.ca>.

Société canadienne de transplantation. <transplant.medical.org>.

Après avoir étudié ce chapitre, vous pourrez :

- Discuter des facteurs influant sur la capacité d'une personne à se protéger des accidents et des blessures non intentionnelles.
- Décrire des méthodes permettant d'évaluer une personne qui présente un risque de blessure accidentelle.
- Décrire les dangers courants propres à chacun des stades de développement de l'être humain.
- Donner des exemples de diagnostics infirmiers, de résultats escomptés et d'interventions adaptés à la personne qui présente un risque de blessure accidentelle.
- Planifier des stratégies visant à assurer la sécurité dans un établissement de soins, à la maison et dans les lieux publics, notamment les mesures adaptées à chaque groupe d'âge pour prévenir les brûlures, les incendies, les chutes, les blessures liées aux crises convulsives, les intoxications, la suffocation, le bruit excessif, les commotions électriques, les blessures par arme à feu et l'irradiation.

- Décrire les règles à suivre en cas d'incendie.
- Décrire en détail les mesures de prévention des chutes.
- Décrire les précautions à prendre en cas de crise convulsive.
- Discuter de l'utilisation des mesures de contrôle ainsi que de leurs aspects professionnels et juridiques.
- Décrire les mesures de remplacement des mesures de contrôle.
- Énoncer les principes directeurs encadrant l'utilisation des mesures de contrôle.
- Dresser la liste des résultats escomptés nécessaires à l'évaluation de certaines stratégies de prévention des accidents.

PARTIE 9
Composantes essentielles des soins cliniques

CHAPITRE

36

SÉCURITÉ

La prévention des accidents et des blessures non intentionnelles doit être une préoccupation de première importance pour l'infirmière, que ce soit dans un établissement de soins, au domicile d'une personne ou dans un lieu public ; le secours aux blessés revêt la même importance. Les accidents de la route, les chutes, les incendies et les brûlures, les intoxications, l'inhalation de substances diverses, l'ingestion de corps étrangers et l'utilisation d'armes à feu comptent parmi les principales causes de blessures et de décès. « Les blessures involontaires coûtent quelque 8,7 milliards de dollars par année aux Canadiens. » (Santé Canada, 2004)

L'infirmière doit bien connaître les caractéristiques d'un environnement sécuritaire, que ce soit pour une personne ou un groupe, qu'il s'agisse d'un établissement de soins, d'un domicile ou d'un lieu public. Bien souvent, le comportement humain est à l'origine des accidents et des blessures non intentionnelles ; il est donc possible de les prévenir.

Adaptation française :
Caroline Longpré, inf., M.Sc.

Enseignante en soins infirmiers

Cégep régional de Lanaudière à Joliette

Facteurs influant sur la sécurité

La capacité qu'a un individu de se protéger contre les blessures dépend d'une multitude de facteurs : âge et stade de développement, mode de vie, mobilité et état de santé, fonctions sensorielles, niveau de cognition, état psychosocial, capacité de communiquer, sens de la prudence et sensibilisation à la sécurité, facteurs environnementaux. L'infirmière doit intégrer toutes ces dimensions à la planification des soins et à l'enseignement des mesures de protection.

Âge et stade de développement

« Les blessures sont la principale cause de décès chez les Canadiens durant l'enfance et de 1 à 40 ans. En 1996, les blessures non intentionnelles (comme les accidents d'auto, l'empoisonnement et les chutes) comptaient pour près de 70 % des décès dus aux blessures chez les enfants et les jeunes. » (Santé Canada, 2004) C'est grâce à la connaissance de notre environnement et à notre capacité de bien l'évaluer que nous apprenons à nous protéger d'un grand nombre d'accidents et de blessures. L'enfant qui se rend à l'école à pied a appris à s'arrêter aux intersections et à bien regarder dans les deux directions avant de traverser la rue. Il aura aussi appris qu'on ne doit pas toucher un four chaud. Ces apprentissages sont une dimension essentielle de l'éducation du très jeune enfant. Seules la connaissance et l'expérience permettent en effet à l'enfant de comprendre la nature des dangers qui l'entourent.

Quant aux personnes âgées, Santé Canada (2004) apporte les précisions suivantes : « Le taux de blessures menant au décès ou à l'hospitalisation est plus élevé chez les aînés que dans tout autre groupe d'âge au Canada et, comme la population canadienne vieillit, on s'attend à ce que le taux augmente. » Selon la même source, les chutes représentent la cause la plus commune de blessures chez la personne âgée, ce qui a engendré en 1995 des dépenses de 980 millions de dollars en soins médicaux directs. La diminution des capacités motrices et celle de l'acuité sensorielle contribuent à augmenter le risque d'accident. Les dangers propres à chaque groupe d'âge sont décrits dans l'encadré 36-1. Les mesures de prévention des accidents et des blessures non intentionnelles sont abordées plus loin dans ce chapitre.

Mode de vie

Parmi les facteurs de risque liés au mode de vie, on compte les suivants : les conditions de travail dangereuses ; le fait d'habiter dans un quartier où le taux de criminalité est élevé ; l'accès à des armes à feu et à des munitions ; le fait de ne pas disposer d'un revenu suffisant ni pour acheter des dispositifs ou de l'équipement de sécurité ni pour effectuer les réparations néces-

---

ENCADRÉ

Exemples de risques d'accident selon le stade de développement

36-1

- **Embryon et fœtus :** Exposition, par l'intermédiaire de la mère, au tabagisme, à la consommation d'alcool et de drogues toxicomanogènes, aux rayons X (premier trimestre), à certains médicaments et à certains pesticides.

- **Nouveau-né et nourrisson :** Chutes, suffocation au berceau, étouffement provoqué par l'aspiration de lait ou l'ingestion d'objets, brûlures causées par de l'eau bouillante ou un autre liquide chaud, accidents de la route, blessures subies au berceau ou dans un parc pour enfants, commotions électriques, intoxication.

- **Trottineur :** Traumas résultant d'une chute, d'une collision avec un objet ou d'une coupure causée par un objet tranchant ; accidents de la route ; brûlures ; intoxication ; noyade ; commotions électriques.

- **Enfant d'âge préscolaire et enfant d'âge scolaire :** Blessures causées par un accident de la route, par l'équipement des terrains de jeux ou d'autres objets ; étouffement, suffocation et obstruction des voies aériennes ou du canal auriculaire par un corps étranger ; intoxication ; noyade ; incendies et brûlures ; blessures infligées par un animal ou par autrui.

- **Adolescent :** Accidents de la route (voiture, vélo), accidents liés aux loisirs, armes à feu, abus d'alcool ou d'autres drogues.

- **Adulte :** Chutes, brûlures, accidents de la route (comme piéton, conducteur ou passager).

saires à son domicile ; la consommation de drogues illicites, qui peuvent contenir des additifs nocifs. Dans certains accidents, les comportements téméraires sont aussi en cause.

Mobilité et état de santé

Une personne dont la mobilité est réduite, que ce soit en raison d'une paralysie, d'une faiblesse musculaire, de problèmes d'équilibre ou de problèmes de coordination, est évidemment sujette aux accidents et aux blessures. Une personne ayant subi une blessure médullaire et paraplégique est parfois incapable de bouger, même si elle ressent un malaise. Une personne qui a une jambe plâtrée a souvent du mal à rester en équilibre et peut tomber facilement. Par ailleurs, une personne affaiblie à la suite d'une affection ou d'une intervention chirurgicale n'est pas toujours entièrement consciente de son état et elle peut donc éprouver certaines difficultés à réagir aux stimuli normaux.

Fonctions sensorielles

La capacité de percevoir et d'interpréter correctement les stimuli du milieu est un aspect fondamental de la sécurité. Une personne souffrant d'une déficience du toucher, de l'ouïe, du goût, de l'odorat ou de la vue est fortement sujette aux accidents et aux blessures. Une personne dont la vue est affaiblie peut trébucher contre un jouet ou ne pas apercevoir un fil électrique sur le sol. Une personne sourde n'entendra pas le son d'une sirène dans la circulation et celle dont le sens de l'odorat est déficient ne sentira pas l'odeur d'un aliment en train de brûler sur la cuisinière ou l'odeur de soufre que dégage une fuite de gaz naturel.

Niveau de cognition

La cognition est le processus qui permet de prendre conscience des stimuli du milieu ou de les percevoir ; elle renvoie aux réactions physiologiques qui s'ensuivent et aux réactions adéquates de l'organisme, soit par la pensée, soit par l'action. Ainsi, le processus de cognition se trouve affaibli dans les cas suivants : manque de sommeil ; perte de conscience ou état de conscience partiel ; désorientation (la personne ne sait pas où elle se trouve ni ce qu'elle a à faire) ; perception de stimuli inexistants ; jugement modifié par une affection ou certaines substances (par exemple, opioïdes, calmants, hypnotiques ou sédatifs). Une personne légèrement confuse peut parfois oublier momentanément où elle se trouve, sortir de sa chambre et errer, égarer ses objets personnels, etc.

État psychosocial

Dans les cas extrêmes, l'état psychosocial peut altérer la capacité d'une personne à percevoir les risques que son environnement peut comporter. Les situations de stress peuvent affaiblir le degré de concentration, provoquer des erreurs de jugement et réduire la conscience des stimuli externes (cognition). Une personne dépressive réagit parfois plus lentement qu'à son habitude aux stimuli de son milieu.

Capacité de communiquer

Une personne qui éprouve des difficultés à donner et à recevoir de l'information, qu'il s'agisse d'aphasie, de barrière linguistique ou d'analphabétisme, risque aussi de se blesser. Par exemple, un fumeur qui ne sait pas lire ne comprendrait pas un panneau de mise en garde (par exemple, « Attention : oxygène – Interdit de fumer ») et pourrait provoquer un incendie.

Sens de la prudence et sensibilisation à la sécurité

L'information est un aspect essentiel de la sécurité. Quand une personne se trouve dans un environnement qui ne lui est pas familier, tel qu'un établissement de soins, il est nécessaire de lui indiquer les mesures de sécurité à observer. La méconnaissance du matériel potentiellement dangereux (par exemple, réservoirs d'oxygène, tubulures de perfusion intraveineuse et enveloppements chauds) représente un risque de blessure. Il faut aussi renseigner les personnes en bonne santé, par exemple en matière de sécurité automobile (en 2001, au Canada, 2 778 personnes sont mortes dans des accidents de la route et environ 35 % de ces décès ont été attribués à l'alcool [Transports Canada, 2003]), de sécurité nautique, de prévention des incendies, de mesures de prévention d'ingestion de matières dangereuses et de mesures de prévention particulières à chaque groupe d'âge.

Facteurs environnementaux

À la maison, un environnement sécuritaire nécessite que le sol et les tapis soient bien entretenus, que le fond de la baignoire ou de la douche soit antidérapant, que des détecteurs de fumée en état de marche soient installés dans des endroits stratégiques et que tous les occupants connaissent l'emplacement des sorties de secours. Les installations extérieures, comme les piscines, ne doivent présenter aucun danger et être bien entretenues. Par ailleurs, un bon éclairage intérieur et extérieur réduit le risque d'accident.

Au travail, l'équipement lourd, les courroies transporteuses, les poulies et les substances chimiques constituent autant de sources de danger. La fatigue, la pollution par le bruit, la pollution de l'air et l'exécution du travail en altitude ou sous terre comportent également des risques de nature professionnelle. Le milieu de travail de l'infirmière comporte aussi des risques. Le travailleur de la santé doit toujours être conscient des risques auxquels il s'expose (par exemple, le risque de contracter ou de transmettre une infection nosocomiale).

L'éclairage adéquat des rues, le traitement de l'eau potable, l'épuration des eaux usées et la réglementation de l'hygiène dans l'industrie de l'alimentation (fabrication, manutention et vente) sont autant de mesures favorables à la santé et à la sécurité de la population. Un quartier sécuritaire sur tous les plans permet à ses habitants de vivre relativement à l'abri du bruit excessif, du crime, d'une circulation automobile dense ; c'est un milieu de vie sans habitations délabrées, ni terrains vagues, dépotoirs et cours d'eaux non protégés.

DÉMARCHE SYSTÉMATIQUE
dans la pratique infirmière

Collecte des données

La collecte des données sur la personne qui présente un risque d'accidents ou de blessures non intentionnelles comporte les volets suivants : (a) relever les indicateurs pertinents au cours de l'anamnèse et de l'examen physique ; (b) utiliser des outils d'évaluation du risque ; (c) évaluer l'aménagement du lieu d'habitation.

■ Anamnèse et examen physique

L'anamnèse et l'examen physique d'une personne fournissent des données qui renseignent sur ses habitudes en matière de sécurité et sur le risque de blessure qu'elle présente. Ces données couvrent les aspects suivants : âge et stade de développement ; état de santé général ; degré de mobilité ; présence ou absence de déficience physiologique ou sensorielle concernant l'odorat, la vision, le toucher, le goût ou toute autre fonction ; anomalies du processus cognitif et autres déficiences d'ordre cognitif ou émotif ; abus d'alcool ou de drogues ; signes qui indiquent que la personne est victime d'abus ou de négligence ; antécédents liés aux accidents et aux blessures. En établissant les antécédents liés à la sécurité, il faut déterminer le sens de la prudence et la sensibilisation à la sécurité de la personne, ainsi que ses connaissances en matière de mesures de sécurité, tant à la maison qu'au travail, et toute menace à sa sécurité (figure 36-1 ■).

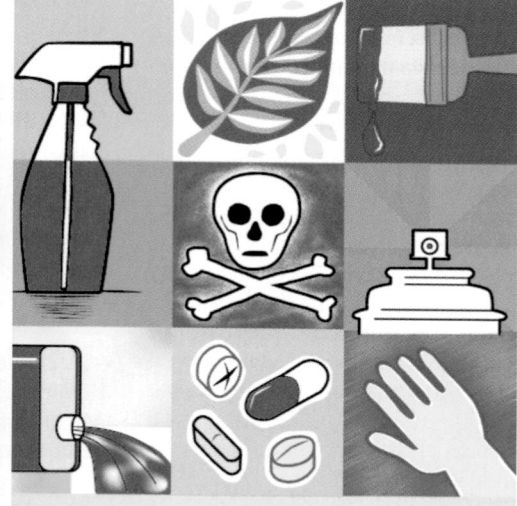
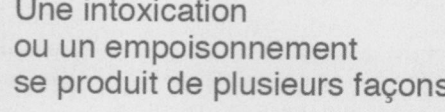

FIGURE 36-1 ■ En recueillant les données sur les antécédents liés à la sécurité, l'infirmière doit, par la même occasion, renseigner la personne sur les principes de sécurité et les mesures de prévention des accidents : (dans le sens des aiguilles d'une montre) signet du Centre anti-poison, fermetures d'armoires et de tiroirs à l'épreuve des enfants, cache-prises de courant, sièges de voiture pour enfants, détecteurs de fumée. (Sources : Centre anti-poison du Québec ; Michael Newman/PhotoEdit ; Jerry Marshall ; Caroline Longpré ; Tony Freeman/PhotoEdit.)

■ Outils d'évaluation du risque

Des outils d'évaluation spécialisés permettent de repérer la personne à risque par rapport à certaines catégories d'accidents (par exemple, les chutes) ou de déterminer les mesures à prendre pour assurer sa sécurité à la maison ou dans un établissement de soins. En règle générale, ces outils aident l'infirmière à évaluer les facteurs influant sur la sécurité, décrits précédemment. Ils permettent de faire la synthèse des données recueillies pendant l'anamnèse et l'examen physique. Plus loin, nous abordons en détail la question des chutes (voir la section « Prévention des principaux dangers »).

■ Évaluation des dangers à la maison

L'environnement physique du domicile présente certains dangers qui sont à l'origine, entre autres, de chutes, d'incendies, d'intoxications ou de suffocations, accidents souvent liés à l'utilisation impropre d'équipement, d'outils ou d'ustensiles de cuisine. Pour en savoir davantage sur les dangers potentiels qui guettent la personne à la maison, voir le chapitre 9 ⛓.

Analyse

NANDA (2004) propose une rubrique diagnostique générale concernant les questions relatives à la sécurité :

■ *Risque d'accident :* Situation dans laquelle une personne risque de se blesser car elle se trouve confrontée à des conditions qui dépassent ses capacités d'adaptation et de défense.

Cette rubrique diagnostique comprend cinq sous-catégories auxquelles l'infirmière peut se référer pour décrire le risque et préciser les interventions qui s'imposent (Carpenito, 2003) :

■ *Risque d'intoxication :* Risque d'entrer accidentellement en contact avec des substances dangereuses en quantité suffisante pour provoquer une intoxication.

■ *Risque de suffocation :* Risque accru d'asphyxie ou d'étouffement accidentel (manque d'air au moment de l'inspiration).

■ *Risque de trauma :* Risque accru de blessure accidentelle des tissus (par exemple, plaie, brûlure, fracture, etc.).

■ *Risque de fausse route (risque d'aspiration) :* Risque d'inhaler des sécrétions gastriques ou oropharyngées, des solides ou des liquides dans la trachée et les bronches.

■ *Risque de chute :* Situation où une personne est plus susceptible de tomber.

Voici un autre diagnostic auquel l'infirmière pourra faire appel :

■ *Connaissances insuffisantes (prévention des accidents) :* Incapacité d'exposer ou d'expliquer les mesures de sécurité applicables à soi-même ou à autrui ou de montrer les compétences requises à cet égard.

L'encadré *Diagnostics infirmiers, résultats de soins infirmiers et interventions* fournit quelques exemples d'application de la démarche systématique dans la pratique infirmière aux personnes qui présentent un risque de blessure.

DIAGNOSTICS INFIRMIERS, RÉSULTATS DE SOINS INFIRMIERS ET INTERVENTIONS

Risque de blessure

COLLECTE DES DONNÉES	DIAGNOSTICS INFIRMIERS : *DÉFINITION*	EXEMPLES DE RÉSULTAT DE SOINS INFIRMIERS [N° CRSI/NOC] : *DÉFINITION*	INDICATEURS	INTERVENTIONS CHOISIES [N° CISI/NIC] : *DÉFINITION*	EXEMPLES D'ACTIVITÉS CISI/NIC
Mme H. a adopté un trottineur. L'inspection du domicile révèle que de nombreux produits de nettoyage se trouvent au niveau du sol et que la peinture des murs est écaillée.	*Risque d'intoxication,* relié au rangement de produits dangereux à portée des enfants : *Risque d'entrer accidentellement en contact avec des substances dangereuses en quantités suffisantes pour provoquer une intoxication.*	Mesures de sécurité : aménagement du domicile [1910] : *Actions mises en œuvre par soi-même ou l'aidant naturel afin de réduire les facteurs environnementaux susceptibles d'entraîner des accidents domestiques.*	Entièrement adéquats : • Application d'étiquettes de mise en garde. • Rangement des objets dangereux de manière à prévenir toute blessure. • Prévention des risques de saturnisme. • Installation d'aires de jeux sécuritaires.	Aménagement du milieu ambiant : Sécurité [6486] : *Surveillance et organisation de l'environnement physique de la personne de façon à assurer sa sécurité.*	• Repérer les risques pour la sécurité. • Éliminer les dangers de l'environnement lorsque c'est possible. • Initier ou conduire des programmes de dépistage des dangers de l'environnement. • Informer des dangers présents dans l'environnement. • Procurer à la personne la liste des numéros de téléphone d'urgence (par exemple, centre antipoison).

DIAGNOSTICS INFIRMIERS, RÉSULTATS DE SOINS INFIRMIERS ET INTERVENTIONS (SUITE)

Risque de blessure (suite)

COLLECTE DES DONNÉES	DIAGNOSTICS INFIRMIERS : DÉFINITION	EXEMPLES DE RÉSULTAT DE SOINS INFIRMIERS [Nº CRSI/NOC]: DÉFINITION	INDICATEURS	INTERVENTIONS CHOISIES [Nº CISI/NIC]: DÉFINITION	EXEMPLES D'ACTIVITÉS CISI/NIC
À la suite d'un accident vasculaire cérébral, M. P. souffre d'un affaiblissement du côté gauche et sa démarche est instable. Au domicile de M. P., l'infirmière constate la présence de plusieurs carpettes et meubles qui entravent sa mobilité. Dans la salle de bain, il n'y a pas de barre d'appui près des toilettes ni près de la douche.	*Risque d'accident*, relié à une mobilité restreinte et aux dangers présents au domicile : *Situation dans laquelle une personne risque de se blesser car elle se trouve confrontée à des conditions qui dépassent ses capacités d'adaptation et de défense.*	Mesures de sécurité : aménagement du domicile [1910]: *Actions mises en œuvre par soi-même ou l'aidant naturel afin de réduire les facteurs environnementaux susceptibles d'entraîner des accidents domestiques.*	Entièrement adéquats : • Installation de barres de sécurité dans la salle de bain. • Disposition correcte des meubles de manière à réduire les risques.	Aménagement du milieu ambiant : Sécurité [6486]: *Surveillance et organisation de l'environnement physique de la personne de façon à assurer sa sécurité.*	• Évaluer les besoins de la personne en termes de sécurité. • Repérer les risques pour la sécurité. • Modifier l'environnement afin de limiter les risques et les dangers. • Utiliser des dispositifs de sécurité (par exemple, barres de sécurité) afin de limiter la mobilité ou l'accès à des situations dangereuses. • Surveiller l'environnement afin de déceler tout changement dans les conditions de sécurité. • Informer la personne des dangers présents dans l'environnement.

Planification

Dans la planification des soins en prévention d'accidents et de blessures non intentionnelles, l'infirmière doit tenir compte de tous les facteurs touchant la sécurité de la personne, préciser les résultats escomptés et choisir des interventions qui permettront de les atteindre. Dans le cas d'une personne qui présente un risque d'accident, l'objectif principal est la prévention. Pour que la prévention soit efficace, la personne doit souvent modifier son comportement en matière de santé et il arrive aussi qu'elle doive réaménager son milieu de vie.

Les résultats escomptés en matière de prévention des blessures varient selon la personne concernée. La section « Évaluation », à la page 1229, en fournit des exemples, même si les résultats se définissent habituellement à l'étape de la planification de la démarche systématique.

Les interventions infirmières à entreprendre pour atteindre les résultats escomptés sont conçues, dans une large mesure, pour aider la personne et ses proches dans les tâches suivantes :

- Repérer les risques liés à la sécurité, que ce soit au domicile ou dans les lieux publics.
- Adopter des pratiques et des comportements sécuritaires, que ce soit au domicile, dans les lieux publics ou au travail.
- Réduire la fréquence ou la gravité des blessures.
- Adopter des pratiques sécuritaires en matière d'éducation des enfants ou de mode de vie.

Interventions

Tout au long de sa vie, l'individu est exposé à des risques, qui varient selon l'âge et le stade de développement.

■ Favoriser la sécurité à tout âge

Quel que soit l'âge d'un individu, les mesures destinées à assurer sa sécurité sont axées sur les éléments suivants : (a) observer ou anticiper les situations potentiellement dangereuses, dans le but de les éviter ; (b) enseigner les moyens de se protéger et de protéger ses proches. L'encadré *Enseignement – Mesures de sécurité selon le stade de développement* passe en revue les mesures de sécurité à mettre en œuvre.

NOUVEAU-NÉ ET NOURRISSON. Les accidents sont une cause prédominante de décès chez les enfants, en particulier durant la première année de vie. Le nourrisson dépend entièrement des soins d'autrui ; il est inconscient des dangers liés à une chute ou à l'ingestion de substances nocives. Dans certains cas, il faut apprendre aux parents en quoi consiste la vigilance nécessaire à la sécurité du nourrisson. Parfois, il faut aussi les aider à déterminer les sources de danger pour l'enfant, tant à l'intérieur qu'à l'extérieur de la maison, les initier aux premiers soins (par exemple, réanimation cardiorespiratoire et interventions en cas d'obstruction des voies respiratoires). Parmi les accidents courants qui se produisent pendant l'enfance, on compte les brûlures, la suffocation ou l'étouffement (par pendaison non intentionnelle ; par des objets,

ENSEIGNEMENT

Mesures de sécurité selon le stade de développement

NOUVEAU-NÉ ET NOURRISSON
Enseignement aux parents :

- En voiture, assoyez toujours l'enfant dans un siège d'auto homologué (y compris pendant le trajet de l'établissement de soins à la maison). Le siège doit être installé sur la banquette arrière de la voiture et orienté vers l'arrière. Le siège doit être muni d'une étiquette qui atteste sa conformité avec le Règlement sur la sécurité des véhicules automobiles du Canada (RSVAC / CMVSS), administré par Transports Canada (Santé Canada, 2002b). Pour plus d'information, voir Transports Canada (2004).

- Ne laissez jamais l'enfant sans surveillance sur une surface au-dessus du niveau du sol.

- Vérifiez au préalable la température de l'eau du bain et celle du biberon.

- Ne calez pas le biberon contre un objet, tenez-le à l'aide de votre main. Coupez les aliments en petits morceaux pour l'enfant, ne lui donnez pas d'arachides, ni d'aliments de forme plus ou moins ronde (par exemple, raisins), ni de maïs soufflé.

- Vérifiez la conformité du lit de bébé avec les normes de sécurité en vigueur : les barreaux doivent être espacés de 6 cm ou moins, la peinture ne doit pas contenir de plomb, la surface du matelas doit être ferme, le matelas ne doit pas avoir plus de 15 cm d'épaisseur et l'espace entre le matelas et les côtés du lit ne doit pas être de plus de 3 cm. Les lits de bébé fabriqués avant 1986 ne respectent pas ces normes. Il est recommandé de ne pas mettre au lit l'enfant avec un collier, un foulard, une sucette attachée au bout d'une corde, des jouets en peluche ou rembourrés, un contour de lit coussiné, etc. (Santé Canada, 2002b).

- Utilisez un parc d'enfant dont les côtés sont faits d'un filet à mailles serrées, de style moustiquaire. Les côtés du parc doivent être stables et solides et il faut toujours les laisser complètement montés.

- Choisissez des jouets gros et mous, sans accessoires détachables de petite taille ni de parties pointues.

- Installez des barrières de sécurité dans les escaliers et des moustiquaires aux fenêtres. Surveillez l'enfant lorsqu'il est assis dans une balançoire ou une chaise haute.

- Munissez les prises électriques de cache-prises. Enroulez les fils électriques et mettez-les hors de portée de l'enfant.

- Rangez les plantes, les produits de nettoyage et les poubelles hors de portée de l'enfant. Gardez hors de portée de l'enfant tous les poisons éventuels, notamment les médicaments, la peinture et l'essence.

TROTTINEUR
Enseignement aux parents :

- Comme dans le cas du nourrisson, utilisez un siège d'auto homologué et correctement installé sur la banquette arrière.

- Enseignez à l'enfant à ne pas porter d'objet à sa bouche, notamment des comprimés (sauf s'ils sont administrés par un parent).

- Placez les objets à rebord coupant ou pointus (par exemple, couteaux et meubles) hors de portée de l'enfant.

- Utilisez les surfaces de cuisson situées à l'arrière de la cuisinière ; orientez le manche des casseroles vers le centre de la cuisinière.

- Gardez toujours hors de portée de l'enfant les produits de nettoyage, les insecticides et les médicaments.

- Installez des moustiquaires aux fenêtres et aux balcons.

- Surveillez l'enfant pendant son bain.

- Installez une clôture sécuritaire autour de la piscine ; surveillez l'enfant en tout temps quand il se trouve dans la piscine ou à proximité. Ne remplissez pas la baignoire. Ne laissez pas l'enfant jouer près d'un fossé ou d'un puits.

- Enseignez à l'enfant à ne pas courir dans la rue et à ne pas y circuler en tricycle.

- Dès que l'enfant est capable de grimper, placez le niveau du lit le plus bas possible et prévoyez de cesser l'utilisation du lit à barreaux.

- Munissez les prises électriques de cache-prises.

ENFANT D'ÂGE PRÉSCOLAIRE
Enseignement aux parents :

- Enseignez à l'enfant à ne pas courir avec un bonbon ou un autre objet dans la bouche.

- Enseignez-lui à ne pas mettre de petits objets dans sa bouche, son nez ou ses oreilles.

- Démontez la porte d'un électroménager inutilisé (par exemple, réfrigérateur).

- Surveillez toujours l'enfant au moment de traverser une rue ; enseignez-lui à respecter les consignes de sécurité aux feux de circulation (par exemple, regarder dans les deux directions avant de traverser).

- Ne laissez pas l'enfant manger des friandises d'Halloween avant que vous ne les ayez examinées ; jetez les bonbons mal emballés ou sans emballage.

- Enseignez à l'enfant à ne jouer que dans des endroits sécuritaires, à ne pas jouer dans la rue ou sur les voies de chemin de fer.

- Enseignez-lui le danger de jouer avec des allumettes ou un briquet ; enseignez-lui à ne pas jouer près d'un appareil de chauffage, d'une plinthe électrique, d'un réservoir d'huile à chauffage, d'un barbecue, etc.

- Enseignez-lui à ne jamais parler à des inconnus et à toujours vous informer sur ses allées et venues.

- Enseignez-lui à ne pas se déplacer devant ou derrière une balançoire en mouvement et à ne pas se bousculer avec les autres enfants dans les installations de terrains de jeux.

ENFANT D'ÂGE SCOLAIRE
Enseignement aux parents :

- Enseignez à l'enfant les consignes de sécurité à observer pendant les loisirs et les activités sportives : ne jamais nager ni se baigner seul ; à bord d'une embarcation, toujours porter un vêtement de flottaison individuel (VFI) ou un gilet de sauvetage ; selon l'activité, porter un casque de protection, des protège-genoux et des protège-coudes.

- Surveillez l'enfant pendant ses séances de sport de contact ou de tir sur cible.

ENSEIGNEMENT (SUITE)

- Enseignez-lui à observer les règles de sécurité routière, principalement les règles à suivre en transport scolaire. Montrez-lui comment être prudent à bord d'un autobus scolaire et aux alentours : avant de s'approcher du véhicule, attendre que l'autobus soit arrêté, que les feux clignotent et que le conducteur ait ouvert la porte ; ne jamais se tenir ou se déplacer derrière un autobus ; pour traverser la rue devant un autobus, s'en éloigner d'au moins 10 pas, de façon à ce que le conducteur puisse le voir très bien ; etc. (voir la Société de l'assurance automobile du Québec dans la section « Ressources et sites Web » à la fin du chapitre).

- Enseignez à l'enfant les consignes de sécurité à vélo (par exemple, expliquez-lui la signalisation des pistes cyclables), en planche à roulettes, en patin à roulettes ou en patin à roues alignées.

- Enseignez-lui à utiliser un dispositif d'éclairage ou à porter un vêtement réfléchissant après la tombée du jour, qu'il soit à pied ou à vélo.

- Enseignez-lui à utiliser de façon sécuritaire la cuisinière, les outils de jardinage, etc.

- Surveillez-le pendant qu'il utilise une scie, un appareil électrique, un outil ou tout autre matériel potentiellement dangereux.

- Enseignez-lui à ne pas toucher à des pièces de feux d'artifice, des cartouches ou des armes à feu et, par-dessus tout, à ne pas jouer avec ces objets. Rangez vos armes à feu déchargées et vos munitions hors de portée de l'enfant. Respectez la réglementation du ministère de la Justice du Canada (voir la section « Ressources et sites Web » à la fin du chapitre).

- Enseignez-lui à ne pas jouer dans les excavations, les carrières et les bâtiments inoccupés ou près de la machinerie lourde.

- Expliquez-lui les dangers du tabagisme pour la santé. S'il y a lieu, cessez de fumer pour lui donner le bon exemple.

- Expliquez-lui les effets de l'alcool et des drogues sur le jugement et la coordination.

- Expliquez-lui l'importance de ne pas pendre de médicament sans autorisation ni surveillance.

ADOLESCENT

Enseignement aux parents :

- De préférence, faites suivre un cours de conduite automobile à l'adolescent. Pendant la période où il a un permis d'apprenti conducteur, accompagnez-le dans diverses conditions météorologiques, de façon à ce qu'il puisse parfaire sa conduite.

- Établissez des règles rigoureuses relatives à l'utilisation d'une voiture (par exemple, ne jamais conduire sous l'effet de l'alcool ou de drogues, ne jamais monter avec un conducteur qui est dans cet état). Encouragez l'adolescent à vous appeler s'il a consommé de l'alcool plutôt qu'à prendre le volant ; assurez-le que vous ne le réprimanderez pas, bien au contraire, et que vous irez le chercher pour le ramener à la maison, s'il y a lieu.

- Rappelez-lui le principe de la « tolérance zéro » : le titulaire d'un permis d'apprenti conducteur ou d'un permis probatoire commet une infraction en vertu du *Code de la sécurité routière* s'il prend la route après avoir consommé de l'alcool, peu importe la quantité. Rappelez-lui qu'un conducteur commet une infraction en vertu du *Code criminel* s'il conduit avec un taux d'alcool de 80 mg par 100 mL de sang (0,08).

- Pendant la première année qui suit l'obtention du permis de conduire par l'adolescent, limitez le nombre de passagers qui peuvent l'accompagner quand il conduit.

- Expliquez à l'adolescent que le port du casque de protection est obligatoire pour conduire une motocyclette, un scooter ou tout autre véhicule récréatif. Enseignez-lui les règles de sécurité nautique.

- Recommandez à l'adolescent d'utiliser le matériel approprié à chaque sport qu'il pratique. Avant qu'il ne commence la pratique d'un sport, planifiez avec lui un examen médical et assurez-vous qu'il en passera régulièrement par la suite.

- Encouragez l'adolescent à pratiquer certaines activités en groupe (par exemple, natation, jogging et navigation de plaisance), de façon à pouvoir obtenir facilement de l'aide en cas d'accident.

- Enseignez-lui les consignes de sécurité relatives à l'utilisation d'outils électriques.

- Enseignez-lui les règles de sécurité et la réglementation en matière de chasse et d'armes à feu (entretien, utilisation et rangement).

- Renseignez-le sur les dangers associés aux drogues, à l'alcool et aux relations sexuelles non protégées, en particulier le danger du viol commis entre connaissances sous l'influence de l'alcool ou de drogues et les moyens de se défendre.

- Renseignez-le sur les dangers liés au bronzage naturel ou artificiel ; expliquez-lui les mérites de l'utilisation d'écrans solaires et de vêtements protecteurs pendant les activités de plein air.

- Faites preuve de vigilance pour détecter tout changement d'humeur et de comportement chez l'adolescent. Écoutez ce qu'il a à dire et discutez ouvertement avec lui. La communication est un outil de prévention très efficace.

- Donnez-lui le bon exemple dans vos agissements et vos comportements.

JEUNE ADULTE

Enseignement à la personne :

- Consolidez les connaissances et les comportements du jeune adulte en matière de sécurité routière : conduite préventive, conducteur désigné dans un groupe qui consomme de l'alcool, entretien régulier de la voiture (par exemple, freins et pneus), port de la ceinture de sécurité et limite du nombre de passagers.

- Consolidez les connaissances et les comportements du jeune adulte en matière de sécurité à la maison : importance de réparer tout matériel défectueux qui présente un risque d'incendie (par exemple, fils électriques dénudés ou brisés).

- Consolidez les connaissances et les comportements du jeune adulte en matière de sécurité nautique : juger de la profondeur d'une piscine ou d'un lac avant de plonger, exercer une surveillance autour des piscines et pendant toute activité nautique.

- Discutez des risques d'accident ou de décès liés au travail dans le choix d'une carrière ou d'une profession. Incitez le jeune adulte à participer activement aux programmes de réduction des risques professionnels.

- Discutez des moyens à prendre pour éviter l'exposition excessive aux rayons solaires (par exemple, utilisation d'un écran solaire et port de vêtements protecteurs). Expliquez comment faire un autoexamen de la peau pour dépister les changements qui pourraient indiquer l'apparition d'un cancer.
- Si le jeune adulte a des difficultés à s'adapter aux pressions sociales, aux responsabilités et aux attentes caractéristiques de cet âge, conseillez-lui de consulter un professionnel.

ADULTE D'ÂGE MÛR
Enseignement à la personne:

- Consolidez les connaissances et les comportements de la personne en matière de sécurité routière: port de la ceinture de sécurité et respect des limites de vitesse. Recommandez-lui de passer un examen de la vue périodique.
- Donnez à la personne les consignes de sécurité suivantes pour la maison:
  - Éviter d'encombrer les escaliers et maintenez-y un éclairage adéquat.
  - Installer des barres d'appui dans la salle de bains et un tapis antidérapant dans la baignoire ou la douche.
  - Vérifier régulièrement le fonctionnement des détecteurs de fumée et des avertisseurs d'incendie.
  - Maintenir en bon état de marche tous les appareils électriques et les outils (tant à la maison qu'au travail). Observer les règles de sécurité propres à chaque situation.
- Consolidez les connaissances et les comportements de la personne en matière de mesures de sécurité, notamment en ce qui concerne les risques associés à l'exposition prolongée au soleil.

PERSONNE ÂGÉE
Enseignement à la personne:

- Encouragez la personne âgée à passer un examen périodique de la vue et de l'ouïe.
- Aidez-la à évaluer la sécurité de son domicile.
- Encouragez-la à rester aussi active que possible.

Mesures préventives:

- Assurez-vous que les lunettes de la personne âgée sont adaptées à sa vue.
- Assurez-vous que l'éclairage de son domicile est adéquat.
- Au besoin, balisez les seuils de porte et le rebord des marches.

- Veillez à ce que les pièces de la maison soient bien rangées et qu'elles ne soient pas encombrées.
- Établissez avec la personne âgée des limites sécuritaires pour la pratique d'activités.
- Faites les recommandations suivantes à la personne:
  - Se débarrasser des objets dangereux.
  - Porter des chaussures ou des pantoufles de la bonne taille, qui tiennent bien aux pieds et sont munies de semelles antidérapantes.
  - S'il y a lieu, utiliser une aide à la mobilité (par exemple, canne, béquilles, déambulateur, orthèses, fauteuil roulant).
- Aidez la personne âgée à se déplacer, au besoin.
- Surveillez régulièrement la démarche et l'équilibre.
- S'il y a lieu, aménagez les espaces d'habitation sur un seul étage.
- Encouragez la personne âgée à faire de l'exercice physique et des activités correspondant à ses capacités, dans le but d'entretenir sa force musculaire, la souplesse de ses articulations et son équilibre.
- Assurez-vous que les lieux ne sont pas encombrés et que les tapis sont bien fixés.
- Incitez la personne âgée à demander de l'aide en cas de besoin.
- Si le lit est à hauteur variable, laissez-le dans une position basse.
- Montrez à la personne âgée comment se lever du lit: d'abord, passer lentement de la position couchée à la position assise; ensuite, se lever et rester debout sans bouger pendant quelques secondes; enfin, commencer à marcher.
- Munissez le lit de ridelles.
- Maintenez les ridelles en place lorsque cette mesure est indiquée.
- Installez des barres d'appui dans la salle de bains.
- Fournissez un siège de toilettes surélevé.
- Au besoin, fournissez une chaise d'aisances.
- Planifiez la miction à intervalles fréquents et à heures fixes; fournissez l'aide nécessaire.
- Évaluez régulièrement le niveau de tolérance de la personne à l'activité.
- Évaluez régulièrement le sens de l'orientation et la vivacité d'esprit.
- Recommandez à la personne âgée de faire réévaluer ses ordonnances de médicaments annuellement ou au besoin.

tels que des ballons gonflables ou des aliments; au lit ou au berceau, ce qui est moins fréquent depuis l'application des normes en matière de lit d'enfant (ASPC, 1998), les accidents de voiture, les chutes et les intoxications. L'enseignement et les mesures de soutien peuvent aider les parents à acquérir les connaissances nécessaires pour protéger leurs enfants des accidents et des blessures.

TROTTINEUR. Le trottineur est curieux, il aime toucher et goûter à tout ce qui lui tombe sous la main. Il est fasciné par bien des choses qui, en fait, constituent des sources éventuelles de danger pour lui, comme les piscines et les rues bondées, si bien qu'il faut constamment le surveiller et le protéger (figure 36-2 ■). Selon les données de l'Agence de santé publique du Canada (1998), les enfants âgés de un à quatre ans présentent un taux d'hospitali-

sation plus élevé que les autres groupes d'âge et principalement attribuable aux médicaments et aux produits biologiques. Parmi les produits souvent en cause, il y a l'acétaminophène, les médicaments antigrippaux, les multivitamines, l'alcool à friction, les dissolvants de vernis à ongles, le fer, le camphre et les huiles essentielles. On peut prévenir de nombreux accidents à cet âge en aménageant les lieux de façon à les rendre « à l'épreuve du trottineur ». En fait, il faut ranger en lieu sûr tout objet susceptible de présenter un risque pour l'enfant. En outre, il peut être nécessaire d'inspecter les lieux pour détecter la présence de plomb; s'il y en a, il faut s'en débarrasser. L'intoxication par le plomb (ou saturnisme) guette l'enfant qui est exposé aux éclats de peinture au plomb, aux vapeurs d'essence au plomb ou à tout produit contenant ce métal. L'ingestion d'éclats de peinture au plomb est la cause la plus courante de saturnisme chez l'enfant.

FIGURE **36-2** ∎ Pour éviter que l'enfant se blesse à la maison, il est essentiel d'observer certaines mesures de sécurité (par exemple, utiliser les surfaces de cuisson situées à l'arrière de la cuisinière et orienter le manche des casseroles vers l'intérieur de la cuisinière).

ENFANT D'ÂGE PRÉSCOLAIRE. L'enfant d'âge préscolaire est actif et souvent très maladroit, ce qui le prédispose aux blessures. Il est donc nécessaire de rendre l'environnement sécuritaire, comme pour le trotteur, en s'assurant qu'allumettes, médicaments et poisons éventuels restent hors de portée de l'enfant. C'est à cet âge que doit commencer l'éducation en matière de sécurité : traverser les rues, déchiffrer les panneaux de signalisation routière et se déplacer de façon sécuritaire en tricycle, en bicyclette ou avec tout autre véhicule pour enfant. L'enfant doit aussi apprendre à éviter les lieux dangereux, comme les rues bondées et les piscines. Les parents doivent exercer une surveillance étroite : l'enfant d'âge préscolaire n'a pas encore atteint le stade de développement qui lui permet d'assurer lui-même sa sécurité. On doit rappeler aux parents que les habiletés cognitives et motrices des enfants de ce groupe d'âge se développent rapidement ; c'est pourquoi l'enseignement des règles de sécurité doit suivre de près l'acquisition de nouvelles capacités par l'enfant.

ENFANT D'ÂGE SCOLAIRE. L'enfant qui entre à l'école sait déjà qu'il faut réfléchir avant d'agir. Il préfère souvent les objets qu'utilisent les adultes aux jouets. Il veut aussi participer, avec d'autres enfants, à des activités comme le vélo, la randonnée, la natation et la navigation de plaisance. Même s'il est sensible à l'influence de ses camarades, l'enfant d'âge scolaire réagit favorablement aux règles. Son monde intérieur est marqué par l'imaginaire et la pensée magique. Il cherche souvent à imiter ses parents et les superhéros, auxquels il s'identifie.

Les accidents constituent la principale cause de décès chez les enfants d'âge scolaire. Les facteurs en cause sont, dans l'ordre d'importance, les accidents de la route, les noyades et les incendies. Les enfants d'âge scolaire sont aussi victimes de nombreux accidents moins graves, qui se produisent souvent pendant les activités de plein air et mettent en cause le matériel de loisir, comme les balançoires, les vélos, les planches à roulettes et les piscines.

ADOLESCENT. En Amérique du Nord, l'obtention du permis de conduire constitue un événement important dans la vie d'un adolescent, mais ce dernier n'utilise pas toujours cette nouvelle possibilité de la façon la plus judicieuse. Pour certains adolescents, la conduite d'une voiture peut être une façon de canaliser le stress, d'affirmer son autonomie ou d'impressionner ses semblables. Au moment d'établir des règles concernant l'usage de la voiture, les parents doivent évaluer le sens des responsabilités de l'adolescent, son jugement et sa capacité de résister à l'influence de ses camarades. L'âge seul ne permet pas de déterminer si un adolescent est prêt à conduire une voiture de façon responsable.

Puisque sa coordination n'est pas encore parfaitement développée, l'adolescent risque de subir des accidents quand il pratique un sport. Les activités sportives jouent néanmoins un rôle important dans le développement global de l'adolescent et de l'estime qu'il a de lui-même. En plus d'apporter les effets bénéfiques de l'exercice, les sports favorisent le développement sur le plan social et personnel. Ils permettent au jeune de faire l'expérience de la compétition, du travail d'équipe et de la résolution de problème.

Le suicide et l'homicide sont deux causes importantes de décès chez les adolescents. « Le suicide à l'adolescence est un phénomène tragique qui ne cesse d'augmenter. Il constitue la deuxième cause de mortalité chez les jeunes âgés de 15 à 19 ans. De plus, le taux de suicide chez les jeunes est sous-estimé puisqu'il ne tient compte que des suicides officiels et exclut ceux déguisés en accidents. » (Bouchard, 2001) Voici quelques caractéristiques possibles de l'adolescent à risque (Bouchard, 2001) :

- L'adolescent à risque vit dans une famille dont le fonctionnement est perturbé.
- Il vit des expériences émotionnelles difficiles (par exemple, perte récente ou autre événement traumatisant).
- Il y a déjà eu un suicide dans sa famille ou son cercle d'amis ; l'adolescent à risque s'identifie à la personne décédée et voit en elle un modèle.
- Il éprouve des difficultés dans la recherche de son identité sexuelle.
- Il a des comportements qui s'écartent de la norme (par exemple, délinquance, prostitution).
- Il a des problèmes liés à la consommation de drogues, d'alcool ou de médicaments.
- Il a déjà fait des fugues ; il a été placé plus d'une fois en foyer d'accueil ou en centre d'accueil.
- Il a déjà commis une ou plusieurs tentatives de suicide.

On ne saurait trop mettre en garde les parents contre l'accès des adolescents à des armes à feu (voir l'encadré *Résultats de recherche – Que fait un garçon qui met la main sur une véritable arme à feu ?*).

> Un permis pour mineur permettra aux jeunes d'emprunter une carabine ou un fusil de chasse sans restrictions à des fins autorisées telles que la chasse ou le tir sur cible. En règle générale, l'âge minimum est de 12 ans, mais certaines exceptions peuvent être accordées aux jeunes qui doivent chasser pour subvenir à leurs besoins et à ceux de leurs familles. Les demandeurs doivent avoir suivi le Cours canadien de sécurité dans le maniement des armes à feu et avoir réussi à l'examen. (www.armeafeu.com)

JEUNE ADULTE. Les accidents de la route sont de loin la cause de mortalité la plus importante chez le jeune adulte, les autres causes de mort accidentelle étant les noyades, les incendies, les brûlures et les armes à feu.

L'exposition aux rayons solaires pendant les bains de soleil et les activités de plein air présente un danger. Il y a en effet un lien direct entre l'exposition au soleil et le cancer de la peau.

Le suicide est une autre cause importante de décès chez le jeune adulte. De nombreuses morts accidentelles (accidents de la route, intoxications alcooliques et surdoses de drogues) sont en fait des suicides déguisés. Le suicide d'un jeune adulte résulte généralement de son incapacité à s'adapter aux pressions, aux responsabilités et aux attentes caractéristiques de cet âge.

En prévention du suicide, le rôle de l'infirmière consiste à rechercher la présence des indices d'un problème éventuel : dépression ; diverses plaintes de nature physique (par exemple, perte de poids, perturbation du sommeil et troubles digestifs) ; diminution de l'intérêt manifesté pour son rôle social ou professionnel, accompagnée d'un isolement croissant. Quand on croit qu'un jeune adulte présente un risque de suicide, il faut le diriger vers un professionnel de la santé mentale ou un centre d'aide et d'écoute. De plus, l'infirmière peut contribuer à réduire l'incidence du suicide en participant à des programmes d'éducation sur les signes annonciateurs précoces du suicide.

ADULTE D'ÂGE MÛR. Les facteurs liés aux changements physiologiques ainsi que les préoccupations d'ordre personnel et professionnel contribuent au nombre d'accidents qui guettent l'adulte d'âge mûr. Les accidents de la route sont la cause la plus courante de décès dans ce groupe d'âge. La diminution du temps

---

RÉSULTATS DE RECHERCHE

Que fait un garçon qui met la main sur une véritable arme à feu ?

Des chercheurs ont mené une étude dans le but de comparer les croyances que les parents entretiennent à l'égard du comportement qu'aurait leur fils en découvrant une arme à feu dans un environnement sécuritaire (par exemple, « il ne toucherait pas à l'arme ou il informerait un adulte de sa découverte ») et le comportement véritable de l'enfant (Jackman, Farah, Kellerman et Simon, 2001).

L'étude pilote portait sur 64 garçons âgés de 2 à 12 ans, répartis dans 29 groupes de 2 ou 3 sujets. À tour de rôle, on a invité chaque groupe à entrer dans une pièce équipée d'une glace sans tain. Dans un tiroir, les chercheurs avaient caché deux pistolets à eau en plastique et, dans un autre tiroir, une arme de poing semi-automatique. Cette arme à feu comportait deux caractéristiques : elle avait été modifiée pour qu'on ne puisse pas tirer de coup ; la détente était reliée à un émetteur de signal qui, chaque fois qu'on exerçait une pression équivalente à celle nécessaire pour tirer, activait un clignotant (que seuls les observateurs pouvaient voir). Pour chacun des groupes, les chercheurs voulaient analyser les comportements suivants : (a) Les garçons allaient-ils trouver l'arme ? (b) Informeraient-ils un adulte de leur découverte ? (c) Manieraient-ils l'arme ? (d) Appuieraient-ils sur la détente ?

En fait, 21 groupes sur 29 (72 %) ont découvert l'arme ; parmi ces derniers, 16 groupes (75 %) l'ont maniée et, dans 10 groupes (48 %), au moins un garçon a « tiré ». Près de la moitié des garçons qui ont trouvé l'arme ont pensé qu'il s'agissait d'un jouet ou n'étaient pas certains qu'il s'agissait d'une arme véritable. Plus de 90 % des garçons qui ont manié l'arme ou « tiré » ont affirmé que quelqu'un leur avait déjà enseigné les règles de sécurité touchant le maniement des armes à feu. Ainsi, les conclusions de l'étude montrent que les croyances des parents relatives au comportement de leur fils sont erronées.

Implications : Nombreux sont les garçons âgés de 2 à 12 ans qui manieront une arme à feu qu'ils auront trouvée. Il s'agit d'un groupe qui présente un risque élevé de blessures accidentelles causées par une arme à feu. Il est donc important que l'infirmière rappelle aux parents qui possèdent des armes à feu à la maison de ranger ces objets hors de portée des enfants (les armes doivent être sous clé et déchargées) ou d'envisager la possibilité de s'en départir.

Source : « Seeing is believing : What Do Boys Do When They Find a Real Gun ? », de G. A. Jackman, M. M. Farah, A. L. Kellerman et H. K. Simon, 2001, *Pediatrics, 107*(6), p. 1247-1250.

de perception-réaction et de l'acuité visuelle prédisposent l'adulte d'âge mûr aux accidents. Parmi les autres causes de mort accidentelle, on compte les chutes, les incendies, les intoxications et les noyades, et les accidents de travail continuent de représenter un risque sérieux.

PERSONNE ÂGÉE. La prévention des accidents doit être une préoccupation de première importance chez la personne âgée. Comme sa vue diminue, ses réflexes ralentissent et ses os se fragilisent, la personne âgée doit faire preuve de prudence, que ce soit en montant un escalier, en conduisant une voiture ou simplement en marchant. La conduite automobile, en particulier la nuit, exige une certaine prudence, parce que l'adaptation de l'œil aux changements de luminosité faiblit, tout comme la vision périphérique. Au volant, la personne âgée doit toujours tourner la tête avant de changer de voie ; en traversant une rue, elle doit aussi le faire et non se fier à sa vision latérale. Elle devrait éviter de conduire dans des conditions météorologiques difficiles (par exemple, quand il y a du brouillard).

Le risque d'incendie guette la personne âgée qui perd la mémoire. Elle peut oublier un fer à repasser branché ou des aliments en train de chauffer sur la cuisinière. Il peut aussi arriver qu'elle éteigne mal une cigarette, qui continue de brûler. Par ailleurs, comme sa sensibilité à la douleur et à la chaleur est réduite, elle doit prendre garde de ne pas se brûler (par exemple, en prenant un bain ou en utilisant un appareil de chauffage).

La personne âgée qui court le risque de s'égarer en raison d'un syndrome cérébral organique devrait porter en tout temps un dispositif d'identification. On peut aussi l'inscrire au programme Sécu-Retour, le registre d'errance de la Société Alzheimer du Canada.

La personne âgée qui prend des analgésiques ou des sédatifs peut devenir léthargique ou confuse. C'est pourquoi elle doit faire l'objet d'un suivi à intervalles réguliers. De préférence, on devrait recourir à d'autres mesures que les sédatifs pour favoriser le sommeil à cet âge. L'infirmière peut aider la personne âgée à aménager son domicile pour en faire un milieu sécuritaire. Elle peut déterminer les dangers particuliers que le domicile représente et proposer des modifications (par exemple, installation d'une main courante dans les escaliers). L'infirmière doit rappeler à la personne âgée qu'elle doit se limiter aux médicaments prescrits et communiquer avec un professionnel de la santé dès qu'un signe d'intolérance apparaît.

Actuellement, l'incidence du suicide dans la population âgée est en augmentation. Le suicide d'une personne âgée passe souvent inaperçu lorsque les causes sont associées à un comportement autodestructeur plus ou moins observable ou dont on peut difficilement juger du caractère volontaire, comme le jeûne, une surdose de médicaments et la non-observance d'un plan de soins et de traitements (y compris la prise de médicaments prescrits). Les conséquences des tentatives de suicide sont habituellement plus graves chez la personne âgée que dans les autres groupes d'âge : son comportement est réellement destiné à mettre fin à sa vie

> **! ALERTE CLINIQUE** *Une personne âgée distingue mal le bord des marches d'un escalier. Une bande de couleur contrastante sur le bord des marches peut contribuer à prévenir les chutes.* ∎

plutôt qu'à attirer l'attention sur elle. De plus, la méthode choisie est généralement violente et irrémédiable (par exemple, pendaison).

Wold (1999) souligne les faits importants relatifs au suicide chez la personne âgée : (a) les hommes sont plus portés à se suicider que les femmes ; (b) la présence d'une affection est un facteur qui joue un rôle important ; (c) une douleur non maîtrisable, la perte d'un être cher et les changements de l'existence jouent aussi un rôle important ; (d) une dépression majeure et l'isolement peuvent augmenter le risque de suicide.

L'infirmière doit rester attentive aux symptômes et aux facteurs de risque, elle doit aussi s'assurer que la personne consulte un professionnel ou un organisme spécialisé, s'il y a lieu.

PROBLÈMES TOUCHANT LA SÉCURITÉ SELON LE STADE DE DÉVELOPPEMENT. La violence familiale augmente à un rythme inquiétant ; elle touche des personnes de tous les âges, du nouveau-né à la personne âgée. Les mauvais traitements infligés aux enfants, la violence conjugale et les sévices que subissent les personnes âgées compromettent la santé et la sécurité sur le plan familial et social. En raison du nombre de cas qui ne sont pas signalés, les statistiques sur la violence familiale ne reflètent que partiellement la réalité. L'infirmière devrait participer à tous les volets relatifs à la violence familiale : prévention, dépistage, orientation vers des services de thérapie et suivi. L'intervention doit habituellement être planifiée de concert avec les médecins, les autorités policières, les services sociaux et les organismes communautaires.

L'infirmière peut aussi militer en faveur de l'établissement de programmes de lutte contre la violence familiale et participer aux efforts de sensibilisation des membres des autres professions de la santé en matière de prévention, de dépistage et de traitement.

La question de la violence familiale prend toute son importance quand on sait qu'une personne ayant été victime de mauvais traitements durant l'enfance adoptera souvent un comportement violent à l'âge adulte. Pour rompre ce cycle, la prévention et l'intervention précoce sont nécessaires. Par ailleurs, l'infirmière peut aider la personne vulnérable à reconquérir sa dignité, à recouvrer la santé et à retrouver un sentiment de sécurité.

■ Prévention des principaux dangers

La mise en œuvre de mesures visant à prévenir certains dangers en particulier, comme les brûlures, les incendies, les chutes, les crises convulsives, les intoxications, la suffocation, le bruit excessif, les commotions électriques, les blessures par arme à feu et les irradiations, constitue l'un des aspects fondamentaux de la pratique infirmière. L'enseignement des principes de sécurité l'est tout autant. L'infirmière a généralement l'occasion de donner des conseils à ce sujet en prodiguant des soins.

BRÛLURES. Une **brûlure** est une blessure causée par une exposition excessive à un agent d'origine thermique, chimique, électrique ou radioactive. Un **ébouillantage** est une brûlure occasionnée par un liquide très chaud ou par de la vapeur.

Voici les causes les plus fréquentes d'ébouillantage :

- Manche de casserole qui dépasse le bord de la cuisinière.
- Appareils électriques dont on se sert pour réchauffer des liquides ou de l'huile, en particulier quand le fil électrique est à la portée de jeunes enfants ou de bébés qui peuvent se déplacer à quatre pattes.
- Eau du bain trop chaude.

En établissement de soins, il faut particulièrement se préoccuper du risque d'ébouillantage et de brûlure dans le cas des personnes dont la sensibilité de la peau est réduite. L'eau d'un bain excessivement chaude peut provoquer un ébouillantage et les traitements thermiques peuvent occasionner des brûlures (voir le chapitre 34 ⬿). L'infirmière doit évaluer la capacité de chaque personne à se protéger et déterminer les mesures à prendre s'il y a lieu.

INCENDIES. Les incendies constituent un risque permanent, tant en établissement de soins qu'à la maison. Dans le premier cas, les incendies sont habituellement causés par un appareil électrique défectueux ou par la combustion d'un anesthésique gazeux. À la maison, les principales causes d'incendie sont les suivantes : cigarette ou allumette mal éteinte et jetée à la poubelle ; graisses de cuisson ; défectuosité des installations électriques.

Incendies en établissement de soins. Dans les établissements de soins, les incendies présentent un danger particulièrement grave pour les personnes alitées et incapables de quitter les lieux par leurs propres moyens. C'est pourquoi il est essentiel que l'infirmière connaisse les règlements de sécurité en matière d'incendie et les mesures de prévention de l'établissement où elle travaille. Selon un document du Centre universitaire de santé McGill (CUSM, sans date), quand un incendie se déclare, l'infirmière doit suivre les sept étapes suivantes :

1. Actionner l'avertisseur manuel d'incendie.
2. Éloigner toute personne en danger immédiat.
3. Fermer portes et fenêtres.
4. Lutter contre le feu avec les moyens disponibles.
5. Composer le code d'urgence de l'établissement.
6. Être attentive aux instructions.
7. Demeurer disponible aussi longtemps que la situation n'est pas revenue à la normale.

Selon la même source (CUSM, sans date), pour éteindre un incendie, il faut savoir qu'il existe cinq catégories de feu, selon le type de combustible :

Classe A – combustibles ordinaires : papier, bois, tissus, rembourrage, chiffons, déchets ordinaires.

Classe B – liquides et gaz inflammables : essence, huile, peinture.

Classe C – appareillage électrique : tout appareil électrique sous tension.

Classe D – matériaux combustibles.

Classe K – agents de cuisson : huile, graisse végétale ou animale.

Pour combattre un incendie, il faut utiliser l'extincteur approprié. Chaque extincteur est muni d'une étiquette indiquant la ou les catégories de feu correspondantes. On y trouve également les instructions d'utilisation.

Incendies domestiques. En ce qui concerne les incendies domestiques, le rôle de l'infirmière consiste à enseigner des consignes de sécurité, comme les suivantes (voir le ministère de la Sécurité publique du Québec dans la section « Ressources et sites Web » à la fin du chapitre) :

- Conserver les numéros d'appel des secours près du téléphone ou les enregistrer dans la mémoire de l'appareil pour en permettre la composition abrégée.
- Vérifier l'emplacement et le fonctionnement des détecteurs de fumée.
- Changer régulièrement la pile des détecteurs (par exemple, à l'occasion des changements officiels de l'heure, c'est-à-dire tous les six mois).
- Établir un plan d'évacuation des membres de la famille. Tout le monde doit connaître la sortie la plus proche selon l'endroit de la maison où on se trouve.
- Placer les extincteurs dans des endroits facilement accessibles et s'assurer de leur bon fonctionnement.
- En cas d'incendie, fermer les fenêtres et les portes dans la mesure du possible ; se couvrir le nez et la bouche avec un linge humide s'il faut traverser une pièce enfumée ; se protéger de la fumée épaisse en se penchant et en gardant la tête le plus près possible du sol.

CHUTES. Les chutes nous guettent à tout âge, mais ce sont les nourrissons et les personnes âgées qui risquent le plus de tomber et de se blesser gravement. « De toutes les causes de blessures chez les aînés, les chutes constituent, de loin, le problème le plus grave puisqu'elles représentent plus de 87 % des blessures non intentionnelles nécessitant une hospitalisation chez les aînés de 71 ans et plus ainsi que 75 % des décès provoqués par des blessures. » (Santé Canada, 2002a) Selon la même source, on évalue à 2,8 milliards de dollars les coûts annuels liés aux soins des blessures causées par les chutes chez les personnes âgées de 65 ans et plus. La plupart des chutes se produisent à la maison ; elles constituent l'une des principales menaces pour l'autonomie de la personne âgée. Celle-ci est habitée par la peur de tomber, même si elle n'est jamais tombée. Cette peur touche particulièrement la personne qui vit seule et craint de ne pas pouvoir appeler à l'aide en cas de chute. L'infirmière peut donner les conseils suivants à la personne qui éprouve ces craintes : communiquer avec un ami ou un proche au moins une fois par jour ; faire installer un système d'intervention d'urgence à domicile ; aménager les lieux de façon à prévenir les chutes. Selon Santé Canada (2002a), on peut classer les facteurs de risque liés directement ou indirectement aux chutes (et aux blessures qui s'ensuivent) chez la personne âgée en facteurs intrinsèques et en facteurs extrinsèques ; ces facteurs sont soit biologiques (par exemple, affections chroniques qui réduisent les perceptions sensorielles et la fonction musculosquelettique), soit comportementaux (par exemple, prise de médicaments, inactivité, antécédents liés aux chutes), soit environnementaux (par exemple, sol encombré ou glissant, éclairage insuffisant), soit socioéconomiques (par exemple, niveau de revenu, conditions de vie et de logement). Le tableau 36-1 passe en revue les mesures de prévention des chutes selon les facteurs de risque. La figure 36-3 ■ montre l'action que les médicaments exercent sur la personne qui fait une chute et la figure 36-4 ■ illustre un outil d'analyse postchute. Même quand elles ne causent pas de blessure, les chutes ne sont pas sans conséquence. Une personne qui fait une chute aura peur de tomber de nouveau, ce qui peut entraîner le syndrome d'immobilisation, l'utilisation de mesures de contention pour pallier la peur de tomber, l'apparition ou l'accroissement de la confusion, l'incontinence, etc. Avec l'âge, les facteurs de risque de chute augmentent, ce qui accroît évidemment aussi le risque de blessure. Il convient alors « d'établir des stratégies préventives tenant compte de l'ensemble des facteurs prédisposants ; de procéder, lorsqu'un usager a chuté, à l'évaluation et au traitement de la (des) cause (s), précipitante (s) et des causes prédisposantes (intrinsèques à la personne) ou environnementales (extrinsèques) ; d'assurer une approche globale qui peut être réalisée idéalement par l'équipe interdisciplinaire ou par l'équipe de soins » (HMR, 1999).

TABLEAU

36-1

Mesures de prévention des chutes selon les facteurs de risque

Facteurs de risque	Mesures de prévention
Troubles visuels et auditifs	S'assurer que les lunettes de la personne sont adaptées à sa vue. S'assurer que l'éclairage de son domicile est adéquat. Au besoin, baliser les seuils de porte et le rebord des marches. Veiller à ce que les pièces de la maison soient bien rangées et ne soient pas encombrées. Assurer l'entretien des prothèses auditives. Éliminer les bruits de fond le plus possible. Parler à la personne en se tenant devant elle et en la regardant. Vérifier la compréhension des consignes données à la personne.
Troubles cognitifs (confusion, désorientation, déficit mnésique, troubles du jugement)	Établir avec la personne des limites sécuritaires pour la pratique d'activités. Éliminer les objets dangereux. Utiliser un langage simple. Éliminer les sources d'inconfort ou y remédier ; surtout, chercher à les prévoir. Rassurer et réconforter la personne de façon à lui faire éprouver un sentiment de sécurité. Briser l'isolement de la personne en lui proposant des activités qui lui conviennent. Intervenir par rapport aux causes des comportements perturbateurs ou problématiques de la personne, s'il y a lieu et compte tenu de ses capacités réduites de jugement, de compréhension ou de raisonnement.
Problèmes de mobilité liés à un dysfonctionnement des membres inférieurs (par exemple, arthrite)	Recommander à la personne de porter des chaussures ou des pantoufles de la bonne taille, qui tiennent bien aux pieds et sont munies de semelles antidérapantes. S'il y a lieu, lui recommander d'utiliser une aide à la mobilité (par exemple, canne, béquilles, déambulateur, orthèses, fauteuil roulant). Aider la personne à se déplacer, au besoin. Surveiller sur une base régulière la démarche et l'équilibre de la personne. S'il y a lieu, aménager les espaces d'habitation sur un seul étage. Encourager la personne à faire de l'exercice physique et des activités correspondant à ses capacités, dans le but d'entretenir sa force musculaire, la souplesse de ses articulations et son équilibre. S'assurer que les lieux ne sont pas encombrés et que les tapis sont bien fixés.
Difficulté à changer de position (entre la position assise ou couchée et la position debout)	Inciter la personne à demander de l'aide en cas de besoin. Si le lit de la personne est un lit à hauteur variable, le laisser dans une position basse. Installer des barres d'appui dans la salle de bains. Fournir un siège de toilettes surélevé.
Hypotension orthostatique	Montrer à la personne comment se lever du lit : d'abord, passer lentement de la position couchée à la position assise ; ensuite, se lever et rester debout sans bouger pendant quelques secondes ; enfin, commencer à marcher.
Faiblesse attribuable à une affection ou à un traitement	Inciter la personne à demander de l'aide en cas de besoin. Évaluer régulièrement le niveau de tolérance de la personne à l'activité.
Prise de médicaments (en général)	Maintenir les ridelles en place quand le lit est dans la position la plus basse. Sensibiliser la personne à l'importance de bien respecter la posologie de ses médicaments. Vérifier la capacité de la personne à prendre elle-même ses médicaments. Évaluer régulièrement le sens de l'orientation et la vivacité d'esprit de la personne. Recommander à la personne de ne pas consommer de l'alcool en même temps que des médicaments ; au besoin, lui recommander de ne pas consommer d'alcool du tout. Recommander à la personne de faire réévaluer ses ordonnances de médicaments annuellement ou au besoin.

Facteurs de risque	Mesures de prévention
• Prise de sédatifs, d'hypnotiques, d'opioïdes ou d'analgésiques	Rechercher les effets indésirables des médicaments sur la personne et les surveiller (par exemple, somnolence, diminution de la coordination, troubles de la démarche). Surveiller les signes vitaux.
• Prise de diurétiques	Fournir une chaise d'aisances. Planifier la miction à intervalles fréquents et à heures fixes ; fournir l'aide nécessaire.
Antécédents liés aux chutes	Délimiter les moments, les lieux et les circonstances où les chutes se sont produites. Mesurer les répercussions que les chutes ont sur la personne. Rechercher les facteurs prédisposants des chutes. Éliminer le ou les facteurs de risque de chute. Maintenir et améliorer l'autonomie fonctionnelle de la personne.
Nouvelle admission ou transfert récent	Visiter la personne. Mettre le lit de la personne à la bonne hauteur. Renseigner la personne sur le fonctionnement de l'unité et les horaires (par exemple, repas, coucher). Surveiller étroitement les déplacements de la personne.
Témérité (comportement imprudent)	Apprendre à la personne comment évaluer ses capacités et ses limites, et comment adapter ses comportements en conséquence. Déterminer avec la personne les situations susceptibles d'accroître le risque d'accident. Adapter l'environnement à la personne (par exemple, diminuer les obstacles). Inciter la personne à demander de l'aide en cas de besoin.
Agitation	Relever et éliminer les sources d'agitation chez la personne. Soulager la douleur. Augmenter le niveau de confort. S'assurer que la personne a une hydratation suffisante. Éviter l'usage de mesures de contention. Demander la participation de la famille. Réduire les stimuli. Rassurer la personne. Assurer une présence étroite auprès d'elle.
Troubles d'élimination	Vérifier si la personne souffre d'incontinence ou d'autres troubles d'élimination fréquents (par exemple, constipation, nycturie). Évaluer les besoins d'aide de la personne. S'assurer que l'hygiène est adéquate. Respecter les horaires. Respecter l'intimité de la personne. Mettre à la portée de la personne un bassin de lit ou une chaise d'aisance, du papier hygiénique et une sonnette d'appel. Limiter l'ingestion de liquide en soirée.
Facteurs extrinsèques	S'assurer que tout est bien adapté à la condition de la personne : habillement, aides à la mobilité, environnement physique (par exemple, éclairage, sol, lit, sonnette d'appel, fauteuil, disposition des meubles, équipement médical, salle de bain, corridors), etc.

Source : *Guide de prévention des chutes en fonction des facteurs de risques en milieu de soins de courte durée*, de l'Hôpital Maisonneuve-Rosemont (HMR), 1999, Montréal : HMR.

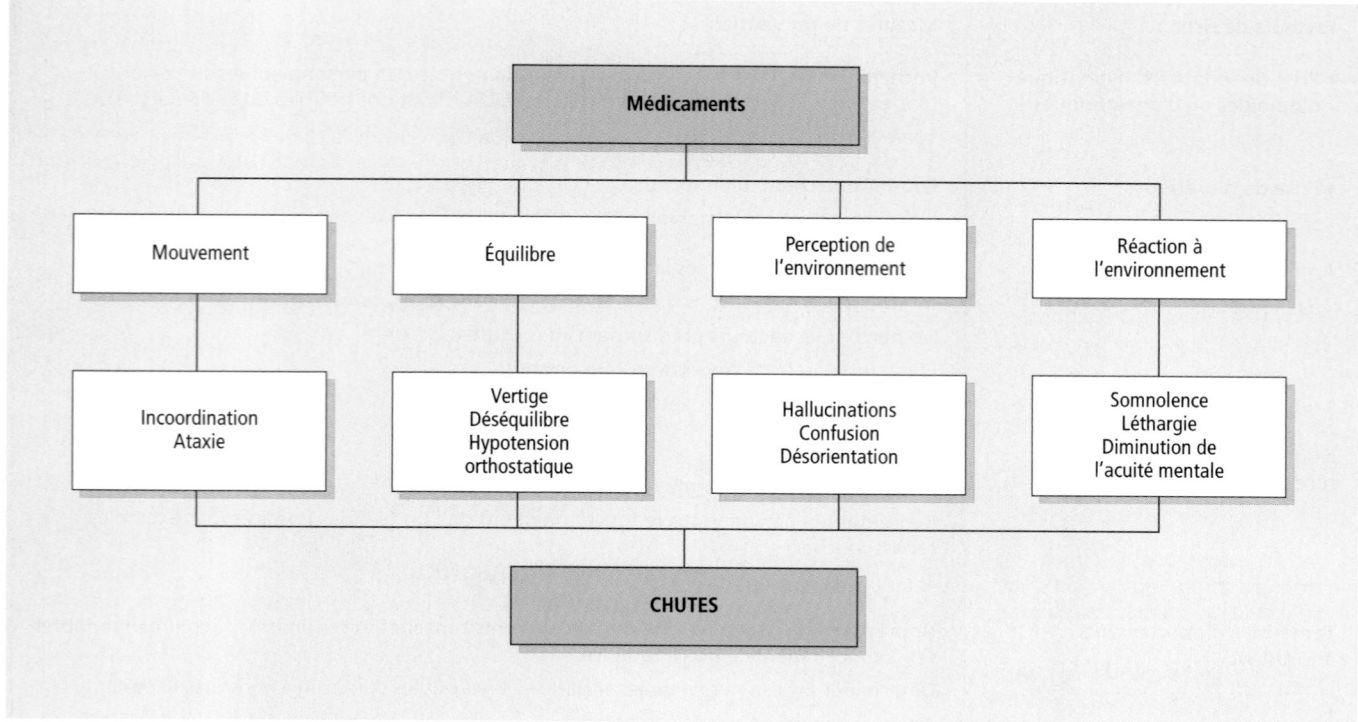

FIGURE **36-3** ■ Action des médicaments sur une personne qui fait une chute. (Source : *Guide de prévention des chutes en fonction des facteurs de risques en milieu de soins de courte durée,* de l'Hôpital Maisonneuve-Rosemont (HMR), 1999, Montréal : HMR, p. 23.)

! ALERTE CLINIQUE *Les blessures physiques ne sont pas les seules conséquences d'une chute ; la personne qui tombe peut perdre confiance en elle-même, et la peur de tomber qui s'ensuit peut la pousser à restreindre ses activités, ce qui affaiblira en retour sa force musculaire. Tous ces facteurs augmentent le risque de nouvelles chutes.* ■

La faiblesse des muscles des jambes et des genoux, la perte du sens de l'équilibre et le manque de souplesse accroissent le risque de chute chez la personne âgée. Parmi les diverses façons d'évaluer l'équilibre d'une personne que les chercheurs ont mises au point, il y a le test de Tinetti, l'échelle d'équilibre de Berg et le test Get Up and Go. On utilise le test de Tinetti pour déceler les anomalies de l'équilibre (on évalue 13 situations posturales selon 3 niveaux : normal, adaptatif et anormal) et celles de la marche (on évalue 9 éléments selon 2 niveaux : normal et anormal). L'échelle de Berg consiste à évaluer l'équilibre en observant la performance de 14 mouvements habituels de la vie quotidienne). Quant au Get Up and Go, qu'on peut utiliser en établissement de santé ou au domicile de la personne, Kimbell (2001) en décrit les étapes comme suit :

1. Observer la posture de la personne lorsqu'elle est assise sur une chaise droite.

2. Demander à la personne de se lever. Vérifier si elle utilise uniquement les muscles de ses jambes ou si elle s'aide de ses mains.

3. Quand la personne est debout et stable, lui demander de fermer les yeux. Vacille-t-elle ?

4. Lui demander d'ouvrir les yeux, d'avancer de trois mètres, de faire un demi-tour sur elle-même et de revenir sur ses pas jusqu'à la chaise. Avec quelle facilité pivote-t-elle ?

5. Lui demander de faire de nouveau un demi-tour sur elle-même et de s'asseoir. Observer avec quelle facilité elle exécute ces mouvements.

Cette simple évaluation et l'inspection du domicile permettent à l'infirmière de recommander des mesures de sécurité à la personne et à ses proches.

La prévention des chutes est une préoccupation constante dans les établissements de soins. On y aménage d'ailleurs les lieux de façon à réduire le risque de chute, et les dispositifs de sécurité y sont nombreux : barres d'appui dans les couloirs, sonnette d'appel au chevet, barres d'appui dans les toilettes, verrouillage de sécurité pour les lits, les fauteuils roulants et les civières, ridelles de lit, veilleuses, etc. Dans le même esprit, l'infirmière peut mettre en œuvre d'autres mesures (voir l'encadré *Conseils pratiques – Prévention des chutes en établissement de soins*).

Il est évident que les ridelles de lit en position relevée peuvent aider à prévenir les chutes. Cependant, il ne faut pas systématiquement recourir à cette méthode. En effet, des études ont démontré

! ALERTE CLINIQUE *Quand une personne fait une chute, que ce soit en établissement de soins ou chez elle, l'infirmière doit d'abord lui venir en aide et vérifier si elle s'est blessée. Ensuite, l'infirmière doit signaler l'incident au médecin.* ■

OUTIL D'ANALYSE POST-CHUTE

Endroit : _____

Date : _____

Heure : _____

Signalisation appropriée : _____
    OUI : _____   NON : _____

Identification de l'usager

FACTEURS DE RISQUES	OUI	NON	COMMENTAIRES
• Histoire des chutes antérieures			
• Admission ou transfert récent			
• Témérité			
• Déficits perceptuels et cognitifs			
• Agitation			
• Contentions			
• Médication			
• Hypotension orthostatique			
• Problèmes de mobilité			
• Troubles d'élimination			
• Troubles visuels et auditifs			
• Facteurs extrinsèques			

MESURES PRÉVENTIVES :

Rempli par : _____   Date : _____

FIGURE **36-4** ■ Outil d'analyse postchute. (Source : *Guide de prévention des chutes en fonction des facteurs de risques en milieu de soins de courte durée,* de l'Hôpital Maisonneuve-Rosemont (HMR), 1999, Montréal : HMR, p. 43.)

OUTIL D'ANALYSE RÉTROSPECTIVE DES CHUTES D'UNE CLIENTÈLE

Unité de soins : _____   Mois : _____   Année : _____

Identification des usagers	Histoire des chutes antérieures	Admission ou transfert récent	Témérité	Déficits perceptuels et cognitifs	Agitation	Contentions	Médication	Hypotension orthostatique	Problèmes de mobilité	Troubles d'élimination	Troubles visuels et auditifs	Facteurs extrinsèques	*Total des facteurs*	Heure de la chute	1. Traumatisme (1-2-3-4-5-6)*	Témoin	Risque non identifié au chevet : RJVB
Total par facteur																	

➤ Total des usagers à risque : _____   ✓ Signature : _____

➤ Total des chutes : _____   ✓ Date : _____

Niveau de sévérité :   1. Accident sans conséquence pour l'usager, aucune blessure
2. Accident suivi d'une douleur
3. Accident avec éraflure, abrasion, ecchymose
4. Accident avec œdème, hématome, contusion, lacération
5. Accident avec fracture, brûlure, entorse, luxation
6. Accident suivi de la mort de l'usager

FIGURE **36-4** ■ (SUITE)

CONSEILS PRATIQUES

Prévention des chutes en établissement de soins

- Dès l'admission, effectuez une visite des lieux avec la personne et expliquez-lui le fonctionnement du système d'appel.
- Évaluez soigneusement la capacité de la personne à marcher et à se déplacer. S'il y a lieu, fournissez-lui une assistance et une aide à la mobilité. Surveillez de près la personne qui présente le risque de tomber, en particulier la nuit.
- Incitez la personne à utiliser la sonnette d'appel pour demander de l'aide. Assurez-vous que le dispositif est à la portée de sa main.
- Disposez la table de chevet et la table de lit à la portée de la personne, de façon à lui éviter de s'étirer pour les atteindre, ce qui pourrait lui faire perdre l'équilibre.

- Sauf pour l'administration des soins, laissez le lit en position basse et verrouillez les roues, de sorte que la personne puisse s'allonger et se lever facilement
- Encouragez la personne à utiliser les barres d'appui dans les toilettes et la salle de bain ainsi que les mains courantes dans les couloirs.
- Équipez les baignoires et les douches de tapis antidérapants.
- Recommandez à la personne de porter des chaussures à semelles antidérapantes.
- Gardez les lieux bien rangés; en particulier, libérez le sol des fils électriques et des meubles encombrants.
- Si la personne est confuse, utilisez un appareil de surveillance (par exemple, détecteur de mouvement) au lieu de relever les ridelles du lit.

que certaines personnes (par exemple, les personnes souffrant de troubles de mémoire, de problèmes de mobilité, de nycturie ou de perturbation du sommeil) ont tendance à se sentir emprisonnées quand les ridelles de leur lit sont relevées; on expose ainsi ces personnes au risque de chute quand elles essayeront de sortir du lit en enjambant ou en contournant les ridelles (Capezuti *et al.*, 1999).

Il existe divers appareils électroniques qui signalent qu'une personne cherche à bouger ou à sortir de son lit. Ces **appareils de surveillance** s'installent sur un lit, un fauteuil ou sur la personne elle-même (voir le procédé 36-1). En voici quelques exemples:

- *Détecteur de mouvement ou de déplacement d'un individu.* Cet appareil déclenche un signal sonore quand une personne essaie de se lever. Le TABS en est un exemple (www.seniortech.com/tabs/tabs.htm). Un aimant relie le détecteur aux vêtements de la personne; quand celle-ci tente de se déplacer, l'aimant se détache et déclenche une sonnerie, soit localement, soit au poste de soins infirmiers par l'intermédiaire du système de sonnette d'appel.
- *Détecteur de variation de pression.* Cet appareil est intégré dans un coussin qu'on place sous les fesses d'une personne couchée ou assise. Quand la personne se lève, le détecteur décèle le changement de pression exercée et déclenche une sonnerie. Le système Bed-Check (www.bedcheck.com) en est un exemple.
- *Détecteur de variation de position.* Ce détecteur est fixé à une jarretière qu'on installe sur la cuisse de la personne. L'appareil Ambularm en est un exemple (www.alertcareinc.com/-ambularm.htm). Quand la personne passe de la position horizontale à la position verticale, l'appareil déclenche une sonnerie.
- *Détecteur volumétrique.* Ce genre d'appareil décèle les mouvements qui se produisent dans une pièce, tout comme le font les systèmes antivol qu'on installe à la maison. Ce détecteur déclenche une alarme lorsque la personne sort d'un périmètre prédéterminé.

En plus des appareils de surveillance, il existe des protecteurs de hanches. Le HipGuard en est un exemple (www.hipguard.com/solution.html). On s'en sert dans le cas d'une personne qui présente un risque important de fracture de la hanche et qui a une capacité

cognitive suffisante pour ne pas l'enlever. On l'utilise souvent pour le retour à la maison d'une personne qui vient d'obtenir son congé. Par ailleurs, il existe des aides techniques, comme des minuteries de cuisinière munies d'un indice sonore, des fers à repasser munis d'un mécanisme d'arrêt automatique, des alarmes de niveau d'eau pour baignoire, des calendriers d'orientation, des mécanismes de commande d'éclairage, etc. (ÉCAT, 2005). « Ces aides techniques peuvent contribuer à compenser certains déficits cognitifs ou sensoriels et aider à limiter les contentions dans certains cas. » (ÉCAT, 2005, p. 38)

RÉSULTATS DE RECHERCHE

Perte de conscience et chutes chez les personnes âgées

Quand une personne perd conscience avant de faire une chute ou après en avoir fait une, c'est l'indice d'une affection sous-jacente; il faut alors procéder à une évaluation médicale le plus tôt possible après l'événement. La cause d'une perte de conscience peut être l'une des suivantes: manque d'oxygène au cerveau, habituellement causé par des problèmes cardiaques ou vasculaires cérébraux (par exemple, ischémie cérébrale transitoire, arythmie cardiaque), une embolie pulmonaire ou une hémorragie interne; manque de glucose au cerveau (par exemple, hypoglycémie); crise convulsive; élément toxique (par exemple, médicament ou alcool); hyperventilation (par exemple, provoquée par une crise de panique).

Implications: Une personne âgée qui fait une chute et ne se relève pas dans l'heure qui suit a besoin d'une consultation médicale le plus tôt possible pour les deux raisons suivantes: cette situation peut avoir des répercussions physiques et psychologiques importantes; cela indique un état de santé précaire.

Source: « Les chutes chez les personnes âgées vivant à domicile », de L. Francœur et A. Bourbonnais, 2002, *L'Infirmière du Québec*, section « Testez vos connaissances », mars-avril, p. 41.

RÉSULTATS DE RECHERCHE

Les groupes d'entraide peuvent-ils aider les victimes de chutes à maîtriser leur peur de tomber?

La peur de tomber est une conséquence psychologique importante des chutes; elle débouche souvent sur la diminution des capacités et de l'interaction sociale. Toutefois, peu de recherches portent sur les stratégies visant à maîtriser cette peur. Gentleman et Malozemoff (2001) ont mené une étude sur le sujet. On a entrepris une intervention de 10 semaines auprès de 6 personnes âgées hospitalisées ayant des antécédents de chutes. Dans un groupe de rencontre hebdomadaire, on abordait le thème des émotions suscitées par les chutes; les victimes de chutes pouvaient discuter de leur expérience et de leurs réactions.

À l'aide d'instruments de mesure, on évaluait la confiance en soi et la joie de vivre des participants avant et après chaque rencontre. Tout au long de l'étude, on a pu observer l'augmentation du niveau de socialisation, de sollicitude et de cohésion du groupe. Chez trois participants sur six, on a constaté l'amélioration des résultats des tests sur la confiance en soi et la joie de vivre.

Implications: Les chutes comportent une dimension psychosociale importante; les interventions infirmières comme celle de cette étude sont simples à mettre en œuvre. L'infirmière peut facilement organiser un groupe d'entraide destiné aux personnes âgées hospitalisées et encourager ces dernières à y participer. D'autres études dans le domaine feraient avancer la pratique infirmière en gérontologie.

Source: «Falls and Feelings: Description of a Psychosocial Group Nursing Intervention», de B. Gentleman et W. Malozemoff, 2001, *Journal of Gerontological Nursing, 27*(10), p. 35-39.

PROCÉDÉ 36-1

Utilisation d'un appareil de surveillance

Objectifs
- Avertir l'infirmière que la personne tente de sortir de son lit.
- Réduire le risque de chute.

COLLECTE DES DONNÉES

Évaluez
- Le degré de mobilité de la personne.
- Le jugement de la personne quant à sa capacité de sortir du lit en toute sécurité.
- La distance qui sépare la chambre de la personne du poste des infirmières.
- La position des ridelles du lit.
- Le fonctionnement de la sonnette d'appel.

PLANIFICATION

Déterminez la région du corps la plus propice pour installer l'appareil et assurez-vous que la peau est intacte à cet endroit (par exemple, la cuisse).

Matériel
- Avertisseur sonore et module de commande
- Capteur
- Dispositif de branchement au système d'appel infirmier (s'il y a lieu)

INTERVENTION

Exécution

1. Expliquez à la personne ce que vous allez faire, pourquoi vous allez le faire et comment elle peut coopérer. Expliquez-lui aussi que les résultats serviront à planifier les soins ou les traitements.

2. Lavez-vous les mains et observez les autres mesures de prévention des infections.

3. Assurez-vous que l'intimité de la personne est préservée.

4. Expliquez à la personne et à ses proches l'utilité et le fonctionnement de l'appareil de surveillance.

   • L'appareil ne restreint pas du tout la mobilité de la personne; il ne sert qu'à informer le personnel infirmier des tentatives de la personne pour sortir de son lit.

   • La personne doit appeler l'infirmière quand elle veut sortir de son lit.

5. Vérifiez le bon fonctionnement des piles et du signal sonore. *Cette vérification permet de s'assurer que l'appareil de surveillance est en bon état de marche.*

6. Installez le capteur à l'endroit approprié, selon le type d'appareil et la position de la personne (par exemple, sur la cuisse ou sous le matelas).

   • Installez la jarretière de détection selon les indications du fabricant (figure 36-5 ■). Étendez la jambe de la personne à l'horizontale. *L'appareil est sensible à la variation de position : si on le met dans une position verticale ou presque verticale (par exemple, si la personne tente de marcher, de se traîner ou de s'agenouiller pour sortir du lit), le signal sonore se déclenche.*

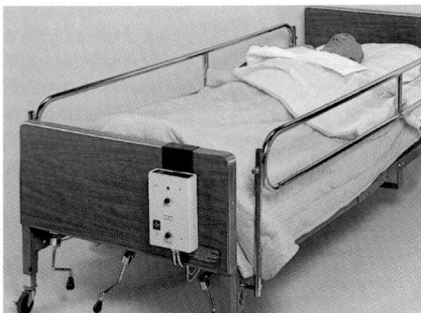

• S'il s'agit d'un détecteur de variation de pression pour lit ou fauteuil, on place habituellement le capteur sous la région des fesses (figure 36-6 ■).

• S'il s'agit d'un détecteur de variation de pression pour lit ou fauteuil, réglez l'intervalle servant à déterminer les mouvements habituels de la personne entre 1 et 12 secondes.

• Raccordez le capteur au module de commande et au système d'appel infirmier.

7. Demandez à la personne d'appeler l'infirmière chaque fois qu'elle veut se lever et fournissez-lui l'aide nécessaire pour le faire.

   • Désactivez le système d'avertissement avant d'aider la personne à se lever.

   • Rebranchez le système après avoir aidé la personne à se remettre au lit.

8. Mettez en place des mesures supplémentaires pour assurer la sécurité de la personne.

   • Placez la sonnette d'appel près de la personne, relevez les ridelles du lit (si cela est indiqué) et mettez le lit dans la position la plus basse. *Le dispositif d'avertissement ne remplace pas les précautions d'usage.*

   • Pour prévenir les gens concernés de l'utilisation d'un appareil de surveillance, apposez un autocollant sur la porte de la chambre et sur le dossier clinique (ou le cardex) de la personne.

9. Consignez au dossier clinique le type d'appareil de surveillance utilisé, son emplacement et son efficacité; selon le cas, utilisez un formulaire ou une liste de vérification et ajoutez vos remarques personnelles. Consignez toutes les interventions et les mesures de précaution supplémentaires dont il a pu être question.

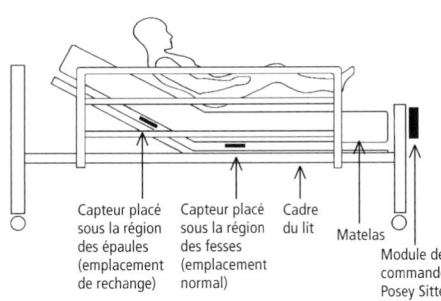

FIGURE **36-5** ■ Installation de la jarretière de détection de position sur la jambe. (Source : Alert Care, Mill Valley, Californie.)

FIGURE **36-6** ■ Emplacement d'un détecteur de pression. (Source : J. T. Posey Co. Tous droits réservés)

Capteur placé sous la région des épaules (emplacement de rechange)

Capteur placé sous la région des fesses (emplacement normal)

Cadre du lit

Matelas

Module de commande Posey Sitter

ÉVALUATION

■ Si le détecteur est trop sensible (par exemple, s'il se déclenche sans que la personne ait tenté de se lever), évaluez la situation et refaites le réglage.

■ Vérifiez l'efficacité des mesures de précaution.

■ Signalez au médecin les problèmes survenus dans l'utilisation de l'appareil de surveillance et les chutes que la personne a faites.

LES ÂGES DE LA VIE

Prévention des chutes

PERSONNES ÂGÉES

- Évaluez les facteurs de risque individuels liés aux chutes : hypotension, démarche instable, diminution de la sensibilité (par exemple, diminution attribuable aux médicaments), baisse de la vue, affections des pieds, anomalies de la faculté cognitive et peur.
- Répertoriez les facteurs de risque de chute à la maison et dans la communauté :
  - Éclairage : éclairage insuffisant, interrupteurs inaccessibles ou difficiles à utiliser.
  - Sol : fils électriques, carpettes, encombrement ou surface glissante.
  - Escaliers : absence de rampe ou rampe non sécuritaire, marches de hauteur irrégulière, surface inégale.
  - Meubles : base peu solide, fauteuils sans appuie-bras, meubles de rangement difficiles d'accès (trop hauts ou trop bas).
  - Salle de bain : hauteur inappropriée des toilettes, sol et fond de la baignoire glissants, absence de barres d'appui.
- À la maison, dans le cas d'une personne qui présente un grand risque de chute, envisagez d'autres mesures de prévention :
  - Posez le matelas à même le sol.
  - Remplacez le lit par un lit d'eau.
  - Entourez le lit d'objets rembourrés, posés à même le sol ou dans le lit (le long des ridelles).

 SOINS À DOMICILE

Utilisation d'un appareil de surveillance (détecteur de mouvement ou détecteur de variation de pression)

Donnez les instructions suivantes aux intervenants :

- Vérifier le bon fonctionnement de l'appareil toutes les 12 ou 24 heures.
- Régler le volume du signal sonore de façon à bien l'entendre.

L'appareil de surveillance ne remplace pas les mesures d'usage. Surtout dans le cas d'une personne âgée, l'évaluation précise des causes de chutes permet de déterminer les mesures de prévention les plus efficaces.

CRISES CONVULSIVES. Une crise convulsive est l'apparition subite soit de convulsions, soit d'une activité motrice ou sensorielle paroxystique. Ces crises peuvent être liées à un état pathologique permanent ou temporaire (par exemple, réactions à des médicaments, épilepsie ou forte fièvre). Si la crise touche tout l'organisme, comme dans le cas de la crise tonico-clonique (ou grand mal) ou d'une crise qui fait perdre connaissance, la personne court le risque de se blesser. Le procédé 36-2 décrit les **mesures de précaution en cas de crise convulsive.**

PROCÉDÉ 36-2

Mesures de précaution en cas de crise convulsive

Objectif

- Protéger la personne contre les blessures.

COLLECTE DES DONNÉES

Évaluez les antécédents relatifs aux crises convulsives dès l'admission. Si la personne a déjà eu des crises par le passé, cherchez à obtenir des renseignements détaillés : aura (ensemble des sensations et des symptômes avant-coureurs), durée et fréquence, conséquences (par exemple, incontinence ou difficulté à respirer), mesures à prendre pour prévenir les crises ou en réduire l'intensité.

PLANIFICATION

Revoyez la marche à suivre en cas d'urgence ; les crises convulsives peuvent provoquer un arrêt respiratoire et des blessures.

Matériel

- Couvertures et draps pour rembourrer les ridelles
- Dispositif de succion
- Canule oropharyngée ou abaisse-langue coussiné (selon la politique de l'établissement de soins)
- Appareil à oxygène

INTERVENTION

Exécution

1. Expliquez à la personne ce que vous allez faire, pourquoi vous allez le faire et comment elle peut coopérer.

2. Lavez-vous les mains et observez les autres mesures de prévention des infections.

3. Assurez-vous que l'intimité de la personne est préservée.

4. Rembourrez le pourtour du lit en assujettissant des serviettes et des draps aux ridelles, à la tête et au pied (figure 36-7 ■).

INTERVENTION (suite)

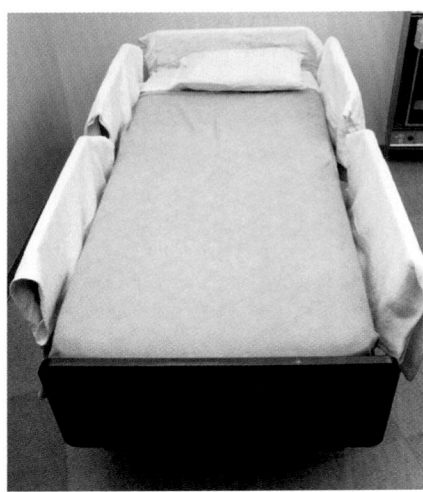

FIGURE 36-7 ■ Le rembourrage du lit est une mesure de précaution.

5. Installez le dispositif de succion et vérifiez son fonctionnement.

6. Si la politique de l'établissement l'autorise, fixez, à l'aide de ruban adhésif, un abaisse-langue coussiné (enveloppé de gaze) ou une canule oropharyngée près de la tête du lit (figure 36-8 ■).

7. En cas de crise :
   • Restez auprès de la personne et demandez de l'aide, au besoin.
   • Si la personne n'est pas dans son lit, aidez-la à s'allonger sur le sol et protégez sa tête en la posant sur vos genoux ou un oreiller.

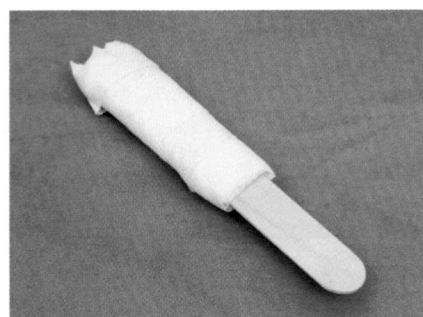

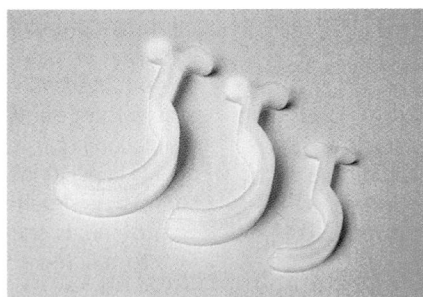

FIGURE 36-8 ■ A, abaisse-langue coussiné ; B, canules oropharyngées.

• Selon la politique de l'établissement de soins, insérez la canule ou l'abaisse-langue entre les dents du haut et celles du bas de la personne. *N'essayez jamais de faire entrer de force l'instrument, car cela pourrait causer des lésions.* Dans de nombreux établissements, on utilise une canule

oropharyngée seulement dans le cas de crises à répétition (**état de mal épileptique**). N'introduisez jamais vos doigts dans la bouche de la personne. Dégagez le cou et la poitrine de la personne des vêtements ajustés.

• Mettez en place le masque à oxygène sur la bouche et le nez de la personne.
• Dans la mesure du possible, couchez la personne sur le côté.
• Chronométrez la durée de la crise.
• Pour éviter des blessures à la personne, éloignez tous les objets.
• Observez l'évolution de la crise, en notant les mouvements et les séquences de mouvements. Observez la couleur de la peau de la personne. Quand vous le pouvez, vérifiez son pouls et sa respiration.
• Administrez les anticonvulsivants prescrits.
• En cas de vomissements ou de sécrétions orales excessives, nettoyez la canule avec le matériel approprié.
• Quand la crise convulsive est terminée, aidez la personne à prendre une position confortable. Appliquez les mesures d'hygiène appropriées. Laissez à la personne le temps d'exprimer ce qu'elle ressent.

8. Consignez l'incident au dossier clinique de la personne à l'aide d'un formulaire ou d'une liste de vérification ; s'il y a lieu, ajoutez vos commentaires.

ÉVALUATION

■ Faites un examen complet de la personne. Administrez-lui les médicaments prescrits, s'il y a lieu.

■ Signalez au médecin tout écart significatif par rapport à la normale.

LES ÂGES DE LA VIE

Mesures de précaution en cas de crise convulsive

NOURRISSONS
■ Près de 24 % des enfants (nourrissons pour la plupart) ont des crises convulsives (Ball et Bindler, 2003).

ENFANTS
■ Un enfant est beaucoup plus souvent sujet aux convulsions fébriles qu'un adulte ; on peut habituellement prévenir ces convulsions à l'aide d'antipyrétiques et de bains tièdes.

■ Déterminez le taux d'oxygénation. Donnez de l'oxygène si le relevé du sphygmooxymètre (ou saturomètre) est inférieur à 95 % (voir le chapitre 48 ⌨).
■ Dans le cas de crises fréquentes, l'enfant doit parfois porter un casque de protection.
■ L'enfant qui prend des anticonvulsivants devrait porter un bracelet d'alerte médicale.

SOINS À DOMICILE

Mesures de précaution en cas de crise convulsive

- La personne qui a fréquemment des crises ou qui prend des anticonvulsivants devrait porter un bracelet (ou une chaînette de cou) d'alerte médicale et porter sur elle la liste des médicaments qu'elle prend.
- Assurez-vous que la personne qui prend des anticonvulsivants est en mesure de bien en respecter la posologie. Dans certains cas, il faut évaluer régulièrement la concentration sanguine des médicaments.
- Aidez la personne à dresser la liste des personnes et organisations à informer : conjoint, amis, employeur, fournisseurs de soins (par exemple, dentiste), Société de l'assurance automobile du Québec (si la personne a un permis de conduire).
- Discutez des mesures de précaution à prendre à la maison et dans la communauté. Si la personne ne maîtrise pas bien les crises convulsives, il est parfois préférable pour elle de limiter certaines activités ou de les entreprendre en se faisant accompagner (par exemple, prendre un bain, faire de la natation, cuisiner, utiliser un appareil ou un outil électrique, conduire une voiture).
- Examinez avec la personne et ses proches les facteurs de risque liés aux crises convulsives.

INTOXICATION. Les deux facteurs principaux d'intoxication chez l'enfant sont les suivants : manque de surveillance de l'enfant et rangement inadéquat des produits toxiques. La prévention consiste essentiellement à montrer aux parents différentes façons d'aménager leur environnement pour le rendre « à l'épreuve des enfants ». L'Association québécoise des pharmaciens propriétaires (AQPP) rappelle l'importance de rapporter les médicaments périmés ou inutilisés à un pharmacien qui s'en débarrassera de façon sécuritaire et écologique (*Le Courrier Sud*, 2003). Jeter des médicaments dans les égouts ou les ordures ménagères représente un danger pour l'environnement. Normand Bonin, président de l'AQPP exprime clairement le danger de ces médicaments : « On ne le dira jamais assez : garder des médicaments périmés ou inutilisés dans votre pharmacie, c'est prendre des risques inutiles pour votre santé et celle de votre famille. Ces médicaments font partie des causes importantes d'empoisonnement accidentel. » (*Le Courrier Sud*, 2003)

Chez l'adolescent et l'adulte, les causes habituelles d'intoxication sont les suivantes : piqûre d'insecte, consommation de drogues ou tentative de suicide à l'aide de drogues. Dans ce groupe d'âge, il faut axer la prévention des intoxications sur l'information et la consultation. Chez la personne âgée, les intoxications sont habituellement causées par l'ingestion accidentelle d'un produit toxique (notamment, en raison de l'affaiblissement de la vue) ou par une surdose de médicaments d'ordonnance (par exemple, en raison de troubles de la mémoire). La prévention consiste à aménager l'environnement de manière sécuritaire et à s'occuper des problèmes propres à chaque personne.

Chez la personne âgée atteinte de démence, le risque d'intoxication est un problème de plus en plus fréquent au fur et à mesure

que ses facultés cognitives se détériorent. La personne âgée atteinte de démence éprouve le besoin de toucher à tout et de porter les choses à sa bouche, qu'il s'agisse de plantes, de fleurs, de bougies, de petits objets ou de médicaments. Tout objet dangereux doit être sous clé ou hors d'atteinte de la personne. Il faut aussi garder sous la main le numéro de téléphone d'un centre antipoison. Il est essentiel de prendre ces précautions, que la personne soit traitée à domicile ou dans un établissement de soins.

Avec l'augmentation des intoxications, de nombreux pays ont mis sur pied des centres antipoison chargés de fournir des renseignements précis et à jour sur les dangers potentiels et les traitements conseillés. Il existe un antidote ou un traitement spécifique pour certains poisons, mais ce n'est pas le cas de nombreux autres.

Un des rôles de l'infirmière consiste à informer le public des mesures à prendre en cas d'intoxication. Il faut d'abord identifier le poison en cause, parfois en cherchant un contenant ouvert, une bouteille vide ou tout autre indice. On communique ensuite avec un centre antipoison en donnant les renseignements suivants : estimation la plus précise possible de la quantité de poison ingérée, âge de la personne et symptômes apparents. On doit aider la personne à se détendre et lui éviter d'absorber par aspiration ses vomissements en la couchant sur le côté ou en la faisant asseoir la tête baissée entre les genoux. L'encadré *Enseignement – Prévention des intoxications* passe en revue les précautions d'usage en la matière.

Intoxication oxycarbonée. Le **monoxyde de carbone** (**CO**) est un gaz très toxique, il est inodore, incolore et insipide. L'exposition à ce gaz peut provoquer des maux de tête, des étourdissements, des faiblesses, des nausées, des vomissements et la perte du contrôle musculaire ; l'exposition prolongée peut entraîner une perte de conscience, des lésions cérébrales et même la mort. Il est particulièrement important de connaître les mesures de prévention relatives au CO parce que tous les véhicules à essence, les tondeuses à gazon, les poêles à pétrole, les barbecues et le bois qui brûle en libèrent une certaine quantité. Quel que soit le combustible utilisé, une combustion incomplète ou mal réglée, y compris celle du gaz naturel alimentant les appareils de chauffage, peut produire du CO. Il existe des détecteurs de monoxyde de carbone pour la maison.

SUFFOCATION. La **suffocation** (ou **asphyxie**) est le manque d'oxygène provoqué par l'arrêt de la respiration. Elle se produit quand l'air ne peut plus accéder aux poumons. L'obstruction de la gorge par un aliment ou un corps étranger est une cause courante de suffocation. Le fait de porter les mains à son cou est un signe universel de détresse respiratoire ; la victime est incapable de parler ou de respirer. La mesure d'urgence à appliquer dans pareille situation est la **manœuvre de Heimlich** (ou **poussée abdominale**) ; cette technique permet de dégager les voies respiratoires par l'expulsion du corps étranger (figure 36-9 ■).

Parmi les autres causes de suffocation, on compte la noyade, l'inhalation de gaz ou de fumée, le recouvrement accidentel du nez et de la bouche avec un morceau de plastique, la strangulation causée par la bretelle d'une ceinture de sécurité et l'enfermement dans un espace réduit (par exemple, électroménager inutilisé). Si la personne n'est pas secourue immédiatement, l'arrêt respiratoire provoque un arrêt cardiaque, puis la mort. Quand une personne a les voies respiratoires obstruées, il faut dégager ces dernières sur-le-champ et appliquer les mesures de maintien des fonctions vitales.

Prévention des intoxications

- Mettez sous clé ou hors de portée les produits potentiellement toxiques, notamment les médicaments et les produits d'entretien, ou installez des crochets de sécurité conçus pour l'intérieur des portes d'armoire. Pour ouvrir une porte ainsi équipée, il faut exercer une pression plus grande que n'en est capable un jeune enfant.
- Évitez de garder des substances toxiques (liquides ou solides) dans des contenants habituellement utilisés pour conserver la nourriture (par exemple, bouteille de boisson gazeuse, pot de beurre d'arachide ou carton à lait).
- Ne retirez pas les étiquettes sur les contenants et ne remplissez pas un contenant vide avec un produit autre que celui indiqué sur l'étiquette. La loi oblige les fabricants de substances toxiques à indiquer les antidotes sur les étiquettes de leurs produits.
- N'allez pas penser que la cuisson élimine les produits toxiques qu'une plante peut contenir. Ne préparez jamais un remède ou une tisane avec des plantes, sauf celles qui sont vendues à cet effet et recommandées par un pharmacien ou un autre professionnel de la santé.
- Recommandez à un enfant de ne jamais manger ni même porter à sa bouche quelque partie que ce soit d'un végétal inconnu, qu'il s'agisse d'un arbre, d'un arbuste, d'une herbe ou d'un champignon : feuille, tige, écorce, graine, noix ou petit fruit.

- Expliquez à l'enfant la signification des symboles de mise en garde sur les contenants d'eau de Javel, de soude, de pétrole, de solvant ou d'autres produits toxiques.
- Ne comparez jamais un médicament à un bonbon et n'affirmez jamais qu'un médicament a un bon goût en présence d'un enfant. Expliquez à l'enfant que les médicaments sont parfois nécessaires, sans en faire démesurément l'éloge.
- Avant d'utiliser un produit, lisez toujours le mode d'emploi et suivez-le.
- Ayez toujours sous la main du sirop d'ipéca. Ce sirop est un émétique (vomitif) vendu sans ordonnance en flacons à dose unique de 15 mL. Ne l'utilisez que dans le cas précis où un centre antipoison ou un médecin vous en recommande l'usage.
- Évitez de cultiver des plantes toxiques dans la maison ou dans le jardin. Un centre antipoison, entre autres, peut vous fournir une liste des plantes toxiques (<www.cchvdr.qc.ca/SoinsServices/CentreAntiPoison/DepliantsCAP/JoliesPlantes.pdf>).
- Laissez en évidence le numéro de téléphone du centre antipoison près de chaque appareil téléphonique de la maison pour que les gardiennes d'enfants, les membres de la famille et les amis le trouvent facilement.

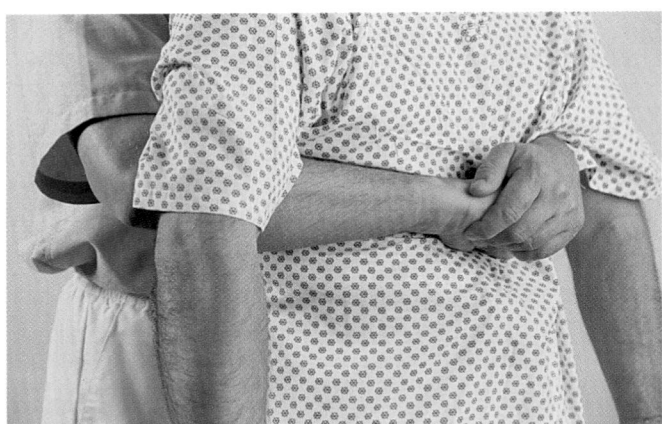

FIGURE **36-9** ■ Manœuvre de Heimlich.

BRUIT EXCESSIF. L'exposition au bruit excessif représente un risque pour la santé ; elle peut provoquer une perte auditive selon : (a) le niveau d'intensité global du bruit ; (b) la gamme de fréquences ; (c) la durée de l'exposition ; (d) la sensibilité individuelle. Les bruits d'un niveau sonore supérieur à 120 dB (le décibel est l'unité utilisée pour exprimer la puissance sonore) provoquent une douleur et peuvent endommager l'ouïe, même si l'exposition est de courte durée. L'exposition quotidienne de plusieurs heures à un niveau sonore de 85 à 95 dB peut provoquer une surdité progressive ou permanente. Les bruits d'un niveau inférieur à 85 dB n'ont habituellement pas de répercussions négatives sur l'ouïe.

La tolérance au bruit varie d'une personne à l'autre. Un campagnard pourra trouver la ville bruyante, alors qu'un citadin ne remarque plus certains bruits. Une personne malade ou blessée est souvent sensible à des bruits qui d'ordinaire ne la dérangent pas ; des éclats de voix, un bruit de vaisselle et même le son d'un téléviseur peuvent l'agacer et la mettre parfois en colère. Le bruit entraîne des réactions physiologiques, comme les suivantes : (a) augmentation de la fréquence cardiaque et respiratoire ; (b) accroissement de l'activité musculaire ; (c) nausée ; (d) perte auditive, si le niveau de bruit est suffisamment élevé.

On peut combattre le bruit de plusieurs façons. Les carreaux insonorisants pour plafonds, murs et planchers absorbent le bruit, tout comme les tentures et les tapis. La musique d'ambiance masque les sons et a un effet apaisant sur certains individus. En établissement de soins, l'infirmière doit chercher à réduire le niveau sonore et inciter la personne qu'elle soigne à protéger son ouïe.

COMMOTIONS ÉLECTRIQUES. Tous les appareils électriques doivent être mis à la terre. La fiche d'alimentation électrique des appareils mis à la terre comprend deux lames et une prise de terre (figure 36-10 ■). Les deux lames transmettent le courant à l'appareil,

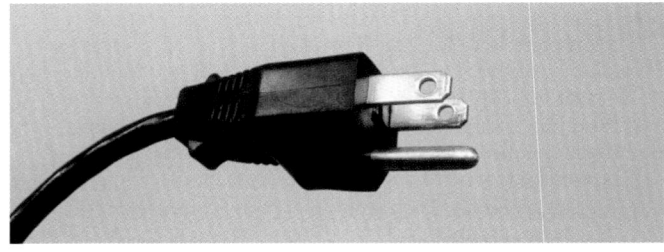

FIGURE **36-10** ■ Fiche d'alimentation électrique à deux lames conductrices et une prise de terre.

tandis que la prise de terre cylindrique dévie à la terre les courts-circuits et le courant vagabond en offrant une résistance plus faible.

Un appareil ou du matériel défectueux (par exemple, cordon électrique dont la gaine isolante est effilochée) peut transmettre une décharge électrique à quelqu'un ou provoquer un incendie. À titre d'exemple, une simple étincelle électrique qui entre en contact avec certains gaz anesthésiques ou de l'oxygène en concentration élevée peut causer un grave incendie. L'encadré *Enseignement – Réduction des risques électriques* passe en revue les précautions à prendre en la matière.

Les décharges électriques majeures peuvent causer des brûlures superficielles et profondes, des contractions musculaires et un arrêt cardiorespiratoire nécessitant une intervention de réanimation. On peut subir une **commotion électrique** (ou **choc électrique**) de deux façons : un courant électrique traverse le corps pour se rendre dans le sol ; de l'électricité statique s'accumule dans le corps. Parmi les moyens sûrs de prévenir les commotions électriques, il y a l'utilisation d'appareils en bon état, le port de chaussures à semelles de caoutchouc, le port de gants isolants et le fait de se tenir sur un sol non conducteur. Si un accident d'origine électrique se produit en dépit de ces précautions, le secouriste doit savoir qu'il ne faut pas toucher à la victime tant que le courant n'est pas coupé ou que la victime est en contact avec le courant, à défaut de quoi le secouriste peut lui aussi subir des blessures.

ARMES À FEU. Les parents qui possèdent des armes à feu à la maison ont la responsabilité d'enseigner à l'enfant les règles de sécurité d'usage. Ils doivent observer rigoureusement les règles de sécurité suivantes :

- Garder toutes les armes à feu dans une armoire ou un placard robuste, non vitré et bien verrouillé ; garder également sous clé les munitions dans un autre endroit ; garder les clés hors de portée de l'enfant.
- Interdire à l'enfant de toucher à une arme à feu ou d'aller chez des amis où des armes à feu sont accessibles.

- Enseigner à l'enfant à ne jamais diriger une arme à feu vers quelqu'un ou soi-même, même quand on sait ou qu'on pense qu'elle est déchargée.
- Avant de tendre une arme à feu à quelqu'un, s'assurer qu'elle est déchargée et que le mécanisme de chargement est ouvert.
- Ne pas manier une arme à feu après avoir consommé de l'alcool, de la drogue ou un médicament.
- Démonter, nettoyer et remonter une arme à feu dans une pièce où ne se trouvent pas de munitions. Vérifier deux fois plutôt qu'une si l'arme à feu est bien déchargée.
- Faire vérifier les armes à feu régulièrement utilisées par un armurier compétent au moins tous les deux ans.

IRRADIATION. La surexposition aux substances radioactives utilisées au cours des interventions diagnostiques et thérapeutiques peut provoquer le syndrome d'irradiation (radiolésion). Comme une personne qui subit une radiographie ou une radioscopie (fluoroscopie) est exposée à un rayonnement de faible intensité, il n'y a qu'un minimum de précautions à prendre pour la protéger. Par contre, l'infirmière doit se protéger davantage du rayonnement pendant les traitements. Elle peut réduire l'exposition au rayonnement : (a) en limitant le temps passé près de la source ; (b) en se tenant le plus loin possible de la source ; (c) en utilisant un dispositif de protection (par exemple, tablier de plomb) quand elle se trouve près de la source. L'infirmière doit bien connaître le protocole de l'établissement de soins en matière de radiothérapie.

Accidents liés aux interventions et au matériel

L'évaluation des risques en soins de santé doit tenir compte des risques liés aux interventions et au matériel. Par exemple, l'infirmière doit prendre des précautions pour prévenir les erreurs et les accidents quand elle administre un médicament ou qu'elle aide une

---

 ENSEIGNEMENT

Réduction des risques électriques

- Avant d'utiliser un appareil électrique, assurez-vous que la gaine du cordon n'est pas effilochée et que le cordon ne présente aucune autre défectuosité.
- Ne surchargez pas les prises ou les circuits électriques avec un trop grand nombre d'appareils.
- N'utilisez que des prises et des fiches qui ont une mise à la terre.
- Retirez toujours une fiche branchée en la saisissant fermement et en la tirant vers vous sans l'incliner par rapport à la prise. Retirer une fiche en tirant sur le fil peut endommager le fil et la prise.
- N'utilisez jamais un appareil électrique près d'un évier, d'une baignoire, d'une douche ou d'un autre endroit humide, parce que l'eau est un conducteur électrique.
- Gardez les appareils et les fils électriques hors de portée des jeunes enfants.
- Munissez toutes les prises électriques de cache-prises pour protéger les jeunes enfants.

- Faites remplacer les câbles électriques non isolés par des câbles qui répondent aux normes de sécurité.
- Avant d'utiliser un appareil électrique, lisez attentivement les instructions fournies par le fabricant. Si vous ne comprenez pas le fonctionnement d'un l'appareil, demandez conseil.
- Débranchez toujours un appareil électrique avant de le nettoyer ou de le réparer.
- Si vous recevez une décharge électrique ou ressentez un picotement en touchant un appareil électrique, débranchez-le immédiatement et faites-le examiner par un électricien compétent.
- Ne laissez pas de fils électriques à la traîne ; enroulez-les ou fixez-les à l'aide de ruban adhésif hors des lieux de passage. Vous éviterez qu'ils soient endommagés ou qu'on trébuche dessus.

personne à se lever de son lit. Dans la plupart des établissements de soins, il existe des protocoles en prévention des accidents. En cas de doute au sujet d'une intervention, l'infirmière devrait d'abord prendre connaissance des directives écrites de l'établissement.

Dans la plupart des établissements de santé, il faut signaler les erreurs et les accidents qui surviennent. L'infirmière doit remplir un rapport immédiatement après avoir pris les mesures nécessaires pour protéger la personne touchée et avoir averti une personne responsable (par exemple, infirmière-chef). Pour en apprendre davantage sur les rapports d'accidents ou d'incidents, voir le chapitre 4 .

Mesures de contrôle

L'article 118.1 de la *Loi sur les services de santé et les services sociaux* touche la question de l'utilisation exceptionnelle des **mesures de contrôle**, c'est-à-dire le recours à la contention, à l'isolement et aux substances chimiques :

> La force, l'isolement, tout moyen mécanique ou toute substance chimique ne peuvent être utilisés, comme mesure de contrôle d'une personne dans une installation maintenue par un établissement, que pour l'empêcher de s'infliger ou d'infliger à autrui des lésions. L'utilisation d'une telle mesure doit être minimale et exceptionnelle et doit tenir compte de l'état physique et mental de la personne.
>
> Lorsqu'une mesure visée au premier alinéa est prise à l'égard d'une personne, elle doit faire l'objet d'une mention détaillée dans son dossier. Doivent notamment y être consignées une description des moyens utilisés, la période pendant laquelle ils ont été utilisés et une description du comportement qui a motivé la prise ou le maintien de cette mesure.
>
> Tout établissement doit adopter un protocole d'application de ces mesures en tenant compte des orientations ministérielles, le diffuser auprès de ses usagers et procéder à une évaluation annuelle de l'application de ces mesures. (MSSS, 2002)

Il est évident que l'utilisation de mesures de contrôle constitue une entrave à la liberté de mouvement ; on doit donc y recourir dans le but exclusif d'assurer la sécurité de la personne et celle d'autrui. L'encadré 36-2 présente les principes directeurs encadrant l'utilisation des mesures de contrôle. Voici la définition de ces mesures selon l'article 118.1 de la *Loi sur les services de santé et les services sociaux* (MSSS, 2002) :

- **Contention.** « Mesure de contrôle qui consiste à empêcher ou à limiter la liberté de mouvement d'une personne en utilisant la force humaine, un moyen mécanique ou en la privant d'un moyen qu'elle utilise pour pallier un handicap. »
- **Isolement.** « Mesure de contrôle qui consiste à confiner une personne dans un lieu, pour un temps déterminé, d'où elle ne peut sortir librement. »
- **Substance chimique.** « Mesure de contrôle qui consiste à limiter la capacité d'action d'une personne en lui administrant un médicament. »

ASPECTS PROFESSIONNELS ET JURIDIQUES DE L'UTILISATION DES MESURES DE CONTRÔLE. Selon la *Loi sur les infirmières et les infirmiers* (L.R.Q. c. I-8), la décision quant à l'utilisation des mesures de contention est une activité réservée à l'infirmière : « L'infirmière décide s'il y a lieu d'utiliser des mesures de contention pour protéger le client, après avoir évalué les autres solutions possibles et consulté les membres de l'équipe interdisciplinaire au besoin. Elle détermine au plan thérapeutique infirmier du client les paramètres de la surveillance clinique. » (OIIQ, 2004, p. 14) L'infirmière doit donc connaître le protocole d'application des mesures de contention de l'établissement de santé où elle travaille. Par ailleurs, l'utilisation des mesures de contrôle peut se faire dans un contexte d'intervention planifiée ou dans un contexte d'intervention non planifiée (MSSS, 2002).

Contexte d'intervention planifiée. Quand on prévoit l'utilisation de mesures de contrôle dans une situation donnée, il s'agit d'un **contexte d'intervention planifiée** : par exemple, « dans le cas d'une désorganisation comportementale récente, susceptible de se répéter et pouvant comporter un danger réel pour la personne elle-même ou pour autrui » (MSSS, 2002, p. 18). Les professionnels de la santé doivent convenir avec la personne ou son représentant des moyens à utiliser pour faire face effectivement à la situation, et les consigner dans le plan de soins et de traitements.

ENCADRÉ

Principes directeurs encadrant l'utilisation des mesures de contrôle

36-2

Premier principe : Les substances chimiques, la contention et l'isolement utilisés à titre de mesures de contrôle le sont uniquement comme mesures de sécurité dans un contexte de risque imminent.

Deuxième principe : Les substances chimiques, la contention et l'isolement ne doivent être envisagés à titre de mesures de contrôle qu'en dernier recours.

Troisième principe : Lors de l'utilisation de substances chimiques, de la contention ou de l'isolement à titre de mesures de contrôle, il est nécessaire que la mesure appliquée soit celle qui est la moins contraignante pour la personne.

Quatrième principe : L'application des mesures de contrôle doit se faire dans le respect, la dignité et la sécurité, en assurant le confort de la personne, et doit faire l'objet d'une supervision attentive.

Cinquième principe : L'utilisation des substances chimiques, de la contention et de l'isolement à titre de mesures de contrôle doit, dans chaque établissement, être balisée par des règles et contrôlée afin d'assurer le respect des protocoles.

Sixième principe : L'utilisation des substances chimiques, de la contention et de l'isolement à titre de mesures de contrôle doit faire l'objet d'une évaluation et d'un suivi de la part du conseil d'administration de chacun des établissements.

Source : *Orientations ministérielles relatives à l'utilisation exceptionnelle des mesures de contrôle : Contention, isolement et substances chimiques*, (p. 15-17) du Ministère de la Santé et des Services sociaux, 2002, Québec : Gouvernement du Québec, (page consultée le 15 décembre 2004), [en ligne], <ftp.msss.gouv.qc.ca/publications/acrobat/f/documentation/2002/02-812-02.pdf>. Reproduction autorisée par Les Publications du Québec.

Les substances chimiques, la contention ou l'isolement constituent des mesures de dernier recours et, en situation d'intervention planifiée, la personne ou son représentant légal doit donner un consentement libre et éclairé à leur utilisation éventuelle.

Contexte d'intervention non planifiée. Dans un **contexte d'intervention non planifiée,** aucune mesure de contrôle n'est prévue dans le plan de soins et de traitements. Il s'agit d'« une intervention réalisée en réponse à un comportement inhabituel, et par conséquent non prévu, qui fait en sorte de mettre en danger de façon imminente la sécurité de la personne et celle d'autrui » (MSSS, 2002, p. 18). Cependant, une analyse postsituationnelle doit être effectuée par un professionnel habilité à le faire (par exemple, infirmière) afin d'évaluer les mesures préventives et les mesures de remplacement à mettre en place dans un contexte d'intervention planifiée. À cause même de l'imprévisibilité et de l'urgence d'agir dans un contexte d'intervention non planifiée, on peut « recourir à l'utilisation exceptionnelle des mesures de contrôle sans avoir obtenu le consentement de la personne » pour une durée limitée (MSSS, 2002, p. 19).

Grâce à son jugement clinique, l'infirmière peut décider de l'utilisation de mesures de contention, tout comme le médecin, le physiothérapeute et l'ergothérapeute. L'obtention d'une ordonnance individuelle n'est pas requise ; cependant, en raison du risque de préjudice important lié à l'application de ces mesures, une démarche interdisciplinaire est parfois nécessaire (OIIQ, 2003).

Comme la contention provoque une perte de maîtrise de soi chez la personne, elle accroît souvent son état d'agitation et son degré d'anxiété. L'infirmière doit consigner au dossier clinique tous les moyens pris pour expliquer clairement à la personne et à ses proches les motifs de la contention. Les mesures qui ont fait l'objet d'une décision infirmière peuvent être appliquées par les membres de l'équipe de soins. Les autres mesures de contrôle (médicaments ou substances contrôlées et isolement) relèvent de la responsabilité du médecin.

En matière de prise de décisions liées aux mesures de contention, l'infirmière a plusieurs tâches à accomplir :

La décision d'utiliser des mesures de contention signifie que l'infirmière doit :

- procéder à l'évaluation initiale et continue de la situation de santé de la personne afin de déterminer la nature du problème (agitation, agressivité, confusion, errance ou fugue), les facteurs étiologiques (déficit cognitif, troubles du sommeil ou d'élimination, douleur, infection, souffrance psychologique, dangerosité) et les besoins physiologiques, psychosociaux et environnementaux de la personne ;
- poser un jugement clinique sur l'état de santé de la personne et sur la sévérité du problème ; il importe alors de distinguer les manifestations et les symptômes des facteurs étiologiques ;
- analyser les effets indésirables et les avantages, pour la personne et pour autrui, liés aux mesures de remplacement et, s'il y a lieu, aux mesures de contention envisagées afin de déterminer si leur utilisation est justifiée ;
- obtenir le consentement libre et éclairé de la personne, ou de son représentant légal, sauf dans les cas prévus par la loi, notamment en situation d'urgence ;
- déterminer et indiquer dans le plan thérapeutique infirmier toutes les données pertinentes relatives à l'utilisation des mesures de remplacement ou, en cas d'échec, des mesures de contention ;

- évaluer l'efficacité des mesures de remplacement et, s'il y a lieu, des mesures de contention mises en place ;
- consigner au dossier toutes les données pertinentes relatives au consentement et à l'utilisation des mesures de remplacement et des mesures de contention ;
- indiquer dans le plan thérapeutique infirmier toutes les modifications qui y sont apportées par la suite ;
- réévaluer régulièrement la situation et assurer le suivi ;
- consulter d'autres professionnels de la santé ou diriger le client vers ceux-ci, au besoin. (OIIQ, 2003, p. 42)

Quand il est question de mesures de contrôle, il est bon de recourir à un processus décisionnel (figure 36-11 ■). La figure 36-12 ■ donne un exemple de protocole thérapeutique d'utilisation de la contention et de l'isolement ; l'encadré 36-3 passe en revue les données qu'il faut consigner au plan thérapeutique infirmier en cas d'utilisation de ces mesures ; la figure 36-13 ■ donne un exemple de feuille d'observation en matière d'isolement, de contention et de niveaux de surveillance.

MESURES DE REMPLACEMENT. Une démarche systématique visant l'utilisation minimale des mesures de contrôle doit avant tout favoriser l'établissement et la mise en place de **mesures de remplacement** (ou **mesures alternatives**) « efficaces, efficientes et respectueuses de la personne, de son autonomie, de son environnement et de ses proches » (OIIQ, 2003). On ne doit utiliser les mesures de contrôle que si toutes les autres mesures de remplacement ont échoué (il faut donc aussi consigner ces tentatives au dossier). Afin de mettre en place des mesures de remplacement efficaces, il importe de bien déterminer les divers aspects de l'état

---

ENCADRÉ

Plan thérapeutique infirmier lié à la décision d'utiliser une mesure de contention

36-3

Le plan thérapeutique infirmier lié à la décision d'utiliser une mesure de contention comprend :

- les aspects de la situation de santé de la personne qui motivent la mesure de la contention ;
- le moyen de contention retenu (ceinture, gilet, mitaines, attaches aux poignets, etc.), la taille et l'endroit où il doit être utilisé (par ex. : chaise, lit ou autre) ;
- la durée maximale d'application continue de la mesure retenue et celle de la période de repos sans contention ;
- les indications d'arrêt et de reprise de la mesure retenue ;
- la durée de validité de la mesure retenue ;
- les éléments à surveiller et la fréquence des visites de surveillance ;
- les interventions de soutien à la personne et l'accompagnement requis (maintien de la communication et de la relation, changement de position, besoins physiologiques et psychologiques à satisfaire) ;
- l'obtention du consentement.

Source : *Guide d'application de la nouvelle* Loi sur les infirmières et infirmiers *et de la* Loi modifiant le Code des professions et d'autres dispositions législatives dans le domaine de la santé, 2003, de l'Ordre des infirmières et infirmiers du Québec, avril 2003, Montréal : OIIQ, (page consultée le 15 décembre 2004), [en ligne], <www.oiiq.org/uploads/publications/autres_publications/Guide_application_loi90.pdf>.

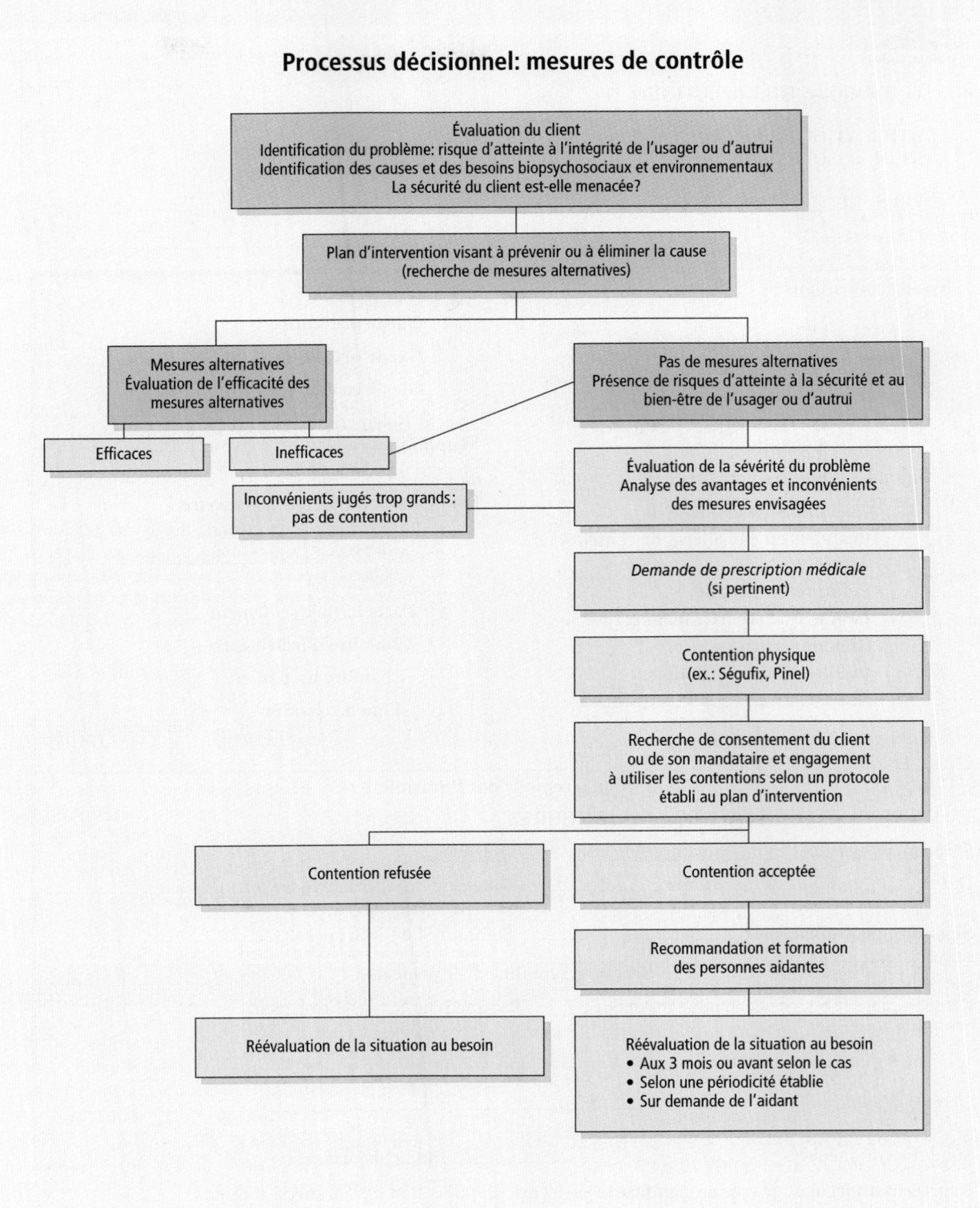

FIGURE **36-11** ■ **Processus décisionnel: mesures de contrôle.** (Source: *Les mesures de contrôle en soutien à domicile: les alternatives et l'utilisation exceptionnelle des contentions,* (p. 10), de N. O'Dowd *et al.,* 2005, Montréal: ÉCAT, (page consultée le 7 mars 2005, [en ligne], <www.centreinterval.qc.ca/ Contention%20FINAL%2005-01-15.pdf>. Inspiré de *L'utilisation de la contention physique chez les personnes âgées: une pratique à réviser, Document de référence n° 2,* de l'Association des hôpitaux du Québec (AHQ), 1996, Montréal: AHQ.)

CENTRE HOSPITALIER PIERRE-LE GARDEUR

PROTOCOLE THÉRAPEUTIQUE

UTILISATION DE LA CONTENTION ET DE L'ISOLEMENT

PRESCRIPTIONS MÉDICALES

Type de contentions :
Represcrire :
- Aux 7 jours pour courte durée
- Aux 28 jours pour longue durée psychiatrique
- Aux 90 jours pour longue durée physique et hébergement

☐ **Bracelets de contentions**
☐ **Chevillères de contentions**
☐ **Bracelets ou chevillères de contentions barrés**
☐ **Ceinture de sécurité**
☐ **Ceinture de sécurité magnétique**
☐ **Gilet de sécurité**
☐ **Culotte d'immobilisation**
☐ **Autre : _____**

Type d'isolement :
☐ **Garde préventive**
☐ **Garde provisoire**
☐ **Garde en établissement**

Type d'isolement :
Si appliqués en continu represcrire :
- Aux 24 heures

Si appliqués au besoin represcrire :
- Aux 7 jours pour la courte durée
- Aux 28 jours pour la longue durée et hébergement

☐ **Porte fermée seulement**
☐ **Chambre d'isolement**
☐ **Chambre du patient**
☐ **Plan de chambre**
☐ Type I   ☐ Type II   ☐ Type III

Section à remplir par l'infirmière :

FAIRE REPRESCRIRE EN DEÇÀ DE 12 HEURES

Contentions installées en mesure d'urgence :   Isolement :

Date : _____ Heure : _____   Date : _____ Heure : _____

Signature de l'infirmière : _____   Signature de l'infirmière : _____

Section à remplir par le médecin :

D'accord pour le type de contention installée ☐   D'accord pour le type d'isolement ☐
     Ou
Je désire les contentions suivantes : _____

Durée de l'application : _____

Signature du médecin : _____   Date et heure : _____

Représentant légal ou personne significative avisée de l'application des mesures, si requis :   ☐

Nom de la personne : _____

654335 révisée octobre 99

FIGURE 36-12 ■ Protocole thérapeutique de l'utilisation de la contention ou de l'isolement. (Source : Centre hospitalier Pierre-Le-Gardeur, Terrebonne.)

Centre de santé et des services sociaux
Haut-Richelieu/Rouville

Site : Hôpital du Haut-Richelieu

Feuille d'observation :
Isolement – Contentions – Niveaux de surveillance

❒ **ISOLEMENT** (observations aux 15 minutes)

❒ **CONTENTION**
❒ **INTERVENTIONS DE SOINS PONCTUELS** (observations aux heures)
❒ **INTERVENTIONS D'ASSISTANCE** (observations aux heures)
❒ **INTERVENTIONS DE MAÎTRISE** (observations aux 15 minutes)
❒ **lit**   ❒ **ceinture magnétique**   ❒ **accessoires** _____
❒ **fauteuil roulant**   ❒ **ceinture**   ❒ **tablette**
❒ **fauteuil gériatrique**   ❒ **ceinture**   ❒ **tablette**
❒ **fauteuil fixe**   ❒ **ceinture**   ❒ **tablette**
❒ **chambre privée**

❒ **NIVEAUX DE SURVEILLANCE :**
❒ **étroite (surveillance continue)**   ❒ **constante (surveillance aux 15 minutes)**

Condition clinique
1 : éveillé   4 : agité
2 : calme   5 : désorienté
3 : dort

Activité
A : allongé ou assis   F : fumoir
B : bain   I : isolement
C : circule   R : repas
D : dort   T : téléphone
E : entrevue   TL : toilette
T.V. : télévision

ÉVALUATION DU PATIENT : raisons motivant l'application de la mesure
_____
_____

Signature de l'infirmière : _____ date : _____ réévaluation une fois par quart

Hre	Par (init.)	Vérif. matériel (▤)	Condition clinique	Activité	Hre	Par (init.)	Vérif. matériel (▤)	Condition clinique	Condition clinique
00 :15					04 :15				
00 :30					04 :30				
00 :45					04 :45				
01 :00					05 :00				
01 :15					05 :15				
01 :30					05 :30				
01 :45					05 :45				
02 :00					06 :00				
02 :15					06 :15				
02 :30					06 :30				
02 :45					06 :45				
03 :00					07 :00				
03 :15					07 :15				
03 :30					07 :30				
03 :45					07 :45				
04 :00					08 :00				

Réévaluation à 06 :00 ❒   Poursuivre la mesure ❒   Cesser la mesure ❒
Justification : _____

Signature de l'infirmière responsable du patient : _____

FIGURE **36-13** ■ Feuille d'observation : isolement, contention et niveaux de surveillance.
(Source : Centre de santé et de services sociaux Haut-Richelieu/Rouville.)

Effectuer des visites de surveillance :
⇨ selon la mesure mise en place et selon les besoins spécifiques du patient. Noter la condition clinique et les activités (présence, constance, visite aux 15 minutes ou aux heures).

Vérifier les points suivants si une contention est utilisée :
⇨ le matériel est en bon état et conforme aux normes du fabricant ;
⇨ un bon alignement corporel est respecté ;
⇨ l'état de la contention et la bonne application ;
⇨ le patient est couvert convenablement ;
⇨ les couvertures du pied de lit sont détachées si des contentions aux chevilles sont utilisées.

Vérifier les points suivants si le patient est en surveillance étroite ou constante :
⇨ vérifier l'état de la chambre au début de chaque quart ;
⇨ jaquette d'hôpital à boutons pression (culotte permise) ou vêtements sécuritaires ;
⇨ lors du bain, assurer un contact visuel ou verbal ;
      - en tout temps en surveillance constante
      - aux 5 minutes en surveillance étroite
⇨ retirer tout objet dangereux (même restriction pour le compagnon de chambre) ;
⇨ vérifier les objets provenant de l'extérieur ;
⇨ fouiller les effets personnels à chaque début de quart ou s'il y a doute raisonnable de camouflage.

Surveiller les signes cliniques :
⇨ l'intégrité de la peau en contact avec la contention. Vérifier œdème, coloration, chaleur, douleur ;
⇨ l'amplitude respiratoire ;
⇨ les signes vitaux ;
⇨ le confort du patient ;
⇨ les réactions psychologiques ;
⇨ la sécheresse de la bouche si prise de neuroleptiques.

Autres interventions :
⇨ satisfaire les besoins physiologiques du patient (alimentation, hydratation, élimination, mobilité, hygiène, etc.) et les besoins psychologiques.
⇨ détacher les contentions par rotation, exécuter des exercices passifs aux membres supérieurs et inférieurs et masser les articulations soumises aux pressions.

Mettre fin à la mesure dès que les indications la justifiant ne sont plus présentes (ex. : patient a repris contrôle sur ses agirs violents), ce qui implique une réévaluation de l'indication de la mesure mise en place à chaque 8 heures (quart de travail).

Inspiré du cadre de référence de l'A.H.Q. (2002). Utilisation de la contention et de l'isolement : une approche intégrée et de la grille de suivi de l'utilisation de la contention et de l'isolement de Réseau Santé Richelieu-Yamaka.

2004-01-20
Révisé le 2004-12-07

FIGURE **36-13** ■ (SUITE)

de santé de la personne. (La personne présente-t-elle un risque de chute ? Si oui, quelles en sont les raisons ? La personne souffre-t-elle d'errance ou de delirium ?) L'encadré 36-4 dresse la liste des mesures de remplacement à appliquer selon l'état de santé de la personne.

CHOIX D'UNE MESURE DE CONTENTION.
Avant de choisir une **mesure de contention**, l'infirmière doit établir clairement les objectifs visés et observer les cinq critères suivants :

1. La mesure de contention ne doit pas entraver les mouvements de la personne outre mesure. S'il faut immobiliser seulement le bras d'une personne, il est inutile d'immobiliser le reste de son corps.

2. La mesure de contention ne doit pas nuire au traitement ni aggraver les problèmes de santé de la personne. Par exemple, si la personne souffre de troubles circulatoires dans les mains, il est préférable de choisir une mesure de contention qui n'accentuera pas ce problème. En installant solidement un dispositif de contention sur les membres, il faut éviter de le serrer au point de compromettre la circulation périphérique. Il faut toujours attacher un dispositif de contention des membres à l'aide d'un nœud qui ne se resserrera pas sous la tension (par exemple, nœud de galère ou nœud plat).

3. Le dispositif de contention doit être facile à changer. Il doit être remplacé fréquemment, notamment s'il se salit. Tout en tenant compte des autres critères, choisir une mesure de contention qui sera facile à changer sans déranger la personne outre mesure.

4. La mesure de contention ne doit présenter aucun danger. Choisir une mesure de contention qui ne présente pas de risque de blessure pour la personne. Par exemple, une personne retenue au cadre de son lit à l'aide d'un bracelet de contention pourrait se blesser en tentant de sortir du lit. L'usage d'une ceinture de sécurité serait plus sûr. Il faut protéger les saillies osseuses (par exemple, poignets et chevilles) avant d'installer un dispositif de contention ; le frottement peut en effet y blesser la peau en peu de temps.

5. La mesure de contention doit être la plus discrète possible. Le port d'un dispositif de contention peut être embarrassant pour la personne et ses visiteurs, même quand on en reconnaît l'utilité. Plus la mesure de contention est discrète, plus les gens se sentent à l'aise.

MESURES DE CONTENTION.
Parmi les mesures de contention les plus courantes qu'on utilise avec les adultes, on compte la camisole (ou veste), le gilet de sécurité, diverses ceintures de sécurité (ou courroies), telles que la ceinture de contention pelvienne, la ceinture de lit à bouton magnétique et la ceinture du genre « ceinture d'auto », les mitaines de contention et les dispositifs de contention des membres (bracelet, chevillère et culotte d'immobilisation). Par ailleurs, on peut considérer comme des mesures de contention un fauteuil gériatrique ou un fauteuil roulant muni d'une tablette à glissière avec ou sans sangle (qui sert à restreindre les déplacements de la personne ou à maintenir cette dernière

Mesures de remplacement des mesures de contrôle

- Travailler en tandem de manière à ce que les deux infirmières puissent surveiller la personne en alternance.
- Installer la personne instable dans un endroit où on peut la surveiller étroitement (par exemple, près du poste des intervenants).
- Avant de changer une personne de chambre, la préparer psychologiquement au déplacement pour limiter le choc ou la confusion qui peut en découler.
- Si la personne est confuse ou sous l'effet d'un sédatif, si sa démarche est instable ou si elle présente un risque de chute élevé, rester auprès d'elle quand elle utilise la chaise d'aisance ou les toilettes et l'accompagner dans ses déplacements.
- Vérifier les médicaments que prend la personne et voir avec le médecin s'il n'y a pas lieu de réduire la dose de sédatifs ou de psychotropes, ou d'en cesser l'usage.
- Laisser le lit dans la position la plus basse : la personne aura plus de facilité pour se lever et se coucher.
- Remplacer les ridelles de lit pleine longueur par des ridelles plus courtes (demi-longueur ou trois quarts) : cela réduit le risque de chute dans le cas d'une personne confuse qui essaie de se lever en enjambant les ridelles ou en sortant au pied du lit.
- Fournir une berceuse à la personne confuse : cela lui permet de dépenser une partie de son énergie et limite sa tendance à errer.
- Couvrir les côtés du fauteuil roulant avec des oreillers ou des coussins pour améliorer le confort de la personne.
- Munir le fauteuil roulant d'un plateau amovible : il fournit un appui à la personne et permet de la maintenir assise.
- Recourir à divers moyens pour calmer une personne agitée : lui proposer une boisson chaude, tamiser l'éclairage, lui frotter le dos ou lui faire faire une promenade.
- Utiliser certaines particularités des lieux physiques pour limiter les déplacements (par exemple, se servir d'un meuble ou d'une grosse plante pour bloquer le passage vers les aires où on ne veut pas que la personne puisse se rendre).
- Fixer une photo ou un objet personnel de la personne sur la porte de sa chambre ; elle retrouvera ainsi plus facilement son chemin.
- Déterminer les causes du syndrome des états crépusculaires (errance nocturne et désorientation se manifestant à la tombée du jour et associées à la démence). Parmi les causes possibles, il y a les troubles d'acuité auditive ou visuelle et la douleur.
- Établir un système d'évaluation continue pour surveiller l'évolution des capacités physiques et cognitives de la personne et les facteurs de risque qu'elle présente.

dans une position adéquate, ce qui permet de réduire le risque de chute) et les barres de maintien dans le fauteuil. Les mesures de contention utilisées avec les nourrissons et les jeunes enfants comprennent l'emmaillotement, l'attelle d'extension du coude et le filet pour lit de bébé (voir l'encadré *Les âges de la vie – Mesures de contention*). L'encadré *Conseils pratiques – Mesures de con-* *tention* fournit à l'infirmière les renseignements nécessaires à l'utilisation des diverses mesures. Il importe de bien connaître tous les produits de contention qui existent, ainsi que leurs avantages et leurs inconvénients. Il faut éviter l'utilisation de systèmes de contention « maison », à cause des nombreux risques qui leur sont associés.

CONSEILS PRATIQUES

Mesures de contention

- Obtenez le consentement de la personne ou du tuteur.
- Assurez la personne et ses proches que le recours à la contention est temporaire et qu'il s'agit d'une mesure pour protéger la personne et autrui. On ne doit jamais utiliser une mesure de contention pour punir une personne de son comportement ni pour faciliter son propre travail.
- Attachez les sangles du dispositif de contention de la personne à la partie mobile du lit. Ne les attachez jamais aux ridelles ou au cadre fixe du lit si vous prévoyez changer la position du lit.
- Vérifiez le dispositif de contention toutes les 30 minutes. Certains établissements ont un formulaire spécial pour consigner les données de l'évaluation continue.
- Retirez ou desserrez le dispositif de contention au moins toutes les deux à quatre heures ; faites exécuter à la personne des exercices d'amplitude du mouvement (voir le chapitre 42 ◯) et prodiguez-lui les soins cutanés nécessaires (voir le chapitre 34 ◯).
- Réévaluez la nécessité de la mesure de contention au moins toutes les huit heures. Cherchez à déterminer les causes

véritables du comportement qui a mené à la mesure de contention.
- Ne laissez jamais seule une personne à qui on a retiré temporairement un dispositif de contention.
- Signalez immédiatement à l'infirmière responsable toute rougeur persistante ou lésion de la peau causée par le dispositif de contention et consignez ces observations au dossier clinique de la personne.
- Au premier signe de cyanose, de pâleur ou de refroidissement de la peau, ou si la personne se plaint de picotements, de douleur ou d'engourdissement, retirez ou desserrez le dispositif de contention et faites bouger le ou les membres touchés.
- Installez le dispositif de contention en respectant les deux consignes suivantes : il doit être facile à enlever en cas d'urgence ; il doit respecter la position anatomique normale de la partie du corps visée.
- Réconfortez la personne en lui parlant et en la touchant.

Certains modèles de vestes n'ont pas de manches et sont munies de sangles qu'on peut attacher au cadre du lit, sous le matelas (figure 36-14 ■). On utilise une veste de sécurité dans le cas d'une personne confuse ou sous l'effet de sédatifs, couchée dans son lit ou assise dans un fauteuil roulant. Aux États-Unis, la Food and Drug Administration (1992) recommande aux fabricants de munir les vestes d'étiquettes « Devant » et « Derrière » afin d'en faciliter l'installation.

La ceinture de sécurité peut être utilisée dans plusieurs circonstances, entre autres dans le cas d'une personne qu'on déplace sur une civière ou dans un fauteuil roulant, ou qu'on veut maintenir dans une position adéquate. La ceinture de contention pelvienne (figure 36-15 ■) de type *couche avec courroies* empêche la personne de glisser sous la ceinture et peut être combinée à une ceinture pelvienne de type *auto,* qui s'attache facilement à l'arrière à l'aide d'une boucle de plastique. La ceinture pelvienne à *quatre points d'ancrage* (épine iliaque antéro-supérieure et antéro-inférieure) offre un bon maintien du bassin et une bonne position. La ceinture magnétique est robuste et difficile à couper. Elle est munie d'un système de verrouillage magnétique ; pour détacher les sangles, il faut obligatoirement utiliser une tige (crayon ou clé) magnétique.

Les mitaines de contention (figure 36-16 ■) empêchent une personne confuse de se gratter ou de se blesser avec les mains ou les doigts. Par exemple, il peut arriver à une personne confuse de vouloir retirer un dispositif de perfusion intraveineuse ou un bandage postopératoire à la tête. Ces mitaines n'entravent pas

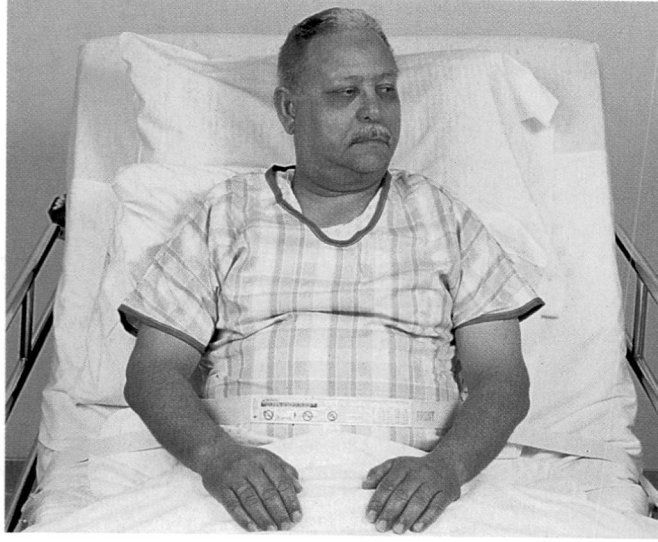

FIGURE 36-14 ■ Veste de sécurité.

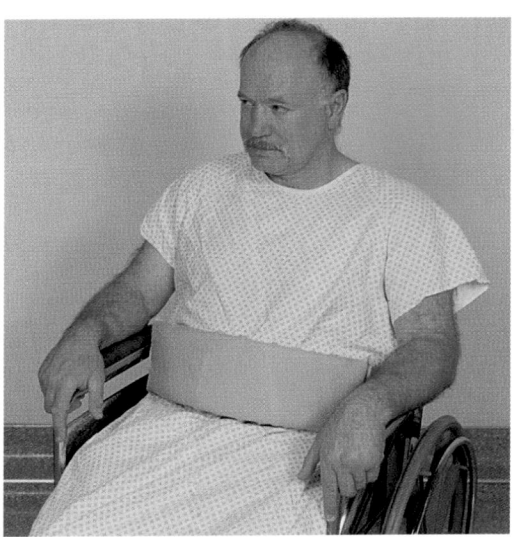

FIGURE **36-15** ■ Ceinture de contention pelvienne.

les déplacements de la personne ni le libre mouvement de ses bras ; on évite donc d'avoir à immobiliser la personne dans un lit ou un fauteuil. Il faut retirer régulièrement les mitaines pour permettre à la personne de se laver les mains et de leur faire faire un peu d'exercice ; l'infirmière doit alors vérifier la circulation sanguine dans les mains.

En règle générale, les dispositifs de contention des membres (figure 36-17 ■), y compris les bracelets et les chevillères, sont fabriqués en tissu ; on les utilise parfois pour immobiliser un membre dans un but purement thérapeutique (par exemple, installation d'une intraveineuse). Le procédé 36-3 présente la marche à suivre pour mettre en place une mesure de contention.

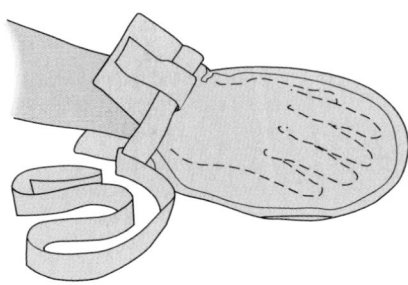

FIGURE **36-16** ■ Mitaines de contention.

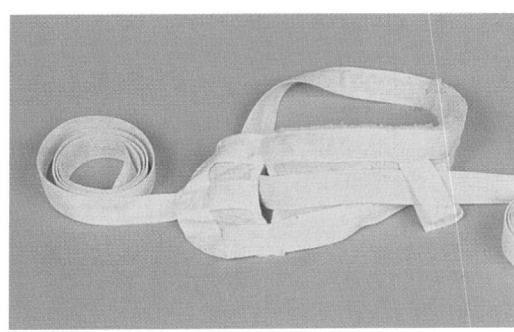

FIGURE **36-17** ■ Dispositif de contention des membres.

PROCÉDÉ 36-3

Mise en place d'une mesure de contention

Objectifs
- Faciliter un traitement.
- Procéder à un traitement sans être dérangé par la personne (par exemple, sans craindre qu'un mouvement brusque ne vienne perturber une intervention portant sur un membre relié à une tubulure ou à un appareil).

COLLECTE DES DONNÉES

Évaluez
- Le comportement susceptible de motiver l'utilisation d'une mesure de contention.
- La cause véritable du comportement observé.
- Les mesures de remplacement envisageables.
- L'état de la peau à l'endroit prévu pour le dispositif de contention.
- La circulation sanguine de la personne en aval du dispositif de contention et dans les extrémités.
- L'efficacité des autres mesures de précaution.

PLANIFICATION

D'abord, revoyez la politique de l'établissement en la matière et consultez les personnes compétentes. Avant de recourir à une mesure de contention, il faut avoir essayé toutes les mesures de remplacement et il faut informer le médecin de son intention, sauf s'il s'agit d'une urgence.

Matériel
- Dispositif de contention approprié (modèle et taille).

PROCÉDÉ **36-3** (SUITE)

Mise en place d'une mesure de contention (suite)

INTERVENTION

Exécution

1. Expliquez à la personne et à ses proches ce que vous allez faire, pourquoi vous allez le faire et comment chacun peut coopérer. Expliquez-leur en quoi les résultats serviront à planifier les soins ou les traitements. Laissez à la personne le temps nécessaire pour exprimer ce qu'elle ressent. Rassurez la personne et ses proches en leur garantissant que la mesure de contention ne sera utilisée qu'en cas d'absolue nécessité et que la personne fera l'objet d'un suivi assidu et aura toute l'aide nécessaire.

2. Lavez-vous les mains et observez les autres mesures de prévention des infections.

3. Assurez-vous que l'intimité de la personne est préservée.

4. Mettez en place le dispositif de contention.

Ceinture de sécurité

- Vérifiez l'état de la ceinture de sécurité. Si la ceinture est munie d'attaches velcro, assurez-vous que les deux surfaces sont en bon état.

- Si la ceinture comporte une sangle longue et une sangle courte, placez la sangle longue sous la personne alitée et attachez-la à la partie mobile du cadre du lit. *De cette façon, la sangle longue se relèvera en même temps que la tête du lit sans se resserrer autour de la personne.* Enroulez la sangle courte autour de la taille de la personne, par-dessus sa chemise d'hôpital : laissez l'espace d'un doigt entre la ceinture et la personne.

ou

FIGURE **36-18** ■ Nœud de galère (facile à défaire). Passez la sangle sous le cadre du lit (ou autour d'un pied de la chaise). *A :* ramenez l'extrémité libre vers le haut ; enroulez-la autour de l'autre extrémité ; faites passer l'extrémité libre sous l'autre extrémité et faites-la ressortir par-dessus la boucle ainsi formée. Serrez en tirant sur l'extrémité libre. *B :* une fois encore, faites passer l'extrémité libre sous l'autre extrémité et faites-la ressortir par-dessus la boucle, cette fois pour former une demi-boucle. *C :* tirez sur l'extrémité libre et serrez le nœud jusqu'à ce qu'il soit solide. Pour défaire le nœud, tirez sur l'extrémité libre et défaites ensuite la première boucle.

- Fixez la ceinture de sécurité autour de la taille de la personne et attachez-la ensuite à l'arrière du dossier du fauteuil.

ou

- Si la ceinture de sécurité doit être fixée à une civière, attachez-la solidement autour des hanches ou de l'abdomen de la personne.

Veste de sécurité

- Mettez la veste de sécurité à la personne en plaçant l'ouverture devant ou derrière, selon le modèle utilisé.

- Disposez la sangle située à l'extrémité d'un rabat de la veste en diagonale sur la poitrine de la personne et insérez-la dans la fente du côté opposé.

- Installez l'autre sangle de la même façon.

À l'aide d'un nœud de galère, attachez chacune des sangles à la partie mobile du cadre du lit ou à l'un des pieds arrière du fauteuil, selon le cas (figures 36-18 ■ et 36-19 ■). *Ce genre de nœud ne se resserre pas et ne se desserre pas sous la tension ; on peut le défaire facilement en tirant sur l'extrémité libre.*

ou

- Nouez les sangles ensemble à l'arrière du fauteuil à l'aide d'un nœud plat

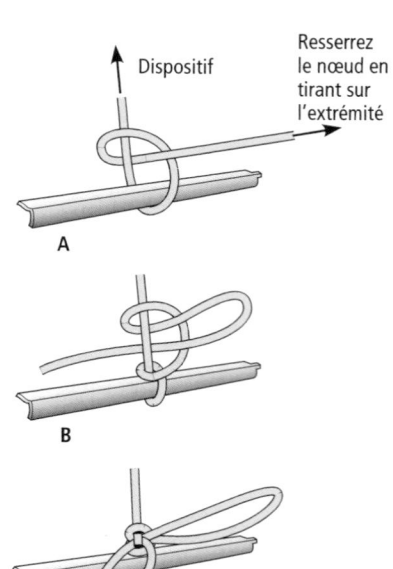

Dispositif

Resserrez le nœud en tirant sur l'extrémité

A

B

C

Défaites le nœud en tirant sur l'extrémité

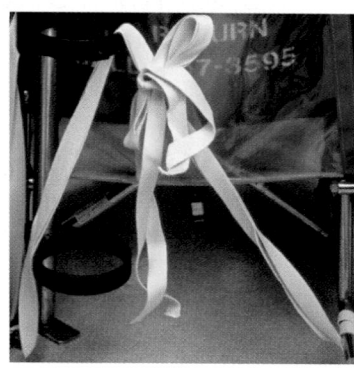

FIGURE **36-19** ■ Nœud facile à défaire.

(figure 36-20 ■). *Ce nœud ne se resserre pas sous la tension et ne se desserre pas sous le relâchement de la tension.*

- Assurez-vous que la position permet une amplitude thoracique maximale chez la personne, de façon à ne pas nuire à sa respiration.

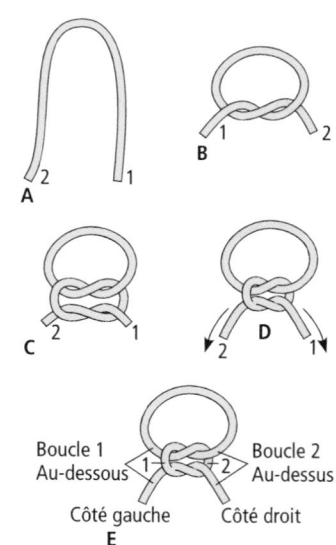

A

B
1 2

C
2 1

D
2 1

Boucle 1
Au-dessous
1 2
Boucle 2
Au-dessus

Côté gauche   Côté droit
E

FIGURE **36-20** ■ Nœud plat. *A :* faites une boucle en U. *B :* passez l'extrémité 1 par-dessus puis par-dessous l'extrémité 2. *C :* refaites passer l'extrémité 1 une fois par-dessus, une fois par-dessous et de nouveau par-dessus l'extrémité 2. *D :* resserrez le nœud. *E :* quand le nœud est fait correctement, les deux points d'attache sur chaque côté sont soit au-dessous, soit au-dessus de la boucle. Il s'agit en fait de deux nœuds simples mais inversés l'un par rapport à l'autre.

INTERVENTION (suite)

Mitaines de contention

- Recouvrez la main avec une mitaine de contention sans pouce de fabrication commerciale (voir la figure 36-16). Assurez-vous qu'il y a assez de jeu pour que les doigts puissent plier un peu et qu'ils ne soient pas coincés dans la paume de la main.

- Attachez la mitaine en suivant les instructions du fabricant.

- Si la personne doit porter la mitaine pendant plusieurs jours, retirez-la-lui au moins toutes les deux à quatre heures. Lavez et faites bouger la main de la personne avant de remettre la mitaine. Vérifiez les pratiques de l'établissement quant à l'intervalle recommandé pour retirer la mitaine.

- Évaluez la circulation sanguine dans la main peu après avoir mis la mitaine et à intervalles réguliers par la suite. *Une sensation d'engourdissement, un inconfort ou l'incapacité de bouger les doigts peuvent être des signes de troubles de la circulation périphérique.*

Contention des membres à l'aide de bracelets ou de chevillères

- Pour éviter les blessures à la peau, protégez les saillies osseuses du poignet ou de la cheville, selon le cas.

- Mettez en place la portion coussinée du dispositif de contention autour de la cheville ou du poignet, selon le cas.

- Glissez l'attache dans la fente située au niveau du poignet ou de la cheville, selon le cas, ou dans la boucle (figure 36-21 ■).

- À l'aide d'un nœud de galère (facile à défaire) ou d'un nœud plat, attachez

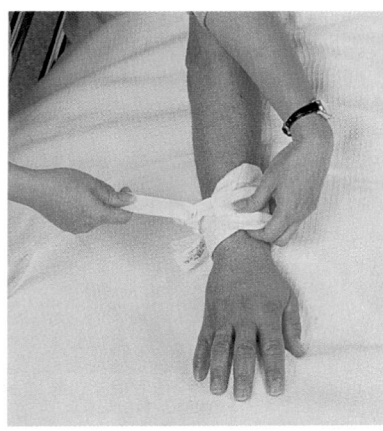

FIGURE **36-21** ■ On doit pouvoir glisser deux doigts entre le dispositif de contention et le poignet ou la cheville.

l'autre extrémité du dispositif de contention à la partie mobile du cadre du lit. *On évite ainsi de tirer sur le poignet ou la cheville quand on modifie la position du lit.*

5. Consignez au dossier clinique de la personne les renseignements suivants : le ou les comportements à l'origine de la mesure de contention, les mesures de remplacement utilisées et les résultats de ces mesures, l'heure à laquelle on a averti le médecin. Notez aussi au dossier les détails suivants :

   - Dispositif de contention utilisé, heure de la mise en place et objectif visé.
   - Réaction de la personne à l'égard de la contention.
   - Heures auxquelles on a retiré la contention et donné des soins cutanés à la personne.
   - Toute autre donnée relative à l'évaluation ou à l'intervention.
   - Explications données à la personne et à ses proches.

6. Adaptez le plan de soins et de traitements selon les besoins de la personne : par exemple, retrait de la contention toutes les deux heures, soins cutanés et exercices d'amplitude du mouvement.

ÉVALUATION

- Faites le suivi détaillé des raisons qui ont motivé les mesures de contention et de la réaction de la personne. Évaluez les résultats à la lumière des observations précédentes, s'il y a lieu.

- Vérifiez la circulation sanguine dans les parties du corps soumises à un dispositif de contention.

- Vérifiez l'état de la peau sous le dispositif de contention.

- Retirez le dispositif de contention dès qu'il n'est plus nécessaire et consignez la décision au dossier.

- Signalez au médecin tout écart significatif par rapport à la normale.

SOINS À DOMICILE

Mesures de contention

Il est parfois nécessaire de recourir aux mesures de contention dans le cas d'une personne en fauteuil roulant qui habite chez elle. Il existe des recommandations particulières aux cas exceptionnels ; cependant, les consignes de sécurité d'usage s'appliquent dans tous les cas. Évaluez les connaissances et les compétences de tous les fournisseurs de soins en matière de mesures de contention et comblez les lacunes, s'il y a lieu.

- Utilisez des mesures de remplacement de préférence aux mesures de contention et restez auprès de la personne.

- Au besoin, protégez les saillies osseuses (par exemple, aux poignets ou aux chevilles) avant d'installer un dispositif de contention.

- Assujettissez le dispositif de contention à des parties fixes du fauteuil roulant et faites des nœuds qui ne se resserrent pas sous la tension.

- Examinez les membres retenus par le dispositif de contention pour déceler les problèmes de circulation sanguine.

- Restez toujours auprès de la personne à qui on a retiré temporairement un dispositif de contention.

LES ÂGES DE LA VIE

Mesures de contention

NOURRISSONS

On utilise les attelles d'extension du coude (figure 36-22 ■) pour empêcher un nourrisson ou un jeune enfant de plier les bras, pour toucher ou gratter une blessure, ou encore de se toucher la tête en présence d'une perfusion intraveineuse au cuir chevelu. L'attelle d'extension du coude est un morceau de tissu muni d'une série de fentes dans lesquelles on insère des abaisse-langues en plastique ou en bois qui procurent la rigidité nécessaire au dispositif.

- Vérifiez le dispositif de contention pour vous assurer que les abaisse-langues sont en nombre suffisant et qu'il n'y en a aucun de cassé.
- Placez le coude de l'enfant au centre de l'attelle. Pour éviter les irritations de la peau, assurez-vous que l'extrémité de chaque abaisse-langue ne dépasse pas la partie rembourrée.
- Enroulez délicatement l'attelle autour du bras.
- Assujettissez l'attelle avec des épingles de sûreté, des cordons ou du ruban adhésif. Pour éviter de bloquer la circulation sanguine, assurez-vous que l'attelle n'est pas trop serrée.

L'emmaillotement (figure 36-23 ■) est une méthode d'enveloppement à l'aide d'une couverture ou d'un drap qui sert à immobiliser l'enfant pendant un traitement (par exemple, lavage gastrique, irrigation oculaire ou prélèvement sanguin).

- Choisissez une couverture ou un drap assez grand : la diagonale doit faire deux fois la longueur de l'enfant. Étalez la couverture ou le drap sur une surface plane et sèche, en losange pointant vers vous.

- Repliez le coin supérieur de la couverture ou du drap et couchez-y l'enfant sur le dos.
- Repliez sur l'enfant le côté de la couverture ou du drap situé sur votre gauche et dégagez le bras gauche de l'enfant (voir la figure 36-23, A). Son bras droit doit se trouver en position naturelle le long du corps.
- Repliez le coin inférieur de la couverture (voir la figure 36-23, B, 2).
- Placez le bras gauche de l'enfant en position naturelle le long du corps et repliez le côté de la couverture qui se trouve sur votre droite jusque sous l'enfant (voir la figure 36-23, B, 3).
- Ne laissez jamais seul un enfant emmailloté.

ENFANTS

L'installation d'un filet au-dessus du lit d'un enfant a deux objectifs : empêcher l'enfant de grimper et de sortir du lit ; lui permettre de bouger dans le lit. En ne fixant pas le filet (ou dôme) aux parties mobiles du lit à barreaux, on peut accéder à l'enfant sans avoir à retirer le dispositif de contention.

- Installez le filet par-dessus les côtés et les extrémités du lit.
- Fixez les sangles aux ressorts du sommier ou au cadre du lit. De cette façon, on peut abaisser librement les côtés du lit sans avoir à retirer le filet.
- À l'aide de votre main, assurez-vous que le filet s'étire assez pour que l'enfant puisse se redresser dans le lit.

FIGURE **36-22** ■ Attelle d'extension du coude.

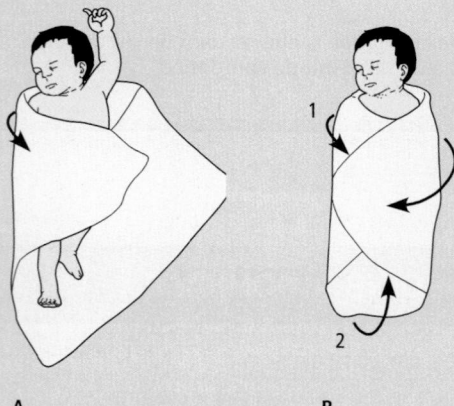

FIGURE **36-23** ■ Emmaillotement.

Évaluation

En matière de prévention des accidents, le rôle de l'infirmière est essentiellement d'ordre éducatif ; les résultats escomptés illustreront les connaissances que la personne a acquises sur les dangers potentiels, l'intégration de pratiques sûres dans ses comportements et les compétences qu'elle peut mettre en œuvre dans certaines situations d'urgence. L'infirmière doit adapter les objectifs d'enseignement à chaque personne. Voici quelques exemples de résultats escomptés :

- Décrire les mesures de prévention relatives à des dangers donnés (par exemple, chutes, suffocation, étouffement, incendie, noyade, commotion électrique).

- Adopter des mesures de sécurité chez soi (par exemple, mesures de prévention des incendies, entretien des détecteurs de fumée, mesures de prévention des chutes, des brûlures et des intoxications, rangement sécuritaire des produits potentiellement dangereux, précautions relatives aux armes à feu, prévention des commotions électriques, respect des règles de sécurité nautique, de sécurité à vélo et de sécurité automobile).

- Réaménager les lieux d'habitation pour réduire le risque de blessure.

- Décrire les mesures d'urgence à observer en cas d'intoxication ou d'incendie.

- Décrire les risques propres à un groupe d'âge donné, les risques professionnels et les risques liés à la sécurité publique.

- Montrer comment installer correctement un siège d'auto pour enfant.

- Montrer comment procéder correctement à une réanimation cardiorespiratoire.

LES ÂGES DE LA VIE

Personnes âgées

Voici quelques-uns des changements attribuables au vieillissement qui constituent des facteurs de risque d'accident chez la personne âgée :

- Affaiblissement de l'ouïe et de la vue.
- Ralentissement des réflexes.
- Fragilité des os et diminution de la souplesse des articulations et des muscles.
- Diminution de l'efficacité de la régulation thermique, ce qui accroît le risque d'hypothermie ou d'hyperthermie.

- Affaiblissement de la fonction rénale, ce qui augmente le risque d'intoxication médicamenteuse.

L'environnement physique d'une personne peut présenter de plus en plus de dangers à mesure qu'elle vieillit ; il faut parfois apporter des modifications aux lieux d'habitation pour réduire le risque d'accident. On devrait aussi établir un plan d'urgence et dresser la liste des numéros de téléphone utiles.

EXERCICES D'INTÉGRATION

M. Michaud est veuf ; il a 72 ans. Il a fait une chute qui a causé une fracture de la hanche. Il a subi une intervention chirurgicale sept jours plus tôt et il est en convalescence. Au cours des deux semaines qui suivront sa sortie de l'hôpital, il sera pris en charge par son fils, mais il est impatient de retourner chez lui. Une fois que M. Michaud sera rentré à la maison, son fils lui rendra visite tous les soirs après son travail ; un service de popote roulante lui livrera un repas par jour et un intervenant lui rendra visite une fois par semaine pour lui prodiguer les soins d'hygiène nécessaires jusqu'à ce qu'il redevienne autonome. L'épouse de M. Michaud est morte trois ans plus tôt, mais il est autonome et poursuit ses activités sociales. M. Michaud vit dans une petite maison individuelle à un étage avec son chien et son chat, et il adore jardiner. Avant cette fracture de la hanche, il faisait tous les jours une promenade avec son chien.

1. Pendant son hospitalisation, M. Michaud était un peu confus la nuit, mais les infirmières ont décidé de ne pas appliquer de mesures de contention. Dans le cas d'une personne comme M. Michaud, quelles sont les meilleures raisons qu'on peut invoquer pour éviter les mesures de contention ?

2. Quels sont certains des facteurs les plus évidents qui pourraient compromettre la sécurité de M. Michaud quand il rentrera chez lui ?

3. Quels aspects de la sécurité de M. Michaud faudra-t-il évaluer ? Quels conseils faudrait-il lui donner pour améliorer sa sécurité ?

4. Dans la situation de M. Michaud, quels sont les points forts qui pourront l'aider à se protéger contre le risque de blessure une fois qu'il sera revenu chez lui ?

Voir l'appendice A : Exercices d'intégration – Pistes de réflexion.

RÉVISION DU CHAPITRE

Concepts clés

- Les accidents sont une cause importante de décès dans tous les groupes d'âge au Canada.

- L'infirmière doit bien connaître les caractéristiques d'un environnement sécuritaire, que ce soit pour une personne ou un groupe, qu'il s'agisse d'un établissement de soins, d'un domicile ou d'un lieu public.

- Le risque d'accident et de blessure involontaire est présent dans tous les groupes d'âge ; le risque varie selon l'âge et le stade de développement de la personne.

- L'infirmière doit évaluer les facteurs ayant une incidence sur la sécurité d'un individu : l'âge et le stade de développement, le mode de vie, la mobilité et l'état de santé, les fonctions sensorielles, le niveau de cognition, l'état psychosocial, la capacité de communiquer, le sens de la prudence et la sensibilisation à la sécurité ainsi que les facteurs environnementaux.

- L'infirmière évalue la personne qui présente un risque de blessure grâce à l'anamnèse et à l'examen physique ; elle peut aussi utiliser des outils d'évaluation du risque et évaluer la sécurité du domicile de la personne.

- Les principaux diagnostics infirmiers s'appliquant à la personne qui présente un risque de blessure accidentelle sont réunis sous la rubrique *Risque d'accident* et sont classés en cinq sous-catégories : *Risque d'intoxication, Risque de suffocation, Risque de trauma, Risque d'aspiration* et *Risque de chute.*

- Dans la planification des mesures à prendre pour répondre aux besoins d'une personne en matière de sécurité, l'infirmière doit tenir compte des facteurs physiques de son environnement et de son état psychologique et physiologique. La personne doit souvent modifier son comportement en matière de santé et réaménager son milieu de vie.

- Les mesures à adopter pour assurer la sécurité des personnes de tous âges sont axées sur les points suivants : (a) observer ou anticiper les situations potentiellement dangereuses ; (b) enseigner à la personne les moyens de se protéger et de protéger ses proches contre les accidents et les blessures. L'enseignement est l'une des stratégies prioritaires dans la prévention des accidents.

- L'infirmière doit connaître les règlements de sécurité en matière d'incendie qui ont cours dans l'établissement où elle travaille. En cas d'incendie, elle doit procéder comme suit : (a) actionner l'avertisseur manuel d'incendie ; (b) assurer la protection des personnes directement menacées ; (c) fermer les portes et les fenêtres ; (d) lutter contre le feu avec les moyens disponibles ; (e) composer le code d'urgence de l'établissement ; (f) être attentive aux instructions ; (g) demeurer disponible aussi longtemps que la situation n'est pas revenue à la normale.

- Les chutes sont une cause fréquente de blessure chez la personne âgée.

- La prévention des chutes est une préoccupation constante dans les établissements de soins.

- Les ridelles du lit ne protègent pas une personne contre les chutes. Au contraire, une personne qui tente de contourner ou d'enjamber une ridelle pour sortir de son lit court un plus grand risque de tomber.

- Les précautions à prendre en cas de crise convulsive sont des mesures de sécurité qu'applique l'infirmière pour protéger la personne contre les blessures.

- Le manque de surveillance et le rangement inadéquat des produits ménagers toxiques sont les principales causes d'intoxication chez l'enfant.

- L'ingestion ou l'aspiration d'un corps étranger peut bloquer le passage de l'oxygène vers les poumons et provoquer la suffocation.

- L'exposition prolongée à un niveau de bruit excessif peut causer une perte auditive.

- Un appareil ou du matériel électrique défectueux et une mise à la terre inadéquate présentent un risque pour la santé, que ce soit en établissement de soins ou à la maison. Voici quelques moyens de prévenir les risques électriques : utiliser uniquement des prises et des fiches qui ont une mise à la terre ; munir les prises électriques de cache-prises pour protéger les jeunes enfants ; confier les appareils défectueux à un électricien compétent ; s'assurer que le câblage et les circuits électriques répondent aux normes de sécurité.

- Les armes à feu représentent un risque pour les personnes de tous âges. L'adulte ayant des armes à feu chez lui doit assumer l'entière responsabilité des dispositions de sécurité (par exemple, garder sous clé les armes et les munitions dans des endroits différents).

- Dans les hôpitaux, on utilise des substances radioactives dans un but diagnostique et thérapeutique ; il faut observer la politique de l'établissement en matière de protection contre l'exposition au rayonnement, qu'il s'agisse des personnes hospitalisées ou des membres du personnel.

- Avant de recourir aux mesures de contention, il faut envisager toutes les mesures de remplacement.

- Les mesures de contention restreignent la liberté de mouvement ; il faut donc procéder à une évaluation précise et complète de la situation, et veiller à bien documenter leur utilisation.

Questions de révision

1. Un incendie se déclare dans une chambre d'un établissement de soins. Que doit d'abord faire l'infirmière ?
   a) Composer le code d'urgence de l'établissement.
   b) Éloigner toute personne en danger.
   c) Lutter contre le feu.
   d) Fermer les portes et les fenêtres.

2. Quelle est la principale cause d'accident chez le jeune adulte et l'adulte d'âge moyen ?
   a) Les accidents de la route.
   b) La noyade et les armes à feu.
   c) Les chutes.
   d) Le suicide et l'homicide.

3. Une femme âgée est hospitalisée. Elle utilise un déambulateur dans ses déplacements. Comme elle prend des diurétiques, elle se lève souvent la nuit pour aller aux toilettes. Que doit faire l'infirmière pour assurer la sécurité de cette personne ?
   a) Laisser la lumière allumée dans les toilettes.
   b) Différer l'administration des diurétiques.
   c) Mettre une chaise d'aisances à sa disposition.
   d) Relever les ridelles de son lit.

4. Lequel des diagnostics infirmiers suivants de NANDA s'applique le plus au trottineur ?
   a) Le risque de suffocation.
   b) Le risque d'accident.
   c) Le risque d'intoxication.
   d) Le risque de syndrome d'immobilisation.

5. Un homme âgé de 75 ans a été hospitalisé à la suite d'un accident vasculaire cérébral. Il est incapable de se déplacer seul ; il est parfois désorienté et tente de sortir de son lit. Parmi les mesures de sécurité suivantes, quelle est la mieux adaptée à cette personne ?
   a) Immobiliser l'homme dans son lit.
   b) Demander à un proche de rester à son chevet.
   c) Évaluer son état toutes les 15 minutes.
   d) Installer un détecteur de mouvement qui signale ses tentatives de sortir du lit.

Voir l'appendice B : Réponses aux questions de révision.

BIBLIOGRAPHIE

En anglais

Ball, J., & Bindler, R. (2003). *Pediatric nursing : Caring for children.* (3rd ed.) Upper Saddle River NJ : Prentice Hall Health.

Bernardo, L. M. (2002). Emergency nurses' role in pediatric injury prevention. *Nursing Clinics of North America, 37*(1), 135–143.

Brenner, Z. R. (1999). Toward restraint-free care. *American Journal of Nursing, 98*(12), 16F–16I.

Capezuti, E., Talerico, K. A., Cochran, I., Becker, H., Strumpf, N., & Evans, L. (1999). Individualized interventions to prevent bed-related falls and reduce siderail use. *Journal of Gerontological Nursing, 25*(11), 26–34.

Centers for Medicare & Medicaid Services, Department of Health and Human Services. (2001). *Conditions of participation for hospitals : Patients' rights* (CMS-DHHS Publication No. 42CFR482.13). Retrieved March 31, 2003, from http://www.access.gpo.gov/nara/cfr/waisidx_01/42cfr482_01.html

Cohen, S. M. (2001). Lead poisoning : A summary of treatment and prevention. *Pediatric Nursing, 27*(2), 125–130.

Dibartolo, V. (1998). 9 steps to effective restraint use. *RN, 61*(12), 23–24.

Dunn, K. S. (2001). The effect of physical restraints on fall rates in older adults who are institutionalized. *Journal of Gerontological Nursing, 27*(10), 41–48.

Gentleman, B., & Malozemoff, W. (2001). Falls and feelings : Description of a psychosocial group nursing intervention. *Journal of Gerontological Nursing, 27*(10), 35–39.

Grossman, D. C., Cummings, P., Koepsell, T. D., Marshall, J., D'Ambrosio, L., Thompson, R. S., et al. (2000). Firearm safety counseling in primary care pediatrics : A randomized, controlled trial. *Pediatrics, 106*(1), 22–26.

Hall-Long, B. A., Schell, K., & Corrigan, V. (2001). Youth safety education and injury prevention program. *Pediatric Nursing, 27*(2), 141–146.

Harrison, B., Booth, D., & Algase, D. (2001). Studying fall risk factors among nursing home residents who fell. *Journal of Gerontological Nursing, 27*(10), 26–34.

Heinzer, M. M. (2002). The walking wounded : The faces of domestic violence in the community. *Holistic Nursing Practice, 16*(3), vi–viii.

Heinzer, M. M., and Krumm, J. R. (2002). Barriers to screening for domestic violence in an emergency department. *Holistic Nursing Practice, 16*(3), 24–33.

Howard, P. K. (2001). Firearm safety and children : Access and attitudes. *Journal of Emergency Nursing, 27*(3), 272–275.

Howard, P. K. (2001). An overview of a few well-known national children's gun safety programs and ENA's newly developed program. *Journal of Emergency Nursing, 27*(5), 485–488.

Jackman, G. A., Farah, M. M., Kellermann, A. L., & Simon, H. K. (2001). Seeing is believing : What do boys do when they find a real gun ? *Pediatrics, 107*(6), 1247–1250.

Jech, A. O. (2001). Of human bondage. Alternatives to restraints help reduce risks to patients. *Nurse Week, 2*(6), 21–22.

Johnson, M., Maas, M., & Moorhead, S. (Eds.). (2000). *Nursing outcomes classification (NOC)* (2nd ed.). St. Louis, MO : Mosby.

Kimbell, S. (2001). Before the fall. Keeping your patient on his feet. *Nursing, 31*(8), 44–45.

Kobs, A. (1998). Questions and answers from the JCAHO. Restraints revisited. *Nursing Management, 29*(1), 17–18.

McCloskey, J. C., & Bulechek, G. M. (Eds.). (2000). *Nursing interventions classification (NIC)* (3rd ed.). St. Louis, MO : Mosby.

Melillo, K. D., & Futrell, M. (1998). Wandering and technological devices. Helping caregivers ensure the safety of confused older adults. *Journal of Gerontological Nursing, 24*(8), 32–38.

Morse, J. M. (2001). Preventing falls in the elderly. *Reflections on Nursing Leadership, 27*(1), 26–27.

NANDA International. (2003). *NANDA nursing diagnoses : Definitions and classification* 2003-2004. Philadelphia : Author.

Patrick, L., & Blodgett, A. (2001). Selecting patients for falls—prevention protocols. An evidence-based approach on a geriatric rehabilitation unit. *Journal of Gerontological Nursing, 27*(10), 19–25.

Patrick, L., Leber, M. Scrim, C., Gendron, I., & Eisenrr-Parsche, P. (1999). A standarized assessment and intervention protocol for managing risk for falls on a geriatric rehabilitation unit. *Journal of Gerontological Nursing, 25*(4), 40–47.

Rawsky, E. (1998). Review of literature on falls among the elderly. *Image : Journal of Nursing Scholarship, 30*(1), 47–52.

Resnick, B. (1999). Falls in a community of older adults : Putting research into practice. *Clinical Nursing Research, 8*(3), 251–266.

Rigler, S. K. (1999). Preventing falls in older adults. *Hospital Practice, 34,* 117–120.

BIBLIOGRAPHIE (SUITE)

Rogers, P. D., & Bocchino, N. L. (1999). Restraint-free care : Is it possible ? Can we make physical restraint a last resort in acute care ? *American Journal of Nursing, 99*(10), 26–33.

Savage, T., & Matheis-Kraft, C. (2001). Fall occurrence in a geriatric psychiatry setting before and after a fall prevention program. *Journal of Gerontological Nursing, 27*(10), 49–53.

Schiff, L. (2002). Market choices : Patient mobility monitors. *RN, 65*(1), 65–66.

Sullivan, G. H. (1999). Legally speaking : Minimizing your risk in patient falls. *RN, 62*(4), 69–72.

Talerico, Karen A., & Capazuti, E. (2001). Myths and facts about side rails. *American Journal of Nursing, 101*(7), 43–48.

U.S. Food and Drug Administration (1992, July 15). *FDA Safety Alert : Potential hazards with restraint devices.* Rockville, MD : U.S. Department of Health and Human Services.

Walker, B. L. (1998). Preventing falls. *RN, 61*(5), 40–42

Weiss, C. A. (2001). Fall prevention among the elderly. *Nursing Spectrum Metro Edition, 2*(6), 29–33.

Wilkinson, J. M. (2000). *Nursing diagnosis handbook with NIC interventions and NOC outcomes* (7th ed.). Upper Saddle River, NJ : Prentice Hall Health.

Winslow, E. H., & Jacobson, A. F. (1998). Research for practice : Reducing falls in older patients. *American Journal of Nursing, 98*(10), 22.

Wold, G. H. (1999). *Basic geriatric nursing* (2nd ed.). St. Louis, MO : Mosby.

En français

Agence de santé publique du Canada (ASPC). (1998). *Pour la sécurité des jeunes Canadiens,* Ottawa : Agence de santé publique du Canada, (page consultée le 15 décembre 2004), [en ligne], <www.phac-aspc.gc.ca/publicat/fsccy-psjc/index_f.html>.

Bouchard, G. (2001). Le suicide à l'adolescence, *Psychomédia,* 17 septembre 2001, (page consultée le 15 décembre 2004), [en ligne], <www.psychomedia.qc.ca/pn/modules.php ? name=News&file=article&sid=136>.

Carpenito, L. J. (2003). *Manuel de diagnostics infirmiers,* traduction de la 9ᵉ édition, Saint-Laurent : Éditions du Renouveau Pédagogique.

Centre universitaire de santé McGill (CUSM). (sans date). Feuillet explicatif des services de la sécurité et des mesures d'urgence, Montréal : Centre universitaire de santé McGill, Prévention des incendies.

Courrier Sud (Le). (2003). Semaine de la sensibilisation à la pharmacie : faites le ménage parmi vos médicaments. (2003). *Le Courrier Sud,* 2 mars, (page consultée le 15 décembre 2004), [en ligne], <www.nicolet-yamaska.net/application/content/courrier_sud.asp ?ID=550>.

Dumoulin, L. (2001). *Prévention et santé, une approche intégrée. Les enfants n'ont pas fini d'avoir des problèmes à cause du plomb !,* Réseau Proteus, (page consultée le 6 février 2005), [en ligne], <www.reseauproteus.net/fr/maux/problemes/articleinteret.aspx ?doc= intoxication_plomb_enfants_dumoulin_1_ 2001_pm>.

Francœur, L. et Bourbonnais, A. (2002). Les chutes chez les personnes âgées vivant à domicile, section « Testez vos connaissances », *L'Infirmière du Québec,* mars-avril, 41.

Hôpital Maisonneuve-Rosemont (HMR). (1999). *Guide de prévention des chutes en fonction des facteurs de risques en milieu de soins de courte durée,* Montréal : Hôpital Maisonneuve-Rosemont.

Ministère de la Santé et des Services sociaux du Québec (MSSS). (2002). *Orientations ministérielles relatives à l'utilisation exceptionnelle des mesures de contrôle : Contention, isolement et substances chimiques,* Québec : Gouvernement du Québec, (page consultée le 15 décembre 2004), [en ligne], <ftp.msss.gouv. qc.ca/publications/acrobat/f/documentation/ 2002/02-812-02.pdf>.

Ministère de la Sécurité publique du Québec (MSPQ). (2003). *Les visites de prévention des incendies dans les résidences,* partie II, « Des points à vérifier lors d'une visite de prévention », Québec : Ministère de la Sécurité publique, Direction des affaires policières et de la sécurité incendie, (page consultée le 15 décembre 2004), [en ligne], <www.msp. gouv.qc.ca/incendie/incendie.asp ?txtSection= publicat&txtCategorie=visites_residences& txtSousCategorie=&txtNomAutreFichier= point1.htm&txtAutreFichier=2>.

Morin. M. et Piuzé, F. (2004). Le delirium, comment éviter soi-même la confusion !, *Le Médecin du Québec,* juin, 39(6), 71-77, (page consultée le 15 décembre 2004), [en ligne], <www.fmoq.org/Documents/ MedecinDuQuebec/juin-2004/071-077Morin 0604.pdf>.

NANDA International. (2004). *Diagnostics infirmiers : Définitions et classification 2003-2004,* Paris : Masson.

O'Dowd, N. *et al.* (2005). *Les mesures de contrôle en soutien à domicile : les alternatives et l'utilisation exceptionnelle des contentions,* Montréal : ÉCAT, (page consultée le 7 mars 2005, [en ligne], <www.centreinterval.qc.ca/ Contention%20FINAL%2005-01-15.pdf>.

Ordre des infirmières et infirmiers du Québec. (2003). *Guide d'application de la nouvelle* Loi sur les infirmières et infirmiers *et de la* Loi modifiant le Code des professions et d'autres dispositions législatives dans le domaine de la santé, Montréal : OIIQ, (page consultée le 15 décembre 2004), [en ligne], <www.oiiq.org/ uploads/publications/autres_publications/Guide _application_loi90.pdf>.Ordre des infirmières et infirmiers du Québec (OIIQ). (2004). *Perspectives de l'exercice de la profession d'infirmière,* Montréal : OIIQ, (page consultée le 16 février 2005), [en ligne], <www.oiiq.org/ uploads/publications/autres_publications/ perspective2004.pdf>.

Santé Canada. (2002a). *Vieillissement en santé. Prévention des blessures non intentionnelles chez les aînés,* Ottawa : Santé Canada, Division du vieillissement et des aînés, (page consultée le 15 décembre 2004), [en ligne], <www.phac-aspc.gc.ca/seniors-aines/pubs/workshop_ healthyaging/pdf/injury_prevention_f.pdf>.

Santé Canada. (2002b). *Votre enfant est-il en sécurité ?,* Ottawa : Santé Canada, (page consultée le 15 décembre 2004), [en ligne], <www.hc-sc.gc.ca/hecs-sesc/spc/publications/ votre_enfant_est_il_en_securite/votre_enfant_ est_il_en_securite.htm>.

Santé Canada. (2004). *Vie saine. Sécurité et blessure,* Ottawa : Santé Canada, (page consultée le 15 décembre 2004), [en ligne], <www.hc-sc.gc.ca/francais/vie_saine/blessure. html>.

Transports Canada. (2003). *Statistiques sur les collisions de la route au Canada, 2001,* Ottawa : Transports Canada, (page consultée le 15 décembre 2004), [en ligne], <www.tc.gc.ca/ roadsafety/tp/tp3322/2001/fr/menu.htm>.

Transports Canada. (2004). *Sécurité routière. Sécurité des enfants,* Ottawa, (page consultée le 20 décembre 2004), [en ligne], <www.tc. gc.ca/securiteroutiere/securitedesenfants/menu. htm>.

RESSOURCES ET SITES WEB

Institut universitaire de gériatrie de Montréal. Site spécialisé : *Les chutes : les prévenir ou s'en relever.* <www.vieillissement.ca>.

Justice Canada. *Règlement sur l'entreposage, l'exposition, le transport et le maniement des armes à feu par des particuliers.* <lois.justice.gc.ca/fr/f-11.6/dors-98-209/ 16367.html>.

Ministère de la Sécurité publique du Québec. *Incendie. Des points à vérifier lors d'une visite de prévention.* <www.msp.gouv.qc.ca/incendie/incendie. asp ?txtSection=publicat&txtCategorie= visites_residences&txtSousCategorie=& txtNomAutreFichier=point1.htm&txtAutre Fichier=2>.

Société Alzheimer du Canada. <http://www.alzheimer.ca>.

Société de l'assurance automobile du Québec. *Je suis prudent de la tête aux pieds.* <www.saaq.gouv.qc.ca/jeunesse/jeux/ index_jeux.html>.

Après avoir étudié ce chapitre, vous pourrez :

- Décrire les soins d'hygiène prodigués par l'infirmière.

- Nommer les facteurs influant sur l'hygiène personnelle.

- Déterminer les observations et les particularités de l'évaluation effectuée au cours des soins d'hygiène.

- Appliquer la démarche systématique à des problèmes courants reliés aux soins d'hygiène de la peau, des pieds, des ongles, de la bouche, des cheveux, des yeux, des oreilles et du nez.

- Nommer les objectifs du bain.

- Décrire différentes façons de donner un bain.

- Expliquer des formes particulières d'aide en matière d'hygiène que l'infirmière peut apporter aux personnes hospitalisées.

- Décrire la marche à suivre pour des interventions particulières en matière de soins d'hygiène.

- Décrire la marche à suivre pour retirer des lentilles cornéennes, et mettre en place et retirer un œil artificiel.

- Décrire la marche à suivre pour retirer, nettoyer et mettre en place un appareil d'aide auditive.

- Nommer les mesures de sécurité et de confort que procurent les méthodes appliquées pour faire un lit.

PARTIE 9

Composantes essentielles des soins cliniques

CHAPITRE

37

HYGIÈNE

Adaptation française :
Sophie Longpré, inf., M.Sc.
Professeure, Département des sciences infirmières
Université du Québec à Trois-Rivières

L'hygiène est l'ensemble des principes et des pratiques destinés à favoriser et à préserver la santé, ainsi que la propreté du corps. L'**hygiène** personnelle est l'ensemble des soins que s'administre une personne et qui comprend le bain, l'hygiène corporelle générale et le soin qu'elle porte à son apparence. Il s'agit d'un domaine privé, déterminé par des valeurs et des pratiques individuelles. L'hygiène englobe les soins de la peau, des cheveux, des ongles, des dents, des cavités buccale et nasale, des yeux, des oreilles et de la région du périnée.

Il est important que l'infirmière sache exactement dans quelle mesure une personne a besoin d'aide pour procéder à ses soins d'hygiène. Certaines ont besoin d'aide après avoir uriné, déféqué ou vomi, ou chaque fois qu'elles se salissent, par exemple avec le produit de drainage d'une plaie, ou parce qu'elles souffrent de transpiration profuse. Le tableau 37-1 contient une liste de facteurs influant sur les pratiques en matière d'hygiène.

MOTS CLÉS

Alopécie, 1070
Bactéricide, 1035
Bain à des fins d'hygiène, 1042
Bain thérapeutique, 1043
Carie dentaire, 1060
Cérumen, 1081
Cor, 1053
Durillon, 1053
Fissures, 1054
Gale, 1071
Gencives, 1060
Gingivite, 1061
Glandes apocrines, 1035
Glandes eccrines, 1035
Glandes sudoripares (sudorifères), 1035
Hirsutisme, 1071
Hygiène, 1033
Lanugo, 1070
Ongle incarné, 1054
Parodontopathie, 1060
Pédiculose, 1071
Pellicules, 1070
Plaque dentaire, 1060
Pyorrhée, 1061
Sébum, 1035
Tartre, 1060
Teigne du pied, 1054
Tiques, 1071
Verrue plantaire, 1054

TABLEAU
37-1

Facteurs influant sur les pratiques d'hygiène personnelle	
Facteur	**Variables**
Culture	La culture nord-américaine accorde une grande importance à la propreté. Bon nombre de Nord-Américains prennent un bain ou une douche une ou deux fois par jour, alors que dans d'autres cultures les gens ne prennent qu'un bain par semaine. Dans certaines cultures, l'intimité est considérée comme essentielle au moment du bain; pour d'autres, le bain communautaire est une pratique courante. Les odeurs corporelles sont considérées comme désagréables ou normales selon les cultures.
Religion	Le bain rituel fait partie des pratiques de certaines religions.
Milieu	Un manque de ressources financières empêche certaines personnes de se procurer le matériel requis pour le bain. Ainsi, les itinérants ne disposent pas nécessairement d'eau chaude, et le savon, le shampoing, la lotion après rasage et le déodorant sont trop coûteux pour certaines personnes à faible revenu.
Degré de développement	Les enfants font l'apprentissage de l'hygiène à la maison. Les pratiques varient en fonction de l'âge: par exemple, les enfants d'âge présco-laire sont généralement capables d'accomplir la majorité des soins d'hygiène sans aide, si on les y encourage.
Santé et énergie	Les personnes malades n'ont pas toutes la motivation ou l'énergie nécessaire pour accomplir les soins d'hygiène, et celles qui souffrent d'une déficience neuromusculaire en sont parfois tout à fait incapables.
Goûts personnels	Certaines personnes aiment mieux prendre une douche qu'un bain.

Soins d'hygiène

Les infirmières emploient couramment les termes suivants pour décrire divers types de soins d'hygiène. Les *soins au réveil* sont ceux que l'on prodigue aux personnes dès leur réveil. Ils consistent à donner un urinal ou un bassin à la personne alitée, à laver le visage et les mains, et à prodiguer des soins buccodentaires. Les *soins du matin* sont donnés le plus souvent après le petit-déjeuner, mais il arrive qu'ils le soient avant. Ils comprennent généralement la satisfaction des besoins d'élimination, un bain ou une douche, les soins du périnée, un massage du dos, les soins buccodentaires, ainsi que les soins des ongles et des cheveux. C'est aussi à ce moment qu'on fait le lit de la personne. Les *soins de l'après-midi* visent à rafraîchir la personne et consistent à lui donner un urinal ou un bassin, à lui laver les mains et le visage et à l'aider à effectuer ses soins buccodentaires. Les *soins du soir* sont prodigués au moment où la personne se prépare pour la nuit. Ils consistent généralement à satisfaire les besoins d'élimination, à laver le visage et les mains, à prodiguer des soins buccodentaires et à masser le dos. Les *soins au besoin (PRN)* sont donnés à la demande de la personne. Par exemple, une personne souffrant de transpiration profuse a besoin plus souvent qu'une autre de prendre un bain, de mettre des vêtements propres et de faire changer sa literie.

Peau

La peau est l'organe du corps le plus étendu; elle remplit cinq fonctions principales:

1. Elle prévient les lésions des tissus sous-jacents en faisant obstacle aux microorganismes. La peau et les muqueuses constituent la première ligne de défense du corps.

2. Elle régule la température corporelle. Cette régulation met en œuvre plusieurs processus. La déperdition de chaleur est assurée par l'évaporation de la sueur, et par la radiation et

la conduction thermiques, deux processus consécutifs à la dilatation des vaisseaux sanguins sous-cutanés. Par ailleurs, le corps conserve sa chaleur en réduisant la transpiration et par l'intermédiaire de la constriction des vaisseaux sanguins périphériques (voir le chapitre 34 ⊂⊃).

3. Elle sécrète le **sébum**, une substance huileuse qui : (a) adoucit et assouplit les cheveux et la peau ; (b) évite que les cheveux ne deviennent cassants ; (c) réduit l'assèchement de la peau lorsque l'air est sec ; (d) réduit les pertes de chaleur au niveau de la peau, car les huiles des matières sébacées sont de mauvais conducteurs thermiques ; (e) exerce un pouvoir **bactéricide** (le sébum détruit certaines bactéries).

4. Elle abrite des récepteurs sensoriels qui permettent de ressentir la douleur, la chaleur, la pression et la texture des objets.

5. Elle assure la synthèse de la vitamine D en présence des rayons ultraviolets du soleil. Ces radiations activent un précurseur de la vitamine D situé dans la peau, ainsi que son absorption dans les vaisseaux sanguins cutanés.

Normalement, la peau d'une personne en bonne santé héberge une flore microbienne transitoire et une flore résidente, qui sont habituellement inoffensives (voir le chapitre 40 ⊂⊃).

La peau est recouverte de nombreuses **glandes sudoripares** (ou **sudorifères**), sauf sur les lèvres et une partie des organes génitaux. On en compte entre deux et cinq millions, et elles sont toutes présentes dès la naissance. C'est sur la paume des mains et la plante des pieds qu'on les trouve en plus grand nombre. On les classe en deux catégories, selon qu'elles sont apocrines ou eccrines. Les **glandes apocrines**, situées pour la plupart aux aisselles et dans la région anogénitale, commencent à fonctionner à la puberté sous l'action des hormones androgènes. Bien qu'elles produisent de la sueur presque continuellement, elles ne jouent pas un rôle important dans la thermorégulation. D'abord inodores, les sécrétions des glandes apocrines se décomposent spontanément ou sous l'action des bactéries présentes sur la peau. Elles se transforment alors en substances dont l'odeur musquée incommode certaines personnes. Les **glandes eccrines** sont plus nombreuses que les glandes apocrines ; on les trouve surtout sur la paume des mains, la plante des pieds et le front. Elles jouent un rôle physiologique de premier plan, car, en s'évaporant, la sueur qu'elles produisent fait baisser la température du corps. La transpiration se compose d'eau, de sodium, de potassium, de chlorure, de glucose, d'urée et de lactate.

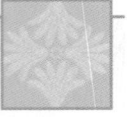

DÉMARCHE SYSTÉMATIQUE
dans la pratique infirmière

Collecte des données

La collecte des données au sujet de la peau et des pratiques d'hygiène de la personne comprend : (a) l'anamnèse, qui vise à déterminer les pratiques de la personne en matière de soins de la peau, ses capacités d'assumer ses soins personnels, de même que toute affection cutanée actuelle ou antérieure ; (b) un examen physique de la peau.

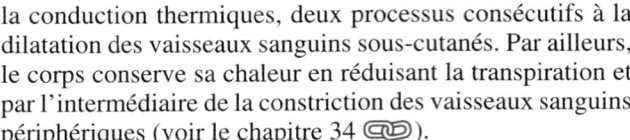

CONSIDÉRATIONS CULTURELLES

Sécrétions corporelles et différences bioethniques

- La majorité des Asiatiques et des autochtones d'Amérique du Nord n'ont pas d'odeur corporelle ou celle-ci est très faible, comparativement à celle des Blancs et des Afro-Canadiens (Canadiens d'origine africaine), qui est généralement plus forte.

- Les Inuits produisent moins de sueur que les Blancs sur le tronc et au niveau des extrémités, mais ils transpirent plus du visage. Cette adaptation permet aux Inuits de réguler leur température sans que la transpiration ne les oblige à changer de vêtements.

- La quantité de chlorure excrétée par les glandes sudoripares dépend largement de l'ethnie. La concentration en sels de la sueur des Afro-Canadiens est plus faible que celle des Blancs.

Source : *Transcultural Concepts in Nursing Care*, 4e éd., de M. M. Andrews et J. S. Boyle, 2003, Philadelphie : Lippincott Williams & Wilkins, p. 59-60.

▢ Anamnèse

L'anamnèse sur les pratiques de la personne en matière de soins de la peau permet à l'infirmière de mieux tenir compte des besoins et des goûts de la personne lors de la planification des soins. Selon Andrews et Boyle (2003, p. 55), la majorité des Américains et des Canadiens, quelle que soit leur culture, s'efforcent de dissimuler les odeurs naturelles du corps en se lavant fréquemment et en utilisant du déodorant ou du parfum. Les immigrants arrivés depuis peu d'un pays où l'eau est rare sont généralement moins portés à se laver aussi souvent que ceux qui arrivent d'un pays où l'eau est plus abondante.

L'évaluation des capacités de la personne en matière de soins personnels vise à déterminer dans quelle mesure elle a besoin de l'aide de l'infirmière et quel type de bain lui convient le mieux (par exemple, un bain au lit ou dans une baignoire, ou une douche). Il est important de tenir compte notamment de l'équilibre de la personne (en ce qui concerne la baignoire et la douche) et de sa capacité à s'asseoir sans être soutenue (dans la baignoire ou dans son lit). On doit également considérer sa tolérance à l'activité, sa coordination, sa force musculaire, sa mobilité articulaire, sa vision et ses goûts personnels en matière de soins d'hygiène. Par ailleurs, les capacités cognitives et la motivation sont d'autres facteurs déterminants. En effet, les personnes souffrant de troubles cognitifs, ou d'une affection qui entraîne un manque d'énergie ou de motivation, ont habituellement davantage besoin d'aide. L'infirmière doit absolument déterminer le degré de fonctionnement de la personne ; de plus, elle doit l'inciter à être aussi autonome que possible et à le demeurer. Elle peut en même temps évaluer les probabilités d'amélioration et de réadaptation de la personne. Il existe plusieurs modèles du degré de fonctionnement en matière de soins personnels. On en donne un exemple dans le tableau 37-2.

L'existence d'une affection cutanée actuelle ou antérieure dicte les interventions infirmières particulières qu'il faudra peut-être mettre en œuvre, ou le service vers lequel il faudra diriger la personne. Plusieurs situations relatives aux soins de la peau influent sur les soins d'hygiène. Il se peut que la personne décrive certains

Définitions et descripteurs du degré de fonctionnement

	(0) Complètement autonome	(+1) A besoin d'aides techniques	(+2) Semi-dépendant A besoin de l'aide d'une personne : aide, surveillance ou enseignement	(+3) Légèrement dépendant A besoin de l'aide d'une personne et d'aides techniques	(+4) Totalement dépendant Aucune coopération
Bain			L'infirmière apporte à la personne tout ce dont elle a besoin ; elle l'installe dans la baignoire ou dans son lit. La personne se lave seule, sauf le dos et les pieds.	L'infirmière apporte à la personne tout ce dont elle a besoin ; elle l'installe ; elle lui lave le dos, les jambes, la région du périnée et toute autre partie du corps que la personne ne peut atteindre elle-même. La personne coopère.	La personne a besoin qu'on la lave entière-ment ; elle est tout à fait incapable de coopérer.
Hygiène buccodentaire			L'infirmière apporte à la personne tout ce dont elle a besoin ; la personne accomplit elle-même la tâche.	L'infirmière prépare la brosse à dents, le rince-bouche et elle installe la personne.	L'infirmière accomplit seule la tâche.
Habillage et apparence			L'infirmière apporte à la personne tout ce dont elle a besoin ; elle boutonne ou attache les vêtements, ou remonte les ferme-tures éclair, si néces-saire. La personne s'habille elle-même.	L'infirmière peigne la personne, l'aide à s'habiller, boutonne ses vêtements ou remonte les ferme-tures éclair, lace ses chaussures.	L'infirmière habille la personne, qui est inca-pable de coopérer ; elle la peigne.
Élimination		La personne se rend et s'installe seule sur la chaise d'aisances.	Avec de l'aide, la personne est capable de se rendre aux toilettes ou à la chaise d'aisances ; l'infir-mière l'aide à enlever et à remettre ses vêtements.	L'infirmière apporte le bassin ; elle installe la personne sur le bassin puis elle retire celui-ci, ou elle installe la personne sur la chaise d'aisances.	La personne est incon-tinente ; l'infirmière l'installe sur le bassin ou sur la chaise d'aisances.

Source : *Nursing Diagnosis Handbook with NIC Interventions and NOC Outcomes*, 7e éd., (p. 382, 385, 393), de J. M. Wilkinson, 2000, Upper Saddle River : Prentice Hall Health.

problèmes au cours de l'anamnèse, ou encore que l'infirmière découvre elle-même des problèmes particuliers en procédant à l'examen physique. Le tableau 37-3 décrit diverses affections cutanées courantes et leurs conséquences sur le plan des inter-ventions infirmières. Les questions présentées dans l'encadré *Entrevue d'évaluation – Hygiène de la peau* permettent de recueillir des données sur les pratiques de la personne en matière de soins de la peau, sur ses capacités à assurer ses soins personnels et sur la présence d'une éventuelle affection cutanée.

◾ Examen physique

Le chapitre 34 ⬡ explique en détail l'examen physique de la peau, qui comprend l'inspection et la palpation. Lorsqu'elle aide une personne à prendre un bain ou à effectuer ses soins d'hy-giène, l'infirmière a souvent l'occasion de recueillir des données sur la couleur de la peau, l'uniformité de la coloration, la texture de la peau, le signe du pli cutané, la température et l'intégrité de la peau, ainsi que sur la présence de lésions.

RÉSULTATS DE RECHERCHE

L'autoévaluation traditionnelle à propos des AVQ est-elle utile ?

Depuis plus de 30 ans, l'autoévaluation des activités de la vie quotidienne (AVQ) constitue l'unique mesure du degré de fonctionnement des personnes âgées. Or, les chercheurs remettent actuellement cette approche en question, car les résultats de l'autoévaluation de la personne quant à ses capacités fonctionnelles varient à cause de trois raisons. Premièrement, la personne a une perception inexacte de ses propres capacités parce qu'elle n'est pas consciente des changements graduels qu'elle subit ; deuxièmement, la personne et l'interviewer interprètent différemment les questions sur les AVQ ; troisièmement, la personne surévalue ou sous-évalue ses propres capacités fonctionnelles en raison de motifs personnels. Des recherches ont montré que des mesures de la performance sont susceptibles de fournir plus d'informations que l'autoévaluation. Ces épreuves de performance portent sur l'équilibre en position debout, la vitesse de marche et le temps requis pour se lever d'une chaise. Elles sont simples et exigent peu de temps ; de plus, elles peuvent se dérouler dans un petit local et n'exigent pas d'équipement spécialisé. Les chercheurs se demandent si ces épreuves sur les fonctions des membres inférieurs permettent également de prédire les futures incapacités fonctionnelles.

Implications : Si une personne âgée affirme ne pas avoir de difficulté à accomplir les activités de la vie quotidienne, ou alors très peu, l'infirmière peut lui faire passer des tests de performance objectifs portant sur les membres inférieurs afin de mieux évaluer sa capacité fonctionnelle. Le dépistage précoce d'une incapacité fonctionnelle potentielle permet d'intervenir à temps et d'améliorer la qualité de vie des personnes âgées.

Source : « Activities of Daily Living : Old-Fashioned or Still Useful ? », de J. A. Bennett, 1999, *Journal of Gerontological Nursing, 25*(5), p. 22-29.

TABLEAU

Affections cutanées courantes

37-3

Affections et apparence de la peau	Interventions infirmières
Érosion Perte des couches superficielles de la peau par frottement. La zone affectée est rouge et il peut y avoir un saignement ou un épanchement séreux localisé.	1. Risque d'infection. Garder la lésion propre et sèche. 2. Ne pas porter de bagues ou de bijoux lorsqu'on prodigue des soins à une personne afin de prévenir l'érosion de la peau. 3. Soulever la personne, au lieu de la tirer, pour la déplacer dans le lit.
Sécheresse excessive La peau a parfois un aspect squameux ou rugueux.	1. Risque d'infection si la peau se fendille. Appliquer une lotion sans alcool pour hydrater la peau et prévenir les crevasses. 2. Réduire la fréquence des bains ; ne pas utiliser de savon ou employer avec modération un savon non irritant. Rincer la peau à fond pour éviter l'irritation et la déshydratation causées par le savon. 3. Inciter la personne à boire plus, si son état de santé le permet, afin de prévenir la déshydratation.
Érythème fessier Apparaît lorsque des bactéries de la peau réagissent avec l'urée de l'urine. La peau devient rougeâtre et sensible.	1. Maintenir la peau sèche et propre en appliquant une pommade à base d'oxyde de zinc sur les zones sensibles (par exemple, les fesses et le périnée). 2. Changer fréquemment la couche des bébés.
Acné Réaction inflammatoire caractérisée par l'apparition de papules et de pustules.	1. Maintenir la peau propre afin de prévenir les infections secondaires. 2. Il existe de nombreux traitements.
Érythème Rougeur associée à divers états, telles une éruption cutanée, l'exposition au soleil ou une température corporelle élevée.	1. Laver soigneusement la zone affectée pour éliminer l'excès de micro-organismes. 2. Appliquer un antiseptique en aérosol ou sous forme de lotion pour prévenir la démangeaison, favoriser la guérison et prévenir la rupture de la peau.
Hirsutisme Présence d'une quantité excessive de poils sur le corps et le visage, particulièrement chez les femmes.	1. Éliminer les poils indésirables à l'aide d'un agent dépilatoire, en les rasant, au moyen de l'électrolyse ou à l'aide de pinces à sourcils. 2. Améliorer l'estime de soi de la personne.

ENTREVUE D'ÉVALUATION

Hygiène de la peau

PRATIQUES EN MATIÈRE DE SOINS DE LA PEAU

- À quel moment prenez-vous habituellement un bain ou une douche ?
- Quels produits d'hygiène utilisez-vous (par exemple, huile pour le bain, talc, produits nettoyants pour le visage, crème ou lotion hydratante pour le corps, déodorant, produit antisudorifique) ?
- Quels cosmétiques pour le visage utilisez-vous ?
- Quand et comment nettoyez-vous les applicateurs de maquillage et les houppettes ? (On devrait maintenir les applicateurs propres et, surtout, jeter les produits utilisés autour des yeux quatre mois après la première utilisation afin de prévenir les infections bactériennes et fongiques.)
- Quels produits d'hygiène ou de maquillage évitez-vous d'utiliser à cause de leurs effets indésirables (par exemple, sécheresse de la peau ou réaction allergique) ?

CAPACITÉS EN MATIÈRE DE SOINS PERSONNELS

- Avez-vous des difficultés à accomplir les soins personnels (par exemple, prendre un bain ou une douche ou effectuer les soins du visage) ? Si oui, de quelle nature sont ces difficultés ?
- Comment l'infirmière pourrait-elle le mieux vous aider ?

AFFECTIONS CUTANÉES

- Souffrez-vous facilement d'un des problèmes suivants : peau sèche, démangeaisons, éruption cutanée, érosion de la peau, transpiration excessive, absence de transpiration ? Avez-vous déjà souffert de lésions de la peau ou du cuir chevelu ?
- Avez-vous tendance à faire des réactions allergiques cutanées ? Si oui, lesquelles ?

Si la personne répond par l'affirmative à l'une de ces questions, il faut effectuer un examen plus poussé afin d'obtenir des précisions sur les points suivants : la durée (quand cela a-t-il commencé ?), la fréquence (est-ce que cela se produit souvent ?), l'aspect de la lésion ou de l'éruption, les signes associés (de la fièvre ou des nausées, par exemple), les facteurs aggravants (la saison de l'année, le stress, le travail, les médicaments, un voyage récent, le logement, les contacts personnels, etc.), les facteurs atténuants (des médicaments, des lotions, des remèdes maison, etc.) et tout antécédent familial.

Analyse

On emploie le diagnostic infirmier *Déficit de soins personnels* dans le cas de personnes qui ont de la difficulté à accomplir les soins personnels. Dans le présent chapitre, il est question de trois des quatre diagnostics infirmiers de NANDA se rapportant à un déficit en matière de soins personnels : *Déficit de soins personnels : se laver et effectuer ses soins d'hygiène*, *Déficit de soins personnels : se vêtir et soigner son apparence* et *Déficit de soins personnels : utiliser les toilettes*. On traitera dans le chapitre 45 ◯◯ du quatrième diagnostic infirmier : *Déficit de soins personnels : s'alimenter*.

Dans le premier cas, la personne est incapable de se laver tout le corps ou d'en laver certaines parties, de se procurer de l'eau ou

ENCADRÉ 37-1

Facteurs favorisants du déficit de soins personnels

- Diminution de la motivation ou absence de motivation
- Faiblesse ou fatigue
- Douleur ou malaise
- Troubles de perception ou déficit cognitif
- Mauvaise perception du schéma corporel et de son rapport avec l'espace
- Troubles neuromusculaires ou musculosquelettiques
- Restrictions prescrites à des fins médicales
- Intervention thérapeutique limitant la mobilité (par exemple, perfusion intraveineuse, plâtre)
- Anxiété grave
- Obstacles provenant du milieu

de se rendre vers un point d'eau, et de régler la température ou le débit de l'eau. Dans le deuxième cas, la personne est incapable de s'habiller et de se déshabiller, d'attacher ses vêtements, de les remplacer au besoin et de maintenir une apparence soignée. Dans le troisième cas, la personne est incapable de se rendre aux toilettes ou jusqu'à la chaise d'aisances, de s'y asseoir et de s'en relever. De plus, certaines personnes ont de la difficulté à détacher, attacher, baisser ou relever leurs vêtements, à procéder aux mesures d'hygiène nécessaires après être allées aux toilettes, ou à tirer la chasse d'eau ou à vider le seau de la chaise d'aisances. Il existe de nombreuses raisons (étiologie ou facteurs favorisants) pour lesquelles une personne éprouve de tels problèmes (voir l'encadré 37-1).

L'encadré *Diagnostics infirmiers, résultats de soins infirmiers et interventions* donne des exemples cliniques de collectes des données, accompagnés des diagnostics infirmiers, des résultats de soins et des interventions correspondants.

Voici les diagnostics infirmiers les plus courants :

- *Connaissances insuffisantes*, reliées aux facteurs suivants :
  a) Manque d'expérience concernant un état de la peau (l'acné) et la nécessité de prévenir les infections secondaires
  b) Mise en œuvre d'un nouveau programme thérapeutique pour traiter les affections cutanées
  c) Manque d'expérience concernant la prestation de soins personnels chez une personne dépendante
  d) Manque d'informations sur les aides techniques pour s'asseoir sur les toilettes et pour s'en relever

- *Diminution situationnelle de l'estime de soi*, reliée aux facteurs suivants :
  a) Affection cutanée apparente (par exemple, acné ou alopécie)
  b) Présence d'odeurs corporelles

Le chapitre 40 ◯◯ décrit les diagnostics *Risque d'atteinte à l'intégrité de la peau* et *Atteinte à l'intégrité de la peau*.

Planification

Lors de la planification des soins, l'infirmière et, si possible, la personne ou sa famille (ou les deux) associent des résultats de soins

DIAGNOSTICS INFIRMIERS, RÉSULTATS DE SOINS INFIRMIERS ET INTERVENTIONS

Problème relié aux soins de la peau

COLLECTE DES DONNÉES	DIAGNOSTICS INFIRMIERS : DÉFINITION	EXEMPLES DE RÉSULTATS DE SOINS INFIRMIERS [Nº CRSI/NOC] : DÉFINITION	INDICATEURS	INTERVENTIONS CHOISIES [Nº CISI/NIC] : DÉFINITION	EXEMPLES D'ACTIVITÉS CISI/NIC
Stan Bailey est âgé de 75 ans. Il y a deux semaines, il a été victime d'un accident vasculaire cérébral qui a entraîné une paralysie du côté gauche. Il affirme : « Je ne veux pas qu'on me donne un bain. Je suis capable de me laver moi-même. Tout ce que je veux, c'est qu'on me laisse tranquille. » Il est renfermé et taciturne.	Déficit de soins personnels : se laver et effectuer ses soins d'hygiène, relié à une paralysie des membres gauches, supérieur et inférieur, et à une absence de motivation : Difficulté à se laver et à effectuer ses soins d'hygiène sans aide.	Soins personnels : hygiène [0301] : Capacité de maintenir son hygiène corporelle correcte.	A besoin de l'aide d'une personne : • Entre et sort de la salle de bain. • Règle la température de l'eau. • Prend une douche. • Se lave complètement. • Se sèche le corps.	Aide aux soins personnels : bain et soins d'hygiène [1801] : Aide apportée à une personne dans ses soins d'hygiène personnelle.	• Déposer les serviettes, le savon, le déodorant, la trousse à rasage et tous les accessoires nécessaires au chevet de la personne ou dans la salle de bain. • Faciliter à la personne la tâche de prendre un bain seule, si nécessaire. • Fournir de l'assistance à la personne jusqu'à ce qu'elle soit entièrement capable d'assumer ses soins personnels.
Marc Drouin a 15 ans. Il a des pustules et des papules au visage, et la peau de son visage présente de l'inflammation. Il affirme : « Je déteste aller à l'école ou n'importe où ailleurs à cause de l'allure que j'ai. Je ne pense pas qu'il y ait une seule fille qui voudrait sortir avec moi. Pouvez-vous faire quelque chose pour régler mon problème ? »	Diminution situationnelle de l'estime de soi, reliée à la présence d'acné : Développement d'une perception négative de sa propre valeur en réaction à une situation (préciser.)	Estime de soi : hygiène [1205] : Jugement personnel sur sa valeur.	Souvent positifs • Expression de l'acceptation de soi. • Maintien de l'hygiène corporelle et de la présentation. • Description de ses succès en société.	Amélioration de l'estime de soi [5400] : Mise en œuvre de moyens afin qu'une personne développe une opinion plus favorable quant à sa valeur personnelle.	• Encourager la personne à reconnaître ses points forts. • Communiquer un sentiment de confiance en la capacité de la personne à prendre en main une situation. • Aider la personne à réexaminer les perceptions défavorables qu'elle entretient à son sujet. • Aider la personne à discerner l'influence de son groupe de pairs sur ses sentiments de valeur personnelle.

infirmiers à chaque diagnostic infirmier. L'infirmière entreprend ensuite des interventions et des activités qui permettront d'atteindre ces résultats.

Parmi les activités particulières que l'infirmière peut accomplir, mentionnons : aider la personne dépendante pour le bain, les soins de la peau et les soins du périnée ; masser le dos afin d'activer la circulation ; enseigner à la personne et à sa famille des pratiques d'hygiène appropriées et des méthodes qui facilitent l'habillage ; enseigner à la personne et à sa famille l'emploi d'aides techniques et des activités d'adaptation. Même si les interventions infirmières dont il est question dans le présent chapitre portent sur les pratiques d'hygiène, les diagnostics infirmiers établis peuvent indiquer la pertinence d'interventions destinées à activer la circulation, à améliorer l'estime de soi, à restaurer l'état nutritionnel, à corriger un déficit ou un excès de l'apport liquidien, ou encore à prévenir les problèmes associés à l'immobilité. Il est question dans d'autres chapitres des plans de soins et de traitements infirmiers visant à prendre en charge ces divers problèmes.

Lorsqu'on planifie l'aide à fournir à une personne pour les soins personnels, il faut tenir compte des facteurs suivants : les goûts de la personne, son état de santé et ses limites ; le moment le plus approprié pour donner les soins ; le matériel, les installations et le personnel disponibles. On devrait respecter les goûts et les habitudes de la personne (le moment où elle veut prendre un bain et la façon dont elle veut le faire, par exemple) dans la mesure où son état de santé et l'équipement disponible le permettent. L'infirmière doit fournir elle-même à la personne toute l'aide nécessaire, ou demander à un autre membre du personnel infirmier d'accomplir cette tâche.

■ Planification des soins à domicile

Si elle veut assurer la continuité des soins, l'infirmière doit évaluer les capacités de la personne et de sa famille en matière de soins personnels, et vérifier s'il est nécessaire de les diriger vers des services spécialisés ou de faire appel à un service de soins à domicile (voir l'encadré *Évaluation pour les soins à domicile – Hygiène*). L'infirmière doit également déterminer les besoins de la personne en matière d'enseignement.

Interventions

L'infirmière applique les directives générales concernant les soins de la peau lorsqu'elle donne l'un ou l'autre type de bain, selon ce qui convient à la personne. Le procédé 37-1 décrit la marche à suivre pour donner un bain.

■ Directives générales concernant les soins de la peau

1. *La peau intacte et saine constitue la première ligne de défense du corps.* L'infirmière doit s'assurer qu'elle met en œuvre toutes les pratiques en matière de soins de la peau destinées à prévenir les lésions et l'irritation. Il faut éviter d'érafler la peau avec un bijou ou des ongles longs et pointus. L'emploi de serviettes ou de débarbouillettes rugueuses ou l'utilisation trop vigoureuse des linges de toilette risquent d'endommager les tissus, surtout en cas d'irritation de la peau, d'une diminution de la circulation ou d'une perte de sensations cutanées. Il est important de bien tendre le drap de dessous, car l'absence de plis réduit le frottement et l'érosion de la peau. On dépose le drap de dessus de manière à éviter qu'une pression excessive ne s'exerce sur les orteils. Au besoin, on utilise un arceau de lit que l'on dépose sur un appuie-pieds afin d'empêcher les couvertures et le drap de reposer sur les pieds.

2. *La capacité de la peau à protéger les tissus sous-jacents des blessures dépend de l'état général des cellules de l'épiderme, de l'épaisseur du tissu sous-cutané et du degré de sécheresse de la peau.* Il est plus difficile de protéger une peau dénutrie et sèche, car elle se rompt plus facilement. Si la peau est sèche, on peut appliquer une lotion ou une crème à base de lanoline, et réduire la fréquence des bains à une ou deux fois par semaine. En effet, les bains fréquents éliminent les huiles naturelles de la peau, ce qui est une cause de sécheresse.

3. *Le contact prolongé de la peau avec l'humidité favorise la croissance bactérienne et l'irritation.* Après un bain, il faut essuyer soigneusement la peau, en particulier à l'aisselle, à l'aine, sous les seins et entre les orteils, car ce sont les endroits où le risque d'irritation est le plus élevé. Une poudre de talc non irritante, comme l'amidon de maïs, aide à réduire l'humidité ; on peut en appliquer sur les zones les plus sensibles une fois qu'elles sont bien sèches. On doit prévenir l'irritation de la peau chez les personnes qui souffrent d'incontinence urinaire ou fécale, ou qui transpirent de façon excessive, en leur donnant des soins sans délai.

4. *Les odeurs corporelles sont causées par l'action des bactéries commensales (ou résidentes) de la peau sur les sécrétions corporelles.* La propreté est le meilleur des déodorants. On devrait appliquer les déodorants et les antisudorifiques offerts sur le marché uniquement sur une peau propre. Les premiers atténuent les odeurs, tandis que les seconds réduisent la transpiration. On devrait éviter d'appliquer ces produits immédiatement après le rasage, car il y a alors un risque d'irritation, et on ne devrait pas les utiliser sur une peau déjà irritée.

5. *La sensibilité de la peau à l'irritation et aux lésions varie selon les individus et l'état de santé.* En général, les nourrissons, les jeunes enfants et les personnes âgées ont une peau fragile. L'état nutritionnel d'une personne influe aussi sur la sensibilité de sa peau. Les personnes émaciées ou obèses ont tendance à souffrir d'irritation ou de lésions cutanées, de même que celles qui ont de mauvaises habitudes alimentaires ou qui ne boivent pas suffisamment. Même chez les personnes en bonne santé, la sensibilité de la peau varie considérablement d'un individu à l'autre. Celles qui sont sensibles aux substances chimiques présentes dans les produits pour les soins de la peau ou les cosmétiques peuvent se procurer des cosmétiques, du savon ou des substituts hypoallergéniques. L'infirmière doit vérifier si une personne est sensible à une substance quelconque et déterminer quels produits lui conviennent.

6. *Les produits pour les soins de la peau ont des effets et des usages spécifiques.* Le tableau 37-4 décrit les produits d'usage courant.

■ Bain

Le bain élimine les huiles corporelles, la sueur, les cellules épidermiques mortes et certaines bactéries qui se sont accumulées sur la peau. Pour prendre conscience de la quantité de graisses et de cellules mortes qui s'accumulent sur la peau, il suffit d'examiner un membre que l'on vient de retirer d'un plâtre resté en place pendant six semaines. La peau recouverte par le plâtre est croûteuse, squameuse et sèche. En général, il faut appliquer de l'huile pendant plusieurs jours pour éliminer tous les débris.

Toutefois, des bains trop fréquents risquent de réduire l'action lubrifiante du sébum, ce qui entraîne la sécheresse de la peau. C'est un facteur qu'il importe de prendre en considération, surtout chez les personnes âgées, car la production de sébum diminue avec l'âge.

En plus de nettoyer la peau, le bain active la circulation. Un bain tiède ou chaud dilate les artérioles superficielles, ce qui permet à la peau de recevoir plus de sang et d'éléments nutritifs. Une friction vigoureuse exerce le même effet. Des mouvements longs et doux, que l'on exécute de la partie distale du membre vers la partie proximale (c'est-à-dire en partant de l'extrémité du membre pour aller vers le tronc), sont particulièrement efficaces pour activer la circulation veineuse, à moins qu'il ne soit contre-indiqué de procéder ainsi en raison d'un état sous-jacent (la présence d'un caillot sanguin, par exemple).

Le bain procure en outre un état de bien-être. Il rafraîchit et détend ; il améliore souvent le moral et l'apparence ; de plus, il accroît le sentiment de dignité. Certaines personnes prennent une

ÉVALUATION POUR LES SOINS À DOMICILE

Hygiène

PERSONNE ET ENVIRONNEMENT

- *Capacité d'autonomie en matière d'hygiène:* évaluer la capacité de la personne à se laver, à régler la température de l'eau et le débit des robinets, à se vêtir et à se dévêtir, à soigner son apparence et à aller aux toilettes.
- *Besoins en matière d'aides techniques pour les soins personnels:* déterminer si la personne a besoin d'un siège de baignoire ou de douche (figure 37-1 ■), d'une douchette, d'une surface ou d'un tapis antidérapants pour la baignoire ou la douche, de barres d'appui sur le côté de la baignoire (figure 37-2 ■) ou d'un siège réglable pour les toilettes.
- *Installations:* vérifier si la personne dispose d'appareils pour la lessive et d'eau courante.
- *Obstacles mécaniques:* vérifier si des meubles bloquent l'accès à la salle de bain ou aux toilettes, et si les portes sont trop étroites pour laisser passer un fauteuil roulant.

FAMILLE

- *Disponibilité, habiletés et réactions du proche aidant:* déterminer si des personnes de l'entourage peuvent aider la personne à prendre un bain, à se vêtir, à faire sa toilette, à tailler ses ongles, à se laver les cheveux, à acheter des produits d'hygiène et des cosmétiques, etc.
- *Besoins en matière d'enseignement:* déterminer si le proche aidant a besoin d'informations quant à la façon d'aider la personne à entrer et à sortir de la baignoire, à s'asseoir sur les toilettes et à s'en relever, etc.
- *Modification du rôle familial et adaptation:* déterminer les conséquences de la maladie de la personne sur sa situation financière, son rôle parental et son rôle de conjoint, sa sexualité et son rôle social.

COMMUNAUTÉ

- Vérifier si des services communautaires sont en mesure de fournir de l'aide pour le bain, la lessive et le soin des pieds (par exemple, aide familiale, podologue).
- Au besoin, consulter un travailleur social afin de faire transférer la personne dans un centre d'hébergement et de soins de longue durée, si elle est incapable de demeurer chez elle, ou de déterminer les ressources communautaires qui lui permettraient de continuer à habiter chez elle.
- Envisager la possibilité de consulter différents spécialistes: (a) un physiothérapeute pour évaluer la fonction motrice de la personne, en vue de la développer et de l'améliorer; (b) une infirmière en soins à domicile, pour assurer le suivi des soins et fournir de l'enseignement et du soutien; (c) un ergothérapeute, pour évaluer le milieu de vie, les adaptations qui y sont nécessaires et les aides techniques qui pourraient être utiles.

FIGURE 37-1 ■ Chaise de baignoire ou de douche pour le domicile.

FIGURE 37-2 ■ Barres d'appui sur le côté de la baignoire.

douche le matin à cause de son action rafraîchissante et stimulante. D'autres préfèrent prendre un bain le soir pour se détendre. Ces effets sont plus marqués chez une personne malade. Par exemple, une personne qui a passé une nuit agitée ou une nuit blanche se sent souvent à l'aise, détendue et somnolente après le bain du matin.

Le bain est également une excellente occasion pour l'infirmière d'évaluer la personne. Elle profite de ce moment pour observer l'état de sa peau et rechercher la présence de certaines affections, tels un œdème de la région sacro-iliaque ou une éruption cutanée. Pendant qu'elle aide une personne à se laver, l'infirmière peut aussi évaluer ses habiletés psychomotrices et sociales, telles la

TABLEAU
37-4

Produits couramment utilisés pour les soins de la peau

Savon	Réduit la tension superficielle, ce qui facilite le nettoyage. Certains savons contiennent un agent antibactérien susceptible de modifier la flore normale de la peau.
Détergent	Produit de remplacement du savon. Certaines personnes allergiques au savon ne le sont pas au détergent, et vice versa.
Huile pour le bain	S'ajoute à l'eau du bain ; adoucit la peau et prévient les gerçures en laissant sur la peau un film huileux. Les huiles peuvent rendre la surface de la baignoire glissante ; on doit donc enseigner à la personne des mesures de sécurité (utiliser une surface ou un tapis de bain antidérapants, par exemple).
Crème ou lotion	Forme sur la peau un film qui prévient l'évaporation et, par conséquent, les gerçures.
Poudre	S'utilise pour absorber l'eau et réduire le frottement. Par exemple, l'utilisation de poudre sous les seins prévient l'irritation de la peau. Certaines poudres ont une action antibactérienne.
Déodorant	Masque ou réduit les odeurs corporelles.
Antisudorifique	Réduit la transpiration.

synchronisation de la motricité et la capacité émotionnelle et affective à s'adapter à la maladie. Elle peut également évaluer les besoins de la personne en matière d'enseignement, par exemple la nécessité pour une personne diabétique d'apprendre à effectuer les soins des pieds.

CATÉGORIES. Il existe deux grandes catégories de bains : les bains à des fins d'hygiène et les bains thérapeutiques. Le **bain à des fins d'hygiène** peut prendre l'une des formes suivantes :

- *Bain complet au lit.* L'infirmière lave tout le corps de la personne dépendante et alitée.

- *Bain au lit de la personne capable de coopérer.* La personne alitée peut se laver elle-même, avec l'aide de l'infirmière, qui lui nettoie le dos et parfois aussi les pieds.

- *Bain partiel (ou bain abrégé).* On lave seulement les parties du corps qu'il est nécessaire de nettoyer pour que la personne se sente à l'aise et pour prévenir les odeurs corporelles : le visage, les mains, les aisselles, la région du périnée, le dos et les pieds. On ne lave pas les bras, le torse, l'abdomen ni les jambes. L'infirmière donne des soins de ce type à la personne dépendante ; elle aide également la personne alitée autonome en lui lavant le dos. Certaines personnes ambulatoires préfèrent faire un lavage partiel au lavabo. L'infirmière peut les aider en leur lavant le dos.

- *Bain à la serviette.* Le bain à la serviette est un bain au lit pour lequel on utilise une solution aqueuse à séchage rapide qui contient un désinfectant, un agent nettoyant et un agent adoucissant. Cette solution, préparée commercialement, s'emploie à une température comprise entre 43,3 et 48,9 °C ; elle sèche en quelques secondes, ce qui évite d'avoir à essuyer la peau et raccourcit la durée du bain. On suggère de procéder comme suit :

  - Plier une grande serviette éponge et la mettre dans un sac de plastique, puis l'imbiber de la solution fournie par l'établissement.

  - Essorer la serviette, puis l'étendre sur la personne en même temps qu'on retire le drap de dessus.

  - Replier le surplus sous le menton de la personne en vue d'une utilisation ultérieure.

- Nettoyer le corps en effectuant de légers mouvements de massage, en procédant des pieds vers la tête.

- Replier ensuite la serviette vers le haut et étendre un drap propre sur la personne.

- À l'aide de la partie de la serviette repliée sous le menton, nettoyer le visage, le cou et les oreilles de la personne.

- Retirer la serviette, faire pivoter la personne sur le côté et appliquer la partie propre de la serviette sur la nuque, le dos et les fesses.

- Retirer la serviette.

- Mettre un drap propre sur le lit, puis habiller la personne et la placer dans une position appropriée.

- *Bain à la serviette jetable.* La trousse spécialement préparée contient 10 serviettes jetables préhumectées d'un mélange d'eau et d'une solution nettoyante ne nécessitant pas de rinçage. On réchauffe la solution et les serviettes jetables au four à micro-ondes pendant environ une minute ; l'infirmière doit toutefois déterminer elle-même le temps exact pour atteindre la température adéquate. On nettoie chaque partie du corps avec une serviette différente, puis on laisse sécher à l'air. Puisqu'on n'essuie pas le corps, l'agent émollient contenu dans la solution reste sur la peau.

- *Bain dans la baignoire.* On préfère souvent donner un bain dans la baignoire plutôt qu'au lit, car il est plus facile de laver et de rincer la personne. On utilise aussi la baignoire pour les bains thérapeutiques. L'aide fournie par l'infirmière dépend des capacités de la personne. Il existe des baignoires spécialement conçues pour les personnes dépendantes. Ces baignoires facilitent grandement la tâche de l'infirmière quand la personne entre ou sort de la baignoire ; en outre, elles permettent de donner un bain plus agréable que le bain à l'éponge au lit.

On recommande le bain à l'éponge pour les nouveau-nés, car ils n'ont pas nécessairement besoin d'un bain quotidien dans la baignoire. Après le bain, on doit sécher le nourrisson immédiatement et le couvrir afin de prévenir la perte de chaleur. Il faut expliquer aux parents que les fonctions de régulation de la température corporelle n'ont pas encore atteint leur plein développement chez le nourrisson. Celui-ci transpire peu et commence à frissonner à une température plus basse que la température à laquelle les adultes frissonnent; le nouveau-né perd donc davantage de chaleur que l'adulte puisque les frissons se déclenchent plus tardivement. En outre, la déperdition de la chaleur chez le nouveau-né est plus importante parce que sa surface corporelle est très grande par rapport à sa masse.

- *Douche.* Bon nombre de personnes ambulatoires sont capables de prendre une douche avec un minimum d'aide de l'infirmière. Dans les établissements de soins de longue durée, on utilise souvent une chaise de douche pour transporter la personne dans la douche. Le siège de ce type de fauteuil roulant est conçu de manière à faciliter les soins du périnée dans la douche (figure 37-3 ■).

L'eau d'un bain devrait être à une température agréable pour la personne. Tous les gens n'ont pas la même sensibilité à la chaleur; en général, la température de l'eau devrait varier entre 43 et 46 °C. La plupart des personnes vérifient si la température leur convient, mais celles dont la circulation sanguine est ralentie ou qui souffrent d'un déficit cognitif sont incapables de le faire. Dans ce cas, l'infirmière doit vérifier elle-même la température de l'eau pour éviter que la personne ne se brûle avec de l'eau trop chaude. Il faut changer l'eau utilisée pour un bain au lit avant qu'elle ne devienne sale ou froide.

On donne un **bain thérapeutique** à cause de ses effets physiques, par exemple afin d'adoucir la peau irritée ou de traiter une région donnée (notamment le périnée). On ajoute parfois un médicament dans l'eau. Un bain thérapeutique se donne généralement dans une baignoire remplie au tiers ou à la moitié, et la personne y reste durant un laps de temps déterminé, généralement entre 20 et 30 minutes. Si on désire traiter le dos, le thorax ou les bras de la personne, il faut s'assurer que ces parties du corps sont immergées dans la solution. On précise habituellement la température de l'eau dans l'ordonnance, la plupart du temps entre 37,7 et 46 °C pour un adulte et 40,5 °C pour un nourrisson.

Le procédé 37-1 explique comment donner le bain à une personne.

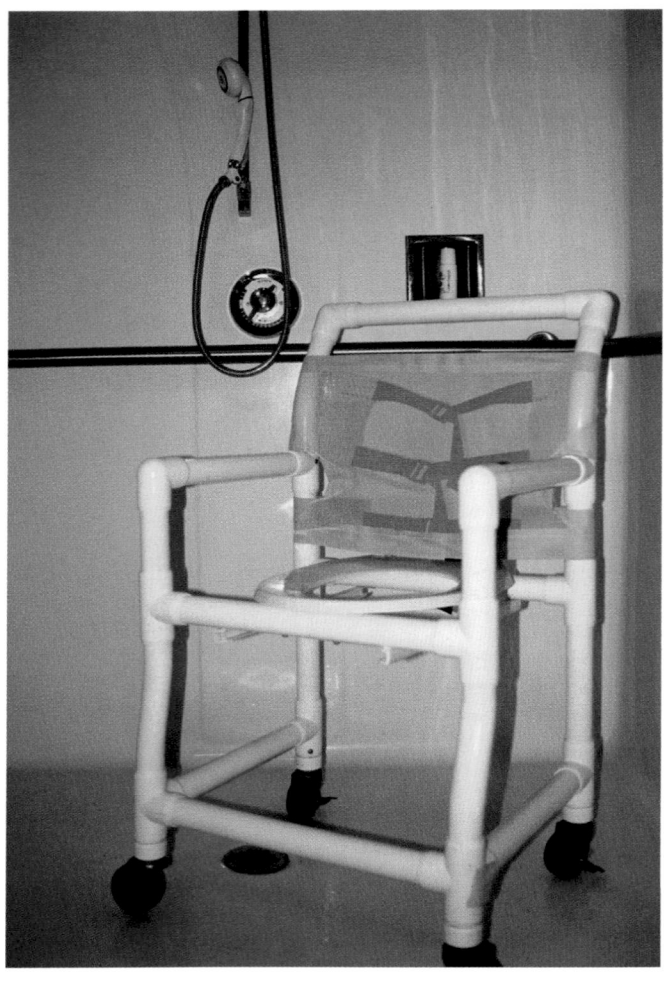

FIGURE 37-3 ■ Chaise de douche.

PROCÉDÉ 37-1

Bain

Objectifs

- Éliminer la flore transitoire, les sécrétions et les excrétions corporelles, et les cellules épidermiques mortes.
- Activer la circulation périphérique.
- Procurer un sentiment de bien-être.

- Favoriser la détente et accroître le confort.
- Prévenir ou éliminer les odeurs corporelles potentiellement désagréables.

COLLECTE DES DONNÉES

Évaluez

- L'état de la peau (couleur, texture et signe du pli cutané, taches pigmentées, température, lésions, excoriations et érosion).
- Le degré de fatigue.
- La présence de douleur et la nécessité de mettre en œuvre des mesures d'appoint (par exemple, l'administration d'un analgésique) avant le bain.

- Le degré de mobilité des articulations.
- Tout autre aspect de l'état de santé à considérer au cours du bain (la mobilité, la force et l'état cognitif, par exemple).
- Le besoin d'enfiler des gants propres pour le bain.

PROCÉDÉ 37-1 (SUITE)

Bain (suite)

PLANIFICATION

Matériel

- Cuvette ou lavabo remplis d'eau tiède (entre 43 et 46 °C)
- Savon et porte-savon
- Literie : un drap de bain ; deux serviettes de bain ; une débarbouillette ; une chemise, un pyjama ou des vêtements propres, selon le cas ; drap et serviettes supplémentaires, au besoin
- Gants, s'il y a lieu (à cause du risque de contact avec des liquides organiques ou une plaie ouverte)

- Produits d'hygiène personnelle (par exemple, déodorant, poudre, lotion)
- Trousse de rasage, dans le cas d'un homme
- Table pour déposer le nécessaire pour le bain
- Sac à linge sale

INTERVENTION

Préparation

Avant de commencer à donner un bain, déterminez : (a) les objectifs du bain et le type de bain qui convient à la personne ; (b) les capacités de la personne en matière de soins personnels ; (c) les précautions particulières à prendre si l'on doit déplacer la personne ou la changer de position ; (d) les soins particuliers que reçoit éventuellement la personne (physiothérapie, radiologie, par exemple), pour coordonner tous les éléments des soins et éviter de la fatiguer inutilement ; (e) dans quelle mesure la personne se sent à l'aise de prendre un bain ; (f) le matériel requis pour le bain et la literie nécessaire.

Il faut prendre des précautions particulières quand on donne un bain à une personne qui reçoit une thérapie intraveineuse. Il serait souhaitable d'utiliser une chemise d'hôpital facile à enlever, munie de bandes velcro, par exemple. Si on ne dispose pas de ce genre de vêtement, il faut faire particulièrement attention lorsqu'on change la chemise de la personne (après le bain ou quand elle est sale). L'encadré 37-2 présente des directives générales à se sujet. Toutefois,

ces directives ne s'appliquent pas aux personnes qui portent une pompe ou un régulateur reliés à un dispositif intraveineux. Il faut alors utiliser une chemise spéciale ou ne pas enfiler la manche sur le bras où pénètre le dispositif intraveineux.

Exécution

1. Expliquez à la personne ce que vous allez faire, pourquoi vous allez le faire et comment elle peut coopérer. Discutez avec elle de la planification du bain et expliquez-lui les procédés qui ne lui sont pas familiers.

2. Lavez-vous les mains et observez les autres mesures de prévention des infections (par exemple, mettez des gants propres).

3. Préservez l'intimité de la personne en tirant les rideaux autour du lit ou en fermant la porte de la chambre.

4. Préparez la personne et l'environnement.
   - Invitez un membre de la famille ou un proche à participer au bain, si la personne le désire.
   - Fermez les fenêtres et les portes pour que la température ambiante

demeure confortable. *Les courants d'air favorisent la perte de chaleur du corps par convection.*
   - Offrez à la personne d'utiliser un bassin ou un urinal, ou demandez-lui si elle désire se rendre aux toilettes ou sur la chaise d'aisances. *Le contact avec l'eau tempérée et l'activité sont susceptibles de stimuler le besoin d'élimination. La personne se sentira plus à l'aise après la miction, et il est préférable que celle-ci ait lieu avant qu'on nettoie le périnée.*
   - Incitez la personne à accomplir autant que possible ses soins d'hygiène elle-même. *On favorise ainsi l'autonomie et l'exercice, et on améliore l'estime de soi de la personne.*
   - Durant le bain, examinez attentivement la peau sur chaque région du corps.

Bain au lit

5. Préparez le lit et aidez la personne à adopter une position confortable.
   - Placez le lit à la bonne hauteur pour travailler. Abaissez la ridelle qui se trouve de votre côté, mais laissez

ENCADRÉ

Changer la chemise d'une personne sous perfusion intraveineuse

37-2

- Faire glisser la chemise de manière à découvrir complètement le bras qui ne porte pas de cathéter, puis la glisser sur la tubulure de perfusion reliée à l'autre bras.
- Décrocher le sac de perfusion de la potence. Tout en le maintenant au-dessus du bras de la personne, passer la manche par-dessus le sac de perfusion pour retirer la chemise.
- Placer la manche de la chemise propre qui doit recouvrir le bras où est inséré le cathéter par-dessus le sac de perfusion, comme s'il s'agissait d'une extension du bras, depuis l'épaule jusqu'au poignet.

- Suspendre de nouveau le sac de perfusion, puis glisser précautionneusement la chemise sur la tubulure en direction de la main de la personne.
- Guider le bras de la personne et la tubulure dans la manche en prenant soin de ne pas tirer sur la tubulure.
- Aider la personne à passer l'autre bras dans la seconde manche et attacher la chemise de la façon habituelle.
- Vérifier le débit de la perfusion avant de s'éloigner du chevet de la personne.

INTERVENTION (suite)

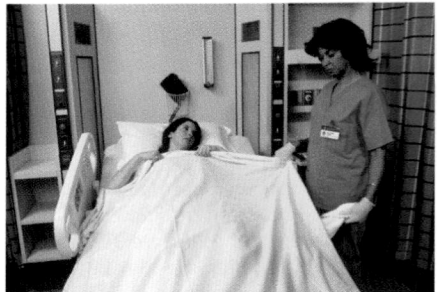

FIGURE 37-4 ■ Enlever le drap de dessus en le tirant sous le drap de bain.

A

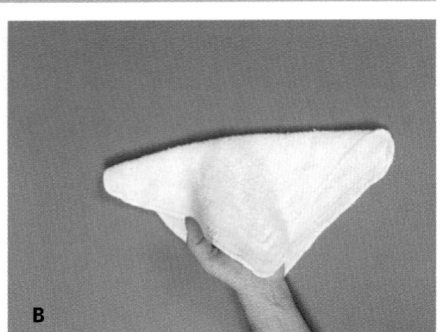

B

C

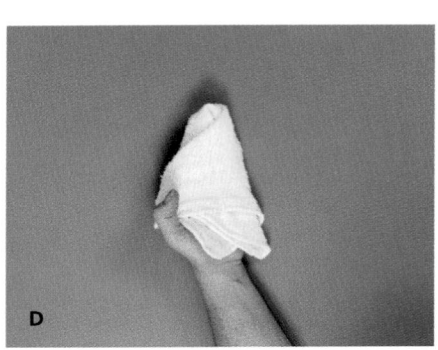

D

FIGURE 37-5 ■ Faire un gant de toilette selon la méthode triangulaire. *A,* Placer une main sur la débarbouillette. *B,* Replier le coin supérieur sur la main. *C,* Replier les deux coins latéraux sur la main. *D,* Insérer le dernier coin sous le tissu, contre la paume de la main, afin que le gant reste en place.

l'autre ridelle relevée. Aidez la personne à se rapprocher. *On évite ainsi de s'étirer et de faire des efforts inutiles, et on favorise l'ergonomie.*

- Placez le drap de bain sur le drap du dessus, puis enlevez ce dernier en le retirant d'abord des épaules de la personne, puis en le tirant vers ses pieds (figure 37-4 ■). Demandez à la personne de saisir et de tenir l'extrémité du drap de bain pendant que vous tirez la literie vers le pied de lit. *Le drap de bain accroît le confort de la personne, la tient au chaud et lui procure une certaine intimité. Remarque :* Si vous prévoyez réutiliser la literie, placez-la sur le fauteuil à côté du lit ; si vous prévoyez la changer, mettez-la dans le sac à linge sale.
- Retirez la chemise de la personne, tout en la laissant couverte avec le drap de bain. Jetez la chemise dans le sac à linge sale.

6. Faites un gant de toilette avec la débarbouillette. *Un gant de toilette retient mieux l'eau et la chaleur qu'un carré de tissu simplement tenu dans la main. De plus, cela évite de laisser traîner des coins de tissu sur la peau.* La figure 37-5 ■ illustre la méthode triangulaire et la figure 37-6 ■, la méthode rectangulaire.

7. Lavez le visage de la personne. *On nettoie d'abord la partie du corps la plus propre, puis on continue vers le bas, jusqu'aux pieds.*

- Placez une serviette sous la tête de la personne.
- Nettoyez les paupières uniquement avec de l'eau et essuyez-les bien. Utilisez un coin différent du gant pour chaque œil. *On prévient ainsi la transmission de microorganismes d'un œil à l'autre.* Essuyez la paupière en allant de l'angle médial vers l'angle

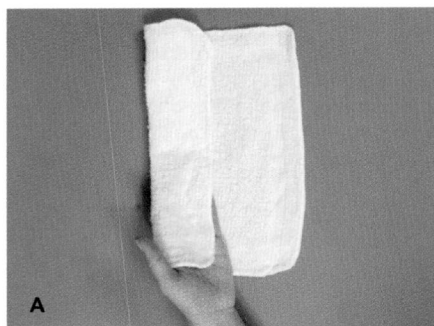

A

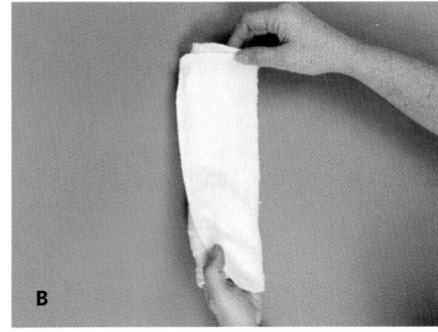

B

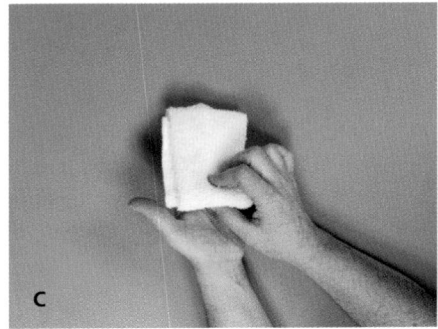

C

FIGURE 37-6 ■ Faire un gant de toilette selon la méthode rectangulaire. *A,* Placer une main sur la débarbouillette et replier un côté de celle-ci sur la main. *B,* Replier le second côté sur la main. *C,* Replier la partie supérieure de la débarbouillette et en insérer l'extrémité sous le tissu, contre la paume de la main, afin que le gant reste en place.

PROCÉDÉ 37-1 (SUITE)

Bain (suite)

INTERVENTION (suite)

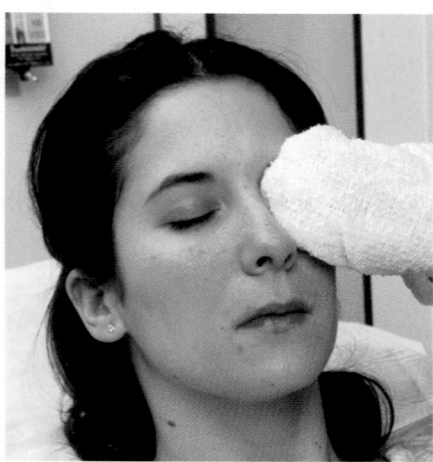

FIGURE 37-7 ■ Laver les paupières en allant de l'angle médial vers l'angle latéral et en utilisant un coin différent du gant pour chaque œil.

latéral (figure 37-7 ■). *On prévient ainsi l'introduction de sécrétions dans les conduits lacrymonasaux.*

- Demandez à la personne si vous pouvez utiliser du savon pour nettoyer son visage. *Le savon assèche la peau et, comme le visage est la partie du corps la plus exposée à l'air, la peau y est en général très sèche.*
- Lavez, rincez et séchez le visage de la personne, ses oreilles et son cou.
- Retirez la serviette que vous aviez placée sous la tête de la personne.

8. Lavez les bras (sauf s'il s'agit d'un bain partiel), ainsi que les mains.
- Étendez une serviette, dans le sens de la longueur, sous le bras le plus éloigné de vous. *On évite ainsi de mouiller le lit.*

- Lavez, rincez et essuyez le bras en le soulevant et en le soutenant par le poignet et le coude (figure 37-8 ■). Faites des mouvements amples et fermes, en allant du poignet vers l'épaule, sans oublier la région de l'aisselle. *Des mouvements amples et fermes, qui vont de la région distale à la région proximale, activent la circulation en accélérant le retour du sang veineux.*
- Appliquez du déodorant ou de la poudre, s'il y a lieu.
- (Facultatif) Posez une serviette sur le lit et placez-y un bassin rempli d'eau, puis plongez-y la main de la personne. *Plusieurs personnes aiment tremper leurs mains dans l'eau et se laver elles-mêmes. Le trempage déloge la saleté sous les ongles.* Aidez la personne, si nécessaire, à se laver les mains, à les rincer et à les essuyer, en faisant attention aux espaces interdigitaux.
- Procédez de la même façon pour le bras et la main qui se trouvent de votre côté. Prenez les précautions qui s'imposent s'il y a une perfusion intraveineuse, et vérifiez-en le débit après avoir déplacé le bras.

9. Lavez le thorax et l'abdomen. (Lors d'un bain partiel, on ne lave pas ces parties du corps. Cependant, chez une femme, on lave la région sous-mammaire s'il y a de l'irritation ou si la personne transpire beaucoup à cet endroit.)
- Étendez la serviette, dans le sens de la longueur, sur le thorax et repliez le drap de bain sur la région pubienne. *La personne reste ainsi au chaud et on évite d'exposer inutilement la poitrine.*

- Soulevez la serviette et lavez le thorax et l'abdomen avec la main gantée en accomplissant des mouvements amples et fermes (figure 37-9 ■). Faites particulièrement attention au pli sous-mammaire et à tous les autres plis cutanés, surtout chez les personnes ayant un excès de poids. Rincez et séchez bien la région lavée.
- Remontez le drap de bain sur le thorax.

10. Lavez les jambes et les pieds (sauf s'il s'agit d'un bain partiel).
- Découvrez la jambe la plus éloignée de vous en repliant le drap de bain sur l'autre jambe, en prenant soin de ne pas découvrir la région du périnée. *On préserve ainsi l'intimité de la personne et on respecte sa dignité.*
- Soulevez la jambe et étendez la serviette sous celle-ci, dans le sens de la longueur. Lavez, rincez et essuyez la jambe en accomplissant des mouvements amples, doux et fermes, depuis la cheville jusqu'au genou, puis en direction de la cuisse (figure 37-10 ■). *En lavant la jambe de la région distale à la région proximale, on active la circulation en accélérant le débit du sang veineux.*
- Déplacez le drap de bain sur l'autre jambe et lavez-la de la même façon.
- Lavez les pieds en les plaçant l'un après l'autre dans le bassin rempli d'eau (figure 37-11 ■).
- Essuyez chaque pied en faisant particulièrement attention aux espaces entre les orteils. Vous pouvez aussi laver le pied immédiatement après avoir lavé la première jambe, avant de passer à la seconde.

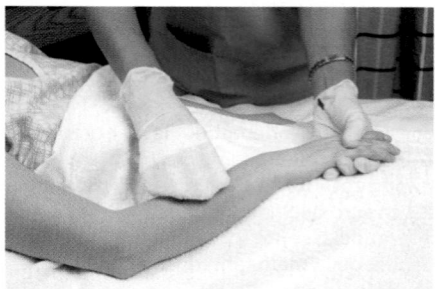

FIGURE 37-8 ■ Laver d'abord le bras le plus éloigné de soi en accomplissant des mouvements amples et fermes.

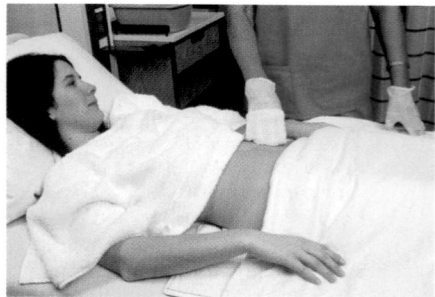

FIGURE 37-9 ■ Laver le thorax et l'abdomen.

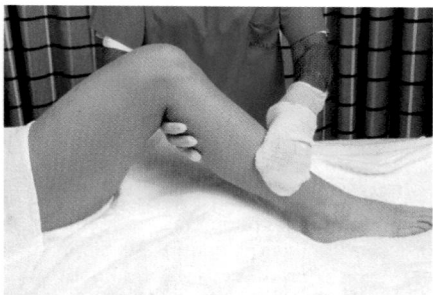

FIGURE 37-10 ■ Laver d'abord la jambe la plus éloignée de soi.

INTERVENTION (suite)

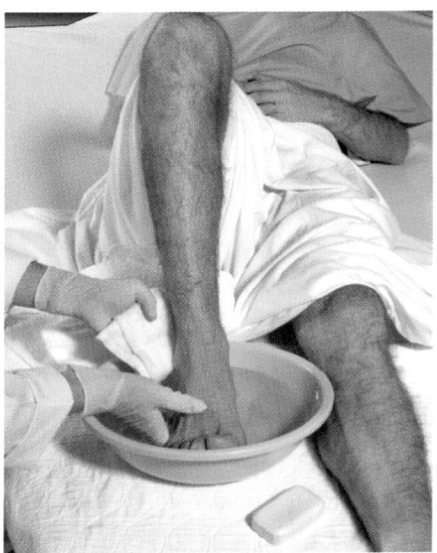

FIGURE **37-11** ■ Faire tremper chaque pied dans le bassin rempli d'eau.

- Remplacez maintenant, ou lorsque c'est nécessaire, l'eau du bassin par de l'eau propre et tiède. *L'eau peut devenir sale ou froide.* Comme le lavage élimine les cellules épidermiques, l'eau du bain d'une personne de race noire peut devenir foncée, même si la personne n'est pas sale. Relevez la ridelle avant de remplacer l'eau du bassin. *On assure ainsi la sécurité de la personne.*

11. Lavez le dos, puis le périnée.
   - Aidez la personne à se coucher sur le ventre ou sur le côté de manière qu'elle vous tourne le dos. Étendez la serviette, dans le sens de la longueur, le long du dos et des fesses, et recouvrez-en la personne le plus possible. *On garde ainsi la personne au chaud tout en évitant une exposition indésirable.*
   - Lavez et séchez le dos de la personne, en allant des épaules aux fesses, puis en descendant jusqu'au haut des cuisses. Prêtez particulièrement attention au pli interfessier (figure 37-12 ■).

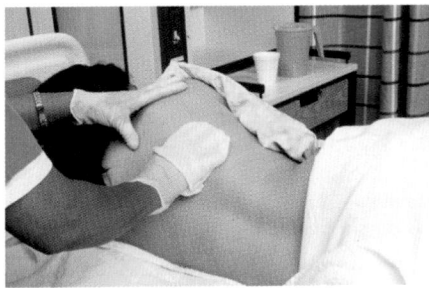

FIGURE **37-12** ■ Lavage du dos.

- Massez le dos maintenant ou après le bain (voir le procédé 43-1).
- Aidez la personne à se coucher sur le dos et déterminez si elle est capable de laver elle-même la région du périnée. Si elle en est incapable, placez le drap de bain comme on l'indique dans le procédé 37-2 et lavez le périnée.

12. Aidez la personne à utiliser des produits d'hygiène, tels de la poudre, de la lotion ou du déodorant.
   - Faites un usage modéré de la poudre, en prenant garde d'en répandre le moins possible dans l'atmosphère. *On prévient ainsi l'irritation des voies respiratoires par inhalation de poudre. De plus, s'il y a trop de poudre, celle-ci peut s'agglomérer et provoquer une irritation de la peau.*
   - Aidez la personne à revêtir une chemise d'hôpital ou un pyjama propre.
   - Aidez la personne à se peigner, à effectuer les soins buccodentaires et à prendre soin de ses ongles. Certaines personnes préfèrent ou doivent effectuer les soins buccodentaires avant le bain.

Bain dans la baignoire ou douche

13. Préparez la personne et la baignoire.
   - Remplissez la baignoire environ au tiers ou à la moitié avec de l'eau dont la température se situe entre 43 et 46 °C. *Il doit y avoir suffisamment d'eau pour couvrir la région du périnée.*
   - Couvrez tout cathéter intraveineux ou pansement avec une enveloppe en plastique et informez la personne qu'elle doit éviter autant que possible de mouiller ces régions.
   - Placez un tapis de bain en caoutchouc ou une serviette dans le fond de la baignoire s'il n'y a pas de bandes antidérapantes. *On évite ainsi que la personne ne glisse durant le bain ou la douche.*

14. Aidez la personne à entrer dans la douche ou dans la baignoire.
   - Aidez la personne à prendre une douche debout en faisant un premier réglage de la température et du débit de l'eau, si nécessaire. Les personnes trop faibles pour se tenir debout doivent s'asseoir sur une chaise de douche. Le contact avec l'eau chaude amène certaines personnes âgées à se sentir défaillir.
   - Si la personne a besoin de beaucoup d'aide pour se laver dans la baignoire, utilisez une chaise de baignoire à réglage hydraulique, si nécessaire (voir la variante qui suit).

- Expliquez à la personne comment elle peut avertir qu'elle a besoin d'aide, puis la laisser seule de deux à cinq minutes après avoir placé un écriteau « Occupé » sur la porte de la salle de bain. Pour des raisons de sécurité, ne laissez jamais seule une personne souffrant d'un déficit cognitif ou présentant un risque quelconque (épilepsie, syncope, par exemple).

15. Aidez la personne à se laver et à sortir de la baignoire.
   - Lavez le dos, les jambes et les pieds de la personne, si nécessaire.
   - Aidez la personne à sortir de la baignoire. Si elle manque d'équilibre, placez une serviette sur ses épaules, puis videz la baignoire avant de lui demander d'en sortir. *On réduit ainsi le risque de chute, et la serviette prévient le refroidissement.*

16. Séchez la personne et aidez-la à accomplir le reste des soins.
   - Reportez-vous à l'étape 12.
   - Aidez la personne à retourner à sa chambre.
   - Nettoyez la baignoire ou la douche selon les directives de l'établissement; jetez les serviettes sales dans le sac à linge sale et placez l'écriteau « Libre » sur la porte.

17. Notez les éléments suivants :
   - Le type de bain que vous avez donné (complet, partiel, sans aide; à noter généralement sur un graphique d'évolution).
   - Les observations concernant l'état de la peau: excoriations, érythème, exsudats, éruption, écoulement, rupture de l'épiderme, crevasses, etc.
   - Les interventions infirmières reliées à l'intégrité de la peau.
   - La capacité de la personne à participer au bain.
   - Les réactions de la personne à l'égard du bain.
   - L'enseignement requis en matière d'hygiène.
   - Les informations ou l'enseignement fournis à la personne ou à sa famille.

Variante : utilisation d'une chaise à réglage hydraulique pour le bain

Dans les établissements de soins de longue durée ou dans les services de réadaptation, on utilise fréquemment un dispositif de levage hydraulique pour déplacer plus facilement la personne incapable d'entrer seule dans la baignoire. L'emploi d'un tel dispositif permet à l'infirmière de ne pas imposer à son dos de trop grands efforts et diminue les risques d'incidents.

PROCÉDÉ 37-1 (SUITE)

Bain (suite)

INTERVENTION (suite)

- Installez la personne dans un fauteuil roulant ou assoyez-la sur une chaise de douche pour l'amener jusqu'à la baignoire.
- Remplissez la baignoire et vérifiez la température de l'eau à l'aide d'un thermomètre pour le bain *afin d'éviter que la personne ne se brûle avec de l'eau trop chaude.*
- À l'extérieur de la baignoire, réglez la chaise au niveau le plus bas.
- Placez la chaise sur la plate-forme élévatrice et attachez la ceinture de siège (figure 37-13 ■).
- Montez la plate-forme élévatrice à une hauteur supérieure à celle de la baignoire.
- Soutenez les jambes de la personne pendant que vous déplacez la chaise au-dessus de la baignoire *afin de prévenir les blessures aux jambes.*
- Placez les jambes de la personne dans l'eau, et faites descendre lentement la plate-forme élévatrice dans la baignoire.
- Aidez la personne à se laver, si nécessaire.
- Faites les opérations inverses pour sortir la personne de la baignoire.
- Séchez la personne et ramenez-la dans sa chambre.

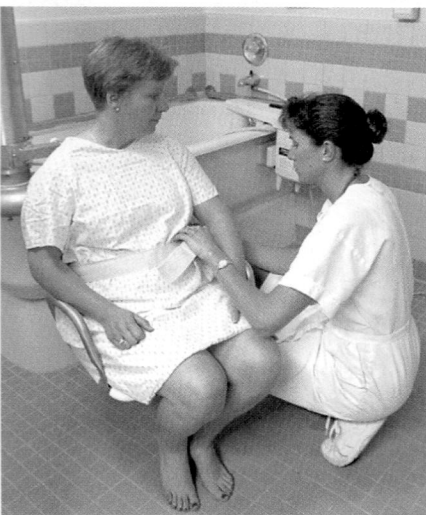

FIGURE 37-13 ■ Attacher la ceinture de siège avant de déplacer une personne assise sur une chaise à réglage hydraulique.

ÉVALUATION

- Notez la tolérance de la personne aux soins (par exemple, la fréquence respiratoire et l'effort, le pouls, le comportement, les remarques au sujet du confort).
- Effectuez un suivi approprié, concernant par exemple :
  - L'état et l'intégrité de la peau (sécheresse, test du pli cutané, rougeur, lésions, etc.).
- L'endurance de la personne.
- La proportion du bain que la personne accomplit sans aide.
- Comparez vos observations avec les données d'évaluation antérieures, s'il y a lieu.

LES ÂGES DE LA VIE

Bain

NOURRISSONS

- On recommande le bain à l'éponge pour les nourrissons, car un bain quotidien dans la baignoire n'est souvent pas nécessaire. Après le bain, on devrait essuyer le nourrisson et le couvrir immédiatement. Il faut expliquer aux parents que les fonctions de régulation de la température n'ont pas encore atteint leur plein développement chez le nouveau-né, de sorte qu'il perd facilement de la chaleur.

ENFANTS

- Inciter l'enfant à participer au bain en tenant compte de son degré de développement.
- Surveiller étroitement l'enfant pendant qu'il est dans la baignoire ; ne jamais le laisser seul.

ADOLESCENTS

- Aider si nécessaire l'adolescent à choisir un déodorant ou un antisudorifique. En réagissant avec les bactéries résidentes de la peau, les sécrétions des glandes sudoripares, actives depuis peu, produisent parfois une odeur âcre.

PERSONNES ÂGÉES

- Les changements physiologiques qui accompagnent le vieillissement entraînent une réduction de la protection qu'offre la peau. Elle se fragilise, sécrète moins d'huiles naturelles, perd son élasticité et devient plus sèche.
- Pour lutter contre l'assèchement de la peau, les personnes âgées ne devraient pas utiliser beaucoup de savon. Il est préférable d'hydrater la peau immédiatement après le bain.
- Les personnes âgées ne devraient pas utiliser de poudre, car elle dessèche la peau et il est dangereux d'en inhaler. Elles devraient également éviter d'employer de la fécule de maïs, car, sous l'action de l'humidité, l'amidon de la fécule se décompose en glucose, ce qui favorise la croissance de microorganismes.
- Il est important de prévenir les brûlures causées par l'eau chaude, autant chez les personnes âgées que chez les enfants.

SOINS À DOMICILE

Hygiène

Suggérer à la personne ou à sa famille d'adopter les mesures suivantes :

- Se procurer une chaise de baignoire ou de douche.
- Installer une douchette facile à utiliser avec le siège de baignoire et pour le shampoing.
- Placer un revêtement antidérapant dans le fond de la baignoire ou de la douche.
- Installer des barres d'appui de chaque côté de la baignoire ou de la douche afin que la personne puisse y entrer et en sortir plus facilement.
- Vérifier soigneusement la température de l'eau du bain.
- Appliquer de la lotion ou de l'huile *après* le bain, et non pendant le bain, afin d'éviter que ces substances ne rendent la surface de la baignoire glissante.

ÉTABLISSEMENT DE SOINS DE LONGUE DURÉE. On a longtemps considéré que le bain faisait partie des soins infirmiers et constituait un élément de l'« art » de soigner. Dans le contexte actuel, on pense qu'il fait plutôt partie intégrante des soins de base, et on confie cette tâche à du personnel non diplômé (Hektor et Touhy, 1997).

En dépit des valeurs thérapeutiques du bain, dont il a été question plus haut, le choix du type de bain dépend souvent du temps dont dispose l'infirmière ou le personnel infirmier et des capacités de la personne à se laver seule. Des auteurs spécialisés en soins infirmiers (Brawley, 2002 ; Hektor et Touhy, 1997 ; Rader *et al.*, 1996 ; Skewes, 1997) invitent les infirmières à abandonner l'approche centrée sur la tâche et à considérer plutôt les dimensions propres à l'individu et à l'esthétique, surtout chez les personnes âgées hébergées dans un établissement de soins de longue durée.

C'est souvent l'établissement de soins de santé qui détermine le jour, l'heure et la fréquence du bain. Cette activité devient donc routinière et dépersonnalisée, alors qu'elle devrait avoir une valeur thérapeutique, et être satisfaisante et axée sur l'individu. Chez les personnes atteintes de démence, il est particulièrement important d'adopter une approche centrée sur la personne et sur les effets thérapeutiques et le confort. Miller (1997) a montré que, dans le contexte des soins d'hygiène, une douche suscite parfois de la détresse chez les personnes souffrant d'un déficit cognitif et provoque des gestes agressifs envers le personnel.

Rader *et al.* (1996) invitent les infirmières travaillant dans un établissement de soins de longue durée à envisager le bain du point de vue de la personne. Par exemple, quelles sont les habitudes de la personne en matière de soins d'hygiène ? Le bain est-il associé à des expériences négatives ? Des facteurs telles la douleur ou la fatigue réduisent-ils la capacité de la personne à répondre aux demandes et aux stimuli associés au bain ou à la douche ? Si une personne refuse de prendre un bain, l'infirmière pourrait envisager de recourir à d'autres méthodes pour assurer l'hygiène. Par exemple, si le fait de prendre une douche suscite de la détresse chez une personne, le bain à la serviette aura une plus grande valeur thérapeutique et procurera à la personne davantage de réconfort.

Prodiguer des soins d'hygiène à une personne atteinte de démence est souvent une tâche difficile. Malgré tout, l'observation des rythmes de comportement et de différents indices permet souvent de résoudre bien des problèmes. Bon nombre des personnes qui souffrent de démence, qu'elles résident chez elles ou dans un établissement de soins de longue durée, sont plus agitées à certaines heures de la journée ; il faut alors éviter les activités susceptibles d'exacerber la peur et l'agitation. Il est parfois préférable d'attendre un peu (environ une demi-heure), puis d'essayer de nouveau de donner le bain, car la personne aura peut-être oublié qu'elle ne voulait pas et elle acceptera de coopérer.

La coopération entre l'infirmière et le personnel infirmier est un élément crucial lorsqu'on décide d'appliquer l'approche centrée sur la personne avec des personnes atteintes d'un déficit cognitif et qui font preuve d'agressivité durant le bain. À l'issue d'une situation difficile, l'infirmière et le membre du personnel infirmier qui l'assiste devraient discuter des solutions de rechange à mettre en œuvre avec la personne en cause. Hoeffer *et al.* (1997) attirent l'attention sur le fait que les infirmières auxiliaires craignent d'être critiquées si elles dévient des pratiques recommandées par l'établissement. Elles hésiteront donc à expérimenter de nouvelles façons de faire si elles ne sentent pas l'approbation et l'appui de l'infirmière.

Soins du périnée et des organes génitaux

On désigne fréquemment les soins du périnée et des organes génitaux simplement par les expressions *soins du périnée* ou *soins périnéaux*. Bien qu'ils fassent partie intégrante d'un bain au lit, ces soins suscitent de l'embarras chez plusieurs personnes. L'infirmière peut elle aussi éprouver de la gêne, au début, surtout avec les personnes du sexe opposé. Toutefois, la majorité des personnes qui doivent recevoir un bain au lit sont capables d'effectuer elles-mêmes les soins du périnée avec un minimum d'aide. L'infirmière devra par exemple donner à la personne une débarbouillette mouillée et du savon, rincer la débarbouillette et donner une serviette.

Comme certaines personnes ne connaissent pas les termes exacts pour désigner les organes génitaux et le périnée, il se peut que l'infirmière éprouve quelques difficultés à se faire comprendre. Toutefois, la majorité des individus comprennent l'infirmière si elle leur dit : « Je vais vous donner une débarbouillette pour que vous terminiez vous-même votre toilette. » Les personnes âgées comprennent en général ce qu'on entend par les « parties » ou les « parties intimes ». Quelle que soit l'expression qu'elle utilise, l'infirmière doit s'assurer que la personne la comprend et elle doit être elle-même à l'aise de l'employer.

L'infirmière doit prodiguer les soins du périnée de façon efficace et en faisant sentir qu'il s'agit de soins comme les autres. Elle devrait toutefois porter des gants (comme pendant le reste du bain) afin que la personne se sente plus à l'aise et pour se protéger des infections. Le procédé 37-2 décrit la marche à suivre pour effectuer les soins du périnée.

> **! ALERTE CLINIQUE** *On procède aux soins d'hygiène en allant toujours « de la partie propre à la partie sale ». Chez une femme, on nettoie le périnée de l'avant vers l'arrière ; chez un homme, on nettoie le méat urinaire en effectuant des mouvements circulaires sur le gland, depuis le centre de l'ostium externe de l'urètre.* ■

PROCÉDÉ 37-2

Soins du périnée

Objectifs

- Éliminer du périnée les sécrétions et les odeurs.
- Procurer davantage de confort à la personne.

COLLECTE DES DONNÉES

Évaluez

- La présence d'irritation, d'excoriations, d'inflammation ou de tuméfaction.
- L'abondance des écoulements.
- La présence d'odeurs, de douleurs ou de malaises.
- L'incontinence urinaire ou fécale.

- L'existence d'une chirurgie rectale ou périnéale récente.
- La présence d'une sonde vésicale à demeure.

Déterminez

- Les pratiques de la personne en matière de soins du périnée.
- Les capacités de la personne à effectuer les soins sans aide.

PLANIFICATION

Matériel

Pour des soins du périnée donnés lors d'un bain au lit :

- Serviette de bain
- Drap de bain
- Gants propres
- Bassin rempli d'eau tiède (entre 43 et 46 °C)
- Savon
- Débarbouillette

Pour les soins du périnée seulement :

- Serviette de bain
- Drap de bain

- Gants propres
- Tampons d'ouate ou de gaze
- Récipient à solution, broc ou tout autre contenant rempli d'eau tiède ou de la solution prescrite
- Bassin pour recueillir l'eau de rinçage
- Sac à rebuts résistant à l'humidité ou récipient pour les tampons usagés
- Serviette hygiénique

INTERVENTION

Préparation

- Déterminez si la personne éprouve de l'inconfort dans la région du périnée.
- Préparez le matériel et les fournitures requis.

Exécution

1. Expliquez à la personne ce que vous allez faire, pourquoi vous allez le faire et comment elle peut coopérer, tout en prêtant une attention particulière à la gêne qu'elle peut éprouver.
2. Lavez-vous les mains et observez les autres mesures de prévention des infections (par exemple, mettez des gants propres).
3. Préservez l'intimité de la personne en tirant les rideaux autour du lit ou en fermant la porte de la chambre. Certains établissements fournissent un écriteau indiquant le besoin d'intimité. *L'hygiène est un domaine d'ordre personnel.*
4. Préparez la personne.
   - Repliez le drap de dessus au pied du lit et relevez la chemise de manière

à exposer la région des organes génitaux.
   - Placez une serviette de bain sous les hanches de la personne. *On évite ainsi de souiller la literie.*
5. Aidez la personne à prendre une position appropriée et couvrez-la, puis nettoyez la face interne des cuisses.

Dans le cas d'une femme
- Aidez la femme à s'allonger sur le dos, les genoux fléchis et bien écartés.
- Couvrez le tronc et les jambes avec le drap de bain. Enveloppez les jambes en ramenant les coins inférieurs du drap de bain sous la face intérieure des jambes (figure 37-14 ■). *Moins on découvre la personne, plus elle se sent à l'aise, et plus elle est au chaud.* Ramenez le centre de l'extrémité inférieure du drap de bain sur la région du pubis.
- Mettez des gants, lavez la face interne des cuisses près de l'aine et asséchez.

Dans le cas d'un homme
- Aidez l'homme à s'allonger sur le dos, les genoux légèrement fléchis et les

FIGURE 37-14 ■ Comment couvrir une femme avant de lui donner des soins périnéaux.

hanches légèrement tournées vers l'extérieur.
- Mettez des gants, lavez la face interne des cuisses jusqu'à l'aine et asséchez.
6. Examinez la région du périnée.
   - Notez la présence d'inflammation, d'excoriations ou de tuméfaction, surtout entre les lèvres, chez une femme, et dans les plis du scrotum, chez un homme.

INTERVENTION (suite)

- Recherchez également les écoulements ou les sécrétions abondantes provenant de l'un ou l'autre orifice, ou encore les odeurs particulières.

7. Lavez et asséchez la région du périnée.

Dans le cas d'une femme

- Nettoyez les grandes lèvres, puis écartez-les afin de laver les replis situés entre les grandes et les petites lèvres (figure 37-15 ■). *L'accumulation de sécrétions autour des petites lèvres favorise la croissance bactérienne.*
- Utilisez un coin différent de la débarbouillette pour chaque mouvement et nettoyez en allant du pubis vers l'anus. Durant la menstruation ou dans le cas d'une femme ayant une sonde vésicale à demeure, utilisez des tampons d'ouate ou de la gaze, et changez-en après chaque mouvement. *On prévient ainsi le transfert de microorganismes d'une région à une autre. De plus, il est important de nettoyer de la zone la moins contaminée*

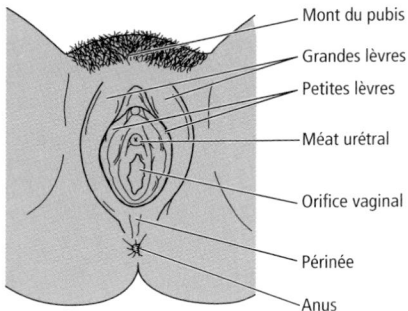

FIGURE **37-15** ■ Organes génitaux externes de la femme.

(le pubis) vers la zone la plus contaminée (l'anus).

- Rincez bien la zone lavée. Vous pouvez placer un bassin sous la femme et utiliser un contenant à solution ou un broc pour verser de l'eau tiède sur la région à rincer. Asséchez bien toute la région du périnée, en prêtant une attention particulière aux replis entre les lèvres. *L'humidité favorise la croissance de plusieurs microorganismes.*

Dans le cas d'un homme

- Lavez et asséchez le pénis en effectuant des mouvements fermes. *Ainsi, on risque moins de provoquer une érection.*
- Si l'homme n'est pas circoncis, rétractez le prépuce de manière à exposer le gland (ou l'extrémité du pénis) pour le nettoyer. Rabattez ensuite le prépuce sur le gland (figure 37-16 ■). *Il est nécessaire de rétracter le prépuce pour éliminer le smegma qui s'accumule à la base du gland, et qui favorise la croissance bactérienne. On rabat le prépuce après le lavage afin de prévenir la constriction du pénis, qui risquerait de causer un œdème.*

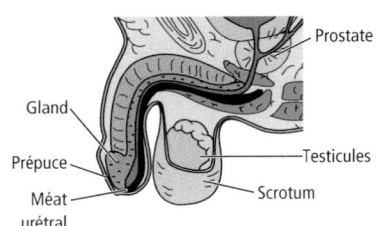

FIGURE **37-16** ■ Organes génitaux externes de l'homme.

- Lavez et séchez le scrotum. On doit parfois laver les replis à l'arrière du scrotum en même temps que les fesses (voir l'étape 9). *En général, le scrotum est plus sale que le pénis, car il est plus proche de l'anus; c'est pourquoi on lave habituellement d'abord le pénis.*

8. Examinez les orifices du périnée pour vous assurer de leur intégrité.

- Examinez notamment la zone qui entoure l'urètre chez les hommes qui ont une sonde vésicale à demeure. *La présence d'un cathéter peut causer une excoriation autour du méat urétral.*

9. Lavez la zone comprise entre les fesses.

- Aidez la personne à se tourner sur le côté de manière à ce qu'elle vous tourne le dos.
- Prêtez une attention particulière à la région de l'anus et, chez l'homme, aux replis situés à l'arrière du scrotum. Si nécessaire, essuyez l'anus avec du papier hygiénique avant de laver cette zone.
- Essuyez la région lavée.
- Durant la menstruation ou chez une femme qui vient d'accoucher, placez au besoin une serviette hygiénique sur le périnée en la déposant de l'avant vers l'arrière. *On prévient ainsi la contamination de l'urètre et du vagin par des microorganismes provenant de la région de l'anus.*

10. Notez tout phénomène anormal : rougeur, excoriations, rupture de la peau, écoulement ou pertes, sensibilité d'une zone quelconque, etc.

ÉVALUATION

- Comparez les données de l'évaluation avec celles des évaluations antérieures.
- Effectuez les soins de suivi requis, par exemple l'application de la pommade prescrite dans le cas d'excoriations.
- Signalez au médecin tout écart par rapport à la normale.

ENSEIGNEMENT. Plusieurs personnes ont besoin d'information au sujet de la sécheresse de la peau, des éruptions cutanées et de l'acné.

Évaluation

À l'aide des données recueillies durant les soins qu'elle a prodigués, l'infirmière juge si les résultats escomptés ont été obtenus. Dans

le cas contraire, elle en cherche les raisons en se posant, par exemple, les questions suivantes :

- A-t-on surestimé les capacités fonctionnelles (physiques, mentales ou émotionnelles) de la personne en matière de soins personnels ?
- Les instructions fournies à la personne manquaient-elles de clarté ?

- A-t-on omis de mettre à la disposition de la personne les aides techniques et les fournitures dont elle avait besoin ?

- L'état de la personne s'est-il dégradé ?

- A-t-on administré à la personne les analgésiques dont elle avait besoin avant de faire sa toilette ?

- Quels médicaments ou traitements prescrits actuellement sont susceptibles d'influer sur les capacités de la personne et sur l'intégrité des tissus ?

- La personne consomme-t-elle les liquides et la nourriture nécessaires pour entretenir un degré adéquat d'humidité et maintenir l'intégrité de la peau et des muqueuses ?

 ## ENSEIGNEMENT

Affections cutanées et soins de la peau

PEAU SÈCHE

- Utiliser une crème nettoyante et hydratante pour la peau plutôt que du savon ou du détergent. Ces produits assèchent la peau et provoquent parfois des réactions allergiques.

- Utiliser de l'huile pour le bain. Prendre les mesures appropriées pour prévenir les chutes, car l'huile rend la baignoire glissante.

- Rincer la peau à fond après avoir utilisé du savon ou du détergent.

- Réduire la fréquence des bains lorsque la température ambiante est fraîche ou si l'air est sec.

- Augmenter l'apport liquidien.

- Humidifier l'air au moyen d'un humidificateur ou en remplissant une cuve ou un évier avec de l'eau.

- Utiliser une crème hydratante ou émolliente à base de lanoline, par exemple, afin que la peau reste humide.

ÉRUPTIONS CUTANÉES

- Maintenir la zone affectée propre en la lavant avec un savon doux. Bien rincer la peau et l'assécher en la tapotant.

- Un bain ou un trempage à l'eau tiède soulage souvent la démangeaison. On peut aussi employer des produits en vente libre, comme la lotion Caladryl, mais il faut d'abord bien se renseigner sur le produit.

- Éviter de gratter la zone affectée afin de prévenir l'inflammation, l'infection et d'autres lésions cutanées.

- Choisir avec soin ses vêtements. Le fait de s'habiller trop chaudement porte à transpirer davantage, ce qui risquerait d'aggraver l'éruption.

ACNÉ

- Se laver souvent le visage avec du savon ou du détergent et de l'eau chaude pour éliminer le sébum et la saleté.

- Éviter d'utiliser des crèmes grasses, qui ne feraient qu'aggraver le problème.

- Éviter d'utiliser des cosmétiques qui obstruent les conduits des glandes sébacées et les follicules pileux.

- Ne jamais pincer ou piquer le site d'une lésion, car cela augmente le risque d'infection et peut causer des cicatrices.

Pieds

Les pieds sont essentiels à la marche ; il faut toujours en prendre soin, même chez les personnes alitées. Chaque pied contient 26 os, 107 ligaments et 19 muscles. Toutes ces structures fonctionnent de concert en position debout ou lors de la marche.

Variations en fonction du stade de développement

Le pied du nouveau-né est relativement peu formé. Les arches sont soutenues par des coussins de tissu adipeux et elles ne prendront leur courbure définitive que vers cinq ou six ans. Durant l'enfance, le port de chaussettes trop serrées et de chaussures mal ajustées risque fort d'endommager les os et les muscles du pied de l'enfant. Si on veut que les pieds se développent normalement, il est important que les arches soient bien soutenues et que rien n'entrave le développement de la structure osseuse et des autres composantes du pied. Celui-ci n'atteint son plein développement que vers l'âge de 20 ans. Des pieds en bonne santé conservent pratiquement la même forme toute la vie. Toutefois, ils requièrent souvent des soins particuliers chez les personnes âgées. Ainsi, la réduction de l'apport sanguin et l'artériosclérose accroissent le risque d'ulcération et d'infection après un traumatisme.

> **! ALERTE CLINIQUE** *Le risque d'amputation des membres inférieurs est très élevé chez les personnes qui souffrent de diabète. Toutefois, l'examen régulier des pieds et l'enseignement des soins appropriés des pieds réduisent considérablement ce risque.* ■

 # DÉMARCHE SYSTÉMATIQUE
dans la pratique infirmière

Collecte des données

L'examen des pieds de la personne comprend l'anamnèse, l'examen physique des pieds et l'évaluation des personnes qui présentent un risque élevé d'affections des pieds.

▣ Anamnèse

L'infirmière détermine les antécédents de la personne en ce qui concerne : (a) les pratiques normales en matière de soins des ongles et des pieds ; (b) le type de chaussures portées ; (c) les capacités en matière de soins personnels ; (d) la présence de facteurs de risque d'affections des pieds ; (e) tout malaise aux pieds ; (f) tout problème apparent concernant la mobilité des pieds. Afin d'obtenir ces données, l'infirmière pose à la personne les questions réunies dans l'encadré *Entrevue d'évaluation – Hygiène des pieds.*

▣ Examen physique

L'infirmière examine la forme et la taille de chaque pied et de chaque orteil, et elle recherche d'éventuelles lésions ; elle palpe

ENTREVUE D'ÉVALUATION

Hygiène des pieds

PRATIQUES EN MATIÈRE DE SOINS DES PIEDS

- À quelle fréquence lavez-vous vos pieds et coupez-vous vos ongles d'orteils ?
- Quels produits d'hygiène utilisez-vous habituellement pour vos pieds (savon, poudre, déodorant pour les pieds, lotion, crème, etc.) ?
- Quels types de chaussures et de bas ou de chaussettes portez-vous ?
- À quelle fréquence changez-vous de bas ou de chaussettes ?
- Marchez-vous parfois pieds nus ? Si oui, quand, où et à quelle fréquence ?

CAPACITÉS EN MATIÈRE DE SOINS DES PIEDS

- Avez-vous de la difficulté à prendre soin de vos pieds ? Si oui, quels problèmes éprouvez-vous ?
- Comment l'infirmière pourrait-elle le mieux vous aider ?

AFFECTIONS DES PIEDS ET FACTEURS DE RISQUE

- Les odeurs que dégagent vos pieds sont-elles incommodantes ?
- Vos pieds vous font-ils mal ? Si oui, dans quelle partie des pieds ressentez-vous de la douleur ? Quand cela arrive-t-il ? Que faites-vous pour soulager les malaises ? Ce problème influe-t-il sur la façon dont vous marchez ?
- Un problème de mobilité (une raideur des articulations, par exemple) vous empêche-t-il de mouvoir vos pieds ?
- Souffrez-vous de diabète ou d'un problème de circulation quelconque au niveau des pieds (œdème, changement de coloration, arthrite, etc.), ou encore vos pieds ont-ils été exposés pendant une longue période à des substances chimiques ou à l'eau ?

chaque pied afin de déterminer la qualité de la circulation et s'il existe des zones sensibles ou de l'œdème. Normalement, les orteils sont droits et plats. Le tableau 37-5 décrit les méthodes d'examen physique des pieds. Les affections courantes des pieds comprennent les durillons, les cors, les odeurs désagréables, les verrues plantaires, les fissures entre les orteils et les dermatomycoses, tel le pied d'athlète. D'autres renseignements sur l'examen physique des pieds sont donnés au chapitre 34 ⬭.

Un **durillon** est une masse kératosique formée par un épaississement de l'épiderme. La majorité des durillons sont indolores et plats ; ils se trouvent sur la surface plantaire ou sur le côté du pied, au-dessus d'une saillie osseuse. Ils sont généralement causés par la pression de la chaussure sur le pied. On amollit les durillons en faisant tremper le pied dans de l'eau tiède additionnée de sels d'Epsom. On peut également les éliminer en les frottant avec une pierre ponce ou un autre abrasif. L'emploi d'une crème à base de lanoline aide à maintenir la peau douce et à prévenir la formation de durillons.

Le **cor** est une forme de kératose causée par le frottement et la pression qu'une chaussure exerce sur le pied. On l'observe fréquemment sur le quatrième ou le cinquième orteil, habituellement sur une saillie osseuse, telle une articulation. Il est généralement de forme conique (à base circulaire et proéminent) : la base constitue la surface du cor et le sommet, qui se trouve dans les tissus plus profonds, est parfois même attaché à un os. Le retrait d'un cor se fait généralement par chirurgie. On prévient la formation d'un nouveau cor en éliminant la pression sur la zone affectée (notamment en portant des chaussures confortables) et en massant les tissus pour activer la circulation. On ne devrait jamais utiliser de pansements anticors ovales, car ils accroissent la pression et ralentissent localement la circulation.

La transpiration et la réaction de la sueur avec des microorganismes créent des *odeurs désagréables,* que l'on peut atténuer en se lavant régulièrement et fréquemment les pieds, et en portant des chaussettes propres. L'emploi de poudre ou de déodorant pour les pieds aide aussi à prévenir ce genre de problèmes.

TABLEAU

Examen des pieds		37-5

Méthode	Résultats normaux	Écart par rapport à la normale
Examiner la peau sur toute la surface des pieds, et en particulier entre les orteils, en prêtant attention à l'état de propreté, à l'odeur, à la sécheresse, à l'inflammation, à l'œdème, à l'érosion et à toute autre lésion.	Intégrité de la peau Absence d'œdème et d'inflammation	Sécheresse excessive Zones enflammées ou œdémateuses (par exemple, cor, durillon) Fissures Desquamation et fendillement de la peau (par exemple, pied d'athlète) Verrue plantaire
Palper les faces antérieure et postérieure des chevilles et des pieds pour vérifier s'il y a de l'œdème.	Absence d'œdème	Œdème prenant le godet
Palper le pouls pédieux, au-dessus du cou-de-pied.	Pouls fort et régulier aux deux pieds	Pouls de faible amplitude ou absence de pouls
Comparer la température cutanée des deux pieds.	Température cutanée moyenne	Diminution de la température cutanée dans un pied ou dans les deux pieds

La **verrue plantaire**, qui apparaît (comme son nom l'indique) sur la plante du pied, est causée par un virus du nom de *Papovavirus hominis* ; elle est modérément contagieuse. Les verrues plantaires sont souvent douloureuses et rendent la marche difficile. Le médecin peut les éliminer par curetage, ou en y appliquant à plusieurs reprises du dioxyde de carbone solide ou de l'acide salicylique.

On observe fréquemment des **fissures** profondes entre les orteils. Elles sont provoquées par la sécheresse et le fendillement de la peau. Le meilleur traitement consiste à avoir une bonne hygiène des pieds et à appliquer un antiseptique pour prévenir l'infection. On applique souvent l'antiseptique à l'aide d'un petit morceau de gaze qu'on laisse entre les orteils, car cela favorise la guérison en permettant à l'air d'atteindre la zone affectée.

Le pied d'athlète, ou **teigne du pied** *(tinea pedis),* est causé par un mycète. Les symptômes sont la desquamation et le fendillement de la peau, surtout entre les orteils. Il se forme parfois de petites cloques remplies d'un liquide clair. Dans certains cas graves, des lésions apparaissent sur d'autres parties du corps, notamment les mains. On traite généralement le pied d'athlète en appliquant une pommade ou une poudre antifongique offerte en vente libre. La prévention est importante et les mesures les plus couramment employées consistent à bien aérer les pieds en permanence, à les assécher à fond après les avoir lavés, à porter des bas ou des chaussettes propres et à ne pas marcher pieds nus dans les douches et les vestiaires publics.

Un **ongle incarné** est un ongle qui s'enfonce en croissant dans les tissus mous bordant le sillon latéral contigu. Il est généralement causé par un ongle mal taillé. Une pression exercée sur la zone affectée cause une douleur localisée. Le traitement consiste à tremper fréquemment l'orteil dans une solution antiseptique chaude ou à couper la partie de l'ongle insérée dans la peau. Pour éviter que de tels problèmes ne se répètent, il faut enseigner à la personne comment tailler ses ongles correctement.

Personnes à risque

Les personnes qui souffrent de diabète ou d'acrosyndrome présentent un risque élevé d'infection en cas de rupture de la peau, car la circulation périphérique est réduite dans les pieds. On peut prévenir bon nombre d'affections des pieds en enseignant à la personne les soins de base des pieds (voir l'encadré *Enseignement – Soins des pieds*).

! ALERTE CLINIQUE   *La peau des personnes qui souffrent de diabète est souvent extrêmement sèche. On devrait leur recommander de ne pas utiliser de lotion parfumée, de n'appliquer aucune lotion entre les orteils et de ne pas faire tremper leurs pieds dans l'eau, car cela assèche la peau.* ■

ENSEIGNEMENT

Soins des pieds

- Se laver les pieds chaque jour et bien les sécher, surtout entre les orteils.
- Lors du lavage des pieds, vérifier la présence de crevasses, de rougeur ou d'œdème. Au besoin, utiliser un miroir pour examiner toute la surface des pieds.
- Afin de prévenir les brûlures, vérifier la température de l'eau avant d'y plonger les pieds.
- Utiliser une crème ou une lotion pour hydrater la peau, ou tremper les pieds dans de l'eau chaude additionnée de sels d'Epsom pour prévenir une sécheresse excessive de la peau. L'emploi de lotion amollit également les durillons. Une lotion contenant à la fois de la lanoline et de l'huile minérale permet de réduire efficacement la sécheresse de la peau.
- Afin de prévenir ou de combattre les odeurs désagréables causées par une transpiration excessive, se laver les pieds fréquemment et changer de bas ou de chaussettes et de chaussures au moins une fois par jour. Il existe aussi des déodorants et de la poudre absorbante pour les pieds qui aident à combattre les odeurs désagréables.
- Limer les ongles d'orteils au lieu de les tailler pour éviter d'endommager la peau. On doit limer l'ongle parallèlement au bord de l'orteil. Si les ongles sont trop épais ou déformés pour qu'on puisse les limer, consulter une infirmière spécialisée en soins des pieds ou un podiatre.
- Mettre des bas ou des chaussettes propres chaque jour. Éviter de porter des bas ou des chaussettes dans lesquels il y a des reprises ou des trous, car ceux-ci créent des zones de pression.
- Porter des chaussures bien adaptées aux pieds. Elles ne doivent pas serrer les pieds ni frotter sur aucune partie du pied, car le frottement risque de provoquer des cors ou des durillons. Vérifier si la doublure des chaussures usagées comporte des irrégularités susceptibles de causer des lésions. Briser des chaussures neuves en les portant de 30 à 60 minutes de plus chaque jour.
- Éviter de marcher pieds nus afin de prévenir les blessures et les infections. Porter des sandales dans les douches et les vestiaires publics afin de prévenir les infections, notamment le pied d'athlète et les verrues plantaires.
- Bouger les pieds plusieurs fois par jour afin d'activer la circulation : pointer les pieds vers le haut, puis vers le bas et effectuer des rotations.
- Éviter de porter des vêtements qui serrent les jambes, comme des mi-bas ; il est préférable de ne pas s'asseoir les jambes croisées au niveau des genoux, car cela ralentit la circulation.
- Si les pieds sont froids, les réchauffer avec une couverture supplémentaire ou en enfilant des chaussettes ou des bas plus chauds plutôt que d'utiliser un coussin chauffant ou une bouillotte, afin de prévenir les brûlures. De plus, vérifier la température de l'eau du bain avant d'entrer dans la baignoire.
- Laver à fond toute coupure au pied, appliquer un antiseptique doux et avertir le médecin.
- Éviter de soigner soi-même les cors et les durillons. Les pierres ponces et certaines pommades pour les durillons ou les cors endommagent la peau. Consulter d'abord un médecin ou un podologue.
- Prévenir le médecin si les pieds présentent une lésion ou un écoulement, s'ils sont douloureux ou si l'on note des variations de la température, de la coloration ou des sensations particulières.

Analyse

Plusieurs diagnostics infirmiers s'appliquent aux personnes souffrant d'une affection des pieds ou éprouvant des difficultés à prendre soin de leurs pieds. Les plus courants sont les suivants, et ils sont associés à différents facteurs connexes ou prédisposants.

- *Déficit de soins personnels : hygiène* (soins des pieds), relié à l'un des facteurs suivants :
  a) Déficience visuelle
  b) Manque de coordination manuelle
  c) Autres facteurs associés ou prédisposants, décrits dans l'encadré 37-1
- *Risque d'atteinte à l'intégrité de la peau*, relié aux facteurs suivants :
  a) Ralentissement de l'irrigation des tissus périphériques (associé à de l'œdème et à un ralentissement de la circulation artérielle)
  b) Chaussures inadéquates
- *Risque d'infection*, relié aux facteurs suivants :
  a) Peau endommagée (ongle incarné, cor, traumatisme)
  b) Déficit de soins des ongles ou des pieds
- *Connaissances insuffisantes*, reliées aux facteurs suivants :
  a) Manque d'enseignement ou d'activités d'apprentissage se rapportant aux soins des pieds chez les personnes atteintes de diabète
  b) Diagnostic récent (de diabète) et manque d'expérience dans la pratique des soins appropriés pour l'hygiène des pieds

L'encadré *Diagnostics infirmiers, résultats de soins infirmiers et interventions* contient des exemples cliniques de collectes des données, accompagnés des diagnostics infirmiers, des résultats de soins et des interventions correspondants.

Planification

La planification comprend : (a) la détermination des interventions infirmières susceptibles d'aider la personne à maintenir ou à adopter des pratiques saines en matière de soins des pieds ; (b) la définition de résultats escomptés pour chaque personne. Les interventions incluent par exemple l'enseignement à la personne de techniques appropriées de soins des ongles et des pieds, de la façon de choisir des chaussures appropriées et de la taille adéquate des ongles, ainsi que plusieurs mesures de prévention des affections du pied (causées par une infection, un traumatisme ou un ralentissement de la circulation, par exemple). Dans le cas d'une personne présentant un déficit de soins personnels, l'infirmière prépare un calendrier pour le trempage des pieds et planifie l'aide nécessaire pour assurer les soins courants et pour tailler les ongles (sauf s'il y a contre-indication). On accomplit souvent les soins des ongles et des pieds à l'occasion du bain, mais on peut planifier ces soins à tout autre moment de la journée et tenir compte des goûts de la personne ou de son emploi du temps. L'infirmière détermine avec la personne la fréquence des soins des pieds selon les données objectives d'évaluation et les problèmes particuliers qu'éprouve la personne. Certaines personnes ont besoin de se laver les pieds une fois par jour, tandis que d'autres doivent le faire plusieurs fois par jour parce qu'elles transpirent abondamment (voir l'encadré *Diagnostics infirmiers, résultats de soins infirmiers et interventions*).

DIAGNOSTICS INFIRMIERS, RÉSULTATS DE SOINS INFIRMIERS ET INTERVENTIONS

Problème relié aux soins des pieds

COLLECTE DES DONNÉES	DIAGNOSTICS INFIRMIERS : DÉFINITION	EXEMPLES DE RÉSULTATS DE SOINS INFIRMIERS [N° CRSI/NOC] : DÉFINITION	INDICATEURS	INTERVENTIONS CHOISIES [N° CISI/NIC] : DÉFINITION	EXEMPLES D'ACTIVITÉS CISI/NIC
Sally Brown a 83 ans ; elle est veuve et vit seule. Elle bénéficie des services d'une aide familiale deux fois par semaine et elle reçoit ses repas à domicile chaque jour. Elle arrive à prendre une douche une fois par semaine avec l'aide de sa fille. Elle souffre de tremblements marqués des mains et elle a des cataractes. Elle affirme : « Je ne vois pas assez bien pour couper mes ongles et, même si j'avais une bonne vue, mes mains tremblent trop. »	*Déficit de soins personnels : se laver et effectuer ses soins d'hygiène* (soins des pieds), relié à une mauvaise coordination des mains et à une déficience visuelle : *Difficulté à se laver et à effectuer ses soins d'hygiène sans aide.*	Soins personnels : apparence [0304] : *Capacité de maintenir une apparence correcte.*	Totalement dépendante : • Soin des ongles.	Hygiène : soins des pieds [1660] : *Nettoyage et inspection des pieds afin de garder la peau propre et saine, et de favoriser la relaxation.*	• Examiner la peau afin de déceler l'irritation, le fendillement, les lésions, la corne, les cors, les déformations ou l'œdème. • Indiquer à la personne et à sa famille l'importance des soins des pieds. • Couper les ongles d'orteil d'une épaisseur normale lorsqu'ils sont ramollis, à l'aide d'un coupe-ongles, en suivant la courbe de l'orteil. • Consulter une infirmière spécialisée en soins des pieds ou un podiatre pour tailler les ongles épais, si nécessaire.

DIAGNOSTICS INFIRMIERS, RÉSULTATS DE SOINS INFIRMIERS ET INTERVENTIONS (SUITE)

Problème relié aux soins des pieds (suite)

COLLECTE DES DONNÉES	DIAGNOSTICS INFIRMIERS : DÉFINITION	EXEMPLES DE RÉSULTATS DE SOINS INFIRMIERS [Nº CRSI/NOC] : DÉFINITION	INDICATEURS	INTERVENTIONS CHOISIES [Nº CISI/NIC] : DÉFINITION	EXEMPLES D'ACTIVITÉS CISI/NIC
Pierre Sylvain est un garçon de 14 ans. Il partage avec sa mère et ses cinq frères et sœurs un trois-pièces dans un immeuble sans ascenseur. La salle de bain, située au bout du couloir, sert également à d'autres locataires. Pierre porte des souliers usés et mal ajustés. Il affirme : « Je ne peux pas me procurer de nouvelles chaussures. »	Risque d'atteinte à l'intégrité de la peau, relié au port de chaussures inadéquates et à un manque d'accès à des installations sanitaires : Situation dans laquelle une personne présente un risque de lésion cutanée.	Intégrité des tissus : peau et muqueuses [1101] : Structure intacte et fonctions physiologiques normales de la peau et des muqueuses.	Non perturbée : • Intégrité de la peau.	Peau : surveillance de l'état de la peau [3590] : Collecte et analyse des données présentes chez une personne afin de préserver l'intégrité de sa peau et de ses muqueuses.	• Vérifier la présence de rougeurs et de lésions cutanées. • Examiner la peau afin de détecter une sécheresse ou une humidité excessive. • Prendre les mesures nécessaires afin de prévenir une détérioration plus importante, au besoin. • Renseigner la personne et les membres de la famille sur les signes indiquant une lésion cutanée, si nécessaire.
Jean Wakefield est un homme de 64 ans chez qui l'on vient de diagnostiquer un diabète. Il affirme avoir entendu parler de cette affection et se dit inquiet, car un ami de son père, qui était aussi atteint de diabète, a dû subir l'amputation d'un pied, puis d'une jambe.	Connaissances insuffisantes (soins des pieds dans le cas d'une personne diabétique), reliées à une interprétation erronée de l'information : Situation d'une personne qui manque d'informations, ou se montre incapable d'expliquer ses connaissances sur un sujet donné.	Connaissances : limite de l'évolution du diabète [1820] : Niveau de compréhension du processus spécifique du diabète et de son contrôle.	Connaissances importantes : • Description des pratiques en matière de soins des pieds visant à prévenir les complications.	Enseignement : processus de la maladie [5602] : Aide apportée à une personne pour qu'elle comprenne l'information relative au processus particulier d'une maladie.	• Évaluer les connaissances actuelles de la personne quant au processus particulier au diabète. • Décrire le processus du diabète, si nécessaire. • Discuter des changements souhaitables du mode de vie pour prévenir des complications futures ou limiter l'évolution de la maladie. • Décrire la raison d'être des recommandations faites au sujet des soins des pieds. • Informer la personne des signes qu'elle doit signaler à la personne soignante, si nécessaire.

Interventions

Le procédé 37-3 explique comment donner les soins des pieds (pour le soin des ongles, voir la prochaine section). Durant ces interventions, l'infirmière a l'occasion d'enseigner à la personne des techniques appropriées de soins des pieds, c'est-à-dire des méthodes visant à prévenir les lésions tissulaires et l'infection (voir plus haut l'encadré *Enseignement – Soins des pieds*).

PROCÉDÉ 37-3

Soins des pieds

Objectifs
- Préserver l'intégrité de la peau des pieds.
- Prévenir les infections aux pieds.
- Prévenir les odeurs dégagées par les pieds.
- Évaluer ou surveiller les problèmes reliés aux pieds.

Déterminez

- Tout problème antérieur relatif aux pieds, telles les odeurs, la douleur, la mauvaise circulation sanguine (œdème, changement de la coloration ou de la température de la peau, douleur, etc.) et la structure (hallux valgus [oignon], orteil en marteau, orteils qui se chevauchent, etc.).
- Les pratiques habituelles en matière de soins des pieds, par exemple la fréquence à laquelle la personne se lave les pieds et taille les ongles de ses orteils ; les produits d'hygiène employés pour les pieds ; la fréquence avec laquelle elle change de bas ou de chaussettes ; s'il lui arrive de marcher pieds nus ; si elle consulte une infirmière spécialisée en soins des pieds ou un podiatre.

Évaluez

- L'état de propreté, l'odeur, la sécheresse et l'intégrité de la peau des pieds.
- La forme et la taille de chaque pied et de chaque orteil, de même que la présence de lésions (cors, durillons, verrues, éruptions), de zones sensibles ou d'œdème au niveau des chevilles.
- La température de la peau de chaque pied, afin d'évaluer la qualité de la circulation et de prendre le pouls pédieux.
- Les capacités en matière de soins des pieds (c'est-à-dire toute difficulté à effectuer correctement les soins des pieds).

Matériel

- Cuvette remplie d'eau tempérée
- Oreiller
- Piqué imperméable jetable
- Serviettes

- Savon
- Débarbouillette
- Trousse pour nettoyer et tailler les ongles
- Lotion ou poudre pour les pieds

Exécution

1. Expliquez à la personne ce que vous allez faire, pourquoi vous allez le faire et comment elle peut coopérer.
2. Lavez-vous les mains et observez les autres mesures de prévention des infections (par exemple, mettez des gants propres).
3. Préservez l'intimité de la personne en tirant les rideaux autour du lit ou en fermant la porte de la chambre.
4. Préparez le matériel et la personne.
   - Remplissez la cuvette d'eau tiède (entre 40 et 43 °C). *L'eau tiède active la circulation, soulage et rafraîchit.*
   - Aidez la personne ambulatoire à s'asseoir dans un fauteuil, et la personne alitée à s'allonger sur le dos ou en position semi-Fowler.
   - Placez un oreiller sous les genoux de la personne, si elle est alitée. *On soutient ainsi les jambes de la personne, ce qui prévient la fatigue musculaire.*
   - Placez la cuvette sur le piqué imperméable, au pied du lit si la personne est alitée, et sur le plancher, devant le fauteuil, s'il s'agit d'une personne ambulatoire.
   - Si la personne est alitée, matelassez le rebord de la cuvette à l'aide d'une serviette. *On évite ainsi d'exercer une pression excessive sur la peau.*
5. Lavez un pied et laissez-le tremper.
   - Placez un pied de la personne dans la cuvette et lavez-le avec du savon en faisant particulièrement attention aux espaces interdigitaux. Chez les personnes atteintes de diabète, il n'est

généralement pas recommandé de laisser tremper le pied trop longtemps. *Un trempage prolongé élimine les huiles naturelles de la peau, qui devient alors sèche, ce qui augmente le risque de fendillement et de lésions.*
   - Rincez bien le pied pour éliminer le savon. *Celui-ci irrite la peau si on ne l'élimine pas.*
   - Frottez les zones du pied couvertes de durillons avec la débarbouillette. *Cela contribue à éliminer les couches de peau morte.*
   - Si les ongles sont cassants ou épais et qu'ils ont besoin d'être taillés, changez l'eau de la cuvette et faites tremper le pied de 10 à 20 minutes. *Le trempage amollit les ongles et déloge les débris accumulés sous ces derniers.*
   - Nettoyez les ongles avec un bâtonnet pour manucure, si nécessaire. *On élimine ainsi les débris qui abritent des microorganismes.*
   - Sortez le pied de l'eau et placez-le sur la serviette.
6. Séchez le pied et appliquez de la lotion ou de la poudre.
   - Tapotez doucement le pied avec la serviette de manière à bien l'assécher, surtout entre les orteils. *On risque d'endommager la peau si on frotte vigoureusement ; toutefois, le fait de bien assécher la peau réduit le risque d'infections.*
   - Appliquez de la lotion ou de la crème à base de lanoline. *On lubrifie ainsi la peau sèche.*
   ou

   - Appliquez une poudre pour les pieds contenant un déodorant non irritant si la personne transpire abondamment. *Les poudres pour les pieds ont un plus grand pouvoir d'absorption que la poudre ordinaire pour le bain et certaines contiennent du menthol, qui procure une sensation de fraîcheur.*
7. Si l'établissement de soins de santé le permet, taillez les ongles du premier pied pendant que le second trempe.
   - Dans la section suivante sur les ongles, on décrit la façon correcte de tailler ceux-ci. Il est à noter que dans plusieurs établissements, on taille les ongles d'une personne seulement si le médecin le prescrit. D'autres établissements interdisent la taille des ongles chez les personnes atteintes de diabète ou d'une infection des orteils, à moins qu'elle ne soit effectuée par un podologue, un généraliste ou une infirmière clinicienne spécialisée en soins des pieds.
8. Notez toute observation concernant un problème relié aux soins des pieds.
   - On ne fait habituellement pas état des soins des pieds dans le dossier, à moins d'avoir observé un problème particulier.
   - Notez tout signe d'inflammation, d'infection, de rupture de la peau, de cors, de durillons douloureux ou gênants, d'hallux valgus et de zones soumises à une pression. Ces observations sont particulièrement importantes chez les personnes atteintes de diabète.

PROCÉDÉ 37-3 (SUITE)

Soins des pieds (suite)

ÉVALUATION

- Examinez les ongles et la peau après avoir fait tremper les pieds.
- Comparez les observations avec les données d'évaluations antérieures, si elles sont disponibles.

- Avertissez le médecin si vous observez une anomalie quelconque.

Évaluation

Pour ce qui est des résultats escomptés en matière de soins des pieds, la personne devrait en autres être capable de :

- Participer à ses soins d'hygiène (soins des pieds) dans la pleine mesure de ses capacités.
- Décrire les interventions, notamment en matière de soins d'hygiène (porter des chaussures adéquates, par exemple), qui visent à conserver l'intégrité de la peau, à prévenir les infections et à maintenir l'irrigation des tissus périphériques.
- Démontrer une excellente hygiène des pieds, par les résultats suivants :
  a) L'intégrité de la peau, qui est rosée, lisse, douce, hydratée et chaude.
  b) L'intégrité des cuticules et de la peau entourant les ongles.
  c) Des pratiques adéquates en matière de soins des pieds et des ongles.

Ongles

Les ongles sont généralement présents à la naissance. Ils croissent toute la vie et changent très peu jusqu'à un âge avancé. Ils ont ensuite tendance à durcir, à devenir plus cassants et, chez certains individus, à épaissir. Les ongles d'une personne âgée poussent habituellement moins vite que ceux d'un individu jeune, et ils sont parfois rainurés.

DÉMARCHE SYSTÉMATIQUE
dans la pratique infirmière

Collecte des données

Au cours de l'anamnèse, l'infirmière tente de déterminer les pratiques habituelles de la personne en matière de soins des ongles, ses capacités et tout problème associé à ce type de soins (voir l'encadré *Entrevue d'évaluation – Hygiène des ongles*). L'examen physique comprend l'inspection des ongles (par exemple, la forme et la texture des ongles, la couleur du lit des ongles, les tissus entourant les ongles) (voir aussi le chapitre 34 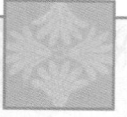).

Analyse

Les diagnostics infirmiers se rapportant aux soins des ongles et aux problèmes associés aux ongles comprennent : *Déficit de soins personnels* et *Risque d'infection*. Voici des exemples de facteurs favorisants associés à ces diagnostics.

- *Déficit de soins personnels : soigner son apparence,* relié à :
  a) Une déficience visuelle
  b) Une coordination des mains défaillante
- *Risque d'infection* autour du lit de l'ongle, relié à :
  a) Une atteinte à l'intégrité de la peau des cuticules
  b) Une altération de la circulation périphérique

Planification

L'infirmière établit des mesures susceptibles d'aider la personne à acquérir ou à conserver des pratiques saines en matière de soins des ongles, et elle prépare un calendrier des soins des ongles.

Interventions

Pour les soins des ongles, l'infirmière a besoin d'un coupe-ongles, d'une lime, d'un bâtonnet pour repousser les cuticules, d'une lotion pour les mains ou d'huile minérale pour lubrifier les tissus entourant les ongles s'ils sont asséchés. Elle a également besoin d'un bassin rempli d'eau pour faire tremper les ongles s'ils sont particulièrement épais ou durs.

On met une main (ou un pied) à tremper, si nécessaire, puis on la sèche ; on coupe ensuite un ongle ou on le lime en ligne droite, au-delà de la pointe du doigt ou de l'orteil (figure 37-17 ■). Il faut éviter d'entamer les coins des ongles, car cela favorise la formation

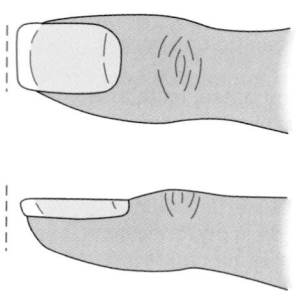

FIGURE **37-17** ■ Tailler les ongles des doigts en ligne droite.

ENTREVUE D'ÉVALUATION

Hygiène des ongles

- Quelles sont vos pratiques habituelles en matière de soins des ongles ?
- Avez-vous une difficulté quelconque à prendre soin de vos ongles ? Si oui, laquelle ?
- Avez-vous déjà souffert d'un problème avec vos ongles (par exemple, une inflammation des tissus entourant un ongle, une blessure, une exposition prolongée à l'eau ou à une substance chimique, un problème circulatoire) ?

d'ongles incarnés. Au lieu de tailler les ongles, on devrait plutôt les limer, surtout chez les personnes atteintes de diabète ou d'une affection de la fonction vasculaire, afin d'éviter d'endommager accidentellement les tissus avec les ciseaux. On arrondit finalement les coins de l'ongle à la lime, puis on nettoie sous l'ongle. L'infirmière repousse ensuite doucement la cuticule en prenant soin de ne pas l'endommager. Elle procède de la même façon pour le doigt ou l'orteil suivant. Elle note toute anomalie, telles une infection des cuticules ou une inflammation des tissus entourant l'ongle, puis elle avertit l'infirmière responsable.

Évaluation

Voici quelques exemples de résultats escomptés en matière de soins des ongles. La personne devrait être capable de :

- Démontrer des pratiques saines en matière de soins des ongles, par les résultats suivants :

  a) Des ongles propres et courts, et aux arêtes lisses

  b) L'intégrité des cuticules et une bonne hydratation de la peau entourant les ongles

- Décrire des facteurs prédisposants à des affections des ongles.
- Décrire des interventions destinées à prévenir une affection des ongles.
- Effectuer les soins de ses ongles comme on le lui a enseigné.

De plus, les lits des ongles de la personne devraient être rosés et ils devraient reprendre rapidement cette couleur après le test du retour capillaire.

Bouche

Chaque dent se compose de trois parties : la couronne, la racine et la chambre pulpaire (figure 37-18 ■). La couronne est la partie visible de la dent, qui s'élève au-dessus de la gencive. Elle est recouverte d'une substance dure, appelée émail. La partie interne de la couronne, située sous l'émail et de couleur ivoire, est la dentine. La racine de la dent est ancrée dans la mâchoire et est recouverte d'une substance ressemblant au tissu osseux, appelée cément. La chambre pulpaire, au centre de la dent, contient les vaisseaux sanguins et les nerfs.

Variations en fonction du stade de développement

Les dents font éruption vers l'âge de cinq à huit mois. Le syndrome du biberon entraîne parfois la dégradation de toutes les dents supérieures et des dents postérieures inférieures (Pillitteri, 2003, p. 824). On observe cette affection chez les nourrissons à qui l'on donne un biberon d'eau sucrée, de lait maternisé, de lait ou de jus de fruit au moment de les mettre au lit. Les acides résultant de la dégradation des glucides présents dans ces liquides provoquent la déminéralisation de l'émail, et favorisent l'apparition de caries.

Lorsque l'enfant atteint l'âge de deux ans, ses 20 dents temporaires ont normalement déjà fait éruption (figure 37-19 ■). Vers l'âge de six à sept ans, les dents déciduales commencent à tomber et sont graduellement remplacées par les 32 dents permanentes (figure 37-20 ■). À l'âge de 25 ans, la majorité des individus ont toutes leurs dents permanentes.

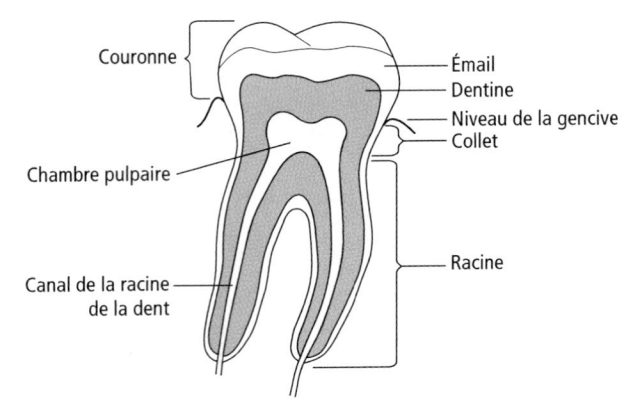

FIGURE **37-18** ■ Composantes anatomiques de la dent.

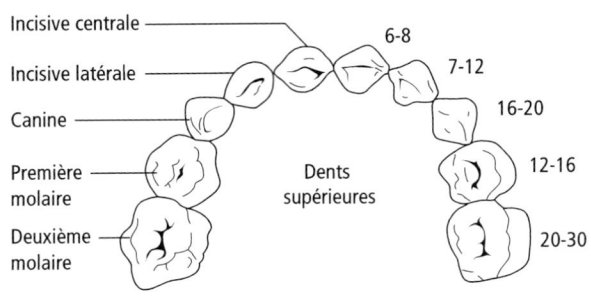

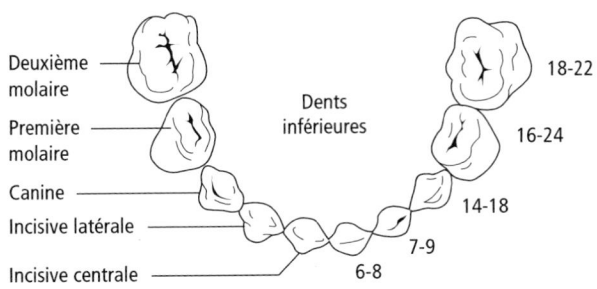

FIGURE **37-19** ■ Dents temporaires et âge (en mois) où elles font éruption.

La **parodontopathie** (affection des gencives) est particulièrement fréquente chez les femmes enceintes, car l'accroissement de la sécrétion d'hormones agit sur les tissus gingivaux,

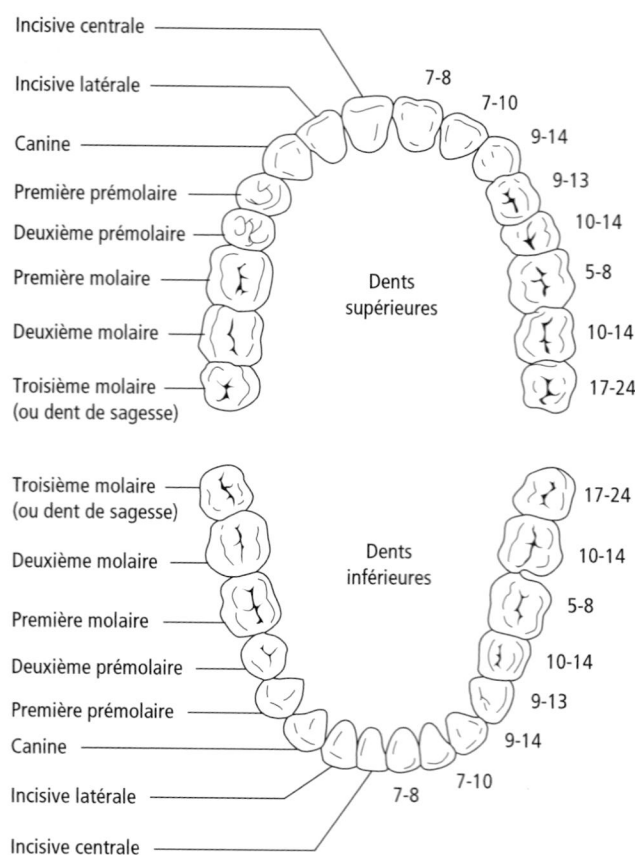

FIGURE **37-20** ▪ Dents permanentes et âge (en années) où elles font éruption.

CONSIDÉRATIONS CULTURELLES

Dentition

- Il est rare qu'un bébé de race blanche ait des dents à la naissance, mais il en est autrement pour les nourrissons des peuples tlingit (des Amérindiens qui vivent en Alaska) et inuit.

- Les dimensions des dents varient selon la race. Les Blancs ont les dents les plus petites, suivis des Noirs, puis des Asiatiques et, enfin, des autochtones d'Amérique du Nord.

- La carie dentaire est plus fréquente chez les personnes de race blanche que chez celles de race noire. Davantage de Blancs que d'Afro-Canadiens perdent toutes leurs dents, même si la parodontopathie est plus fréquente chez ces derniers. Selon certains auteurs, ces différences de susceptibilité à la carie tiendraient au fait que l'émail des dents est plus dur et plus dense chez les Afro-Canadiens.

Source : *Transcultural Concepts in Nursing Care,* 4e éd., de M. M. Andrews et J. S. Boyle, 2003, Philadelphie : Lippincott Williams & Wilkins, p. 62.

qui sont alors davantage affectés par la plaque dentaire. Durant la grossesse, plusieurs femmes sont sujettes à une augmentation des saignements du sillon gingival quand elles se brossent les dents, et leurs **gencives** sont rouges et tuméfiées.

Certaines personnes âgées n'ont plus que quelques dents permanentes et bon nombre portent une prothèse dentaire. La parodontopathie est la principale cause de la perte des dents, plutôt que la **carie dentaire**; toutefois, les affections des gencives sont également fréquentes chez les adultes d'âge moyen.

Le vieillissement entraîne une régression plus ou moins marquée des gencives, qui prennent de plus une teinte brunâtre. Comme la production de salive diminue, les personnes âgées souffrent fréquemment de sécheresse de la muqueuse buccale.

DÉMARCHE SYSTÉMATIQUE
dans la pratique infirmière

Collecte des données

L'évaluation clinique de la bouche et des pratiques d'hygiène buccodentaire d'une personne comprend l'anamnèse, l'examen physique de la bouche et l'évaluation des personnes présentant un risque d'affection buccodentaire.

▪ Anamnèse

Au cours de l'anamnèse, l'infirmière recueille des données sur les pratiques de la personne concernant l'hygiène buccodentaire, notamment les visites chez le dentiste, les capacités à assurer ces soins et l'occurrence actuelle ou passée d'affections de la bouche. Ces données aident l'infirmière à déterminer les besoins de la personne en matière d'enseignement et à planifier les soins nécessaires. L'évaluation des capacités relatives aux soins personnels sert à établir le type d'aide à fournir. L'infirmière doit généralement aider les personnes aux prises avec une mauvaise coordination des mains ou qui souffrent d'un déficit cognitif. Elle doit également porter assistance à celles qui manquent d'énergie ou de motivation par suite d'une affection ou d'une limitation des activités imposée par une thérapie. Les informations sur les affections actuelles ou antérieures indiquent à l'infirmière la nature exacte des interventions à mettre en œuvre ou des services vers lesquels orienter ces personnes. L'encadré *Entrevue d'évaluation – Hygiène buccodentaire* propose un certain nombre de questions qui permettent d'obtenir de tels renseignements.

▪ Examen physique

Le chapitre 34 ⬡⬡ contient des informations sur l'examen physique de la bouche. La carie dentaire et la parodontopathie sont les deux affections des dents les plus courantes et sont toutes deux associées à la plaque dentaire et au dépôt de tartre. La **plaque dentaire** est un film *translucide* et mou qui adhère à l'émail des dents ; elle est constituée de bactéries, de molécules de salive, de résidus alimentaires, de débris de cellules épithéliales et de leucocytes. Si on n'élimine pas la plaque, elle se transforme en **tartre**, qui forme sur le rebord marginal de la gencive un dépôt visible et dur composé de morceaux de plaque calcifiés et de bactéries mortes. L'accumulation de tartre finit par empêcher les dents d'adhérer solidement à la gencive et contribue, éventuellement, à détruire les tissus osseux. Les principales manifestations de la parodontopathie sont la **gingivite** (rougeur et tuméfaction des gencives), des saignements, une régression du rebord marginal du sillon gingival et la formation de poches d'infection entre la dent et la gencive. La **pyorrhée** est un stade avancé de la parodontopathie, caractérisé par un ébranlement des dents atteintes et par une suppuration que l'on observe lorsqu'on presse la gencive. Le tableau 37-6 énumère d'autres affections de la bouche.

■ Personnes à risque

Certaines personnes sont prédisposées aux affections buccodentaires parce qu'elles manquent de connaissances en la matière, ou parce qu'elles sont incapables d'effectuer ces soins. C'est le cas notamment des personnes gravement malades, confuses, comateuses, déprimées ou déshydratées. De plus, les personnes qui ont une sonde nasogastrique et celles qui sont sous oxygénothérapie risquent de souffrir d'un assèchement de la muqueuse buccale, surtout si elles respirent par la bouche. Celles qui ont subi une chirurgie de la bouche ou de la mâchoire doivent recevoir des soins buccodentaires méticuleux afin de prévenir les infections.

! ALERTE CLINIQUE *Les personnes vivant en établissement de soins de longue durée présentent un risque élevé d'affections buccodentaires. L'infirmière doit évaluer la santé buccodentaire de ces personnes, enseigner au personnel infirmier des méthodes de promotion de l'hygiène buccodentaire et insister sur l'importance de la prévention.* ■

Même des personnes apparemment en bonne santé présentent parfois des risques. Il faut en effet tenir compte d'autres variables de risque élevé, tels un régime alimentaire inadéquat, des ressources financières insuffisantes ou l'absence d'assurance dentaire, une consommation abusive de sucre raffiné et des antécédents familiaux de parodontopathie. Certaines personnes âgées sont également à risque, notamment celles qui consomment beaucoup d'aliments riches en sel ou en sucre (qui érodent l'émail des dents)

ENTREVUE D'ÉVALUATION

Hygiène buccodentaire

PRATIQUES EN MATIÈRE D'HYGIÈNE BUCCODENTAIRE
- Quelles sont vos pratiques habituelles en matière de soins de la bouche et des dents ?
- Quels produits d'hygiène utilisez-vous régulièrement (rince-bouche, type de dentifrice, soie dentaire, produits pour nettoyer les prothèses) ?
- À quand remonte votre dernier examen dentaire et à quelle fréquence consultez-vous un dentiste ?

CAPACITÉS EN MATIÈRE DE SOINS BUCCODENTAIRES
- Avez-vous des difficultés à accomplir vos soins buccodentaires ?

AFFECTIONS ACTUELLES OU ANTÉRIEURES DE LA BOUCHE
- Avez-vous déjà eu ou avez-vous actuellement un problème de nature buccodentaire, par exemple des saignements, de la tuméfaction ou de la rougeur des gencives, des ulcères, des nodules (petites masses) ou de la douleur aux dents ?

TABLEAU

37-6

Affections courantes de la bouche		
Affection	**Description**	**Interventions infirmières**
Mauvaise haleine		Enseigner les soins buccodentaires appropriés ou assurer régulièrement de tels soins.
Glossite	Inflammation de la langue.	Voir ci-dessus.
Gingivite	Inflammation des gencives.	Voir ci-dessus.
Parodontopathie	Les gencives prennent un aspect spongieux et saignent.	Voir ci-dessus.
Rougeur ou excoriations de la muqueuse buccale		Vérifier si la personne porte une prothèse dentaire mal ajustée.
Sécheresse excessive de la muqueuse buccale		Augmenter l'apport liquidien si l'état de santé le permet.
Cheïlose	Fendillement des lèvres.	Lubrifier les lèvres ; appliquer une pommade anti-microbienne pour prévenir les infections.
Carie dentaire	Les parties cariées de la dent prennent une teinte foncée. Affection parfois douloureuse.	Conseiller à la personne de consulter un dentiste.
Crasse	Accumulation dans la bouche de matières putrides (aliments, microorganismes, débris de cellules épithéliales).	Enseigner les soins buccodentaires appropriés ou assurer régulièrement de tels soins.
Stomatite	Inflammation de la muqueuse buccale.	Enseigner les soins buccodentaires appropriés ou assurer régulièrement de tels soins.
Parotidite	Inflammation des glandes parotides (glandes salivaires).	Enseigner les soins buccodentaires appropriés ou assurer régulièrement de tels soins.

pour rehausser le goût des aliments par suite d'une diminution du nombre des papilles gustatives. La baisse de la production de salive, qui entraîne la sécheresse de la bouche et l'amincissement de la muqueuse buccale, constitue un autre facteur de risque pour ce groupe d'âge.

Plusieurs autres facteurs contribuent à accentuer la sécheresse de la bouche, parmi lesquels on peut mentionner : un apport liquidien insuffisant, l'abus du tabac, la consommation d'alcool et d'aliments très salés, l'anxiété et plusieurs médicaments, dont les diurétiques, les laxatifs (consommés de manière excessive) et certains tranquillisants, tels la chlorpromazine (Largactil) et le diazépam (Valium). Certains agents chimiothérapeutiques anticancéreux causent également la sécheresse et des lésions buccales. L'hyperplasie des gencives est un effet secondaire courant de la phénytoïne (Dilantin), un anticonvulsivant. Dans tous ces cas, une excellente hygiène buccodentaire (par exemple, le brossage des dents à l'aide d'une brosse souple et l'utilisation de soie dentaire) est essentielle.

La radiothérapie dans la région de la tête ou du cou risque de causer des dommages permanents aux glandes salivaires. Il s'ensuit une grande sécheresse de la bouche, que l'on peut traiter en donnant de la *salive artificielle*, un liquide dont la viscosité ressemble à celle de la salive. Certaines personnes préfèrent toutefois siroter du liquide pour humecter leur bouche. Les radiations sont également potentiellement nocives pour les dents et la structure des mâchoires, bien que les dommages ne surviennent vraiment que des années plus tard.

Analyse

Trois diagnostics infirmiers se rapportent aux problèmes relatifs à l'hygiène buccodentaire et aux affections de la bouche : *Déficit de soins personnels*, *Atteinte de la muqueuse buccale* et *Connaissances insuffisantes*. Il est à noter que NANDA (2004) inclut l'hygiène buccodentaire dans le diagnostic *Déficit de soins personnels : se laver et effectuer ses soins d'hygiène*. Dans le présent manuel, nous appliquons le diagnostic *Déficit de soins personnels : hygiène buccodentaire* aux personnes incapables d'effectuer seules leurs soins buccodentaires, ce qui comprend l'incapacité de se brosser les dents, d'utiliser la soie dentaire ou de nettoyer sa prothèse dentaire.

Le diagnostic infirmier *Atteinte de la muqueuse buccale* désigne une rupture des couches tissulaires des lèvres et de la cavité buccale. En voici quelques manifestations : langue saburrale (ou chargée) ; sécheresse de la bouche ; carie dentaire ; mauvaise haleine ; gingivite ; plaque dentaire, douleur buccale, gêne, érythème, lésions ou ulcères buccaux ; absence ou diminution de la sécrétion salivaire. Ces symptômes résultent notamment d'une mauvaise hygiène buccale, d'un traumatisme buccal et de la sécheresse de la bouche (aussi qualifiée de xérostomie) consécutive à différents problèmes, telles la respiration par la bouche, l'oxygénothérapie, la diminution de la salivation, une fièvre très élevée et une ordonnance *nil per os* (NPO). La muqueuse buccale risque également d'être endommagée par divers facteurs mécaniques (chirurgie buccodentaire et maxillaire, sonde endotrachéale ou nasogastrique, dents brisées ou appareil dentaire inadapté), des facteurs chimiques (par exemple, effets secondaires de médicaments), ou encore par les radiations administrées au cours de traitements de la tête ou du cou. Il est question du diagnostic infirmier *Connaissances insuffisantes* dans le chapitre 25 🔗.

L'encadré *Diagnostics infirmiers, résultats de soins infirmiers et interventions* contient des exemples cliniques de collectes des données, accompagnés des diagnostics infirmiers, des résultats de soins et des interventions correspondants.

Planification

Lors de la planification des soins, l'infirmière et, s'il y a lieu, la personne et sa famille associent des résultats escomptés à chaque diagnostic infirmier. L'infirmière entreprend ensuite des interventions et des activités qui permettront d'atteindre ces résultats.

Durant la phase de planification, l'infirmière détermine également les interventions susceptibles d'aider la personne à atteindre les objectifs fixés. Les démarches suivantes font partie des activités particulières que l'infirmière peut effectuer :

- Vérifier deux fois par jour si la personne présente une sécheresse de la muqueuse buccale.
- Surveiller les signes et les symptômes de glossite (inflammation de la langue) et de stomatite (inflammation de la bouche).
- Aider la personne dépendante à effectuer ses soins buccodentaires.
- Prodiguer des soins d'hygiène buccale particuliers à la personne affaiblie, inconsciente, ou souffrant de lésions de la muqueuse buccale ou d'autres tissus de la bouche.
- Enseigner à la personne des pratiques adéquates en matière d'hygiène buccodentaire et d'autres mesures de prévention de la carie dentaire.
- Répéter le programme d'hygiène buccodentaire quand la personne reçoit son congé.

Interventions

Une bonne hygiène buccodentaire comprend, quotidiennement, la stimulation des gencives, le brossage mécanique des dents, l'utilisation de soie dentaire et le rinçage de la bouche. L'infirmière a souvent l'occasion de promouvoir une bonne hygiène buccodentaire. Elle aide les personnes à se nettoyer les dents et la bouche ou leur enseigne à le faire ; elle vérifie si les personnes (surtout les enfants) ont accompli ces soins ou les prodigue directement aux personnes malades ou handicapées. Par ailleurs, l'infirmière contribue à reconnaître les problèmes qui nécessitent l'intervention d'un dentiste ou d'un chirurgien stomatologiste ; elle voit également aux demandes de consultation.

▦ Promotion de la santé buccodentaire à travers les âges de la vie

L'un des principaux rôles de l'infirmière en matière de promotion de la santé buccodentaire est d'enseigner aux personnes les mesures appropriées d'hygiène buccodentaire.

NOURRISSONS ET TROTTINEURS. La majorité des dentistes recommandent de commencer à donner des soins dentaires dès l'éruption de la première dent, et cela chaque fois que le nourrisson s'est alimenté. On nettoie les dents à l'aide d'une débarbouillette mouillée ou d'un petit carré de gaze imbibé d'eau, par exemple.

Les caries dentaires sont fréquentes chez les trottineurs. Elles résultent souvent de l'abus de sucreries ou de l'utilisation prolongée

DIAGNOSTICS INFIRMIERS, RÉSULTATS DE SOINS INFIRMIERS ET INTERVENTIONS

Problème relié aux soins buccodentaires

COLLECTE DES DONNÉES	DIAGNOSTICS INFIRMIERS : DÉFINITION	EXEMPLES DE RÉSULTATS DE SOINS INFIRMIERS [Nº CRSI/NOC] : DÉFINITION	INDICATEURS	INTERVENTIONS CHOISIES [Nº CISI/NIC] : DÉFINITION	EXEMPLES D'ACTIVITÉS CISI/NIC
Marie Brien, âgée de 77 ans, a été victime d'un accident vasculaire cérébral. Elle est inconsciente et respire par la bouche à l'aide d'un masque à oxygène. On lui a prescrit 2 500 mL de soluté par jour.	*Déficit de soins personnels : hygiène buccodentaire*, relié à une incapacité cognitive (inconscience) : *Difficulté à se laver et à effectuer ses soins d'hygiène sans aide.*	Soins personnels : hygiène buccodentaire [0308] : *Capacité de prendre soin de sa bouche et de ses dents.*	Est totalement dépendante : • Nettoyer la bouche, les gencives et la langue.	Soins buccodentaires [1710] : *Mise en œuvre de moyens destinés à assurer et à favoriser l'hygiène buccodentaire chez une personne susceptible de présenter des lésions buccales ou dentaires.*	• Établir un programme de soins buccaux. • Appliquer au besoin un lubrifiant pour humidifier les lèvres et la muqueuse buccale. • Surveiller les signes et symptômes de glossite et de stomatite.
Marcel Beaudoin est âgé de 46 ans ; il vient d'être hospitalisé pour une fracture du fémur. Ses dents sont tachées parce qu'il fume beaucoup. Sa deuxième molaire inférieure gauche présente une grosse carie ; du tartre s'est accumulé le long du rebord marginal des gencives, et Marcel a très mauvaise haleine. Les gencives sont rouges par endroit et elles saignent quand il utilise la soie dentaire. Il affirme : « Je n'arrive pas à me souvenir quand j'ai vu un dentiste pour la dernière fois. »	*Atteinte de la muqueuse buccale*, reliée à une mauvaise hygiène buccale : *Rupture des couches tissulaires au niveau des lèvres ou de la cavité buccale.*	Santé buccodentaire [1100] : *État de la bouche, des dents, des gencives et de la langue.*	Non perturbé : • Propreté des dents. • Propreté des gencives. • Absence de mauvaise haleine. • Absence de saignements.	Rétablissement de la santé buccodentaire [1730] : *Mise en application de mesures destinées à guérir une lésion de la muqueuse buccale ou des dents.*	• Utiliser une brosse à dents à poils souples pour enlever les débris alimentaires. • Utiliser de petites brosses ou des tampons en mousse jetables afin de stimuler la circulation dans les gencives et de nettoyer la cavité buccale. • Encourager l'utilisation de soie dentaire non cirée deux fois par jour. • Décourager l'usage de la cigarette. • Répéter le programme d'hygiène buccodentaire quand la personne reçoit son congé.

du biberon pendant la sieste et au coucher. L'infirmière devrait faire aux parents les recommandations suivantes, afin de promouvoir et de préserver la santé dentaire des trottineurs :

- À partir de 18 mois environ, nettoyer les dents de l'enfant avec une brosse souple, en n'utilisant d'abord que de l'eau, puis plus tard du dentifrice fluoré.
- Donner un supplément de fluor chaque jour ou selon la recommandation du médecin ou du dentiste, à moins que l'eau potable ne soit fluorée.
- Prévoir une première visite chez le dentiste vers l'âge de deux à trois ans, soit dès que toutes les dents temporaires sont sorties.

- Certains dentistes recommandent un premier examen vers l'âge de 18 mois afin que l'enfant ait une première impression agréable de l'examen dentaire.
- Consulter un professionnel s'il survient une affection quelconque, par exemple la dyschromie dentaire ou l'écaillement des dents, ou encore si l'on observe des signes d'infection, comme de la rougeur ou de l'œdème.

ENFANTS D'ÂGE PRÉSCOLAIRE OU SCOLAIRE. Étant donné que les dents déciduales servent de guides aux dents permanentes lorsqu'elles font éruption, il est essentiel de maintenir

les premières dents en bon état au moyen de soins dentaires. Si une dent déciduale est anormalement plantée ou tombe prématurément, il peut en résulter un mauvais alignement des dents permanentes. L'administration de fluor (si l'eau consommée à la maison n'en contient pas) est également importante au cours de l'enfance pour prévenir la carie dentaire. Il faut enseigner aux enfants d'âge préscolaire à se brosser les dents après chaque repas et à ne pas consommer trop de sucre raffiné. Les parents doivent souvent s'assurer que les enfants accomplissent correctement leurs soins buccodentaires. Il est par ailleurs essentiel de procéder à des examens dentaires réguliers durant les années où les dents permanentes commencent à pousser.

ADOLESCENTS ET ADULTES. On devrait évaluer le régime alimentaire et les soins buccodentaires des adolescents et des adultes et insister sur l'importance de ces deux éléments. L'encadré *Enseignement – Mesures de prévention de la carie dentaire* décrit ce qu'il faut faire pour prévenir la carie dentaire et la parodontopathie.

Brossage des dents et utilisation de la soie dentaire

Le brossage complet des dents joue un rôle déterminant dans la prévention de la carie dentaire. Par son action mécanique, le brossage enlève les particules d'aliments et la plaque dentaire, dans laquelle les bactéries se multiplient abondamment. De plus, il active la circulation au niveau des gencives, qui restent roses et fermes. L'une des techniques de brossage recommandée est la méthode de Bass, qui élimine la plaque et nettoie sous le rebord marginal des gencives. On trouve plusieurs marques de dentifrice sur le marché. On recommande souvent de choisir parmi ceux qui contiennent du fluor, car ils offrent une protection antibactérienne en renforçant la solidité de l'émail. On peut également préparer un dentifrice efficace en mélangeant deux parties de sel de table et une partie de bicarbonate de soude.

Soins d'une prothèse dentaire

La plupart des prothèses dentaires amovibles sont formées d'une base portant toutes les dents que l'on applique sur l'une des mâchoires. Une personne peut avoir une prothèse supérieure, une prothèse inférieure ou les deux. Si une personne a besoin seulement de quelques dents artificielles, on lui fabriquera plutôt un pont, fixe ou amovible. Les dents artificielles sont ajustées pour s'adapter à la mâchoire de l'individu et ne conviennent généralement pas à une autre personne. On devrait inciter les personnes qui ont besoin d'une prothèse dentaire à la porter. En effet, si une personne ne porte pas sa prothèse, elle risque de voir ses gencives s'amenuiser, ce qui entraînerait encore la perte de dents.

Des microorganismes et des particules alimentaires s'accumulent sur une prothèse dentaire, tout comme sur les dents naturelles. Il faut donc nettoyer les prothèses régulièrement, au moins une fois par jour. On peut les retirer de la bouche, les brosser, les rincer, puis les remettre en place. Certaines personnes nettoient leur prothèse à l'aide d'un dentifrice et d'autres utilisent un nettoyant pour prothèse dentaire en vente dans le commerce.

Aide aux personnes pour les soins dentaires

Lorsqu'elle prodigue des soins buccodentaires à des personnes partiellement ou totalement dépendantes, l'infirmière devrait

ENSEIGNEMENT

Mesures de prévention de la carie dentaire

- Bien se brosser les dents après chaque repas et avant le coucher. Aider les enfants à se brosser les dents ou examiner leur bouche afin de s'assurer qu'ils ont les dents propres. S'il est impossible de se brosser les dents après un repas, il est recommandé de se rincer la bouche à fond avec de l'eau.
- Utiliser la soie dentaire chaque jour.
- S'assurer d'un apport de nutriments adéquat, et en particulier des éléments suivants : calcium, phosphore, fluorures, vitamines A, C et D.
- Éviter de consommer des aliments et des boissons sucrés entre les repas et n'en faire qu'une consommation modérée durant les repas.
- Manger des aliments dont la texture est rugueuse ou fibreuse (ils ont une action nettoyante), tels les fruits et les légumes crus.
- Recevoir des applications topiques de fluor si le dentiste le prescrit.
- Subir un examen dentaire tous les six à neuf mois .

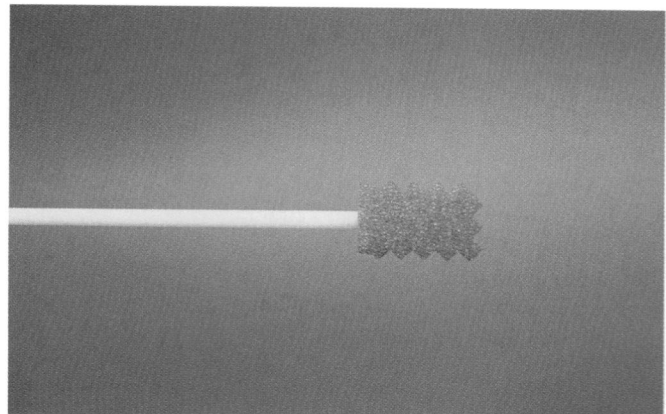

FIGURE **37-21** ■ Tampon de mousse utilisé pour prodiguer des soins buccodentaires à une personne dépendante.

porter des gants pour se protéger des infections. En plus du matériel habituel, on peut utiliser un bassin recourbé (par exemple, un haricot) qu'on glisse sous le menton de la personne afin de recueillir l'eau de rinçage, de même qu'une serviette qui sert à protéger la personne et la literie (voir le procédé 37-4).

Dans plusieurs établissements de soins de santé, on utilise des tampons en mousse pour prodiguer des soins buccodentaires aux personnes dépendantes (figure 37-21 ■). Ces tampons sont pratiques et efficaces pour débarrasser les dents et la bouche des plus gros débris alimentaires. Cependant, on ne devrait les employer qu'en de rares occasions, et durant de courtes périodes (c'est-à-dire moins de trois jours), car ils ne permettent pas d'éliminer la plaque qui se dépose sur le sillon gingival.

La majorité des gens préfèrent être seuls lorsqu'ils retirent leur prothèse dentaire pour la nettoyer. Plusieurs personnes n'aiment pas qu'on les voit sans leurs dents; en fait, l'une des premières choses que demandent bon nombre de personnes en phase post-opératoire est : « Est-ce que je pourrais avoir mes dents, s'il vous plaît ? » Dans la variante du procédé 37-4, on explique comment nettoyer une prothèse dentaire.

Personnes nécessitant des soins buccodentaires particuliers

Chez les personnes affaiblies ou inconscientes, ou qui souffrent de xérostomie ou encore de lésions ou d'irritation de la bouche, il est parfois nécessaire de nettoyer non seulement les dents, mais aussi la muqueuse buccale et la langue. Les pratiques en matière de soins buccodentaires particuliers, de même que la fréquence de ces soins, diffèrent d'un établissement à l'autre. Selon l'état de la bouche de la personne, il faut prodiguer des soins toutes les deux à huit heures.

Les personnes inconscientes ou affaiblies nécessitent des soins particuliers parce qu'elles ont tendance à avoir la bouche sèche, ce qui prédispose à l'infection. La salive possède certaines propriétés antivirales, antibactériennes et antifongiques (Walton *et al.*, 2001, p. 40). La sécheresse provient du fait que la personne est incapable d'ingérer des liquides par la bouche, qu'elle respire

souvent par la bouche ou qu'elle reçoit de l'oxygène, ce qui assèche la muqueuse buccale.

L'infirmière peut utiliser des applicateurs préparés en industrie ou des tampons de mousse pour nettoyer les muqueuses. On recommande d'utiliser du soluté physiologique pour les soins buccodentaires prodigués à une personne dépendante.

! ALERTE CLINIQUE *L'utilisation sur une longue période de tampons imbibés d'une solution contenant du citron et de la glycérine tend à accroître la sécheresse de la muqueuse buccale et à modifier l'émail des dents. L'emploi d'huile minérale est contre-indiqué, car l'aspiration de ce produit risque de provoquer des lésions des tissus pulmonaires (stéatose). On déconseille également l'emploi de peroxyde d'hydrogène pour les soins buccodentaires, car il irrite la muqueuse buccale saine et risque de modifier la flore normale de la bouche.* ∎

Le procédé 37-5 décrit les soins buccodentaires à prodiguer à une personne inconsciente, mais on peut l'adapter aux personnes conscientes gravement malades ou atteintes d'une affection de la bouche.

PROCÉDÉ 37-4

Brossage des dents et utilisation de la soie dentaire

Objectifs
- Enlever les particules d'aliments autour et entre les dents.
- Éliminer la plaque dentaire.
- Accroître le sentiment de bien-être de la personne.
- Prévenir les lésions et les infections des tissus de la bouche et des lèvres.

COLLECTE DES DONNÉES

Évaluez
- Les capacités de la personne en matière de soins buccodentaires.
- Les pratiques habituelles de la personne en ce qui concerne les soins buccodentaires.
- L'état des lèvres, des gencives, de la muqueuse buccale et de la langue afin de déceler toute anomalie.
- La présence d'une affection buccodentaire, telles la carie dentaire, la mauvaise haleine, la gingivite, ou une dent lâche ou brisée.
- L'état des gencives si la personne a un pont ou une prothèse dentaire. Demandez-lui si ses gencives sont sensibles ou douloureuses et, si oui, d'indiquer l'endroit où elle a mal, afin de pouvoir poursuivre l'investigation.

PLANIFICATION

Matériel

Brossage et utilisation de la soie dentaire
- Serviette
- Gants jetables
- Haricot (bassin réniforme)
- Brosse à dents
- Tasse d'eau tiède
- Dentifrice
- Rince-bouche
- Au moins trois longueurs de 20 cm chacune de soie dentaire
- Porte-soie dentaire (facultatif)

Nettoyage d'une prothèse dentaire
- Gants jetables
- Mouchoir de papier ou morceau de gaze
- Récipient à prothèses dentaires
- Débarbouillette propre
- Brosse à dents ou brosse à soies raides
- Dentifrice ou nettoyant pour prothèses dentaires
- Eau tiède
- Récipient rempli de rince-bouche
- Haricot (bassin réniforme)
- Serviette de toilette

PROCÉDÉ 37-4 (SUITE)

Brossage des dents et utilisation de la soie dentaire (suite)

INTERVENTION

Préparation

Rassemblez tout le matériel requis.

Exécution

1. Expliquez à la personne ce que vous allez faire, pourquoi vous allez le faire et comment elle peut coopérer.

2. Lavez-vous les mains et observez les autres mesures de prévention des infections (par exemple, mettez des gants jetables). *Le port de gants lors des soins buccodentaires protège l'infirmière contre les infections et évite de transmettre des microorganismes à la personne.*

3. Préservez l'intimité de la personne en tirant les rideaux autour du lit ou en fermant la porte de la chambre.

4. Préparez la personne.
   - Aidez la personne à s'asseoir dans le lit si son état de santé le permet. Sinon, aidez-la à se coucher sur le côté, la tête tournée *de manière que le liquide ne coule pas dans sa gorge.*

5. Préparez le matériel.
   - Placez la serviette sous le menton de la personne.
   - Mettez des gants jetables.
   - Mouillez les soies de la brosse à dents avec de l'eau tiède, puis appliquez-y du dentifrice.
   - Utilisez une brosse à soies souples (de petite dimension s'il s'agit d'un enfant) et le dentifrice choisi par la personne.
   - Si la personne est alitée, placez ou tenez le haricot sous son menton de sorte que la partie courbée épouse le contour du menton ou du cou.
   - Examinez la bouche et les dents.

6. Brossez les dents.
   - Donnez la brosse à la personne ou brossez les dents comme suit :
   a) Tenez la brosse inclinée de manière à ce que les soies soient inclinées à 45° contre les dents. La pointe des soies extérieures devrait reposer contre le sulcus gingival et pénétrer légèrement sous ce dernier (figure 37-22 ■). La brosse devrait nettoyer simultanément sous le sulcus de deux à trois dents. *Cette technique, appelée méthode intrasulculaire, enlève la plaque et nettoie sous le rebord marginal des gencives.*

   b) Déplacez les soies de haut en bas, en descendant du sulcus vers la couronne des dents (figure 37-23 ■).
   c) Refaites les mêmes mouvements jusqu'à ce que les surfaces externes et internes de toutes les dents et le sulcus soient propres.
   d) Nettoyez le bord tranchant des dents en effectuant avec la brosse un court mouvement de va-et-vient, d'arrière en avant (figure 37-24 ■).

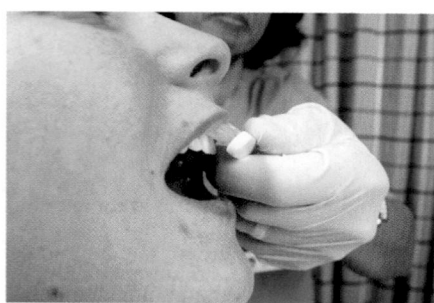

FIGURE **37-22** ■ Méthode intrasulculaire. Placer les soies à 45°, pour que la pointe des soies extérieures se trouve sous le rebord marginal de la gencive.

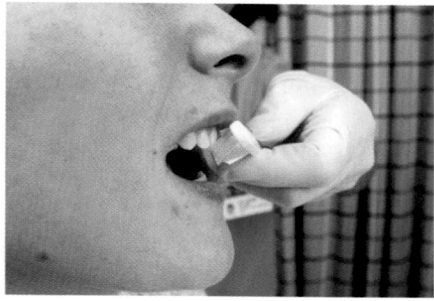

FIGURE **37-23** ■ Brosser depuis le sulcus vers la couronne des dents.

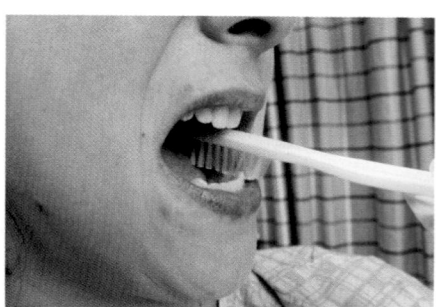

FIGURE **37-24** ■ Brosser le bord tranchant des dents.

e) Si la langue est chargée, nettoyez-la doucement avec la brosse à dents. *On enlève ainsi la matière accumulée et le film. Le fait d'avoir la langue chargée peut être causé par une mauvaise hygiène buccodentaire et un apport en liquide insuffisant. En brossant doucement et soigneusement la langue, on risque moins de provoquer des haut-le-cœur ou des vomissements.*

   - Donnez la tasse d'eau ou le rince-bouche à la personne afin qu'elle se rince vigoureusement la bouche. Demandez-lui ensuite de cracher l'eau et le surplus de dentifrice dans le haricot. Certains établissements fournissent un rince-bouche ordinaire. Par ailleurs, un bain de bouche au soluté physiologique est efficace pour nettoyer et hydrater la cavité buccale. *Un vigoureux bain de bouche déloge des particules d'aliments et élimine les particules délogées par le brossage.*
   - Répétez les étapes précédentes jusqu'à ce qu'il ne reste plus ni dentifrice ni débris alimentaires dans la bouche.
   - Retirez le haricot et aidez la personne à s'essuyer la bouche.

7. Passez la soie dentaire.
   - Aidez la personne à passer la soie dentaire ou faites-le vous-même. Le fil de soie ciré s'effiloche moins facilement que le fil naturel, mais les particules coincées entre les dents se fixent mieux sur le fil non ciré. Certains pensent que la soie dentaire cirée laisse sur les dents un résidu auquel la plaque adhère par la suite.
   a) Enroulez une extrémité de la soie dentaire autour du majeur de chaque main (figure 37-25 ■).
   b) Pour passer la soie entre les dents supérieures, tendez-la à l'aide du

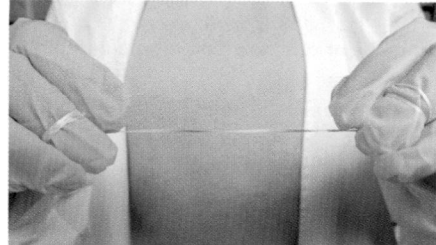

FIGURE **37-25** ■ Tendre la soie dentaire entre les deux majeurs.

INTERVENTION (suite)

pouce et de l'index. Déplacez la soie de haut en bas entre les dents, depuis le sommet de la couronne jusqu'à la gencive et aussi loin que possible le long du rebord marginal de la gencive. Passez la soie en décrivant un C le long de la dent à nettoyer. Commencez à l'arrière, du côté droit, et nettoyez jusqu'à l'arrière, du côté gauche, ou bien commencez par une incisive centrale, puis nettoyez jusqu'au fond, d'un côté puis de l'autre.

   c) Pour passer la soie dentaire entre les dents inférieures, tendez la soie entre vos deux index (figure 37-26 ■).

- Donnez de l'eau tiède ou du rince-bouche à la personne pour qu'elle se rince la bouche, et un haricot dans lequel elle pourra cracher le liquide.
- Aidez la personne à s'essuyer la bouche.

8. Rassemblez le matériel, et nettoyez-le ou jetez-le selon les directives.
   - Retirez le haricot et nettoyez-le.
   - Retirez les gants et jetez-les.

9. Notez les résultats de l'examen des dents, de la langue, des gencives et de la muqueuse buccale, de même que toute affection, comme des lésions, de l'inflammation, des saignements ou de l'enflure des gencives. On ne note généralement pas le brossage des dents ni l'utilisation de la soie dentaire.

Variante : prothèse dentaire

1. Retirez les prothèses dentaires.
   - Mettez des gants. *Cette mesure vise à protéger à la fois l'infirmière et la personne contre les infections.*
   - Si la personne est incapable d'enlever elle-même ses prothèses dentaires, prenez un mouchoir de papier ou un morceau de gaze, puis saisissez entre le pouce et l'index la prothèse supérieure par les incisives. Déplacer légèrement celle-ci vers le haut puis vers le bas (figure 37-27 ■). *Ce léger mouvement diminue la succion qui retient la prothèse contre le palais.*
   - Déplacez la prothèse supérieure vers le bas, retirez-la de la bouche et déposez-la dans le récipient à prothèses.
   - Soulevez la prothèse inférieure en la tournant de manière que l'une des extrémités, par exemple la gauche, soit légèrement plus basse que l'autre, ce qui permet de retirer la prothèse de la bouche sans étirer les lèvres. Déposez la prothèse inférieure dans le récipient.

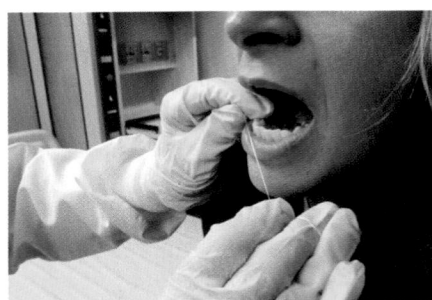

FIGURE **37-26** ■ Pour passer la soie dentaire entre les dents inférieures, tendre la soie entre les index.

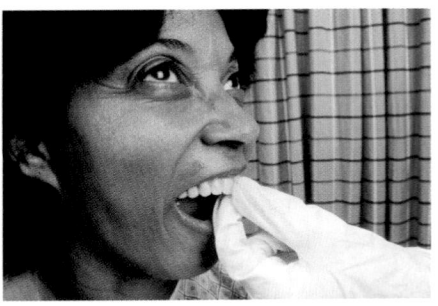

FIGURE **37-27** ■ Pour retirer la prothèse supérieure, diminuer d'abord la succion.

- Si la personne porte une prothèse adjointe partielle, retirez-la en exerçant de chaque côté une même pression sur ses bords, et non sur les crochets en S, car ils pourraient se tordre ou se briser.

2. Nettoyez les prothèses.
   - Apportez le récipient à prothèses au lavabo. Prenez soin de ne pas laisser tomber les prothèses, *car elles pourraient se briser.* Placez une débarbouillette sur le fond du lavabo *afin de ne pas endommager les prothèses si vous les échappez.*
   - À l'aide d'une brosse à dents ou d'une brosse spéciale à soies raides, frottez les prothèses avec le produit nettoyant et de l'eau tiède. N'utilisez pas d'eau chaude, *car la chaleur déforme certaines prothèses.*
   - Rincez les prothèses sous l'eau courante tiède. *On élimine ainsi l'agent nettoyant et les particules d'aliments.*
     Si les prothèses sont tachées, les faire tremper dans un nettoyant en vente dans le commerce. Suivez les directives du fabricant. Afin de prévenir la corrosion, ne laissez pas tremper jusqu'au lendemain les

prothèses comportant des parties métalliques.

3. Examinez les prothèses et la bouche.
   - Vérifiez si les prothèses présentent une zone rugueuse, coupante ou usée qui risque d'irriter la langue, la muqueuse buccale, les lèvres ou les gencives.
   - Examinez la bouche afin de vérifier s'il y a de la rougeur, des zones irritées ou des signes d'infection.
   - Évaluez l'ajustement des prothèses. Les personnes qui portent des prothèses devraient consulter un dentiste au moins une fois par année pour en faire vérifier l'ajustement et pour s'assurer que ces appareils n'irritent pas les tissus mous de la bouche.

4. Remettez les prothèses dans la bouche de la personne.
   - Offrez à la personne du rince-bouche et un haricot pour un bain de bouche. Si elle est incapable de remettre elle-même ses prothèses, replacez-les une à la fois. Tenez chaque prothèse très légèrement inclinée par rapport à l'horizontale pendant l'insertion afin de ne pas blesser les lèvres (figure 37-28 ■).

5. Aidez la personne, si nécessaire.
   - Essuyez les mains et la bouche de la personne avec la serviette.
   - Si la personne ne veut pas porter ses prothèses ou si elle en est incapable, rangez-les dans un récipient à prothèses rempli d'eau. Inscrivez le nom de la personne sur le récipient et son numéro de dossier.

6. Retirez les gants et jetez-les.

7. Notez les résultats des évaluations ainsi que toute affection, telle l'irritation de la muqueuse buccale.

FIGURE **37-28** ■ Insérer les prothèses en les inclinant légèrement par rapport à l'horizontale.

PROCÉDÉ 37-5

Soins buccodentaires particuliers

Objectifs
- Préserver l'intégrité et la santé des lèvres, de la langue et de la muqueuse buccale.
- Prévenir les infections buccales.
- Nettoyer et hydrater la muqueuse buccale et les lèvres.

COLLECTE DES DONNÉES

Évaluez
- Les lèvres, les gencives, la muqueuse buccale et la langue afin de déceler toute anomalie.
- La présence d'une affection buccodentaire, telles la carie dentaire, la mauvaise haleine, la gingivite, ou une dent lâche ou brisée.
- Le réflexe nauséeux, s'il y a lieu.

PLANIFICATION

Matériel
- Serviette
- Haricot (bassin réniforme)
- Gants jetables propres
- Abaisse-langue pour tenir la bouche ouverte et les mâchoires écartées (facultatif)
- Brosse à dents
- Tasse d'eau tiède
- Dentifrice ou nettoyant pour prothèses
- Mouchoir de papier ou morceau de gaze pour retirer les prothèses (facultatif)
- Récipient à prothèses si nécessaire
- Rince-bouche
- Injecteur à poire avec embout en caoutchouc (ou seringue de 10 mL)
- Cathéter et dispositif d'aspiration (facultatif)
- Tampons de mousse et solution nettoyante pour nettoyer la muqueuse buccale
- Vaseline

INTERVENTION

Exécution
1. Expliquez à la personne et à sa famille ce que vous allez faire et pourquoi vous allez le faire.

2. Lavez-vous les mains et observez les autres mesures de prévention des infections (par exemple, mettez des gants jetables).

3. Préservez l'intimité de la personne en tirant les rideaux autour du lit ou en fermant la porte de la chambre.

4. Préparez la personne.
   - Si la personne est inconsciente, allongez-la sur le côté et abaissez la tête du lit. *Dans cette position, la salive s'écoule hors de la bouche par gravité et ne risque pas d'être aspirée dans les poumons.* Il existe aussi d'autres positions appropriées. Par exemple, si vous ne pouvez pas abaisser la tête de la personne, tournez-la sur le côté. *Ainsi, le liquide s'écoulera facilement hors de la bouche ou il s'accumulera d'un côté de celle-ci, d'où on pourra l'aspirer.*
   - Placez la serviette sous le menton de la personne.
   - Mettez le haricot contre le menton et la joue la plus basse afin que le liquide qui sort de la bouche y coule directement (figure 37-29 ■).
   - Mettez les gants.

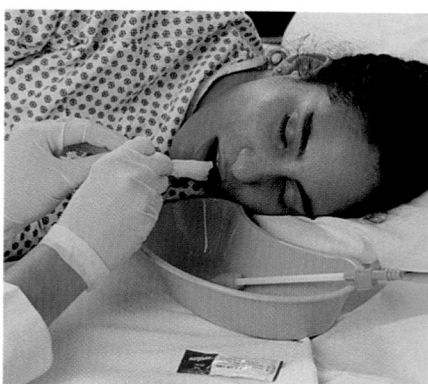

FIGURE 37-29 ■ Position de la personne et du haricot pour les soins buccodentaires particuliers.

5. Nettoyez les dents et rincez la bouche.
   - Si la personne a des dents naturelles, brossez-les comme on le décrit dans le procédé 37-4. Frottez doucement et soigneusement pour ne pas endommager les gencives. Si la personne a des dents artificielles, nettoyez-les comme on le décrit dans la variante du procédé 37-4.
   - Pour rincer la bouche de la personne, aspirez environ 10 mL d'eau ou de rince-bouche sans alcool avec l'injecteur à poire (ou une seringue), puis injectez doucement le liquide de chaque côté de la bouche. *Si on injecte le liquide vigoureusement, une partie de celui-ci risque de descendre dans la gorge et d'être aspirée dans les poumons.*
   - Rincez de nouveau jusqu'à ce qu'il ne reste plus de dentifrice dans la bouche, si vous en avez utilisé.
   - Vérifiez que tout le liquide de rinçage s'est écoulé dans le bassin. Si ce n'est pas le cas, aspirez le reste du liquide *afin d'éviter qu'il ne descende dans les poumons.*

6. Examinez et nettoyez la muqueuse buccale.
   - Si la muqueuse buccale semble sèche ou sale, nettoyez-la avec les tampons de mousse ou la gaze et une solution nettoyante, selon les directives de l'établissement de santé.

INTERVENTION (suite)

- À l'aide d'un tampon de mousse imbibé de solution, essuyez la muqueuse d'une joue. Si vous ne disposez pas de tampon de mousse, enroulez un petit carré de gaze autour d'un abaisse-langue et imbibez-le de solution. Jetez le tampon ou l'abaisse-langue dans un contenant à déchets; utilisez un tampon ou de la gaze propre pour nettoyer la zone suivante. *L'emploi d'un applicateur différent pour chaque zone de la bouche vise à prévenir le transfert de microorganismes d'une région à l'autre.*
- En utilisant un applicateur différent pour chaque zone, nettoyez suivant une progression ordonnée : les joues, le palais, le plancher de la cavité buccale et la langue.
- Examinez les tissus attentivement afin de déceler tout signe d'inflammation ou de sécheresse.
- Rincez la bouche de la personne comme on le décrit à l'étape 5.
- Retirez les gants et jetez-les.

7. Procurez le plus de confort possible à la personne.
- Retirez le haricot et essuyez la région de la bouche avec une serviette. Remettez les prothèses dentaires en place, s'il y a lieu.
- Lubrifiez les lèvres de la personne avec de la vaseline. *La lubrification vise à prévenir les gerçures, qui prédisposent à l'infection.* Si la personne est sous oxygénothérapie, *n'*utilisez *pas* de vaseline, car elle risque de brûler la peau et la muqueuse buccale. Employez plutôt un produit pour les soins de la bouche sans huile minérale.

8. Notez les résultats de l'examen des dents, de la langue, des gencives et de la muqueuse buccale, ainsi que toute affection tels une lésion, de l'inflammation ou l'œdème des gencives.

ÉVALUATION

- Prenez connaissance des diagnostics médicaux, des traitements prescrits à la personne (chimiothérapie, oxygénothérapie, etc.) et des interventions infirmières requises en matière de soins buccodentaires.
- Effectuez, s'il y a lieu, une évaluation continue de la muqueuse buccale, des gencives, de la langue et des lèvres.
- Prévenez le médecin si vous décelez une anomalie.
- Effectuez le suivi requis; par exemple, conseillez à la personne de consulter un dentiste si on constate la présence de carie dentaire.

LES ÂGES DE LA VIE

Hygiène buccodentaire

NOURRISSONS

- La majorité des dentistes recommandent de commencer à effectuer l'hygiène dentaire dès l'éruption de la première dent et de donner des soins après chaque repas. On peut accomplir le nettoyage à l'aide d'une débarbouillette, d'un tampon d'ouate ou d'un petit carré de gaze imbibés d'eau.

ENFANTS

- À partir de l'âge de 18 mois, brosser les dents de l'enfant avec une brosse à dents souple, simplement imbibée d'eau. N'employer du dentifrice que plus tard et choisir une marque qui contient du fluor.

PERSONNES ÂGÉES

- Certaines personnes âgées ont de la difficulté à effectuer leurs soins buccodentaires à cause d'un manque de dextérité ou d'un déficit cognitif.
- Dans la majorité des établissements de soins de longue durée, un dentiste vient régulièrement examiner ou traiter les personnes qui ont besoin de soins particuliers.
- Les personnes âgées souffrent fréquemment de sécheresse buccale, car le vieillissement s'accompagne d'une diminution de la production de salive.
- La promotion d'une bonne hygiène buccodentaire peut améliorer la capacité des personnes âgées à s'alimenter.

SOINS À DOMICILE

Hygiène buccodentaire

- Évaluer les pratiques et l'attitude de la personne et des membres de sa famille en matière d'hygiène buccodentaire.
- Les personnes qui ont une sonde nasogastrique ou qui reçoivent de l'oxygène souffrent souvent de sécheresse de la muqueuse buccale, surtout si elles respirent par la bouche. Il est alors nécessaire d'augmenter la fréquence des soins buccodentaires.

Évaluation

À l'aide des données recueillies pendant les soins (état de la muqueuse buccale, des lèvres, de la langue, des dents, etc.), l'infirmière évalue si elle a obtenu les résultats escomptés. Dans le cas contraire, elle en examine les raisons avec la personne avant de modifier le plan de soins. Elle se pose par exemple les questions suivantes :

- A-t-on surestimé les capacités fonctionnelles de la personne ?
- La coordination manuelle et les fonctions cognitives de la personne sont-elles perturbées ?
- L'état de la personne s'est-il détérioré ?
- S'est-il produit un changement dans le degré d'énergie et de motivation de la personne ?

Cheveux et poils

L'aspect de la chevelure reflète souvent les sentiments d'une personne envers elle-même et traduit son bien-être socioculturel. L'infirmière doit comprendre que, en matière de soins des cheveux, les personnes peuvent avoir des exigences et des pratiques différentes des siennes. Cet impératif constitue un élément important de la compétence nécessaire pour prodiguer des soins infirmiers en la matière. Les personnes qui se sentent malades cessent parfois de prendre soin de leurs cheveux comme elles le faisaient auparavant. Un cuir chevelu et des cheveux sales causent des démangeaisons et, parfois, des mauvaises odeurs. De plus, la personne qui a les cheveux sales se sent souvent mal à l'aise. Les cheveux peuvent aussi refléter l'état de santé de la personne (par exemple, des cheveux excessivement épais et secs indiquent parfois la présence d'une affection des glandes endocrines, telle l'hypothyroïdie).

Chaque personne prend soin de ses cheveux comme elle l'entend. Beaucoup de personnes à la peau foncée doivent les enduire d'huile chaque jour, car ils ont tendance à sécher. L'emploi d'huile rend les cheveux moins cassants et assouplit le cuir chevelu. Ces personnes utilisent habituellement un peigne à grosses dents, car les peignes à dents fines tirent les cheveux et les cassent. Enfin, certaines personnes se brossent vigoureusement les cheveux avant d'aller dormir, tandis que d'autres se peignent fréquemment.

Variations en fonction du stade de développement

Chez certains nouveau-nés, les épaules, le dos et le sacrum sont recouverts de **lanugo**, un duvet formé de poils très fins. Cette pilosité disparaît généralement au bout de quelques temps, ce qui permet alors de distinguer les poils sur les arcades sourcilières, sur la tête et les paupières du jeune enfant. Certains nouveau-nés ont déjà des cheveux tandis que chez d'autres les cheveux ne poussent qu'au cours de la première année.

Les poils pubiens apparaissent généralement dès le début de la puberté et les poils axillaires, six mois plus tard. La pilosité du visage se développe chez les garçons à la fin de la puberté.

À l'adolescence, l'activité des glandes sébacées s'accroît sous l'influence de l'augmentation des sécrétions hormonales. L'orifice des follicules pileux s'élargit alors et déverse une plus grande quantité de sébum, qui rend parfois les cheveux de l'adolescent plus gras.

Chez la majorité des personnes âgées, les cheveux deviennent plus minces, ils poussent plus lentement et sont moins nombreux ; ils perdent leur coloration à cause du vieillissement des tissus et du ralentissement de la circulation. Beaucoup d'hommes perdent leurs cheveux et deviennent parfois complètement chauves. Ce phénomène s'observe également chez des hommes relativement jeunes. En outre, les cheveux des personnes âgées sont généralement plus secs que la moyenne. Avec l'âge, les poils pubiens et axillaires deviennent également plus fins et moins nombreux, contrairement aux sourcils qui deviennent rudes et forts. De plus, des poils apparaissent parfois sur le visage des femmes, qui en éprouvent souvent de la gêne.

DÉMARCHE SYSTÉMATIQUE dans la pratique infirmière

Collecte des données

L'examen des cheveux et des poils, des pratiques en matière de soins des cheveux et des risques d'affections comprend l'anamnèse et l'examen physique.

▨ Anamnèse

Lors de l'anamnèse, l'infirmière recueille des données sur les pratiques habituelles de la personne en matière de soins des cheveux, sur ses capacités à accomplir elle-même ces soins, sur toute affection antérieure des cheveux ou du cuir chevelu et sur tout facteur susceptible d'influer sur l'état des cheveux. Les produits antinéoplasiques et l'irradiation de la tête peuvent causer l'**alopécie** (ou perte des cheveux). L'hypothyroïdie peut rendre les cheveux fins, secs ou cassants, ou les deux. L'emploi de certains colorants capillaires ou de produits pour friser ou défriser les cheveux peut aussi causer les mêmes inconvénients. L'encadré *Entrevue d'évaluation – Soins des cheveux* propose des questions que l'on peut poser pour obtenir de telles données.

▨ Examen physique

On décrit dans le chapitre 34 🔗 l'examen physique des cheveux. Les affections comprennent les pellicules, la perte des cheveux, les tiques, la pédiculose, la gale et l'hirsutisme.

PELLICULES. Les **pellicules**, souvent accompagnées de démangeaisons, ont l'aspect d'une desquamation diffuse du cuir chevelu. Dans les cas graves, l'affection s'étend aux conduits auditifs et aux sourcils. Il existe des shampoings, en vente dans le commerce, qui permettent généralement de traiter efficacement les pellicules.

 ## ENTREVUE D'ÉVALUATION

Soins des cheveux

PRATIQUES EN MATIÈRE DE SOINS DES CHEVEUX
- Quelles sont vos pratiques habituelles en matière de soins des cheveux ?
- Quels produits pour le soin des cheveux utilisez-vous régulièrement (fixatif, lubrifiant, shampoing, revitalisant, colorant capillaire, produit servant à friser ou à défriser les cheveux, etc.) ?

CAPACITÉS EN MATIÈRE DE SOINS DES CHEVEUX
- Avez-vous des difficultés à prendre soin de vos cheveux ?

AFFECTIONS ANTÉRIEURES OU ACTUELLES ALTÉRANT LES CHEVEUX
- Avez-vous eu récemment l'une des affections ou l'un des traitements suivants : chimiothérapie, hypothyroïdie, irradiation de la tête, perte de cheveux inexpliquée, apparition d'une pilosité excessive ?

Toutefois, si l'affection persiste ou s'aggrave, il est préférable de consulter un médecin.

PERTE DES CHEVEUX. La perte et la croissance des cheveux sont des processus continus. Il se produit avec le temps un certain éclaircissement des cheveux, et cette modification est définitive. On pense que la calvitie, qui est fréquente chez les hommes, est un phénomène héréditaire auquel on peut remédier uniquement en portant une perruque ou au moyen d'une greffe de cheveux. La greffe est une opération chirurgicale coûteuse qui consiste à prélever des cheveux à l'arrière ou sur les côtés de la tête et à les transplanter dans les zones dégarnies. Bien qu'on mette actuellement au point des médicaments pour traiter la calvitie, on n'en connaît pas encore les effets à long terme.

TIQUES. Les **tiques** sont de petits parasites gris-brun qui piquent les tissus et sucent le sang. Ils transmettent plusieurs affections aux humains, dont la fièvre pourprée des montagnes Rocheuses, la maladie de Lyme et la tularémie. On retire une tique avec une pince à épiler à pointes droites ou avec les doigts d'une main gantée. Il faut saisir la tique aussi près que possible de la peau, puis on la tire délicatement, perpendiculairement à la surface, en prenant soin de ne pas la tordre ni la comprimer. Si la tête de la tique se sépare et reste dans la peau, on la retire à l'aide d'une pince à épiler, comme on le ferait pour une écharde. On lave ensuite la région avec un savon antibiotique et on conserve la tique dans un flacon rempli d'alcool à friction au cas où le médecin désirerait déterminer à quelle espèce elle appartient. Il est totalement inefficace, voire dangereux, d'essayer de retirer une tique en appliquant de la chaleur au moyen d'une allumette ou en mettant de la vaseline ou de l'essence sur la peau (Gammons et Salam, 2002).

PÉDICULOSE (POUX). Les poux sont des insectes parasites qui infestent les mammifères. Une infestation par des poux s'appelle **pédiculose**. Il existe des centaines d'espèces de poux qui infestent les humains, les trois plus communes étant *Pediculus capitis* (ou pou de tête), *Pediculus corporis* (ou pou du corps) et *Phtirius inguinalis* (ou pou du pubis).

Pediculus capitis se fixe sur le cuir chevelu et reste le plus souvent caché dans les cheveux ; de même, *Phtirius inguinalis* reste dans les poils pubiens. *Pediculus corporis* s'agrippe généralement aux vêtements, de sorte que lorsqu'une personne se dévêt, on n'observe pas nécessairement de poux sur son corps. Cette dernière espèce de poux suce le sang de l'hôte et pond ses œufs sur les vêtements. L'infirmière devrait suspecter la présence de poux dans des vêtements si : (a) la personne se gratte fréquemment ; (b) elle a des éraflures sur la peau ; (c) elle a des pétéchies sur la peau, là où les poux ont sucé du sang.

Les poux de tête et du pubis pondent leurs œufs respectivement sur les cheveux et les poils ; ces œufs, ou lentes, ont la forme de particules ovales. Ils ressemblent à des pellicules et ils adhèrent aux cheveux ou aux poils. On observe parfois des piqûres et une éruption pustulaire à la base des cheveux et derrière les oreilles.

Étant donné que le pou est un très petit insecte blanc grisâtre, il est difficile de le voir. Le pou du pubis a par ailleurs des pattes rouges. Les poux se transmettent indirectement par contact avec des vêtements infestés ou, directement, par suite d'un contact avec une personne infestée.

Le traitement comprend généralement l'emploi d'un agent topique antipédiculaire, comme les pyréthrines (R & C), la perméthrine (Nix) et le lindane (PMS-Lindane). Actuellement, on recommande d'utiliser le lindane en dernier recours, car il peut être neurotoxique chez les enfants. Les magasins de produits de santé offrent également des produits naturels ; cependant, il faut rappeler aux personnes que les normes de la Direction générale des produits de santé et des aliments ne s'appliquent pas à ces produits. Enfin, certaines personnes utilisent un autre type de traitement qui fait appel à un agent occlusif. Ce traitement repose sur l'hypothèse qu'une substance grasse, telle l'huile d'olive, étouffe les poux, qui en meurent.

Il n'est pas nécessaire d'enlever les lentes (ou œufs) après le traitement pour prévenir la propagation, mais la majorité des gens le font pour des raisons d'ordre esthétique (Frankowski et Weiner, 2002). On trouve sur le marché des peignes fins destinés à cet usage. La transmission se fait par contact direct tête-tête, et on suggère de laver à l'eau chaude les articles de soins des cheveux et la literie de la personne infestée.

GALE. La **gale** est une infestation contagieuse de la peau par le sarcopte de la gale. Elle se reconnaît par les sillons que creuse la femelle quand elle pénètre dans les couches superficielles de la peau. Ces sillons sont courts, sinueux, bruns ou noirs ; ce sont des lésions filiformes généralement situées dans les espaces interdigitaux et dans les plis des poignets et des coudes. Les sarcoptes provoquent de violentes démangeaisons qui s'intensifient la nuit, car l'augmentation de la température de la peau stimule les parasites. Les lésions secondaires causées par le grattage comprennent des vésicules, des papules, des pustules, des excoriations et des croûtes. Le traitement consiste à se laver le corps avec de l'eau et du savon pour éliminer les squames et les débris de croûtes, puis à appliquer une lotion antiparasitaire. On devrait, de plus, laver toute la literie et les vêtements à l'eau très chaude ou bouillante.

HIRSUTISME. On appelle **hirsutisme** le développement excessif de la pilosité. L'attitude à l'égard des poils aux aisselles et sur les jambes relève en grande partie de la culture. En Amérique du Nord, si on se fie aux magazines, une femme d'apparence soignée s'épile les aisselles et les jambes. En revanche, dans plusieurs cultures européennes, même les femmes qui soignent leur apparence n'éliminent pas les poils de ces régions.

Chez une femme, une pilosité excessive sur le visage est considérée comme peu esthétique dans la majorité des cultures occidentales et asiatiques. Par exemple, certaines Japonaises se conforment à la coutume voulant que la mariée se rase le visage la veille de la cérémonie.

On n'arrive pas toujours à déterminer la cause d'une pilosité excessive. L'âge ou la ménopause s'accompagnent parfois d'une forte pilosité sur le visage. L'action du système endocrinien pourrait être à l'origine de cette pilosité excessive, mais on pense que l'hérédité influe également sur son apparition.

Analyse

Les diagnostics infirmiers qui se rapportent aux soins des cheveux et aux affections des cheveux et du cuir chevelu comprennent : *Déficit de soins personnels : soigner son apparence*, *Atteinte à l'intégrité de la peau*, *Risque d'infection* et *Image corporelle perturbée.* Voici quelques exemples de facteurs favorisants associés à ces diagnostics infirmiers.

- *Déficit de soins personnels : soigner son apparence*, relié aux facteurs suivants :
  a) Intolérance à l'activité
  b) Immobilisation physique (repos au lit)
  c) Douleur dans les membres supérieurs
  d) Altération du niveau de conscience
  e) Diminution ou absence de motivation associée à la dépression
- *Atteinte à l'intégrité de la peau*, reliée aux facteurs suivants :
  a) Lacération du cuir chevelu
  b) Morsure d'insecte
- *Risque d'infection*, relié aux facteurs suivants :
  a) Lacération du cuir chevelu
  b) Morsure d'insecte
- *Image corporelle perturbée*, reliée à l'alopécie

Planification

Lors de la planification des soins, l'infirmière et, si possible, la personne et sa famille associent des résultats escomptés à chaque diagnostic infirmier. L'infirmière accomplit ensuite des interventions et des activités qui devraient permettre d'obtenir ces résultats. L'encadré *Diagnostics infirmiers, résultats de soins infirmiers et interventions* propose des résultats et des interventions concernant les soins des cheveux.

Lorsqu'on planifie les activités spécifiques qu'accomplit l'infirmière pour aider la personne, il faut tenir compte de différents facteurs : les goûts de la personne, son état de santé, son degré d'énergie, le temps qu'elle peut consacrer à ces activités, de même que l'équipement et le personnel disponibles. Plusieurs personnes aiment qu'on accomplisse les soins des cheveux après le bain, avant de recevoir des visiteurs et au coucher. Les interventions infirmières comprennent également l'enseignement à la personne ou à sa famille de méthodes facilitant les soins des cheveux, y compris le recours à un coiffeur ou à une esthéticienne, au besoin. Dans certains établissements, il faut une ordonnance du médecin pour donner un shampoing à une personne.

Interventions

On doit brosser les cheveux ou les peigner quotidiennement et, selon les besoins, les laver afin de les garder propres. L'infirmière doit parfois effectuer les soins des cheveux quand les personnes sont incapables de le faire elles-mêmes.

▨ Brosser et peigner les cheveux

Si on veut avoir des cheveux sains, il faut les brosser chaque jour. Le brossage a trois fonctions : il active la circulation du sang au niveau du cuir chevelu ; il répartit les huiles naturelles du cuir chevelu le long de la tige capillaire ; il facilite le coiffage.

Les cheveux longs constituent parfois une source de problèmes chez les personnes alitées, car ils risquent de s'emmêler. On peut toutefois prévenir ce phénomène en les peignant ou en les brossant au moins une fois par jour. Une brosse à soies raides constitue le meilleur outil pour activer la circulation sanguine au niveau du cuir chevelu ; cependant, si on veut éviter d'endommager la peau du crâne, on ne doit pas utiliser une brosse à soies pointues. Il est préférable d'employer un peigne à dents régulières, au bout arrondi. En effet, un peigne à dents pointues risque aussi d'endommager le cuir chevelu, et un peigne à dents fines peut tirer les cheveux et les casser. Certaines personnes préfèrent qu'on attache soigneusement leurs cheveux sur la nuque ou qu'on les

DIAGNOSTICS INFIRMIERS, RÉSULTATS DE SOINS INFIRMIERS ET INTERVENTIONS

Soins des cheveux

DIAGNOSTIC INFIRMIER : DÉFINITION	EXEMPLE DE RÉSULTAT DE SOINS INFIRMIERS [N° CRSI/NOC] : DÉFINITION	INDICATEURS*	INTERVENTION CHOISIE [N° CISI/NIC] : DÉFINITION	EXEMPLES D'ACTIVITÉS CISI/NIC
Déficit de soins personnels : se vêtir et soigner son apparence : Difficulté à se vêtir et à soigner son apparence.	Soins personnels : apparence [0304] : *Capacité de maintenir une apparence correcte.*	• Se lave les cheveux. • Se peigne ou se coiffe les cheveux. • Maintient une apparence soignée. * L'échelle d'évaluation va de *Est totalement dépendant* (1) à *Est complètement autonome* (5). Voir l'appendice E.	Soins des cheveux [1670] : *Entretien des cheveux visant à les garder propres et à leur donner une belle apparence.*	• Laver les cheveux en tenant compte des besoins et des désirs de la personne. • Sécher les cheveux à l'aide du sèche-cheveux. • Brosser ou peigner les cheveux quotidiennement ou selon les besoins. • Vérifier le cuir chevelu quotidiennement. • Tresser ou coiffer les cheveux selon les goûts de la personne. • Utiliser les produits préférés de la personne pour le soin des cheveux, s'ils sont disponibles.

tresse jusqu'à ce qu'elles reçoivent de l'aide d'une autre personne ou qu'elles se sentent mieux et soient alors capables de se coiffer elles-mêmes. De plus, le tressage prévient l'emmêlement des cheveux chez les personnes alitées.

Les personnes à peau brune ont généralement des cheveux plus épais, plus secs et plus frisés que les personnes au teint clair. Les cheveux très frisés sont souvent récalcitrants ; même si leur tige semble forte, comme celle des cheveux « en fil de fer », elle est en fait moins solide que celle des cheveux droits, et elle casse facilement. Les cheveux de bon nombre d'Afro-Canadiens frisent naturellement, et il suffit de huit heures pour qu'ils s'emmêlent et s'agglomèrent (Jackson, 1998). Plusieurs groupes culturels possèdent un vocabulaire qui leur est propre pour décrire les activités d'ordre personnel.

Certains Afro-Canadiens se font défriser les cheveux, même si ce traitement ne les empêche pas de s'agglomérer et de s'emmêler facilement, surtout à l'arrière et sur les côtés dans le cas d'une personne alitée. D'autres Afro-Canadiens se font de petites tresses (figure 37-30 ■), qu'il n'est pas nécessaire de défaire pour laver les cheveux. Toutefois, si elle doit les dénouer, l'infirmière devrait d'abord demander la permission de la personne. Certains Afro-Canadiens doivent enduire leurs cheveux d'huile chaque jour,

FIGURE **37-30** ■ Une Afro-Canadienne portant de petites tresses.

CONSIDÉRATIONS CULTURELLES

Soins des cheveux

Certains Afro-Canadiens emploient les termes suivants pour décrire l'état des cheveux et les styles de coiffure.

- *Pelucheux* ou *en fil de fer*. Ces expressions décrivent des cheveux très difficiles à peigner et très frisés, qui sont parfois emmêlés jusqu'à la racine. Les cheveux « se dressent sur la tête » ; ils semblent plus courts qu'ils ne le sont en réalité à cause de leur forte frisure. Ils ont parfois aussi un aspect rugueux et ressemblent à de la laine d'acier.

- *Repassés*. Cette expression sert à désigner les cheveux défrisés à l'aide d'un peigne chaud. Toutefois, si les cheveux se mouillent, par exemple à cause de la transpiration ou d'un degré élevé d'humidité, ou encore parce qu'on les lave ou qu'on se fait surprendre par la pluie, ils reprennent leur aspect en fil de fer.

- *Permanente*. Méthode chimique de défrisage, qui garde les cheveux droits pendant quatre à six semaines, même si on les mouille. C'est là le principal avantage de la méthode chimique, comparativement à l'emploi du peigne chaud.

- *Graisse*. Si une personne demande de la « graisse », cela ne signifie pas qu'elle veut qu'on lui masse le cuir chevelu avec un corps gras semblable à celui qu'on emploie en pâtisserie, mais plutôt qu'elle désire y faire appliquer de la lotion ou de l'huile.

- *Nattes* ou *allongements*. Cette expression désigne l'opération qui consiste à incorporer des fibres synthétiques dans les tresses de cheveux naturels. La longueur obtenue est variable, mais les cheveux descendent généralement au moins jusqu'aux épaules. Si on laisse pendre les nattes, on en brûle les extrémités avec un briquet pour éviter qu'elles ne se dénouent, puis on les attache avec un petit élastique. On ne

devrait pas défaire ces nattes, mais il est tout de même important de prodiguer les soins du cuir chevelu. Il existe des produits destinés spécialement aux personnes qui portent ce genre de nattes, afin d'hydrater les cheveux et le cuir chevelu. On peut également laver les cheveux sans défaire la coiffure. Certaines personnes posent un bonnet sur leurs cheveux, tandis que d'autres les lavent doucement et en épongent le surplus d'eau en les pressant avec une serviette, qu'elles laissent en place jusqu'à ce que les cheveux et le cuir chevelu soient complètement secs. Si, pour une raison ou une autre, on doit retirer les tresses synthétiques, il faut prendre soin de ne pas couper les cheveux naturels de la personne.

- *Longs cheveux tressés*. Il s'agit d'une coiffure mise en vogue par le mouvement rastafari, qui aurait pris naissance en Jamaïque. Toutefois le fait d'adopter cette coiffure ne signifie pas nécessairement que l'on adhère à ce mouvement de pensée. Des enfants, des hommes et des femmes de tout âge portent la coiffure rasta, que l'on ne peigne ni ne démêle jamais. La majorité des individus gardent leurs tresses très propres, mais la charpie tend à s'y attacher. On l'enlève alors avec une pince à épiler. Si les tresses sont très longues, on risque de les défaire en essayant de retirer la charpie qui s'est logée à l'intérieur, car celle-ci joue le rôle de liant. Si la personne se lave souvent les cheveux, la charpie elle-même est propre. On lave donc doucement les cheveux en prenant soin de ne pas défaire les tresses. Comme les tresses mettent beaucoup de temps à sécher, la personne doit se protéger contre les courants d'air jusqu'à ce que ses cheveux soient secs.

Source : « The ABC's of Black Hair and Skin Care », de F. Jackson, 1998, *The ABNF Journal, 9*(5), p. 101.

tellement ils ont tendance à être secs. L'emploi d'huile prévient aussi la rupture de la tige des cheveux et l'assèchement du cuir chevelu. Ce ne sont pas tous les Afro-Canadiens qui ont des cheveux frisés ou en fil de fer; certains ont des cheveux naturellement droits. Il

est néanmoins toujours important de maintenir le cuir chevelu et les cheveux propres et huilés.

Le procédé 37-6 montre comment effectuer les soins des cheveux pour une personne.

PROCÉDÉ 37-6

Soins des cheveux

Objectifs

- Activer la circulation au niveau du cuir chevelu.
- Étendre les huiles naturelles sur les cheveux et donner à la chevelure un lustre d'apparence saine.

- Accroître le sentiment de bien-être de la personne.
- Évaluer et surveiller les affections des cheveux et du cuir chevelu (comme l'agglomération des cheveux ou les pellicules).

COLLECTE DES DONNÉES

Déterminez

- Les antécédents relativement aux thérapies et aux états suivants : chimiothérapie anticancéreuse, hypothyroïdie, irradiation de la tête, perte de cheveux inexpliquée, apparition d'une pilosité excessive.
- Les pratiques habituelles en matière de soins des cheveux et les produits pour les soins des cheveux utilisés régulièrement (fixatif, shampoing, revitalisant, huile capillaire, colorant capillaire, produits de frisage et de défrisage, etc.).

Évaluez

- L'état des cheveux et du cuir chevelu. Les cheveux sont-ils droits, frisés ou en fil de fer? Sont-ils agglutinés ou emmêlés? Le cuir chevelu est-il sec?
- La répartition des cheveux sur le cuir chevelu et la possibilité de perte de cheveux par plaques; la texture, la lubrification, l'épaisseur ou la finesse des cheveux; la présence de lésions, d'infection, d'infestation du cuir chevelu ou d'hirsutisme.
- Les capacités de la personne en matière de soins des cheveux, notamment si elle peut en prendre soin sans aide.

PLANIFICATION

Matériel

- Brosse et peigne propres (Dans le cas des personnes à la peau brune, on utilise le plus souvent un peigne à grosses dents, car l'emploi d'un peigne à dents fines favorise la formation de nœuds et risque de casser les cheveux.)

- Serviette
- Huile capillaire, s'il y a lieu

INTERVENTION

Exécution

1. Expliquez à la personne ce que vous allez faire, pourquoi vous allez le faire et comment elle peut coopérer.
2. Lavez-vous les mains et observez les autres mesures de prévention des infections (par exemple, mettez des gants propres).
3. Préservez l'intimité de la personne en tirant les rideaux autour du lit ou en fermant la porte de la chambre.
4. Placez la personne dans une position appropriée et préparez-la.
   - Aidez la personne qui en est capable à s'asseoir sur une chaise. *Il est plus facile de brosser les cheveux et de peigner une personne si elle est assise.* Si son état de santé le permet, relevez la tête du lit pour aider la personne alitée à s'asseoir. Si c'est impossible, aidez la personne à se coucher sur un côté, et ensuite sur l'autre, et donnez les soins sur un côté de la tête à la fois.

- Si la personne reste au lit, placez une serviette propre sur ses épaules et sur l'oreiller. Si elle est assise, placez la serviette sur ses épaules. *La serviette recueille les cheveux qui tombent, la poussière et toutes les matières squameuses qui tombent du cuir chevelu.*
- Retirez toutes les épingles et les rubans des cheveux, s'il y a lieu.

5. Éliminez graduellement les nœuds qui se sont formés dans les cheveux emmêlés et séparez-les à mesure.
   - Vous pouvez aussi défaire les cheveux emmêlés avec un peigne ou en brossant les cheveux à plusieurs reprises.
   - Démêlez une petite touffe de cheveux en passant le peigne en direction des extrémités. Tenez fermement les cheveux avec une main et passez le peigne vers les extrémités avec l'autre main. *On prévient ainsi les blessures au cuir chevelu.*

6. Brossez et peignez les cheveux.
   - Si la personne a les cheveux courts, brossez et peignez un côté à la fois.

Si elle a les cheveux longs, séparez-les en deux, en faisant une raie au milieu, depuis le front jusqu'à la nuque. Si les cheveux sont très épais, partagez chaque section en deux, l'avant et l'arrière, ou en plusieurs couches.

7. Coiffez les cheveux de façon aussi soignée et attrayante que possible, en tenant compte des goûts de la personne.
   - Il est souhaitable de tresser les cheveux longs pour éviter qu'ils ne s'emmêlent.

8. Notez les données d'évaluation et les interventions infirmières particulières. Habituellement, on ne note pas le brossage des cheveux.

Variante : soins des cheveux d'une personne afro-canadienne

- Aidez la personne à prendre une position appropriée et préparez-la.
- Démêlez d'abord les cheveux, si nécessaire.
  - Utilisez vos doigts afin de casser le moins possible les cheveux et d'éviter

d'incommoder la personne. Effectuez un mouvement circulaire avec les doigts, en partant des racines et en allant doucement vers les extrémités.

- Peignez les cheveux.
  - Appliquez de l'huile capillaire selon les indications de la personne.
  - À l'aide d'un gros peigne à dents écartées, saisissez une mèche de cheveux et, en la tenant par l'extrémité, démêlez-la en allant de la pointe à la racine (Jackson, 1998, p. 102).

Shampoing à l'huile Un shampoing à l'huile se compose d'une part d'alcool et de quatre parts d'huile minérale. Le premier est un antiseptique, et le mélange des

deux substances a une action nettoyante (Jackson, 1998, p. 102).

- Réchauffez le shampoing.
- Versez le shampoing sur les cheveux et massez doucement.
- Peignez les cheveux.
- Enlevez l'excès d'huile avec une serviette.

Application d'huile Si on emploie un shampoing à base aqueuse, il peut être nécessaire d'appliquer de l'huile sur le cuir chevelu et de le masser.

- Séparez les cheveux en plusieurs touffes.
- Appliquez un peu d'huile sur le cuir chevelu. *Les cheveux sont tellement denses que si on y appliquait l'huile, cela*

n'atténuerait pas la sécheresse du cuir chevelu.

- Demandez à la personne si elle désire qu'on lui fasse des tresses. *On réduit ainsi l'emmêlement des cheveux, mais il faut laisser le choix de la coiffure à la personne.*

! ALERTE CLINIQUE

Des cheveux en amas ou très emmêlés sont susceptibles d'être infestés de poux. ■

- Effectuez le suivi approprié si la personne souffre de pellicules, d'alopécie, de pédiculose et de lésions du cuir chevelu, ou encore si ses cheveux sont excessivement secs ou emmêlés.

- Évaluez s'il y a lieu l'efficacité des médicaments (pour le traitement de la pédiculose, par exemple).

▨ Lavage des cheveux

On devrait laver les cheveux aussi souvent qu'il est nécessaire pour les garder propres. Il existe plusieurs façons de procéder, compte tenu de l'état de santé, de la résistance et de l'âge de la personne. Si cette dernière se sent assez bien pour prendre une douche, elle peut généralement se laver les cheveux en même temps ; sinon, on peut la faire asseoir sur une chaise près d'un lavabo pour lui faire un shampoing. S'il est possible de transporter sur une civière la personne qui doit rester allongée, on l'amène près d'un lavabo pour lui laver les cheveux. Quant à la personne alitée, on lui lave les cheveux en apportant un bassin d'eau à son chevet. Dans certains établissements, des coiffeurs possédant un fauteuil à shampoing mobile prennent parfois soin des cheveux des personnes.

Les lave-tête (bassins à shampoing ou guitares), destinés à recueillir l'eau et à la diriger vers la cuvette ou un autre récipient, sont généralement constitués de plastique ou de métal. On peut utiliser un seau ou un grand bassin pour recueillir l'eau de rinçage,

mais, dans tous les cas, ce récipient devrait autant que possible être assez grand pour contenir toute l'eau de rinçage afin de ne pas être obligé de le vider durant le lavage des cheveux.

Pour le shampoing, on devrait utiliser de l'eau à 40,0 °C, afin que l'adulte ou l'enfant se sente à l'aise, et pour ne pas endommager le cuir chevelu. La personne fournit habituellement son propre shampoing. Si on lave les cheveux pour éliminer des poux, il faut employer un shampoing médicamenteux. Il existe également des shampoings secs, qui éliminent partiellement la poussière, les odeurs et le gras. Ils ont toutefois le désavantage d'assécher les cheveux et le cuir chevelu.

La fréquence à laquelle il est nécessaire de se laver les cheveux varie considérablement d'une personne à l'autre. Elle dépend notamment des activités qu'elle mène et de la quantité de sébum que produit son cuir chevelu. Les cheveux gras ont généralement l'air visqueux et sale, et la personne ne se sent pas propre. Le procédé 37-7 explique comment laver les cheveux d'une personne alitée.

PROCÉDÉ 37-7

Lavage des cheveux d'une personne alitée

Objectifs
- Activer la circulation au niveau du cuir chevelu grâce au massage.

- Nettoyer les cheveux et accroître le sentiment de bien-être de la personne.

COLLECTE DES DONNÉES

Déterminez
- Le type de shampoing que la personne utilise habituellement.

Évaluez
- Toute affection du cuir chevelu.
- Le degré de tolérance de la personne à l'activité.

PROCÉDÉ 37-7 (SUITE)

Lavage des cheveux d'une personne alitée (suite)

PLANIFICATION

Matériel

- Peigne et brosse
- Piqué en plastique, jetable
- Deux serviettes de bain
- Lave-tête (ou guitare)
- Débarbouillette
- Drap de bain
- Récipient pour l'eau de rinçage
- Tampons d'ouate (facultatif)
- Broc pour l'eau
- Thermomètre pour le bain
- Shampoing liquide ou en crème
- Sèche-cheveux

INTERVENTION

Préparation

- Vérifiez s'il faut une ordonnance du médecin pour donner un shampoing. *Dans certaines situations, une ordonnance est nécessaire.*
- Déterminez quel type de shampoing il faut utiliser (par exemple, un shampoing médicamenteux).
- Déterminez avec la personne quel est le meilleur moment de la journée pour lui laver les cheveux. *Étant donné qu'il peut être fatiguant pour une personne alitée de se faire laver les cheveux, donnez ce soin lorsqu'elle se sent reposée et à un moment où elle pourra se reposer ensuite.*

Exécution

1. Expliquez à la personne ce vous allez faire, pourquoi vous allez le faire, s'il y a lieu, et comment elle peut coopérer.
2. Lavez-vous les mains et observez les autres mesures de prévention des infections (par exemple, mettez des gants propres).
3. Préservez l'intimité de la personne en tirant les rideaux autour du lit ou en fermant la porte de la chambre.
4. Installez la personne dans une position appropriée et préparez-la.
   - Aidez la personne à s'allonger près du bord du lit, du côté où vous travaillerez.
   - Retirez toutes les épingles et les rubans des cheveux, puis brossez-les et peignez-les afin de les démêler.
5. Disposez le matériel de façon appropriée.
   - Placez le piqué en plastique sur le lit, sous la tête de la personne. *On évite ainsi de mouiller la literie.*
   - Retirez l'oreiller placé sous la tête de la personne et placez-le sous ses épaules, à moins de contre-indication (dans le cas d'une chirurgie au cou ou d'arthrite du cou, par exemple). *Cette position provoque une hyperextension du cou.*

- Couvrez les épaules de la personne avec une serviette. *On évite ainsi de mouiller celles-ci.*
- Placez le lave-tête sous la tête de la personne (figure 37-31 ∎) et posez une débarbouillette pliée sur le rebord de l'appareil, là où repose la nuque. Si la personne est couchée sur une civière, sa nuque peut reposer directement sur la débarbouillette placée sur le bord du lavabo. *Le coussinet supporte les muscles du cou, ce qui évite à la personne un effort excessif et de la douleur.*
- Pliez la literie de dessus, en accordéon, jusqu'à la taille de la personne et couvrez-lui le thorax avec le drap de bain. *La literie repliée reste sèche et le drap de bain, qu'on retirera après*

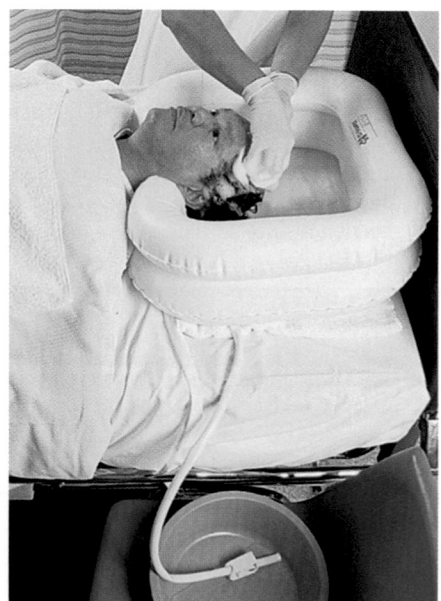

FIGURE **37-31** ∎ Lavage des cheveux d'une personne alitée. Notez l'utilisation d'un lave-tête et le récipient posé plus bas.

le shampoing, garde la personne au chaud.
- Placez le récipient destiné à recevoir l'eau de rinçage sur une table ou une chaise placée au chevet du lit, puis mettez l'embout du tube de vidange du bac dans le récipient.

6. Protégez les yeux et les oreilles de la personne.
   - Posez une débarbouillette humide sur les yeux de la personne. *On évite ainsi que de l'eau savonneuse ne pénètre dans les yeux; la débarbouillette glisse moins facilement si elle est humide.*
   - Placez au besoin des tampons d'ouate dans les oreilles de la personne. *On évite ainsi une accumulation d'eau dans les conduits auditifs.*

7. Lavez les cheveux.
   - Mouillez les cheveux à fond.
   - Appliquez du shampoing sur le cuir chevelu et faites-le bien mousser tout en massant le cuir chevelu du bout des doigts. Massez méthodiquement toute la peau du crâne, par exemple depuis le front jusqu'à la nuque. *Le massage active la circulation sanguine au niveau du cuir chevelu. On emploie le bout des doigts afin de ne pas érafler le cuir chevelu avec les ongles.*
   - Rincez rapidement les cheveux et appliquez de nouveau du shampoing.
   - Faites bien mousser le shampoing et massez le cuir chevelu comme précédemment.
   - Rincez maintenant les cheveux à fond pour éliminer complètement le shampoing. *Les résidus de shampoing dans les cheveux risquent d'assécher les cheveux et le cuir chevelu et d'irriter celui-ci.*
   - Égouttez le plus possible les cheveux avec vos mains.

8. Séchez les cheveux à fond.
   - Frottez les cheveux avec une serviette épaisse.

INTERVENTION (suite)

- Séchez les cheveux avec le sèche-cheveux après avoir réglé la température à « chaud ».
- Faites bouger continuellement le sèche-cheveux pour ne pas brûler le cuir chevelu.

9. Assurez-vous que la personne est à l'aise.
   - Si la personne est alitée, aidez-la à prendre une position confortable.
   - Coiffez la personne à l'aide d'une brosse et d'un peigne propres.

10. Notez dans le dossier de la personne le lavage des cheveux ainsi que toutes les données d'évaluation pertinentes.

ÉVALUATION

- Effectuez un suivi approprié en évaluant toute affection du cuir chevelu ou l'intolérance au shampoing. Prévenez l'infirmière responsable si vous notez un problème quelconque.

LES ÂGES DE LA VIE

Soins des cheveux

NOURRISSONS
- Laver les cheveux du nourrisson chaque jour pour prévenir la séborrhée.

ENFANTS
- Surveiller la présence de lentes (pédiculose) chez l'enfant d'âge scolaire.

PERSONNES ÂGÉES
- S'assurer de garder la personne âgée au chaud lorsqu'on lui lave les cheveux, car elle prend facilement froid.

ENCADRÉ

Rasage de la barbe à l'aide d'un rasoir mécanique

37-3

- Porter des gants pour prévenir un contact avec le sang de la personne en cas de coupure.
- Appliquer de la crème à raser ou du savon et de l'eau sur le visage pour amollir les poils et assouplir la peau.
- Garder la peau tendue, surtout autour des plis, afin de prévenir les coupures.
- Tenir le rasoir de manière que la lame fasse un angle de 45° avec la peau et déplacer la lame dans le sens de la croissance des poils, en effectuant des mouvements fermes et de faible amplitude (figure 37-32 ■).
- Après avoir rasé tout le visage, essuyer celui-ci avec une débarbouillette mouillée afin d'éliminer tout résidu de crème à raser et de poils.
- Bien assécher le visage, puis y appliquer de la lotion après-rasage ou de la poudre, selon ce que préfère la personne.
- Afin de prévenir l'irritation de la peau, tamponner la lotion avec les doigts et éviter de frotter le visage.

▨ Soins de la barbe et de la moustache

La barbe et la moustache exigent elles aussi des soins quotidiens qui consistent avant tout à les garder propres. Les particules d'aliments s'attachent facilement à la barbe et à la moustache ; il faut donc les nettoyer et les peigner régulièrement. Certains hommes désirent de plus qu'on taille leur barbe et leur moustache, afin qu'elles aient l'air plus soigné.

! ALERTE CLINIQUE *On ne devrait pas raser la barbe ou la moustache d'un homme sans qu'il ait donné son consentement.* ■

Plusieurs hommes se rasent, ou se font raser, après le bain. Les hommes fournissent souvent leur propre rasoir électrique ou mécanique. L'encadré 37-3 décrit la marche à suivre pour raser la barbe avec un rasoir mécanique.

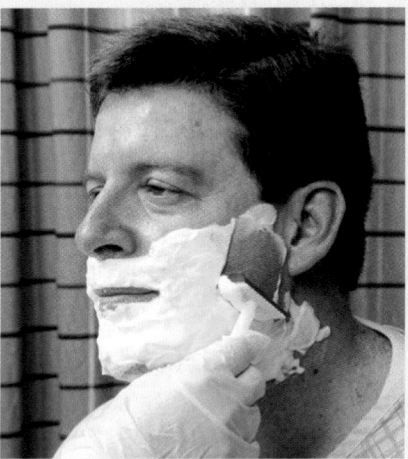

FIGURE **37-32** ■ Le rasage se fait dans le sens de la croissance des poils.

Évaluation

À l'aide des données recueillies lors des soins, l'infirmière vérifie si elle a obtenu les résultats escomptés. Les résultats mesurables ou observables comprennent notamment le fait que la personne est capable de :

- Se coiffer seule ou avec de l'aide (préciser).
- Présenter des cheveux propres, bien coiffés, souples et lustrés.
- Réduire ou éliminer des lésions ou une infestation du cuir chevelu.
- Décrire les facteurs prédisposant à une affection donnée des cheveux (des pellicules, par exemple), de même que des interventions appropriées et des mesures préventives.

Yeux

Les yeux n'exigent généralement pas de soins, car les larmes les nettoient continuellement, et les paupières et les cils préviennent la pénétration de corps étrangers. Cependant, certaines personnes doivent recevoir des soins particuliers, notamment celles qui sont inconscientes et celles qui viennent de subir une chirurgie de l'œil ou une blessure à un œil, ou encore celles que l'on traite pour une irritation ou une infection de l'œil. Les personnes inconscientes n'ont plus de réflexe opticopalpébral (réflexe du clignement), de sorte que les sécrétions oculaires s'accumulent le long des paupières. Chez les personnes qui souffrent d'un traumatisme à un œil ou d'une infection de l'œil, on observe fréquemment un écoulement oculaire abondant. Il faut enlever les sécrétions accumulées sur les cils avant qu'elles ne sèchent et ne forment des croûtes. Les personnes qui portent des lunettes, des lentilles cornéennes ou un œil artificiel ont parfois aussi besoin que l'infirmière leur fournisse de l'information et des soins.

DÉMARCHE SYSTÉMATIQUE
dans la pratique infirmière

Collecte des données

L'évaluation clinique des yeux comprend l'anamnèse et l'examen physique.

▣ Anamnèse

Lors de l'anamnèse, l'infirmière recueille des données sur les sujets suivants : le port de lunettes ou de lentilles cornéennes, la consultation récente d'un ophtalmologiste, et toute affection antérieure de l'œil, de même que le traitement administré. L'encadré *Entrevue d'évaluation – Yeux* suggère des questions pouvant permettre d'obtenir de telles données.

▣ Examen physique

Au cours de l'examen physique, l'infirmière vérifie s'il existe un signe quelconque d'inflammation, d'écoulement abondant, de formation de croûtes ou de toute autre anomalie sur les structures annexes de l'œil. Le chapitre 34 ⊝⊃ décrit l'examen de ces structures.

Analyse

Les diagnostics infirmiers relatifs aux affections des yeux comprennent notamment : *Déficit de soins personnels, Risque d'infection* et *Risque de trauma.* Voici quelques exemples de facteurs favorisants associés à ces diagnostics.

- *Déficit de soins personnels* (insertion, retrait et nettoyage des lentilles cornéennes), relié à :
  a) Connaissances insuffisantes
  b) Déficience visuelle due à des cataractes

- *Risque d'infection*, relié à :
  a) Soin inapproprié des lentilles cornéennes
  b) Accumulation de sécrétions sur les paupières

ENTREVUE D'ÉVALUATION

Yeux

PERSONNE PORTANT DES LUNETTES
- Quand utilisez-vous vos lunettes ?
- Comment est votre vision avec et sans vos lunettes ?

PERSONNES PORTANT DES LENTILLES CORNÉENNES
- À quelle fréquence portez-vous des lentilles ? Les portez-vous tous les jours ou à des occasions spéciales ?
- Pendant combien de temps portez-vous vos lentilles au cours d'une même journée, y compris les heures de sommeil ?
- Avez-vous des problèmes quelconques avec vos lentilles (concernant le nettoyage, l'insertion, le retrait, les dommages, etc.) ?
- Portez-vous un bracelet d'identification ou un autre dispositif signalant que vous portez des lentilles cornéennes, afin d'avertir les gens responsables de vous les retirer en cas d'urgence et d'en prendre soin de façon appropriée ? (Sinon, inciter la personne à se procurer un dispositif de ce type.)
- Comment procédez-vous pour insérer et retirer vos lentilles cornéennes ?
- Comment nettoyez-vous et rangez-vous vos lentilles cornéennes ?
- Avez-vous déjà souffert d'affections à un œil, aux deux yeux ou aux paupières : larmoiement abondant, sensation de brûlure, rougeur, sensibilité à la lumière, œdème, sensation de sécheresse ? Si oui, décrivez l'affection.
- Utilisez-vous des gouttes ophtalmiques ou une pommade ? (La combinaison chimique de médicaments de ce type avec les lentilles souples peut endommager les lentilles et irriter les yeux.)

TOUTES LES PERSONNES
- Quand avez-vous subi un examen des yeux pour la dernière fois ?
- Prenez-vous actuellement un médicament pour les yeux ? Si oui, comment s'appelle ce médicament, et à quelle dose et à quelle fréquence le prenez-vous ?
- Souffrez-vous de l'un ou l'autre des troubles oculaires suivants : difficulté à lire ou à distinguer certains objets, vision floue, larmoiement, taches ou points flottants, photophobie (sensibilité à la lumière), sensation de brûlure, démangeaisons, douleurs, vision double, points lumineux ou halo autour des sources de lumière ?

■ *Risque de trauma*, relié à :
  a) Port prolongé de lentilles cornéennes
  b) Absence du réflexe opticopalpébral consécutif à un état d'inconscience

Planification

Lors de la planification des soins, l'infirmière définit des activités infirmières susceptibles d'aider la personne à préserver l'intégrité des structures de l'œil et celle de ses prothèses oculaires, s'il y a lieu, et à prévenir les traumatismes et les infections de l'œil.

Interventions

Les activités infirmières consistent notamment à vérifier comment la personne retire, nettoie et insère ses lentilles cornéennes ou sa prothèse, et à enseigner comment protéger les yeux contre les blessures et la fatigue.

■ Soins des yeux

Si des sécrétions se sont accumulées sur les cils et y ont séché, il faut les amollir et les enlever. Pour ce faire, on place un tampon d'ouate stérile imbibé d'eau stérile ou de soluté physiologique sur le bord des paupières. On enlève ensuite les sécrétions en essuyant l'œil, depuis l'angle médial vers l'angle latéral, afin d'éviter que des particules ou du liquide ne s'infiltrent dans le sac lacrymal et le conduit lacrymonasal.

Dans le cas d'une personne inconsciente, dépourvue de réflexe opticopalpébral ou incapable de fermer complètement les paupières, il faut prévenir la sécheresse et l'irritation de la cornée. On peut prescrire à cette fin des gouttes ophtalmiques lubrifiantes. L'encadré 37-4 contient des suggestions concernant les soins des yeux d'une personne dans le coma.

■ Soins des lunettes

Il est essentiel que l'infirmière prenne certaines précautions lorsqu'elle nettoie les lunettes d'une personne, afin de ne pas briser ou rayer les lentilles. On nettoie les lentilles en verre avec de l'eau chaude, puis on les essuie avec un tissu doux qui ne risque pas de les rayer. Les lentilles en plastique s'éraflent facilement ; il est parfois nécessaire d'employer une solution nettoyante et un papier spécial pour les essuyer. Lorsque la personne ne porte pas ses lunettes, celles-ci devraient toujours être placées dans un étui correctement étiqueté et rangé dans le tiroir de la table de chevet de la personne.

■ Soins des lentilles cornéennes

Les lentilles cornéennes sont de petits disques bombés de plastique dur ou souple, adaptés à la courbure de l'œil et placés vis-à-vis de la pupille. Ces lentilles flottent sur la couche de larmes qui recouvre l'œil. Pour certaines personnes, elles présentent de nombreux avantages, comparativement aux lunettes : (a) comme elles sont invisibles, elles sont plus esthétiques ; (b) elles sont très efficaces pour corriger plusieurs formes d'astigmatisme ; (c) elles sont plus sécuritaires pour la pratique de certaines activités physiques ; (d) elles ne s'embuent pas ; (e) dans bien des cas, elles procurent une meilleure vision.

ENCADRÉ **37-4**

Soins des yeux prodigués à une personne dans le coma

Chez les personnes dans le coma dont le réflexe optico-palpébral est altéré, les soins des yeux sont essentiels pour maintenir humides les zones de la cornée exposées à l'air.

■ Couvrir les paupières de compresses humides toutes les deux à quatre heures.

■ Nettoyer les paupières et les cils avec du soluté physiologique et des tampons d'ouate, en allant de l'angle médial vers l'angle latéral. *On évite ainsi que les débris ne s'infiltrent dans le conduit lacrymonasal.*

■ Utiliser un tampon différent pour chaque œil, afin de ne pas infecter l'autre œil.

■ Instiller de l'onguent ophtalmique ou des larmes artificielles derrière les paupières inférieures, suivant l'ordonnance du médecin, afin de garder la cornée humide.

■ Si la personne n'a plus de réflexe cornéen, maintenir ses yeux humides à l'aide de larmes artificielles et les protéger au moyen d'une visière de protection. Ces interventions doivent être prescrites par le médecin.

■ Surveiller la présence de rougeur, d'exsudat et d'ulcération.

Il existe trois types de lentilles cornéennes : les lentilles dures, les lentilles souples et les lentilles perméables au gaz, qui représentent un compromis entre les deux premiers types. Les *lentilles cornéennes dures* sont constituées de plastique rigide, étanche à l'air et qui n'absorbe ni l'eau ni le soluté physiologique. On ne peut généralement pas les porter plus de 12 à 14 heures consécutives et on les recommande rarement aux personnes qui n'ont jamais porté de lentilles.

Les *lentilles cornéennes souples* couvrent la totalité de la cornée et épousent davantage la forme de l'œil. On peut les porter de une journée à 30 jours, selon leur composition, mais les optométristes recommandent de les retirer pour les nettoyer au moins une fois par semaine. Elles exigent des soins minutieux et sont de manipulation délicate.

Les *lentilles perméables au gaz* sont suffisamment rigides pour fournir une vision claire, mais elles sont plus souples que les lentilles dures classiques. Elles laissent passer l'oxygène jusqu'à la cornée, ce qui procure davantage de confort ; elles endommagent peu les yeux même si la personne les porte pendant plusieurs jours.

Les personnes prennent généralement soin elles-mêmes de leurs lentilles cornéennes. La majorité des fabricants fournissent des directives détaillées pour le nettoyage. Selon le type de lentilles et la méthode de nettoyage suggérée, on emploie de l'eau chaude du robinet, du soluté physiologique ou des solutions spéciales de rinçage ou de trempage.

Chaque personne devrait ranger ses lentilles dans un boîtier approprié. Certains boîtiers contiennent une solution, de sorte que les lentilles trempent dans un liquide lorsqu'on les range. Chaque boîtier présente des fentes ou des godets portant des marques qui indiquent où ranger la lentille droite ou gauche. Il est essentiel de respecter cet ordre afin d'insérer plus tard la bonne lentille dans le bon œil.

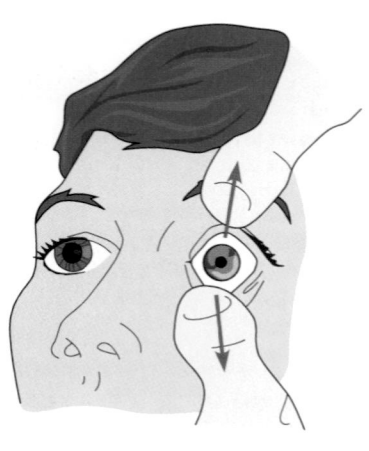 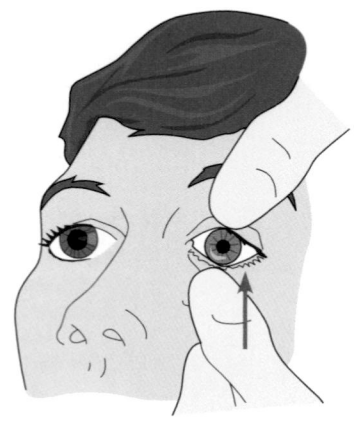 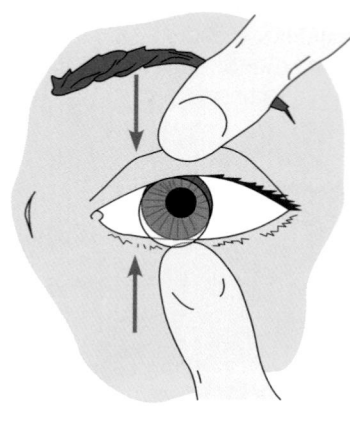

A **B** **C**

FIGURE **37-33** ■ Retrait de lentilles cornéennes dures.

RETRAIT DES LENTILLES CORNÉENNES. Il faut amener les lentilles cornéennes dures directement sur la cornée pour les retirer de façon appropriée. Si la lentille s'est déplacée, l'infirmière demande à la personne de regarder droit devant elle, et elle exerce une légère pression sur les paupières supérieure et inférieure de manière à ramener la lentille sur la cornée. La figure 37-33 ■ illustre la marche à suivre pour retirer une lentille dure. Afin d'éviter d'inverser les lentilles, l'infirmière dépose la première lentille dans le godet correspondant du boîtier de rangement avant de retirer la seconde (figure 37-34 ■).

Le retrait de lentilles souples diffère sous deux aspects. Premièrement, on demande à la personne de regarder devant elle et on baisse la paupière inférieure avec une main puis, avec le coussinet tactile de l'index de l'autre main, on fait glisser la lentille vers le bas, sur la partie inférieure de la sclère. On réduit ainsi le risque d'endommager la cornée. Deuxièmement, on retire la lentille en la pinçant doucement entre les coussinets tactiles du pouce et de l'index. La lentille se plie sous l'effet du pincement, de sorte que de l'air s'infiltre derrière, ce qui supprime la succion et permet de la retirer. On utilise les coussinets tactiles afin d'éviter d'érafler l'œil ou la lentille avec les ongles. La figure 37-35 ■ montre une personne en train de retirer ses propres lentilles cornéennes selon la méthode décrite ci-dessus. Il est à noter que l'infirmière doit porter des gants quand elle retire les lentilles d'une personne.

INSERTION DES LENTILLES CORNÉENNES. Les personnes gravement malades à qui on a retiré leurs lentilles n'auront pas besoin qu'on leur remette jusqu'à ce qu'elles recommencent à participer aux soins et qu'elles aient besoin de leurs lentilles pour bien voir. Il faut lubrifier les lentilles cornéennes à l'aide d'une solution, non irritante et stérile (du soluté physiologique, générale-ment) avant de les insérer, ce qui facilite le glissement des lentilles sur la cornée et réduit ainsi le risque de blessure. La majorité des personnes remettent leurs lentilles sans aide dès qu'elles se portent mieux.

■ Œil artificiel

En général, les yeux artificiels sont composés de verre ou de plastique. Certains modèles sont implantés définitivement, tandis que d'autres sont amovibles. Il faut retirer régulièrement les prothèses

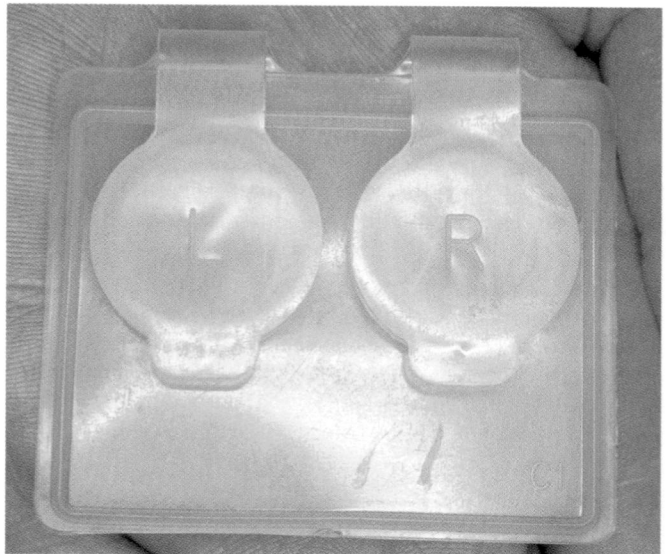

FIGURE **37-34** ■ Entreposage des lentilles. Mettre la première lentille dans le godet portant l'inscription appropriée avant de retirer la seconde lentille. On évite ainsi d'inverser les deux lentilles, qui peuvent être différentes. (Source : David Parker/ Science Photo Library/Photo Researchers, Inc.)

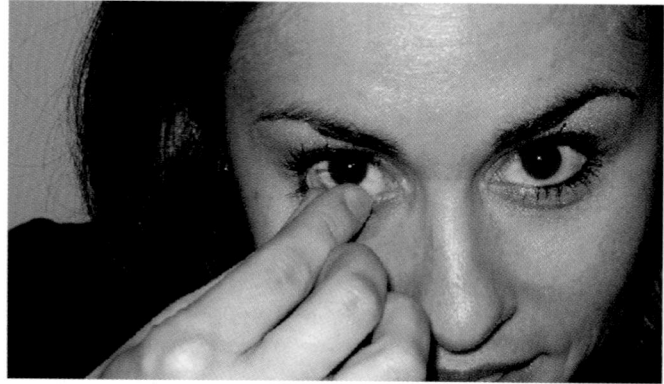

FIGURE **37-35** ■ Pour retirer une lentille souple, on la pince entre les coussinets tactiles du pouce et de l'index.

amovibles pour les nettoyer. Les personnes qui portent un œil artificiel amovible s'en tiennent généralement à leur propre programme de soins. Il n'est pas nécessaire de le retirer et de le nettoyer chaque jour, même dans le cas d'une personne inconsciente.

Pour retirer un œil artificiel, après avoir mis des gants propres, l'infirmière abaisse la paupière inférieure de la personne sur l'os infraorbitaire, tout en exerçant une légère pression sous la paupière afin de neutraliser la succion (figure 37-36 ■). Il existe une autre méthode qui consiste à comprimer une petite poire d'aspiration et à en appliquer la pointe directement sur l'œil. Lorsqu'on relâche graduellement la pression des doigts, la succion de la poire contrebalance la succion qui maintient l'œil dans l'orbite, ce qui permet de retirer la prothèse.

On nettoie un œil artificiel avec du soluté physiologique tiède, puis on le dépose dans un récipient rempli d'eau ou de soluté physiologique. On nettoie habituellement l'orbite et les tissus environnants avec des tampons d'ouate imbibés de soluté physiologique. Pour réinsérer l'œil, l'infirmière écarte les paupières avec le pouce et l'index d'une main, en exerçant une légère pression sur les os supraorbitaire et infraorbitaire. En tenant l'œil entre le pouce et l'index de l'autre main, elle le fait glisser doucement dans l'orbite (figure 37-37 ■).

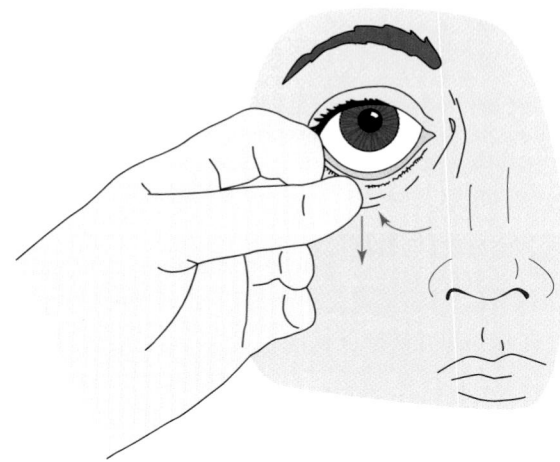

FIGURE 37-36 ■ Pour retirer un œil artificiel, on abaisse la paupière inférieure tout en exerçant une légère pression sous celle-ci.

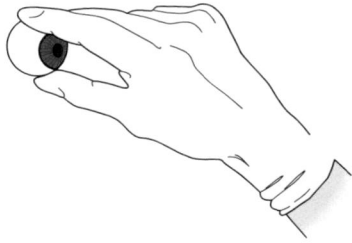

FIGURE 37-37 ■ Comment tenir un œil artificiel entre le pouce et l'index pour le mettre en place.

■ Soins généraux des yeux

Bon nombre de personnes ont besoin d'informations particulières sur les soins des yeux. Voici quelques exemples :

■ Ne pas utiliser de remèdes maison en cas d'affection des yeux. Toute irritation de l'œil ou blessure à un œil doit être traitée médicalement sans délai, quel que soit l'âge de la personne.

■ Si de la saleté ou une poussière pénètre dans l'œil, les soins d'urgence consistent à le rincer abondamment avec de l'eau tiède propre.

■ Prendre des mesures pour prévenir la fatigue des yeux et protéger la vision ; par exemple, s'assurer que l'éclairage est adéquat lorsqu'on lit, et porter des lunettes dont les lentilles sont en verre incassable.

■ Passer régulièrement un examen des yeux, surtout après l'âge de 40 ans, afin de déceler les affections telles que la cataracte et le glaucome.

Évaluation

À l'aide des données recueillies lors de la prestation des soins, l'infirmière juge si elle a obtenu les résultats escomptés. Voici quelques exemples de résultats escomptés permettant d'évaluer l'efficacité des interventions infirmières :

■ Absence d'inflammation de la conjonctive et de la sclère

■ Absence de sécrétions sur les paupières

■ Absence de larmoiement

■ Absence de sensations douloureuses dans les yeux

■ Capacité de prendre soin de ses lentilles cornéennes de façon appropriée

■ Description des interventions destinées à prévenir les blessures aux yeux et les infections de l'œil

Oreilles

Les oreilles requièrent normalement peu de soins. Les personnes chez qui la sécrétion de **cérumen** est abondante et les personnes dépendantes qui portent un appareil de correction auditive ont parfois besoin de l'aide de l'infirmière. On retire généralement les appareils auditifs avant une chirurgie.

> **! ALERTE CLINIQUE** *L'accumulation de cérumen est une cause fréquente de déficit auditif chez les personnes âgées. On observe une accumulation de cérumen dans une oreille ou les deux oreilles chez près de 35 % de l'ensemble de la population âgée, et ce pourcentage est encore plus élevé chez les personnes âgées vivant en établissement de soins de longue durée.*
>
> Stone, 1999 ■

Nettoyage des oreilles

Le nettoyage du pavillon des oreilles fait partie du bain au lit. L'infirmière ou la personne doit enlever l'excès de cérumen apparent. Il faut également enlever le cérumen s'il gêne la personne ou s'il entraîne une baisse de l'acuité auditive. On peut déloger et enlever le cérumen apparent en tirant le pavillon vers le haut et l'arrière. Si cette technique est inefficace, on doit avoir recours à l'irrigation. Il faut expliquer aux personnes de ne jamais utiliser une pince à cheveux ou un cure-dent pour enlever le cérumen. En effet, elles risquent d'endommager le conduit auditif ou de perforer la membrane du tympan si elles emploient de tels instruments. L'utilisation d'un coton-tige est également déconseillée, car il risque de compacter le cérumen dans le canal auditif.

Soins d'un appareil de correction auditive

Un appareil de correction auditive est un dispositif à pile qui permet aux personnes souffrant d'un déficit auditif d'amplifier les sons. Il se compose de quatre éléments et fonctionne de la façon suivante : (1) un microphone capte le son et le convertit en énergie électrique ; (2) un amplificateur amplifie électroniquement l'énergie électrique ; (3) un récepteur reconvertit l'énergie amplifiée en énergie acoustique ; (4) un embout auriculaire dirige le son dans l'oreille. Voici quelques exemples d'appareils de correction auditive offerts sur le marché :

- *Contour d'oreille (derrière l'oreille).* C'est l'appareil le plus utilisé, car il s'ajuste bien derrière l'oreille. Le boîtier, qui renferme le microphone, l'amplificateur et le récepteur, est relié à l'embout auriculaire par un tube en plastique (figure 37-38 ■).

- *Prothèse intraconque.* Le boîtier, ajusté sur mesure à la conque de l'oreille, renferme toutes les composantes (figure 37-39 ■).

- *Prothèse intracanal.* C'est l'appareil le plus compact et le moins apparent, car il se loge entièrement dans le conduit auditif. En plus d'être plus esthétique que les autres appareils, il ne pose pas de problèmes quand la personne est au téléphone ou si elle porte des lunettes. Cependant, il ne convient pas aux personnes souffrant d'un déficit auditif évolutif ; il s'ajuste bien seulement si le canal auditif a un diamètre et une longueur appropriés. De plus, le cérumen a tendance à l'obstruer davantage que les autres appareils.

- *Lunettes auditives.* Cet appareil, dont les composantes sont insérées dans les branches des lunettes, ressemble au contour d'oreille. En fait, on peut insérer un appareil dans une seule branche ou dans les deux.

- *Boîtier.* Il s'agit d'une prothèse de poche destinée aux personnes souffrant d'un grave déficit auditif. Elle s'agrafe à

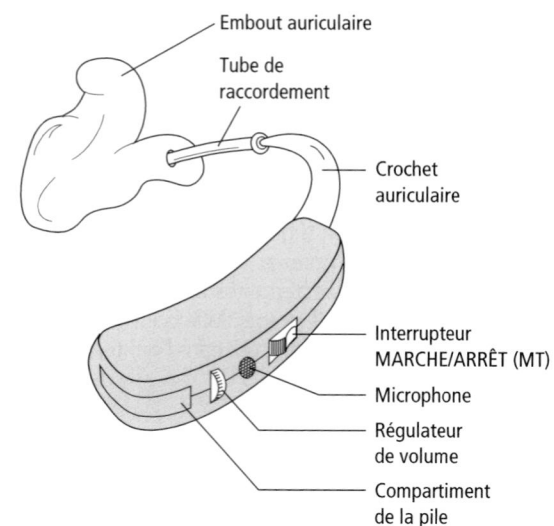

FIGURE **37-38** ■ Contour d'oreille (derrière l'oreille).

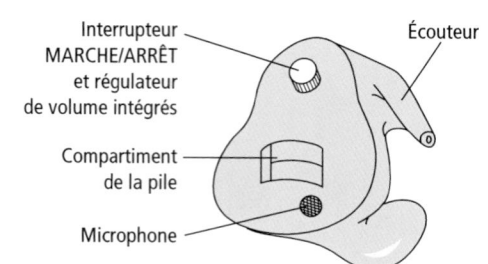

FIGURE **37-39** ■ Prothèse intraconque.

un sous-vêtement, une pochette de chemise ou un harnais de transport fourni par le manufacturier. Le boîtier proprement dit, qui renferme le microphone et l'amplificateur, est relié par une cordelette au récepteur, qui s'engage par pression dans l'écouteur.

Pour assurer un bon fonctionnement, il faut manipuler adéquatement l'appareil de correction auditive durant l'insertion et le retrait, nettoyer régulièrement l'embout auriculaire et changer la pile au besoin. La durée de vie d'un appareil entretenu correctement est de 5 à 10 ans ; il faut habituellement faire ajuster l'embout auriculaire tous les 2 ou 3 ans. Le procédé 37-8 décrit la marche à suivre pour retirer, nettoyer et remettre en place un appareil de correction auditive.

PROCÉDÉ 37-8

Retrait, nettoyage et insertion d'un appareil de correction auditive

Objectif
- Maintenir un appareil de correction auditive en bon état de fonctionnement.

COLLECTE DES DONNÉES

Évaluez
- Tout problème relatif à l'appareil ou à sa manipulation et son entretien.
- L'état des oreilles : sécrétion excessive de cérumen, écoulement ou sensation de gêne dans l'oreille externe.

PLANIFICATION

Matériel
- Appareil de correction auditive de la personne
- Eau, savon, serviettes ou chiffon humide
- Cure-pipe ou cure-dent (facultatif)
- Pile neuve, si nécessaire

INTERVENTION

Exécution
1. Expliquez à la personne ce que vous allez faire, pourquoi vous allez le faire et comment elle peut coopérer.
2. Lavez-vous les mains et observez les autres mesures de prévention des infections (par exemple, mettez des gants propres).
3. Préservez l'intimité de la personne en tirant les rideaux autour du lit ou en fermant la porte de la chambre.
4. Retirez l'appareil de correction auditive.
   - Mettez l'interrupteur en position ARRÊT et baissez le volume. L'interrupteur peut porter les inscriptions 0 (ARRÊT), M (microphone), T (téléphone) ou MT (microphone/téléphone). *La pile continue de fournir du courant si l'on ne met pas l'interrupteur en position ARRÊT.*
   - Retirez l'embout auriculaire en l'enfonçant légèrement, en effectuant un mouvement de rotation, puis en le tirant vers l'extérieur.
   - Enlevez la pile si vous prévoyez que la personne n'utilisera pas son appareil pendant plusieurs jours. *On évite ainsi la corrosion de l'appareil au cas où la pile fuirait.*
   - Rangez l'appareil de correction auditive en lieu sûr après y avoir inscrit le nom de la personne. Évitez toute exposition à la chaleur et à l'humidité. *On prévient ainsi la perte de l'appareil ou des dommages.*
5. Nettoyez l'embout auriculaire.
   - Démontez l'embout auriculaire, si possible. Au point de jonction du tube et du crochet, débranchez l'embout du récepteur s'il s'agit d'un boîtier, ou l'embout du boîtier s'il s'agit d'un contour d'oreille ou de lunettes auditives. Ne démontez pas l'embout auriculaire s'il est collé ou fixé à l'aide d'un petit anneau métallique. *Il est plus facile de nettoyer l'embout s'il est démonté et, de plus, on évite ainsi d'endommager accidentellement les autres composantes.*
   - Si l'embout auriculaire est amovible, faites-le tremper dans de l'eau légè-

rement savonneuse, puis rincez-le à fond et asséchez-le correctement. N'utilisez pas d'isopropanol. *L'emploi d'alcool peut endommager l'appareil de correction auditive.*
   - Si l'embout auriculaire n'est pas amovible ou s'il s'agit d'une prothèse intraconque, essuyez l'embout avec un chiffon humide.
   - Vérifiez que l'ouverture de l'embout auriculaire est bien dégagée. Soufflez dans l'ouverture pour éliminer tout reste d'humidité ou retirez les débris (par exemple de cérumen) à l'aide d'un cure-pipe ou d'un cure-dent.
   - Raccordez l'embout auriculaire au reste de l'appareil de correction auditive, s'il y a lieu.
6. Remettez l'appareil de correction auditive en place.
   - Demandez à la personne si l'appareil doit être inséré dans l'oreille gauche ou l'oreille droite.
   - Vérifiez si la pile se trouve bien dans l'appareil. Mettez l'interrupteur en position ARRÊT et assurez-vous que le volume est réglé au niveau le plus bas. *Si le volume est trop élevé, la personne éprouvera des sensations désagréables.*
   - Examinez l'embout auriculaire pour déterminer la partie qui s'engage dans le conduit auditif. Certains embouts sont adaptés uniquement au conduit auditif et à la conque, tandis que d'autres sont aussi adaptés au contour d'oreille. La section à insérer dans le conduit, qu'on trouve sur tous les appareils, sert de guide pour mettre l'appareil en place correctement.
   - Alignez les différentes parties de l'embout auriculaire avec les parties correspondantes de l'oreille de la personne.
   - Poussez l'embout légèrement vers l'avant en effectuant un mouvement de rotation, puis insérez la partie qui s'engage dans le canal.
   - Pressez doucement l'embout dans l'oreille tout en effectuant une rotation vers l'arrière.

   - Ajustez les autres composantes dans le cas d'un contour d'oreille et d'un boîtier.
   - Mettez l'interrupteur en position MARCHE et réglez le volume selon les besoins de la personne.
   - Assurez-vous que l'embout est installé correctement en demandant à la personne si l'appareil semble inséré solidement et si elle se sent bien.
7. Corrigez les problèmes causés par un mauvais fonctionnement de l'appareil.
   - Si le volume est trop faible ou s'il n'y a aucun son :
     a) Assurez-vous que le volume est réglé correctement.
     b) Assurez-vous que l'ouverture de l'embout auriculaire est bien dégagée.
     c) Testez la pile en mettant l'interrupteur en position MARCHE ; augmentez le volume, placez l'embout auriculaire dans votre main, refermez-la et écoutez. L'émission d'un sifflement continu indique que la pile fonctionne. Changez la pile au besoin, en vous assurant de l'engager correctement. Les symboles négatif (–) et positif (+) inscrits sur la pile doivent coïncider avec ceux du boîtier de l'appareil.
     d) Assurez-vous que du cérumen n'obstrue pas le canal auditif, ce qui ferait obstacle aux ondes sonores.
   - Si la personne se plaint d'entendre un sifflement ou un crissement après qu'on ait mis l'appareil en place :
     a) Baissez le volume.
     b) Assurez-vous que l'embout est correctement branché au récepteur.
     c) Réinsérez l'embout auriculaire.
8. Notez les données pertinentes.
   - On ne note généralement pas le retrait et la remise en place d'un appareil de correction auditive.
   - Notez tout problème de la personne relatif à l'appareil de correction auditive et avertissez la personne responsable, si nécessaire.

PROCÉDÉ 37-8 (SUITE)

Retrait, nettoyage et insertion d'un appareil de correction auditive (suite)

ÉVALUATION

- Parlez à la personne sur un ton de conversation normal et observez son comportement.
- Comparez la capacité auditive de la personne avec les évaluations antérieures.

- Signalez au médecin tout écart par rapport à la normale.

 SOINS À DOMICILE

Appareils de correction auditive

- Certaines personnes auraient besoin d'un appareil de correction auditive, mais elles n'en portent pas parce que cela leur semble un signe de vieillissement.
- Il est important de souligner à une personne qui vient d'acheter un appareil de correction auditive qu'il faut souvent des semaines, voire des mois, pour s'habituer à son utilisation. Au début, les sons lui paraîtront stridents puisqu'elle n'a plus l'habitude d'entendre les sons à haute fréquence. Il est bon de lui rappeler qu'il s'agit d'une prothèse et non d'un traitement, et de l'encourager à persévérer.
- La personne doit s'habituer graduellement à l'appareil de correction auditive en le portant un peu plus longtemps chaque jour, jusqu'à ce qu'elle soit capable de l'utiliser une journée entière (Anderson, 1998).
- Insister sur l'importance d'entretenir un appareil de correction auditive, c'est-à-dire de le nettoyer et de le vérifier régulièrement.

Nez

L'infirmière n'a généralement pas à donner de soins particuliers du nez, car la personne est habituellement capable d'éliminer ses sécrétions nasales en se mouchant doucement dans un papier-mouchoir. Si les sécrétions sèchent et forment des croûtes à l'entrée des narines, on les nettoie à l'aide d'un coton-tige imbibé de soluté physiologique ou d'eau. On ne doit pas insérer la tige au-delà de la partie recouverte d'ouate, car on risquerait alors d'endommager la muqueuse nasale.

Maintien d'un environnement hygiénique

Les personnes malades étant généralement alitées, et souvent durant de longues périodes, le lit devient un élément important dans leur vie. Un lieu propre, sécuritaire et confortable aide la personne à se reposer et à dormir, et accroît son sentiment de bien-être. Dans les établissements de santé, le mobilier de base comprend un lit, une table de chevet, une table de lit (table roulante), un ou plusieurs fauteuils et un espace de rangement pour les vêtements. La plupart du temps, on trouve aussi une sonnette d'appel, des luminaires et des prises de courant à proximité du lit, de même que des objets destinés aux soins personnels rangés dans la table de chevet. Dans les établissements de soins actifs, trois instruments s'ajoutent généralement au mobilier : un raccord pour divers dispositifs d'aspiration, une prise d'oxygène permettant d'alimenter la majorité des systèmes de distribution d'oxygène et un sphygmomanomètre pour mesurer la pression artérielle de la personne. Certains établissements de soins de longue durée permettent à la personne d'apporter quelques meubles, par exemple un téléviseur, un fauteuil et des lampes. La personne qui reçoit des soins à domicile a souvent autour d'elle plusieurs objets personnels et son propre équipement médical.

Environnement

Si on veut procurer à la personne un milieu confortable, il est important de prendre en considération son âge, la gravité de son affection et son degré d'activité.

TEMPÉRATURE AMBIANTE

Les personnes très jeunes, très âgées ou gravement malades ont souvent besoin que la température ambiante soit plus élevée que la normale. La plupart de ces personnes se sentent bien quand la température ambiante varie entre 20 et 23 °C.

VENTILATION

Il est important de fournir une bonne ventilation pour éliminer les odeurs désagréables et l'air vicié. Nombre de personnes trouvent déplaisantes les odeurs d'urine, d'écoulement de plaie et de vomis. L'emploi de désodorisant dans la chambre peut aider à éliminer ces odeurs, mais de bonnes pratiques d'hygiène constituent toujours la meilleure mesure de prévention des odeurs corporelles désagréables et de la mauvaise haleine.

BRUIT

La majorité des personnes malades sont sensibles aux bruits, tels les sons métalliques produits par divers dispositifs, les conversations à voix forte et les rires. L'infirmière devrait donc essayer de réduire les bruits dans les milieux de soins.

Lit d'hôpital

Le cadre d'un lit d'hôpital est formé de trois sections, ce qui permet d'élever séparément la tête ou le pied. La plupart des lits d'hôpitaux sont munis d'un moteur électrique servant à actionner les joints mobiles. Pour mettre le moteur en marche, on enfonce un bouton ou on déplace un petit levier, situé sur le côté du lit ou sur un petit panneau relié au lit par un câble, et auquel la personne peut accéder facilement. Le tableau 37-7 indique les positions du lit les plus courantes.

Un lit d'hôpital a généralement une hauteur de 66 cm et une largeur de 90 cm ; il est donc plus étroit qu'un lit ordinaire, ce qui permet à l'infirmière de donner des soins à la personne en se plaçant d'un côté du lit ou de l'autre sans avoir à trop s'étirer. La longueur du lit est généralement de 1,9 m. Dans les établissements de soins de longue durée pour personnes ambulatoires, les lits sont généralement bas, ce qui permet aux personnes de s'allonger et de se relever plus facilement. La majorité des lits d'hôpitaux se lèvent ou s'abaissent, mécaniquement ou électriquement, à l'aide d'un bouton ou d'un levier permettant de commander la positions haute ou basse. La première position permet à l'infirmière de donner des soins à la personne sans avoir à s'étirer ou à se pencher inutilement ; la seconde position permet à la personne de se lever facilement.

TABLEAU 37-7		
Positions du lit les plus courantes		
À plat Tête du lit Pied du lit 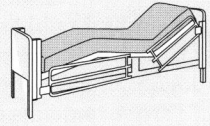	Le matelas est parfaitement horizontal.	La personne prend différentes positions en dormant : sur le dos, sur le côté, en position ventrale (le visage tourné vers le bas). Vise à maintenir l'alignement de la colonne vertébrale chez les personnes ayant subi un traumatisme médullaire. Quand on veut aider la personne à se déplacer ou à se tourner dans le lit. Quand l'infirmière doit faire le lit.
Position de Fowler 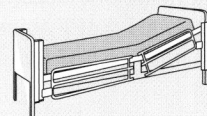	Position semi-assise dans laquelle la tête du lit est relevée de manière à déterminer un angle d'au moins 45° par rapport à l'horizontale. Les genoux sont fléchis ou à plat.	Position confortable pour manger, lire, recevoir des visiteurs et regarder la télévision. Repose de la position couchée. Favorise l'expansion des poumons chez la personne souffrant d'une affection pulmonaire. Quand on veut aider la personne à s'asseoir au bord du lit.
Position semi-Fowler 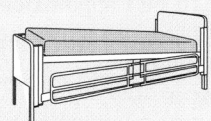	La tête du lit est relevée de manière à déterminer un angle d'au plus 30° par rapport à l'horizontale.	Repose de la position couchée. Favorise l'expansion des poumons.
Position de Trendelenburg 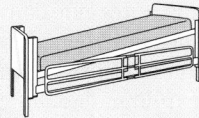	La tête du lit est abaissée tandis que le pied est relevé afin que le matelas forme un plan incliné.	Favorise la circulation veineuse chez certaines personnes. Permet le drainage postural des lobes inférieurs des poumons.
Position de Trendelenburg inversée	La tête du lit est relevée tandis que le pied est abaissé afin que le matelas forme un plan incliné dont la pente est inversée par rapport à celle de la position de Trendelenburg.	Favorise le transit des aliments dans l'estomac et prévient le reflux œsophagien chez la personne souffrant d'une hernie hiatale.

Matelas

Le matelas est généralement couvert d'un matériau imperméable qui ne se souille pas facilement et qui se nettoie aisément. Des poignées placées sur le côté facilitent le transport et la manipulation du matelas.

Dans les établissements de soins, on utilise aussi des matelas spéciaux afin de réduire la pression qui s'exerce sur les saillies osseuses, tels les talons, par exemple. Ils sont particulièrement utiles pour les personnes alitées durant de longues périodes. (Le chapitre 40 ⊂⊃ contient d'autres informations sur les matelas.)

Ridelles de sécurité

Les lits d'hôpitaux et les civières comportent des ridelles de sécurité, ou côtés de lit. Leur forme et leurs dimensions varient, et ils sont généralement faits de métal. Certains lits sont munis de deux ridelles pleine longueur, tandis que d'autres ont quatre ridelles demi-longueur ou quart de longueur (aussi appelées ridelles divisées). Il existe plusieurs types de dispositifs destinés à lever et à abaisser les côtés de lit. Il suffit souvent de tirer sur un ou deux boutons pour libérer la ridelle de manière à pouvoir la déplacer. Lorsque l'utilisation des côtés de lit est considérée comme nécessaire, l'infirmière ne doit pas quitter le chevet de la personne lorsqu'une ridelle est abaissée. Certaines ridelles se placent en deux positions seulement : relevée ou abaissée, tandis que d'autres se placent en trois positions différentes : en haut, au milieu et en bas.

Depuis des décennies, il est d'usage courant de laisser les ridelles relevées, car on considère qu'il s'agit d'une mesure de prévention efficace contre les chutes. Toutefois, cette hypothèse n'a jamais été démontrée. En réalité, plusieurs études ont montré que le fait de garder les ridelles relevées n'empêchait pas les personnes âgées de se lever sans aide, et qu'il s'ensuivait même des chutes et des blessures plus graves, voire des décès (Talerico et Capezuti, 2001). D'ailleurs, Santé Canada (2003) préconise maintenant une utilisation très judicieuse des ridelles. Cette recommandation concerne tant les infirmières qui travaillent dans un établissement de soins actifs que celles qui travaillent dans un établissement de soins de longue durée. Il existe en effet d'autres solutions, notamment l'emploi de lits de faible hauteur, le fait de placer un matelas à côté du lit et l'utilisation d'une sonnette d'appel (voir le chapitre 36 ⊂⊃).

> **! ALERTE CLINIQUE** *Il arrive qu'une personne reste prisonnière d'une ridelle et que celle-ci cause effectivement des blessures, voire des décès. Si on utilise les côtés de lit, l'infirmière doit évaluer l'état physique et mental de la personne et surveiller étroitement les personnes à risque (parce qu'elles sont fragiles, âgées ou confuses).* ■

Appuie-pieds ou planchette de pieds

On utilise un appuie-pieds, aussi appelé planchette de pieds, pour maintenir les pieds de la personne immobilisée dans une position normale, c'est-à-dire à angle droit avec la jambe, afin de prévenir les contractures causées par la flexion plantaire (voir le chapitre 42 ⊂⊃).

Arceau de lit

Un arceau de lit est un dispositif destiné à maintenir la literie de dessus éloignée des pieds, des jambes, voire de l'abdomen d'une personne. On place la literie sur le dispositif, auquel on peut aussi la fixer. Il existe plusieurs types d'arceaux de lit, l'un des plus courants étant formé d'une tige métallique recourbée qui se place au-dessus du lit. Une partie de l'arceau s'insère sous le matelas, et il est maintenu en place au moyen de ferrures que l'on fixe aux deux côtés du matelas par pression. La tige de certains arceaux surplombe seulement la moitié du lit, au-dessus d'une jambe.

Support pour intraveineuse

Les supports (ou potences) pour intraveineuse sont généralement faits de métal et servent à suspendre les sacs ou les bouteilles contenant les solutions à administrer par intraveineuse (IV). Les supports classiques sont autostables et se placent au chevet du lit, tandis que d'autres se fixent au lit. Dans certaines unités de soins, un support pour intraveineuse, fixé au plafond, surplombe le lit.

Faire un lit

L'infirmière doit être capable de préparer un lit d'hôpital de différentes façons en vue d'utilisations particulières. La plupart du temps, on fait le lit après avoir donné certains soins à la personne et lorsque le lit est inoccupé. Il arrive toutefois que l'infirmière doive faire le lit alors qu'il est occupé ou qu'elle doive préparer un lit (d'anesthésie, de soins postopératoires ou de chirurgie) pour une personne opérée. Certaines directives s'appliquent en tout temps, quel que soit le type de lit utilisé, que celui-ci soit occupé ou libre, et quel que soit l'objectif visé en le préparant. Voir l'encadré *Conseils pratiques – Faire un lit.*

Lit inoccupé

Un lit inoccupé est soit fermé, soit ouvert. La literie de dessus d'un lit ouvert est généralement repliée (d'où l'appellation *lit ouvert*) afin que la personne puisse s'y glisser plus facilement. On procède de la même façon pour faire un lit ouvert ou un lit fermé, sauf que dans le cas d'un *lit fermé* le drap de dessus, la couverture et le couvre-lit sont tirés jusqu'à la tête du lit et placés sous les oreillers.

On change souvent le lit après avoir donné un bain au lit, particulièrement si la literie est mouillée ou souillée. À moins qu'il ne s'agisse de draps-housses (communément appelés draps contours), on forme avec les draps, les couvertures et le couvre-lit des coins à 45° aux angles du lit, afin que la literie reste bien en place lorsque le lit est occupé. La figure 37-40 ■ indique comment former un coin à 45°, et on explique dans le procédé 37-9 comment changer un lit inoccupé.

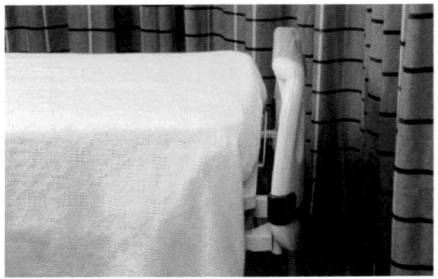

A

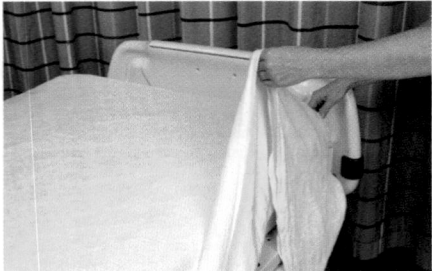

B

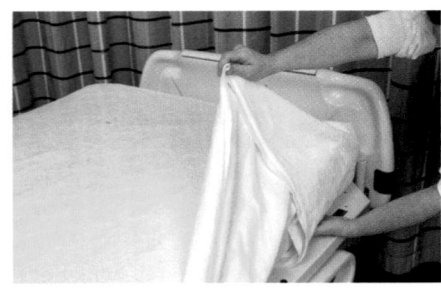

C

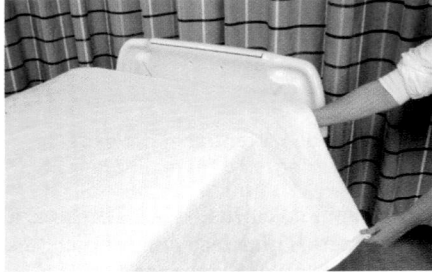

D

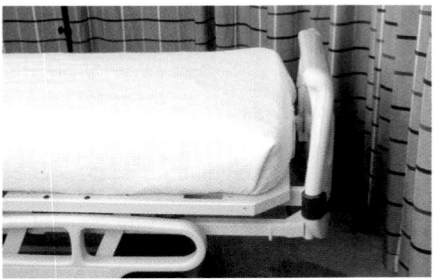

E

FIGURE **37-40** ▪ Formation d'un coin à 45°.

CONSEILS PRATIQUES

Faire un lit

- Tenir la literie souillée éloignée de son uniforme.
- Ne pas secouer la literie souillée afin d'éviter de disséminer dans l'air les microorganismes contenus dans les sécrétions et les excrétions.
- Déposer la literie souillée directement dans un sac à linge sale sur chariot roulant, placé au pied du lit ou à la porte de la chambre.
- Se laver les mains à fond après avoir manipulé la literie sale. La literie et l'équipement souillés avec des sécrétions et des excrétions hébergent des microorganismes transmissibles directement ou indirectement, par l'intermédiaire des mains ou de l'uniforme de l'infirmière.

- Lorsqu'on défait ou fait un lit, on économise temps et énergie en défaisant et en refaisant autant que possible un côté du lit avant de passer de l'autre côté.
- Pour éviter d'avoir à se rendre inutilement au lieu d'entreposage de la literie propre, rassembler toute la literie nécessaire avant de défaire le lit.
- On ne place jamais, même pour un court laps de temps, la literie destinée à une personne sur le lit d'une autre personne ou sur un meuble.

PROCÉDÉ 37-9

Faire un lit inoccupé

Objectifs
- Accroître le sentiment de confort de la personne.
- Fournir à la personne un milieu propre et soigné.

- Procurer à la personne une surface lisse, sans plis, afin de réduire au maximum les sources d'irritation de la peau.

COLLECTE DES DONNÉES

Évaluez
- L'état de santé de la personne, afin de déterminer si elle peut quitter son lit en toute sécurité. Dans certains établissements de soins, une personne qui a été alitée pendant un certain laps de temps ne peut se lever que sur ordonnance écrite.

- Le pouls de la personne et sa respiration s'il y a lieu.
- Le type de tubes et de dispositifs reliés à la personne, *car cela détermine parfois la nécessité d'utiliser de la literie supplémentaire ou des piqués imperméables.*

PROCÉDÉ 37-9 (SUITE)

Faire un lit inoccupé (suite)

PLANIFICATION

Matériel

- Deux draps plats, ou un drap-housse et un drap plat
- Alaise en toile (facultatif)
- Couverture
- Couvre-lit

- Piqué en tissu capitonné (facultatif)
- Autant de taies qu'il y a d'oreillers à la tête du lit
- Sac à lessive en plastique ou sac à linge sale sur chariot roulant, s'ils sont disponibles

---

INTERVENTION

Préparation

Déterminez quels objets sont déjà dans la chambre de la personne *afin d'éviter d'y accumuler inutilement de la literie.*

Exécution

1. Expliquez à la personne ce que vous allez faire, pourquoi vous allez le faire et comment elle peut coopérer.

2. Lavez-vous les mains et observez les autres mesures de prévention des infections.

3. Assurez-vous que l'intimité de la personne est préservée.

4. Mettez la literie propre sur la chaise ou la table de lit de la personne, et non sur le lit d'une autre personne. *On prévient ainsi la contamination croisée, c'est-à-dire le transfert de microorganismes d'une personne à une autre par l'intermédiaire de la literie souillée.*

5. Examinez la personne et aidez-la à se lever.
   - Assurez-vous que le moment est bien choisi pour demander à la personne de quitter le lit.
   - Aidez la personne à s'asseoir dans un fauteuil confortable.

6. Défaites le lit.
   - Vérifiez si la personne n'a pas oublié un objet personnel dans la literie sale ; détachez la sonnette d'appel et les tubes de drainage fixés au lit, s'il y a lieu.
   - Dégagez toute la literie méthodiquement ; commencez par la tête du lit, du côté le plus éloigné de vous, et poursuivez dans le sens horaire pour terminer à la tête, du côté le plus proche de vous. *On évite ainsi de s'étirer inutilement et on réduit le risque de claquage musculaire.*
   - Retirez les taies d'oreillers, si elles sont souillées, et posez les oreillers sur le fauteuil, que vous aurez placé près du pied du lit.
   - Pliez en quatre les éléments de literie que vous prévoyez réutiliser, par

exemple le couvre-lit et le drap de dessus : pliez-les d'abord en deux en faisant coïncider les bords supérieur et inférieur, prenez-les ensuite au

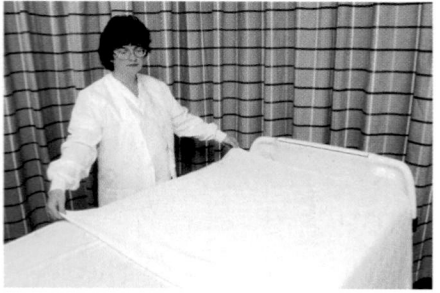

FIGURE **37-41** ■ Plier la literie réutilisable en quatre lorsqu'on la retire du lit.

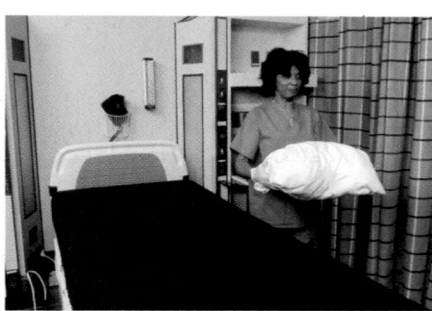

FIGURE **37-42** ■ Rouler la literie souillée dans le drap de dessous en la tenant éloignée de soi.

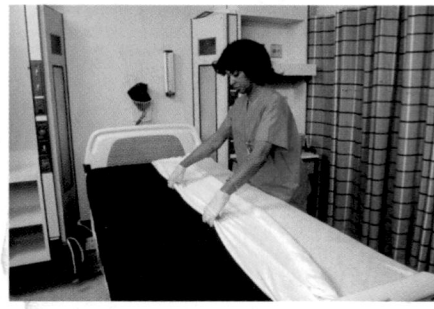

FIGURE **37-43** ■ Mise en place du drap de dessous.

milieu du pli central et des extrémités inférieures, et repliez le tout (figure 37-41 ■). *On économise ainsi temps et énergie au moment de remettre la literie en place.*
   - Roulez toute la literie souillée dans le drap de dessous, en la maintenant éloignée de votre uniforme, et déposez-la directement dans le sac à linge sale (figure 37-42 ■). *Il est essentiel de procéder de cette façon afin de ne pas contaminer l'infirmière ou d'autres personnes.*
   - Saisissez fermement le matelas, à l'aide des poignées s'il y a lieu, et replacez-le contre la tête du lit.

7. Mettez en place le drap de dessous et l'alaise.
   - Placez le drap de dessous plié sur le lit, de manière que le pli central se trouve au milieu du lit. Assurez-vous que les ourlets sont tournés vers le dessous *afin d'obtenir une surface bien lisse.* Étendez le drap sur le matelas en laissant à la tête une longueur suffisante pour rabattre le drap sous le matelas (figure 37-43 ■). *Il est important de rabattre le drap sous le matelas si on veut qu'il reste bien en place, surtout lorsqu'on relève la tête du lit.* Placez le drap le long de l'extrémité du matelas au pied du lit, sans le rabattre sous le matelas (à moins qu'il s'agisse d'un drap-housse).
   - Faites un coin à 45° à la tête du lit, du côté le plus proche de vous (voir la figure 37-40) et rabattez le drap sous le matelas, en allant de la tête du lit vers le pied.
   - Si vous devez mettre une alaise, placez-la sur le drap de dessous de manière que le pli central coïncide avec l'axe longitudinal du lit et que les extrémités supérieure et inférieure couvrent une surface comprise entre le dos de la personne et le milieu des cuisses ou des genoux. Pliez en accordéon, au centre du lit, la moitié la plus éloignée de l'alaise et rabattez

INTERVENTION (suite)

l'extrémité la plus proche de vous sous le matelas (figure 37-44 ◼).

- En procédant de la même façon, placez le piqué en tissu capitonné sur l'alaise.
- (Facultatif) Avant de vous rendre de l'autre côté du lit, placez la literie de dessus sur le lit, les ourlets tournés vers le haut, dépliez-la, puis rabattez les côtés sous le matelas et faites des coins à 45° au pied du lit. *On économise temps et énergie en faisant séparément chaque côté du lit.*

8. Passez de l'autre côté du lit et fixez solidement la literie de dessous.
   - Rabattez le drap de dessous sous le matelas, à la tête du lit, puis tirez fermement le drap et faites des coins à 45°.
   - Tirez le reste du drap fermement de manière à éliminer tous les plis. *Les plis gênent la personne.* Rabattez le côté du drap sous le matelas.
   - Procédez tel qu'il est décrit plus haut pour l'alaise ou le piqué, selon le cas.

9. Mettez en place ou finissez de mettre en place le drap de dessus, la couverture et le couvre-lit.
   - Placez le drap de dessus sur le lit, les ourlets tournés vers le haut, de manière que le pli central et l'axe longitudinal du lit se superposent et que l'extrémité supérieure coïncide avec celle du matelas.
   - Étendez le drap sur le lit.
   - (Facultatif) Faites un pli vertical ou horizontal de manière à fournir plus d'espace pour les pieds de la personne.
     a) Pli vertical : faites un pli de 5 à 10 cm, perpendiculairement au pied du lit (figure 37-45 ◼).
     b) Pli horizontal : faites un pli de 5 à 10 cm, près du pied du lit et paral-lèlement à celui-ci (figure 37-46 ◼). On peut aussi fournir plus d'espace pour les pieds en détendant la lite-rie de dessus autour des pieds une fois que la personne a regagné le lit.
   - Procédez de la même façon pour mettre en place la couverture et le couvre-lit, mais faites en sorte que les extrémités supérieures soient à envi-ron 15 cm de la tête du lit afin de pouvoir rabattre le drap de dessus sur le couvre-lit.
   - Rabattez le drap, la couverture et le couvre-lit sous le matelas au pied du lit et faites des coins à 45° avec les trois pièces de literie. Laissez les côtés du drap de dessus, de la couverture et du couvre-lit tomber librement, à moins que vous ayez fait des plis pour les pieds.
   - Rabattez l'extrémité supérieure du drap de dessus sur le couvre-lit (figure 37-47 ◼).

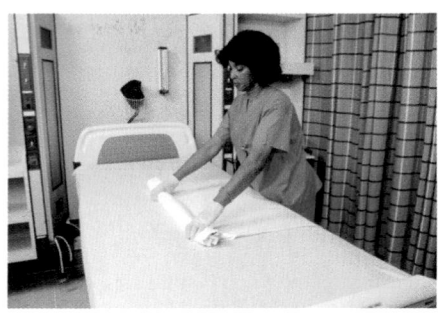

FIGURE **37-44** ◼ Mise en place de l'alaise.

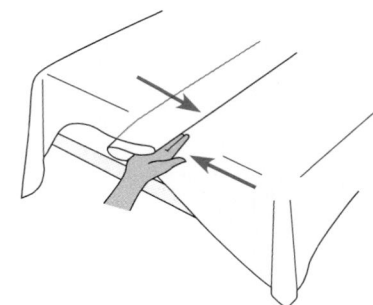

FIGURE **37-45** ◼ Pli vertical pour les pieds.

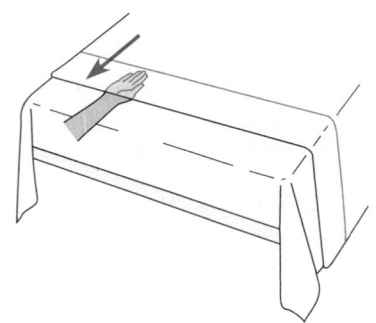

FIGURE **37-46** ◼ Pli horizontal pour les pieds.

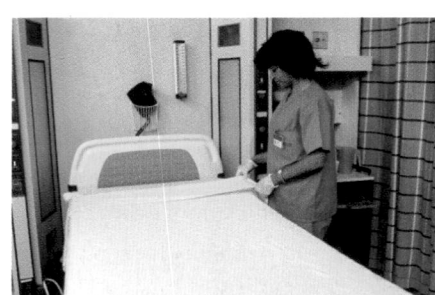

FIGURE **37-47** ◼ Faire un revers avec la literie de dessus.

Il est ainsi plus facile pour la personne de soulever la literie.

- Passez de l'autre côté du lit et mettez la literie de dessus en place de la même façon.

10. Mettez des taies propres sur les oreillers, si nécessaire.
    - Saisissez avec une main l'extrémité fermée de la taie par le milieu.
    - Ramassez les côtés de la taie et rabattez-les sur la main qui tient la taie d'oreiller, puis saisissez l'oreiller au milieu de l'un des côtés courts, à travers la taie (figure 37-48 ◼).
    - Avec la main libre, tirez la taie sur l'oreiller.
    - Ajustez la taie de manière que l'oreiller remplisse les angles et que les coutures soient droites. *Une taie d'oreiller lisse et bien ajustée est plus confortable qu'une taie mal ajustée et plissée.*
    - Placez les oreillers dans une position appropriée, à la tête du lit.

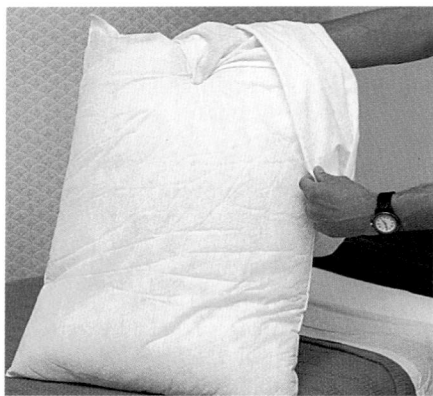

FIGURE **37-48** ◼ Mise en place d'une taie propre sur un oreiller.

11. Assurez-vous que la personne se sent à l'aise et en sécurité.
    - Fixez le cordon de la sonnette d'appel de manière que la personne puisse l'atteindre facilement. Certains cordons sont munis d'une pince que l'on fixe au drap ou à l'oreiller. Sinon, attachez le cordon à l'aide d'une épingle de sûreté. On peut également fixer la sonnette au drap à l'aide de ruban adhésif ou utiliser le cordon de la sonnette pour faire un nœud autour d'un barreau de la ridelle.
    - Si le lit est utilisé par une personne, rabattez la literie de dessus ou pliez-la en accordéon au centre du lit. *Il est ainsi plus facile pour la personne d'entrer dans le lit.*
    - Placez la table de chevet et la table de lit de sorte que la personne puisse y accéder.
    - Laissez le lit à la hauteur maximale si la personne est sur une civière, et réglez-le à la hauteur minimale si la personne est ambulatoire.

PROCÉDÉ 37-9 (SUITE)

Faire un lit inoccupé (suite)

INTERVENTION (suite)

12. Notez les données pertinentes et, si nécessaire, prévenez la personne responsable.
    - On ne note généralement pas que le lit a été fait.
    - Notez toutes les évaluations infirmières, comme l'état physique de la personne, son pouls et son rythme respiratoire avant qu'elle se lève et après qu'elle se soit levée, selon les directives.

Variante : lit de chirurgie

On prépare le lit pour la phase postopératoire pendant que la personne est en salle d'opération. Dans certains établissements, on ramène la personne à sa chambre sur une civière, puis on la transfère dans son lit ; dans d'autres établissements, on roule le lit de la personne jusqu'au bloc opératoire, et on y installe la personne directement. Dans ce dernier cas, il faut faire le lit avec de la literie propre dès que la personne se rend au bloc opératoire afin qu'il soit prêt au moment voulu.

- Défaites le lit.
- Mettez les oreillers sur le fauteuil de chevet et laissez-les là. *On laisse les oreillers sur le fauteuil pour faciliter le transfert de la personne dans le lit.*
- Installez la literie de dessous comme on le fait dans le cas d'un lit inoccupé. Mettez une couverture de flanelle sur le lit si cela correspond aux directives de l'établissement. *Une couverture de flanelle fournit un supplément de chaleur.*

- Placez la literie de dessus (drap, couverture et couvre-lit) sur le lit comme on le fait dans le cas d'un lit inoccupé, mais ne la rabattez pas sous le matelas et ne faites pas de coins à 45° ni de pli pour les pieds.
- Faites un revers à la tête du lit comme on le fait dans le cas d'un lit inoccupé. Rabattez la literie de dessus vers le haut au pied du lit.
- Du côté du lit où l'on transférera la personne, rabattez les deux coins de la literie de dessus de manière qu'ils se touchent au centre du lit et que la literie forme un triangle (figure 37-49 ■).
- Saisissez la literie de dessus par le sommet du triangle et pliez-la en accordéon, dans le sens de la longueur, sur l'autre côté du lit *afin de faciliter le transfert de la personne dans le lit* (figure 37-50 ■).
- Laissez le lit à la hauteur maximale, ridelles abaissées. *Il est plus facile de transférer la personne si le lit est dans cette position.*
- Bloquez les roulettes du lit si on ne prévoit pas le déplacer. *On évite ainsi que le lit ne bouge pendant le transfert de la personne de la civière au lit.*

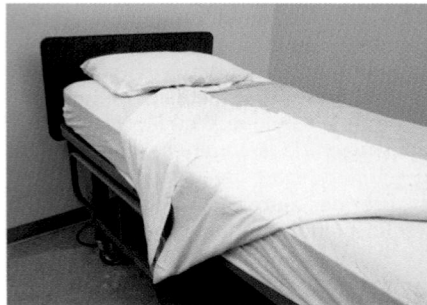

FIGURE **37-49** ■ Rabattre deux coins de la literie de dessus de manière que celle-ci forme un triangle.

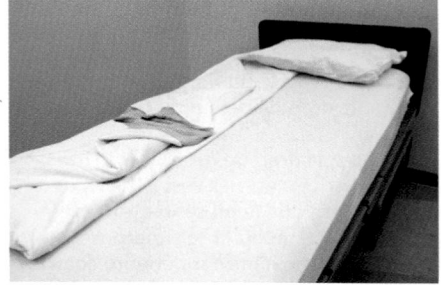

FIGURE **37-50** ■ Lit de chirurgie. Plier la literie en accordéon, dans le sens de la longueur, sur l'autre côté du lit afin de faciliter le transfert de la personne.

ÉVALUATION

- Assurez-vous que la personne peut atteindre la sonnette d'appel.
- Comparez les signes vitaux de la personne (par exemple, le pouls et la respiration) avec les données d'évaluation antérieures, surtout si la personne a été alitée durant une longue période ou si c'est la première fois qu'elle quitte son lit depuis qu'elle a été opérée.

Lit occupé

Dans certaines situations, il est nécessaire de faire le lit même si la personne ne peut le quitter. C'est le cas des personnes trop faibles pour se lever, de celles qu'il est contre-indiqué de faire asseoir dans un fauteuil en raison de leur affection, ou de celles qui doivent rester au lit à cause de l'application d'un dispositif de traction ou d'un autre traitement. Quand elle doit faire un lit occupé, l'infirmière travaille rapidement et s'efforce de déranger la personne le moins possible afin de ne pas la fatiguer inutilement. Pour ce faire, elle applique les directives suivantes (voir également le procédé 37-10) :

- S'assurer de maintenir l'alignement du corps de la personne. Ne jamais déplacer la personne ou la placer dans une position contre-indiquée, compte tenu de son état de santé. Demander de l'aide si nécessaire afin de garantir la sécurité de la personne.
- Déplacer la personne doucement, sans à-coups. Les mouvements brusques risquent de causer de la douleur et d'irriter la peau.
- Expliquer la prochaine étape à la personne pendant tout le procédé en utilisant des termes à sa portée.
- Profiter du temps consacré à faire le lit, de même qu'à donner un bain au lit, pour évaluer les besoins de la personne et les satisfaire.

PROCÉDÉ 37-10

Faire un lit occupé

Objectifs
- Économiser l'énergie de la personne et préserver son état de santé actuel.
- Accroître le sentiment de bien-être de la personne.
- Fournir à la personne un milieu propre et soigné.
- Procurer à la personne une surface lisse, sans plis, afin de réduire au maximum les sources d'irritation de la peau.

COLLECTE DES DONNÉES

Évaluez
- Les directives ou les précautions particulières à prendre pour déplacer ou installer la personne.
- La nécessité d'utiliser un piqué en tissu capitonné si la personne est incontinente ou en présence d'écoulements abondants.
- L'état de la peau et le besoin d'utiliser un matelas spécial (à alvéoles, par exemple), d'un appuie-pieds ou de protège-talons.

PLANIFICATION

Matériel
- Deux draps plats (ou un drap-housse et un drap plat)
- Alaise en toile (facultatif)
- Couverture
- Couvre-lit
- Piqué en tissu capitonné (facultatif)
- Autant de taies qu'il y a d'oreillers à la tête du lit
- Sac à lessive en plastique ou sac à linge sale sur chariot roulant, s'ils sont disponibles

INTERVENTION

Exécution
1. Expliquez à la personne ce que vous allez faire, pourquoi vous allez le faire et comment elle peut coopérer.
2. Lavez-vous les mains et observez les autres mesures de prévention des infections. Mettez des gants jetables.
3. Assurez-vous que l'intimité de la personne est préservée.
4. Enlevez la literie de dessus.
   - Retirez tout l'équipement fixé à la literie, notamment la sonnette d'appel.
   - Amenez toute la literie de dessus au pied du lit, et enlevez le couvre-lit et la couverture.
   - Laissez le drap de dessus sur la personne (vous pouvez l'y laisser, même si vous changez la literie; il fournit ainsi suffisamment de chaleur à la personne), ou remplacez-le par une couverture de flanelle en procédant comme suit:
     a) Étendez le drap de bain sur le drap de dessus.
     b) Demandez à la personne de tenir l'extrémité supérieure du drap de bain.
     c) En passant par le côté, sous la couverture, saisissez l'extrémité supérieure du drap de dessus et tirez-le jusqu'au pied du lit, en laissant la couverture de flanelle en place (figure 37-51 ■).
     d) Retirez le drap du lit et mettez-le dans le sac à linge sale.
5. Changez le drap de dessous et l'alaise.
   - Aidez la personne à s'allonger sur le côté, le visage tourné dans la direction opposée à celle où se trouve la lingerie propre.
   - Relevez la ridelle la plus proche de la personne. *On prévient ainsi la chute de la personne.* S'il le lit n'a pas de ridelles, demandez à une autre personne de maintenir la personne près du bord du lit.
   - Dégagez la literie de dessous du côté du lit où se trouve la literie propre.
   - Pliez l'alaise et le drap de dessous en accordéon au centre du lit (figure 37-52 ■), aussi près que possible de la personne. *On dégage ainsi la moitié du lit la plus proche de soi de manière à pouvoir mettre en place la literie propre.*
   - Placez le drap de dessous propre sur le lit et pliez en accordéon, dans le sens de la longueur et aussi près que possible de la personne, la moitié du drap qui recouvrira le côté du lit le plus éloigné de vous (figure 37-53 ■).

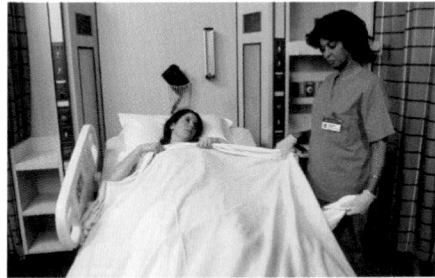

FIGURE 37-51 ■ Comment retirer le drap de dessus qui se trouve sous la couverture de flanelle.

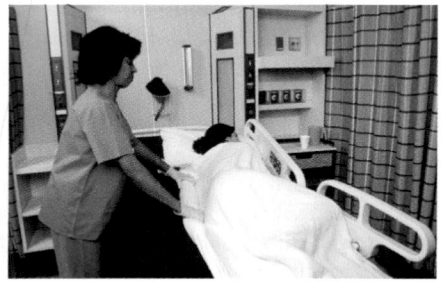

FIGURE 37-52 ■ Plier la literie souillée le plus près possible de la personne.

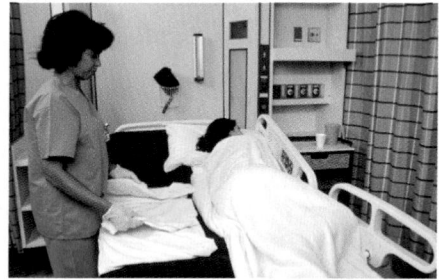

FIGURE 37-53 ■ Installer un drap de dessous propre sur la moitié du lit.

PROCÉDÉ 37-10 (SUITE)

Faire un lit occupé (suite)

INTERVENTION (suite)

Rabattez le drap sous le matelas du côté du lit le plus proche de vous et faites des coins à 45°, à moins qu'il ne s'agisse d'un drap-housse.

- Placez l'alaise propre sur le lit de façon que le pli central se trouve au centre du lit. Pliez en accordéon, au centre du lit et dans le sens de la longueur, la moitié de l'alaise la plus éloignée de vous et rabattez l'extrémité la plus proche de vous sous le matelas (figure 37-54 ■).
- Aidez la personne à rouler vers vous, sur la partie propre du lit. (Elle roule en fait sur la literie pliée en accordéon au centre du lit.)
- Placez les oreillers du côté propre du lit afin que la personne puisse les utiliser. Relevez la ridelle avant de vous éloigner.

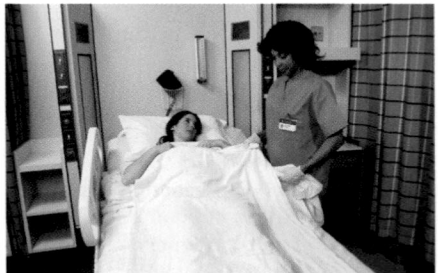

FIGURE **37-54** ■ Mise en place de l'alaise propre.

- Passez de l'autre côté du lit et abaissez la ridelle.
- Enlevez la literie sale et mettez-la dans le sac à linge sale.
- Dépliez la partie du drap de dessous pliée en accordéon au centre du lit.
- En vous tenant parallèlement au côté du lit, tirez avec les deux mains le drap de dessous afin de le lisser, puis rabattez tout le surplus sous le matelas, sur le côté.
- Dépliez la partie de l'alaise pliée en accordéon au centre du lit et tirez-la fermement avec les deux mains en procédant en trois étapes, en vous plaçant tour à tour : (a) face au côté du lit pour tirer la section centrale de l'alaise ; (b) face au coin supérieur pour tirer la section du bas ; (c) face au coin inférieur pour tirer la section du haut.
- Rabattez le restant de l'alaise sous le matelas, sur le côté.

6. Aidez la personne à se replacer au milieu du lit.
   - Remettez les oreillers au centre du lit.
   - Aidez la personne à s'allonger au centre du lit. Déterminez quelle position elle doit prendre ou demandez-lui celle qu'elle préfère, et aidez-la à s'allonger dans cette position.

7. Étendez la literie de dessus.
   - Étendez le drap de dessus plié sur la personne et demandez-lui de tenir l'extrémité supérieure du drap, ou

insérez celle-ci sous ses épaules. Le drap propre doit rester sur la personne pendant que vous enlevez la couverture de flanelle (figure 37-55 ■).
   - Finissez de mettre en place la literie de dessus.

8. Assurez la sécurité de la personne en tout temps.
   - Relevez les ridelles et réglez le lit à la hauteur minimale avant de vous en éloigner.
   - Fixez le cordon de la sonnette d'appel à la literie de manière que la personne puisse l'atteindre facilement.
   - Placez les objets dont se sert la personne de manière qu'elle puisse les atteindre facilement.

9. On ne note généralement pas que le lit a été fait.

FIGURE **37-55** ■ La personne tient l'extrémité supérieure du drap propre pendant que l'infirmière enlève le drap de bain.

ÉVALUATION

- Faites un suivi approprié : vérifiez par exemple si la personne se sent à l'aise et en sécurité, si tous les tubes de drainage laissent les liquides s'écouler correctement et si la personne peut se servir facilement de la sonnette d'appel en cas de besoin.

EXERCICES D'INTÉGRATION

Une personne a subi une chirurgie abdominale il y a quatre jours. Elle se remet bien ; elle marche plusieurs fois par jour, effectue ses soins d'hygiène sans aide et se prépare à rentrer chez elle demain. Au cours de l'évaluation du matin, l'infirmière note que la personne a les cheveux gras et agglutinés et qu'elle dégage des odeurs corporelles désagréables. Ses prothèses dentaires, déposées dans un récipient sur la table de chevet, ont besoin d'être nettoyées. L'infirmière a examiné la plaie chirurgicale à l'abdomen et vérifié qu'il n'y avait pas d'écoulement, de rougeur ni aucun autre signe d'infection. Elle a interrogé la personne sur ses capacités à prendre un bain et à effectuer les autres soins d'hygiène, et elle lui a offert de l'aider. La personne a répondu qu'elle avait pris un bain la veille et qu'elle ne sentait pas le besoin d'en prendre un aujourd'hui, et a demandé qu'on lui permette de ne pas effectuer non plus les autres soins personnels.

1. L'infirmière considère que le diagnostic infirmier *Déficit de soins personnels : se laver et effectuer ses soins d'hygiène* s'applique à la personne. Elle révise les indicateurs et les facteurs favorisants. Que découvre-t-elle ?

2. Quelles questions supplémentaires devrait-elle poser à la personne ?

3. Pourquoi était-il important d'effectuer les évaluations qui ont été faites en plus de poser les questions énoncées ci-dessus ?

4. Quelles démarches l'infirmière peut-elle entreprendre si elle considère que la personne a besoin d'aide pour se laver les cheveux et effectuer les autres soins d'hygiène ?

5. Quels avantages y a-t-il à ce que ce soit l'infirmière qui donne le bain et d'autres soins d'hygiène à une personne ?

Voir l'appendice A : Exercices d'intégration – Pistes de réflexion.

RÉVISION DU CHAPITRE

Concepts clés

- Plusieurs facteurs influent sur les pratiques d'une personne en matière d'hygiène : la culture, la religion, le milieu, le degré de développement, la santé, l'énergie et les goûts personnels.

- Les principales fonctions de la peau sont : la protection des tissus sous-jacents ; la régulation de la température corporelle ; la sécrétion de sébum ; la perception sensorielle par l'intermédiaire des neurorécepteurs qui captent et transmettent les sensations ; la production et l'absorption de vitamine D sous l'action des rayons ultraviolets du soleil.

- Lors de la planification des soins d'hygiène, l'infirmière doit tenir compte des goûts de la personne.

- L'infirmière donne les soins du périnée aux personnes incapables de les effectuer elles-mêmes.

- L'infirmière est souvent en mesure d'enseigner à la personne comment prévenir les affections des pieds.

- L'hygiène buccodentaire quotidienne devrait comprendre le passage de la soie dentaire et le brossage mécanique des dents.

- On recommande un examen régulier des dents et l'administration de suppléments de fluor afin de préserver la santé des dents.

- L'infirmière donne des soins buccodentaires spéciaux aux personnes inconscientes ou handicapées.

- Le soin des cheveux consiste à les peigner et à les brosser chaque jour, et à les laver régulièrement.

- Les personnes afro-canadiennes ont souvent besoin de soins des cheveux particuliers.

- L'infirmière doit parfois aider les personnes dépendantes à effectuer les soins d'un œil artificiel, de lunettes ou de lentilles cornéennes.

- Les personnes qui portent un appareil de correction auditive ont parfois besoin de l'aide de l'infirmière pour le mettre en place.

- Faire un lit fait partie des activités visant à maintenir un milieu hygiénique.

- Il est important de procurer en tout temps à la personne un lit propre et confortable.

Questions de révision

37-1. Une personne est capable de se laver elle-même à l'exception du dos et des pieds. Elle peut aussi marcher jusqu'à la salle de bain et en revenir, et se vêtir si on lui donne ses vêtements. Comment qualifieriez-vous le degré de fonctionnement de cette personne ?
   a) Totalement dépendant (+4).
   b) Légèrement dépendant (+3).
   c) Semi-dépendant (+2).
   d) Complètement autonome (0).

37-2. Une personne ne réagit pas et le personnel infirmier doit lui prodiguer tous les soins. Avant de lui donner des soins buccodentaires spéciaux, l'infirmière doit vérifier :
   a) La présence de douleur.
   b) L'état de la peau.
   c) Le réflexe nauséeux.
   d) Le degré de mobilité.

37-3. Une personne souffre de diabète et la peau de ses membres inférieurs, en particulier celle de ses pieds, est très sèche. Afin de préserver l'intégrité de la peau, l'infirmière devrait conseiller à la personne :
   a) De faire souvent tremper ses pieds.
   b) D'utiliser une lotion sans parfum.
   c) D'appliquer de la poudre pour les pieds.
   d) D'éviter de porter des mi-bas.

37-4. Une personne qui porte une prothèse intraconque souffre d'arthrite, de sorte qu'elle a besoin d'aide pour mettre son appareil en place. Laquelle des précautions ci-dessous l'infirmière devrait-elle prendre avant de procéder à l'insertion de la prothèse ?
   a) Mettre l'appareil en position ARRÊT.
   b) Faire tremper l'appareil dans une solution savonneuse pour le nettoyer.
   c) Régler le volume au niveau le plus élevé.
   d) Retirer la pile.

37-5. Une personne actuellement en salle d'opération doit être transférée dans sa chambre sur une civière. L'infirmière planifie son retour en préparant un lit. De quel type de lit s'agit-il et dans quelle position le mettra-t-elle ?
   a) Un lit ouvert réglé à la hauteur minimale.
   b) Un lit occupé réglé à la hauteur minimale.
   c) Un lit fermé réglé à la hauteur maximale.
   d) Un lit de chirurgie réglé à la hauteur maximale.

Voir l'appendice B : Réponses aux questions de révision.

BIBLIOGRAPHIE

En anglais

Anderson, E. G. (1998). Deafness is a scourge (and you can say that again). *Geriatrics, 53*(8), 65–69.

Andrews, M. M., & Boyle, J. S. (2003). *Transcultural Concepts in Nursing Care* (4th ed.) Philadelphia: Lippincott Williams & Wilkins.

Bennett, J. A. (1999). Activities of daily living: Old-fashioned or still useful? *Journal of Gerontological Nursing, 25*(5), 22–29.

Beuscher, T. L. (1998). Community outreach foot care for the elderly: A winning proposition. *Home Healthcare Nurse, 16*(1), 37–44.

Brawley, E. C. (2002). Bathing environments: How to improve the bathing experience. *Alzheimer's Care Quarterly, 3*(1), 38–41.

Cavendish, R. (1998). Clinical snapshot: Adult hearing loss. *American Journal of Nursing, 98*(8), 50–51.

Cavendish, R. (1999). Clinical snapshot: Periodontal disease. *American Journal of Nursing, 99*(3), 36–37.

Dempster, J. (1999). The advantages of the bag bath in resident hygiene care. *Canadian Nursing Home, 10*(2), 15–17.

Feldman, C. B. (1998). Caring for feet: Patients and nurse practitioners working together. *Nurse Practitioner Forum, 9*(2), 87–93.

Frankowski, B. L., & Weiner, L. B. (2002). Head lice. *Pediatrics, 110*(3), 638–643.

Freeman, E. M. (1997). International perspectives on bathing. *Journal of Gerontological Nursing, 23*(5), 40–44.

Gammons, M., & Salam, G. (2002). Tick removal. *American Family Physician, 66*(4), 643–645.

Halpin-Landry, J. E., & Goldsmith, S. (1999). Feet first: Diabetes care. *American Journal of Nursing, 99*(2), 26–33.

Hektor, L. M., & Touhy, T. A. (1997). The history of the bath: From art to task? *Journal of Gerontological Nursing, 23*(5), 7–15.

Hoeffer, B., Rader, J., McKenzie, D., Lavelle, M., & Stewart, B. (1997). Reducing aggressive behavior during bathing cognitively impaired nursing home residents. *Journal of Gerontological Nursing, 23*(5), 16–23.

Jackson, F. (1998). The ABC's of black hair and skin care. *The ABNF Journal, 9*(5), 100–104.

Johnson, M., Maas, M., & Moorhead, S. (2000). *Nursing outcomes classification (NOC)* (2nd ed.). St. Louis, MD: Mosby.

McCloskey, J. C., & Bulechek, G. M. (2000). *Nursing interventions classification (NIC)* (3rd ed.). St. Louis, MO: Mosby.

McConnell, E. A. (1998a). Clinical do's & don'ts. Communicating with a hearing-impaired patient. *Nursing, 28*(1), 31.

McConnell, E. A. (1998b). Clinical do's & don'ts. Teaching a patient with diabetes how to protect her feet. *Nursing, 28*(12), 31.

McNeill, H. E. (2000). Biting back at poor oral hygiene. *Intensive and Critical Care Nursing, 16*(6), 367–372.

Miller, M. F. (1997). Physically aggressive resident behavior during hygienic care. *Journal of Gerontological Nursing, 23*(5), 24–39.

NANDA International. (2003). NANDA *nursing diagnoses: Definitions & classification 2003–2004*. Philadelphia: Author.

Norwood-Chapman, L., & Burchfield, S. B. (1999). Nursing home personnel knowledge and attitudes about hearing loss and hearing aids. *Gerontology and Geriatrics Education, 20*(2), 37–47.

Pillitteri, A. (2003). *Maternal and Child Health Nursing: Care of the Childbearing and Childrearing Family* (4th ed.). Philadelphia: Lippincott Williams & Wilkins.

Pyle, M. A., Massie, M., & Nelson, S. (1998). A pilot study on improving oral care in long-term care settings. *Journal of Gerontological Nursing, 24*(10), 31–38.

Rader, J., Lavelle, M., Hoeffer, B., & McKenzie, D. (1996). Maintaining cleanliness: An individualized approach. *Journal of Gerontological Nursing, 22*(3), 31–38.

Rakow, P. L. (2000). Perspective on contact lenses. What lens is that new patient wearing? Identifying, inspecting, and verifying the parameters of rigid and soft contact lenses. *Journal of Ophthalmic Nursing and Technology, 19*(6), 304–310.

Ramponi, D. R. (2001). Eye on contact lens removal. *Nursing, 31*(8), 56–57.

Rawlins, C. A., & Trueman, I. W. (2001). Effective mouth care for seriously ill patients. *Professional Nurse, 16*(4), 1025–1028.

Roberts, S. S. (2001). Top ways to prevent dental problems. *Diabetes Forecast, 54*(4), 71–72.

Schwartz, M. (2000). The oral health of the long-term care patient. *Annals of Long Term Care, 8*(12), 41–46.

Sheppard, C. M., & Brenner, P. S. (2000). The effects of bathing and skin care practices on skin quality and satisfaction with an innovative product. *Journal of Gerontological Nursing, 26*(10), 36–45, 55–56.

Skewes, S. (1997). Bathing: It's a tough job! *Journal of Gerontological Nursing, 23*(5), 45–49.

Sommer, S. K., & Sommer, N. W. (2002). When your patient is hearing impaired. *RN, 65*(12), 28–32.

Stone, C. M. (1999). Preventing cerumen impaction in nursing facility residents. *Journal of Gerontological Nursing, 25*(5), 43–45.

Talerico, K. A., & Capezuti, E. (2001). Myths and facts about side rails. *American Journal of Nursing, 101*(7), 43–48.

Walton, J. C., Miller, J., & Tordecilla, L. (2001). Elder oral assessment and care. *MEDSURG Nursing, 10*(1), 37–44.

Wilkinson, J. M. (2000). *Nursing diagnosis handbook with NIC interventions and NOC outcomes* (7th ed.). Upper Saddle River, NJ: Prentice Hall Health.

Whitmyer, C., Terezhalmy, G., Miller, D., & Hujer, M. (1998). Clinical evaluation of the efficacy and safety of an ultrasonic toothbrush system in an elderly patient population. *Geriatric Nursing, 19*(1), 29–33.

En français

Bouffard, L., Hébert, F., Lemieux, J. M., Perron, G. et Tremblay, L. (2002). La clientèle itinérante et les soins de pieds: des infirmières osent..., *L'infirmière du Québec, 8*(2), 40-41.

Carpenito, L. J. (2003). *Manuel de diagnostics infirmiers*, traduction de la 9e édition, Saint-Laurent: Éditions du Renouveau Pédagogique.

Christophe, A. et Lasry, C. (2003). Les soins de bouche, *Revue de l'infirmière, 93*(septembre), 34-35.

Domangé, F., Cavé, C., Baillet, L., Rigaleau, V. et Gin, H. (2003). Évaluation des soins podologiques chez le patient diabétique, *Soins, 680*(novembre), 22-23.

Johnson, M. et Maas, M. (dir.). (1999). *Classification des résultats de soins infirmiers CRSI/NOC*, Paris: Masson.

McCloskey, J. C. et Bulechek, G. M. (dir.). (2000). *Classification des interventions de soins infirmiers CISI/NIC*, Paris: Masson.

NANDA International. (2004). *Diagnostics infirmiers: Définitions et classification 2003-2004*, Paris: Masson.

Pascal, A. et Frécon Valentin, E. (1999a). Soins de la muqueuse buccale, *Soins, 632*(janvier-février), 63-64.

Pascal, A. et Frécon Valentin, E. (1999b). Soins d'hygiène, *Soins, 630*(novembre), 63-64.

Santé Canada. (2003). *Le guide de la sécurité au lit: L'utilisation des côtés de lit à l'hôpital, dans les foyers de soins et dans le cadre des soins à domicile: Les faits*, (page consultée le 8 décembre 2004), [en ligne], <http://www.hc-sc.gc.ca/hpfb-dgpsa/tpd-dpt/bedrail_brochure_f.html>.

Simoneau, J. (2004). Soins des dents à la maison, *Capital santé, 6*(10), 24-29.

Après avoir étudié ce chapitre, vous pourrez :

- Décrire le rôle de l'infirmière pour chaque étape des différents examens paracliniques.
- Établir la liste des analyses sanguines courantes.
- Mesurer la glycémie à partir d'un échantillon de sang capillaire au moyen d'un lecteur de glycémie (glucomètre).
- Discuter des responsabilités infirmières concernant les prélèvements.
- Justifier le prélèvement de chaque type d'échantillon.
- Prélever des échantillons de selles en vue d'effectuer certains tests.
- Prélever et comparer différents types d'échantillons d'urine.
- Prélever des échantillons d'expectorations et faire des prélèvements de gorge.
- Décrire les méthodes courantes de visualisation utilisées chez la personne souffrant d'une affection des fonctions digestive, urinaire, cardiovasculaire ou respiratoire.
- Comparer les résultats des examens effectués par tomodensitométrie, imagerie par résonance magnétique et scintigraphie (médecine nucléaire).
- Décrire le rôle de l'infirmière auprès d'une personne qui doit subir une ponction ou une biopsie.

PARTIE 9
Composantes essentielles des soins cliniques

CHAPITRE
38

EXAMENS PARACLINIQUES

Adaptation française :
Sophie Longpré, inf., M.Sc.
Professeure, Département des sciences infirmières
Université du Québec à Trois-Rivières

Les examens paracliniques sont des outils qui fournissent des renseignements sur la personne. Les tests sont fréquemment utilisés pour faire du dépistage au moment d'un bilan de santé. Ils servent également pour confirmer ou infirmer un diagnostic, surveiller l'évolution d'une affection ou vérifier la réaction à un traitement. L'infirmière doit connaître les examens paracliniques usuels ; en effet, un de ses principaux rôles consiste à enseigner à la personne, à sa famille ou à ses proches comment se préparer pour l'examen. Elle doit également leur enseigner les soins nécessaires après l'examen. Enfin, elle doit connaître les répercussions que peuvent avoir les résultats sur la personne et sa famille, afin de leur fournir les soins infirmiers les plus appropriés.

Habituellement, on pratique les examens paracliniques dans différents endroits, tels les hôpitaux et les cliniques médicales ; cependant, ils se font de plus en plus fréquemment dans la communauté, par exemple à la maison, en milieu de travail, dans les centres commerciaux ou les unités mobiles. Les examens paracliniques plus complexes sont effectués dans des centres de diagnostic spécialement conçus à cette fin.

Étapes des examens paracliniques

Les examens paracliniques comprennent trois étapes : avant l'examen, pendant l'examen et après l'examen.

Avant l'examen

La préparation de la personne représente l'aspect le plus important de cette étape. Une bonne évaluation et une collecte des données approfondie (données biologiques, sociologiques, culturelles et spirituelles, par exemple) aident l'infirmière à établir ses stratégies de communication et d'enseignement. Ainsi, avant de soumettre une femme en âge de procréer à un examen radiologique, il est important de lui demander s'il se peut qu'elle soit enceinte. Il faudra alors prendre des précautions particulières ou reporter l'examen si nécessaire.

L'infirmière doit aussi savoir quel matériel et quelles fournitures requiert l'examen lui-même. Elle peut se poser les questions suivantes : Quel genre d'échantillon faudra-t-il prélever et de quelle manière le sera-t-il ? La personne devra-t-elle être à jeun avant l'examen ? Si oui, depuis combien de temps ? L'examen exige-t-il l'administration d'une substance de contraste et, si c'est le cas, sera-t-elle injectée ou avalée ? Faut-il demander à la personne de ne pas boire de liquides ou, au contraire, doit-elle en absorber ? Doit-elle prendre ses médicaments ou non ? Quelle est la durée de l'examen ? Doit-elle signer un formulaire de consentement ? Répondre à ces questions permet d'éviter des erreurs coûteuses et certains désagréments pour toutes les personnes en cause. La plupart des établissements de soins mettent à la disposition de l'équipe soignante des renseignements pertinents sur les différents examens paracliniques. Le laboratoire et l'établissement de soins peuvent aussi fournir de l'information supplémentaire.

 ENSEIGNEMENT

Préparation aux examens paracliniques

- Expliquer à la personne et à sa famille ce qu'elle doit faire et ne pas faire (par exemple, quand et quoi boire ou manger, le nombre d'heures durant lesquelles elle doit être à jeun).
- Expliquer à la personne comment elle se sentira au cours de l'examen (sensation de chaleur après l'injection d'une substance de contraste, par exemple).
- Demander à la personne si une description du matériel utilisé l'aiderait à se préparer à l'examen.
- Encourager la personne à poser des questions et à exprimer ses peurs et ses inquiétudes. Découvrir ce que d'autres personnes ont pu lui dire sur l'examen qu'elle doit subir.
- Dire à la personne dans combien de temps les résultats seront disponibles.
- Inscrire au dossier de la personne ce qui lui a été enseigné ainsi que ses réponses. S'il y a lieu, inscrire les titres de la documentation ou du matériel audiovisuel utilisés.

Sources : *A Manual of Laboratory & Diagnostic Tests*, 6e éd., de F. Fischbach, 2000, Philadelphie : Lippincott ; *Nurse's Quick Reference to Common Laboratory and Diagnostic Tests*, 3e éd., de F. Fischbach, 2002, Philadelphie : Lippincott.

Pendant l'examen

Au cours de l'examen, il s'agit principalement de prélever des échantillons et d'effectuer certains examens paracliniques ou d'aider à les faire. L'infirmière respecte les précautions habituelles et fait appel aux techniques stériles appropriées. Pendant l'intervention, elle fournit à la personne un soutien psychologique et physique, tout en assurant une surveillance appropriée (signes vitaux, saturation en O_2, ECG). Elle s'assure aussi que les échantillons sont étiquetés, entreposés et transportés correctement, car des erreurs ou des retards risquent de fausser les résultats des examens.

Après l'examen

Cette étape est marquée par des activités de suivi et d'observation. Au besoin, l'infirmière compare les résultats des examens précédents et actuels, et elle adapte les interventions infirmières. De plus, elle transmet les résultats aux membres de l'équipe soignante concernés.

Diagnostic infirmier

Le diagnostic infirmier est fondé sur les données relatives à la personne et sur ses besoins. Voici des exemples :

- *Anxiété* ou *Peur*, reliées à l'attente des résultats de l'examen et à la possibilité d'un diagnostic d'une affection grave ou chronique
- *Mobilité physique réduite*, reliée à l'obligation de demeurer alité et de limiter certains mouvements après un examen particulier
- *Connaissances insuffisantes* (concernant l'examen paraclinique), reliées à des perceptions erronées ou résultant de conversations avec d'autres personnes sur le déroulement de l'examen

Analyses sanguines

Les analyses sanguines sont les examens paracliniques les plus fréquents à cause des renseignements qu'elles fournissent sur le système hématologique ainsi que sur plusieurs fonctions de l'organisme. Il incombe généralement à l'infirmière d'effectuer la **ponction veineuse**, c'est-à-dire la ponction d'une veine afin de prélever un échantillon de sang.

Formule sanguine complète (FSC) ou hémogramme

Les échantillons de sang veineux sont prélevés pour obtenir une **formule sanguine complète** (**FSC** ou **hémogramme**). Cette formule comprend des mesures de l'hémoglobine, de l'hématocrite, du nombre de globules rouges, de leucocytes, d'indices globulaires ainsi que la formule leucocytaire. La formule sanguine complète constitue un examen de dépistage de base et l'une des analyses sanguines le plus souvent prescrites par le médecin (voir le tableau 38-1).

Le taux d'**hémoglobine** est une mesure de la quantité totale d'hémoglobine contenue dans le sang. L'**hématocrite** indique le pourcentage de globules rouges par rapport au volume sanguin total. Les valeurs normales de l'hémoglobine et de l'hématocrite varient selon l'âge et le sexe, leurs niveaux étant plus élevés chez l'homme que chez la femme. Les valeurs de ces deux tests augmentent avec la déshydratation, alors que le sang devient plus concentré, tandis qu'elles diminuent avec l'hypervolémie, qui amène une hémodilution. Comme l'hémoglobine et l'hématocrite sont liées à la quantité de globules rouges, soit le nombre de globules rouges par litre de sang total, un nombre peu élevé de globules rouges indique une anémie. Les personnes souffrant d'hypoxémie chronique peuvent avoir des valeurs plus élevées que la normale, un état qu'on appelle **polyglobulie**. L'hémogramme permet d'établir différents **indices globulaires** qui donnent des indications sur le volume, le poids et la concentration d'hémoglobine des globules rouges.

La quantité de **leucocytes** (ou **globules blancs**) détermine le nombre de globules blancs circulant par litre de sang total. Un nombre élevé de globules blancs indique souvent la présence d'une infection bactérienne ; par ailleurs, le nombre de lymphocytes peut aussi être élevé en présence d'une infection virale. Dans la formule leucocytaire, on détermine les différents types de leucocytes et leurs proportions relatives (en pourcentage). Ces données facilitent le diagnostic de certaines affections caractérisées par des schémas de distribution particuliers.

Électrolytes sériques

L'analyse des électrolytes sériques est souvent prescrite de routine à toute personne admise dans un établissement de soins de santé ; c'est un examen de dépistage qui révèle les déséquilibres électrolytiques et acidobasiques. Ce test est aussi prescrit de routine aux personnes à risque dans la communauté, notamment celles qui prennent un diurétique pour le traitement de l'hypertension ou de l'insuffisance cardiaque. Les tests sérologiques prescrits le plus souvent visent à mesurer le sodium, le potassium, le chlorure et les ions bicarbonate. L'encadré 38-1 indique les valeurs normales de ces électrolytes.

Au cours de l'analyse sanguine, on mesure systématiquement les concentrations sanguines de l'urée et de la créatinine, deux substances issues du métabolisme protéique, qui permettent d'évaluer la fonction rénale. Normalement, les reins éliminent les deux substances grâce à la filtration et à la sécrétion tubulaire. L'**urée**, synthétisée par le foie et excrétée par les reins, est un des produits du catabolisme des protéines. Quant à la **créatinine**, elle est produite en quantité relativement constante par les muscles et est excrétée par les reins. Par conséquent, la quantité de créatinine contenue dans le sang est fonction du pouvoir excréteur des reins.

Formule sanguine complète (FSC ou hémogramme) et effets cliniques

Composant	Résultats normaux chez l'adulte (unités SI)	Causes possibles de résultats anormaux	
		Augmentation	Diminution
Numération des globules rouges (GR)	♂: 4,7-6,1 × 10^{12}/L ♀: 4,2-5,4 × 10^{12}/L	Déshydratation Fibrose pulmonaire	Hémorragie Anémie Grossesse Carence alimentaire
Hémoglobine (Hb)	♂: 8,7-11,2 mmol/L (140 à 180 g/L) ♀: 7,4-9,9 mmol/L (120 à 160 g/L)	Polyglobulie Déshydratation Brûlures graves BPCO	Hémorragie Anémie Cancer Maladie du rein Drépanocytose
Hématocrite (Ht)	♂: 0,42-0,52 ♀: 0,37-0,47	Polyglobulie Déshydratation Brûlures BPCO	Hémorragie Anémie Hyperthyroïdie Carence alimentaire Grossesse
Indices globulaires Volume globulaire moyen (VGM)	80-95 fL	Maladie du foie Alcoolisme Anémie pernicieuse	Anémie ferriprive
Teneur corpusculaire moyenne en hémoglobine (TCMH)	27-31 pg	Anémie macrocytaire	Anémie microcytaire Anémie hypochrome
Concentration corpusculaire moyenne en hémoglobine (CCMH)	320-360 g/L	Hémolyse intravasculaire	Anémie ferriprive
Leucocytes	5-10 × 10^9/L	Hyperleucocytose Infection Inflammation Traumatisme	Leucopénie Maladie auto-immune Toxicité médicamenteuse Aplasie médullaire
Formule leucocytaire Granulocytes neutrophiles	0,55-0,70	Stress Infection aiguë	Anémie aplasique Carence alimentaire Radiothérapie
Lymphocytes	0,20-0,40	Infection chronique Infection virale Mononucléose	Leucémie Sepsis Déficit immunitaire
Monocytes	0,02-0,08	Maladie inflammatoire chronique Tuberculose Colite ulcéreuse chronique	Pharmacothérapie : prednisone Production accrue de corticostéroïde
Granulocytes éosinophiles	0,01-0,04	Infections parasitaires Réactions allergiques Leucémie	Réaction allergique aiguë Hyperthyroïdie
Granulocytes basophiles	0,00-0,01	Leucémie	Hémorragie Leucémie
Numération plaquettaire	150-400 × 10^9/L	Affection maligne Polyglobulie Polyarthrite rhumatoïde Anémie ferriprive	Anémie pernicieuse Anémie hémolytique Chimiothérapie

Source : *Diagnostic and Laboratory Test Reference*, 5e éd., de K. D. Pagana et T. J. Pagana, 2001, St. Louis : Mosby. Reproduit avec l'autorisation de Elsevier.

ENCADRÉ 38-1
Valeurs normales des électrolytes chez l'adulte*

Sang veineux

Sodium	135-145 mmol/L
Potassium	3,5-5,0 mmol/L
Chlorure	95-105 mmol/L
Calcium (total)	2,25-2,75 mmol/L
(ionisé)	1,05-1,30 mmol/L
Magnésium	0,62-1,03 mmol/L
Phosphore	0,90-1,45 mmol/L
Osmolalité sérique	280-300 mmol/kg

* Les valeurs normales peuvent varier d'un établissement à l'autre, car elles sont fonction de la calibration des appareils.

Osmolalité sérique

L'**osmolalité sérique** est une mesure de la concentration des particules dissoutes par kilogramme de sang. L'osmolarité, une notion voisine, est la mesure du nombre total de particules dissoutes par litre de solution, celles-ci provenant des ions sodium et des molécules de glucose et d'urée. L'osmolalité peut être estimée en doublant le sodium sérique, puisque le sodium et les ions chlorure qui lui sont associés sont les principaux déterminants de l'osmolalité sérique. Les valeurs de l'osmolalité sérique servent principalement à évaluer l'équilibre électrolytique. Les valeurs normales varient entre 280 et 300 mmol/kg. Une augmentation de l'osmolalité sérique indique un déficit du volume liquidien, telle une déshydratation ; une diminution montre un excédent du volume des liquides, comme cela survient au cours d'une hypervolémie, par exemple.

Pharmacovigilance

La pharmacovigilance thérapeutique est de mise lorsqu'une personne prend un médicament à marge thérapeutique étroite (digoxine, théophylline, aminoglucoside, par exemple). Cette surveillance nécessite des prélèvements sanguins pour déterminer si la concentration du médicament se situe à un niveau thérapeutique et non à un niveau subthérapeutique ou toxique. Étant donné que la concentration sérique thérapeutique se situe entre un **niveau maximal** et un **niveau minimal** prédéterminés spécifiquement pour le médicament en question, il faut maintenir la concentration sérique du médicament sous le niveau maximal et au-dessus du niveau minimal, afin de demeurer dans la marge thérapeutique (Shirrell, Gibbar-Clements, Dooley et Free, 1999).

Analyse des gaz sanguins artériels

L'analyse des **gaz sanguins artériels** constitue une autre méthode importante de diagnostic (voir le chapitre 48 ⬦). Habituellement, c'est une infirmière ayant reçu une formation d'appoint qui effectue le prélèvement de sang artériel de l'artère radiale, par l'entremise d'une canule artérielle. Si le médecin effectue un prélèvement direct, il est important de juguler le saignement en appliquant une pression sur le point de ponction pendant cinq à dix minutes après avoir enlevé l'aiguille en raison de la pression artérielle relativement élevée dans ces artères (130 mm Hg).

Biochimie sanguine

Un certain nombre d'autres tests peuvent être effectués sur le sérum sanguin (la partie liquide du sang). On y fait souvent référence à titre de **biochimie sanguine**. En plus de l'analyse des électrolytes sériques, les examens biochimiques courants comprennent la détermination de certaines enzymes occasionnellement présentes dans le sang (notamment la lactico-déshydrogénase [LDH], la créatine kinase [CK], l'aspartate-aminotransférase [ASAT] et l'alanine-aminotransférase [ALAT]). On détermine également le glucose sérique et certaines hormones, telle l'hormone thyroïdienne, ainsi que d'autres substances comme le cholestérol et les triglycérides. Ces tests fournissent des indices diagnostiques valables. Par exemple, des marqueurs cardiaques (telles la CPK-MB, la myoglobine, les troponines T et I, par exemple) sont libérés dans le sang pendant un infarctus du myocarde. Des niveaux élevés de ces marqueurs dans le sang aident généralement à différencier un infarctus d'une douleur thoracique causée par de l'angine ou d'une douleur pleurétique, par exemple.

Le test d'hémoglobine glycosylée ou **hémoglobine A_{1C}** (HbA_{1C}), ou hémoglobine glyquée, est un examen de laboratoire courant qui mesure la glycémie liée à l'hémoglobine. L'hémoglobine A_{1C} renseigne sur l'évolution de la glycémie et de son équilibre au cours des trois ou quatre mois précédents. Chez les personnes atteintes du diabète, une HbA_{1C} élevée indique une hyperglycémie moyenne au cours des deux ou trois derniers mois, même si la glycémie capillaire du moment démontre un niveau satisfaisant.

Glycémie capillaire

Quand il est nécessaire de procéder à des tests régulièrement ou quand il est impossible d'effectuer une ponction veineuse pour mesurer la glycémie, on a souvent recours au prélèvement de sang capillaire, une technique moins douloureuse que la ponction veineuse, facile à exécuter, et que les personnes peuvent effectuer sur elles-mêmes.

La mise au point de trousses et de bandelettes réactives permettant de mesurer la glycémie à la maison a simplifié cette analyse et facilite grandement la gestion des soins à domicile par les personnes atteintes du diabète. Plusieurs manufacturiers ont mis au point des lecteurs de glycémie (figure 38-1 ■). La

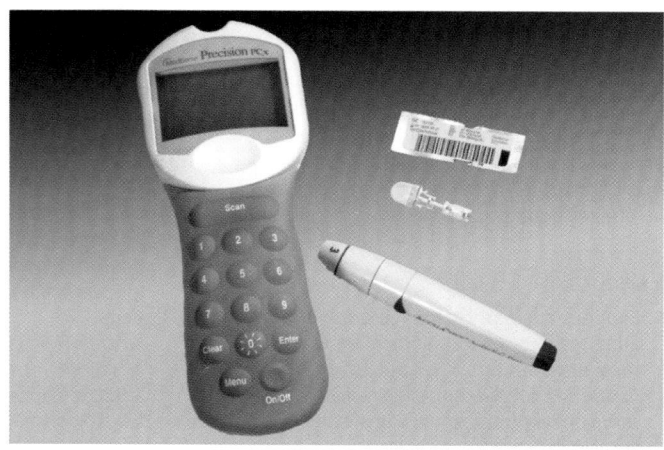

FIGURE **38-1** ■ Lecteur de glycémie (glucomètre), bandelettes réactives et appareil autopiqueur.

plupart de ces appareils permettent d'effectuer des mesures entre 1,1 et 33,3 millimoles de glucose par litre de sang. Les appareils diffèrent d'une marque à l'autre et, avec l'arrivée de nouvelles technologies, l'infirmière ou la personne doivent absolument consulter les directives émises par le fabricant. En effet, il est indispensable d'apprendre à bien utiliser l'appareil pour effectuer des lectures correctes.

Chez l'adulte, on prélève habituellement les échantillons de sang capillaire sur la face latérale, c'est-à-dire sur le côté, d'un doigt. Il faut éviter de piquer l'extrémité du doigt, qui contient de nombreuses terminaisons nerveuses et qui présente des zones calleuses. Il est également possible d'effectuer le prélèvement sur le lobe de l'oreille, si la personne est en état de choc ou si les doigts sont œdémateux. Certains des nouveaux lecteurs de glycémie permettent d'obtenir des échantillons sur les bras et les jambes.

Le procédé 38-1 décrit comment obtenir un échantillon de sang capillaire et mesurer la glycémie à l'aide d'un lecteur de glycémie.

PROCÉDÉ 38-1

Prélèvement d'un échantillon de sang capillaire et mesure de la glycémie

Objectifs

- Déterminer ou surveiller les niveaux de glycémie capillaire.
- Favoriser la maîtrise de la glycémie par la personne.
- Évaluer l'efficacité de l'administration d'insuline.

COLLECTE DES DONNÉES

Évaluez

- Avant d'obtenir un échantillon de sang capillaire :
  - La fréquence et le genre d'analyse.
  - La compréhension que la personne a du procédé.
  - La réaction de la personne aux tests précédents.
- La peau de la personne au point de ponction, afin de déterminer si elle est intacte et si la circulation n'est pas compromise.
- Le dossier de la personne, afin de vérifier si elle prend des médicaments risquant d'entraîner un saignement prolongé, tels des anticoagulants.
- Les capacités d'autonomie de la personne susceptibles d'influer sur l'exactitude des tests, par exemple une déficience visuelle ou un manque de dextérité.

PLANIFICATION

Matériel

- Lecteur de glycémie (glucomètre)
- Bandelette réactive compatible avec le lecteur de glycémie
- Serviette de papier
- Linge chaud ou autre dispositif thermogène (facultatif)
- Savon doux et eau tiède
- Gants jetables
- Microlancette stérile
- Appareil autopiqueur (facultatif)

INTERVENTION

Préparation

Vérifiez le type d'appareil de mesure et consultez les directives du manufacturier. Rassemblez le matériel au chevet de la personne.

Exécution

1. Expliquez à la personne ce que vous allez faire, pourquoi vous allez le faire et comment elle peut coopérer. Expliquez-lui aussi que les résultats serviront à planifier les soins et les traitements.

2. Lavez-vous les mains et observez les autres mesures de prévention des infections (par exemple, mettez des gants).

3. Assurez-vous que l'intimité de la personne est préservée.

4. Préparez le matériel.
   - Retirez une bandelette réactive de son contenant et déposez-la sur une serviette de papier propre et sèche. *L'humidité peut altérer la bandelette et, par conséquent, fausser les résultats.*
   - Calibrez l'appareil et effectuez un test de contrôle en suivant les directives du manufacturier.

5. Choisissez et préparez le point de ponction capillaire.

- Choisissez un point de ponction capillaire (par exemple, le côté d'un doigt chez un adulte). Évitez les endroits trop près des os. Commencez par envelopper le doigt dans un linge chaud pendant 30 à 60 secondes (facultatif) *ou* tenez le doigt penché et massez-le légèrement près du point de ponction. Si vous effectuez la ponction sur le lobe de l'oreille, massez-le doucement avec un petit morceau de gaze. *Ces gestes font augmenter le débit sanguin dans la zone choisie, permettent de prélever un échantillon approprié*

INTERVENTION (suite)

et diminuent l'éventualité de devoir répéter la ponction.

- Nettoyez le point de ponction avec de l'eau savonneuse. *L'utilisation d'un tampon antiseptique (alcool) peut fausser les résultats du test.*

6. Prélevez l'échantillon de sang.
   - Mettez des gants.
   - Insérez une microlancette stérile dans l'autopiqueur et retirez le capuchon protecteur.
   - Placez l'autopiqueur près du point de ponction et relâchez l'aiguille, ce qui permettra de percer la peau. Assurez-vous que la microlancette est perpendiculaire à la peau. *Cette microlancette est conçue pour percer la peau à une profondeur déterminée lorsqu'elle est placée perpendiculairement à la peau* (figure 38-2 ■).

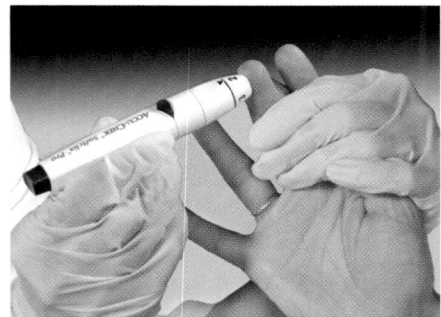

FIGURE **38-2** ■ Placer l'autopiqueur sur le point de ponction.

- Essuyez la première goutte de sang avec une boule d'ouate. *La première goutte de sang contient plus de sérosités, ce qui risque de fausser les résultats du test, particulièrement s'il y a eu massage.*
- Pressez doucement (sans y toucher) le point de ponction jusqu'à la formation d'une grosse goutte de sang.
- Tenez la bandelette réactive sous le point de ponction (figure 38-3 ■) jusqu'à ce que le sang recouvre suffisamment l'indicateur. Le buvard

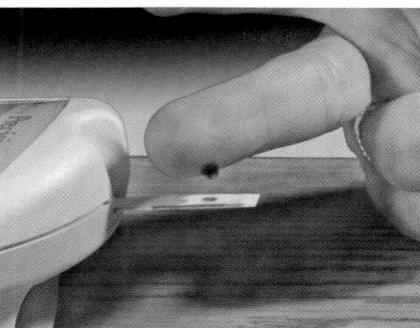

FIGURE **38-3** ■ Presser doucement une grosse goutte de sang sur la bandelette réactive.

absorbera le sang et il se produira une réaction chimique. N'étalez pas le sang, *car cela risquerait de fausser les résultats du test.*
- Demandez à la personne de presser un tampon d'ouate sur le point de ponction. *La pression favorisera l'hémostase.*

7. Laissez le sang sur la bandelette pendant le temps recommandé par le manufacturier. Dès que le sang est sur la bandelette :
   - Suivez les indications du manufacturier et respectez soigneusement le temps de réaction (par exemple, 60 secondes). *Le sang doit rester en contact avec le buvard pendant tout le temps prescrit pour que la mesure soit exacte.*
   - Si le manufacturier le demande, posez la bandelette sur une serviette en papier ou sur le côté de la minuterie. *La bandelette doit demeurer à plat afin que le sang imprègne tout le buvard.*

8. Mesurez la glycémie.
   - Placez la bandelette dans le lecteur de glycémie en suivant les directives du fabricant. Avec certains appareils, il faut essuyer ou éponger la bandelette réactive après un certain temps et avant de l'insérer dans

l'appareil, mais pas avec d'autres. Il est donc important de consulter attentivement les recommandations du fabricant.
- Après le temps indiqué, la plupart des lecteurs de glycémie affichent automatiquement la glycémie. Pour obtenir des résultats exacts, il faut respecter le temps d'attente prescrit (figure 38-4 ■).

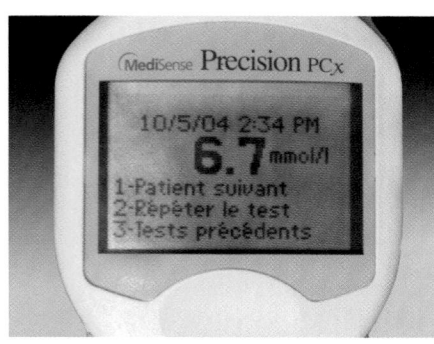

FIGURE **38-4** ■ Le lecteur de glycémie affichera la glycémie.

- Arrêtez l'appareil, jetez la bandelette et les tampons d'ouate utilisés dans un sac à rebuts et la microlancette dans un contenant biomédical.

9. Inscrivez au dossier de la personne la méthode choisie pour mesurer la glycémie ainsi que les résultats obtenus. Si nécessaire, indiquez si la personne a bien compris le procédé et si elle a pu expliquer la technique. Le dossier peut également contenir un schéma sur lequel on note les résultats des tests de glycémie, la quantité et le type d'insuline prescrite, ainsi que le moment de l'administration et la méthode choisie.

10. Vérifiez si l'ordonnance précise une échelle d'adaptation des doses d'insuline en fonction de la glycémie. Administrez l'insuline selon l'ordonnance.

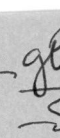

ÉVALUATION

- Comparez la lecture de la glycémie obtenue avec la glycémie normale, examinez l'état du point de ponction et vérifiez la motivation de la personne à effectuer le test elle-même.
- Établissez un lien entre la lecture obtenue et les lectures précédentes et l'état de santé de la personne.

- Signalez les résultats anormaux au médecin.
- Effectuez le suivi nécessaire, par exemple en demandant à la personne d'expliquer le sens des résultats ou en lui montrant le procédé pour le prochain test prévu.

LES ÂGES DE LA VIE

Glycémie capillaire

NOURRISSONS

- Le côté extérieur du talon est le point de ponction le plus souvent utilisé pour les nouveau-nés et les nourrissons. Placer un linge chaud sur le talon de l'enfant afin d'accroître le débit sanguin vers cette région.

ENFANTS

- À moins de contre-indication, prélever sur la face latérale du doigt chez l'enfant de plus de deux ans.
- Si possible, laisser l'enfant choisir le point de ponction.
- Le féliciter pour sa coopération et lui expliquer que le test n'est pas une punition.

PERSONNES ÂGÉES

- Les personnes âgées souffrent parfois de lésions arthritiques aux articulations, d'une vision affaiblie ou de tremblements des mains. Elles peuvent donc avoir besoin d'aide pour utiliser le lecteur de glycémie.
- Les personnes âgées sont parfois incapables de se procurer les fournitures nécessaires pour les diabétiques en raison de problèmes financiers ou parce qu'elles ont de la difficulté à sortir de chez elles.
- Chez la personnes âgée, la circulation sanguine est souvent appauvrie. Envelopper les mains dans une serviette chaude pendant 10 à 15 minutes pour les réchauffer et faciliter les prélèvements.

SOINS À DOMICILE

Glycémie capillaire

- Évaluer la capacité et la bonne volonté de la personne ou du proche aidant d'effectuer les tests de glycémie à domicile.
- Enseigner à la personne concernée comment utiliser correctement l'autopiqueur, la microlancette et le lecteur de glycémie et lui fournir des directives écrites. Prévoir un moment pour faire une autre démonstration. Il est possible qu'il faille plusieurs visites avant que la personne maîtrise complètement la méthode à suivre.
- Vérifier si la personne est en mesure de se procurer les fournitures nécessaires et d'acheter les bandelettes réactives ainsi que les microlancettes. Les bandelettes sont couvertes par l'assurance médicaments, mais pas les microlancettes.
- Enseigner à la personne comment noter les résultats de ses tests de glycémie et dans quelles circonstances elle doit aviser un professionnel de la santé.
- On doit apprendre aux enfants atteints de diabète qui doivent effectuer eux-mêmes leurs tests à nettoyer les surfaces éventuellement souillées de sang (l'eau de Javel utilisée à la maison est encore le meilleur désinfectant). Ils doivent aussi apprendre à ranger le matériel de manière sécuritaire afin d'éviter que de jeunes enfants y aient accès. Prévoir un endroit à l'école où l'enfant peut ranger son lecteur de glycémie et son matériel et où il peut se retirer pour faire ses tests.

Prélèvement d'échantillons

L'infirmière contribue à l'évaluation de l'état de santé d'une personne en prélevant des échantillons de liquides organiques. On effectue au moins un prélèvement d'échantillon sur toutes les personnes hospitalisées pendant leur séjour à l'hôpital. L'examen en laboratoire d'échantillons d'urine, de sang, de matières fécales, d'expectorations ou d'écoulements des plaies fournit d'importants renseignements supplémentaires qui aident au diagnostic, en plus de permettre d'évaluer les réponses au traitement.

L'infirmière est souvent chargée du prélèvement d'échantillons. Voici ses responsabilités à cet égard :

- Assurer à la personne bien-être, confidentialité, intimité et sécurité. La personne ressent parfois de la gêne ou un malaise au moment du prélèvement. L'infirmière doit lui offrir la plus grande intimité possible et manipuler l'échantillon avec discrétion. Elle doit s'abstenir de porter un jugement sur la personne et respecter ses croyances socioculturelles sans prendre pour de la mauvaise volonté son éventuelle réticence à participer à la collecte d'échantillons.
- Expliquer le motif du prélèvement et le procédé utilisé pour recueillir l'échantillon. Il est possible que la personne éprouve de l'anxiété concernant le procédé, particulièrement si elle a l'impression qu'il est effractif ou si elle a peur des résultats de l'examen. Elle collaborera probablement mieux au cours du prélèvement si on lui explique clairement comment il se déroule. Les personnes qui reçoivent des directives précises sont généralement capables de faire elles-mêmes certains

types de prélèvements, ce qui favorise l'indépendance et permet de diminuer ou d'éviter la gêne.

- Utiliser le bon procédé pour obtenir un échantillon ou s'assurer que la personne ou le personnel infirmier emploie le procédé adéquat. Recueillir l'échantillon de façon aseptique afin de prévenir la contamination, qui pourrait fausser les résultats des tests. Si l'infirmière n'est pas familiarisée avec le procédé, elle doit consulter un guide des procédés infirmiers ou un manuel sur les examens paracliniques. Souvent, l'établissement de soins élabore ses propres procédés, ce qui permet de répondre à des besoins particuliers. S'il subsiste des questions, l'infirmière téléphone au laboratoire pour obtenir des directives avant de faire le prélèvement.
- Sur le formulaire de laboratoire, inscrire toute information pertinente : par exemple, indiquer le nom des médicaments susceptibles de modifier les résultats.
- Si nécessaire, envoyer rapidement les échantillons au laboratoire. Des échantillons frais fournissent des résultats plus précis.
- Signaler rapidement au médecin les résultats anormaux, en tenant compte de la gravité des résultats obtenus.

Échantillons de selles

L'analyse des échantillons de selles peut fournir des renseignements sur l'état de santé d'une personne. Voici quelques-unes des raisons motivant l'analyse des selles :

- Établir la présence de **sang occulte** (microscopique). Le saignement peut être causé par la présence d'un ulcère, d'une maladie inflammatoire ou d'une tumeur. Le test qui vise à établir la présence de sang occulte, souvent appelé **test au gaïac**, peut être effectué facilement par l'infirmière, en milieu clinique, ou par la personne, à la maison. Le gaïac utilisé pour effectuer le test est une substance sensible au sang contenu dans les matières fécales.

- Analyser les produits alimentaires et les sécrétions digestives. Par exemple, une quantité excessive de lipides dans les selles (**stéatorrhée**) peut traduire une mauvaise absorption des lipides par l'intestin grêle. Une trop faible quantité de bile peut indiquer une obstruction des conduits biliaires entre le foie et le duodénum. Pour ce genre de tests, l'infirmière doit recueillir toute la quantité de selles expulsée au cours d'une défécation plutôt qu'un petit échantillon.
- Déceler la présence d'œufs et de parasites. Lorsqu'on recueille des échantillons pour déceler la présence de parasites, il est important d'envoyer l'échantillon au laboratoire immédiatement après le prélèvement. Habituellement, on examine trois échantillons de selles, prélevés au cours de trois journées différentes, pour confirmer la présence de parasites et identifier l'agent pathogène, et prescrire ensuite le traitement approprié (Kee, 1999).
- Déceler la présence de bactéries ou de virus. Dans ce cas, une petite quantité de selles suffit pour effectuer une culture. On doit employer des récipients ou des tubes de prélèvement stériles et utiliser une technique d'asepsie pendant le prélèvement. Il faut expédier au laboratoire les selles sitôt recueillies. Si la personne prend des antibiotiques, l'infirmière doit l'indiquer sur le formulaire de laboratoire.

PRÉLÈVEMENT D'ÉCHANTILLONS DE SELLES

Il incombe à l'infirmière de recueillir les échantillons de selles selon le procédé recommandé pour l'analyse de laboratoire. Avant d'obtenir l'échantillon, elle doit établir la raison du prélèvement, ainsi que la méthode adéquate pour l'obtenir et le manipuler (c'est-à-dire la quantité nécessaire, l'ajout ou non d'un agent de conservation aux selles et l'envoi immédiat ou non au laboratoire). Il peut être nécessaire de confirmer cette information en vérifiant auprès du laboratoire d'analyse. Dans plusieurs cas, un seul échantillon suffit ; dans d'autres cas, par exemple pour mesurer la teneur en lipides, il faut recueillir et conserver toutes les matières fécales pendant trois à cinq jours, selon le délai prescrit.

On peut charger un membre du personnel infirmier de recueillir les échantillons de selles. Mais l'infirmière doit d'abord vérifier la méthode à employer. Par exemple, il est possible de déléguer le prélèvement d'un échantillon de selles pris au hasard et recueilli dans un récipient, mais non une culture de selles nécessitant l'utilisation d'un écouvillon stérile qu'il faut placer dans une éprouvette. Il incombe à l'infirmière d'effectuer ce type de prélèvement, car une technique de prélèvement inadéquat peut fausser les résultats du test.

Une infirmière auxiliaire peut effectuer un test visant à obtenir des selles pour y vérifier la présence de sang occulte. Il est alors important que celle-ci informe l'infirmière des résultats. De plus, il est nécessaire de conserver l'échantillon de selles afin que l'infirmière puisse répéter le test.

L'infirmière doit donner les directives suivantes à la personne :
- Déféquer dans un bassin ou dans une chaise d'aisances.

- Si possible, ne pas contaminer l'échantillon avec de l'urine ou du sang menstruel. Vider la vessie avant le prélèvement de l'échantillon.
- Ne pas mettre de papier hygiénique dans le bassin une fois l'évacuation terminée. La composition du papier peut modifier l'analyse de laboratoire.
- Prévenir l'infirmière sitôt la défécation terminée, particulièrement lorsque les échantillons doivent être envoyés immédiatement au laboratoire.

Une fois les échantillons obtenus, l'infirmière doit utiliser une technique d'asepsie rigoureuse lorsqu'elle manipule le bassin, transfère l'échantillon de selles dans le récipient approprié et se débarrasse du contenu du bassin. Elle doit porter des gants jetables pour éviter la contamination des mains et prendre soin de ne pas contaminer l'extérieur du récipient dans lequel est déposé l'échantillon. Elle doit utiliser un ou deux abaisse-langues pour transférer l'échantillon dans le récipient approprié ; elle les enveloppe ensuite dans du papier hygiénique et les jette dans la poubelle des toilettes. Cette méthode réduit le risque que des microorganismes fécaux contaminent d'autres articles ou se dispersent dans l'environnement. La quantité de selles à envoyer au laboratoire dépend de l'objectif de l'examen prescrit. D'habitude, il suffit de prélever environ 2,5 cm de selles solides ou 15 à 30 mL de selles liquides. Cependant, pour les échantillons devant correspondre à une période déterminée (pendant deux ou trois jours par exemple), il est parfois nécessaire d'envoyer la totalité des selles évacuées. L'échantillon doit contenir le pus, le mucus ou le sang visible éventuellement contenus dans les selles. Pour une culture de selles, l'infirmière place un écouvillon stérile dans l'échantillon, de préférence dans les selles purulentes lorsqu'il y en a, et, en utilisant une technique stérile, elle place l'écouvillon dans une éprouvette stérile.

Il faut s'assurer que l'étiquette de l'échantillon et le formulaire de laboratoire contiennent les renseignements adéquats et sont fixés correctement au récipient renfermant l'échantillon. Une mauvaise identification risque d'entraîner des erreurs de diagnostic ou de traitement.

Puisque les échantillons frais fournissent les résultats les plus précis, l'infirmière doit envoyer l'échantillon au laboratoire immédiatement. Si ce n'est pas possible, l'infirmière suit les directives inscrites sur le récipient. Dans certains cas, il faut réfrigérer l'échantillon, car des changements bactériologiques risquent de survenir si l'échantillon est laissé à la température de la pièce. Pour prévenir la contamination, il ne faut jamais placer un échantillon de selles dans un réfrigérateur qui contient de la nourriture ou des médicaments.

L'infirmière doit consigner tous les renseignements pertinents. Elle inscrira le prélèvement d'échantillon au dossier de la personne et dans le plan de soins et de traitements infirmiers. Elle doit indiquer la date et l'heure du prélèvement ; les caractéristiques des selles (la couleur, l'odeur, la consistance et le volume de selles, par exemple) ; la présence de constituants anormaux, tels que du sang ou du mucus ; ainsi que les résultats des tests de sang occulte, si ces derniers sont disponibles. Elle doit également signaler tout malaise ressenti par la personne pendant ou après la défécation, l'état de la peau périanale, ainsi que tout saignement au niveau de l'anus après la défécation.

RECHERCHE DE SANG OCCULTE DANS LES SELLES

Pour rechercher le sang occulte dans les selles, on emploie couramment le test Hemoccult, dans lequel on utilise une substance réactive pour détecter la peroxydase présente dans la molécule d'hémoglobine. Pour effectuer le test, l'infirmière ou la personne elle-même dépose une petite quantité de selles sur une languette ou une enveloppe (carte) à l'aide d'un abaisse-langue, puis elle ferme le rabat. Elle tourne ensuite l'enveloppe et verse quelques gouttes de réactif sur le frottis à l'endos de la carte. L'infirmière observe alors le changement de couleur (figure 38-5 ■). L'apparition d'une coloration bleue indique un résultat gaïac positif, c'est-à-dire la présence de sang occulte. L'absence de changement de couleur ou l'apparition de toute autre couleur que le bleu indique un résultat négatif, donc l'absence de sang dans les selles.

Il arrive que certains aliments et médicaments ainsi que la vitamine C faussent les résultats du test. À l'occasion, on observe des résultats erronés chez les personnes qui viennent d'ingérer : (a) de la viande rouge (bœuf, agneau, foie et viandes transfor-

mées) ; (b) des fruits et des légumes crus, particulièrement des radis, des navets, du raifort et des melons ; (c) certains médicaments qui irritent la muqueuse gastrique et causent des saignements, tels l'aspirine ou d'autres anti-inflammatoires non stéroïdiens, les corticostéroïdes, les préparations à base de fer et les anticoagulants. Le résultat du test peut être faussement négatif si la personne a absorbé plus de 250 mg par jour de vitamine C, peu importe la source (aliments ou suppléments), jusqu'à trois jours avant le test – même si des saignements sont présents.

Des directives visant à apprendre à la personne comment évaluer la présence de sang occulte dans les selles sont présentées dans l'encadré *Enseignement – Recherche de sang occulte*.

ENSEIGNEMENT

Recherche de sang occulte

- Évitez les aliments et les médicaments spécifiés ainsi que la vitamine C pendant la période recommandée et durant le test. En règle générale, cette période est de trois jours pour les aliments et la vitamine C, et de sept jours pour les médicaments.

- Utilisez un stylo à bille pour étiqueter les échantillons en inscrivant votre nom, votre adresse, votre âge et la date où l'échantillon a été recueilli. Généralement, il faut prendre trois échantillons à partir de selles différentes et émises successivement. Chaque échantillon doit être daté avec précision.

- Évitez de recueillir des échantillons pendant les menstruations et les trois jours suivants, de même que si des hémorroïdes saignent ou si l'urine est chargée de sang.

- Évitez de contaminer l'échantillon avec de l'urine ou du papier hygiénique et videz votre vessie avant le test.

- Recueillez les échantillons dans un récipient propre et sec.

- Portez des gants jetables.

- Utilisez l'abaisse-langue fourni pour transférer l'échantillon à l'endroit indiqué sur le carton du test ; ne prenez qu'une petite quantité de selles, au centre d'une selle formée afin de vous assurer que vous avez un échantillon homogène.

- Enveloppez ensuite l'abaisse-langue dans une serviette en papier et jetez-le dans la poubelle.

- Suivez minutieusement les directives du manufacturier en ce qui a trait au produit utilisé pour effectuer le test, car ces produits varient d'un test à l'autre. Par exemple, dans le test Hemoccult, on doit appliquer une mince couche de selles sur chacune des cases à l'intérieur de l'enveloppe et deux gouttes de réactif Hemoccult sur le papier échantillon de l'autre côté de la boîte. Dans le cas de l'Hematest, on doit appliquer une mince couche de selles sur le papier gaïac, puis placer un comprimé entre les échantillons et ajouter deux ou trois gouttes d'eau sur le comprimé. Si le test permet de déposer deux échantillons, prendre ces échantillons à deux endroits différents des selles recueillies.

- Consultez un professionnel de la santé en cas de difficultés ou de problèmes pour comprendre les directives.

- Suivez les consignes pour envoyer les échantillons recueillis au médecin ou au laboratoire.

- Lavez-vous soigneusement les mains.

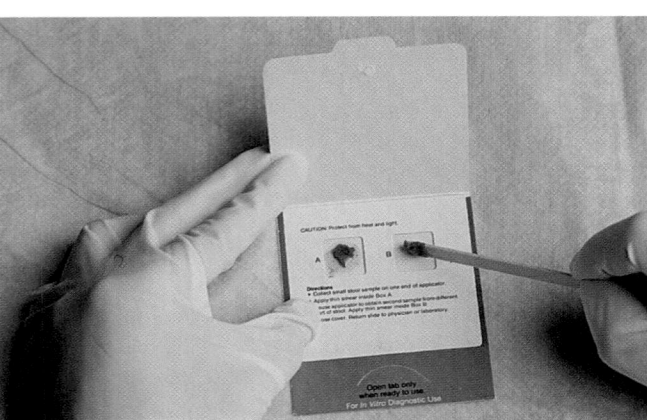

A

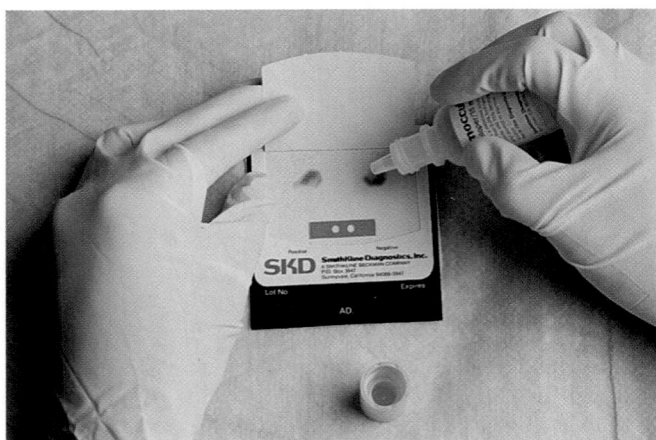

B

FIGURE **38-5** ■ Recherche de sang occulte dans les selles. *A,* Ouvrir le rabat d'une trousse de test Hemoccult et placer une petite quantité de frottis de selles sur chacune des cases. *B,* Après avoir fermé le rabat, tourner l'enveloppe, ouvrir le rabat arrière et appliquer deux gouttes de réactif d'Hemoccult sur chaque frottis.

SOINS À DOMICILE

Échantillon de selles

- Demander à la personne ou au proche aidant d'apporter l'échantillon au laboratoire dès que possible.
- Placer l'échantillon de selles dans un sac en plastique pour matières contaminées. Transporter le sac dans un récipient scellé sur lequel est inscrit « Matières contaminées » et envoyer rapidement au laboratoire. Ne pas exposer l'échantillon à des températures trop élevées ou trop froides dans la voiture.

LES ÂGES DE LA VIE

Échantillon de selles

NOURRISSONS
- Pour recueillir un échantillon de selles chez un bébé, on prélève les selles dans sa couche.

ENFANTS
- L'enfant qui est continent devrait être capable de fournir un échantillon de selles, mais il pourrait avoir besoin de l'aide d'un de ses parents.
- Lorsqu'on explique à l'enfant comment s'y prendre, utiliser des mots convenant à son âge et éviter les termes médicaux. Demander au parent quels sont les mots habituellement utilisés par la famille pour désigner les selles.

PERSONNES ÂGÉES
- Les personnes âgées ont parfois besoin d'aide s'il est nécessaire de faire des prélèvements de selles sériés.

Prélèvement d'échantillons d'urine

Il incombe à l'infirmière de recueillir des échantillons d'urine pour un certain nombre de tests : **prélèvement par miction spontanée** (ou **au hasard**) pour les examens d'urine de routine, **prélèvement par mi-jet** (ou **prélèvement stérile**) par sonde vésicale (voir le procédé 47-2 pour effectuer un cathétérisme vésical) pour les cultures d'urine et **prélèvement des urines d'une période déterminée** pour divers tests liés à des problèmes de santé particuliers.

PRÉLÈVEMENT D'ÉCHANTILLON D'URINE PAR MICTION SPONTANÉE OU AU HASARD

L'échantillon d'urine obtenu par miction spontanée convient généralement pour un examen de routine. La plupart des personnes sont capables de recueillir et de fournir ce genre d'échantillon de manière autonome. Les hommes peuvent en général uriner directement dans le récipient destiné à l'échantillon ; pour leur part, les femmes s'assoient habituellement sur la cuvette des toilettes ou s'y accroupissent en tenant le récipient entre leurs jambes pendant la miction. L'analyse de l'urine est habituellement faite avec la première urine du matin parce qu'elle contient une concentration plus forte et plus uniforme, ainsi qu'un pH plus acide que les échantillons recueillis plus tard dans la journée. Par ailleurs, il est pertinent aussi d'obtenir des échantillons d'urine en tout temps.

Il faut au moins 10 mL d'urine pour effectuer une analyse d'urine de routine. Les personnes gravement malades, handicapées ou désorientées peuvent avoir besoin d'utiliser le bassin ou l'urinal, dans leur lit ; d'autres ont besoin de supervision ou d'aide pour recueillir l'échantillon dans les toilettes. Quelle que soit la situation, l'infirmière doit donner à la personne des directives claires et précises :

- L'échantillon doit être libre de toute contamination fécale.
- Les femmes doivent jeter le papier hygiénique dans les toilettes ou dans la poubelle et non dans le bassin ; en effet, la présence de papier pourrait compliquer l'analyse de laboratoire.
- Bien fermer le récipient afin que rien ne s'en échappe et contamine d'autres objets.
- Si l'extérieur du récipient a été contaminé par l'urine, le nettoyer avec un désinfectant.

L'infirmière doit : (a) s'assurer que l'étiquette de l'échantillon et le formulaire de laboratoire contiennent les renseignements adéquats ; (b) fixer solidement ces documents au récipient. Une identification inadéquate risque d'entraîner des erreurs de diagnostic ou de traitement.

Le personnel infirmier peut recueillir des échantillons d'urine de routine. Il faut alors lui donner des directives précises sur la manière de montrer à la personne comment recueillir son échantillon d'urine ou sur la manière de recueillir cet échantillon à l'aide d'un bassin hygiénique ou de l'urinal.

> **! ALERTE CLINIQUE** *La fonction rénale a un lien direct avec le débit cardiaque. Par conséquent, tout problème de santé ayant un effet sur le débit cardiaque peut affecter la diurèse.* ■

PRÉLÈVEMENT D'ÉCHANTILLON D'URINE STÉRILE PAR MI-JET

Il faut prélever des échantillons d'urine stériles par mi-jet lorsqu'une culture d'urine doit servir à identifier des microorganismes responsables d'une infection urinaire. Bien qu'une certaine contamination par les bactéries de la peau puisse survenir avec un échantillon prélevé stérilement, le risque d'introduire des microorganismes dans les voies urinaires si on utilise un cathéter est encore plus important. Il faut s'assurer de réduire au minimum la contamination de l'échantillon par les microorganismes de la région du méat urinaire. Les échantillons stériles sont recueillis dans un récipient stérile prévu à cette fin et muni d'un couvercle. Il existe des trousses jetables pour échantillon stérile (figure 38-6 ■). Le procédé 38-2 explique comment recueillir un échantillon d'urine stérile par mi-jet pour une culture.

FIGURE **38-6** ■ Trousse jetable pour échantillon stérile.

PROCÉDÉ 38-2

Prélèvement d'un échantillon d'urine stérile par la méthode du mi-jet pour une culture et un antibiogramme

Objectif

- Établir la présence de microorganismes, le type d'organismes et les antibiotiques auxquels ces organismes sont sensibles.

COLLECTE DES DONNÉES

Évaluez

- La capacité de la personne à fournir l'échantillon.
- La couleur, l'odeur et la consistance de l'urine, ainsi que la présence de signes cliniques d'infection urinaire (polyurie, dysurie, hématurie, douleur au côté, urine trouble et malodorante, par exemple).

PLANIFICATION

Matériel

Le matériel utilisé varie d'un établissement à l'autre. La plupart utilisent des trousses jetables pour échantillon stérile, tandis que d'autres préparent leur propre trousse. Les trousses préparées ainsi que les trousses jetables contiennent habituellement les articles suivants:

- Gants propres
- Serviettes antiseptiques imbibées d'une solution telle que la providone-iode ou la chlorhexidine.
- Compresses de gaze de 5 × 5 cm

- Récipient stérile pour recueillir l'échantillon

En outre, l'infirmière doit se procurer:

- Le formulaire de laboratoire rempli
- Si la personne est immobilisée, un récipient pour recueillir l'urine
- Si la personne est immobilisée, un bassin d'eau tiède, du savon, une débarbouillette et une serviette

INTERVENTION

Préparation

Rassemblez le matériel requis pour le prélèvement de l'échantillon. Si nécessaire, utilisez des moyens visuels pour aider la personne à comprendre la technique de prélèvement par mi-jet.

Exécution

1. Expliquez à la personne qu'il faut faire un prélèvement d'urine, dites-lui pourquoi et décrivez la méthode qui sera utilisée. Expliquez-lui aussi de quelle manière on utilisera les résultats pour planifier les soins ou les traitements.
2. Lavez-vous les mains et observez les autres mesures de prévention des infections.
3. Assurez-vous que l'intimité de la personne est préservée.
4. Dans le cas d'une personne en mesure de se déplacer et de suivre les directives, expliquez comment recueillir l'échantillon.
   - Conduisez la personne vers les toilettes.
   - Demandez à la personne de nettoyer ses organes génitaux et la région du périnée avec de l'eau et du savon. *Le nettoyage de la région du périnée permet de réduire la quantité de bactéries de la peau et de bactéries transitoires, ce qui diminue le risque de contaminer l'échantillon.*
   - Expliquez à la personne comment nettoyer le méat urinaire avec la serviette antiseptique. *L'antiseptique réduit davantage la contamination bactérienne du méat urinaire et le risque de contamination de l'échantillon.*

Chez la femme
   - Utilisez chaque serviette une seule fois. Nettoyez la région du périnée en allant de l'avant vers l'arrière et jetez la serviette. Utilisez toutes les serviettes fournies (habituellement trois). *Le nettoyage de l'avant vers l'arrière permet de nettoyer de la région la moins contaminée vers la région la plus contaminée* (figure 38-7 ■).

Chez l'homme
   - Si l'homme n'est pas circoncis, repoussez légèrement le prépuce pour exposer le méat urinaire.

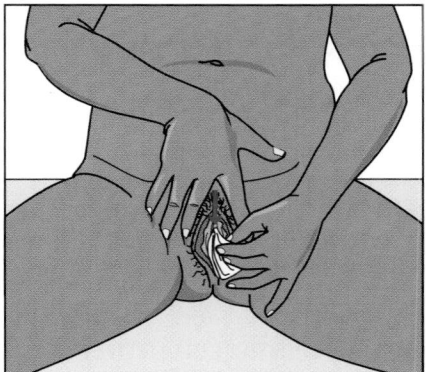

FIGURE 38-7 ■ Nettoyage du méat urinaire chez la femme. Écarter les petites lèvres d'une main et, de l'autre, nettoyer la région du périnée de l'avant vers l'arrière.

   - En effectuant des mouvements circulaires, nettoyez le méat urinaire et le gland. Utilisez chaque serviette une seule fois puis jetez-la. Nettoyez ensuite sur quelques centimètres en descendant le long du corps du pénis. *Cela permet de nettoyer de la*

INTERVENTION (suite)

région la moins contaminée vers la région la plus contaminée (figure 38-8 ■).

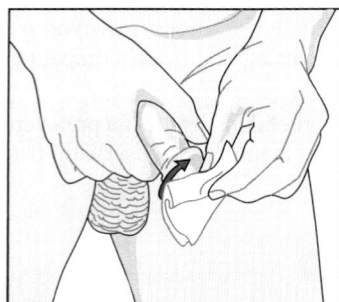

FIGURE **38-8** ■ Nettoyage du méat urinaire chez l'homme. Repousser le prépuce si nécessaire. À l'aide d'une serviette, nettoyer le méat urinaire en effectuant un mouvement circulaire en partant du méat urétral, autour du gland, puis en descendant vers la partie distale du corps du pénis.

5. Si la personne a besoin d'aide, il faut la préparer et apprêter le matériel.
   • Lavez la région du périnée avec de l'eau et du savon, rincez et séchez.
   • Aidez la personne à s'installer sur une chaise d'aisances ou un bassin.

Si vous utilisez un bassin ou un urinal, placez la personne aussi droite que possible. *La personne devrait être dans une position anatomique normale afin de faciliter la miction.*
   • Ouvrez la trousse pour échantillon stérile en prenant soin de ne pas contaminer l'intérieur du récipient ou du couvercle. *Il est important que le récipient à échantillons demeure stérile afin de prévenir la contamination de l'échantillon.*
   • Mettez des gants jetables.
   • Nettoyez le méat urinaire et la région du périnée tel qu'il est décrit à l'étape 4.

6. Chez une personne alitée, recueillez l'échantillon ou expliquez à la personne autonome comment procéder.
   • Demandez à la personne de commencer à uriner. *Les bactéries dans l'urètre distal sont éliminées avec les premiers millilitres d'urine expulsés.*
   • Placez le récipient sous le flot d'urine pour recueillir l'échantillon, en veillant à ce que le contenant ne touche pas la région du périnée ou le pénis. *Il est important de ne pas contaminer l'intérieur du récipient contenant l'échantillon ni l'échantillon lui-même.*
   • Recueillez entre 30 et 60 mL d'urine dans le récipient.
   • Fermez soigneusement le récipient, en touchant seulement la paroi externe et

le couvercle. *Cela empêche le transfert de microorganismes.*
   • Dites à la personne de poursuivre sa miction dans le bassin ou la cuvette.

7. Étiquetez l'échantillon et envoyez-le au laboratoire.
   • Assurez-vous que l'étiquette de l'échantillon et le formulaire de laboratoire contiennent les renseignements adéquats. Fixez-les solidement au récipient. *Une mauvaise identification ou des renseignements erronés pourraient entraîner des erreurs de diagnostic ou de traitement.*
   • Veillez à ce que l'échantillon soit immédiatement porté au laboratoire. *Les cultures bactériennes doivent être effectuées immédiatement avant que les organismes contaminants puissent croître, se multiplier et fausser les résultats.*

8. Inscrivez les données pertinentes au dossier.
   • Notez le prélèvement de l'échantillon et toutes les observations pertinentes, telles la couleur, l'odeur ou la consistance de l'urine, ainsi que toute difficulté d'élimination ressentie par la personne.
   • Sur le formulaire de laboratoire, indiquez si la personne prend actuellement des antibiotiques ou si la femme a ses menstruations.

ÉVALUATION

■ Transmettez les résultats de laboratoire au médecin.
■ Discutez des résultats de l'examen de laboratoire avec le médecin et avec la personne.

■ Faites le suivi des interventions infirmières appropriées si nécessaire, tels l'administration des médicaments prescrits et l'enseignement à la personne.

LES ÂGES DE LA VIE

Échantillon d'urine

NOURRISSONS

■ La méthode utilisée pour nettoyer la région du périnée et le méat urétral est la même que chez l'adulte. Cependant, on utilise un sac collecteur pour recueillir l'échantillon d'urine. Ce sac est muni d'une bande adhésive à l'endos qui adhère à la peau et entoure le méat urinaire. Après que le bébé a uriné le volume nécessaire, retirer doucement le sac.

ENFANTS

■ Pour recueillir un échantillon d'urine de routine, expliquer le procédé à l'enfant en utilisant des termes simples, non médicaux, et lui demander d'uriner en utilisant un siège de toilettes pour enfant ou un bassin placé dans la cuvette des toilettes.

■ Donner à l'enfant un récipient à échantillons propre pour qu'il puisse jouer avec.

■ Si possible, permettre au parent d'aider l'enfant. Celui-ci peut se sentir plus à l'aise si un de ses parents est présent.

PERSONNES ÂGÉES

■ Au cours du prélèvement d'un échantillon stérile, il est possible que la personne âgée ait de la difficulté à maîtriser le flot d'urine.

■ La femme âgée qui souffre d'arthrite peut avoir de la difficulté à écarter les petites lèvres pendant le prélèvement d'un échantillon stérile.

SOINS À DOMICILE

Échantillon d'urine

- Évaluer chez la personne la capacité et la volonté de collaborer au prélèvement d'un échantillon d'urine. Si la personne a des problèmes de vision ou souffre de tremblements, lui suggérer d'utiliser un entonnoir pour verser l'urine dans le récipient.
- Toujours se laver les mains avec de l'eau chaude et du savon avant de recueillir l'échantillon et après le prélèvement.
- Toujours porter des gants si on manipule l'urine d'une autre personne.

La personne doit posséder un réfrigérateur afin d'y garder les échantillons d'urine au froid. Demander à la personne de conserver les récipients contenant les échantillons dans un sac de papier ou de plastique et de placer le tout soit dans un réfrigérateur, à l'écart des aliments, soit dans une glacière contenant de la glace.

PRÉLÈVEMENT DES URINES D'UNE PÉRIODE DÉTERMINÉE

Pour certaines analyses d'urine, il faut parfois recueillir toute l'urine produite et émise pendant une période déterminée, qui peut s'étaler de 1 à 2 heures jusqu'à 24 heures. Les échantillons d'urine ainsi prélevés sont habituellement réfrigérés ; sinon, il faut ajouter un agent de conservation qui prévient la croissance des bactéries ou la décomposition de l'urine. Chaque miction est recueillie dans un petit récipient propre et immédiatement versée dans une bouteille ou un pot plus grand qu'on conservera au réfrigérateur.

Les analyses des urines recueillies servent à :

- Évaluer la capacité du rein à concentrer et à diluer l'urine.
- Découvrir la présence de troubles de métabolisme du glucose, par exemple le diabète.
- Établir le niveau de composants spécifiques, par exemple l'albumine, l'amylase, la créatinine, l'urobilinogène et certaines hormones (estriol ou corticostéroïdes), dans l'urine.

Pour effectuer le prélèvement des urines d'une période déterminée, l'infirmière suit les étapes suivantes :

- Obtenir du laboratoire un récipient à échantillons contenant un agent de conservation (si nécessaire). Étiqueter le récipient à échantillons en indiquant les renseignements concernant la personne, l'analyse à effectuer, l'heure du début et de la fin de la période prescrite.
- Fournir un récipient propre pour recueillir l'urine (bassin, chaise d'aisances ou dispositif de collecte dans la cuvette des toilettes).
- Placer des avertissements au dossier de la personne, dans le fichier d'enregistrement (cardex), dans la chambre et dans les toilettes afin de prévenir le personnel de conserver toutes les urines pendant la période déterminée.
- Au début de la période de prélèvement, demander à la personne d'uriner et de jeter la première urine obtenue.

- Recueillir toute l'urine produite pendant la période de temps fixée et la conserver soit dans un récipient placé au réfrigérateur ou dans un bac rempli de glace, soit dans un récipient contenant un agent de conservation, selon le cas. Il faut éviter de contaminer l'urine avec du papier hygiénique ou des selles.
- À la fin de la période de prélèvement fixée, demander à la personne de vider complètement sa vessie et ajouter cette dernière miction au reste des échantillons. Envoyer toute la quantité d'urine recueillie au laboratoire accompagnée du formulaire rempli.
- Porter au dossier les renseignements relatifs au prélèvement, l'heure du début et de la fin et toutes les observations pertinentes sur l'urine.

> **! ALERTE CLINIQUE** *Si la personne ou un membre du personnel oublie de conserver l'urine d'une miction au cours de la période prévue pour le prélèvement, il faut reprendre celui-ci depuis le début.* ■

PRÉLÈVEMENT D'ÉCHANTILLON D'URINE STÉRILE PAR SONDE À DEMEURE

Il est possible de recueillir des échantillons d'urine stériles à l'aide d'un système de drainage urinaire hermétique en insérant une seringue munie d'une aiguille stérile à travers un dispositif de prélèvement placé dans le tube de drainage. Seul un cathéter en caoutchouc autoobturant peut être utilisé pour effectuer une ponction d'urine ; on ne doit pas employer de cathéter en plastique, en silicone ou en Silastic. Lorsqu'on utilise des cathéters en caoutchouc autoobturant, on insère l'aiguille juste au-dessus de l'endroit où le cathéter est fixé au tube de drainage. Éventuellement, un repère placé sur le cathéter permet de noter l'endroit où l'urine a été recueillie (figure 38-9 ■).

Pour recueillir un échantillon à partir d'une sonde de Foley ou d'un tube de drainage, l'infirmière suit les étapes suivantes :

- Porter des gants jetables.
- Drainer l'urine résiduelle dans la tubulure vers le sac collecteur.

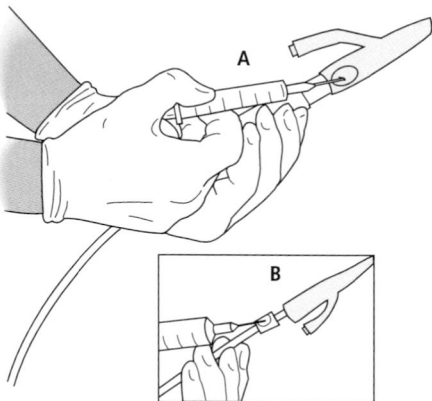

FIGURE **38-9** ■ Prélèvement d'un échantillon d'urine à partir d'un cathéter. *A,* À partir d'une zone précise près de la fin du cathéter. *B,* À partir d'une ouverture dans le tube.

- Fixer une pince sur le tube de drainage, sous le site de ponction, pendant environ 30 minutes, ce qui permet à l'urine fraîche de demeurer dans le cathéter vésical.

- Nettoyer la région où l'aiguille sera insérée à l'aide d'un tampon désinfectant. Choisir une zone distale du tube conduisant au ballon pour éviter de ponctionner dans ce tube. La désinfection du point d'entrée de l'aiguille dans le cathéter élimine tous les microorganismes présents à la surface de ce dispositif, ce qui prévient la contamination de l'aiguille et l'introduction de microorganismes dans le cathéter.

- Insérer l'aiguille à un angle de 30 à 45 degrés (voir la figure 38-9). Cet angle d'insertion facilite l'autoblocage du tube.

- Enlever la pince du cathéter.

- Recueillir la quantité d'urine désirée, par exemple 3 mL pour une culture d'urine ou 10 mL pour une analyse d'urine de routine.

- Transférer l'urine de la seringue dans le récipient à échantillons ; s'assurer que l'aiguille ne touche pas l'extérieur du récipient.

- Sans recapuchonner l'aiguille, jeter la seringue et l'aiguille dans le contenant prévu à cet effet.

- Enlever les gants et les jeter de manière appropriée.

- Étiqueter le récipient et envoyer immédiatement l'échantillon d'urine au laboratoire pour analyse ou réfrigération.

- Inscrire au dossier les renseignements relatifs au prélèvement de l'échantillon ainsi que toutes les observations pertinentes sur l'urine.

On peut également employer cette méthode si on utilise un dispositif sans aiguille.

EXAMENS DE L'URINE

À l'unité de soins, l'infirmière effectue elle-même plusieurs analyses d'urine simples, notamment la densité urinaire, le pH et la recherche de constituants anormaux tels que le glucose, les cétones, les protéines et le sang occulte.

L'infirmière en établissement ou la personne à la maison peuvent utiliser plusieurs types de trousses commerciales pour vérifier la présence de certains constituants anormaux dans l'urine. Ces trousses contiennent le matériel requis ainsi que le **réactif** approprié (substance utilisée dans une réaction chimique pour détecter la présence d'une substance particulière). Les réactifs se présentent sous forme de comprimés, de liquides, de languettes de papier ou de bandelettes. Lorsque l'urine entre en contact avec le réactif, une réaction chimique se produit et se manifeste par un changement de couleur que l'on compare ensuite avec une échelle colorimétrique pour interpréter la signification de la couleur (figure 38-10 ■). Il est à noter que les directives relatives à la quantité d'urine nécessaire pour les tests, au temps requis pour le déroulement des réactions chimiques ou à la signification des changements de couleur varient selon les manufacturiers. Il est donc essentiel que l'infirmière et la personne lisent et suivent attentivement les directives fournies par chaque manufacturier. De plus, il est important de vérifier le matériel afin de s'assurer qu'il n'est pas périmé.

Un membre du personnel infirmier peut effectuer l'examen de l'urine. Il doit bien comprendre la méthode à suivre pour prélever l'échantillon et il doit communiquer les résultats du test

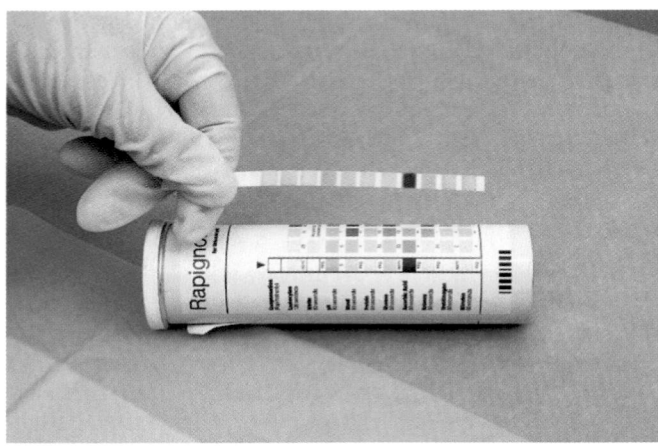

FIGURE 38-10 ■ Après avoir imprégné la languette réactive d'urine fraîche, attendre pendant la période prescrite et comparer les résultats avec l'échelle colorimétrique.

à l'infirmière. De plus, il doit conserver l'échantillon d'urine afin que l'infirmière puisse reprendre le test, si nécessaire.

Densité urinaire. La **densité urinaire** (ou poids spécifique) est un indicateur de la concentration urinaire ou de la quantité de particules (déchets du métabolisme et électrolytes) présentes dans l'urine. La mesure de la densité urinaire s'effectue au moyen d'un *uromètre* ou *hydromètre* placé dans une éprouvette d'urine (figure 38-11 ■). La densité urinaire de l'eau distillée est de 1,00 ; celle de l'urine se situe normalement entre 1,010 et 1,025. Lorsque l'urine devient plus concentrée, sa densité augmente. L'absorption d'une quantité excessive de

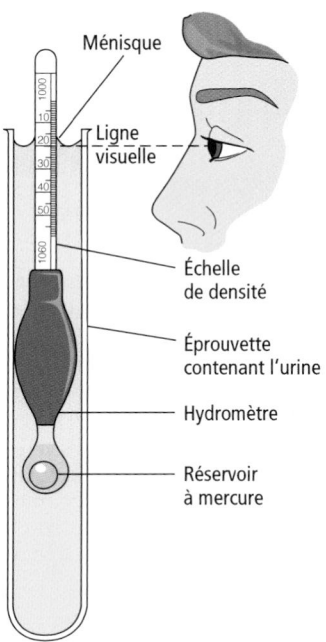

FIGURE 38-11 ■ La mesure de la densité urinaire à l'aide d'un uromètre est prise à la base du ménisque.

liquide ou certaines affections, qui influent sur la capacité des reins à concentrer l'urine, peuvent donner des résultats indiquant une densité inférieure aux valeurs normales. Inversement, une déperdition hydrique, une déshydratation ou encore la présence dans l'urine d'un excès de solutés tels que le glucose s'accompagnent d'une élévation de la densité urinaire. L'encadré *Conseils pratiques – Mesure de la densité urinaire* présente les étapes de cet examen.

pH urinaire. On mesure le pH urinaire afin d'établir l'acidité ou l'alcalinité relative de l'urine et d'évaluer l'équilibre acidobasique de la personne. Dans les laboratoires, on effectue parfois des mesures quantitatives du pH urinaire, mais dans les unités de soins ou dans les cliniques, on utilise surtout des bandelettes réactives qui donnent des mesures approximatives du pH urinaire. En général, l'urine est légèrement acide, avec un pH moyen de 6 (7 indique une solution neutre, moins que 7 une solution acide et plus que 7 une solution alcaline). Puisque les reins jouent un rôle crucial dans l'équilibre acidobasique, l'évaluation du pH urinaire contribue à déterminer si les reins répondent correctement aux déséquilibres acidobasiques. Dans l'acidose métabolique, le pH urinaire devrait diminuer à mesure que les reins excrètent les ions hydrogène ; dans l'alcalose métabolique, le pH devrait augmenter (voir le chapitre 50).

Glucose. On vérifie la présence de glucose dans l'urine afin de dépister le diabète et pour évaluer une intolérance anormale au glucose chez les femmes enceintes. D'habitude, la quantité de glucose dans l'urine est négligeable, bien que l'urine des personnes qui viennent d'ingérer de grandes quantités de glucides puisse contenir occasionnellement de petites quantités de glucose.

Faire une analyse d'urine dans le but de vérifier la présence de glucose ne constitue pas une mesure réelle du taux de glucose dans le sang, et cet examen est considéré comme inadéquat. La glycosurie est un indice de dépistage de diabète plutôt qu'un moyen de surveillance de la glycémie.

Cétones. Normalement, l'urine ne contient pas de composés cétoniques, des produits provenant du métabolisme des acides gras, sauf parfois chez les personnes dont le diabète est mal équilibré. La recherche de cétones dans l'urine est indiquée chez les personnes atteintes de diabète de type 1 qui sont à la maison et qui ne se sentent pas bien, font de la fièvre ou dont la glycémie dépasse régulièrement 15 mmol/L. La découverte de traces de cétones dans l'urine permet d'intervenir rapidement afin d'éviter l'acidocétose diabétique, une des complications graves de l'hyperglycémie. Par ailleurs, la découverte fortuite de cétonurie devrait exiger rapidement un bilan clinique comprenant notamment une glycémie, une glycosurie et la mesure du pH sanguin. La recherche de corps cétoniques dans l'urine à l'aide de bandelettes ou de comprimés réactifs permet aussi de déceler une éventuelle acidocétose chez les personnes alcooliques et chez celles qui souffrent de la faim, qui jeûnent ou qui suivent un régime hyperprotéiné.

Protéines. Les molécules de protéines sont en général trop grosses pour traverser les capillaires glomérulaires et passer dans le filtrat urinaire. Cependant, si la membrane glomérulaire a été endommagée (par suite d'une glomérulonéphrite, par exemple), elle peut devenir « poreuse » et laisser passer les protéines, particulièrement l'albumine. L'examen d'urine pour vérifier la présence de protéines est en général effectué à l'aide de bandelettes réactives.

Sang occulte. L'urine normale ne contient pas de sang. Lorsqu'elle contient du sang, il peut être visible ou invisible (sang occulte). On décèle le sang occulte dans l'urine au moyen de bandelettes réactives.

> **! ALERTE CLINIQUE** *La présence visible de sang dans l'urine est l'un des premiers symptômes d'affection rénale. Il faut effectuer une autre vérification en utilisant un échantillon frais (Fischbach, 2002, p. 708).* ∎

CONSEILS PRATIQUES

Mesure de la densité urinaire

Mesurer à l'aide d'un uromètre :

- Mettre des gants; verser au moins 20 mL de l'échantillon d'urine fraîche dans l'éprouvette ou la remplir aux trois quarts.
- Placer l'uromètre dans l'éprouvette et le faire tourner doucement afin de s'assurer qu'il n'adhère pas aux parois de l'éprouvette.
- Tenir l'éprouvette à la hauteur des yeux et lire la mesure à la base du ménisque à la surface de l'urine (voir la figure 38-11). La concentration de l'urine influe sur la hauteur à laquelle l'uromètre flottera dans l'éprouvette. La profondeur à laquelle il s'enfonce indique la densité urinaire.

Après le test :

- Jeter l'urine. Nettoyer le matériel avec de l'eau et du savon. Enlever les gants.
- Inscrire au dossier de la personne les résultats obtenus.

Osmolalité. L'**osmolalité urinaire** est une mesure de la concentration de particules dissoutes de soluté par kilogramme d'urine et indique la concentration de l'urine avec une meilleure précision que la densité urinaire. Elle permet aussi de surveiller l'équilibre des liquides et des électrolytes. Les particules concernées sont les déchets azotés, tels que la créatinine, l'urée et l'acide urique. Les valeurs normales se situent entre 500 et 800 mmol/kg. Une augmentation de l'osmolalité urinaire indique une déperdition hydrique, alors qu'une diminution de l'osmolalité urinaire indique une augmentation des liquides intravasculaires. Les échantillons prélevés pour ce test doivent être envoyés au laboratoire, contrairement aux tests précédents, qui peuvent être faits par l'infirmière, la personne ou le proche aidant.

Échantillons d'expectoration

L'**expectoration** est l'expulsion des sécrétions muqueuses des poumons, des bronches et de la trachée. Il importe de ne pas la confondre avec la **salive**, le liquide clair sécrété dans la bouche par les glandes salivaires, parfois appelée « bave ». Les personnes en bonne santé ne produisent pas d'expectorations. Pour expulser l'expectoration des poumons, des bronches et de la trachée, il faut tousser afin de faire remonter les sécrétions jusqu'à la bouche puis de les cracher dans un récipient collecteur.

L'échantillon expectoré peut être recueilli par un membre du personnel infirmier. Il est important de lui expliquer quand recueillir l'échantillon, comment la personne doit être installée pour expectorer et comment recueillir correctement l'échantillon. Cependant, il incombe à l'infirmière de procéder à ce prélèvement s'il doit être recueilli par aspiration des sécrétions pharyngées. En effet, il s'agit d'une méthode effractive et stérile, qui demande des connaissances particulières et du jugement clinique. Le prélèvement d'un tel échantillon s'effectue dans un contenant stérile pour prélèvement des sécrétions par aspiration (voir le chapitre 48 ⬭, procédé 48-3).

Les échantillons d'expectoration sont habituellement prélevés pour les raisons suivantes :

- Pour une culture et un antibiogramme, afin d'identifier un microorganisme spécifique et sa résistance ou sa sensibilité aux médicaments.

- Pour une cytologie, afin de déterminer l'origine, la structure, la fonction et le caractère pathologique des cellules. Dans le cas d'échantillons prélevés pour une cytologie, il faut souvent procéder à un prélèvement périodique d'échantillons échelonné sur trois jours et effectué tôt le matin ; ces échantillons sont examinés pour établir ou non la présence d'un cancer pulmonaire et pour préciser le type de cellules cancéreuses.

- Pour détecter le bacille acidorésistant afin d'établir ou non un diagnostic de tuberculose. Ce type de prélèvement se déroule souvent sur une période de trois jours consécutifs. Lorsqu'on craint la présence du bacille acidorésistant, on utilise dans certains établissements des récipients en verre spéciaux.

- Pour évaluer l'efficacité d'un traitement.

Les échantillons d'expectoration sont souvent recueillis le matin avant même que la personne boive ou mange. La personne doit d'abord se rincer la bouche à l'eau afin de diminuer la contamination par la flore microbienne oropharyngée. La récolte des expectorations accumulées pendant la nuit est facilitée lorsque la personne commence par prendre quelques bonnes respirations profondes, ce qui favorise la toux. Il est aussi possible de recueillir certains échantillons pendant un drainage postural, alors que la personne peut produire des expectorations. Si la personne est incapable de tousser, l'infirmière doit parfois faire l'aspiration des sécrétions pharyngées pour obtenir un échantillon.

Pour recueillir un échantillon d'expectoration, l'infirmière suit les étapes suivantes :

- Donner des soins buccaux, par exemple rincer la bouche avec de l'eau, afin de réduire la contamination de l'échantillon par les microorganismes de la bouche.

- Demander à la personne de respirer profondément, de tousser, puis de cracher l'équivalent de une à deux cuillères à soupe d'expectorations (15 à 30 mL). Si on soupçonne la présence de tuberculose, on doit prendre des précautions particulières en prélevant l'échantillon dans une pièce équipée d'un système de circulation d'air spécial ou d'une lampe à ultraviolet, ou à l'extérieur. Si cela s'avère impossible, l'infirmière devra porter un masque capable de retenir les gouttelettes d'aérosols produites par la toux.

- Demander à la personne d'expectorer, c'est-à-dire de cracher les expectorations dans le récipient à échantillons. S'assurer que l'expectoration n'entre pas en contact avec l'extérieur du contenant (figure 38-12 ■). Si l'extérieur du récipient est contaminé, le laver avec un désinfectant.

- Après avoir recueilli l'échantillon, donner un rince-bouche à la personne afin qu'elle puisse se débarrasser de tout goût désagréable.

- Étiqueter l'échantillon et l'envoyer au laboratoire. S'assurer que l'étiquette de l'échantillon et le formulaire de laboratoire contiennent les renseignements adéquats. S'assurer aussi que l'échantillon transmis au laboratoire est immédiatement réfrigéré. Il faut entreprendre immédiatement les cultures bactériennes pour éviter la croissance des microorganismes contaminants, qui risqueraient de se multiplier et de fausser les résultats.

- Inscrire les renseignements concernant l'échantillon d'expectoration au dossier de la personne. Inscrire la quantité, la couleur, l'odeur, la consistance (épaisse, visqueuse, aqueuse) de l'expectoration, la présence d'**hémoptysie** (sang dans les expectorations), ainsi que les méthodes de prélèvement de l'échantillon (par exemple, drainage postural) et toute forme de malaise qu'a pu ressentir la personne.

Prélèvement de gorge

Les prélèvements de gorge s'effectuent sur la muqueuse de l'oropharynx et des régions amygdaliennes au niveau des piliers. On cultive ensuite l'échantillon et on vérifie la présence de microorganismes pathogènes. Le prélèvement de gorge est une intervention effractive et exige des connaissances particulières et du jugement clinique.

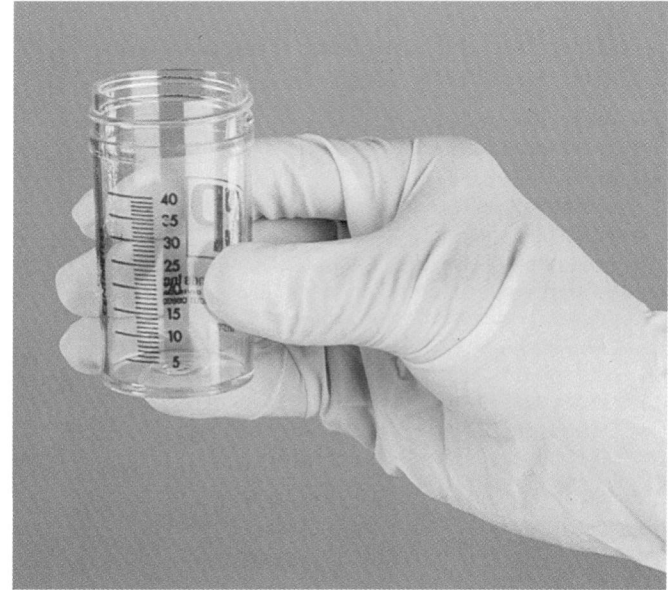

FIGURE **38-12** ■ Récipient stérile pour la récolte d'un échantillon d'expectoration.

Pour procéder à un prélèvement de gorge en vue d'une culture, l'infirmière commence par mettre des gants propres. Ensuite, elle introduit un écouvillon dans l'oropharynx et le passe le long des piliers des amygdales et dans la région du pharynx, autour des régions enflammées ou des zones d'exsudat. Chez certaines personnes, le réflexe nauséeux est actif; pour diminuer ce risque, l'infirmière demande à la personne de s'asseoir, d'ouvrir la bouche, de tirer la langue et de dire « ah »; elle prélève alors rapidement l'échantillon. La position assise et l'extension de la langue permettent d'observer le pharynx; dire « ah » fait relâcher les muscles de la gorge et aide à diminuer les contractions des muscles du pharynx responsables du réflexe nauséeux. S'il est impossible de voir la partie postérieure du pharynx, appliquer un abaisse-langue sur les deux tiers antérieurs de la langue (figure 38-13 ■).

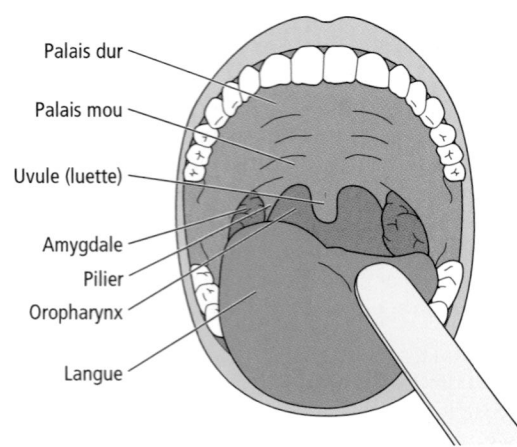

FIGURE 38-13 ■ Abaisser la langue pour observer le pharynx.

LES ÂGES DE LA VIE

Prélèvement d'échantillons d'expectoration et prélèvement de gorge

NOURRISSONS
■ Éviter de boucher le nez du nourrisson parce que les tout-petits ne respirent habituellement que par le nez.

ENFANTS
■ On devra limiter les mouvements de l'enfant avec douceur pendant qu'on effectue un prélèvement de gorge. Permettre aux parents d'assister et leur expliquer que le prélèvement sera effectué rapidement.
■ Lorsque l'enfant est prêt à coopérer, on peut lui demander de s'asseoir sur ses mains, d'ouvrir grand la bouche et de rire ou de haleter comme un chien (Bindler et Ball, 2003).
■ Observer tout signe d'infection de l'oreille (par exemple, un enfant qui se frotte les oreilles).

PERSONNES ÂGÉES
■ Il est possible qu'on doive encourager la personne âgée à tousser, car le réflexe de la toux diminue avec l'âge.
■ Lorsqu'on recueille des expectorations, permettre à la personne âgée de se reposer et de récupérer entre les périodes de toux.

SOINS À DOMICILE

Prélèvement d'échantillon
■ Si le prélèvement d'échantillon concerne une personne qui consulte en clinique externe ou qui est à la maison, lui enseigner comment obtenir l'échantillon. Fournir des directives écrites et des récipients à échantillons afin de s'assurer que le prélèvement sera effectué correctement et de manière sécuritaire.
■ Indiquer sur la requête à quel endroit le personnel du laboratoire doit envoyer les résultats du test.

Procédés de visualisation

Les procédés de visualisation comprennent les techniques de *visualisation indirecte* (non effractive) et de *visualisation directe* (effractive), qui permettent d'observer le fonctionnement des organes et des différents systèmes de l'organisme.

Affections de la fonction digestive

Les techniques de visualisation directe comprennent notamment l'**anuscopie**, l'examen visuel du canal anal; la **rectoscopie**, l'examen visuel du rectum; la **rectosigmoïdoscopie**, l'examen visuel du rectum et du côlon sigmoïde; la **coloscopie**, l'examen visuel du gros intestin. On complète l'examen visuel du tube digestif avec une radiographie. L'examen radiographique du tube digestif permet de découvrir les rétrécissements, les obstructions, les tumeurs, les ulcères, les maladies inflammatoires et autres changements de structure, tels que les hernies hiatales. On améliore la qualité de la visualisation du tube digestif en administrant à la personne une substance radio-opaque telle que le baryum. Pour l'examen de la partie supérieure du tube digestif ou de l'intestin grêle, il faut faire boire le baryum. Cet examen est souvent appelé *repas baryté (ou œsophagogramme)*. Pour l'examen de la partie inférieure du tube digestif, la personne reçoit un lavement contenant du baryum. Cet examen est appelé *lavement baryté*. Ces examens radiologiques comprennent en général un examen radioscopique; la projection des films radiographiques sur un écran permet d'observer en direct le passage du baryum.

Affections de la fonction urinaire

Les techniques de visualisation servent aussi pour évaluer la fonction urinaire. Ainsi, on effectue souvent un examen radiologique couramment appelé **reins, uretères et vessie**. D'autres examens radiographiques, l'**urographie intraveineuse**, l'**urographie antérograde** et l'**urographie rétrograde**, sont également utilisés pour examiner le tractus urinaire. Dans l'urographie intraveineuse (UIV, pyélographie excrétrice ou pyélographie intraveineuse), la substance de contraste injectée par intraveineuse est filtrée par les glomérules, puis elle passe dans les tubules rénaux, les uretères et la vessie. Pour l'urographie antérograde, la substance de contraste est injectée directement dans un calice rénal à l'aide d'une ponction percutanée à l'aiguille. Le produit de contraste utilisé dans l'urographie rétrograde est injecté par cathétérisme urétéral. Après l'injection de la substance de contraste, on prend différentes radiographies pour évaluer systématiquement les structures de l'appareil urinaire. L'**échographie** rénale est un examen non effractif qui utilise un faisceau d'ultrasons pour visualiser les reins. Au cours de la **cystoscopie**, il est possible d'observer directement la vessie, les orifices urétéraux et l'urètre à l'aide du **cystoscope**, un instrument muni d'une source lumineuse que l'on insère dans l'urètre. Il incombe à l'infirmière de préparer la personne avant ces examens et d'assurer le suivi après l'examen.

Affections des fonctions cardiovasculaire et respiratoire

Plusieurs techniques de visualisation servent à l'examen du système cardiovasculaire et des voies respiratoires.

L'**électrocardiogramme (ECG)** est un enregistrement graphique de l'activité électrique du cœur. Des électrodes placées sur la peau transmettent des impulsions électriques à un oscilloscope ou à un enregistreur graphique. Les ondes enregistrées à l'**électrocardiographie** permettent de découvrir des arythmies ou des troubles de transmission électrique qui accompagnent diverses affections du myocarde, l'hypertrophie du cœur ou les effets de certains médicaments.

L'**épreuve d'effort (ECG à l'effort)** permet d'évaluer la réponse à une surcharge de travail du cœur pendant l'exercice. À mesure que la demande d'oxygène augmente pendant l'exercice, la charge de travail du cœur augmente aussi, comme le fait la demande d'oxygène dans le muscle cardiaque lui-même. Les personnes atteintes de coronaropathie peuvent éprouver des douleurs à la poitrine, et l'ECG indiquera alors des changements pendant l'exercice.

L'**angiographie** est un procédé effractif que l'on ne peut pratiquer sans le consentement éclairé de la personne concernée. Une substance de contraste est injectée dans les vaisseaux sanguins à examiner. Avec la radioscopie et la radiographie, il est possible d'évaluer et d'observer la circulation sanguine dans les vaisseaux ainsi que les endroits où ces vaisseaux rétrécissent ou sont obstrués. La coronarographie est effectuée pour évaluer l'importance d'une coronaropathie ; l'angiopneumographie sert à évaluer le système vasculaire pulmonaire, particulièrement si on soupçonne une embolie pulmonaire. On peut également examiner de cette manière les artères carotides et cérébrales, les artères rénales et les vaisseaux des membres inférieurs.

L'**échocardiographie** est un examen non effractif qui utilise les ultrasons pour visualiser les structures du cœur et évaluer la fonction ventriculaire gauche. Un transducteur placé au-dessus du cœur émet des ondes sonores. Ces ondes sont réfléchies par les structures cardiaques et recaptées par le transducteur sous forme d'une série d'échos. Ces échos amplifiés apparaissent sur un oscilloscope. L'infirmière devrait expliquer à la personne que cet examen ne cause pas de malaise, si ce n'est la sensation de froid causée par le gel conducteur.

L'examen radiographique du thorax est effectué tant pour poser un diagnostic que pour évaluer l'évolution d'une affection. Pour ce type d'examen, l'infirmière doit demander à la personne d'enlever tous ses bijoux et tous ses vêtements au-dessus de la taille.

La **scintigraphie pulmonaire**, connue aussi sous le nom de scintigraphie pulmonaire de ventilation/perfusion, enregistre les émissions de radio-isotopes qui indiquent si les poumons sont bien ventilés et de quelle manière le sang y circule. La *scintigraphie de perfusion* permet d'évaluer la circulation du sang dans le système vasculaire pulmonaire. Pour cet examen, on injecte le radio-isotope par voie intraveineuse et on le mesure alors qu'il circule dans le poumon. La *scintigraphie de ventilation* détecte les anomalies liées à la ventilation, particulièrement chez les personnes atteintes d'emphysème. Pour cet examen, la personne inhale un gaz radioactif à l'aide d'un masque et l'expulse ensuite dans l'air ambiant. L'infirmière doit expliquer à la personne qu'aucune précaution particulière n'est nécessaire puisque la quantité de radioactivité est minime. Cet examen dure de 20 à 40 minutes.

La laryngoscopie et la bronchoscopie sont des interventions aseptiques effectuées respectivement à l'aide d'un laryngoscope et d'un bronchoscope en vue de prélever des échantillons de tissus pour une biopsie. Ces examens se font sous anesthésie locale, soit par vaporisation de l'anesthésique dans la gorge, afin de prévenir le réflexe nauséeux, soit au moyen d'un gargarisme. On insère alors le bronchoscope afin d'observer le larynx ou les bronches. Les personnes qui subissent un tel examen doivent donner leur consentement éclairé.

Tomodensitométrie

La **tomodensitométrie (TDM)** est une technique radiographique sans douleur et non effractive, plus sensible que la radiographie, qui permet de distinguer des différences minimes de densité des tissus. Le tomodensitomètre assisté par ordinateur fournit des images tridimensionnelles de l'organe ou de la structure.

La **tomographie par émission de positrons (TEP)** est un examen radiologique non effractif qui demande l'injection ou l'inhalation d'une substance radioactive. Les images se créent à mesure que le radio-isotope se répand dans l'organisme. Cet examen permet d'étudier différents aspects du fonctionnement d'un organe et peut notamment inclure l'évaluation de la circulation sanguine ou de la croissance d'une tumeur.

Imagerie par résonance magnétique

L'**imagerie par résonance magnétique (IRM)** (ou résonance magnétique nucléaire, RMN) est une méthode diagnostique non effractive dans laquelle la personne est placée dans un champ magnétique. Les personnes qui ont des prothèses ou des corps étrangers implantés en métal (une prothèse de la hanche en métal, un stimulateur cardiaque, par exemple) ne peuvent subir d'IRM en raison des forts champs magnétiques. Cet examen n'expose pas la personne à des radiations. Si une substance de contraste est injectée pendant l'examen, il ne s'agira pas d'une substance iodée. Un autre avantage de l'IRM est qu'elle produit un meilleur contraste entre les tissus normaux et anormaux que la TDM. En revanche, elle est plus coûteuse.

L'IRM est utilisée le plus souvent pour obtenir des images du cerveau, de la colonne vertébrale, des membres et des articulations, du cœur, des vaisseaux sanguins, de l'abdomen et du bassin. L'examen exige que la personne, couchée sur la plate-forme qui glisse dans le tube contenant l'électroaimant annulaire, demeure complètement immobile. Un système de communication bidirectionnel permet d'observer les réactions de la personne et l'aide à ne pas éprouver une trop grande sensation de claustrophobie. On offre à la personne de mettre des bouchons d'oreilles pour diminuer le malaise causé par le bruit intense produit au cours de cet examen, qui dure entre 60 et 90 minutes.

Scintigraphie

Selon Fischbach (2000, p. 689), la scintigraphie permet d'étudier « la physiologie ou la fonction » d'un organe ou d'un système, contrairement aux autres procédés de visualisation (TDM, IRM et radiographie, par exemple), qui permettent d'observer les structures « anatomiques ». Pour la scintigraphie, on administre par diverses voies un **radiopharmaceutique** (aussi qualifié de marqueur radioactif) ou une préparation médicamenteuse (ciblée vers un organe spécifique) contenant un radio-isotope (radionucléide combiné à une molécule de transport). Le radio-isotope séjourne dans l'organisme pendant un temps relativement court ; le radiopharmaceutique le plus courant a une demi-vie de six heures (Fischbach, 2002). Une gamma-caméra est placée au-dessus de la partie du corps à examiner. La caméra, couplée à un ordinateur, convertit l'émission de radio-isotopes et forme une image détaillée. Lorsque la couleur est distribuée également, la situation est normale ; cependant, des taches plus foncées indiquent une hyperfonction et des taches plus pâles, une hypofonction (Kee, 1999).

Ponction et biopsie

La **ponction** est un prélèvement de liquide de l'organisme. Ce prélèvement peut être effectué soit à des fins thérapeutiques, pour évacuer un surplus de liquide (dans la cavité pleurale ou la cavité abdominale, par exemple), soit à des fins diagnostiques (ponction du liquide cérébrospinal, par exemple). La **biopsie** est le prélèvement et l'examen d'un tissu. Habituellement, on effectue une biopsie pour établir un diagnostic ou pour évaluer la malignité de certaines cellules. La ponction et la biopsie sont deux procédés effractifs qui exigent une technique stérile stricte. En général, il faut obtenir le consentement écrit et éclairé de la personne avant de procéder à une ponction ou à une biopsie.

Ponction lombaire

Dans la **ponction lombaire** (ou ponction rachidienne), le liquide cérébrospinal est prélevé à l'aide d'une aiguille (figure 38-14 ■)

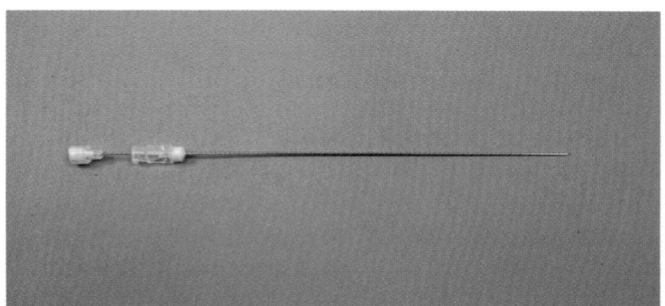

FIGURE **38-14** ■ Aiguille à ponction lombaire.

que l'on insère dans l'espace sous-arachnoïdien du canal rachidien, soit entre la troisième et la quatrième vertèbre lombaire, soit entre la quatrième et la cinquième vertèbre lombaire. À cette hauteur, l'aiguille n'endommagera pas la moelle épinière ni les racines nerveuses (figure 38-15 ■). La personne est étendue sur le côté, la tête penchée sur la poitrine, les genoux repliés vers l'abdomen et le dos tourné près du côté du lit ou de la table d'examen (figure 38-16 ■). Dans cette position, le dos est arqué, ce qui augmente l'espace entre les vertèbres et facilite l'insertion de l'aiguille. Pendant la ponction lombaire, le médecin mesure souvent la pression du liquide cérébrospinal en utilisant un **manomètre**, un tube en verre ou en plastique calibré en millimètres (figure 38-17 ■).

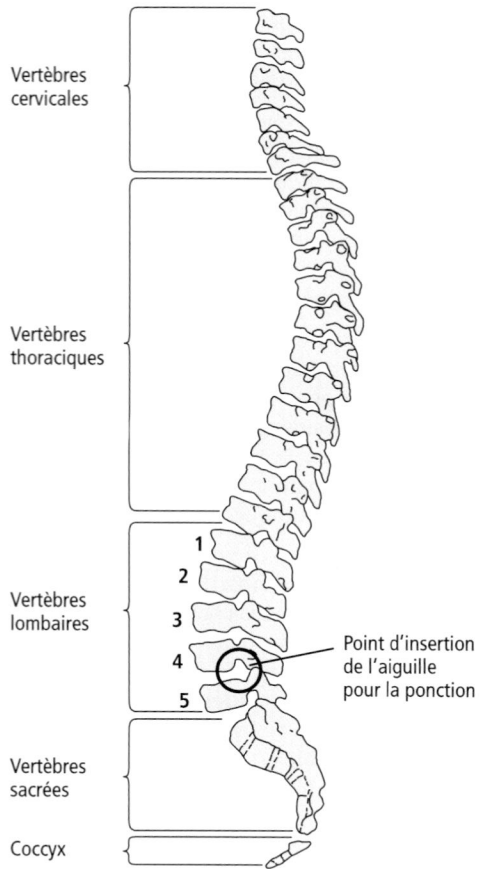

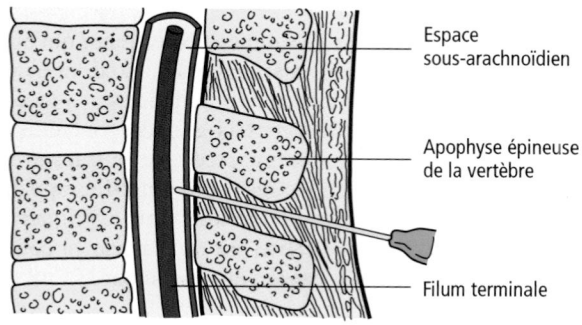

FIGURE **38-15** ■ Diagramme de la colonne vertébrale indiquant un point d'insertion pour l'aiguille à ponction lombaire dans l'espace sous-arachnoïdien du canal rachidien.

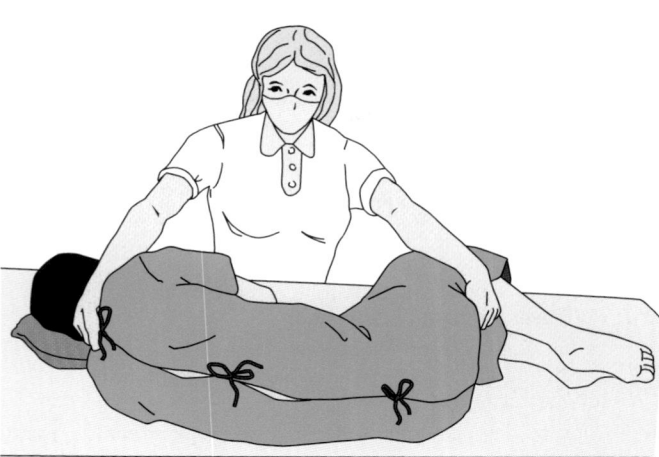

FIGURE 38-16 ■ Aider la personne à maintenir la bonne position pendant une ponction lombaire.

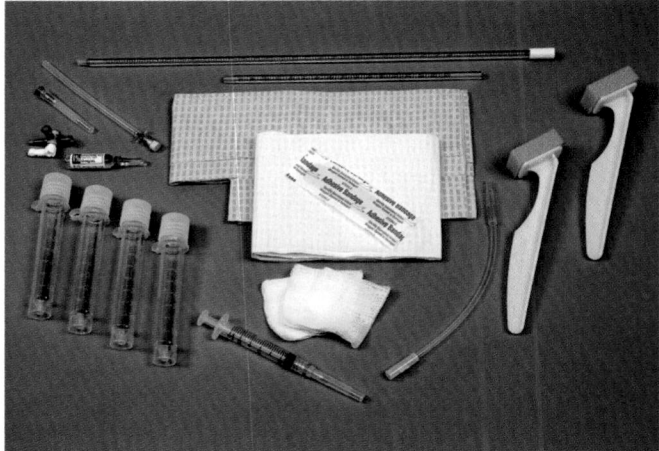

FIGURE 38-17 ■ Trousse de ponction lombaire. Remarquer le manomètre situé en haut de la photo.

LES ÂGES DE LA VIE

Ponction lombaire

ENFANTS

- Expliquer brièvement à l'enfant l'examen qu'il va subir en utilisant une poupée ou un animal en peluche. Prendre le temps de répondre à ses questions.
- Un membre de l'équipe de soins devrait maintenir un contact visuel avec l'enfant pendant l'intervention et le rassurer.

PERSONNES ÂGÉES

- La personne âgée souffrant d'arthrite, de faiblesse ou de tremblements aura besoin qu'on l'aide à maintenir la bonne position pendant l'intervention.
- Fournir à la personne une couverture supplémentaire pour la tenir au chaud pendant l'intervention. Chez la personne âgée, le métabolisme est moins actif et les tissus adipeux sous-cutanés sont plus minces.
- Si la personne souffre d'un déficit auditif, parler lentement et clairement, surtout s'il est impossible de maintenir un contact visuel.

entre l'ombilic et la symphyse pubienne (figure 38-18 ■). Le médecin pratique une petite incision à l'aide d'un scalpel, insère le **trocart** (instrument coupant et pointu) et la **canule** (tube) puis retire le trocart contenu dans la canule (figure 38-19 ■).

Un tube de drainage est fixé à la canule. Si la paracentèse est pratiquée dans le but de prélever un échantillon, le médecin utilise une grande aiguille à ponction munie d'une seringue plutôt que de faire une incision et d'utiliser un trocart et une canule. Normalement, on n'aspire pas plus de 1500 mL de liquide chaque fois afin d'éviter un choc hypovolémique. Pour la même raison, il faut aspirer le liquide très lentement. On place du liquide dans le récipient à échantillons avant de retirer la canule. On effectue parfois une suture, mais, dans tous les cas, on place un petit pansement stérile sur l'abdomen.

Paracentèse abdominale (ponction d'ascite ou ponction péritonéale)

Normalement, l'organisme produit juste ce qu'il faut de liquide péritonéal pour assurer la lubrification du péritoine. Ce liquide est continuellement formé et absorbé par le système lymphatique. Cependant, dans certaines affections, une grande quantité de liquide s'accumule dans la cavité abdominale ; on parle alors d'**ascite**. Le liquide d'ascite normal est séreux, limpide et de couleur jaune clair. On effectue une **paracentèse abdominale** (ponction d'ascite ou ponction péritonéale) pour prélever du liquide péritonéal à des fins diagnostiques et thérapeutiques. La paracentèse permet donc d'obtenir et d'analyser le liquide afin de déterminer l'étiologie de l'épanchement, et permet d'évacuer le liquide qui s'accumule dans la cavité abdominale. En effet, le liquide en excès comprime les organes et cause une série de symptômes tels que la satiété précoce ou la dyspnée.

Le médecin effectue la paracentèse avec l'assistance d'une infirmière en utilisant une technique stérile rigoureuse. Le siège habituel de la paracentèse est à la ligne médiane de l'abdomen

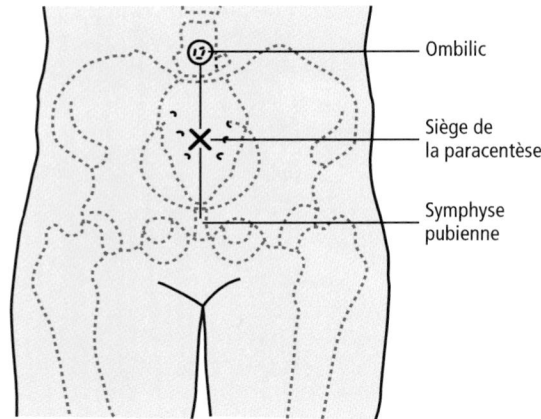

Ombilic

Siège de la paracentèse

Symphyse pubienne

FIGURE 38-18 ■ Siège habituel de la paracentèse abdominale.

FIGURE **38-19** ■ Un trocart et une canule peuvent être utilisés pour effectuer une paracentèse abdominale.

Canule

Pointe du trocart sortant de la canule

Trocart

LES ÂGES DE LA VIE

Paracentèse abdominale

PERSONNES ÂGÉES
- Fournir des oreillers et des couvertures à la personne afin qu'elle soit installée confortablement pendant l'intervention.
- Demander à la personne de vider sa vessie juste avant l'intervention. Il est possible que la personne âgée doive uriner fréquemment, chaque fois en petite quantité.
- Retirer le liquide d'ascite lentement et surveiller tout signe de choc hypovolémique. Les personnes âgées sont moins tolérantes à la perte de liquide et peuvent faire un choc hypovolémique si on aspire rapidement une grande quantité de liquide.

Thoracentèse (ponction pleurale)

Normalement, la cavité pleurale contient juste assez de liquide pour lubrifier la plèvre. Cependant, il arrive que du liquide s'accumule à la suite d'une blessure, d'une infection ou d'une affection. Dans de telles circonstances, ou en cas de pneumothorax, le médecin effectue une **thoracentèse** pour extraire le liquide excédentaire ou l'air entré dans la cavité pleurale et faciliter ainsi la respiration. La thoracentèse permet aussi l'administration intrapleurale de produits chimiothérapeutiques.

L'infirmière aide la personne à s'installer dans une position qui facilite l'insertion de l'aiguille entre les côtes. Elle lui demande généralement de s'asseoir, les bras placés au-dessus de la tête, ce qui augmente l'écartement entre les côtes. Deux positions sont le plus souvent utilisées : la personne est assise, tournée sur le côté, un bras levé et étiré vers l'avant (figure 38-20 ■, *A*), ou penchée vers l'avant, le thorax appuyé sur un oreiller (figure 38-20 ■, *B*).

Afin de s'assurer que l'aiguille est insérée au bon endroit, soit au-dessous du niveau du liquide lorsqu'il faut en retirer ou

LES ÂGES DE LA VIE

Thoracentèse

PERSONNES ÂGÉES
- La personne âgée souffrant d'arthrite, de faiblesse ou de tremblements aura besoin qu'on l'aide à maintenir la bonne position pendant l'intervention.
- Fournir à la personne des oreillers sur lesquels elle pourra s'appuyer pendant l'intervention.
- Le fait que la personne âgée ait moins de tissus adipeux permet au médecin de repérer plus facilement l'espace intercostal.
- Fournir à la personne une couverture supplémentaire pour la tenir au chaud pendant l'intervention. Chez la personne âgée, le métabolisme est moins actif et les tissus adipeux sous-cutanés sont plus minces.

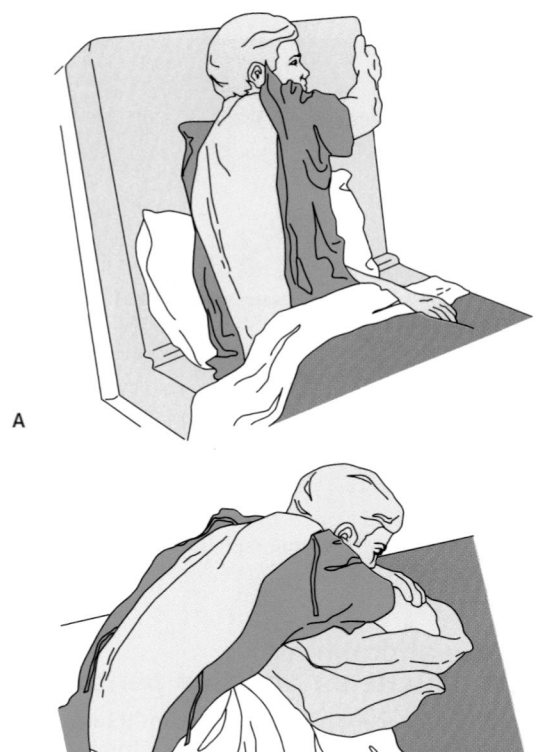

A

B

FIGURE **38-20** ■ Deux positions généralement utilisées pour la thoracentèse. *A*, Assis sur le côté, un bras levé à la hauteur du front. *B*, Assis, le thorax appuyé sur un oreiller.

au-dessus s'il s'agit d'aspirer de l'air, le médecin palpe le thorax et fait une percussion pour déterminer l'endroit exact où insérer l'aiguille. Pour aspirer du liquide pleural, le point d'insertion se situera à la région postéro-inférieure du thorax ; pour retirer de l'air, il se situera à la région antérosupérieure. Une radiographie avant d'effectuer la ponction permet de déterminer le meilleur point d'insertion.

Le médecin et l'infirmière qui l'assiste suivent une technique stérile stricte. Le médecin fixe une seringue ou un adaptateur à robinets à l'aiguille de ponction. L'adaptateur à robinets doit être en position fermée, afin que l'air ne pénètre pas dans la cavité pleurale. Le médecin insère l'aiguille dans l'espace intercostal jusqu'à la cavité pleurale. Dans certains cas, le médecin place un petit tube de plastique sur l'aiguille et retire ensuite celle-ci. (Dans le cas d'une ponction de la plèvre, on utilise plus rarement le tube.)

S'il utilise une seringue pour prélever le liquide, le médecin tire sur le piston de la seringue pour retirer le liquide pleural alors que le robinet est ouvert. Si on utilise un grand récipient pour recevoir le liquide, le tube est fixé au robinet et à l'embout du récipient. Lorsque l'adaptateur et le robinet sont ouverts, la gravité permet de drainer le liquide de la cavité pleurale dans le récipient, lequel doit être placé sous le niveau des poumons. Une fois que le liquide a été prélevé, le médecin enlève l'aiguille ou le tube de plastique.

Biopsie de la moelle osseuse

La *biopsie* constitue un autre type d'examen paraclinique au cours duquel on prélève un tissu pour l'analyser. On effectue des biopsies sur différents types de tissus, tels la moelle épinière, le foie, le tissu mammaire, les ganglions lymphatiques et les poumons.

La biopsie de la moelle osseuse consiste à prélever un échantillon de moelle osseuse à des fins diagnostiques. Elle permet de déceler des maladies spécifiques du sang, telles l'anémie pernicieuse et la leucémie. Les principaux points de prélèvement de moelle osseuse sont le sternum, la crête iliaque, l'épine iliaque postérieure et supérieure, et, chez l'enfant, le tibia proximal (Pagana et Pagana, 2001, p. 172). La *crête iliaque postérosupérieure* est le meilleur endroit lorsque la personne est placée en procubitus ou qu'elle est couchée sur le côté (figure 38-21 ■)

Après avoir injecté un anesthésique local, on effectue une petite incision avec un scalpel afin de ne pas déchirer la peau ou de la pousser dans la moelle osseuse avec l'aiguille. Le

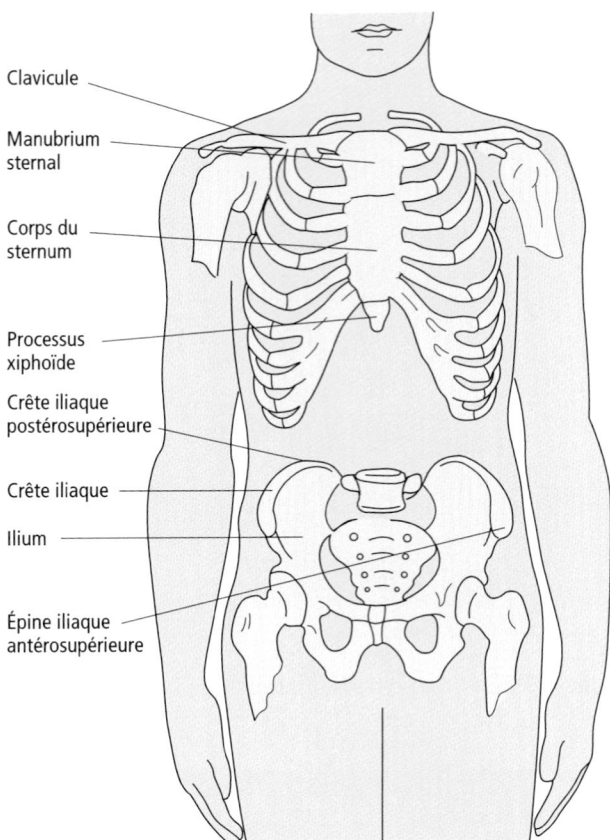

FIGURE **38-21** ■ Le sternum et les crêtes iliaques sont les endroits où l'on effectue habituellement une biopsie de la moelle osseuse.

Légende figure : Clavicule ; Manubrium sternal ; Corps du sternum ; Processus xiphoïde ; Crête iliaque postérosupérieure ; Crête iliaque ; Ilium ; Épine iliaque antérosupérieure

médecin introduit alors l'aiguille à biopsie de moelle osseuse dans la moelle osseuse rouge, qui est la partie spongieuse de l'os (figure 38-22 ■).

Une fois l'aiguille introduite dans l'espace médullaire, on retire le stylet et on fixe une seringue de 10 mL à l'aiguille. On tire le piston jusqu'à ce qu'on ait aspiré entre 1 et 2 mL de moelle. Le médecin retire la seringue, replace le stylet dans l'aiguille, retire l'aiguille et dépose l'échantillon dans une éprouvette ou sur une lamelle de verre.

Biopsie du foie

La biopsie du foie est un prélèvement de courte durée au cours duquel on aspire du tissu hépatique. Le médecin insère une aiguille dans l'espace intercostal entre deux des côtes basses et dans le foie (figure 38-23 ■), ou à travers l'abdomen sous le côté droit de la cage thoracique (sous les côtes).

La personne expire et bloque sa respiration pendant que le médecin insère l'aiguille à biopsie, injecte une petite quantité de sérum physiologique stérile pour nettoyer l'aiguille des particules de tissus ou de sang qui auraient pu s'y loger pendant l'insertion, puis aspire du tissu hépatique en tirant le piston de la seringue. Une fois l'aiguille retirée, l'infirmière applique une pression sur le site pour éviter le saignement et installe la personne sur le côté où la biopsie a été pratiquée (figure 38-24 ■).

LES ÂGES DE LA VIE

Biopsie de la moelle osseuse

ENFANTS
■ Les enfants ont besoin de soutien en raison de la douleur et de la pression liées à cet examen.
■ Il est possible qu'on doive restreindre avec douceur les mouvements des enfants afin d'éviter qu'ils ne bougent pendant l'intervention.

PERSONNES ÂGÉES
■ Les personnes âgées qui souffrent d'ostéoporose ressentent plus vivement la pression de l'aiguille.
■ Demander à la personne de vider sa vessie avant l'intervention afin qu'elle se sente à l'aise.
■ Fournir des oreillers et des couvertures à la personne afin qu'elle soit installée confortablement pendant l'intervention.

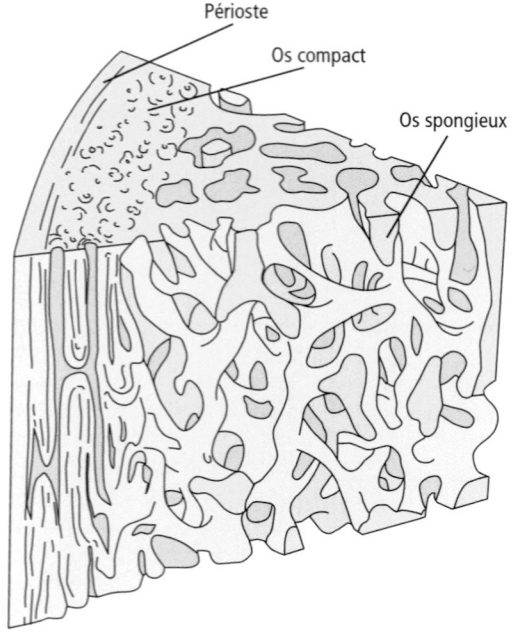

FIGURE **38-22** ■ Coupe transversale d'un os.

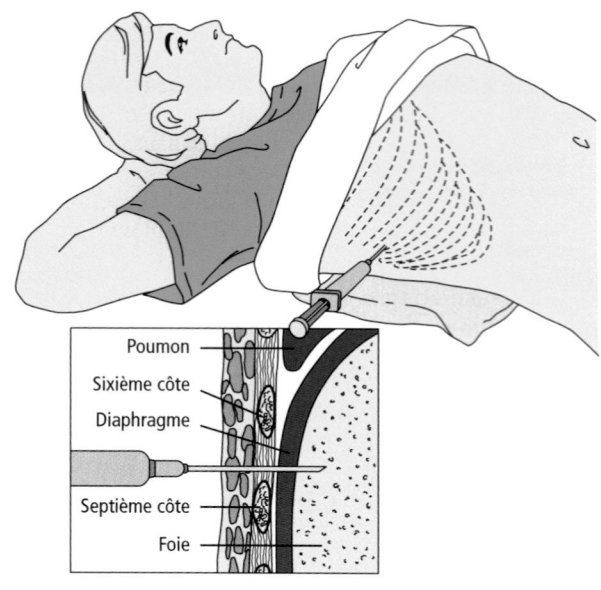

FIGURE **38-23** ■ Siège habituel pour la biopsie du foie.

LES ÂGES DE LA VIE

Biopsie du foie
PERSONNES ÂGÉES

■ Demander à la personne de vider sa vessie juste avant l'intervention. Il est possible que la personne âgée doive uriner fréquemment, chaque fois en petite quantité.

■ Remarquer s'il y a une irritation de la peau à l'endroit où le pansement stérile est appliqué. Les personnes âgées ont souvent la peau fragile.

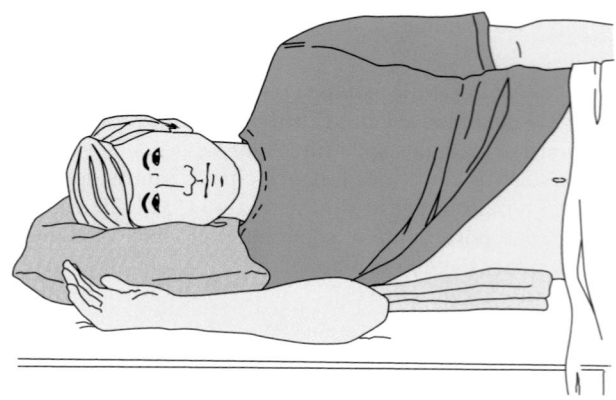

FIGURE **38-24** ■ Position permettant d'exercer une pression sur le siège d'une biopsie du foie.

LES ÂGES DE LA VIE

Observations d'ordre général

PERSONNES ÂGÉES

■ Chez la personne âgée, l'homéostasie n'est pas aussi efficace que chez une personne plus jeune. Lorsqu'on effectue des examens paracliniques destinés à évaluer les fonctions homéostasiques, il faut donc exercer une surveillance étroite et noter tout changement, par exemple :

• Les préparations laxatives prises avant des examens paracliniques des intestins, tels la coloscopie, peuvent causer de la déshydratation.

• Lorsque la personne ne peut boire ni rien prendre par voie orale pendant un certain temps, elle peut présenter une hypovolémie et un déséquilibre électrolytique.

• L'utilisation de plusieurs substances de contraste pour les radiographies, par exemple, peut causer des dommages aux reins (notamment chez la personne diabétique).

• Lorsqu'une personne âgée reçoit un sédatif avant certains examens, elle peut prendre plus de temps à récupérer.

• Le fait de subir plusieurs examens à la fois ou pendant plusieurs jours peut aggraver l'effet de ces problèmes potentiels.

Les interventions infirmières devraient mettre l'accent sur les points suivants : s'assurer que la personne est bien hydratée pendant et après les examens paracliniques ; surveiller les ingesta et les excreta ; mesurer fréquemment et attentivement les signes vitaux ; prendre note de tout changement dans l'état mental qui pourrait indiquer un déséquilibre électrolytique. La reconnaissance des personnes à risque (personnes atteintes de diabète, d'affections rénales ou qui prennent certains médicaments) pourra aider à prendre des mesures afin de prévenir les blessures ou les complications consécutives aux examens paracliniques.

Puisque plusieurs personnes atteintes d'une maladie du foie présentent des troubles de la coagulation sanguine et risquent de faire des hémorragies, il faut vérifier le temps de Quick et faire une numération plaquettaire avant d'effectuer l'interven-tion. Si les résultats de ces tests sont anormaux, la biopsie pour-rait être contre-indiquée.

Le tableau 38-2 décrit le rôle de l'infirmière au cours des ponctions et des biopsies.

TABLEAU

Rôle de l'infirmière au cours des ponctions et des biopsies

38-2

Procédé	Avant	Pendant	Après
Ponction lombaire	Préparer la personne : ■ Expliquer l'intervention à la personne et aux personnes qui l'accompagnent. Le médecin prendra un petit échantillon de liquide rachidien dans la partie inférieure de la colonne vertébrale. Un anesthésique local est injecté pour diminuer le malaise. Expliquer quand et où l'intervention aura lieu (par exemple, dans la chambre ou dans une salle de traite-ment) et préciser qui sera pré-sent (par exemple, le médecin et l'infirmière). Expliquer à la personne qu'elle devra rester immobile pendant une quin-zaine de minutes. Elle sentira une piqûre légère lors de l'injection de l'anesthésique local et une sensation de pression lors de l'insertion de la canule à ponction lombaire. ■ Demander à la personne de vider sa vessie et ses intestins avant l'intervention pour éviter toute sensation de gêne inutile. ■ Installer et couvrir la personne. ■ Ouvrir la trousse de ponction lombaire.	Aider et surveiller la personne : ■ Se tenir debout devant la per-sonne et lui soutenir la nuque et les genoux si elle a besoin d'aide pour rester immobile. ■ Rassurer la personne tout au long de l'intervention en lui expliquant ce qui se passe. L'encourager à respirer nor-malement et à se détendre. ■ Observer la coloration de sa peau, sa respiration et son pouls pendant l'intervention. Lui demander de signaler tout mal de tête ou une douleur persistante au point d'inser-tion de l'aiguille. Placer un petit pansement stérile sur le point de la ponction. Manipuler les éprouvettes de manière appropriée : ■ Porter des gants pour mani-puler les éprouvettes. ■ Étiqueter les éprouvettes dans l'ordre. ■ Envoyer les échantillons de liquide cérébrospinal au laboratoire immédiatement.	Assurer le confort et la sécurité de la personne : ■ Aider la personne à se placer en décubitus dorsal avec un seul oreiller sous la tête. La personne devra rester dans cette position durant une période variant de 1 à 12 heures selon les recom-mandations du médecin. ■ Vérifier si des analgésiques ont été prescrits contre les maux de tête et si l'on peut les administrer. ■ Sauf contre-indication, offrir à boire souvent afin d'aider à réta-blir le niveau de liquide cérébro-spinal. Surveiller la personne : ■ Observer s'il y a œdème ou sai-gnement au point de ponction. ■ Surveiller les changements dans l'état neurologique. ■ Vérifier si la personne éprouve des engourdissements, des picote-ments ou des douleurs irradiant dans les jambes. Inscrire au dossier de la personne les renseignements relatifs à l'inter-vention : ■ La date et l'heure de l'interven-tion ; le nom du médecin ; la cou-leur, les caractéristiques et la quantité de liquide cérébrospinal ; le nombre d'échantillons prélevés. Inscrire aussi la pression du liquide cérébrospinal s'il y a lieu, ainsi que les évaluations et les interventions infirmières.
Paracentèse abdominale (ponction péritonéale)	Préparer la personne : ■ Lui expliquer l'intervention : indiquer la durée (une quin-zaine de minutes) ; lui rappeler qu'il faut demeurer immobile pendant l'intervention ; préciser quand et où aura lieu le prélèvement et qui sera présent. ■ Demander à la personne d'uriner immédiatement avant la paracentèse afin de diminuer le risque de ponctionner la vessie et de favoriser le bien-être.	Aider et surveiller la personne : ■ La soutenir en lui parlant et en lui décrivant les étapes de l'in-tervention. ■ L'observer attentivement pour déceler tout signe de détresse (par exemple, anomalies du pouls, de la coloration de la peau et de la pression artérielle). ■ Surveiller l'apparition d'un choc hypovolémique consé-cutif à une perte liquidienne : pâleur, dyspnée, chute de pres-sion artérielle et agitation, ou augmentation de l'anxiété.	Surveiller la personne attentivement : ■ Observer l'apparition d'un choc hypovolémique. ■ Surveiller l'apparition d'un œdème scrotal chez l'homme. ■ Surveiller les signes vitaux, le débit urinaire et l'écoulement au point de ponction toutes les 15 minutes pendant au moins 2 heures, et ensuite toutes les heures pendant 4 heures, ou comme l'état de la personne l'exige. ■ Mesurer le périmètre de l'abdo-men à la hauteur de l'ombilic.

Rôle de l'infirmière au cours des ponctions et des biopsies (suite)

Procédé	Avant	Pendant	Après
	▪ Aider la personne à maintenir la position dans le lit, sur une chaise ou sur le bord du lit, soutenue par des oreillers. ▪ Assurer l'intimité de la personne et lui fournir des couvertures pour qu'elle soit au chaud. ▪ S'assurer que le périmètre de l'abdomen au niveau de l'ombilic a été mesuré avant la paracentèse abdominale.	Placer un petit pansement stérile sur le siège de l'incision après le retrait de la canule ou de l'aiguille de ponction.	Inscrire au dossier de la personne les renseignements relatifs à l'intervention : ▪ La date et l'heure de l'intervention ; le nom du médecin ; le périmètre de l'abdomen avant et après ; la couleur, la clarté et la quantité de liquide drainé ; les évaluations et les interventions infirmières. S'assurer de faire porter les échantillons correctement étiquetés au laboratoire.
Thoracentèse (ponction pleurale)	Préparer la personne : ▪ Lui expliquer l'intervention. Normalement, la personne peut éprouver un malaise et ressentir une certaine pression au moment de l'insertion de l'aiguille. L'intervention peut être très douloureuse si la respiration est difficile. Elle dure seulement quelques minutes, selon le temps que met le liquide pour s'écouler de la cavité pleurale. Il est important que la personne ne tousse pas pendant l'intervention afin de prévenir un pneumothorax. Expliquer quand et où l'intervention aura lieu et qui sera présent. ▪ Aider la personne à s'installer confortablement et la couvrir avec une couverture.	Aider et surveiller la personne : ▪ Soutenir la personne en lui parlant et en lui décrivant les étapes de l'intervention. ▪ Observer attentivement la personne pour déceler des signes de détresse, tels que la dyspnée, la pâleur et la toux. Recueillir le liquide de drainage et les échantillons de laboratoire. Placer un petit pansement stérile sur le point de ponction.	Surveiller la personne : ▪ Évaluer le rythme cardiaque et la fréquence respiratoire, et vérifier la coloration de la peau. ▪ Ne pas prélever plus de 1 000 mL de liquide de la cavité pleurale pendant les 30 premières minutes. ▪ Observer tout changement dans la toux, les expectorations, l'amplitude et les bruits pulmonaires ; tenir compte des plaintes relatives à des douleurs à la poitrine. Placer la personne de manière appropriée : ▪ Dans certains protocoles, on recommande de la coucher sur le côté opposé au siège de l'intervention, la tête élevée de 30 degrés pendant au moins 30 minutes ; cette position favoriserait l'expansion du poumon touché et faciliterait la respiration. Inscrire au dossier de la personne les renseignements relatifs à l'intervention : ▪ La date et l'heure de l'intervention ; le nom du médecin ; la couleur, la limpidité et le volume de liquide drainé ; les évaluations et les interventions infirmières. S'assurer que les échantillons correctement étiquetés parviennent au laboratoire.
Biopsie de la moelle osseuse	Préparer la personne : ▪ Expliquer l'intervention. La personne pourra entendre un crissement lorsque le médecin poussera l'aiguille dans le cortex de l'os et sentir de la douleur lors de l'aspiration de la moelle. L'intervention dure de 15 à 30 minutes. Expliquer quand et où l'intervention se déroulera, qui sera présent et quel point de prélèvement sera choisi.	Aider et surveiller la personne : ▪ Réconforter la personne en lui parlant et en lui décrivant les étapes de l'intervention. ▪ Observer la personne pour déceler tout signe de pâleur, de diaphorèse ou de faiblesse dues au saignement ou à la douleur.	Surveiller la personne : ▪ Évaluer la douleur et le saignement au point de prélèvement. La personne peut éprouver de la douleur au toucher. Il faut surveiller l'apparition de saignement ou d'hématome au cours des jours suivants. Signaler les saignements ou la douleur à l'infirmière responsable.

Procédé	Avant	Pendant	Après
	■ Aider la personne à s'installer en décubitus dorsal (avec un oreiller, si elle le désire) pour une biopsie du sternum (ponction sternale) ou en décubitus ventral pour une biopsie de l'une ou l'autre crête iliaque. Replier les draps ou couvrir la personne de manière à exposer le point de ponction. ■ Administrer un sédatif si le médecin l'a prescrit.	Placer un petit pansement stérile sur le point de ponction après que l'aiguille a été retirée : ■ Dans certains protocoles, on recommande d'exercer une pression directement sur le point de ponction pendant 5 à 10 minutes pour prévenir le saignement. Si nécessaire, aider à préparer les échantillons.	■ Donner un analgésique au besoin, si le médecin l'a prescrit. Inscrire au dossier de la personne les renseignements relatifs à l'intervention : ■ La date et l'heure de l'intervention ; le nom du médecin ; les évaluations et les interventions infirmières. Inscrire les renseignements relatifs à tous les échantillons obtenus. S'assurer que les échantillons sont portés au laboratoire.
Biopsie du foie	Préparer la personne : ■ Administrer les médicaments prescrits avant l'intervention. La prise de vitamine K pendant plusieurs jours avant la biopsie peut aider à réduire le risque d'hémorragie. ■ Expliquer l'intervention à la personne et lui dire que le médecin prélèvera un petit échantillon de tissu du foie en insérant une aiguille dans son flanc ou son abdomen. Indiquer aussi qu'on lui donnera un sédatif et un anesthésique local pour prévenir la douleur. Expliquer quand et où se déroulera l'intervention, qui sera présent ainsi que la durée de l'intervention, et décrire ce qu'elle pourrait éprouver (par exemple, un léger malaise lors de l'injection de l'anesthésique et une légère pression au moment de l'insertion de l'aiguille à biopsie). ■ S'assurer que la personne est à jeun depuis au moins deux heures avant l'intervention. ■ Administrer le sédatif approprié environ 30 minutes à l'avance ou au moment prescrit. ■ Aider la personne à s'installer en décubitus dorsal avec la partie supérieure droite de l'abdomen exposée. Couvrir la personne avec un drap de manière à ce que seule la région abdominale soit exposée.	Aider et surveiller la personne : ■ L'aider à garder la position requise. ■ Demander à la personne d'inspirer et d'expirer profondément plusieurs fois et de retenir son souffle pendant au moins 10 secondes après une expiration pendant que l'aiguille est insérée, la biopsie effectuée et l'aiguille retirée. Retenir son souffle après une expiration permet d'immobiliser la paroi de la cage thoracique et le foie, de garder le diaphragme dans sa position la plus haute, et d'éviter des blessures au poumon et une lacération du foie. ■ Demander à la personne de recommencer à respirer quand l'aiguille est retirée. ■ Appliquer une pression sur le point de ponction pour éviter tout saignement. Placer un petit pansement stérile sur le point de ponction.	Placer la personne de manière appropriée : ■ Aider la personne à s'installer en décubitus latéral en plaçant un petit oreiller ou une serviette pliée sous le siège de la biopsie. Lui dire de rester dans cette position pendant quelques heures (deux à quatre heures en général). Surveiller la personne : ■ Mesurer les signes vitaux de la personne toutes les 15 minutes pendant la première heure après l'intervention ou jusqu'à ce qu'ils soient stables. Les mesurer ensuite toutes les heures pendant 24 heures ou au besoin. ■ Vérifier si la personne ressent des douleurs abdominales. Une forte douleur abdominale peut indiquer une péritonite biliaire. ■ Examiner le siège de la biopsie afin de vérifier la présence de saignement. En cas de saignement, il peut être indiqué de placer des pansements compressifs. Inscrire au dossier de la personne les renseignements relatifs à l'intervention : ■ La date et l'heure de l'intervention ; le nom du médecin ; les évaluations et les interventions infirmières. Inscrire les renseignements relatifs à tous les échantillons obtenus. S'assurer que les échantillons sont transportés au laboratoire.

RÉSULTATS DE RECHERCHE

Prescrit-on plus d'examens paracliniques aux personnes non anglophones qu'aux personnes anglophones ?

Un service d'urgence d'un hôpital public aux États-Unis a effectué une étude prospective, comparative et observationnelle sur cette question (Waxman et Levitt, 2000). La population étudiée comprenait 172 personnes non anglophones et 152 personnes anglophones qui se sont présentées à l'urgence en se plaignant de douleurs non traumatiques à l'abdomen ou à la poitrine. L'étude visait à établir de quelle manière on prenait les décisions relatives à ces personnes à l'urgence. Les mesures des résultats comprenaient les examens paracliniques, le taux d'admission et la durée du séjour à l'urgence.

On avait émis l'hypothèse que la clientèle non anglophone subirait davantage d'examens paracliniques, présenterait un taux d'admission plus élevé à l'urgence et y séjournerait plus longtemps. Toutefois, les résultats obtenus ne vont pas tous dans le sens de ces hypothèses. De toute évidence, les personnes non anglophones ayant des douleurs abdominales ont subi plus d'examens paracliniques, puisqu'on leur a prescrit trois fois plus de TDM. En revanche, on n'observe aucune augmentation du nombre d'ordonnances d'examens paracliniques quand les personnes non anglophones se plaignent de douleurs à la poitrine. Enfin, il n'y avait pas de différences significatives dans les taux d'admission ou dans la durée de séjour à l'urgence entre les deux groupes.

Implications : Les chercheurs ont été surpris puisque les résultats de l'étude ne correspondaient pas avec ceux d'autres études, exception faite du nombre plus élevé d'examens paracliniques. Le grand nombre d'ordonnances de TDM abdominale peut avoir des répercussions sur les coûts liés aux soins de santé. Les auteurs suggèrent qu'il serait probablement utile de recourir beaucoup plus souvent à des interprètes professionnels plutôt qu'à des profanes (les membres de la famille, par exemple). Cette question pourrait aussi faire l'objet d'une recherche à venir.

Source : « Are Diagnostic Testing and Admission Rates Higher in Non-English-Speaking Versus English-Speaking Patients in the Emergency Department ? », de M. A. Waxman et M. A. Levitt, 2000, *Annals of Emergency Medicine, 36*(5), p. 456 à 461.

EXERCICES D'INTÉGRATION

Mme Angers, 68 ans, est admise à l'hôpital et se plaint de fièvre, de nausées, de vomissements et de douleurs abdominales. Elle affirme que son taux de sucre est « à la limite du diabète » et qu'elle doit « seulement surveiller son alimentation ». Elle indique qu'elle n'a rien mangé depuis trois jours et qu'elle a de la difficulté à « garder les liquides ». Pendant que l'infirmière établit son anamnèse, elle explique que son urine est foncée et une odeur fétide. Au fil des questions, elle affirme qu'elle ressent des brûlures à la miction. Ses douleurs abdominales sont constantes, généralisées et elle les situe entre 5 et 6 sur une échelle de 0 à 10. Le médecin qui l'examine prescrit les examens suivants :

- FSC et électrolytes immédiatement (STAT)
- Glycémie capillaire immédiatement et toutes les quatre heures
- Signes vitaux immédiatement et toutes les quatre heures
- Analyse et culture d'urine
- Radiographie thoracique
- Radiographie abdominale à simple contraste

1. L'infirmière n'obtient pas assez de sang pour couvrir l'indicateur sur la bandelette réactive lorsqu'elle veut mesurer la glycémie capillaire de Mme Angers. Pourquoi cela se produit-il et que devrait-elle faire ?

Les résultats fournis par le laboratoire sont les suivants : globules blancs = 17×10^9/L, avec polynucléaires neutrophiles = 0,80 ; hématocrite = 0,43.

2. En se fondant sur les résultats de l'analyse de laboratoire, quelles interventions l'infirmière devrait-elle faire ?

3. Le médecin prescrit l'installation immédiate d'une perfusion intraveineuse et d'une première dose d'antibiotiques STAT. L'infirmière n'a pas encore obtenu l'échantillon d'urine. Que doit-elle faire en priorité (par exemple, débuter la perfusion intraveineuse, administrer l'antibiotique ou obtenir l'échantillon d'urine) et pourquoi ?

4. Trois jours plus tard, Mme Angers présente les résultats suivants : hématocrite = 0,39 et leucocytes = $10,8 \times 10^9$/L. Que signifient ces résultats ?

5. La radiographie de l'abdomen indique la présence possible d'une masse. Le médecin prescrit une IRM de l'abdomen. Mme Angers est très anxieuse ; car une amie lui a dit que dans l'appareil où l'on subit cet examen, on éprouve un sentiment de claustrophobie. Quelles seraient les interventions infirmières appropriées ?

Voir l'appendice A : Exercices d'intégration – Pistes de réflexion.

RÉVISION DU CHAPITRE

Concepts clés

- Les examens paracliniques comportent trois étapes. L'aspect le plus important avant l'examen est la préparation de la personne. Pendant l'examen, le rôle de l'infirmière est d'effectuer le prélèvement, ou d'aider à le faire, et de recueillir les échantillons. Après l'examen, elle doit fournir des soins infirmiers à la personne et assurer les activités de suivi et d'observation.

- Les analyses sanguines sont les examens paracliniques les plus fréquents. Les analyses sanguines couramment prescrites sont notamment la formule sanguine complète (FSC ou hémogramme) et les électrolytes.

- La glycémie capillaire est un test souvent effectué par l'infirmière ou par les personnes elles-mêmes. Ce test permet de mesurer la glycémie chez les personnes qui pourraient souffrir d'hyperglycémie ou d'hypoglycémie. Il permet aussi d'évaluer l'efficacité de l'administration de l'insuline.

- En ce qui concerne les prélèvements d'échantillons, l'infirmière doit notamment: (a) procurer à la personne confort, confidentialité, intimité et sécurité; (b) expliquer le motif du prélèvement et le procédé employé pour recueillir l'échantillon; (c) utiliser le bon procédé pour obtenir un échantillon; (d) inscrire toutes les informations pertinentes sur le formulaire de laboratoire; (e) envoyer promptement les échantillons au laboratoire; (f) signaler rapidement les résultats anormaux.

- Certaines personnes peuvent avoir besoin d'aide pour obtenir des échantillons de selles. Dans plusieurs établissements, c'est l'infirmière qui vérifie la présence de sang occulte dans les selles.

- Il incombe à l'infirmière de recueillir des échantillons d'urine pour un certain nombre de tests. Le prélèvement par miction spontanée est utilisé pour les examens d'urine de routine. Dans le cas des cultures d'urine destinées à l'identification de microorganismes, on a recours au prélèvement par mi-jet ou prélèvement stérile. Le prélèvement des urines d'une période déterminée sert à divers tests liés à des problèmes de santé particuliers. L'infirmière peut effectuer certains tests d'urine simples au chevet de la personne (la densité urinaire, le pH, la présence de cétones ou de protéines, par exemple).

- Les échantillons d'expectoration et de culture de gorge aident à établir la présence d'agents pathogènes.

- Les procédés de visualisation comprennent les techniques de *visualisation indirecte* (non effractive) et de *visualisation directe* (effractive), qui permettent d'observer le fonctionnement de certains organes ou d'un système donné. Voici des exemples d'interventions effractives: coloscopie, lavement baryté, urographie intraveineuse et angiographie. Les techniques non effractives comprennent notamment la scintigraphie pulmonaire, l'échocardiogramme, l'électrocardiographie, la radiographie et l'IRM.

- Voici des exemples de ponctions et de biopsies: ponction lombaire, paracentèse abdominale, biopsie de la moelle osseuse et biopsie du foie. Ces examens sont effractifs et exigent une technique stérile rigoureuse. Après l'intervention, l'infirmière surveille étroitement la personne afin d'évaluer la possibilité de complications et procède aux interventions infirmières appropriées.

Questions de révision

38-1. Lequel ou lesquels des résultats d'examens suivants exigent que l'infirmière appelle le médecin immédiatement?
  a) Hb = 160 g/L, personne de sexe masculin.
  b) Ht = 0,22, personne de sexe féminin.
  c) Leucocytes = 9×10^9/L.
  d) Numération plaquettaire = 300×10^9/L.

38-2. M. Jean, 78 ans, doit recueillir ses urines sur une période de 24 heures. Dans la planification des soins, laquelle des mesures suivantes est la plus importante?
  a) Au début du test, demander à la personne de vider sa vessie et de conserver cette miction pour commencer le prélèvement.
  b) Utiliser un récipient stérile pour recueillir l'urine.
  c) Placer une affiche «Conserver toutes vos urines» dans les toilettes.
  d) Conserver l'urine recueillie au réfrigérateur.

38-3. Parmi les interventions suivantes, laquelle utilise la visualisation indirecte?
  a) UIV.

  b) Radiographie reins, uretères et vessie.
  c) Urographie antérograde.
  d) Cystoscopie.

38-4. Parmi les interventions suivantes, laquelle fournit des renseignements sur la physiologie d'un organe?
  a) Radiographie.
  b) Tomodensitométrie.
  c) IRM.
  d) Scintigraphie.

38-5. Parmi les interventions infirmières suivantes, laquelle est appropriée avant, pendant ou après une biopsie de la moelle osseuse?
  a) Une fois l'intervention terminée, aider la personne à s'allonger sur le côté droit.
  b) Observer tout signe de dyspnée, de pâleur et s'il y a présence de toux.
  c) Surveiller l'apparition de saignement ou d'hématome pendant plusieurs jours après l'intervention.
  d) Se tenir debout devant la personne et lui soutenir la nuque et les genoux.

Voir l'appendice B: Réponses aux questions de révision.

BIBLIOGRAPHIE

En anglais

American Diabetes Association. (2000a). Resource guide 2000 : Blood glucose monitors and data management. *Diabetes Forecast Supplement,* January 2000, 42–56.

American Diabetes Association. (2000b). Resource guide 2000 : Urine testing. *Diabetes Forecast Supplement,* January 2000, 66–67.

Ayers, D. M. M. (2002). Eye on diagnostics : EBCT : Beaming in on coronary artery disease. *Nursing, 32*(4), 81.

Ball, J., & Bindler, R. (2003). *Pediatric nursing : Caring for children* (3rd ed.). Upper Saddle River, NJ : Prentice Hall Health.

Barker, E. (1998). The xenon CT : A new neuro tool. *RN, 61*(2), 22–25.

Barton, S. J., & Holmes, S. S. (1998). Practice applications of research. A comparison of reagent strips and the refractometer for measurement of urine specific gravity in hospitalized children. *Pediatric Nursing, 24*(5), 480–482.

Bindler, R., & Ball, J. (2003). *Clinical skills for pediatric nursing* (3rd ed.). Upper Saddle River, NJ : Prentice Hall.

Brazier, A. M., & Palmer, M. H. (1995). Collecting clean-catch urine in the nursing home : Obtaining the uncontaminated specimen. *Geriatric Nursing : American Journal of Care for the Aging, 16*(5), 217–224.

Connolly, M. A. (1999). Postdural puncture headache. *American Journal of Nursing, 99*(11), 48–49.

Cook, L. (1999). The value of lab values. Incorporate lab results into the nursing diagnosis. *American Journal of Nursing, 99*(5), 66–75.

Corbett, J. V. (1998). Laboratory tests and diagnostic procedures in orthopedic nursing practice. *Nursing Clinics of North America, 33,* 685–700.

Cupples, S. A., Paige-Dobson, B., & Armstrong, D. (1998). Psychophysiological manifestations of anxiety in patients undergoing electrophysiology studies. *Heart & Lung, 27*(6), 374–386.

Dammel, T. (1997). Fecal occult blood testing : Looking for hidden danger. *Nursing, 27*(7), 44–45.

Fann, B. D. (1998). Fluid and electrolyte balance in the pediatric patient. *Journal of Intravenous Nursing, 21*(3), 153–159.

Fischbach, F. T. (2000). *A manual of laboratory & diagnostic tests* (6th ed.). Philadelphia : Lippincott.

Fischbach, F. T. (2002). *Nurses' quick reference to common laboratory and diagnostic tests* (3rd ed.). Philadelphia : Lippincott.

Frizzell, J. (1998). Avoiding lab test pitfalls. *American Journal of Nursing, 98*(2), 34–37.

Harvey, M. A. (1999). Point-of-care laboratory testing in critical care. *American Journal of Critical Care, 8*(2), 72–85.

Hinkle, J. L. (2002). SPECT : A powerful imaging tool. *American Journal of Nursing, 102*(3), 24A–24G.

Kee, J. L. (1999). *Laboratory and diagnostic tests with nursing implications* (5th ed.). Stamford, CT : Appleton & Lange.

Kumar, D. (1998). Diagnostic tests : PET scanning. Applications for treating epilepsy. *American Journal of Nursing, 98*(7), 16G–17G.

Lindemann, M. (2000). Tips & timesavers. *Nursing, 30*(3), 70.

Louie, R. F., Tang, Z., Shelby, D. G., & Kost, G. J. (2000). Point-of-care testing : Millennium technology for critical care. *Laboratory Medicine, 31,* 402–408.

Murphy, F. (2001). Understanding the humanistic interaction with medical imaging technology. *The College of Radiographers, 7,* 193–201.

O'Connor, G., & Cotter, S. (1998). Value of interpersonal encounter endorsed by patients as intervention in magnetic resonance imaging. *The College of Radiographers, 4,* 101–105.

Pagana, K. D., & Pagana, T. J. (2001). *Diagnostic and laboratory test reference* (5th ed.). St. Louis, MO : Mosby.

Parini, S. (2000). How to collect specimens. *Nursing, 30*(5), 66–67.

Passanza, C. (2001). Diabetes update : Monitor options. *RN, 64*(6), 36–42.

Ryan, D. (2000). Is it an MI ? A lab primer. *RN, 63*(1), 26–30.

Semple, M., & Elley, K. (1998). Practical procedures for nurses. Collecting a sputum specimen. *Nursing Times, 94*(48), 2–8.

Shirrell, D. J., Gibbar-Clements, T., Dooley, R., & Free, C. (1999). Understanding therapeutic drug monitoring. *American Journal of Nursing, 99*(1), 42–44.

Shopping around for the perfect blood glucose meter. (2000). *Nursing, 30*(8), 60–61.

Tasota, F. J. (2001). Eye on diagnostics : Digital mammography : Enhanced imaging in real time. *Nursing, 31*(4), 70.

Tasota, F. J. (2002). Eye on diagnostics : Full-body scans : Screening for problems. *Nursing, 32*(7), 22.

Tasota, F. J., & Davies, P. (2001). Eye on diagnostics : Diagnosing pulmonary embolism with spiral CT. *Nursing, 31*(5), 75.

Tasota, F. J., & Tate, J. (2001a). Eye on diagnostics : Interpreting the highs and lows of platelet counts. *Nursing, 31*(2), 25.

Tasota, F. J., & Tate, J. (2001b). Eye on diagnostics : Using PET to detect abnormalities. *Nursing, 31*(11), 24.

Tate, J., & Tasota, F. J. (2001a). Eye on diagnostics : Assessing thyroid function with serum tests. *Nursing, 31*(1), 22.

Tate, J., & Tasota, F. J. (2001b). Eye on diagnostics : Teaching patients about lipid levels. *Nursing, 31*(3), 68.

Teaching your patient about cardiovascular tests. (2002). *Nursing, 32*(1), 62–64.

Valentine, V. (2002). Using a laser to make a point. *Nursing, 32*(10), 56–57.

Waxman, M. A., & Levitt, M. A. (2000). Are diagnostic testing and admission rates higher in non-English-speaking versus English-speaking patients in the emergency department ? *Annals of Emergency Medicine, 36,* 456–461.

Wilkinson, J. M. (2000). *Nursing diagnosis handbook with NIC interventions and NOC outcomes* (7th Ed.). Upper Saddle River, NJ : Prentice Hall Health.

En français

Comité directeur québécois pour l'implantation du SI en santé au Québec et ministère de la Santé et des Services sociaux. (1987). *Les unités SI en santé : un guide pour le personnel du domaine de la santé au Québec,* Québec.

Pagana, K. D. et Pagana, T. J. (2000). *L'infirmière et les examens paracliniques complémentaires,* Edisem et Maloine.

Après avoir étudié ce chapitre, vous pourrez:

- Définir les termes relatifs à l'administration des médicaments.
- Décrire les aspects juridiques de l'administration des médicaments.
- Nommer les facteurs physiologiques et les variables individuelles qui influent sur l'action des médicaments.
- Décrire les différentes voies d'administration des médicaments.
- Nommer les principaux éléments d'une ordonnance médicale.
- Donner des exemples de différents types d'ordonnances.
- Reconnaître les abréviations habituellement utilisées dans les ordonnances.
- Reconnaître les systèmes de mesure utilisés dans l'administration des médicaments et faire les conversions appropriées.
- Énumérer les six étapes principales à respecter durant l'administration d'un médicament.
- Énoncer les six critères liés à l'administration sécuritaire d'un médicament.

- Décrire les changements physiologiques de la personne âgée qui influent sur l'administration des médicaments et sur leur efficacité.
- Expliquer les étapes de l'administration sécuritaire d'un médicament par voie orale.
- Expliquer les étapes de l'administration d'un médicament par sonde nasogastrique ou par gastrostomie.
- Décrire comment mélanger des médicaments à partir d'ampoules et de flacons.
- Nommer les sites utilisés pour les injections par voie intradermique, sous-cutanée et intramusculaire.
- Décrire les étapes à respecter pour administrer de manière sécuritaire un médicament par voie intradermique, sous-cutanée, intramusculaire et intraveineuse.
- Décrire les étapes à respecter lors de l'administration d'un médicament topique de manière sécuritaire: préparations dermatologique, ophtalmique, auriculaire, nasale, vaginale, rectale ou administration par inhalation.

PARTIE 9
Composantes essentielles des soins cliniques

CHAPITRE
39

ADMINISTRATION DES MÉDICAMENTS

Adaptation française:
Sophie Longpré, inf., M.Sc.
Professeure, Département des sciences infirmières
Université du Québec à Trois-Rivières

Un **médicament** est une substance qu'on administre dans le but d'établir un diagnostic, de guérir, traiter ou soulager un ou plusieurs symptômes, ou encore de prévenir une affection. Dans le contexte des soins de santé, on confond parfois les termes *médicament* et *drogue*. En effet, le terme **drogue** désigne surtout les substances qui engendrent une dépendance, comme l'héroïne, la cocaïne et les amphétamines.

Les médicaments sont connus et utilisés depuis la nuit des temps. Dans l'Antiquité, certains produits bruts, tels que l'opium, l'huile de ricin et le vinaigre, servaient déjà à fabriquer des médicaments. Au fil du temps, le nombre de médicaments disponibles a considérablement augmenté; les connaissances en pharmacologie se sont aussi accrues en proportion, et elles se sont considérablement raffinées.

Un médicament porte généralement quatre noms: le nom chimique, le nom générique, le nom officiel et le nom commercial. Le **nom chimique** est le nom scientifique; il décrit avec précision les constituants et la structure chimique du médicament. Le **nom**

générique est le nom adopté d'un commun accord par les organismes de réglementation pharmaceutique d'un pays. Ce nom générique, qui ne commence pas par une majuscule (l'ampicilline, par exemple), est utilisé dans plusieurs pays et par plusieurs fabriquants. Le nom générique devient **nom officiel** lorsqu'il est inscrit dans l'une des publications autorisées, comme le *Compendium des produits et spécialités pharmaceutiques (CPS)*. Le **nom commercial** (ou **marque de commerce déposée**) est donné au médicament par le fabricant. Ce nom commence par une majuscule. Il arrive parfois que plusieurs entreprises fabriquent le même médicament; celui-ci peut donc avoir des noms commerciaux différents. Par exemple, l'hydrochlorothiazide (nom générique et officiel) est connu sous les noms commerciaux Apo-Hydro, Novo-Hydrazide ou Hydrodiuril. Le nom commercial est généralement accompagné d'un symbole comme MD (pour marque déposée) ou TM (pour *Trade Mark*). Les médicaments sont présentés sous de nombreuses formes (voir le tableau 39-1).

La **pharmacologie** étudie l'effet des médicaments sur les organismes vivants. La **pharmacie** est l'art de préparer, de composer et de distribuer les médicaments. Le terme sert aussi à désigner l'endroit où l'on prépare et distribue les médicaments. Ces derniers sont préparés par le **pharmacien**, un professionnel de la santé titulaire d'un permis de pratique de son ordre professionnel qui l'autorise à préparer, conserver et remettre des médicaments, et surtout à s'assurer qu'ils sont utilisés adéquatement. Le pharmacien guide souvent le médecin lorsque vient le moment de prescrire un médicament.

TABLEAU

Formes de préparations pharmaceutiques | 39-1

Forme	Description
Aérosol	Médicament composé de fines particules solides ou liquides dispersées dans un gaz, ce qui leur permet d'atteindre les bronchioles ou les alvéoles pulmonaires.
Solution	Un ou plusieurs médicaments dissous dans un mélange liquide homogène que l'on peut administrer par voie orale, parentérale (la solution doit être stérile) ou externe, ou instiller dans un organe ou une cavité.
Suspension	Un ou plusieurs médicaments réduits en fines particules dispersées dans de l'eau ou dans un autre liquide. Au repos, les particules se déposent au fond du contenant; la suspension doit donc être agitée avant usage.
Capsule; gélule	Substance médicamenteuse contenue dans une capsule de gélatine de forme cylindrique, sphérique ou ovoïde et constituée de deux parties s'emboîtant l'une dans l'autre. La capsule sert à transporter le médicament (par exemple, jusque dans l'estomac). Au besoin, on peut ouvrir cette enveloppe pour en extraire le contenu.
Crème	Préparation non graisseuse, semi-solide, qu'on applique sur la peau. Les crèmes sont faciles à nettoyer, car elles sont moins grasses que les onguents et les pommades.
Élixir	Préparation alcoolisée, sucrée et aromatisée contenant un ou plusieurs médicaments.
Extrait	Médicament concentré et d'origine animale ou végétale.
Gel ou gelée	Préparation semi-solide, claire ou translucide, qui se liquéfie lorsqu'on l'applique sur la peau.
Goutte	Médicament liquide, en solution ou en suspension, généralement administré à l'aide d'un compte-gouttes dans les yeux ou les oreilles.

Forme	Description
Granule	Médicament présenté sous forme de grains solides qu'on dissout généralement dans de l'eau avant de l'ingérer.
Liniment	Médicament mélangé à de l'alcool, à de l'huile ou à un émollient qu'on applique sur la peau.
Lotion	Médicament dans une suspension liquide non grasse, qu'on applique sur la peau ou les muqueuses afin de les traiter ou de les protéger.
Pastille	Préparation plate, ronde ou ovale qui fond dans la bouche et libère ainsi le médicament qu'elle contient.
Onguent	Préparation semi-solide contenant un ou plusieurs médicaments et qu'on applique sur la peau et sur les muqueuses.
Ovule	Médicament, souvent de forme ovoïde, qu'on introduit dans une cavité, particulièrement le vagin.
Pommade; pâte	Préparation semblable à un onguent, mais plus épaisse et collante, et qui pénètre moins dans la peau.
Poudre	Un ou plusieurs médicaments finement moulus, d'usage interne ou externe.
Suppositoire	Préparation solide, souvent composée de gélatine, contenant un ou plusieurs médicaments et formée de manière à pouvoir être introduite dans l'organisme (par exemple, le rectum ou le vagin); elle se dissout à la température du corps et libère le médicament qu'elle contient.
Sirop	Solution aqueuse souvent additionnée de sucre afin de masquer le goût désagréable du médicament qu'elle renferme.
Comprimé	Un ou plusieurs médicaments mélangés à une préparation cohésive, dont la masse est de forme ovale, ronde ou plate; certains sont divisés par une ligne de fracture (comprimés sécables); d'autres sont enrobés (comprimés entérosolubles) pour qu'ils ne se dissolvent pas dans l'estomac. Le comprimé peut aussi être croquable, à libération progressive ou à libération accélérée.
Teinture	Solution médicamenteuse d'alcool ou d'eau et d'alcool, préparée à partir de médicaments d'origine végétale.
Timbre transdermique	Membrane semi-perméable, de forme ronde ou carrée, qui contient un médicament que la peau peut absorber sur une longue période.

Normes applicables aux produits pharmaceutiques

Les médicaments sont soit de source naturelle (végétale, minérale ou animale), soit d'origine synthétique. Par exemple, la digoxine et l'opium sont d'origine végétale, le fer et le chlorure de sodium proviennent de substances minérales, l'insuline et les vaccins sont d'origine animale ou humaine. En revanche, les sulfamides et la mépéridine (l'analgésique Demerol) sont des produits synthétiques. Les premiers médicaments étaient tous d'origine naturelle; aujourd'hui, la situation a bien changé, puisque de plus en plus de médicaments sont produits artificiellement par synthèse chimique ou par recombinaison d'organismes (organismes génétiquement modifiés).

Les médicaments n'ont pas tous la même force ni la même action. Par exemple, la force des médicaments d'origine végétale varie selon l'âge de la plante, l'espèce, le site de croissance et le mode de conservation. Pour avoir des effets prévisibles, le médicament doit être pur, et sa force doit demeurer constante. Par conséquent, on a élaboré des normes permettant de s'assurer que les médicaments ont une qualité uniforme. Au Canada, sept références officielles décrivent les normes qui s'appliquent aux médicaments reconnus par la *Loi sur les aliments et drogues*. Font notamment partie de ces références : le *British Pharmaceutical Codex*, la *United States of America Pharmacopeia*, le *U.S. Pharmacopeia National Formulary*, la *Pharmacopeia Internationalis*, la *British Pharmacopeia*, la *Pharmacopée française* et le *Formulaire canadien*. Les normes établies par ces organismes décrivent les médicaments selon leur origine, leurs propriétés physiques et chimiques, les critères de pureté et d'identité, les méthodes d'entreposage, le dosage, la catégorie et les posologies normales. Par exemple, certains médicaments utilisés au Canada sont conformes à la *United States Pharmacopeia (USP)* parce qu'ils proviennent des États-Unis. Le *Formulaire canadien* répertorie les médicaments utilisés exclusivement au Canada, mais qui ne sont pas nécessairement inscrits dans la *British Pharmacopeia*.

Le public achète de plus en plus de produits dits naturels, des vitamines et des suppléments, par exemple, dans les magasins de produits de santé ou en vente libre dans les pharmacies. Les suppléments pour la glande thyroïde en sont un exemple. Les formes d'origine naturelle varient en force d'un produit à l'autre, et il est difficile d'obtenir un dosage régulier ; en revanche, la force des produits synthétiques pour la glande thyroïde est constante, donc prévisible, ce qui permet de gérer les symptômes de la personne qui doit prendre ce genre de supplément.

Le terme **pharmacopée** désigne un recueil officiel qui contient la liste des produits utilisés en médecine. Ce recueil décrit les produits, les tests chimiques utilisés pour en établir la nature et l'identité, ainsi que les formules et les modes de préparation. Les pharmacopées et les ouvrages tels que le *Formulaire canadien* constituent des sources de référence inestimables pour l'infirmière et l'étudiante infirmière. L'infirmière a non seulement la responsabilité d'administrer des centaines de médicaments, mais elle doit aussi évaluer leur efficacité et savoir reconnaître les réactions néfastes causées par certains d'entre eux. Puisqu'il est impossible de retenir tous les renseignements pertinents concernant un très grand nombre de médicaments, l'infirmière doit pouvoir compter sur des documents fiables et qu'elle peut consulter facilement.

Aspects juridiques de l'administration des médicaments

L'administration des médicaments s'effectue dans un cadre légal. Le tableau 39-2 présente un résumé de la législation canadienne en la matière. Au Canada, les médicaments sont approuvés par la Direction générale des produits de santé et des aliments (DGPSA) ; la Direction des produits thérapeutiques (DPT), qui est l'organisme de contrôle de Santé Canada, est pour sa part responsable de l'évaluation, du contrôle de la sécurité, de l'efficacité et de la qualité des médicaments. La DGPSA est chargée d'appliquer la *Loi sur les aliments et drogues* et la *Loi réglementant certaines drogues et autres substances*.

Des 14 activités réservées à l'infirmière, 3 concernent directement la médication. En effet, l'infirmière « effectue et ajuste les traitements médicaux selon une ordonnance, administre et ajuste des médicaments ou autres substances lorsqu'ils font l'objet d'une ordonnance et mélange des substances en vue de compléter la préparation d'un médicament, selon une ordon-

TABLEAU

Législation canadienne en matière de médicaments	39-2

Législation	Contenu
Loi sur les spécialités pharmaceutiques ou médicaments brevetés (1908)	Cette loi protège la population contre les médicaments en vente libre dangereux et inefficaces.
Lois sur les aliments et drogues (1953)	Cette loi interdit de faire la publicité d'un aliment, d'une drogue, d'un cosmétique ou d'un instrument qui prétend traiter ou guérir une maladie. En outre, elle établit des normes régissant la fabrication, la distribution et la vente de tous les médicaments, à l'exception des stupéfiants.
Loi réglementant certaines drogues et autres substances (1996)	Cette loi régit l'importation, la production, l'exportation, la distribution et la possession de substances considérées comme des stupéfiants, c'est-à-dire dont l'usage entraîne une dépendance. Elle précise aussi comment tenir les dossiers relatifs à ces produits.
Loi sur les aliments et drogues et règlements sur les aliments et drogues (janvier 2003)	Direction générale des produits de santé et des aliments, <http://www.hc-sc.gc.ca/food-aliment/regions/quebec/f_region_quebec.html>; Codification ministérielle sur la loi et les règlements sur les aliments et les drogues, <http://www.hc-sc.gc.ca/food-aliment/friia-raaii/food_drugs-aliments_drogues/act-loi/f_index.html>.

nance » (OIIQ, avril 2003, p. 45, 48 et 50). De plus, l'infirmière « détermine le plan de traitement relié aux plaies et aux altérations de la peau et des téguments et prodigue les soins et les traitements qui s'y rattachent, et elle procède à la vaccination dans le cadre d'une activité découlant de l'application de la *Loi sur la santé publique* » (OIIQ, avril 2003, p. 31 et 50). Ces activités reliées aux traitements médicaux imposent à l'infirmière deux obligations : (a) elle doit savoir de quelle manière les lois sur la pratique infirmière définissent et limitent ses fonctions ; (b) elle doit être en mesure de reconnaître les limites de ses propres connaissances et compétences, tout en faisant preuve de raisonnement critique et de jugement clinique. Le fait d'outrepasser les limites établies par les lois sur la pratique infirmière ou de dépasser ses propres compétences risque de mettre la vie des personnes en danger et expose l'infirmière à des poursuites pour faute professionnelle. Conformément à la loi, l'infirmière est responsable de ses propres actes, peu importe l'existence d'une ordonnance écrite. Si un médecin fait une erreur en rédigeant une ordonnance (par exemple, Demerol 500 mg plutôt que 50 mg), *l'infirmière qui administre la mauvaise dose est responsable de l'erreur au même titre que le médecin.* Par conséquent, l'infirmière doit demander des éclaircissements sur toute ordonnance qui lui semble erronée et refuser de donner le médicament tant que la situation n'a pas été clarifiée.

L'usage des substances contrôlées constitue un autre aspect juridique de la pratique infirmière. Dans les établissements de soins, on conserve les substances contrôlées sous clé, soit dans des tiroirs, des armoires ou des chariots à médicaments, soit dans un système de distribution dont la gestion est informatisée. Les établissements de soins de santé disposent de toute la latitude voulue pour concevoir des formulaires d'inventaire spéciaux qui leur permettent d'enregistrer l'utilisation des substances contrôlées. On note habituellement le nom de la personne, la date et le moment de l'administration, le nom du médicament, la posologie et la signature de la personne qui a préparé et administré le médicament. Parfois, le nom du médecin qui a rédigé l'ordonnance est aussi inscrit dans le dossier. Au moment de retirer la substance contrôlée du lieu où elle est rangée, l'infirmière compare la quantité disponible et le chiffre inscrit sur le formulaire d'inventaire du médicament (figure 39-1 ■). Si les quantités ne correspondent pas, l'infirmière doit en chercher la raison et corriger l'erreur avant de prendre le médicament.

Le formulaire d'inventaire doit indiquer les substances contrôlées gaspillées pendant la préparation. Lorsqu'une infirmière doit se débarrasser d'une substance contrôlée ou d'une partie de cette substance, elle doit le faire en présence d'une collègue. Les deux infirmières signent alors le formulaire d'inventaire.

Dans la plupart des établissements de soins de santé, on inventorie les substances contrôlées à la fin de chaque quart de travail. Le résultat doit correspondre au total noté à la fin du quart précédent, moins la quantité utilisée. Si les totaux ne correspondent pas et qu'on n'arrive pas à trouver l'erreur, on doit avertir immédiatement l'infirmière chef ou sa déléguée et un responsable de la pharmacie, selon les directives de l'établissement. Dans les établissements qui disposent d'un système de distribution informatisé, il n'est pas nécessaire d'effectuer un inventaire manuel puisqu'il est fait automatiquement ; cependant, toutes les incohérences doivent être signalées.

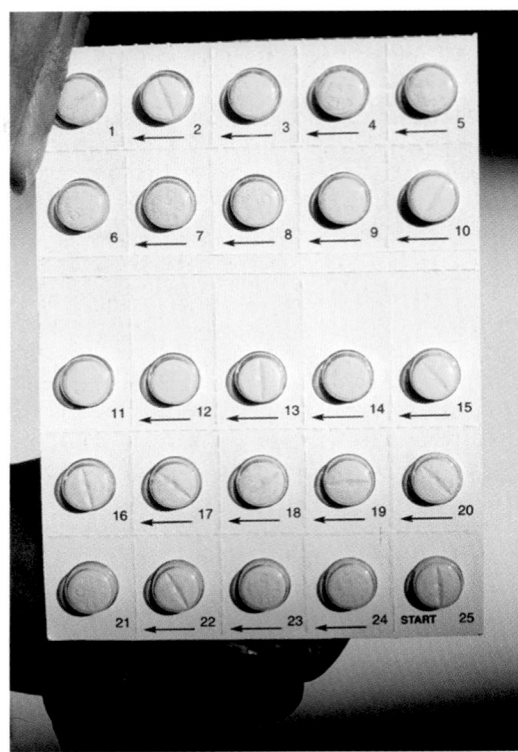

FIGURE **39-1** ■ Certains stupéfiants sont conservés dans des emballages de plastique spécialement conçus pour être cloisonnés et numérotés.

Effets des médicaments

L'**effet thérapeutique** d'un médicament est le premier effet recherché et, par conséquent, la raison pour laquelle le médicament est prescrit. Par exemple, l'effet thérapeutique de la morphine est l'analgésie, et celui du diazépam est de soulager l'anxiété. Le tableau 39-3 définit les différents types d'action thérapeutique.

L'**effet secondaire** d'un médicament est un effet imprévu. Généralement connus, les effets secondaires d'un médicament sont soit inoffensifs, soit potentiellement nocifs. Par exemple, la digoxine augmente la force des contractions myocardiques (effet thérapeutique), mais elle cause parfois des effets secondaires sous forme de nausées et de vomissements. Certains effets secondaires sont acceptables compte tenu des effets thérapeutiques du médicament ; d'autres effets plus sérieux, aussi appelés **réactions indésirables**, justifient parfois l'interruption du traitement.

La **toxicité médicamenteuse** (effets nocifs d'un médicament sur un organisme ou un tissu) résulte d'un surdosage ou de l'ingestion d'un médicament prévu pour un usage externe. Elle est également induite par l'accumulation d'un médicament dans le sang par suite d'une altération du métabolisme ou d'une diminution de son excrétion (effet cumulatif). Certains effets toxiques sont immédiats, tandis que d'autres ne se manifestent pas avant plusieurs semaines, voire plusieurs mois. Heureusement, il est possible de prévenir la toxicité médicamenteuse si l'on prête attention à la posologie et si l'on surveille une

TABLEAU
39-3

Action thérapeutique des médicaments

Type de médicament	Description	Exemples
Palliatif	Soulage les symptômes d'une affection sans agir sur l'affection elle-même.	Morphine, aspirine : traitement de la douleur
Curatif	Traite une affection.	Pénicilline : traitement de l'infection
De soutien	Soutient les fonctions de l'organisme jusqu'à ce que d'autres traitements ou l'organisme lui-même prennent la relève.	Noradrénaline (Levophed) : traitement de l'hypotension artérielle Aspirine : traitement de la fièvre
Substitutif	Remplace les substances que l'organisme est incapable de synthétiser	Lévothyroxine (Synthroïd) : traitement de l'hypothyroïdie Insuline : traitement du diabète
Chimiothérapique	Détruit les cellules malignes.	Busulfan : traitement de la leucémie
Analeptique	Aide l'organisme à recouvrer la santé.	Suppléments de vitamines et de minéraux

éventuelle toxicité. La dépression respiratoire consécutive à l'effet cumulatif de la morphine dans l'organisme est un exemple d'effet toxique.

L'**allergie médicamenteuse** est une réaction immunologique à un médicament. Lorsqu'un organisme est exposé une première fois à une substance étrangère (antigène), il arrive qu'il réagisse en produisant des anticorps ou d'autres effecteurs de l'immunité. Une personne peut réagir à un médicament comme à un antigène ; c'est alors qu'apparaissent les symptômes d'une réaction allergique.

Les réactions allergiques peuvent être bénignes ou graves. Une réaction bénigne provoque différents symptômes allant de l'éruption cutanée à la rhinite (voir le tableau 39-4). Une réaction allergique peut survenir à n'importe quel moment entre quelques minutes et deux semaines après l'administration du médicament. Chez la personne sensibilisée, c'est-à-dire qui a élaboré des anticorps contre le médicament, la réaction allergique grave survient d'habitude immédiatement après qu'il ait été administré. Appelée **réaction anaphylactique**, cette réponse de l'organisme peut être fatale si on ne remarque pas immédia-

tement les symptômes et si la personne ne reçoit pas le traitement nécessaire dans les plus brefs délais. Les premiers symptômes à apparaître sont la dyspnée, une importante hypotension et la tachycardie. Plusieurs personnes se disent allergiques à un médicament, alors qu'en fait elles n'ont ressenti qu'un effet secondaire (par exemple, la codéine cause parfois des nausées ou de la constipation). Il est donc important de savoir quel type de réaction une personne a manifesté pour distinguer les allergies véritables des intolérances et autres effets secondaires.

Certaines personnes présentent une **tolérance aux médicaments**, qui se manifeste par une réponse physiologique aux médicaments inférieure à la normale ; il est donc nécessaire d'augmenter les doses pour obtenir l'effet thérapeutique recherché. Les drogues qui induisent habituellement de la tolérance sont les opioïdes, les barbituriques, l'alcool et le tabac. L'**effet cumulatif** est un effet croissant obtenu par l'administration de doses répétées de médicaments qui survient lorsque le rythme d'administration dépasse le rythme de son métabolisme ou de son excrétion. La concentration du médicament

TABLEAU
39-4

Réactions allergiques bénignes courantes

Symptôme	Description
Éruption cutanée	Éruption intraépidermique accompagnée de petites lésions ou éruption de type urticaire ou maculaire ; l'éruption s'étend généralement à tout le corps.
Prurit	Prurit cutané, avec ou sans œdème.
Œdème de Quincke	Œdème de la peau ou des muqueuses consécutif à une augmentation de la perméabilité des capillaires.
Rhinite	Écoulement nasal aqueux très abondant.
Larmoiement	Écoulement lacrymal très abondant.
Respiration sifflante (sibilants) et dyspnée	Souffle court et respiration sifflante à l'inspiration et à l'expiration par suite de l'accumulation de fluides et d'un œdème des tissus respiratoires.

augmente alors dans l'organisme jusqu'à ce que l'on ait rectifié la dose. Des symptômes d'intoxication risquent de se manifester. Par ailleurs, l'**effet idiosyncrasique** est imprévisible et individuel ; il peut se manifester aussi bien par une réponse excessive que par une réponse insuffisante au médicament. En outre, il arrive que le médicament exerce un effet totalement inattendu ou cause des symptômes inexplicables et imprévisibles chez une personne donnée.

Une **interaction médicamenteuse** apparaît lorsque l'administration d'un médicament avant, en même temps ou après un autre modifie l'effet de l'un des médicaments ou des deux, soit à la hausse (**effet potentialisateur**), soit à la baisse (**effet inhibiteur**). L'interaction médicamenteuse est bénéfique ou nocive. Par exemple, le probénécide (Benuryl), qui diminue l'excrétion de la pénicilline, peut être donné avec cet antibiotique afin de maintenir plus longtemps la concentration sanguine de pénicilline (effet potentialisateur). On combine parfois deux analgésiques, l'aspirine et la codéine par exemple, parce qu'ils soulagent la douleur plus efficacement en raison de leur effet cumulatif, tout en permettant souvent de diminuer la dose totale d'opioïde nécessaire. Par ailleurs, il ne faut pas oublier que plusieurs aliments contrecarrent l'action de certains médicaments (voir le tableau 45-4 au chapitre 45 ⃝).

La pharmacothérapie provoque parfois une **maladie iatrogénique**, c'est-à-dire une affection causée involontairement par une thérapie médicale. Une toxicité hépatique provoquant une obstruction biliaire, des lésions rénales et des malformations fœtales causées par certains médicaments pris pendant la grossesse en sont des exemples.

Consommation de médicaments à mauvais escient

La *consommation de médicaments à mauvais escient* est l'utilisation inappropriée de médicaments courants qui finit par provoquer une toxicité aiguë et chronique. Tous les médicaments peuvent être utilisés à mauvais escient, qu'ils soient en vente libre ou prescrits par un médecin. Les laxatifs, les antiacides, les vitamines, les remèdes contre les maux de tête, le rhume et la toux sont souvent consommés de façon excessive. Certaines personnes ne ressentent aucun effet nocif en prenant ces médicaments, alors que d'autres éprouvent divers problèmes. Une toux persistante peut ainsi rester non diagnostiquée jusqu'à l'aggravation de l'affection sous-jacente.

La **toxicomanie** se définit comme la consommation inappropriée d'une substance, soit continuellement, soit périodiquement. Par définition, la consommation de drogue est abusive lorsque la société considère qu'elle l'est. Par exemple, la consommation d'alcool sur les lieux de travail peut être perçue comme un abus, alors qu'elle ne l'est pas dans le contexte d'une rencontre sociale. La toxicomanie engendre principalement un état de dépendance et d'accoutumance. La **pharmacodépendance** est la dépendance qu'éprouve une personne envers un médicament ou une drogue, ou le besoin qu'elle ressent d'en consommer. La dépendance est de nature physiologique ou psychologique, et ces deux types de besoins peuvent apparaître ensemble ou séparément. La **dépendance physique** est causée par des changements biochimiques dans les tissus de l'organisme, particulièrement dans le système nerveux. Ces tissus en viennent à avoir besoin de la substance pour fonctionner normalement. La personne dépendante qui arrête d'utiliser le médicament éprouve des symptômes de sevrage. La **dépendance psychologique** est un lien émotionnel avec un médicament qu'une personne consomme dans le but d'éprouver un sentiment de bien-être ; elle s'accompagne d'un sentiment de besoin ou d'un état de manque vis-à-vis du médicament. Il existe différents degrés de dépendance psychologique, qui va du simple désir à l'état de manque et à la consommation compulsive.

L'**accoutumance** indique une forme de dépendance psychologique légère. La personne s'habitue à prendre la substance et elle se sent mieux après l'avoir consommée. La personne qui a acquis ce comportement tend à le répéter, même s'il devient dommageable pour sa santé.

Les **drogues illicites**, aussi appelées *drogues de rue*, sont celles qui sont vendues dans la rue. Ces drogues sont de deux types : (a) les drogues dont l'achat est strictement interdit, comme l'héroïne (au Canada) ; (b) les drogues normalement disponibles exclusivement sur ordonnance, mais qui sont obtenues illégalement. On prend généralement des drogues illicites pour leur effet sur l'humeur ; on les consomme pour les sensations de bonheur et de détente qu'elles procurent le temps de leur action.

Effets des médicaments sur l'organisme

L'effet d'un médicament dans l'organisme peut être décrit en fonction de sa demi-vie, soit le temps au bout duquel sa concentration a diminué de moitié dans l'organisme. Par exemple, si la demi-vie d'un médicament est de huit heures, la quantité de médicament dans l'organisme est alors la suivante :

- Au début : 100 %
- Après 8 heures : 50 %
- Après 16 heures : 25%
- Après 24 heures : 12,5 %
- Après 32 heures : 6,25 %

Puisque l'objectif de la pharmacothérapie est de maintenir un niveau constant de médicament dans l'organisme, il est nécessaire de renouveler les doses régulièrement pour que la concentration demeure au niveau désiré. Lorsqu'un médicament administré par voie orale passe du tube digestif dans le plasma sanguin, sa concentration plasmatique diminue jusqu'à ce que le taux d'élimination soit égal au taux d'absorption. Ce niveau représente le *pic de concentration plasmatique* (figure 39-2 ■). À moins que la personne ne reçoive une nouvelle dose du médicament, la concentration de ce dernier diminue régulièrement.

Les termes suivants s'appliquent aux effets des médicaments :

- **Délai d'action :** temps écoulé entre l'administration du médicament et le moment où celui-ci produit son effet.
- **Pic de concentration plasmatique (pic d'action) :** niveau maximal de concentration plasmatique atteint avec une seule dose de médicament lorsque le taux d'élimination est égal au taux d'absorption.

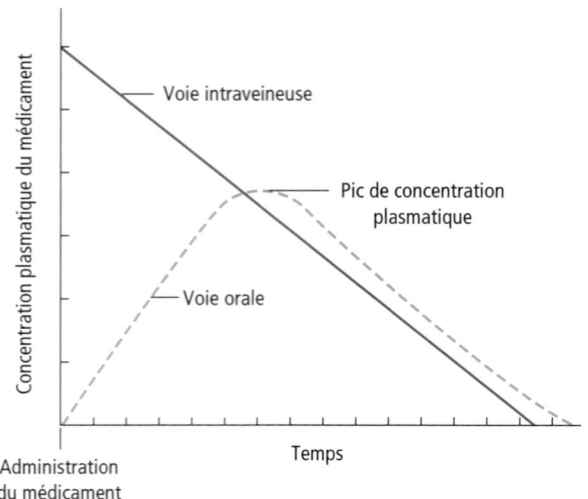

FIGURE **39-2** ■ Schéma de la concentration plasmatique du médicament après l'administration d'une seule dose.

- **Demi-vie du médicament :** temps nécessaire pour que la concentration d'un médicament dans l'organisme diminue de moitié par rapport au moment de son administration.
- **Plateau :** maintien de la concentration plasmatique du médicament pendant l'administration de doses successives.

Pharmacodynamie

La **pharmacodynamie** est l'étude de l'action d'un médicament sur la physiologie cellulaire. En général, le médicament interagit avec un récepteur cellulaire afin de produire une réponse qualifiée d'**agoniste**. Un médicament dépourvu d'action pharmacologique particulière par lui-même, mais qui inhibe ou prévient l'action d'un agoniste, est appelé **antagoniste spécifique**. D'autres médicaments agissent en stimulant l'activité enzymatique ou la production d'hormone ; ils ont un **effet synergique**.

Pharmacocinétique

La **pharmacocinétique** est l'étude de l'absorption, de la distribution, du métabolisme et de l'excrétion des médicaments.

ABSORPTION

L'**absorption** est le processus par lequel un médicament passe dans le sang. À moins que le médicament ne soit administré directement dans le sang, l'absorption constitue la première étape du passage du médicament dans l'organisme. Pour ce faire, le médicament doit être administré sous une forme assimilable et par la voie appropriée.

La vitesse d'absorption d'un médicament dans l'estomac est variable. Par exemple, plusieurs aliments retardent la dissolution et l'absorption de certains médicaments et leur passage dans l'intestin grêle, où se produit une bonne partie de l'absorption. Des interactions moléculaires surviennent parfois entre les aliments et certains médicaments. Ces réactions modifient la structure moléculaire des médicaments et risquent d'inhiber

leur absorption. Le milieu acide de l'estomac est un autre facteur influant sur l'absorption de certains médicaments. L'acidité varie selon le moment de la journée, les aliments ingérés et l'âge de la personne. Certains médicaments sont insolubles ou se dissolvent difficilement dans les liquides gastro-intestinaux, ce qui diminue leur absorption par le sang. Certains médicaments pris par voie orale parviennent dans les tissus sans passer par l'estomac. La nitroglycérine, par exemple, est administrée sous la langue : elle passe aussitôt dans les vaisseaux sanguins sublinguaux qui la transportent directement au cœur, où elle doit agir. En revanche, si elle est avalée, elle sera absorbée au niveau de la muqueuse intestinale, mais le sang l'amènera alors jusqu'au foie, où elle sera détruite.

Un médicament administré directement dans le sang, c'est-à-dire par voie intraveineuse, passe immédiatement dans le système vasculaire sans devoir traverser la barrière intestinale. C'est donc la voie d'administration à privilégier pour une action rapide. Parce que l'irrigation sanguine du tissu sous-cutané est faible, l'absorption à partir de ces tissus est lente. On peut accélérer la vitesse d'absorption d'un médicament en appliquant de la chaleur, qui augmente la circulation sanguine dans la région concernée ; inversement, on ralentit l'absorption par l'application de froid. De plus, l'injection dans les tissus d'un médicament vasoconstricteur, comme l'adrénaline, peut ralentir l'absorption d'autres médicaments. Certains médicaments qui doivent être absorbés lentement sont présentés dans une formule à faible solubilité, telle que l'huile. L'absorption sanguine de médicaments administrés par le rectum est plutôt imprévisible. Par conséquent, on a recours à cette voie d'administration seulement lorsque les autres voies sont inaccessibles ou lorsque l'action recherchée est située dans le rectum ou le côlon sigmoïde.

DISTRIBUTION

La **distribution** est le transport du médicament du site d'absorption vers le site d'action. Lorsqu'un médicament entre dans le sang, il parvient d'abord aux organes les plus vascularisés, c'est-à-dire le foie, les reins et le cerveau. Les régions du corps moins vascularisées, comme la peau et les muscles, reçoivent le médicament plus tard. Les propriétés chimiques et physiques d'un médicament déterminent largement dans quelle région de l'organisme il se dirigera. Par exemple, les médicaments liposolubles s'accumulent dans les tissus adipeux, alors que les autres médicaments se fixent plutôt sur les protéines plasmatiques.

MÉTABOLISME

Le **métabolisme**, aussi appelé **biotransformation**, est le processus par lequel l'organisme transforme un médicament en une forme moins active. La plus grande partie du métabolisme se produit dans le foie, où de nombreuses enzymes métabolisent et détoxifient toutes sortes de substances, y compris les médicaments. Les produits de ce processus sont appelés **métabolites**. Il y a deux types de métabolites, selon qu'ils sont actifs ou inactifs. Un *métabolite actif* exerce une action pharmacologique propre, alors qu'un *métabolite inactif* est sans action.

Le métabolisme peut être affaibli chez les personnes âgées ou chez celles dont le foie est en mauvais état ou qui souffrent de dysfonctions hépatiques. L'infirmière doit s'assurer que le médicament actif ne s'accumule pas dans leur organisme et qu'elles ne s'intoxiquent pas.

EXCRÉTION

L'**excrétion** est le processus par lequel les métabolites et les médicaments sont éliminés de l'organisme. La plupart des métabolites sont éliminés avec l'urine ; cependant, certains sont excrétés dans les selles, la respiration, la transpiration, la salive et le lait maternel. Certains médicaments, comme les anesthésiques généraux volatils, sont excrétés tels quels par les voies respiratoires. Avec l'âge, la capacité d'élimination des médicaments et des métabolites par les reins diminue. Les personnes âgées devraient donc recevoir de plus faibles doses de médicaments parce que ces substances et leurs métabolites risquent de s'accumuler dans l'organisme.

Facteurs influant sur l'action des médicaments

En plus du médicament lui-même, de nombreux autres facteurs influent sur l'action médicamenteuse. Par exemple, une personne peut réagir de manière différente à des doses successives d'un même médicament. Il arrive également que le même médicament administré à la même dose agisse différemment d'une personne à une autre.

Facteurs développementaux

La femme enceinte doit être prudente à l'égard de la médication, car la prise de médicaments représente un risque tout au long de la grossesse. Cependant, ce risque est plus élevé pendant le premier trimestre puisque c'est pendant cette période que se forment les organes vitaux du fœtus et que les fonctions physiologiques fœtales se mettent en route. Plusieurs médicaments sont alors contre-indiqués en raison de leurs effets indésirables sur le fœtus.

Les doses de médicaments administrés aux enfants doivent être faibles puisque leur organisme est petit et que certains organes sont encore immatures, en particulier le foie et les reins. De plus, ils ne disposent pas toujours des enzymes nécessaires pour métaboliser les médicaments. Ils ont donc besoin de médicaments différents de ceux que prennent les adultes. À l'adolescence ou à l'âge adulte, il arrive que se manifestent des réactions allergiques à des médicaments qui n'en provoquaient pas auparavant.

Les personnes âgées réagissent différemment aux médicaments par suite des changements physiologiques qui accompagnent le vieillissement. Le foie et les reins, notamment, fonctionnent moins efficacement, ce qui cause parfois une accumulation du médicament dans l'organisme. En outre, les personnes âgées doivent souvent prendre différents médicaments, et certains d'entre eux sont parfois incompatibles.

Le vieillissement s'accompagne souvent d'une diminution de la motilité gastrique, de la production d'acide gastrique et de la circulation sanguine intestinale, ce qui modifie l'absorption de certains médicaments. L'augmentation de tissus adipeux et la diminution de l'ensemble des liquides corporels par rapport à la masse totale de l'organisme risquent également d'ac-

croître la toxicité des médicaments. De plus, chez ces personnes, les sites de liaison des protéines sanguines sont parfois moins nombreux et la barrière hématoencéphalique peut subir des modifications qui favorisent l'absorption des médicaments liposolubles. Ceux-ci se rendent alors plus facilement au cerveau, ce qui augmente le risque d'étourdissements ou de confusion. C'est notamment le cas des bêtabloquants.

Sexe

Les différences dans la manière dont les hommes et les femmes réagissent aux médicaments dépendent surtout de la répartition des réserves lipidiques et des liquides corporels de l'organisme, ainsi que de l'action des hormones. Puisque la plupart des recherches sur les médicaments sont effectuées sur des hommes, on ne connaît pas bien l'influence des changements hormonaux sur l'action des médicaments ; davantage de recherches portant sur les femmes seraient donc nécessaires.

Facteurs culturels, ethniques et génétiques

La réponse à un médicament dépend de l'âge, du sexe, de la taille et de la constitution chimique de l'organisme. Cette variation dans la réponse s'appelle **polymorphisme du médicament** (Kudzma, 1999). Les recherches montrent que l'origine ethnique contribue également aux différences de réaction aux médicaments. Kudzma (1999) signale que le métabolisme d'un médicament est déterminé génétiquement et que, par conséquent, l'appartenance à un groupe ethnique peut influer sur la réponse à un médicament.

Ce phénomène porte le nom de *polymorphisme génétique*. Les gènes qui régissent le métabolisme du foie varient, et certaines personnes ont un métabolisme plus lent que d'autres. Une étude a montré que plusieurs médicaments fonctionnent bien à la dose normale pour certains groupes ethniques, mais qu'ils peuvent être nocifs pour d'autres. Kudzma (1999) observe que les médicaments antipsychotiques et anxiolytiques sont efficaces à la dose standard chez les Afro-Américains, les Caucasiens et les Hispaniques, mais que les Asiatiques ont besoin d'une dose plus faible. En effet, les personnes d'origine asiatique métabolisent plus lentement ce type de médicaments, ce qui signifie qu'elles courent plus de risques de ressentir des effets indésirables. Les pratiques associées à certaines dimensions culturelles (telles les valeurs et les croyances) influent parfois sur l'effet des médicaments. Par exemple, un remède à base de plantes médicinales (le ginseng d'origine chinoise) peut accélérer ou ralentir le métabolisme de médicaments prescrits. L'encadré *Considérations culturelles – Médications* fournit des directives à l'infirmière qui doit prodiguer des soins à des personnes appartenant à d'autres cultures.

Régime alimentaire

Certains nutriments agissent aussi sur les médicaments. Par exemple, la vitamine K, que l'on trouve dans les légumes à feuilles vertes, diminue l'action des anticoagulants tels que la warfarine (Coumadin) (voir le tableau 45-4 au chapitre 45 ⚭).

Environnement

L'environnement dans lequel vit la personne peut aussi influer sur la réponse à un médicament, en particulier pour ce qui est

CONSIDÉRATIONS CULTURELLES

Médications

Se renseigner au sujet des croyances et des pratiques en matière de santé de la personne.

- Surveiller les réactions inhabituelles aux médicaments et les effets indésirables.
- Demander à la personne si elle prend des remèdes à base de plantes ou des remèdes maison.
- Se renseigner sur sa conception du temps : quelle est son importance pour elle et sa famille ?
- Ne pas oublier que les différences entre les groupes culturels et entre les personnes d'un même groupe culturel sont considérables.
- Inclure dans l'enseignement relatif à la santé des renseignements signifiants pour la personne selon sa culture.
- Utiliser de la documentation et du matériel visuel préparés dans la langue maternelle de la personne.
- Encourager la personne à exprimer ses inquiétudes et à poser des questions sur les médicaments. Être attentif au comportement non verbal.

Sources : « Culturally Competent Drug Administration », de E. C. Kudzma, 1999, *American Journal of Nursing, 99*(8), p. 46 à 51 ; *Nurse as Educator*, 2ᵉ éd., de S. B. Bastable, 2003, Boston : Jones and Bartlett Publishing.

des médicaments qui agissent sur le comportement et l'humeur. Par conséquent, lorsque l'infirmière évalue l'effet d'un médicament, elle doit tenir compte de la personnalité, du contexte et du milieu de vie de la personne.

La température ambiante joue également un rôle dans l'action des médicaments. Quand il fait chaud, les vaisseaux sanguins périphériques se dilatent, ce qui intensifie l'action des vasodilatateurs. Par ailleurs, le refroidissement de la température ambiante entraîne une vasoconstriction, laquelle inhibe l'action des vasodilatateurs et augmente celle des vasoconstricteurs.

La personne qui prend un sédatif ou un analgésique pendant qu'elle se trouve dans une atmosphère stimulante et bruyante ne ressentira pas autant les effets bénéfiques du médicament que si elle est au repos, dans un environnement calme et paisible.

Facteurs psychologiques

Les attentes de la personne à l'égard d'un médicament influent aussi sur la réponse à ce dernier. Par exemple, une personne convaincue que la codéine est un analgésique inefficace ne ressentira peut-être aucun soulagement après l'avoir absorbée.

Affection et indisposition

L'affection et l'indisposition agissent également sur l'effet des médicaments. Par exemple, l'aspirine fait diminuer la température corporelle d'une personne fiévreuse, mais elle n'a pas d'effet sur la température corporelle d'une personne qui ne fait pas de fièvre. Un dysfonctionnement de la circulation, du foie ou des reins modifie aussi l'action des médicaments.

Moment d'administration

Le moment où l'on administre un médicament par voie orale influe sur sa vitesse relative d'action. Par exemple, les médicaments administrés par voie orale sont absorbés plus rapidement si l'estomac est vide. Par conséquent, les médicaments administrés deux heures avant un repas agissent plus rapidement que s'ils sont pris immédiatement après. Cependant, il est préférable de prendre immédiatement après un repas certains médicaments, comme les préparations à base de fer, qui irritent le tube digestif, car l'organisme les tolère mieux. Le cycle veille-sommeil agit également sur l'effet d'un médicament. Les variations du rythme circadien influent notamment sur la diurèse et la circulation sanguine et, de ce fait, sur la réponse à un médicament. En effet, de telles variations peuvent modifier significativement l'absorption et l'excrétion du médicament.

Voies d'administration

En général, les préparations pharmaceutiques sont conçues pour être administrées par une ou deux voies spécifiques (voir le tableau 39-5). Avant de donner un médicament, l'infirmière doit connaître la voie d'administration et doit s'assurer qu'il est effectivement possible d'administrer la préparation pharmaceutique par la voie indiquée.

Administration par voie orale

L'administration par **voie orale** est la plus courante, la moins coûteuse et celle qui convient le mieux à la plupart des personnes, quand elles sont capables d'avaler le médicament. Puisqu'il n'y a pas d'effraction de la peau, comme au cours d'une injection, ce mode d'administration est indolore.

Les principaux désavantages sont le goût désagréable de certains médicaments, l'irritation de la muqueuse gastrique, l'absorption irrégulière par le tube digestif, l'absorption lente et, dans certains cas, des dommages causés aux dents de la personne. Les produits qui contiennent du sulfate ferreux (fer), par exemple, peuvent tacher les dents.

Administration par voie sublinguale

Un médicament est administré par **voie sublinguale** lorsqu'il est placé et maintenu sous la langue jusqu'à dissolution complète (figure 39-3 ■). En un temps relativement court, le médicament est en très grande partie absorbé par les vaisseaux sanguins sublinguaux. Le médicament ne doit pas être avalé. La nitroglycérine est un exemple de médicament qu'on administre de cette façon.

Administration par voie buccogingivale

Dans l'administration par **voie buccogingivale**, un médicament (un comprimé, par exemple) est placé et gardé dans la bouche contre les muqueuses du côté de la bouche jusqu'à ce qu'il soit dissous (figure 39-4 ■). Le médicament agit localement sur la muqueuse ou de manière systémique lorsqu'il est avalé avec la salive.

TABLEAU
39-5

Voies d'administration

Voie d'administration	Avantages	Désavantages ou contre-indications
Orale	La plus commode. Habituellement la moins coûteuse. Non effractif, n'abîme pas la peau. Habituellement, le mode d'administration ne cause pas de stress.	Inappropriée pour la personne qui souffre de nausées ou de vomissements. Le médicament peut avoir un goût ou une odeur désagréable. Inappropriée lorsque la motilité du tube digestif est réduite. Inappropriée si la personne ne peut déglutir ou si elle est inconsciente. Ne peut être utilisée avant plusieurs examens paracliniques ou certaines interventions chirurgicales. Certains médicaments peuvent décolorer les dents ou en abîmer l'émail. Certains médicaments peuvent irriter la muqueuse gastrique. Il peut y avoir un risque d'aspiration (par suite de reflux gastrique) si la personne est très affaiblie.
Sublinguale	Mêmes avantages que la voie orale, plus les suivants: Le médicament peut être administré pour obtenir un effet local. Cette voie d'administration est plus efficace que la voie orale, car le médicament entre directement dans le sang sans passer par le foie.	Si le médicament est avalé, le suc gastrique risque de l'inactiver. Le médicament doit rester sous la langue tant qu'il n'est pas complètement dissous et absorbé. Le médicament est rapidement absorbé par la circulation sanguine.
Buccogingivale	Mêmes avantages que les voies orale et sublinguale.	Mêmes désavantages que les voies orale et sublinguale.
Rectale	Peut être utilisée lorsque le médicament a un goût ou une odeur très désagréable. Le médicament est libéré lentement dans l'organisme. Utile pour la personne qui souffre de nausées ou de vomissements.	On ne peut déterminer la quantité de médicament absorbé, la libération étant imprévisible. Contre-indiquée en cas de chirurgie rectale ou d'hémorragies rectales.
Vaginale	Produit un effet thérapeutique local.	Utilisation limitée.
Topique (peau, vessie, yeux, oreilles, nez, rectum et vagin)	Produit un effet local. Peu d'effets secondaires.	Le traitement peut être salissant. Le médicament peut pénétrer dans l'organisme par des écorchures ou des lésions et exercer des effets systémiques indésirables.
Transdermique	Effet systémique prolongé. Permet d'éviter les problèmes liés à l'absorption par le tube digestif.	Laisse des résidus sur la peau et peut salir les vêtements.
Sous-cutanée	Absorption plus rapide que par la voie orale. Vitesse d'absorption comparable à l'administration intramusculaire.	On doit utiliser une technique stérile puisqu'on rompt la barrière cutanée. On peut administrer seulement un petit volume. Certains médicaments risquent d'irriter les tissus et de causer de la douleur. L'injection cause parfois de l'anxiété.
Intramusculaire	Diminue la douleur causée par les médicaments irritants pour les tissus sous-cutanés. On peut administrer un plus grand volume de médicament que par voie sous-cutanée. Absorption rapide du médicament.	L'injection rompt la barrière cutanée. L'injection cause parfois de l'anxiété.

TABLEAU
39-5

Voies d'administration (suite)

Voie d'administration	Avantages	Désavantages ou contre-indications
Intradermique	L'absorption est lente (c'est un avantage lorsqu'on effectue des tests d'allergie).	Le volume de médicament administré doit être faible. L'injection rompt la barrière cutanée.
Intraveineuse	Effet rapide.	Convient seulement aux médicaments très solubles. Une mauvaise circulation ralentit la distribution du médicament.
Inhalation	Le médicament est administré par les voies respiratoires. Soulagement localisé rapide. Le médicament peut être administré à une personne inconsciente.	Le médicament censé avoir un effet localisé peut exercer un effet systémique. À utiliser uniquement pour le système respiratoire.

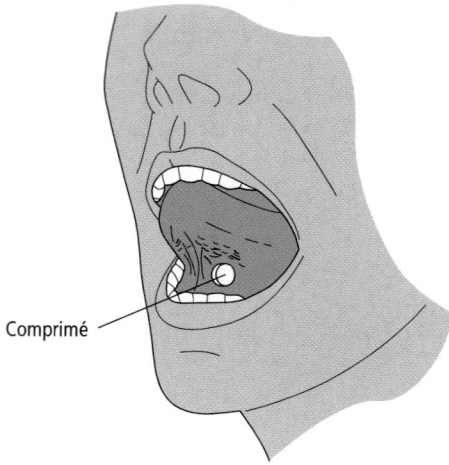

Comprimé

FIGURE 39-3 ■ Administration d'un comprimé par voie sublinguale.

Comprimé

FIGURE 39-4 ■ Administration d'un comprimé par voie buccogingivale.

Administration par voie parentérale

L'administration par **voie parentérale** comprend toute forme d'administration autre que par voie orale ou respiratoire, et que l'on effectue notamment au moyen d'une injection :

- **Sous-cutanée (hypodermique) :** dans les tissus sous-cutanés, juste sous la peau
- **Intramusculaire :** dans un muscle
- **Intradermique :** dans le derme, sous l'épiderme
- **Intraveineuse :** dans une veine

D'autres voies d'administration parentérale ne sont pas utilisées de façon courante. Ce sont les voies intra-artérielle (dans une artère), intracardiaque (dans le muscle du cœur), intra-osseuse (dans un os), **intrathécale** ou **rachidienne** (dans le canal rachidien), intrapleurale (dans la cavité pleurale), **péridurale** ou **épidurale** (dans l'espace épidural) et intra-articulaire (dans une articulation). Pour toute forme d'administration parentérale, la stérilité du matériel et de la solution à injecter est de rigueur. Le principal avantage de cette voie d'administration est son absorption rapide.

Administration par voie topique

L'administration par **voie topique** est l'application localisée d'un médicament sur une région déterminée du corps. L'effet se limite à l'endroit où il est appliqué. Voici des exemples d'application topique :

- Préparations dermatologiques : applications sur la peau.
- Instillations et irrigations : applications dans une cavité ou un orifice de l'organisme, par exemple dans la vessie, les yeux, les oreilles, le nez, le rectum ou le vagin.
- Inhalations : administration dans les voies respiratoires au moyen d'un nébuliseur ou d'un appareil respiratoire à pression positive. On utilise habituellement l'air, l'oxygène et la vapeur d'eau comme vecteurs du médicament vers les poumons.

Ordonnances médicales

Les instructions écrites relatives à la préparation et à l'administration d'un médicament s'appellent **ordonnance**. Selon l'article 39.3 du *Code des professions*, une ordonnance se définit ainsi :

> [...] une prescription donnée à un professionnel par un médecin, par un dentiste ou par un autre professionnel habilité par la loi, ayant notamment pour objet les médicaments, les traitements, les examens ou les soins à dispenser à une personne ou à un groupe de personnes, les circonstances dans lesquelles ils peuvent l'être de même que les contre-indications possibles. L'ordonnance peut être individuelle ou collective.

Il incombe généralement au médecin de déterminer les besoins en matière de médicaments d'une personne et d'établir les ordonnances. Toutefois, dans certains établissements, l'infirmière praticienne peut maintenant prescrire certains médicaments. De plus, l'infirmière détermine le plan de soins et de traitements lié aux plaies et aux altérations de la peau, ce qui signifie qu'elle peut prescrire certains produits et types de pansements. Habituellement, l'ordonnance est une prescription écrite, bien que plusieurs établissements de santé acceptent une ordonnance transmise par téléphone ou de vive voix. L'étudiante infirmière doit connaître les directives de l'établissement en matière d'ordonnances. Généralement, seule une infirmière peut accepter les ordonnances transmises par téléphone ou de vive voix. Dans certains cas, l'infirmière peut demander à une deuxième infirmière d'écouter la transmission de l'ordonnance.

Les directives relatives aux ordonnances rédigées par les médecins varient largement d'un établissement à l'autre. Par exemple, il arrive fréquemment qu'on annule toutes les ordonnances d'une personne après une chirurgie ou un examen nécessitant l'utilisation d'un anesthésique. On doit alors rédiger de nouvelles ordonnances. La plupart des établissements utilisent des listes d'abréviations officielles acceptées au sein de l'établissement. Tant les infirmières que les médecins doivent se reporter à ces listes, surtout s'ils ont travaillé dans d'autres établissements. De telles abréviations sont admises dans les documents juridiques, tel le dossier de la personne (voir le tableau 39-6).

Types d'ordonnances médicales

Il existe quatre types d'ordonnances médicales : l'ordonnance immédiate (STAT), l'ordonnance non renouvelable, l'ordonnance permanente et l'ordonnance PRN (au besoin).

1. Dans l'**ordonnance immédiate (STAT)**, le médicament prescrit doit être administré immédiatement et une seule fois (par exemple, Demerol 100 mg IM STAT).

2. Dans l'**ordonnance non renouvelable**, le médicament prescrit doit être administré une seule fois, et à un moment précis (par exemple, Ativan 1 mg hs avant chirurgie).

3. L'**ordonnance permanente** peut porter une date d'échéance ou non. Cette ordonnance peut être exécutée indéfiniment (par exemple, polyvitamines chaque jour) jusqu'à ce qu'une nouvelle ordonnance l'annule ; elle peut aussi être exécutée pendant un nombre précis de jours (par exemple, Demerol 100 mg IM q 4 h × 5 jours). Dans certains établissements, les ordonnances permanentes échoient automatiquement après un nombre invariable de jours et il faut en rédiger de nouvelles.

4. L'**ordonnance PRN**, ou *au besoin*, permet à l'infirmière de donner un médicament quand elle estime que la personne en a besoin (par exemple, Amphojel 15 mL PRN). L'infirmière

TABLEAU

Abréviations couramment utilisées dans les ordonnances médicales

39-6

Abréviation	Explication	Exemples d'heures d'administration
ac	Avant les repas	7 h, 11 h et 17 h
ad	Jusqu'à	
AD	Oreille droite	
AL ; AS	Oreille gauche	
ad lib	À volonté	
AM ; am ; a.m.	Matin	
aq	Eau	
AU	Chaque oreille, les deux oreilles	
bid	Deux fois par jour	9 h et 21 h
c̄	Avec	
caps	Capsule	
cc	Pendant les repas	8 h, 12 h, 18 h
co	Comprimé	
die	Une fois par jour	
dil	Dissoudre, diluer	
élix	Élixir	
g	Gramme	
gr	Grain	
gte	Goutte	
h	Une heure	
hs	Au coucher	
ID ; id	Intradermique	
IM ; im	Intramusculaire	
IR ; rect.	Rectale, intrarectale	
IV ; iv	Intraveineuse	
kg	Kilogramme	
l ou L	Litre	
μg	Microgramme	
mg	Milligramme	
OD	Œil droit	
OS	Œil gauche	
OU	Les deux yeux	
oz	Once	
pc	Après les repas	9 h, 13 h et 19 h
PM ; pm ; p.m.	Après-midi	
PO ; po ; per os	Par la bouche	
PRN ; prn	Au besoin	
q	Chaque	
qAM	Chaque matin	
q h (q 1 h)	Toutes les heures	
qd	Chaque jour	
q 2 h	Toutes les deux heures	8 h, 10 h, 12 h, etc.
q 3 h	Toutes les trois heures	9 h, 12 h, 15 h, etc.
q 4 h	Toutes les quatre heures	6 h, 10 h, 14 h, 18 h, etc.
q 6 h	Toutes les six heures	6 h, 12 h, 18 h, 24 h
qid	Quatre fois par jour	10 h, 14 h, 18 h, 22 h
qod	Un jour sur deux	9 h, les jours impairs
Rx	Ordonnance ou traitement	
s̄	Sans	
SC ; sc ; s.c.	Sous-cutanée	
sir.	Sirop	
SL	Sublinguale	
sol.	Solution	
STAT ; stat	Immédiatement	
supp.	Suppositoire	
susp.	Suspension	
teint.	Teinture	
tid	Trois fois par jour	10 h, 14 h et 18 h
vag.	Vaginale	

doit faire preuve de jugement lorsqu'elle évalue si la personne a besoin du médicament ainsi que le moment où il doit être administré.

Ordonnance individuelle ou collective

Une ordonnance individuelle peut prescrire des médicaments, des traitements médicaux, des examens paracliniques ou des soins. Pour obtenir une ordonnance médicale individuelle, la personne doit consulter un médecin ; l'ordonnance répondra exclusivement à ses besoins. Une ordonnance préimprimée correspond à une ordonnance individuelle pourvu qu'elle porte la signature du médecin et qu'elle soit remplie à l'issue d'un examen ou d'un traitement médical. Quant à l'ordonnance collective, elle s'applique à un groupe de personnes et elle peut être exécutée par des professionnels autorisés. Ces personnes n'ont pas besoin d'attendre une ordonnance individuelle. Certaines conditions s'appliquent : la personne n'a pas besoin d'être vue par un médecin ; il s'agit d'une situation d'urgence ou de routine ; il s'agit d'une situation clinique prédéterminée. Les ordonnances collectives précisent les catégories de professionnels habilités à les exécuter, les catégories de personnes visées, le lieu, les indications et les contre-indications, ainsi que certaines précautions ou directives précises (par exemple, vaccins de désensibilisation ou épinéphrine) (OIIQ, avril 2003).

Principaux éléments d'une ordonnance

Au Québec, une réglementation régit les normes relatives à la forme et au contenu des ordonnances verbales ou écrites faites par le médecin. L'encadré 39-1 établit la liste des informations qui doivent apparaître dans une ordonnance écrite remplie par le médecin, et l'encadré 39-2 décrit les spécifications concernant l'ordonnance verbale.

Une ordonnance doit indiquer le *nom complet de la personne* qui consulte le médecin, c'est-à-dire son prénom et son ou ses noms de famille. On doit aussi y trouver le numéro de dossier de la personne et le nom du médecin ; ces informations constituent des moyens d'identification supplémentaires. Tous les établissements de soins de santé préparent des étiquettes autocollantes que l'on appose sur tous les formulaires concernant une personne donnée. On y lit notamment son nom, son numéro de dossier et souvent le numéro de la chambre qu'elle occupe.

En plus du *jour*, du *mois* et de l'*année* où l'ordonnance est rédigée, certains établissements exigent que l'heure soit aussi indiquée. L'inscription de l'*heure* permet d'éviter des erreurs lors des changements de quart de travail des infirmières et indique clairement à quel moment certaines ordonnances se terminent. Dans plusieurs établissements, par exemple, on prescrit des opioïdes pour une période de 48 heures après la chirurgie. Par conséquent, l'ordonnance pour un médicament qui a été prescrit à 16 h le 1er novembre 2005 sera automatiquement annulée à 16 h le 3 novembre 2005. Tous les établissements utilisent le système horaire de 24 heures, ce qui élimine les risques de confusion entre les heures du matin et celles de l'après-midi. Le système de 24 heures débute à minuit, c'est-à-dire à 0 h (voir le chapitre 20).

Le *nom du médicament à administrer* doit être indiqué distinctement. Dans certains hôpitaux, seule l'utilisation du nom générique est autorisée ; cependant, d'autres hôpitaux et organismes de santé utilisent souvent les noms commerciaux.

ENCADRÉ 39-1

Réglementation concernant les normes relatives à la forme et au contenu des ordonnances écrites faites par le médecin

SECTION II
NORMES RELATIVES À L'ORDONNANCE INDIVIDUELLE

- 3. Le médecin qui rédige une ordonnance individuelle doit y inclure :
  1° son nom, imprimé ou en lettres moulées, son numéro de téléphone, son numéro de permis d'exercice et sa signature ;
  2° le nom et la date de naissance du patient ;
  3° la date de rédaction de l'ordonnance ;
  4° s'il s'agit d'un médicament :
     a) le nom intégral du médicament, en lettres moulées, lorsqu'il est similaire au nom d'un autre médicament et que cela peut prêter à confusion ;
     b) la posologie, incluant la forme pharmaceutique, la concentration, s'il y a lieu, et le dosage ;
     c) la voie d'administration ;
     d) la durée du traitement ou la quantité prescrite ;
     e) le nombre de renouvellements autorisés ou la mention qu'aucun renouvellement n'est autorisé ;
     [...]
  5° s'il s'agit d'un examen, sa nature ainsi que les renseignements cliniques nécessaires à sa réalisation ;
  6° s'il s'agit d'un traitement, sa nature et, s'il y a lieu, sa description et sa durée ;
  7° s'il s'agit d'appareils, autres que les lentilles ophtalmiques, leurs principales caractéristiques ;
  8° s'il s'agit de lentilles ophtalmiques : [...]
  9° la période de validité de l'ordonnance, lorsqu'elle est justifiée par une condition du patient ;
  10° la référence à un protocole, le cas échéant. Lorsqu'elle y fait référence, l'ordonnance rédigée hors établissement ne peut référer qu'à un protocole applicable dans un établissement du territoire où le médecin exerce ses activités professionnelles.
  [...]

- 4. Lorsque le patient identifié dans l'ordonnance est admis, hébergé ou inscrit dans un établissement, le médecin peut délivrer une ordonnance sur laquelle n'apparaissent pas :
  1° son numéro de téléphone ;
  2° son nom en caractères imprimés ;
  3° la durée du traitement ou la quantité prescrite ;
  4° la période de validité de l'ordonnance ;
  5° le nombre de renouvellements.
  [...]

- 5. Le médecin doit rédiger l'ordonnance lisiblement. Il doit rayer d'un trait oblique la partie non utilisée de la feuille d'ordonnance et parapher toute interdiction de procéder à une substitution de médicaments lorsque cette interdiction est préimprimée sur l'ordonnance.

Source : *Règlement sur les normes relatives aux ordonnances faites par un médecin, Loi médicale*, L.R.Q., c. M-9, a. 19, 1er al., par. d. Reproduction autorisée par Les Publications du Québec.

La *forme pharmaceutique*, la *concentration*, la *quantité prescrite* ou la *durée du traitement* et la *posologie* sont indiquées, de même que la *voie d'administration*. Comme les autres parties de l'ordonnance, cette section contient souvent des abréviations (tableau 39-6). D'habitude, un médicament n'a qu'une

ENCADRÉ 39-2

Réglementation concernant les normes relatives à la forme et au contenu des ordonnances verbales faites par le médecin

- 7. Le médecin qui communique verbalement une ordonnance doit mentionner :
  1° son nom, son numéro de téléphone et son numéro de permis d'exercice ;
  2° les renseignements mentionnés aux paragraphes 2 à 9 du premier alinéa de l'article 3 ou, selon le cas, aux paragraphes 2 et 3 de l'article 6.

Cette ordonnance doit ensuite être consignée au dossier médical.

Source : *Règlement sur les normes relatives aux ordonnances faites par un médecin, Loi médicale*, L.R.Q., c. M-9, a. 19, 1er al., par. *d*. Reproduction autorisée par Les Publications du Québec.

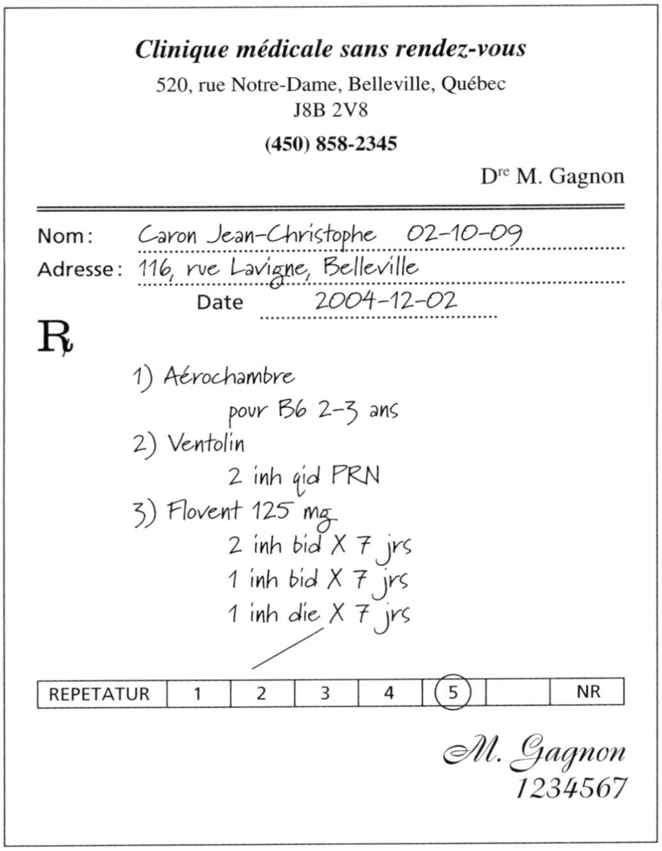
Clinique médicale sans rendez-vous
520, rue Notre-Dame, Belleville, Québec
J8B 2V8
(450) 858-2345
Dre M. Gagnon

Nom : Caron Jean-Christophe 02-10-09
Adresse : 116, rue Lavigne, Belleville
Date 2004-12-02

R

1) Aérochambre
pour B6 2-3 ans
2) Ventolin
2 inh qid PRN
3) Flovent 125 mg
2 inh bid X 7 jrs
1 inh bid X 7 jrs
1 inh die X 7 jrs

REPETATUR	1	2	3	4	(5)		NR

M. Gagnon
1234567

FIGURE **39-5** ■ Ordonnance rédigée par un médecin.

voie d'administration, mais il reste important de l'indiquer dans l'ordonnance.

C'est la *signature* apposée sur l'ordonnance par le médecin ou l'infirmière qui donne au document sa valeur légale. *Une ordonnance non signée n'est pas valide.* Si tel est le cas, il faut le signaler au médecin ou à l'infirmière qui l'a préparée.

La figure 39-5 ■ illustre une ordonnance rédigée par le médecin.

Ordonnance médicale verbale ou transmise par téléphone

L'ordonnance médicale verbale ou transmise par téléphone est inscrite dans le dossier de la personne par le médecin ou par l'infirmière qui reçoit, d'un médecin, l'ordonnance verbale ou par téléphone. La plupart des établissements de soins actifs ont établi un délai précis (par exemple, 24 ou 48 heures), au cours duquel le médecin qui a établi l'ordonnance verbale ou par téléphone doit contresigner l'ordonnance écrite par l'infirmière. L'ordonnance est ensuite transcrite par une infirmière dans un fichier (cardex) ou dans un registre d'administration des médicaments. La plupart des établissements disposent maintenant d'imprimés informatisés sur les médicaments prescrits aux personnes, et l'infirmière n'a plus besoin de transcrire l'ordonnance du médecin. Cette méthode permet d'éviter les erreurs de transcription et de gagner du temps.

! ALERTE CLINIQUE *Si la personne soignée reçoit de nouvelles ordonnances, vérifier à nouveau l'information transcrite à partir de l'ordonnance rédigée par le médecin. Cette précaution assure la sécurité de la personne.* ■

La feuille d'administration des médicaments (FADM) (figure 39-6 ■) peut prendre plusieurs formes, mais elle doit toujours indiquer le nom de la personne, son numéro de chambre et celui de son lit ; le nom du médicament et la posologie ; l'heure et la voie d'administration. Dans certains établissements, on précise aussi la date de rédaction de l'ordonnance et la date d'échéance.

L'infirmière doit toujours s'informer auprès du médecin si l'ordonnance lui semble ambiguë, inhabituelle (par exemple, une dose anormalement élevée de médicament), ou si elle constate que le médicament est contre-indiqué en raison de l'état de la personne. Voici ce que doit faire l'infirmière lorsqu'elle estime que l'ordonnance rédigée par le médecin est inappropriée :

- Communiquer avec le médecin et lui expliquer pourquoi le médicament ou la posologie lui semblent inappropriés.
- Indiquer dans le dossier qu'elle a averti le médecin, et noter ce qu'elle lui a dit et ce que le médecin a répondu.
- S'il est impossible de communiquer avec le médecin, noter toutes les tentatives infructueuses et mentionner les raisons pour lesquelles le médicament n'a pas été administré.
- Si quelqu'un d'autre administre le médicament, inscrire au dossier les données concernant l'état de la personne avant et après qu'elle a reçu le médicament.
- S'il faut rédiger un rapport d'incident (voir le chapitre 4), celui-ci doit être clair et détaillé.

Systèmes de mesure

En Amérique du Nord, trois systèmes de mesure se côtoient : le système international d'unités (SI) ou système métrique, le système apothicaire, ou système impérial, et le système domestique, qui se rapproche beaucoup du système apothicaire.

Émis le 05-09-09 à 9:51   C.H.R.T.R.

FEUILLE D'ADMINISTRATION DES MÉDICAMENTS

Diagnostic: Dx INSUFFISANCE CARDIAQUE (Dx d'admission)   Poids: Coordonnées de la personne

Chirurgies: Taille:

Renseignements cliniques: Surface corp.:

Renseignements additionnels:

Allergies: Aucune allergie connue

Code d'évacuation: Jaune

Code de réanimation: Oui

Type de séjour: COURTE DURÉE   05-09-08 au 05-09-09

Onction des malades: Non   24 heures

Ordonnance pharmaceutique

#154 PO1/CED	1) (DIGOXINE 0,25 mg CO) LANOXIN 1 COMPRIMÉ(S) = 0,25 mg UNE FOIS PAR JOUR	POUR 3 JOURS PUIS POSO NAUS-V.B.-CONF-TACH 2005-09-07 09:00, 2005-09-09 23:59	09:00 ☐
#150 PO1/PRN	2) (HYDROMORPHONE 2 mg CO) DILAUDID 1 COMPRIMÉ(S) = 2 mg	AUX 4 HEURES SI FORTE DOULEUR. CONS-SED-DRES-N 2005-09-06 12:07, 2006-09-06 23:59	☐ ☐ ☐ ☐
#149 PO1/PRN	3) (ACÉTAMINOPHÈNE 500 mg CO) ATASOL FORTE 1 COMPRIMÉ(S) = 500 mg	À 2 COMPRIMÉS AUX 4 HEURES SI FAIBLE DOULEUR MAXIMUM: 4 GR/ 24 HEURES 2005-09-06 12:07, 2006-09-06 23:59	☐ ☐ ☐ ☐
#93 PO1/CED	4) (FUROSÉMIDE 20 mg CO) LASIX 1 COMPRIMÉ(S) = 20 mg	DEUX FOIS PAR JOUR +GLY-ANAP 2005-07-20 09:00, 2006-07-20 23:59	09:00☐ 15:00☐

☐ _____   ☐ _____   ☐ _____

☐ _____   ☐ _____   ☐ _____

Signature   Signature   Signature   Page ☐

FIGURE **39-6** ■ Exemple de feuille d'administration des médicaments.

Système international d'unités (SI) (ou système métrique)

Le système international d'unités (SI) (ou système métrique), mis au point par les Français vers la fin du XVIIIᵉ siècle, est le système légal dans la plupart des pays européens et au Canada. Le SI est organisé de manière logique, en unités de 10, et s'appuie sur le système décimal. Les unités de base se multiplient ou se divisent par 10 pour former des unités secondaires. On effectue les multiplications en déplaçant la virgule (le signe décimal) vers la droite et on effectue les divisions en la déplaçant vers la gauche.

Les unités de base de ce système sont le mètre, le litre et le gramme. Des préfixes dérivés du latin désignent les subdivisions de l'unité de base: déci (1/10 ou 0,1), centi (1/100 ou 0,01) et milli (1/1 000 ou 0,001). Des préfixes dérivés du grec, déca (10), hecto (100) et kilo (1 000), désignent les multiples de l'unité de base. Dans ce chapitre, nous aborderons seulement les mesures de volume (litre) et de poids (gramme), car elles servent à calculer les doses de médicaments à administrer (figure 39-7 ■). Dans la pratique infirmière, le kilogramme (kg) est le seul multiple du gramme utilisé, et le milligramme (mg) et le microgramme (µg) sont les subdivisions d'usage courant. Les fractions du litre sont habituellement exprimées en millilitres (mL), par exemple 600 mL; par ailleurs, les multiples du litre s'expriment en litres ou en millilitres, par exemple 2,5 litres ou 2 500 mL.

Système apothicaire (ou système impérial)

Plus ancien que le système international d'unités, le système apothicaire (ou système impérial) vient d'Angleterre et a été introduit aux États-Unis pendant la période coloniale. L'unité de masse de base de ce système est le *grain* (gr), qui équivaut à la masse d'un grain de blé, et l'unité de volume de base est le *minime*, lequel correspond à la quantité d'eau que pèse un grain de blé. De nos jours, on emploie encore au Canada certaines unités de masse du système apothicaire, surtout l'once et la livre.

Système domestique

Puisqu'il n'existe pas de norme officielle dans la fabrication de la plupart des ustensiles domestiques, ils ne constituent donc

Volume		Poids
	Milliers	**Kilogramme, kg**
	Centaines	Hectogramme, hg
	Dizaines	Décagramme, dag
Litre, L	1 unité	**Gramme, g**
Décilitre, dL	Dixièmes	Décigramme, dg
Centilitre, cL	Centièmes	Centigramme, cg
Millilitre, mL	Millièmes	**Milligramme, mg**

FIGURE **39-7** ■ Mesures de base de volume et de poids dans le système international d'unités. Les unités en caractère gras sont les mesures les plus couramment utilisées dans la pratique infirmière.

TABLEAU **39-7**

Équivalents approximatifs des mesures : système international d'unités (SI) et systèmes apothicaire (impérial) et domestique

Système international d'unités (SI)		Systèmes apothicaire (impérial) et domestique
1 mL	=	15 gouttes (gte)
5 mL	=	1 cuillerée à thé (c. à thé)
15 mL	=	1 cuillerée à soupe (c. à soupe ou c. à table)
30 mL	=	1 once
500 mL	=	1 chopine
1 000 mL	=	1 pinte
4 000 mL	=	1 gallon

pas une mesure fiable et juste. On peut toutefois utiliser le système domestique lorsqu'il n'est pas nécessaire d'obtenir des mesures très précises. Ces mesures sont la goutte, la cuillerée à thé, la cuillerée à soupe, la tasse et le verre ; très souvent, on indique aussi la quantité en mL pour plus de précision, par exemple « donnez deux cuillerées à soupe (30 mL) ».

CONVERSION DES UNITÉS DE MESURE

L'infirmière doit souvent convertir des unités faisant partie du même système de mesure ou transformer des unités d'un système en unités d'un autre système.

CONVERSION DES UNITÉS DE POIDS DU SYSTÈME INTERNATIONAL D'UNITÉS (SI)

Le système international d'unités (SI) étant fondé sur des unités de 10, il est relativement simple de calculer les équivalents d'unités de poids dans ce système. Dans la pratique, on ne se sert que de trois unités de poids du SI dans la posologie des médicaments : le gramme (g), le milligramme (mg) et le microgramme (µg). Dans ce système, 1 000 mg ou 1 000 000 µg équivalent à 1 g. On calcule les équivalents par multiplication ou division ; par exemple, pour changer les milligrammes en grammes, on divise le nombre de milligrammes par 1 000. Le moyen le plus simple de diviser par 1 000 est de déplacer le signe décimal de trois chiffres vers la gauche :

500 mg = ? g

On déplace le signe décimal de trois chiffres vers la *gauche :*

Réponse = 0,5 g

Inversement, pour convertir des grammes en milligrammes, on multiplie le nombre de grammes par 1 000 ou on déplace le signe décimal de trois chiffres vers la droite :

0,006 g = ? mg

On déplace le signe décimal de trois chiffres vers la *droite :*

Réponse = 6 mg

CONVERSION DES UNITÉS DE VOLUME

Le tableau 39-7 montre les équivalents approximatifs des mesures habituellement utilisées. L'infirmière devrait apprendre ces équivalents, qui lui permettront d'effectuer les conversions rapidement.

Voici des exemples de situations où l'infirmière devra effectuer la conversion d'unités de volume :

- Il est parfois nécessaire de fractionner les doses exprimées en millilitres. Si l'infirmière se rappelle que 1 mL contient 15 gouttes, il lui sera facile de fractionner les doses.
- On utilise souvent les onces liquides dans les ordonnances de médicaments liquides tels que le sirop contre la toux, les laxatifs, les antiacides et les antibiotiques pour enfants. Lorsqu'on mesure le dosage des ingesta et des excreta d'une personne, on convertit fréquemment les onces liquides en millilitres.

Les lavements, les solutions d'irrigation vaginale et de la vessie ainsi que les solutions pour nettoyer les plaies se mesurent généralement en litres et en millilitres.

CONVERSION DES UNITÉS DE MASSE (POIDS)

Les unités de masse les plus utilisées dans la pratique des soins infirmiers sont le gramme, le milligramme, le kilogramme et la livre.

Le tableau 39-8 montre les équivalences approximatives entre le système international et le système apothicaire (impérial).

TABLEAU **39-8**

Équivalents approximatifs de masse : système international d'unités (SI) et système apothicaire (impérial)

Système international d'unités (SI)		Système apothicaire (impérial)
1 mg	=	1/60 grain
60 mg	=	1 grain
1 g	=	15 grains
4 g	=	1 drachme
30 g	=	1 once
500 g	=	1,1 livre (lb)
1 000 g (1 kg)	=	2,2 lb

L'infirmière devrait connaître ces équivalences, qui lui permettront d'effectuer rapidement les conversions. Ainsi, elle sera souvent appelée à convertir des unités de masse pour mesurer le poids d'une personne, par exemple, en exprimant les livres en kilogrammes et vice versa.

Lors de la conversion de livres en kilogrammes, l'infirmière applique la même règle qu'avec les unités de volume. La livre est une unité plus petite que le kilogramme ; on fait la conversion en divisant ou en multipliant par 2,2 :

$$2,2 \text{ lb} = 1 \text{ kg}$$
$$110 \text{ lb} = x \text{ kg}$$
$$x = \frac{110 \times 1}{2,2}$$
$$= 50 \text{ kg}$$

ou

$$50 \text{ kg} = x \text{ lb}$$
$$1 \text{ kg} = 2,2 \text{ lb}$$
$$x = \frac{2,2 \times 50}{1}$$
$$= 110 \text{ lb}$$

Comme nous l'avons vu plus haut, la conversion des milligrammes en grammes se fait en déplaçant le signe décimal de trois chiffres vers la gauche :

$$3\,000 \text{ mg} = 3 \text{ g}$$

Calcul des doses

On se sert de plusieurs formules pour calculer les doses de médicaments. Une des formules utilisées est le rapport :

$$\frac{\text{Dose disponible}}{\text{Quantité disponible}} = \frac{\text{Dose prescrite}}{\text{Quantité désirée } (x)}$$

Par exemple, une ordonnance prescrit 500 mg d'érythromycine. Le médicament est disponible sous forme liquide de 250 mg par 5 mL. Pour calculer la dose, l'infirmière utilise la formule suivante :

$$\frac{\begin{array}{c}\text{Dose disponible}\\(250 \text{ mg})\end{array}}{\begin{array}{c}\text{Nombre ou volume connu}\\(5 \text{ mL})\end{array}} = \frac{\begin{array}{c}\text{Dose prescrite}\\(500 \text{ mg})\end{array}}{\begin{array}{c}\text{quantité désirée}\\(x)\end{array}}$$

L'infirmière multiplie ainsi :

$$250\,x = 5 \text{ mL} \times 500 \text{ mg}$$
$$x = \frac{5 \text{ mL} \times 500 \text{ mg}}{250 \text{ mg}}$$
$$x = 10 \text{ mL}$$

Par conséquent, la dose prescrite est de 10 mL. Pour calculer la dose, l'infirmière peut aussi utiliser la formule suivante :

$$\begin{array}{c}\text{Quantité à}\\\text{administrer } (x)\end{array} = \frac{\text{Dose prescrite}}{\text{Dose disponible}} \times \begin{array}{c}\text{Nombre ou}\\\text{volume connu}\end{array}$$

Par exemple, l'héparine est souvent distribuée en fioles en dilution préparée de 10 000 unités par millilitre. Si l'ordonnance est de 5 000 unités, l'infirmière peut utiliser la formule qui précède pour effectuer son calcul :

$$x = \frac{5\,000}{10\,000} \times 1$$
$$x = 0,5 \text{ mL}$$

Par conséquent, l'infirmière injecte 0,5 mL pour une dose de 5 000 unités.

DOSES CHEZ L'ENFANT

Bien que l'ordonnance médicale indique la dose, l'infirmière doit calculer les doses à administrer aux enfants avec une extrême prudence. Contrairement aux doses pour les adultes, les doses pour les enfants ne sont pas toujours les mêmes, car elles varient selon la masse corporelle.

SURFACE CORPORELLE

On détermine la surface corporelle à partir de la taille et du poids de l'enfant et à l'aide d'un nomogramme. Ce graphique de référence permet de calculer les doses pour les enfants avec une grande précision à partir de la surface corporelle en se basant sur la taille et le poids (figure 39-8 ■). La formule utilisée est le rapport entre la surface corporelle de l'enfant et celle d'un adulte moyen (1,7 mètre carré ou 1,7 m^2), multiplié par la dose normale chez l'adulte :

$$\begin{array}{c}\text{Dose chez l'enfant}\end{array} = \frac{\begin{array}{c}\text{Surface corporelle}\\\text{de l'enfant (m}^2)\end{array}}{1,7 \text{ m}^2} \times \begin{array}{c}\text{Dose normale}\\\text{chez l'adulte}\end{array}$$

Par exemple, un enfant qui pèse 10 kg et mesure 50 cm a une surface corporelle de 0,4 m^2. Par conséquent, la dose de tétracycline correspondant à une dose normale chez l'adulte se calcule comme suit :

$$\begin{array}{c}\text{Dose chez l'enfant}\end{array} = \frac{0,4 \text{ m}^2}{1,7 \text{ m}^2} \times 250 \text{ mg}$$
$$= 0,23250 = 58,82 \text{ mg}$$

Administration des médicaments et sécurité

Avant de donner quelque médicament que ce soit à une personne, l'infirmière doit toujours évaluer son état de santé et connaître ses antécédents en matière de médication. L'importance de cette évaluation dépend de l'affection de la personne ou de l'état dans lequel elle se trouve, du médicament prescrit et de la voie d'administration. Par exemple, si la personne souffre de dyspnée, l'infirmière doit évaluer soigneusement sa respiration avant de lui administrer un médicament qui risque de modifier sa fonction respiratoire. Il importe également de déterminer si la voie d'administration est adéquate. Par exemple, une personne souffrant de nausées risque de ne pas pouvoir absorber un médicament par voie orale. En général, l'infirmière évalue la personne avant de lui administrer un médicament afin de disposer de toutes les données nécessaires pour en déterminer l'efficacité.

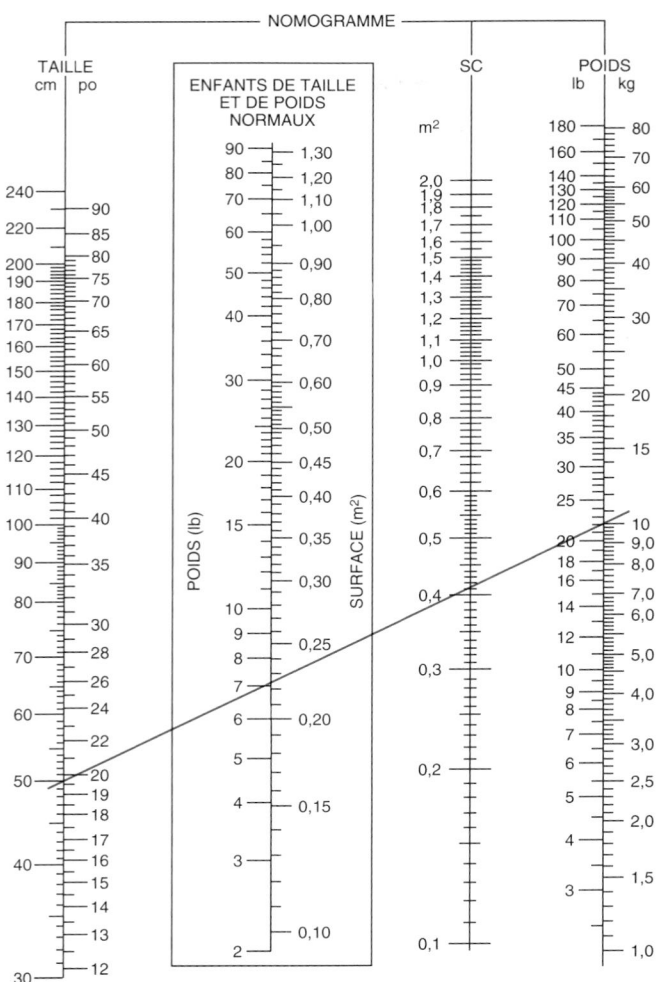

FIGURE **39-8** ■ Nomogramme permettant d'évaluer la surface corporelle chez l'enfant. On trace une ligne entre la taille de l'enfant (à gauche) et son poids (à droite). Le point où cette ligne croise la colonne de la surface corporelle constitue la surface corporelle approximative. (Source : Modifié à partir des données de E. Boydt, par C. D. West : tiré de R. E. Behrman (dir.), *Nelson Textbook of Pediatrics*, 14e éd., (p. 1827), Philadelphie : Saunders, 1992. Reproduit avec l'autorisation de Elsevier.)

Les antécédents pharmaceutiques permettent de connaître les médicaments que la personne prend ou a pris récemment. Il faut noter les médicaments d'ordonnance, mais aussi les produits en vente libre, comme les antiacides, et se renseigner sur la consommation d'alcool, de tabac, ainsi que sur les substances illicites telles que la marijuana. Une incompatibilité entre un ou plusieurs de ces médicaments ou substances pourrait influer sur le choix d'un nouveau médicament.

Les personnes âgées prennent souvent des vitamines, des produits à base d'herbes, des suppléments alimentaires ou des remèdes traditionnels qu'elles omettent de mentionner dans leurs antécédents pharmaceutiques. Puisque certains produits entraînent des effets secondaires, ou encore des effets inconnus ou imprévisibles, il faut en tenir compte et surveiller les incompatibilités possibles avec les médicaments d'ordonnance.

CONSEILS PRATIQUES

Administration sécuritaire des médicaments

L'infirmière qui administre les médicaments est responsable de ses actes. Elle doit :

■ S'interroger sur toute ordonnance indéchiffrable ou qui lui semble incorrecte, et prendre contact avec la personne qui a prescrit le médicament afin de clarifier la situation.

■ Bien connaître les médicaments à administrer. L'infirmière doit savoir pourquoi la personne reçoit ce médicament ; elle doit également s'informer sur les médicaments qu'elle ne connaît pas.

■ Garder sous clé les stupéfiants et les barbituriques dont les lois fédérales régissent l'utilisation.

■ N'utiliser que les médicaments dont les contenants sont lisiblement étiquetés.

■ Ne pas utiliser les médicaments liquides qui semblent troubles ou qui ont changé de couleur.

■ Calculer les doses de médicament avec précision. Si l'infirmière n'est pas sûre de ses calculs, elle doit les faire vérifier par une autre infirmière.

■ Administrer seulement les médicaments qu'elle a elle-même préparés.

■ Avant d'administrer un médicament, vérifier l'identité de la personne en utilisant les moyens appropriés, par exemple en consultant le bracelet d'identité de la personne ou en lui demandant son nom, ou les deux.

■ Ne pas laisser les médicaments au chevet de la personne, sauf dans des cas particuliers (par exemple, nitroglycérine, sirop contre la toux). Vérifier les règles de l'établissement de soins à ce propos.

■ Si une personne vomit après avoir pris un médicament par voie orale, en informer l'infirmière responsable et le médecin.

■ Prendre les précautions appropriées lors de l'administration de certains médicaments, par exemple en demandant à une autre infirmière de vérifier les doses d'anticoagulants, d'insuline ou de certaines préparations à administrer par injection intraveineuse.

■ Vérifier l'ordonnance : les règles de la plupart des établissements de soins exigent que le médecin rédige de nouvelles ordonnances pour les soins postchirurgicaux.

■ Si, pour une raison donnée, un médicament n'est pas administré, le mentionner dans le dossier et préciser la raison pour laquelle la personne ne l'a pas reçu.

■ Si une erreur survient dans l'administration d'un médicament, avertir immédiatement l'infirmière responsable, le médecin ou ces deux professionnels.

Il importe également de vérifier si la personne se sait allergique à certains médicaments. Plusieurs personnes sont en mesure d'affirmer à l'infirmière qu'elles sont allergiques à la pénicilline, au ruban adhésif et au cari, par exemple, mais d'autres ignorent si elles ont des allergies médicamenteuses. Il se peut qu'une affection surgissant après la prise d'un médicament ne soit pas reconnue comme une allergie, mais il se peut aussi que la personne associe le médicament avec l'affection ou avec un effet secondaire. Souvent, le médecin peut renseigner la personne sur les réactions allergiques susceptibles d'apparaître. Lorsqu'elle établit les antécédents pharmaceutiques, l'infirmière devrait évaluer la pharmacodépendance à l'égard d'un médicament, par exemple en demandant à la personne à quelle fréquence elle prend ses médicaments et comment elle perçoit ses propres besoins.

Dans les antécédents de la personne, il faut aussi considérer les habitudes alimentaires, car il arrive parfois que la personne doive prendre ses médicaments au moment des repas ou avec de la nourriture. Lorsqu'un médicament doit être pris à une heure précise et avec de la nourriture, on peut demander à la personne de changer l'heure de son repas ou de prendre une collation (par exemple, avec un médicament prescrit au coucher). De plus, certains médicaments sont incompatibles avec plusieurs aliments, tels les produits laitiers, que l'on ne peut consommer en même temps que la tétracycline.

Il faut aussi tenir compte des difficultés qu'éprouve parfois la personne à prendre seule ses médicaments. Une personne dont la vue est mauvaise, par exemple, pourrait avoir besoin qu'on colle des étiquettes spéciales sur les contenants de médicaments. Les personnes âgées dont les mouvements sont mal assurés risquent de ne pouvoir tenir une seringue correctement, et seront incapables de se faire des injections ou d'en faire à une autre personne. De plus, il faut savoir comment et où la personne range ses médicaments; si elle a de la difficulté à ouvrir certains contenants et qu'elle décide de changer ses médicaments de contenants sans substituer les étiquettes, elle court plus de risques de se tromper.

Pour toutes les personnes, surtout les personnes âgées, il faut enfin considérer les facteurs socioéconomiques. Les deux problèmes les plus fréquents sont l'absence de moyen de transport pour aller chercher les médicaments et le manque d'argent pour les acheter. Si l'infirmière est au courant de ces problèmes, il est alors possible d'aider les personnes à obtenir les ressources appropriées.

Système de distribution de médicaments

Les systèmes de distribution de médicaments varient selon les établissements. Voici quelques systèmes utilisés :

- *Chariot à médicaments.* Le chariot à médicaments est muni de roues, ce qui permet à l'infirmière de le déplacer d'une chambre à l'autre. Le chariot est pourvu d'autant de petits tiroirs qu'il y a de chambres dans l'unité de soins. Chaque tiroir porte le nom d'une personne, et son numéro correspond à celui de la chambre qu'elle occupe; il contient les médicaments qui lui sont destinés pour une période de 24 heures (figure 39-9 ■). Les médicaments sont habituellement emballés en doses unitaires, et les étiquettes indiquent notamment le nom du médicament, la dose ainsi que la date de péremption (figure 39-10 ■). On ne garde pas les substances contrôlées dans les tiroirs individuels, mais dans un tiroir plus grand et fermé à clé du même chariot. Le chariot peut aussi comprendre un tiroir qui contient les médicaments en vrac portant le nom de la personne, comme le Metamucil, dont le contenant est trop grand pour être rangé dans le petit tiroir individuel. Habituellement, un classeur placé sur le dessus du chariot contient les feuilles d'administration des médicaments de chacune des personnes. Pour ouvrir le chariot, l'infirmière déverrouille la serrure à l'aide d'une clé ou d'un code puisque le chariot doit demeurer verrouillé lorsqu'il n'est pas utilisé (figure 39-11 ■).

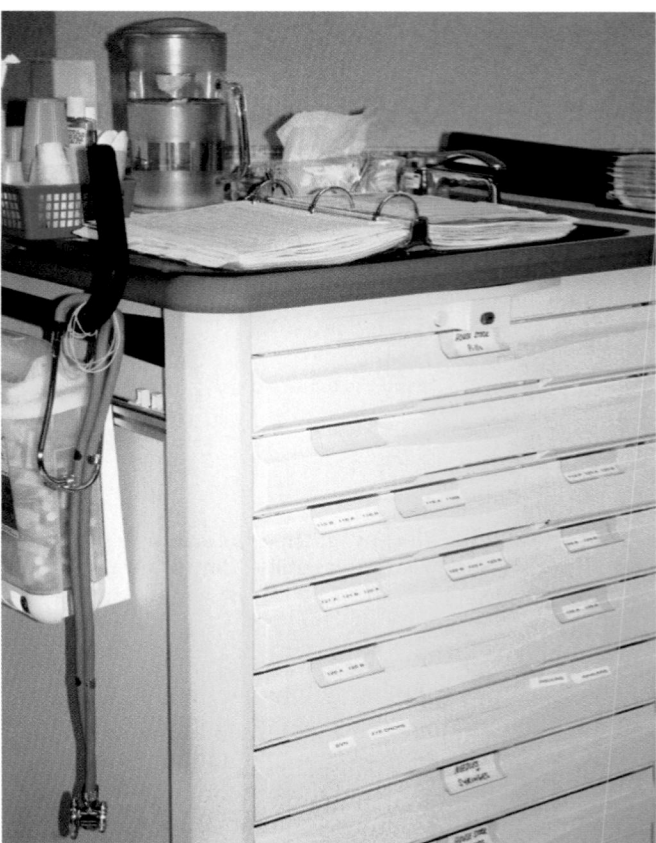

FIGURE **39-9** ■ Chariot à médicaments.

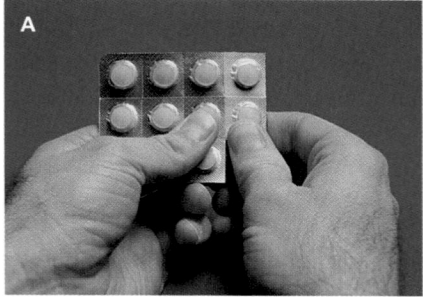 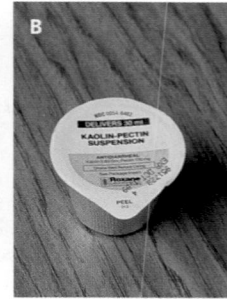

FIGURE **39-10** ■ Emballages de doses unitaires : *A*, comprimés ; *B*, médicament liquide.

- *Armoire à médicaments.* Dans certains établissements, une armoire fermée à clé dans chaque chambre contient les doses unitaires des médicaments destinés à la personne, ainsi que la feuille d'administration des médicaments. On ne laisse pas les substances contrôlées dans cette armoire ; on les entrepose ailleurs, dans l'unité de soins. L'infirmière apporte avec elle la clé de l'armoire à médicaments, qui doit être verrouillée en tout temps.

- *Salle des médicaments.* Certains établissements disposent d'une salle des médicaments qui sert à de nombreuses fins. Par exemple, on peut y entreposer les chariots à médicaments lorsqu'ils ne sont pas utilisés, ou s'en servir pour mettre en lieu sûr les médicaments, les substances contrôlées ou les médicaments réservés aux cas d'urgence.

FIGURE 39-11 ■ Le chariot à médicaments doit être verrouillé lorsqu'il n'est pas utilisé. L'infirmière utilise une clé pour ouvrir le tiroir contenant les médicaments de la personne.

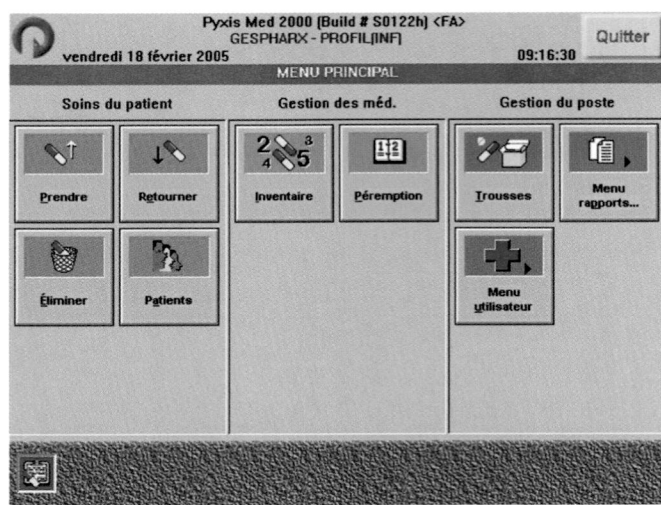

FIGURE 39-12 ■ Système de distribution informatisé. (Cardinal Health, Produits Pyxis.)

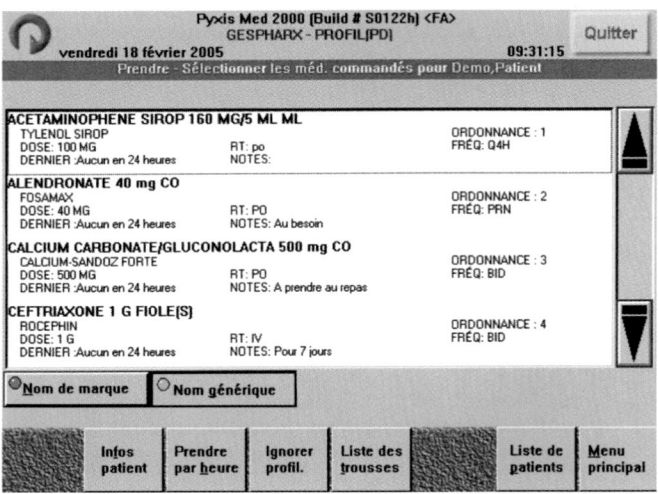

FIGURE 39-13 ■ Profil d'une personne dans un système de distribution de médicaments informatisé. (Cardinal Health, Produits Pyxis.)

■ *Système de distribution informatisé.* Avec ce système, la distribution, la gestion et le contrôle des médicaments sont automatisés (figure 39-12 ■). Comme pour un guichet bancaire, l'infirmière utilise un mot de passe pour accéder au système et choisir les médicaments prescrits par le médecin (figure 39-13 ■).

Processus d'administration des médicaments

Lorsqu'elle administre un médicament, l'infirmière doit exécuter les tâches suivantes, peu importe la voie d'administration :

1. *Vérifier l'identité de la personne.* Des erreurs se produisent régulièrement parce qu'une personne reçoit un médicament destiné à quelqu'un d'autre. Dans les établissements de soins de santé, la plupart des personnes portent une pièce d'identité, par exemple un bracelet indiquant leur nom et leur numéro de dossier. Avant de donner un médicament à une personne, l'infirmière doit toujours vérifier son bracelet. Elle peut aussi demander aux personnes capables de parler de dire comment elles s'appellent.

> **! ALERTE CLINIQUE** *Ne demandez pas «Êtes-vous Jacques Roy ?» parce que la personne pourrait répondre « Oui » même à un nom qui n'est pas le sien.* ■

2. *Informer la personne.* Si la personne ne connaît pas le médicament, l'infirmière devrait lui expliquer son action, ses effets secondaires et, s'il y a lieu, les effets inconnus ou imprévisibles susceptibles de survenir.

3. *Administrer le médicament.* Relire soigneusement les ordonnances et les dossiers, puis vérifier attentivement le nom inscrit sur l'emballage du médicament ou sur le tiroir si on utilise un chariot à médicaments, de manière à s'assurer que l'on donne le bon médicament à la bonne personne. Administrer ensuite le médicament selon l'ordonnance, en respec-

tant la posologie, la voie et l'heure d'administration indiquées. Chaque fois qu'elle administre un médicament, l'infirmière doit vérifier six points qui concernent l'administration sécuritaire des médicaments (voir l'encadré 39-3).

4. *Faire les interventions d'appoint, si indiqué.* Il est possible que la personne ait besoin d'aide lors de l'administration du médicament. Il faudra peut-être l'aider à s'installer correctement pour recevoir une injection intramusculaire, ou encore lui expliquer comment améliorer l'efficacité du médicament et prévenir les complications, par exemple en buvant beaucoup. Certaines personnes ont peur des médicaments. L'infirmière peut apaiser leurs craintes en les écoutant attentivement lorsqu'elles expriment leur appréhension et en leur donnant les renseignements appropriés.

5. *Enregistrer le médicament administré.* L'infirmière doit inscrire dans le dossier, à la main ou par ordinateur, les renseignements suivants : le nom du médicament, la posologie,

Six critères liés à l'administration sécuritaire des médicaments

LE BON MÉDICAMENT

- S'assurer que le médicament administré est le médicament prescrit.

LA BONNE DOSE

- S'assurer que la dose prescrite convient à la personne.
- Être particulièrement attentif si la posologie indique qu'il faut multiplier le nombre de comprimés ou si l'on doit donner une importante quantité de médicament liquide.
- Vérifier deux fois les calculs dont le résultat semble douteux.
- Connaître la gamme des posologies habituelles du médicament.
- S'interroger si une posologie ne correspond pas à la gamme des posologies habituelles.

LE BON MOMENT

- Administrer le médicament en respectant la fréquence et le moment prévus dans l'ordonnance, et en se conformant aux directives de l'établissement de soins de santé.
- On considère que les médicaments administrés 30 minutes avant ou après le moment prévu l'ont été au bon moment.

LA BONNE VOIE D'ADMINISTRATION

- Administrer le médicament par la voie prescrite.
- S'assurer que la voie d'administration est sécuritaire et convient à la personne.

LA BONNE PERSONNE

- S'assurer que le médicament est administré à la personne à qui il est effectivement destiné.
- Vérifier l'identité de la personne (à l'aide de son bracelet) chaque fois qu'on administre un médicament.
- Connaître et appliquer le procédé de vérification et de surveillance élaboré par l'établissement de soins lorsque des personnes portant le même nom ou des noms semblables se trouvent dans la même unité de soins.

LE DOSSIER CORRECTEMENT REMPLI

- Inscrire dans le dossier les renseignements relatifs à l'administration du médicament après l'administration, jamais avant.
- Si le moment de l'administration diffère de celui qui est indiqué sur l'ordonnance, inscrire le moment sur la feuille d'administration des médicaments, puis expliquer les raisons du retard dans les commentaires (par exemple, la pharmacie n'aura le médicament en main que dans deux heures).
- Si le médicament n'est pas administré, expliquer pourquoi dans le dossier en respectant les règles de l'établissement de soins dans ce domaine.

la voie d'administration, ainsi que des données spécifiques telles que le pouls (que l'on vérifie avant d'administrer de la digoxine) et tout autre renseignement pertinent. L'inscription au dossier doit aussi comprendre l'heure exacte de l'administration du médicament et la signature de l'infirmière qui l'a administré. Les feuilles d'administration des médicaments sont souvent conçues de manière à ce que l'infirmière appose sa signature une fois sur la page et mette ses initiales vis-à-vis de chaque médicament qu'elle a administré. Les médicaments PRN (au besoin) ou STAT (immédiatement) sont notés séparément.

6. *Évaluer de quelle manière la personne réagit au médicament.* Les comportements qui révèlent l'effet ou l'absence d'effet d'un médicament, ainsi que ses effets secondaires (mineurs ou importants), sont aussi variables que l'objectif de la médication. Par exemple, après avoir pris un anxiolytique, une personne anxieuse manifestera les effets attendus en montrant moins de stress (par exemple, une élocution plus lente ou des mouvements moins saccadés). On évaluera l'efficacité d'un sédatif d'après la qualité du sommeil de la personne et celle d'un antispasmodique par le soulagement des crampes. Dans toutes ses activités, l'infirmière reste attentive aux médicaments que la personne prend et surveille leur efficacité ; elle inscrit les données relatives à leur action au dossier de la personne en tenant compte de l'évaluation de la personne et de sa propre appréciation. Au besoin, l'infirmière aborde la question de la réaction de la personne directement avec l'infirmière responsable ou avec le médecin.

Facteurs relatifs au stade de développement

L'infirmière doit tenir compte des effets de la croissance et du développement lors de l'administration de médicaments, et ce, pour les personnes de tous les groupes d'âge, particulièrement les très jeunes et les personnes âgées.

NOURRISSONS ET ENFANTS

L'infirmière chargée d'administrer des médicaments aux tout-petits se doit de bien connaître la croissance et le développement de l'enfant. Les médicaments oraux pour enfants sont généralement préparés sous forme de liquide sucré afin d'en améliorer le goût. Par ailleurs, les parents peuvent souvent suggérer la méthode qui convient le mieux à leur enfant. On ne devrait pas utiliser des aliments que les enfants doivent consommer régulièrement, comme le lait ou le jus d'orange, pour masquer le goût des médicaments. En effet, l'enfant risquerait de les associer à des goûts désagréables et pourrait ensuite refuser d'en consommer.

En général, l'enfant craint tout traitement où l'on utilise une aiguille parce qu'il a peur de la douleur, que le procédé ne lui est pas familier et qu'il lui paraît menaçant. L'infirmière doit reconnaître que l'enfant ressentira de la douleur, car nier le fait augmentera la méfiance de celui-ci. Après l'injection, l'infirmière (ou le parent) cajole l'enfant, lui parle avec douceur ou lui donne un jouet pour qu'il n'associe pas l'infirmière uniquement à des situations douloureuses ou désagréables.

PERSONNES ÂGÉES

Les personnes âgées peuvent éprouver certains problèmes relativement à l'administration des médicaments, la plupart étant associés aux changements physiologiques, aux expériences vécues et à des préjugés envers les médicaments. L'encadré 39-4 décrit les changements physiologiques chez les personnes âgées qui influent sur l'administration et l'efficacité des médicaments.

La plupart des changements physiologiques augmentent la possibilité d'effets cumulatifs et de toxicité. Une mauvaise circulation, par exemple, ralentit l'action des médicaments administrés par voie intramusculaire ou sous-cutanée. La digoxine, que prennent beaucoup de personnes âgées, s'accumule parfois jusqu'à un niveau toxique qui peut être fatal. Il n'est pas rare qu'une personne âgée prenne quotidiennement plusieurs médicaments. Or, la possibilité d'erreur augmente avec le nombre de médicaments, qu'ils soient pris à la maison par la personne elle-même ou administrés dans un établissement de santé. Également, les risques d'interactions médicamenteuses sont d'autant plus grands que le nombre de médicaments à prendre est élevé. Idéalement, la personne âgée devrait prendre le moins de médicaments possible.

Les personnes âgées ont habituellement besoin de doses plus faibles, notamment en ce qui concerne les sédatifs et les autres dépresseurs du système nerveux central. Leurs réactions aux médicaments, particulièrement aux sédatifs, sont imprévisibles et souvent inhabituelles. Ces médicaments entraînent fréquemment de l'irritabilité, de la confusion, de la désorientation, de l'agitation et de l'incontinence. L'infirmière doit donc observer attentivement la personne afin d'éviter toute réaction indésirable. Les médecins respectent souvent la règle tacite selon laquelle on « commence lentement » lorsqu'ils prescrivent des médicaments aux personnes âgées. La dose initiale est faible, puis on l'augmente graduellement après une surveillance étroite de l'action et des effets secondaires du médicament.

Toutes les personnes âgées n'ont pas la même attitude à l'égard des soins médicaux et des médicaments. Contrairement aux personnes plus jeunes, elles s'imaginent volontiers que le médecin possède des pouvoirs magiques. Certaines d'entre elles sont désorientées devant une ordonnance comportant plusieurs médicaments ; elles acceptent passivement les médicaments lorsque l'infirmière les leur donne, mais elles ne les avalent pas et crachent les comprimés ou les capsules après que l'infirmière a quitté la chambre. C'est pourquoi l'infirmière devrait rester dans la chambre jusqu'à ce qu'elles aient avalé leurs médicaments. D'autres ne croient pas en leurs effets et refusent catégoriquement de les prendre.

Il ne faut pas oublier que les personnes âgées sont des adultes doués de raison. Par conséquent, l'infirmière doit leur expliquer pourquoi elles doivent prendre leurs médicaments et quels sont les effets attendus. Cet enseignement permet d'empêcher les personnes de continuer à prendre leurs médicaments même si elles n'en ont plus besoin ou d'arrêter de les prendre trop rapidement. Par exemple, la personne âgée doit savoir que les diurétiques provoquent des mictions plus fréquentes et réduisent l'œdème des chevilles. Toutes les personnes doivent recevoir des directives au sujet de leurs médicaments afin de savoir à quel moment les prendre, à quels effets s'attendre et quand il est nécessaire de consulter le médecin.

Certaines personnes âgées prennent plusieurs médicaments au cours d'une même journée ; si leur acuité visuelle et leur mémoire diminuent, il est important que l'infirmière leur prépare un horaire simple et pratique qu'elles pourront suivre facilement à la maison. Par exemple, on peut suggérer aux personnes qui ont de la difficulté à se rappeler à quel moment prendre leurs médicaments de les prendre aux heures des repas ou au coucher. Il arrive qu'une heure après avoir pris son médicament, une personne ne se rappelle plus si elle l'a pris ou non. Pour remédier à ce problème, il est possible d'utiliser un contenant réservé aux médicaments. Si le contenant ou le verre est

Changements physiologiques associés à l'âge et influant sur l'administration et l'efficacité des médicaments

- Altérations de la mémoire.
- Diminution de l'acuité visuelle.
- Ralentissement des fonctions rénales, ce qui entraîne une réduction de l'élimination des médicaments et une augmentation de la concentration sanguine du médicament pendant des périodes plus longues.
- Absorption plus lente et incomplète par le tube digestif.
- Augmentation de la masse adipeuse de l'organisme, ce qui favorise la rétention des médicaments liposolubles et augmente le risque de toxicité.
- Ralentissement des fonctions hépatiques, ce qui entrave le métabolisme des médicaments.
- Diminution de la sensibilité des organes aux médicaments, ce qui signifie que la réponse à une concentration déterminée de médicament pour un organe donné est plus faible chez la personne âgée que chez une personne plus jeune.
- Diminution de la réponse des organes, ce qui entraîne des effets secondaires plus marqués avant l'atteinte des effets thérapeutiques.
- Diminution de la dextérité manuelle à cause de la présence d'arthrite ou diminution de la souplesse.

vide après l'heure où elle doit prendre son médicament, la personne sait qu'elle l'a pris. La perte d'acuité visuelle entraîne certains problèmes qu'on peut régler en écrivant les directives en gros caractères. Dans certains cas, on peut demander au conjoint ou à un autre proche de superviser la prise des médicaments.

Les personnes âgées perdent souvent leur dextérité, car elles souffrent d'arthrite ou de raideurs dans les mains et les doigts. Elles ont donc de la difficulté à ouvrir les contenants de médicaments, à s'autoadministrer leurs médicaments, telles les gouttes ophtalmiques ou les gouttes auriculaires, à se faire des injections d'insuline ou à utiliser un aérosol-doseur. L'infirmière peut aider les personnes en leur montrant comment modifier la façon de prendre leurs médicaments ou en demandant à quelqu'un d'autre de les aider à le faire.

Administration des médicaments par voie orale

La voie orale est la voie d'administration des médicaments la plus courante. Tant que la personne est capable d'avaler et de garder le médicament dans son estomac, cette voie est préférable aux autres (voir le procédé 39-1). Cependant, elle est contre-indiquée si la personne vomit, si elle doit subir une aspiration gastrique ou si elle est inconsciente et incapable d'avaler. En établissement de soins, les ordonnances concernant les personnes dans cet état contiennent habituellement la mention **rien par la bouche** (en latin, *nil per os* : **NPO**).

RÉSULTATS DE RECHERCHE

Pourquoi se produit-il des erreurs dans l'administration des médicaments ?

Wakefield, Wakefield, Uden-Holman et Blegen ont fait une enquête (1998) auprès de 1 384 infirmières travaillant dans des établissements de soins de courte durée d'un État américain, situés autant à la ville qu'à la campagne. Dans l'enquête, les deux points suivants ont obtenu les plus hautes valeurs moyennes : « J'ai été dérangée pendant que j'administrais des médicaments » et « L'écriture du médecin était illisible ».

Les chercheurs ont découvert cinq catégories de facteurs qui mettaient en cause, par ordre de fréquence : le médecin (les ordonnances sont illisibles), le système (l'infirmière a été dérangée parce qu'on lui a demandé de faire d'autres tâches), la pharmacie (les ordonnances n'avaient pas toutes été livrées),

le personnel (l'ordonnance a été mal transcrite) et le niveau de connaissance (des ordonnances portaient des noms semblables).

Implications : Les auteurs de la recherche démontrent que l'administration des médicaments est un processus complexe et non une banale tâche psychomotrice. Les conclusions de l'enquête sont suffisamment éloquentes pour étayer une discussion sur l'amélioration du système.

Source : « Nurses' Perceptions on Why Medication Administration Errors Occur », de B. J. Wakefield, D. S. Wakefield, T. Uden-Holman et M.A. Blegen, 1998, *MEDSURG Nursing*, *71*(1), p. 39 à 44.

PROCÉDÉ 39-1

Administration des médicaments par voie orale

Objectif

- Donner un médicament qui a des effets systémiques ou locaux, ou les deux, sur le tube digestif (action spécifique du médicament).

COLLECTE DES DONNÉES

Évaluez

- La présence d'allergies médicamenteuses.
- Si la personne est capable d'avaler le médicament.
- Si la personne est sujette à des vomissements ou à des diarrhées susceptibles de l'empêcher d'absorber le médicament.
- L'action spécifique du médicament, ses effets secondaires, les interactions possibles et les réactions indésirables.
- Les connaissances et les besoins d'apprentissage de la personne en ce qui concerne le médicament. Effectuez les évaluations

qui s'imposent (par exemple, signes vitaux, résultats des examens paracliniques, etc.) en rapport avec la médication.
- Si les données d'évaluation influent sur l'administration du médicament. (Par exemple, est-il approprié de donner le médicament ou doit-on en suspendre l'administration et prévenir le médecin ?)

PLANIFICATION

Matériel

- Chariot à médicaments
- Contenants à jeter après usage : petits contenants de papier ou de plastique pour les comprimés et les capsules, gobelets gradués enduits de paraffine ou en plastique pour les médicaments liquides
- Feuille d'administration des médicaments
- Broyeur à comprimé
- Pailles pour l'administration de médicaments qui pourraient décolorer les dents ou pour faciliter l'ingestion de médicaments liquides pour certaines personnes
- Verre, eau et jus à boire

INTERVENTION

Préparation

1. Déterminez pourquoi la personne reçoit le médicament, vérifiez la classe de médicament, les contre-indications, la gamme des posologies habituelles et les effets secondaires ; prenez en consi-

dération les aspects infirmiers liés à l'administration du médicament et à l'évaluation des résultats escomptés.
2. Vérifiez la feuille d'administration des médicaments.
   - Vérifiez, dans la feuille d'administration des médicaments, le nom du

médicament, la posologie, la fréquence et la voie d'administration, ainsi que la date à laquelle achève la période d'administration, le cas échéant. *Certains médicaments (par exemple, les opioïdes ou les antibiotiques) sont prescrits pour*

INTERVENTION (suite)

une durée déterminée. En cas de besoin, l'ordonnance est renouvelée.

- Si la feuille d'administration des médicaments manque de précision, comparez le registre avec l'ordonnance écrite la plus récente faite par le médecin.
- Signalez toute différence à l'infirmière responsable ou au médecin, selon les règles de l'établissement de soins de santé.

3. Vérifiez si la personne est en mesure de prendre le médicament par voie orale.
   - Vérifiez, lorsque la personne peut avaler, si l'administration par voie orale est contre-indiquée (NPO), si la personne a des nausées et des vomissements, si elle doit subir une aspiration gastrique et s'il y a une diminution ou absence de bruits intestinaux.

4. Préparez le matériel.
   - Placez le chariot à médicaments à l'extérieur de la chambre de la personne.
   - Rassemblez les feuilles d'administration pour tous les médicaments de chaque personne de manière à pouvoir les préparer simultanément. *L'organisation du matériel permet de gagner du temps et diminue le risque d'erreur.*

Exécution

1. Lavez-vous les mains et observez les autres mesures de prévention des infections.

2. Déverrouillez le chariot à médicaments.

3. Prenez le médicament approprié.
   - Lisez la feuille d'administration des médicaments et prenez le médicament approprié sur l'étagère, dans le tiroir ou le réfrigérateur. Le médicament peut se présenter dans un flacon, dans une boîte ou en dose unitaire.
   - Comparez l'étiquette du médicament ou celle de la dose unitaire avec l'ordonnance notée sur la feuille d'administration des médicaments (figure 39-14 ■). *Ce contrôle de sécurité vise à s'assurer qu'on administre le bon médicament.* Si l'étiquette et l'ordonnance diffèrent, vérifiez à nouveau le dossier de la personne. S'il y a toujours une différence, signalez-la à l'infirmière responsable ou au pharmacien.
   - Vérifiez la date de péremption du médicament. Renvoyez les médicaments périmés à la pharmacie. *Il n'est pas sécuritaire d'administrer des médicaments périmés.*
   - Utilisez uniquement les médicaments qui sont clairement et lisiblement

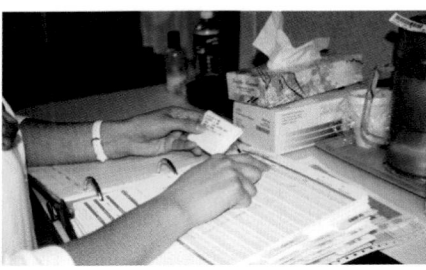

FIGURE **39-14** ■ Comparer l'étiquette du médicament avec la feuille d'administration des médicaments.

étiquetés *afin d'éliminer les risques d'erreur.*

4. Préparez le médicament.
   - Calculez la dose avec précision.
   - Préparez la quantité exacte de médicament pour la posologie prescrite en évitant de le contaminer. *L'utilisation d'une technique aseptique permet d'assurer la propreté du médicament.*
   - Quand vous préparez les médicaments, comparez à nouveau chacun d'eux et chaque contenant avec la feuille d'administration des médicaments. *Ce deuxième contrôle de sécurité diminue le risque d'erreur.*

Comprimés ou capsules

- Placez les comprimés ou les capsules en dose unitaire directement dans le contenant à médicaments. Attendez d'être au chevet de la personne pour retirer le médicament de son emballage. *L'emballage assure la propreté du médicament. Si la personne refuse le médicament ou si l'on arrive à la conclusion qu'il ne faut pas le donner, il est préférable de ne pas le retirer de son emballage afin de le reconnaître plus facilement. On peut remettre dans le chariot à médicaments les comprimés et les capsules dont l'emballage n'a pas été ouvert.*
- Si vous utilisez un contenant à médicaments, versez le nombre de capsules ou de comprimés dans le couvercle du récipient et transférez-les sans y toucher dans le contenant à jeter après usage.
- Conservez à part les opioïdes et les médicaments qu'on ne peut administrer sans avoir procédé aux évaluations nécessaires, notamment les mesures du pouls, de la fréquence ou de l'amplitude respiratoire, ou de la pression

FIGURE **39-15** ■ Un coupe-comprimé permet de couper des comprimés en deux.

artérielle. *Cette consigne rappelle à l'infirmière de faire les évaluations nécessaires avant de décider si elle donne le médicament ou non.*

- S'il faut séparer des comprimés pour obtenir la moitié de la dose du médicament, ne séparez que les comprimés sécables. Utilisez un couteau ou un coupe-comprimé, si nécessaire (figure 39-15 ■). Vérifiez les règles de l'établissement de soins de santé pour savoir si les parties de médicament non utilisées peuvent être jetées et, si oui, de quelle manière le faire.
- Si la personne avale difficilement, réduisez les comprimés en poudre au moyen d'un broyeur ou d'un pilon, ou écrasez-les entre deux gobelets à médicaments. Mélangez ensuite la poudre obtenue avec une petite quantité de nourriture (crème anglaise, compote de pommes, par exemple). Certains médicaments ne doivent pas être broyés, tel l'OxyContin, un opioïde à action prolongée dont l'effet dure normalement 12 heures. Si le comprimé est broyé, la personne ressentira un effet important au cours des deux premières heures, mais elle risque d'éprouver de fortes douleurs après quatre à six heures parce que l'effet s'est estompé trop rapidement. *Lorsque ces comprimés sont broyés, leur effet est inégal et on ne peut soulager la douleur de façon continue.*

! ALERTE CLINIQUE *Avant de broyer des comprimés, vérifiez auprès du pharmacien si vous pouvez le faire. On ne doit pas broyer les comprimés à effet prolongé ni les comprimés gastrorésistants, buccaux ou sublinguaux.* ■

PROCÉDÉ 39-1 (SUITE)

Administration des médicaments par voie orale (suite)

INTERVENTION (suite)

Médicaments liquides

- Mélangez soigneusement le médicament avant de le verser. Jetez tout liquide d'apparence trouble ou qui a changé de couleur.
- Enlevez le bouchon et retournez-le *pour éviter d'en contaminer l'intérieur.*
- Tenez le flacon de manière à ce que l'étiquette se trouve contre la paume de votre main et versez le médicament, qui restera ainsi loin de l'étiquette (figure 39-16 ■). *Cela empêche le liquide de couler sur l'étiquette et de la rendre illisible ou sale.*

FIGURE **39-16** ■ Verser un médicament liquide à partir d'un flacon.

- Tenez le gobelet à médicaments à la hauteur des yeux et remplissez-le jusqu'au niveau désiré en alignant le fond du **ménisque** (la surface incurvée du liquide en forme de croissant dans le contenant) avec les graduations sur le contenant (figure 39-17 ■). *Cette méthode assure la précision de la mesure.*

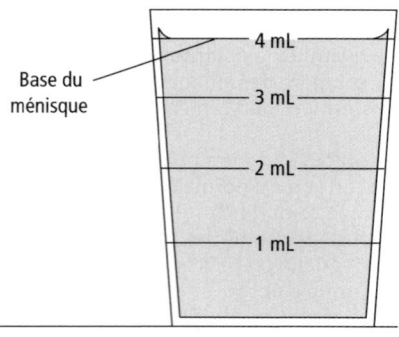

Base du ménisque

4 mL
3 mL
2 mL
1 mL

FIGURE **39-17** ■ Le fond du ménisque constitue la bonne mesure.

- Avant de refermer le flacon, essuyez le goulot avec une serviette en papier. *Cela empêche le bouchon de coller.*
- Lorsque vous donnez une petite quantité de liquide (5 mL ou moins), mettez le médicament dans une seringue stérile sans aiguille.

- Gardez les doses unitaires liquides dans leur emballage et ne l'ouvrez qu'au chevet de la personne.

Stupéfiants oraux

- Si l'établissement de soins de santé utilise un système d'enregistrement manuel pour les stupéfiants, vérifiez sur la feuille de contrôle la quantité préalable de médicaments et comparez-la avec la quantité disponible. On conserve certains médicaments, notamment les stupéfiants, dans des compartiments de plastique cloisonnés et numérotés.
- Retirez le premier comprimé et placez-le dans le gobelet à médicaments.
- Après avoir enlevé le comprimé, inscrivez les renseignements adéquats sur la feuille de contrôle des stupéfiants et signez-la.
- *Remarque :* Les systèmes de distribution informatisés permettent d'accéder uniquement au médicament sélectionné ; de plus, ils inscrivent automatiquement les renseignements concernant son utilisation.

Tous les médicaments

- Placez le médicament préparé et la feuille d'administration des médicaments ensemble sur le chariot à médicaments.
- Vérifiez à nouveau l'étiquette du contenant avant de ranger le flacon, la boîte ou l'enveloppe. *Cette troisième vérification diminue encore le risque d'erreur.*
- Évitez de laisser des médicaments préparés sans surveillance. *Cela permet de prévenir des erreurs de manipulation.*
- Fermez à clé le chariot avant d'entrer dans la chambre de la personne. *Il s'agit d'une mesure de sécurité : les chariots à médicaments ne doivent pas rester déverrouillés lorsqu'ils sont sans surveillance.*
- Si les directives de l'établissement de soins de santé ne permettent pas d'enlever la feuille d'administration des médicaments du chariot, vérifiez une dernière fois le numéro de la chambre. *Il s'agit d'une mesure de sécurité supplémentaire afin de s'assurer d'entrer dans la chambre de la bonne personne.*

5. Assurez-vous que l'intimité de la personne est préservée.

6. Préparez la personne.
   - Vérifiez le bracelet d'identité de la personne. *La vérification permet de s'assurer que le médicament est administré à la bonne personne.*
   - Aidez la personne à s'asseoir ou, si elle en est incapable, à se placer en décubitus latéral. *Dans cette position, il est plus facile d'avaler sans risque d'aspiration.*
   - Si elles ne sont pas déjà faites, effectuez toutes les évaluations nécessaires : pouls, fréquence respiratoire ou pression artérielle. Prenez le pouls apical avant d'administrer des préparations à base de digoxine. Vérifiez la pression artérielle avant d'administrer des médicaments antihypertenseurs. Prenez la fréquence respiratoire avant d'administrer des opioïdes. *Les opioïdes ralentissent le fonctionnement du centre respiratoire. Si l'un des résultats est inférieur ou supérieur aux paramètres préétablis, consultez le médecin avant d'administrer le médicament.*

7. Expliquez à la personne pourquoi elle reçoit ce médicament et comment il l'aidera, en utilisant un vocabulaire à sa portée. Donnez-lui des renseignements sur les effets du médicament. *Le fait de renseigner la personne l'aide à accepter le traitement et à y collaborer.*

8. Administrez le médicament à l'heure prescrite.
   - Apportez le médicament à la personne au maximum 30 minutes avant ou après le moment prévu de l'administration.
   - Donnez à la personne assez d'eau, ou offrez-lui un jus qu'elle aime, pour avaler le médicament. Avant de lui donner du jus, vérifiez toute incompatibilité entre la nourriture et le médicament. *Les liquides facilitent la déglutition ainsi que l'absorption par le tube digestif. En général, on dilue dans 15 mL d'eau les médicaments liquides, sauf les antiacides ou les préparations contre la toux, afin d'en faciliter l'absorption.*
   - Si la personne est incapable de tenir le contenant à médicament, utilisez-le pour porter le médicament jusqu'à sa bouche, en lui donnant un comprimé ou une capsule à la fois. *Amener le contenant à la bouche de la personne permet à l'infirmière de garder ses mains propres. Il est plus facile d'avaler*

INTERVENTION (suite)

un seul comprimé ou une seule capsule à la fois.

- Lorsqu'un enfant ou une personne âgée a de la difficulté à avaler, demandez-lui de placer le comprimé à l'arrière de sa langue avant de boire de l'eau. *La stimulation de l'arrière de la langue favorise le réflexe de déglutition.*
- Si le médicament a un goût désagréable, demandez à la personne de sucer quelques morceaux de glace avant de le lui donner, ou donnez le médicament avec du jus ou de la compote de pommes, si cela n'est pas contre-indiqué. *Le froid des cubes de glace désensibilise les papilles gustatives, alors que les aliments masquent le goût du médicament.*
- Si la personne dit que le médicament offert est différent de celui qu'elle a déjà reçu, ne l'administrez pas avant d'avoir vérifié à nouveau l'ordonnance originale. *La plupart des personnes connaissent bien l'apparence des médicaments qu'elles prennent régulièrement. Le doute de la personne quant au médicament peut signifier qu'il y a une erreur.*

- Restez avec la personne jusqu'à ce qu'elle ait avalé tous ses médicaments. *On doit avoir vu la personne avaler le médicament avant d'inscrire qu'il a été administré.* On ne peut laisser des médicaments au chevet de la personne, à moins d'une ordonnance du médecin en ce sens ou de directives de l'établissement de soins de santé.

9. Inscrivez au dossier chaque médicament administré.
   - Inscrivez le nom du médicament administré, la dose, l'heure ainsi que les plaintes, les commentaires et les évaluations formulées par la personne; signez le dossier.
   - Si la personne a refusé de prendre le médicament ou s'il n'a pas été administré, mentionnez-le dans le dossier approprié; si possible, expliquez pourquoi et notez aussi l'action que vous avez entreprise selon les pratiques en vigueur dans l'établissement.

10. Rangez le matériel et les réserves de manière appropriée.
    - Refaites les réserves (de gobelets à médicaments, par exemple) et rangez le chariot à médicaments à sa place.
    - Jetez tout le matériel jetable utilisé.

11. Évaluez les effets du médicament.
    - Allez voir la personne lorsque le médicament est censé avoir agi (habituellement au bout de 30 minutes), afin d'en évaluer les effets.

ÉVALUATION

- Faites le suivi qui s'impose.
- Vérifiez la présence de l'effet attendu (par exemple, le soulagement de la douleur ou la diminution de la fièvre).
- Vérifiez la présence de réactions indésirables ou d'effets secondaires (nausées, vomissements, rougeurs, détérioration des signes vitaux).

- Comparez vos observations avec les résultats précédents, s'ils sont disponibles.
- Signalez au médecin tout écart significatif par rapport à la normale.

 ## SOINS À DOMICILE

Administration des médicaments

Enseignez à la personne à:

- Connaître les noms des médicaments qu'elle consomme, ainsi que leurs actions et les éventuels effets indésirables.
- Conserver tous les médicaments hors de portée des enfants et des animaux domestiques.
- Enlever et jeter le couvercle de plastique qui recouvre l'embout de la seringue, si on utilise un tel instrument pour administrer un médicament à un nourrisson ou à un enfant. Il est déjà arrivé que des nourrissons ou des enfants s'étouffent avec ces couvercles.
- Prendre les médicaments selon l'ordonnance. Si un problème survient, consulter immédiatement l'infirmière, le pharmacien ou le médecin.
- Toujours vérifier l'étiquette afin de s'assurer de prendre le bon médicament.
- Demander des étiquettes imprimées en gros caractères pour les personnes qui ont une mauvaise vue et qui lisent difficilement.
- Vérifier les dates de péremption des médicaments et jeter ceux qui sont périmés.

- Demander au pharmacien, si nécessaire, de remplacer les couvercles à l'épreuve des enfants par des couvercles plus faciles à ouvrir.
- Si une ou plusieurs doses ont été oubliées, ne pas prendre de doses supplémentaires, et demander l'avis du pharmacien ou du médecin.
- Ne pas couper ou broyer un comprimé ou une capsule sans d'abord se renseigner auprès du pharmacien ou du médecin. Dans certains cas, cela peut modifier l'absorption du médicament.
- Ne jamais arrêter de prendre un médicament sans l'autorisation du médecin.
- Toujours consulter le pharmacien avant d'acheter un médicament en vente libre. Certains de ces médicaments peuvent interagir avec les médicaments prescrits.
- Établir un programme de prise de médicament; pour ce faire, les piluliers (offerts dans les pharmacies) ou un horaire écrit sont très utiles.

LES ÂGES DE LA VIE

Administration par voie orale

NOURRISSONS

- La seringue et le compte-gouttes sont les instruments les plus faciles à manipuler pour administrer les médicaments.

- Placer de petites quantités de liquide dans le côté de la bouche du nourrisson, c'est-à-dire entre la joue et la mâchoire. Afin de prévenir l'aspiration et d'éviter que le nourrisson ne crache le médicament, attendre qu'il l'ait avalé avant de lui en redonner (Bindler et Ball, 2003).

- Pour donner des médicaments liquides à un nourrisson, on peut aussi utiliser une tétine et lui faire téter le médicament. Mais lorsque les médicaments ont un goût désagréable, il est préférable d'utiliser d'autres méthodes afin que le nourrisson n'associe pas le goût désagréable avec la tétée. Pour la même raison, on ne devrait jamais ajouter de médicaments aux préparations pour nourrissons.

- Si on utilise une cuillère, recueillir le médicament que le nourrisson repousse hors de sa bouche avec sa langue et le lui donner à nouveau.

ENFANTS

- L'infirmière qui administre des médicaments aux enfants doit absolument avoir des connaissances sur la croissance et le développement de l'enfant.

- Si possible, permettre à l'enfant de choisir entre l'utilisation d'une cuillère, d'un compte-gouttes ou d'une seringue.

- Si possible, diluer le médicament avec un peu d'eau, car il est plus facile d'avaler certains médicaments administrés par voie orale de cette façon. Ne pas utiliser une grande quantité d'eau, car l'enfant refusera peut-être de tout boire et ne recevra ainsi qu'une partie du médicament.

- Les médicaments pour enfants administrés par voie orale sont habituellement préparés sous forme de liquides sucrés, ce qui leur donne un goût plus agréable. Broyer les médicaments qui ne se présentent pas sous forme liquide avant de les mélanger avec des produits alimentaires que l'on trouve dans les services pédiatriques, tels que du miel, du sirop aromatisé, de la confiture ou de la purée de fruits.

- On ne devrait pas utiliser des aliments essentiels comme le lait ou le jus d'orange pour masquer le goût des médicaments, car l'enfant risque de les associer à des goûts désagréables et il pourrait refuser d'en boire ou d'en manger par la suite.

- Si on masque le goût des médicaments qui ont une saveur désagréable avec des aliments au goût sucré, on ne doit pas cacher à l'enfant qu'on lui administre un médicament ou lui dire qu'il s'agit de nourriture ou d'une friandise.

- Asseoir le jeune enfant sur vos genoux ou sur les genoux de ses parents.

- Administrer le médicament lentement en utilisant une cuillère à mesurer, une seringue en plastique ou un gobelet à médicament.

- Pour prévenir les nausées, verser une boisson gazeuse sur de la glace broyée finement et en donner à l'enfant avant d'administrer le médicament ou immédiatement après.

- Après l'administration du médicament, donner à l'enfant un verre d'eau, de jus, de boisson gazeuse, ou une sucette glacée (un Popsicle ou une sucette faite à partir de jus) pour enlever l'arrière-goût désagréable du médicament.

- Si l'enfant prend des médicaments sucrés pendant une longue période, faire des soins d'hygiène dentaire afin de réduire le risque de caries.

PERSONNES ÂGÉES

- Les changements physiologiques associés au vieillissement influent sur l'administration et sur l'efficacité des médicaments. Les altérations de la mémoire, l'affaiblissement de la vision, le ralentissement des fonctions rénales, de l'absorption digestive ou des fonctions hépatiques sont autant d'exemples de changements physiologiques qui augmentent les risques d'effets cumulatifs et de toxicité.

- Les personnes âgées ont habituellement besoin de doses plus faibles, notamment en ce qui concerne les sédatifs et les autres dépresseurs du système nerveux central.

- Il ne faut pas oublier que les personnes âgées sont des adultes doués de raison. Par conséquent, l'infirmière doit leur expliquer pourquoi il faut qu'elles prennent leurs médicaments et décrire leurs effets.

- Des facteurs socioéconomiques, tels l'impossibilité de se déplacer pour aller chercher les médicaments ou les problèmes financiers, peuvent également influer sur leur capacité de se procurer les médicaments nécessaires à leurs besoins.

- L'infirmière doit tenir compte de la popularité grandissante des vitamines, des produits à base d'herbes et des suppléments alimentaires, que consomment un grand nombre de personnes ; elle doit noter l'utilisation de ces produits dans les antécédents pharmaceutiques.

Administration par voie nasogastrique et par gastrostomie

Chez la personne qui ne peut rien prendre par la bouche (NPO) et qui a une **sonde nasogastrique**, ou chez qui on a pratiqué une **gastrostomie**, il est possible d'administrer les médicaments par la sonde nasogastrique ou par la gastrostomie. La sonde nasogastrique est insérée par le rhinopharynx jusque dans l'estomac afin de nourrir la personne ou de retirer les sécrétions gastriques. La gastrostomie est une intervention qui consiste à pratiquer une ouverture entre la paroi abdominale et la paroi de l'estomac. On insère dans cette fistule une sonde qui permet d'administrer des médicaments et d'alimenter la personne (voir le chapitre 45). Les directives relatives à l'administration de médicaments par sonde nasogastrique ou par gastrostomie sont présentées dans l'encadré *Conseils pratiques – Administration de médicaments par voie nasogastrique et par gastrostomie.*

CONSEILS PRATIQUES

Administration de médicaments par voie nasogastrique et par gastrostomie

- Vérifiez toujours avec le pharmacien si les médicaments destinés à la personne sont offerts sous forme liquide afin de réduire les risques d'obstruction de la sonde.

- S'ils ne le sont pas, vérifiez s'il est possible de les broyer. (Remarque : ne broyez pas les comprimés à action prolongée, ni les comprimés gastrorésistants, buccaux ou sublinguaux.)

- Broyez un comprimé en poudre et diluez-le dans au moins 30 mL d'eau tiède. Les liquides froids peuvent incommoder la personne. Utilisez uniquement de l'eau pour mélanger et administrer le médicament.

- Avant d'ouvrir une capsule, lisez attentivement l'étiquette du médicament. Consultez toujours le pharmacien avant d'ouvrir les capsules et d'en mélanger le contenu avec de l'eau.

- N'administrez pas de médicaments solides entiers ou non dissous afin de ne pas obstruer la sonde.

- Vérifiez la position de la sonde (voir le chapitre 45 🔗 en ce qui concerne la position de la sonde).

- Avant d'administrer le médicament, aspirez tout le contenu de l'estomac et mesurez le volume résiduel. S'il dépasse 100 mL, consultez les règles de l'établissement de soins de santé.

- Lors de l'administration du ou des médicaments :
  - Retirez le piston de la seringue et reliez-la à une sonde préalablement pincée ou pliée. Le fait de pincer ou de plier la sonde empêche le surplus d'air d'entrer dans l'estomac et de le distendre.
  - Mettez de 15 à 30 mL d'eau (de 5 à 10 mL pour les enfants) dans le cylindre de la seringue que vous refoulerez dans la sonde, afin de la nettoyer avant d'administrer le premier médicament. Retirez ou poussez le piston de la seringue pour ajuster le débit selon le besoin. Pincez ou clampez la sonde après voir injecté l'eau afin d'éviter qu'un surplus d'air n'entre dans l'estomac.
  - Versez le médicament liquide ou dissous dans le cylindre de la seringue et laissez-le couler par gravité dans la sonde entérale.
  - S'il y a plusieurs médicaments à administrer, donnez-les un à la fois et nettoyez la sonde avec 15 à 30 mL d'eau du robinet (5 mL pour les enfants) entre chaque administration.
  - Après avoir administré tous les médicaments, rincez à nouveau la sonde avec 15 à 30 mL (5 à 10 mL pour les enfants) d'eau tiède pour bien la nettoyer.

- Si la sonde est branchée à un système d'aspiration, débranchez-la et gardez-la clampée pendant 20 à 30 minutes après l'administration des médicaments pour favoriser l'absorption.

Administration par voie parentérale

L'administration de médicaments par voie parentérale est un procédé infirmier courant. L'infirmière effectue ce type d'administration par voie intradermique (ID), sous-cutanée (SC), intramusculaire (IM) ou intraveineuse (IV). Puisque l'absorption des médicaments administrés par cette voie est plus rapide que par voie orale, et puisqu'on ne peut revenir en arrière une fois qu'ils sont injectés, l'infirmière doit les préparer et les administrer avec soin et précision. L'administration de médicaments par voie parentérale demande les mêmes connaissances infirmières que l'administration par voie orale ou topique, mais comme l'injection est un procédé effractif, elle doit être donnée dans des conditions aseptiques afin de réduire les risques d'infection.

Matériel

L'administration par voie parentérale s'effectue avec des seringues et des aiguilles qui servent à prélever le médicament dans des ampoules ou des fioles.

SERINGUES

Les seringues se composent de trois parties : l'**embout**, qui s'ajuste à l'embase de l'aiguille ; le cylindre, sur lequel l'échelle est imprimée ; et le piston, qui glisse dans le cylindre (figure 39-18 ■).

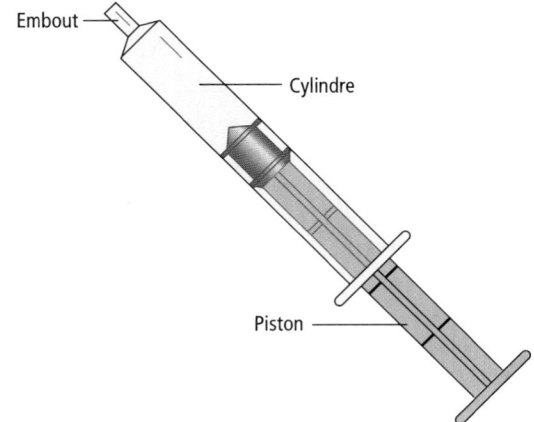

FIGURE **39-18** ■ Les trois parties d'une seringue.

Lorsqu'elle manipule la seringue, l'infirmière peut toucher l'extérieur du cylindre et la poignée du piston ; cependant, elle doit *éviter de toucher un objet non stérile avec l'embout ou l'intérieur du cylindre, avec la tige du piston, ou encore avec la tige ou la pointe de l'aiguille.*

Les seringues ont plusieurs formes et plusieurs formats, et elles sont fabriquées à l'aide de divers matériaux. Les plus couramment utilisées sont la seringue hypodermique, la seringue à

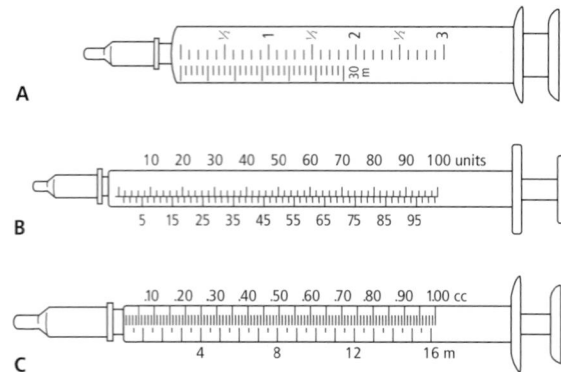

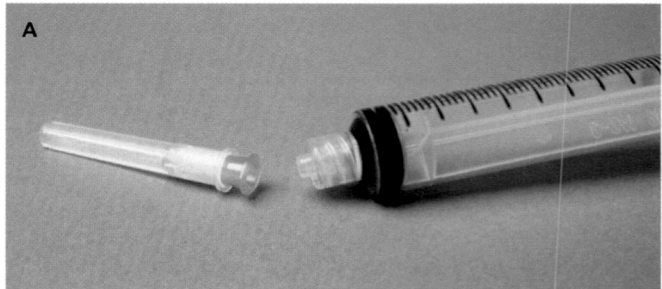

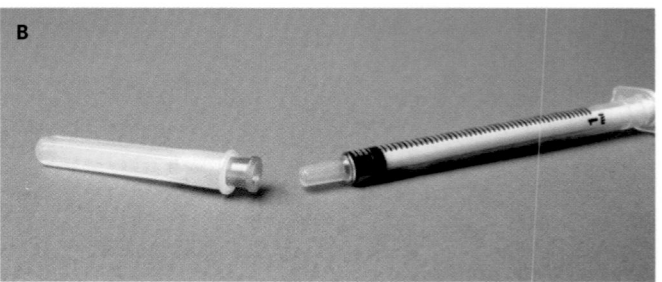

FIGURE **39-19** ■ Trois sortes de seringues : *A*, seringue hypodermique graduée en dixièmes (0,1) de millilitre et en minimes ; *B*, seringue à insuline graduée en 100 unités ; *C*, seringue à tuberculine graduée en dixièmes et en centièmes (0,01) de millimètre cube et en minimes.

FIGURE **39-20** ■ Sortes de seringues : *A*, seringue Luer-Lok (remarquer l'embout fileté) ; *B*, seringue non Luer-Lok (remarquer l'embout lisse et gradué).

insuline et la seringue à tuberculine (figure 39-19 ■). La **seringue hypodermique** existe en format de 2 mL, de 2,5 mL et de 3 mL. Elle est généralement calibrée en millilitres et en minimes. Habituellement, on utilise l'échelle des millilitres.

La **seringue à insuline** ressemble à la seringue hypodermique, mais elle est calibrée spécialement pour l'insuline, soit à 100 unités d'insuline U-100. Des seringues à insuline pour doses plus petites sont aussi offertes ; elles sont souvent munies d'aiguilles non amovibles. En Amérique du Nord, les seringues à insuline sont toutes calibrées d'après l'échelle U-100. Le choix de la seringue appropriée dépend de la quantité d'insuline à injecter.

La **seringue à tuberculine** a été conçue initialement pour administrer la tuberculine. Elle est étroite et calibrée en dixièmes et en centièmes de millilitre (jusqu'à 1 mL). Ce genre de seringue peut aussi servir à administrer certains médicaments en petites quantités, qu'il est nécessaire de mesurer avec précision (une dose pédiatrique, par exemple).

Il existe différentes tailles de seringues (1, 3, 5, 10, 20, 30, 50 et 60 mL). Elles ne servent généralement pas à administrer des injections directement aux personnes, mais plutôt à injecter des médicaments dans les solutions intraveineuses ou à irriguer les plaies. Il existe aussi différentes sortes d'embouts, que l'on qualifie de Luer-Lok ou de non Luer-Lok. Une seringue de type Luer-Lok possède un embout à système de verrouillage de l'aiguille qui l'empêche de se détacher accidentellement (figure 39-20 ■). La seringue de type non Luer-Lok possède un embout lisse sur lequel on glisse l'aiguille. La seringue non Luer-Lok sert souvent à effectuer des irrigations (plaies et sondes, par exemple).

Aujourd'hui, la plupart des seringues sont en plastique ; elles sont enveloppées individuellement dans un emballage stérile en papier ou dans un contenant en plastique rigide (figure 39-21 ■) et sont jetables. La seringue et l'aiguille sont emballées ensemble ou séparément. Il existe aussi des systèmes sans aiguille, dans lesquels l'aiguille est remplacée par une canule de plastique.

Certains médicaments injectables se présentent dans des **systèmes de doses unitaires (doses uniques)**. On les trouve

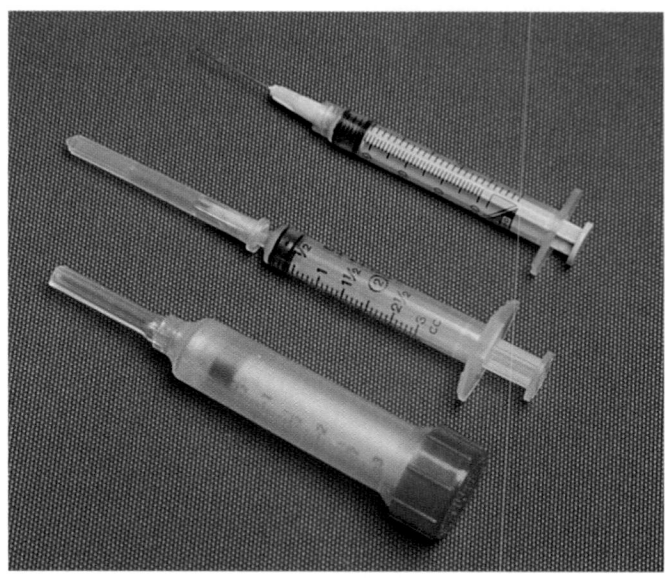

FIGURE **39-21** ■ Seringues en plastique et aiguilles jetables : *en haut*, seringue et aiguille seules ; *au centre*, seringue dont l'aiguille est couverte d'un capuchon de plastique ; *en bas*, seringue et aiguille couvertes d'un emballage de plastique.

sous forme d'ampoules-seringues prêtes à l'usage ou de cartouches stériles préremplies, avec des aiguilles que l'on doit fixer à un système d'injection avant de les utiliser (figure 39-22 ■).

Les systèmes Tubex et Carpuject sont récents. Les fabricants fournissent les directives appropriées pour leur utilisation. Puisque la plupart des cartouches préremplies sont trop pleines,

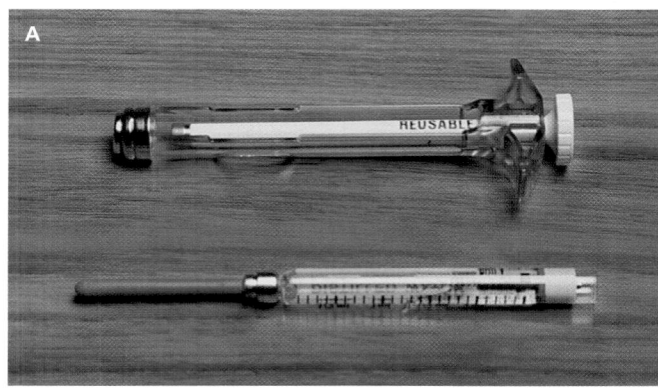

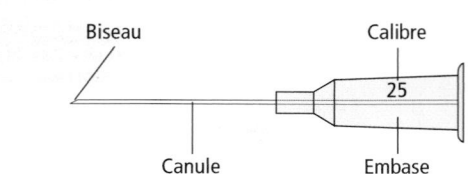

FIGURE **39-23** ■ Parties d'une aiguille.

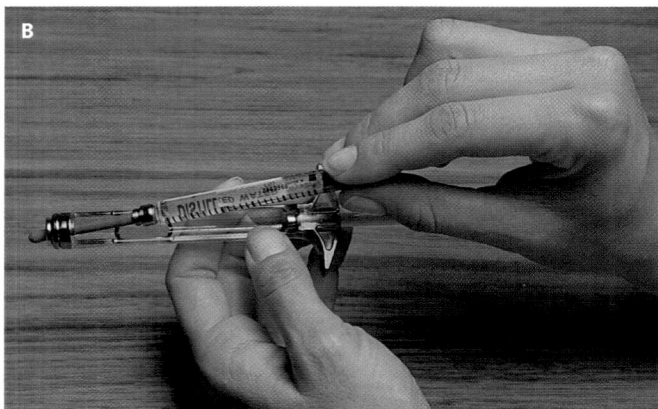

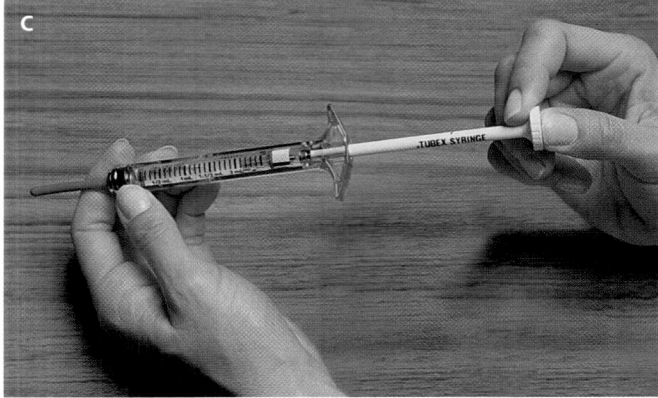

FIGURE **39-22** ■ *A*, seringue et cartouche stérile préremplie avec aiguille. *B*, assemblage. *C*, On glisse la cartouche dans le cylindre, on tourne et on la fixe à l'embase de l'aiguille. On visse ensuite le piston dans la cartouche.

on doit expulser le médicament excédentaire avant l'injection pour s'assurer d'avoir la dose exacte. Comme l'aiguille est fixée à la seringue, l'infirmière ne peut en changer le calibre ou la longueur. Cependant, si elle évalue qu'elle devrait utiliser une aiguille d'un autre calibre ou d'une longueur différente, elle peut transférer le médicament dans une seringue normale.

AIGUILLES

Les aiguilles sont en acier inoxydable, et la plupart sont jetables. Les aiguilles réutilisables (que l'on emploie pour certains procé-

dés spéciaux, par exemple) doivent être aiguisées périodiquement avant d'être stérilisées de nouveau parce que leur pointe s'émousse à l'usage ; il arrive aussi qu'elles soient endommagées. On ne devrait *jamais* utiliser une aiguille émoussée ou endommagée.

Une aiguille se compose de trois parties distinctes : l'**embase**, à laquelle s'adapte la seringue ; la **canule** (ou **tige**), formée d'un petit tuyau creux et rattaché à l'embase ; le **biseau**, la partie oblique au bout de l'aiguille (figure 39-23 ■). L'aiguille jetable a une embase en plastique. Les aiguilles utilisées pour les injections ont trois caractéristiques :

1. L'*oblique ou la longueur du biseau*. Le biseau de l'aiguille peut être court ou long. Lorsque le biseau est long, l'aiguille est plus pointue et cause moins de douleur lorsqu'elle pénètre dans les tissus. Pour les injections sous-cutanées et intramusculaires, on emploie des aiguilles à biseau long. En revanche, pour les injections intradermiques et intraveineuses, on utilise une aiguille à biseau court, car une aiguille à biseau long risque de s'obstruer si elle appuie contre la paroi d'un vaisseau sanguin.

2. La *longueur de la canule*. La longueur de la canule varie habituellement de 9 mm à 3,7 cm. On choisit la longueur de l'aiguille en fonction du développement musculaire de la personne, de son poids et du type d'injection.

3. Le **calibre** *(ou diamètre) de la canule*. Le calibre varie de 18 à 28. Plus le numéro de calibre de l'aiguille est élevé, plus le diamètre de la canule est petit. L'aiguille à petit calibre cause moins de traumatisme aux tissus, mais lorsqu'on doit injecter des médicaments relativement visqueux, comme la pénicilline, il faut employer une aiguille de plus gros calibre.

Pour effectuer une injection sous-cutanée à un adulte, on utilise habituellement une aiguille de calibre 24 à 26 et de 1,2 à 1,6 cm de long. Dans le cas d'une personne obèse, on devra peut-être utiliser une aiguille de 2,5 cm. Pour les injections intramusculaires, on utilise une aiguille plus longue (par exemple, de 2,5 à 3,7 cm) et d'un calibre plus élevé (par exemple, de 20 à 22). Pour un adulte maigre et un enfant, on choisit une aiguille plus courte. Il incombe à l'infirmière de choisir le type d'aiguille selon la personne qui doit recevoir l'injection.

PRÉVENTION DES BLESSURES AVEC DES AIGUILLES

L'utilisation et l'élimination des aiguilles et des objets pointus et tranchants constituent un des plus grands risques encourus par le personnel soignant. Les blessures avec les aiguilles présentent un risque important d'infection par le virus de l'hépatite B, le virus de l'immunodéficience humaine (VIH) et plusieurs autres agents pathogènes. L'encadré 39-5 résume les normes les plus importantes pour la prévention des blessures. Si une

Prévention des blessures causées par des aiguilles

■ Utiliser des contenants résistant à la perforation pour jeter les aiguilles sans capuchon ainsi que les objets pointus et tranchants. Il faut placer ces contenants partout où il y a des personnes (figure 39-24 ■). Ne jamais jeter d'objets pointus et tranchants dans les poubelles. Les objets pointus et tranchants comprennent toutes les catégories d'objets susceptibles de couper ou de briser la peau, tels que :
  • Aiguilles
  • Lames de bistouris

• Lancettes
• Rasoirs
• Verre brisé
• Pipettes capillaires brisées
• Parties à découvert des broches dentaires
• Articles réutilisables (par exemple, aiguilles de gros calibre, crochets, râpes, pointes de foret)
• Tout instrument pointu et tranchant

■ Ne jamais plier ou casser les aiguilles avant de les jeter.

■ Ne jamais remettre le capuchon sur une aiguille utilisée, sauf dans des cas particuliers (par exemple, pour transporter une seringue au laboratoire en vue d'une analyse des gaz sanguins artériels ou d'une hémoculture).

■ S'il faut remettre le capuchon sur une aiguille :
  • Utiliser un appareil sécuritaire qui retient fermement le capuchon de l'aiguille jusqu'à ce qu'il soit prêt à être remis en place.
  • Utiliser la méthode à une main : (a) placer le capuchon de l'aiguille et la seringue à l'horizontale sur une surface plane ; (b) insérer l'aiguille dans le capuchon en n'utilisant qu'une main (figure 39-25 ■) ; (c) avec l'autre main, pousser le capuchon jusqu'à ce qu'il soit bien en place sur l'embase de l'aiguille.

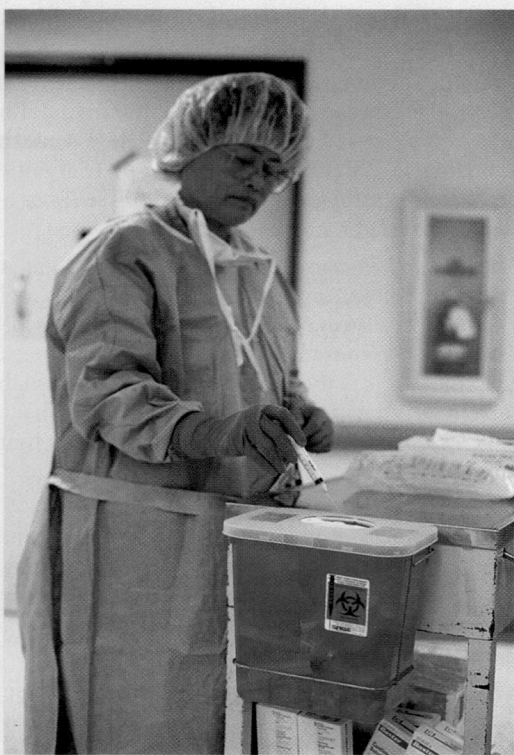

FIGURE **39-24** ■ Contenant pour aiguilles et autres objets pointus et tranchants jetables.

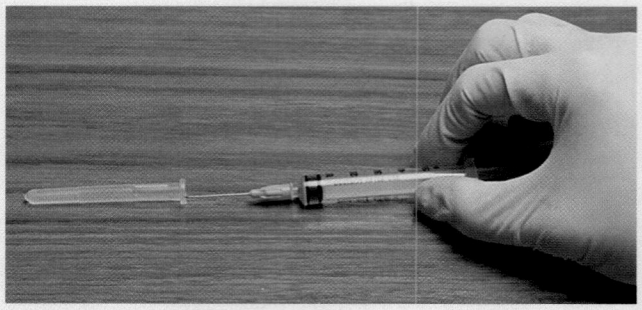

FIGURE **39-25** ■ Remettre le capuchon sur une aiguille utilisée à l'aide d'une seule main.

infirmière se pique ou se blesse avec une aiguille, elle doit suivre les directives de l'établissement de soins.

Depuis quelques années, on a mis au point des seringues sécuritaires qui protègent les travailleurs du domaine de la santé. Les dispositifs de sécurité sont soit *passifs*, soit *actifs*. Les dispositifs passifs n'ont pas besoin d'être activés par l'infirmière. Par exemple, dans certaines seringues, l'aiguille se rétracte immédiatement dans le cylindre après l'injection (figure 39-26 ■). Par contre, le dispositif actif doit être activé manuellement par l'infirmière. Par exemple, après l'injection, l'infirmière active un mécanisme qui rétracte l'aiguille dans le cylindre de la seringue ; elle peut également repousser manuellement une

gaine ou une enveloppe de plastique située sur la seringue afin de recouvrir l'aiguille sans risque de se piquer (figure 39-27 ■).

Préparation des médicaments injectables

On prépare les médicaments injectables en aspirant le contenu d'une ampoule ou d'une fiole dans une seringue stérile, en utilisant une seringue préremplie ou au moyen de systèmes d'injection sans aiguille. La figure 39-28 ■ montre un système sans aiguille permettant d'aspirer un médicament à partir d'une fiole.

AMPOULES ET FIOLES

Les ampoules et les fioles (figure 39-29 ■) servent souvent de contenants pour les médicaments parentéraux. Une **ampoule** est

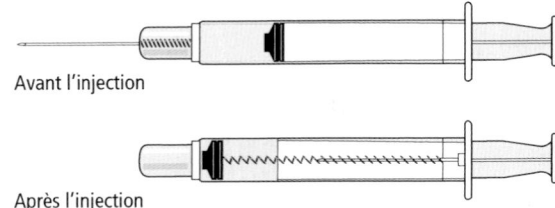

Avant l'injection

Après l'injection

FIGURE **39-26** ■ Dispositif de sécurité passif. L'aiguille se rétracte dans le cylindre immédiatement après l'injection.

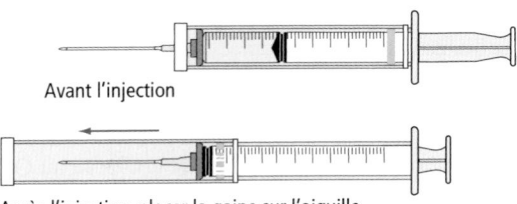

Avant l'injection

Après l'injection, placer la gaine sur l'aiguille

FIGURE **39-27** ■ Dispositif de sécurité actif. L'infirmière place manuellement une gaine ou une protection sur l'aiguille après l'injection.

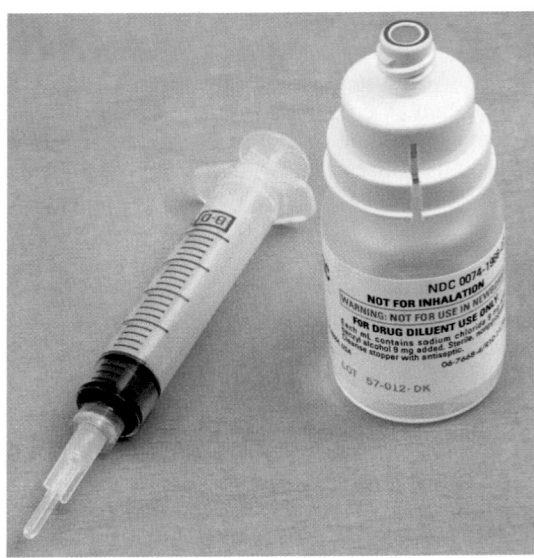

FIGURE **39-28** ■ Système sans aiguille pour aspirer un médicament d'une fiole.

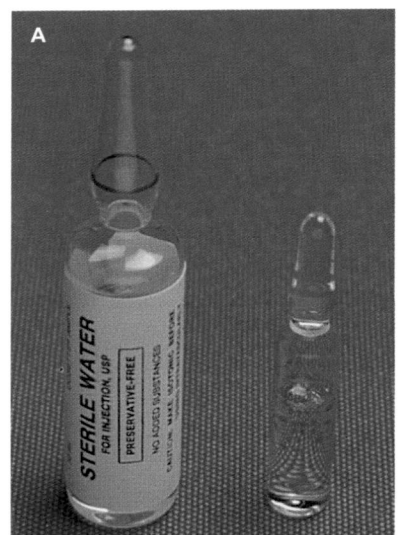

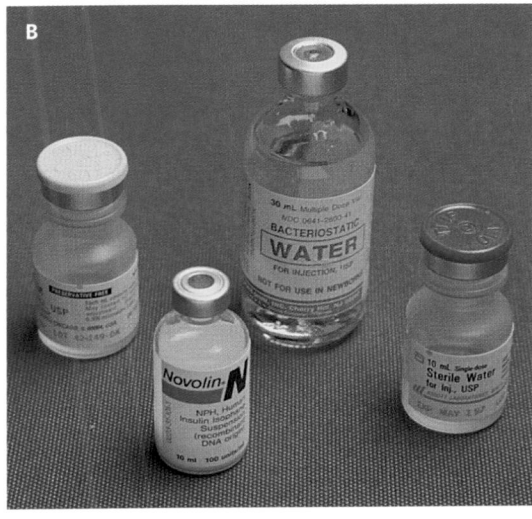

FIGURE **39-29** ■ *A*, ampoules. *B*, fioles.

un tube de verre renfermant une dose unitaire d'un médicament. Elle est faite de verre transparent et possède un col étroit et allongé. Les ampoules existent en différents formats, avec des volumes variant entre 1 et 10 mL, parfois plus. La plupart des ampoules ont des marques colorées autour du col qui indiquent la zone prélimée où l'on doit casser le col pour ouvrir le contenant et en retirer le médicament. Par le passé, on ouvrait les ampoules avec une lime ; aujourd'hui, il existe des brise-ampoules qui empêchent le verre de se briser et de provoquer des blessures. L'instrument se compose d'un capuchon de plastique muni d'un dispositif qui s'ajuste sur le col de l'ampoule et qui l'entaille lorsqu'on le tourne. La tête de l'ampoule reste dans le capuchon et on peut ensuite l'éjecter dans un contenant pour objets pointus et tranchants. À défaut de brise-ampoule, on peut utiliser une lime pour entailler le col ; ensuite, on le casse à l'endroit entaillé. Une fois l'ampoule ouverte, on aspire le liquide dans une seringue en utilisant une aiguille munie d'un filtre afin de ne pas aspirer de particules de verre dans la seringue.

Une **fiole** est une petite bouteille de verre ou de plastique scellée par un bouchon de caoutchouc et renfermant un médicament liquide ou en poudre. Les fioles existent en différents formats et contiennent soit des doses unitaires, soit des doses multiples. Le sceau de caoutchouc est habituellement recouvert d'un couvercle protecteur de plastique ou de métal. Pour accéder au contenu, il faut percer le bouchon de la fiole avec une aiguille. On doit aussi injecter de l'air dans la fiole avant d'en aspirer le médicament, sinon le vide qui se crée dans la fiole rend l'aspiration difficile.

Plusieurs médicaments contenus dans des fioles (par exemple, la pénicilline) se présentent sous forme de poudre. On doit alors ajouter un liquide (solvant ou diluant) au médicament avant de l'injecter. La technique au cours de laquelle on ajoute un solvant à un médicament en poudre avant de l'administrer s'appelle **reconstitution**. Habituellement, l'emballage de chaque fiole de médicament en poudre contient des directives écrites qui indiquent le volume et le type de solvant à ajouter. Les solvants les plus utilisés sont l'eau stérile ou le soluté physiologique. Voici des exemples de préparations de médicaments en poudre :

1. *Fiole à dose unitaire.* Les directives pour la préparation d'une fiole à dose unitaire prescrivent d'ajouter 1,5 mL d'eau stérile à la poudre stérile, ce qui donne une dose unique de 2 mL, qui se calcule comme suit :

$$\underset{\text{de médicament en poudre}}{0,5 \text{ mL}} + \underset{\text{d'eau}}{1,5 \text{ mL}} = \underset{\text{de solution}}{2 \text{ mL}}$$

Dans certains cas, l'ajout d'une solution n'augmente pas le volume ; il est donc très important de suivre les directives du fabricant.

2. *Fiole à doses multiples.* Une dose de 750 mg d'un certain médicament est prescrite à une personne. On a en main une fiole à doses multiples contenant 10 g. Les directives de préparation indiquent d'ajouter 8,5 mL d'eau stérile, et chaque millilitre contiendra 1 g ou 1 000 mg. Pour déterminer la quantité à injecter, l'infirmière effectue le calcul suivant :

$$1 \text{ mL} = 1\ 000 \text{ mg}$$
$$x \text{ mL} = 750 \text{ mg}$$

(faire une multiplication croisée)

$$x = \frac{750 \times 1}{1\ 000}$$
$$x = 0,75$$

L'infirmière donnera donc 0,75 mL de médicament.

On a déjà trouvé des fragments de verre et de caoutchouc dans les médicaments que l'on a retirés d'ampoules ou de fioles à l'aide d'une aiguille ordinaire ; pour éviter ces inconvénients, on peut utiliser une aiguille munie d'un filtre pour aspirer des médicaments contenus dans ce genre de contenants. Une fois que le médicament est dans la seringue, on remplace l'aiguille munie d'un filtre par une aiguille ordinaire avant de faire l'injection. Cette pratique est toutefois peu courante au Québec.

Lorsqu'on reconstitue un médicament en poudre, il faut inscrire la date et l'heure de la reconstitution sur l'étiquette de la fiole. Puisqu'il faut utiliser immédiatement certains de ces médicaments, l'infirmière doit connaître la date de péremption des médicaments reconstitués.

Les procédés 39-2 et 39-3 décrivent la manière de préparer les médicaments à partir d'ampoules et de fioles.

PROCÉDÉ 39-2

Préparation de médicaments à partir d'ampoules

PLANIFICATION

Matériel

- Feuille d'administration des médicaments
- Ampoule de médicament stérile
- Lime (si l'ampoule n'est pas prélimée) et petits tampons de gaze
- Tampons antiseptiques
- Aiguille et seringue
- Aiguille munie d'un filtre

INTERVENTION

Préparation

1. Vérifiez l'ordonnance.
   - Vérifiez attentivement l'étiquette de l'ampoule en la comparant avec la feuille d'administration des médicaments afin de vous assurer de préparer le bon médicament.
   - Suivez les trois étapes de la vérification d'administration des médicaments. Lisez l'étiquette du médicament :
     (1) lorsque vous le retirez du chariot ;
     (2) avant de l'aspirer dans la seringue ;
     (3) après l'avoir aspiré, au moment de le remettre en place.
2. Préparez le matériel.

Exécution

1. Lavez-vous les mains et observez les autres mesures de prévention des infections.

2. Préparez l'ampoule pour en extraire le médicament.
   - Tapotez le haut de l'ampoule à plusieurs reprises ou, en la tenant par le haut, secouez-la pour faire descendre la colonne de liquide. *Le médicament descend alors dans la partie inférieure de l'ampoule.*
   - Si nécessaire, limez partiellement le col pour que la cassure soit franche.
   - Placez un tampon de gaze stérile entre votre pouce et le col de l'ampoule, ou autour de celui-ci, et brisez le col en le pliant vers vous (figure 39-30 ■). *Le tampon de gaze stérile protège les doigts et retient les morceaux de verre qui pourraient être projetés sur les mains ou dans les yeux.*

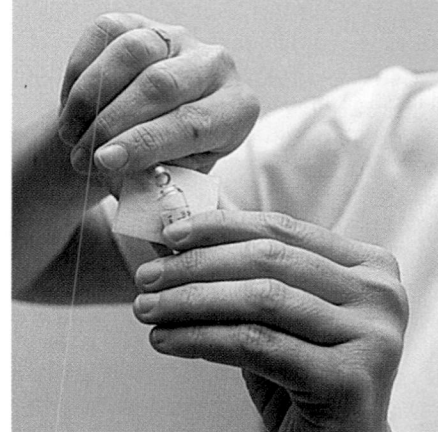

FIGURE **39-30** ■ Casser le col d'une ampoule.

INTERVENTION (suite)

ou
- Recouvrez le dessus de l'ampoule avec le tampon antiseptique avant de briser le col. *Tous les fragments de verre tombent dans le tampon, ce qui diminue les risques de blessures.*
- Jetez l'extrémité de l'ampoule dans le contenant pour objets pointus et tranchants.

3. Aspirez le médicament.
  - Placez l'ampoule sur une surface plate.
  - Enlevez le capuchon de l'aiguille et introduisez-la au centre de l'ampoule.

Ne touchez pas le bord de l'ampoule avec l'aiguille ou la canule. *Cela permettra à l'aiguille de rester stérile.* Aspirez le volume de médicament correspondant à la dose prescrite.
- Si l'ampoule contient une dose unitaire, inclinez-la légèrement, si nécessaire, pour en extraire tout le médicament (figure 39-31 ■).
- Retirez l'aiguille de l'ampoule et remettez le capuchon sur l'aiguille en utilisant la méthode à une main. *L'aiguille recapuchonnée demeure stérile.*

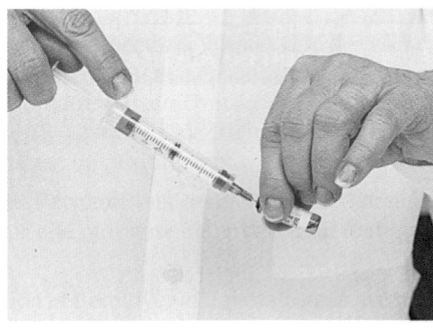

FIGURE **39-31** ■ Aspirer un médicament d'une ampoule.

PROCÉDÉ **39-3**

Préparation de médicaments à partir de fioles

PLANIFICATION

Matériel

- Feuille d'administration des médicaments
- Fiole de médicament stérile
- Tampons antiseptiques
- Aiguille et seringue

- Aiguille munie d'un filtre (vérifiez les politiques de l'établissement de soins de santé à cet effet)
- Eau stérile ou soluté physiologique (pour les médicaments en poudre)

INTERVENTION

Préparation

Même préparation qu'au procédé 39-2.

Exécution

1. Lavez-vous les mains et observez les autres mesures de prévention des infections.
2. Préparez la fiole pour en extraire le médicament.
  - Mélangez la solution, si nécessaire, en faisant tourner la fiole entre les paumes des mains, et non en la secouant. *Certaines fioles contiennent des suspensions aqueuses qui se déposent lorsqu'elles sont immobiles. Il est parfois contre-indiqué de secouer la solution parce que le mélange peut mousser.*
  - Enlevez le bouchon protecteur ou nettoyez le bouchon de caoutchouc d'une fiole déjà ouverte avec un tampon antiseptique, en frottant d'un mouvement circulaire. *L'antiseptique nettoie le bouchon en enlevant*

la poussière ou la graisse et diminue le nombre de microorganismes.

3. Aspirez le médicament.
  - Si les directives le demandent, fixez à la seringue une aiguille munie d'un filtre pour retirer le médicament liquide des fioles à doses multiples. *L'utilisation de l'aiguille munie d'un filtre empêche l'aspiration de particules solides en même temps que le médicament.*
  - Assurez-vous que l'aiguille est bien fixée à la seringue.
  - Enlevez le capuchon de l'aiguille et aspirez dans la seringue un volume d'air égal au volume de médicament à prélever dans la fiole.
  - Insérez soigneusement l'aiguille dans le centre du bouchon de caoutchouc en prenant soin de garder l'aiguille stérile.
  - Injectez l'air dans la fiole, en maintenant le biseau de l'aiguille au-dessus de la surface du médicament (figure 39-32 ■). *L'air facilitera l'aspiration*

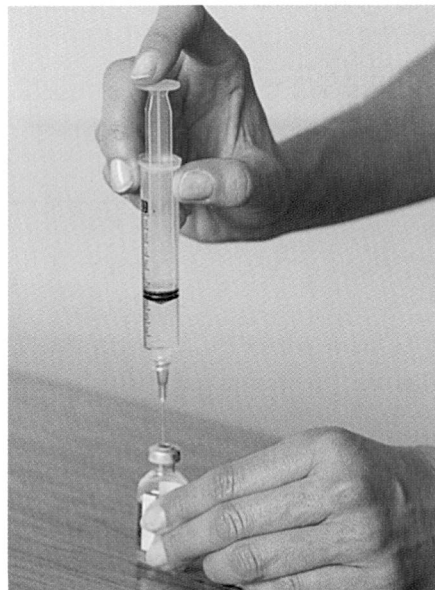

FIGURE **39-32** ■ Injecter de l'air dans une fiole.

PROCÉDÉ 39-3 (SUITE)

Préparation de médicaments à partir de fioles (suite)

INTERVENTION (suite)

du médicament puisqu'il n'y aura pas de pression négative à l'intérieur de la fiole. Durant cette manœuvre, le biseau ne doit pas toucher le médicament pour éviter d'y créer des bulles.

- Aspirez la quantité prescrite de médicament selon l'une des méthodes suivantes :
  a) Tenez la fiole verticalement (en gardant le fond plus bas que le haut), déplacez l'aiguille jusqu'à ce qu'elle plonge dans le liquide et aspirez le médicament (figure 39-33 ■). Évitez d'aspirer les dernières gouttes de

liquide au fond de la fiole. *Le fait de tenir la fiole verticalement pendant que l'on aspire le médicament permet aux particules de se déposer au fond du récipient. En laissant les dernières gouttes dans la fiole, on diminue le risque d'aspirer des particules étrangères.*

ou

  b) Retournez la fiole ; assurez-vous que la pointe de l'aiguille plonge dans le liquide ; aspirez graduellement le médicament (figure 39-34 ■). *En gardant la pointe de l'aiguille dans le liquide, l'air ne peut pénétrer dans la seringue.*

- Tenez la seringue et la fiole à la hauteur des yeux pour vérifier si la seringue contient la dose correcte de médicament. Éjectez dans la fiole l'air qui reste au sommet de la seringue.
- Après avoir aspiré le volume désiré de médicament, retirez l'aiguille de la fiole et remettez le capuchon sur l'aiguille en utilisant la méthode à une main. *L'aiguille recapuchonnée demeure stérile.*
- Si nécessaire, tapotez légèrement sur le cylindre de la seringue pour déloger toutes les bulles d'air qui pourraient s'y trouver. *Le tapotement fait monter les bulles d'air à l'extrémité supérieure de la seringue, d'où elles peuvent être éjectées.*

Variante : reconstituer des médicaments à partir de fioles
- Lisez les directives du fabricant.
- À moins d'indications contraires, retirez de la fiole un volume d'air égal au volume de diluant qu'il faut y ajouter.
- Ajoutez la quantité requise d'eau stérile ou de soluté physiologique.
- Si vous préparez un médicament contenu dans une fiole à doses multiples, posez une étiquette sur la fiole indiquant la date et l'heure de la préparation, la concentration de médicament par millilitre, ainsi que vos initiales. *Il est important d'inscrire le moment où le produit a été reconstitué afin de tenir compte de la date de péremption du médicament.*
- Une fois le médicament reconstitué, gardez-le au réfrigérateur ou suivez les directives du fabricant.

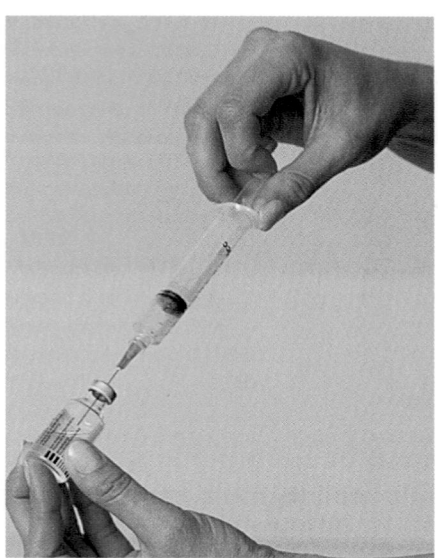

FIGURE **39-33** ■ Aspirer un médicament d'une fiole tenue verticalement.

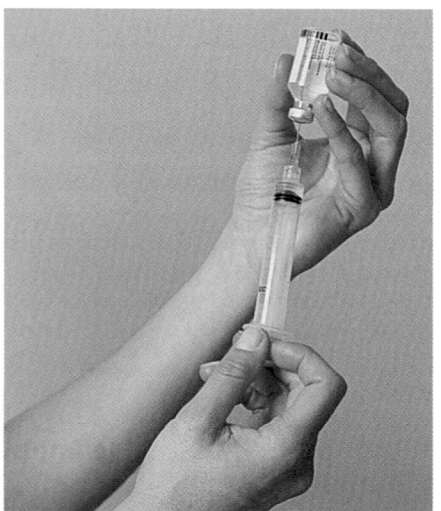

FIGURE **39-34** ■ Aspirer un médicament d'une fiole inversée.

MÉLANGE DE MÉDICAMENTS DANS UNE SERINGUE

Il arrive souvent qu'une personne doive recevoir plus d'un médicament en même temps. Pour éviter de lui faire deux injections successives, on mélange deux médicaments (s'ils sont compatibles) dans la même seringue et on les administre simultanément. Par exemple, on combine couramment deux types d'insuline ou des médicaments préopératoires, telles la morphine ou la mépéridine, avec l'atropine ou la scopolamine. On peut aussi mélanger les médicaments dans les solutions intraveineuses. En cas de doute sur la compatibilité des médicaments à administrer, l'infirmière devrait consulter le pharma-

cien ou vérifier sur un tableau de compatibilité avant de mélanger les médicaments.

En outre, l'infirmière doit faire preuve de prudence lorsqu'elle mélange de l'insuline à action rapide et de l'insuline à action lente, puisqu'elles n'ont pas la même composition. Du point de vue chimique, l'insuline est une protéine que l'organisme hydrolyse en un certain nombre d'acides aminés. Certaines préparations d'insuline contiennent une protéine supplémentaire, telle que la globuline ou la protamine, qui les modifie et en ralentit l'absorption par les cellules. Il est particulièrement important de prendre en considération cette composition chimique lorsqu'on doit mélanger deux préparations d'insuline pour injection puisque plusieurs seringues à insuline ont des aiguilles non amovibles. Une fiole d'insuline ordinaire, qui ne contient pas la protéine additionnelle, ne devrait *jamais* être contaminée par

de l'insuline lente, ou NPH, qui renferme la protéine additionnelle. Le procédé 39-4 décrit la façon de mélanger des médicaments dans une seringue.

PROCÉDÉ 39-4

Mélange de deux médicaments dans une seringue

PLANIFICATION

Matériel

- Feuille d'administration des médicaments
- Deux fioles de médicament, ou une fiole et une ampoule, ou deux ampoules, ou une ampoule et une cartouche
- Tampons antiseptiques

- Seringue hypodermique ou seringue à insuline stérile (pour donner de l'insuline, utiliser une aiguille hypodermique à petit calibre, par exemple de calibre 26)
- Aiguille stérile additionnelle pour injection sous-cutanée hypodermique (facultatif)

INTERVENTION

Préparation

1. Vérifiez la feuille d'administration des médicaments.
   - Vérifiez attentivement les étiquettes des médicaments en les comparant avec la feuille d'administration des médicaments afin de vous assurer de préparer les bons médicaments.
   - Suivez les trois étapes de la vérification d'administration des médicaments. Lisez l'étiquette du médicament : (1) lorsque vous le retirez du chariot ; (2) avant de l'aspirer dans la seringue ; (3) après l'avoir aspiré, au moment de le remettre en place.
   - Avant de préparer et de mélanger les médicaments, assurez-vous que le volume total de l'injection est approprié pour le site d'injection.
2. Préparez le matériel.

Exécution

1. Lavez-vous les mains et observez les autres mesures de prévention des infections.
2. Préparez l'ampoule ou la fiole pour en extraire le médicament.
   - Pour aspirer le médicament d'une ampoule, reportez-vous au procédé 39-2, étape 2.
   - Vérifiez l'apparence du médicament, qui doit être limpide. (Attention : certains médicaments ont toujours une apparence trouble.) *Il faut jeter les préparations dont l'apparence a changé.*
   - Si vous utilisez de l'insuline, mélangez bien la solution dans chaque fiole avant de l'aspirer. Pour ce faire,

roulez les fioles entre les paumes des mains et retournez-les plusieurs fois. *En mélangeant bien les médicaments, vous obtenez une concentration adéquate et, par conséquent, une dose exacte. Il est déconseillé d'agiter les fioles contenant de l'insuline parce que le médicament peut mousser, ce qui ne permet pas de le mesurer avec précision.*
   - Nettoyez le dessus des fioles avec des tampons antiseptiques.
3. Aspirez le médicament.

Mélanger les médicaments à partir de deux fioles

- Prenez la seringue et faites-y entrer un volume d'air égal à celui des médicaments à extraire des fioles A *et* B.
- Injectez dans la fiole A un volume d'air égal au volume de médicament à extraire. Assurez-vous que l'aiguille ne touche pas la solution. *Cette précaution prévient la contamination croisée des médicaments.*
- Retirez l'aiguille de la fiole A et injectez l'air restant dans la fiole B.
- Aspirez la quantité de médicament désirée de la fiole B. *On utilise la même aiguille pour injecter de l'air dans la fiole B et pour en aspirer le médicament. Elle ne doit pas être contaminée par le médicament de la fiole A.*
- En utilisant une nouvelle aiguille stérile, aspirez la quantité requise de médicament de la fiole A. Évitez de pousser le piston afin de ne pas expulser de médicament de la fiole B dans la fiole A. Si vous utilisez une seringue à aiguille non amovible, aspirez le médicament

de la fiole A. La seringue contient maintenant un mélange de médicaments provenant des deux fioles. Assurez-vous de n'aspirer que la quantité de médicament requise et de ne pas créer de bulles d'air. *Cette méthode évite de contaminer les deux fioles par des microorganismes ou par le médicament provenant de l'autre fiole. La seringue contient maintenant deux médicaments et le surplus ne doit pas être remis dans la fiole.*

Consultez plus loin la variante concernant le mélange d'insuline.

Mélanger les médicaments à partir d'une fiole et d'une ampoule

- Commencez par préparer et extraire le médicament de la fiole. *Il n'est pas nécessaire d'ajouter de l'air avant d'aspirer un médicament d'une ampoule.*
- Aspirez ensuite la quantité requise de médicament de l'ampoule.

Mélanger les médicaments à partir d'une cartouche et d'une fiole ou d'une ampoule

- Assurez-vous d'abord que la cartouche contient la dose désirée de médicament. S'il y a lieu, débarrassez-vous du médicament et de l'air en trop.
- Aspirez la quantité requise de médicament de la fiole ou de l'ampoule dans la cartouche. N'oubliez pas que si vous retirez le médicament d'une fiole, il faut commencer par y injecter de l'air.
- Si le volume total de médicaments à injecter dépasse la capacité de la cartouche, utilisez une seringue dont la capacité est suffisante pour aspirer la quantité de médicament désirée de la

PROCÉDÉ 39-4 (SUITE)

Mélange de deux médicaments dans une seringue (suite)

INTERVENTION (suite)

fiole ou de l'ampoule, puis transférez la quantité requise de la cartouche à la seringue.

Variante : mélange d'insuline

Voici un exemple de mélange de 10 unités d'insuline régulière et de 30 unités d'insuline NPH.

- Injectez 30 unités d'air dans la fiole de NPH et retirez l'aiguille. (L'aiguille ne doit pas contenir d'insuline.) L'aiguille ne doit pas toucher l'insuline (figure 39-35 ■, étape 1).

- Injectez 10 unités d'air dans la fiole d'insuline régulière et aspirez-en immédiatement 10 unités (figure 39-35, étapes 2 et 3). Commencez toujours par extraire l'insuline régulière *afin de réduire au minimum la possibilité de contamination.*

- Réinsérez l'aiguille dans la fiole d'insuline NPH et aspirez-en 30 unités (figure 39-35, étape 4). (De l'air a déjà été injecté dans la fiole.) Il faut faire attention d'aspirer seulement la quantité requise et de ne pas créer de bulles d'air. *La seringue contient maintenant deux médicaments et le surplus ne peut être remis dans la fiole.*

En utilisant cette méthode, on évite d'ajouter de l'insuline NPH dans l'insuline régulière.

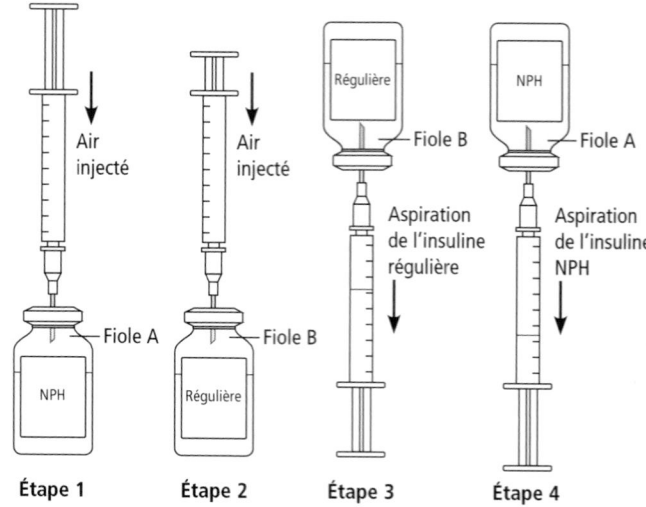

FIGURE **39-35** ■ Mélanger deux types d'insuline.

! ALERTE CLINIQUE *Pour se remémorer quelle insuline aspirer en deuxième, penser à aspirer d'abord l'insuline limpide et ensuite l'insuline trouble.* ■

Injections intradermiques

L'**injection intradermique (ID)** consiste à administrer un médicament dans le derme, la couche de tissu située juste en dessous de l'épiderme. Habituellement, ce mode d'administration sert à injecter un petit volume de liquide, par exemple 0,1 mL. On l'utilise souvent dans les tests d'allergies et dans le test à la tuberculine (TB). En général, les points d'injection sont la région interne de l'avant-bras, la partie supérieure de la poitrine et le dos, sous la ceinture scapulaire (figure 39-36 ■). Le procédé 39-5 décrit les étapes d'administration d'un médicament par voie intradermique.

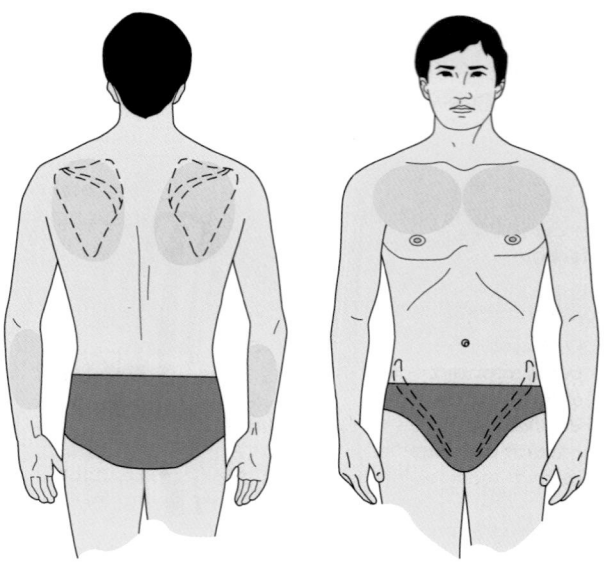

FIGURE **39-36** ■ Sites du corps habituellement utilisés pour les injections intradermiques.

PROCÉDÉ 39-5

Administration d'une injection intradermique

Objectif

- Administrer à la personne le produit nécessaire en vue d'effectuer un test d'allergie ou un test à la tuberculine (TB).

COLLECTE DES DONNÉES

Évaluez

- L'apparence du site d'injection.
- L'action spécifique du médicament et le résultat escompté.
- Les connaissances de la personne en ce qui concerne le médicament et la réaction qu'il provoque.

Vérifiez le protocole de l'établissement de soins en ce qui concerne les sites à utiliser pour les tests cutanés.

PLANIFICATION

Matériel

- Feuille d'administration des médicaments
- Fiole ou ampoule contenant le médicament approprié
- Seringue stérile de 1 mL calibrée en centièmes de millilitres (par exemple, seringue à tuberculine), munie d'une aiguille de calibre 25 à 27 et longue de 0,5 à 1,75 cm
- Tampons antiseptiques

- Compresses de gaze stérile de 5 × 5 cm (facultatif)
- Gants propres (selon le protocole en vigueur)
- Pansement (facultatif)
- Épinéphrine (bronchodilatateur et antihistaminique)

INTERVENTION

Préparation

1. Vérifiez la feuille d'administration des médicaments.
   - Vérifiez attentivement l'étiquette du médicament en la comparant avec la feuille d'administration des médicaments afin de vous assurer de préparer le médicament approprié.
   - Suivez les trois étapes de vérification d'administration des médicaments. Lisez l'étiquette du médicament : (1) lorsque vous le retirez du chariot ; (2) avant de l'aspirer dans la seringue ; (3) après l'avoir aspiré, au moment de le remettre en place.
2. Préparez le matériel.

Exécution

1. Lavez-vous les mains et observez les autres mesures de prévention des infections (par exemple, mettez des gants propres).
2. Préparez la fiole ou l'ampoule pour en extraire le médicament.
   - Reportez-vous aux procédés 39-2 (ampoule) et 39-3 (fiole).
3. Préparez la personne.
   - Vérifiez son bracelet d'identité. *De cette manière, on s'assure d'administrer le médicament à la bonne personne.*
4. Expliquez à la personne que le médicament provoquera une petite *papule*,

parfois appelée *bosse* dans le langage populaire. Une papule est une petite élévation de l'épiderme, de moins de 0,5 cm. La personne ressentira une légère piqûre lorsque l'aiguille pénétrera dans la peau. Comme certains médicaments sont absorbés lentement dans la circulation capillaire, la papule disparaît graduellement. D'autres médicaments demeurent dans la région et interagissent avec les tissus de l'organisme ; ils produisent alors une réaction inflammatoire qui se manifeste sous forme de rougeur et d'une induration. On doit examiner et évaluer l'intensité de ces manifestations à un moment précis (par exemple, au bout de 24 ou 48 heures). Cette réaction disparaît graduellement elle aussi. *Le fait de renseigner la personne l'aide à accepter le traitement et à s'y conformer.*

5. Assurez-vous que l'intimité de la personne est préservée.
6. Choisissez et nettoyez le point d'injection.
   - Choisissez un site (par exemple, l'avant-bras, environ une main plus haut que le poignet et trois ou quatre doigts au-dessous du pli du coude).
   - Évitez les sites douloureux, œdémateux ou présentant des signes d'inflammation ou des lésions.
   - Mettez des gants, selon les règles de l'établissement de soins.

   - Nettoyez la peau au point d'injection. Appliquez le tampon d'antiseptique en partant du point d'injection prévu, et éloignez-vous progressivement du centre de la zone en effectuant un mouvement circulaire d'environ 5 cm. Laissez sécher complètement.
7. Préparez la seringue pour l'injection.
   - Enlevez le capuchon de l'aiguille pendant que la région nettoyée sèche.
   - Expulsez les bulles d'air qu'il pourrait y avoir dans la seringue. Les petites bulles d'air qui collent au piston de la seringue ne présentent pas de risque. *Une petite quantité d'air ne blessera pas les tissus.*
   - Saisissez la seringue entre le pouce et l'index de la main dominante. Tenez l'aiguille presque parallèlement à la surface de la peau, le biseau vers le haut. *Si l'angle de l'injection fait plus de 15° ou si le biseau est tourné vers le bas, on augmente le risque que le médicament pénètre dans les tissus sous-cutanés.*
8. Injectez le liquide.
   - Avec la main non dominante, étirez la peau du site d'injection jusqu'à ce qu'elle soit tendue. Par exemple, si vous avez choisi d'injecter le médicament dans la partie antérieure de l'avant-bras, saisissez la peau de la face postérieure et tirez doucement pour tendre la peau de la partie

PROCÉDÉ 39-5 (SUITE)

Administration d'une injection intradermique (suite)

INTERVENTION (suite)

antérieure. *Lorsque la peau est tendue, l'aiguille pénètre plus facilement et la personne ressent moins de douleur.*

- Insérez la pointe de l'aiguille suffisamment loin pour placer le biseau à travers l'épiderme et dans le derme (figure 39-37 ■, *A*). La pointe de l'aiguille et le biseau doivent être visibles sous la peau.

- Stabilisez la seringue et l'aiguille, puis injectez le médicament lentement et avec soin, de manière à ce qu'il produise une papule sous la peau (figure 39-37 ■, *B* et *C*). *Cette élevure indique que le médicament est entré dans le derme.*

- Retirez rapidement l'aiguille en conservant le même angle que lors de l'insertion. Appliquez un pansement, si nécessaire.

- Ne massez pas la région où vous venez de faire l'injection. *Le massage risque de disperser le médicament dans les tissus ou de le faire sortir par le point d'insertion de l'aiguille.*

- Jetez la seringue et l'aiguille en respectant les règles de sécurité.

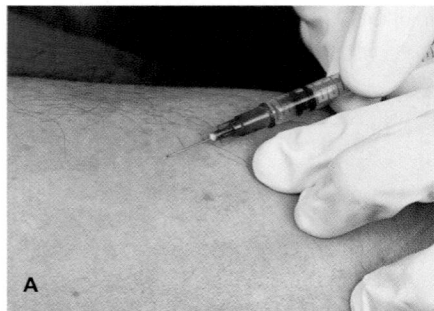

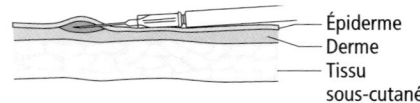

Épiderme
Derme
Tissu sous-cutané

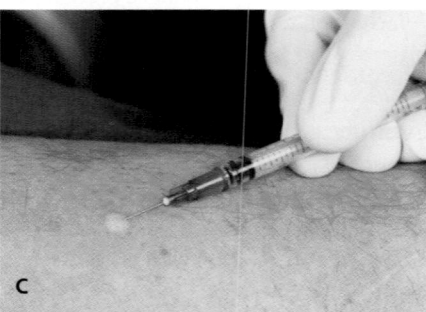

FIGURE 39-37 ■ Injection intradermique : *A*, l'aiguille entre dans la peau à un angle de 5 à 15°; *B*, et *C*, le médicament forme une papule sous l'épiderme.

Ne remettez pas le capuchon sur l'aiguille afin de ne pas vous blesser.

- Enlevez les gants.
- Conformément aux règles de l'établissement de soins, dessinez un cercle autour du point d'injection avec un stylo pour faciliter l'observation de la rougeur ou de l'induration (durcissement).

9. Indiquez les renseignements utiles dans le dossier.
  - Inscrivez le type de substance utilisée pour le test, l'heure, la dose, la voie d'administration, le site d'injection et les évaluations infirmières.

ÉVALUATION

- Évaluez la réaction de la personne à la substance injectée. *Certains médicaments utilisés pour les tests provoquent parfois des réactions allergiques.* Il est possible qu'on doive recourir à un antidote (de l'épinéphrine, par exemple).

- Selon le test effectué, observez l'état du site d'injection au bout de 24 ou 48 heures. Mesurez en millimètres la zone présentant des signes d'inflammation (rougeur et induration) à son diamètre le plus large et inscrivez les résultats au dossier.

 LES ÂGES DE LA VIE

Administration d'une injection intradermique

ENFANTS

- Restreindre avec douceur les mouvements du nourrisson ou du jeune enfant pendant l'injection, *afin d'éviter qu'il ne se blesse à la suite d'un mouvement brusque.*

- S'assurer que l'enfant comprend qu'il ne s'agit pas d'une punition.

- Demander à l'enfant de ne pas frotter ou gratter le site d'injection. Si nécessaire, placer un jersey tubulaire ou un pansement de gaze sur le site d'injection. *Le fait de frotter le point d'injection irrite les tissus sous-jacents, ce qui risque de fausser les résultats du test.*

 SOINS À DOMICILE

Administration d'une injection intradermique

- S'assurer que la personne a bien compris qu'une visite de suivi est nécessaire afin d'examiner le site d'injection. Fixer un rendez-vous pour cette visite.

- Expliquer à la personne qu'elle ne doit pas laver, ni frotter, ni gratter le site d'injection.

Injections sous-cutanées

De nombreux types de médicaments sont administrés par injection sous-cutanée, c'est-à-dire juste sous la peau, par exemple les vaccins, les médicaments préopératoires, les opioïdes, l'insuline et l'héparine. Les sites de choix pour les injections sous-cutanées (SC) sont la face externe des bras et la partie antérieure des cuisses. Ces régions sont faciles d'accès et la circulation sanguine y est généralement bonne. On peut aussi utiliser la paroi abdominale, la région scapulaire (omoplates) et les régions fessières supérieure, antérieure ou postérieure (figure 39-38 ■). En général, on injecte par cette voie seulement de petites doses de médicaments (de 0,5 à 1 mL). Vérifier les règles de l'établissement de soins de santé à ce sujet.

Le type de seringue utilisé pour une injection sous-cutanée dépend du médicament à administrer, mais, la plupart du temps, on emploie une seringue de 2 mL. Toutefois, dans le cas d'une injection d'insuline, on utilise une seringue à insuline, et si on administre de l'héparine, on doit utiliser une seringue à tuberculine ou une cartouche préremplie.

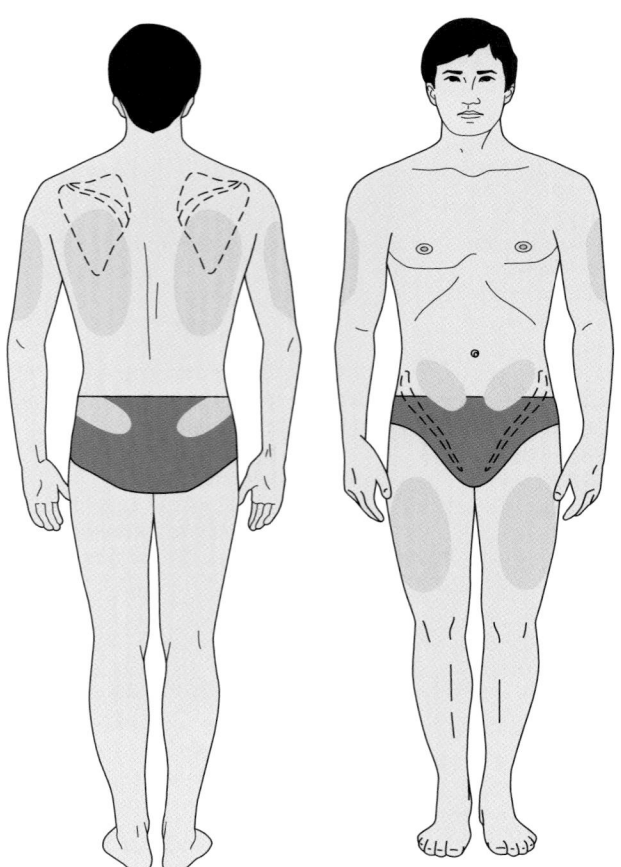

FIGURE **39-38** ■ Sites habituellement utilisés pour les injections sous-cutanées.

On détermine la grosseur et la longueur de l'aiguille en fonction de la masse corporelle de la personne, de l'angle prévu pour l'insertion de l'aiguille et du site d'injection choisi. En général, pour un adulte de poids normal, on utilise une aiguille mesurant environ 1,5 cm et de calibre 25, que l'on insère à 45°. En revanche, si on utilise une aiguille de 1 cm, l'angle d'insertion doit être de 90°. Chez l'enfant, on devrait employer une aiguille de 1,25 cm et l'insérer à 45°.

Pour déterminer la longueur de l'aiguille à employer, l'infirmière pince doucement le tissu au site d'injection et estime l'épaisseur du pli cutané ; elle choisit alors une aiguille dont la longueur correspond à la moitié de l'épaisseur du pli. Pour déterminer l'angle d'insertion, on tient compte de la quantité de tissu qu'on peut pincer au point d'injection ; lorsqu'on pince 2,5 cm de tissu au point d'injection, l'angle doit être de 45° ; lorsqu'on pince plus de 2,5 cm de tissu, l'angle doit être de 90°.

Lorsqu'on administre de l'insuline à un adulte, on utilise habituellement une aiguille de calibre 30. Aujourd'hui, on peut poser des aiguilles plus courtes (0,75 cm) sur les seringues de 50 et 100 unités (Fleming, 1999). La plupart des personnes préfèrent les aiguilles courtes et fines parce qu'elles causent moins de douleur. On court également moins de risques d'injecter le médicament dans le muscle avec ce type d'aiguille.

On doit varier les sites d'injections sous-cutanées pour ne pas endommager les tissus, et afin de faciliter l'absorption du médicament et d'éviter la douleur. Cette consigne s'applique tout particulièrement aux personnes qui reçoivent fréquemment des injections, comme les personnes diabétiques. En effet, l'absorption de l'insuline n'étant pas indentique d'un site d'injection à l'autre, la glycémie des personnes atteintes de diabète risque de varier lorsqu'on utilise plusieurs sites d'injection. L'insuline est absorbée plus rapidement si on l'injecte dans l'abdomen et dans les bras, et plus lentement dans les cuisses et dans les fesses. On recommande d'effectuer une rotation des points d'injection dans une zone anatomique donnée (Fleming, 1999).

Traditionnellement, on a enseigné à l'infirmière à aspirer en tirant sur le piston de la seringue après avoir introduit l'aiguille dans les tissus et avant d'injecter le médicament, afin de vérifier si l'aiguille a perforé un vaisseau sanguin. L'absence de sang devrait signifier que l'aiguille est dans le tissu sous-cutané et non dans le tissu musculaire, plus vascularisé. Toutefois, Fleming (1999) remet en question cette technique traditionnelle d'aspiration préalable lors de l'administration d'injection sous-cutanée d'insuline. Selon cet auteur, cette méthode « est incommodante, elle laisse rarement une trace de sang, elle ne constitue pas un indicateur fiable permettant de s'assurer que l'aiguille est correctement placée et il n'existe aucune étude clinique qui confirme ou rejette cette manière de faire » (p. 73). Par conséquent, cette pratique d'aspiration lors de l'administration d'injections sous-cutanées varie selon les infirmières et toutes ne l'adoptent pas nécessairement.

Le procédé 39-6 décrit les étapes de l'administration d'une injection sous-cutanée.

PROCÉDÉ 39-6

Administration d'une injection sous-cutanée

Objectifs

- Administrer à la personne un médicament dont elle a besoin (voir l'action spécifique du médicament).

- Permettre une absorption plus lente du médicament qu'avec les injections par voie intramusculaire ou intraveineuse.

COLLECTE DES DONNÉES

Évaluez

- La présence d'allergies au médicament.
- L'action spécifique du médicament, ses effets secondaires et ses réactions indésirables.
- Les connaissances de la personne en ce qui concerne le médicament ainsi que ses besoins d'apprentissage en la matière.

- L'état et l'apparence du site choisi pour l'injection sous-cutanée en vérifiant la présence de lésions, d'érythème, d'œdème, de signes d'inflammation et de dommages aux tissus provoqués par les injections précédentes.
- La capacité de la personne à coopérer pendant l'injection.
- L'état des sites d'injection déjà utilisés.

PLANIFICATION

Matériel

- Feuille d'administration des médicaments
- Fiole ou ampoule stérile contenant le médicament approprié
- Seringue et aiguille (par exemple, seringue de 2 mL, aiguille de calibre 25 et de 0,75 à 1,5 cm de longueur)

- Tampons antiseptiques
- Tampon sec (ouate)
- Tampons secs de gaze stérile pour ouvrir l'ampoule (facultatif)
- Gants jetables

INTERVENTION

Préparation

1. Vérifiez la feuille d'administration des médicaments.
   - Vérifiez attentivement l'étiquette du médicament en la comparant avec la feuille d'administration des médicaments afin de vous assurer de préparer le médicament approprié.
   - Suivez les trois étapes de vérification d'administration des médicaments. Lisez l'étiquette du médicament (1) lorsque vous le retirez du chariot ; (2) avant de l'aspirer dans la seringue ; (3) après l'avoir aspiré, au moment de le remettre en place.
2. Préparez le matériel.

Exécution

1. Lavez-vous les mains et observez les autres mesures de prévention des infections (par exemple, mettez des gants propres).
2. Préparez la fiole ou l'ampoule pour en aspirer le médicament.
   - Consultez les procédés 39-2 (ampoule) et 39-3 (fiole).
3. Assurez-vous que l'intimité de la personne est préservée.
4. Préparez la personne.
   - Vérifiez son bracelet d'identité. *De cette manière, on s'assure d'administrer le médicament à la bonne personne.*
   - Aidez la personne à adopter une position qui lui permettra de détendre

le bras, la jambe ou l'abdomen, selon le site d'injection choisi. *Lorsque les muscles autour du site d'injection sont détendus, la douleur est moins forte.*
   - Si la personne ne veut pas coopérer, demandez de l'aide afin de la maintenir dans une bonne position. *De cette manière, on s'assure de prévenir les blessures qu'entraîneraient des mouvements subits après l'insertion de l'aiguille.*
5. En utilisant des mots simples, expliquez à la personne pourquoi elle reçoit ce médicament et de quelle manière il l'aidera. Donnez-lui des renseignements sur les effets du médicament. *Le fait de renseigner la personne l'aide à accepter le traitement et à y collaborer.*
6. Choisissez et nettoyez le site d'injection.
   - Choisissez un site qui n'est pas douloureux et qui ne présente pas de lésions, d'érythème, d'œdème, de brûlures ni de signes d'inflammation. Choisissez un site qui n'a pas été utilisé souvent. *Il importe que le site d'injection soit en bon état, sans quoi l'absorption du médicament pourrait être compromise ; de plus, le risque de blessure et de douleur au site d'injection augmente.*
   - Mettez des gants propres.
   - Nettoyez la peau au site d'injection à l'aide d'un tampon antiseptique en suivant les directives de l'établissement

de soins. Appliquez le tampon d'antiseptique en partant du point d'injection prévu, et éloignez-vous progressivement du centre de la zone en effectuant un mouvement circulaire d'environ 5 cm. *L'action mécanique de nettoyage enlève les sécrétions de la peau qui contiennent des microorganismes.*
   - Tenez le tampon sec entre le majeur et l'annulaire de la main non dominante ou placez-le au-dessus du site d'injection. *De cette façon, on garde le tampon accessible lorsque l'aiguille est retirée.*
7. Préparez la seringue pour l'injection.
   - Pendant que le site d'injection sèche, retirez le capuchon qui recouvre l'aiguille, en prenant soin de ne pas la contaminer en touchant l'extérieur du capuchon. *L'aiguille se contamine si elle touche à quoi que ce soit d'autre que l'intérieur du capuchon, qui est stérile.*
8. Injectez le médicament.
   - Saisissez la seringue entre le pouce et l'index de votre main dominante. Gardez la paume tournée vers le côté ou vers le haut pour avoir un angle d'insertion de 45° ou tournez la paume vers le bas afin de pouvoir insérer l'aiguille à 90° ; préparez-vous à donner l'injection (figure 39-39 ■).
   - À l'aide de votre main non dominante, pincez ou tendez la peau au site d'in-

INTERVENTION (suite)

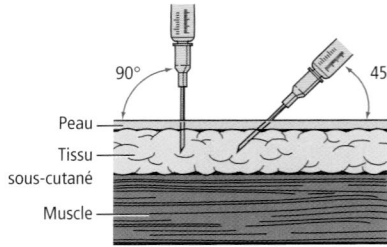

FIGURE 39-39 ■ Insertion d'une aiguille dans le tissu sous-cutané en utilisant des angles de 90° et de 45°.

jection et insérez l'aiguille en utilisant la main dominante et en appliquant une poussée ferme (figure 39-40 ■).

- Les avis diffèrent quant à savoir s'il faut pincer ou tendre la peau et quant à l'angle à utiliser pour administrer les injections sous-cutanées. Il faut avant tout tenir compte de l'épaisseur du pli cutané dans la zone où l'on doit faire l'injection. Si l'épaisseur du pli cutané dépasse 2,5 cm au site d'injection, il serait préférable d'administrer l'injection à un angle de 90° dans une peau tendue. Si la personne est mince ou maigre et a un pli cutané de moins de 2,5 cm, on devrait donner l'injection sous-

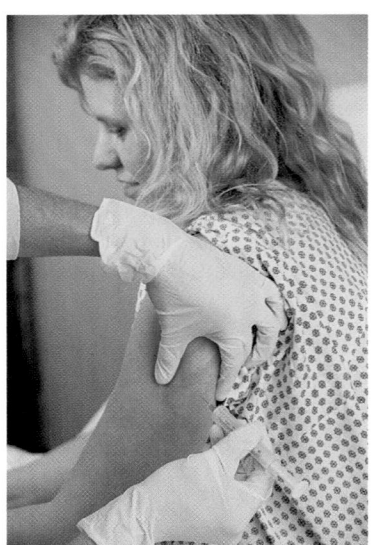

FIGURE 39-40 ■ Administration d'une injection sous-cutanée dans le tissu pincé.

cutanée après avoir pincé la peau et à un angle de 45°.
- Après avoir inséré l'aiguille, déplacez votre main non dominante vers l'extrémité du piston. Certaines infirmières trouvent qu'il est plus facile de placer la main non dominante sur le cylindre de la seringue et la main dominante sur le piston.
- Selon la méthode personnelle choisie *et* le type de médicament à administrer, aspirez en tirant sur le piston. Si du sang apparaît dans la seringue, retirez l'aiguille, jetez la seringue et préparez une nouvelle injection. S'il n'y a pas de sang, continuez et administrez le médicament. *De cette façon, l'infirmière peut vérifier si l'aiguille est entrée dans un vaisseau sanguin. Les médicaments qui doivent être administrés par voie sous-cutanée peuvent être dangereux s'ils sont injectés directement dans la circulation sanguine; ils sont conçus pour les tissus sous-cutanés, où l'absorption est plus lente.* Voyez plus loin la variante pour l'administration d'une injection d'héparine.
- Injectez le médicament en tenant fermement la seringue et en poussant le piston lentement et régulièrement. *Le fait de tenir la seringue fermement et injecter le médicament en appliquant une pression régulière diminue les risques de douleur pour la personne.*

9. Retirez l'aiguille.
   - Retirez l'aiguille lentement et doucement, en suivant la ligne d'insertion et en appuyant sur la peau avec la main non dominante. *Cette précaution aide à maintenir le tissu et rend le retrait de l'aiguille moins douloureux.*
   - En cas de saignement, appuyez sur le site d'injection avec le tampon sec jusqu'à ce qu'il s'arrête. *Les saignements sont rares après une injection sous-cutanée.*

10. Jetez le matériel utilisé selon les règles de l'établissement.
    - Jetez l'aiguille sans capuchon et la seringue qui y est fixée dans le contenant approprié. *On doit se débarrasser adéquatement du matériel utilisé afin de protéger*

toute personne des blessures et de la contamination. Il est recommandé de ne pas remettre les capuchons sur les aiguilles avant de les jeter pour réduire le risque de blessures.
- Enlevez les gants et lavez-vous les mains.

11. Inscrivez les renseignements utiles dans le dossier.
    - Notez le médicament administré, la dose, l'heure, la voie d'administration ainsi que les évaluations effectuées.
    - Plusieurs établissements de soins préfèrent que l'infirmière inscrive l'administration d'un médicament sur la feuille d'administration des médicaments. Les remarques inscrites par l'infirmière serviront lors de l'administration des médicaments PRN ou si un problème particulier surgit.

12. Évaluez l'efficacité du médicament au moment où il est censé agir.

Variante: administration d'une injection d'héparine

L'administration d'héparine par voie sous-cutanée exige des précautions spéciales en raison des propriétés anticoagulantes du médicament.

- Choisissez un site sur l'abdomen loin de l'ombilic et au-dessus de la crête iliaque. Dans certains établissements de soins, on pratique les injections sous-cutanées d'héparine dans les cuisses ou les bras, plutôt que dans l'abdomen.
- Servez-vous d'une aiguille de 1 cm et de calibre 25 ou 26 et insérez-la à 90°. Si la personne est maigre ou décharnée, employez une aiguille d'au moins 0,75 cm et insérez-la à un angle de 45°. On peut utiliser les bras ou les cuisses comme sites de remplacement.
- Lorsqu'on donne une injection d'héparine, il *ne* faut *pas* aspirer. *En effet, l'aspiration risque d'endommager les tissus environnants et de causer des saignements et des contusions.*
- Ne massez pas la région où vous venez de faire l'injection. *Le massage peut causer des saignements et des ecchymoses (contusions), et accélérer l'absorption du médicament.*
- Alternez les sites des injections subséquentes.

ÉVALUATION

- Faites le suivi qui s'impose en vérifiant les effets attendus (par exemple, soulagement de la douleur, sédation, baisse du taux de glycémie, normalisation du temps de Quick), ainsi que les réactions indésirables et les effets secondaires (par exemple, nausées, vomissements, éruption cutanée).

- Comparez vos observations avec les résultats précédents, s'ils sont disponibles.
- Signalez au médecin tout écart significatif par rapport à la normale.

SOINS À DOMICILE

Injections sous-cutanées

- On peut suggérer à une personne qui a une mauvaise vue d'utiliser des seringues préremplies, qu'elle entreposera dans un environnement adéquat (dans son réfrigérateur, par exemple).
- Lorsque la personne doit recevoir fréquemment des injections, il est souhaitable d'établir avec elle un programme de rotation des points d'injection.
- Par esprit d'économie, enseigner à la personne qui en est capable à réutiliser les seringues jetables de manière sécuritaire. Une personne diabétique qui est à la maison peut sans problème réutiliser les seringues jetables jusqu'à ce que les aiguilles s'émoussent, c'est-à-dire de 2 à 10 fois (Fleming, 1999). Les personnes qui utilisent des seringues plus d'une fois doivent être capables de remettre correctement le capuchon sur l'aiguille de manière sécuritaire. Les personnes dont les pratiques d'hygiène personnelle laissent à désirer, de même que celles qui souffrent d'une affection aiguë, qui ont des plaies ouvertes sur les mains ou qui résistent mal aux infections, ne devraient pas réutiliser les seringues jetables.
- Chez les personnes insulinodépendantes, on doit s'assurer qu'au moins un proche aidant est en mesure de faire une injection d'insuline en situation d'urgence et de reconnaître et de traiter l'hypoglycémie.

Injections intramusculaires

Les médicaments injectés dans le tissu musculaire, c'est-à-dire par **injection intramusculaire (IM)**, sont absorbés plus rapidement que par injection sous-cutanée, car la vascularisation des muscles est beaucoup plus dense. En outre, les muscles absorbent sans douleur un plus grand volume de liquide que les tissus sous-cutanés. Toutefois, ce volume varie selon les personnes et dépend principalement de la grosseur et de l'état des muscles, ainsi que du site utilisé. Un adulte aux muscles bien développés tolère généralement une injection de 4 mL de médicament dans les muscles du moyen fessier et du grand fessier (figure 39-41 ■). Chez l'adulte dont la masse musculaire est moindre, on ne devrait pas injecter plus de 2 mL. Dans le muscle deltoïde, on recommande d'injecter entre 0,5 et 1 mL.

On utilise habituellement une seringue de 2 à 3 mL. La taille de la seringue dépend de la quantité de médicament à administrer. La seringue intramusculaire préremplie standard est munie d'une aiguille de 3 cm, avec un calibre de 21 ou 22. Pour choisir l'aiguille appropriée, il faut tenir compte de plusieurs facteurs :

- Le muscle
- Le type de solution à injecter
- La quantité de tissu adipeux qui couvre le muscle
- L'âge de la personne

Par exemple, pour le muscle deltoïde, on utilise habituellement une aiguille plus petite, mesurant 2,5 cm de long et dont le calibre varie de 23 à 25. L'injection de solutions visqueuses exige une aiguille d'un calibre plus élevé (calibre 20, par exemple). Pour une personne très obèse, il faudra peut-être utiliser une aiguille de plus de 3 cm de long (5 cm, par exemple),

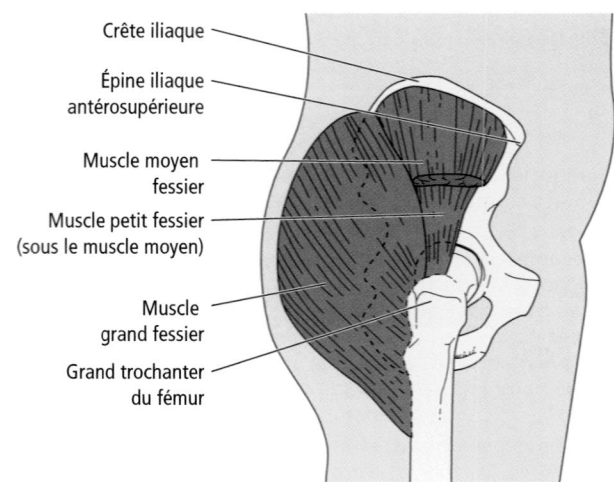

FIGURE **39-41** ■ Vue latérale de la fesse droite illustrant les trois muscles fessiers utilisés pour les injections intramusculaires.

tandis que pour une personne très maigre une aiguille plus courte (2,5 cm) suffira.

Avant d'administrer une injection intramusculaire, il est essentiel de choisir un point d'injection qui ne présente pas de risques et qui est éloigné des vaisseaux sanguins importants, des nerfs et des os. Comme on le verra un peu plus loin, il est possible de faire ce type d'injection à plusieurs endroits. Les contre-indications quant à l'utilisation d'un site d'injection particulier comprennent notamment les lésions des tissus, la présence de nodules, d'œdème, d'abcès, de douleurs ou d'autres affections.

MUSCLE FESSIER ANTÉRIEUR

Le site du muscle fessier antérieur comprend le muscle moyen fessier et le muscle petit fessier (voir la figure 39-41). Il s'agit du site *de choix* pour les injections intramusculaires puisque cette région :

- Ne contient pas de nerfs ni de vaisseaux sanguins importants.
- Fournit la plus grande épaisseur de muscle fessier en raison de la superposition du moyen fessier et du petit fessier.
- Est entourée d'os.
- Contient beaucoup moins de graisse que la région de la fesse, ce qui élimine la nécessité de déterminer la profondeur du tissu adipeux sous-cutané.

Ce site est recommandé chez les enfants de plus de sept mois et les adultes. Pour recevoir l'injection, la personne peut se coucher sur le ventre ou s'allonger en décubitus dorsal ou latéral. Cette dernière position aide à localiser le point d'injection plus facilement. La personne se place sur le côté, les genoux pliés et remontés légèrement vers la poitrine. Le grand trochanter fait alors saillie, ce qui permet de situer le site d'injection du muscle fessier antérieur. Pour établir le point exact, l'infirmière place la paume de la main sur le grand trochanter, sur la hanche de la personne, les doigts pointant vers la tête de la personne. On utilise la main droite pour la hanche gauche et la main gauche pour la hanche droite. L'infirmière place son index sur l'épine iliaque antérosupérieure et tend le majeur du côté du dos de la personne (vers la fesse), palpant ainsi la crête iliaque et appuyant juste en dessous. Le triangle formé par l'index, le majeur et la crête iliaque détermine le site d'injection (figures 39-42 ■ et 39-43 ■).

MUSCLE VASTE EXTERNE

Le muscle vaste externe est habituellement épais et bien développé, tant chez l'adulte que chez l'enfant. On recommande d'utiliser ce site pour faire des injections intramusculaires chez le bébé de sept mois ou moins. En effet, il n'y a pas de vaisseaux sanguins ou de nerfs importants dans cette région. C'est pourquoi on la préfère aux muscles fessiers, qui sont encore peu développés chez le bébé. Le muscle vaste externe est situé sur la face antérieure et externe de la cuisse de l'enfant (figure 39-44 ■). Le meilleur site d'injection se situe au niveau

du deuxième tiers du muscle. Chez l'adulte, on établit le site en divisant en trois la zone comprise entre le grand trochanter du fémur et le condyle fémoral latéral, et en choisissant le tiers médian (figures 39-45 ■ et 39-46 ■). Quand on utilise ce site, la personne peut être assise ou couchée sur le dos.

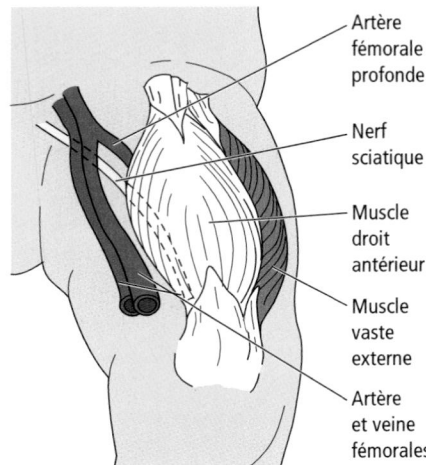

FIGURE **39-44** ■ On administre les injections intramusculaires dans le muscle vaste externe de la cuisse de l'enfant.

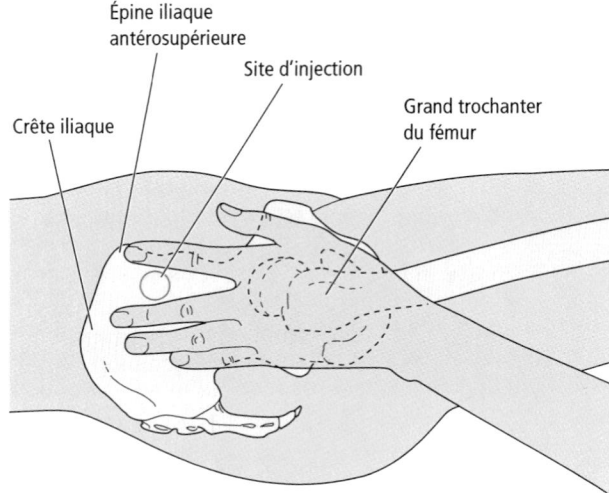

FIGURE **39-42** ■ Points de repère du muscle moyen fessier pour une injection intramusculaire.

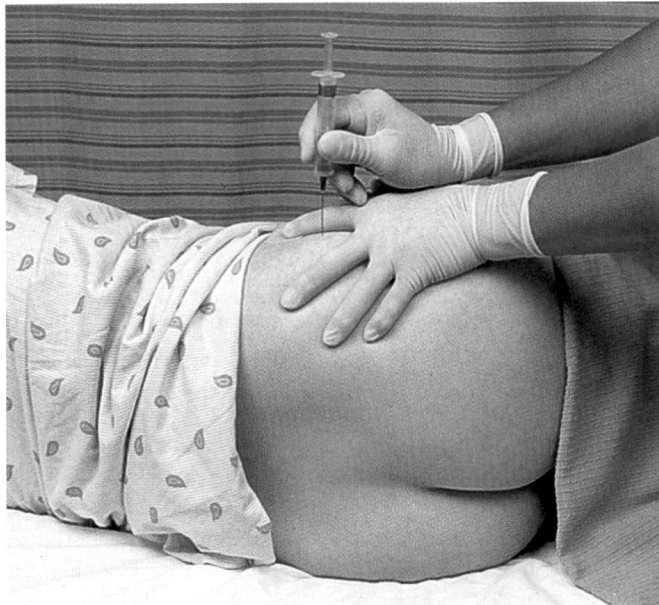

FIGURE **39-43** ■ Administration d'une injection intramusculaire dans le muscle moyen fessier.

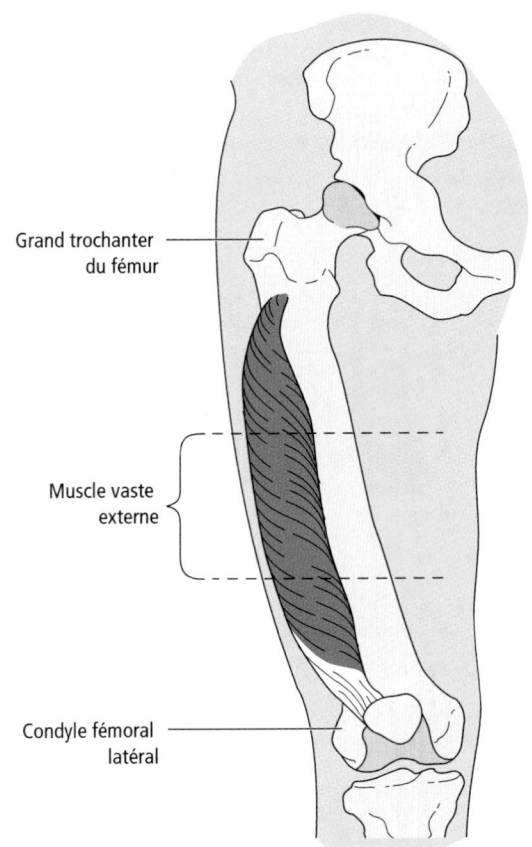

FIGURE **39-45** ■ Repère du muscle vaste externe de la cuisse de l'adulte pour une injection intramusculaire.

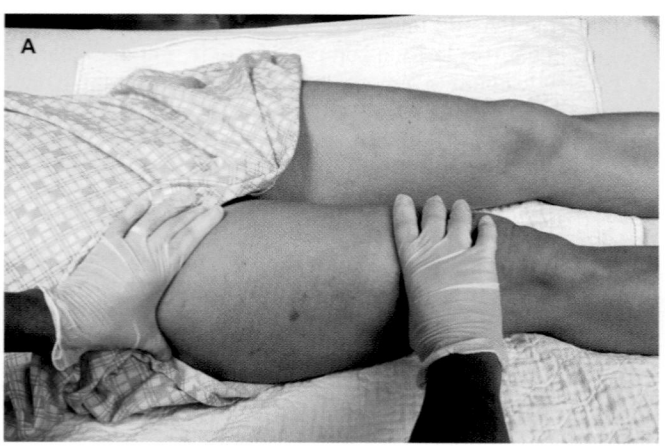
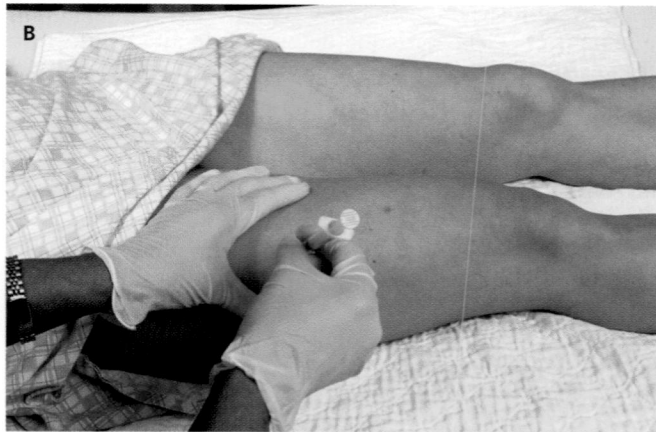

FIGURE 39-46 ■ *A*, Prise de repères. *B*, Administration d'une injection intramusculaire dans le muscle vaste externe.

MUSCLE FESSIER POSTÉRIEUR

Le site du muscle fessier postérieur est formé par les muscles fessiers épais de la fesse (voir la figure 39-41). Il est possible d'utiliser ce site d'injection chez les adultes et les enfants qui ont des muscles fessiers bien développés. Puisque c'est la marche qui développe ces muscles, il n'est pas recommandé d'utiliser ce site chez l'enfant de moins de trois ans, à moins qu'il n'ait commencé à marcher depuis plus d'un an. L'infirmière doit choisir le site d'injection avec soin pour éviter de toucher le nerf sciatique, des vaisseaux sanguins importants ou des os. Il est préférable d'utiliser le muscle fessier antérieur car il est plus sécuritaire.

L'infirmière palpe l'épine iliaque postérosupérieure et trace ensuite une ligne imaginaire jusqu'au grand trochanter du fémur. Située latéralement, cette ligne est parallèle au nerf sciatique. Le site d'injection est situé latéralement et au-dessus de cette ligne (figure 39-47 ■). Il est important de palper la crête iliaque et le grand trochanter ; l'évaluation visuelle seule du point d'injection peut conduire à administrer une injection à un point trop bas, ce qui pourrait léser d'autres structures.

La personne doit être couchée sur le ventre, les orteils pointant vers l'intérieur, ou se placer en décubitus latéral, le genou du dessus fléchi et replié sur la jambe du dessous. Ces positions permettent aux muscles de se détendre, ce qui réduit la douleur.

MUSCLE DELTOÏDE

Le muscle deltoïde est situé sur la face latérale du bras. On utilise rarement ce site pour les injections intramusculaires, car il est relativement petit et se trouve à proximité du nerf radial et de l'artère radiale. On peut cependant y recourir pour faire une injection à un adulte en raison de la capacité d'absorption rapide de la région deltoïde, mais on ne peut alors administrer plus de 1 mL de solution. On recommande ce site pour l'administration du vaccin contre l'hépatite B chez l'adulte.

L'infirmière localise le repère supérieur du site du deltoïde en plaçant quatre doigts en travers du muscle et en positionnant l'auriculaire sur l'acromion. Le haut de l'aisselle marque la ligne qui délimite le repère inférieur (figure 39-48 ■). Le triangle formé par ces repères indique que le muscle deltoïde est situé environ 5 cm sous l'acromion (figures 39-49 ■ et 39-50 ■).

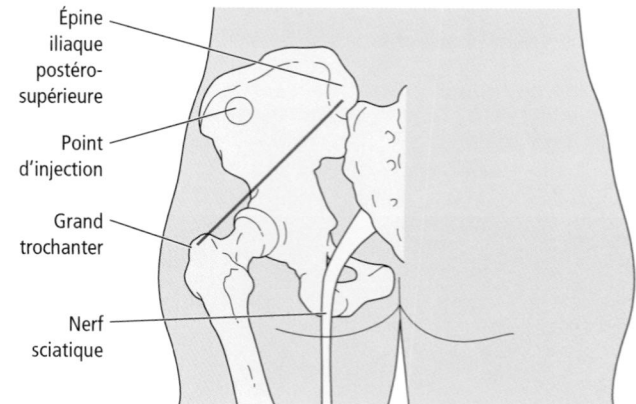

FIGURE 39-47 ■ Points de repère du muscle fessier pour une injection intramusculaire.

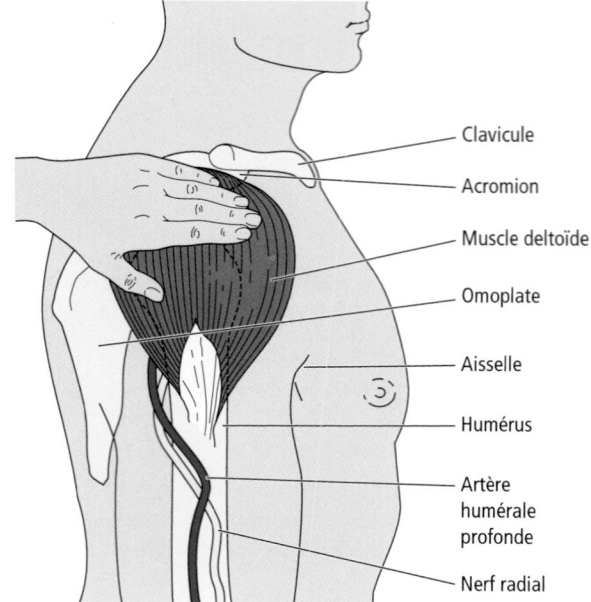

FIGURE 39-48 ■ Délimitation du point d'injection sur le muscle deltoïde pour une injection intramusculaire.

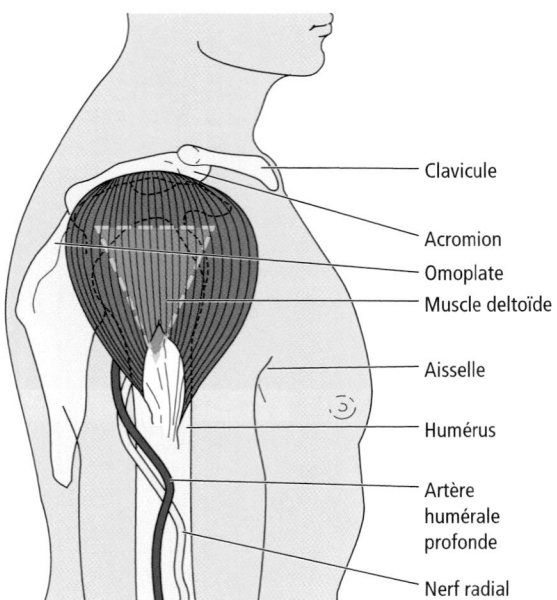

FIGURE **39-49** ■ Points de repère du muscle deltoïde du bras pour une injection intramusculaire.

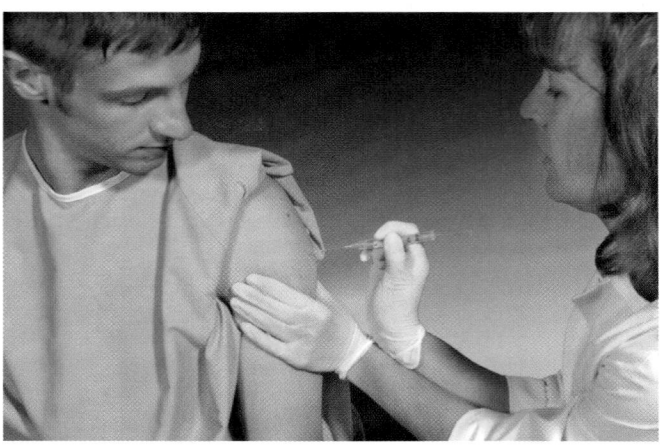

FIGURE **39-50** ■ Administration d'une injection intramusculaire dans le muscle deltoïde.

Il est possible de réduire la douleur lors d'une injection IM dans le muscle deltoïde en pinçant la peau. Pour ce faire, l'infirmière saisit le muscle, l'étire de 1,5 à 2,5 cm, puis le pince suffisamment fort pour créer une légère douleur. Elle donne ensuite l'injection à un angle de 90° (McCaffery et Pasero, 1999). Il est important que l'infirmière explique à la personne qu'elle lui pincera la peau et qu'elle lui dise pourquoi.

MUSCLE DROIT ANTÉRIEUR DE LA CUISSE

On utilise le muscle droit antérieur de la cuisse, qui fait partie du quadriceps, comme site d'injection intramusculaire, mais seulement à l'occasion. Il est situé du côté antérieur de la cuisse (figure 39-51 ■).

Le principal avantage de ce site est qu'il est facile à atteindre pour la personne qui s'administre elle-même ses injections. Par ailleurs, une injection dans cette région peut causer beaucoup de douleur à certaines personnes ; c'est son principal désavantage.

TECHNIQUE D'INJECTION INTRAMUSCULAIRE

Le procédé 39-7 décrit comment administrer une injection intramusculaire en utilisant la méthode en Z, recommandée pour toutes les injections intramusculaires. Selon McCaffery et Pasero (1999), cette méthode est moins douloureuse que la méthode d'injection traditionnelle.

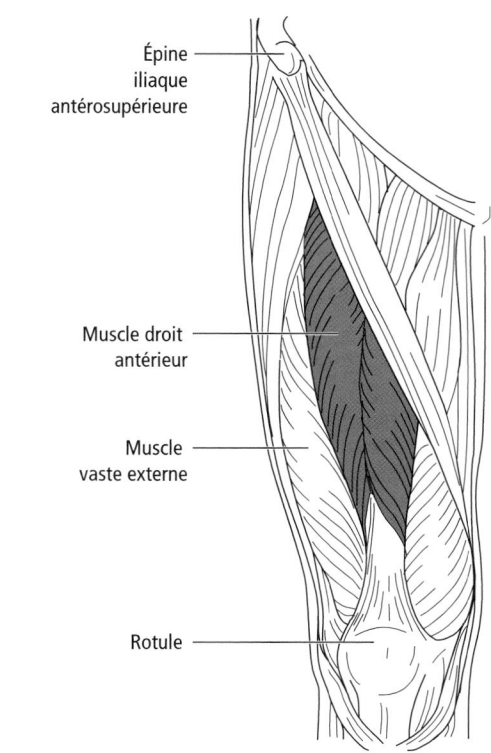

FIGURE **39-51** ■ Points de repère du muscle droit antérieur de la cuisse droite pour une injection intramusculaire.

PROCÉDÉ 39-7

Administration d'une injection intramusculaire

Objectif

- Administrer à la personne un médicament dont elle a besoin (voir l'action spécifique du médicament).

COLLECTE DES DONNÉES

Évaluez

- La présence d'allergies médicamenteuses.
- L'action spécifique du médicament, ses effets secondaires et ses réactions indésirables.
- Les connaissances de la personne en ce qui concerne le médicament ainsi que ses besoins d'apprentissage en la matière.
- L'intégrité des tissus au site d'injection choisi.
- L'âge de la personne et son poids afin de choisir le site d'injection et de déterminer la grosseur de l'aiguille.
- La capacité et la volonté de la personne à coopérer.

- La taille du muscle, qui doit être assez gros pour recevoir la quantité de médicament à injecter. En moyenne, chez l'adulte, le muscle deltoïde absorbe habituellement 0,5 mL de médicament; toutefois, certains pensent que s'il est bien développé ce muscle peut recevoir jusqu'à 1 mL de médicament. De son côté, le muscle moyen fessier peut souvent recevoir de 1 à 4 mL, mais l'injection de 4 mL risque d'être très douloureuse.

PLANIFICATION

Matériel

- Feuille d'administration des médicaments
- Médicament stérile (habituellement une ampoule ou une fiole)
- Seringue et aiguille du format approprié pour la quantité de solution à administrer
- Tampons antiseptiques
- Tampon sec (ouate)
- Gants propres

INTERVENTION

Préparation

1. Vérifiez la feuille d'administration des médicaments.
   - Vérifiez attentivement l'étiquette du médicament en la comparant avec la feuille d'administration des médicaments afin de vous assurer que vous préparez le médicament approprié.
   - Suivez les trois étapes de vérification d'administration des médicaments. Lisez l'étiquette du médicament : (1) lorsque vous le retirez du chariot ; (2) avant de l'aspirer dans la seringue ; (3) après l'avoir aspiré, au moment de le remettre en place.
2. Préparez le matériel.

Exécution

1. Lavez-vous les mains et observez les autres mesures de prévention des infections (par exemple, portez des gants propres).
2. Préparez la fiole ou l'ampoule pour en extraire le médicament.
   - Consultez les procédés 39-2 (ampoule) et 39-3 (fiole).
   - Lorsque c'est possible, changez l'aiguille sur la seringue avant l'injection. *La nouvelle aiguille n'ayant pas été en contact avec*

le médicament, elle n'irritera pas les tissus sous-cutanés quand elle les traversera.

3. Assurez-vous que l'intimité de la personne est préservée.
4. Préparez la personne.
   - Vérifiez son bracelet d'identité. *De cette manière, on s'assure d'administrer le médicament à la bonne personne.*
   - Aidez la personne à s'installer en décubitus dorsal ou latéral ou à s'asseoir, selon le site d'injection choisi. Si vous donnez l'injection dans le muscle moyen fessier, demandez à la personne placée en décubitus dorsal de plier les genoux ; si elle est en décubitus latéral, faites-lui plier le genou supérieur ; si elle est couchée sur le ventre, demandez-lui de pointer les orteils vers l'intérieur. *L'adoption d'une bonne position favorise la détente du muscle qui recevra l'injection.*
   - Si la personne ne veut pas coopérer, demandez de l'aide afin de la maintenir dans une bonne position. *De cette manière, on s'assure de prévenir les blessures provoquées par des mouvements subits après l'insertion de l'aiguille.*

5. Avec des mots simples, expliquez à la personne pourquoi elle reçoit ce médicament et comment il l'aidera. Donnez-lui des renseignements sur les effets du médicament. *Le fait de renseigner la personne l'aide à accepter le traitement et à y collaborer.*
6. Choisissez, situez et nettoyez le site d'injection.
   - Choisissez un site qui n'est pas douloureux et qui ne présente pas de lésions, d'érythème, d'œdème, de brûlures ni de signes d'inflammation localisés. Choisissez un site qui n'a pas été utilisé dernièrement.
   - Si la personne reçoit fréquemment des injections, alternez les sites d'injection. Évitez d'utiliser le même site d'injection deux fois de suite. *En procédant de la sorte, on réduit la douleur causée par les injections intramusculaires.* Si nécessaire, discutez avec le médecin qui a prescrit le médicament afin de voir s'il est possible de l'administrer d'une autre façon.
   - Situez exactement le site d'injection. (voir les explications fournies plus haut dans ce chapitre).
   - Mettez des gants propres.

INTERVENTION (suite)

- Nettoyez la peau au site d'injection à l'aide d'un tampon antiseptique. En partant du centre de la zone, effectuez un mouvement de rotation, en décrivant un cercle d'environ 5 cm vers l'extérieur.
- Placez le tampon antiseptique au-dessus du site d'injection. Laissez la peau sécher complètement avant d'injecter le médicament. *Cette précaution diminue les risques de propagation de microorganismes au point d'injection.*
- Tenez le tampon sec entre le majeur et l'annulaire de la main non dominante pour vous préparer au retrait de l'aiguille.

7. Préparez la seringue pour l'injection.
   - Retirez le capuchon de l'aiguille en prenant soin d'éviter de la contaminer en touchant l'extérieur du capuchon.
   - Dans le cas d'une dose unitaire dans une cartouche préremplie, évitez que du médicament glisse sur l'aiguille avant l'injection. Si cela se produit, essuyez l'aiguille avec une gaze stérile. *La présence de médicament sur l'aiguille cause de la douleur à la personne lorsque l'aiguille traverse les tissus sous-cutanés.*

8. Injectez le médicament en utilisant la méthode d'injection en Z.
   - Avec le côté de la main non dominante, étirez la peau d'environ 2,5 cm vers le côté (figure 39-52 ■). Dans certains cas, par exemple pour une personne très maigre ou un enfant, il faut pincer le muscle. *Le fait de tirer la peau et les tissus sous-cutanés ou de pincer le muscle raffermit ce dernier et facilite l'insertion de l'aiguille.*
   - Tenez la seringue entre le pouce et l'index (comme on tient un crayon), percez la peau à 90°, rapidement et en douceur (voir la figure 39-43), puis enfoncez l'aiguille dans le muscle. *Un mouvement rapide atténue la douleur.*

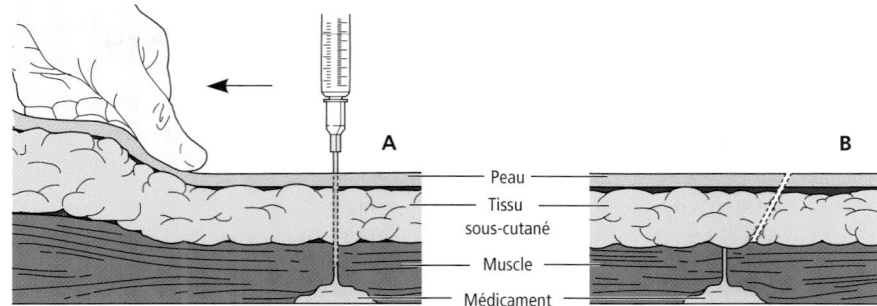

FIGURE 39-52 ■ Insertion d'une aiguille à injection intramusculaire à un angle de 90 degrés en utilisant la méthode d'injection en Z : *A.* La peau est tendue d'un côté ; *B.* La peau est relâchée. *Remarque :* Lorsque la peau reprend sa position, une fois l'aiguille retirée, le sillon de l'aiguille est scellé par les tissus. Le médicament est ainsi emprisonné dans le muscle, il ne peut suinter dans les tissus sous-cutanés et provoquer de la douleur.

- Déplacez la main dominante afin de tenir fermement le piston de la seringue et aspirez pendant 5 à 10 secondes. *Si l'aiguille s'est enfoncée dans un petit vaisseau sanguin, le sang mettra un certain temps avant d'apparaître.* Si du sang pénètre dans la seringue, retirez l'aiguille, jetez la seringue et préparez une nouvelle injection. *Cette étape permet de déterminer si l'aiguille est entrée dans un vaisseau sanguin.*
- S'il n'y a pas de retour sanguin, injectez le médicament régulièrement et lentement (environ un millilitre en 10 secondes) en tenant fermement la seringue. *Quand on injecte le médicament lentement, la personne ressent moins de douleur ; de plus, les tissus prennent de l'expansion et commencent à absorber le médicament. Le fait de tenir fermement la seringue diminue la douleur.*
- Après l'injection, attendez 10 secondes avant de retirer l'aiguille *pour permettre au médicament de se répandre dans le tissu musculaire, ce qui diminue la douleur.*

9. Retirez l'aiguille.
   - Retirez l'aiguille doucement et en conservant l'angle d'insertion. *Cela diminue le risque de blessures aux tissus.*
   - Relâchez la peau tendue par la main non dominante.
   - Appliquez une légère pression sur le site d'injection avec le tampon sec. Ne massez pas le site. *Le massage risque d'augmenter la douleur causée par l'injection et d'irriter les tissus.*
   - En cas de saignement, appuyez sur le site d'injection avec le tampon sec jusqu'à ce qu'il s'arrête.

10. Jetez l'aiguille sans capuchon et la seringue qui y est fixée dans le contenant approprié.
    - Enlevez vos gants ; lavez-vous les mains.

11. Inscrivez les renseignements utiles dans le dossier.
    - Notez le médicament administré, la dose, l'heure, la voie d'administration ainsi que les réactions de la personne.

12. Évaluez l'efficacité du médicament au moment où il est censé faire effet.

ÉVALUATION

- Faites le suivi qui s'impose en vérifiant :
  - Les effets désirés (par exemple, soulagement de la douleur ou des vomissements).
  - Les réactions indésirables et les effets secondaires.
  - Les réactions au point d'injection, telles les réactions cutanées (rougeur, œdème, douleur ou tout autre signe de lésions tissulaires).

- Comparez vos observations avec les résultats précédents, s'ils sont disponibles.
- Signalez au médecin tout écart significatif par rapport à la normale.

LES ÂGES DE LA VIE

Injections intramusculaires

NOURRISSONS

- On ne doit pas utiliser le site du muscle fessier antérieur chez les enfants de moins de sept mois, car les muscles fessiers ne sont pas encore assez développés.
- Chez les enfants de moins de sept mois, les injections intramusculaires devraient être administrées dans le muscle vaste externe, qui ne contient pas de vaisseaux sanguins ou de nerfs importants. Le muscle vaste externe est situé sur la face antérieure et externe de la cuisse de l'enfant (voir la figure 39-44).
- L'infirmière devrait demander de l'aide, celle d'un des parents par exemple, afin d'immobiliser le nourrisson ou le jeune enfant. Cela permet de prévenir les blessures accidentelles pendant l'injection.

ENFANTS

- On utilise habituellement des aiguilles petites et courtes (de calibre 22 à 25 et de 1,5 à 2,5 cm de longueur) pour faire une injection intramusculaire à un nourrisson ou à un enfant.
- Comme c'est la marche qui développe les muscles fessiers, on ne devrait pas faire d'injection dans cette région chez les enfants de moins de trois ans, sauf s'ils ont commencé à marcher depuis plus d'un an.

PERSONNES ÂGÉES

- Les personnes âgées ont parfois une masse musculaire réduite ou souffrent d'atrophie musculaire. Il est possible qu'on doive utiliser une aiguille courte pour faire l'injection. L'évaluation correcte du point d'injection est très importante. En outre, chez ces personnes, l'absorption du médicament peut être plus rapide que prévu.

Administration de médicaments par voie intraveineuse

On a recours à l'administration par voie intraveineuse (IV) quand on désire que les médicaments exercent rapidement leurs effets, puisqu'ils entrent directement dans l'organisme par la voie sanguine. Ce mode d'administration permet également de donner des médicaments trop irritants pour être injectés directement dans les tissus. Lorsqu'une perfusion intraveineuse est déjà établie, il est préférable d'utiliser cette voie puisqu'elle évite à la personne la douleur causée par l'utilisation des autres voies parentérales. Pour administrer les médicaments par voie intraveineuse, on utilise une des méthodes suivantes :

- Mélange dilué dans un grand volume de solution intraveineuse
- Perfusion intraveineuse en dérivation ou perfusion intermittente (en tandem ou par piggyback)
- Perfusion à volume contrôlé (pompe ou miniperfuseur)

- Injection intraveineuse directe (bolus) par l'intermédiaire d'un point d'injection dans une tubulure de perfusion intraveineuse ou au moyen d'un port d'injection intermittent
- Dispositif périphérique de perfusion intraveineuse intermittente (port d'injection intermittent)

Toutes ces méthodes exigent l'installation préalable d'une perfusion intraveineuse ou d'un accès intraveineux. Le chapitre 50 ⓒⓓ décrit la technique à utiliser pour effectuer une ponction veineuse et installer une perfusion IV périphérique.

L'administration de tout médicament par voie IV exige une surveillance étroite de la personne, car elle risque de ressentir des effets indésirables. En effet, une fois que le médicament a pénétré dans la circulation sanguine, où il est directement injecté, il est impossible de le retirer ou d'arrêter son action. Par conséquent, l'infirmière doit être très vigilante afin d'éviter toute erreur dans la préparation du médicament et dans le calcul de la dose. Lorsque le médicament injecté est particulièrement puissant, elle doit avoir un antidote à la portée de la main. De plus, elle doit évaluer les signes vitaux de la personne avant, pendant et après l'administration du médicament par perfusion IV.

Avant d'ajouter quelque médicament que ce soit à une perfusion intraveineuse, l'infirmière doit vérifier les six critères liés à l'administration sécuritaire des médicaments. Si une personne reçoit une perfusion intraveineuse, l'infirmière doit s'assurer de la compatibilité des médicaments à injecter et de la solution intraveineuse. Par exemple, le Dilantin est incompatible avec le glucose, et l'injection de ce médicament dans une perfusion intraveineuse de glucose entraînera la formation d'un précipité.

MÉLANGE DILUÉ DANS UN GRAND VOLUME DE SOLUTION INTRAVEINEUSE

La méthode la plus facile et la plus sécuritaire pour administrer un médicament par voie intraveineuse consiste à l'ajouter dans un sac de solution IV contenant un grand volume de liquide. Il suffit de diluer les médicaments dans 500 ou 1 000 mL de liquide compatible. Pour vérifier la compatibilité du médicament et de la solution, il faudra peut-être consulter un pharmacien. La plupart du temps, les solutions de transport sont le soluté physiologique, le dextrose 5 % ou le lactate Ringer, et les médicaments qu'on y ajoute couramment sont le chlorure de potassium et les vitamines. Il convient également de s'assurer de la compatibilité de certains médicaments avec le plastique des sacs et des tubes servant à la perfusion. Au besoin, on utilisera des contenants en verre et une tubulure spéciale. Voir le procédé 39-8.

Le principal danger de la perfusion d'un grand volume de liquide est le risque de surcharge liquidienne dans la circulation (hypervolémie) (voir le chapitre 49 ⓒⓓ).

L'infirmière peut ajouter un médicament au sac de solution IV alors que la personne est déjà sous perfusion ou avant de commencer la perfusion. Par ailleurs, il incombe au pharmacien d'ajouter certains médicaments dans le sac de solution IV.

PROCÉDÉ 39-8

Ajout de médicaments dans le sac de solution intraveineuse

Objectifs

- Fournir et maintenir un niveau constant de médicament dans le sang.
- Administrer des médicaments bien dilués à un rythme lent et continu

COLLECTE DES DONNÉES

Évaluez

- Le site d'insertion intraveineuse en l'examinant et en le palpant afin de découvrir tout signe d'infection, d'infiltration ou de déplacement du cathéter.
- L'état de la peau environnante afin de découvrir tout signe de rougeur, de pâleur ou d'œdème.
- L'état des tissus environnants en les palpant afin de voir s'ils sont froids et de rechercher la présence d'œdème,

ce qui indiquerait une infiltration du soluté dans les tissus.
- Les signes vitaux de la personne, surtout si le médicament à administrer est particulièrement puissant.
- La présence d'allergies médicamenteuses.
- La compatibilité du soluté et des médicaments à administrer.

PLANIFICATION

Matériel

- Feuille d'administration des médicaments
- Médicament stérile approprié
- Diluant pour médicament, si ce dernier se présente sous forme de poudre (suivre les directives du manufacturier)
- Sac à solution intraveineuse approprié (si un nouveau sac doit être mis en place)

- Tampons antiseptiques
- Seringue stérile du format approprié (par exemple, 5 à 10 mL) et aiguille stérile de calibre 20 ou 21, et de 2,5 à 4 cm de longueur, ou système d'injection sans aiguille équivalent
- Étiquette à fixer sur le sac de solution IV

INTERVENTION

Préparation

1. Vérifiez la feuille d'administration des médicaments.
   - Vérifiez attentivement l'étiquette du médicament en la comparant avec la feuille d'administration des médicaments afin de vous assurer de préparer le médicament approprié.
   - Suivez les trois étapes de vérification d'administration des médicaments. Lisez l'étiquette du médicament : (1) lorsque vous le retirez du chariot ; (2) avant de l'aspirer dans la seringue ; (3) après l'avoir aspiré, au moment de le remettre en place.
   - Assurez-vous que la dose et la voie d'administration sont appropriées.
   - Vérifiez si le soluté est compatible avec le médicament prescrit.
   - Au besoin, consultez le pharmacien afin de vous assurer de la compatibilité des médicaments et des solutions à mélanger.
2. Préparez le matériel.

Exécution

1. Lavez-vous les mains et observez les autres mesures de prévention des infections.

2. Préparez la fiole ou l'ampoule pour en extraire le médicament.
   - Consultez les procédés 39-2 (ampoule) et 39-3 (fiole).
   - Vérifiez les directives de l'établissement de soins concernant l'utilisation d'une aiguille munie d'un filtre ou d'un système sans aiguille pour aspirer les médicaments liquides prémélangés contenus dans des fioles ou des ampoules renfermant des doses multiples.

3. Ajoutez le médicament.
   Dans un nouveau sac de solution IV
   - Localisez le site d'injection du sac de solution IV. Nettoyez-le avec un tampon antiseptique. *On réduit ainsi le risque d'introduire des microorganismes dans le sac en y insérant l'aiguille.*
   - Enlevez le capuchon de l'aiguille de la seringue, insérez l'aiguille au centre du site d'injection et injectez le médicament dans le sac ou dans le flacon.
   - Mélangez doucement le médicament et la solution contenus dans le sac ou le flacon. *De cette manière, on s'assure que le médicament se mélange correctement à la solution.*
   - Remplissez l'étiquette à fixer sur le sac. Inscrivez le nom du médicament,

la dose, la date, l'heure et vos initiales (figure 39-53 ■). Fixez l'étiquette sur le sac ou le flacon, de sorte que l'on puisse lire les informations une fois le sac accroché. *Les renseignements certifient que le médicament a bien été ajouté à la solution.*
   - Perforez ce nouveau sac ou ce nouveau flacon avec la tubulure en place et suspendez-le. Réglez le débit à l'aide du presse-tube (clamp) de la tubulure intraveineuse. *On prévient ainsi une perfusion trop rapide de la solution.*

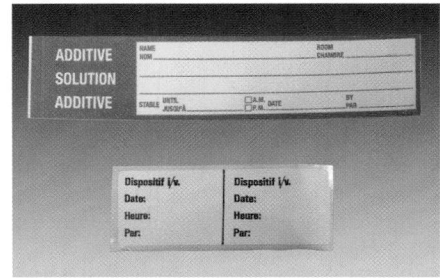

FIGURE 39-53 ■ *En haut*, étiquette indiquant qu'un médicament a été ajouté à une solution intraveineuse ; *en bas*, étiquette indiquant à quel moment changer la tubulure.

PROCÉDÉ 39-8 (SUITE)

Ajout de médicaments dans le sac de solution intraveineuse (suite)

INTERVENTION (suite)

Dans une perfusion existante

Déterminez s'il y a assez de solution IV dans le sac en place pour y ajouter le médicament. *Le sac doit contenir suffisamment de solution pour y diluer le médicament adéquatement.*

- Vérifiez la dilution du médicament, c'est-à-dire la quantité de médicament par millilitre de solution.
- Fermez le presse-tube de la tubulure. *En procédant de la sorte, on évite de perfuser directement le médicament pendant qu'il est injecté dans le sac ou le flacon.*
- Nettoyez le point d'injection sur le sac de soluté avec un tampon antiseptique. *On réduit ainsi le risque d'introduire des microorganismes dans le sac en y insérant l'aiguille.*
- Enlevez le capuchon de l'aiguille de la seringue contenant le médicament.
- En saisissant fermement le sac entre le pouce et l'index, insérez l'aiguille avec soin dans le site d'injection et injectez le médicament (figure 39-54 ■). *On soutient le sac pendant l'injection du médicament afin de ne pas le perforer accidentellement.* Si le sac ou le flacon est placé trop haut pour

être atteint facilement, décrochez-le de la potence pour IV.
- Enlevez le sac ou le flacon du support et mélangez doucement le contenu (figure 39-55 ■). *De cette manière, on s'assure que le médicament se mélangera bien à la solution.*
- Suspendez à nouveau le sac ou le flacon et réglez le débit de la perfusion. *De cette manière, la solution s'écoulera régulièrement.*

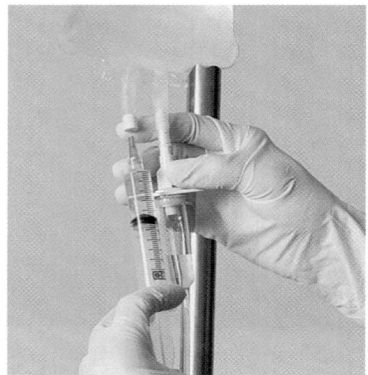

FIGURE 39-54 ■ Insertion d'un médicament dans le site d'injection d'un sac de solution IV.

- Remplissez l'étiquette du médicament et fixez-la sur le récipient.
4. Jetez le matériel en respectant les directives de l'établissement de soins de santé. *Une élimination appropriée du matériel diminue le risque de blessures causées à d'autres personnes par inadvertance et prévient la dispersion de microorganismes.*
5. Inscrivez dans le dossier de la personne et dans les formulaires appropriés les renseignements relatifs aux médicaments administrés.

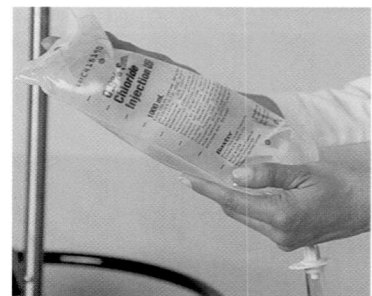

FIGURE 39-55 ■ Faire tourner le sac contenant une solution intraveineuse pour bien mélanger le médicament à son contenu.

PERFUSION INTRAVEINEUSE EN DÉRIVATION OU PERFUSION INTERMITTENTE (EN TANDEM OU PAR PIGGYBACK)

La perfusion intraveineuse en dérivation ou perfusion intermittente consiste à administrer un médicament mélangé à une petite quantité de solution intraveineuse, généralement entre 50 et 100 mL (figure 39-56 ■). Le médicament est administré à intervalles réguliers, par exemple toutes les quatre heures, et il est perfusé rapidement (sur une période de 30 à 60 minutes). On utilise habituellement deux types de dispositifs en dérivation ou secondaires : le **tandem** et le **point de jonction en Y (piggyback)**.

Dans le système en tandem, on fixe un second sac de solution à la perfusion principale au point de jonction secondaire le plus bas (figure 39-57 ■, *A*). Cet assemblage permet d'administrer le médicament par intermittence ou en même temps que la solution principale.

Dans le système avec point de jonction en Y (piggyback), un deuxième ensemble relie le second sac de solution à la tubulure du sac de solution IV principal au point de jonction le plus haut (figure 39-57, *B* ■). Ce système sert uniquement à administrer des médicaments par intermittence. La présentation de tous ces

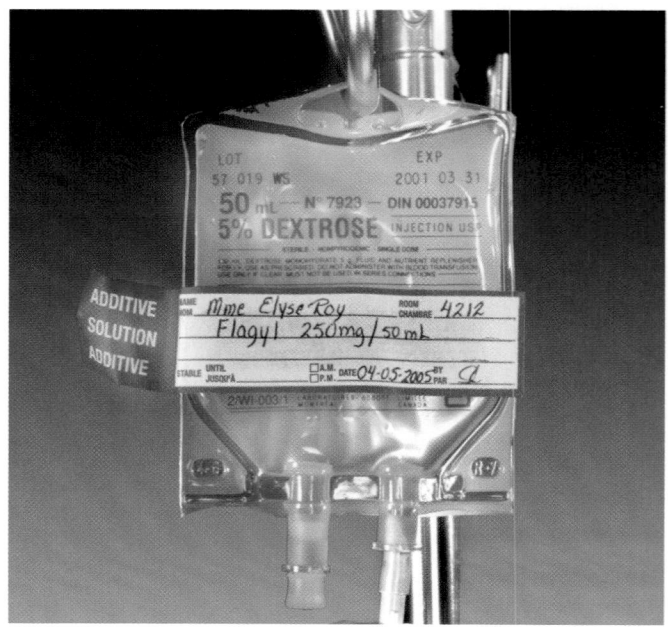

FIGURE 39-56 ■ Médicament dans un sac de perfusion étiqueté.

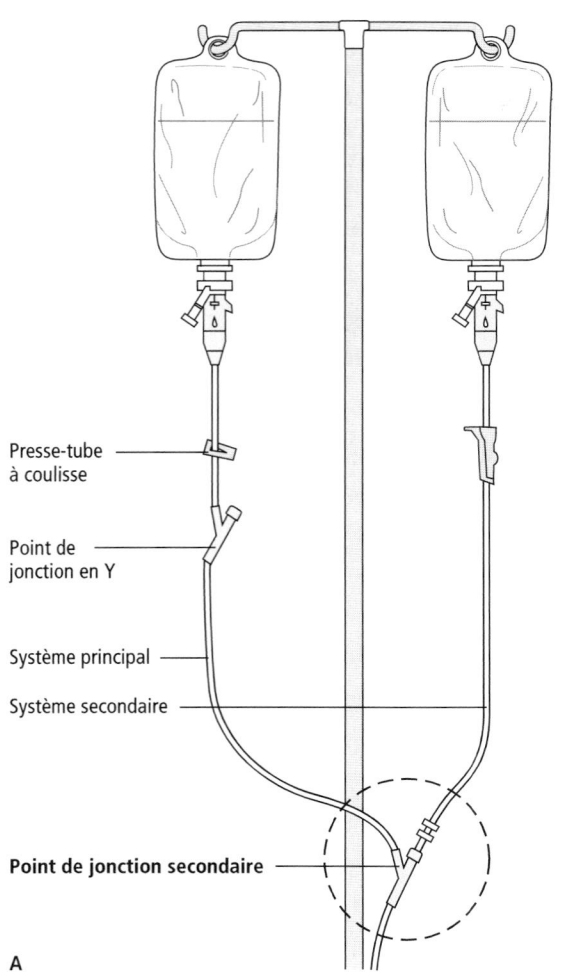

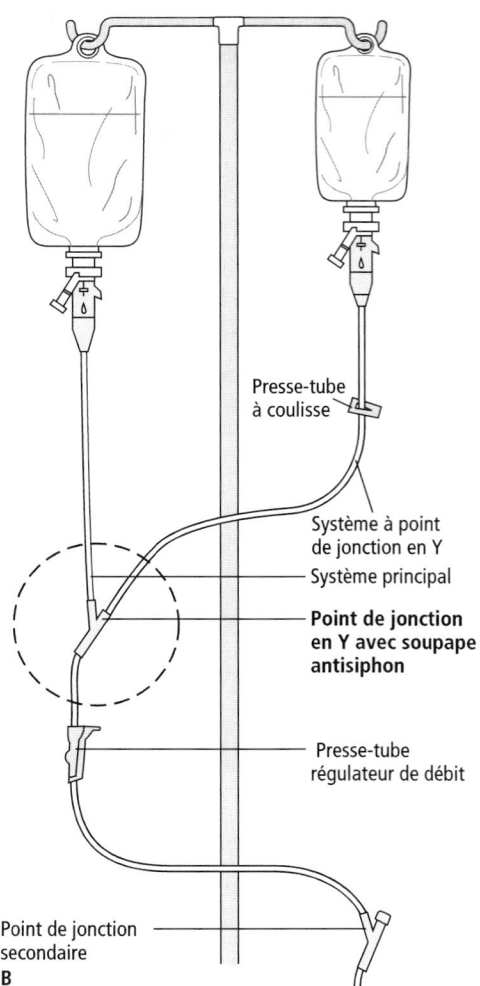

FIGURE **39-57** ■ Perfusions secondaires : *A*, système en tandem ; *B*, système avec point de jonction en Y (piggyback).

systèmes varie d'un fabricant à l'autre ; c'est pourquoi l'infirmière doit vérifier soigneusement les étiquettes et les directives du manufacturier. D'habitude, on fixe la tubulure du deuxième système au premier point de jonction de la perfusion principale en y insérant une aiguille, qu'on fixe ensuite avec du ruban adhésif.

Aujourd'hui, on dispose aussi de systèmes sans aiguilles (figure 39-58 ■). De tels systèmes permettent de brancher la deuxième perfusion aux points de jonction de la perfusion principale au moyen de canules à blocage ou à levier (figure 39-59 ■). Cette innovation permet de prévenir les blessures causées par les aiguilles ainsi que la contamination par contact au point de jonction IV.

Il est également possible d'administrer des médicaments par perfusion intraveineuse en dérivation ou par perfusion intermittente en se servant d'une pompe à seringue ou d'un miniperfuseur. On mélange le médicament dans la seringue, qui est branchée à la perfusion principale au moyen d'un miniperfuseur (figure 39-60 ■).

On peut aussi utiliser un **perfuseur de précision**, tels les dispositifs Buretrol, Soluset, Volutrol ou Pediatrol (figure 39-61 ■),

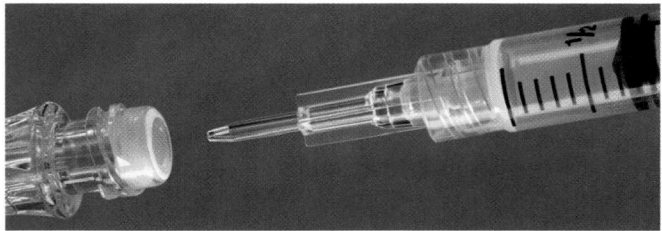

FIGURE **39-58** ■ Canule de plastique épointée remplaçant l'aiguille. (Photographie reproduite avec l'aimable autorisation de (BD) Becton, Dickinson and Company.)

pour administrer des médicaments par perfusion intraveineuse en dérivation ou en perfusion intermittente. On place ces petits contenants de liquide (de 100 à 150 mL) sous le sac de solution de la perfusion principale de manière à administrer le médicament par la tubulure IV. On peut employer de tels dispositifs pour effectuer des perfusions aux enfants et aux personnes âgées lorsque le volume administré présente des risques et demande une étroite surveillance. L'encadré 39-6 fournit des renseignements additionnels sur le sujet.

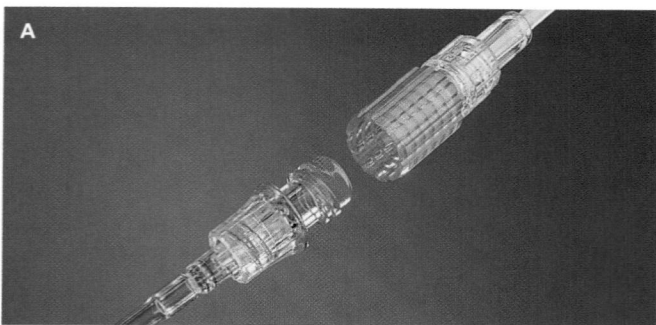

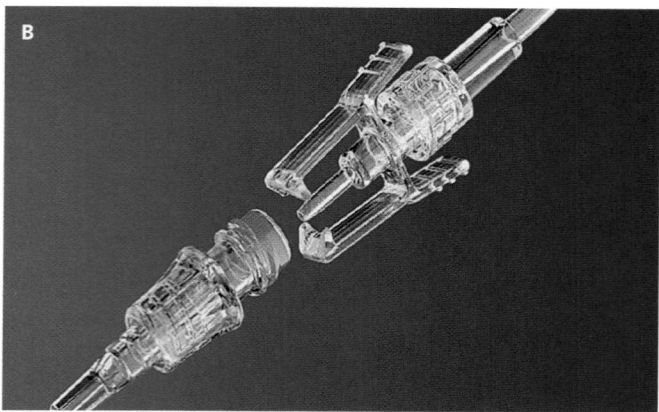

FIGURE **39-59** ■ Canules sans aiguilles utilisées pour relier la tubulure des perfusions secondaires à la perfusion principale : *A*, canule à blocage; *B*, canule à levier. (Photographies reproduites avec l'aimable autorisation de (BD) Becton, Dickinson and Company et de Baxter Healthcare Corporation. Tous droits réservés.)

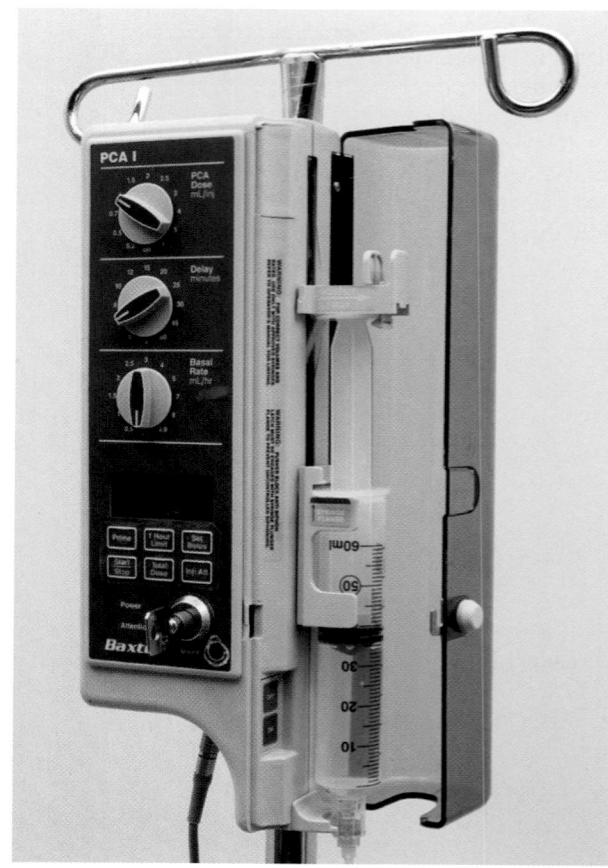

FIGURE **39-60** ■ Pompe à seringue ou miniperfuseur pour l'administration de médicaments par IV.

ENCADRÉ

Ajout d'un médicament à un perfuseur de précision
39-6

- Aspirer la dose nécessaire de médicament dans une seringue.
- S'assurer qu'il y a assez de liquide dans le réservoir à volume contrôlé pour bien dissoudre le médicament. En général, 50 mL de liquide suffisent. Vérifier les directives du fabricant du médicament ou consulter le pharmacien.
- Fermer l'entrée du réservoir en ajustant le régulateur ou le presse-tube à glissière situé au-dessus et s'assurer que le presse-tube de la prise d'air est ouvert.
- Nettoyer le point d'injection du réservoir à volume contrôlé avec un tampon antiseptique.
- Injecter le médicament dans le point d'injection du perfuseur partiellement rempli.
- Faire tourner doucement le réservoir sur lui-même jusqu'à ce que son contenu soit bien mélangé.
- Ouvrir le presse-tube supérieur de la tubulure et régler le débit en ajustant le régulateur situé sous le réservoir.
- Fixer une étiquette de médicament sur le réservoir.
- Noter dans le dossier les renseignements pertinents; surveiller l'état de la personne ainsi que la perfusion.

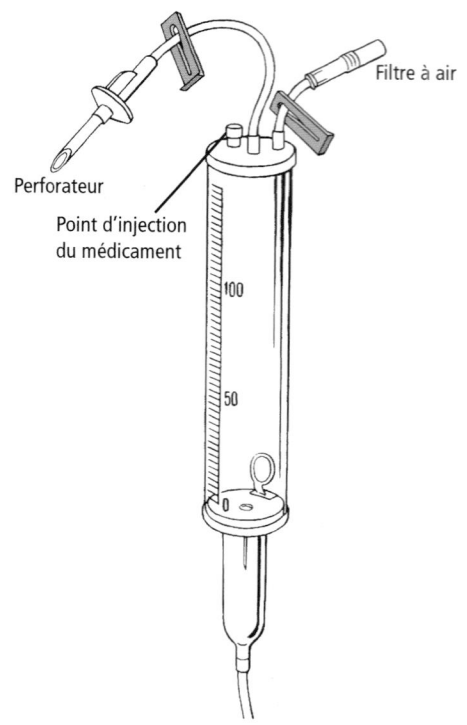

FIGURE **39-61** ■ Perfuseur de précision.

INJECTION INTRAVEINEUSE DIRECTE (BOLUS)

L'injection intraveineuse directe (bolus) consiste à administrer un médicament non dilué directement dans la circulation. On a recours à cette technique en cas d'urgence ou lorsqu'il est impossible de diluer un médicament. Le bolus peut être administré directement dans une veine par ponction veineuse, en utilisant un port d'injection dans une perfusion existante ou dans un dispositif d'injection intermittente.

Il existe deux principaux inconvénients à l'administration d'un bolus : si une erreur survient lors de l'administration du médicament, il est impossible de la corriger ; en outre, le médicament risque d'irriter la paroi des vaisseaux sanguins. Avant d'administrer un bolus, l'infirmière doit vérifier la concentration maximale recommandée pour le médicament concerné ainsi que le volume d'administration. Le médicament injecté fait effet immédiatement (voir le procédé 39-9).

DISPOSITIF PÉRIPHÉRIQUE DE PERFUSION INTRAVEINEUSE INTERMITTENTE (PORT D'INJECTION INTERMITTENT)

Il est possible de fixer les dispositifs périphériques de perfusion intraveineuse intermittente (figure 39-62 ■) à une aiguille ou à un cathéter intraveineux afin d'administrer des médicaments par voie intraveineuse sans avoir à répéter les injections ou sans recourir à une perfusion intraveineuse continue.

Les dispositifs d'injection intermittente sont munis d'un port d'injection refermable en latex dans lequel on introduit l'aiguille ou d'un port d'injection auquel on peut brancher une seringue ou un adaptateur sans aiguille pour administrer le médicament. Les systèmes sans aiguille sont les plus courants parce qu'ils réduisent nettement le risque de blessures avec des aiguilles chez le personnel soignant. Le procédé 50-5 du chapitre 50 ⬭ décrit de quelle manière transformer une perfusion intraveineuse en dispositif d'injection intermittente. Avec le système sans aiguille, on peut fixer l'adaptateur d'injection lors de la mise en place du cathéter de perfusion, et ce dispositif permet de garder un système fermé.

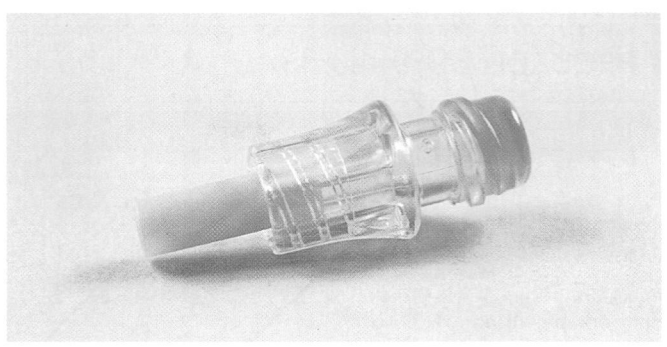

FIGURE **39-62** ■ Dispositif d'injection intermittente avec port d'injection. (Gracieuseté de Baxter Healthcare Corporation. Tous droits réservés.)

Avant d'administrer le médicament, on rince le dispositif d'injection intermittente avec une solution physiologique stérile ; après l'administration, on peut employer la même solution ou une solution de rinçage à l'héparine. Cette opération de rinçage permet de préserver la perméabilité du cathéter intraveineux et du port d'injection, tout en diminuant les risques de mélange de médicaments incompatibles dans le système (voir le procédé 39-9).

Chez les personnes qui doivent avoir un dispositif d'accès veineux à long terme pour l'administration de médicaments (par exemple, les personnes recevant de la chimiothérapie pour un traitement anticancéreux), il est possible d'installer un cathéter ou un port d'injection spécifique permettant un accès veineux central. D'autres dispositifs sont munis d'un port d'injection implantable ou d'un point d'accès vasculaire inséré chirurgicalement, de manière à ce que le dispositif soit complètement enfoui sous la peau. On administre alors les médicaments à l'aide d'une aiguille spéciale, que l'on insère directement à travers la peau dans le port d'injection de la chambre implantable (*portcath* ou PAC). Consulter le chapitre 50 ⬭ pour plus de renseignements sur les perfusions centrales.

PROCÉDÉ 39-9

Administration de médicaments par voie intraveineuse par injection directe

Objectif
- Obtenir un effet immédiat et maximal d'un médicament.

COLLECTE DES DONNÉES

Évaluez
- Le site d'injection intraveineuse en l'examinant et en le palpant afin de découvrir tout signe d'infection, d'infiltration ou de déplacement du cathéter.
- L'état de la peau autour du site d'injection afin de détecter tout signe de rougeur, de pâleur ou d'œdème.
- L'état des tissus environnants en les palpant afin de vérifier s'ils sont froids et de rechercher la présence d'œdème, ce qui indiquerait une infiltration du soluté dans les tissus.

- Les signes vitaux de la personne, surtout si le médicament à administrer est particulièrement puissant.
- La présence d'allergies médicamenteuses.
- La compatibilité du soluté et des médicaments à administrer.
- L'action spécifique du médicament, ses effets secondaires, ses effets indésirables, la dose normale, le meilleur moment pour l'administration et le moment de l'effet maximal.
- La perméabilité de la perfusion en évaluant le débit.

PROCÉDÉ 39-9 (SUITE)

Administration de médicaments par voie intraveineuse par injection directe (suite)

PLANIFICATION

Matériel

Injection intraveineuse directe dans une perfusion existante

- Fiole ou ampoule contenant le médicament approprié
- Seringue stérile de 3 à 5 mL (pour préparer le médicament)
- Aiguilles stériles de calibre 21 à 25 et de 2,5 cm de longueur, ou l'équivalent dans le cas d'un système sans aiguille
- Tampons antiseptiques
- Montre à affichage numérique ou montre ordinaire munie d'une trotteuse
- Gants propres

Injection intraveineuse directe dans un dispositif d'injection intermittente

- Fiole ou ampoule contenant le médicament approprié
- Seringue stérile de 3 à 5 mL (pour préparer le médicament)

- Seringue stérile de 3 à 5 mL (pour préparer le soluté physiologique ou la solution de rinçage à l'héparine)
- Fiole de solution physiologique pour rincer le cathéter IV ou fiole de solution d'héparine, ou les deux, selon les directives de l'établissement de soins de santé (*Le rinçage permet de maintenir la perméabilité du dispositif d'injection intermittente. On utilise souvent la solution saline pour les dispositifs périphériques.*)
- Aiguilles stériles de calibre 21 ou système équivalent sans aiguille
- Tampons antiseptiques
- Montre à affichage numérique ou montre ordinaire munie d'une trotteuse
- Gants propres

INTERVENTION

Préparation

1. Vérifiez la feuille d'administration des médicaments.
   - Vérifiez attentivement l'étiquette du médicament en la comparant avec la feuille d'administration des médicaments afin de vous assurer de préparer le médicament approprié.
   - Suivez les trois étapes de vérification d'administration des médicaments. Lisez l'étiquette du médicament : (1) lorsque vous le retirez du chariot ; (2) avant de l'aspirer dans la seringue ; (3) après l'avoir aspiré, au moment de le remettre en place.
   - Calculez la dose exacte.
   - Vérifiez si la voie d'administration est appropriée.
2. Préparez le matériel.

Exécution

1. Lavez-vous les mains et observez les autres mesures de prévention des infections.
2. Préparez le médicament.
   Perfusion existante
   - Préparez le médicament selon les directives du fabricant. *Il est important d'avoir la bonne dose et la bonne dilution.*
   Dispositif d'injection intermittente
   a) Rinçage avec le soluté physiologique.
   - Préparez deux seringues contenant chacune 1 mL de soluté physiologique.

   b) Rinçage avec une solution d'héparine et avec du soluté physiologique.
   - Préparez une seringue contenant 1 mL de solution d'héparine pour rinçage.
   - Préparez deux seringues contenant chacune 1 mL de soluté physiologique.
   - Préparez le médicament dans une seringue.
3. Si vous utilisez un système avec aiguille, mettez une aiguille de petit calibre sur la seringue.
4. Lavez-vous les mains et mettez des gants propres. *Ces précautions réduisent le risque de transmission de microorganismes et de contact avec le sang de la personne.*
5. Assurez-vous que l'intimité de la personne est préservée.
6. Préparez la personne.
   - Vérifiez son bracelet d'identité. *De cette manière, on s'assure d'administrer le médicament à la bonne personne.*
   - Si elles ne sont pas déjà faites, effectuez toutes les évaluations nécessaires liées au médicament à administrer. Si l'un des résultats se situe au-dessus ou au-dessous des paramètres préétablis, avisez le médecin avant d'administrer le médicament.
7. En utilisant des mots simples, expliquez à la personne pourquoi elle reçoit ce médicament et l'effet qu'il aura.

   Donnez-lui des renseignements sur les effets du médicament.
8. Administrez le médicament par injection directe.
   Dispositif d'injection intermittente avec aiguille
   - Nettoyez le diaphragme du dispositif avec le tampon antiseptique. *Le nettoyage réduit le risque d'introduire des microorganismes dans le système circulatoire lors de l'insertion de l'aiguille.*
   - Insérez l'aiguille de la seringue contenant le soluté physiologique au centre du diaphragme et aspirez un peu de sang (figure 39-63 ■). *La présence de sang confirme que le cathéter ou l'aiguille est bien dans la veine. Dans certains cas, le sang ne reflue pas, même si le dispositif est fonctionnel.*
   - Rincez le dispositif en injectant lentement 1 mL de soluté physiologique.

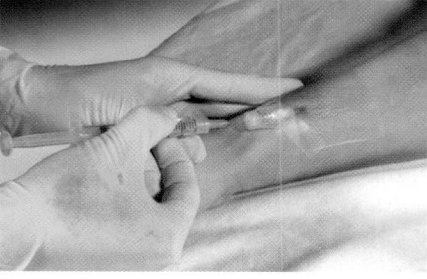

FIGURE 39-63 ■ Insertion d'une aiguille dans le diaphragme d'un dispositif d'injection intermittente.

INTERVENTION (suite)

Le rinçage permet de faire disparaître toute trace de sang et d'héparine (le cas échéant) de l'aiguille et du dispositif.

- Enlevez l'aiguille et la seringue.
- Nettoyez le diaphragme du dispositif avec un tampon antiseptique. *Le nettoyage réduit le risque de transfert de microorganismes.*
- Insérez l'aiguille de la seringue contenant le médicament préparé au centre du diaphragme.
- Injectez le médicament lentement, en respectant le débit prescrit. Utilisez une montre munie d'une trotteuse ou une montre à affichage numérique pour chronométrer l'injection. Observez attentivement les réactions de la personne. Lorsque tout le médicament a été administré, retirez l'aiguille et la seringue. *Une injection trop rapide risque de provoquer des effets nocifs.*
- Retirez l'aiguille et la seringue.
- Nettoyez le diaphragme du dispositif.
- Fixez la seconde seringue contenant le soluté physiologique et injectez 1 mL de cette solution. *Le rinçage avec le soluté physiologique élimine toute trace de médicament dans le cathéter et prépare le dispositif pour l'héparine, si on utilise ce médicament. L'héparine est incompatible avec de nombreux médicaments.*
- Si vous utilisez de l'héparine, insérez la seringue contenant de l'héparine et faites l'injection lentement.

Dispositif sans aiguille
- Enlevez le capuchon protecteur du dispositif sans aiguille.
- Insérez la seringue contenant le soluté physiologique dans le dispositif.
- Nettoyez le dispositif avec 1 mL de soluté physiologique. *Le nettoyage permet de faire disparaître toute trace de sang.*
- Enlevez la seringue.
- Insérez la seringue contenant le médicament dans la valve du dispositif (figure 39-64 ■).

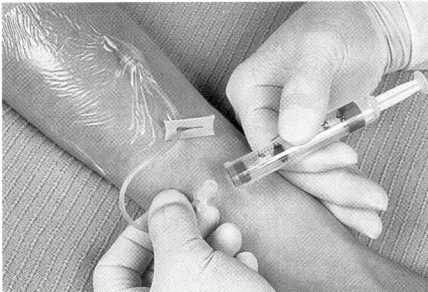

FIGURE **39-64** ■ Utilisation d'un système sans aiguille pour injecter un médicament dans un dispositif à injection intermittente.

- Injectez le médicament en prenant les précautions décrites plus haut.
- Retirez la seringue.
- Répétez l'injection de 1 mL de soluté physiologique.
- Placez un nouveau capuchon stérile sur le dispositif.

Perfusion existante
- Localisez le port d'injection le plus proche de la personne. Certains ports comportent une marque en forme de cercle indiquant où il faut insérer l'aiguille. *On doit utiliser un port d'injection puisque ce dernier se scellera de lui-même. Toute perforation de la tubulure de plastique provoquerait une fuite.*
- Nettoyez le port d'injection avec un tampon antiseptique.
- Arrêtez le débit du dispositif en fermant le presse-tube ou en pinçant la tubulure au-dessus du port d'injection.
- Reliez la seringue au dispositif d'injection IV.
  a) Système à aiguille.
  - Tenez fermement le port d'injection.
  - Insérez l'aiguille de la seringue de médicament au centre du diaphragme (figure 39-65 ■). *De cette manière, on évite d'endommager la tubulure de la perfusion et le diaphragme du port d'injection.*
  b) Système sans aiguille.
  - Enlevez le capuchon du port d'injection sans aiguille. Reliez le bout de la seringue au port d'injection (figure 39-66 ■).
  - Tirez sur le piston de la seringue afin d'aspirer une petite quantité de sang. *De cette manière, on s'assure que le port d'injection est fonctionnel et que le médicament entrera dans la circulation.*

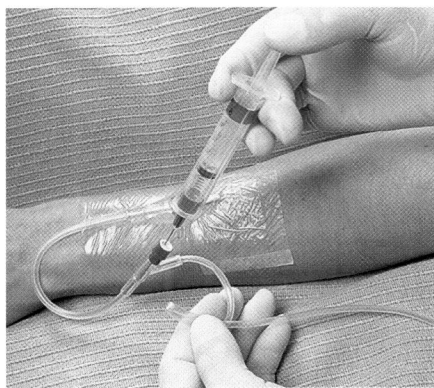

FIGURE **39-65** ■ Injection directe d'un médicament dans une perfusion existante en utilisant un système à aiguille.

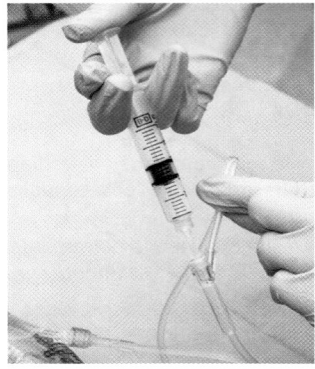

FIGURE **39-66** ■ Injection directe d'un médicament dans une perfusion existante en utilisant un système sans aiguille.

- Après avoir observé la présence de sang, laissez le presse-tube fermé et injectez le médicament selon le débit prescrit. Utilisez une montre munie d'une trotteuse ou une montre à affichage numérique pour chronométrer l'injection. *On s'assure ainsi d'administrer le médicament de manière sécuritaire, car une injection trop rapide peut être dangereuse.*
- Ouvrez le presse-tube ou dégagez la tubulure.
- Après avoir injecté le médicament, retirez l'aiguille ou, dans le cas d'un système sans aiguille, enlevez la seringue et fixez un nouveau capuchon stérile sur le port d'injection.

9. Jetez le matériel selon les directives de l'établissement. *Cette précaution diminue le risque de blessures avec les aiguilles et empêche la dispersion de microorganismes.*

10. Enlevez et jetez les gants. Lavez-vous les mains.

11. Surveillez de près la personne pour vous assurer de l'absence d'effets indésirables.

12. Vérifiez les directives de l'établissement de soins de santé pour savoir à quel moment il est nécessaire de changer les dispositifs d'injection intermittente. Certains établissements recommandent de changer les dispositifs de perfusion périphérique toutes les 48 à 72 heures.

13. Inscrivez dans le dossier les renseignements utiles.
- Notez la date, l'heure de l'administration, le médicament administré, la dose, la voie d'administration ainsi que les réactions de la personne; notez aussi les données concernant le point d'injection de la perfusion ou de l'héparine, s'il y a lieu.

PROCÉDÉ 39-9 (SUITE)

Administration de médicaments par voie intraveineuse par injection directe (suite)

ÉVALUATION

- Faites le suivi approprié en vérifiant les résultats escomptés, les effets indésirables et secondaires, ou l'altération des signes vitaux.
- Évaluez de nouveau le point d'injection IV et l'efficacité de la perfusion IV, si elle est toujours en cours.

- Comparez vos observations avec les résultats précédents, s'ils sont disponibles.
- Signalez au médecin tout écart significatif par rapport à la normale.

SOINS À DOMICILE

Administration d'antibiotiques par injection intraveineuse directe

En raison de la réduction de la durée des séjours à l'hôpital et des compressions budgétaires, les personnes ou les proches aidants sont de plus en plus souvent amenés à administrer eux-mêmes les antibiotiques à la maison. Cette administration s'effectue par injection IV directe au moyen d'un dispositif d'accès veineux avec pré et postrinçage (Skokal, 2000).

L'infirmière doit:

- Connaître les antibiotiques qui peuvent être administrés par injection directe et ceux qui ne peuvent pas l'être.
- Connaître les effets indésirables:
  - Phlébite (douleur et sensibilité au-dessus de la veine, érythème, œdème et chaleur)
  - Choc consécutif à une injection rapide (réaction systémique causée par l'administration trop rapide du médicament)
  - Spasme veineux (crampe et douleur au-dessus du point d'injection)
  - Infiltration (rougeur, chaleur, douleur)

- Évaluer la capacité visuelle ainsi que la dextérité manuelle du proche aidant ou de la personne. Il est nécessaire de démontrer une capacité visuelle et une dextérité suffisantes pour pouvoir faire une injection d'antibiotique de manière sécuritaire.
- Donner à la personne concernée un enseignement sur:
  - Le dispositif d'accès veineux
  - Le débit d'administration (dose par minute)
  - L'horaire d'administration du médicament
  - La technique de rinçage
  - Les effets indésirables
  - Les signes d'une situation critique exigeant d'appeler immédiatement les services d'urgence (911)
  - L'entreposage adéquat du médicament
- Inspecter l'apparence du médicament et vérifier la date de péremption.

Médicaments topiques

On applique les médicaments topiques localement, sur la peau ou sur les muqueuses dans des zones telles que l'œil, l'oreille externe, le nez, le vagin et le rectum. Il est difficile de prévoir de quelle manière la plupart des médicaments topiques appliqués sur une peau intacte sont absorbés, car les couches supérieures de l'épiderme sont peu perméables et elles agissent comme une barrière naturelle. De ce fait, le médicament diffuse difficilement et risque de ne pas être absorbé complètement. Toutefois, les lacérations, les brûlures ou d'autres types de lésions favorisent cette absorption à travers la peau, appelée absorption **percutanée**. Cependant, si on applique sur la peau de fortes concentrations ou de grandes quantités de médicament topique, notamment lors d'applications répétées, il pourrait passer dans la circulation sanguine suffisamment de médicament pour causer des effets systémiques, habituellement indésirables.

Le **timbre transdermique** constitue un type particulier de médicament topique ou dermatologique. Il est formé d'une plaque contenant un médicament déposé en couches successives et recouvertes d'un adhésif qui sert à coller le timbre sur la peau. Ce système permet d'administrer différents médicaments ou substances (nitroglycérine, œstrogène et nicotine, par exemple). La vitesse de diffusion du médicament est régulière et varie d'un produit à l'autre (de 12 heures à une semaine, par exemple). En général, on applique le timbre sur une partie du corps dépourvue de poils et de plis cutanés, et qui n'est pas soumise à des mouvements importants, comme le tronc ou la partie inférieure de l'abdomen. On peut aussi l'appliquer sur le flanc, le bas du dos ou les fesses. On ne doit pas coller les timbres transdermiques sur des zones présentant des coupures, des brûlures, des éraflures ou sur la partie distale d'un membre (par exemple, avant-bras). Si des poils risquent de nuire à l'adhérence ou au retrait du timbre, il sera peut-être nécessaire de raser localement la peau avant de l'appliquer.

Il arrive que la peau rougisse, avec ou sans démangeaison ou sensation de brûlure locales, ou qu'une dermatite de contact apparaisse. Une fois le timbre enlevé, les rougeurs disparaissent généralement en quelques heures. On doit remplacer les timbres tel qu'il est prescrit pour prévenir les irritations locales et changer de site d'application chaque fois. On doit toujours évaluer si la personne est allergique au médicament ou aux composants du timbre avant de l'appliquer. Si une personne portant un timbre transdermique fait de la fièvre, il se peut que le médicament soit absorbé et métabolisé trop rapidement. On doit surveiller la personne pour voir si les effets du médicament changent.

! ALERTE CLINIQUE
Lorsqu'elle applique un timbre transdermique, l'infirmière doit porter des gants pour éviter que le médicament n'entre en contact avec sa peau et qu'elle n'en subisse les effets. ■

Lorsqu'on enlève un timbre transdermique, on doit être prudent et ne pas l'éliminer n'importe comment. À la maison, si on le jette simplement dans la poubelle, les enfants ou les animaux de compagnie risquent d'entrer en contact avec le médicament encore actif restant sur le timbre. Une fois le timbre enlevé, il faut le plier de manière que la couche adhésive recouvre le médicament afin d'empêcher tout contact. On le jette ensuite dans un contenant fermé auquel ni les enfants ni les animaux de compagnie n'ont accès.

APPLICATIONS CUTANÉES

Les préparations topiques ou dermatologiques pour la peau et les muqueuses comprennent notamment les onguents, les pâtes, les crèmes, les lotions, les poudres, les aérosols et les timbres transdermiques (voir le tableau 39-1 plus haut dans ce chapitre). Les directives relatives aux applications cutanées sont présentées dans l'encadré *Conseils pratiques – Application des préparations pour la peau*. Avant d'appliquer une préparation dermatologique, il faut laver soigneusement la peau avec de l'eau et du savon et essuyer en tapotant. Les microorganismes présents dans les replis cutanés, ainsi que les applications précédentes de médicaments, peuvent empêcher le médicament d'entrer en contact avec la région à traiter. Lorsqu'elle fait des applications sur la peau présentant une plaie ouverte, l'infirmière doit porter des gants et utiliser une technique d'asepsie.

MÉDICAMENTS OPHTALMIQUES

Les **médicaments ophtalmiques** s'administrent sous forme d'irrigation ou d'instillation. On procède à l'irrigation oculaire afin de laver le sac conjonctival et d'enlever les sécrétions, les corps étrangers ou les produits chimiques susceptibles de blesser l'œil. Les médicaments ophtalmiques sont instillés dans l'œil

sous forme de liquides ou déposés sous forme d'onguents. Les gouttes ophtalmiques se présentent dans des flacons de plastique munis d'un compte-gouttes servant à administrer la préparation. Les onguents sont habituellement offerts en petits tubes. Sur tous les contenants, il doit être indiqué que le médicament est réservé à un usage ophtalmique. Les emballages portent des renseignements sur les préparations médicamenteuses et sur les techniques stériles à suivre. Les liquides ophtalmiques sur ordonnance sont habituellement dilués, par exemple à moins de 1 %.

Le procédé 39-10 explique comment administrer les instillations ophtalmiques.

CONSEILS PRATIQUES

Application des préparations pour la peau

POUDRE
S'assurer que la surface de la peau est sèche. Ouvrir les plis cutanés et saupoudrer pour recouvrir le site d'une *fine* couche. Au besoin, couvrir d'un bandage.

SUSPENSION
Agiter le contenant avant d'utiliser le produit, afin que toutes les particules soient bien en suspension dans le liquide. Verser un peu de lotion sur un pansement coussiné ou sur un tampon de gaze et étaler sur la peau en frottant doucement et régulièrement, dans le sens de la pousse des poils.

CRÈMES, ONGUENTS, PÂTES ET LOTIONS À BASE D'HUILE
Après avoir mis des gants, réchauffer et ramollir la préparation pour qu'elle soit plus facile à étaler et pour qu'elle ne soit pas trop froide (si on traite de grandes régions). Étaler uniformément sur la peau, dans le sens de la longueur et de la pousse des poils. Expliquer à la personne que la peau peut être grasse après l'application. Si le médecin l'a prescrit, recouvrir d'un pansement stérile.

AÉROSOL
Agiter le contenant pour bien mélanger le contenu. Tenir le vaporisateur à la distance recommandée de la zone à traiter (habituellement entre 15 et 30 cm, mais vérifier sur l'étiquette les directives du fabricant). Si on doit traiter la partie supérieure de la poitrine ou le cou, il faut couvrir le visage avec une serviette. Vaporiser le médicament sur la zone à traiter.

TIMBRES TRANSDERMIQUES
Choisir un site propre, sec et dépourvu de poils, et procéder selon les directives du fabricant. Enlever le revêtement protecteur du timbre sans toucher aux surfaces adhésives, et le coller en pressant fermement avec la paume de la main pendant environ 10 secondes. Demander à la personne de ne pas utiliser de coussin chauffant sur la zone où le timbre est appliqué afin d'empêcher l'augmentation de la circulation, donc le débit d'absorption. Enlever le timbre au moment approprié, en le pliant avec le médicament à l'intérieur de manière à ce qu'il soit complètement emprisonné dans le revêtement adhésif.

PROCÉDÉ 39-10

Administration d'instillations ophtalmiques

Objectif

- Administrer à la personne le médicament ophtalmique dont elle a besoin (un antibiotique, par exemple) afin de traiter une infection ou pour toute autre raison (voir les effets particuliers du médicament).

COLLECTE DES DONNÉES

Évaluez

- Les paramètres habituels concernant l'administration de tout médicament.
- L'apparence de l'œil et de ses structures externes pour rechercher la présence de lésions, d'exsudat, d'érythème ou d'œdème.
- L'endroit et la nature de tout écoulement, larmoiement et œdème des paupières ou de la glande lacrymale.
- Les symptômes de la personne (par exemple, prurit, douleur cuisante, vision floue et photophobie).

- Le comportement de la personne ou les signes observables (par exemple, strabisme, clignement excessif, froncement de sourcils ou frottement des yeux).
- Si les données d'évaluation influent sur l'administration du médicament. (Par exemple, est-il approprié de donner le médicament ou doit-on en suspendre l'administration et prévenir le médecin ?)

PLANIFICATION

Matériel

- Gants propres
- Éponges absorbantes stériles humectées de soluté physiologique
- Médicament
- Pansement stérile pour l'œil (tampon oculaire), si nécessaire, et pansement spécial pour le maintenir en place

Pour une irrigation, ajouter :

- Solution d'irrigation (par exemple, soluté physiologique) et seringue ou flacon à irrigation
- Éponges absorbantes stériles sèches
- Cuvette (par exemple, bassin réniforme)

INTERVENTION

Préparation

1. Vérifiez la feuille d'administration des médicaments.
   - Vérifiez, sur la feuille d'administration des médicaments, le nom du médicament, la posologie et la concentration. Vérifiez aussi la fréquence de l'instillation prescrite et l'œil à traiter. On utilise souvent des abréviations pour identifier l'œil : OD (œil droit), OS (œil gauche) et OU (les deux yeux).
   - Si la feuille d'administration des médicaments n'est pas claire ou s'il manque des renseignements pertinents, comparez-la avec l'ordonnance écrite la plus récente faite par le médecin.
   - Signalez toute anomalie à l'infirmière responsable ou au médecin, en suivant les directives de l'établissement de soins.
2. Vérifiez la raison de l'ordonnance, la classification du médicament, les contre-indications, la gamme de doses habituelle, les effets secondaires et les considérations infirmières concernant l'administration et l'évaluation des résultats escomptés du médicament.

Exécution

1. Comparez l'étiquette du tube ou de la bouteille de médicament avec la feuille d'administration des médicaments et vérifiez la date de péremption.
2. Si nécessaire, calculez la dose de médicament.
3. Expliquez à la personne ce que vous allez faire, pourquoi vous allez le faire et comment elle peut coopérer. D'habitude, l'administration d'un médicament ophtalmique n'est pas douloureuse. Les onguents sont souvent doux pour les yeux, mais certaines préparations peuvent causer une sensation de brûlure au moment de l'application. Expliquez-lui aussi que les résultats serviront à planifier les soins ou les traitements.
4. Lavez-vous les mains et observez les autres mesures de prévention des infections.
5. Assurez-vous que l'intimité de la personne est préservée.
6. Préparez la personne.
   - Vérifiez son bracelet d'identité et demandez-lui son nom. *De cette manière, on s'assure d'administrer le médicament à la bonne personne.*

- Aidez la personne à adopter une position confortable, assise ou allongée.
7. Nettoyez la paupière et les cils.
   - Mettez des gants propres.
   - Utilisez des tampons d'ouate stériles humectés avec une solution d'irrigation ou du soluté physiologique et essuyez l'œil de l'angle médial vers l'angle latéral. *Si on ne les enlève pas, les matières présentes sur les paupières et les cils risquent de tomber dans l'œil lors de l'irrigation. Le nettoyage vers l'angle latéral permet de prévenir la contamination de l'autre œil et du conduit lacrymonasal.*
8. Administrez le médicament ophtalmique.
   - Vérifiez la préparation ophtalmique : le nom du médicament, la concentration et le nombre de gouttes, s'il s'agit d'un médicament liquide. *Il est essentiel de vérifier les données relatives au médicament afin d'éviter une erreur lors de l'administration.* Si vous utilisez un compte-gouttes, aspirez le nombre approprié de millilitres. Si vous utilisez un onguent, jetez la première goutte. *On considère que la*

INTERVENTION (suite)

première goutte d'un tube d'onguent est contaminée.

- Demandez à la personne de regarder vers le plafond et donnez-lui une éponge absorbante stérile sèche. *La personne risque moins de cligner des yeux si elle regarde vers le haut. De plus, la cornée se trouve partiellement protégée par la paupière supérieure. Il est nécessaire d'avoir une éponge pour appuyer sur le canal lacrymonasal après l'instillation d'un liquide (afin de diminuer le risque d'écoulement du médicament par le canal) ou pour essuyer l'excédent d'onguent sur les cils après l'avoir appliqué.*

- Exposez le sac conjonctival inférieur en plaçant le bout des doigts de la main non dominante sur la joue de la personne immédiatement sous l'œil et en tirant doucement la peau vers la pommette. Si les tissus sont œdémateux, redoublez de précaution. *En plaçant les doigts sur la pommette, on diminue les risques de toucher la cornée, on évite de faire pression sur le globe oculaire et on empêche la personne de cligner de l'œil ou de loucher.*

- Approchez l'œil par le côté et instillez le nombre approprié de gouttes dans le tiers extérieur du sac conjonctival. Tenez le compte-gouttes de 1 à 2 cm au-dessus du sac (figure 39-67 ■). *La personne risque moins de cligner de l'œil si l'infirmière approche par le côté. L'instillation des gouttes dans le sac conjonctival est moins douloureuse pour la cornée que si on dépose les gouttes directement dessus. Le compte-gouttes ne doit toucher ni le sac conjonctival ni la cornée.*

ou

- Tenez le tube au-dessus du sac conjonctival, appuyez et faites glisser 2 cm d'onguent dans le sac conjonctival inférieur en allant de l'angle médial vers l'angle latéral (figure 39-68 ■).

- Demandez à la personne de fermer les paupières, sans les serrer. *Lorsque*

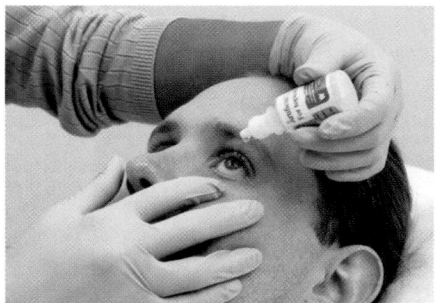

FIGURE **39-67** ■ Instillation de gouttes oculaires dans le sac conjonctival inférieur.

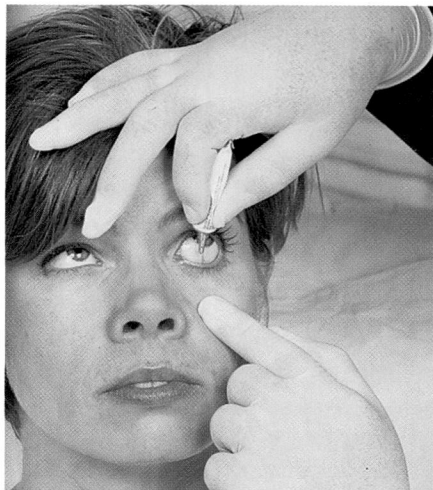

FIGURE **39-68** ■ Instillation d'onguent dans le sac conjonctival inférieur.

la personne ferme les paupières, le médicament s'étale sur le globe oculaire. Si elle les serre, cela peut causer des lésions à l'œil et le médicament risque de s'échapper.

- Dans le cas d'instillation d'un médicament liquide, pressez fermement sur le canal lacrymonasal pendant au moins 30 secondes ou demandez à la personne de le faire (figure 39-69 ■). *La pression sur le canal lacrymonasal empêche le médicament de s'échapper de l'œil et de s'écouler dans le canal.*

Variante : irrigation

- Placez des serviettes absorbantes sous la tête, le cou et les épaules de la personne. Placez un bassin du côté de l'œil pour recueillir le liquide de drainage. Quand elles descendent dans le canal lacrymonasal et passent dans la circulation générale, certaines gouttes ophtalmiques risquent de provoquer des réactions systémiques sérieuses (confusion, chute de la fréquence cardiaque ou de la pression artérielle).

- Exposez le sac conjonctival inférieur. Si vous effectuez l'irrigation par étapes, commencez par tenir la paupière inférieure et ensuite la paupière supérieure. Faites pression sur l'os de la pommette et sous celui de l'arcade sourcilière pour tenir les paupières ouvertes. *Le fait de séparer les paupières permet d'empêcher le clignement. La pression sur les proéminences osseuses diminue le risque de douleur causée par la pression sur le globe oculaire.*

- Remplissez et tenez l'irrigateur à environ 2,5 cm au-dessus de l'œil. *À cette hauteur, la pression de la solution*

n'endommagera pas les tissus de l'œil et l'irrigateur ne touchera pas la surface de l'œil.

- Irriguez l'œil en dirigeant la solution vers le sac conjonctival inférieur, de l'angle médial vers l'angle latéral. *En dirigeant la solution de cette manière, on prévient le risque de léser la cornée et on empêche les fluides et les contaminants de s'infiltrer dans le canal lacrymonasal.*

- Irriguez jusqu'à ce que la solution laisse l'œil propre (sans écoulement) ou jusqu'à ce que toute la solution ait été entièrement utilisée.

- Demandez à la personne de fermer et de bouger l'œil de temps en temps. *Ce mouvement permet de faire descendre les sécrétions du sac conjonctival supérieur au sac inférieur.*

9. Nettoyez et asséchez les paupières, si nécessaire. Essuyez doucement les paupières de l'angle médial vers l'angle latéral pour enlever le surplus de médicament.

10. Au besoin, appliquez un tampon oculaire (ou compresse stérile) et faites-le tenir en place avec un pansement à cet effet.

11. Évaluez la réaction de la personne au médicament immédiatement après l'application et à nouveau après que le médicament est censé avoir agi.

12. Inscrivez dans le dossier les données relatives aux évaluations et aux interventions. Notez le nom du médicament administré ou du produit utilisé pour l'irrigation, la concentration du médicament, le nombre de gouttes (si on a utilisé un médicament liquide), l'heure d'administration ainsi que les réactions de la personne.

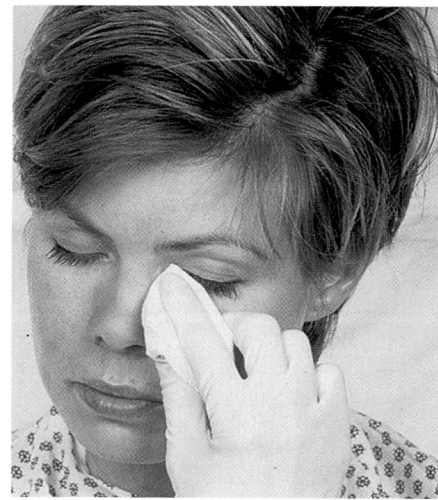

FIGURE **39-69** ■ Faire pression sur le canal lacrymonasal.

PROCÉDÉ 39-10 (SUITE)

Administration d'instillations ophtalmiques (suite)

ÉVALUATION

- Faites le suivi qui s'impose en comparant les résultats obtenus aux résultats escomptés pour la personne. Comparez vos observations avec les résultats précédents, s'ils sont disponibles.

- Signalez au médecin tout écart significatif par rapport à la normale.

LES ÂGES DE LA VIE

Administration de médicaments ophtalmiques

NOURRISSONS ET ENFANTS

- Expliquer la technique aux parents du nourrisson ou de l'enfant.
- Dans le cas d'un jeune enfant ou d'un nourrisson, demander l'aide des parents pour lui immobiliser les bras et les jambes. *Cela permet de prévenir les blessures pendant l'administration du médicament.*
- Dans le cas d'un jeune enfant, lui expliquer le procédé à l'aide d'une poupée. *Ce type de démonstration favorise la collaboration et diminue l'anxiété.*
- On peut utiliser un contenant et une tubulure pour intraveineuse pour administrer la solution d'irrigation dans l'œil (figure 39-70 ■).

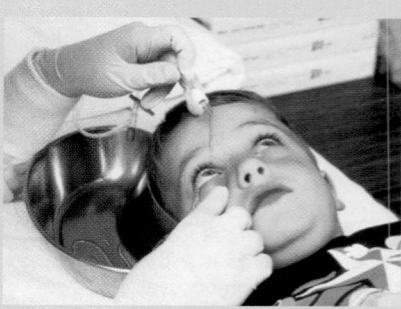

FIGURE **39-70** ■ Irrigation de l'œil en utilisant une tubulure IV.

MÉDICAMENTS AURICULAIRES

Les instillations ou les irrigations du conduit auditif externe sont effectuées à l'aide de **médicaments auriculaires** et sont généralement effectuées à des fins de nettoyage. Il arrive que l'on prescrive des applications de chaleur ou des solutions antiseptiques. Les irrigations effectuées à l'hôpital exigent l'utilisation d'une technique d'asepsie afin de prévenir l'introduction de microorganismes dans l'oreille. Si le tympan est perforé, il faut utiliser une technique stérile. La position du conduit auditif externe varie selon l'âge. Chez l'enfant de moins de trois ans, il est dirigé vers le haut. Chez l'adulte, ce conduit a la forme d'un S d'environ 2,5 cm de longueur.

Le procédé 39-11 explique comment administrer les instillations auriculaires.

PROCÉDÉ 39-11

Administration d'instillations auriculaires

Objectifs

- Ramollir le cérumen de manière à ce qu'il soit facile à enlever ultérieurement.
- Effectuer un traitement local pour diminuer l'inflammation, détruire des organismes infectieux dans le conduit auditif externe, ou les deux.

- Soulager la douleur.

Évaluez

- Les paramètres habituels concernant l'administration de tout médicament.
- L'apparence du pavillon de l'oreille et du méat pour évaluer la présence de rougeur ou de lésions.
- Le type, la quantité et l'odeur de tout écoulement.

- La présence de cérumen et son aspect.
- Si les données d'évaluation influent sur l'administration du médicament. (Par exemple, est-il approprié de donner le médicament ou doit-on en suspendre l'administration et prévenir le médecin ?)

Matériel

- Gants stériles
- Applicateur ouaté
- Flacon du médicament approprié avec compte-gouttes
- Bout caoutchouté flexible (facultatif) pour l'extrémité du compte-gouttes (afin de prévenir les blessures causées par un mouvement brusque)
- Boule de coton

Pour une irrigation, ajouter :

- Serviette
- Cuvette (par exemple, bassin réniforme)
- Solution d'irrigation à la température appropriée, environ 500 mL ou tel qu'il est prescrit
- Contenant pour la solution d'irrigation
- Seringue (on utilise souvent une poire en caoutchouc ou une seringue de type Asepto)

Préparation

1. Vérifiez la feuille d'administration des médicaments.
   - Vérifiez, sur la feuille d'administration des médicaments, le nom du médicament, sa concentration, le nombre de gouttes prescrites et la fréquence de l'administration.
   - Si la feuille d'administration des médicaments n'est pas claire ou s'il manque des renseignements pertinents, comparez-la avec l'ordonnance écrite la plus récente faite par le médecin.
   - Signalez toute anomalie à l'infirmière responsable ou au médecin, selon les directives de l'établissement de soins de santé.
2. Vérifiez la raison de l'ordonnance, la classification du médicament, les contre-indications, la gamme de doses habituelle, les effets secondaires et les considérations infirmières concernant l'administration et l'évaluation des résultats escomptés du médicament.

Exécution

1. Comparez l'étiquette du tube ou de la bouteille de médicament avec la feuille d'administration des médicaments et vérifiez la date de péremption.
2. Si nécessaire, calculez la dose de médicament.
3. Expliquez à la personne ce que vous allez faire, pourquoi vous allez le faire et comment elle peut coopérer. D'habitude, l'administration d'un médicament auriculaire n'est pas douloureuse. Expliquez-lui aussi que les résultats serviront à planifier les soins ou les traitements.

4. Lavez-vous les mains et observez les autres mesures de prévention des infections.
5. Assurez-vous que l'intimité de la personne est préservée.
6. Préparez la personne.
   - Vérifiez son bracelet d'identité et demandez-lui son nom. *De cette manière, on s'assure d'administrer le médicament à la bonne personne.*
   - Aidez la personne à adopter une position confortable pour recevoir des gouttes auriculaires en lui demandant de se coucher en tournant la tête *de manière à exposer l'oreille à traiter.*
7. Nettoyez le pavillon de l'oreille et l'orifice du conduit auditif.
   - Mettez des gants si vous soupçonnez la présence d'une infection.
   - Utilisez des écouvillons et une solution pour essuyer le pavillon de l'oreille et le méat du conduit auditif. *Cela permet d'éliminer toute trace d'écoulement avant l'instillation de manière à ce que rien ne soit introduit dans le conduit auditif.*
8. Administrez le médicament auriculaire.
   - Réchauffez le contenant du médicament entre vos mains ou placez-le dans l'eau tiède pendant quelques instants. *De cette manière, on assure le confort de la personne.*
   - Remplissez partiellement le compte-gouttes avec la solution.
   - Redressez le conduit auditif. Chez l'adulte, tirez sur le pavillon de l'oreille vers le haut et vers l'arrière (figure 39-71 ■). *On redresse le conduit auditif de manière à ce que la solution coule sur toute la longueur du conduit.*
   - Instillez le nombre approprié de gouttes dans le conduit auditif (figure 39-72 ■).

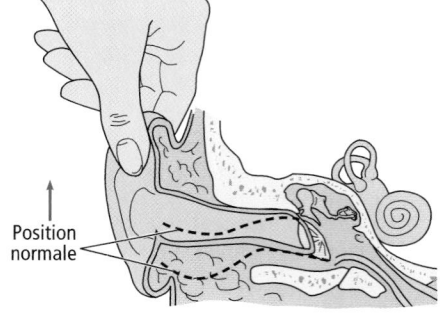

Position normale

FIGURE **39-71** ■ Redressement du conduit auditif chez l'adulte en le tirant vers le haut et vers l'arrière.

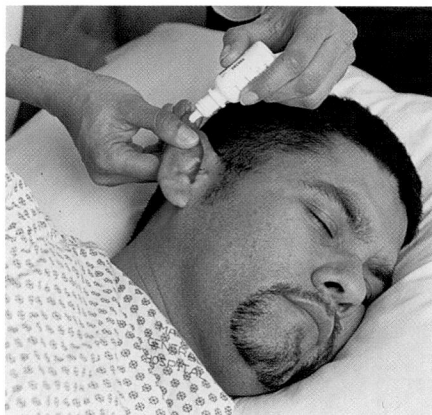

FIGURE **39-72** ■ Instillation de gouttes auriculaires.

- Pressez doucement mais fermement sur le tragus de l'oreille (petite proéminence cartilagineuse située en avant

PROCÉDÉ 39-11 (SUITE)

Administration d'instillations auriculaires (suite)

INTERVENTION (suite)

du méat de l'oreille) pendant quelques instants. *La pression sur le tragus favorise l'écoulement du médicament dans le conduit auditif.*

- Demandez à la personne de rester couchée sur le côté pendant environ cinq minutes. *Cela empêchera le médicament de sortir de l'oreille et lui permettra de se répartir dans tout le conduit auditif.*
- Insérez une petite boule de coton (pas trop serrée) dans l'orifice du conduit auditif et laissez-la durant 15 à 20 minutes. Ne la poussez pas dans le conduit. *Le coton aide à retenir le médicament dans l'oreille lorsque la personne se lève. Si le coton inséré dans le conduit est trop serré, il nuira à l'action du médicament et au mouvement des sécrétions normales.*

Variante : irrigation de l'oreille
- Expliquez à la personne qu'elle pourra éprouver un sentiment de plénitude, de chaleur et, parfois, de douleur lorsque le liquide atteindra le tympan.

- Aidez la personne à s'asseoir ou à s'allonger sur le côté, tout en tournant la tête du côté de l'oreille à traiter. *La solution pourra alors couler du conduit auditif dans la cuvette.*
- Placez la serviette autour de l'épaule de la personne sous l'oreille à irriguer.

ou

- Suspendez le contenant de solution d'irrigation et laissez la solution s'écouler dans la tubulure et la canule. *La solution circule grâce à l'air qui est retiré de la tubulure et de la canule.*
- Redressez le conduit auditif.
- Insérez le bout de la seringue dans l'orifice auriculaire et envoyez doucement la solution vers le haut du conduit. *La solution coulera dans tout le conduit et ressortira par le bas. On doit instiller la solution en douceur parce qu'une forte pression du liquide pourrait causer de la douleur à la personne et endommager le tympan.*
- Continuez à instiller le liquide jusqu'à ce que la solution ait été entièrement utilisée ou que le conduit soit propre, selon le but recherché. Prenez garde

de ne pas bloquer la sortie du liquide avec la seringue.
- Aidez la personne à se coucher sur le côté de l'oreille traitée. *Cette position permet au trop-plein de liquide de s'écouler par gravité.*
- Placez une boule de coton dans le méat auriculaire pour absorber l'excédent de liquide.

9. Évaluez la réaction de la personne ainsi que l'apparence et le volume de l'écoulement, l'apparence du conduit, la douleur ressentie immédiatement après l'instillation et à nouveau après que le médicament est censé avoir agi. Examinez la boule de coton pour déceler toute trace d'écoulement.

10. Notez dans le dossier les données relatives aux évaluations et aux interventions infirmières concernant le procédé. Inscrivez le nom du médicament ou de l'irrigation administrés, la concentration, le nombre de gouttes (si on a utilisé un médicament liquide), l'heure ainsi que les réactions de la personne.

ÉVALUATION

- Faites le suivi qui s'impose en comparant les résultats obtenus aux résultats escomptés. Comparez vos observations avec les résultats précédents, s'ils sont disponibles.

- Signalez au médecin tout écart significatif par rapport à la normale.

LES ÂGES DE LA VIE

Administration de médicaments auriculaires

NOURRISSONS ET ENFANTS

- Demander de l'aide pour immobiliser le nourrisson ou le jeune enfant. *Cela permet de prévenir les blessures pendant l'administration du médicament.*

- Chez l'enfant de moins de trois ans, le conduit auditif est dirigé vers le haut. Il faut donc tirer doucement sur le pavillon de l'oreille vers le bas et vers l'arrière (figures 39-73 ■ et 39-74 ■). Chez l'enfant de *plus* de trois ans, tirer le pavillon de l'oreille vers le haut et vers l'arrière (voir la figure 39-71).

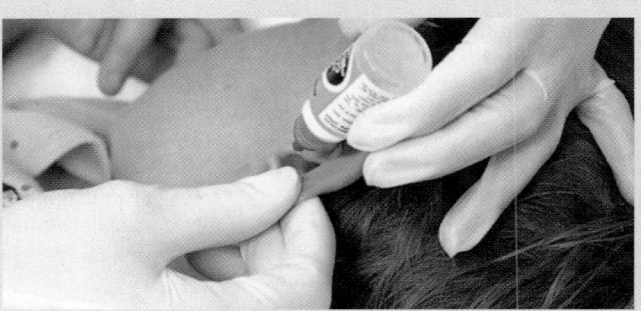

FIGURE **39-73** ■ Redressement du conduit auditif chez l'enfant en le tirant vers le bas et vers l'arrière.

LES ÂGES DE LA VIE (SUITE)

Administration de médicaments auriculaires (suite)

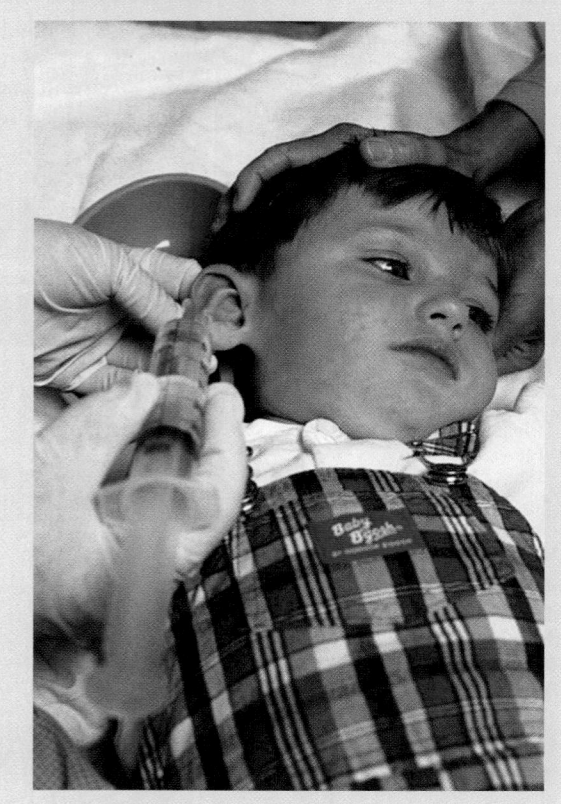

FIGURE **39-74** ■ Irrigation de l'oreille.

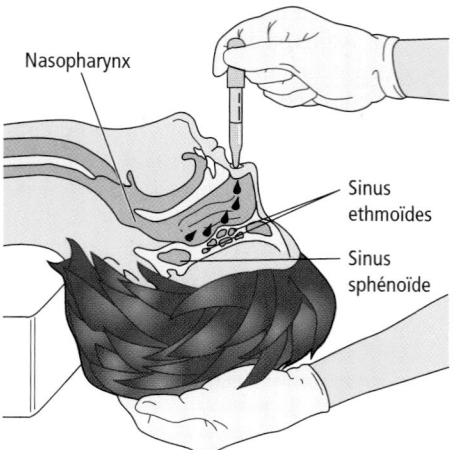

FIGURE **39-75** ■ Position de la tête pour l'instillation de gouttes dans les sinus ethmoïdes et sphénoïdes.

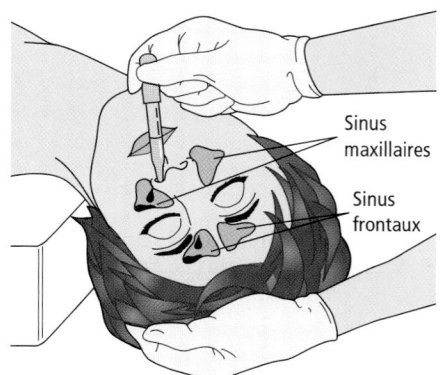

FIGURE **39-76** ■ Position de la tête pour l'instillation de gouttes dans les sinus maxillaires et frontaux.

ADMINISTRATION DE MÉDICAMENTS PAR LE NEZ

On a recours aux instillations nasales (gouttes et pulvérisations nasales) pour leur effet astringent (favoriser la contraction des muqueuses congestionnées), pour libérer les sécrétions et en faciliter l'écoulement, ou encore pour traiter les infections des fosses nasales ou des sinus. Les instillations les plus souvent utilisées sont les décongestionnants, dont un certain nombre sont offerts sans ordonnance. On doit enseigner aux personnes à utiliser ces médicaments avec prudence. L'utilisation répétée d'un décongestionnant nasal peut entraîner un effet rebond et, par conséquent, augmenter la congestion nasale. Avaler de la solution décongestionnante peut avoir des effets systémiques sérieux, particulièrement chez les enfants et les personnes âgées. Pour eux, les solutions salines constituent encore le meilleur décongestionnant et le plus sécuritaire.

D'habitude, la personne s'administre elle-même les pulvérisations. Couchée sur le dos, la tête renversée en arrière, elle place le bec du contenant dans la narine et elle inhale pendant qu'elle pulvérise l'aérosol dans les voies nasales. Lorsqu'une personne utilise des aérosols à répétition, il faut vérifier si les narines sont irritées. Quand on administre un aérosol à un enfant, celui-ci doit garder la tête droite pour ne pas avaler le surplus de pulvérisation.

Les gouttes nasales servent aussi à soigner les infections des sinus. La personne doit apprendre à adopter la bonne position pour traiter le sinus atteint avec efficacité :

■ Pour traiter les sinus ethmoïdes et sphénoïdes, demander à la personne de se coucher sur le dos, la tête pendante par-dessus le bord du lit, ou mettre un oreiller sous ses épaules, de manière à ce que la tête soit bien renversée vers l'arrière (figure 39-75 ■).

■ Pour traiter les sinus maxillaires et frontaux, demander à la personne d'adopter la même position couchée, mais en tournant la tête vers la droite ou vers la gauche, selon le sinus à traiter (figure 39-76 ■). On doit aussi dire à la personne : (a) de respirer par la bouche, de manière à prévenir l'aspiration du médicament dans la trachée et les bronches ; (b) de rester couchée pendant au moins une minute, pour que la solution se répande sur toute la muqueuse nasale ; (c) d'éviter de se moucher pendant plusieurs minutes.

ADMINISTRATION DE MÉDICAMENTS PAR VOIE VAGINALE

Les médicaments administrés par voie vaginale, ou instillations, sont offerts sous forme de crème, de gel, de mousse ou de suppositoire. Ils servent à traiter une infection ou à soulager des malaises (démangeaisons ou douleurs, par exemple). Habituellement, on utilise une technique d'asepsie. On applique les crèmes vaginales, ainsi que les gels et les mousses, à l'aide d'un applicateur muni d'un piston. Les suppositoires sont insérés avec l'index d'une main gantée. Comme ces suppositoires fondent à la température du corps, on les conserve généralement au réfrigérateur pour qu'ils soient fermes au moment de l'insertion. Le procédé 39-12 explique comment administrer des instillations vaginales.

L'irrigation vaginale (douche) est le lavage du vagin à l'aide d'un liquide injecté à faible pression. Les irrigations vaginales ne font pas partie de l'hygiène quotidienne de la femme. On les utilise pour prévenir une infection en appliquant une solution antimicrobienne qui empêche la croissance de microorganismes, pour arrêter un écoulement incommodant ou irritant, et pour diminuer l'inflammation ou prévenir une hémorragie par l'application de chaleur ou de froid. Dans les établissements de soins, on utilise du matériel stérile; à la maison, cette précaution n'est pas nécessaire parce que la personne est habituée aux microorganismes présents dans son environnement. Cependant, s'il y a une plaie ouverte, on recommande l'utilisation d'une technique stérile.

PROCÉDÉ 39-12

Administration d'instillations vaginales

Objectifs

- Traiter ou prévenir une infection.
- Réduire l'inflammation.

- Soulager une douleur vaginale.

COLLECTE DES DONNÉES

Évaluez

- Les paramètres habituels concernant l'administration de tout médicament.
- La présence d'inflammation à l'orifice du vagin, ainsi que la quantité, la nature et l'odeur de l'écoulement vaginal.
- La présence de douleur vaginale.

- Si les données d'évaluation influent sur l'administration du médicament. (Par exemple, est-il approprié de donner le médicament ou doit-on en suspendre l'administration et prévenir le médecin?)

PLANIFICATION

Matériel

- Drap
- Crème ou suppositoire vaginal prescrits
- Gants propres
- Lubrifiant (pour l'administration d'un suppositoire)
- Serviette jetable
- Serviette hygiénique propre

Pour une irrigation, ajouter:
- Protège-drap
- Trousse d'irrigation vaginale (ce matériel est souvent à usage unique) contenant une canule, une tubulure, un presse-tube (clamp) et un contenant pour la solution
- Support pour IV
- Solution d'irrigation

INTERVENTION

Préparation

1. Vérifiez la feuille d'administration des médicaments.
   - Vérifiez, sur la feuille d'administration des médicaments, le nom du médicament, sa concentration et la fréquence de l'administration.
   - Si la feuille d'administration des médicaments n'est pas claire ou s'il manque des renseignements pertinents, comparez-la avec l'ordonnance écrite la plus récente faite par le médecin.
   - Signalez toute anomalie à l'infirmière responsable ou au médecin, selon les directives de l'établissement de soins de santé.
2. Vérifiez la raison de l'ordonnance, la classification du médicament, les contre-

indications, les doses habituelles, les effets secondaires et les considérations infirmières concernant l'administration et l'évaluation des résultats escomptés du médicament.

Exécution

1. Comparez l'étiquette du contenant de médicament avec la feuille d'administration des médicaments et vérifiez la date de péremption.
2. Si nécessaire, calculez la dose de médicament.
3. Expliquez à la femme ce que vous allez faire, pourquoi vous allez le faire et comment elle peut coopérer. D'habitude, l'instillation vaginale n'est pas douloureuse et, en fait, peut

soulager la démangeaison ou la douleur en cas d'infection. Plusieurs personnes considèrent qu'il est embarrassant de recevoir ce genre de traitement, et certaines femmes préfèrent s'administrer elles-mêmes le médicament si on leur enseigne comment faire. Expliquez aussi à la femme que les résultats serviront à planifier les soins ou les traitements.

4. Lavez-vous les mains et observez les autres mesures de prévention des infections.
5. Assurez-vous que l'intimité de la femme est préservée.
6. Préparez la femme.
   - Vérifiez son bracelet d'identité et demandez-lui son nom. *De cette*

INTERVENTION (suite)

manière, on s'assure d'administrer le médicament à la bonne personne.

- Demandez à la femme d'aller uriner. *Si la vessie est vide, la personne se sentira plus à l'aise et cela diminuera le risque de blessure des parois vaginales.*
- Aidez la femme à s'installer en décubitus dorsal, les genoux pliés et les hanches tournées de côté.
- Couvrez la femme avec un drap, de manière à n'exposer que la région du périnée.

7. Préparez le matériel.
   - Déballez le suppositoire et déposez-le sur l'emballage ouvert.

   ou

   - Remplissez l'applicateur avec la crème, la mousse ou le gel prescrits. Suivez les directives du fabricant.

8. Vérifiez l'état de la région périnéale et nettoyez-la.
   - Mettez des gants. *Les gants protègent les mains de l'infirmière de la contamination par les microorganismes des régions périnéale et vaginale.*
   - Examinez l'orifice du vagin et vérifiez la présence d'un écoulement vaginal ou d'odeurs, et vérifiez si la femme se plaint de douleurs vaginales.
   - Donnez les soins périnéaux afin d'enlever les microorganismes. *On diminue ainsi le risque d'introduire des microorganismes dans le vagin.*

9. Administrez le suppositoire vaginal, la crème, la mousse, le gel ou l'irrigation.

Suppositoire

- Lubrifiez l'extrémité arrondie (lisse) du suppositoire à insérer. *La lubrification facilite l'insertion.*
- Lubrifiez l'index de la main gantée.
- Écartez les lèvres avec la main non dominante afin d'exposer l'entrée du vagin.
- Insérez le suppositoire à 8 ou 10 cm de l'orifice vaginal, le long de la paroi postérieure du vagin, ou le plus loin possible (figure 39-77 ■). *La paroi postérieure du vagin est d'environ 2,5 cm plus longue que la paroi antérieure parce que le col de l'utérus fait saillie dans la partie supérieure de la paroi antérieure.*

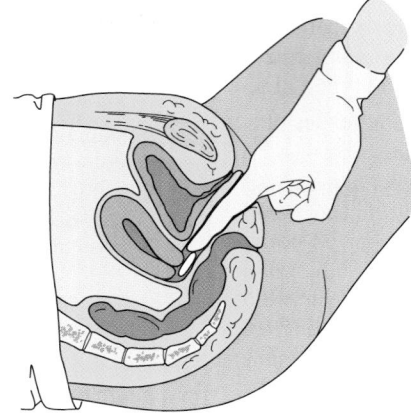

FIGURE **39-77** ■ Insertion d'un suppositoire vaginal.

- Demandez à la femme de rester en décubitus dorsal pendant les 5 à 10 minutes qui suivent l'insertion. On peut surélever les hanches de la personne avec un oreiller. *Cette position permet au médicament de s'écouler jusque dans le fond du vagin une fois qu'il a fondu.*

Crème, gel ou mousse

- Insérez doucement l'applicateur à environ 5 cm de l'orifice vaginal.
- Poussez lentement sur le piston jusqu'à ce que l'applicateur soit vide (figure 39-78 ■).

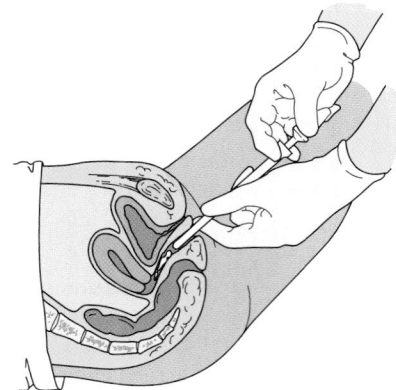

FIGURE **39-78** ■ Utilisation d'un applicateur pour instiller une crème vaginale.

- Enlevez l'applicateur et déposez-le sur la serviette. *On place l'applicateur sur la serviette pour éviter de répandre des microorganismes.*
- Jetez l'applicateur, s'il est à usage unique, ou nettoyez-le en suivant les directives du fabricant.
- Demandez à la femme de rester en décubitus dorsal pendant les 5 à 10 minutes qui suivent l'application.

Irrigation

- Installez la femme sur une cuvette.
- Pincez la tubulure. Suspendez le contenant de solution d'irrigation sur le support pour IV de manière à ce que la base du contenant se trouve à environ 30 cm au-dessus du vagin. *Avec le contenant placé à cette hauteur, la faible pression de la solution diminue les risques de blessure des parois vaginales.*
- Commencez par faire couler le liquide dans la tubulure et dans la canule jusque dans la cuvette. *De cette manière, on s'assure d'enlever l'air dans la tubulure et d'humidifier la canule.*
- Insérez doucement la canule dans le vagin. Dirigez-la vers le sacrum, en suivant la direction du vagin.
- Insérez la canule à environ 7 à 10 cm de l'orifice vaginal, laissez le liquide s'écouler et faites tourner la canule plusieurs fois. *La rotation de la canule permet d'irriguer toutes les parties du vagin.*
- Utilisez toute la solution et laissez-la couler librement hors du vagin dans la cuvette.
- Enlevez la canule du vagin.
- Aidez la femme à s'asseoir sur la cuvette. *Cette position permettra au liquide qui reste de s'écouler par gravité.*

10. Assurez le confort de la personne.
    - Séchez le périnée avec des serviettes si nécessaire.
    - Appliquez une serviette hygiénique propre s'il y a un excédent de liquide.

11. Notez dans le dossier les données relatives aux évaluations et aux interventions infirmières concernant le procédé. Inscrivez le nom du médicament administré ou du produit utilisé pour l'irrigation, la dose, l'heure ainsi que les réactions de la femme.

ÉVALUATION

- Faites le suivi qui s'impose en comparant les résultats obtenus aux résultats escomptés. Comparez vos observations avec les résultats précédents, s'ils sont disponibles.

- Signalez au médecin tout écart significatif par rapport à la normale.

ADMINISTRATION DE MÉDICAMENTS PAR VOIE RECTALE

L'administration de médicaments par le rectum sous forme de suppositoires est répandue. L'administration rectale constitue une méthode pratique et sécuritaire pour donner certains médicaments. Voici les avantages de cette méthode :

- Elle évite l'irritation du tube digestif supérieur chez les personnes qui souffrent de ce genre de problème.
- Elle est avantageuse lorsque le médicament a un goût ou une odeur très désagréable.
- Le médicament est libéré lentement dans l'organisme.
- Le suppositoire rectal libère davantage de médicament dans le sang puisque le sang veineux de la partie inférieure du rectum n'est pas transporté vers le foie.

Pour insérer un suppositoire rectal :

- Aider la personne à s'installer en décubitus latéral, le genou du dessus fléchi.
- Replier les couvertures pour exposer la région des fesses.
- Mettre un gant sur la main qui va insérer le suppositoire.
- Déballer le suppositoire et lubrifier le bout lisse arrondi, ou suivre les directives du fabricant. Habituellement, on insère d'abord le bout arrondi ; le lubrifiant réduit l'irritation des muqueuses.
- Lubrifier l'index de la main gantée.
- Demander à la personne de se détendre en lui conseillant de respirer par la bouche ; en général, cela permet au sphincter anal externe de se relâcher.
- Insérer doucement le suppositoire par l'extrémité arrondie dans le canal anal (ou en suivant les directives du fabricant), le long de la paroi rectale, en utilisant l'index de la main gantée. Chez l'adulte, insérer le suppositoire au-delà du sphincter interne (c'est-à-dire à 10 cm) (figure 39-79 ■).
- Presser ensemble les fesses de la personne pendant quelques minutes.
- Demander à la personne de rester en position couchée sur le côté ou sur le dos pendant au moins cinq minutes pour retenir le suppositoire. Elle doit le garder pendant au moins 30 à 40 minutes, ou durant le temps précisé par le fabricant.

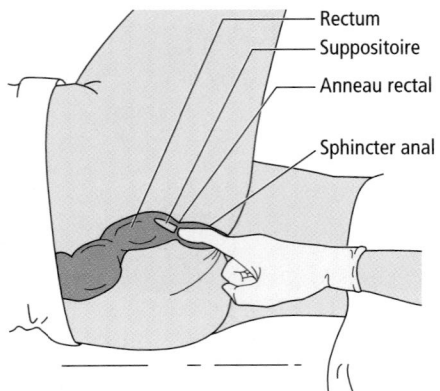

FIGURE **39-79** ■ Insertion d'un suppositoire rectal au-delà du sphincter interne et contre la paroi rectale.

LES ÂGES DE LA VIE

Administration de médicaments par voie rectale

NOURRISSONS ET ENFANTS

- Demander de l'aide pour immobiliser le nourrisson ou le jeune enfant. *Cela permet de prévenir les blessures pendant l'administration du médicament.*
- Chez le nourrisson ou l'enfant, insérer le suppositoire à 5 cm ou moins.

Administration de médicaments par inhalation

On administre la plupart des médicaments par inhalation à l'aide d'un *inhalateur (atomiseur)*. Cet appareil disperse une fine vaporisation (brume ou brouillard) de médicament ou de vapeur d'eau vers la personne. Il existe deux types de nébulisation : la *pulvérisation* et la *dispersion en fines gouttelettes à l'aide d'un aérosol*. Dans le traitement par pulvérisation, un appareil appelé atomiseur (pulvérisateur) produit des gouttelettes de grosseur moyenne pour inhalation. Dans le traitement par aérosol, les gouttelettes sont en suspension dans un gaz, tel que l'oxygène. Plus les gouttelettes sont fines, meilleure est leur inhalation par les voies respiratoires. Lorsqu'un médicament a pour but de traiter la muqueuse nasale, il doit être inhalé par le nez ; lorsqu'il est destiné à la trachée, aux bronches ou aux poumons, il doit être inhalé par la bouche.

Un inhalateur de grande capacité peut produire un brouillard chaud ou froid. On l'utilise pour les traitements à long terme, après une trachéostomie, par exemple. L'atomiseur ultrasonique (figure 39-80 ■) donne un taux de 100 % d'humidité et peut produire des particules suffisamment fines pour atteindre les voies respiratoires inférieures.

L'**aérosol-doseur**, un inhalateur qui tient dans la main (figure 39-81 ■), est un petit contenant sous pression renfermant un médicament que la personne utilise au moyen d'un embout nasal ou buccal. La force avec laquelle l'air traverse l'inhalateur a pour effet de fractionner les grosses particules de médicament en particules beaucoup plus fines qui forment un brouillard ou un aérosol.

L'infirmière doit enseigner à la personne comment utiliser l'appareil afin de s'assurer que le médicament contenu dans l'aérosol-doseur est correctement administré. La personne libère le médicament dans l'embout buccal en appuyant sur le contenant de médicament. On peut ajouter un tube de rallonge ou une chambre d'espacement (aérochambre) afin de faciliter l'absorption du médicament et d'obtenir de meilleurs résultats (figure 39-82 ■). L'aérochambre est un dispositif en forme de cylindre qui permet à la personne d'inhaler le médicament ; de plus, lorsqu'elle expire, la dose reste dans le cylindre et ne se disperse pas dans l'air. L'encadré *Enseignement – Utilisation d'un aérosol-doseur* explique comment utiliser ce genre d'appareil. Il existe un nouveau type d'aérosol-doseur activé par la respiration dans lequel l'inhalation déclenche la libération d'une dose de médicament préétablie.

FIGURE **39-80** ■ Atomiseur ultrasonique.
(Avec l'aimable autorisation
de Mabis Healthcare, Inc.)

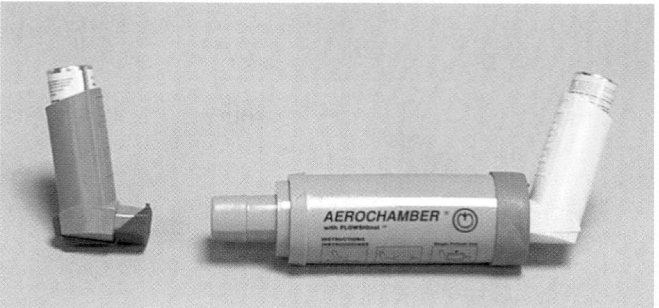

FIGURE **39-81** ■ Aérosol-doseur et aérosol-doseur avec
aérochambre.

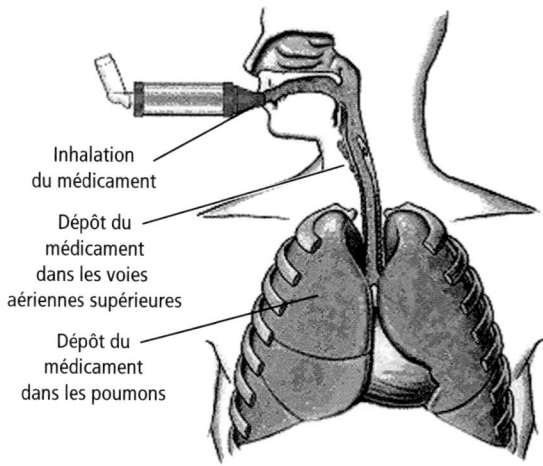

Inhalation
du médicament

Dépôt du
médicament
dans les voies
aériennes supérieures

Dépôt du
médicament
dans les poumons

FIGURE **39-82** ■ Administration d'un médicament en direction
des poumons à l'aide d'un aérosol-doseur muni
d'une aérochambre. (Gracieuseté de Trudell
Medical International.)

! • ALERTE CLINIQUE *La capacité d'une personne à
utiliser correctement un aérosol-doseur diminue avec l'âge
(Togger et Brenner, 2001). Il importe donc que l'infirmière
évalue continuellement la manière dont la personne utilise
l'appareil.* ■

 ## SOINS À DOMICILE

Aérosol-doseur

■ Une fois par semaine, désinfecter l'embout buccal de
l'aérosol-doseur en le faisant tremper pendant 20 minutes
dans un demi-litre d'eau contenant 50 mL de vinaigre.

■ Enseigner à la personne comment calculer la quantité de
médicament restante dans un aérosol-doseur :

• Calculer le nombre de doses quotidiennes que renferme
un contenant. Pour ce faire, diviser le nombre de doses
(inhalations) que renferme le contenant (inscrit sur
l'étiquette) par le nombre d'inhalations administrées
chaque jour. Selon Togger et Brenner (2001), c'est la seule
méthode exacte pour effectuer ce calcul. La méthode qui

consistait à faire flotter le contenant dans l'eau n'est pas
précise parce qu'une partie du gaz propulseur peut rester
dans le contenant (même après qu'il ne reste plus de
médicament), ce qui induit la personne en erreur en lui
faisant croire qu'elle reçoit bien son médicament.

■ Revoir les directives concernant l'utilisation d'une aérochambre ou d'un tube de rallonge. La recherche montre que,
grâce à ces appareils, le médicament pénètre plus profondément dans les poumons et non seulement dans l'oropharynx
(voir la figure 39-82).

ENSEIGNEMENT

Utilisation d'un aérosol-doseur

- S'assurer que la cartouche est insérée dans l'inhalateur complètement et correctement.

- Enlever le capuchon de l'embout buccal et, en tenant l'inhalateur bien droit, le secouer vigoureusement pendant trois à cinq secondes pour bien mélanger le médicament.

- Expirer normalement (une respiration normale complète).

- Tenir le contenant la tête en bas.

  a) Tenir l'aérosol-doseur de 2 à 4 cm de la bouche ouverte (figure 39-83 ■).

  ou

  b) Introduire l'embout buccal assez profondément dans la bouche, l'ouverture dirigée vers la gorge. Fermer la bouche et serrer les lèvres autour de l'embout. Un aérosol-doseur muni d'une aérochambre ou d'un tube de rallonge doit toujours être placé dans la bouche (figure 39-84 ■).

ADMINISTRATION DU MÉDICAMENT

- Appuyer *une fois* sur l'inhalateur (ce qui libère la dose de médicament) et inhaler lentement et profondément par la bouche.

- Retenir sa respiration pendant 10 secondes. *Cela permet à l'aérosol d'atteindre les voies aériennes inférieures.*

- Enlever l'inhalateur de la bouche ou l'en éloigner.

- Expirer lentement en gardant les lèvres pincées. *Expirer en régulant la respiration permet de garder les bronchioles ouvertes pendant l'expiration.*

- Répéter l'inhalation si nécessaire, conformément à l'ordonnance. Attendre de 20 à 30 secondes, ou selon les recommandations, entre les inhalations de médicament effectuées avec un bronchodilatateur *pour que la première inhalation ait le temps d'agir et que la dose subséquente pénètre plus profondément dans les poumons.*

- Une fois l'inhalation terminée, rincer la bouche avec de l'eau du robinet *pour éliminer toute trace de médicament et diminuer l'irritation ainsi que les risques d'infection.*

- Nettoyer l'embout buccal de l'inhalateur après chaque utilisation. Utiliser du savon doux et de l'eau, bien rincer et laisser sécher l'embout à l'air libre avant de le replacer sur l'appareil.

- Ranger le contenant à la température de la pièce. Éviter les températures extrêmes.

- Signaler au médecin tout effet secondaire ou réaction indésirable (agitation, palpitations, nervosité, éruption, etc.).

- Plusieurs inhalateurs contiennent des stéroïdes pour leur effet anti-inflammatoire. Une utilisation prolongée augmente le risque d'infections fongiques buccales.

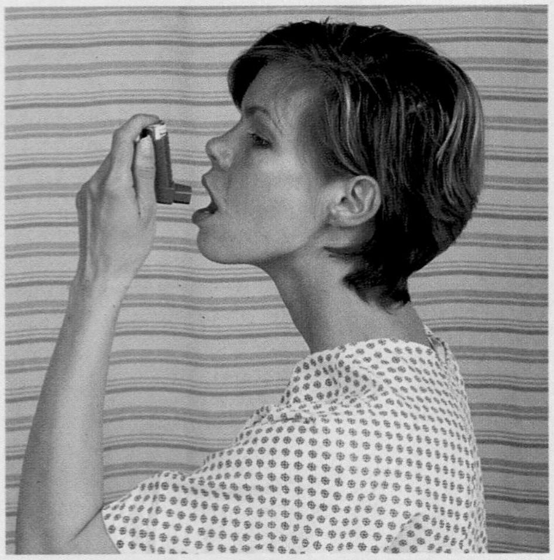

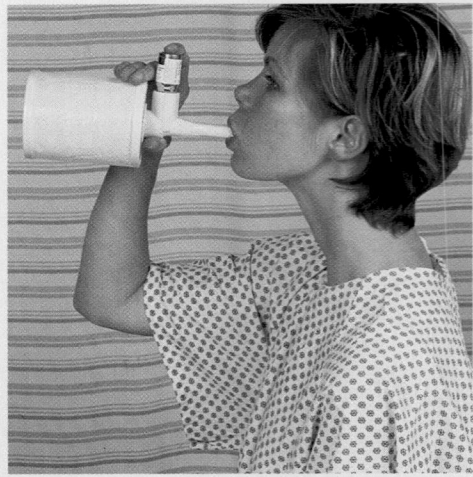

FIGURE **39-83** ■ Aérosol-doseur placé à l'extérieur de la bouche ouverte.

FIGURE **39-84** ■ Aérosol-doseur muni d'un tube de rallonge fixé à l'embout buccal et placé dans la bouche.

Source : « Metered Dose Inhalers », de D. A. Togger et P. S. Brenner, 2001, *American Journal of Nursing*, *101*(10), p. 26 à 32.

Irrigations

L'**irrigation (lavage)** est le rinçage d'une cavité du corps à l'aide d'un jet d'eau ou d'un autre liquide contenant ou non des médicaments. On effectue une irrigation pour l'une ou plusieurs des raisons suivantes :

- Pour nettoyer une région et pour enlever un corps étranger, des sécrétions ou un écoulement excessif.

- Pour appliquer du froid ou de la chaleur.

- Pour appliquer un médicament, tel un antiseptique.

- Pour réduire l'inflammation.

- Pour soulager la douleur.

Lorsque la peau de la personne est blessée (par exemple, irrigation d'une plaie) ou lorsqu'on doit entrer dans une cavité stérile du corps (la vessie, par exemple), il faut mettre en œuvre des conditions d'asepsie chirurgicale. On effectue fréquemment certaines irrigations (vaginale, rectale ou gastrique) dans des conditions d'asepsie chirurgicale.

On utilise différents types de seringues pour effectuer les irrigations. Les plus courantes sont la seringue de type Asepto et la poire en caoutchouc (figure 39-85 ■). Les seringues sont souvent calibrées, ce qui permet à l'infirmière de déterminer en tout temps le volume de solution d'irrigation utilisé.

La seringue Asepto est une seringue en plastique (ou en verre) munie d'une poire en caoutchouc. On pousse l'air à l'extérieur de la poire, ce qui produit une pression négative et permet d'aspirer le liquide dans la seringue. Lorsqu'on presse à nouveau sur la poire, le liquide s'écoule. La seringue de type Asepto se présente en plusieurs formats, de 30 mL à 120 mL.

La poire en caoutchouc est souvent utilisée pour l'irrigation des oreilles. Comme la seringue de type Asepto, elle est offerte en différents formats.

Les autres seringues sont la seringue à piston, munie d'un embout auquel on peut fixer un cathéter, et la seringue de type Pomeroy. On utilise les cathéters pour les irrigations de plaies profondes et pour certains types d'irrigation de la vessie. La seringue de type Pomeroy est une seringue de métal qui sert habituellement à l'irrigation des oreilles. Un petit écran placé près de l'embout empêche la solution d'irrigation d'éclabousser. On utilise aussi parfois des flacons, surtout pour les irrigations du périnée et de certaines plaies.

Le type, la quantité, la température et la concentration de la solution d'irrigation sont prescrits par le médecin. En général, à moins d'avis contraire, on utilise une solution physiologique à la température du corps (37 °C). La quantité de solution utilisée varie selon la région du corps et le but de l'irrigation. Les procédés 39-10 (œil) et 39-11 (oreille) contiennent les directives concernant l'administration d'irrigations dans l'œil ou dans l'oreille.

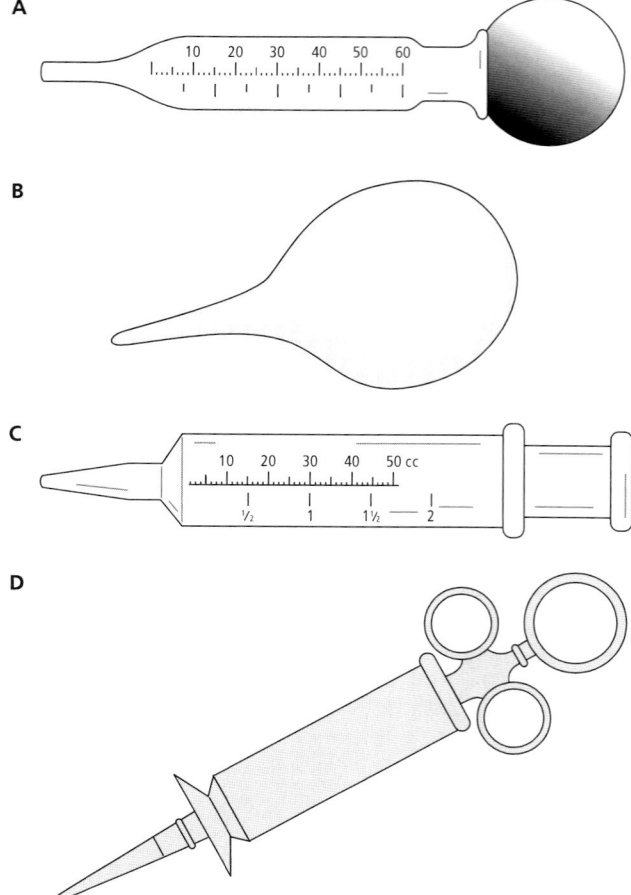

FIGURE **39-85** ■ Quatre types de seringues utilisées pour les irrigations : *A*, asepto ; *B*, poire en caoutchouc ; *C*, seringue à piston ; *D*, seringue Pomeroy.

EXERCICES D'INTÉGRATION

M. Quirion, âgé de 20 ans, vient d'arriver à l'unité de soins après avoir subi une appendicectomie d'urgence. Il est éveillé et se plaint de douleurs d'intensité moyenne dans la région de la plaie opératoire ; son pansement est sec et intact, et il reçoit une perfusion intraveineuse de solution de lactate Ringer à un débit de 125 mL/h. Il doit recevoir un antibiotique, 1 g d'Ancef (céphalosporine) par voie intraveineuse toutes les quatre heures jusqu'à ce qu'il puisse absorber des liquides. À ce moment, il recevra du Suprax (céfixime) à raison de 200 mg deux fois par jour jusqu'à sa sortie de l'hôpital, puis une fois par jour pendant une semaine après son retour à la maison. On lui a aussi prescrit de la morphine contre la douleur à raison de 2,5 mg par injection directe toutes les quatre heures, au besoin.

1. Il existe toujours une possibilité qu'une personne recevant des antibiotiques ressente des effets secondaires ou présente une réaction allergique. Quelle différence y a-t-il entre une réaction allergique et des effets secondaires ?

2. M. Quirion reçoit un antibiotique et des médicaments contre la douleur, et ce, même s'il est impossible d'obtenir des renseignements sur ses antécédents pharmaceutiques. Quelles sont les conséquences qui pourraient découler de cette situation ?

3. Comme M. Quirion se plaint de ressentir de la douleur, l'infirmière prépare la morphine à administrer par injection directe. Quelles évaluations devrait-elle faire avant de lui donner la morphine ?

4. Quelles précautions l'infirmière devrait-elle prendre avant d'administrer à M. Quirion un antibiotique par voie intraveineuse ?

5. Lorsque M. Quirion sera en mesure d'absorber des liquides et de la nourriture, il prendra son antibiotique par voie orale. Quelle différence existe-t-il entre la prise de ce médicament avant ou après le repas ?

Voir l'appendice A : Exercices d'intégration – Pistes de réflexion.

RÉVISION DU CHAPITRE

Concepts clés

- Au Canada, il revient à la Direction générale des produits de santé et des aliments (DGPSA) d'approuver les médicaments. Cet organisme est chargé d'appliquer la *Loi sur les aliments et drogues* et la *Loi réglementant certaines drogues et autres substances*.

- Les lois sur la pratique infirmière délimitent les responsabilités de l'infirmière en ce qui concerne l'administration des médicaments.

- Les médicaments portent plusieurs noms. L'infirmière doit connaître le nom générique et le nom commercial du médicament, ainsi que ses effets thérapeutiques et secondaires.

- Les réactions indésirables des médicaments comprennent notamment la toxicité médicamenteuse, l'allergie médicamenteuse, la tolérance au médicament, l'effet idiosyncrasique et les interactions médicamenteuses.

- Plusieurs facteurs externes influent sur l'action d'un médicament. Ces facteurs comprennent notamment : la grossesse ; l'âge ; le sexe ; les facteurs culturels, ethniques et génétiques ; le régime alimentaire ; l'environnement dans lequel vit la personne ; les facteurs psychologiques ; une affection ; le moment de l'administration du médicament.

- On utilise différentes voies pour administrer les médicaments, à savoir les voies orale, sublinguale, buccogingivale, parentérale, nasogastrique, et par gastrostomie. Lorsqu'elle donne un médicament, l'infirmière doit s'assurer qu'il est possible de l'administrer par la voie d'administration prescrite.

- Une ordonnance médicale doit indiquer le nom de la personne, la date et l'heure de la rédaction de l'ordonnance, le nom du médicament, la posologie, la voie d'administration, la fréquence d'administration et la signature de la personne qui la rédige. Avant d'administrer un médicament, l'infirmière doit clarifier toute ordonnance qui lui semble ambiguë ou inappropriée.

- L'ordonnance verbale ou transmise par téléphone doit être contresignée par le médecin dans un délai déterminé par l'établissement de soins de santé (habituellement 24 ou 48 heures).

- En Amérique du Nord, on utilise trois systèmes de mesure : le système international d'unités (ou système métrique), le système apothicaire (ou système impérial) et le système domestique. L'infirmière doit parfois convertir des poids et des mesures d'un système à l'autre.

- Pour calculer les doses, on peut utiliser plusieurs formules. On calcule les doses pour un enfant, par exemple, en tenant compte de son poids ou de sa surface corporelle.

- Avant de donner un médicament à une personne, l'infirmière doit toujours évaluer son état de santé et vérifier ses antécédents pharmaceutiques.

- Lorsqu'elle administre un médicament, l'infirmière tient compte des six critères liés à l'administration sécuritaire des médicaments, afin de s'assurer que l'administration est appropriée et se déroule dans les règles. Lorsqu'elle prépare les médicaments, l'infirmière compare l'étiquette du contenant avec la feuille d'administration des médicaments trois fois.

- L'infirmière qui prépare un médicament l'administre elle-même et ne laisse jamais attendre un médicament préparé.

- L'infirmière vérifie toujours avec soin l'identité d'une personne avant de lui administrer un médicament, et elle reste auprès d'elle jusqu'à ce qu'elle ait pris le médicament.

- Une fois les médicaments administrés, on inscrit le plus tôt possible dans le dossier les renseignements relatifs à leur administration.

- Les médicaments administrés par voie parentérale agissent plus rapidement que ceux qui sont donnés par voie orale ou topique ; on doit les préparer en utilisant une technique stérile.

- Lorsqu'on prépare deux types d'insuline en vue de les mélanger dans la même seringue, on ne doit jamais contaminer la fiole contenant l'insuline non modifiée par l'insuline modifiée (avec la protéine additionnelle).

- Lors d'une injection intramusculaire, il est important de choisir un site d'injection qui ne présente pas de risques pour les tissus, les os et les nerfs. Lorsqu'elle choisit ce site, l'infirmière doit toujours palper et vérifier les repères anatomiques.

- On recommande la méthode d'injection en Z pour l'injection intramusculaire afin de prévenir la douleur causée par l'infiltration du médicament dans les tissus sous-cutanés.

- Lorsque la personne reçoit une série d'injections, il faut effectuer une rotation des sites d'injection.

- Après utilisation, on ne doit pas récupérer les aiguilles ; il faut plutôt les jeter dans un contenant non perforable prévu à cet effet.

- Il existe différentes techniques d'administration des médicaments par voie intraveineuse. On peut injecter un mélange de médicaments que l'on a dilués dans un grand volume de solution intraveineuse, ou encore au moyen d'une perfusion intraveineuse en dérivation ou d'une perfusion intermittente (en tandem ou par piggyback). On peut également injecter les médicaments par l'entremise d'une perfusion à volume contrôlé (pompe ou miniperfuseur) ou par injection intraveineuse directe (bolus) à partir d'un site d'injection dans une tubulure de perfusion intraveineuse ou d'un port d'injection intermittent, ou encore en utilisant un dispositif périphérique de perfusion intraveineuse intermittente (port d'injection intermittent). Dans toutes ces méthodes, la personne est déjà sous perfusion intraveineuse ou on lui a installé un accès IV, par exemple un dispositif d'injection intermittente.

- Les médicaments topiques s'appliquent sur la peau et sur les muqueuses ; on les utilise d'abord pour leur action

Concepts clés (suite)

locale, bien que certains effets systémiques puissent apparaître à l'issue de leur utilisation.

- L'aérosol-doseur est un inhalateur qui tient dans la main et qu'une personne peut utiliser pour s'administrer des doses prémesurées de médicament en aérosol. Dans le but de s'assurer que la personne s'administre adéquatement le médicament en aérosol-doseur, l'infirmière doit lui enseigner comment utiliser correctement cet appareil.

- L'irrigation d'une cavité du corps a généralement pour but : (a) de nettoyer une région ou d'enlever un corps étranger, des sécrétions ou un écoulement excessif ; (b) d'appliquer du froid ou de la chaleur ; (c) d'appliquer un médicament, tel un antiseptique ; (d) de réduire l'inflammation ; (e) de soulager la douleur.

- Lors d'une irrigation, on doit recourir aux techniques d'asepsie chirurgicale lorsque la peau de la personne est lésée (irrigation d'une plaie, par exemple) ou lorsqu'on doit pénétrer dans une cavité stérile du corps (par exemple, la vessie).

Questions de révision

39-1. Laquelle des ordonnances suivantes prescrit d'administrer le médicament un jour sur deux ?
   a) q h.
   b) bid.
   c) qod.
   d) qd.

39-2. Une personne dit à l'infirmière : « Cette pilule est d'une couleur différente de celle que je prends habituellement à la maison. » Quelle devrait être la réponse de l'infirmière ?
   a) « Le médecin vous a prescrit un médicament différent. »
   b) « Allez, prenez votre médicament. »
   c) « Je laisse la pilule ici pendant que je vérifie avec le médecin. »
   d) « Je vais vérifier à nouveau les ordonnances. »

La digoxine a une demi-vie de 36 heures. Utilisez ce renseignement pour répondre aux questions 39-3a et 39-3b.

39-3a. Quelle est la quantité de médicament encore présente dans l'organisme après 24 heures ?
   a) 12,5 %.
   b) 25 %.
   c) 50 %.
   d) 83 %.

39-3b. Combien de jours faudrait-il pour que la digoxine soit éliminée et qu'il en reste environ 3 % dans l'organisme ?
   a) 7,5.
   b) 6.
   c) 4,5.
   d) 3.

39-4. Une ordonnance écrite préparée par le médecin indique le nom complet de la personne, la date et l'heure où le médicament a été prescrit, ainsi que la signature du médecin. Les médicaments qui suivent sont inscrits sur la feuille d'administration des médicaments. Au sujet de quel médicament l'infirmière devrait-elle se poser des questions ?
   a) Lasix 40 mg, po STAT.
   b) Ampicilline 500 mg IV, q 6 h.
   c) Insuline Humulin L (lente) 36 u, sc, q am, ac.
   d) Codéine q 4-6 h, po, PRN si douleur.

Quel format de seringue, quel calibre et quelle longueur d'aiguille l'infirmière devra-t-elle utiliser dans les situations suivantes ?

Utilisez les renseignements ci-dessous pour répondre aux questions 39-5a à 39-5d.
   a) Seringue à tuberculine avec aiguille de calibre 25 à 27, de 0,5 à 1,5 cm de longueur.
   b) Deux seringues de 3 mL, avec aiguille de calibre 20 à 23, de 3 cm de longueur.
   c) Seringue de 2 mL avec aiguille de calibre 25, de 1,5 cm de longueur.
   d) Seringue de 2 mL, avec aiguille de calibre 20 à 23, de 2,5 cm de longueur.

39-5a. L'ordonnance indique qu'il faut administrer 5 mL de médicament par injection intramusculaire profonde. La personne, une femme de 40 ans, pèse 61,4 kg et mesure 1,72 m.

39-5b. Il faut administrer de 0,75 mL par voie sous-cutanée dans le bras d'une personne de 50 ans qui pèse 136,4 kg. L'infirmière pince approximativement 5 cm de tissu adipeux sur le bras de la personne.

39-5c. Il faut administrer un test de tuberculine à un jeune homme de 22 ans qui mesure 1,85 m et pèse 82 kg.

39-5d. Il faut administrer 0,5 mL de médicament par injection intramusculaire à une personne âgée très maigre.

Voir l'appendice B : Réponses aux questions de révision.

BIBLIOGRAPHIE

En anglais

Avalos-Beck, S. (2001). The hard truth about the PPD skin test. *Nursing, 31*(6), 56–57.

Bastable, S. B. (2003). *Nurse as educator* (2nd ed.). Boston : Jones and Bartlett Publishing.

Bindler, R. C., & Ball, J. W. (2003). *Clinical skills manual for pediatric nursing : Caring for children* (3rd ed.). Upper Saddle River, NJ : Prentice Hall.

Brown, D. L. (2002). Does 1 1 1 still equal 2 ? A study of the mathematic competencies of asso-ciate degree nursing students. *Nurse Educator, 27*(3), 132–135.

Clarke, K. (2002). New insulin therapy. No needles needed. *Nursing, 32*(5), 49–51.

Dayer-Berenson, L. (2001). Polypharmacy in the elderly. *Nursing Spectrum West Region Metro Edition, 2*(4), 29–33.

Fiesta, J. (1998). Legal aspects of medication administration. *Nursing Management, 29*(1), 22–23.

Fleming, D. R. (1999). Challenging traditional insulin injection practices. *American Journal of Nursing, 99*(2), 72–74.

Greenly, M., & Gugerty, B. (2002). How bar coding reduces medication errors. *Nursing, 32*(5), 70.

Ignatavicius, D. D. (2000). Asking the right ques-tions about medication safety. *Nursing, 30*(9), 51–54.

Jagger, J., & Perry, J. (2002). Exposure safety : Realistic expectations for safety devices. *Nursing, 32*(3), 72.

Johnson, C., & Horton, S. (2001). Owning up to errors. Put an end to the blame game. *Nursing, 31*(6), 54–55.

Karch, A. M., & Karch, F. E. (2001). Practice errors : The naked decimal point. *American Journal of Nursing, 101*(12), 22.

Katsma, D. L., & Katsma, R. (2000). The myth of the 90-angle intramuscular injection. *Nurse Educator, 25*(1), 34–37.

Klingman, L. (2000). Effects of changing needles prior to administering heparin subcutaneously. *Heart & Lung, 29*(1), 70.

Kudzma, E. C. (1999). Culturally competent drug administration. *American Journal of Nursing, 99*(8), 46–51.

Logue, R. M. (2002). Self-medication and the elderly : How technology can help. *American Journal of Nursing, 102*(7), 51–55.

Martin, D. (1998). Needle-free injection. *Nursing, 28*(7), 52–53.

McCaffery, M., & Pasero, C. (1999). *Pain clinical manual* (2nd ed.). St. Louis, MO : Mosby.

McConnell, E. A. (1998). How to choose and use needle-stick prevention devices. *Nursing, 28*(5), 32hn6–32hn8.

McConnell, E. A. (1999). Clinical do's & don'ts. Administering a Z-track IM injection. *Nursing, 29*(1), 26.

McConnell, E. A. (1999). Clinical do's & don't's : Administering an insulin injection. *Nursing, 29*(12), 18.

McConnell, E. A. (2000a). Clinical do's & don't's : Administering an intradermal injection. *Nursing, 30*(3), 17.

McConnell, E. A. (2000b). Infusion perfusion : IV pumps for every need. *Nursing Management, 31*(4), 53–55.

McConnell, E. A. (2001a). Clinical do's and don'ts. Applying nitroglycerin ointment. *Nursing, 31*(6), 17.

McConnell, E. A. (2001b). Clinical do's and don'ts. Instilling eyedrops. *Nursing, 31*(9), 17.

McConnell, E. A. (2002). Clinical do's and don'ts. Teaching your patient to use a metered-dose inhaler. *Nursing, 32*(2), 73.

Miller, D., & Miller, H. (2000). To crush or not to crush. *Nursing, 30*(2), 50–52.

Nagle, B. M. (1998). Low molecular weight heparin. *RN, 61*(4), 40–43.

Pope, B. B. (2002). How to administer subcuta-neous and intramuscular injections. *Nursing, 32*(1), 50–51.

Quillen, T. (2000). Tips and timesavers : Crushing advice. *Nursing, 30*(4), 30.

Satarawala, R. (2000). Confronting the legal perils of IV therapy. *Nursing, 30*(8), 44–47.

Service Employees International Union. (1998). *SEIU's Guide to Preventing Needlestick Injuries* (3rd ed.). Washington, DC : Service Employees International Union.

Skokal, W. (2000). IV push at home ? *RN, 63*(10), 26–29.

Smetzer, J. L. (1998). Beyond blaming individ-uals. Lesson from Colorado. *Nursing, 28*(5), 48–51.

Smetzer, J. (2001). Take 10 giant steps to medica-tion safety. *Nursing, 31*(11), 49–53.

Togger, D. A., & Brenner, P. S. (2001). Metered dose inhalers. *American Journal of Nursing, 101*(10), 26–32.

Wakefield, B. J., Wakefield, D. S., Uden-Holman, T., & Blegen, M. A. (1998). Nurses' perceptions of why medication administration errors occur. *MEDSURG Nursing, 7*(1), 39–44.

Wilburn, S. (2000). Preventing needlesticks in your facility. *American Journal of Nursing, 100*(2), 96.

Wolf, Z. R. (2001). Understanding medication errors. *Nursing Spectrum West Region Metro Edition, 2*(5), 29–33.

En français

Association des pharmaciens du Canada. (2004). *Compendium des produits et spécialités phar-maceutiques*, Ottawa : Association des pharma-ciens du Canada.

Code des professions (version du 1er août 2004). Article 39. 3 : ordonnance (page consultée le 19 août 2004), [en ligne], <http ://publicationsduquebec.gouv.qc.ca/ dynamicSearch/telecharge.php ?type=2&file=/ C_26/C26.htm&PHPSESSID=36617b2f4fa6d 2928dd8ec6f1def1284>.

Deglin, J. H. et Vallerand, A. H. (2003). *Guide des médicaments*, 2e éd., Saint-Laurent : Éditions du Renouveau Pédagogique.

Hegstad, L. N. et Hayek, W. (2004). *La dose exacte : de la lecture de l'ordonnance à l'administration du médicament*, Saint-Laurent : Éditions du Renouveau Pédagogique.

Ordre des infirmières et infirmiers du Québec (OIIQ). (avril 2003). *Guide d'application de la nouvelle* Loi sur les infirmières et les infirmiers *et de la* Loi modifiant le Code des professions et d'autres dispositions législatives dans le domaine de la santé, Montréal : OIIQ.

Page, C. P., Curtis, M. J., Walker, M. J., Sutter, M. C. et Hoffman, B. B. (1999). *Pharmacolo-gie intégrée*, Bruxelles : De Boeck Université.

Santé Canada. Codification ministérielle de la *Loi sur les aliments et drogues* et du *Règlement sur les aliments et drogues*, (page consultée le 3 septembre 2004), [en ligne], <http ://www.hc-sc.gc.ca/food-aliment/ friia-raaii/food_drugs-aliments_drogues/ act-loi/f_index.html>.

Santé Canada. Direction générale des produits de santé et des aliments, (page consultée le 3 septembre 2004), [en ligne], <http ://www.hc-sc.gc.ca/food-aliment/regions/ quebec/f_region_quebec.html>.

Après avoir étudié ce chapitre, vous pourrez:

- Décrire les facteurs qui ont une incidence sur l'intégrité de la peau.
- Déterminer les personnes susceptibles d'avoir des plaies de pression.
- Énumérer les quatre stades de formation des plaies de pression.
- Établir la distinction entre la cicatrisation par première intention et la cicatrisation par deuxième intention.
- Énumérer les quatre phases de la cicatrisation d'une plaie.
- Reconnaître les trois principaux types d'exsudat qui suintent d'une plaie.
- Énumérer les principales complications liées à la cicatrisation d'une plaie et les facteurs qui ont une incidence sur cette dernière.
- Dégager les données de l'examen clinique relatives à l'intégrité de la peau, aux plaies et aux plaies de pression.
- Formuler les diagnostics infirmiers relatifs aux anomalies de l'intégrité de la peau.

- Cerner les aspects essentiels de la planification des soins en vue de conserver l'intégrité de la peau et de favoriser la cicatrisation de la plaie.
- Discuter des mesures visant à prévenir la formation de plaies de pression.
- Décrire les stratégies de soins en vue de traiter les plaies de pression, favoriser la cicatrisation et prévenir les complications relatives à la cicatrisation.
- Préciser les usages réservés aux bandages, aux pansements et aux bandes dont on se sert souvent afin de panser les plaies ou de soulager les blessures.
- Préciser les réactions physiologiques à la chaleur ou au froid et les raisons d'être de l'application de chaleur ou de froid.
- Présenter les méthodes d'application sèche ou humide de chaleur et de froid.
- Énumérer les grandes étapes du prélèvement d'échantillons sur une plaie, de l'irrigation d'une plaie et de la mise en place des pansements.

PARTIE 9
Composantes essentielles des soins cliniques

CHAPITRE
40

INTÉGRITÉ DE LA PEAU ET SOINS DES PLAIES

Adaptation française:
Sophie Longpré, inf., M.Sc.
Professeure, Département des sciences infirmières
Université du Québec à Trois-Rivières

Par sa taille, la peau est le plus grand organe du corps humain; elle remplit plusieurs fonctions importantes liées à la santé et à la protection contre les blessures. Préserver l'intégrité de la peau et assurer la cicatrisation des plaies constituent les principales fonctions qui relèvent des interventions infirmières. Les atteintes à l'intégrité de la peau sont peu courantes chez la plupart des personnes en bonne santé, mais elles nécessitent une attention particulière dans certains cas: les personnes dont la mobilité est réduite, celles qui souffrent d'une affection chronique ou d'un trauma, celles qui doivent subir des interventions effractives et les personnes âgées. Afin de protéger la peau et de soigner les plaies, l'infirmière doit connaître les facteurs qui ont une incidence sur l'intégrité de la peau, la physiologie de la cicatrisation et les mesures qui favorisent la santé de la peau. Établir un plan de traitement lié aux plaies et aux anomalies de la peau ou des téguments ainsi que prodiguer les soins et les traitements qui s'y rattachent constituent des activités réservées à l'infirmière et lui confèrent une grande responsabilité dans le domaine (voir l'encadré 40-1). L'infirmière peut élaborer ce plan de traitement sans ordonnance individuelle ou collective. Principalement, l'infirmière doit évaluer la situation clinique, mettre en œuvre des mesures préventives liées aux facteurs de risque et traiter localement les plaies et les anomalies de la peau ou des téguments. Par ailleurs, on doit privilégier l'approche interdisciplinaire selon la gravité et l'évolution de la plaie. Il va sans dire que le suivi doit être fait en étroite collaboration avec le médecin. De plus, certaines interventions relèvent de l'infirmière en vertu d'une ordonnance individuelle ou collective (voir l'encadré 40-2).

Intégrité de la peau

On dit que la peau est intacte lorsque sa couche superficielle et les couches sous-jacentes ne présentent ni plaie ni blessure. Le chapitre 34 🔗 expose en détail l'examen physique des téguments. Des facteurs internes (notamment la génétique, l'âge et la santé de l'individu) et externes (par exemple, l'activité physique et la température ambiante) ont une incidence sur l'apparence et l'intégrité de la peau.

La génétique et l'hérédité d'une personne déterminent plusieurs caractéristiques de sa peau : entre autres la couleur, la sensibilité aux rayons du soleil et les allergies. L'âge a également une incidence sur l'intégrité de la peau ; ainsi, les jeunes enfants et les personnes âgées ont la peau plus fragile et plus sensible aux blessures que la majorité des adultes. Par contre, les plaies se cicatrisent en général plus rapidement chez les nouveau-nés et les enfants.

Plusieurs affections chroniques et leurs traitements ont aussi une incidence sur l'intégrité de la peau. Les personnes souffrant d'insuffisance artérielle périphérique ont souvent la peau des jambes qui luit, qui perd ses poils par plaques et qui se meurtrit facilement. Certains médicaments, comme les corticostéroïdes, provoquent l'amincissement de la peau, qui devient alors plus vulnérable aux blessures. Plusieurs médicaments accroissent la sensibilité au soleil et peuvent prédisposer aux coups de soleil graves. À ce chapitre, on trouve notamment certains antibiotiques, les agents antinéoplasiques et quelques agents psychothérapeutiques. De plus, un mauvais état nutritionnel peut être associé à des anomalies des fonctions et de l'apparence de la peau.

Types de plaies

On classe les plaies en deux grandes catégories : les plaies intentionnelles et les plaies involontaires. Une *plaie intentionnelle* survient au cours d'un traitement (par exemple, dans le contexte d'une intervention chirurgicale ou d'une ponction veineuse). Ainsi, bien que l'ablation d'une tumeur constitue un geste thérapeutique, le chirurgien doit inciser les tissus cutanés, ce qui est une source de traumatisme. Les *plaies non intentionnelles* sont accidentelles ; par exemple, une fracture du bras occasionnée par un accident de la route. Si les tissus sont atteints sans qu'il y ait de lésion de la peau, on parle de **plaie fermée**. La plaie est ouverte lorsqu'il y a rupture de la peau ou d'une muqueuse.

On peut également classer les plaies selon leur origine (voir le tableau 40-1) ou selon la probabilité (ou niveau) de contamination, comme ci-dessous :

- Une *plaie propre* ne présente pas d'infection et l'inflammation est minimale. Le tractus gastro-intestinal, les voies respiratoires, les voies génitales, les voies urinaires et l'oropharynx ne sont pas atteints. Une plaie propre est en général fermée.

- Une *plaie propre contaminée* découle d'une intervention chirurgicale touchant le tractus gastro-intestinal, les voies respiratoires, les voies génitales, les voies urinaires ou l'oropharynx. Ce type de plaie ne montre aucun signe d'infection.

- Parmi les *plaies contaminées*, on trouve les plaies ouvertes, récentes et accidentelles, et les plaies issues d'une intervention chirurgicale au cours de laquelle il y a eu soit un incident lié à la technique stérile ou un écoulement du tractus gastro-intestinal dans les tissus. Une plaie contaminée montre des signes d'inflammation.

Responsabilités de l'infirmière en matière de soins et de traitements des plaies

Le fait de déterminer le plan de traitement infirmier d'une personne à risque ou porteuse d'une plaie ou d'une altération de la peau et des téguments selon une approche individualisée et dans un contexte interdisciplinaire implique que l'infirmière :

- évalue la condition de la personne, entre autres au moyen des antécédents médicaux, de l'examen clinique, de paramètres (p. ex.: indice tibiobrachial) et d'échelles de risque (p. ex.: échelles de Norton et Braden) afin de déterminer :
  - les facteurs étiologiques de la plaie ou de l'altération de la peau et des téguments, soit :
    - les facteurs intrinsèques ou prédisposants (problèmes de santé concomitants, état nutritionnel, hydratation, perfusion tissulaire et oxygénation, médication, attitudes et comportements face à la santé, etc.);
    - les facteurs extrinsèques ou précipitants (mobilité, positionnement, pression, friction, cisaillement, radiothérapie, traumatisme, etc.);
  - les facteurs qui peuvent influer sur la guérison (œdème, nécrose, infection, humidité, etc.);
- évalue l'environnement de la personne (conditions sanitaires, lieu de résidence, ressources disponibles, etc.);
- évalue la douleur à l'aide d'outils et d'échelles et détermine les mesures, autres que les médicaments sous ordonnance, visant à soulager;
- évalue la plaie à l'aide de grilles d'évaluation ou d'échelles appropriées selon le type (classifications de Wagner et de Crews, règle de 9, *National Pressure Ulcer Advisory Panel Four Stage System*) en tenant compte, entre autres, des aspects suivants: type, site, forme, bords, dimensions, y compris présence de tunnel ou de sillon; stade, degré ou classification, selon le type de plaie; tissus du lit de la plaie; présence d'exsudat, de corps étranger, d'hématome, de sérome ou de déhiscence; tissus environnants;
- évalue les avantages et les risques des mesures préventives et thérapeutiques envisagées et détermine les mesures à appliquer (positionnement, hygiène, hydratation, alimentation, mobilisation, surface thérapeutique, soins de la peau, etc.);
- détermine les mesures d'asepsie requises (technique propre ou stérile);
- procède au nettoyage de la plaie et détermine la technique (compresse, trempette, irrigation à haute ou à basse pression), la fréquence et les agents de nettoyage à utiliser (type, quantité et chaleur de la solution) selon la phase de guérison de la plaie;
- décide de procéder au débridement* et en détermine la fréquence et la méthode selon la condition de la personne, le but du traitement, le type, la profondeur et la localisation des tissus nécrotiques et ce, après évaluation du potentiel de cicatrisation de la plaie, entre autres, dans les cas de plaie chronique (plaie de pression, ulcère veineux, ulcère de pied diabétique) et dans les cas de plaie aiguë (brûlure du deuxième degré, plaie traumatique superficielle, plaie chirurgicale cicatrisant par seconde intention); les méthodes de débridement étant :
  - autolytique à l'aide d'hydrocolloïde, d'hydrogel et d'autres produits favorisant le milieu humide;
  - chirurgical conservateur à l'aide de pince, ciseaux, bistouri, curette;
  - mécanique par irrigation à forte pression et bain tourbillon;
- décide de procéder à la scarification d'une escarre pour accélérer le débridement autolytique ou enzymatique;
- connaît les contre-indications au débridement et demande un avis médical avant de procéder au débridement de certains types de plaie (ulcère artériel, gangrène sèche, escarre adhérente et sèche, plaie exposant des structures sous-jacentes telles tendons, muscles, fascias, os, plaie située près d'un greffon, plaie localisée au visage et aux mains, plaie encline à saigner, plaie infectée, plaies d'étiologie dermatologique, néoplasique ou systémique);
- détermine les produits et les pansements à utiliser selon l'évaluation initiale de la plaie et celle en cours d'évolution, entre autres pour les plaies de pression de stades I, II et III, les brûlures du premier et du deuxième degré superficiel, les plaies traumatiques superficielles, les plaies chirurgicales cicatrisant par seconde intention et sans exposition de structures profondes, les ulcères veineux, les ulcères de pied diabétique. Rappelons que l'utilisation de médicaments ou produits comportant des agents médicamenteux nécessite une ordonnance individuelle ou collective et que ceux qui sont en vente libre, avec ou sans agent médicamenteux, doivent faire partie de la liste dressée par l'établissement;
- détermine la surveillance requise et la fréquence des évaluations;
- évalue l'efficacité des mesures préventives et des mesures de traitement appliquées et avise le médecin traitant en cas de détérioration de la plaie;
- détermine la stratégie et les éléments d'enseignement à la personne;
- ajuste le plan de traitement infirmier, le cas échéant;
- enlève les sutures et les agrafes selon le type de plaie et son évolution;
- consulte d'autres professionnels de la santé ou y dirige la personne, le cas échéant (p. ex.: infirmière spécialisée en soins de plaies, ergothérapeute, diététiste, physiothérapeute, infirmière stomothérapeute), entre autres dans les cas d'ulcère veineux, d'ulcère artériel, d'ulcère de pied diabétique et de plaie de pression de stade IV et de stade indéterminé;
- consigne au dossier toutes les données pertinentes relatives aux soins des plaies et des altérations de la peau et des téguments en s'assurant qu'elles permettent d'en suivre l'évolution, d'évaluer l'efficacité des soins et des traitements administrés et d'apporter les ajustements requis au plan de traitement infirmier, le cas échéant.

---

* Débridement: retrait des tissus dévitalisés ou nécrotiques (morts) et de corps étrangers (tels que suture, charpie, morceaux de vitre); retrait de débris non adhérents qui s'enlèvent facilement.

Source: *Guide d'application de la nouvelle* Loi sur les infirmières et les infirmiers *et de la* Loi modifiant le Code des professions et d'autres dispositions législatives dans le domaine de la santé, (p. 32-35), de l'Ordre des infirmières et infirmiers du Québec, avril 2003, Montréal, OIIQ.

Interventions infirmières en matière d'évaluation et de traitements des plaies faites en vertu d'une ordonnance individuelle ou collective

Une infirmière peut, en vertu d'une ordonnance individuelle ou collective :

■ utiliser certains médicaments dans le traitement des plaies (p. ex. : sulfadiazine d'argent, collagénase) ;

■ administrer des médicaments dont les analgésiques systémiques et locaux et l'antibiothérapie ;

■ demander certaines analyses de laboratoire, entre autres pour déterminer la nécessité d'un supplément alimentaire (bilan électrolytique, taux d'albumine, taux de protéine sérique, etc.) ;

■ procéder à une culture par écouvillonnage en présence de signes cliniques d'infection ou d'arrêt de progression de la cicatrisation ;

■ demander une évaluation vasculaire périphérique par photo-pléthysmographie ou une radiographie pour déceler notamment une ostéomyélite dans un ulcère de pied diabétique ;

■ enlever les drains, les mèches, les sutures et les agrafes ;

■ débrider les plaies dont les structures sous-jacentes sont exposées, les brûlures du troisième et du quatrième degré, l'hyperkératose au pourtour d'une plaie et autres plaies complexes ;

■ cautériser une plaie avec du nitrate d'argent ;

■ appliquer des bandages et des systèmes de compression dans les cas d'ulcère des membres inférieurs ;

■ appliquer des thérapies adjuvantes (thérapie par pression négative contrôlée (VAC™), hydrothérapie et chambre hyperbare).

Source : *Guide d'application de la nouvelle* Loi sur les infirmières et les infirmiers *et de la* Loi modifiant le Code des professions et d'autres dispositions législatives dans le domaine de la santé, (p. 35-36), de l'Ordre des infirmières et infirmiers du Québec, avril 2003, Montréal, OIIQ.

TABLEAU
40-1

Types de plaies

Type	Cause	Description et caractéristiques
Contusion	Coup d'un instrument contondant ; force brutale appliquée sur une partie du corps (par exemple, une balle de baseball reçue dans l'abdomen).	Plaie fermée. Présence d'ecchymoses (peau bleue) causées par la lésion des tissus et des vaisseaux sanguins.
Abrasion	Friction contre une surface ; involontaire (par exemple, un genou éraflé au cours d'une chute) ou intentionnelle (par exemple, le procédé dermatologique pour retirer du tissu cicatriciel).	Plaie ouverte.
Incision	Coup d'un instrument pointu (par exemple, un couteau ou un scalpel).	Plaie ouverte, profonde ou superficielle.
Lacération	Déchirement des tissus, souvent à l'occasion d'un accident (par exemple, en manœuvrant de la machinerie lourde, verre brisé).	Plaie ouverte, dont les lèvres sont souvent irrégulières.
Plaie pénétrante	Pénétration de la peau et des tissus sous-cutanés, au cours de laquelle un corps étranger pénètre un organe interne et en est retiré ; habituellement non intentionnelle (par exemple, un projectile d'arme à feu ou des fragments de métal).	Plaie ouverte.
Plaie perforante	Pénétration de la peau et, souvent, des tissus sous-cutanés par un instrument pointu (par exemple, un coup de couteau) ; intentionnelle ou involontaire.	Plaie ouverte.

■ Les *plaies infectées* contiennent des tissus morts et montrent les signes d'une infection clinique (par exemple, un écoulement purulent).

■ Les *plaies colonisées* sont des plaies chroniques dont la cicatrisation se fait lentement et qui ont un risque élevé d'infection. La plaie de pression en est un exemple.

Enfin, on peut classer les plaies selon leur profondeur, c'est-à-dire selon les couches tissulaires lésées (voir l'encadré 40-3).

Plaies de pression

Dans la littérature, on trouve quelques synonymes pour désigner une **plaie de pression**, tels que « ulcère de décubitus » ou, anciennement, « plaie de lit ». En France, on a statué sur le terme **escarre de décubitus**. Du côté de la langue anglaise, on rencontre des termes sensiblement équivalents : *decubitus ulcer*, *bedsore* ou *pressure sore*. Il est préférable de retenir l'expression « plaie de pression » parce qu'elle décrit bien le problème, la **pression** étant le facteur déterminant du développement de ce type d'ulcère. La plaie de pression se définit comme une lésion tissulaire causée par la pression et provoque des dommages dans les structures sous-jacentes. En d'autres mots, une plaie de pression est une atteinte des tissus mous, provoquée par leur compression entre deux plans durs, notamment entre l'os et le lit (Lenfant et Trocmé, 2000).

Le risque de plaies de pression est présent tant dans les milieux de soins de courte durée que dans ceux de soins de longue durée, notamment dans les soins à domicile.

Classification des plaies selon leur gravité

- La *plaie superficielle* se limite à la peau, c'est-à-dire au derme et à l'épiderme; elle guérit par régénération.

- L'*érosion* est une perte de substance au niveau de l'épiderme et du sommet des papilles dermiques (par exemple, le frottement exercé sur la surface cutanée). L'épiderme se régénère sans former de cicatrice.

- La *plaie profonde* touche le derme, l'épiderme, les tissus sous-cutanés et, parfois, le muscle et l'os. Elle exige la réparation des tissus conjonctifs.

- L'*ulcération* est une perte de substance atteignant le derme moyen et profond (par exemple, la pénétration d'un corps étranger dans les tissus). Elle laisse une cicatrice permanente.

- L'*ulcère* est une ulcération chronique (par exemple, une plaie de pression). Elle nécessite une intervention.

- La *gangrène* est un processus morbide caractérisé par la mortification et la putréfaction des tissus (par exemple, la dégénérescence d'un ulcère de pied diabétique).

Étiologie des plaies de pression

Les plaies de pression sont causées par une **ischémie** localisée, c'est-à-dire une anomalie de la circulation sanguine dans le tissu cutané. Ce dernier est coincé entre deux surfaces rigides, d'ordinaire la surface du lit et les os. Lorsque le sang ne parvient plus au tissu, les cellules sont privées d'oxygène et de nutriments, les déchets issus du métabolisme s'y accumulent et, en conséquence, le tissu meurt. Une pression prolongée, que rien ne vient soulager, abîme également les petits vaisseaux sanguins.

À la suite d'une compression, la peau semble plus pâle, comme si on en avait exprimé le sang. Lorsqu'on retire la pression, une rougeur vive apparaît sur la peau, témoignant d'une **hyperémie réactive**. Il s'agit d'un mécanisme enclenché par l'organisme afin de prévenir les plaies de pression. La rougeur est provoquée par la **vasodilatation**, c'est-à-dire l'augmentation du calibre des vaisseaux qui provoque un plus grand apport de sang dans la région et compense ainsi la carence entraînée par la compression. En général, la durée de l'hyperémie réactive est de 50 à 75 % plus longue que celle de l'absence de circulation sanguine dans la région (PPPPUA, 1992a). Si la rougeur disparaît dans ce délai, aucune lésion tissulaire n'est à prévoir. Toutefois, si la rougeur ne s'estompe pas, on peut y voir l'indice de tissus endommagés.

Deux autres facteurs accompagnent souvent la pression dans la formation de plaies : la friction et la force de cisaillement.

La **friction** est une force qui agit parallèlement à la surface de la peau. Par exemple, les draps qui frottent sur la peau provoquent une friction qui peut abraser la peau, c'est-à-dire en user les couches superficielles et la rendre ainsi plus sujette aux lésions.

La **force de cisaillement** combine la friction et la pression. Elle se produit fréquemment lorsqu'une personne alitée adopte la position de Fowler. Dans cette position, le corps a tendance à glisser vers le pied du lit et le glissement agit sur le sacrum et les tissus profonds. En même temps, la peau qui couvre le sacrum ne peut guère bouger en raison de l'adhérence qui se crée entre la peau et les draps. Par conséquent, la peau et les tissus superficiels bougent relativement peu par rapport à la surface du lit alors que les tissus profonds sont fermement liés au squelette et glissent vers le pied du lit. Cette situation provoque une force de cisaillement au point de contact des tissus profonds et des tissus superficiels. Cette force abîme les vaisseaux sanguins et les tissus dans la région touchée.

Facteurs de risque

Bon nombre de facteurs contribuent à la formation de plaies de pression, notamment l'immobilité et l'inactivité, la dénutrition, l'incontinence fécale ou urinaire, la diminution des facultés mentales, l'altération des facultés sensorielles, l'excès de chaleur corporelle, le vieillissement et certaines affections chroniques.

IMMOBILITÉ

L'**immobilité** renvoie à la réduction du nombre de mouvements qu'une personne peut exécuter et à la maîtrise qu'elle en a. Normalement, les gens bougent lorsqu'une pression exercée sur eux les incommode. Les personnes en santé dépassent rarement leur seuil de tolérance à la pression. Toutefois, la paralysie, une grande faiblesse, la douleur ou tout ce qui peut entraîner un ralentissement de l'activité empêchera une personne de changer de position en vue de soulager la pression, même si elle peut percevoir cette dernière.

DÉNUTRITION

À long terme, l'alimentation inadéquate ou la dénutrition provoque la perte de poids, l'atrophie musculaire et une détérioration des tissus sous-cutanés. Ces trois conséquences réduisent l'épaisseur du coussinet situé entre la peau et les os, ce qui accroît les risques de plaies de pression. Plus précisément, la consommation insuffisante de protéines, de glucides, de lipides et de vitamine C contribue à la formation de plaies de pression.

L'hypoprotéinémie (taux de protéines anormalement faible dans le sang), qu'elle soit attribuable à une absorption insuffisante ou à une déperdition anormale, prédispose à l'œdème orthostatique. Un œdème (présence d'un excédent de liquide dans les tissus) rend la peau plus sujette aux blessures, car il en atténue l'élasticité, la résilience et la vitalité. De plus, un œdème accroît la distance qui sépare les capillaires et les cellules, ralentissant ainsi la diffusion de l'oxygène et l'élimination des métabolites dans les cellules des tissus.

INCONTINENCE FÉCALE OU URINAIRE

L'humidité caractéristique de l'incontinence favorise la **macération** de la peau (les tissus se ramollissent en raison du contact prolongé avec l'humidité) et l'érosion de l'épiderme, ce qui accroît le risque de blessures. Les enzymes digestives présentes dans les matières fécales contribuent également à l'**excoriation** de la peau (perte des couches superficielles qui provoque l'apparition de régions *dénudées*). Toute accumulation de sécrétions ou d'excrétions irrite la peau, héberge des microorganismes et expose la personne à la rupture des tissus cutanés et à l'infection.

DIMINUTION DES FACULTÉS MENTALES

Les personnes dont le seuil de conscience est diminué (par exemple, celles qui sont inconscientes ou sous sédation) sont susceptibles de souffrir de plaies de pression, car elles sont moins en mesure de reconnaître la douleur liée à une pression prolongée et d'y réagir.

ALTÉRATION DES FACULTÉS SENSORIELLES

La paralysie, un accident vasculaire cérébral ou une autre affection neurologique peut occasionner la perte de sensation dans une région du corps. Or, cette perte de sensation réduit la faculté de réagir à la chaleur ou au froid excessifs et d'éprouver les picotements qui avertissent du ralentissement de la circulation sanguine.

EXCÈS DE CHALEUR CORPORELLE

La chaleur corporelle est un autre facteur qui influe sur la formation des plaies de pression. Une température corporelle élevée accroît la vitesse du métabolisme et, par conséquent, les besoins en oxygène des cellules, besoins qui se font particulièrement sentir dans les tissus comprimés et dont les cellules sont déjà hypoxiques. De graves infections accompagnées d'une température corporelle élevée peuvent entraver la capacité de l'organisme à réagir aux effets de la compression des tissus.

VIEILLISSEMENT

Le vieillissement entraîne plusieurs changements de la peau et de ses structures de soutien, ce qui expose davantage les personnes âgées aux anomalies de l'intégrité de la peau. Voici quelques-uns des changements en cause :

- Perte de la masse corporelle.
- Amincissement général de l'épiderme.
- Perte de la force et de l'élasticité de la peau en raison des changements que subissent les fibres collagènes du derme.
- Accroissement de la sécheresse lié à la diminution de la production de sébum par les glandes sébacées.
- Diminution de la perception de la douleur : les terminaisons nerveuses du tissu cutané responsables de la sensation du toucher et de la pression sont moins nombreuses.

AFFECTIONS CHRONIQUES

Quelques affections chroniques, telles que le diabète et les maladies cardiovasculaires, sont des facteurs de risque, tant de rupture des tissus cutanés que de ralentissement de la cicatrisation. Ces affections, souvent synonymes d'altération de la perfusion tissulaire, entravent l'apport d'oxygène dans les tissus, ce qui ralentit la cicatrisation et accroît le risque de plaies de pression.

AUTRES FACTEURS

D'autres facteurs contribuent à la formation de plaies de pression, notamment les mauvaises techniques de mobilisation, les postures incorrectes, de multiples injections au même endroit, des surfaces de soutien dures et l'utilisation incorrecte des dispositifs employés pour soulager la pression.

RÉSULTATS DE RECHERCHE

Peut-on réduire les plaies de pression chez les opérés grâce à un surmatelas ?

En 1990, Schultz, Bien, Dumond, Brown et Meyers ont mené une étude dont les objectifs étaient les suivants : examiner les causes et la fréquence des plaies de pression au sacrum, au coccyx, aux talons et aux coudes auprès d'un échantillon de personnes opérées ; évaluer l'efficacité de l'utilisation d'un nouveau surmatelas, de protège-talons et de protège-genoux au cours de l'intervention chirurgicale. L'échantillon aléatoire était composé de 413 personnes qui devaient subir une intervention chirurgicale ; dans le cas des personnes du groupe témoin, on utilisait des coussinets standard et on ajustait leur position avant l'intervention ; pour les autres, on installait un surmatelas. Les données préopératoires comprenaient les détails suivants : la taille et le poids, les antécédents relatifs au diabète, la consommation de tabac, le score selon l'échelle de Braden, l'âge, le sexe, le taux d'hémoglobine sanguine, de globules blancs, d'albumine et de protéines, l'hématocrite et la pression artérielle. De plus, au cours des interventions chirurgicales, les infirmières ont noté tous les changements de position, les glissements et les cisaillements.

Six jours après l'intervention, on a évalué les changements survenus sur la peau des opérés. Dans le groupe de personnes installées sur un surmatelas, l'incidence de plaies de pression se chiffrait à 26,6 %, comparativement à 16,4 % dans le groupe témoin. Sur un total de 139 plaies, 15 dépassaient le stade I, 9 en étaient au stade II (6 des 9 personnes installées sur un surmatelas) et 1 en était au stade IV. Sur le plan statistique, les personnes qui présentaient des plaies de pression étaient plus âgées, souffraient de diabète, avaient une masse corporelle moindre et, au moment de leur admission, avaient un score inférieur à celui des personnes du groupe témoin selon l'échelle de Braden. Ces faits illustrent les risques liés à l'apparition de plaies de pression après une intervention chirurgicale et indiquent qu'un surmatelas ne constitue pas une mesure de prévention efficace.

Implications : Les personnes qui subissent une intervention chirurgicale restent longtemps dans la même position et sont souvent exposées à la force de friction et de cisaillement lorsqu'on les fait changer de position. Dans le cadre de cette étude, les coussinets standard et les dispositifs de positionnement se sont avérés plus efficaces qu'un surmatelas dans la prévention des plaies de pression. La détermination des facteurs de risque chez les personnes qui doivent subir une intervention chirurgicale devrait mieux sensibiliser le personnel à l'importance des coussinets et du positionnement afin de prévenir l'apparition de plaies de pression au cours de l'intervention et de la période postopératoire.

Source : « Etiology and Incidence of Pressure Ulcers in Surgical Patients », de A. Schultz, M. Bien, K. Dumond, K. Brown et A. Meyers, 1999, *AORN Journal*, 70, p. 434, 437-440, 443-444, 446-448.

Stades de formation des plaies de pression

La figure 40-1 ■ présente les quatre stades de formation des plaies de pression qu'on peut reconnaître par l'observation de la détérioration des tissus.

Peau intacte. Érythème persistant, qui ne blanchit pas sous la pression du doigt. Présence de rougeur et d'œdème léger. Risque d'ulcération si la cause n'est pas éliminée.

Stade I

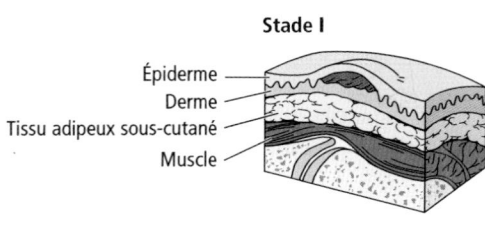

Épiderme
Derme
Tissu adipeux sous-cutané
Muscle

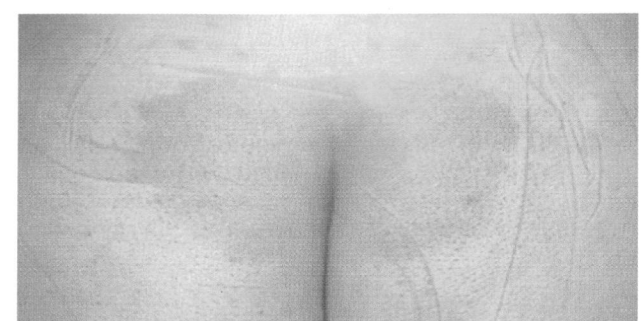

A

Perte partielle de tissu cutané (abrasion, vésicule ou érosion superficielles), touchant l'épiderme et, éventuellement, le derme. Contours rouges, chauds et partiellement indurés. Processus réversible ; présence d'un risque d'infection.

Stade II

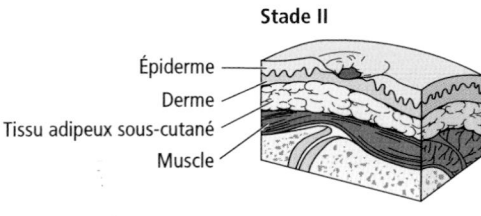

Épiderme
Derme
Tissu adipeux sous-cutané
Muscle

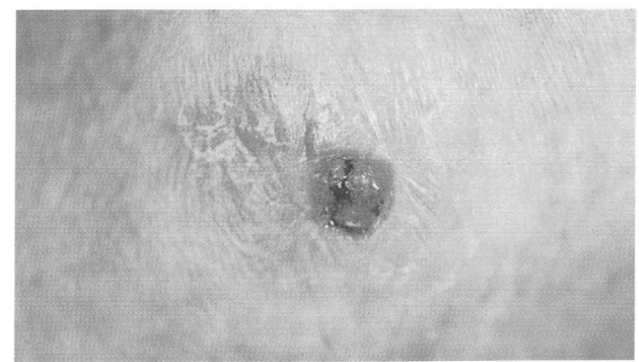

B

Perte substantielle de tissu cutané provoquant la rupture ou la nécrose du tissu sous-cutané, qui peuvent s'étendre jusqu'au fascia, sans toutefois le pénétrer ni l'abîmer. Du point de vue clinique, la plaie présente un ulcère profond, avec ou sans dégradation du tissu adjacent. Nécrose, suintement et risque d'infection accrus.

Stade III

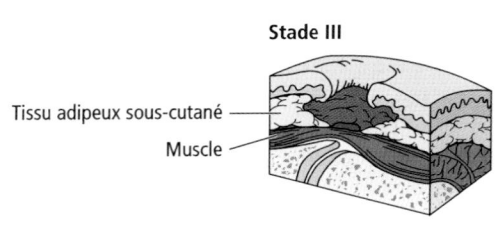

Tissu adipeux sous-cutané
Muscle

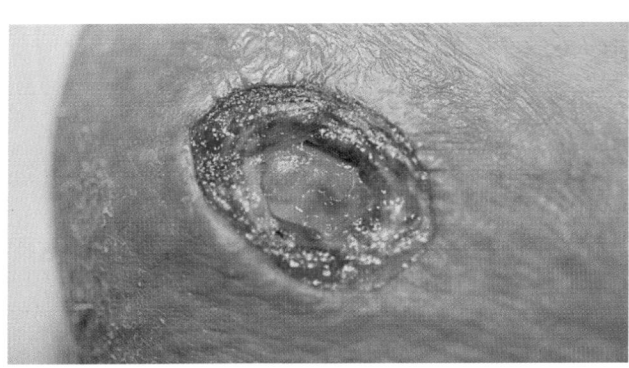

C

Perte tissulaire totale, accompagnée de la nécrose du tissu ou d'une dégradation du muscle, de l'os ou des structures de soutien (par exemple, un tendon ou une capsule articulaire). On peut également constater une détérioration des tissus et l'apparition d'un réseau de fissures. Présence d'exsudat ou de nécrose. La plaie peut être nauséabonde et, souvent, non douloureuse. Risque d'infection systémique.

Stade IV

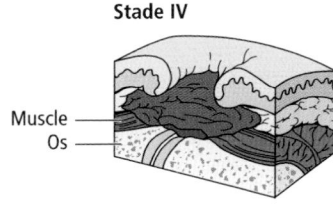

Muscle
Os

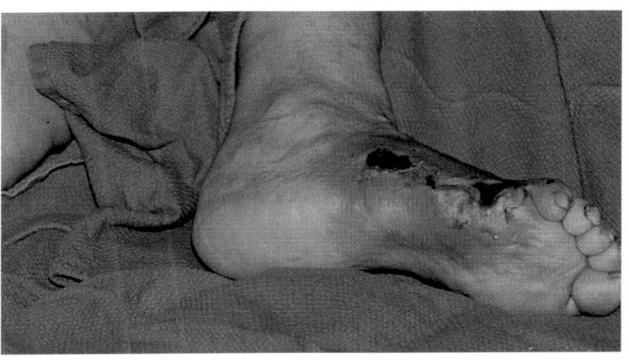

D

FIGURE **40-1** ■ Les quatre stades de la formation d'une plaie de pression. (Source : *Clinical Practice Guideline, Pressure Ulcers in Adults : Prediction and Prevention*, de U.S. Department of Health and Human Services, PPPPUA, publication n° 92-0047, 1992, Rockville.)

Cicatrisation des plaies

La cicatrisation ou **régénération** est une caractéristique des tissus vivants. On peut parler de *types de cicatrisation* et de *phases de cicatrisation,* qui renvoient au processus de réparation tissulaire de l'organisme. Les phases sont toujours les mêmes, quels que soient le type de cicatrisation, la localisation ou la taille de la plaie et l'état de santé de la personne touchée.

Types de cicatrisation des plaies

Il existe trois types de cicatrisation, déterminés par l'importance de la perte tissulaire.

On parle de **cicatrisation par première intention** lorsque les surfaces tissulaires ont été rapprochées et que la perte tissulaire est minimale, voire nulle ; ce type de cicatrisation se caractérise par la formation minimale de tissu de granulation et par une cicatrice très fine. À titre d'exemple, mentionnons la guérison d'une incision chirurgicale suturée ou encore celle d'une plaie dont on a recollé les lèvres à l'aide d'un adhésif liquide (King et Kinney, 2001).

Une plaie importante, qui est caractérisée par la perte d'une grande quantité de tissu et dont les lèvres ne peuvent pas ou ne doivent pas être refermées, guérira par le mécanisme de **cicatrisation par deuxième intention**. La plaie de pression illustre ce type de cicatrisation, qui se distingue de la cicatrisation par première intention par trois aspects : (a) le temps de régénération est plus long ; (b) la cicatrice est plus évidente ; (c) le risque d'infection est plus élevé.

Il est question de **cicatrisation par troisième intention** lorsque le médecin ou le chirurgien procède à un drainage temporaire d'une plaie ouverte. Ce drainage favorise le processus de granulation. Par la suite, la plaie est refermée par une intervention chirurgicale.

Phases de cicatrisation des plaies

La cicatrisation des plaies se déroule en quatre phases : l'hémostase, l'inflammation, la prolifération et la maturation (ou remodelage).

HÉMOSTASE

L'**hémostase** (arrêt de l'hémorragie) découle de la vasoconstriction des vaisseaux sanguins les plus importants dans la région touchée, du dépôt de la **fibrine** (tissu conjonctif) et de la formation de caillots dans la région. Les caillots sont formés de plaquettes sanguines et forment une matrice de fibrine sur laquelle s'appuie la réparation cellulaire. Une croûte se forme alors à la surface de la plaie. Composée de caillots et de tissus morts ou moribonds, cette croûte contribue à l'hémostase et empêche les microorganismes de contaminer la plaie. Sous la croûte, les cellules épithéliales migrent dans la plaie à partir de ses lèvres. Ces cellules dressent une barrière entre le corps et l'environnement, prévenant ainsi l'infiltration de microorganismes.

INFLAMMATION

L'*inflammation* (ou *phase inflammatoire*) comporte des réactions vasculaires et cellulaires visant à éliminer les substances étrangères et les tissus morts ou moribonds. La plaie reçoit alors davantage de sang, dont elle tire l'oxygène et les nutriments nécessaires à la cicatrisation. En conséquence, la surface devient rouge et œdématiée.

Pendant la migration des cellules, les leucocytes (en particulier les neutrophiles) se logent dans l'espace interstitiel. Environ 24 heures après la blessure, ils sont remplacés par des macrophages, qui dérivent des monocytes du sang. Les macrophages engloutissent les microorganismes et les débris cellulaires au cours d'un processus appelé **phagocytose**. Par ailleurs, les macrophages sécrètent un facteur angiogénique, qui stimule la formation des bourgeons épithéliaux à l'extrémité des vaisseaux sanguins touchés. La microcirculation ainsi formée nourrit la plaie et favorise la cicatrisation. Cette réaction inflammatoire est essentielle à la cicatrisation, et tout ce qui réduit l'inflammation (par exemple, un médicament à base de corticostéroïdes) nuit à la cicatrisation.

PROLIFÉRATION

La troisième phase de la cicatrisation, la *prolifération*, débute trois ou quatre jours après la blessure et s'échelonne sur environ 21 jours. Les fibroblastes (cellules du tissu conjonctif), qui migrent vers la plaie environ 24 heures après la blessure, commencent à synthétiser le **collagène**. Ce dernier est une substance protéique blanchâtre qui donne une force de résistance à la plaie. Ainsi, la force de résistance de la plaie s'accroît à mesure qu'augmente la quantité de collagène, de sorte que les probabilités de voir la plaie s'ouvrir décroissent peu à peu. Si la plaie est suturée, une crête de cicatrisation apparaît sous la ligne formée par les points de suture. Lorsque la plaie n'est pas suturée, on aperçoit souvent le nouveau collagène.

Les capillaires prolifèrent dans la plaie, ce qui accroît la circulation sanguine. Les fibroblastes quittent les vaisseaux sanguins et pénètrent dans la plaie, où ils déposent la fibrine. À mesure que se ramifie le réseau de capillaires, le tissu se teinte d'un rouge translucide. Ce **tissu de granulation** est fragile et saigne facilement.

Lorsque les lèvres d'une plaie ne sont pas suturées, le tissu de granulation doit en couvrir la surface. Au fur et à mesure que ce tissu conjonctif se forme, les cellules épithéliales marginales y migrent et prolifèrent afin de combler la plaie. Si la plaie ne se referme pas sous l'effet de l'épithélisation, la région se couvre de protéines plasmiques desséchées et de cellules mortes. On parle alors d'**escarre**. Quand une plaie guérit selon le mécanisme de cicatrisation par deuxième intention, elle laisse d'abord suinter un liquide sérosanguinolent ; par la suite, si elle n'est pas couverte de cellules épithéliales, un épais tissu fibrineux gris la recouvre et se transforme en tissu cicatriciel dense.

MATURATION (OU REMODELAGE)

La *phase de maturation* débute vers le 21e jour et peut se prolonger pendant un an ou deux. Les fibroblastes continuent de synthétiser le collagène. Les fibres collagènes, qui, au départ, étaient disposées de façon aléatoire, se redéploient de façon plus ordonnée. Au cours de la maturation, la plaie est remodelée et se contracte. La cicatrice acquiert de la résistance, mais la surface réparée n'est jamais aussi résistante que le tissu antérieur. Chez certaines personnes, en particulier celles qui ont la peau foncée, une quantité anormale de collagène se dépose sur la plaie, ce qui peut donner lieu à une cicatrice hypertrophique ou **chéloïde**.

Afin de suivre le progrès de la cicatrisation des plaies de pression, l'utilisation de l'outil PUSH (*Pressure Ulcer Scale for Healing* ou échelle de cicatrisation des plaies de pression) du National Pressure Ulcer Advisory Panel (2002) est préconisée à l'échelle nationale et provinciale, tant par les médecins que par les associations d'infirmières (par exemple, par l'OIIQ et par la *Loi sur les infirmières et les infirmiers*). Cet outil, qui a fait ses preuves, permet d'attribuer des scores en fonction de la longueur et de la largeur de la plaie, de la quantité d'exsudat et du type de tissu. Pour suivre le progrès de la cicatrisation, on peut s'appuyer sur l'évolution du score global. Voir l'appendice G.

Types d'écoulement

Un **exsudat** est composé de liquides et de cellules qui s'échappent des vaisseaux sanguins au cours de la phase inflammatoire et qui se déposent à l'intérieur ou à la surface des tissus. La nature et la quantité d'exsudat varient en fonction du tissu en cause, de l'intensité et de la durée de l'inflammation ainsi que de la présence de microorganismes. On trouve trois principaux types d'exsudat: séreux, purulent et sanguinolent.

Un **exsudat séreux** consiste surtout en sérum (l'élément clair du sang) dérivé du sang et des membranes séreuses de l'organisme, telles que le péritoine. Cet exsudat ressemble à de l'eau et compte peu de cellules. Le liquide qui s'échappe des vésicules causées par une brûlure est un exsudat séreux.

Un **exsudat purulent** est plus épais qu'un exsudat séreux à cause de la présence de **pus**, qui est composé de leucocytes, de débris de tissus morts liquéfiés et de bactéries mortes ou vivantes. La production et l'écoulement de pus contribuent à la **suppuration**, et les bactéries qui produisent le pus sont des **bactéries pyogènes**. Les microorganismes ne sont pas tous pyogènes. Les exsudats purulents n'ont pas tous la même couleur; certains sont bleuâtres, verdâtres ou jaunâtres. La teinte d'un exsudat peut être attribuable à l'organisme responsable de la production du pus.

Un **exsudat sanguinolent** (ou hémorragique) compte d'importantes quantités de globules rouges, dont la présence révèle une rupture des capillaires suffisamment grave pour leur permettre de quitter le plasma. On voit souvent ce type d'exsudat sur les plaies ouvertes.

> **! ALERTE CLINIQUE** *Un exsudat sanguinolent rouge vif révèle un saignement récent, alors qu'un exsudat sanguinolent rouge foncé indique que le saignement remonte à quelque temps.* ∎

On observe souvent les cas suivants: plusieurs types d'exsudats sur une même plaie; un **exsudat sérosanguinolent** (liquide clair et teinté de sang) dans les incisions chirurgicales; un écoulement purosanguinolent (mélange de pus et de sang) d'une blessure récente et infectée.

Complications liées à la cicatrisation des plaies

Plusieurs circonstances peuvent entraver la cicatrisation d'une plaie: entre autres, une hémorragie, une infection et une déhiscence.

HÉMORRAGIE

Il est normal qu'un peu de sang s'échappe d'une plaie. Une **hémorragie** (épanchement excessif de sang) est toutefois anormale. Elle peut être attribuable, par exemple, au détachement d'un caillot, au bris d'un point de suture (ouverture des lèvres de la plaie) ou à l'érosion d'un vaisseau sanguin.

On peut déceler une hémorragie interne par la présence d'un œdème ou d'une distension de la région de la plaie et, le cas échéant, par l'écoulement de sang d'un drain en place. Certaines personnes présentent un **hématome**, c'est-à-dire une accumulation de sang circonscrite sous la peau, laquelle prend alors une teinte mauve (une ecchymose). Un hématome de grande taille peut être dangereux, car il exerce une forte pression sur les vaisseaux sanguins et peut faire obstacle à la circulation sanguine.

On risque davantage une hémorragie au cours des 48 heures qui suivent une intervention chirurgicale. Si c'est le cas, il y a urgence. L'infirmière doit appliquer des pansements compressifs sur la région touchée et surveiller de près les signes vitaux de la personne. Une intervention chirurgicale peut alors s'avérer utile afin de drainer l'hématome.

INFECTION

Il est presque inévitable que la surface d'une plaie soit contaminée par des microorganismes (on parle alors de colonisation). Étant donné que les organismes colonisateurs sont en compétition avec les nouvelles cellules pour se procurer de l'oxygène et des éléments nutritifs, et que leurs sous-produits peuvent souiller la surface de la plaie, la présence de contaminants peut entraver la cicatrisation et entraîner une infection. Lorsque les microorganismes qui colonisent la plaie se multiplient ou qu'ils envahissent les tissus, on est en présence d'une infection qui se manifeste par un changement de couleur de la plaie, une douleur ou un écoulement. On peut confirmer la présence d'une infection en faisant une culture de la plaie (voir le chapitre 38 ⊂⊃). Une infection grave se manifeste par de la fièvre et une augmentation du taux de globules blancs. Les personnes aux prises avec un déficit immunitaire (par exemple, celles qui sont atteintes du VIH ou celles qui reçoivent un traitement myélosuppresseur contre le cancer) sont particulièrement prédisposées à l'infection.

Les microorganismes peuvent infecter une plaie au moment de la blessure, pendant l'intervention chirurgicale ou par la suite. Les plaies causées par balle ou par arme blanche risquent davantage d'être contaminées. Une intervention chirurgicale aux intestins peut donner lieu à une infection causée par les microorganismes qui y sont présents. Une infection contractée au cours d'une intervention chirurgicale apparaît généralement entre le deuxième et le onzième jour qui suivent l'opération.

DÉHISCENCE CONJUGUÉE À UNE ÉVISCÉRATION POTENTIELLE

Une **déhiscence** est la rupture partielle ou complète d'une plaie suturée. Elle touche habituellement une plaie à l'abdomen, lorsque les couches sous-cutanées se séparent. L'**éviscération** est la protrusion des viscères à travers l'ouverture d'une incision. Plusieurs facteurs, comme l'obésité, la dénutrition, de multiples traumas, une suture mal exécutée, une toux excessive, des vomissements et la déshydratation, accroissent le risque de déhiscence. La déhiscence d'une plaie survient généralement au cours des quatre à cinq jours qui suivent une intervention chirurgicale, avant qu'une grande quantité de collagène ne se dépose dans la plaie.

La déhiscence peut être précédée d'un effort soudain (par exemple, une quinte de toux ou un éternuement). Il n'est pas inhabituel d'entendre une personne dire qu'elle a l'impression que «quelque chose a cédé» en elle. Quand on constate une déhiscence ou une éviscération, il faut vite refermer la plaie à l'aide de grands pansements trempés dans du soluté physiologique stérile. Allongez la personne sur un lit en lui demandant de plier les genoux afin d'atténuer la pression exercée sur l'incision. Il faut prévenir le chirurgien, qui devra probablement procéder à bref délai à une intervention afin de réparer la plaie.

Facteurs influant sur la cicatrisation des plaies

Différentes caractéristiques de la personne, notamment son âge, son régime alimentaire, ses habitudes de vie et ses médicaments, ont une incidence sur la rapidité de la cicatrisation des plaies.

FACTEURS RELATIFS AU DÉVELOPPEMENT

Souvent, la cicatrisation s'opère plus rapidement chez les enfants et les adultes en santé que chez les personnes âgées, plus susceptibles de souffrir d'affections chroniques qui ralentissent le métabolisme. Ainsi, un foie moins fonctionnel peut gêner la synthèse des facteurs responsables de la coagulation du sang. L'encadré 40-4 dresse la liste des facteurs qui inhibent la cicatrisation des plaies chez les personnes âgées.

NUTRITION

La cicatrisation des plaies exige des efforts supplémentaires de l'organisme. Il faut veiller à ce que le régime alimentaire soit riche en protéines, en glucides, en lipides, en vitamines A et C

ainsi qu'en minéraux, tels que le fer, le zinc et le cuivre. Lorsque la situation le permet, on essaie d'améliorer l'état nutritionnel des personnes dénutries avant qu'elles ne subissent une intervention chirurgicale. Chez les personnes obèses, le risque d'infection des plaies est plus élevé et la cicatrisation est plus lente que chez les personnes qui ont un poids-santé, car la circulation sanguine est généralement minimale dans les tissus adipeux.

HABITUDES DE VIE

Les personnes qui font régulièrement de l'exercice ont souvent une meilleure circulation sanguine. Une bonne circulation sanguine favorise l'apport d'oxygène et d'éléments nutritifs aux plaies, ce qui contribue à une cicatrisation plus rapide. Le tabagisme réduit la quantité d'hémoglobine fonctionnelle présente dans le sang (ce qui restreint l'apport en oxygène) et contracte les artérioles.

MÉDICAMENTS

Les médicaments anti-inflammatoires (par exemple, les corticostéroïdes et l'aspirine) et les agents antinéoplasiques entravent la cicatrisation. L'usage prolongé d'antibiotiques prédispose l'individu à l'infection des plaies par des organismes résistants.

DÉMARCHE SYSTÉMATIQUE
dans la pratique infirmière

Collecte des données

▨ Évaluation de l'intégrité de la peau

L'infirmière procède à l'examen des téguments dans le contexte de l'évaluation courante et des soins réguliers.

ANAMNÈSE ET EXAMEN PHYSIQUE. Lorsqu'on revoit les différentes fonctions au cours de l'anamnèse, on obtient des renseignements sur les affections de la peau, les ecchymoses, l'état général de la peau, les lésions cutanées et le type de cicatrisation propre à une personne. L'inspection et la palpation de la peau permettent de déterminer la répartition de la coloration de la peau, l'élasticité, la présence d'œdème et les caractéristiques des lésions. L'infirmière doit prêter attention à l'état de la peau, particulièrement aux endroits où elle est susceptible de se dégrader, notamment dans les replis formés sous les seins, là où elle est souvent humide (par exemple, la région du périnée) et là où elle subit d'intenses pressions (par exemple, au niveau du coccyx et des trochanters) (voir la figure 40-2 ■ et l'encadré *Conseils pratiques – Méthode d'évaluation des régions où s'exerce souvent une pression*). Le chapitre 34 ⃝ traite en détail de l'examen de la peau et des téguments.

OUTILS D'ÉVALUATION DU RISQUE. Bien qu'il existe diverses anomalies de l'intégrité de la peau, les plaies de pression sont les lésions les plus courantes. L'infirmière dispose de plusieurs outils d'évaluation du risque afin de déterminer de façon systématique les personnes susceptibles de souffrir de plaies de pression. Le PPPPUA (1992a) recommande que l'outil comporte une collecte des données relatives à l'immobilité, à l'incontinence, à l'alimentation et au niveau de conscience.

ENCADRÉ

Facteurs inhibant la cicatrisation des plaies chez les personnes âgées | 40-4

- Les remaniements vasculaires associés au vieillissement, tels que l'athérosclérose et l'atrophie des capillaires de la peau, peuvent entraver la circulation sanguine dans la région de la plaie.
- Les tissus collagènes sont moins souples; ainsi, la pression, la friction et le cisaillement risquent davantage de provoquer des lésions cutanées.
- Le tissu cicatriciel est moins élastique.
- Des modifications du système immunitaire peuvent réduire la formation des anticorps et des monocytes nécessaires à la cicatrisation.
- Les carences nutritionnelles peuvent réduire le taux de globules rouges et de leucocytes, ce qui gêne l'apport en oxygène et la réaction inflammatoire essentiels à la cicatrisation. L'oxygène est nécessaire à la synthèse du collagène et à la formation de nouvelles cellules épithéliales.
- La cicatrisation risque d'être plus lente chez les personnes qui souffrent de diabète ou d'une affection cardiovasculaire, car l'apport d'oxygène aux tissus est entravé.
- Le renouvellement cellulaire est plus lent, ce qui retarde la cicatrisation.

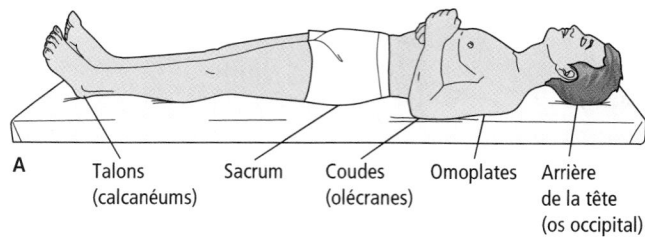

A —
Talons (calcanéums) — Sacrum — Coudes (olécranes) — Omoplates — Arrière de la tête (os occipital)

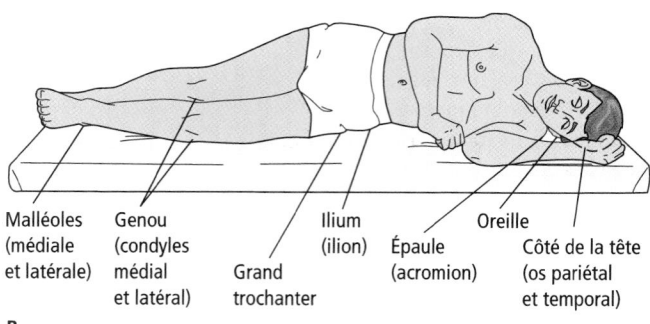

B —
Malléoles (médiale et latérale) — Genou (condyles médial et latéral) — Grand trochanter — Ilium (ilion) — Épaule (acromion) — Oreille — Côté de la tête (os pariétal et temporal)

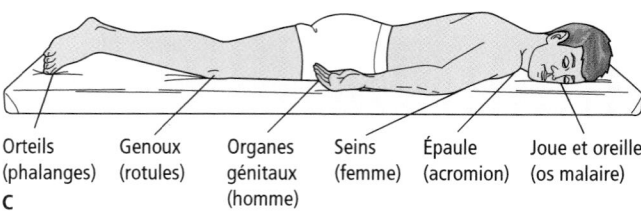

C —
Orteils (phalanges) — Genoux (rotules) — Organes génitaux (homme) — Seins (femme) — Épaule (acromion) — Joue et oreille (os malaire)

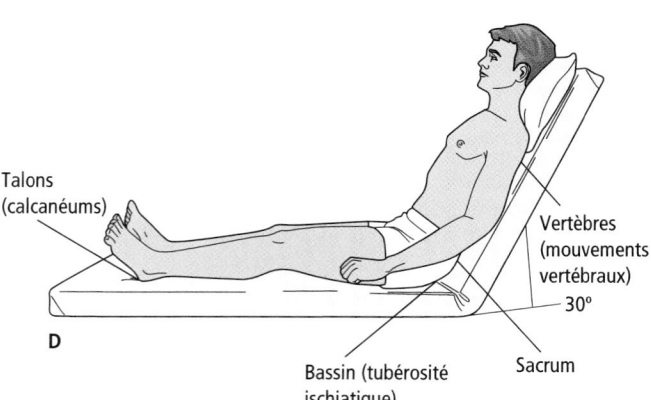

Talons (calcanéums) — Vertèbres (mouvements vertébraux) — 30° — Bassin (tubérosité ischiatique) — Sacrum

D

FIGURE **40-2** ■ Régions où s'exerce une pression : A, position couchée ; B, position latérale ; C, position ventrale ; D, position de Fowler.

CONSEILS PRATIQUES

Méthode d'évaluation des régions où s'exerce souvent une pression

- Assurez-vous que l'éclairage est adéquat, qu'il provient de préférence d'une source naturelle ou fluorescente, car les ampoules à incandescence créent un effet de transillumination.
- Réglez la température de la pièce avant de procéder à l'évaluation, de sorte qu'elle ne soit ni trop chaude ni trop froide. La chaleur peut provoquer des rougeurs alors que le froid peut faire pâlir la peau ou provoquer un effet cyanotique.
- Examinez les régions exposées à la pression (voir la figure 40-2) afin d'y déceler toute tache blanchâtre ou rougeâtre ; la coloration anormale peut être causée par une mauvaise circulation sanguine dans la région et devrait disparaître quelques minutes après que vous aurez massé doucement la peau pour y rétablir la circulation.
- Examinez les régions exposées à la pression pour y déceler des abrasions ou des excoriations. Il peut y avoir abrasion lorsque la peau frotte contre un drap (par exemple, lorsqu'on tire la personne du lit). On peut constater une excoriation lorsque la peau est en contact prolongé avec les sécrétions ou les excrétions organiques ou lorsque la moiteur s'est installée dans les plis cutanés.
- Palpez la peau des régions qui subissent une pression pour en prendre la température superficielle (après vous être frotté les mains pour les réchauffer). Normalement, la température y est la même que dans les régions voisines. Une température plus élevée est anormale et peut être provoquée par une inflammation ou par la rétention du sang dans la région.
- Palpez les protubérances osseuses et les régions déclives pour y déceler la présence d'un œdème (dont la consistance est spongieuse).

respond à un risque très élevé (Ayello et Braden, 2001). Afin de maximiser l'utilisation de cette échelle, l'infirmière devrait recevoir une formation appropriée.

Norton a mis au point une échelle d'évaluation des régions susceptibles de présenter des plaies de pression (voir le tableau 40-2) ; elle comprend des catégories portant sur la condition physique générale, les facultés mentales, l'activité, la mobilité et l'incontinence. La catégorie portant sur les médicaments a été ajoutée en 1987, ce qui porte le score maximal à 24. On devrait considérer un score de 15 ou 16 comme un indicateur et non un prédicteur de risque (Anthony, 1987). On devrait utiliser l'échelle de Braden et l'échelle de Norton au moment de l'admission d'une personne et lorsque son état se modifie. Dans certains établissements de soins de longue durée, on soumet chaque personne à l'échelle de Braden ou à l'échelle de Norton au moment de son admission et de façon périodique par la suite (par exemple, une fois par semaine). Le personnel soignant est alors plus conscient des facteurs de risque propres à chaque personne et peut mieux évaluer les données sur lesquelles il s'appuiera pour planifier ses interventions afin de maintenir ou d'améliorer l'intégrité de la peau des personnes dont il a la charge. Ces deux outils d'évaluation des plaies (échelle de Braden et échelle de Norton) sont approuvés par le PPPPUA.

En 1987, Bergstrom, Braden, Laguzza et Holman ont mis au point l'échelle de Braden, qui est un outil de prédiction du risque associé aux plaies de pression. Cette échelle compte six sous-catégories : la perception sensorielle, l'humidité, l'activité, la mobilité, la nutrition, et la friction et le cisaillement (figure 40-3 ■). Un individu peut ainsi cumuler un total de 23 points. On considère qu'un adulte qui a un score de 15 à 18 points encourt un risque ; un score de 13 à 14 correspond à un risque modéré ; un score de 10 à 12 correspond à un risque élevé ; un score de 9 ou moins cor-

ÉCHELLE DE BRADEN©

Perception Sensorielle Capacité de répondre d'une manière significative à l'inconfort causé par la pression	**1. Complètement limitée:** Absence de réaction (ne gémit pas, ne sursaute pas, n'a pas de réflexe de préhension) aux stimuli douloureux, dû à une diminution du niveau de conscience ou à la sédation. OU A une capacité limitée de ressentir la douleur ou l'inconfort sur la majeure partie de son corps.	**2. Très limitée:** Répond seulement aux stimuli douloureux. Ne peut communiquer l'inconfort que par des gémissements ou de l'agitation. OU A une altération sensorielle qui limite la capacité de ressentir la douleur ou l'inconfort sur la moitié de son corps.	**3. Légèrement limitée:** Répond aux ordres verbaux, mais rie peut pas toujours communiquer l'inconfort ou le besoin d'être tourné. OU A une certaine altération sensorielle qui limite sa capacité de ressentir la douleur ou l'inconfort dans un ou deux de ses membres.	**4. Aucune atteinte:** Répond aux ordres verbaux. N'a aucun déficit sensoriel qui pourrait limiter sa capacité de ressentir ou d'exprimer la douleur ou l'inconfort.
Humidité Le degré d'humidité auquel la peau est exposée.	**1. Constamment humide:** La peau est presque constamment humide à cause de la transpiration, de l'urine, etc. La moiteur est notée à chaque fois que la personne est changée de position.	**2. Très humide:** La peau est souvent mais pas toujours humide. La literie doit être changée au moins une fois par quart de travail.	**3. Occasionnellement humide:** La peau est occasionnellement humide nécessitant un changement de literie additionnel environ une fois par jour.	**4. Rarement humide:** La peau est habituellement sèche. La literie est changée aux intervalles habituels.
Activité Le degré d'activité physique	**1. Alité:** Confinement au lit.	**2. Confinement au fauteuil:** La capacité de marcher est très limitée ou inexistante. Ne peut supporter son propre poids et/ou a besoin d'aide pour s'asseoir au fauteuil ou au fauteuil roulant.	**3. Marche à l'occasion:** Marche occasionnellement pendant la journée, mais sur de très courtes distances, avec ou sans aide. Passe la plupart de chaque quart de travail au lit ou au fauteuil.	**4. Marche fréquemment:** Marche hors de la chambre au moins deux fois par jour et dans la chambre au moins une fois chaque deux heures en dehors des heures de sommeil.
Mobilité Capacité de changer et de contrôler la position de son corps	**1. Complètement immobile:** Incapable de faire le moindre changement de position de son corps ou de ses membres sans assistance.	**2. Très limitée:** Fait occasionnellement de légers changements de position de son corps ou de ses membres mais est incapable de faire des changements fréquents ou importants de façon indépendante.	**3. Légèrement limitée:** Fait de fréquents mais légers changements de position de son corps ou de ses membres de façon indépendante.	**4. Non limitée:** Fait des changements de position importants et fréquents sans aide.
Nutrition Profil de l'alimentation habituelle	**1. Très pauvre:** Ne mange **jamais** un repas complet. **Mange** rarement plus du tiers de tout aliment offert. Mange deux portions ou moins de protéines (viandes ou produits laitiers) par jour. Boit peu de liquides. Ne prend pas de supplément nutritionnel liquide. OU Ne prend rien par la bouche et/ou reçoit une diète liquide ou une perfusion intraveineuse pendant plus de 5 jours.	**2. Probablement inadéquate:** Mange rarement un repas complet et mange généralement que la moitié de tout aliment offert. L'apport de protéines comporte 3 portions de viandes ou de produits laitiers par jour. Prend occasionnellement un supplément nutritionnel. OU Reçoit une quantité insuffisante de liquide ou de gavage.	**3. Adéquate:** Mange plus de la moitié de la plupart des repas. Mange un total de 4 portions de protéines (viandes, produits laitiers) chaque jour. Peut refuser à l'occasion un repas, mais prend habituellement unsupplément nutritionnel s'il est offert. OU Est alimenté par gavage ou par alimentation parentérale totale qui répond probablement à la plupart des besoins nutritionnels	**4. Excellente:** Mange presque entièrement chaque repas. Ne refuse jamais un repas. Mange habituellement un total de 4 portions ou plus de viandes et de produits laitiers. Mange occasionnellement entre les repas. Un supplément nutritionnel n'est pas nécessaire.
Friction et cisaillement	**1. Problème:** Le patient a besoin d'une aide modérée à maximale pour bouger. Il est impossible de le soulever complètement sans que sa peau frotte sur les draps. Il glisse fréquemment dans le lit ou au fauteuil, ce qui requiert d'être positionné fréquemment avec une aide maximale. La spasticité, les contractures ou l'agitation entraînent une friction presque constante.	**2. Problème potentiel:** Le patient bouge faiblement ou requiert une aide minimale. Pendant un changement de position, la peau frotte probablement jusqu'à un certain degré contre les draps, le fauteuil, les contentions ou autres appareils. Il maintient la plupart du temps une assez bonne position au fauteuil ou au lit mais glisse à l'occasion.	**3. Aucun problème apparent:** Le patient bouge de façon indépendante au lit ou au fauteuil et a suffisamment de force musculaire pour se soulever complètement pendant un changement de position. Il maintient en tout temps une bonne position dans le lit et au fauteuil.	

FIGURE **40-3** ■ Échelle de Braden utilisée pour prévoir le risque de plaies de pression. (Source: *Clinical Practice Guideline, Pressure Ulcers in Adults: Prediction and Prevention*, de U.S. Department of Health and Human Services, PPPPUA, publication n° 92-0047, p. 16-17, Rockville, Public Health Service. © Barbara Braden et Nancy Bergstrom, 1988. Version française approuvée par les auteurs. Traduction et validation faites par Diane St-Cyr et Nicole Denis, © 2002.)

TABLEAU
40-2

Échelle de Norton utilisée pour évaluer les régions susceptibles de présenter des plaies de pression

A. Condition physique		B. État mental		C. Activité		D. Mobilité		E. Incontinence	
Excellente	4	Alerte	4	Ambulatoire	4	Complète	4	Aucune	4
Bonne	3	Apathique	3	Marche avec de l'aide	3	Un peu limitée	3	Occasionnelle	3
Passable	2	Confus	2			Très limitée	2	Urinaire	2
Mauvaise	1	Stuporeux	1	Contraint à la position assise	2	Aucune	1	Urinaire et fécale	1
				Alité	1				

Source : *An Investigation of Geriatric Nursing Problems in Hospitals,* de D. Norton, R. McLaren et A. N. Exton-Smith, 1975, Édimbourg, Churchill Livingstone. Reproduit avec l'autorisation de Elsevier.

▣ Évaluation des plaies

Dès qu'elle constate la présence d'une plaie, l'infirmière doit l'évaluer afin de déterminer le plan de traitement et de prodiguer les soins et les traitements qui s'imposent. La figure 40-4 ▪ présente un exemple de l'évaluation initiale d'une plaie.

PLAIES NON INTENTIONNELLES. D'ordinaire, les plaies non intentionnelles apparaissent à la suite d'un traumatisme (par exemple, un accident ou une brûlure) et sont traitées à l'urgence. Le mode d'évaluation de ces plaies est décrit dans l'encadré *Conseils pratiques – Évaluation des plaies non intentionnelles.* Voici les recommandations relatives aux soins à donner :

- Maîtriser un saignement abondant : (a) en exerçant une pression sur la plaie ; (b) en élevant le membre en cause.
- Prévenir l'infection : (a) en nettoyant ou en rinçant avec de l'eau les abrasions ou les lacérations ; (b) en couvrant la plaie d'un pansement propre, dans la mesure du possible (il est préférable d'utiliser un pansement stérile). Lorsqu'on met en place un pansement, on doit envelopper la plaie fermement, de façon à exercer une pression et à fermer les lèvres, dans la mesure du possible. Si le pansement devient imprégné de sang, en ajouter un autre, sans toutefois enlever le premier, car on risquerait de remuer les caillots, ce qui raviverait le saignement.

CONSEILS PRATIQUES

Évaluation des plaies non intentionnelles
- Évaluez la taille et la gravité de la plaie.
- Recherchez la présence d'un saignement. L'abondance du saignement varie selon le type de plaie et sa localisation. Une plaie perforante peut provoquer une hémorragie interne.
- Recherchez la présence de corps étrangers (par exemple, de la terre, des éclats de verre, des fibres, etc.).
- Évaluez les blessures associées à la plaie (par exemple, une fracture, une hémorragie interne, une blessure à la moelle épinière ou un traumatisme crânien).
- Si des corps étrangers contaminent la plaie, déterminez à quand remonte la dernière vaccination antitétanique. Un vaccin de rappel peut être indiqué.

- Maîtriser l'enflure et la douleur en mettant de la glace sur les plaies et les tissus avoisinants.
- Si le saignement est abondant ou si on craint une hémorragie interne, évaluer l'état de la personne pour déceler des indices de choc (exemples : pouls rapide et filant, peau moite et froide, pâleur, pression artérielle diminuée).

PLAIES INTENTIONNELLES. Une plaie intentionnelle résulte habituellement d'un traitement (par exemple, une incision chirurgicale). D'ordinaire, on évalue les plaies intentionnelles ou suturées afin de déterminer le progrès de la cicatrisation. On peut examiner ces plaies lorsqu'on en change le pansement. Si ce n'est pas possible, on observe le pansement et on cherche à obtenir des données complémentaires (par exemple, la présence d'une douleur). On couvre parfois ces plaies à l'aide d'un pansement occlusif transparent qu'il n'est pas nécessaire de retirer pour faire l'examen.

Afin d'évaluer une plaie intentionnelle, il faut observer son apparence, sa taille et l'écoulement de liquide. Il faut également rechercher la présence d'un œdème ou d'une douleur et vérifier l'état des mèches ou des drains. Dans certains établissements de soins de longue durée, en soins à domicile et en consultation externe, il est possible d'ajouter une prise de photo hebdomadaire au suivi de l'évaluation de la plaie. D'autres évaluations datées accompagnent ces photos. Les modalités de ces évaluations et les indices de cicatrisation des incisions chirurgicales sont traités au chapitre 41 ⊂⊃ .

La plaie s'étend parfois sous la surface de la peau. Les lèvres d'une plaie ouverte peuvent être vives ou sembler cicatrisées ; cependant, lorsque la plaie s'insinue sous la surface, elle peut former des cavités (ou sinus) qui se creuseront sur plusieurs centimètres au-delà de la plaie principale, ce qui provoque un décollement de la plaie. Afin d'évaluer comme il se doit la taille d'une plaie, l'infirmière explore délicatement la région à l'aide d'une sonde fine et souple. L'écouvillon est à proscrire, car il pourrait laisser des fibres dans la plaie. Lorsque l'extrémité de la cavité est atteinte, il faut soulever délicatement la sonde pour observer le bombement provoqué à la surface de la peau et en mesurer la longueur. Ces décollements sont souvent occasionnés par une infection et ils laissent alors suinter quantité de liquide. On peut les traiter à l'aide d'antibiotiques, par irrigation, par incision chirurgicale (afin d'ouvrir et de drainer la cavité) ou par succion, s'il s'agit d'une cavité importante (Butcher, 2002).

Centre de santé et de services sociaux
de Québec-Nord

ÉVALUATION INITIALE DES PLAIES

IDENTIFICATION DE L'USAGER

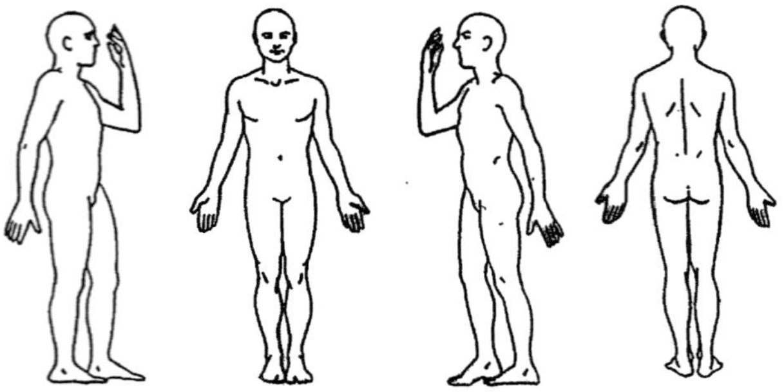

MÉDECIN DE FAMILLE : _____

DIAGNOSTIC : _____

_____

LOCALISATION : _____

_____

DATE D'APPARITION :

☐ < 30 jours   ☐ ≥ 30 jours < 6 mois

☐ > 6 mois < 1 an   ☐ ≥ 1 an

SCHÉMA DE LA PLAIE / PHOTO

STADES:
☐ 1 – Érythème qui ne pâlit pas sous la pression
☐ 2 – Atteinte de peau superficielle (abrasion, phlyctène, léger cratère)
☐ 3 – Cratère (destruction de l'épiderme et du derme)
☐ 4 – Cratère (atteinte du muscle, de l'os et des structures de soutien)
☐ 5 – Impossible à évaluer l'atteinte (tissu nécrotique recouvre la plaie)

DIMENSIONS (CM)		PHASE %		EXSUDAT			
				Quantité %		**Qualité**	
Longueur		Nécrotique (couleur noire)		Pans. souillé 25%		Sanguin	
Largeur				Pans. souillé 50%		Séro-sanguin	
Profondeur		Inflammatoire (couleur jaune)		Pans. souillé 75%		Séreux	
						Purulent	
Sillon ou tunnellisation		Tissu de granulation (couleur rouge, framboisée)		Pans. souillé 100%		Odeur après nettoyage ☐ Oui ☐ Non	

BORDS DE LA PLAIE	POURTOUR CUTANÉ	SIGNES D'INFLAMMATION			PARTICULARITÉ DU CLIENT :
Diffus	Intact	Rougeur			État nutritionnel ☐ bon ☐ moyen ☐ mauvais
Attachés	Macéré	Chaleur			Douleurs, évaluer sur échelle de 0 à 5 : _____ Autres observations (sensations associées, etc.) :
Non attachés	Rosé	Douleur			_____
Roulés et épais	Bleuté	Œdème			Traitement actuel : _____
Hyperkératotiques	Induré		Oui	Non	Depuis le : _____ Traitement suggéré : _____
Fibrotiques		Culture			Fréquence : _____

OBJECTIFS DE SOINS :

☐ 1 – Nettoyer la plaie
☐ 2 – Débrider la plaie
☐ 3 – Contrôler l'exsudat
☐ 4 – Combler l'espace mort
☐ 5 – Minimiser la croissance bactérienne

☐ 6 – Favoriser la formation du tissu de granulation
☐ 7 – Encourager la réépithélialisation
☐ 8 – Prévenir la déshydratation de la plaie
☐ 9 – Protéger la peau environnante
☐ 10 – Soulager la douleur

Autres suggestions : _____

Signature : _____   Date : _____   Heure : _____

FIGURE **40-4** ■ **Évaluation initiale des plaies.** (Source : *Évaluation initiale des plaies*, Service du maintien à domicile du Centre de santé Orléans, 2002, Centre de santé Orléans. Grille utilisée par l'Association des CLSC et des CHSLD du Québec.)

PLAIES DE PRESSION. En présence d'une plaie de pression, l'infirmière prend note des observations suivantes :

- L'emplacement de la plaie.
- La taille de la plaie en centimètres. Mesurer d'abord sa longueur (d'une extrémité à l'autre), ensuite sa largeur (d'un bord à l'autre) et, enfin, sa profondeur. Pour mesurer cette dernière, insérer un doigt (après avoir mis un gant stérile) ou un coton-tige au plus profond de la plaie et utiliser une règle pour en déterminer la mesure).
- La présence de cavités ou de sinus sous la plaie.
- Le stade de la formation de la plaie (voir la figure 40-1).
- La couleur de la plaie et l'emplacement de la nécrose ou de l'escarre.
- L'état des lèvres de la plaie.
- L'intégrité de la peau autour de la plaie.
- Les signes cliniques d'infection, tels qu'une rougeur, une chaleur, un œdème, une douleur, une odeur et un exsudat (prenez note de la couleur de l'exsudat).

EXAMENS PARACLINIQUES. Les examens paracliniques étayent souvent l'examen clinique quand il s'agit d'évaluer le progrès de la cicatrisation d'une plaie. Un taux moindre de leucocytes peut ralentir la cicatrisation et accroître la possibilité d'une infection. Un taux d'hémoglobine sous la normale signifie un apport insuffisant en oxygène pour les tissus. L'examen de la coagulation du sang est également significatif. Ainsi, une coagulation plus lente peut entraîner une perte de sang excessive et prolonger l'absorption des caillots ; une hypercoagulabilité risque de provoquer une coagulation intravasculaire, et une coagulation intra-artérielle se traduira par une circulation sanguine insuffisante dans la région touchée. Une analyse des protéines sériques fournira une indication des réserves nutritionnelles de l'organisme qui serviront à la reconstruction cellulaire. L'albumine est l'un des principaux indicateurs de l'état nutritionnel. Un taux inférieur à 35 g/L révèle une dénutrition protéique et peut accroître le risque d'une infection et d'une mauvaise cicatrisation. Une culture de la plaie peut confirmer ou infirmer la présence d'une infection. Les études sur la sensibilité permettent de choisir la thérapie antibiotique indiquée. L'infirmière doit procéder à une culture de la plaie dès qu'elle soupçonne une infection.

Le procédé 40-1 explique comment prélever un échantillon de l'écoulement d'une plaie.

PROCÉDÉ 40-1

Prélèvement d'un échantillon de l'écoulement d'une plaie

Objectifs
- Détecter les microorganismes qui peuvent causer une infection et les antibiotiques auxquels ils sont sensibles.
- Évaluer l'efficacité d'une thérapie antibiotique.

COLLECTE DES DONNÉES

Évaluez
- L'apparence de la plaie et des tissus qui l'entourent. Vérifiez le type d'écoulement et la quantité de liquide qui s'en échappe. La personne se plaint-elle d'une douleur dans la région de la plaie ?
- Les signes d'infection, tels que la fièvre, les frissons ou un taux élevé de globules blancs.

PLANIFICATION

Avant de prélever un échantillon de l'écoulement d'une plaie, déterminez : (a) s'il faut nettoyer la plaie avant de procéder ; (b) si l'endroit du prélèvement a été précisé.

Matériel
- Gants propres
- Gants stériles
- Sac à rebuts étanche
- Sachets de compresses stériles
- Seringue
- Soluté physiologique
- Tube de culture, écouvillon et milieu de culture (il existe des tubes aérobies et anaérobies)
- Étiquettes d'identification dûment remplies pour chaque contenant
- Formulaire de demande d'analyse dûment rempli

INTERVENTION

Préparation
Évaluez si l'échantillon doit être prélevé en fonction d'une culture **aérobie** (qui ne prolifère qu'en présence d'oxygène) ou **anaérobie** (qui ne prolifère qu'en absence d'oxygène). En général, on trouve les organismes aérobies à la surface d'une plaie, alors que les organismes anaérobies se logent dans les profondeurs d'une plaie, dans les sinus et tunnels et dans les cavités. Administrez un analgésique 30 minutes avant l'intervention si la personne se plaint d'une douleur dans la région de la plaie.

Exécution
1. Expliquez à la personne ce que vous allez faire, pourquoi vous allez le faire et comment elle peut coopérer. Expliquez-lui aussi que les résultats serviront à planifier les soins ou les traitements.

PROCÉDÉ **40-1** (SUITE)

Prélèvement d'un échantillon de l'écoulement d'une plaie (suite)

INTERVENTION (suite)

2. Lavez-vous les mains et observez les autres mesures de prévention des infections (par exemple, mettez des gants).

3. Assurez-vous que l'intimité de la personne est préservée.

4. Retirez tout pansement humide qui recouvre la plaie.
   - Mettez des gants propres.
   - Retirez le pansement extérieur et vérifiez s'il est imprégné d'un écoulement. Tenez le pansement de sorte que la personne ne voie pas l'écoulement, *car cela pourrait l'incommoder.*
   - Déterminez la quantité de liquide écoulé (par exemple, « une compresse de 4 cm sur 4 cm saturée de liquide jaune pâle »).
   - Déposez le pansement dans le sac à rebuts étanche. Manipulez-le avec soin, de sorte qu'il ne touche pas l'extérieur du sac, *sinon il le contaminerait.*
   - Retirez les gants et jetez-les comme il se doit.

5. Ouvrez le sachet de compresse stérile (voir le procédé 35-3).

6. Examinez la plaie.
   - Mettez des gants stériles (voir le procédé 35-4).
   - Évaluez l'apparence des tissus (à l'intérieur et autour de la plaie) et de l'écoulement. *Une infection peut rougir les tissus et laisser suinter un écoulement épais, qui peut être nauséabond, blanchâtre ou coloré.*

7. Nettoyez la plaie.
   - Irriguez la plaie à l'aide de soluté physiologique jusqu'à ce que tous les exsudats visibles aient été évacués (voir le procédé 40-4, plus loin dans le présent chapitre).
   - Après l'irrigation, appliquez une compresse stérile sur la plaie. *Elle absorbera l'excédent de soluté.*
   - Si une crème (ou un onguent) antimicrobien topique sert à traiter la plaie, retirez-la à l'aide d'un écouvillon. *Il faut enlever l'antiseptique résiduel avant de procéder au prélèvement.*
   - Retirez et jetez les gants stériles.

8. Faites le prélèvement en vue d'une culture aérobie.
   - Ouvrez un tube et posez son capuchon à l'envers sur une surface ferme et sèche, *de sorte que rien n'en contamine l'intérieur*; si l'écouvillon est fixé au capuchon, tournez un peu ce dernier sur lui-même de façon à libérer l'écouvillon. Tenez le tube d'une main et saisissez l'écouvillon de l'autre (figure 40-5 ■).
   - En le roulant entre vos doigts, faites glisser l'écouvillon sur les surfaces propres du tissu de granulation, sur les côtés ou à la base de la plaie. *Les microorganismes responsables de l'infection d'une plaie se trouvent généralement dans les tissus viables.*
   - Ne prélevez pas de pus ou d'exsudats groupés pour faire une culture. *Ces sécrétions contiennent plusieurs contaminants qui ne sont pas à l'origine de l'infection.*
   - Évitez que l'écouvillon touche la peau intacte des lèvres de la plaie. *Vous vous assurerez que vous n'introduisez pas d'organismes de la peau superficielle dans la culture.*
   - Remettez l'écouvillon à l'intérieur du tube en prenant soin de ne pas toucher le dessus ou l'extérieur du tube. *L'extérieur du contenant doit rester exempt de microorganismes pathogènes pour prévenir toute contamination des autres tubes.*
   - Brisez l'ampoule qui se trouve au fond du tube et qui contient le milieu de croissance organique. *Vous vous assurez ainsi que l'écouvillon portant l'échantillon est bien plongé dans le milieu de culture.*
   - Refermez le tube à l'aide du capuchon comme il se doit.
   - S'il faut prélever un échantillon à un autre endroit, recommencez en suivant les étapes précédentes. Précisez l'endroit exact du prélèvement (par exemple, le drain inférieur ou la base de l'incision) sur l'étiquette de chaque contenant. Assurez-vous que vous insérez chaque écouvillon dans le tube correspondant.

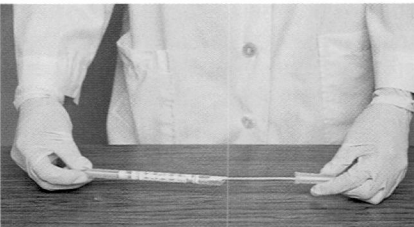

FIGURE **40-5** ■ Cet écouvillon de marque Culturette sert à conserver un échantillon destiné à une culture.

9. Pansez la plaie.
   - Appliquez sur la plaie tout médicament prescrit.
   - Couvrez la plaie d'un pansement transparent, humide et stérile (voir le procédé 40-2, plus loin dans ce chapitre).

10. Prenez les dispositions nécessaires pour acheminer l'échantillon au laboratoire sans tarder. N'oubliez pas de joindre le formulaire de demande dûment rempli.

11. Consignez toute information pertinente.
    - Inscrivez au dossier de la personne qu'il y a eu prélèvement d'un échantillon en précisant l'endroit.
    - Inscrivez la date et l'heure, l'apparence de la plaie, sa couleur, sa consistance, la quantité prélevée et l'odeur de tout écoulement, le type de prélèvement et toute sensation gênante éprouvée par la personne.

Variante : Prélèvement d'un échantillon destiné à une culture anaérobie

- Effectuez le prélèvement de la même façon que pour la culture aérobie.
- Utilisez un nécessaire de culture anaérobie dont l'écouvillon est immédiatement plongé dans le tube contenant un gaz ou un gel exempt d'oxygène.
- Étiquetez le tube comme il se doit.
- Envoyez sans tarder le tube contenant l'échantillon au laboratoire. Ne le réfrigérez pas.

ÉVALUATION

- Comparez vos observations à celles des évaluations antérieures afin de déterminer les changements possibles.
- Faites parvenir le résultat de la culture au médecin traitant.
- Effectuez le suivi indiqué (par exemple, l'administration des médicaments prescrits).

Analyse

Voici la liste des diagnostics infirmiers de NANDA (2004) relatifs aux personnes qui ont des plaies ou qui risquent une rupture de la peau :

- *Risque d'atteinte à l'intégrité de la peau :* Risque d'altération de l'épiderme ou du derme.

- *Atteinte à l'intégrité de la peau :* Altération de l'épiderme ou du derme.

- *Atteinte à l'intégrité des tissus :* Lésions des muqueuses, de la cornée, des téguments ou des tissus sous-cutanés.

On parle souvent d'*Atteinte à l'intégrité de la peau* pour désigner les plaies de pression et les plaies qui touchent l'épiderme sans toutefois atteindre le derme. L'*Atteinte à l'intégrité des tissus* renvoie aux plaies de pression et autres plaies qui touchent les tissus sous-cutanés, les muscles ou les os. L'encadré *Diagnostics infirmiers, résultats de soins infirmiers et interventions* présente des exemples

---

DIAGNOSTICS INFIRMIERS, RÉSULTATS DE SOINS INFIRMIERS ET INTERVENTIONS

Atteinte et risque d'atteinte à l'intégrité de la peau

COLLECTE DES DONNÉES	DIAGNOSTICS INFIRMIERS : *DÉFINITION*	EXEMPLES DE RÉSULTATS DE SOINS INFIRMIERS [N° CRSI/NOC] : *DÉFINITION*	INDICATEURS	INTERVENTIONS CHOISIES [N° CISI/NIC] : *DÉFINITION*	EXEMPLES D'ACTIVITÉS CISI/NIC
Jeanne Paul, âgée de 85 ans, est pâle, émaciée et apathique. Elle pèse 41 kilos (90,4 lb). Elle est alitée et souffre d'incontinence urinaire et fécale.	*Risque d'atteinte à l'intégrité de la peau,* relié à l'incontinence et à l'immobilité : *Altération de l'épiderme et du derme.*	Intégrité des tissus : peau et muqueuses [1101] : *Structure intacte et fonctions physiologiques normales de la peau et des muqueuses.*	• Légèrement perturbé • Élasticité – Absence de lésions des tissus	Positionnement [0840] : *Installation de la personne ou d'une partie de son corps de façon à assurer le confort, à réduire les risques de lésion cutanée, à favoriser l'intégrité de la peau ou à aider à la guérir.* Prévention des escarres de décubitus (plaies de pression) [3540] : *Emploi de mesures visant à prévenir les escarres de décubitus chez une personne présentant un risque élevé.*	• Prévenir la personne que vous vous apprêtez à la changer de position. • Installer la personne suivant l'alignement approprié du corps. • Installer la personne sur un matelas ou un lit thérapeutique approprié. • Consigner l'état de la peau. • Ôter l'excès d'humidité de la peau provoquée par l'incontinence urinaire ou fécale. • Appliquer des barrières protectrices, telles que des crèmes ou des compresses absorbantes, afin d'éponger l'excès d'humidité.
Mathieu Brunet, âgé de 70 ans, est atteint d'hémiplégie droite et d'obésité. Il dit avoir mal au talon gauche lorsqu'il tente de bouger dans son lit. Présence d'une abrasion superficielle de 1,2 cm de diamètre à la base de son talon gauche.	*Atteinte à l'intégrité de la peau* (plaie de pression au stade II), reliée aux forces de cisaillement : *Anomalie de l'épiderme ou du derme.*	Cicatrisation de la plaie : par deuxième intention [1103] : *Régénération cellulaire et tissulaire d'une plaie ouverte.*	Important • Granulation • Diminution des dimensions de la plaie	Soins des escarres de décubitus (plaies de pression) [3520] : *Mise en œuvre des mesures destinées à favoriser la guérison d'une escarre de décubitus*	• Nettoyer la peau autour de la plaie avec de l'eau et un savon doux. • Noter les caractéristiques du liquide de drainage. • Augmenter l'apport de protéines afin d'aider à la reconstitution de l'épiderme. • Appliquer une membrane adhésive perméable sur la plaie. • Installer dans le lit un matelas alvéolé (par exemple) afin de protéger la personne.

de l'application clinique de ces diagnostics infirmiers, qui s'appuient sur les désignations de NANDA, sur la classification des interventions infirmières (CISI/NIC) et sur les résultats de soins infirmiers (CRSI/NOC).

D'autres diagnostics infirmiers peuvent être indiqués lorsque l'intégrité de la peau ou des tissus d'une personne présente déjà des anomalies. Parmi ceux-ci, on trouve les suivants :

- *Risque d'infection* lorsque la peau est gravement dégradée, que la personne prend des immunosuppresseurs ou que la plaie est provoquée par un trauma.

- *Douleur* occasionnée par un nerf à l'intérieur du tissu dégradé ou par suite des actes médicaux nécessaires au traitement de la plaie.

Planification

Les principaux objectifs concernant les personnes qui présentent un *Risque d'atteinte à l'intégrité de la peau* (apparition de plaies de pression) consistent à préserver cette intégrité et à éviter tout risque potentiel. Les personnes qui présentent une *Atteinte à l'intégrité de la peau* doivent démontrer une cicatrisation progressive et recouvrer une peau intacte (voir l'encadré *Diagnostics infirmiers, résultats de soins infirmiers et interventions*).

▣ Planification des soins à domicile

De plus en plus, on favorise le traitement des plaies de pression à domicile plutôt que dans un établissement de soins. Une bonne part de la responsabilité relative à l'examen et au traitement des plaies, de même qu'aux mesures de prévention, incombe alors à la personne atteinte et à sa famille. L'encadré *Évaluation pour les soins à domicile – Soins des plaies et prévention des plaies de pression* livre les mesures que doivent prendre les personnes qui ont des plaies de pression ou d'autres plaies et les personnes qui

risquent d'en souffrir. Par ailleurs, il est reconnu que l'infirmière a la responsabilité du suivi et de l'évaluation des plaies (OIIQ, 2003). Avant qu'une personne n'obtienne son congé de l'établissement, il revient à l'infirmière de lui enseigner, ainsi qu'aux membres de sa famille, les mesures relatives aux soins et à la prévention (voir l'encadré *Enseignement – Intégrité de la peau*). Lorsque c'est possible, on peut intégrer la personne dans un programme de suivi systématique de la clientèle ; l'évaluation des plaies se fait alors dans le contexte d'un cheminement clinique (voir l'encadré *Cheminement clinique – Traitement des plaies*).

Interventions

Il existe plusieurs genres d'interventions visant à conserver l'intégrité de la peau et à soigner les plaies : favoriser la cicatrisation, prévenir la formation de plaies de pression et les traiter, panser et nettoyer les plaies, appliquer des compresses chaudes ou froides, soutenir et immobiliser les plaies.

▣ Favoriser la cicatrisation

L'infirmière peut contribuer de trois façons à l'optimisation des conditions qui favorisent la cicatrisation chez une personne : assurer une consommation adéquate d'aliments et de liquides, prévenir les infections et veiller à un bon positionnement.

ALIMENTATION ET LIQUIDES. Il faut aider la personne à consommer au moins 2 500 mL de liquide par jour, à moins d'une contre-indication en raison de son état. Bien qu'il n'existe aucune preuve que des doses excessives de vitamines ou de minéraux activent la cicatrisation des plaies, il importe d'en consommer des doses suffisantes. L'infirmière doit s'assurer que les personnes dont elle a la charge ingèrent des aliments qui contiennent une quantité suffisante de protéines, de vitamines C, A, B_1 et B_5 ainsi que de zinc.

ÉVALUATION POUR LES SOINS À DOMICILE

Soins des plaies et prévention des plaies de pression

PERSONNE ET ENVIRONNEMENT

- *Degré de connaissance actuel :* Compréhension de l'origine de la plaie ou du risque d'apparition d'une plaie de pression ; prévention ou stratégies de traitement.
- *Capacités d'autosoins sur le plan de la mobilité :* Capacité physique de changer de position, de se mouvoir et de se déplacer, notamment en utilisant des aides techniques.
- *Capacités d'autosoins sur le plan du soin des plaies :* Dextérité manuelle et acuité visuelle nécessaires à l'examen et au traitement des plaies.
- *Installations :* Eau courante, poubelle et salle de bains afin de soigner les plaies et de mettre au rebut les objets susceptibles d'être infectés.
- *Alimentation :* Habitudes et préférences alimentaires, données de laboratoire révélant la nécessité de donner un enseignement sur les propriétés de certains nutriments.

FAMILLE OU PROCHES AIDANTS

- *Disponibilité, aptitudes et réactions des proches aidants :* Volonté de participer aux soins à apporter aux plaies et mesures visant la prévention des plaies de pression.
- *Modification des rôles familiaux et mode d'adaptation :* Incidence sur la situation financière, les rôles de parent et de conjoint, la vie sexuelle, les rôles sociaux.
- *Autres proches aidants et soins de relève :* Par exemple, d'autres membres de la famille, des bénévoles, des aides-soignants rémunérés ou un service d'entretien domestique ; présence d'un service de soins de relève dans la communauté (soins de jour pour adultes, centre pour personnes âgées, etc.).

COMMUNAUTÉ

- *Ressources :* Autres ressources d'aide connues par la personne ; par exemple, des entreprises de matériel et de fournitures, des organismes qui offrent des fournitures médicales ou une aide financière, des agences de soins à domicile.

ENSEIGNEMENT

Intégrité de la peau

CONSERVER UNE PEAU INTACTE

- Discutez du lien entre une bonne alimentation (notamment ce qui touche les liquides, les protéines, les vitamines B et C, le fer et l'apport énergétique) et la santé de la peau.
- Montrez et expliquez les positions qui permettent de soulager la pression.
- Établissez un horaire de repositionnement.
- Montrez comment utiliser les agents de protection de la peau.
- Demandez qu'on signale les rougeurs persistantes.
- Déterminez les sources potentielles de traumatisme cutané et les moyens de les éliminer.

FAVORISER LA CICATRISATION DES PLAIES

- Discutez de l'importance d'une bonne alimentation (notamment ce qui touche les liquides, les protéines, les vitamines B et C, le fer et l'apport énergétique).
- Montrez comment examiner une plaie et notez les observations.
- Expliquez clairement les principes de l'asepsie, en particulier l'importance du lavage des mains et les précautions à prendre pour manipuler et jeter les pansements retirés.
- Fournissez de l'information sur les signes d'infection et les autres complications à signaler.
- Insistez sur les aspects pertinents de la prévention des plaies de pression.
- Montrez les techniques de soin d'une plaie (par exemple, le nettoyage de la plaie et le changement du pansement).
- Discutez des mesures de soulagement de la douleur, s'il y a lieu.

PRÉVENTION DE L'INFECTION. Il y a deux choses qu'on doit surtout considérer si on veut maîtriser l'infection d'une plaie : empêcher les microorganismes de s'y infiltrer et prévenir la transmission de microorganismes pathogènes à diffusion hématogène entre le patient et les autres. Pour obtenir davantage de renseignements sur le traitement d'une infection, voir le tableau 40-3 et le chapitre 35 .

POSITION. Afin de favoriser la cicatrisation d'une plaie, la personne doit être installée dans des positions qui évitent toute pression sur la plaie. Il est possible de modifier sa position et de la déplacer sans lui faire subir de friction ou de cisaillement. En plus de lui assurer une bonne position, il faut l'aider à se mouvoir parce que l'activité stimule la circulation sanguine. Si la personne ne peut se mouvoir sans aide, on lui prescrit des exercices d'amplitude des mouvements et on établit un horaire de changement de position.

Prévenir les plaies de pression

Afin de diminuer le risque de plaies de pression, l'infirmière s'appuie sur une série de mesures préventives (par exemple, l'hygiène de la peau) en vue de maintenir l'intégrité de la peau et les enseigne à la personne, à ses proches aidants et au personnel auxiliaire.

APPORT NUTRITIONNEL. Étant donné qu'on estime qu'un apport insuffisant en kilojoules, en protéines, en vitamines et en fer est un facteur de risque lié à l'apparition de plaies de pression, il faut envisager de fournir des suppléments alimentaires aux personnes dont l'alimentation est carencée. Le régime alimentaire ressemble à celui qu'on prescrit à une personne afin de favoriser la cicatrisation de ses plaies, ainsi que nous l'avons vu précédemment. Peser la personne régulièrement afin d'évaluer son état nutritionnel. À l'aide de prélèvements sanguins réguliers, il faut surveiller son taux de lymphocytes, de protéines (en particulier l'albumine) et d'hémoglobine.

HYGIÈNE DE LA PEAU. Recueillir les données initiales à l'aide de l'outil existant et réévaluer l'état de la peau au moins une fois par jour à l'hôpital et une fois par semaine à la maison. Lorsqu'elle donne un bain, l'infirmière doit modérer la force et la friction qu'elle exerce sur la peau et employer des agents nettoyants doux qui atténuent l'irritation et la sécheresse, et qui ne perturbent pas les barrières cutanées. De plus, elle doit éviter l'utilisation d'eau chaude, qui favorise la sécheresse et l'irritation de la peau. Elle peut réduire cette sécheresse en évitant l'exposition au froid et à un faible taux d'humidité. Il est préférable d'hydrater la peau desséchée après le bain, alors qu'elle est encore humide. Il faut garder la peau de la personne propre, sèche et exempte de toute irritation et de macération provoquées par l'urine, les selles, la sueur, le savon, l'alcool ou l'essuyage incomplet du corps après un bain.

Appliquer une protection cutanée, s'il y a lieu. On trouve des hydratants ou des barrières cutanées sous forme liquide, en aérosol ou en compresses imbibées ; tous sont utiles pour empêcher l'humidité ou les écoulements de s'accumuler sur la peau. Dans la plupart des cas, l'infirmière peut appliquer ce type de produit sans l'ordonnance d'un médecin.

Il faut par ailleurs éviter de masser les régions des protubérances osseuses. Depuis longtemps, les infirmières donnent des massages afin de stimuler la circulation du sang dans l'intention de prévenir les plaies de pression. Les preuves scientifiques ne confirment toutefois pas le bien-fondé de cette pratique ; en réalité, un massage vigoureux peut entraîner un trauma des tissus cutanés (NPUAP, 2001 ; PPPPUA, 1992a).

ÉVITER LES TRAUMAS DES TISSUS CUTANÉS. Asseoir ou coucher la personne sur une surface lisse et ferme (siège ou matelas) contribuera à prévenir un traumatisme des tissus cutanés. Afin de prévenir les blessures occasionnées par la friction et le cisaillement, il faut faire adopter de bonnes positions à la personne, la retourner et la déplacer correctement. On réduira l'incidence des blessures causées par la friction en employant des pellicules protectrices, telles que des pansements transparents et des scellants cutanés. Chez les personnes alitées, on atténuera la force de cisaillement en élevant la tête du lit d'au plus 30 degrés, si une

CHEMINEMENT CLINIQUE

Traitement des plaies

COLLECTE DES DONNÉES

Jean Alary est un ouvrier du bâtiment âgé de 42 ans. Il s'est blessé au travail lorsqu'il a été heurté par une brouette pleine de ciment et propulsé en bas d'un échafaudage d'une hauteur de 2 m. Il a souffert de plusieurs ecchymoses et d'une lacération de 9 m sur la face antérieure de la jambe gauche. Sur le lieu de l'accident, les ambulanciers ont couvert la lacération d'un pansement de compression stérile. Avant l'irrigation et le nettoyage de la plaie avec du peroxyde et du soluté physiologique, on avait trouvé des particules de ciment et des saletés. Sa plaie a été suturée à l'aide d'un fil de soie et il a obtenu son congé. M. Alary doit se présenter au service de consultation externe dans 10 jours pour faire retirer ses points de suture. Il a demandé à l'infirmière s'il pouvait appliquer une crème à l'aloès sur la plaie et boire une tisane que prépare sa femme.

EXAMEN PHYSIQUE

Taille: 1,78 m (5 pi 10 po)
Poids: 72,6 kg (160 lb)
Température: 37 °C
Pouls: 88 bpm
Fréquence respiratoire: 24/min
Pression artérielle: 136/90 mm Hg

DURÉE PRÉVUE DU TRAITEMENT: de 7 à 10 jours

Résultats escomptés	La personne exprime sa compréhension de ce qu'on lui enseigne, notamment des soins à apporter à la plaie, des signes et des symptômes à signaler, ainsi que du suivi à assurer.	Au moment de l'enlèvement des points de suture: • La personne est afébrile. • Elle a une plaie sèche et propre dont les lèvres sont bien fermées; cicatrisation par première intention.
	Date _____ Consultation externe	Date _____ Activités quotidiennes de la personne pendant 10 jours
Connaissances insuffisantes	Fournir des directives simples et brèves au sujet de la plaie et du traitement. Inciter la personne à poser des questions et à demander de l'aide. Évaluer les connaissances de la personne sur les soins que nécessite une plaie. Revoir avec la personne les directives écrites relatives aux soins que nécessite une plaie et lui en remettre une copie.	Observer les indications écrites sur les soins à apporter à une plaie et sur le changement du pansement. Téléphoner à l'infirmière pour toute question ou problème et revenir à la clinique dans 10 jours pour faire enlever les points de suture.
Régime alimentaire	Renseigner la personne sur les aliments à teneur élevée en protéines et en vitamine C et l'inciter à en consommer suffisamment.	Régime alimentaire à forte teneur en protéines et en vitamine C. Remèdes traditionnels qui n'entravent pas la cicatrisation.
Soins de la plaie	Irriguer et nettoyer la plaie à l'aide de soluté physiologique. Consulter un chirurgien pour la fermeture de la plaie. Après la fermeture de la plaie, mettre en place un pansement stérile sec.	Changer le pansement chaque jour et PRN, afin de le garder sec et propre. Vérifier la plaie chaque jour et signaler tout signe ou symptôme d'infection (rougeur, douleur, chaleur, écoulement ou fièvre).
Médicaments	Toxoïde tétanique, s'il y a lieu.	Seulement sur l'ordonnance d'un médecin.

telle position n'est pas contre-indiquée. Lorsque la tête du lit est soulevée, la peau et les fascias superficiels du corps adhèrent au drap, alors que les fascias profonds et le squelette glissent vers le pied du lit. En conséquence, les vaisseaux sanguins de la région du sacrum se tordent, et les tissus voisins risquent de devenir ischémiques et nécrotiques.

De fréquents changements de position, même minimes, soulagent efficacement les points de pression. En présence de plaies, la personne devrait changer de position toutes les 15 ou 30 minutes et, lorsque la chose est possible, faire de l'exercice ou marcher afin de stimuler sa circulation sanguine.

Lorsqu'elle soulève une personne afin de lui faire prendre une autre position, l'infirmière doit employer un dispositif de mobilisation plutôt que la faire glisser sur le matelas. La friction de la peau contre le drap risquerait de provoquer des abrasions qui, à leur tour, peuvent entraîner des lésions plus graves.

Au moins toutes les deux heures, il faut modifier la position de toute personne alitée qui risque de souffrir de plaies de pression, même si elle est allongée sur un matelas conçu pour les prévenir; cela permet ainsi de faire supporter le poids du corps à diverses régions. Il existe six positions qu'il est utile de connaître: la position ventrale, la position couchée sur le dos, la position allongée

TABLEAU

40-3

Lignes de conduite afin de prévenir l'infection et la transmission de microorganismes pathogènes à diffusion hématogène	
Précautions usuelles	**Soin des plaies**
■ Portez des gants lorsque vous devez toucher du sang, des liquides organiques, des muqueuses ou de la peau présentant des anomalies et lorsque vous manipulez des objets (ou touchez des surfaces) souillés par du sang ou des liquides organiques. ■ Lavez-vous soigneusement les mains après avoir retiré les gants et lorsqu'elles sont contaminées par du sang ou des liquides organiques. ■ Lavez-vous les mains avant de soigner une plaie et après avoir terminé les soins d'une plaie.	■ Portez des gants, un masque de chirurgien et des lunettes de protection si l'intervention risque de provoquer l'éclaboussement de gouttelettes de sang ou de liquides organiques (par exemple, l'irrigation d'une plaie). ■ Ne touchez une plaie chirurgicale, qu'elle soit ouverte ou fraîche, que si vous portez des gants stériles ou si vous employez un instrument stérile. ■ Retirez ou changez le pansement qui couvre une plaie fermée dès qu'il devient humide, sauf s'il s'agit du premier pansement postopératoire. Dans ce cas, le chirurgien doit être avisé préalablement.

sur le côté droit, la position allongée sur le côté gauche, la position de Sims sur le côté gauche et la position de Sims sur le côté droit. Lorsqu'elle allonge une personne sur le côté, l'infirmière doit éviter de la placer directement sur le trochanter et doit la mettre dans une position selon un angle de 30 degrés. Elle doit également établir un horaire de rotation des positions.

FOURNIR DES SURFACES DE SOUTIEN. Afin de ne pas entraver la circulation sanguine, la pression exercée sur les protubérances osseuses doit demeurer inférieure à la pression capillaire le plus de temps possible. On évalue la pression capillaire moyenne à 200 mm Hg, bien que ce chiffre puisse varier (de Graaff, Ubbink, Lagarde et Jacobs, 2002). Malgré les recherches menées pour prévenir les plaies de pression chez les personnes à risque, rien de concluant n'a été trouvé sur l'efficacité des surfaces de soutien pour réduire la pression (Cullum, Deeks, Sheldon, Song et Fletcher, 2001). Malgré tout, la meilleure mesure de prévention (et aussi un bon moyen pour favoriser la guérison d'une plaie) demeure le changement régulier de position.

Trois types de surfaces de soutien peuvent servir à soulager la pression chez les personnes alitées. Ainsi, on peut poser sur un matelas standard un surmatelas, tel qu'un matelas de mousse ou un matelas alvéolé. Ces types de surmatelas (statiques) sont utilisés pour prévenir les plaies chez les personnes qui ont un certain degré de mobilité. On peut remplacer le matelas standard par un matelas de rechange statique, souvent constitué de mousse et de gel, ou utiliser un matelas dynamique, comme un matelas à gonflement alternatif, si la personne a une plaie de pression qui ne montre aucun signe de cicatrisation. Les lits spécialisés permettent de soulager la pression, de supprimer la friction et le cisaillement et d'atténuer le degré d'humidité; ils sont essentiels dans le cas de grandes plaies ou de plaies de stade III ou IV. Ces lits spécialisés sont constitués d'un matelas à air fluidisé, à faible perte d'air ou à effet pulsatile. Les matelas à effet pulsatile assurent des mouvements passifs continus (ou thérapie oscillatoire), destinés à contrer les effets de l'immobilité. Le tableau 40-4 dresse la liste des surfaces de soutien utilisées pour atténuer la pression qui s'exerce sur les différentes régions du corps.

Lorsqu'une personne doit rester alitée ou assise dans un fauteuil, on peut recourir à différentes surfaces de soutien qui servent à atténuer la pression, telles que les oreillers faits de mousse, de gel, d'air ou d'une combinaison de ces derniers. Lorsque la personne est assise, son poids doit être réparti sur l'ensemble de la surface du siège, de sorte que la pression ne s'exerce pas à un seul endroit. Afin de protéger les talons d'une personne alitée, on peut les soulever en glissant des oreillers sous les chevilles, de manière à ce qu'ils ne touchent plus le lit. Les coussinets en forme de beigne sont à éviter, car ils réduisent la circulation du sang et peuvent léser les tissus avec lesquels ils sont en contact.

■ Traitement des plaies de pression

Les plaies de pression présentent un défi aux infirmières en raison du nombre de variables en cause (par exemple, les facteurs de risque, les types de plaies et le stade de la plaie) et des nombreux traitements préconisés. Les infections réelles et potentielles sont les plus graves complications que peuvent entraîner les plaies de pression. Lorsqu'elle traite une plaie de pression, l'infirmière doit observer les protocoles de l'établissement de santé et l'ordonnance du médecin, s'il y a lieu. Un traitement rapide peut prévenir l'aggravation des lésions et la douleur ainsi que favoriser la cicatrisation. Voir l'encadré *Conseils pratiques – Traitement des plaies de pression*, et le tableau 40-5, portant sur les pansements des plaies de pression.

CODE DE COULEURS RJN. L'infirmière qui doit soigner des plaies peut s'appuyer sur le code de couleurs RJN d'une plaie ouverte: rouge, jaune ou noire. Selon cette échelle, les soins prodigués visent à protéger (ou couvrir) une plaie rouge, à nettoyer une plaie jaune et à débrider une plaie noire.

On observe habituellement les plaies rouges au cours de la phase avancée de la régénération tissulaire (par exemple, l'apparition de tissu de granulation). Il faut les protéger pour ne pas perturber la régénération des tissus. L'infirmière protège les plaies rouges: (a) en les nettoyant délicatement (en appliquant un nettoyant autorisé sans exercer de pression); (b) en évitant d'utiliser un pansement sec ou une compresse de toile fine (*wet-to-dry*); (c) en appliquant un agent antimicrobien topique; (d) en mettant en place une pellicule transparente ou un pansement hydrocolloïde; (e) en changeant le pansement le moins souvent possible.

Les plaies jaunes sont surtout caractérisées par des écoulements liquides ou semi-liquides souvent accompagnés de pus. L'infirmière nettoie les plaies jaunes pour en retirer les tissus non

Surfaces de soutien destinées à atténuer la pression sur les régions du corps

Surfaces de soutien	Descriptions et observations
Coussins de mousse, de gel ou d'air	Coussins de polyvinyle, de silicone ou de Silastic emplis de mousse, de gel (une substance gélatineuse semblable à de la graisse) ou d'air.
Peaux de mouton (naturelles ou artificielles)	Certains fabricants produisent des coussins qui allient les fibres naturelles et les fibres synthétiques. Les coussins faits de matières synthétiques risquent moins de s'abîmer au lavage que ceux qui sont faits de peaux naturelles, mais ils sont plus susceptibles de réchauffer la personne (figure 40-6 ■).
Oreillers et cales (contenant de la mousse, du gel, de l'air ou un liquide)	Ces surfaces de soutien permettent de soulever une partie du corps (par exemple, les talons) afin qu'elle ne touche plus la surface du lit.
Protège-talons (chaussons en peau de mouton, gouttières matelassées, cales de mousse)	Ces surfaces de soutien limitent la pression exercée sur les talons lorsque la personne est alitée (figure 40-7 ■).
Matelas alvéolé	Ce matelas de mousse de polyuréthane fait penser à des boîtes à œufs; certains modèles sont inflammables (figure 40-8 ■).
Matelas de mousse	La mousse épouse la forme du corps.

FIGURE **40-6** ■ Peau de mouton (gracieuseté de Woolprotec, Australie).

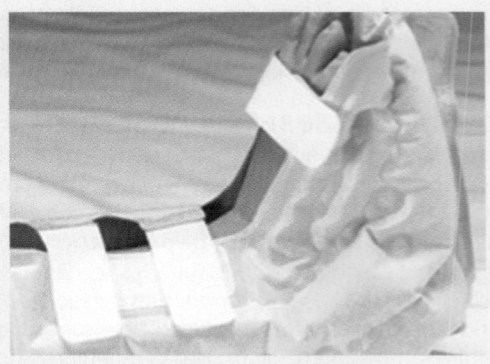

FIGURE **40-7** ■ Protège-talons (avec la permission de Gaymar Industries, Inc.).

FIGURE **40-8** ■ Un matelas alvéolé assure le confort et répartit le poids du corps de façon uniforme; il contribue ainsi à réduire la pression exercée sur les protubérances osseuses.

viables. Pour ce faire, elle peut mettre en place un pansement humecté ou humide, irriguer la plaie, employer des pansements absorbants (par exemple, des pansements d'hydrogel non adhésifs ou d'autres absorbeurs d'exsudat) et envisager le recours à un antimicrobien topique afin de réduire au minimum la croissance bactérienne.

Les plaies noires sont couvertes de tissus nécrotiques (ou escarres). Elles doivent subir un **débridement** (retrait des matières nécrotiques). Il faut enlever les tissus non viables d'une plaie avant que celle-ci ne se cicatrise. Il y a quatre méthodes de débridement : le débridement chirurgical, le débridement mécanique, le débridement enzymatique (chimique) et le débridement autolytique. Le

TABLEAU

40-4

Surfaces de soutien destinées à atténuer la pression sur les régions du corps (suite)

Surfaces de soutien	Descriptions et observations
Matelas à gonflement alternatif	Matelas composé de plusieurs cellules, à l'intérieur desquelles la pression croît et décroît en alternance. On le gonfle à l'aide d'une pompe à air (figure 40-9 ■).
Lit d'eau	Matelas rempli avec de l'eau dont on peut contrôler la température.

FIGURE **40-9** ■ Matelas à gonflement alternatif (avec la permission de EASE).

Lit à air fluidisé statique	L'air, dont la température est contrôlée, circule à travers des millions de microbilles enduites de silicone, ce qui produit un mouvement fluide. Ce lit procure un soutien uniforme à toute la forme du corps. Il atténue la macération de la peau grâce à son effet séchant : l'humidité qui s'échappe du corps pénètre le drap et imprègne les microbilles ; le courant d'air éloigne ces dernières de la personne alitée et sèche rapidement le drap. L'un de ses principaux avantages tient à ce que la tête du lit peut être relevée (figure 40-10 ■).

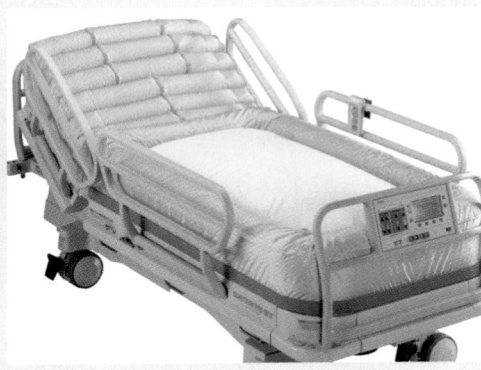

FIGURE **40-10** ■ Lit à air fluidisé, modèle Clinitron (avec la permission de Hill-Room Services, Inc. Tous droits réservés.).

Lit à faible perte d'air (ou à perte d'air contrôlée)	Lit composé de nombreux petits coussins d'air répartis en quatre ou cinq sections. Des réglages distincts permettent de gonfler chaque section selon le degré de fermeté voulu ; on peut ainsi réduire la pression sur les protubérances osseuses et l'augmenter sur les régions qui ont besoin de soutien (figure 40-11 ■).
Lit à air fluidisé dynamique (ou de deuxième génération) ou matelas à effet pulsatile	Semblable au lit à air fluidisé statique, il comporte des sections à fermeté variable ; en outre, il émet des pulsations ou crée un effet de roulis, ce qui favorise la circulation dans les capillaires et le déplacement des sécrétions pulmonaires.

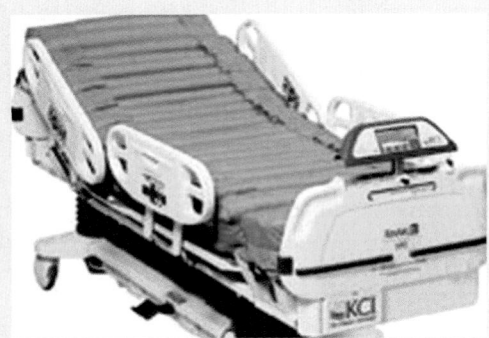

FIGURE **40-11** ■ Lit fluidisé statique à degré de fermeté variable (avec la permission de Therapulse®, KCI, San Antonio, Texas).

débridement chirurgical peut être total ou partiel et il nécessite l'utilisation d'un instrument tranchant, tel qu'un ciseau ou un bistouri, afin d'exciser le tissu nécrotique. Il est possible que ce procédé, effectué par un chirurgien, exige une anesthésie, entraîne un saignement ou soit douloureux. Par ailleurs, c'est une méthode sûre, rapide et comportant un risque minime d'infection. Le *débride-* *ment mécanique* se fait par application d'un pansement humide, par abrasion mécanique ou par irrigation. Par exemple, le retrait d'un pansement humide qui a séché permet d'entraîner les débris qui s'y sont collés. Le *débridement chimique* (ou *enzymatique*) est plus sélectif que les deux autres techniques. L'application d'onguents enzymatiques dégrade l'escarre et favorise le processus naturel

CONSEILS PRATIQUES

Traitement des plaies de pression

- Réduisez au minimum toute pression directe sur la plaie. Changez la personne de position au moins toutes les deux heures. Établissez un horaire et notez les changements de position au dossier.

- Nettoyez la plaie de pression chaque fois que vous changez le pansement. La méthode de nettoyage est fonction du stade de formation de la plaie et du protocole de l'établissement. Ainsi, un bain dans une baignoire de massage peut être indiqué en présence d'une plaie au stade I, alors qu'une irrigation vaudra mieux pour une plaie au stade IV. Le procédé 40-4 (p. 1231) énumère les étapes de l'irrigation d'une plaie.

- Nettoyez et pansez la plaie selon les normes de l'asepsie chirurgicale. Évitez d'employer des antiseptiques, tels que

l'alcool, qui sont vasoconstricteurs et diminuent le calibre des vaisseaux sanguins qui irriguent la région.

- Lorsqu'une plaie de pression est infectée, prélevez un échantillon de l'écoulement pour en faire une culture et pour en évaluer la sensibilité aux agents antiseptiques (voir le procédé 40-1).

- Si la personne est incapable de bouger ou de soulever la région atteinte pour soulager la pression exercée sur sa plaie, utilisez un dispositif de soutien.

- Enseignez à la personne des méthodes afin de soulager les points de pression.

- Si son état le permet, enseignez-lui quelques exercices d'amplitude des mouvements.

TABLEAU

Pansements utilisés pour les plaies de pression
40-5

Pansements	Modes d'action	Stades de formation			
		I	II	III	IV
Compresse	Draine l'écoulement à la surface de la plaie.			√	√
Compresse humide	Conserve l'humidité de la plaie; éloigne l'écoulement de la surface de la plaie.			√	√
Pellicule transparente	Retient l'humidité de la plaie; permet l'échange gazeux; n'adhère pas à la surface de la plaie.	√	√		
Hydrocolloïde	Occlusif; repousse l'humidité et la saleté; maintient l'humidité de la plaie.	√		√	
Hydrogel	Conserve l'humidité de la plaie.		√	√	√
Alginate	Conserve l'humidité de la plaie; absorbe les exsudats.			√	√

Remarque: On peut se servir de certains pansements à d'autres stades de formation des plaies de pression.

de lyse. Ce type de débridement est généralement indolore, mais les risques d'infection sont plus grands car, en se dégradant, l'escarre libère des bactéries. Dans le cas d'un *débridement autolytique*, les pansements qui conservent l'humidité de la plaie (par exemple, les pellicules transparentes) retiennent l'écoulement sur l'escarre. Les enzymes de l'organisme présents dans l'écoulement dégradent alors le tissu nécrotique. Bien que cette méthode exige plus de temps que les trois autres, elle est plus sélective et détériore moins les tissus sains ou en voie de cicatrisation. Lorsque l'escarre est débridée, on traite la plaie comme si elle était jaune, puis rouge. En présence de plus d'une couleur, l'infirmière traite en premier lieu celle qui signale davantage de gravité, selon l'échelle décroissante suivante: plaie noire, jaune, rouge.

■ Pansement des plaies

On met un pansement en place pour les motifs suivants:

- Protéger la plaie d'une blessure mécanique.

- Protéger la plaie d'une contamination microbienne.

- Susciter ou maintenir un degré élevé d'humidité sur la plaie.

- Fournir un isolant thermique.

- Absorber l'écoulement ou débrider une plaie (ou les deux en même temps).

- Prévenir une hémorragie (dans le cas d'un pansement compressif ou de bandes élastiques).

- Faire une attelle ou immobiliser la plaie et favoriser ainsi sa cicatrisation tout en prévenant les blessures.

TYPES DE PANSEMENTS. Plusieurs types de matériaux servent à couvrir une plaie. La sorte de pansement est liée à plusieurs facteurs: (a) l'emplacement, la taille et le type de plaie; (b) la quantité d'exsudat; (c) le fait qu'une plaie soit infectée ou qu'il faille la débrider; (d) diverses considérations, telles que la fréquence de remplacement, le degré de difficulté de la mise en place et le coût de l'opération. Le tableau 40-6 décrit quelques matériaux courants.

On peut utiliser une diversité de produits en fonction des plaies à traiter (figure 40-12 ■).

PANSEMENT DE PELLICULE ADHÉSIVE TRANSPARENTE (film de polyuréthane). On appose souvent un pansement de pellicule adhésive transparente sur des plaies ulcéreuses ou sur une peau brûlée. Ce type de pansement offre plusieurs avantages :

- Il maintient temporairement la peau.

- Il n'est ni poreux ni adhésif et il n'a pas besoin d'être changé comme les autres types de pansements. Souvent, on le laisse en place jusqu'à la fin de la cicatrisation ou aussi longtemps qu'il demeure en bon état.

- Sa transparence permet l'examen de la plaie.

RÉSULTATS DE RECHERCHE

La chaleur rayonnante contribue-t-elle à la cicatrisation des plaies de pression ?

Kloth, Berman, Nett, Papanek et Dumit-Minkel (2002) ont fait état de preuves antérieures selon lesquelles on active la cicatrisation d'une plaie en l'exposant à une chaleur rayonnante de la même température que le corps humain. On parle alors de *thérapie normothermique sans contact*. L'objectif de cette étude visait à comparer cette thérapie à celle qui sert habituellement à traiter les plaies de pression qui en sont au stade III ou IV ; précisons que la répartition des traitements s'est faite de façon aléatoire. La thérapie standard s'articulait autour de pansements qui conservaient l'humidité et qu'on changeait chaque jour après avoir irrigué la plaie à l'aide de soluté physiologique. On n'utilisait que des pansements d'hydrofibres, d'alginates, d'hydrogel et d'hydrocolloïdes ainsi que des compresses imprégnées de soluté physiologique. On n'a utilisé aucun produit contenant des enzymes ou des crèmes ni d'autres types de pansements imprégnés. Les plaies du groupe étudié ont été irriguées chaque jour et gardées couvertes en permanence d'un pansement stérile sans contact. Le pansement contenait un composant chauffant qu'on activait de façon à maintenir une chaleur constante de 38 °C pendant une heure, à raison de 3 fois par jour pendant 12 semaines ou jusqu'à cicatrisation de la plaie. L'étude a montré que les 21 plaies traitées à

la chaleur rayonnante se sont cicatrisées plus rapidement que les 22 plaies témoins, en particulier dans le cas des plaies les plus étendues.

Implications : En raison des répercussions des plaies de pression sur la personne et sur le système de soins de santé, il faut s'intéresser à des moyens plus efficaces de les traiter. Depuis plusieurs années, on fait appel à la chaleur afin d'activer la circulation sanguine dans les régions atteintes, mais les moyens utilisés (par exemple, les lampes à rayonnement infrarouge et les coussins chauffants) n'ont pas abouti à des résultats concluants et, au contraire, ont parfois aggravé les plaies. Comme la thérapie normothermique sans contact s'appuie sur la température du corps, elle écarte les risques de brûlure et la vasoconstriction, par laquelle l'organisme compense les températures élevées. Il faudra poursuivre les recherches pour déterminer s'il est possible de parvenir aux mêmes résultats sur des échantillons plus nombreux et plus diversifiés.

Source : « A Randomized Controlled Clinical Trial To Evaluate the Effects of Noncontact Normothermic Wound Therapy on Chronic Full-Thickness Pressure Ulcers », de W. C. Kloth, J. E. Berman, M. Nett, P. E. Papanek et S. Dumit-Minkel, 2002, *Advances in Skin & Wound Care*, 15, p. 276.

TABLEAU

Quelques types de pansements pour les plaies

40-6

Pansements	Descriptions	Objectifs	Indications	Informations complémentaires	Exemples
Pansements de pellicule adhésive transparente (film de polyuréthane)	Pansements non absorbants, faits d'une pellicule adhésive. Ils sont semi-perméables, ce qui favorise l'échange d'oxygène entre l'air et la plaie. Ils sont imperméables aux bactéries et à l'eau.	Protéger de la contamination et de la friction ; maintenir une surface propre et humide, qui facilite la migration cellulaire ; fournir un isolant qui prévient l'évaporation des liquides ; faciliter l'examen de la plaie.	Prévention ; plaies superficielles, stades I et II.	Imperméables à l'eau, à l'urine et aux selles ; réduisent la friction ; ne nécessitent pas de pansement secondaire ; efficaces jusqu'à saturation ou pour une durée maximale de sept jours ; risque de macération de la peau.	Op-Site, Tegaderm, Bioclusive, Mefilm, Polyskin II
Pansements anti-adhésifs imprégnés	On imprègne du coton (tissé ou non) ou des matières synthétiques de pétrolatum, d'un soluté physiologique, d'un mélange de zinc et de soluté physiologique, d'agents antimicrobiens ou autres. Il faut des pansements secondaires pour les maintenir en place, conserver l'humidité et protéger la plaie.	Couvrir, soulager et protéger les plaies cutanées, partielles ou profondes, exemptes d'exsudat.	Plaies superficielles.	Perméables ; s'utilisent avec des compresses traditionnelles ; à changer quotidiennement.	Jelonet, Adaptic

Quelques types de pansements pour les plaies (suite)

Pansements	Descriptions	Objectifs	Indications	Informations complémentaires	Exemples
Pansements hydrocolloïdes (semi-perméables)	Poudres, crèmes ou feuilles gaufrées étanches. On peut porter les feuilles gaufrées pendant sept jours. Elles comportent deux couches: la face intérieure est adhésive et contient des particules qui absorbent l'exsudat et forment un gel hydraté sur la plaie; la face extérieure protège la plaie.	Absorber l'exsudat; produire un milieu humide pour faciliter la cicatrisation sans causer la macération de la peau autour de la plaie; protéger cette dernière de la contamination bactérienne, des débris, de l'urine et des selles; prévenir le cisaillement.	Prévention; plaies de pression, stades I, II et III; plaies avec exsudat léger ou modéré; plaies avec ou sans tissu nécrotique; pansements secondaires.	Imperméables à l'eau, à l'urine et aux selles; réduisent la douleur et la friction; hypoallergènes; peuvent provoquer l'hypergranulation; efficaces jusqu'à saturation ou pour une durée maximale de sept jours.	DuoDerm, Comfeel, Tegasorb, Restore, Replicare
Pansements d'hydrogel	Les gels, les granules et les feuilles de glycérine ou à base aqueuse ne sont pas adhésifs; ils sont perméables à l'oxygène, à moins qu'une pellicule plastique ne les recouvre. Il faut parfois y ajouter un pansement secondaire occlusif.	Liquéfier le tissu nécrotique; réhydrater le lit de la plaie; combler l'espace mort. Prévenir l'assèchement ou un traumatisme causé par l'adhérence du pansement.	Plaies en voie de granulation, plaies nécrotiques ou fibreuses, ou pour remplir un espace (avec une mèche de gaze par exemple).	Doivent être complétés par un pansement secondaire. Déconseillés sur les plaies infectées.	DuoDerm, Aquasorb, Elasto-Gel, Vigilon
Pansements de mousse de polyuréthane ou d'hydropolymères (pansements absorbants)	Pansements hydrocolloïdes non adhésifs. On doit en assujettir les contours à l'aide de bandes adhésives ou d'un scellant. Il faut un pansement secondaire pour rendre le milieu occlusif. Il faut protéger la peau qui l'entoure de la macération.	Absorber les exsudats légers ou modérés; débrider les plaies; maintenir le milieu humide; favoriser la granulation; permettre les échanges gazeux.	Plaies superficielles avec exsudat modéré ou abondant et avec tissu de granulation.	Semi-perméables; créent une barrière bactérienne; ont un effet éponge; ne doivent pas recouvrir toute la plaie afin de permettre les échanges gazeux; efficaces jusqu'à saturation ou pour une durée maximale de sept jours.	Lyofoam, Allevyn, Hydrasorb, Mepilex, Tielle, Biatain
Pansements d'alginates (pansements absorbants primaires)	Pansements non adhésifs, faits de poudres, de granules, de colombins, de feuilles ou de crèmes qui épousent la surface de la plaie et absorbent jusqu'à 20 fois leur poids en exsudat et auxquels il faut ajouter un pansement secondaire.	Procurer une surface humide à la plaie, en interaction avec l'exsudat et de manière à former une masse gélatineuse; absorber l'exsudat; supprimer l'espace mort et les plaies concentrées; contribuer au débridement.	Plaies superficielles ou profondes, avec exsudat modéré ou abondant.	Perméables; comblent efficacement l'espace mort; doivent être recouverts d'un pansement absorbant secondaire ou d'un pansement qui retient l'humidité; efficaces jusqu'à saturation ou pour une durée maximale de sept jours.	Algisite, Kaltostat, Algoderm, Melgisorb, Restore, Calcicare, Tegagen

- Comme il est occlusif, il garde l'humidité et retient l'exsudat séreux, ce qui favorise la prolifération des cellules épithéliales, accélère la cicatrisation et réduit le risque d'infection.

- Comme il est élastique, il ne réduit pas la mobilité de la personne quand on le met en place sur une articulation.

- Comme il retient l'humidité de la plaie, il n'adhère pas à cette dernière, mais seulement à la peau qui l'entoure.

- La personne n'a pas besoin de le retirer pour prendre un bain ou une douche.

- On n'abîme pas les tissus cicatriciels en le retirant.

Le procédé 40-2 décrit la mise en place d'un pansement de pellicule adhésive transparente.

PANSEMENT HYDROCOLLOÏDE. On couvre souvent les plaies veineuses des jambes et les plaies de pression d'un pansement hydrocolloïde (voir le tableau 40-6). Les pansements de ce type comportent plusieurs avantages:

- Ils tiennent longtemps.

FIGURE 40-12 ■ Quelques types de pansements fréquemment employés (dans le sens des aiguilles d'une montre, en commençant dans le coin inférieur gauche): pansement chirurgical ou abdominal, compresse de 5 cm sur 5 cm (2 po sur 2 po), rouleau de gaze de 5 cm (2 po) de largeur, compresse de 10 cm sur 10 cm (4 po sur 4 po), rouleau de gaze de 10 cm (4 po) de largeur et pansement absorbant non adhésif.

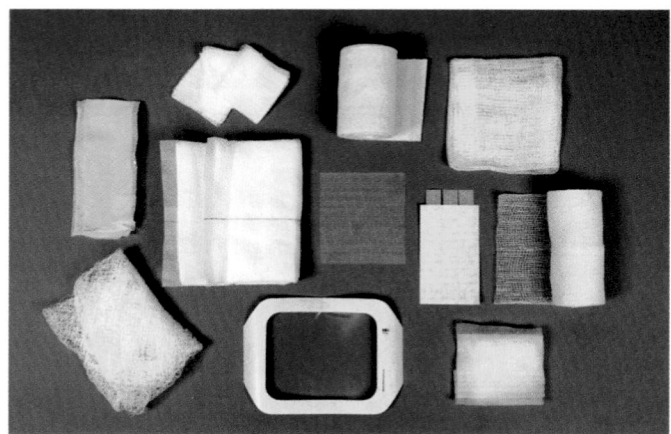

PROCÉDÉ 40-2

Mettre un pansement de pellicule adhésive transparente

Objectifs

- Assurer un milieu humide et favoriser la cicatrisation de la plaie.
- Protéger la plaie des traumatismes et des agents infectieux.
- Faciliter l'examen du processus de cicatrisation.

COLLECTE DES DONNÉES

Évaluez

- L'apparence et la taille de la plaie ou de la région à risque.
- La quantité et le type d'exsudat.
- Les plaintes de la personne relatives à la gêne éprouvée.
- Les indices d'infection tels que la fièvre, les frissons ou un taux élevé de leucocytes.

PLANIFICATION

Vérifiez dans le dossier de la personne s'il y a des détails sur les changements antérieurs de pansement de pellicule adhésive transparente.

Matériel

- Gants propres (2 paires)
- Gants stériles
- Sac à rebuts étanche
- Compresse stérile et agents nettoyants prescrits (par exemple, du soluté physiologique)
- Pansement de pellicule adhésive transparente
- Ciseaux
- Ruban adhésif hypoallergène

INTERVENTION

Préparation

Vérifiez sur l'ordonnance la fréquence des changements de pansement et le type de pansement prescrit; consultez le protocole de l'établissement de santé concernant les solutions à utiliser pour nettoyer les plaies; et déterminez s'il convient d'employer une technique propre ou stérile. Dans la mesure du possible, convenez avec la personne soignée du meilleur moment pour changer le pansement. Le changement de pansement ne nécessite parfois que quelques minutes, mais ce n'est pas le cas de tous les pansements.

Exécution

1. Expliquez à la personne ce que vous allez faire, pourquoi vous allez le faire et comment elle peut coopérer. Expliquez-lui aussi que les résultats serviront à planifier les soins ou les traitements.

2. Lavez-vous les mains et observez les autres mesures de prévention des infections.

3. Assurez-vous que l'intimité de la personne est préservée. Aidez-la à prendre une position confortable et n'exposez que la région de la plaie. *La plupart des gens trouvent désagréable de voir leur corps exposé de façon déraisonnable.*

PROCÉDÉ 40-2 (SUITE)

Mettre un pansement de pellicule adhésive transparente (suite)

INTERVENTION (suite)

4. Mettez des gants propres, retirez le pansement, mettez-le dans un sac à rebuts étanche, puis retirez les gants et jetez-les également dans le sac.

5. Nettoyez soigneusement la région autour de la plaie.
   • Mettez la deuxième paire de gants propres.
   • Nettoyez la peau à l'aide de soluté physiologique ou d'un nettoyant doux. Pensez à bien rincer la peau autour la plaie avant de mettre un pansement.
   • Retirez les gants et mettez-les dans le sac à rebuts étanche.

6. Nettoyez la plaie au besoin.
   • Mettez des gants stériles.
   • Nettoyez la plaie à l'aide de la solution prescrite.
   • Asséchez la région autour de la plaie à l'aide d'une compresse sèche.

7. Examinez la plaie.

8. Appliquez le pansement de pellicule adhésive transparente.
   • Assurez-vous que vous connaissez les caractéristiques du produit.

Retirez le revêtement protecteur de l'adhésif (figure 40-13 ◼).
   • Posez le pansement sur une extrémité de la plaie en prévoyant une réserve minimale de 2,5 cm tout autour de la plaie.
   • Appliquez délicatement la pellicule sur la plaie. Évitez de la faire plisser, mais ne la tendez pas trop. Un pansement trop tendu restreint la mobilité.
   • Retirez les gants et mettez-les au rebut comme il se doit.

9. Renforcez le pansement seulement en cas de nécessité.
   • Posez un ruban de papier adhésif hypoallergène sur tout le pourtour du pansement.

10. Examinez la plaie au moins une fois par jour.
   • Évaluez l'accumulation de liquide séreux sous le pansement, le degré de cicatrisation et la nécessité de refaire le pansement.
   • Si un surplus de sérum s'est accumulé, envisagez de remplacer le pansement de pellicule adhésive transparente par un pansement

FIGURE **40-13** ◼ Pansement de pellicule adhésive transparente.

plus absorbant (par exemple, un pansement hydrocolloïde).
   • Si le pansement fuit, changez-le.

11. Consignez au dossier les renseignements sur le changement de pansement, sur l'état de la plaie et sur les réactions de la personne. Plusieurs établissements de santé ont un formulaire ou une liste de contrôle (figure 40-14 ◼) à cet effet ; remplissez ce document et ajoutez-y toute remarque pertinente.

ÉVALUATION

◼ Assurez le suivi en vous fondant sur des constatations qui s'écartent de l'état prévu ou habituel chez cette personne. Comparez vos constatations avec les données d'évaluation antérieures, s'il y a lieu.

◼ Signalez au médecin tout ce qui s'écarte de la normalité de façon importante.

▪ Il n'y a pas lieu de les couvrir d'un autre pansement et ils résistent à l'eau, de sorte que la personne peut prendre une douche ou un bain.

▪ Ils épousent les surfaces irrégulières du corps.

▪ Ils peuvent servir de tissu temporaire et constituent une barrière bactérienne efficace.

▪ Ils atténuent la douleur, ce qui réduit le besoin de recourir aux analgésiques.

▪ Comme ils absorbent un peu l'écoulement, on peut les employer sur une plaie avec écoulement.

▪ Ils absorbent les odeurs.

Ils présentent cependant quelques inconvénients :

▪ Ils sont opaques et masquent la plaie.

▪ Leur capacité d'absorption est limitée.

▪ Ils peuvent favoriser la prolifération de bactéries anaérobies.

▪ Les mouvements de la personne et l'usure peuvent ramollir et rider leur contour.

▪ On peut avoir du mal à les retirer, et ils peuvent laisser des résidus sur la peau.

En raison de ces inconvénients, on ne doit pas mettre de pansement hydrocolloïde sur une plaie infectée ni sur une plaie présentant une fistule, c'est-à-dire un décollement de la plaie qui se manifeste par une voie anormale entre un organe creux et la peau ou entre deux organes creux.

Le procédé 40-3 décrit la mise en place d'un pansement hydrocolloïde.

MAINTIEN DU PANSEMENT. À l'aide de ruban adhésif, l'infirmière fixe le pansement sur la plaie de manière à ce qu'il la couvre entièrement et qu'il demeure en place. Il lui faut choisir l'adhésif indiqué pour cette tâche. Un ruban élastique peut exercer une pression ; on emploie un ruban adhésif hypoallergène lorsque la personne est allergique aux autres types de rubans adhésifs. L'infirmière suit les étapes suivantes :

1. Disposer l'adhésif de telle sorte que le pansement ne puisse se replier et ainsi exposer la plaie. Poser une bande à chaque extrémité du pansement et une autre au milieu (figure 40-15 ◼, A).

2. S'assurer que l'adhésif est assez long et assez large pour déborder le pansement de quelques centimètres sur chaque côté, mais

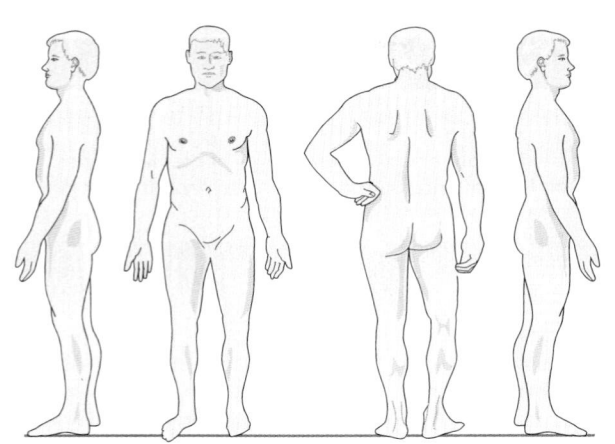

Description et classification des plaies de pression

Stade I Présence caractéristique d'un érythème qui ne disparaît pas dans les quelques minutes qui suivent le relâchement de la pression.

Stade II Perte de peau partielle touchant soit le derme, l'épiderme ou, parfois, les deux. La plaie est superficielle et peut présenter une vésicule, une écorchure ou une érosion peu profonde, mais aucune escarre.

Stade III Perte de peau profonde qui s'étend du derme au tissu sous-cutané, sans toutefois atteindre le fascia sous-jacent. Apparence d'ulcère, ramifications possibles sous la surface.

Stade IV Perte de peau au troisième degré qui atteint le fascia, voire les couches musculaires, les articulations ou les os.

```
|  |  |  |  |  |  |  |  |  |  |
     1 cm    2 cm    3 cm    4 cm    5 cm
```

- Précisez le siège de chacune des plaies de pression en le numérotant (1, 2 et 3) sur les illustrations ci-dessus ; s'il y a plus de trois emplacements, veuillez utiliser un feuillet supplémentaire.
- Donnez les renseignements nécessaires pour le premier siège ; utilisez le verso du formulaire pour les deux autres sièges.

Date d'admission : _____

Formulaire rempli le : _____

Mesures employées afin de soulager la pression :

❑ Lit à air fluidisé, à faible perte d'air ou à perte d'air contrôlée

❑ Matelas à réduction de pression dynamique (matelas à gonflement alternatif)

❑ Matelas à réduction de pression statique (par exemple, matelas alvéolé)

❑ Changement de position toutes les deux heures

❑ Autre mesure : _____

Date à laquelle on a informé le médecin de cette plaie :
_____

CONSIGNEZ CHAQUE SEMAINE ET AU BESOIN LES CHANGEMENTS SIGNIFICATIFS DE L'ASPECT DE LA PLAIE

Lésion nº 1 : siège	Description du traitement	Fréquence
Date et heure		
Taille (en cm) : Longueur		
Largeur		
Profondeur		
Odeur (aucune ou nauséabonde)		
Écoulement (purulent, séreux, sérosanguinolent) et quantité (peu abondant, moyen, abondant)		
Stade (voir description et classification ci-dessus)		
Observations : Décrire le tissu autour de la plaie : des cavités se creusent-elles sous la peau ? Quelle est la part de tissu nécrotique par rapport au tissu de granulation, etc. ?		
Infirmière		

FIGURE 40-14 ■ Formulaire de documentation sur la plaie et l'état de la peau.

PROCÉDÉ 40-3

Mettre un pansement hydrocolloïde

Objectifs

- Maintenir l'humidité de la plaie et favoriser la cicatrisation.
- Prévenir l'infiltration de microorganismes dans la plaie.
- Atténuer la sensation gênante provoquée par la plaie.
- Favoriser l'autolyse du tissu nécrotique par les leucocytes.
- Ralentir la fréquence du changement de pansement.

COLLECTE DES DONNÉES

Évaluez

- L'apparence et la taille de la plaie ou de la région à risque.
- La quantité et le type d'exsudat.
- Les plaintes de la personne relatives à la gêne éprouvée.
- Les signes d'infection tels que la fièvre, les frissons ou un taux élevé de leucocytes.

PLANIFICATION

Vérifiez dans le dossier de la personne s'il y a des détails sur les changements antérieurs de pansement hydrocolloïde.

Matériel

- Gants propres
- Gants stériles (facultatifs)

- Nécessaire de pansement comprenant des ciseaux et du ruban adhésif hypoallergène
- Sac à rebuts étanche
- Compresses stériles et nettoyant prescrit (par exemple, du soluté physiologique)
- Pansement hydrocolloïde qui pourra couvrir la peau autour de la plaie au moins sur 3 cm ou 4 cm

INTERVENTION

Préparation

- Vérifiez sur l'ordonnance la fréquence des changements de pansement et le type de pansement prescrit; consultez le protocole de l'établissement de santé concernant les solutions à utiliser pour nettoyer les plaies; et déterminez s'il convient d'employer une technique propre ou stérile.
- Changez le pansement si vous constatez qu'il fuit, qu'il s'est déplacé ou qu'il laisse échapper des odeurs. Autrement, on peut le laisser en place pour une durée maximale de sept jours.
- Dans la mesure du possible, convenez avec la personne soignée du meilleur moment pour changer le pansement. Le changement de pansement ne nécessite parfois que quelques minutes, mais ce n'est pas le cas de tous les pansements.

Exécution

1. Expliquez à la personne ce que vous allez faire, pourquoi vous allez le faire et comment elle peut coopérer. Expliquez-lui aussi que les résultats serviront à planifier les soins ou les traitements.

2. Lavez-vous les mains et observez les autres mesures de prévention des infections.

3. Assurez-vous que l'intimité de la personne est préservée. Aidez-la à prendre une position confortable et n'exposez que la région de la plaie. *La plupart des gens trouvent désagréable de voir leur corps exposé de façon déraisonnable.*

4. Mettez des gants propres, retirez le pansement et déposez-le à l'intérieur d'un sac à rebuts étanche.

5. Nettoyez soigneusement la région autour de la plaie.
   - Mettez des gants propres.
   - Nettoyez la peau à l'aide de soluté physiologique ou d'un nettoyant doux. N'oubliez pas de bien rincer la peau autour de la plaie avant d'y mettre un pansement.
   - Au besoin, coupez les poils sur environ 5 cm autour de la plaie.
   - Laissez sur la peau les résidus difficiles à enlever, car ils finiront par disparaître. Autrement, vous risquez d'irriter la peau.
   - Retirez les gants et mettez-les dans le sac à rebuts étanche.

6. Nettoyez la plaie au besoin.
   - Mettez des gants stériles.
   - Nettoyez la plaie à l'aide de la solution prescrite.
   - Asséchez la région autour de la plaie à l'aide d'une compresse sèche.

7. Examinez la plaie.

8. Appliquez le pansement hydrocolloïde.
   - Suivez les indications liées aux particularités du produit. Maintenez le pansement en place pendant une minute environ. La chaleur de votre main permettra au pansement d'épouser la forme de la partie du corps et d'y adhérer.
   - Retirez les gants et jetez-les comme il se doit.
   - Mettez du ruban adhésif sur le pourtour du pansement ou observez le protocole de l'établissement en la matière. *Cette précaution permet d'éviter l'adhérence du pansement aux draps et le soulèvement de son contour.*

9. Examinez le pansement et changez-le au besoin.
   - Observez le pansement au moins une fois par jour pour vérifier s'il fuit, s'il est déplacé, s'il s'en dégage une odeur ou s'il est froissé.
   - Ne changez le pansement que dans ces cas-là.

10. Consignez au dossier les renseignements sur le changement de pansement, sur l'état de la plaie et sur les réactions de la personne. Plusieurs établissements de santé ont un formulaire ou une liste de contrôle (voir la figure 40-14) à cet effet; remplissez ce document et ajoutez-y toute remarque pertinente.

- Assurez le suivi en vous fondant sur des constatations qui s'écartent de l'état prévu ou habituel chez cette personne. Faites un lien avec les données d'évaluation antérieures, s'il y a lieu.

- Signalez au médecin tout ce qui s'écarte de la normalité de façon importante.

pas trop long, car il se relâcherait sous l'effet des mouvements (figure 40-15 ■, *B*).

3. Disposer l'adhésif dans le sens opposé à l'action du corps (par exemple, en diagonale s'il doit couvrir une articulation ou un repli, et non dans le sens de la longueur) (figure 40-16 ■).

On emploie les bandes de Montgomery (des attaches adhésives) sur les plaies dont le pansement doit être changé fréquemment (figure 40-17 ■). Ces attaches préviennent l'irritation cutanée et la sensation gênante provoquée par le retrait du ruban adhésif lorsqu'on change le pansement.

▨ Nettoyage des plaies

Afin de nettoyer une plaie, on doit en retirer les débris (c'est-à-dire les matières étrangères, le tissu nécrotique, les bactéries et les autres microorganismes). Le choix des agents nettoyants et du mode de nettoyage repose grandement sur le protocole de l'établissement de santé. L'encadré *Conseils pratiques – Nettoyage des plaies* décrit les recommandations habituelles.

Le chapitre 41 ⊂⊃ décrit les méthodes les plus fréquemment employées pour nettoyer une plaie chirurgicale et une plaie avec mèche.

IRRIGATION DES PLAIES. Irriguer une plaie consiste à la laver ou à la rincer. L'**irrigation** (ou **lavage**) s'appuie sur une technique stérile, car il y a rupture de l'intégrité de la peau.

Procéder à l'irrigation d'une plaie à l'aide d'une seringue à piston plutôt que d'un injecteur à poire diminue le risque d'aspirer l'écoulement tout en assurant une pression sûre et efficace. En présence d'une plaie profonde dotée d'un petit orifice, on doit parfois se servir d'un cathéter droit stérile. La pression de l'irrigation doit osciller entre 2 kg et 7,5 kg par 2,5 cm^2: une pression inférieure à cette fourchette peut rendre l'irrigation inefficace ; au-dessus, on risque d'abîmer les tissus. Une seringue de 35 mL munie d'une

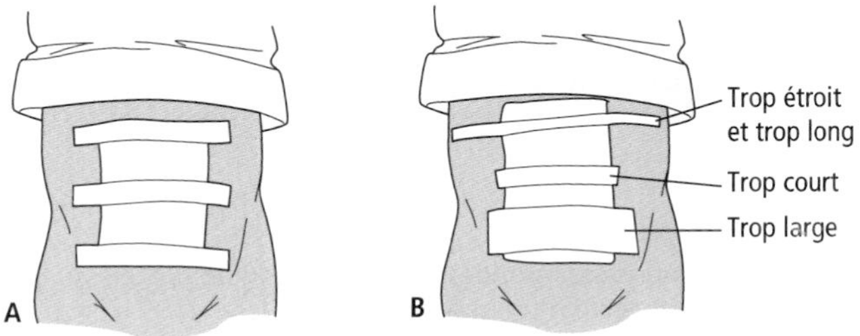

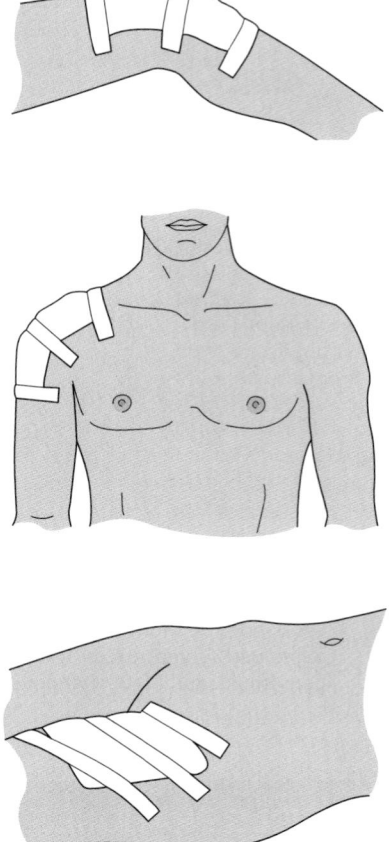

FIGURE **40-16** ■ Un pansement couvrant une articulation doit pouvoir rester en place malgré les mouvements de la personne. Posez l'adhésif à angle droit par rapport à la direction du mouvement d'une articulation.

aiguille ou d'un angiocathéter de calibre 19 assure une pression d'environ 4 kg/cm^2 (Bergstrom *et al.,* 1994). Certains professionnels de la santé préconisent de nettoyer les plaies à l'aide d'un jet d'eau. Cette méthode peut être efficace si la pression du jet d'eau est minimale. Le soluté physiologique, la solution de lactate Ringer et les solutions antibiotiques sont les plus fréquemment utilisés. Le procédé 40-4 décrit les étapes de l'irrigation d'une plaie.

REMPLISSAGE DES PLAIES. On utilise des compresses humides afin de remplir les plaies qui nécessitent un débridement. Selon cette technique, on comble la plaie de compresses humides de 10 cm sur 10 cm (4 po sur 4 po) afin d'absorber l'exsudat, mais il faut veiller à les retirer avant qu'elles ne sèchent. Par ailleurs, la

Trop étroit et trop long

Trop court

Trop large

A   B

FIGURE **40-15** ■ On doit fixer les morceaux de ruban adhésif aux extrémités du pansement ; ils doivent être assez longs et assez larges pour bien maintenir le pansement et adhérer à une région de peau intacte.

recherche a montré que certains nouveaux matériaux utilisés dans la fabrication des pansements sont préférables aux compresses (Ovington, 2001b). Voir l'encadré *Conseils pratiques – Questions relatives à l'utilisation de pansements humides*.

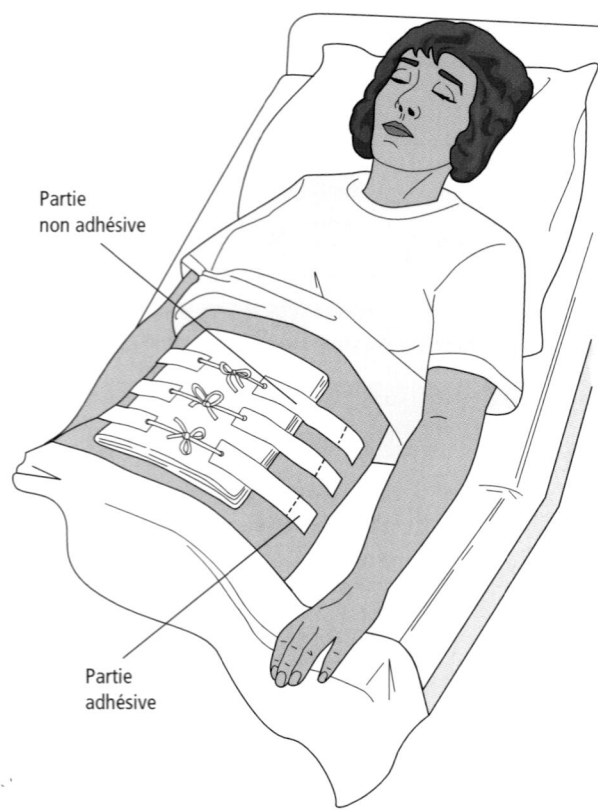

Partie non adhésive

Partie adhésive

FIGURE **40-17** ■ Les bandes de Montgomery (ou attaches adhésives) servent à fixer les grands pansements qu'il faut changer souvent.

CONSEILS PRATIQUES

Questions relatives à l'utilisation de pansements humides

- Afin que la compresse reste humide, changez-la fréquemment ou réhumidifiez-la en versant régulièrement de la solution saline. Si vous la laissez sécher et qu'elle adhère à la surface des tissus, vous provoquerez une douleur chez la personne et vous romprez le tissu cicatriciel en la retirant.
- Afin de bien se cicatriser, une plaie a besoin de chaleur et d'humidité. L'évaporation de la solution saline provoque le refroidissement, la vasoconstriction et la déshydratation de la plaie.
- Une compresse humide ne peut prévenir l'infiltration de bactéries dans la plaie.
- Une compresse est facile à utiliser et peut s'adapter à presque toutes les formes de plaies.
- Une étude a démontré que les plaies couvertes d'un pansement fabriqué à partir de nouveaux matériaux (soit à base de polymères, d'alginates ou de collagène) se cicatrisent deux fois plus rapidement que celles qui sont pansées à l'aide de simples compresses (Ovington, 2001b).

Conclusions : Les infirmières devraient connaître et savoir utiliser les pansements fabriqués avec de nouveaux matériaux. Le choix d'un pansement devrait tenir compte du facteur temps, de son coût, du confort de la personne et de la vitesse de la cicatrisation.

CONSEILS PRATIQUES

Nettoyage des plaies

- Nettoyez ou irriguez les plaies avec une solution saline isotonique ou l'eau du robinet (Ovington, 2001a). Si vous employez une solution antimicrobienne, assurez-vous qu'elle est bien diluée.
- Chauffez la solution jusqu'à la température du corps avant d'en faire usage. *Ainsi, vous ne provoquerez pas une chute de température de la plaie, ce qui ralentirait la cicatrisation.*
- Si la plaie est manifestement contaminée par une matière étrangère, des bactéries, des débris ou du tissu nécrotique, nettoyez-la chaque fois que vous changez le pansement. *Les corps étrangers et les tissus dévitalisés sont des foyers d'infection et peuvent retarder la cicatrisation.*
- Si la plaie est propre, qu'elle laisse suinter peu d'exsudat et qu'elle montre un tissu de granulation sain, évitez les nettoyages répétés. *Un nettoyage inutile peut retarder la cicatrisation en causant un traumatisme dans les nouveaux tissus (qui sont délicats), en réduisant la température à la surface de la plaie et en faisant disparaître l'exsudat qui peut avoir des propriétés bactéricides.*

- Employez des compresses. Évitez les boules d'ouate et les autres produits qui laissent des fibres à la surface des plaies. *Les fibres s'incorporent dans le tissu de granulation et peuvent devenir des foyers d'infection. Elles peuvent également provoquer une réaction à un corps étranger, prolonger la phase inflammatoire et retarder la cicatrisation.*
- Nettoyez les plaies superficielles exemptes d'infection en les irriguant avec une solution saline normale. *La pression hydraulique du jet liquide déloge les débris contaminants et affaiblit la colonisation bactérienne.*
- *Afin de garder une plaie humide*, évitez de l'assécher après l'avoir nettoyée.
- Tenez les compresses humides stériles à l'aide de pinces ou d'une main couverte d'un gant stérile.
- Nettoyez une plaie de l'intérieur vers l'extérieur en utilisant chaque fois une compresse différente, ce qui évite d'introduire dans la plaie les microorganismes qui peuvent se trouver sur la peau ou de ramener des microorganismes dans la plaie.
- Envisagez de ne pas nettoyer une plaie qui semble propre.

PROCÉDÉ 40-4

Irrigation d'une plaie

Objectifs

- Nettoyer la région.
- Appliquer de la chaleur et accélérer la cicatrisation.

- Appliquer une solution antimicrobienne.

COLLECTE DES DONNÉES

Évaluez

- Les renseignements dans le dossier qui ont trait à l'apparence et à la taille de la plaie au moment du dernier changement de pansement.
- Le type d'exsudat.

- La présence d'une douleur et le moment où remonte la dernière prise d'analgésique.
- Les signes cliniques d'une infection systémique.
- Les allergies à l'agent utilisé pour l'irrigation ou au ruban adhésif.

PLANIFICATION

- Afin de procéder à l'irrigation d'une plaie, déterminez : (a) le type de solution à employer ; (b) la fréquence des irrigations ; (c) la température de la solution.
- Dans la mesure du possible, convenez avec la personne soignée du meilleur moment pour faire l'irrigation. Certaines irrigations ne nécessitent que quelques minutes, mais ce n'est pas toujours le cas.

Matériel

- Nécessaire de pansement stérile et matériel pour faire le pansement

- Seringues stériles (par exemple, une seringue de 30 mL à 60 mL) munies d'un embout ou d'une aiguille de calibre 18 ou 19, ou bien d'un angiocathéter souple stérile
- Cuvette stérile contenant la solution utilisée pour l'irrigation
- Sac à rebuts étanche
- Cuvette destinée à recevoir la solution après l'irrigation
- Solution à utiliser pour l'irrigation, habituellement 200 mL à la température du corps, selon le protocole de l'établissement ou l'ordonnance
- Gants propres
- Gants stériles
- Champs stériles

INTERVENTION

Préparation

Vérifiez si la solution à utiliser pour l'irrigation est à la température indiquée.

Exécution

1. Expliquez à la personne ce que vous allez faire, pourquoi vous allez le faire et comment elle peut coopérer. Expliquez-lui aussi que les résultats serviront à planifier les soins ou les traitements.
2. Lavez-vous les mains et observez les autres mesures de prévention des infections.
3. Assurez-vous que l'intimité de la personne est préservée.
4. Préparez la personne.
   - Aidez-la à prendre une position qui permettra à la solution de s'écouler sur la plaie sous l'effet de la gravité, de l'extrémité supérieure à l'extrémité inférieure, puis dans la cuvette.
   - Couvrez la personne et le lit d'un protège-drap imperméable.
   - Mettez des gants propres, retirez le pansement et mettez-le au rebut.

- S'il y a lieu, nettoyez la plaie en effectuant des mouvements circulaires, du centre vers l'extérieur.
- Servez-vous d'un écouvillon par mouvement circulaire et mettez-le au rebut. *Cette précaution prévient l'infiltration de microorganismes dans la plaie.*
- Examinez la plaie et l'écoulement.
- Retirez les gants et mettez-les au rebut.

5. Préparez le matériel.
   - Ouvrez le nécessaire de pansement et le matériel.
   - Versez la solution prescrite dans la cuvette stérile.
   - Posez l'autre cuvette sous la plaie afin d'y recueillir le liquide qui aura servi à l'irrigation.

6. Irriguez la plaie.
   - Pulvérisez un jet régulier de liquide sur la plaie. Assurez-vous d'en irriguer toutes les régions. Afin de bien rincer la plaie, servez-vous d'une seringue munie d'un embout ou d'une aiguille de calibre 18 ou 19, ou bien munie d'un angiocathéter souple stérile (figure 40-18 ■).

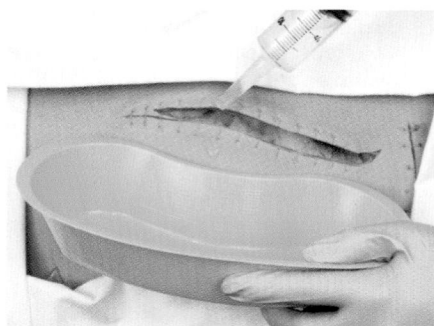

FIGURE **40-18** ■ Irrigation d'une plaie.

- Si vous employez un cathéter pour atteindre une région profonde ou une plaie fissurée, insérez-le dans la plaie jusqu'à ce qu'il s'immobilise. *N'usez pas de force pour insérer le cathéter, car vous pourriez causer un traumatisme supplémentaire.*
- Poursuivez l'irrigation jusqu'à ce que la solution devienne transparente (c'est-à-dire exempte d'exsudat). *L'irrigation déloge les débris tissulaires et l'écoulement, de sorte que la*

PROCÉDÉ 40-4 (SUITE)

Irrigation d'une plaie (suite)

INTERVENTION (suite)

solution qui s'échappe de la plaie devient de plus en plus claire.
- Épongez la région autour de la plaie. *L'humidité qui reste sur la peau favorise la prolifération de microorganismes et peut irriter la peau, voire en entraîner la rupture.*

7. Examinez et pansez la plaie.
- Examinez de nouveau l'apparence de la plaie, remarquez plus particu-lièrement le type et la quantité d'exsudat encore présent, de même que la présence et l'étendue du tissu de granulation.
- À l'aide d'une technique stérile, mettez un pansement sur la plaie en vous fondant sur la quantité d'écoulement prévue (voir le tableau 40-6).

8. Consignez au dossier les renseigne-ments sur l'irrigation, sur l'état de la plaie, sur la couleur, la consistance et l'odeur du liquide de drainage, et sur les réactions de la personne. Plusieurs établissements de santé ont un formu-laire ou une liste de contrôle (voir la figure 40-14) à cet effet ; remplissez ce document et ajoutez-y toute remarque pertinente.

ÉVALUATION

- Assurez le suivi en vous fondant sur des constatations qui s'écartent de l'état prévu ou habituel chez cette personne. Comparez vos constatations avec les données d'évaluation antérieures, s'il y a lieu.

- Signalez au médecin tout ce qui s'écarte de la normalité ou de l'évalua-tion précédente de façon importante.

LES ÂGES DE LA VIE

Soin des plaies

ENFANTS
- Rappelez à l'enfant qu'il ne doit toucher ni la plaie, ni la mèche, ni le pansement. Couvrez la plaie d'un bandage qui peut résister aux activités habituelles d'un enfant. Si la vue de la plaie incommode l'enfant, couvrez un pansement transparent à l'aide d'un matériau opaque. Ne le limitez pas dans ses activités, à moins d'avoir épuisé toutes les solutions de rechange.
- Faites à l'enfant la démonstration d'un changement de pansement sur une poupée. Rappelez-lui que la plaie n'est pas permanente et rassurez-le en lui disant qu'il ne perdra aucune partie de son corps.

PERSONNES ÂGÉES
- Étirez la peau ridée pour la lisser avant de mettre en place un pansement transparent. Faites-vous aider en cas de besoin.
- La peau est plus fragile et peut facilement se déchirer lorsqu'on enlève une attache adhésive (en particulier une bande de ruban adhésif). Employez du ruban adhésif hypoallergène et du dissolvant en suivant les indications du fabricant. Mettez le moins de ruban adhésif possible. Retirez le ruban avec soin.
- La personne âgée qui a besoin de soins de longue durée est souvent aux prises avec certains problèmes, comme l'immobilité, la malnutrition et l'incontinence, qui accrois-sent le risque de rupture de la peau.
- Une rupture de la peau peut apparaître en l'espace de deux heures ; il faut donc l'examiner chaque fois qu'on change la position d'une personne âgée.
- Il faut examiner attentivement les talons de la personne âgée à chaque quart de travail. La peau peut se rompre facilement à cause de la friction contre les draps.

SOINS À DOMICILE

Soin des plaies
- Enseignez à la personne ce qu'il convient de faire pour favoriser la cicatrisation des plaies et conserver une peau saine.

- Renseignez la personne et sa famille sur les endroits où se procurer les fournitures médicales nécessaires. Prenez en compte le prix des pansements (par exemple, les panse-ments de pellicule adhésive transparente coûtent plus cher que d'autres) et proposez des solutions de rechange moins coûteuses, s'il y a lieu. Faites preuve de créativité et servez-vous des articles de maison de cette personne pour pro-téger les surfaces de la peau soumises à une pression.

- Montrez à la personne et à sa famille comment il faut procéder pour mettre au rebut les pansements contaminés. Tous les articles contaminés doivent être mis dans un sac étanche qui sera lui-même glissé à l'intérieur d'un autre sac étanche.

- Vérifiez si la personne peut prendre un bain malgré ses plaies. Faut-il couvrir les plaies d'une pellicule protectrice ou doit-on les nettoyer sous la douche ?

Il est possible de combiner plusieurs des techniques de panse-ment présentées selon le type de plaie en cause, sans compter que les thérapies sont en constante évolution. Ainsi, la *fermeture sous vide* renvoie au principe de l'aspiration utilisée pour exercer une pression négative sur une variété de plaies qui ne parvien-nent pas à se cicatriser. Cette thérapie peut accélérer la régénéra-tion des tissus, réduire l'œdème autour d'une plaie et favoriser la cicatrisation en assurant un milieu humide et protégé (Mendez-Eastman, 2002).

Effets de la chaleur et du froid

L'application de chaleur ou de froid a des effets locaux ou systémiques sur le corps. Le tableau 40-7 dresse la liste des effets physiologiques de la chaleur et du froid.

EFFETS LOCAUX DE LA CHALEUR. La chaleur est un vieux remède contre la douleur et on l'associe d'ailleurs au réconfort et au soulagement. La chaleur provoque la vasodilatation et stimule la circulation sanguine dans la région atteinte, ce qui accroît la présence d'oxygène, d'éléments nutritifs, d'anticorps et de leucocytes.

L'application de chaleur favorise la cicatrisation des tissus mous. Cependant, elle peut accroître la perméabilité capillaire, ce qui permet aux liquides et aux protéines plasmatiques de filtrer au travers des parois capillaires. Ce phénomène peut provoquer un œdème ou aggraver un œdème existant. On fait souvent appel à la chaleur lorsqu'une personne souffre de problèmes liés à la fonction locomotrice, tels que la raideur articulaire causée par l'arthrite, les contractures et les douleurs lombaires.

EFFETS LOCAUX DU FROID. En général, les effets physiologiques du froid sont à l'opposé de ceux de la chaleur. Le froid entraîne une diminution de la température de la peau et des tissus sous-cutanés, et il provoque la **vasoconstriction**. Ce phénomène ralentit la circulation sanguine dans la région touchée et, par conséquent, diminue l'apport en oxygène et en nutriments, retarde l'évacuation des métabolites, pâlit la peau et la refroidit. Une exposition prolongée au froid se traduit par des troubles circulatoires ainsi que par une diminution de l'apport d'oxygène et d'éléments nutritifs aux cellules, ce qui entraîne des lésions aux tissus. Le froid aura abîmé les tissus lorsque la peau sera bleuie et marbrée, qu'elle sera engourdie ou qu'il s'y trouvera des vésicules, ou encore quand la personne éprouvera une douleur. Le froid sert souvent à soigner les blessures causées par la pratique d'un sport (par exemple, les entorses, les foulures et les fractures) afin de contenir l'œdème et le saignement.

EFFETS SYSTÉMIQUES DE LA CHALEUR ET DU FROID. L'application de chaleur sur une région du corps, en particulier s'il s'agit d'une grande surface, peut provoquer une vasodilatation périphérique excessive, ce qui déclenchera une chute de la pression artérielle ; si celle-ci est importante, elle peut provoquer une syncope. Les personnes atteintes d'une affection cardiovasculaire

ou pulmonaire sont plus susceptibles de souffrir de cet effet. Par suite de l'application de froid sur une grande surface du corps, qui provoque une vasoconstriction, la pression artérielle peut s'accroître, car le sang est alors détourné des tissus cutanés vers les vaisseaux sanguins internes. Dans une réaction normale en vue de se réchauffer après une exposition prolongée au froid, le corps frissonne.

TOLÉRANCE À LA CHALEUR ET AU FROID. Toutes les régions du corps ne supportent pas la chaleur et le froid de la même manière. La tolérance physiologique varie également selon les individus (voir l'encadré 40-5). Dans certaines conditions, des précautions s'imposent lorsqu'on procède à l'application de chaleur ou de froid :

- *Déficience neurosensorielle.* Les personnes atteintes d'une telle déficience ne peuvent se rendre compte que la chaleur abîme les tissus et elles encourent un risque de brûlure ; par ailleurs, elles n'éprouvent pas la sensation du froid ou la ressentent très peu et ne peuvent donc pas prévenir les lésions cutanées.

- *Facultés mentales affaiblies.* Quand on applique de la chaleur ou du froid à des personnes souffrant de confusion mentale ou dont l'état de conscience est altéré, il faut les surveiller de près et veiller à leur sécurité.

- *Troubles circulatoires.* Les personnes atteintes d'une affection vasculaire périphérique ou d'une insuffisance cardiaque ne sont pas en mesure de dissiper la chaleur par le biais de la circulation sanguine ; l'application de chaleur ou de froid risque donc d'abîmer leurs tissus.

- *Immédiatement après une blessure ou une intervention chirurgicale.* La chaleur accélère le saignement et l'œdème.

- *Plaies ouvertes.* Le froid ralentit l'irrigation sanguine dans la région touchée, ce qui entrave la cicatrisation de la plaie.

ADAPTATION DES RÉCEPTEURS THERMIQUES. Les récepteurs de la chaleur et du froid s'adaptent aux changements de température. Lorsqu'ils sont soumis à un changement marqué de

---

TABLEAU

Effets physiologiques de la chaleur et du froid	40-7

Chaleur	Froid
Provoque la vasodilatation.	Provoque la vasoconstriction.
Accroît la perméabilité capillaire.	Diminue la perméabilité capillaire.
Accroît le métabolisme cellulaire.	Ralentit le métabolisme cellulaire.
Favorise l'inflammation.	Ralentit la prolifération bactérienne et atténue l'inflammation.
A un effet sédatif.	A un effet anesthésique local.

ENCADRÉ

Variables qui influent sur la tolérance physiologique à la chaleur et au froid	40-5

Région du corps. Le dessus de la main ou du pied n'est pas très sensible à la température. À l'opposé, l'intérieur du poignet, l'avant-bras, le cou et la région périnéale sont sensibles à la température.

Superficie de la région exposée. La tolérance à la chaleur et au froid est inversement proportionnelle à la superficie de la région exposée : plus la surface est grande, plus la tolérance est faible.

Âge et état de santé. En général, les jeunes enfants et les personnes âgées ont un seuil de tolérance peu élevé. Le seuil de tolérance des personnes aux prises avec une déficience neurosensorielle peut être élevé ; le risque de blessure est alors plus grand.

Durée de l'exposition. On ressent l'application de chaleur ou de froid surtout quand elle modifie la température du corps. Au bout d'un moment, le seuil de tolérance s'accroît.

Intégrité de la peau. Les régions dont la peau est lésée sont plus sensibles aux écarts de température.

température, les récepteurs sont d'abord fortement stimulés. Cette forte stimulation diminue rapidement au cours des premières secondes, puis plus lentement au cours de la demi-heure qui suit, au fur et à mesure que les récepteurs s'adaptent à la nouvelle température.

Les infirmières et les personnes qu'elles soignent doivent comprendre cette réaction avant de procéder à l'application de chaleur ou de froid. Une personne pourrait être tentée de modifier la température d'une application de chaleur à cause du changement de sensation qu'elle éprouve par suite de l'adaptation de ses récepteurs, mais l'accroissement de la température d'une application de chaleur après que la peau s'y est adaptée peut entraîner de graves brûlures. Réduire la température d'une application de froid peut se traduire par une douleur et des troubles circulatoires dans la région touchée. Le tableau 40-8 dresse la liste des températures propres aux applications de chaleur et de froid.

PHÉNOMÈNE DE REBOND. Un phénomène de rebond se produit lorsque l'effet thérapeutique maximal de l'application (de chaleur ou de froid) se fait sentir et que l'effet inverse entre en jeu.

La chaleur provoque une vasodilatation maximale en l'espace de 20 à 30 minutes ; la prolongation de l'application au-delà d'une période de 30 à 45 minutes entraîne la congestion des tissus, et les vaisseaux sanguins se resserrent pour une raison inconnue. Si on prolonge l'application de chaleur, la personne risque donc de subir une brûlure, puisque les vaisseaux sanguins en constriction ne peuvent plus dissiper la chaleur comme il se doit.

S'il s'agit d'une application de froid, la vasoconstriction maximale se produit lorsque la peau atteint une température de 15 °C. Au-dessous, la vasodilatation commence à agir. Il s'agit d'un mécanisme de protection qui aide à prévenir le gel des tissus plus facilement exposés au froid (par exemple, le nez et les oreilles). C'est la vasodilatation qui provoque la rougeur de la peau lorsqu'on marche à l'extérieur par temps froid.

L'infirmière et la personne qu'elle soigne doivent bien comprendre l'effet de rebond : il faut mettre un terme à l'application de chaleur ou de froid avant que celui-ci s'enclenche.

Application de chaleur ou de froid

L'application de chaleur peut se faire sous deux formes : sèche et humide. On applique la chaleur sèche sur une région donnée à l'aide d'une bouillotte, d'un coussin aquathermique, d'un sachet chauffant jetable ou d'un coussin chauffant ; quant à la chaleur humide, on l'applique à l'aide d'une compresse, d'un enveloppe-

ment chaud, d'un bain ou d'un bain de siège. Le tableau 40-9 présente les indications relatives aux différents usages de la chaleur et du froid.

En général, on applique le froid sec sur une région donnée en utilisant un sac, un gant ou un collier de glace, ou à l'aide d'un sachet refroidissant. Lorsque l'application de froid humide est indiquée, on utilise des compresses ou on fait une toilette à l'éponge.

Lorsqu'elle doit procéder à l'application de chaleur ou de froid sur une région donnée, l'infirmière doit suivre les indications suivantes :

■ Déterminer si la personne est en mesure de tolérer cette thérapie.

■ Préciser les contre-indications du traitement (par exemple, un saignement ou des troubles circulatoires).

■ Expliquer le procédé à la personne.

■ Examiner la région où il faut appliquer la chaleur ou le froid.

■ Demander à la personne de signaler toute sensation gênante.

■ Examiner la peau de la personne 15 minutes après le début de l'application pour vérifier s'il n'y a pas de réaction indésirable (par exemple, une rougeur) ; en pareil cas, il faut mettre fin à l'application.

■ Retirer le matériel au moment opportun et le jeter comme il se doit.

■ Examiner la région qui vient de recevoir l'application de chaleur ou de froid et consigner la réaction de la personne dans son dossier.

L'encadré 40-6 présente les contre-indications de l'application de chaleur ou de froid.

BOUILLOTTE. À la maison, on se sert souvent d'une bouillotte pour faire une application de chaleur sèche. Il s'agit d'un accessoire pratique et peu coûteux. Toutefois, en raison du danger de brûlure, on préfère employer d'autres moyens dans les établissements de santé.

On considère que les températures suivantes sont sûres la plupart du temps et qu'elles apporteront le résultat escompté : entre 46 et 52 °C chez un adulte normal et un enfant de plus de deux ans ; entre 40,5 et 46 °C chez un adulte affaibli ou inconscient ou chez un enfant de moins de deux ans.

L'infirmière doit suivre les indications suivantes lorsqu'elle applique une bouillotte :

■ Prendre la température de l'eau à l'aide d'un thermomètre.

■ Emplir la bouillotte aux deux tiers.

TABLEAU
40-8

Températures des applications de chaleur ou de froid		
Description	**Température**	**Application**
Très froid	Au-dessous de 15 °C	Sac de glace
Froid	De 15 à 18 °C	Sachet refroidissant
Frais	De 18 à 27 °C	Compresse froide
Tiède	De 27 à 37 °C	Toilette à l'éponge
Chaud	De 37 à 40 °C	Bain chaud, coussin aquathermique
Très chaud	De 40 à 46 °C	Bain chaud, irrigation, compresse chaude
Brûlant	Au-dessus de 46 °C	Bouillotte pour les adultes

TABLEAU

40-9

Indications des différents usages de la chaleur ou du froid

Indications	Effets de la chaleur	Effets du froid
Spasme musculaire	Détend les muscles et diminue leur contractilité.	Détend les muscles et augmente leur contractilité.
Inflammation	Intensifie l'irrigation sanguine et ramollit les exsudats.	La vasoconstriction diminue la perméabilité des capillaires, diminue la circulation sanguine et ralentit le métabolisme cellulaire.
Douleur	Soulage la douleur, probablement en favorisant la relaxation des muscles, en intensifiant la circulation du sang, en favorisant la détente psychologique et en procurant une impression de bien-être; agit comme un révulsif.	Atténue la douleur en ralentissant la conduction nerveuse et en bloquant les pulsions nerveuses, provoque un engourdissement, agit comme un révulsif et hausse le seuil de la douleur.
Contracture	Réduit les contractures et accroît l'amplitude articulaire en favorisant une plus grande distension des muscles et des tissus conjonctifs.	
Raideur articulaire	Soulage les raideurs articulaires en atténuant la viscosité du liquide synovial et en accroissant la capacité de distension des tissus.	
Blessure traumatique		Ralentit le saignement en resserrant les vaisseaux sanguins et réduit l'œdème en atténuant la perméabilité capillaire.

Contre-indications de l'application de chaleur ou de froid

CHALEUR
- *Les 24 premières heures après une blessure traumatique.* La chaleur favorise le saignement et l'œdème.
- *Hémorragie active.* La chaleur provoque la vasodilatation et favorise le saignement.
- *Œdème non inflammatoire.* La chaleur accroît la perméabilité capillaire et favorise l'œdème.
- *Tumeur maligne localisée.* Puisque la chaleur accélère le métabolisme cellulaire, favorise la prolifération des cellules et active la circulation sanguine, elle peut accélérer la formation de métastases (tumeurs secondaires).
- *Affection cutanée qui provoque des rougeurs ou des vésicules.* La chaleur peut brûler la peau ou aggraver les lésions existantes.

FROID
- *Plaies ouvertes.* Le froid aggrave les lésions tissulaires en ralentissant la circulation sanguine dans la région de la plaie.
- *Troubles circulatoires.* Le froid peut entraver davantage l'irrigation des tissus et provoquer d'autres lésions. Il accroît le spasme artériel chez les personnes atteintes de la maladie de Raynaud.
- *Hypersensibilité au froid.* L'hypersensibilité au froid peut se manifester par une réaction inflammatoire (par exemple, un érythème, de l'urticaire, une inflammation, une douleur articulaire et un spasme musculaire occasionnel). Certaines personnes réagissent parfois par une hausse de la pression artérielle qui peut s'avérer dangereuse.

- En faire sortir l'air et assujettir le capuchon. Une fois vidée de l'air, la bouillotte peut épouser les courbes du corps.
- Essuyer la bouillotte et la tenir à l'envers pour vérifier qu'elle ne fuit pas.
- Envelopper la bouillotte d'une serviette ou d'une housse et la placer sur la région voulue.
- La retirer au bout de 30 minutes ou conformément au protocole de l'établissement.

COUSSIN AQUATHERMIQUE. Le coussin aquathermique (ou coussinet aquamatique K) est un appareil dans lequel circule de l'eau et qu'on utilise dans les traitements de chaleur continue; il est doté d'une unité de commande électrique et d'un indicateur de température (figure 40-19 ■). Certains modèles ont une surface absorbante, qui permet l'application de chaleur humide, et une surface étanche. Ces coussins sont jetables.

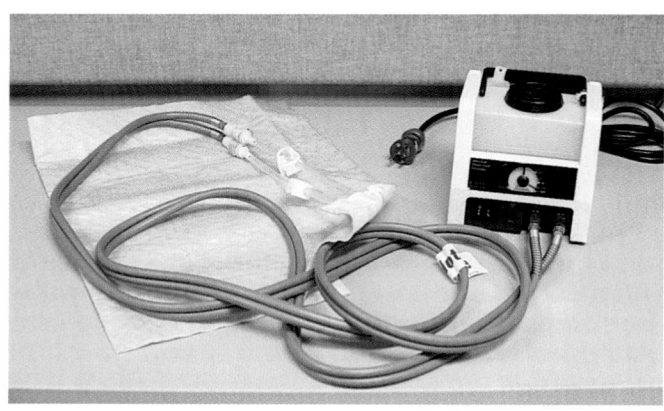

FIGURE **40-19** ■ Appareil aquathermique.

L'infirmière doit suivre les indications suivantes lorsqu'elle applique un coussin aquathermique :

- Emplir le réservoir aux deux tiers avec de l'eau distillée.
- Régler l'appareil à la température voulue. Suivre le mode d'emploi du fabricant. La plupart des appareils sont réglés à 40,5 °C pour les adultes.
- Envelopper le coussin et le brancher à l'appareil. Certains fabricants conseillent de chauffer le coussin avant de l'appliquer.
- Poser le coussin sur la région du corps. En général, l'application dure 30 minutes sans interruption. Consulter l'ordonnance et le protocole de l'établissement.

SACHET CHAUD OU FROID (jetable).

Les trousses d'enveloppement chaud et froid qu'on trouve dans le commerce (figure 40-20 ■) dégagent de la chaleur ou du froid pour une période déterminée à l'avance. Le mode d'emploi s'y rattachant renseigne sur la manière d'amorcer le processus de réchauffement ou de refroidissement (par exemple, en frappant, en comprimant ou en pétrissant le sachet).

COUSSIN CHAUFFANT.

Les coussins chauffants dégagent une chaleur constante et continue. Légers, ils peuvent mouler facilement une région du corps. Ils risquent toutefois de brûler la peau si on les règle à une température trop élevée. Certains modèles sont dotés d'une housse étanche dont on se sert s'il y a un pansement humide.

L'infirmière doit suivre les indications suivantes lorsqu'elle applique un coussin chauffant :

- N'insérer aucun objet pointu dans le coussin. Par exemple, une aiguille pourrait abîmer le câblage et provoquer une décharge électrique.
- Vérifier que la région du corps est sèche, à moins qu'une housse étanche ne couvre le coussin, de façon à éviter les décharges électriques.
- Employer un coussin doté d'un thermostat préréglé, de sorte que la personne traitée ne pourra pas augmenter le degré de chaleur.
- Ne pas placer le coussin sous la personne. La chaleur ne se dissiperait pas et pourrait causer des brûlures.

FIGURE **40-20** ■ Trousse d'enveloppement chaud (ou sachet chauffant jetable) qu'on trouve sur le marché (thermosac commercial).

SAC, GANT ET COLLIER DE GLACE.

Comme leur nom l'indiquent, les sacs, les gants et les colliers de glace contiennent des copeaux de glace. On les pose sur une région du corps afin d'y répandre du froid ; par exemple, on entoure souvent la gorge d'un collier de glace à la suite d'une amygdalectomie. Il faut toujours envelopper le contenant d'une serviette ou d'une housse.

COMPRESSE.

Une compresse peut être chaude ou froide. Une **compresse** est un pansement humide qu'on applique sur une plaie. Lorsque des compresses chaudes sont prescrites, on fait chauffer la solution à la température indiquée par l'ordonnance ou selon le protocole de l'établissement (par exemple, à 40,5 °C). En présence d'une lésion cutanée ou lorsqu'une région du corps (par exemple, un œil) est vulnérable à une invasion microbienne, il faut s'appuyer sur une technique stérile ; en conséquence, il faut porter des gants stériles pour appliquer les compresses et tout le matériel doit être stérile.

BAIN.

Il s'agit de plonger une région du corps (un bras, par exemple) dans une solution ou de l'envelopper en partie d'un pansement qu'on imprègne ensuite d'une solution. En général, on fait appel à une technique stérile dans le cas des plaies ouvertes, telles qu'une brûlure ou une incision chirurgicale non cicatrisée. Suivre le protocole de l'établissement au sujet de la température de la solution. On prescrit souvent des bains dans une solution chaude afin de ramollir et de faire se détacher les sécrétions croûteuses et les tissus morts.

BAIN DE SIÈGE.

On prescrit un **bain de siège** pour faire tremper la région pelvienne. La personne s'assoit dans une baignoire (ou sur un siège) conçue à cet effet ; habituellement, elle se retrouve immergée du milieu des cuisses à la crête iliaque ou à l'ombilic. Il est préférable d'utiliser une baignoire (ou un siège) conçue à cet effet de façon à éviter l'immersion complète des jambes (comme cela se produit dans une baignoire ordinaire), ce qui provoque une diminution de l'afflux sanguin au périnée ou dans la région pelvienne. Il existe des bassins jetables sur le marché.

La température de l'eau devrait osciller entre 40 et 43 °C, à moins que la personne ne puisse supporter cette température. Suivre le protocole de l'établissement à ce chapitre. Certains modèles de baignoire sont dotés d'un indicateur de température de l'eau. La durée d'un bain de siège est généralement de 15 à 20 minutes, selon l'état de santé de la personne. L'infirmière doit suivre les indications suivantes lorsqu'elle donne un bain de siège :

- Aider la personne à s'asseoir dans la baignoire. Prévoir un support sous ses pieds ; ainsi, un tabouret placé sous les pieds peut aider à soutenir les cuisses et à les libérer de toute pression.
- Couvrir les épaules de la personne avec une grande serviette de bain et veiller à ce qu'il n'y ait aucun courant d'air dans la pièce.
- Observer attentivement la personne pendant le bain pour déceler tout signe de lipothymie, d'étourdissement, de faiblesse, de pâleur ou d'accélération de la fréquence du pouls.
- Maintenir la température de l'eau constante.
- Une fois le bain terminé, aider la personne à sortir de la baignoire et à s'essuyer.

TOILETTE À L'ÉPONGE.

On fait une toilette à l'éponge (sous l'influence de l'anglais, on dit souvent « donner un bain à l'éponge ») à une personne dont on veut faire baisser la fièvre sous l'effet conjugué de la conduction et de la vaporisation. Il faut toutefois faire preuve d'une grande prudence avant de faire une telle toilette à une personne et le faire seulement lorsque sa température est très élevée (par exemple, plus de 40 °C), car une chute de température rapide peut provoquer des frissons qui augmenteront la production de chaleur. On combine la toilette à l'éponge à l'administration d'un antipyrétique afin de ramener l'hypothalamus à la normale. Les températures indiquées pour ce type de toilette oscillent entre 18 et 32 °C.

L'infirmière doit suivre les indications suivantes lorsqu'elle fait une toilette à l'éponge :

- À l'aide d'une éponge, humecter le visage, les bras, les jambes, le dos et les fesses. D'ordinaire, on n'humecte pas la poitrine ni l'abdomen. On humecte chaque région lentement et avec délicatesse. On ne frotte pas l'éponge sur la peau, car cela pourrait favoriser la production de chaleur.

- Couvrir d'une serviette humide les régions humectées, sans les sécher.

- Poser un sac de glace, un gant de glace ou une serviette humide sur le front de la personne, ainsi que sous chaque aisselle et sur les aines. Ces régions sont irriguées par d'importants vaisseaux sanguins superficiels et transportent la chaleur du corps.

- Humecter une région à la fois. La durée habituelle d'une toilette à l'éponge est de 30 minutes. Une toilette à l'éponge faite plus rapidement risque de provoquer un frissonnement qui aurait pour effet d'augmenter la température du corps.

- Mettre fin à la toilette si la personne pâlit, si elle frissonne ou devient cyanotique, ou encore si son pouls devient rapide ou irrégulier.

- Évaluer les signes vitaux de la personne au bout de 15 minutes et à la fin de la toilette.

Soutien et immobilisation des plaies

Les bandages et les bandes ont toute une gamme d'utilisations :
- Soutenir une blessure (par exemple, un os fracturé).
- Immobiliser une blessure (par exemple, une luxation de l'épaule).
- Exercer une pression (par exemple, l'application de bandages élastiques sur les extrémités inférieures dans le but d'améliorer la circulation veineuse).
- Maintenir un pansement en place (par exemple, dans le cas d'une grande plaie chirurgicale sur l'abdomen).
- Conserver la chaleur (par exemple, un bandage de flanelle sur une articulation atteinte de rhumatisme).

On trouve plusieurs types de bandages et de bandes, et autant de manières de s'en servir. S'ils sont correctement mis en place, ils favorisent la cicatrisation, apportent un certain soulagement à la personne et peuvent prévenir les blessures (voir l'encadré *Conseils pratiques – Application de bandages*).

BANDAGES. Un **bandage** ou **bande** est fait d'étoffe, et on s'en sert pour envelopper une région du corps. On en trouve de différentes largeurs, mais les plus courants font entre 1,5 cm et 7,5 cm ; ils sont habituellement en rouleaux, ce qui en facilite l'utilisation.

On fabrique des bandages à partir de différents tissus ou fibres. La gaze compte parmi les plus courants : elle est légère et poreuse, et s'adapte facilement aux formes du corps. On emploie la gaze afin de maintenir les pansements en place sur les blessures et pour panser les doigts, les mains, les orteils ou les pieds. Elle permet la circulation de l'air. On peut l'enduire de vaseline ou d'onguent avant de l'appliquer sur une plaie.

On emploie le bandage élastique afin d'exercer une pression sur une région donnée. Il est couramment utilisé comme bandage compressif ou pour procurer un soutien aux jambes et améliorer la circulation veineuse.

La largeur d'un bandage est fonction de la taille de la région qu'il doit couvrir. Ainsi, on emploiera un bandage de 2,5 cm pour panser un doigt, de 5 cm pour un bras et de 7,5 cm, voire de 10 cm, pour une jambe. On ajoute souvent au bandage un coussin abdominal ou des carrés de gaze afin de protéger davantage les protubérances osseuses (par exemple, les coudes) ou pour séparer différentes surfaces de tissu cutané (par exemple, les doigts).

Avant la mise en place d'un bandage, l'infirmière doit en connaître la raison et examiner la région qui nécessite ce genre de soutien (voir l'encadré *Conseils pratiques – Examen de la région du corps avant la mise en place d'un bandage ou d'une bande*). Lorsqu'un bandage doit servir à maintenir un pansement, l'infirmière doit porter des gants afin de prévenir tout contact avec les liquides organiques.

MÉTHODES ÉLÉMENTAIRES POUR APPLIQUER UN BANDAGE. Il existe cinq méthodes élémentaires pour enrouler un bandage autour d'une région du corps :

- Le *bandage circulaire* sert surtout à ancrer la bande au point de départ ou d'arrivée. Il faut éviter les tours circulaires sur une plaie, car ils pourraient occasionner une diminution de l'apport sanguin et de la douleur.

CONSEILS PRATIQUES

Application de bandages

- Bandez la région du corps dans sa position normale, l'articulation un peu fléchie *pour éviter d'exercer une tension sur les ligaments et les muscles de l'articulation.*
- Prévoyez des tampons entre les surfaces de tissu cutané et sur les protubérances osseuses *afin de prévenir la friction contre le bandage et l'abrasion qui s'ensuivrait.*
- Bander toujours les régions du corps à partir de l'extrémité distale et vers l'extrémité proximale *afin de favoriser le retour veineux.*
- Bandez une région en exerçant une pression régulière *pour ne pas entraver la circulation sanguine.*
- Dans la mesure du possible, laissez à découvert l'extrémité de la région bandée (par exemple, les orteils), *de façon à pouvoir examiner la région et déterminer si le sang y circule bien.*
- Couvrez les pansements à l'aide de bandages qui les débordent d'au moins 5 cm sur tous les côtés *afin de prévenir la contamination du pansement et de la plaie.*
- Faites face à la personne à qui vous faites un bandage *afin de maintenir une tension uniforme et de diriger vos gestes dans le sens voulu.*

CONSEILS PRATIQUES

Examen de la région du corps avant la mise en place d'un bandage ou d'une bande

- Examinez et palpez la région pour y déceler toute trace d'œdème.
- Vérifiez s'il y a des plaies et constatez leur état (il faut panser les plaies ouvertes avant d'y apposer un bandage ou une bande).
- Vérifiez s'il y a un écoulement (quantité, couleur, odeur et viscosité).
- Examinez et palpez la peau pour vérifier la circulation sanguine (température et couleur de la peau ; sensations éprouvées par la personne). Une peau pâle ou cyanotique, une faible température, des picotements ou un engourdissement peuvent indiquer une mauvaise circulation.
- Demandez à la personne si elle éprouve une douleur (siège, intensité, apparition et qualité).
- Vérifiez si la personne est en mesure de refaire le bandage ou de remettre la bande en place, s'il y a lieu.
- Vérifiez si elle peut vaquer à ses activités quotidiennes (par exemple, s'habiller, se nourrir, se coiffer, prendre un bain) et déterminez l'aide qui lui sera nécessaire pendant sa convalescence.

- Le *bandage spiralé* sert à couvrir une partie du corps dont la circonférence est à peu près constante sur toute la longueur (par exemple, le bras ou le haut de la jambe).
- Le *bandage spiralé renversé* sert à couvrir les parties cylindriques du corps dont la circonférence n'est pas uniforme (par exemple, l'avant-bras ou la partie inférieure de la jambe).
- Le *bandage récurrent* sert à couvrir les parties distales du corps (par exemple, le bout des doigts, le crâne ou un moignon après une amputation).
- Le *bandage en huit* sert souvent à couvrir un coude, un genou ou une cheville, car il laisse une certaine latitude de mouvement.

Bandage circulaire

- Saisir la bande par la main dominante en tenant le rouleau vers le haut et en dérouler environ huit centimètres, ce qui laissera assez de jeu pour le mettre en place et en ajuster la tension.
- Poser l'extrémité de la bande sur la partie du corps qu'il faut panser. En maintenir l'extrémité à l'aide du pouce de l'autre main (figure 40-21 ■).
- Enrouler la bande autour de la partie du corps à quelques reprises ou autant de fois qu'il le faut, en s'assurant que la bande chevauche la couche précédente sur la moitié ou les deux tiers, ce qui procurera un soutien uniforme dans l'ensemble de la région.
- Le bandage doit être ferme, sans être trop ajusté. Demander à la personne si elle est gênée par le bandage. Un bandage trop serré peut entraver la circulation du sang, alors qu'un bandage lâche ne fournira pas la protection voulue.
- Fixer l'extrémité de la bande à l'aide d'une agrafe dans une région où la peau est intacte.

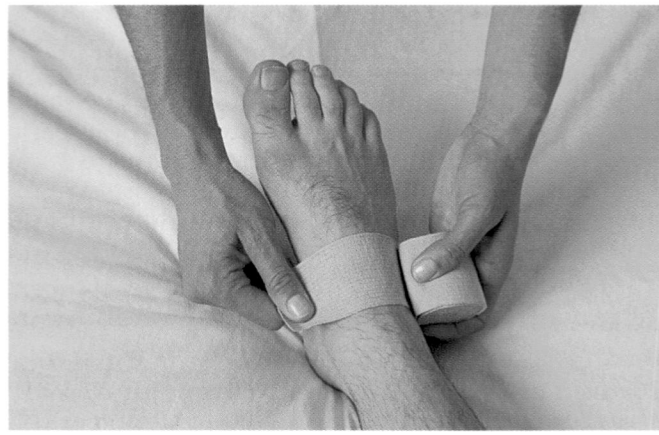

FIGURE **40-21** ■ On met le bandage en place en exécutant d'abord deux tours circulaires.

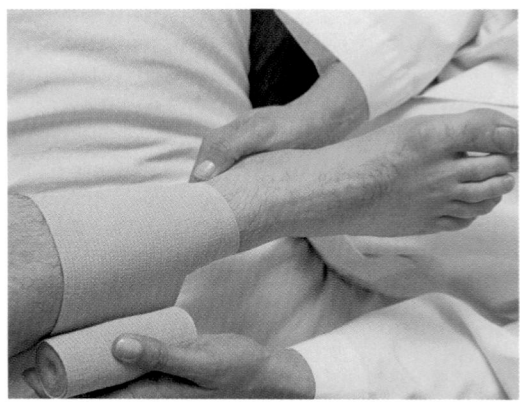

FIGURE **40-22** ■ Exécution de tours spiralés.

Bandage spiralé

- Faire deux tours circulaires afin d'ancrer le bandage.
- Faire des tours spiralés en inclinant la bande selon un angle de 30°, tout en veillant à ce que la bande chevauche la couche précédente sur les deux tiers (figure 40-22 ■).
- Terminer le bandage à l'aide de deux tours circulaires et fixer l'extrémité de la bande à l'aide d'une agrafe dans une région où la peau est intacte.

Bandage spiralé renversé

- Faire deux tours circulaires afin d'ancrer la bande et la diriger vers le haut selon un angle de 30°.
- Poser le pouce de la main libre sur le bord supérieur de la bande en place (figure 40-23 ■, *A*). Le pouce retiendra la bande alors qu'on l'enroulera sur elle-même.
- Dérouler la bande sur une longueur d'environ 15 cm, puis mettre la main en pronation, de façon à ce que la bande se replie sur elle-même (figure 40-23 ■, *B*).
- Continuer à bander la partie du corps en veillant à ce que la bande chevauche la couche précédente sur les deux tiers. À chaque tour, il faut aligner la bande sur la couche précédente pour que le bandage soit bien en place (figure 40-23 ■, *C*).

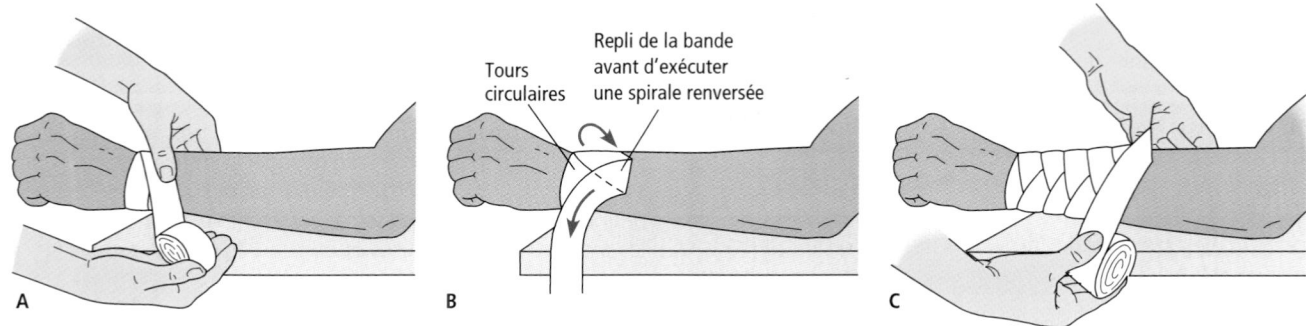

FIGURE **40-23** ■ Exécution d'un bandage spiralé renversé.

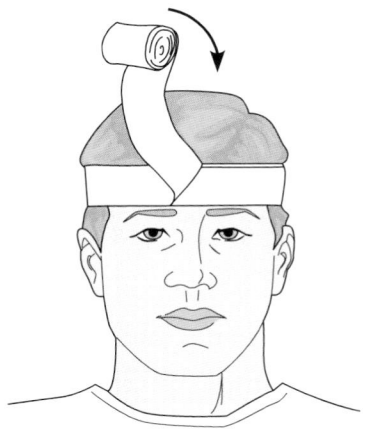

FIGURE **40-24** ■ Début d'un bandage récurrent.

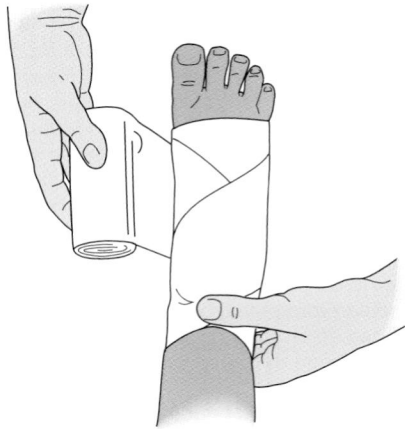

FIGURE **40-26** ■ Exécution d'un bandage en huit.

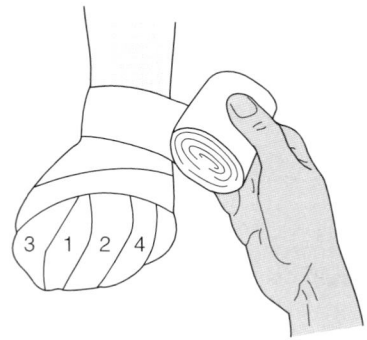

FIGURE **40-25** ■ Achèvement d'un bandage récurrent.

- Terminer le bandage par deux tours circulaires et fixer l'extrémité de la bande à l'aide d'une agrafe dans une région où la peau est intacte.

Bandage récurrent

- Faire deux tours circulaires afin d'ancrer le bandage.
- Replier la bande sur elle-même et la centrer sur l'extrémité distale de la partie du corps à panser (figure 40-24 ■).
- En la saisissant de l'autre main, ramener la bande vers l'extrémité qui se trouve à droite du pansement médian, en veillant

à ce que la bande chevauche la couche précédente sur les deux tiers.

- Ramener la bande vers la gauche en lui faisant chevaucher la couche précédente sur les deux tiers.
- Continuer ainsi, en alternant de gauche à droite, jusqu'à ce que toute la partie du corps soit bandée, en veillant toujours à ce que la bande chevauche la couche précédente sur les deux tiers.
- Terminer le bandage à l'aide de deux tours circulaires (figure 40-25 ■) et le fixer correctement.

Bandage en huit

- Faire deux tours circulaires afin d'ancrer le bandage.
- Amener la bande sur l'articulation, puis exécuter des tours obliques, en alternance au-dessus et en dessous de l'articulation, de manière à former un huit (figure 40-26 ■).
- Continuer ainsi en veillant toujours à ce que la bande chevauche la couche précédente sur les deux tiers.
- Terminer le bandage au-dessus de l'articulation à l'aide de deux tours circulaires et le fixer correctement.

BANDES SPÉCIALES. Certaines bandes sont conçues expressément pour soutenir une région particulière du corps (par exemple, l'abdomen ou le torse).

Écharpe

L'écharpe est un bandage triangulaire qui soutient le bras.

- Demander à la personne de fléchir le coude selon un angle de 80° ou moins, en fonction du but visé. Elle doit tourner son pouce vers le haut ou vers son corps. *Un angle de 80° suffit à soutenir l'avant-bras, à prévenir l'inflammation de la main et à soulager la pression exercée sur l'articulation de l'épaule (ce qui convient par exemple pour soutenir le bras d'une personne paralysée à la suite d'un accident vasculaire cérébral et dont l'épaule pourrait se luxer).* On privilégiera un angle plus étroit si la main est enflée (voir ci-dessous comment nouer une écharpe de façon à garder la main le plus haut possible).

- Placer une extrémité du triangle déplié sur l'épaule du côté sain de la personne, de sorte que l'écharpe tombe à plat sur sa poitrine, la pointe du triangle sous le coude du côté blessé.

- Prendre le triangle par l'extrémité supérieure et lui faire faire le tour du cou jusqu'à ce qu'il pende devant l'épaule du côté blessé (figure 40-27 ■, *A*).

- Prendre le triangle par le coin inférieur et le faire passer par-dessus le bras, vers l'épaule du côté blessé. Attacher cette extrémité à l'autre à l'aide d'un nœud plat (voir la figure 36-16) à la hauteur du cou du côté blessé (figure 40-27 ■, *B*). *Un nœud plat ne se dénouera pas. Le fait de nouer l'écharpe sur le côté du cou empêchera toute pression sur les protubérances osseuses de la colonne vertébrale à l'arrière du cou.*

- S'assurer que le poignet est soutenu afin de conserver l'alignement (main, poignet et avant-bras).

- Plier l'écharpe au niveau du coude et la fixer à l'aide d'épingles de sûreté ou de bandes adhésives. On peut replier et attacher l'écharpe sur le devant.

- Retirer l'écharpe régulièrement pour examiner la peau et y déceler des signes d'irritation, en particulier autour du nœud.

Bandes en T

- Choisir une bande appropriée et la placer délicatement sous la personne en alignant la ceinture de la bande sur la taille de la personne.

- Ramener les queues autour de la personne, les faire se chevaucher et les fixer à l'aide du velcro.

- Ramener la queue médiane entre les jambes (figure 40-28 ■, *A*). Les deux queues de la double bande en T sont ramenées de chaque côté du pénis (figure 40-28 ■, *B*). Lorsque des pansements sont en place, prendre garde de ne toucher que l'extérieur des pansements afin de prévenir toute contamination (de la plaie et de soi-même).

- Fixer les attaches à la taille à l'aide du velcro.

Bande abdominale pleine

- Après avoir couché la personne sur le dos, passer la bande délicatement sous elle en alignant la bordure supérieure sur la taille, et la bordure inférieure sur le pli fessier. *Une bande placée au niveau de la taille gêne la respiration ; une bande placée trop bas nuit à l'élimination et à la marche.*

- Mettre en place quelques pansements matelassés sur les crêtes iliaques si la personne est très mince.

- Ramener les extrémités autour de la personne, les faire se chevaucher et les fixer à l'aide du velcro (figure 40-29 ■).

Évaluation

On évalue les objectifs établis au cours de la planification en fonction des résultats escomptés, qu'on détermine au cours de la même étape (voir l'encadré *Diagnostics infirmiers, résultats de soins infirmiers et interventions*). Afin de juger si les résultats recherchés sont atteints, l'infirmière s'appuie sur des données recueillies pendant la prestation des soins (par exemple, l'état de la peau sur les protubérances osseuses et dans la région du périnée, la con-

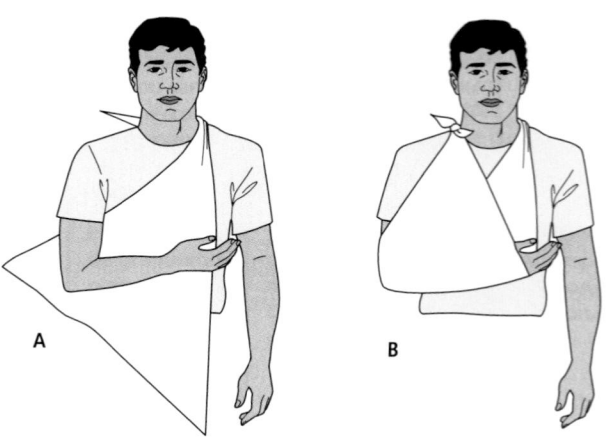

FIGURE **40-27** ■ Grande écharpe pour soutenir un bras.

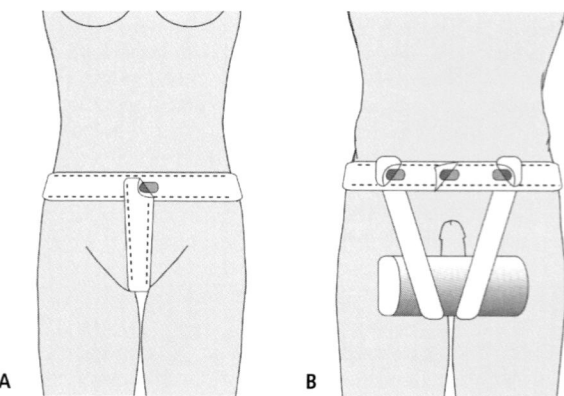

FIGURE **40-28** ■ Bandes en T : simple pour femme (A) ou double pour homme (B).

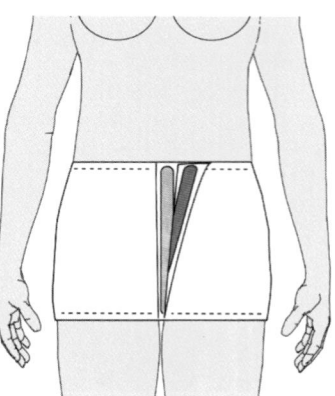

FIGURE **40-29** ■ Bande abdominale pleine.

sommation d'aliments et de liquides, les facultés mentales de la personne, les signes de cicatrisation en présence d'une plaie de pression, etc.). Si les résultats ne sont pas atteints, l'infirmière doit s'interroger sur les raisons de cet échec:

■ La condition physique de la personne a-t-elle changé?

■ Les facteurs de risque ont-ils été correctement déterminés?

■ A-t-on eu recours aux surfaces de soutien et aux techniques indiquées?

■ La personne a-t-elle suivi les indications relatives aux mouvements et aux changements de position? Si ce n'est pas le cas, pourquoi?

■ Si on a eu recours aux surfaces de soutien afin de soulager la tension, s'en est-on servi correctement?

■ A-t-on respecté l'horaire de changements de position?

■ La personne consomme-t-elle suffisamment d'aliments et de liquides?

■ A-t-on prévu des mesures appropriées afin de maîtriser l'incontinence et de protéger la peau?

■ La blessure a-t-elle été soutenue et immobilisée comme il se doit?

■ A-t-on prévu des mesures aseptiques rigoureuses afin de prévenir l'infection pendant le nettoyage des plaies et le changement de pansement?

■ La personne recevait-elle des anti-inflammatoires qui auraient pu ralentir la cicatrisation?

■ A-t-on protégé la plaie à l'aide du pansement indiqué pour lui conserver son humidité ou en absorber l'exsudat, s'il y a lieu?

L'infirmière utilise une grille de suivi pour les plaies afin d'en noter l'évolution et les traitements appropriés (figure 40-30 ■).

LES ÂGES DE LA VIE

Application des bandages et des bandes
ENFANTS
■ Favorisez la participation de l'enfant en lui permettant de prendre les fournitures dans ses mains, d'ouvrir les contenants, de compter les tours du bandage, etc.

■ Lorsqu'un jeune enfant montre de l'appréhension, faites d'abord une démonstration sur une poupée ou un animal en peluche.

■ Invitez l'enfant à décorer son bandage.

■ Enseignez aux proches aidants à appliquer les bandages et les bandes en respectant les règles de sécurité.

PERSONNES ÂGÉES
■ Il faut parfois soutenir les personnes âgées pendant le procédé, en particulier celles qui souffrent d'arthrite, de contractures ou de tremblements.

■ Évitez de gêner la circulation de la personne avec une bande ou un bandage trop ajusté. Examinez fréquemment la peau et les protubérances osseuses pour y déceler tout signe de troubles circulatoires. Le risque de dégradation de la peau s'accroît avec l'âge.

SOINS À DOMICILE

Application des bandages et des bandes
■ Vérifiez si la personne et le proche aidant sont capables de mettre en place un bandage ou une bande et assurez-vous qu'ils désirent s'en charger eux-mêmes.

■ Vérifiez si la personne dispose des fournitures nécessaires et qu'elle sait comment s'en procurer.

■ Recommander à la personne de se procurer deux bandes et de les porter en alternance, ce qui lui en facilite l'entretien et lui permet de toujours en porter une. Il faut laver les bandages et les bandes dans un sac-filet: ils ne s'entortilleront pas, et les bandes velcro et les agrafes ne se prendront pas dans les vêtements.

■ Donnez les consignes suivantes au proche aidant:

a) Bien se laver les mains avant de manipuler les fournitures et de mettre le bandage en place.

b) Signaler toute dégradation de la peau, rougeur, douleur ou pâleur dans la région touchée.

c) Vérifier que la circulation périphérique est adéquate après la mise en place du bandage.

EXERCICES D'INTÉGRATION

M. Saint-Jean, âgé de 74 ans, est traité pour une affection des voies urinaires. Six mois plus tôt, il a subi un accident vasculaire cérébral. Il éprouve maintenant de la difficulté à marcher et à pourvoir à ses besoins en raison d'une faiblesse au côté droit. Alors que l'infirmière examine M. Saint-Jean, elle remarque qu'il est plutôt mince par rapport à sa taille, qu'il souffre d'incontinence urinaire, que son urine dégage une mauvaise odeur et que des rougeurs profondes marquent sa hanche droite et son coccyx. M. Saint-Jean est alerte et sait s'orienter en fonction des personnes, des lieux et du temps, mais son niveau de sensibilité est diminué sur tout le côté droit. Il passe le plus clair de son temps au lit ou assis dans un fauteuil parce qu'il a de la difficulté à marcher.

1. Quelles données laissent penser que le risque de plaies de pression est particulièrement élevé chez M. Saint-Jean?

2. Quelle information supplémentaire l'infirmière doit-elle chercher à obtenir pour évaluer, selon l'échelle de Braden, le risque qu'encourt M. Saint-Jean de présenter des plaies de pression?

3. Quelles interventions l'infirmière peut-elle mettre en œuvre pour protéger M. Saint-Jean d'une dégradation plus avancée de sa peau?

4. Même si aucune dégradation de la peau n'est perceptible, pourquoi est-il important d'amorcer sans tarder un traitement contre les plaies de pression?

Voir l'appendice A: Exercices d'intégration – Pistes de réflexion.

Centre de santé et de services sociaux de Québec-Nord

SUIVI DES PLAIES

IDENTIFICATION DE L'USAGER

SCHÉMA DE LA PLAIE   DATE :

No : _____   Localisation : _____

Initiales / note dossier (✓)							
Date de la visite / Heure							
Dimension	Longueur *(cm)*						
	Largeur *(cm)*						
	Profondeur *(cm)*						
	Sillon/tunnel *(cm)*	⊕	⊕	⊕	⊕	⊕	⊕
Lit de Plaie	N nécrotique *(noire)*						
	I inflammatoire *(jaune)*						
	G granulation *(rouge)*						
Exsudat	Quantité 25–50–75–100%						
	SN sanguin						
	SS séro-sanguin						
	S séreux						
	P purulent						
	O odeur						
Pourtour cutané	I intact / R rosé						
	M macéré / B bleuté						
	IN induré / K kératose						
	Signes inflammatoires						
	Ro rougeur / C chaleur						
	D douleur / O œdème						
	Douleur 0 à 5						
Traitement	**Débridement**						
	Culture de plaie						

Traitement

Nettoyage : _____ Pansement adhésif transparent _____
Hydrocolloïde : _____ Composite _____
Hydratants : • gel aqueux _____ Pansement au charbon _____
          • gel à base de chlorure de Na _____ Tulle imprégnée _____
Absorbants : • alginate _____ Débridant enzymatique _____
          • hydrofibre _____ Onguent _____
          • hypertonique _____ Mèche _____
          • mousses _____ Fréquence _____
                                Autres _____

Modifications : _____

INITIALES	SIGNATURES	INITIALES	SIGNATURES	INITIALES	SIGNATURES

FIGURE **40-30** ■ Suivi des plaies. (Source : *Suivi des plaies*, Service du maintien à domicile du Centre de santé Orléans, 2002, Centre de santé Orléans. Grille utilisée par l'Association des CLSC et des CHSLD du Québec.)

RÉVISION DU CHAPITRE

Concepts clés

- La prévention, l'évaluation et le traitement des plaies sont des activités réservées à l'infirmière. En effet, l'infirmière a la responsabilité de déterminer le plan de traitement lié aux plaies et aux anomalies de la peau et des téguments, et de prodiguer les soins et les traitements qui s'y rattachent.

- Une plaie peut être intentionnelle ou non intentionnelle, fermée ou ouverte, propre, propre et contaminée, contaminée, infectée ou colonisée. On classe également les plaies en fonction de leur profondeur (superficielles ou profondes) ou selon leur type (contusion, abrasion, incision, lacération, plaie pénétrante et plaie perforante).

- Une plaie de pression est une lésion cutanée provoquée par une pression constante qui finit par abîmer les tissus sous-cutanés. Les plaies de pression se forment souvent au niveau des protubérances osseuses.

- En plus de la pression, deux autres facteurs peuvent être à l'origine des plaies : la force de friction et la force de cisaillement.

- Plusieurs facteurs accroissent le risque des plaies de pression, notamment l'immobilité, l'inactivité, la dénutrition, l'incontinence urinaire et fécale, la diminution des facultés mentales, l'altération des facultés sensorielles, une chaleur corporelle excessive et l'âge.

- La formation d'une plaie de pression s'étale sur quatre stades, basés sur le degré de détérioration des tissus.

- On distingue principalement deux types de cicatrisation selon la quantité de tissu perdu : la cicatrisation par première intention et la cicatrisation par deuxième intention.

- La cicatrisation d'une plaie suit quatre phases : l'hémostase, l'inflammation, la prolifération et la maturation.

- Il existe trois principaux types d'exsudat : séreux, purulent et sanguinolent. Les combinaisons d'exsudats sont possibles (par exemple, un exsudat sérosanguinolent). La suppuration désigne la production et l'écoulement de pus.

- Les principales complications de la cicatrisation d'une plaie sont l'hémorragie, l'infection, la déhiscence et l'éviscération, qui sont toutes identifiables par des signes et des symptômes cliniques précis.

- Parmi les facteurs qui ont une incidence sur la cicatrisation des plaies, on trouve le stade de développement, le régime alimentaire, les habitudes de vie, la prise de médicaments et la présence d'une infection.

- Plusieurs outils d'évaluation permettent de déterminer les personnes qui risquent fort de présenter des plaies de pression, notamment des échelles de pointage utilisées pour quantifier le risque.

- L'infirmière doit procéder à un examen méticuleux des plaies de pression chez les personnes à risque dans le contexte de son évaluation courante.

- L'infirmière observe et décrit une plaie de pression selon le siège, la taille, la profondeur, le stade de développe-ment, la couleur, l'état des lèvres et de la peau qui l'entoure, et les signes d'infection, s'il y a lieu.

- L'examen des plaies s'inscrit dans le processus d'évaluation du progrès de la cicatrisation. L'infirmière juge les plaies à partir de leur examen visuel, de leur palpation et de l'odeur qui s'en dégage. Elle fonde son évaluation sur des données telles que l'apparence, l'écoulement, l'enflure, la douleur et la présence de mèches.

- Parmi les examens paracliniques sur lesquels on peut s'appuyer pour évaluer le progrès de la cicatrisation d'une plaie, on compte le taux de leucocytes, le taux d'hémoglobine, les études sur la coagulation du sang, l'analyse des protéines sériques et les cultures. Il revient habituellement à l'infirmière de prélever des échantillons d'écoulement pour en faire une culture.

- Les diagnostics infirmiers de NANDA (*Risque d'atteinte à l'intégrité de la peau*, *Atteinte à l'intégrité de la peau* et *Atteinte à l'intégrité des tissus*) visent autant les personnes qui ont effectivement des plaies que celles qui sont susceptibles d'en souffrir.

- D'autres diagnostics infirmiers peuvent s'appliquer aux personnes souffrant de plaies, soit *Risque d'infection* et *Douleur*.

- En présence d'une personne susceptible de souffrir de plaies de pression, il importe de veiller à l'intégrité de sa peau et d'écarter les risques potentiels.

- Dans le contexte des interventions infirmières destinées à prévenir les plaies de pression chez une personne, il faut constamment évaluer les facteurs de risque et vérifier l'état de sa peau, lui donner les soins nécessaires à l'intégrité de sa peau, s'assurer qu'elle s'alimente comme il se doit, lui fournir des surfaces de soutien et lui donner un enseignement adéquat.

- Le traitement des plaies de pression varie selon le stade de formation de ces dernières et selon le protocole de l'établissement.

- Diverses mesures font partie du traitement des plaies : le nettoyage de la plaie, le changement de pansement, l'irrigation de la plaie, l'application de chaleur ou de froid et la mise en place de bandages ou de bandes.

- On peut utiliser différents types de pansements afin de protéger les plaies, d'absorber l'exsudat ou de conserver l'humidité de la plaie.

- Des pansements synthétiques sont prévus pour panser certains types de plaies. Ainsi, on trouve des pansements de pellicule adhésive transparente, des pansements non adhérents imbibés d'une solution, des pansements hydro-colloïdes, des pansements d'hydrogel, des pansements de mousse de polyuréthane et des absorbeurs d'exsudat. L'infirmière doit connaître la raison d'être de chacun des pansements et les indications relatives à leur usage.

- Le type de pansement à employer repose sur plusieurs facteurs, notamment le siège de la plaie, la quantité

RÉVISION DU CHAPITRE (SUITE)

Concepts clés (suite)

d'exsudat qui s'en écoule, le fait qu'un débridement de la plaie s'impose ou non, la présence d'une infection ou de sinus ; il s'appuie aussi sur des considérations telles que la fréquence de changement du pansement, le degré de difficulté du changement de pansement et le coût de ce dernier.

■ L'infirmière peut se reporter au code de couleurs RJN, qui se fonde sur la couleur d'une plaie ouverte (rouge, jaune ou noire). Selon cette échelle, les soins visent soit à protéger une plaie rouge, soit à nettoyer une plaie jaune, soit à débrider une plaie noire.

■ La chaleur et le froid produisent des réactions physiologiques, locales et systémiques, qui ont des effets thérapeutiques.

■ Le seuil de tolérance à la chaleur et au froid varie selon la région du corps, la superficie de la région exposée, l'âge et l'état de santé, la durée de l'exposition et l'intégrité de la peau. Lorsqu'on procède à l'application de chaleur ou de froid, il faut prendre des précautions propres à certains états pathologiques (par exemple, les troubles circulatoires ou la déficience neurosensorielle).

■ L'infirmière qui procède à une application de chaleur ou de froid et la personne qui la reçoit doivent toutes deux comprendre les incidences de l'adaptation des récepteurs thermiques et le phénomène de rebond.

Questions de révision

40-1. Une personne a un score de 17 sur l'échelle de Braden. En quoi devrait consister l'intervention infirmière auprès de cette personne ?
   a) L'examiner de nouveau dans 24 heures, ce score se trouvant dans les limites de la normale.
   b) Établir un horaire de changement de position, car cette personne court le risque de voir sa peau se dégrader.
   c) Mettre en place un pansement à film transparent aux endroits où s'exerce une pression, car cette personne court un risque moyen de voir sa peau se dégrader.
   d) Remplir une demande en vue de transférer la personne dans un lit à air fluidisé, car sa peau risque fort de se dégrader.

40-2. Parmi les techniques suivantes, lesquelles sont indiquées pour une culture de la plaie ?
   a) Le nettoyage de la plaie avant le prélèvement d'un échantillon.
   b) Le prélèvement d'un échantillon à l'aide d'un écouvillon à l'emplacement de la principale source d'écoulement.
   c) L'enlèvement des croûtes à l'aide d'une pince stérile afin de procéder à une culture des tissus sous-jacents.
   d) L'administration d'antibiotiques huit heures avant le prélèvement de l'échantillon.

40-3. Une personne souffre d'une plaie de pression qui comporte une zone d'érosion dépourvue de tissu nécrotique. Quel type de pansement est indiqué pour traiter cette plaie ?
   a) Un pansement de fibres d'alginate.
   b) Une compresse sèche.
   c) Un pansement hydrocolloïde.
   d) Aucun.

40-4. Une personne a un coussin chauffant depuis 30 minutes. L'infirmière veut le retirer, mais la personne lui demande de le laisser en place. Que doit expliquer l'infirmière à cette personne ?
   a) L'application de la chaleur pendant plus de 30 minutes risque d'entraîner un effet contraire (la constriction) à l'effet recherché (la dilatation).
   b) Laisser le coussin chauffant en place est possible à condition de réduire la température dans une fourchette de 40,6 à 46 °C.
   c) Laisser le coussin en place pendant encore 30 minutes sera bénéfique, puisque l'examen de la plaie montre un état qui semble satisfaisant.
   d) Laisser le coussin en place est correct dans la mesure où il dégage une chaleur humide.

40-5. Lequel des énoncés suivants, prononcé par une personne ou un membre de sa famille, indique qu'elle a besoin d'un enseignement supplémentaire ?
   a) Si une rougeur ne disparaît pas peu après un changement de position, il faut le signaler à l'infirmière.
   b) Placer une peau de mouton sous les talons ou sous une protubérance osseuse devrait réduire la pression sur cette région.
   c) Si quelqu'un ne peut se retourner seul dans son lit, il faut l'aider à changer de position toutes les quatre heures.
   d) On ne doit laver la peau qu'à l'eau tempérée, pas à l'eau chaude, et on doit enduire la peau humide d'une lotion hydratante.

Voir l'appendice B : Réponses aux questions de révision.

BIBLIOGRAPHIE

En anglais

Anthony, D. (1987). Norton revises risk scores. *Nursing Times, 83,* 6.

Antle, D., & Leafgreen, P. (2001). Reducing the incidence of pressure ulcer development in the ICU. *American Journal of Nursing, 101*(5), 24EE–24II.

Ayello, E. A., & Braden, B. (2001). Why is pressure ulcer risk assessment so important? *Nursing, 31*(11), 74–79.

Bergquist, S., & Frantz, R. (1999). Pressure ulcers in community-based older adults receiving home health care: Prevalence, incidence and associated risk factors. *Advances in Wound Care, 12,* 339–351.

Bergstrom, N., Allman, R. M., Alvarez, A. M., Bennett, M. A., Carlson, C. E., Frantz, R. A., et al. (1994). *Pressure Ulcer Treatment: Clinical Practice Guideline Number 15. Quick Reference Guide for Clinicians* (Publication No. 95-0653). Rockville, MD: Agency for Health Care Policy and Research, Public Health Service, U.S. Department of Health and Human Services.

Berlowitz, D. R., Bezerra, H. Q., Brandeis, G. H., Kader, B., & Anderson, J. J. (2000). Are we improving the quality of nursing home care? The case of pressure ulcers. *Journal of the American Geriatrics Society, 48,* 59–62.

Berlowitz, D. R., Brandeis, G. H., Anderson, J. J., Ash, A. S., Kader, B., Morris, J. N., et al. (2001). Evaluation of a risk-adjustment model for pressure ulcer development using the minimum data set. *Journal of the American Geriatrics Society, 49,* 872–876.

Berlowitz, D. R., Brandeis, G. H., Morris, J. N., Ash, A. S., Anderson, J. J., Kader, B., et al. (2001). Deriving a risk-adjustment model for pressure ulcer development using the minimum data set. *Journal of the American Geriatrics Society, 49,* 866–871.

Boykin, J. V. (2002). How hyperbaric oxygen therapy helps heal chronic wounds. *Nursing, 32*(6), 24.

Bryant, R. A. (Ed). (2000). *Acute and chronic wounds: Nursing management* (2nd ed.). St. Louis, MO: Mosby.

Butcher, M. (2002). Wound care: Managing wound sinuses. *Nursing Times, 98*(2), 63–65.

Cuddigan, J., Berlowitz, D. R., & Ayello, E. A. (2001). Pressure ulcers in America: Prevalence, incidence, and implications for the future. *Advances in Skin and Wound Care, 14,* 208–214.

Cullum, N., Deeks, J., Sheldon, T. A., Song, F., & Fletcher, A. W. (2001). Beds, mattresses and cushions for pressure sore prevention and treatment (Cochrane Review). *The Cochrane Library, Issue 4,* Oxford: Update Software.

de Graaff, J. C., Ubbink, D., Lagarde, S. M., & Jacobs, M. J. (2002). The feasibility and reliability of capillary blood pressure measurements in the fingernail fold. *Microvascular Research, 63,* 270–278.

Dolynchuk, K., Keast, D., Campbell, K., Houghton, P., Orsted, H., Sibbald, G., et al. (2000). Best practices for the prevention and treatment of pressure ulcers. *Ostomy Wound Management, 46*(11), 38–52.

Hawkins-Bradley, B. (2002). After the fall: The nuts and bolts of wound repair. *Advance for Providers of Post-Acute Care, 5*(1), 48–50.

Hess, C. T. (2000). *Nurse's clinical guide to wound care* (3rd ed.). Springhouse, PA: Springhouse.

Inman, K. J., Dymock, K., Fysh, N., Robbins, B., Rutledge, F. S., & Sibbald, W. J. (1999). Pressure ulcer prevention: A randomized controlled trial of 2 risk-directed strategies for patient surface assignment. *Advances in Wound Care, 12,* 72–80.

Johnson, M., Maas, M., & Moorhead, S. (Eds.). (2000). *Nursing outcomes classification (NOC)* (2nd ed.). St. Louis, MO: Mosby.

Jordan, R. (2001). Supporting healing. *Advance for Providers of Post-Acute Care, 4*(5), 74–75, 77.

King, M. E., & Kinney, A. Y. (2001). A sticky solution to wound repair. *Nursing, 31*(3), 52–53.

Kloth, W. C., Berman, J. E., Nett, M., Papanek, P. E., & Dumit-Minkel, S. (2002). A randomized controlled clinical trial to evaluate the effects of noncontact normothermic wound therapy on chronic full-thickness pressure ulcers. *Advances in Skin & Wound Care, 15,* 270–276.

Krasner, D. (1999). The AHCPR pressure ulcer infection control recommendations revisited. *Ostomy Wound Management, 45*(1A Suppl), 88s–91s.

Krasner, D. L., Rodeheaver, G. T., & Sibbald, R. G. (Eds.). (2001). *Chronic wound care: A clinical source book for healthcare professionals* (3rd ed.). Wayne, PA: HMP Communications.

Maklebust, J., & Sieggreen, M. (2001). *Pressure ulcers: Guidelines for prevention and nursing management* (3rd ed.). Springhouse, PA: Springhouse.

McCloskey, J. C., & Bulechek, G. M. (Eds.). (2000). *Nursing interventions classification (NIC)* (3rd ed.). St. Louis, MO: Mosby.

McConnell, E. A. (1998). Clinical do's and don'ts: Applying cold treatment. *Nursing, 28*(6), 26.

Mendez-Eastman, S. (2002). Negative-pressure wound therapy. *Nursing, 32*(5), 58–63.

Morison, M. J. (Ed.). (2001). *The prevention and treatment of pressure ulcers.* St. Louis, MO: Mosby.

NANDA International. (2003). *Nursing diagnoses: Definitions and classification 2003-2004.* Philadelphia: Author.

National Pressure Ulcer Advisory Panel. (2001). *Pressure ulcer prevention: RN competency-cased curriculum.* Reston, VA: Author.

National Pressure Ulcer Advisory Panel. (2002). PUSH Tool. Retrieved May 27, 2003, from http://www.npuap.org/pushins.htm

Norton, D., McLaren, R., & Exton-Smith, A. N. (1975). *An investigation of geriatric nursing problems in hospital.* Edinburgh, UK: Churchill Livingstone.

Ovington, L. (2001). Wound care products: How to choose. *Home Healthcare Nurse, 19,* 224–232, 240.

Ovington, L. G. (2001a). Battling bacteria in wound care. *Home Healthcare Nurse, 19,* 622–631.

Ovington, L. G. (2001b). Hanging wet-to-dry dressings out to dry. *Home Healthcare Nurse, 19,* 477–484.

Panel for the Prediction and Prevention of Pressure Ulcers in Adults. (1992a). *Clinical practice guideline, pressure ulcers in adults: Prediction and prevention* (Publication No. 92-0047). Rockville, MD: Agency for Health Care Policy and Research, Public Health Service, U.S. Department of Health and Human Services.

Panel for the Prediction and Prevention of Pressure Ulcers in Adults. (1992b). *Pressure ulcers in adults: Prediction and prevention. Quick reference guide for clinicians* (AHCPR Publication No. 92-0050). Rockville, MD: Agency for Health Care Policy and Research, Public Health Service, U.S. Department of Health and Human Services.

Pieper, B., Sugrue, M., Weiland, M., Sprague, K., & Heiman, C. (1998). Risk factors, prevention methods, and wound care for patients with pressure ulcers. *Clinical Nurse Specialist, 12*(1), 7–14.

Pieper, B., Templin, T. N., Dobal, M., & Jacox, A. (1999). Wound prevalence, types, and treatments in home care. *Advances in Wound Care, 12,* 117–126.

Rudolph, D. (2002). Why won't this wound heal? *American Journal of Nursing, 102*(2), Critical Care Extra: 24DD–HH.

Schultz, A., Bien, M., Dumond, K., Brown, K., & Meyers, A. (1999). Etiology and incidence of pressure ulcers in surgical patients. *AORN Journal, 70,* 434, 437–440, 443–444. 446–448.

Singhal, A., Reis, E. D., & Kerstein, M. D. (2001). Options for nonsurgical debridement of necrotic wounds. *Advances in Skin and Wound Care, 14,* 96–103.

Sprigle, S., Linden, M., McKenna, D., Davis, K., & Riordan, B. (2001). Clinical skin temperature measurement to predict incipient pressure ulcers. *Advances in Skin and Wound Care 14,* 133–137.

Stotts, N. A. (1999). Risk of pressure ulcer development in surgical patients: A review of the literature. *Advances in Wound Care, 12,* 127–136.

Sussman, C., & Bates-Jensen, B. M. (2001). *Wound care: A collaborative practice manual for physical therapists and nurses* (2nd ed.). Gaithersburg, MD: Aspen.

U.S. Department of Health and Human Services (2000). *Healthy people 2010: Understanding and improving health* (2nd ed.). Washington, DC: U.S. Government Printing Office.

Van Rijswijk, L., & Braden, B. J. (1999). Pressure ulcer patient and wound assessment:

BIBLIOGRAPHIE (SUITE)

An AHCPR clinical practice guideline update. *Ostomy Wound Management, 45*(1A suppl), 56–68.

Whittington, K., Patrick, M., & Roberts, J. L. (2000). A national study of pressure ulcer prevalence and incidence in acute care hospitals. *Journal of Wound Ostomy Continence Nursing, 27,* 209–215.

Williams, D. F., Stotts, N. A., & Nelson, K. (2000). Patients with existing pressure ulcers admitted to acute care. *Journal of Wound Ostomy Continence Nursing, 27,* 216–226.

WOCN. (2000). *Wound clinical pathway framework* (Report No. 445–37). Laguna Beach, CA : Wound Ostomy and Continence Nurses Society.

En français

Carpenito, L. J. (2003). *Manuel de diagnostics infirmiers*, traduction de la 9e édition, Saint-Laurent : Éditions du Renouveau Pédagogique.

Johnson, M. et Maas, M. (dir.). (1999). *Classification des résultats de soins infirmiers CRSI/NOC*, Paris : Masson.Lenfant, N.

et Trocmé, N. (2000). *Les pansements*, Paris : Maloine.

McCloskey, J. C. et Bulechek, G. M. (dir.). (2000). *Classification des interventions de soins infirmiers CISI/NIC*, 2e éd., Paris : Masson.

Meaume, S. (2003). Fiche plaies et pansements. 3, Les hydrocellulaires et pansements absorbants, *Soins, 677,* 25-26.

Meaume, S. (2004). Plaies et pansements. 8, Clinique : l'ulcère de jambe, *Soins, 687,* 26-28.

Moulin, Y. (2002a). Le soin des plaies (1re partie) : Comprendre le processus de cicatrisation, *L'Infirmière du Québec, 9*(1), 37-40.

Moulin, Y. (2002b). Le soin des plaies (2e partie) : Survol des classifications des plaies, *L'Infirmière du Québec, 9*(2), 53-56.

Moulin, Y. (2002c). Le soin des plaies (3e partie) : Les facteurs nuisibles à la cicatrisation, *L'Infirmière du Québec, 9*(3), 33-36.

Moulin, Y. (2002d). Le soin des plaies (4e partie) : Cicatrisation anormale et compli-

cations cutanées, *L'Infirmière du Québec, 9*(4), 33-36.

Moulin, Y. (2002e). Le soin des plaies (5e partie) : Les pansements, *L'Infirmière du Québec, 9*(5), 37-40.

Moulin, Y. (2002f). Le soin des plaies (6e partie) : Les pansements bioactifs, *L'Infirmière du Québec, 9*(6), 33-36.

NANDA International. (2004). *Diagnostics infirmiers : Définitions et classification 2003-2004*, Paris : Masson.

Ordre des infirmières et infirmiers du Québec (OIIQ). (avril 2003). *Guide d'application de la nouvelle* Loi sur les infirmières et les infirmiers *et de la* Loi modifiant le Code des professions et d'autres dispositions législatives dans le domaine de la santé, Montréal, OIIQ.

RESSOURCES ET SITES WEB

Roy, P.-M. *Les plaies de pression*, <http://www3.sympatico.ca/pm.roy/accueil.htm>.

Après avoir étudié ce chapitre, vous pourrez :

- Décrire les trois parties de la période périopératoire : période préopératoire, période peropératoire et période postopératoire.

- Discuter de divers types de chirurgies en fonction de l'urgence, du risque et du but de l'intervention.

- Distinguer les aspects essentiels de l'évaluation préopératoire.

- Donner des exemples de diagnostics infirmiers appropriés pour les candidats à une intervention chirurgicale.

- Délimiter les responsabilités infirmières reliées à la planification des soins infirmiers périopératoires.

- Décrire l'enseignement préopératoire essentiel, comme la maîtrise de la douleur, les changements de position, les exercices pour les jambes ainsi que les exercices de toux et de respiration profonde.

- Décrire les principaux aspects de la préparation d'une personne à la chirurgie, y compris la préparation de la peau.

- Comparer divers types d'anesthésie.

- Distinguer les évaluations et les interventions infirmières essentielles à faire durant la phase postanesthésique immédiate.

- Faire la démonstration des évaluations et des interventions infirmières à faire en période postopératoire.

- Nommer les problèmes postopératoires possibles et les interventions infirmières visant à les prévenir.

- Décrire les aspects essentiels de l'aspiration gastrique.

- Décrire les soins appropriés à apporter aux plaies chirurgicales.

- Évaluer l'efficacité des interventions en soins périopératoires.

PARTIE 9
Composantes essentielles des soins cliniques

CHAPITRE 41

SOINS PÉRIOPÉRATOIRES

Adaptation française :
Sophie Longpré, inf., M.Sc.
Professeure, Département des sciences infirmières
Université du Québec à Trois-Rivières

L a chirurgie constitue une expérience unique de modification planifiée à l'intégrité physique. Elle comporte trois périodes : préopératoire, peropératoire et postopératoire. Considérées comme un continuum, celles-ci constituent la **période périopératoire**.

La **période préopératoire** débute lorsque la décision de pratiquer une intervention chirurgicale est prise et elle se termine lorsque la personne est transférée sur la table d'opération. Les activités infirmières associées à cette période comprennent la collecte des données concernant la personne, la détermination des problèmes de santé actuels et potentiels de cette dernière, l'élaboration d'un plan de soins et de traitements infirmiers adapté à ses besoins et l'enseignement préopératoire qu'il faut donner à la personne et à ses proches.

La **période peropératoire** débute lorsque la personne est transférée sur la table d'opération et elle se termine lorsque la personne est admise au service de soins postanesthésiques, qu'on appelle communément **salle de réveil** (ou **salle postanesthésique**).

Les activités infirmières reliées à cette période comprennent une variété de procédés spécialisés conçus pour créer et maintenir un environnement thérapeutique sûr tant pour la personne que pour le personnel soignant.

La **période postopératoire** débute lorsque la personne est admise à la salle de réveil et elle se termine avec le retour à la santé. Durant la période postopératoire, les activités infirmières sont les suivantes : évaluer les réactions physiologiques et psychologiques de la personne à l'intervention chirurgicale, exécuter des interventions visant à faciliter la guérison et à prévenir les complications, donner un enseignement et un soutien à la personne et à ses proches, élaborer un plan de soins et de traitements à domicile. Au cours de cette période, le but est d'aider la personne à atteindre un état de santé optimal.

Beaucoup d'interventions chirurgicales sont pratiquées sans hospitalisation dans un **centre de chirurgie ambulatoire** ; on parle alors de « chirurgies d'un jour ». La personne se présente sur rendez-vous au centre de chirurgie ambulatoire ou au centre hospitalier, elle est opérée et reçoit son congé le même jour. Dans cette situation, la période périopératoire est écourtée. La collecte des données, l'enseignement et le suivi effectués par l'infirmière ont une importance vitale pour assurer le rétablissement de la personne opérée.

Types de chirurgies

On classe habituellement les interventions chirurgicales selon (a) le but, (b) l'urgence et (c) le degré de risque.

But

Les interventions chirurgicales peuvent se catégoriser selon le but (voir l'encadré 41-1).

Urgence

Les interventions chirurgicales sont classées selon l'urgence et la nécessité de préserver la vie, une partie du corps ou une fonction du corps. On a recours sans délai à la **chirurgie urgente** pour préserver une fonction ou la vie de la personne. Les chirurgies faites dans le but de maîtriser une hémorragie interne ou de réparer une fracture sont des exemples d'interventions chirurgicales urgentes. La **chirurgie non urgente (élective)** est un traitement choisi par le médecin pour soigner une affection qui ne met pas, du moins à brève échéance, la vie de la personne en danger ou pour améliorer le bien-être et la qualité de vie de la personne.

La cholécystectomie pratiquée dans le cas d'une affection chronique de la vésicule biliaire, le remplacement de la hanche et les interventions chirurgicales esthétiques, comme la réduction mammaire, sont des exemples de chirurgies électives.

Degré de risque

L'intervention chirurgicale est qualifiée de majeure ou de mineure en fonction du risque qu'elle représente pour la personne. Une **chirurgie majeure** comporte de grands risques pour une foule de raisons : elle peut se compliquer ou se prolonger, des pertes de sang importantes peuvent se produire, les organes vitaux peuvent être touchés et des complications postopératoires peuvent toujours survenir. Les greffes d'organes, les chirurgies cardiaques et l'ablation d'un rein sont des exemples de chirurgies majeures. Au contraire, la **chirurgie mineure** comporte habituellement peu de risques, entraîne peu ou pas de complications et s'effectue souvent dans le contexte d'une chirurgie d'un jour. La biopsie du sein, l'amygdalectomie et une chirurgie du genou sont des exemples de chirurgies mineures.

L'âge, l'état de santé général, l'état nutritionnel, l'état mental de la personne ainsi que l'usage de médicaments ont une incidence sur le risque que comporte une intervention chirurgicale.

Buts des interventions chirurgicales

CATÉGORIE	EXPLICATION
Exploratoire	Confirmer ou établir un diagnostic; par exemple, la biopsie d'une masse au sein.
Palliative	Soulager la douleur, réduire les symptômes d'une affection; intervention non curative; par exemple, la résection partielle d'une masse pour diminuer la compression qu'elle occasione.
Ablative	Retirer une partie atteinte du corps; par exemple, l'ablation de la vésicule biliaire (cholécystectomie).
Reconstructive	Rétablir une fonction ou une apparence perdue ou amoindrie; par exemple, un implant mammaire.
De remplacement	Remplacer une structure dysfonctionnelle; par exemple, le remplacement d'une hanche.
Esthétique	Améliorer l'aspect de certaines parties du corps; par exemple, la rhinoplastie (reconstruction partielle ou complète du nez).

ÂGE

La chirurgie comporte de plus grands risques pour les nourrissons et les personnes âgées que pour les adultes et les enfants.

L'âge et le stade de développement de l'enfant influent sur sa capacité à gérer le stress physiologique et psychologique lié à une intervention chirurgicale. La réponse physiologique d'un nourrisson à une telle intervention diffère considérablement de celle d'un adulte. De plus, un nourrisson a un volume de sang moindre et ses réserves de liquide sont limitées, ce qui augmente le risque d'une diminution du volume de sang durant l'opération et peut ainsi entraîner une déficience de l'oxygénation des tissus corporels. Par ailleurs, à cause de la surface relativement étendue de son corps et de l'immaturité de son mécanisme de régulation de la température corporelle, le nourrisson court davantage le risque qu'une hypothermie se produise durant l'opération. Enfin, certains organes, comme les reins et le foie, ainsi que le système immunitaire n'ont pas encore atteint la maturité chez le nourrisson, ce qui influe sur ses capacités de métaboliser ou d'éliminer les médicaments et de résister aux infections.

Les trottineurs et les enfants un peu plus âgés supportent mieux la chirurgie sur le plan physiologique que les nourrissons, mais il leur arrive souvent d'éprouver diverses peurs: être séparés de leurs parents, subir des événements pénibles (par exemple, les «piqûres»), ne pas se réveiller après l'opération ou se réveiller pendant la chirurgie et avoir mal. Le stade de développement de l'enfant, sa relation avec ses parents, la capacité de ces derniers à gérer la situation, l'enseignement préopératoire et le soutien qu'on donne à l'enfant sont tous des facteurs qui auront un effet sur ses peurs et sur le degré d'anxiété qu'il pourrait ressentir.

La personne âgée a souvent moins de réserves physiologiques pour faire face à la demande accrue que la chirurgie exige. Elle a souvent un plus faible pourcentage d'eau dans l'organisme, une fonction rénale diminuée et une sensation réduite de la soif, ce qui la rend plus vulnérable aux déséquilibres électrolytiques et à la déshydratation. Beaucoup de personnes âgées présentent des altérations de la fonction rénale et de la fonction hépatique, ce qui perturbe leurs réactions à la chirurgie et à la médication en période périopératoire. La personne âgée peut souffrir de dénutrition, ce qui retarde la guérison. Une baisse d'acuité sensorielle (en particulier, l'ouïe) ou un déclin des facultés mentales (démence) rendent plus difficiles la compréhension des directives et l'apprentissage. De plus, il est fréquent que les personnes âgées soient atteintes d'une affection chronique (par exemple, affection cardiovasculaire, bronchopneumopathie chronique obstructive ou diabète), ce qui perturbe la guérison et la réaction aux médicaments ou à la chirurgie.

SANTÉ GÉNÉRALE

La chirurgie comporte un risque moins élevé lorsque la personne est en bonne santé. Cependant, toute infection ou affection physiologique augmente le degré de risque lié à l'intervention. Les infections des voies respiratoires supérieures sont particulièrement à redouter, car l'anesthésie générale peut alors avoir un effet indésirable sur la fonction respiratoire. Lorsqu'il y a un risque élevé d'infection, l'administration d'antibiotiques sera faite par voie parentérale dans l'heure qui précède la chirurgie et elle se poursuivra pendant 24 à 72 heures. Cette pratique laisse le temps aux médicaments d'atteindre une concentration thérapeutique suffisante dans les tissus, tout en évitant le développement de la résistance bactérienne. Les problèmes de santé courants qui augmentent le risque chirurgical et peuvent mener au report ou à l'annulation de la chirurgie sont énumérés à l'encadré 41-2.

ÉTAT NUTRITIONNEL

La réparation normale des tissus requiert une alimentation suffisante. Après une chirurgie, l'organisme a des besoins en nutriments accrus afin d'assurer la guérison des tissus et de prévenir l'infection durant la période postopératoire. L'obésité et la dénutrition accroissent le risque chirurgical.

L'obésité est en partie responsable de certaines complications postopératoires (par exemple, pneumonie, infections et désunion de la plaie). Les personnes maigres, tout comme les personnes obèses, sont plus susceptibles de souffrir de plaies de pression liées au positionnement requis par la chirurgie. L'infirmière en soins périopératoires veillera à fournir des coussinets et à utiliser d'autres mesures destinées à réduire la pression qui s'exerce sur certaines parties du corps pendant la chirurgie.

Problèmes de santé qui accroissent le risque chirurgical

La *malnutrition* retarde la cicatrisation des plaies, en favorise l'infection et réduit l'énergie de la personne. Un apport protéinique et vitaminique est nécessaire à la cicatrisation des plaies; la vitamine K est essentielle à la coagulation du sang.

L'*obésité* favorise l'hypertension, perturbe la fonction cardiaque et la fonction respiratoire. Chez les obèses, la cicatrisation des plaies est plus lente et les infections sont plus fréquentes parce que les tissus adipeux entravent la circulation sanguine et, par conséquent, le transport des nutriments, des anticorps et des enzymes nécessaires à la cicatrisation.

Les *affections cardiaques,* comme l'angine de poitrine, un infarctus du myocarde récent, l'hypertension et l'insuffisance cardiaque, affaiblissent le cœur. Cependant, les affections cardiaques bien contrôlées ne représentent généralement qu'un faible risque opératoire.

Les *problèmes de coagulation sanguine* sont susceptibles de provoquer des saignements importants, des hémorragies et un état de choc hypovolémique.

Les *infections des voies respiratoires supérieures* ou les *bronchopneumopathies chroniques obstructives* (BPCO), comme l'emphysème, gênent la fonction respiratoire, et cette perturbation est amplifiée au cours d'une anesthésie générale. De plus, ces affections rendent la personne opérée plus vulnérable aux infections pulmonaires postopératoires.

Les *affections rénales* perturbent le mécanisme de régulation des liquides organiques, des électrolytes et de l'excrétion des opioïdes ou d'autres toxines.

Le *diabète* prédispose la personne aux infections de la plaie et au ralentissement de la cicatrisation.

Les *affections hépatiques,* comme la cirrhose, perturbent la capacité du foie à évacuer les substances médicamenteuses utilisées au cours de l'intervention chirurgicale, à produire la prothrombine nécessaire à la coagulation du sang et à métaboliser les nutriments essentiels à la cicatrisation.

Les *affections neurologiques* incontrôlables, comme l'épilepsie, peuvent provoquer des convulsions durant l'intervention chirurgicale ou la période de réveil.

La dénutrition augmente le risque de ralentissement de la cicatrisation, d'infections postopératoires et de déséquilibres liquidiens ou électrolytiques. Ainsi, une personne qui souffre de dénutrition risque de voir la cicatrisation de sa plaie retardée, de contracter des infections postopératoires et de souffrir d'un déséquilibre liquidien et électrolytique. Or, environ 20 % des personnes âgées hospitalisées présentent des signes évidents de dénutrition (Bailes, 2000, p. 192). Si une personne a de graves carences nutritionnelles, on préférera souvent reporter la chirurgie et améliorer d'abord son état nutritionnel. Si la chirurgie ne peut être reportée, l'alimentation parentérale ou entérale s'impose.

MÉDICAMENTS

L'usage régulier par la personne à opérer de certains médicaments, comme les suivants, peut accroître le risque chirurgical :

- Les *anticoagulants* augmentent le temps de coagulation.
- Les *sédatifs* sont susceptibles d'interagir avec les anesthésiques, ce qui augmente le risque de dépression respiratoire.
- Les *corticostéroïdes* sont susceptibles de retarder la cicatrisation de la plaie et d'augmenter le risque d'infection.
- Les *diurétiques* sont susceptibles de perturber l'équilibre liquidien et électrolytique.

Les gens peuvent ne pas être au courant des interactions médicamenteuses potentiellement dangereuses et oublier de mentionner les médicaments qu'ils prennent et qui n'ont aucun lien avec la chirurgie à subir. L'infirmière doit poser les bonnes questions à la personne et à ses proches au sujet des médicaments couramment prescrits, des médicaments en vente libre et des produits naturels utilisés pour soigner une affection mentionnée durant la collecte des données.

ÉTAT MENTAL

Des affections qui perturbent la fonction cognitive, comme la maladie mentale, l'arriération mentale ou la déficience intellectuelle, réduisent la capacité de la personne à comprendre et à gérer le stress lié à la chirurgie. Les personnes ainsi atteintes requièrent souvent l'administration de certains médicaments, comme des anticonvulsivants ou des antipsychotiques, qui peuvent interagir avec les médicaments anesthésiques et analgésiques utilisés pendant et après la chirurgie.

Les personnes atteintes de démence ont des difficultés à comprendre les procédés chirurgicaux proposés et peuvent réagir de façon imprévisible aux anesthésiques. Des manifestations de démence, comme la confusion, la désorientation et l'agitation, risquent de s'aggraver à cause du changement d'environnement que représente le séjour dans l'établissement de soins, ce qui peut affecter la capacité de la personne à coopérer avec l'équipe de soins préopératoires ou postopératoires.

Une anxiété excessive augmente les risques liés à la chirurgie, elle perturbe la capacité de la personne à comprendre les instructions qu'on lui donne et à y réagir de façon appropriée. Dans certains cas, une consultation psychosociale s'impose avant la chirurgie. Il est important de s'assurer que la personne a les capacités individuelles d'adaptation et les ressources de soutien nécessaires.

Période préopératoire

Consentement préopératoire

Avant de subir toute intervention chirurgicale, la personne doit signer une formule de consentement, fournie par l'établissement de soins de santé. Cette obligation protège l'individu contre le risque de subir une intervention chirurgicale à laquelle il s'oppose ou qu'il ne comprend pas. Elle protège également l'établissement et le personnel soignant contre la déclaration ultérieure de la personne ou de sa famille à l'effet que la permission n'avait pas été accordée. La formule de consentement fait dès lors partie du dossier de la personne et l'accompagne au bloc opératoire.

Même si le chirurgien est tenu par la loi de s'assurer que la personne donne son consentement en toute connaissance de cause, l'infirmière peut servir de témoin. Elle doit alors s'assurer que la personne comprend le document qu'elle s'apprête à signer. S'il existe le moindre doute sur la compréhension ou le consentement de la personne, l'infirmière doit en faire part au chirurgien avant la chirurgie.

Le consentement préopératoire éclairé devrait inclure les éléments suivants :

- La nature et le but de la chirurgie.
- Le nom et le titre de la personne qui procédera à la chirurgie.
- Les risques encourus, y compris les lésions tissulaires, les préjudices esthétiques ou même la mort.
- Les chances de succès de la chirurgie.
- Les traitements de remplacement.
- Le droit qu'a la personne de refuser son consentement ou de le retirer après l'avoir donné.

Un consentement éclairé n'est possible que lorsque la personne comprend les informations fournies, c'est-à-dire lorsqu'elle comprend la langue utilisée par l'équipe de soins, qu'elle est consciente et en pleine possession de ses facultés mentales et qu'elle n'est pas sous l'effet de sédatifs. Le consentement d'une personne âgée de 14 ans ou plus est recevable. Pour les enfants de moins de 14 ans, un parent ou le tuteur doit signer la formule de consentement. En matière de consentement, l'infirmière doit connaître à la fois ses responsabilités et la politique de l'établissement de soins où elle travaille (voir le chapitre 4).

DÉMARCHE SYSTÉMATIQUE
dans la pratique infirmière

Collecte des données

La collecte des données comprend l'anamnèse, l'examen physique et les résultats des divers examens paracliniques nécessaires pour déterminer les besoins de la personne pendant la période préopératoire et la période postopératoire. Les besoins physiques, psychologiques et sociaux sont déterminés au cours de cette évaluation.

▨ Anamnèse

L'anamnèse faite avant la chirurgie fournit des données sur la personne et aide l'infirmière à élaborer le plan de soins et de traitements infirmiers préopératoires et postopératoires. Même si les formules diffèrent considérablement d'un établissement à l'autre, certaines informations préopératoires sont essentielles et doivent y figurer (voir l'encadré 41-3).

▨ Examen physique

Durant la période préopératoire, l'infirmière procède à un examen physique, bref mais complet ; elle accorde une attention particulière aux fonctions qui peuvent influer sur la réaction de la personne à l'anesthésie ou à la chirurgie. Un bref examen des facultés mentales de la personne fournit de précieuses données qui permettront d'évaluer à la fois l'état mental et la vivacité d'esprit de la personne après la chirurgie. Il est important aussi d'évaluer la capacité de la personne à comprendre ce qui se passe. L'examen de l'ouïe et de la vue aidera à planifier l'enseignement postopératoire. L'examen des fonctions respiratoire et cardiovasculaire fournira non seulement des données de base pour évaluer l'état postopératoire de la personne, mais il permettra aussi d'informer, avant l'opération, les divers professionnels de la santé de l'existence de toute anomalie (par exemple, infection respiratoire ou pouls irrégulier) qui pourrait perturber la réaction de la personne à la chirurgie et à l'anesthésie. On examinera les autres fonctions (gastro-intestinale, génito-urinaire et musculosquelettique) pour fournir les données de base (voir le chapitre 34 ▨).

▨ Examens paracliniques

Le médecin prescrit des examens paracliniques préopératoires. La présence d'anomalies pourrait faire en sorte que des traitements soient requis avant la chirurgie. Il incombe à l'infirmière de vérifier minutieusement les ordonnances et de voir à leur exécution, et de s'assurer que les résultats sont bien reçus et versés au dossier de la personne avant la chirurgie. Le tableau 41-1 dresse la liste des examens paracliniques préopératoires courants. De plus, des examens paracliniques complémentaires, liés à la maladie de la personne, sont habituellement demandés (par exemple, une gastroscopie destinée à évaluer l'état pathologique avant une chirurgie gastrique).

Analyse

Les diagnostics infirmiers qui pourraient s'appliquer à la personne en période préopératoire sont les suivants :

- *Connaissances insuffisantes* (routines préopératoires et soins postopératoires).
- *Peur,* reliée à
  - Effets de la chirurgie sur la capacité à assumer les rôles habituels.
  - Résultats de la chirurgie exploratoire à propos de la malignité d'une masse.
  - Risque de mourir.
  - Perte de contrôle durant l'anesthésie ou retour à la conscience durant l'anesthésie.
  - Analgésie postopératoire perçue comme insuffisante.
- *Habitudes de sommeil perturbées,* reliées à
  - Routines hospitalières.
  - Stress psychologique.
- *Deuil anticipé,* relié à
  - Perception de perte de l'intégrité du corps associée à la chirurgie prévue.
- *Stratégies d'adaptation inefficaces,* reliées à
  - Valeurs incompatibles (comme le besoin d'une transfusion sanguine vs les croyances religieuses d'un Témoin de Jéhovah).
  - Issue incertaine de la chirurgie.
  - Expériences chirurgicales négatives non résolues.

Anamnèse

- *État de santé actuel.* Les informations essentielles comprennent l'état de santé général et toute affection chronique, comme le diabète et l'asthme, susceptible de perturber la réaction de la personne à la chirurgie ou à l'anesthésie. Il faut noter toute limitation physique susceptible de perturber la mobilité ou la capacité à communiquer après la chirurgie ainsi que la présence de prothèses, comme les prothèses auditives ou les verres de contact.

- *Allergies.* Il faut noter toutes les allergies, y compris les allergies aux médicaments prescrits ou aux médicaments en vente libre, les allergies alimentaires, les allergies au ruban adhésif, au latex, au savon et aux substances antiseptiques. Certaines allergies alimentaires indiquent la possibilité d'une réaction aux substances et aux médicaments utilisés pendant la chirurgie ou les examens paracliniques. Par exemple, une allergie aux fruits de mer alertera l'infirmière à l'effet que la personne pourrait être allergique à l'iode contenu dans les produits utilisés couramment dans les examens radiologiques.

- *Médicaments.* Il faut noter tous les médicaments utilisés par la personne. Il pourrait s'avérer vital de maintenir à un certain niveau la concentration sanguine d'un médicament donné (par exemple, un anticonvulsivant) tout au long de l'intervention chirurgicale. D'autres médicaments, comme les anticoagulants et l'aspirine, augmentent les risques liés à la chirurgie et à l'anesthésie; il est donc préférable que la personne en cesse l'usage plusieurs jours avant de subir la chirurgie. S'il y a lieu, il est important d'inclure dans la liste des médicaments pris par la personne tous les produits naturels.

- *Chirurgies antérieures.* Les expériences chirurgicales antérieures peuvent influer sur la réaction physique et psychologique de la personne à la chirurgie et provoquer une réaction inattendue à l'anesthésie.

- *État mental.* L'état mental de la personne et sa capacité à comprendre ou à répondre de façon appropriée touchent les trois périodes de la période périopératoire. Il faut noter les retards de développement, les maladies mentales et les antécédents de démence ou d'anxiété excessive à propos de l'opération.

- *Compréhension du procédé chirurgical et de l'anesthésie.* La personne doit bien comprendre le déroulement de l'intervention chirurgicale, savoir à quoi s'attendre durant et après la chirurgie et connaître les résultats escomptés.

- *Tabagisme.* Les fumeurs peuvent avoir plus de difficulté à expulser les sécrétions des voies respiratoires après la chirurgie, ce qui augmente le risque de complications postopératoires, comme la pneumonie et l'atélectasie.

- *Consommation d'alcool ou de psychotropes.* L'usage de substances qui ont des effets sur le système nerveux central, le foie et les autres fonctions de l'organisme peut perturber la réaction de la personne à l'anesthésie et à la chirurgie, et nuire ainsi à son rétablissement postopératoire.

- *Adaptation.* Les personnes qui ont un bon concept de soi et qui ont déjà utilisé des stratégies d'adaptation efficaces ont de meilleures chances de bien gérer le stress associé à la chirurgie.

- *Réseau de soutien.* Il faut déterminer la disponibilité des membres de la famille ou de tout autre proche aidant ainsi que le soutien que la personne pourra recevoir de son réseau social. Ces ressources sont importantes pour le rétablissement, en particulier dans le cas d'une personne qui doit subir une chirurgie d'un jour ou une chirurgie qui ne nécessite qu'un court séjour à l'hôpital.

- *Considérations culturelles.* La culture influe sur la réaction de la personne à la chirurgie; le respect des croyances et des pratiques culturelles par l'équipe de soins peut réduire l'anxiété préopératoire de la personne et faciliter sa guérison.

TABLEAU

41-1

Examens paracliniques préopératoires courants

Examen	Justification médicale
Hémogramme (formule sanguine complète)	Les globules rouges (GR), l'hémoglobine (Hb) et l'hématocrite (Ht) sont importants pour déterminer le pouvoir oxyphorique (capacité de transporter l'oxygène) du sang; les leucocytes (GB) sont des indicateurs du système immunitaire.
Groupage sanguin et épreuve de compatibilité croisée	Ces examens servent en cas de transfusion sanguine pendant ou après la chirurgie.
Électrolytes sériques (Na^+, K^+, Ca^{2+}, Mg^{2+}, Cl^-, HCO_3^-)	Ces examens servent à évaluer l'état liquidien et électrolytique.
Glycémie à jeun	Une glycémie élevée peut être l'indication d'un diabète non diagnostiqué.
Urée et créatinine	Ces examens servent à évaluer la fonction rénale.
Alanine aminotransférase (ALAT), aspartate aminotransférase (ASAT), lacticodéshydrogénase (LDH) et bilirubine	Ces examens servent à évaluer la fonction hépatique.
Albumine et protéine totale	Ces examens servent à évaluer l'état nutritionnel.
Analyse d'urine	La composition de l'urine sert à déceler les composantes anormales (protéines ou glucose) et les infections.
Radiographie pulmonaire	Cet examen sert à évaluer la condition respiratoire et la dimension du cœur.
Électrocardiogramme (ECG)	Cet examen sert à déceler les affections cardiaques préexistantes.

L'encadré *Diagnostics infirmiers, résultats de soins infirmiers et interventions – Période préopératoire* propose des exemples cliniques de ces diagnostics, établis selon la classification de NANDA, la CISI/NIC et la CRSI/NOC.

Planification

L'objectif premier de la période préopératoire est de s'assurer que la personne est prête, mentalement et physiquement, pour la chirurgie (voir ci-contre la section *Interventions* pour des exemples d'activités infirmières liées à cet objectif).

La planification demande la collaboration de la personne et celle de son réseau de soutien. La planification et les soins eux-mêmes sont liés à la durée de la période préopératoire. Si la personne est admise plusieurs jours avant la chirurgie, l'élaboration du plan thérapeutique et celle du plan d'enseignement auront lieu durant ce séjour. Lorsque la personne est admise le jour même de la chirurgie, ces tâches doivent être exécutées en consultation externe par des infirmières qui travaillent au sein de la communauté (par exemple, les infirmières de la clinique externe, affectées aux chirurgies d'un jour).

Planification des soins à domicile

Pour la personne en période périopératoire, la planification de son congé débute dès le jour de son admission en vue d'une intervention chirurgicale ou même avant. La planification précoce des soins qui visent à combler les besoins postopératoires est particulièrement importante pour la personne qui recevra son congé peu de temps après son séjour à la salle de réveil.

La planification du congé comprend l'évaluation des aptitudes aux soins, tant de la personne que de ses proches aidants, de leurs ressources financières et des besoins en soins spécialisés ou en services de soins à domicile. Par ailleurs, l'importance accordée à la planification du congé et des soins à domicile variera sensiblement selon le type d'intervention chirurgicale pratiquée.

Interventions

L'enseignement préopératoire est l'activité infirmière la plus importante pour bien préparer la personne à la chirurgie.

Enseignement préopératoire

L'enseignement préopératoire est un aspect essentiel des soins infirmiers. Des études ont démontré que l'enseignement préopératoire réduisait l'anxiété des personnes et les complications postopératoires et qu'il augmentait le taux de satisfaction des personnes au sujet de l'expérience chirurgicale. Un enseignement préopératoire bien fait facilite aussi le retour de la personne au travail et la reprise de ses activités régulières. En la matière, on considère que les quatre aspects suivants sont particulièrement importants :

■ *Information donnée à la personne (Que va-t-il lui arriver ? À quelles sensations et à quels malaises doit-elle s'attendre ? À quel moment les éprouvera-t-elle ?).* L'infirmière doit écouter attentivement la personne pour déterminer les inquiétudes et les peurs qui lui sont propres. Cependant, il est bon de se rappeler que les questions suivantes se retrouvent parmi les plus courantes :

DIAGNOSTICS INFIRMIERS, RÉSULTATS DE SOINS INFIRMIERS ET INTERVENTIONS

Période préopératoire

COLLECTE DES DONNÉES	DIAGNOSTIC INFIRMIER : DÉFINITION	EXEMPLE DE RÉSULTAT DE SOINS INFIRMIERS [N° CRSI/NOC] : DÉFINITION	INDICATEURS	INTERVENTION CHOISIE [N° CISI/NIC] : DÉFINITION	EXEMPLES D'ACTIVITÉS CISI/NIC
M. Taylor, âgé de 62 ans, est atteint d'une gonarthrose invalidante. L'intervention pour le remplacement complet du genou doit avoir lieu demain. M. Taylor n'a jamais subi d'opération. Il pose beaucoup de questions, il veut savoir ce qui l'attend avant et après la chirurgie. « Plus j'en sais et moins ça m'angoisse ! » dit-il.	*Connaissances insuffisantes (chirurgie) : Situation d'une personne qui manque d'informations sur son état de santé, ou qui n'a pas suffisamment d'habiletés psychomotrices pour suivre son programme thérapeutique.*	Connaissance : programme thérapeutique [1814] : *Niveau de compréhension d'un traitement spécifique à suivre.*	Importants : • Description des raisons du programme thérapeutique • Description des procédés prescrits (exercices de respiration profonde, de toux contrôlée, exercices pour les jambes)	Éducation préopératoire [5610] : *Aide apportée à une personne pour qu'elle comprenne ce qui l'attend et se prépare mentalement à une intervention chirurgicale et à la période de récupération postopératoire.*	• Allouer du temps à la personne pour poser des questions et parler de ses préoccupations. • Décrire les routines préopératoires (anesthésie, diète, examens paracliniques, élimination, thérapie intraveineuse, salle d'attente pour la famille). • Renseigner la personne sur la technique pour soutenir son incision, les exercices de toux et la respiration profonde. • Évaluer la capacité de la personne à refaire la démonstration des exercices pour les jambes.

Que va-t-il se passer durant l'opération ? Comment vais-je me sentir après ? Qu'est-ce que le chirurgien va trouver ? Combien de temps vais-je rester à l'hôpital ?

- *Soutien psychosocial destiné à réduire l'anxiété.* L'infirmière procure un soutien à la personne en lui donnant les informations pertinentes et en pratiquant l'écoute active. Il est important de rectifier toute perception erronée que la personne pourrait avoir.

- *Rôle de la personne et du réseau de soutien pendant toute la période périopératoire.* En comprenant bien le rôle qu'elle a à jouer au cours de la période périopératoire, la personne a le sentiment d'avoir une plus grande maîtrise de la situation, ce qui réduit d'autant son anxiété. Il faut donc que la personne connaisse les éléments suivants : les attentes qu'on entretient à son égard, les comportements souhaités, les autotraitements nécessaires et les autres moyens de favoriser son rétablissement.

- *Apprentissage de nouvelles habiletés.* Ces habiletés comprennent les changements de position, la respiration profonde, le sou-

tien de l'incision à l'aide des mains ou d'un oreiller et l'utilisation d'un inspiromètre d'incitation.

Si la personne doit subir une chirurgie d'un jour, l'enseignement préopératoire se fera le plus souvent la veille de la chirurgie à l'aide de cassettes vidéo ainsi que d'instructions verbales et écrites. On fixe un rendez-vous à la personne avec un membre du service de chirurgie d'un jour, avec qui elle pourra discuter de ses préoccupations ; une infirmière qui travaille avec le chirurgien peut alors parfaire l'enseignement donné à la personne. Ce rendez-vous coïncide habituellement avec les examens paracliniques préopératoires. On donne à la personne des instructions écrites, surtout lorsque la chirurgie est planifiée plusieurs jours ou semaines à l'avance. La personne aura donc déjà assimilé en grande partie le contenu de l'enseignement au moment de son admission à l'unité de chirurgie, et ses préoccupations immédiates ou persistantes auront été bien circonscrites. L'encadré 41-4 passe en revue les directives à suivre en période préopératoire.

Lorsque la personne à opérer est un enfant, il est crucial de rassurer et l'enfant et sa famille. Les parents doivent savoir à quoi s'attendre

---

ENCADRÉ
41-4

Directives à suivre en période préopératoire

PROTOCOLE PRÉOPÉRATOIRE

- Expliquer les motifs des examens paracliniques préopératoires (par exemple, analyses de laboratoire, radiographies, ECG).
- Discuter de la préparation intestinale, s'il y a lieu.
- Discuter de la préparation cutanée, y compris celle du champ opératoire et le bain (ou la douche) préopératoire.
- Discuter des médicaments préopératoires prescrits, s'il y a lieu.
- Expliquer les thérapies individuelles prescrites par le médecin (par exemple, thérapie intraveineuse, insertion d'un cathéter urinaire ou d'une sonde nasogastrique, utilisation d'un inspiromètre d'incitation, utilisation de bas de compression.
- Discuter de la visite de l'anesthésiste.
- Expliquer la nécessité de s'abstenir de nourriture solide et liquide au moins huit heures avant la chirurgie.
- Fournir un programme général des événements périopératoires, y compris l'heure de l'intervention chirurgicale.
- Discuter de la nécessité de se démaquiller, s'il y a lieu, et d'enlever les bijoux ainsi que toutes les prothèses (par exemple, lunettes, prothèses auditives, prothèses dentaires, perruque) avant de subir la chirurgie.
- Indiquer à la personne où se trouvent la salle d'attente préopératoire et la salle d'attente pour les proches.
- Enseigner les exercices (respiration profonde, toux contrôlée, exercices pour les jambes), les changements de position (voir le procédé 41-1) et les techniques pour soutenir l'incision.
- Compléter la liste de contrôle préopératoire.

PROTOCOLE POSTOPÉRATOIRE

- Discuter des activités habituelles en salle de réveil et de l'équipement prévu en cas de détresse.
- Passer en revue les activités d'évaluation selon leur genre et leur fréquence.

- Discuter de la gestion de la douleur.
- Expliquer les activités à éviter et les précautions à prendre pour le premier lever postopératoire.
- Décrire les modifications alimentaires habituelles.
- Discuter des pansements et des drains postopératoires.
- Faire visiter l'unité de soins intensifs et en expliquer le fonctionnement si le transfert de la personne y est prévu pour la période postopératoire.

CHIRURGIE D'UN JOUR

- Confirmer l'endroit et l'heure de la chirurgie, l'heure d'arrivée (une heure ou une heure et demie à l'avance), ainsi que l'endroit où remplir les modalités d'admission (à la réception).
- Discuter des vêtements à porter (par exemple, pour une chirurgie de la main, il faut porter un vêtement avec des manches assez amples pour s'adapter à un pansement volumineux).
- Préciser de ne pas apporter d'objets de valeur (par exemple, bijoux ou montre).
- Expliquer la nécessité de se faire accompagner à l'aller et au retour par un adulte responsable ; prévoir l'endroit où cet adulte viendra prendre la personne. Préciser la durée probable du séjour postopératoire et les modalités de congé de l'établissement.
- Discuter des médicaments, y compris les médicaments prescrits en période préopératoire et les médicaments que la personne prend régulièrement.
- Passer en revue les examens prescrits et la nécessité de fournir un échantillon d'urine le matin de la chirurgie.
- La veille du rendez-vous, confirmer par téléphone l'heure de la chirurgie et l'heure d'admission dans l'établissement ; planifier de rappeler la personne le lendemain de la chirurgie pour évaluer son état.

et être en mesure d'exprimer leurs inquiétudes ; on doit les considérer comme des membres à part entière de l'équipe périopératoire et les encourager à participer aux soins autant que possible.

Le procédé 41-1 fournit des indications pour enseigner aux personnes les changements de position, les exercices pour les jambes, la respiration profonde et la toux contrôlée.

PROCÉDÉ 41-1

Enseignement des changements de position, des exercices pour les jambes, de la respiration profonde et de la toux contrôlée

Objectifs

Changements de position

- Maintenir la circulation sanguine.
- Stimuler la fonction respiratoire.
- Contrer la stase de gaz intestinaux.
- Faciliter l'ambulation précoce.

Exercices pour les jambes

- Stimuler la circulation sanguine de façon à prévenir la thrombose veineuse profonde et la formation de thrombus.

Respiration profonde et toux contrôlée

- Faciliter l'aération des poumons de façon à diminuer les risques d'atélectasie et de pneumonie.

COLLECTE DES DONNÉES

Évaluez

- Les signes vitaux
- Les malaises
- La température et la coloration des pieds et des jambes
- Les bruits pulmonaires

- La présence de dyspnée ou de toux
- Les besoins d'apprentissage
- Le degré d'anxiété
- Les antécédents chirurgicaux et anesthésiques

PLANIFICATION

Avant d'enseigner les changements de position, les exercices pour les jambes, la respiration profonde et la toux contrôlée, déterminez : (a) le type de chirurgie ; (b) la date de la chirurgie ; (c) le nom du chirurgien ; (d) les pratiques de l'établissement en matière de soins préopératoires. De plus, vérifiez : (a) si le médecin a bien complété la revue des antécédents médicaux et l'examen physique ; (b) si la personne ou un membre de sa famille a signé la formule de consentement.

Matériel

- Oreiller
- Matériel didactique (cassettes vidéo, documentation écrite) fourni par l'établissement

INTERVENTION

Préparation

Éliminez les sources possibles de distraction (douleur, téléviseur, visiteurs) avant de commencer l'enseignement. Intégrez la famille à l'enseignement, s'il y a lieu.

Exécution

1. Expliquez à la personne ce que vous allez faire, pourquoi vous allez le faire et comment elle peut coopérer. Expliquez-lui aussi que les techniques qu'on lui enseigne en période préopératoire seront utiles à son rétablissement en période postopératoire.

2. Lavez-vous les mains et observez les autres mesures de prévention des infections.

3. Assurez-vous que l'intimité de la personne est préservée.

4. Montrez à la personne comment se retourner dans son lit pour se lever.

   - Montrez à la personne qui aura une incision abdominale ou thoracique du côté droit comment se tourner sur son côté gauche et se lever de la façon suivante :

   a) Fléchir les genoux.

   b) Soutenir la plaie en plaçant sur l'incision le bras et la main gauche ou un petit coussin.

   c) Se tourner vers la gauche tout en poussant avec le pied droit et saisir la ridelle gauche du lit avec la main droite.

   d) Adopter progressivement la position assise en poussant d'abord sur le matelas avec le bras et la main droite, et en balançant ensuite les pieds à l'extérieur du lit.

   - Montrez la même technique à la personne qui aura une incision abdominale ou thoracique du côté gauche : elle soutient la plaie avec le bras droit et se tourne sur le côté droit.

   - Les personnes qui ont subi une chirurgie orthopédique (par exemple, chirurgie de la hanche) utiliseront des appareils spéciaux, comme un trapèze, pour s'aider à faire le mouvement.

PROCÉDÉ 41-1 (SUITE)

Enseignement des changements de position, des exercices pour les jambes, de la respiration profonde et de la toux contrôlée (suite)

INTERVENTION (suite)

5. Enseignez à la personne les trois exercices pour les jambes qui suivent :

   • Faire en alternance une flexion dorsale et une flexion plantaire du pied. *Cet exercice est quelquefois appelé « pompage des mollets » parce qu'il contracte puis relâche les muscles du mollet* (figure 41-1 ■).

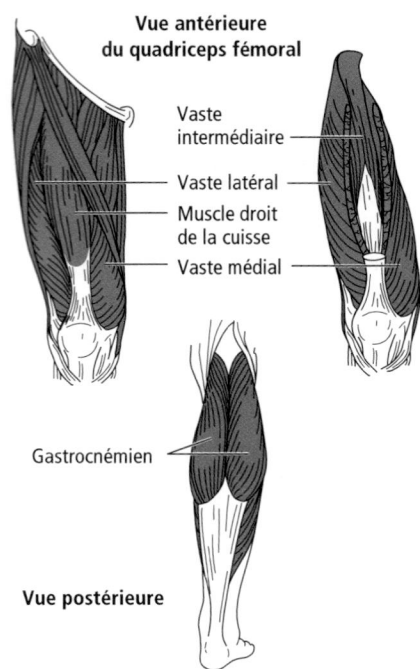

Vue antérieure du quadriceps fémoral

Vaste intermédiaire
Vaste latéral
Muscle droit de la cuisse
Vaste médial

Gastrocnémien

Vue postérieure

FIGURE 41-1 ■ Muscles de la jambe : vue antérieure et vue postérieure.

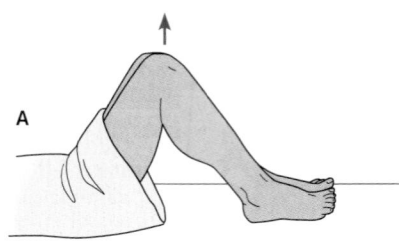

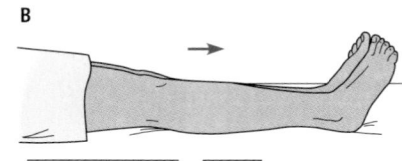

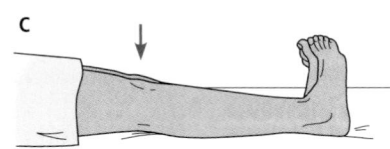

FIGURE 41-2 ■ Flexion et extension des genoux.

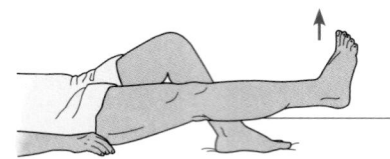

FIGURE 41-3 ■ Soulèvement et abaissement des jambes.

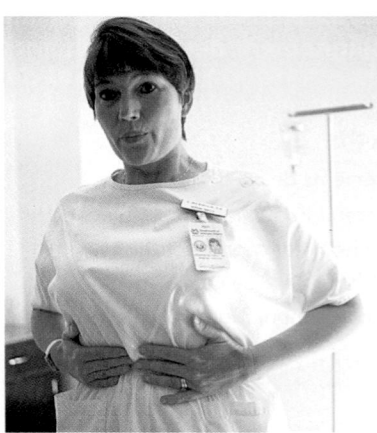

FIGURE 41-4 ■ Démonstration de la respiration profonde.

7. Aidez la personne à faire les exercices de respiration profonde.

   • Demandez-lui d'adopter la position assise.

   • Placez vos paumes sur le bord de sa cage thoracique pour évaluer l'amplitude respiratoire.

   • Demandez à la personne d'exécuter une respiration profonde, comme vous le lui avez montré à l'étape 6.

8. Demandez à la personne de faire quelques respirations profondes, puis de tousser volontairement.

   • Demandez-lui d'inspirer profondément, de retenir sa respiration durant quelques secondes, puis de tousser deux fois.

   • Assurez-vous que la personne tousse profondément et ne fait pas que se racler la gorge.

9. Si vous prévoyez que la toux provoquera une douleur dans la région de l'incision, faites la démonstration des techniques de soutien de l'abdomen.

   • Montrez à la personne comment elle peut soutenir l'incision, soit en plaçant ses paumes de chaque côté, soit en les plaçant l'une sur l'autre par-dessus la région incisée. *La toux sollicite les muscles abdominaux et les muscles accessoires de la respiration. Si l'incision pratiquée se trouve à proximité de ces muscles, tousser devient douloureux. Soutenir la plaie est susceptible de réduire la douleur.*

• Fléchir et étendre les genoux, puis presser l'arrière des genoux contre le lit tout en mettant le pied en flexion dorsale (figure 41-2 ■). Conseillez aux personnes qui ne peuvent lever leurs jambes de faire des exercices isométriques pour contracter et relâcher les muscles.

• Soulever et abaisser les jambes en alternance. Fléchir le genou de la jambe en appui et étendre le genou de la jambe en mouvement (figure 41-3 ■). *Cet exercice a pour effets de contracter et de relâcher les muscles du quadriceps.*

6. Faites la démonstration des exercices de respiration profonde (respiration diaphragmatique) comme suit :

   • Placez vos paumes sur le bord de votre cage thoracique, puis inspirez lentement et régulièrement par le nez jusqu'à l'expansion maximale de votre poitrine (figure 41-4 ■).

   • Retenez votre souffle durant deux ou trois secondes.

   • Expirez lentement par la bouche.

   • Continuez d'expirer jusqu'à la contraction maximale de votre poitrine.

INTERVENTION (suite)

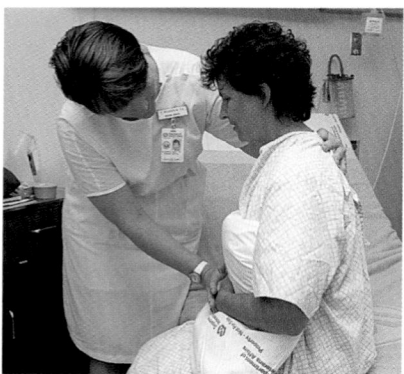

FIGURE 41-5 ■ Soutien d'une incision à l'aide d'un oreiller pendant l'exercice de toux contrôlée.

• Montrez à la personne comment soutenir la plaie en tenant fermement son abdomen avec les mains ou avec un oreiller (figure 41-5 ■).

10. Précisez à la personne à quelle fréquence elle devra faire ces exercices.

• Conseillez-lui de commencer les exercices le plus tôt possible après la chirurgie.

• Incitez les personnes qui ont subi une chirurgie abdominale ou thoracique à faire les exercices de respiration profonde et de toux contrôlée au moins toutes les deux heures, en faisant un minimum de cinq respirations par séance. Par ailleurs, il faut noter que le nombre et la fréquence des respirations profondes varient selon l'état de la personne. Les gens prédisposés aux problèmes pulmonaires devront peut-être faire les exercices de respiration profonde toutes les heures. Ceux qui souffrent d'une affection respiratoire chronique devront peut-être faire des exercices de respiration particuliers (par exemple, respiration avec les lèvres pincées et exercices faits à l'aide de divers inspiromètres d'incitation) (voir le chapitre 48 ⟨⟩).

11. Consignez l'enseignement donné et toutes les évaluations effectuées. Certains établissements ont un protocole d'enseignement préopératoire. Vérifiez la politique de l'établissement.

ÉVALUATION

Faites le suivi approprié :

■ La personne démontre sa capacité à faire les changements de position, les exercices pour les jambes, les exercices de respiration profonde et les exercices de toux contrôlée.

■ La personne reprend dans ses mots les informations clés qui lui ont été présentées.

LES ÂGES DE LA VIE

Enseignement préopératoire

ENFANTS

■ Les parents sont en droit de savoir à quoi s'attendre et d'exprimer leurs inquiétudes.

■ La séparation d'avec ses parents est souvent la plus grande peur de l'enfant ; la période de séparation doit donc être la plus courte possible et les parents, autorisés à communiquer avec l'enfant immédiatement avant et après la chirurgie.

■ Le contenu et le moment de l'enseignement doivent être adaptés au stade de développement de l'enfant et à ses habiletés cognitives.

■ Utiliser des mots et des phrases simples pour aider l'enfant à comprendre (par exemple, « tu vas avoir mal au ventre »).

■ Le jeu est un outil pédagogique efficace avec les enfants (par exemple, mettre un bandage sur une incision pratiquée sur une poupée).

PERSONNES ÂGÉES

■ Évaluer l'audition pour s'assurer que la personne âgée entendra bien les informations qu'on veut lui transmettre.

■ Évaluer la mémoire à court terme. Il peut s'avérer nécessaire de présenter une seule idée à la fois et de répéter ou de reprendre l'information donnée.

■ Les personnes âgées présentent un plus grand risque de complications postopératoires, comme la pneumonie. Insister sur les changements de position ainsi que sur les exercices de respiration profonde et de toux contrôlée.

■ Évaluer les besoins postopératoires probables. Prévoir les articles indispensables (par exemple, déambulateur, siège de toilette surélevé, trapèze de lit) et certains services (par exemple, popote roulante et aide pour le transport).

■ S'il semble probable que la personne âgée requerra des soins prolongés après la chirurgie, c'est le moment idéal pour faire les démarches nécessaires.

■ Évaluer si la personne est susceptible de présenter des plaies de pression en période postopératoire et prendre bien soin de choisir les coussins et les dispositifs de soutien appropriés de façon à prévenir les blessures pendant les changements de position et le transfert au bloc opératoire. Les facteurs de risque à considérer sont les suivants :

• Âge avancé.

• État nutritionnel déficient.

• Antécédents de diabète ou d'affections cardiovasculaires.

• Prise antérieure de stéroïdes, ce qui prédispose aux ecchymoses et aux lésions de la peau.

SOINS À DOMICILE

Informations à donner en période préopératoire

Les adultes veulent avoir des informations sur la reprise de leurs activités quotidiennes durant la convalescence. Ce sont des informations importantes pour toutes les personnes opérées, tout particulièrement dans le cas des chirurgies d'un jour. Discuter des points suivants :

- *Nourriture.* Commencer par de petites portions parce que l'anesthésie et les médicaments antidouleur ralentissent l'évacuation gastrique.
- *Selles.* La constipation est fréquente à la suite d'une réduction de la motilité gastro-intestinale, celle-ci pouvant être liée à diverses causes (anesthésie, réduction des activités, médicaments antidouleur). Discuter de stratégies destinées à prévenir la constipation.
- *Relations sexuelles.* Des gestes affectueux, comme les étreintes modérées et les baisers, sont permis en tout temps. Cependant, la personne opérée devra attendre un certain temps avant d'avoir une relation sexuelle complète. Aussitôt que l'incision n'est plus douloureuse (de deux à quatre semaines), la cicatrisation de la plaie est suffisamment avancée pour permettre les relations sexuelles (Fox, 1998).
- *Soulever des poids.* Donner des instructions précises sur le poids maximal que la personne pourra soulever ; utiliser des

situations tirées de la vie courante (par exemple, une bouteille de 20 L d'eau pèse environ 20 kg).
- *Douleur.* Renseigner la personne sur les médicaments anti-douleur qui lui ont été prescrits. Lui demander de décrire ses activités quotidiennes et discuter avec elle des façons d'atténuer ou d'éviter la douleur.
- *Soins de la plaie.* Discuter de questions reliées à la cicatrisation de la plaie.
- *Infection.* Discuter des signes et des symptômes d'infection de la plaie ainsi que des situations où la personne devrait appeler le médecin.
- *Bain et douche.* Vérifier auprès du chirurgien s'il préfère que la plaie reste sèche. Par ailleurs, rien ne prouve que l'eau soit nocive pour une plaie suturée ou nuise à la cicatrisation. Si la douche est permise, aviser la personne de ne laisser l'eau couler sur l'incision que très peu de temps (de deux à trois minutes) et d'éponger cette dernière doucement (Fox, 1998).
- *Activités.* Informer la personne qu'elle se fatiguera plus rapidement et qu'elle devrait planifier des activités de courte durée, entrecoupées de pauses fréquentes.

◼ Préparation physique

La préparation préopératoire touche les domaines suivants : nutrition et apport liquidien, élimination, hygiène, prise de médicaments, repos et sommeil, attention à accorder aux objets de valeur et aux prothèses, directives particulières et préparation de la peau, signes vitaux. Généralement, les établissements de soins de santé suivent un protocole prévu pour le jour de la chirurgie. L'infirmière vérifie les formulaires de l'établissement et suit les procédures appropriées de consignation des informations au dossier. Il est essentiel : (a) de rassembler et de remplir tous les documents pertinents (rapports de laboratoire, rapports d'examens radiographiques, formule de consentement) afin d'en faciliter la consultation au personnel du bloc opératoire et de la salle de réveil ; (b) de faire toute la préparation physique pour assurer la sécurité de la personne.

NUTRITION ET APPORT LIQUIDIEN. Une hydratation et une nutrition suffisantes favorisent la guérison. Les infirmières doivent consigner au dossier tout signe de malnutrition ou de déséquilibre liquidien. Si la personne est sous perfusion intraveineuse ou fait l'objet d'une directive précisant de mesurer l'apport liquidien, les infirmières doivent s'assurer que les liquides sont minutieusement mesurés.

L'interdiction de boire ou de manger à partir de minuit la veille d'une chirurgie est une tradition ancienne. En effet, on a longtemps cru que les anesthésiques avaient un effet dépressif sur la fonction gastro-intestinale et que leur administration était liée à l'apparition de vomissements et d'aspirations. Les réévaluations et les recherches remettent toutefois cette tradition en question. L'American Society of Anesthesiologists (ASA) a donc modifié ses règles en matière de jeûne préopératoire dans le cas des personnes en bonne santé devant subir une chirurgie élective.

Selon Crenshaw et Winslow (2002, p. 38), les règles révisées permettent :
- La consommation de liquide clair au moins deux heures avant une chirurgie élective qui requiert une anesthésie générale, une anesthésie régionale ou une anesthésie locale.
- Un petit-déjeuner léger (comme une tasse de thé et une rôtie) au moins six heures avant l'intervention.
- Un repas plus consistant au moins huit heures avant la chirurgie.

! ALERTE CLINIQUE *Pour aider la personne à tromper la soif durant le jeûne préopératoire, l'infirmière peut lui suggérer de se rincer la bouche.* ◼

ÉLIMINATION. Les lavements ne font plus partie des procédés préopératoires courants, mais ils peuvent s'avérer nécessaires en cas de chirurgie intestinale. Les lavements aident à prévenir la constipation postopératoire et la contamination du champ opératoire par les fèces. Le péristaltisme ne reprend que 24 ou 48 heures après une chirurgie abdominale.

Il est possible qu'on ordonne la mise en place d'une sonde vésicale en période préopératoire pour s'assurer que la vessie reste vide, ce qui aide à prévenir les blessures à cet organe, tout particulièrement pendant une chirurgie pelvienne. Si la personne n'a pas de sonde vésicale, il est important de vider sa vessie avant de lui administrer un médicament préopératoire. La vessie doit être vide durant l'opération.

HYGIÈNE. Dans certains cas, on demande à la personne de prendre un bain ou une douche, la veille ou le matin de la chirurgie (ou à ces deux moments). Les mesures d'hygiène ont pour but de réduire le risque d'infection de la plaie. Le bain inclut le lavage des cheveux, dans la mesure du possible.

RÉSULTATS DE RECHERCHE

L'«interdiction de boire et de manger à partir de minuit» est-elle une pratique dépassée?

Les règles du jeûne strict à partir de minuit la veille d'une chirurgie datent de 1946, alors que des études et des recherches conduites sur des animaux donnaient à penser que la pneumopathie d'aspiration était plus répandue chez les patients qui subissaient une anesthésie générale sans être à jeun. La remise en question de cette tradition remonte aux années 1980, alors que de nombreuses études ne réussissaient pas à prouver que le jeûne assurait la vidange de l'estomac. Des études récentes montrent que la pneumopathie d'aspiration est une complication plutôt rare de l'anesthésie moderne. De plus, le jeûne prolongé peut provoquer des effets indésirables, comme l'irritabilité, les maux de tête, la déshydratation, l'hypovolémie et l'hypoglycémie. L'American Society of Anesthesiologists (ASA) a donc publié, en 1999, de nouvelles règles, plus libérales en matière de jeûne préopératoire.

Dans une étude récente, Crenshaw et Winslow (2002) comparent les recommandations de l'ASA et les directives que les patients reçoivent en fait, ainsi que le jeûne observé. Les résultats indiquent que les patients se sont abstenus de nourriture et de liquide pour des périodes de deux à trois fois plus longues que celles recommandées par l'ASA. Les résultats

indiquent aussi que la majorité des personnes n'ont pas reçu la consigne de jeûner et que 32 % n'ont reçu aucune instruction sur la prise de leurs médicaments le matin de la chirurgie. Enfin, 63 % des personnes avaient reçu d'une infirmière un enseignement préopératoire.

Les auteurs soulignent les limites de l'étude, réalisée dans un seul hôpital avec un échantillon de 155 personnes. Elles recommandent de reprendre l'étude avec un échantillon plus grand et plus diversifié pour confirmer leurs conclusions.

Implications: Les traditions sont difficiles à changer, et ce malgré les nouvelles directives fondées sur de nombreuses études de recherche. Comme les infirmières participent à l'enseignement préopératoire, la pratique de leur profession doit être fondée sur les faits plutôt que sur les traditions. Les auteures recommandent aux infirmières de faire preuve de plus d'assurance dans leurs relations avec les médecins et de participer à l'élaboration de politiques d'établissements de soins qui reflètent les preuves scientifiques. Pour sa sécurité et son bien-être, il est important de fournir à la personne, d'une part, des informations exactes et précises sur la durée et le but du jeûne et, d'autre part, la liste des médicaments à prendre le jour de la chirurgie.

Source: « Preoperative Fasting: Old Habits Die Hard », de J. T. Crenshaw et E. H. Winslow, *American Journal of Nursing*, *102*(5), p. 36-44.

Les ongles doivent être coupés ras et ne porter aucun vernis; tout maquillage doit être enlevé de façon à ce que la base des ongles, la peau et les lèvres soient visibles et permettent d'évaluer la circulation pendant et après la chirurgie.

Dans certains hôpitaux ou pour certaines chirurgies, on exige que la personne à opérer porte un bonnet en papier, qui sert à retenir la chevelure et tous les microorganismes des cheveux et du cuir chevelu.

Immédiatement avant la chirurgie, l'infirmière enlève (ou demande à la personne de le faire) toutes les épingles à cheveux et les barrettes; ces accessoires peuvent causer une pression ou des lésions accidentelles sur le cuir chevelu lorsque la personne est inconsciente. La personne retire ses vêtements personnels et revêt une chemise d'hôpital.

PRISE DE MÉDICAMENTS. L'anesthésiste peut décider de supprimer la prise des médicaments habituels pour la journée de l'intervention. Dans certains cas, on donne à la personne les médicaments préopératoires à son arrivée au bloc opératoire; dans d'autres cas, on les lui donne à l'unité de soins. Les médicaments préopératoires suivants sont couramment utilisés:

- *Sédatifs* et *barbituriques,* comme le midazolam (Versed), pour réduire l'anxiété et le thiopenthal (Penthotal), pour induire l'anesthésie.

- *Analgésiques opioïdes,* comme la morphine et la mépéridine (Demerol), pour fournir une sédation et réduire la quantité requise d'anesthésiants.

- *Anticholinergiques*, comme l'atropine, la scopolamine, le glycopyrrolate (Robinul), pour réduire les sécrétions buccales et pulmonaires, et prévenir le laryngospasme.

- *Antagonistes des récepteurs H_2 de l'histamine,* comme la ranitidine (Zantac), pour réduire le volume d'acide gastrique et l'acidité gastrique.

Les médicaments préopératoires sont administrés selon un horaire précis ou sur demande, c'est-à-dire lorsque l'anesthésiste demande à l'infirmière de le faire.

REPOS ET SOMMEIL. L'infirmière doit tout faire pour aider la personne à avoir une bonne nuit de sommeil la veille de la chirurgie. Souvent, le médecin prescrit un sédatif. Un repos préopératoire réparateur aide à prévenir le stress lié à la chirurgie et favorise la guérison.

OBJETS DE VALEUR. Les objets de valeur, comme les bijoux et les billets de banque, doivent être étiquetés et mis en sûreté si les proches de la personne ne peuvent s'en occuper. Il est important que la personne retire tous ses bijoux, y compris les bijoux de perçage, à cause du risque de brûlure si un instrument d'électrochirurgie est utilisé (AORN Online, 2002). Si la personne souhaite garder son alliance, l'infirmière doit l'assujettir à l'aide de ruban adhésif. Toutefois, on doit la retirer s'il y a un risque d'œdème postopératoire aux doigts. D'autres circonstances motivent également le retrait de l'alliance: une chirurgie du bras, la mise en place d'un plâtre sur le bras et une mastectomie qui demande l'ablation des ganglions lymphatiques (une mastectomie est susceptible de causer l'œdème du bras et de la main).

PROTHÈSES. Avant la chirurgie, on doit retirer toutes les prothèses (remplacement artificiel d'une partie du corps, comme une prothèse dentaire, partielle ou complète, un œil ou un membre artificiels), les lentilles cornéennes, les lunettes, les perruques et les faux cils. Les prothèses auditives sont souvent laissées en place, mais le personnel du bloc opératoire doit en être avisé.

Selon l'établissement de soins, les prothèses dentaires sont laissées dans un endroit sûr de la chambre ou placées au chevet de la personne dans un contenant étiqueté. Les dentiers partiels peuvent se déloger au cours de la chirurgie et obstruer les voies respiratoires de la personne sous anesthésie. L'infirmière doit aussi vérifier la présence de gomme à mâcher ou de dents branlantes, un problème fréquent chez les enfants âgés de cinq ou six ans qui doivent subir une amygdalectomie. Les dents branlantes peuvent se déloger et être aspirées durant l'anesthésie.

DIRECTIVES PARTICULIÈRES. L'infirmière vérifie si le chirurgien a des directives particulières à donner (par exemple, l'insertion d'une sonde nasogastrique avant la chirurgie, l'administration de médicaments comme l'insuline ou l'emploi de bas de compression). Pour la technique de mise en place d'une sonde nasogastrique, voir le procédé 45-1 au chapitre 45 🔗.

PRÉPARATION DE LA PEAU. Dans la plupart des établissements de soins, on procède à la préparation de la peau en période préopératoire.

SIGNES VITAUX. Évaluer et consigner les signes vitaux pour les données de base. Rapporter toute anomalie, comme une tension artérielle ou une température élevées.

BAS DE COMPRESSION. Les bas de compression (ou bas antithrombose) sont des tubes élastiques qui compriment les veines de la jambe, facilitant ainsi le retour du sang veineux au cœur. Ils améliorent aussi la circulation artérielle dans les pieds et préviennent l'œdème des jambes et des pieds. On les utilise tant en période préopératoire qu'en période postopératoire.

Il existe plusieurs types de bas de compression. L'un d'eux couvre la jambe du pied au genou, un autre la couvre du pied à la mi-cuisse. Ces bas possèdent une ouverture au pied, soit au talon ou aux orteils, afin de permettre d'évaluer la circulation aux extrémités. Les bas élastiques sont disponibles en taille petite, moyenne et grande. On explique la marche à suivre pour mettre les bas de compression au procédé 41-2.

PROCÉDÉ 41-2

Mettre des bas de compression

Objectifs

- Faciliter le retour veineux dans les membres inférieurs.
- Prévenir la stase veineuse et la formation de thrombus.
- Réduire l'œdème déclive.

COLLECTE DES DONNÉES

Évaluez, pour les deux membres inférieurs

- La fréquence, le rythme et l'amplitude du pouls de l'artère tibiale postérieure et de l'artère pédieuse
- La couleur de la peau (notez la pâleur, la cyanose ou toute autre pigmentation)
- La température de la peau
- La présence de veines distendues ou d'œdème
- L'état de la peau (par exemple, épaisse, luisante, tendue)

PLANIFICATION

Avant de mettre les bas de compression, déterminez tout problème de circulation, présent ou potentiel, et consultez les exigences du chirurgien concernant les membres inférieurs.

Matériel

- Ruban métrique

- Bas de compression (bas antitrhombose) propres, de taille et de type requis
- Grille de mesure (pour évaluer la taille appropriée du bas)
- Poudre de talc (vérifiez si la personne est allergique à la poudre de talc)

INTERVENTION

Préparation

Prenez les mesures pour déterminer la taille de bas requise.

- Mesurez la longueur de chaque jambe, du talon au pli fessier (pour les bas à mi-cuisse) et du talon au creux poplité (pour les bas au genou).
- Mesurez la circonférence de chaque mollet et de chaque cuisse à l'endroit le plus gros.

- Déterminez la taille adéquate des bas à l'aide de la grille de mesures. Si vos mesures et celles de la grille diffèrent grandement, commandez des bas de deux tailles différentes. *Des bas trop grands ne compriment pas la jambe suffisamment pour faciliter le retour veineux et peuvent plisser, ce qui augmente le risque d'irritation de la peau. Des bas trop petits peuvent entraver la circulation du sang dans*

les pieds et causer une occlusion artérielle.

Exécution

1. Expliquez à la personne ce que vous allez faire, pourquoi vous allez le faire et comment elle peut coopérer.
2. Lavez-vous les mains et observez les autres mesures de prévention des infections.

INTERVENTION (suite)

3. Assurez-vous que l'intimité de la personne est préservée.

4. Choisissez un moment approprié pour mettre les bas.
   - Mettez les bas le matin, avant que la personne ne se lève dans la mesure du possible. *En position debout ou assise, les veines se distendent et un œdème peut se former; les bas doivent donc être mis avant le lever.*
   - Dans le cas d'une personne qui a déjà fait quelques pas, l'aider à s'étendre et à mettre les jambes en position surélevée pendant 15 à 30 minutes avant de mettre les bas. *Cette façon de procéder facilite le retour veineux et réduit le gonflement.*

5. Préparez la personne.
   - Aidez-la à s'allonger dans le lit.
   - Lavez-lui les jambes et séchez-les-lui, au besoin.
   - Appliquez de la poudre de talc ou de la fécule de maïs sur les chevilles. *Ce procédé facilite la mise en place des bas.*

6. Mettez les bas.
   - Insérez votre main à l'intérieur du bas, saisissez le talon et retournez le bas à l'envers en ramenant le talon vers l'extérieur. *Il est plus facile d'installer des bas élastiques à soutien ferme sur le pied et le mollet de cette façon plutôt qu'en les plissant.*

- Demandez à la personne d'allonger les orteils, puis enfilez le bas sur son pied. Tout en tirant le talon du bas vers le lit et en étirant le tube élastique à l'aide de vos mains, passez le bas en ayant soin d'en placer le talon au bon endroit (figure 41-6 ■). *L'allongement des orteils facilite la tâche.*

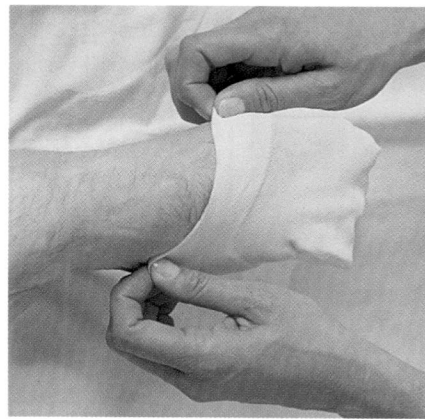

FIGURE **41-6** ■ Le bas retourné est placé à l'envers sur les orteils.

- Saisissez le bas dans sa portion lâche à la cheville et déroulez-le en tirant doucement le long de la jambe (figure 41-7 ■).
- Vérifiez l'ajustement du bas et éliminez les plis, s'il y a lieu. Assurez-vous que le bas ne forme pas de bour-

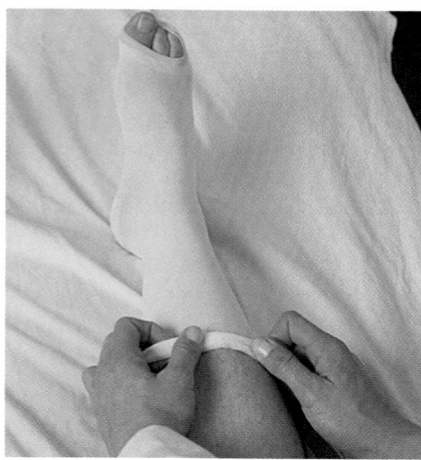

FIGURE **41-7** ■ Le déroulement permet au bas de s'ajuster parfaitement à la jambe.

relet dans le haut ou à la cheville. *Les plis peuvent causer une irritation de la peau; les bourrelets peuvent entraver le retour veineux.*

- Toutes les huit heures, retirez les bas pendant une demi-heure et inspectez la peau avant de les remettre.
- On lave les bas à la main dans de l'eau tiède, avec un savon doux; on les suspend pour les faire sécher.

7. Consignez le procédé au dossier. Notez les données, l'évaluation des données et les périodes de port des bas.

ÉVALUATION

- Faites le suivi qui s'impose au moins toutes les quatre heures.
- Notez l'apparence des jambes et l'état de la peau pour déceler la présence d'œdème, prenez les pouls périphériques, notez

la couleur et la température de la peau; comparez ces données avec celles qui se trouvent déjà au dossier.

- Si une complication se présente, retirez les bas et rapportez les anomalies au médecin.

LES ÂGES DE LA VIE

Bas de compression

ENFANTS

- Les bas de compression sont rarement nécessaires pour les enfants.

PERSONNES ÂGÉES

- À cause de l'élasticité assez ferme des bas de compression, les personnes âgées ont besoin d'assistance pour les mettre. Les personnes qui souffrent d'arthrite ont besoin que quelqu'un d'autre leur mette les bas.
- Beaucoup de personnes âgées ont des problèmes circulatoires et doivent porter des bas de compression. Il est

important de vérifier si les bas plissent, s'entortillent ou font des bourrelets. Si cela se produit, il faut les replacer immédiatement; la pression exercée par les bas doit être uniforme et faciliter la circulation plutôt que la gêner.

- Les bas doivent être retirés toutes les huit heures afin de permettre une évaluation complète des jambes et des pieds. Des rougeurs et des lésions aux talons peuvent survenir rapidement et passer inaperçues si les jambes ne sont pas inspectées de façon régulière.

SOINS À DOMICILE

Bas de compression

- Enseigner à la personne ou au proche aidant comment mettre les bas de compression.
- Insister sur la nécessité d'éliminer les plis et les bourrelets et en expliquer la raison.
- Demander à la personne ou au proche aidant de retirer les bas régulièrement et d'inspecter la peau des jambes.
- Expliquer qu'il faut :
  - Laver régulièrement les bas.
  - Avoir deux paires de bas, ce qui permet l'alternance entre le port et le lavage.
  - Se procurer de nouveaux bas lorsque les anciens ont perdu de leur élasticité.

LES ÂGES DE LA VIE

Soins postopératoires

PERSONNES ÂGÉES

- Les personnes âgées ont des réserves moindres et leur récupération postopératoire pourrait s'avérer plus lente. Prêter attention aux signes vitaux, aux ingesta et excreta, à l'état mental; noter tout changement.
- Après une chirurgie, à cause des médicaments et des anesthésiants utilisés, on observe souvent, chez les personnes atteintes de démence, une recrudescence des symptômes de confusion et d'agitation. Il faut assurer une surveillance postopératoire accrue auprès de ces personnes pour garantir leur sécurité. Il est important que le personnel infirmier maintienne une attitude calme et rassurante. De telles réactions ont tendance à se poursuivre pendant des jours et des semaines avant que ces personnes retrouvent leur état mental préopératoire.
- Après une chirurgie, les personnes âgées éprouvent une fatigue et une faiblesse plus grandes. On doit encourager une activité modérée afin de prévenir l'épuisement.
- Lorsqu'une personne âgée subit une chirurgie d'un jour, les infirmières doivent faire le suivi en téléphonant le soir même ou le lendemain pour vérifier son état de santé et s'assurer que les instructions postopératoires ont été bien comprises.

APPAREIL DE PRESSOTHÉRAPIE INTERMITTENTE DES VEINES. Les personnes devant subir une chirurgie auraient peut-être avantage à porter un appareil de pressothérapie intermittente pour favoriser le retour veineux des jambes. Ce dispositif est composé de tubes de plastique qui entourent la jambe et qui se gonflent et se dégonflent pour faciliter le retour veineux. Cet appareil est présenté en détail au chapitre 49 (voir le procédé 49-1 ⎙).

Évaluation

Les objectifs élaborés durant la phase de planification sont évalués selon les résultats escomptés, établis durant la même phase. Des exemples de résultats escomptés et d'indicateurs qui y sont

reliés ont été donnés précédemment dans l'encadré *Diagnostics infirmiers, résultats de soins infirmiers et interventions – Période préopératoire.*

Période peropératoire

L'infirmière en soins peropératoires est un membre essentiel de l'équipe chirurgicale ; elle s'occupe de la personne et de sa sécurité tout en évaluant constamment les besoins de la personne comme ceux des membres de l'équipe.

Types d'anesthésies

L'anesthésie est qualifiée de *générale* ou de *régionale*. Les substances anesthésiantes (les anesthésiques ou les anesthésiants) sont habituellement administrées par un anesthésiste.

L'**anesthésie générale** est la perte de toutes les sensations et de la conscience. Durant l'anesthésie générale, les réflexes de défense, comme le réflexe tussigène et le réflexe laryngé, sont absents. Cette anesthésie bloque les centres de la conscience au niveau du cerveau, de façon à provoquer l'amnésie (perte de la mémoire), l'analgésie (insensibilité à la douleur), l'hypnose (sommeil artificiel) et la relaxation (suppression de la tension corporelle). Les anesthésiques sont habituellement administrés soit par perfusion intraveineuse, soit par inhalation de gaz à l'aide d'un masque, soit par intubation endotrachéale (introduction d'une sonde dans la trachée).

L'anesthésie générale possède des avantages certains. Comme la personne est inconsciente, plutôt qu'éveillée et anxieuse, ses fonctions respiratoire et cardiaque sont bien contrôlées. De plus, l'anesthésie peut s'adapter à la durée de l'intervention ainsi qu'à l'âge et à l'état de santé de la personne. L'inconvénient majeur est l'effet dépressif sur l'appareil respiratoire et sur le système circulatoire. Certaines personnes sont plus anxieuses à l'idée de subir une anesthésie générale qu'à propos de la chirurgie elle-même, et c'est souvent parce qu'elles craignent de perdre la maîtrise de leur corps.

L'**anesthésie régionale** est l'interruption temporaire de la transmission des impulsions nerveuses en provenance ou en direction d'une région donnée du corps. La personne perd toute sensation dans une région de son corps, mais elle demeure consciente. Plusieurs techniques sont utilisées :

- L'**anesthésie de surface** (ou **topique**) est l'application d'un anesthésique directement sur la peau ou les muqueuses, les grandes surfaces de la peau, les blessures et les brûlures. Les anesthésiques de surface les plus employés sont la lidocaïne (Xylocaine) et la benzocaïne. Les anesthésiques de surface sont rapidement absorbés et ont une action rapide.
- L'**anesthésie locale** (ou **par infiltration**) est l'injection d'un anesthésique dans une région spécifique du corps ; on y recourt dans les interventions chirurgicales mineures, comme la suture d'une petite blessure ou une biopsie. La lidocaïne ou la tétracaïne 0,1 % sont souvent utilisées.
- L'**anesthésie par bloc nerveux** consiste à injecter un agent anesthésique dans un nerf, près d'un nerf ou dans un petit groupe de nerfs qui desservent une région déterminée du corps. Les nerfs multiples ou les plexus (par exemple, plexus brachial pour anesthésier le bras) demandent un bloc nerveux majeur ; un nerf seul (par exemple, nerf facial) nécessite un bloc nerveux mineur.

■ L'**anesthésie locorégionale intraveineuse** (ou **bloc de Bier**) est utilisée la plupart du temps pour des interventions au bras, au poignet ou à la main. On installe un tourniquet d'occlusion à l'extrémité du membre pour prévenir l'infiltration et l'absorption de la substance injectée par intraveineuse au-delà de la région concernée.

■ L'**anesthésie rachidienne** (ou **rachianesthésie**), qu'on appelle aussi « anesthésie sous-arachnoïdienne », requiert une ponction lombaire à travers l'un des espaces situés entre la deuxième vertèbre lombaire (L2) et le sacrum (S1). Un agent anesthésique est injecté dans l'espace sous-arachnoïdien qui entoure la moelle épinière. L'anesthésie rachidienne est souvent classée en trois catégories : basse, moyenne ou haute. L'anesthésie rachidienne basse (anesthésie caudale) est utilisée pour les chirurgies de la région périnéale et rectale ; l'anesthésie rachidienne moyenne (sous-ombilicale, D10) est utilisée pour les hernies et les appendicectomies ; l'anesthésie rachidienne haute (qui atteint la ligne du mamelon, D4) est utilisée pour les césariennes.

■ L'**anesthésie épidurale** (ou **péridurale**) consiste à injecter un agent anesthésique dans l'espace épidural, situé entre la dure-mère et la paroi du canal vertébral.

La sédation s'utilise seule ou en combinaison avec l'anesthésie régionale pour certains examens paracliniques et interventions chirurgicales. La **sédation** provoque une dépression minimale de l'état de conscience, au cours de laquelle la personne garde sa capacité à maintenir les voies respiratoires actives et à réagir de façon appropriée aux instructions (Kost, 1999). Des opioïdes administrés par injection intraveineuse, comme la morphine ou le fentanyl (Sublimaze), et des anxiolytiques, comme le diazépam (Valium) ou le midazolam (Versed), sont couramment utilisés pour induire et maintenir la sédation. La sédation augmente le seuil de la douleur de la personne et provoque un certain degré d'amnésie, mais ses effets se dissipent rapidement, permettant ainsi un prompt retour à la normale. Des interventions comme l'endoscopie, l'incision ou le drainage d'abcès et même l'angioplastie transluminale percutanée (par ballonnet) peuvent être effectuées sous sédation.

DÉMARCHE SYSTÉMATIQUE
dans la pratique infirmière

Collecte des données

Lorsque la personne est admise à la salle d'opération ou au bloc opératoire, l'infirmière en soins périopératoires vérifie son identité et note son état physique et émotionnel. Elle vérifie les informations sur la liste de contrôle préopératoire et évalue la connaissance qu'a la personne de la chirurgie et des événements qui doivent suivre. La réaction de la personne aux médicaments préopératoires est évaluée, ainsi que la position et la perméabilité de la perfusion intraveineuse, de la sonde nasogastrique et de la sonde vésicale.

L'évaluation se poursuit tout au long de la chirurgie, alors que l'infirmière et l'anesthésiste font le monitorage constant des signes vitaux de la personne (y compris la pression artérielle, la fréquence cardiaque, la fréquence respiratoire et la température), de l'ECG et de la saturation du sang en oxygène. Tout au long de l'intervention chirurgicale, les apports de liquides et le débit urinaire sont mesurés et la perte sanguine, estimée. De plus, la pression artérielle et veineuse, la pression artérielle pulmonaire et les valeurs de laboratoire, comme le glucose sanguin, l'hémoglobine, l'hématocrite, les électrolytes sériques et les gaz sanguins artériels, peuvent être évalués au cours de la chirurgie. L'évaluation continue est nécessaire pour déceler rapidement les réactions indésirables à la chirurgie ou à l'anesthésie et intervenir promptement afin de prévenir les complications.

Analyse

Les diagnostics infirmiers de NANDA susceptibles de s'appliquer à la personne en période peropératoire sont les suivants :

■ *Risque de fausse route (risque d'aspiration)*
■ *Mécanismes de protection inefficaces*
■ *Atteinte à l'intégrité de la peau*
■ *Risque de blessure en périopératoire*
■ *Risque de température corporelle anormale*
■ *Irrigation tissulaire inefficace*
■ *Risque de déséquilibre de volume liquidien*

Planification

Dans l'ensemble, les objectifs des soins en période peropératoire sont d'assurer la sécurité de la personne et de maintenir l'homéostasie. Les activités infirmières visant à atteindre ces objectifs sont les suivantes :

■ Installer la personne dans la position requise par la chirurgie.
■ Procéder à la préparation de la peau.
■ Prendre part à la préparation et au maintien de la zone stérile.
■ Ouvrir et distribuer le matériel stérile durant la chirurgie.
■ Assurer l'approvisionnement du champ opératoire en médicaments et en solutions stériles.
■ Assurer et maintenir un environnement sûr et aseptique.
■ S'occuper des cathéters, des tubes et des drains ainsi que des prélèvements.
■ Compter les éponges, les bistouris et les instruments.
■ Consigner les soins apportés à la personne et sa réaction à ces interventions.

Interventions

En salle d'opération, les infirmières assurent le service externe et interne. Les **infirmières en service externe** assistent les infirmières en service interne et les chirurgiens. Elles aident au positionnement de la personne et à la mise en place de l'équipement chirurgical requis. Durant la chirurgie, il incombe aux infirmières en service externe d'obtenir le matériel supplémentaire nécessaire, de disposer l'éclairage, etc. Les **infirmières en service interne** assistent les chirurgiens. Elles portent la tenue chirurgicale réglementaire (blouse, bonnet et gants stériles). Elles ont la responsabilité de s'occuper du drapage stérile de la personne et de manier le matériel et les instruments stériles. Elles ont aussi la responsabilité des éponges, des aiguilles et des instruments utilisés. Dans certains établissements de soins, le chirurgien ne referme pas (c'est-à-dire ne suture pas) la plaie tant que l'infirmière en service interne n'a pas fait le compte exact des éponges et instruments employés. Cette précaution permet d'éviter de laisser du matériel dans le corps de la personne opérée.

En 2000, le gouvernement du Québec a reconnu et légalisé la pratique d'**infirmière première assistante en chirurgie**, faisant alors figure de leader au pays. Sous la supervision du chirurgien, cette infirmière peut exercer diverses activités : suturer les fascias, les tissus sous-cutanés et la peau ; succionner ; éponger ; placer et tenir des écarteurs ; clamper, cautériser, ligaturer des vaisseaux ; manipuler un laparoscope. Bref, elle apporte une aide clinique et technique très appréciée par le chirurgien. Les activités et le jugement clinique que nécessitent les rôles et les fonctions de l'infirmière première assistante requièrent un programme de formation d'appoint, approprié et hautement spécialisé, ainsi que l'élaboration de normes, de règlements et de politiques administratives (Ordre des infirmières et infirmiers du Québec, 2000 et 2004).

Préparation chirurgicale de la peau

La préparation de la peau en vue d'une chirurgie demande le nettoyage du champ opératoire, le rasage des poils au besoin et l'application d'un agent antimicrobien. Dans la plupart des blocs opératoires, la préparation de la peau est faite par le personnel chirurgical juste avant l'opération. Le but de la préparation chirurgicale de la peau est de réduire le risque postopératoire d'infection de la plaie, ce qui s'obtient comme suit :

- En retirant les saletés et les bactéries de passage sur la peau.
- En réduisant rapidement le nombre de bactéries commensales à des proportions non pathogènes tout en provoquant le moins d'irritation possible aux tissus.
- En inhibant la prolifération des bactéries.

Afin de réduire le risque d'infection postopératoire de la plaie, l'Association of Operating Room Nurses (1996) recommande l'adoption des procédés suivants pour la préparation de la peau :

- Laver le champ opératoire et les régions avoisinantes. Cette étape peut se faire soit avant l'arrivée à la salle d'attente si on a demandé à la personne de prendre une douche et de se laver les cheveux, soit dans la salle d'attente, immédiatement avant l'application de l'agent antibactérien.
- Examiner le champ opératoire avant la préparation de la peau. L'infirmière examine le champ à la recherche de grains de beauté, de verrues, de rougeurs ou de lésions cutanées, comme des pustules, des éraflures ou des ulcérations, et consigne leur présence avant la préparation de la peau.
- Raser le champ opératoire soit en cas de nécessité, soit selon les instructions du médecin, soit selon les règles de pratique et les règles de l'établissement. Le personnel qualifié doit procéder au rasage en utilisant des techniques qui préservent l'intégrité de la peau. Il est recommandé d'utiliser une tondeuse électrique ou une crème dépilatoire pour réduire le risque de blessures occasionnées à la peau. Avant d'employer une crème dépilatoire, il faut faire un test d'hypersensibilité. Les lésions et les éraflures de la peau augmentent le risque de colonisation du champ opératoire par des microorganismes. Si le rasage s'impose, il est préférable de le faire le plus tard possible avant la chirurgie (près de la salle où aura lieu l'opération) afin de réduire la croissance et la prolifération des bactéries.
- Préparer le champ opératoire et la région qui l'entoure en appliquant un antiseptique selon les indications. L'emploi d'un antiseptique non toxique à large rayon d'action inhibe la croissance des microorganismes pendant et après l'intervention chirurgicale. Le choix de l'antiseptique se fait en fonction des réactions allergiques passées de la personne, de l'emplacement du champ opératoire et de l'état de la peau. On prépare une surface de peau suffisamment grande pour permettre la prolongation de

l'incision, l'ajout de nouveaux drains ou l'exécution de nouvelles incisions.

- Consigner la préparation préopératoire de la peau dans le dossier de la personne. Les informations notées comprennent les éléments suivants : l'état de la peau et la mention de toute excroissance, éraflure et rougeur ; s'il y a lieu, le rasage et la technique employée ; le lavage et l'antiseptique employé ; le nom de la personne qui a procédé à la préparation de la peau en période préopératoire ; toute réaction indésirable ou allergique.

Positionnement de la personne

Le positionnement de la personne durant l'intervention chirurgicale est une importante responsabilité que se partagent l'infirmière, le chirurgien et l'anesthésiste. La position peropératoire idéale de la personne fournit :

- Une vue optimale du champ opératoire et une accessibilité optimale à ce dernier.
- Une accessibilité optimale à la personne qui permet d'évaluer et de maintenir l'anesthésie et les fonctions vitales (signes vitaux, fonctions respiratoire et cardiovasculaire).
- La protection de la personne contre toute blessure.

Le positionnement s'effectue après l'induction de l'anesthésie et avant le drapage chirurgical. On met la personne en position pour empêcher les forces de cisaillement de s'exercer sur la peau. Le positionnement se fait en fonction de l'intervention que la personne doit subir. Par exemple, une chirurgie vaginale se fait habituellement en position de lithotomie.

La personne est maintenue en position sur la table d'opération par des sangles, et il est fréquent qu'on glisse des coussinets sous les parties saillantes du corps. Un bon positionnement respecte l'amplitude articulaire et l'alignement du corps, ce qui permet d'éviter les tensions et les blessures aux muscles, aux os et aux ligaments.

> **! ALERTE CLINIQUE** *Le positionnement peropératoire des personnes âgées demande une attention toute particulière. Comme celles-ci sont vulnérables aux escarres, vérifier les points de pression de la position chirurgicale utilisée.* ■

Évaluation

L'infirmière en soins peropératoires reprend les objectifs élaborés durant la phase de planification (c'est-à-dire assurer la sécurité de la personne et maintenir l'homéostasie) et recueille les données nécessaires à l'évaluation de l'atteinte des résultats escomptés.

Documentation

Tout au long de la période peropératoire, l'infirmière note les soins donnés à la personne, comme l'administration de liquide par voie intraveineuse, le positionnement, l'aspiration gastrique et la surveillance du débit urinaire par la sonde vésicale.

Période postopératoire

Durant la période postopératoire, les soins infirmiers sont essentiels au rétablissement de la personne. L'anesthésie inhibe la capacité de la personne à réagir aux stimuli extérieurs, quoique le degré de conscience varie selon les personnes. De plus, la chirurgie impose un traumatisme à l'organisme en perturbant les mécanismes de protection et l'homéostasie.

Période postanesthésique immédiate (en salle de réveil)

Les soins spécialisés que demandent les personnes ayant subi une anesthésie et une chirurgie sont prodigués par les infirmières de la salle de réveil (figure 41-8 ■). Dès que son état de santé s'est stabilisé, on transfère la personne à l'unité de soins ou à l'unité de chirurgie d'un jour (le cas échéant) avant de lui accorder son congé. L'encadré 41-5 passe en revue l'évaluation de la personne en période postanesthésique immédiate.

Durant cette période, la personne inconsciente est placée sur le côté, la tête légèrement inclinée. On évite de placer un oreiller sous la tête. La force de gravité qui s'exerce dans cette position maintient la langue vers l'avant, ce qui prévient l'occlusion du pharynx et permet aux mucus et aux vomissures d'être expulsés par la bouche plutôt que d'être aspirés dans l'arbre bronchique.

L'infirmière facilite l'expansion maximale du thorax en surélevant le bras libre de la personne au moyen d'un oreiller. On soutient ainsi le bras parce qu'autrement la pression qu'il exercerait sur la poitrine réduirait l'amplitude de la cage thoracique. Une canule endotrachéale est maintenue en place et des aspirations sont pratiquées au besoin, jusqu'au retour du réflexe tussigène et du réflexe de déglutition. En général, la canule oropharyngée est expulsée lorsque la personne recommence à tousser. La canule endotrachéale reste en place jusqu'à ce que la personne s'éveille et soit capable de respirer par elle-même. Si les signes vitaux sont stables, on aide la personne à se tourner sur le côté et on l'incite à tousser et à prendre de grandes inspirations.

Dans le cas d'une anesthésie rachidienne, il arrive qu'on garde la personne allongée pendant une certaine période de temps. Voir le chapitre 48 ⌘ pour en apprendre davantage sur les canules oropharyngées ou endotrachéales.

La réapparition des réflexes, comme le réflexe nauséeux et le réflexe de déglutition, indique que l'anesthésie tire à sa fin. La période de récupération qui suit une anesthésie varie en fonction du type et de la posologie de l'anesthésique utilisé ainsi que de la réaction de la personne à cet anesthésique. L'infirmière devrait éveiller la personne en l'appelant par son nom d'une voix normale, en lui disant à quelques reprises que la chirurgie est terminée et qu'elle se trouve dans la salle de réveil.

Dès que son état de santé s'est stabilisé, on transfère la personne à l'unité de soins ou à l'unité de chirurgie d'un jour (le cas échéant).

La personne reçoit habituellement son congé de la salle de réveil lorsque les conditions suivantes sont remplies :
- Elle est consciente et lucide.
- Elle a les voies respiratoires dégagées ; elle est capable de respirer profondément et de tousser librement.
- Les signes vitaux correspondent à ceux de la période préopératoire et sont stables depuis au moins 30 minutes.
- Les réflexes de défense (par exemple, le réflexe nauséeux et le réflexe de déglutition) sont présents.
- Elle est capable de bouger les membres inférieurs et supérieurs.
- Le débit urinaire est suffisant (au moins 30 mL/h).

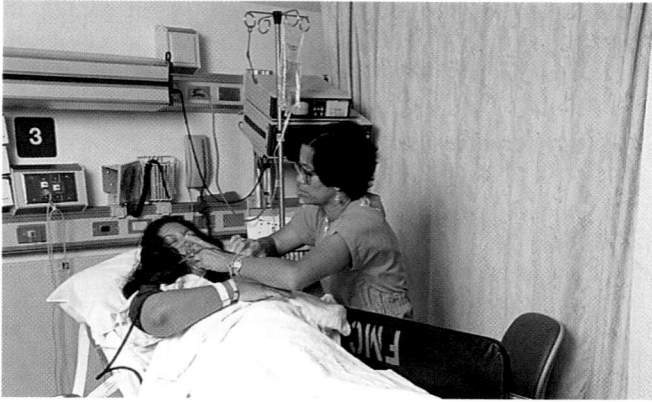

FIGURE **41-8** ■ En salle de réveil, l'infirmière fournit des soins constants aux personnes qui récupèrent de l'anesthésie et de la chirurgie.

Évaluation clinique

ENCADRÉ **41-5**

Période postanesthésique immédiate (en salle de réveil)
- Dégagement des voies respiratoires
- Ventilation
  - Fréquence, rythme et amplitude respiratoires.
  - Utilisation des muscles accessoires.
  - Bruits respiratoires.
- Saturation du sang en oxygène
- État cardiovasculaire
  - Fréquence et rythme cardiaques.
  - Amplitude et symétrie des pouls périphériques.
  - Pression artérielle.
  - Remplissage capillaire.
- État de conscience
  - Ne réagit pas.
  - Réagit aux stimuli verbaux.
  - Est complètement éveillée.
  - Fait preuve d'orientation temporelle et spatiale.
- Présence des réflexes de défense (par exemple, réflexe nauséeux et réflexe tussigène)
- Activité et capacité de bouger les membres
- Couleur de la peau (rosée, pâle, mate, marbrée, bleutée, jaunâtre)
- État liquidien
  - Ingesta et excreta.
  - État des perfusions IV (types de liquides, quantité dans le contenant, perméabilité des tubulures).
  - Signes de déshydratation ou d'hyperhydratation (voir le chapitre 50 ⌘).
- État du site opératoire
  - État des pansements.
  - Liquide de drainage (quantité, type et couleur).
- Perméabilité, caractéristique et quantité du liquide de drainage en provenance des cathéters, des tubes et des drains
- Douleur (type, emplacement et intensité), nausées, vomissements
- Sécurité (par exemple, nécessité des ridelles de lit et d'une sonnette d'appel à portée de la main)

- La personne est dans un état apyrétique ou son état fébrile est en traitement.
- Les pansements sont secs, intacts, sans écoulement apparent.

Préparation des soins à donner en période postopératoire

Pendant que la personne est au bloc opératoire, on prépare le lit et la chambre à l'unité de soins pour la période postopératoire. Dans certains établissements, on ramène la personne à l'unité de soins sur une civière, puis on la transfère dans le lit; dans d'autres, on déplace la personne dans son lit jusqu'à la salle postanesthésique, où on procède au transfert. Dans ce dernier cas, on recouvre le lit de draps propres dès l'entrée de la personne au bloc opératoire de façon à pouvoir le déplacer à n'importe quel moment à la salle d'opération. De plus, l'infirmière doit obtenir et installer tout équipement médico-chirurgical requis (par exemple, support pour intraveineuse, matériel à oxygène, matériel d'aspiration, appareils orthopédiques de traction). Si cet équipement n'est pas mentionné dans le dossier de la personne, l'infirmière doit consulter l'infirmière en soins périopératoires ou le chirurgien.

DÉMARCHE SYSTÉMATIQUE
dans la pratique infirmière

Collecte des données

Dès le retour de la personne à l'unité de soins, l'infirmière procède à une première collecte des données. Le déroulement des activités varie selon la situation. Par exemple, l'infirmière pourrait avoir besoin de vérifier les directives immédiates du médecin avant de faire la première collecte des données; dans ce cas, l'exécution des directives du médecin se fait en même temps que la collecte des données initiales.

L'infirmière consulte les directives postopératoires du chirurgien pour avoir les données suivantes :

- Solutions et médicaments intraveineux.
- Médicaments prescrits (par exemple, analgésiques, antibiotiques).
- Examens paracliniques.
- Calcul des ingesta et excreta (dans certains établissements de soins, cette mesure s'applique à toutes les personnes en période postopératoire).
- Position dans le lit.
- Nourriture et liquides que la personne peut consommer par voie orale.
- Activités permises, y compris la marche.

L'infirmière consulte aussi le dossier de la salle de réveil pour connaître les données suivantes :

- Nature de l'opération subie.
- Présence et emplacement des drains.
- Anesthésie employée.
- Diagnostic postopératoire.
- Estimé de la perte sanguine.
- Médicaments administrés à la salle de réveil.

Un grand nombre d'établissements de soins ont un protocole postopératoire pour l'évaluation à intervalles réguliers de l'état des personnes. Dans certains établissements de soins de santé, l'évaluation est d'abord effectuée toutes les 15 minutes, jusqu'à ce que les signes vitaux se soient stabilisés, puis toutes les heures durant 4 heures et, enfin, toutes les 4 heures pendant les 48 heures suivantes. Il est important de procéder à l'évaluation aussi souvent que l'état de la personne le requiert. L'infirmière évalue les éléments suivants :

- *Degré de conscience*. Évaluer l'orientation temporelle et spatiale ainsi que l'attitude envers les autres. La plupart des personnes sont tout à fait conscientes, quoiqu'un peu somnolentes, lorsqu'elles reviennent à l'unité de soins. Évaluer les réactions aux stimuli verbaux et la capacité de bouger les membres.

- *Signes vitaux*. Prendre les signes vitaux de la personne (pouls, respiration, pression artérielle, taux de saturation du sang en oxygène) toutes les 15 minutes ou selon le protocole de l'établissement, jusqu'à ce qu'ils se soient stabilisés. Comparer avec les données de la salle de réveil. De plus, procéder à l'évaluation des bruits pulmonaires et rechercher la présence de problèmes circulatoires postopératoires courants, comme l'hypotension, une hémorragie ou un état de choc hypovolémique. L'hypovolémie liée à la perte de liquides durant la chirurgie est une cause commune d'hypotension. Une ligature des vaisseaux sanguins ou une rupture des points de suture peuvent provoquer une hémorragie. Une hémorragie massive ou une insuffisance cardiaque peuvent mener à un état de choc hypovolémique. Le tableau 41-2 présente les problèmes postopératoires les plus courants, leurs manifestations et les mesures préventives.

- *Couleur de la peau et température*, tout particulièrement des lèvres et de la base des ongles. La couleur des lèvres et de la base des ongles est un indicateur de l'**irrigation tissulaire** (passage du sang à travers les vaisseaux). Une peau pâle, cyanosée, froide et humide peut être signe de problèmes circulatoires.

> ## ! ALERTE CLINIQUE
> *Les personnes âgées ne présentent pas toujours les signes habituels d'infection (par exemple, fièvre, tachycardie et augmentation des leucocytes); l'infection peut se traduire par un brusque changement de leur état de conscience.* ■

- *Bien-être*. Évaluer la douleur de la personne en prenant ses signes vitaux plus fréquemment que selon l'horaire prévu, au besoin. Noter l'emplacement et l'intensité de la douleur. Ne jamais présumer que la douleur décrite par la personne est due à l'incision; la douleur pourrait être causée par un claquage musculaire, des flatuosités ou une angine de poitrine. Demander à la personne d'évaluer l'intensité de sa douleur sur une échelle de 1 à 10. Examiner la personne pour déceler des signes objectifs de douleur : pâleur, transpiration, tension musculaire et réticence à tousser, à bouger ou à marcher. Vérifier le type et la dernière administration de l'analgésique prescrit et s'assurer que celui-ci ne provoque pas d'effets secondaires (nausées, vomissements) chez la personne.

- *Équilibre liquidien*. Évaluer le type et la quantité de liquides intraveineux, la vitesse d'écoulement et l'emplacement de la perfusion. Surveiller les liquides absorbés et excrétés par la personne. Rechercher tout signe de choc hypovolémique ou de surcharge circulatoire et surveiller les électrolytes sériques. Les anesthésiques et la chirurgie perturbent les hormones qui agissent sur l'équilibre des liquides et des électrolytes (en particulier, l'aldostérone et l'hormone antidiurétique [HAD]); la personne opérée est donc susceptible de présenter une diminution de l'élimination urinaire et de souffrir d'un déséquilibre hydroélectrolytique.

- *Pansements et draps.* Inspecter les pansements de la personne ainsi que les draps sur lesquels elle repose. Une quantité excessive d'écoulement sanguin sur les pansements et sur les draps peut indiquer la présence d'une hémorragie. On quantifie les écoulements en notant le diamètre des taches ou en répertoriant le nombre et le type de pansements saturés de sang.
- *Sondes et drains.* Déterminer la couleur, la consistance et la quantité des écoulements provenant des sondes et des drains. Toutes les sondes doivent être perméables et les appareils d'aspiration, en fonction. Les sacs de drainage doivent être correctement suspendus.

Consigner l'heure d'arrivée de la personne ainsi que toutes les autres données. Beaucoup d'établissements de soins de santé ont, à cet effet, des modèles préétablis de notes d'évolution. Modifier la fréquence, les paramètres et les priorités pour satisfaire aux besoins de chaque personne.

Analyse

Comme elle touche directement et indirectement plusieurs fonctions de l'organisme, la chirurgie constitue une expérience complexe pour la personne. L'analyse infirmière englobe donc une grande variété de problèmes, tant actuels qu'anticipés, qui requièrent une approche interdisciplinaire.

Les diagnostics infirmiers proposés par NANDA au sujet des problèmes actuels et de type risque de la personne en période postopératoire sont les suivants:

- *Douleur aiguë*
- *Risque d'infection*
- *Risque de trauma*

- *Risque de déséquilibre de volume liquidien*
- *Dégagement inefficace des voies respiratoires*
- *Mode de respiration inefficace*
- *Déficit de soins personnels: se laver et effectuer ses soins d'hygiène, se vêtir et soigner son apparence*
- *Maintien inefficace de l'état de santé*
- *Image corporelle perturbée*

Le tableau 41-2 passe en revue les problèmes traités en collaboration. Des exemples d'application de certains diagnostics infirmiers utilisant la classification de NANDA, la CRSI/NOC et la CISI/NIC sont présentés dans l'encadré *Diagnostics infirmiers, résultats de soins infirmiers et interventions – Période postopératoire.*

Planification

La planification des soins postopératoires et du congé débute à la période préopératoire, au moment de l'enseignement préopératoire. Des exemples d'application clinique des résultats (CRSI/NOC) et des interventions (CISI/NIC) sont présentés dans le tableau *Diagnostics infirmiers, résultats de soins infirmiers et interventions – Période postopératoire.*

Planification des soins à domicile

Afin d'assurer la continuité des soins à la personne opérée, l'infirmière doit penser à l'aide à domicile nécessaire. La planification du congé, à la fois pour la personne qui a subi une chirurgie d'un jour et pour celle qui a été hospitalisée plusieurs jours (que ce soit avant ou après l'opération), comprend l'évaluation des éléments suivants: autonomie de la personne, capacité des proches à prodiguer des soins, ressources financières et besoins de soins spécialisés ou de services de soins à domicile. Plusieurs éléments d'évaluation sont décrits dans l'encadré *Évaluation pour les soins à domicile.* Toutefois, il est important de se rappeler que les besoins des personnes opérées peuvent varier et que des données d'évaluation supplémentaires pourraient être requises.

TABLEAU 41-2

Problèmes postopératoires possibles

Problème	Description	Causes	Signes cliniques	Interventions préventives
Respiratoire				
Pneumonie (pneumonie lobaire)	Inflammation des alvéoles.	Processus inflammatoire causé par une infection, des toxines ou des irritants.	Anxiété, tachycardie, fièvre, toux, expectoration de mucosités teintées de sang ou purulentes, dyspnée, douleurs thoraciques.	Exercices de respiration profonde, de toux contrôlée, changements de position dans le lit, ambulation précoce.
Pneumonie bactérienne	Peut se limiter à un ou plusieurs lobes; peut s'étendre au parenchyme pulmonaire.	Des microorganismes, comme le pneumocoque *Hæmophilus influenzæ* et le staphylocoque doré.	Anxiété, tachycardie, fièvre, toux, dyspnée, douleurs thoraciques.	Exercices de respiration profonde, de toux contrôlée, changements de position dans le lit, ambulation précoce.

TABLEAU
41-2

Problèmes postopératoires possibles (suite)

Problème	Description	Causes	Signes cliniques	Interventions préventives
Pneumonie d'aspiration ou de déglutition	Processus inflammatoire qui se manifeste par l'irritation des tissus pulmonaires causée par le passage de matière aspirée dans les voies respiratoires, particulièrement l'acide chlorhydrique (HCl) de l'estomac.	Aspiration du contenu de l'estomac, de nourriture ou d'autres substances, souvent reliée à la perte du réflexe de déglutition.	Anxiété, tachycardie, fièvre, toux, dyspnée, douleurs thoraciques.	Exercices de respiration profonde, de toux contrôlée, changements de position dans le lit, ambulation précoce.
Atélectasie	Affaissement des alvéoles qui ne sont plus ventilées.	Obstruction des bronches par le mucus, expansion insuffisante des poumons provoquée par les analgésiques ou l'immobilité.	Dyspnée, tachypnée, tachycardie ; diaphorèse, anxiété ; douleur pleurale, mouvement réduit de la paroi thoracique ; murmures vésiculaires diminués ou absents ; saturation en oxygène réduite (SAO_2).	Exercices de respiration profonde et de toux contrôlée, changements de position dans le lit, ambulation précoce.
Embolie pulmonaire	Caillot de sang qui s'est déplacé et obstrue une artère pulmonaire, empêchant ainsi le sang d'irriguer une partie du poumon.	Stase veineuse causée par l'immobilité, lésions aux veines dues à des fractures ou liées à une chirurgie, utilisation de contraceptifs oraux à taux élevé d'œstrogènes, affection préexistante de la coagulation ou de la circulation.	Anxiété, douleur soudaine à la poitrine, manque de souffle, cyanose, état de choc hypovolémique (tachycardie, hypotension). Peut aussi être silencieux.	Changements de position, ambulation, bas de compression, appareil de pressothérapie intermittente.
Circulatoire				
Hypovolémie	Diminution du volume sanguin circulant.	Déficit liquidien, hémorragie.	Tachycardie, diminution du débit urinaire, diminution de la pression artérielle.	Dépistage précoce des signes ; transfusion sanguine, remplacement liquidien.
Hémorragie	Saignement externe ou interne.	Rupture des sutures, ligature trop lâche des vaisseaux sanguins.	Saignements (pansements saturés de sang clair, sang clair dans les liquides de drainage), douleur croissante, augmentation de la circonférence de l'abdomen, ecchymose ou gonflement autour de l'incision. Tachycardie, diminution de la pression artérielle, diminution du débit urinaire.	Détection précoce des signes.

Problème	Description	Causes	Signes cliniques	Interventions préventives
Choc hypovolémique	Irrigation insuffisante des tissus due à une réduction marquée du volume de sang circulant.	Hypovolémie grave due à un déficit liquidien ou à une hémorragie.	Pouls faible et rapide, dyspnée, tachypnée; agitation et anxiété; débit urinaire de moins de 30 mL/h; hypotension; peau froide et moite, pâleur, soif.	Maintenir le volume sanguin par un remplacement liquidien suffisant, prévenir l'hémorragie; dépistage précoce des signes.
Thrombose veineuse profonde	Inflammation des veines (habituellement dans les membres inférieurs) due à la présence d'un caillot de sang.	Ralentissement de la circulation du sang veineux dû à l'immobilité ou bien à une position assise ou alitée prolongée; trauma aux veines, inflammation, coagulopathie.	Douleur ou crampes; les régions affectées sont œdématiées, rouges et chaudes au toucher; les veines peuvent être tendues et durcies.	Ambulation précoce, exercices pour les jambes, bas de compression, appareil de pressothérapie intermittente, apport liquidien suffisant.
Thrombus	Caillot de sang qui se fixe à la paroi d'une artère.	Inflammation de la paroi de l'artère.	Douleur et pâleur de l'extrémité touchée; pouls périphériques réduits ou absents.	Maintien de la position prescrite; détection précoce des signes.
Embole	Corps étranger ou caillot qui s'est déplacé de son site de formation vers une autre région du corps (par exemple, poumon, cœur ou cerveau).	Thrombus veineux ou artériel; cathéter intraveineux infiltré, plaques d'athérome.	Situé dans une veine, il devient souvent un embole pulmonaire (voir embolie pulmonaire); les signes d'un embole artériel dépendent de son emplacement (par exemple, un embole cérébral se manifeste par les signes cliniques d'un AVC).	Mêmes interventions que pour la thrombophlébite et le thrombus; vérification minutieuse du fonctionnement des cathéters IV.
Urinaire				
Rétention urinaire	Incapacité à vider sa vessie, accumulation excessive d'urine dans la vessie.	Perte de tonus musculaire de la vessie due aux analgésiques opioïdes et aux anesthésiques; manipulations durant la chirurgie des tissus d'organes adjacents (par exemple, rectum, vagin).	Ingestion liquidienne plus importante que la quantité éliminée; incapacité totale ou partielle à éliminer (mictions fréquentes, mais peu abondantes), vessie distendue, gêne dans la région suspubienne, agitation.	Surveillance des ingesta et excreta, interventions visant à faciliter les mictions, sonde vésicale au besoin.
Infection des voies urinaires	Inflammation de la vessie, des uretères et de l'urètre.	Immobilité et ingestion insuffisante de liquides, manipulation des voies urinaires au cours de la chirurgie.	Sensation de brûlure pendant la miction, envie fréquente d'uriner, urine trouble, douleur au bas du ventre.	Ingestion d'une quantité suffisante de liquides, ambulation précoce, sonde vésicale uniquement au besoin, bonne hygiène périnéale.

TABLEAU

41-2

Problèmes postopératoires possibles (suite)

Problème	Description	Causes	Signes cliniques	Interventions préventives
Gastro-intestinal				
Nausées et vomissements		Douleur, distension abdominale, ingestion de nourriture ou de liquide avant le retour du péristaltisme, certains médicaments, anxiété.	La personne se plaint d'avoir mal au cœur.	Liquides par voie intraveineuse jusqu'au retour du péristaltisme; eau; diète d'abord liquide, puis normale; antiémétiques sur ordonnance; analgésiques pour soulager la douleur.
Constipation	Absence ou passage irrégulier de selles pendant une période de temps anormalement longue (élimination normale: moins de 48 heures après la reprise de la diète normale).	Manque de fibres alimentaires, analgésiques (motilité intestinale réduite), immobilité.	Absence de selles, distension abdominale, malaises.	Apport liquidien suffisant, diète riche en fibres, ambulation précoce.
Météorisme	Rétention des gaz dans l'intestin.	Motilité réduite des intestins due à la manipulation des viscères durant la chirurgie et aux effets de l'anesthésie.	Gonflement abdominal marqué, douleurs abdominales (ballonnements), absence de bruits intestinaux.	Ambulation précoce; éviter l'usage d'une paille pour boire, boire de l'eau à la température de la pièce.
Iléus paralytique	Occlusion intestinale caractérisée par le manque d'activité péristaltique.	Manipulation de l'intestin durant la chirurgie, anesthésie, déséquilibre électrolytique, infection de la plaie.	Douleurs et distension abdominales; constipation; absence de bruits intestinaux; vomissements.	
Plaie				
Infection de la plaie	Inflammation et infection dans la zone des drains et de l'incision.	Technique d'asepsie inadéquate; les microorganismes en cause seront déterminés en laboratoire à partir d'un prélèvement.	Sécrétions purulentes, rougeurs, sensibilité de la peau, fièvre, odeur nauséabonde.	Garder la plaie propre et sèche, utiliser la technique d'asepsie chirurgicale pour les changements de pansements.
Déhiscence de la plaie	Désunion des lèvres suturées avant la cicatrisation.	Dénutrition (maigreur, obésité), mauvaise circulation sanguine, tension excessive aux sutures.	Augmentation du liquide de drainage au niveau de l'incision; les tissus sous-jacents de la peau deviennent apparents le long de l'incision.	Bonne nutrition, soutien adéquat de l'incision, sollicitation minimale des muscles de la région incisée.
Éviscération	Sortie d'organes ou de tissus par la plaie opératoire.	Mêmes causes que pour la déhiscence.	Ouverture de l'incision et saillie visible des organes.	Mêmes interventions que pour la déhiscence de la plaie.
Psychologique				
Dépression postopératoire	État mental pathologique caractérisé par des anomalies de l'humeur.	Faiblesse, choc lié à une chirurgie inattendue (urgence), à la découverte d'une tumeur maligne, à une image corporelle perturbée, problèmes d'ordre personnel; parfois, réaction physiologique à certaines chirurgies.	Anorexie, envie de pleurer, perte d'ambition, repli sur soi, sentiment de rejet, problèmes de sommeil (insomnie ou sommeil excessif).	Repos adéquat, activité physique, occasions d'exprimer sa colère et d'autres sentiments négatifs.

DIAGNOSTICS INFIRMIERS, RÉSULTATS DE SOINS INFIRMIERS ET INTERVENTIONS

Période postopératoire

COLLECTE DES DONNÉES	DIAGNOSTICS INFIRMIERS : *DÉFINITION*	EXEMPLES DE RÉSULTATS DE SOINS INFIRMIERS [N° CRSI/NOC] : *DÉFINITION*	INDICATEURS	INTERVENTIONS CHOISIES [N° CISI/NIC] : *DÉFINITION*	EXEMPLES D'ACTIVITÉS CISI/NIC
Mme Polks, âgée de 65 ans, qui devait subir un remplacement complet de la hanche droite, est revenue à sa chambre. Ses signes vitaux sont stables. La mention « Nil per os » figure à son dossier, elle est sous perfusion IV à 100 mL/h. Le pansement de sa hanche droite est sec et intact. Un drain Hemovac est en place et les quantités recueillies sont de faibles à modérées. La fréquence respiratoire de Mme Polks est de 30 respirations à la minute et celles-ci sont peu profondes. Présence de murmures vésiculaires de faible intensité à l'auscultation pulmonaire. Mme Polks est éveillée et se plaint d'une douleur à la hanche, qu'elle évalue à 8, sur une échelle de 1 à 10. Elle protège sa hanche droite et tressaille lorsqu'on la touche.	*Douleur aiguë : Expérience sensorielle et émotionnelle désagréable, associée à une lésion tissulaire réelle ou potentielle ou décrite dans des termes évoquant une telle lésion (Association Internationale pour l'étude de la douleur); le début est brusque ou lent; l'intensité varie, de légère à extrême; l'arrêt est prévisible et la durée, inférieure à six mois.*	Contrôle de la douleur [1605] : *Actions personnelles mises en place afin de contrôler la douleur.*	Souvent démontrés : • Identifie les facteurs favorisants. • Reconnaît le début de la douleur. • Utilise des analgésiques à bon escient. • Signale les symptômes à un professionnel de la santé. • Exprime un soulagement de la douleur.	Conduite à tenir devant la douleur [1400] : *Apaisement de la douleur ou diminution de la douleur à un seuil tolérable pour la personne.*	• Réaliser une évaluation globale de la douleur : localisation, caractéristiques, début, durée, fréquence, qualité, intensité/sévérité de la douleur et ses facteurs déclenchants. • S'assurer que la personne reçoive les traitements analgésiques appropriés. • Prendre en compte l'influence culturelle de la réponse à la douleur. • Déterminer la fréquence des évaluations du bien-être à réaliser chez la personne et mettre en œuvre un plan de surveillance.
	Mode de respiration inefficace : L'inspiration ou l'expiration sont insuffisantes pour maintenir une ventilation adéquate.	État respiratoire : Ventilation [0403] : *Mouvement de l'air à l'inspiration et à l'expiration pulmonaire.*	Non perturbés : • Fréquence respiratoire dans les valeurs normales. • Rythme respiratoire régulier. • Facilité respiratoire. • Absence de bruits respiratoires surajoutés.	Surveillance de l'état respiratoire [3350] : *Collecte et analyse des données présentes chez une personne afin d'assurer chez elle la liberté des voies respiratoires et le processus normal des échanges gazeux respiratoires.*	• Vérifier la fréquence, le rythme, l'amplitude et les efforts respiratoires. • Ausculter les poumons afin de discerner des régions de ventilation décrue ou absente et des bruits surajoutés. • Vérifier la capacité de la personne à tousser efficacement.
	Risque d'infection : Risque élevé de contamination par des agents pathogènes.	Cicatrisation : première intention [1102] : *Régénération cellulaire et tissulaire d'une plaie fermée.*	Complets : • Rapprochement des berges de la plaie. • Disparition de l'écoulement sérosanguin du liquide de drainage. • Disparition de l'érythème de la peau au pourtour de la plaie.	Contrôle de l'infection [6540] : *Réduction des risques de contamination et de transmission d'agents infectieux.*	• Laver ses mains avant et après chaque activité de soins. • Mettre en œuvre les précautions universelles. • Adopter la technique de soin appropriée à la plaie.

ÉVALUATION POUR LES SOINS À DOMICILE

Personne opérée

- **Capacités liées aux autosoins:**
  Capacité d'effectuer ses soins d'hygiène et d'apporter les soins nécessaires à sa plaie, s'il y a lieu; capacité de s'occuper des tubes et des stomies; capacité d'organiser la prise des médicaments prescrits.

- **Matériel:**
  Nécessaire à soins, comme les compresses de gaze, le ruban hypoallergénique, les solutions nettoyantes, les bandages et les écharpes, les bandes élastiques, la seringue et la solution d'irrigation.

- **Aides techniques:**
  Déambulateur, canne, siège des toilettes surélevé, chaise d'aisances, trapèze de lit, barres d'appui.

- **Niveau actuel des connaissances:**
  Gestion de la douleur postopératoire, soins à donner à la plaie, changement de pansements, sondes vésicales ou autres drains, restrictions sur le plan des activités, diète à suivre, exercices prescrits (par exemple, exercices d'amplitude du mouvement, exercices après une mammectomie), mesures de prévention des infections (par exemple, se laver les mains).

FAMILLE

- **Disponibilité, aptitudes et réactions du proche aidant:**
  Volonté et capacité de prodiguer les soins (par exemple, soigner la plaie, s'occuper des sondes et des tubes, préparer les repas, participer aux tâches ménagères, faire les courses,

accompagner la personne à ses rendez-vous et la ramener à la maison); disponibilité d'autres proches aidants.

- **Changements des rôles familiaux et adaptation nécessaire:**
  Effet sur les rôles de parent et d'époux, sexualité, rôles sociaux, situation financière.

- **Ressources financières:**
  Capacité d'acheter les fournitures et l'équipement nécessaires; sources d'aide financière (voir le chapitre 6 ⬭).

DOMICILE

- Obtenir de la personne ou de ses proches des informations sur la disposition des lieux et sur les problèmes que pourrait éprouver la personne en convalescence. Il peut s'agir d'un escalier extérieur ou bien de l'accessibilité à la cuisine, à la salle de bain ou à la chambre à coucher.

COMMUNAUTÉ

- Ressources qu'offre la communauté, comme les entreprises d'équipement et de fournitures, les organismes de soutien et d'éducation, les regroupements (par exemple, les associations de stomisés et les groupes d'entraide, comme le programme *Toujours femme* de la Société canadienne du cancer), les organismes de soins à domicile, les professionnels de la santé, les services qui facilitent l'accès aux pharmacies, les services de transport destinés aux gens qui doivent recevoir des soins médicaux, la popote roulante et les autres organismes de soutien.

Interventions

Les interventions infirmières conçues pour favoriser le rétablissement de la personne et prévenir les complications comprennent: (a) le soulagement de la douleur; (b) le positionnement approprié; (c) l'inspiromètre d'incitation, les exercices de respiration profonde et les exercices de toux contrôlée; (d) les exercices pour les jambes; (e) les changements de position et l'ambulation précoce; (f) l'hydratation suffisante; (g) la diète; (h) l'élimination urinaire; (i) l'aspiration gastrique; et (j) les soins à apporter à la plaie.

▣ Soulagement de la douleur

La douleur est une expérience sensorielle et émotionnelle qui vise à provoquer une réaction qui permettra d'éviter ou de réduire les dommages qui menacent l'organisme. Soit, mais la douleur qu'éprouve la personne qui vient d'être opérée a peu de vertus protectrices. Dans ce cas, la douleur ne pourrait avoir, en fait, que des effets nuisibles, comme la stimulation du système nerveux sympathique, la tachycardie, l'essoufflement, l'atélectasie, des anomalies dans les échanges gazeux, l'immobilité et l'immunosuppression (Van Keuren et Eland, 1997). Le chapitre 44 ⬭ traite en détail la douleur et les façons de la gérer.

La douleur postopératoire est habituellement plus grande entre 12 et 36 heures après l'intervention, et son intensité diminue à partir du deuxième ou du troisième jour. Durant la période postopératoire initiale (en salle de réveil), une analgésie contrôlée par la personne (ACP) ou des analgésiques opioïdes sont souvent prescrits par voie intraveineuse ou par cathéter épidural. L'infirmière sur-

veille la perfusion ou la quantité d'analgésiques administrés par l'ACP, évalue le soulagement que ressent la personne et informe le médecin si la personne éprouve des réactions indésirables ou si le soulagement de la douleur est insuffisant. L'administration « au besoin » d'analgésiques par voie orale ou parentérale doit être faite de façon régulière (toutes les 2 à 6 heures, selon la nature du médicament, son mode d'administration et son dosage) pendant les 24 ou 36 premières heures. Lorsque l'administration systématique n'est plus nécessaire, l'analgésique prescrit est administré avant certaines activités programmées ou périodes de repos.

Des anti-inflammatoires, comme l'ibuprofène (Advil, Motrin) ou le naproxen (Naprosyn), sont souvent administrés en combinaison avec un analgésique opioïde pour accroître le soulagement de la douleur. Il faut se rappeler que les analgésiques sont plus efficaces lorsqu'ils sont pris de façon régulière ou avant que la douleur devienne insupportable. Comme la tension musculaire avive la perception et les réactions à la douleur, les infirmières doivent, parallèlement à l'administration d'analgésiques, appliquer des mesures non pharmacologiques: s'assurer que la personne est au chaud, qu'elle reçoit des massages du dos, qu'elle change régulièrement de position, qu'elle a des activités pour se distraire et des traitements d'appoint, comme l'utilisation de l'imagerie mentale.

▣ Positionnement approprié

L'infirmière installe la personne dans la position prescrite. Les personnes qui ont subi une anesthésie rachidienne restent allongées à plat pendant 8 à 12 heures. Une personne inconsciente ou à demi consciente est installée à plat, la tête légèrement surélevée, dans la mesure du possible, ou dans une position qui permet aux liquides de s'écouler de la bouche. À moins de faire l'objet d'une contre-indication, l'élévation du membre touché (par exemple, dans le cas d'une chirurgie du pied), c'est-à-dire l'installation de la partie distale à un niveau plus élevé que celui du cœur, favorise le retour veineux et réduit l'œdème.

Inspiromètre d'incitation, exercices de respiration profonde et exercices de toux contrôlée

Les exercices de respiration profonde favorisent l'élimination du mucus qui se forme et reste dans les poumons sous l'effet de l'anesthésie générale et des analgésiques. Ces médicaments ont un effet inhibiteur sur l'activité des cils des muqueuses qui tapissent les voies respiratoires ainsi que sur le centre respiratoire situé dans le cerveau.

En favorisant la dilatation des poumons et en prévenant l'accumulation de sécrétions, la respiration profonde aide à prévenir la pneumonie et l'**atélectasie** (affaissement des alvéoles) pouvant être causées par la stagnation de liquide dans les poumons.

On utilise souvent un inspiromètre d'incitation pour faciliter la respiration profonde de la personne en période postopératoire. Cet appareil mesure la quantité d'air inspiré à travers une embouchure (voir le chapitre 48 ⌘). La personne doit inspirer à travers l'embouchure une certaine quantité d'air (habituellement mesurée par une balle qui flotte à l'intérieur d'un tube). L'usage d'un inspiromètre d'incitation améliore la respiration et la ventilation.

La respiration profonde provoque souvent le réflexe tussigène. La toux volontaire combinée à la respiration profonde facilite le mouvement et l'expectoration des sécrétions des voies respiratoires.

Il faut encourager la personne à faire ses exercices de respiration profonde et de toux contrôlée toutes les heures, sinon toutes les deux heures, durant la période de veille, du moins les premiers jours. On aide la personne à se mettre en position assise, dans le lit ou sur le bord du lit. La personne peut se servir d'un oreiller pour soutenir sa plaie lorsqu'elle tousse ou l'infirmière peut se charger d'immobiliser la région opérée pendant que la personne effectue les exercices.

Exercices pour les jambes

On doit encourager la personne à faire, toutes les heures ou toutes les deux heures durant le jour, les exercices pour les jambes qui lui ont été enseignés durant la période préopératoire. Les contractions musculaires compriment les veines, prévenant ainsi la stase veineuse, cause de la formation d'un **thrombus** (caillot stationnaire qui adhère à la paroi d'un vaisseau), qui mène à la **thrombose veineuse profonde** (inflammation d'une veine suivie de la formation d'un caillot de sang) et à un **embole** (caillot de sang qui s'est détaché). Les contractions musculaires favorisent aussi la circulation du sang artériel.

Changements de position et ambulation précoce

L'infirmière suggère à la personne couchée de changer de côté dans le lit toutes les deux heures au moins. La position sur le côté permet au poumon le plus élevé de se dilater au maximum. On évite de placer des oreillers ou des coussins sous les genoux de la personne parce que la pression qui s'exerce sur les vaisseaux sanguins poplités peut entraver la circulation sanguine dans les membres. Les personnes qui se sont exercées à faire ce changement de position avant la chirurgie ont davantage tendance à y avoir recours après celle-ci.

La personne devrait marcher le plus tôt possible après la chirurgie, ou selon les directives du chirurgien. Habituellement, les personnes opérées se remettent à marcher le soir ou le lendemain de la chirurgie, à moins de contre-indications. Une ambulation précoce prévient les complications respiratoires, vasculaires, urinaires et gastro-intestinales. Elle aide aussi à prévenir la faiblesse musculaire. Il faut programmer les périodes d'ambulation après que la personne a pris un analgésique ou lorsqu'elle est assez en forme pour faire quelques pas. Comme elle doit recommencer à marcher très progressivement, la personne doit d'abord s'asseoir dans le lit en laissant pendre un pied à l'extérieur. On doit aider la personne incapable de marcher à s'asseoir dans le lit, si c'est autorisé, et la changer de position à plusieurs reprises au cours de la journée. La position assise permet une expansion des poumons plus grande que la position couchée.

Hydratation suffisante

L'infirmière maintient les perfusions intraveineuses prescrites de façon à remplacer les liquides corporels perdus avant ou pendant la chirurgie. Lorsque l'ingestion par voie orale est permise, n'offrir au début que de petites quantités d'eau. Des quantités plus grandes pourraient provoquer des vomissements, car les anesthésiques et les analgésiques opioïdes inhibent temporairement la motilité de l'estomac. La personne qui ne peut boire de liquide pourrait avoir la permission du chirurgien de sucer des glaçons. Fournir des soins buccaux et placer un rince-bouche au chevet de la personne. Les personnes opérées se plaignent souvent d'avoir soif et d'avoir la bouche épaisse et sèche. Ces désagréments sont dus au jeûne préopératoire, aux médicaments administrés avant la chirurgie, comme l'atropine, et à la perte de liquides corporels.

On mesure les quantités de liquide ingéré et excrété par la personne durant au moins deux jours ou jusqu'à ce que l'équilibre liquidien soit stable sans perfusion intraveineuse. L'équilibre liquidien est important. Un apport liquidien suffisant maintient l'hydratation des muqueuses et des sécrétions des voies respiratoires, ce qui facilite l'expectoration du mucus lorsque la personne tousse. De plus, l'équilibre liquidien est essentiel au fonctionnement des reins et de l'appareil cardiovasculaire.

Diète

C'est le chirurgien qui décide de la diète postopératoire. Selon la nature de la chirurgie et les organes touchés, la personne peut se voir interdire toute ingestion par voie orale durant plusieurs jours, en fait jusqu'à la fin des nausées. Lorsqu'une diète progressive est prescrite, offrir au début des liquides, comme de l'eau ou du jus de fruits. Si la personne tolère ces liquides sans avoir de nausées, elle pourra passer à une diète semi-liquide, puis à une diète normale quand la fonction gastro-intestinale sera rétablie. Évaluer la reprise du péristaltisme en auscultant l'abdomen. Les gargouillements et les bruits intestinaux indiquent une activité péristaltique. Les agents anesthésiques, les opioïdes, la manipulation des intestins durant une chirurgie abdominale, le jeûne et l'inactivité inhibent le péristaltisme. D'où la nécessité d'évaluer minutieusement les bruits intestinaux toutes les quatre ou six heures. Dès le rétablissement du péristaltisme, on prescrit habituellement une diète liquide et solide par voie orale. Il faut aider la personne très faible à s'alimenter.

Observer la tolérance de la personne aux aliments ingérés, noter et rapporter la présence de flatulence ou de distension abdominale.

Élimination urinaire

L'infirmière doit mettre en œuvre des mesures qui favorisent l'élimination urinaire. Par exemple, elle aidera les personnes à adopter une position adéquate et s'assurera que l'ingestion de liquide est suffisante. Il faut déterminer si la personne a des difficultés à uriner et l'examiner pour déceler une distension de la vessie. Si la personne n'a pas eu de miction au cours des huit premières heures suivant la chirurgie, il faut le signaler au chirurgien, à moins que celui-ci n'ait précisé un délai plus long.

Les anesthésiques ont un effet dépressif sur la vessie, dont le tonus ne se rétablit qu'au bout de six à huit heures après la chirurgie. Une chirurgie dans la région pubienne, au vagin ou au rectum peut impliquer la manipulation de la vessie, ce qui cause souvent la rétention urinaire. Si toutes les mesures adoptées pour favoriser la miction échouent, on peut avoir recours à une sonde vésicale (voir le chapitre 47 🔗). Il faut mesurer les ingesta et les excreta de liquides de toute personne en période postopératoire. En général, on note ces mesures durant au moins deux jours, ou jusqu'à ce que l'équilibre liquidien soit rétabli sans l'aide d'une perfusion ou d'une sonde vésicale.

Aspiration gastrique

Certaines personnes reviennent du bloc opératoire avec une sonde nasogastrique, laquelle doit être reliée à un appareil d'aspiration. Pour en apprendre davantage sur les sondes nasogastriques, voir le chapitre 45 🔗. L'aspiration gastrique peut être continue ou intermittente. L'aspiration est intermittente lorsqu'une sonde à lumière unique est utilisée pour réduire le risque de lésion à la muqueuse qui se trouve près de la partie distale de la sonde. Une aspiration peut être continue si on utilise une sonde à double lumière (figure 41-9 ■). Lorsqu'une aspiration gastrique ou un drainage continu est prescrit, les liquides et les électrolytes perdus doivent être remplacés par voie intraveineuse. Les lumières des sondes nasogastriques peuvent s'obstruer et nécessiter une irrigation. En général, on les irrigue d'emblée toutes les quatre heures, de même qu'avant et après l'instillation de substances nutritives ou médicamenteuses. L'irrigation de la sonde nasogastrique peut requérir l'ordonnance du médecin, surtout dans le cas d'une chirurgie gastro-intestinale. Le procédé 41-3 décrit la marche à suivre pour exécuter une aspiration gastrique.

D'autres genres de tubulures de drainage, comme les drains thoraciques et les drains de plaie, servent également à l'aspiration. C'est le médecin qui décide du type et de la quantité d'aspiration. La plupart des établissements de soins ont des appareils muraux (figure 41-10 ■). Ces appareils comportent un régulateur d'aspiration muni d'un collecteur d'écoulements; branchés à une prise murale, ils fournissent une pression négative. Il est important d'inspecter le collecteur fréquemment afin d'empêcher qu'un excès d'écoulements entrave le bon fonctionnement de l'appareil; consulter la politique de l'établissement pour vider ou retirer le collecteur. Des appareils portatifs électriques (par exemple, Gomco) s'utilisent à la maison ou dans l'établissement de soins au lieu d'un appareil mural.

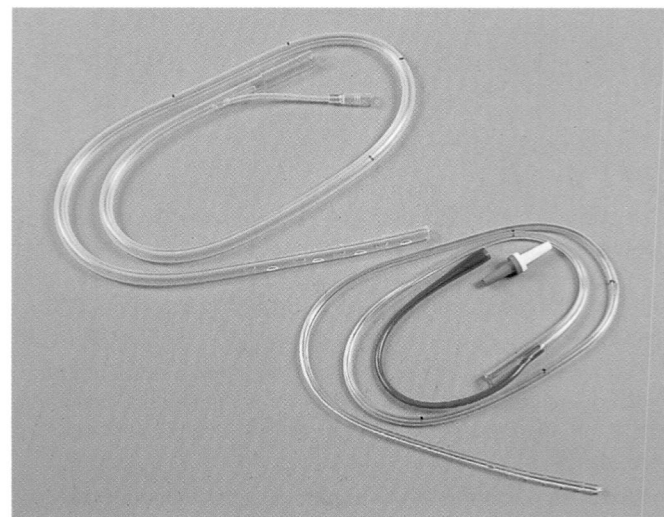

FIGURE **41-9** ■ Sondes nasogastriques utilisées pour le drainage du contenu gastrique. *En haut, à gauche :* sonde de Levin (à lumière unique). *En bas, à droite :* sonde de Salem (à double lumière) munie d'une valve antireflux.

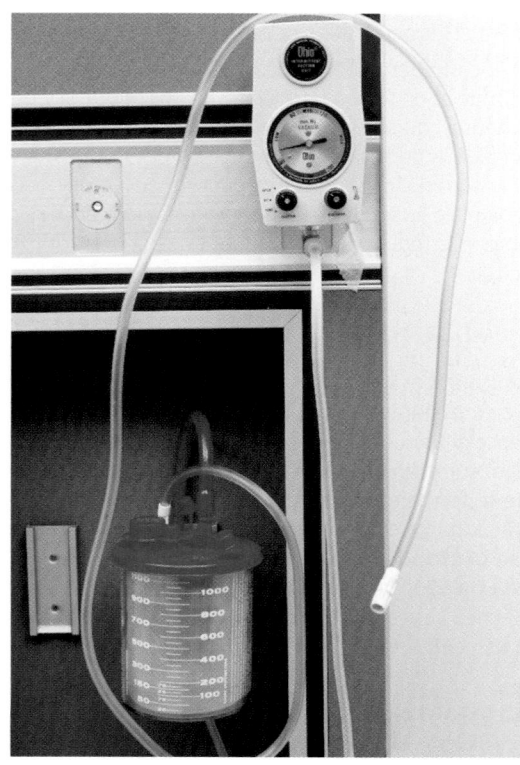

FIGURE **41-10** ■ Appareil d'aspiration mural qui génère la pression négative nécessaire à l'aspiration gastrique.

PROCÉDÉ 41-3

Aspiration gastrique

Objectifs

- Soulager la distension abdominale.
- Maintenir la décompression gastrique après la chirurgie.
- Retirer le sang et les sécrétions de l'estomac.
- Soulager les malaises (par exemple, en cas d'occlusion intestinale).
- Maintenir la perméabilité de la sonde nasogastrique.

COLLECTE DES DONNÉES

Évaluez

- La présence d'une distension abdominale à la palpation
- Les bruits intestinaux à l'auscultation
- Les malaises abdominaux
- Les signes vitaux aux fins de référence

PLANIFICATION

Avant de pratiquer une aspiration gastrique, déterminez : (a) si l'aspiration doit être intermittente ou continue ; (b) la pression de l'aspiration prescrite (une basse pression se situe entre 80 et 100 mm Hg et une haute pression, entre 100 et 120 mm Hg) ; et (c) si le médecin a prescrit une irrigation de la sonde nasogastrique (le cas échéant, le type de solution à employer).

Matériel

Début de l'aspiration

- Sonde nasogastrique déjà en place
- Haricot
- Seringue de 50 mL munie d'un embout
- Stéthoscope
- Appareil d'aspiration continue ou intermittente
- Raccord et canule de raccord
- Gants propres

Maintien de l'aspiration

- Contenant gradué pour mesurer le liquide de drainage gastrique
- Récipient d'eau
- Applicateurs à bout ouaté
- Onguent ou lubrifiant
- Gants propres

Irrigation

- Gants propres
- Stéthoscope
- Trousse d'irrigation jetable comprenant une seringue stérile de 50 mL, un piqué imperméable jetable et un contenant gradué
- Solution saline habituelle (500 mL) ou solution prescrite

INTERVENTION

Exécution

1. Expliquez à la personne ce que vous allez faire, pourquoi vous allez le faire et comment elle peut coopérer. Expliquez-lui les objectifs du procédé.

2. Lavez-vous les mains et observez les autres mesures de prévention de l'infection (par exemple, mettez des gants propres).

3. Assurez-vous que l'intimité de la personne est préservée.

Début de l'aspiration

4. Installez la personne dans la position requise.

   - Aidez-la à adopter la position semi-Fowler, à moins de contre-indications. Dans la position semi-Fowler, la sonde n'aura pas tendance à se plaquer contre la paroi de l'estomac ; l'aspiration sera donc plus efficace. *La position semi-Fowler prévient le reflux du contenu gastrique qui pourrait provoquer une fausse route.*

5. Assurez-vous que la sonde est dans l'estomac.

   - Mettez des gants propres.
   - Aspirez un peu de liquide de l'estomac et vérifiez-en l'acidité à l'aide d'une bande indicatrice de pH.
   - À l'aide de la seringue, insufflez de l'air dans la sonde et placez le stéthoscope sur l'estomac de la personne (juste au-dessous de l'appendice xiphoïde) *pour détecter les bruits d'air.*
   - Utilisez d'autres méthodes, conformes au protocole de l'établissement (voir le procédé 45-1 au chapitre 45 ⬡).

6. Préparez et vérifiez l'aspiration.

   - Branchez le régulateur approprié à la prise d'aspiration murale et branchez le collecteur au régulateur. Les régulateurs d'aspiration intermittente s'utilisent généralement avec une sonde à lumière unique et les aspirations se font alors à intervalles réguliers (de 15 à 60 secondes). L'aspiration intermittente est réglée entre 80 et 100 mm Hg ou selon les directives du médecin. Vérifiez le niveau de l'aspiration en pinçant la tubulure de drainage et en observant le cadran du régulateur durant un cycle d'aspiration. Les régulateurs d'aspiration continue s'utilisent avec des sondes nasogastriques à double lumière (par exemple, sonde de Salem). Réglez l'aspiration continue selon les directives du médecin ou entre 60 et 120 mm Hg.

   - Si vous utilisez un appareil d'aspiration portatif, mettez-le en marche et réglez l'aspiration selon les consignes précédentes. L'appareil de succion Gomco possède deux réglages : intermittence douce pour les sondes à lumière unique et intermittence forte pour les sondes à double lumière.

   - Vérifiez le bon fonctionnement de l'appareil d'aspiration en portant l'extrémité de la sonde à l'oreille pour détecter un bruit de succion ou, encore, en bouchant l'extrémité de la sonde avec le pouce.

PROCÉDÉ 41-3 (SUITE)

Aspiration gastrique (suite)

INTERVENTION (suite)

7. Procédez à l'aspiration gastrique.
   - Raccordez la sonde nasogastrique à la canule de l'appareil d'aspiration.
   - S'il s'agit d'une sonde de Salem, branchez la lumière la plus grande à l'appareil d'aspiration. Cette sonde à double lumière possède un petit tube situé à l'intérieur du tube principal. *Le petit tube fournit un flot continu d'air atmosphérique qui circule à travers la sonde jusqu'à son extrémité distale, ce qui empêche une succion excessive contre la muqueuse gastrique.*
   - Pendant l'aspiration, l'ouverture du tube d'aération d'une sonde de Salem doit toujours être dégagée et plus haute que l'estomac de la personne. *L'obstruction de l'ouverture d'aération bloquerait l'action de la sonde, causant ainsi des lésions aux muqueuses. En tenant l'ouverture d'aération plus haute que l'estomac, on empêche le reflux gastrique à l'intérieur du tube.*
   - Lorsque l'aspiration est commencée, observez la sonde durant quelques minutes, jusqu'à ce que le contenu gastrique y apparaisse et s'écoule dans le collecteur. *Une sonde de Salem qui fonctionne correctement émet un léger sifflement.*
   - Si l'aspiration ne se fait pas normalement, vérifiez si les raccords sont bien serrés et si la sonde n'est pas entortillée.
   - Enroulez la sonde sur elle-même et fixez-la au lit pour éviter qu'elle pende sous le niveau de la bouteille d'aspiration. *Si la sonde est plus basse que la bouteille, la pression nécessaire pour contrer la force de gravité pourrait obstruer la sonde.*

8. Évaluez le liquide de drainage.
   - Notez la quantité, la couleur, l'odeur et la consistance des écoulements. Un liquide de drainage gastrique normal possède une consistance mucilagineuse et il est soit transparent, soit jaune verdâtre à cause de la présence de bile. *Une texture et une couleur ressemblant au marc de café pourraient indiquer la présence de saignements.*
   - Faites une analyse pour vérifier l'acidité du contenu gastrique et une analyse pour déterminer la présence de sang, au besoin. *Il est probable*

qu'un peu de sang se trouve dans les écoulements d'une personne ayant subi une chirurgie gastro-intestinale.

Maintien de l'aspiration

9. Évaluez régulièrement l'état de la personne et le bon fonctionnement de l'appareil d'aspiration.
   - Évaluez l'état de la personne toutes les 30 minutes jusqu'à ce que l'appareil fonctionne efficacement, puis toutes les 2 heures (ou selon l'état de santé de la personne), pour vous assurer du bon déroulement de l'aspiration. *Si la personne se plaint de ballonnements, de nausées ou de douleurs épigastriques, ou s'il n'y a pas de liquide gastrique dans la sonde ou dans la bouteille collectrice, la sonde nasogastrique est probablement bloquée ou l'aspiration, déficiente.*
   - Examinez l'appareil d'aspiration, vérifiez la perméabilité des tubes (il ne doit y avoir ni tortillon ni blocage) et l'ajustement des raccords. *Des raccords insuffisamment serrés permettent à l'air de pénétrer, ce qui diminue la pression négative et l'efficacité de l'aspiration.*

10. Éliminez les blocages, s'il y a lieu.
    - Mettez des gants propres.
    - Vérifiez l'appareil d'aspiration. D'abord, retirez la sonde nasogastrique du tube de succion au-dessus du bassin collecteur (destiné à recueillir les écoulements gastriques). Ensuite, en laissant l'appareil en marche, plongez le tube de succion dans un récipient d'eau. Si l'eau est aspirée dans la bouteille collectrice, l'appareil fonctionne correctement. Donc, la sonde nasogastrique est soit bloquée, soit mal installée.
    - Changez la personne de position (par exemple, tournez-la sur l'autre côté), si c'est autorisé. *Le changement de position pourrait faciliter le drainage.*
    - Faites pivoter la sonde nasogastrique et remettez-la en position. Cette étape est contre-indiquée pour des personnes qui viennent de subir une chirurgie gastrique. *Le déplacement de la sonde pourrait nuire aux sutures gastriques.*

   - Irriguez la sonde gastrique selon le protocole de l'établissement ou selon les directives du médecin (voir les étapes 14 à 16).

11. Prévenez le reflux dans le tube d'aération d'une sonde de Salem. *Un reflux de liquide gastrique dans le tube d'aération peut se produire lorsque la pression de l'estomac excède la pression atmosphérique. Dans ce cas, le contenu gastrique a tendance à emprunter le chemin qui offre le moins de résistance et il s'écoulera dans la lumière d'aération plutôt que dans la lumière de drainage.* Pour prévenir le reflux, procédez comme suit :
    - Placez le tube d'aération plus haut que l'estomac de la personne.
    - Placez le contenant collecteur du liquide de drainage plus bas que l'estomac de la personne et ne le laissez pas se remplir. Un contenant collecteur placé plus haut que le niveau de liquide dans l'estomac ou trop plein nuit au drainage en permettant le reflux du contenu gastrique dans la lumière d'aération.
    - Gardez la lumière de drainage libre des matières particulaires qui pourraient l'obstruer (pour irriguer une sonde nasogastrique, voir les étapes 14 à 16).

12. Assurez le bien-être de la personne.
    - Nettoyez les narines de la personne, au besoin, à l'aide d'applicateurs à bout ouaté et d'eau. Appliquez un lubrifiant ou un onguent hydro-soluble.
    - Donnez des soins buccaux toutes les deux à quatre heures, au besoin. En période postopératoire, certaines personnes sont autorisées à sucer des glaçons ou à s'humecter les lèvres avec un linge humide *afin de maintenir l'hydratation des muqueuses de la bouche.*

13. Videz le récipient du liquide de drainage selon la politique de l'établissement ou selon les directives du médecin.
    - Éteignez l'appareil d'aspiration et clampez la sonde nasogastrique.
    - Mettez des gants propres.
    - Si le récipient est gradué, notez la quantité du liquide de drainage.
    - Retirez le récipient de l'appareil.

INTERVENTION (suite)

- Si le récipient n'est pas gradué, transvidez le contenu dans un récipient gradué et mesurez-le. Notez la quantité du liquide de drainage.
- Examinez soigneusement la couleur et la consistance du liquide de drainage, et vérifiez s'il y a des substances inhabituelles (par exemple, caillots de sang).
- Jetez et remplacez le récipient utilisé ou videz-le et rincez-le à l'eau chaude. Consultez la politique de l'établissement en la matière. Installez le récipient propre et raccordez-y le tube d'aspiration.
- Retirez le clamp de la sonde nasogastrique et remettez en marche l'appareil d'aspiration.
- Observez l'appareil fonctionner pendant un bon moment pour vous assurer que tout est normal.
- Passez à l'étape 17.

Irrigation

14. Préparez la personne et rassemblez le matériel nécessaire.
    - Placez le piqué imperméable jetable sous l'orifice de la sonde nasogastrique.
    - Éteignez le mécanisme d'aspiration de l'appareil.
    - Mettez des gants propres.
    - Retirez la sonde nasogastrique du raccord à l'appareil.

- Vérifiez si la sonde se trouve bien dans l'estomac (voir l'étape 5). *En procédant ainsi, on s'assure que la solution d'irrigation pénètre dans l'estomac de la personne.*

15. Irriguez la sonde.
    - Introduisez dans la seringue le volume prescrit de la solution d'irrigation ; la dose habituelle est de 30 mL par instillation, mais elle peut atteindre 60 mL, selon l'ordonnance du médecin.
    - Fixez la seringue à la sonde nasogastrique et injectez lentement la solution.
    - Aspirez doucement la solution. *Une aspiration énergique pourrait endommager la muqueuse gastrique.*
    - Si l'aspiration se fait difficilement, injectez 20 mL d'air et recommencez ; il peut s'avérer efficace de changer la personne ou la sonde gastrique de position. *L'injection d'air et le changement de position peuvent suffire à décoller la sonde de la paroi stomacale.* Cependant, si le problème n'est pas réglé, remettez en marche la sonde en mode d'aspiration intermittente douce et signalez le fait à l'infirmière responsable.
    - *Note :* Il est possible d'irriguer une sonde de Salem en utilisant la lumière d'aération sans avoir à interrompre le drainage. Toutefois, seules de petites quantités de solution d'irrigation pourront être injectées dans cette lumière, plus petite que la lumière de drainage.

- Après avoir irrigué la sonde de Salem, injectez de 10 à 20 mL d'air dans la lumière d'aération tout en continuant l'aspiration dans la lumière de drainage. *Cette opération a pour buts de vérifier la perméabilité du tube d'aération et de vérifier si la sonde fonctionne.*

16. Rétablissez l'aspiration.
    - Branchez de nouveau la sonde nasogastrique à la canule d'aspiration.
    - S'il s'agit d'une sonde de Salem, injectez 10 mL d'air dans la lumière d'aération.
    - Observez l'appareil fonctionner pendant un bon moment pour vous assurer que tout est normal.

17. Consignez toutes les informations pertinentes.
    - Inscrivez l'heure du début de l'aspiration, la pression établie, la couleur et la consistance des écoulements ainsi que les évaluations infirmières.
    - Pendant l'aspiration, notez les évaluations, les mesures infirmières de soutien et les données concernant l'appareil.
    - Pendant l'irrigation de la sonde, notez les éléments suivants : la vérification de l'emplacement de la sonde ; la quantité et le type de solution d'irrigation utilisée ; la quantité, la couleur et la consistance des écoulements ; la perméabilité de l'appareil à la suite de l'irrigation ; les évaluations infirmières.

ÉVALUATION

- Faites le suivi approprié pour les éléments suivants : la distension abdominale ou les malaises abdominaux, les bruits intestinaux, la nature et la quantité de liquide de drainage gastrique, les soins donnés aux narines, l'hydratation des muqueuses buccales, la perméabilité de la sonde et le fonctionnement de l'appareil d'aspiration.

- Comparez les données avec les données antérieures, s'il y a lieu.
- Prévenez le médecin de tout écart significatif par rapport à la normale.

SOINS À DOMICILE

Aspiration gastrique

Donner les instructions suivantes au proche aidant :

- Maintenir l'aspiration selon l'ordonnance : *ne pas augmenter ni diminuer* l'aspiration sans avoir reçu d'instructions à cet effet de l'infirmière ou du médecin.
- Donner des soins buccaux toutes les deux heures.
- Éviter la tension sur la sonde et réduire le risque qu'elle soit retirée accidentellement en la fixant au vêtement de la personne.

- Vérifier la perméabilité de la sonde si des nausées ou des vomissements surviennent.
- Signaler toute augmentation du liquide de drainage ou l'apparition d'une teinte de sang dans les écoulements.

■ Soins de la plaie

La plupart des personnes qui ont subi une intervention chirurgicale ont une plaie suturée recouverte d'un pansement, bien qu'il arrive parfois que la plaie ne soit pas suturée. Il faut examiner régulièrement les pansements pour s'assurer qu'ils sont propres, secs et intacts. Des écoulements excessifs peuvent être signe d'une hémorragie, d'une infection ou d'une déhiscence de la plaie.

En changeant les pansements, l'infirmière évalue la plaie selon l'apparence, la taille, la quantité de l'écoulement, la présence d'œdème, la douleur et l'état du drain ou des sondes. L'encadré *Conseil pratiques – Évaluation des plaies chirurgicales* passe en revue ces aspects.

Comme les incisions chirurgicales guérissent par première intention, l'infirmière peut s'attendre à ce que le processus de cicatrisation suive la progression suivante :

CONSEILS PRATIQUES

Évaluation des plaies chirurgicales

ASPECT

■ Inspecter la couleur de la plaie et de la région environnante ainsi que l'affrontement des lèvres de la plaie.

DIMENSION

■ Noter la dimension et l'emplacement d'une déhiscence, s'il y a lieu.

ÉCOULEMENT

■ Observer l'emplacement, la couleur, la consistance, l'odeur et le degré de saturation des pansements. Noter le nombre de compresses de gaze saturées ou le diamètre de l'écoulement sur la gaze.

ŒDÈME

■ Observer l'œdème de la plaie ; il est normal qu'une plaie soit légèrement ou moyennement œdématiée durant les premières phases de la cicatrisation.

DOULEURS

■ Après une chirurgie, des douleurs intenses ou modérées sont normales durant trois à cinq jours ; une douleur intense persistante ou l'apparition d'une douleur intense pourrait indiquer la présence d'une hémorragie interne ou d'une infection.

DRAINS OU SONDES

■ Vérifier l'aspect sécuritaire et la position du drain, la quantité et la nature des écoulements ainsi que le fonctionnement de l'appareil collecteur, s'il y a lieu.

1. *Absence de saignement et présence d'un caillot entre les lèvres de la plaie.* Les lèvres de la plaie sont bien définies et retenues ensemble par la fibrine du caillot dès les premières heures qui suivent la fermeture chirurgicale.

2. *Inflammation (rougeur et œdème) des lèvres de la plaie pendant un à trois jours.*

3. *Réduction de l'inflammation au fur et à mesure que le caillot diminue,* alors que le tissu de granulation commence à recouvrir la région. La plaie se referme après 7 à 10 jours. L'augmentation de l'inflammation, accompagnée de fièvre et d'écoulements, est symptomatique d'une infection de la plaie ; les lèvres de la plaie apparaissent alors rouges et œdématiées.

4. *Formation de la cicatrice.* La synthèse du collagène débute quatre jours après l'incision et se poursuit pendant six mois ou plus.

5. *Diminution de la taille de la cicatrice au fil des mois ou des années.* L'augmentation de la taille d'une cicatrice indique la formation d'une chéloïde.

> **! ALERTE CLINIQUE** *Examiner immédiatement la personne qui signale une sensation de relâchement ou d'éclatement dans la région de la plaie. Il pourrait s'agir de déhiscence ou d'éviscération de la plaie.* ■

Voir le chapitre 40 🔗 pour en apprendre davantage sur le drainage, le nettoyage et l'irrigation des plaies, sur l'application de chaleur et de froid ainsi que sur l'utilisation de bandage pour soutenir et immobiliser les plaies.

PANSEMENTS CHIRURGICAUX. Les pansements chirurgicaux ne requièrent pas tous d'être changés. Quelquefois, les chirurgiens en salle d'opération mettent un pansement qui demeure en place jusqu'à ce que les sutures soient enlevées, et aucun autre pansement n'est ensuite requis. Toutefois, il arrive souvent qu'on change les pansements chirurgicaux régulièrement pour prévenir la croissance de microorganismes.

Dans certains cas, on installe un drain de Penrose (voir la section suivante). On considère alors que l'incision chirurgicale principale est plus propre que la coupure chirurgicale pratiquée afin d'insérer le drain, parce qu'il y a habituellement des écoulements considérables. L'incision principale est donc nettoyée en premier et, sous aucun prétexte, le matériel utilisé pour nettoyer la coupure au niveau du drain de Penrose ne devra servir à nettoyer la plaie principale. De cette façon, l'incision principale ne sera pas contaminée par les microorganismes qui entourent la coupure. La marche à suivre pour nettoyer une plaie et appliquer un pansement stérile est expliquée au procédé 41-4.

PROCÉDÉ 41-4

Nettoyage d'une plaie suturée et mise en place d'un pansement stérile

Objectifs

- Favoriser la cicatrisation par première intention.
- Prévenir l'infection.
- Évaluer le processus de cicatrisation.
- Protéger la plaie contre d'éventuels traumatismes.

COLLECTE DES DONNÉES

Évaluez

- Les allergies de la personne aux solutions nettoyantes pour les plaies.
- L'aspect et la dimension de la plaie.
- La quantité et la nature des exsudats.
- Les malaises dont se plaint la personne.
- L'heure de la dernière administration d'analgésiques.
- Les signes d'infection systémique (température corporelle élevée, diaphorèse, malaises, hyperleucocytose).

PLANIFICATION

Avant de changer un pansement, vérifiez s'il existe une ordonnance particulière concernant les plaies et le pansement des plaies.

Matériel

- Drap de bain (au besoin)
- Sac à rebuts
- Masque (facultatif)
- Savon doux ou autre solution (pour décoller l'adhésif, au besoin)
- Gants propres
- Gants stériles

- Plateau à pansements stériles ou matériel stérile suivant :
  - Champ stérile
  - Compresses de gaze
  - Contenant pour la solution nettoyante
  - Solution nettoyante (par exemple, soluté physiologique)
  - Deux pinces
  - Pansements de gaze et compresses chirurgicales
  - Applicateurs à bout ouaté ou abaisse-langue pour étendre les onguents
- Tout autre matériel nécessaire pour répondre aux exigences du cas (par exemple, pansements de gaze et onguents supplémentaires)
- Ruban adhésif ou ruban adhésif de papier (hypoallergène), sangles et bandages (par exemple, bandes de Montgomery)

INTERVENTION

Préparation

Préparez la personne et rassemblez le matériel nécessaire.

- Faites-vous aider pour changer le pansement d'une personne agitée ou confuse. *La personne pourrait bouger et contaminer le champ stérile au pourtour de la plaie.*
- Aidez la personne à adopter une position qu'elle trouve confortable tout en exposant la région de la plaie. Ne découvrez que la région incisée en utilisant un drap de bain pour couvrir la personne, au besoin. *Une exposition excessive du corps est physiquement et psychologiquement difficile à supporter pour certaines personnes.*
- Retournez le bord supérieur du sac à rebuts sur lui-même. Placez le sac à portée de la main ; il est préférable de le fixer à la ridelle du lit plutôt qu'à la table de chevet où sera placé le matériel stérile. *Le fait de retourner le bord du sac empêche que l'extérieur en soit*

contaminé par les pansements souillés ; cette façon de faire a aussi l'avantage de prévenir la contamination des mains de l'infirmière et des instruments stériles dont elle se sert pour jeter les compresses et les pansements souillés. En plaçant le sac à portée de la main, l'infirmière n'a pas à passer au-dessus du champ stérile de la plaie, ce qui risquerait de contaminer cette dernière.

- Portez un masque, au besoin. *Certains établissements de soins exigent que l'infirmière porte un masque quand elle change des pansements chirurgicaux afin de prévenir la contamination de la plaie par des gouttelettes provenant des voies respiratoires.*

Exécution

1. Expliquez à la personne ce que vous allez faire, pourquoi vous allez le faire et comment elle peut coopérer. Expliquez-lui aussi que les résultats serviront à planifier les soins ou les traitements.

2. Lavez-vous les mains et observez les autres mesures de prévention des infections.
3. Assurez-vous que l'intimité de la personne est préservée.
4. Retirez les bandages et le ruban adhésif.
   - Retirez les bandages, s'il y a lieu, et mettez-les de côté. Défaites les sangles, s'il y a lieu. On utilise couramment des bandes de Montgomery pour les plaies qui requièrent de fréquents changements de pansements (figure 41-11 ■). *Ces bandes préviennent l'irritation de la peau et la gêne causées par les retraits répétés de ruban adhésif.*
   - S'il y a lieu, retirez le ruban adhésif en le tirant vers la plaie, doucement mais fermement, tout en retenant la peau à l'aide de l'autre main. *La pression exercée sur la peau contrebalance le mouvement fait pour retirer le ruban. On enlève le ruban en le tirant vers l'incision pour réduire la tension sur les sutures et la plaie.*

PROCÉDÉ 41-4 (SUITE)

Nettoyage d'une plaie suturée et mise en place d'un pansement stérile (suite)

INTERVENTION (suite)

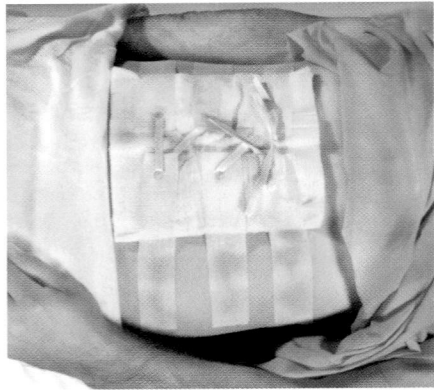

FIGURE **41-11** ■ Pansement maintenu par des bandes de Montgomery.

• Utilisez un savon doux pour décoller le ruban adhésif, s'il y a lieu. *En humectant le ruban adhésif avec de l'eau et un savon doux, on diminue la gêne causée par le retrait du ruban adhésif, surtout si la peau est poilue.*

5. Retirez et jetez de façon appropriée les pansements souillés.

• Mettez des gants jetables propres et retirez le pansement abdominal extérieur (compresse chirurgicale).

• Soulevez le pansement extérieur de façon à ce que la personne ne voie pas la partie qui était en contact avec la plaie. *L'aspect et l'odeur des écoulements peuvent déranger la personne.*

• Mettez les pansements souillés dans le sac à rebuts en évitant de leur faire toucher l'extérieur du sac. *On évite de contaminer l'extérieur du sac pour empêcher que des microorganismes ne contaminent l'infirmière et, par la suite, d'autres personnes.*

• Retirez les pansements sous-jacents, en prenant bien soin de ne déloger aucun drain. Si la gaze adhère au drain, retirez-la d'une main tout en soutenant le drain à l'aide de l'autre main.

• Évaluez l'emplacement, la couleur, la consistance et l'odeur des écoulements de la plaie ainsi que le nombre de gazes saturées ou le diamètre de l'écoulement sur les pansements.

• Jetez les pansements souillés dans le sac à rebuts.

• Retirez les gants et jetez-les dans le sac à rebuts. Ensuite, lavez-vous les mains.

6. Préparez le matériel stérile.

• Ouvrez le plateau de pansements stériles en utilisant la technique d'asepsie chirurgicale.

• Placez le champ stérile à côté de la plaie.

• Ouvrez le contenant de solution nettoyante stérile et versez-en sur les tampons de gaze placés dans le contenant en plastique.

• Mettez des gants stériles.

7. Nettoyez la plaie, s'il y a lieu.

• Nettoyez la plaie avec vos mains gantées ou à l'aide d'une pince et de tampons de gaze humectés de solution nettoyante.

• Si vous utilisez une pince, veillez à en conserver constamment les extrémités plus basses que les anneaux. *Cette façon de procéder empêche tout liquide de contaminer l'instrument en s'écoulant le long des branches, puis sur le poignet et de nouveau sur les extrémités de la pince.*

• Utilisez les méthodes de nettoyage décrites à la figure 41-12 ■ ou l'une des méthodes recommandées par le protocole de l'établissement.

• Utilisez un nouveau tampon de gaze à chaque mouvement et jetez-le. *Cette façon de procéder empêche les microorganismes de se propager à d'autres régions de la plaie.*

• S'il y a un drain, nettoyez d'abord la plaie, puis le drain, en prenant soin de ne pas toucher aux parties déjà nettoyées. Nettoyez la peau autour du drain en faisant des mouvements concentriques de plus en plus larges et en changeant chaque fois de tampon (figure 41-12, *C*).

• Tenez le drain bien droit durant le nettoyage de la région environnante. Nettoyez autant de fois qu'il le faut pour enlever tous les écoulements.

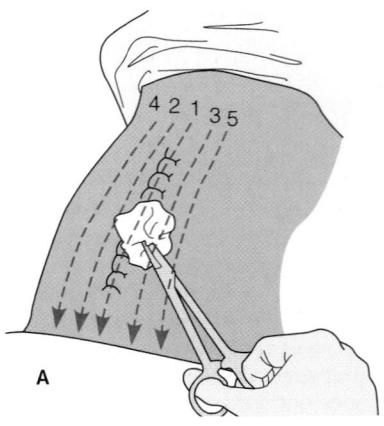

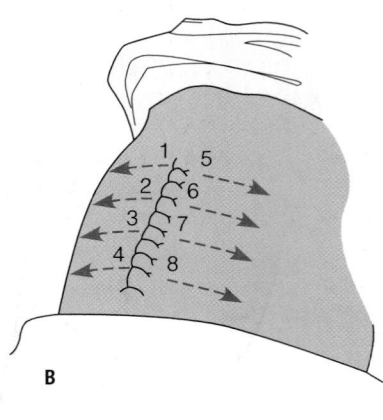

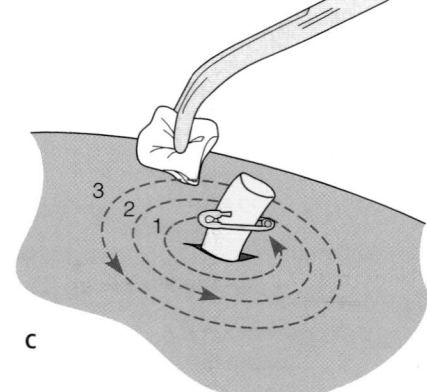

FIGURE **41-12** ■ Méthodes utilisées pour nettoyer une plaie chirurgicale :
A, nettoyez la plaie de haut en bas, en commençant par le centre ;
B, nettoyez la plaie avec des mouvements dirigés vers l'extérieur de l'incision ;
C, nettoyez la peau autour d'un drain de Penrose.
Utilisez un nouveau tampon stérile à chaque mouvement de nettoyage.

- Asséchez la peau environnante avec des tampons de gaze secs. N'asséchez pas l'incision ni la plaie. *L'humidité favorise la guérison de la plaie.*

8. Placez un pansement sur l'incision et la région qui entoure le drain.

   - Placez une compresse de gaze (10 cm sur 10 cm) prédécoupée pour s'ajuster au contour du drain (figure 41-13 ■) ou dépliez une compresse de gaze (soit 10 cm sur 10 cm, soit 10 cm sur 20 cm) et repliez-la pour lui donner les dimensions voulues (5 cm sur 20 cm); ensuite, entourez le drain avec la gaze en faisant se chevaucher les extrémités. La compresse de gaze autour d'un drain doit être placée sous l'épingle de sûreté. *Ce pansement absorbe les écoulements et aide à prévenir l'excoriation de la peau.*

Les compresses prédécoupées ou pliées selon la technique précédente éliminent l'utilisation de ciseaux, ce qui pourrait former de la charpie. On évite ainsi l'inflammation ou l'infection de la plaie par la charpie.

FIGURE **41-13** ■ Une compresse de gaze prédécoupée s'ajuste au drain.

- Appliquez les pansements stériles un à un sur la plaie et autour du drain. Placez la majeure partie du pansement autour et en dessous du drain, en tenant compte de la position généralement adoptée par la personne. *On applique les pansements en couches successives de façon à maximiser l'absorption du liquide de drainage (qui s'écoule par la force de gravité).*

- Mettez en place la dernière compresse chirurgicale, retirez les gants et jetez-les dans le sac à rebuts. Assujettissez le pansement à l'aide de ruban adhésif, de ruban adhésif de papier ou de bandes de Montgomery.

9. Consignez au dossier les étapes des soins donnés et toutes les évaluations infirmières pertinentes.

- Faites le suivi approprié pour les éléments suivants: la quantité de tissu de granulation ou l'estimation de l'étape de cicatrisation; la quantité, la couleur, la consistance et l'odeur du liquide de drainage; la présence d'inflammation; le degré de gêne liée au drain et à l'incision.

- Comparez les données avec les données antérieures, s'il y a lieu.
- Prévenez le médecin de tout écart significatif par rapport à la normale.

 ## SOINS À DOMICILE

Nettoyer une plaie suturée

Donner les instructions suivantes au proche aidant:

- Si la plaie cause des douleurs ou des malaises, administrer un analgésique environ 30 minutes avant de procéder au nettoyage.
- Se laver les mains minutieusement et les sécher avant de nettoyer ou de panser la plaie.
- Nettoyer et essuyer une surface plane qui constituera un champ propre.
- Garder les animaux domestiques éloignés (dans une autre pièce) pendant toute la préparation et l'exécution du procédé stérile.
- Rassembler tout le matériel nécessaire avant de commencer le procédé stérile.

- Exécuter la technique d'asepsie selon les instructions reçues.
- Ne toucher que l'extérieur et les coins du matériel stérile.
- Ne jamais toucher directement les parties du matériel qui seront en contact avec la personne.
- Pour éviter de provoquer des irritations cutanées, utiliser un ruban adhésif de papier (ruban hypoallergène) ou des bandes de Montgomery plutôt qu'un ruban adhésif normal.
- Signaler l'augmentation de l'écoulement, l'intensification de la douleur, les rougeurs, l'œdème et l'ouverture ou la désunion des lèvres de la plaie.
- Placer les pansements et le matériel souillés dans un sac à rebuts et suivre les recommandations sanitaires pour s'en défaire.

DRAINS ET ABSORPTION DES ÉCOULEMENTS. On installe un drain chirurgical, comme le **drain de Penrose,** pour drainer le liquide sérosanguinolent et le pus, ce qui favorise la guérison des tissus sous-jacents. On peut insérer et suturer un drain sur la ligne d'incision, mais on préfère généralement pratiquer une coupure à quelques centimètres de l'incision afin de garder la plaie bien sèche. Sans drain, certaines plaies ont tendance à guérir en surface tout en emprisonnant les écoulements à l'intérieur, ce qui peut provoquer la formation d'un abcès.

Les drains varient en longueur (de 25 à 35 cm) et en diamètre (de 1,2 à 4 cm). Pour favoriser le drainage et la cicatrisation des tissus de l'intérieur vers l'extérieur, le médecin peut demander de retirer ou raccourcir le drain sur une certaine longueur (par exemple, 2 à 5 cm par jour). L'incision qui subsiste après le retrait du drain guérit habituellement un ou deux jours plus tard. En général, on raccourcit le drain en même temps qu'on change le pansement (pour connaître les étapes à suivre, voir l'encadré *Conseils pratiques – Raccourcissement d'un drain*).

CONSEILS PRATIQUES

Raccourcissement d'un drain

- Enlever les pansements, mettre des gants stériles et nettoyer l'incision (voir le procédé 41-4).
- Nettoyer la région du drain de la façon appropriée (voir la figure 41-12, C). Évaluer la quantité, la consistance, la couleur et l'odeur de l'écoulement.
- Si le drain n'a jamais été raccourci, couper et enlever la suture qui le maintient en place. Le drain est suturé à la peau pendant la chirurgie pour qu'il ne glisse pas à l'intérieur du corps.
- Saisir fermement le drain au niveau de la peau dans toute sa circonférence et le tirer sur la longueur voulue. *Saisir le drain sur toute sa circonférence assure une bonne prise, donc une bonne traction.*
- Insérer une épingle de sûreté stérile à travers la base du drain aussi près de la peau que possible, tout en appuyant fortement le drain contre le rebord de la peau et en l'insérant au-dessus de vos doigts (figure 41-14 ■). *L'épingle maintiendra ainsi le drain au niveau de la peau; en l'insérant au-dessus de ses doigts, l'infirmière diminue le risque de trop tirer sur le drain ou de piquer accidentellement la personne.*
- À l'aide de ciseaux stériles, couper le drain à 2,5 cm de la peau (figure 41-15 ■). Jeter l'excédent dans le sac à rebuts.
- Mettre en place un pansement sur l'incision et la région du drain.

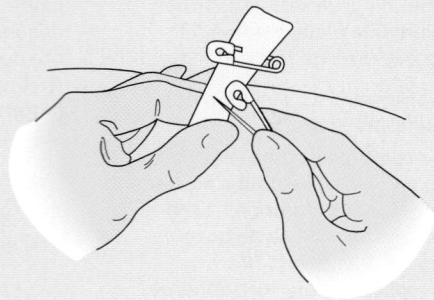

FIGURE **41-14** ■ Épinglage d'un drain.

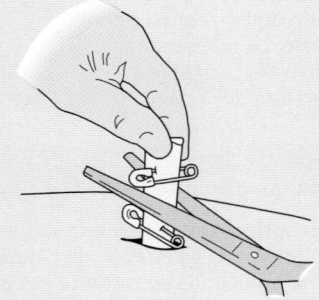

FIGURE **41-15** ■ Raccourcissement d'un drain.

Un **système de drainage sous vide** est un drain branché à un appareil électrique ou à un appareil portatif de succion, comme le Hemovac (figure 41-16 ■) ou le Jackson-Pratt (figure 41-17 ■). Le système sous vide de ces appareils réduit l'infiltration des microorganismes dans le drain. Les tubes de drainage sont fixés par des sutures et branchés à un réservoir. Par exemple, le tube de drainage du Jackson-Pratt est branché à un réservoir qui maintient une aspiration douce et constante. De plus, ces appareils à succion portatifs mesurent de façon précise la quantité de liquide de drainage.

Le chirurgien insère le tube de drainage dans la plaie pendant la chirurgie. En général, le système de drainage sous vide est supprimé de trois à cinq jours après la chirurgie ou lorsque la quantité des écoulements devient négligeable. Il incombe aux infirmières d'assurer le maintien de l'aspiration, dont la fonction est de hâter le processus de guérison en drainant les exsudats qui pourraient entraver la formation du tissu de granulation.

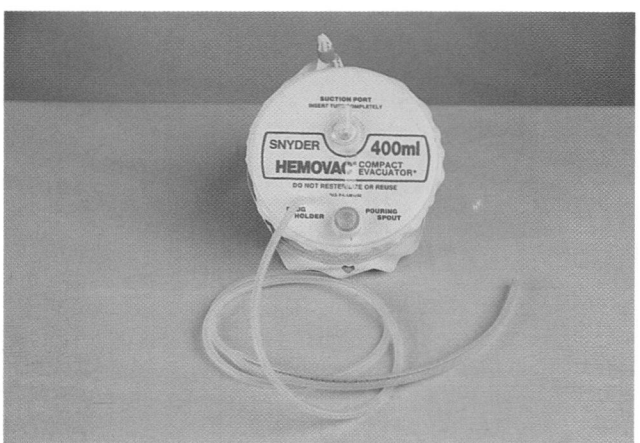

FIGURE **41-16** ■ Système de drainage sous vide Hemovac.

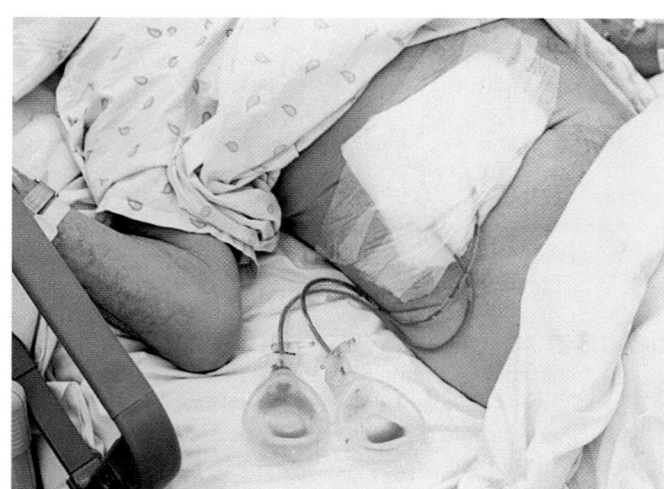

FIGURE **41-17** ■ Deux appareils à succion de Jackson-Pratt, comprimés pour faciliter le drainage des exsudats.

Le mode d'emploi de ces appareils d'aspiration sous vide se trouve sur leur contenant collecteur.

Pour vider le contenant, l'infirmière doit porter des gants propres et éviter de toucher l'orifice de drainage (figure 41-18 ■). Pour rétablir l'aspiration, l'infirmière place le contenant sur une surface plane et stable en gardant ouvert l'orifice de la canule. Elle exerce une pression avec la paume pour réunir les parois du haut et du bas, tandis que de l'autre main, elle nettoie l'orifice et le bouchon avec un tampon imbibé d'alcool (figure 41-19 ■). Avant

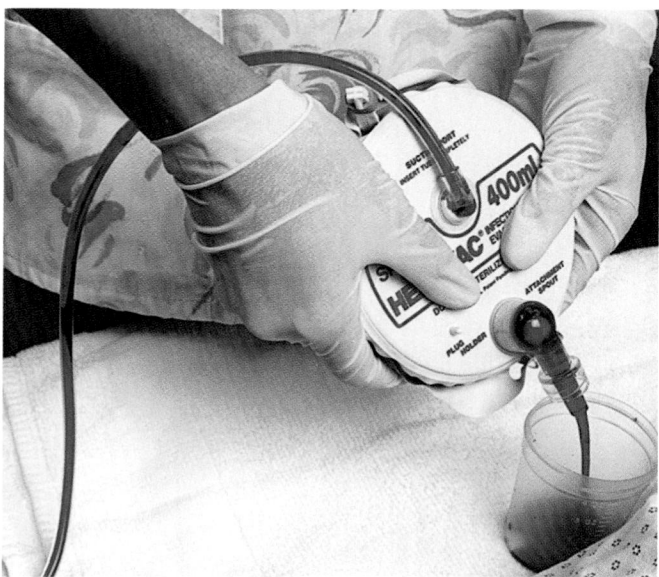

FIGURE 41-18 ■ Vidange des écoulements d'un système de drainage sous vide Hemovac.

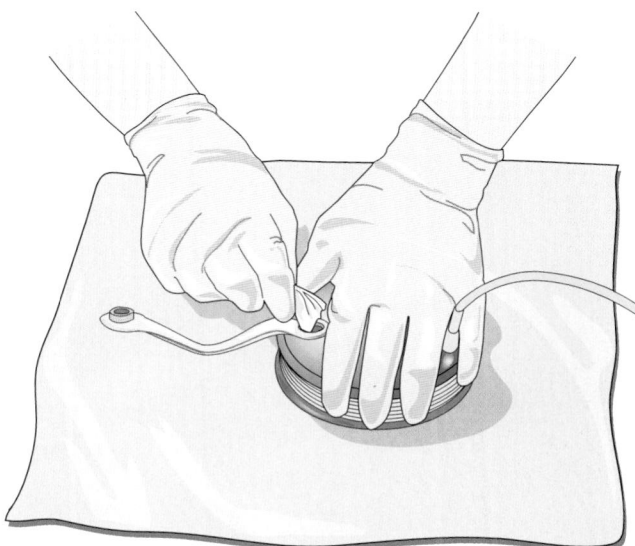

FIGURE 41-19 ■ D'une main, comprimer le réservoir. De l'autre main, nettoyer l'orifice et le bouchon avec un tampon imbibé d'alcool. Remettre le bouchon avant de retirer la main qui comprime le réservoir.

de retirer la main qui maintient la pression, elle remet le bouchon du drainage en place en vue de rétablir le vide nécessaire au bon fonctionnement du système.

SUTURES. Une **suture** est une réunion, à l'aide de fils, de parties divisées telles que les lèvres d'une plaie. Pour réunir les tissus sous-cutanés, on utilise souvent un matériau résorbable qui disparaît au bout de quelques jours. Pour la peau, par contre, divers matériaux non résorbables, comme la soie, le coton, le lin, l'acier, le nylon et le dacron (une fibre de polyester) sont utilisés. On se sert aussi d'agrafes métalliques et de clips. En général, on retire les points de suture cutanés entre 7 et 10 jours après la chirurgie.

Il existe plusieurs méthodes pour suturer une plaie. Les sutures cutanées se classent en deux grandes catégories : les sutures à points séparés (chaque point est attaché et noué individuellement) et les sutures à points continus (un seul fil est utilisé pour faire une série de points ; le fil ne comporte que deux nœuds, un à chaque extrémité). Les méthodes habituelles pour suturer une plaie sont illustrées à la figure 41-20 ■.

Les points de suture de rapprochement sont de très grands points qu'on utilise en plus des points de suture cutanés pour certaines incisions (figure 41-21 ■). Ils rapprochent les tissus adipeux et musculaires sous-jacents ainsi que la peau ; on les utilise pour soutenir les incisions pratiquées chez les obèses ou lorsqu'on prévoit que la guérison sera longue. On les laisse en place plus longtemps que les points de suture cutanés (de 14 à 21 jours) ; dans certains cas, on les retire en même temps que les points de suture cutanés. Pour éviter qu'ils n'irritent le siège de l'incision, le chirurgien peut installer un rouleau de gaze sous les grands points de suture, le long de l'incision. C'est le médecin qui décide de l'enlèvement des points de suture. Dans certains cas particuliers, c'est le médecin qui retire lui-même les points de suture ; généralement, l'infirmière et l'étudiante en soins infirmiers supervisée peuvent le faire. L'infirmière doit vérifier la politique de l'établissement de soins en la matière.

SOINS À DOMICILE

Système de drainage sous vide

- Programmer des visites infirmières régulières pour enseigner les soins à apporter à la plaie et à la région du drain.
- Enseigner à la personne ou au proche aidant comment vider, mesurer et consigner les écoulements au moins une fois par jour.
- Demander au proche aidant d'observer la plaie tous les jours pour détecter tout signe d'infection, comme les rougeurs, l'œdème, la purulence, ou tout accroissement de la sensibilité dans la région de la plaie. La température de la personne doit être prise deux fois par jour. *Une température élevée peut indiquer la présence d'une infection.*
- S'assurer que la personne possède tout le matériel nécessaire et sait comment s'en procurer, s'il y a lieu.
- Aviser le médecin de toute augmentation du liquide de drainage, signe d'infection ou d'occlusion du drain.
- S'informer de la date à laquelle le médecin compte retirer le drain et donner l'information à la personne.

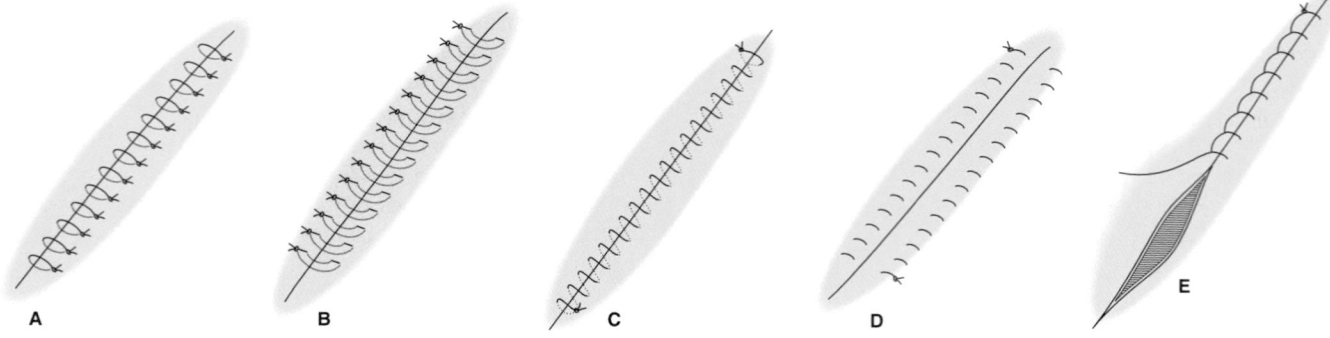

FIGURE **41-20** ■ Sutures habituelles : *A*, suture à points interrompus ; *B*, suture à points de matelassier séparés ; *C*, suture continue ; *D*, suture à points de matelassier continus ; *E*, suture en surjet continu.

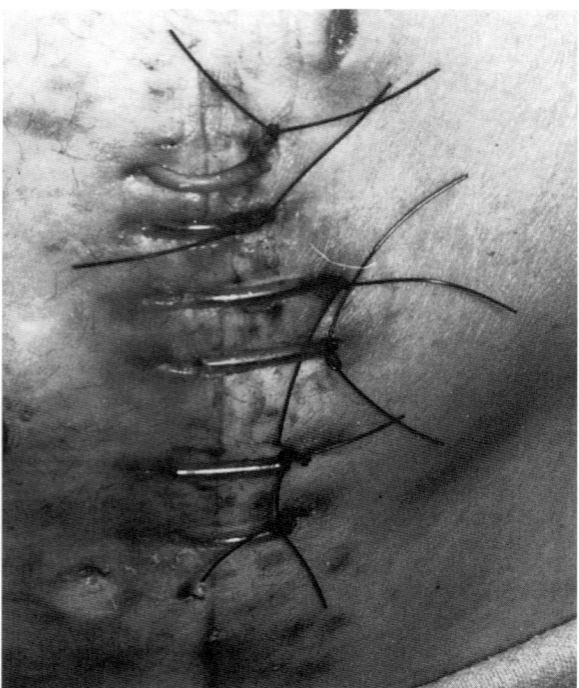

FIGURE **41-21** ■ Incision chirurgicale refermée à l'aide de points de suture de rapprochement.

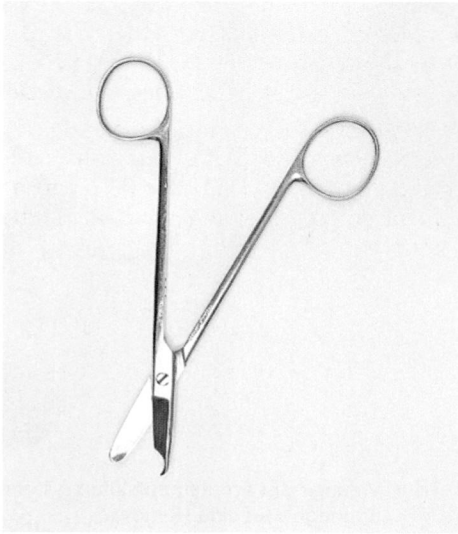

FIGURE **41-22** ■ Ciseaux à ligature.

Pour retirer des points de suture, on applique la technique d'asepsie et on utilise des ciseaux spécialement conçus à cet effet. Le bout de l'une des branches du ciseau est courbé de façon à s'insérer facilement sous la suture (figure 41-22 ■). Les agrafes métalliques s'enlèvent à l'aide d'un instrument spécialisé, une pincette à agrafe, qui comprime l'agrafe en son centre pour l'extraire de la peau (figure 41-23 ■). La marche à suivre pour retirer les sutures et les agrafes est la suivante :

■ Avant de retirer les points de suture cutanés, vérifier (a) les directives concernant le retrait des points de suture (dans plusieurs cas de sutures à points interrompus, le médecin demande qu'on retire d'abord un point sur deux et qu'on attende un ou deux jours pour retirer les autres) et (b) si un pansement doit être mis en place après l'enlèvement des points de suture. Certains médecins préfèrent ne pas mettre de pansement ; d'autres veulent qu'un pansement léger soit appliqué pour prévenir la friction de la plaie contre les vêtements.

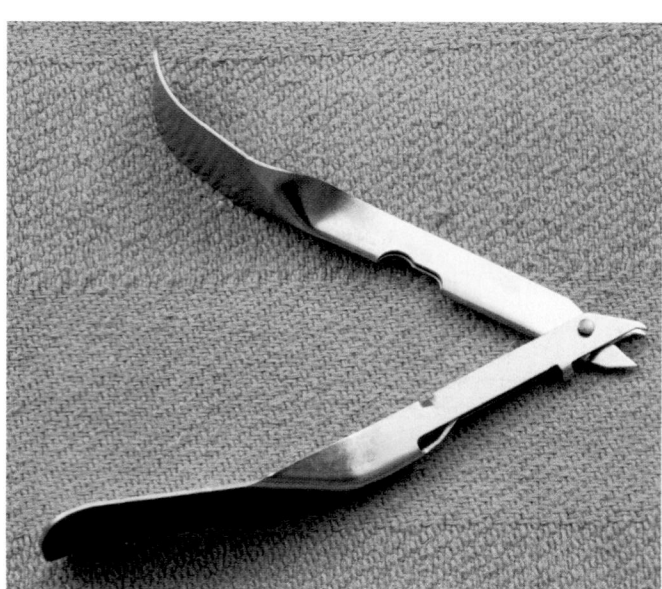

FIGURE **41-23** ■ Pincette à agrafe.

- Informer la personne que le retrait des points de suture peut causer une certaine sensation de tiraillement ou de picotement, mais pas de véritable douleur.

- Retirer les pansements et nettoyer l'incision selon le protocole de l'établissement. Nettoyer la ligne de suture avec une solution antimicrobienne avant et après le retrait des points de suture afin de prévenir l'infection.

- Mettre des gants stériles.

- Enlever les points de suture à points interrompus comme suit :

  a) Saisir le nœud de la première suture avec une pince.

  b) Placer le bout recourbé des ciseaux à ligature sous le point de suture, le plus près possible de la peau, soit sur le côté opposé au nœud (figure 41-24 ■), soit directement sous le nœud. Couper le fil. On coupe les points de suture au ras de la peau pour éviter que la partie visible du fil (qui est en contact avec les bactéries commensales de la peau) pénètre sous la peau pendant le retrait. La partie du fil qui est sous la peau est considérée comme exempte de bactéries.

  c) À l'aide de la pince, retirer complètement le point de suture. Examiner minutieusement le fil pour s'assurer qu'il n'est pas morcelé. Les fragments de fil qui demeurent sous la peau constituent des corps étrangers qui provoqueront une inflammation.

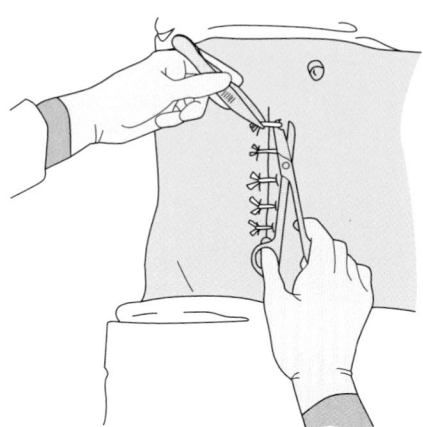

FIGURE **41-24** ■ Retrait d'une suture cutanée à points interrompus.

- Enlever les points de suture à points de matelassier séparés comme suit :

  a) Dans la mesure du possible, couper la partie visible du fil au ras de la peau (points A et B de la figure 41-25 ■) du côté opposé au nœud, la retirer et la jeter (selon les recommandations données plus loin dans le texte). Dans certains cas, cette partie visible est tellement petite qu'on ne peut la couper qu'une seule fois.

  b) Saisir le nœud (point C de la figure 41-25 ■) avec la pince. Enlever le reste de la suture qui se trouve sous la peau en tirant en direction du nœud.

- Jeter le fil dans un morceau de gaze stérile ou dans un sac à rebuts en prenant soin de ne pas contaminer les extrémités de la pince.

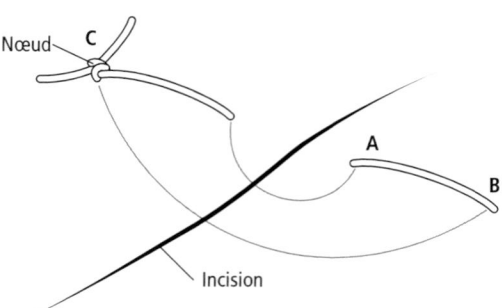

FIGURE **41-25** ■ Sutures à points de matelassier séparés.

- Continuer à enlever les points de suture en alternance, c'est-à-dire le troisième, le cinquième, le septième, etc. On procède ainsi pour conserver à la plaie un bon affrontement des lèvres et prévenir la déhiscence.

- Si la plaie ne montre aucune déhiscence, enlever les autres points de suture. Si une déhiscence de la plaie est à craindre, ne pas enlever les autres points de suture et prévenir l'infirmière responsable.

- Si le médecin demande l'utilisation de rubans adhésifs de rapprochement (Steri-Strips), les appliquer après le retrait des points de suture ou des agrafes. Certains médecins préconisent l'usage de ces rubans adhésifs de rapprochement pour mieux soutenir la plaie cicatrisante.

- Mettre un nouveau pansement, s'il y a lieu.

- Consigner les éléments suivants : retrait des points de suture, nombre de points de suture enlevés, aspect de l'incision, application d'un nouveau pansement ou de rubans adhésifs de rapprochement, enseignement prodigué à la personne et réaction de celle-ci aux soins donnés.

- Enlever les agrafes comme suit :

  a) Enlever les pansements et nettoyer l'incision selon le protocole en vigueur.

  b) Placer la pointe la plus basse de la pincette à agrafe stérile sous l'agrafe.

  c) Refermer les branches de la pincette (figure 41-26 ■). L'agrafe se plie alors en son centre et les rebords, qui étaient dans la peau, se soulèvent. Ne pas élever la pincette à agrafe lorsque les branches sont ouvertes.

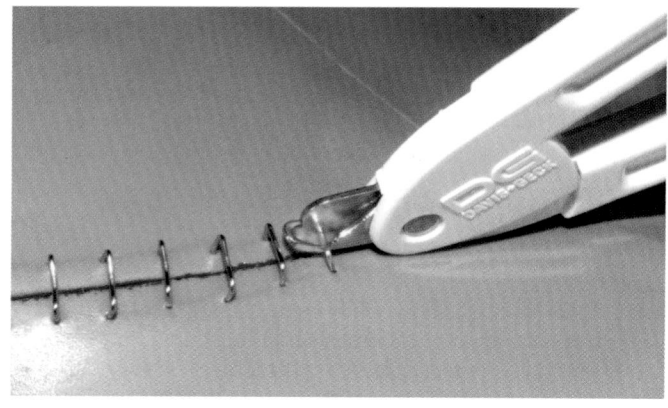

FIGURE **41-26** ■ Enlèvement des agrafes.

d) Lorsque les deux extrémités de l'agrafe sont visibles, retirer doucement l'agrafe.

e) Placer la pincette à agrafe au-dessus d'un contenant jetable et libérer l'agrafe en ouvrant les branches de la pincette.

◼ Enseignement des soins à domicile

Afin d'assurer la continuité des soins et un prompt rétablissement, l'infirmière doit répondre aux besoins d'apprentissage de la personne et de ses proches. L'enseignement doit mettre l'accent sur les moyens à employer pour maintenir le bien-être, favoriser la guérison et promouvoir le retour à la santé de la personne ainsi que la facilité à utiliser les services offerts par les organismes communautaires appropriés et les autres ressources de soutien.

MAINTENIR LE BIEN-ÊTRE

- Conseiller à la personne de prendre les analgésiques selon l'ordonnance et de ne jamais attendre que la douleur devienne insupportable avant de prendre la dose prescrite.

- Si la personne hésite à prendre les médicaments prescrits à cause des effets secondaires et à moins de contre-indications, discuter de l'emploi d'analgésiques en vente libre, comme l'acétaminophène (Tylenol), pour soulager la douleur postopératoire.

- Informer la personne qu'elle doit éviter de consommer de l'alcool ou tout autre dépresseur du système nerveux central en même temps que des analgésiques opioïdes.

- Discuter de l'importance de reprendre progressivement ses activités et d'éviter le surmenage.

- Insister sur le fait qu'il faut signaler au médecin toute augmentation de la douleur ou tout malaise, surtout si la douleur augmente après avoir diminué pendant une certaine période.

- Enseigner à la personne à privilégier des mesures non pharmacologiques de soulagement de la douleur, comme la relaxation, la détente, la méditation et la visualisation.

FAVORISER LA GUÉRISON

- Enseigner à la personne comment changer ses pansements et soigner sa plaie.

- Insister sur l'importance de l'hygiène et du lavage des mains pour prévenir les infections.

- Recommander à la personne de signaler sans délai à son médecin toute augmentation de rougeur, d'œdème, de douleur ou d'écoulement provenant de la plaie ou des drains.

- Discuter de la restriction de certaines activités, comme lever des objets lourds.

- Discuter de l'importance des rendez-vous postopératoires, qui permettent de s'assurer du bon déroulement du processus de cicatrisation et du rétablissement de la personne.

PROMOUVOIR LE RETOUR À LA SANTÉ

- Discuter du lien qui existe entre la reprise des activités et le sentiment de mieux-être.

- Enseigner à la personne que la chirurgie et les autres facteurs de stress ont un effet dépressif sur la fonction immunitaire et qu'il faut éviter, dans la mesure du possible, de s'exposer à la maladie (c'est-à-dire, éviter les foules et les gens qui sont atteints d'une affection des voies respiratoires supérieures).

SOINS À DOMICILE

Retrait des points de suture ou des agrafes

- Exécuter le procédé dans une pièce bien éclairée et tranquille.

- Demander à la personne d'examiner l'incision tous les jours et d'appeler l'établissement de soins si elle constate une augmentation des rougeurs, des écoulements ou une désunion de la plaie.

- Fournir à la personne le matériel et les directives nécessaires aux soins à apporter à l'incision et lui indiquer le moment où elle pourra recommencer à se doucher.

- Évaluer la capacité de la personne à prendre soin de sa plaie et à la garder propre.

- Insister sur l'importance du repos pour favoriser le processus de cicatrisation et le bon fonctionnement du système immunitaire.

- S'il y a lieu, discuter des changements à apporter aux habitudes de vie, comme cesser de fumer, faire plus d'exercice, réduire le stress et s'alimenter selon une diète riche en fruits, en légumes et en grains entiers, et avoir un apport protéique suffisant.

ORGANISMES COMMUNAUTAIRES ET AUTRES RESSOURCES DE SOUTIEN

- Renseigner la personne sur les points suivants : les endroits où elle peut acheter, louer ou obtenir sans frais de l'équipement médical durable ; comment obtenir des soins à domicile et autres services ; les endroits où elle peut se procurer des produits comme des pansements et des suppléments alimentaires.

- Suggérer d'autres sources d'information, comme l'Office des personnes handicapées du Québec, le programme *Toujours femme* de la Société canadienne du cancer et une association de stomisés.

DIRIGER LA PERSONNE VERS LES SERVICES APPROPRIÉS. L'infirmière doit pouvoir diriger la personne vers des services spécialisés, comme les suivants :

- Organismes spécialisés en évaluation et en soins postopératoires à domicile et services d'aide aux tâches ménagères, s'il y a lieu.

- Services sociaux pour l'obtention d'équipement médical et d'appareils et accessoires fonctionnels.

- Services d'inhalothérapie, de physiothérapie et d'ergothérapie, s'il y a lieu.

Évaluation

En utilisant les objectifs élaborés durant la phase de planification, l'infirmière recueille les données pour évaluer si les objectifs visés et les résultats escomptés ont été atteints. Des exemples de résultats et les indicateurs qui y sont reliés ont été présentés dans les encadrés *Diagnostics infirmiers, résultats de soins infirmiers et interventions*.

Si les résultats escomptés ne sont pas atteints, l'infirmière, la personne et sa famille s'il y a lieu doivent en chercher les raisons avant de modifier le plan de soins et de traitements. Par exemple, si le résultat lié à la maîtrise de la douleur n'est pas atteint, les questions suivantes, entre autres, pourraient être posées :

- Comment la personne perçoit-elle le problème ?
- Comprend-elle bien le fonctionnement de l'analgésie contrôlée par la personne (ACP) ?
- L'analgésique prescrit lui convient-il ?
- Attend-elle que la douleur devienne insoutenable avant de prendre sa médication ou d'utiliser l'ACP ?

- Où a-t-elle mal ? Se pourrait-il que cette douleur n'ait rien à voir avec la chirurgie (par exemple, arthrite chronique, angine de poitrine) ?
- La recrudescence de la douleur pourrait-elle s'expliquer par la présence d'une complication (par exemple, infection, abcès ou hématome) ?

EXERCICES D'INTÉGRATION

M. Teng, âgé de 77 ans, souffre d'une bronchopneumopathie chronique obstructive. Actuellement, son problème respiratoire est maîtrisé à l'aide des médicaments et M. Teng ne fait pas d'infection. Il a été opéré pour une hernie et vient d'être transféré à la salle de réveil ; l'intervention chirurgicale a été pratiquée sous rachianesthésie. Sa pression artérielle est de 132/88, sa fréquence respiratoire est de 28 et sa température auriculaire, de 36,5 °C. Il est éveillé et son état est stable.

1. Quels facteurs prédisposent M. Teng à présenter des complications pendant et après la chirurgie ?
2. Selon vous, pourquoi le chirurgien de M. Teng et l'anesthésiste ont-ils choisi de pratiquer l'intervention chirurgicale sous anesthésie régionale plutôt que sous anesthésie générale ?

3. Quelles mesures ont été prises durant la période préopératoire pour prévenir les complications potentielles durant et après la chirurgie ?
4. En quoi les évaluations postopératoires de M. Teng diffèrent-elles de celles d'une personne qui aurait subi une anesthésie générale ?
5. Quelles sont les précautions postopératoires particulièrement importantes à prendre lorsque quelqu'un souffre, comme M. Teng, d'une bronchopneumopathie chronique obstructive ?

Voir l'appendice A : Exercices d'intégration – Pistes de réflexion.

RÉVISION DU CHAPITRE

Concepts clés

- La chirurgie est une expérience unique qui provoque un stress et nécessite des changements physiques et psychologiques.
- La période périopératoire comprend trois périodes : préopératoire, peropératoire et postopératoire.
- Les interventions chirurgicales se classent selon le degré d'urgence, le but et le degré de risque.
- Des facteurs, tels que l'âge, l'état de santé général, l'état nutritionnel, l'usage de médicaments et l'état mental, ont une incidence sur le risque que représente une chirurgie pour la personne.
- La personne doit accepter de subir la chirurgie et doit signer une formule de consentement à cet effet.
- Les antécédents médicaux et les données de l'examen clinique sont essentiels à la planification des soins préopératoires et postopératoires.
- Le but premier des soins infirmiers prodigués durant la période préopératoire est de préparer mentalement et physiquement la personne à la chirurgie.
- L'enseignement préopératoire porte sur des informations circonstancielles et un soutien psychosocial, le rôle que doit jouer la personne tout au long de la période périopératoire, les sensations et les malaises auxquels elle doit s'attendre ainsi que sur une préparation à la période postopératoire.

- L'enseignement préopératoire porte sur les changements de position, les exercices pour les jambes, les exercices de respiration profonde et les exercices de toux contrôlée. Plusieurs volets de l'enseignement préopératoire sont conçus pour prévenir les complications postopératoires.
- La préparation physique touche les domaines suivants : la nutrition, l'apport liquidien, l'élimination, l'hygiène, le repos, les médicaments, l'attention à accorder aux objets de valeur et aux prothèses, les directives particulières et la préparation de la peau.
- Dans certains cas, on doit utiliser les bas de compression et les appareils de pressothérapie intermittente afin de faciliter le retour veineux.
- La liste de vérification préopératoire sert de guide et d'outil de référence pour la préparation dont a bénéficié la personne avant la chirurgie.
- Les objectifs des soins infirmiers durant la période peropératoire sont d'assurer la sécurité de la personne et de maintenir l'homéostasie.
- L'anesthésie peut être générale ou régionale. L'anesthésie régionale comporte plusieurs techniques : l'anesthésie de surface (ou topique), l'anesthésie locale (ou par infiltration), l'anesthésie par bloc nerveux, l'anesthésie locorégionale intraveineuse (ou bloc de Bier), l'anesthésie rachidienne (ou rachianesthésie) et l'anesthésie épidurale (ou péridurale).

RÉVISION DU CHAPITRE (SUITE)

Concepts clés (suite)

- On doit effectuer la préparation chirurgicale de la peau à la toute dernière minute avant la chirurgie. Cette opération est souvent effectuée durant la période peropératoire.

- Le positionnement adéquat de la personne au cours de la chirurgie est important pour réduire le risque de lésion aux tissus et aux nerfs.

- Les soins postanesthésiques immédiats sont axés sur l'évaluation et le monitorage des paramètres afin de prévenir les complications qui peuvent survenir à la suite de l'anesthésie et de la chirurgie.

- L'évaluation initiale et subséquente de la personne en période postopératoire porte sur les points suivants : le niveau de conscience, les signes vitaux, le taux de saturation du sang en oxygène, la coloration et la température de la peau, le bien-être, l'équilibre liquidien, les pansements, les drains et la sonde vésicale.

- Les objectifs des soins infirmiers en période postopératoire sont les suivants : soulager la douleur et favoriser la cicatrisation, amener la personne à un niveau de santé le plus élevé possible dans les circonstances et prévenir les risques associés à la chirurgie, comme les infections ou les complications respiratoires et cardiovasculaires.

- Les interventions infirmières postopératoires portent sur : (a) le soulagement de la douleur ; (b) le positionnement approprié ; (c) l'inspiromètre d'incitation, les exercices de respiration profonde et les exercices de toux contrôlée ; (d) les exercices pour les jambes ; (e) les changements de position et l'ambulation précoce ; (f) l'hydratation suffisante ; (g) la diète ; (h) l'élimination urinaire ; (i) l'aspiration gastrique ; (j) les soins à apporter à la plaie.

- La technique d'asepsie chirurgicale (technique stérile) est utilisée pour changer les pansements des plaies chirurgicales afin de favoriser la cicatrisation et réduire le risque d'infection.

- Le drain de Penrose et le système de drainage Hemovac peuvent être installés à proximité ou sur le site de l'incision pour favoriser l'écoulement des exsudats sérosanguinolents ou purulents.

- On utilise les points de suture, les clips métalliques ou les agrafes pour rapprocher les lèvres de la plaie et les tissus sous-jacents après la chirurgie. On les enlève entre 7 et 10 jours après la chirurgie.

Questions de révision

41-1. Quels examens paracliniques l'infirmière devrait-elle consulter pour déterminer l'état préopératoire de la fonction du foie ?
a) Électrolytes sériques
b) Urée et créatinine
c) Alanine aminotransférase (ALAT), aspartate aminotransférase (ASAT), bilirubine
d) Albumine

41-2. Une femme qui vient de subir une mammectomie est triste d'avoir perdu un sein. À partir de cette information, quel diagnostic infirmier convient le mieux pour décrire les symptômes que cette personne risque de présenter ?
a) *Image corporelle perturbée*
b) *Deuil anticipé*
c) *Peur*
d) *Stratégies d'adaptation inefficaces*

41-3. Lequel des énoncés suivants, émis par une personne qui va subir une chirurgie à la vésicule biliaire, correspond à un enseignement préopératoire bien compris ?
a) Je ne peux pas manger ni boire 12 heures avant la chirurgie.
b) Je m'efforcerai de ne pas tousser après la chirurgie parce que ma plaie pourrait s'ouvrir.

c) Je risque d'avoir une attaque si je cesse de prendre mes anticoagulants.
d) Après la chirurgie, je vais faire des exercices pour contracter et relâcher mes mollets, comme l'infirmière me l'a montré.

41-4. L'infirmière examine une personne en période postopératoire : le pouls est rapide et faible, le débit urinaire est de moins de 30 mL/h et la pression artérielle a diminué, la peau est froide et moite. Quelle est la complication dont l'infirmière devrait soupçonner la présence ?
a) Thrombose veineuse profonde
b) Hypovolémie
c) Pneumonie par aspiration
d) Déhiscence de la plaie

41-5. En général, à quel moment la personne en période postopératoire a-t-elle le plus besoin d'un analgésique prescrit « au besoin » ?
a) Immédiatement après la chirurgie
b) Quatre heures après la chirurgie
c) De 12 à 36 heures après la chirurgie
d) De 48 à 72 heures après la chirurgie

Voir l'appendice B : Réponses aux questions de révision.

BIBLIOGRAPHIE

En anglais

Alsop-Shields, L. (2000). Perioperative care of children in a transcultural context. *AORN Journal, 71*(5), 1004–1020.

AORN Online. (2002). Top ten frequently asked questions. Retrieved April 29, 2003, from http://www.aorn.org/practice/clinical.asp

Association of Operating Room Nurses. (1996). Recommended practices for skin preparation of patients. *AORN Journal, 64*(5), 813–816.

Bailes, B. K. (2000). Perioperative care of the elderly surgical patient. *AORN Journal, 72*(2), 186–207.

Ben-Hamida, A., & Meyrick-Thomas, J. (1998). How-to guides: Postoperative wound drainage. *Care of the Critically Ill. The Journal for Critical Care Professionals, 14*(2), insert 4p.

Brenner, Z. R. (1999). Preventing postoperative complications: What's old, what's new, what's tried-and-true. *Nursing, 29*(10), 34–39.

Brooks, J. A. (2001). Postoperative nosocomial pneumonia: Nurse-sensitive interventions. *AACN Clinical Issues, 12*(2), 305–323.

Castille, K. (1998). Suturing. *Nursing Standard, 12*(41), 41–46.

Crenshaw, J. T., & Winslow, E. H. (2002). Preoperative fasting: Old habits die hard. *American Journal of Nursing, 102*(5), 36–44.

Dunn, D. (1998). Preoperative assessment criteria and patient teaching for ambulatory surgery patients. *Journal of PeriAnesthesia Nursing, 13*(5), 274–291.

Eliopoulos, C. (2001). *Gerontological nursing* (5th ed.). Philadelphia: Lippincott.

Ennis, D. (1999). Reducing the risk of surgical site infection. *Nursing, 29*(6), 32hn1–32hn2.

Federated Ambulatory Surgery Association. About FASA. Retrieved April 29, 2003, from http://www.fasa.org/aschistory.html

Federated Ambulatory Surgery Association. Frequently asked questions about ambulatory surgery centers. Retrieved April 29, 2003, from http://www.fasa.org/faqaboutasc.html

Fox, V. J. (1998). Postoperative education that works. *AORN Journal, 67*(5), 1010, 1012–1017.

Frantz, A. K. (2001). Recovery from coronary artery bypass grafting at home: Is your nursing practice current? *Home Healthcare Nurse, 19*, 417–425.

Garbee, D. D., & Beare, P. G. (2001). Creating a positive surgical experience for patients. *AORN Journal, 74*(3), 333–337.

Greer, S. M., Dalton, J., Carlson, J., & Youngblood, R. (2001). Surgical patients' fear of addiction to pain medication: The effect of an educational program for clinicians. *The Clinical Journal of Pain, 17*(2), 157–164.

Hrouda, B. S. (2000). How to remove surgical sutures and staples. *Nursing, 30*(2), 54–55.

Hughes, S. (2002). The effects of giving patients pre-operative information. *Nursing Standard, 16*(28), 33–37.

Kost, M. (1999). Conscious sedation. Guarding your patient against complications. *Nursing, 29*(4), 34–39.

Leinonen, T., Leino-Kilpi, H., Stahlberg, M. R., & Lertola, K. (2001). The quality of perioperative care: Development of a tool for the perceptions of patients. *Methodological Issues in Nursing Research, 35*(2), 294–306.

Lookinland, S., & Pool, M. (1998). Study on effect of methods of preoperative education in women. *AORN Journal, 67*(1), 203–213.

Malkin, K. F. (2000). Patients' perceptions of a pre-admission clinic. *Journal of Nursing Management, 8*(2), 107–113.

Marley, R. A., & Swanson, J. (2001). Patient care after discharge from the ambulatory surgical center. *Journal of PeriAnesthesia Nursing, 16*(6), 339–419.

McCloskey, J. C., & Bulechek, G. M. (2000). *Nursing interventions classification (NIC)* (3rd ed.). St. Louis, MO: Mosby.

McConnell, E. A. (1998). Managing wound dehiscence and evisceration. *Nursing, 28*(9), 26.

McConnell, E. A. (1999). Using a closed-wound drainage system. *Nursing, 29*(6), 32.

McConnell, E. A. (2001). Emptying a closed-wound drainage device. *Nursing, 31*(2), 17.

McConnell, E. A. (2002). Applying antiembolism stockings. *Nursing, 32*(4), 17.

McConnell, E. A. (2002). Managing a T-tube. *Nursing, 32*(6), 17.

Mimnaugh, L., Winegar, M., Mabrey, Y., & Davis, J. E. (1999). Sensations experienced during removal of tubes in acute postoperative patients. *Applied Nursing Research, 12*(2), 78–85.

NANDA International. (2003). NANDA *nursing diagnoses: Definitions & classification 2003-2004.* Philadelphia: Author.

Shaheen, K. W. (1999). Jackson-Pratt drains: Patient discharge instructions. *Plastic Surgical Nursing, 18*(1), 50.

Van Keuren, K., & Eland, J. A. (1997). Perioperative pain management in children. *Nursing Clinics of North America, 32*(1), 31–44.

Walton, J. (2001). Helping high-risk surgical patients beat the odds. *Nursing, 31*(3), 54–59.

Ziolkowski, L., & Strzyzewski, N. (2001). Perianesthesia assessment: Foundation of care. *Journal of PeriAnesthesia Nursing, 16*, 359–370.

En français

Carpenito, L. J. (2003). *Manuel de diagnostics infirmiers*, traduction de la 9e édition, Saint-Laurent: Éditions du Renouveau Pédagogique.

Chapados, C. et Cutti, D. (2003). L'assistance opératoire: un enrichissement du rôle infirmier, *Perspective infirmière, 1*(2), 49-50.

Infirmière de bloc opératoire: une obligation d'excellence, *Revue de l'infirmière, 95*, novembre 2003, 6-9.

Johnson, M. et Maas, M. (dir.). (1999). *Classification des résultats de soins infirmiers CRSI/NOC*, Paris: Masson.

La responsabilité infirmière. II, La responsabilité [civile et pénale] de l'infirmière du bloc opératore, *Soins, 644*, avril 2000, 57-58.

McCloskey, J. C. et Bulechek, G. M. (dir.). (2000). *Classification des interventions de soins infirmiers CISI/NIC*, 2e éd., Paris: Masson.

NANDA International. (2004). *Diagnostics infirmiers: Définitions et classification 2003-2004*, Paris: Masson.

Ordre des infirmières et infirmiers du Québec (OIIQ). (19 décembre 2000). *Une première québécoise et canadienne. Le Québec fait figure de leader en reconnaissant et en légalisant la fonction d'infirmière première assistante en chirurgie*, (page consultée le 12 octobre 2004), [en ligne], <http://www.oiiq.org/publications/communiques.asp?no=18&annee=2000>.

Ordre des infirmières et infirmiers du Québec (OIIQ). (2004). *Soins infirmiers périopératoires. La fonction d'infirmière première assistante*, (page consultée le 12 octobre 2004), [en ligne], <http://www.oiiq.org/uploads/publications/prises_de_position/infirmiere_premiere_assistante/prise-perio.html>.

Samana, G. (1998). *L'infirmière de bloc opératoire*, tomes 1 et 2, Paris: Maloine.

RESSOURCES ET SITES WEB

Corporation des infirmières et infirmiers de salles d'opération du Québec (CIISOQ). <www.ornac.ca>

Buts: Regrouper les infirmières en soins périopératoires et fournir un réseau d'échanges; promouvoir la qualité des soins et l'avancement professionnel; établir des liens avec les organismes professionnels, universitaires, gouvernementaux et autres; favoriser l'enseignement et la recherche en soins périopératoires. Bulletin: *L'abeille.*

Regroupement des infirmières premières assistantes en chirurgie (RIPAC) Courriel: ayelle@rocler.com

Buts: Regrouper les infirmières premières assistantes en chirurgie (IPAC); favoriser les échanges d'informations et d'expériences. De concert avec la Corporation des infirmières et infirmiers de salles d'opération du Québec (CIISOQ): promouvoir la qualité des soins, le rôle et la fonction d'infirmière première assistante en chirurgie; assurer des liens avec les différentes instances gouvernementales, professionnelles, universitaires et syndicales; collaborer avec l'Ordre des infirmières et infirmiers du Québec (OIIQ) et le Collège des médecins du Québec (CMQ); établir et évaluer les normes de pratique en l'assistance chirurgicale.

Promotion de la santé physiologique

L e corps humain se compose d'un réseau complexe de systèmes très perfectionnés, en relation les uns avec les autres. L'infirmière prodigue des soins destinés à assurer un fonctionnement physiologique optimal. Pour ce faire, elle puise dans un savoir étendu ; l'infirmière connaît en effet de nombreux facteurs qui conditionnent la santé physique. Parmi les différentes mesures visant à restaurer, à maintenir ou à améliorer une fonction, certaines sont aussi destinées à répondre aux besoins de la personne en matière d'alimentation, de confort et d'activité.

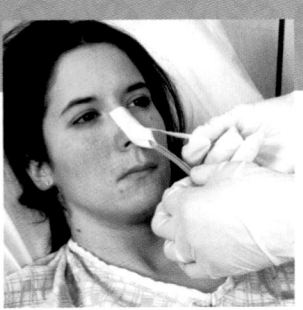

CHAPITRES

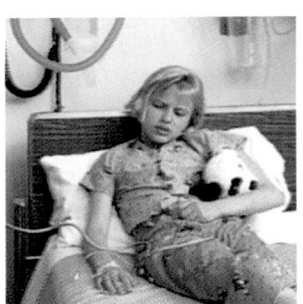

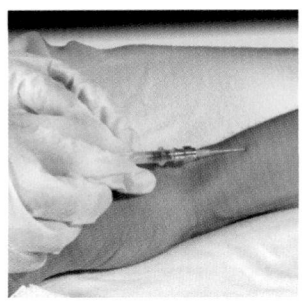

CHAPITRE 42

OBJECTIFS D'APPRENTISSAGE

Après avoir étudié ce chapitre, vous pourrez:

- Décrire les quatre éléments fondamentaux d'un mouvement normal.

- Distinguer les exercices isotoniques, isométriques, isocinétiques, aérobiques et anaérobiques.

- Comparer les effets de l'exercice et de l'immobilité sur les différents systèmes corporels.

- Repérer les facteurs qui influent sur l'alignement corporel et l'activité.

- Évaluer les habitudes en matière d'activité et d'exercice, l'alignement, les capacités et les limites relatives à la mobilité, la tolérance à l'activité et les problèmes dus à l'immobilité.

- Poser des diagnostics infirmiers, définir les résultats escomptés et les interventions à propos de l'activité, de l'exercice et des problèmes de mobilité.

- Utiliser les principes de la mécanique corporelle pour mettre une personne en position, la déplacer, la soulever et la faire marcher.

ACTIVITÉ ET EXERCICE

Adaptation française:
Sophie Longpré, inf., M.Sc.
Professeure, Département des sciences infirmières
Université du Québec à Trois-Rivières

Les **habitudes en matière d'activité et d'exercice** correspondent à ce que fait d'ordinaire une personne dans ce domaine (exercice, activité physique et loisirs). Il s'agit: (a) des activités de la vie quotidienne (AVQ) qui exigent une dépense d'énergie, notamment veiller à son hygiène personnelle, préparer les repas, faire les courses, manger, travailler et entretenir son domicile; (b) du type, de la qualité et de la quantité d'exercices effectués, notamment la pratique d'activités sportives et les loisirs (Gordon, 2002).

La **mobilité** est la capacité de se mouvoir librement, facilement, de façon harmonieuse et délibérée dans l'environnement. Il s'agit là d'une partie essentielle de la vie. On doit pouvoir bouger pour se protéger de traumatismes éventuels et répondre à nos besoins fondamentaux. La mobilité est essentielle à l'autonomie; une personne complètement immobile est aussi vulnérable et dépendante qu'un bébé.

On définit souvent la santé et l'aptitude physique d'une personne par rapport à son niveau d'activité. En effet, le bien-être psychologique et l'efficacité du fonctionnement du corps dépendent grandement de la capacité de se mouvoir. Par exemple, quand une personne se tient droite, ses poumons prennent plus facilement de l'expansion, l'activité intestinale (le péristaltisme) est plus efficace et les reins peuvent se vider complètement. De plus, le mouvement est essentiel au bon fonctionnement des os et des muscles.

La capacité de se mouvoir conditionne aussi l'estime de soi et l'image corporelle. Pour la plupart des gens, l'estime de soi dépend d'un sentiment d'autonomie et de la sensation d'être utile ou nécessaire. Certaines personnes dont la mobilité est réduite peuvent se sentir impuissants et avoir l'impression d'être un poids pour les autres. L'intégrité de l'image corporelle peut être atteinte par une paralysie, une amputation ou tout autre handicap moteur. La réaction des autres à une mobilité réduite peut aussi grandement perturber l'estime de soi et l'image corporelle.

Mouvement normal

Une stabilité et des mouvements normaux témoignent du bon état de la fonction musculosquelettique, de la fonction neurologique et de la structure de l'oreille interne, qui assure l'équilibre.

Les mouvements corporels exigent de coordonner activité musculaire et intégration neurologique. Quatre éléments interviennent dans le mouvement corporel : l'alignement corporel (ou la posture), la mobilité des articulations, l'équilibre et la coordination des mouvements.

Alignement et posture

Un bon alignement corporel et une posture appropriée permettent de placer les différentes parties du corps dans une position favorisant un équilibre optimal et un fonctionnement corporel idéal, et ce, que la personne soit debout, assise ou allongée. Une personne conserve son équilibre aussi longtemps que la **ligne de gravité** (ligne verticale imaginaire traversant le centre de gravité du corps) passe par le **centre de gravité** (point correspondant au centre de toute la masse corporelle) et le **polygone de sustentation** (base sur laquelle le corps repose). Chez les humains, la ligne de gravité habituelle commence sur le dessus de la tête, descend entre les épaules, passe par le tronc, suit de près la face antérieure du sacrum, continue entre les articulations portantes et se termine au milieu du polygone de sustentation (figure 42-1 ■). Lorsqu'une personne est debout, son centre de gravité se trouve au centre du pelvis, à une distance à peu près égale de l'ombilic et de la symphyse pubienne. Pour arriver à un plus grand équilibre et à une meilleure stabilité, un adulte en position debout doit centrer son poids corporel de façon symétrique le long de la ligne de gravité. La stabilité et l'équilibre sont plus grands en position assise ou allongée qu'en position debout. Les pieds d'une chaise ou d'un lit forment un polygone de sustentation beaucoup plus large ; le centre de gravité est plus bas et la ligne de gravité, moins mobile.

Quand le corps est bien aligné, la tension exercée sur les articulations, les muscles, les tendons ou les ligaments est réduite, et les structures et les organes internes sont soutenus. En règle générale, on ne se rend pas compte du fonctionnement des muscles squelettiques responsables du maintien de la posture. Ces muscles fonctionnent presque en permanence et procèdent à des ajustements mineurs constants qui nous permettent de conserver une position debout ou assise malgré la gravité qui nous attire constamment vers le bas. Les muscles extenseurs, qu'on appelle aussi souvent *muscles antigravifiques*, portent la plus grande partie de la charge.

Un bon alignement corporel améliore l'expansion des poumons et favorise le bon fonctionnement vasculaire, rénal et gastro-intestinal. La posture d'une personne est l'un des critères d'évaluation de sa santé générale, de son aptitude physique et de son charme. La posture d'une personne témoigne de son humeur, de son estime de soi et de sa personnalité.

Mobilité des articulations

La fonction musculosquelettique dépend des articulations. Les os du squelette se rencontrent aux articulations et la plupart des muscles squelettiques s'attachent aux deux os de l'articu-

FIGURE 42-1 ■ Le centre de gravité et la ligne de gravité conditionnent l'alignement en position debout.

TABLEAU
42-1

Types de mouvements articulaires

Mouvement	Action
Flexion	Mouvement qui réduit l'angle que forme l'articulation (par exemple, plier le bras pour amener la main à l'épaule).
Extension	Mouvement qui augmente l'angle que forme l'articulation (par exemple, déplier le bras).
Hyperextension	Mouvement qui augmente à l'extrême l'extension d'une articulation (par exemple, renverser la tête).
Abduction	Mouvement qui écarte l'os du plan médian du corps (par exemple, soulever le bras latéralement).
Adduction	Mouvement qui rapproche l'os du plan médian du corps (par exemple, ramener le bras vers le corps).
Rotation	Mouvement de l'os autour de son axe central (par exemple, tourner le pied et la jambe vers l'intérieur).
Circumduction	Mouvement circulaire de la partie externe de l'os alors que l'extrémité proximale reste fixe (par exemple, décrire un cercle avec la jambe).
Éversion	Mouvement de la plante du pied qui tourne vers l'extérieur quand la personne bouge l'articulation de la cheville.
Inversion	Mouvement de la plante du pied qui tourne vers l'intérieur quand la personne bouge l'articulation de la cheville.
Pronation	Mouvement des os de l'avant-bras qui bougent de sorte que la paume de la main est tournée vers le bas quand elle se trouve devant le corps.
Supination	Mouvement des os de l'avant-bras qui bougent de sorte que la paume de la main est tournée vers le haut quand elle se trouve devant le corps.

lation. On classe ces muscles selon le mouvement articulaire qu'ils produisent quand il y a contraction. Par conséquent, on compte des muscles fléchisseurs, extenseurs, des muscles responsables des rotations internes, et ainsi de suite. Les muscles fléchisseurs sont plus forts que les muscles extenseurs. C'est pourquoi, quand une personne est inactive, ses articulations prennent une position fléchie (repliée). Si cette tendance n'est pas contrecarrée par des exercices et des changements de position, les muscles raccourcissent de façon permanente et se figent dans une position fléchie. Les différents types de mouvements articulaires sont indiqués au tableau 42-1.

L'**amplitude du mouvement articulaire (AMA)** est le mouvement maximal qu'une articulation peut accomplir. L'amplitude des mouvements articulaires varie d'une personne à l'autre ; elle est déterminée par la constitution génétique, les habitudes prises pendant la période de développement, la présence ou l'absence d'affection et l'intensité de l'activité physique habituelle. Le tableau 42-2 présente les différents types de mouvements articulaires et l'amplitude habituelle de ces mouvements.

Équilibre

Les mécanismes contribuant au maintien de l'équilibre et de la posture sont complexes. Les mécanismes de l'équilibre (qui permettent d'avoir le sens de l'équilibre) répondent, souvent sans que nous nous en rendions compte, à différents mouvements de la tête. Le sens de l'équilibre dépend aussi de l'information provenant de l'appareil vestibulaire (ensemble composé du vestibule et des conduits semi-circulaires qui se trouvent dans l'oreille interne), de la vision (mouvements des yeux de poupée)

et des mécanorécepteurs des muscles et des tendons (information vestibulospinale). Le labyrinthe se compose de la cochlée, du vestibule et des conduits semi-circulaires. La cochlée est responsable de l'audition alors que le vestibule et les conduits semi-circulaires assurent l'équilibre. Dans des conditions normales, les récepteurs chargés de l'équilibre, qui se trouvent dans l'ensemble des conduits semi-circulaires et du vestibule (ensemble que l'on appelle appareil vestibulaire), envoient des signaux au cerveau ; celui-ci déclenche alors les réflexes nécessaires pour apporter les changements de position requis. Les récepteurs – les cellules ciliées – réagissent aux mouvements de la tête, dans toutes les directions. Quand la tête bouge, les fluides se déplacent dans le vestibule et les conduits semi-circulaires, stimulant ainsi les cellules ciliées. L'information transmise par ces récepteurs responsables de l'équilibre est acheminée au tronc cérébral. Le faisceau vestibulospinal achemine directement les influx nerveux depuis le tronc cérébral jusqu'aux muscles squelettiques régissant le tonus musculaire, ce qui permet ainsi de corriger rapidement les déséquilibres corporels.

TABLEAU
42-2

Quelques mouvements articulaires

Partie du corps – Type d'articulation/de mouvement	Amplitude normale	Illustration
Cou – Articulation trochoïde et condylaire		FIGURE **42-2**
Flexion. Pencher la tête en avant à partir du plan médian vertical pour que le menton touche le thorax (figure 42-2 ■).	45° à partir du plan médian	
Extension. Redresser la tête en position verticale (figure 42-2).	45° à partir de la flexion (retour à la position neutre, soit 0°)	
Hyperextension. Renverser la tête en arrière le plus loin possible (figure 42-2).	55° à partir du plan médian	
Flexion latérale. Incliner la tête vers chaque épaule (figure 42-3 ■).	40° à partir du plan médian	FIGURE **42-3**
Rotation. Tourner la tête vers la droite puis vers la gauche le plus loin possible (figure 42-4 ■).	70° à partir du plan médian	FIGURE **42-4**
Épaule – Articulation sphéroïde		
Flexion. Lever le bras vers l'avant jusqu'au-dessus de la tête (figure 42-5 ■).	180° à partir de la position latérale de repos (neutre)	FIGURE **42-5**
Extension. Ramener le bras, qui se trouve en position verticale à la hauteur de la tête, le long du corps, en position latérale de repos (neutre) (figure 42-5).	180° à partir de la flexion (retour à la position neutre, soit 0°)	
Hyperextension. Tirer le bras vers l'arrière à partir de la position latérale de repos (neutre) (figure 42-5).	50° à partir de la position latérale de repos (neutre)	
Abduction. Élever le bras latéralement à partir de la position latérale de repos (neutre) jusqu'au-dessus de la tête, la paume tournée vers l'extérieur (figure 42-6 ■).	180°	FIGURE **42-6**
Adduction (antérieure). Ramener le bras vers le corps et l'amener le plus loin possible du côté opposé (figure 42-6). Le coude peut être tendu ou fléchi.	50°	
Circumduction. Décrire un cercle complet avec le bras (figure 42-7 ■).	360°	FIGURE **42-7**

Partie du corps – Type d'articulation/de mouvement	Amplitude normale	Illustration
Rotation externe. Lorsque le bras est placé latéralement, à la hauteur de l'épaule, que le coude est fléchi à angle droit et que les doigts pointent vers le bas, relever le bras pour que les doigts pointent vers le haut (figure 42-8 ■).	90°	FIGURE 42-8 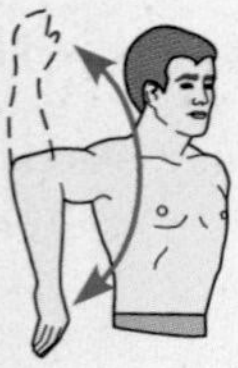
Rotation interne. Lorsque le bras est placé latéralement, à la hauteur de l'épaule, que le coude est fléchi à angle droit et que les doigts pointent vers le haut, ramener le bras vers l'avant et vers le bas pour que les doigts pointent vers le bas (figure 42-8).	90°	
Coude – Articulation trochléenne		
Flexion. Plier le coude pour amener l'avant-bras vers l'articulation de l'épaule et la main au niveau de l'épaule (figure 42-9 ■).	150°	FIGURE 42-9 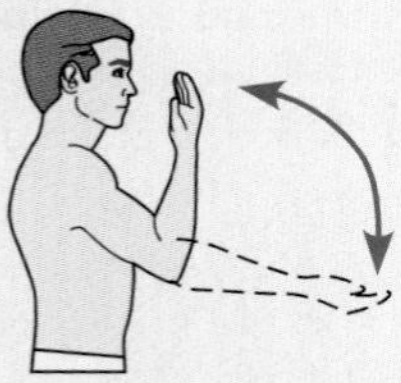
Extension. Déplier le coude en abaissant la main (figure 42-9).	150° (retour à la position neutre, soit 0°)	
Rotation et supination. Tourner les avant-bras et les mains de façon à ce que les paumes soient vers le haut (figure 42-10 ■).	70° à 90°	FIGURE 42-10 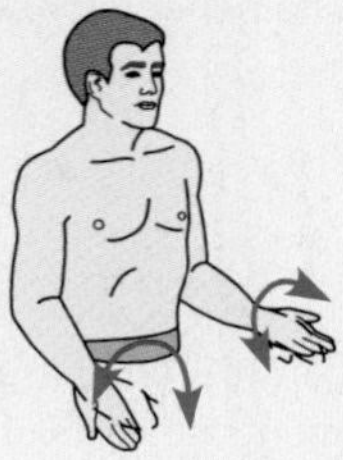
Rotation et pronation. Tourner les avant-bras et les mains de façon à ce que les paumes soient vers le bas (figure 42-10).	70° à 90°	
Poignet – Articulation condylaire		
Flexion. Ramener la paume vers la face interne de l'avant-bras (figure 42-11 ■).	80° à 90°	FIGURE 42-11 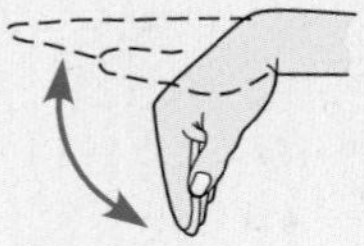
Extension. Bouger la main de sorte que les doigts, la main et l'avant-bras se trouvent sur le même plan (figure 42-11).	80° à 90° (retour à la position neutre, soit 0°)	
Hyperextension. Ramener la surface dorsale de la main le plus loin possible vers l'arrière (figure 42-12 ■).	70° à 90°	FIGURE 42-12 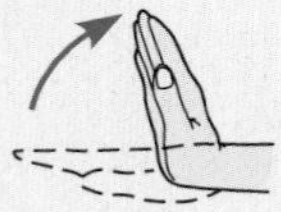
Flexion radiale (abduction). Plier latéralement le poignet vers le pouce alors que la main est en supination (figure 42-13 ■).	0° à 20°	FIGURE 42-13 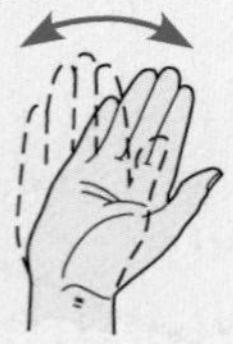
Flexion cubitale (adduction). Plier latéralement le poignet vers l'auriculaire alors que la main est en supination (figure 42-13).	30° à 50°	
Mains et doigts – Articulation condylaire et trochléenne		
Flexion. Fermer le poing (figure 42-14 ■).	90°	FIGURE 42-14 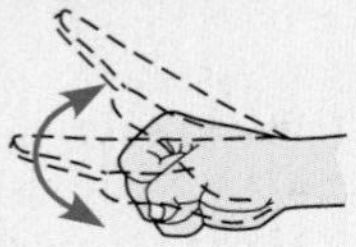
Extension. Ouvrir la main en étirant les doigts (figure 42-14).	90° (retour à la position neutre, soit 0°)	
Hyperextension. Plier les doigts vers l'arrière, le plus loin possible (figure 42-14).	30°	

TABLEAU
42-2

Quelques mouvements articulaires (suite)

Partie du corps – Type d'articulation/de mouvement	Amplitude normale	Illustration
Abduction. Écarter les doigts (figure 42-15 ■). **Adduction.** Rapprocher les doigts (figure 42-15).	20° 20°	FIGURE **42-15**
Pouce – Articulation en selle **Flexion.** Plier le pouce sur la paume de la main vers l'auriculaire (figure 42-16 ■). **Extension.** Écarter le pouce de la main (figure 42-16).	90° 90°	FIGURE **42-16**
Abduction. Tendre le pouce latéralement (figure 42-17 ■). **Adduction.** Ramener le pouce vers la main (figure 42-17).	30° 30°	FIGURE **42-17**
Opposition. Toucher le bout de chaque doigt avec le pouce. Les mouvements de l'articulation du pouce sont les suivants: abduction, rotation et flexion (figure 42-18 ■).		FIGURE **42-18**
Hanche – Articulation sphéroïde **Flexion.** Lever la jambe vers l'avant, genou plié ou tendu (figure 42-19 ■).	Genou tendu, 90°; genou plié, 120°	FIGURE **42-19**
Extension. Ramener la jambe à côté de l'autre jambe (figure 42-20 ■). **Hyperextension.** Lever la jambe vers l'arrière (figure 42-20).	90° à 120° (la position neutre est 0°) 30° à 50°	FIGURE **42-20**

Partie du corps – Type d'articulation/de mouvement	Amplitude normale	Illustration
Abduction. Écarter latéralement la jambe du corps (figure 42-21 ■).	45° à 50°	FIGURE **42-21** 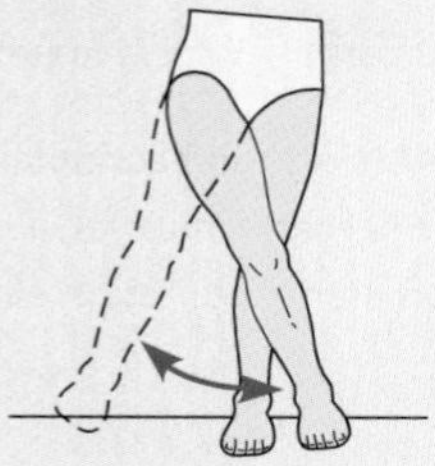
Adduction. Ramener la jambe en position médiane et au-delà de cette position, si possible (figure 42-21).	45° à 50° ; 20° à 30° au-delà de l'autre jambe	
Circumduction. Décrire un cercle avec la jambe (figure 42-22 ■).	360°	FIGURE **42-22** 
Rotation interne. Tourner le pied et la jambe vers l'intérieur pour que les orteils pointent le plus loin possible vers l'autre jambe (figure 42-23 ■).	90°	FIGURE **42-23** 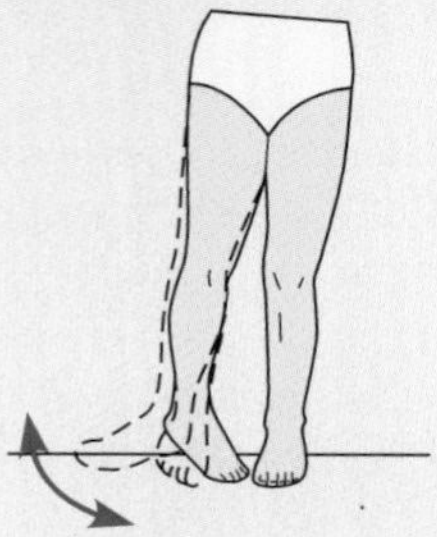
Rotation externe. Tourner le pied et la jambe vers l'extérieur pour que les orteils s'éloignent le plus possible de l'autre jambe (figure 42-23).	90°	
Genou – Articulation plane et articulation trochléenne modifiée		
Flexion. Plier la jambe pour amener le talon vers l'arrière de la cuisse (figure 42-24 ■).	120° à 130°	FIGURE **42-24** 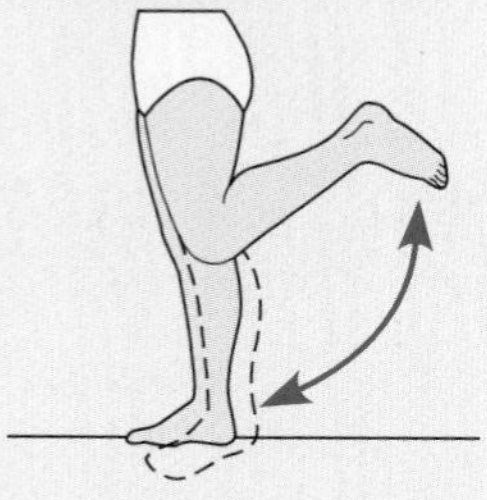
Extension. Poser la jambe sur le sol, à côté de l'autre jambe (figure 42-24).	120° à 130° (retour à la position neutre, soit 0°)	
Cheville – Articulation trochléenne		
Extension (flexion plantaire). Pointer les orteils vers le bas (figure 42-25 ■).	45° à 50°	FIGURE **42-25** 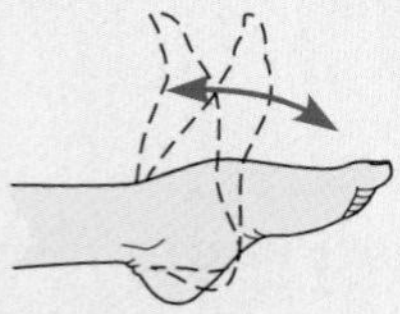
Flexion dorsale. Pointer les orteils vers le haut (figure 42-25).	20°	
Pied – Articulation plane		
Éversion. Tourner la plante du pied latéralement (figure 42-26 ■).	5°	FIGURE **42-26** 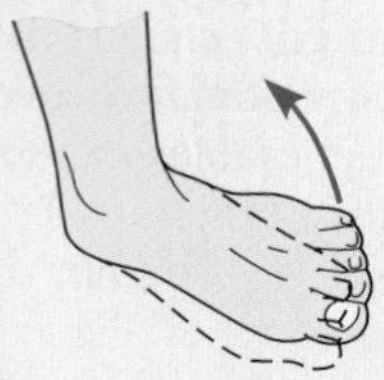
Inversion. Tourner la plante du pied vers la ligne médiane (figure 42-26).	5°	

TABLEAU
42-2

Quelques mouvements articulaires (suite)

Partie du corps – Type d'articulation/de mouvement	Amplitude normale	Illustration
Orteils – Articulation condylaire		
Flexion. Plier les orteils vers le bas (figure 42-27 ■).	35° à 60°	FIGURE 42-27
Extension. Redresser les orteils (figure 42-27).	35° à 60°	
Tronc – Articulation plane		
Flexion. Pencher le tronc en avant, vers les orteils (figure 42-28 ■)	70° à 90°	FIGURE 42-28
Extension. Relever le tronc (figure 42-28).	Retour à la position neutre, soit 0°	
Hyperextension. Pencher le tronc vers l'arrière (figure 42-28)	20° à 30°	
Flexion latérale. Pencher le tronc vers la droite puis vers la gauche (figure 42-29 ■).	35° de chaque côté	FIGURE 42-29
Rotation. Tourner la partie supérieure du corps latéralement, de chaque côté (figure 42-30 ■).	30° à 45°	FIGURE 42-30

Coordination des mouvements

Des mouvements équilibrés, harmonieux et délibérés sont le signe d'un bon fonctionnement du cortex cérébral, du cervelet et des noyaux gris centraux. Le cortex cérébral commande l'activité motrice volontaire ; le cervelet coordonne les activités motrices responsables du mouvement ; quant aux noyaux gris centraux, ils permettent de maintenir la posture. Le cortex cérébral commande les mouvements, mais ne commande pas directement les muscles. Par exemple, il peut commander au bras de prendre une tasse de café. Le cervelet, qui fonctionne en deçà du niveau de conscience, associe les muscles intervenant dans un mouvement volontaire et coordonne leur action. Il ne commande pas le mouvement, mais traduit les « instructions » du cortex cérébral en actions détaillées effectuées par les différents muscles de la main, du bras et de l'épaule. Quand le cervelet d'une personne est endommagé, ses mouvements deviennent maladroits ; ils manquent d'assurance et de coordination.

Exercice

L'**activité physique** regroupe toutes les activités physiques potentiellement effectuées dans une journée. Par exemple, l'activité physique domestique concerne le fait de se laver, de passer l'aspirateur ou de faire son épicerie. Elle implique tout mouvement corporel produit par les muscles squelettiques et amenant une dépense énergétique supérieure au métabolisme de repos.

Pour mener l'*Enquête québécoise sur l'activité physique et la santé*, l'Institut national de santé publique du Québec (1998) a fait les regroupements d'activités physiques suivants : les activités physiques de travail (faire le service aux tables, pelleter de la terre), de transport (se rendre à l'école à bicyclette) ou de loisirs (danse sociale, hockey sur glace). Ces différents mouvements du corps amènent progressivement certaines améliorations de la santé de l'individu.

L'**exercice** est un type d'activité physique défini comme un mouvement corporel planifié, structuré et répétitif, spécifiquement destiné à améliorer ou à maintenir un ou plusieurs éléments de l'aptitude physique (NIH, 1995).

Les gens qui suivent des programmes d'exercice veulent réduire les facteurs de risque liés aux affections cardiovasculaires et améliorer leur santé et leur bien-être. La **tolérance à l'activité** correspond au type et à la quantité d'exercice ou d'activités quotidiennes qu'une personne peut faire sans effets contraires, c'est-à-dire sans que cela nuise à sa santé ou à son bien-être.

Types d'exercices

L'exercice suppose la contraction et la relaxation actives des muscles. On classe les exercices selon le type de contraction musculaire (isotonique, isométrique ou isocinétique) et la source d'énergie (aérobique ou anaérobique).

Pendant les **exercices isotoniques (dynamiques)**, les muscles raccourcissent pour produire une contraction musculaire et un mouvement actif. La plupart des exercices de conditionnement physique – la course, la marche, la natation, la bicyclette et d'autres activités du même genre – sont isotoniques, tout comme les activités de la vie quotidienne (AVQ) et les exercices d'amplitude du mouvement articulaire (ceux dont la personne prend l'initiative). Voici quelques exemples d'exercices isotoniques que l'on peut faire en étant alité : pousser contre un objet immobile ou tirer sur cet objet ; utiliser un trapèze pour se soulever ; soulever les fesses en poussant sur le matelas avec les mains ; tenter de soulever les épaules du lit.

Les exercices isotoniques renforcent le tonus, la masse et la force musculaires ; ils préservent la souplesse des articulations et favorisent la circulation. Pendant des exercices isotoniques, la fréquence et le débit cardiaques s'accroissent pour augmenter le débit sanguin dans toutes les parties du corps.

Les **exercices isométriques (statiques)** entraînent une modification de la tension musculaire mais aucun changement dans la longueur du muscle, aucun mouvement musculaire ni articulaire. Ces exercices consistent à appliquer une pression contre un objet solide. Ils renforcent les muscles abdominaux, fessiers et le quadriceps que l'on utilise pour marcher ; ils maintiennent la force des muscles immobilisés dans des plâtres ou des dispositifs de traction ; on les utilise aussi pour des entraînements à l'endurance. Voici quelques exemples d'exercices isométriques que l'on peut faire alité : en position de décubitus dorsal, tendre la jambe ; contracter les muscles de la cuisse ; exercer une pression sur le lit avec le genou pendant plusieurs secondes.

Les exercices isométriques entraînent une augmentation modérée de la fréquence et du débit cardiaques, mais aucun accroissement appréciable du débit sanguin vers les autres parties du corps.

Les **exercices isocinétiques (contre résistance)** font intervenir une contraction musculaire ou une tension contre une force résistante ; par conséquent, il peut s'agir d'exercices isotoniques ou isométriques. Pendant des exercices isocinétiques, la personne bouge (exercice isotonique) ou exerce une tension (exercice isométrique) contre une résistance. Des appareils et des dispositifs spéciaux produisent la résistance voulue au mouvement. Ces exercices sont utilisés pour le conditionnement physique et servent souvent à développer certains groupes musculaires ; ainsi, on peut développer le volume et la force des pectoraux (les muscles de la poitrine) en soulevant des poids.

Les **exercices aérobiques** correspondent à une activité où la quantité d'oxygène absorbée par le corps est supérieure à celle utilisée pour faire l'activité. Les exercices aérobiques sollicitent les groupes de grands muscles. On exécute sans s'arrêter ces exercices qui sont rythmiques par nature. La marche, le jogging, la course, la bicyclette, la danse, le ski de fond, la corde à sauter, l'aviron, la natation et le patin en sont des exemples. Les exercices aérobiques améliorent la santé cardiovasculaire et l'aptitude physique. Il est question de l'évaluation de l'aptitude physique au chapitre 8 ⊂⊃.

L'encadré *Enseignement – Directives pour l'activité physique* présente la fréquence, la durée et l'intensité des exercices recommandés pour des adultes en bonne santé.

L'intensité des exercices se mesure de trois façons :

1. *Fréquence cardiaque cible.* L'objectif consiste ici à atteindre et à maintenir une fréquence cardiaque cible pendant l'exercice, en fonction de l'âge de la personne. Pour déterminer la fréquence cardiaque cible, il faut d'abord calculer la fréquence cardiaque maximale de la personne en soustrayant son âge, en années, de 220. Par exemple, une personne de 55 ans devrait avoir une fréquence cardiaque maximale de 165 bpm. On obtient ensuite la fréquence cardiaque cible, en prenant de 60 % à 85 % de la fréquence cardiaque maximale, soit, pour l'exemple qu'on vient de donner, 99 à 140 bpm. L'intensité recommandée correspond à au moins 60 % de la fréquence cardiaque maximale. Comme la fréquence cardiaque varie considérablement d'une personne à l'autre, il est préférable de choisir la fréquence à atteindre en faisant l'un des deux tests suivants.

2. *Test du dialogue.* Ce test est facile à faire ; la plupart des gens qui le font se maintiennent à 60 % de la fréquence cardiaque maximale ou plus. On choisit la fréquence à atteindre ainsi : pendant qu'elle fait de l'exercice, la personne doit être capable d'entretenir une conversation même si elle respire difficilement. Il faut augmenter l'intensité de l'exercice si la personne poursuit la conversation et respire sans aucune gêne.

3. *Échelle de Borg (perception de l'effort)* (Borg, 1998). Cette échelle mesure la difficulté de l'exercice selon l'effort cardiaque et pulmonaire fourni tel que perçu par la personne. L'échelle se lit ainsi :

6	14
7 Très, très facile	15 Difficile
8	16
9 Très facile	17 Très difficile
10	18
11 Assez facile	19 Très, très difficile
12	20
13 Assez difficile	

ENSEIGNEMENT

Directives pour l'activité physique

Fréquence	Trois fois par semaine.
Durée	Trente minutes en tout par jour (que l'on peut diviser au cours de la journée).
Intensité	Une intensité «modérée», mesurée par le test du dialogue et l'échelle de Borg (perception de l'effort).
Type d'exercice	La marche, la bicyclette et la natation sont recommandées aux débutants et aux adultes plus âgés. Le jogging, la course et la corde à sauter sont des activités plus exigeantes.
Sécurité	À l'extérieur de la maison, appliquez les mesures de sécurité appropriées. Vérifiez notamment si le matériel fonctionne bien; portez un casque et des vêtements de protection; utilisez un dispositif réfléchissant la nuit; ayez des papiers d'identité sur vous; assurez-vous que vous connaissez les directives à observer en cas d'urgence.

« Très, très difficile » correspond presque à 100 % de la fréquence cardiaque maximale. « Très facile » se situe aux environs de 40 % de cette fréquence. La plupart des gens doivent s'efforcer d'atteindre le niveau « assez difficile », correspondant à 75 % de la fréquence cardiaque maximale.

Les **exercices anaérobiques** correspondent à une activité où les muscles n'ont pas accès à suffisamment d'oxygène issu de la circulation sanguine. Des mécanismes anaérobiques sont utilisés pour fournir de l'énergie supplémentaire pendant une courte période. Ce type d'exercice est utilisé pendant l'entraînement d'endurance des athlètes.

Avantages de l'exercice

L'exercice régulier est essentiel au bon fonctionnement de la plupart des fonctions corporelles. Les avantages de l'exercice sur ces fonctions sont présentés ci-dessous.

FONCTION MUSCULOSQUELETTIQUE

Le volume, la forme, le tonus et la force des muscles (y compris du muscle cardiaque) sont maintenus grâce à des exercices faciles; ils augmentent grâce à des exercices vigoureux. Les exercices vigoureux provoquent une **hypertrophie** musculaire (les muscles grossissent). L'efficacité de la contraction musculaire augmente. Les muscles des bras d'un joueur de tennis, les muscles des jambes d'un patineur et les muscles des bras et des mains d'un charpentier sont des exemples probants de cette hypertrophie.

L'exercice renforce la souplesse des articulations et l'amplitude du mouvement. Le soulèvement des poids entretient la densité osseuse. La tension provoquée par cet exercice maintient un équilibre entre les ostéoblastes (cellules qui produisent la matière osseuse) et les ostéoclastes (cellules qui provoquent une résorption osseuse et qui détruisent la matrice osseuse).

FONCTION CARDIOVASCULAIRE

Un programme adéquat d'exercice augmente la fréquence cardiaque, la force de la contraction du muscle cardiaque, et la perfusion du cœur et des muscles. Le débit cardiaque (la quantité de sang pompé par le cœur) s'accroît et peut passer à 30 L/min. Un débit cardiaque normal est de 5 L/min.

FONCTION RESPIRATOIRE

La ventilation (l'air qui entre dans les poumons et qui en sort) augmente. S'il s'agit d'exercices vigoureux, l'apport en oxygène peut devenir jusqu'à vingt fois supérieur à la normale. Une ventilation normale correspond à environ 5 ou 6 L/min. Un exercice adéquat prévient aussi l'accumulation de sécrétions dans les bronches et les bronchioles; il réduit l'effort respiratoire et améliore l'excursion diaphragmatique.

FONCTION GASTRO-INTESTINALE

L'exercice améliore l'appétit et augmente le tonus du tube digestif; il facilite aussi le péristaltisme.

FONCTION MÉTABOLIQUE

L'exercice accélère le métabolisme, augmentant ainsi la production de chaleur corporelle, l'élimination de déchets et l'utilisation d'énergie. Pendant un exercice vigoureux, le taux métabolique peut atteindre jusqu'à vingt fois le taux normal. L'exercice augmente le recours aux triglycérides et aux acides gras, ce qui réduit le niveau de triglycérides sériques et de cholestérol. L'exercice améliore aussi l'efficacité de l'insuline, ce qui fait baisser la glycémie. Chez les personnes diabétiques, l'exercice peut réduire le besoin d'injections d'insuline.

FONCTION RÉNALE

Un programme adéquat d'exercice assure un débit sanguin efficace; le corps excrète les déchets plus efficacement. De plus, l'exercice prévient la stase (ou stagnation) de l'urine dans la vessie.

FONCTION PSYCHONEUROLOGIQUE

L'exercice produit un sentiment de bien-être et renforce la tolérance au stress. Il peut aussi améliorer l'image que l'on se fait de soi en réduisant la dépression et en améliorant l'apparence corporelle. Le niveau d'énergie augmente et la qualité du sommeil s'améliore.

Facteurs influant sur l'alignement corporel et l'activité

Un certain nombre de facteurs conditionnent l'alignement corporel d'une personne, sa mobilité et son niveau quotidien d'activité. Il s'agit notamment de la croissance et du développement, de la santé physique et mentale, de la nutrition, des valeurs et des attitudes personnelles, et de certains facteurs externes.

Croissance et développement

L'âge ainsi que le développement des fonctions musculosquelettique et neurologique conditionnent la posture, les proportions du corps, la masse corporelle, les mouvements et les réflexes.

Les mouvements d'un nouveau-né sont des réflexes aléatoires. En règle générale, ses membres sont fléchis mais peuvent effectuer toute une gamme de mouvements passifs. Les pieds sont tournés vers l'intérieur, mais on peut les tourner vers l'extérieur. Au cours de la première année, à mesure que la fonction neurologique se développe, le bébé apprend à mieux maîtriser ses mouvements. Le développement de la motricité globale précède le développement de la motricité fine. La motricité globale se développe progressivement. Elle commence par la maîtrise des mouvements de la tête ; ensuite le bébé rampe, se tient debout et commence à marcher, habituellement après son premier anniversaire. Au début, pour marcher, l'enfant place ses pieds à une grande distance l'un de l'autre ; il a une démarche peu stable. C'est pourquoi on parle de trottineur. De un à cinq ans, la motricité globale et la motricité fine s'affinent. Ainsi, les enfants d'âge préscolaire savent conduire un tricycle, danser, courir, sauter, utiliser des crayons de couleur pour dessiner, ouvrir ou fermer une fermeture éclair et se brosser les dents.

De 6 à 12 ans, le développement de la motricité se poursuit. En règle générale, c'est pendant cette période que les habitudes en matière d'exercice se mettent en place pour le reste de la vie. Les écoles offrent des programmes d'éducation physique et plusieurs proposent des sports de compétition pour favoriser l'activité physique. La posture chez les enfants d'âge scolaire est excellente. Ce sera souvent la meilleure de toute leur vie. Chez les adolescents, les poussées de croissance provoquent une certaine maladresse qui se manifeste dans la posture. Les habitudes posturales prises pendant l'adolescence persistent souvent à l'âge adulte.

Les adultes âgés de 20 à 40 ans connaissent habituellement peu de changements physiques sur le plan de la mobilité, à l'exception des grossesses. La grossesse modifie le centre de gravité et l'équilibre, et réduit la tolérance à l'exercice. À mesure que la personne avance en âge, le tonus musculaire et la densité osseuse diminuent, les articulations se raidissent, le temps de réaction s'allonge et la masse osseuse diminue, surtout chez les femmes souffrant d'ostéoporose. L'**ostéoporose** est une affection qui rend les os fragiles et cassants en raison d'un manque de calcium. L'ostéoporose est courante chez les femmes âgées ; elle touche essentiellement les articulations portantes des membres inférieurs et du dos, provoquant ainsi des fractures par tassement des vertèbres et des fractures des hanches. Tous ces changements modifient la posture, la démarche et l'équilibre des personnes âgées. Les gens se voûtent, ce qui déplace le centre de gravité vers l'avant. Pour compenser ce changement, les genoux se plient légèrement pour offrir un plus grand soutien et le polygone de sustentation s'élargit. Les pieds s'écartent l'un de l'autre pendant la marche. Les pas rapetissent et se font traînants.

Santé physique

Toute affection qui altère la capacité des fonctions neurologique, cardiovasculaire, musculosquelettique, respiratoire et vestibulaire se répercute sur la mobilité et la tolérance à l'activité. Des problèmes congénitaux, comme une dysplasie de la hanche, le spina bifida ou une dystrophie musculaire, entravent la fonction motrice. Les affections du système nerveux, comme la maladie de Parkinson, la sclérose en plaques, les tumeurs du système nerveux central, les accidents vasculaires cérébraux (AVC),

les processus infectieux (par exemple, la méningite) ainsi que les blessures à la tête et à la moelle épinière, peuvent affaiblir ou paralyser les muscles. Les muscles peuvent aussi devenir **spastiques** (tonus musculaire trop élevé) ou **flasques** (manque de tonus musculaire). Les entorses, les fractures, les luxations, les amputations et le remplacement d'articulations sont autant d'affections et de traumatismes de la fonction musculosquelettique qui entravent la mobilité. Les infections de l'oreille interne et les étourdissements peuvent aussi modifier l'équilibre.

Nombre d'autres affections aiguës et chroniques limitant l'alimentation en oxygène et en nutriments nécessaires à la contraction et au mouvement des muscles peuvent gravement diminuer la tolérance à l'activité. La bronchopneumopathie chronique obstructive, l'anémie, l'insuffisance cardiaque et la coronaropathie en sont des exemples.

Santé mentale

Les désordres mentaux et émotionnels, comme la dépression ou le stress chronique, modifient parfois le désir d'une personne de se mouvoir. La personne déprimée manque d'enthousiasme et ne souhaite prendre part à aucune activité. Dans certains cas, elle n'a même pas l'énergie nécessaire pour assurer son hygiène personnelle. On voit qu'une personne manque d'énergie quand sa posture est affaissée et que sa tête penche vers l'avant. À l'opposé, une personne heureuse et confiante se tient droite. Le stress chronique peut épuiser les réserves d'énergie du corps au point où la fatigue inhibe tout désir de faire de l'exercice, même si celui-ci pourrait redonner de l'énergie à la personne et l'aider à mieux faire face à la situation.

Nutrition

La dénutrition et la surnutrition peuvent avoir un effet sur l'alignement corporel et la mobilité. Une personne dénutrie ressentira de la fatigue et de la faiblesse musculaire. Un manque de vitamine D provoque une déformation osseuse pendant la croissance et un apport insuffisant en calcium multiplie les risques d'ostéoporose. L'obésité entrave le mouvement et a un effet négatif sur la posture et l'équilibre.

Valeurs et attitudes personnelles

La priorité qu'une personne accorde à un programme d'exercice régulier est souvent le résultat de l'influence de sa famille ou d'autres proches. Dans les familles qui font régulièrement de l'exercice ou des activités ensemble, les enfants apprennent à accorder de l'importance à l'activité physique. À l'opposé, dans les familles sédentaires qui ne participent à des activités sportives qu'à titre de spectateurs, ce mode de vie se transmet souvent aux enfants. Dans certains cas, l'importance que l'on accorde à l'apparence physique conditionne également la participation à un programme régulier d'exercice. Les personnes pour qui une solide constitution musculaire ou l'attrait physique sont importants participent à des programmes réguliers d'exercice pour obtenir l'apparence qu'elles désirent. Les valeurs influent également sur le choix de l'activité physique ou du type d'exercice, tout comme la situation géographique et les attentes liées au rôle.

Facteurs externes

Nombre de facteurs externes se répercutent sur la mobilité d'une personne. Une température très élevée et un fort degré d'humidité découragent une personne à pratiquer une activité, alors qu'une température et un degré d'humidité agréables incitent à faire de l'exercice. L'accessibilité à des installations récréatives conditionne aussi le niveau d'activité ; le manque d'argent peut empêcher une personne de s'inscrire à un club d'exercice ou au gymnase. Un voisinage sûr favorise les activités de plein air, alors qu'on hésite à sortir si on vit dans un quartier dangereux. Les adolescents, en particulier, peuvent passer plusieurs heures inactifs, assis devant un écran d'ordinateur ou de télévision, ou à s'amuser avec des jeux vidéo plutôt que de sortir, de rendre visite à un ami ou de faire de l'exercice.

> **! ALERTE CLINIQUE** *Au Québec, le directeur de santé publique de Montréal-Centre s'est adressé au milieu scolaire, en s'appuyant sur des données récentes qui indiquent qu'environ un jeune sur deux n'est pas suffisamment actif pour en retirer tous les bénéfices pour sa santé. Reprenant l'Avis du Comité Scientifique de Kino-Québec intitulé L'activité physique, déterminant de la santé des jeunes, le directeur a fait les recommandations suivantes : « Tous les enfants et adolescents devraient être physiquement actifs tous les jours ou presque. De plus, ils devraient pratiquer des activités d'intensité moyenne ou plus élevée, trois fois ou plus chaque semaine, pendant au moins 20 minutes par séance. » (Direction de la santé publique de Montréal-Centre et al., 2002)* ∎

Limitations prescrites

Le médecin prescrit parfois de limiter certains mouvements en raison de problèmes de santé. Pour favoriser la guérison et immobiliser certaines parties du corps, on utilise souvent des plâtres, des appareils orthopédiques, des attelles, des appareils de traction ou d'autres moyens. On conseille aux personnes qui manquent de souffle de ne pas monter d'escaliers. Certaines personnes doivent rester au lit, par exemple, pour soulager un œdème, ralentir le métabolisme et les besoins en oxygène, favoriser la réparation tissulaire ou encore réduire la douleur.

Le sens du terme **alitement** varie quelque peu selon le milieu de travail. Dans certains cas, la personne alitée ne doit en aucun cas quitter son lit. Dans d'autres cas, une personne alitée peut utiliser une chaise d'aisances à côté de son lit ou aller aux toilettes. L'infirmière doit s'informer du sens exact que prend ce terme dans son milieu de travail.

Effets de l'immobilité

Les personnes dont le mode de vie est sédentaire ou qui sont inactives en raison d'une affection ou d'une blessure risquent d'avoir à affronter de nombreux problèmes affectant les principales fonctions de leur corps. Les problèmes dus à l'immobilité dépendent souvent de la durée de l'inactivité, de l'état de santé de la personne et de sa sensibilité sensorielle. Les signes les plus évidents d'une immobilité prolongée se manifestent d'ordinaire sur le plan de la fonction musculosquelettique. Une personne qui ne fait pas un minimum d'activité physique ressentira une baisse importante de sa force et de son agilité musculaires. De plus, l'immobilité a des effets néfastes notamment sur les fonctions cardiovasculaire, respiratoire, métabolique,

rénale et psychoneurologique. L'infirmière doit connaître ces effets et encourager la personne à bouger le plus possible. Il est essentiel de recommencer à marcher tôt après une affection ou une chirurgie pour prévenir les complications. Les effets éventuels de l'immobilité sur les fonctions corporelles sont présentés ci-dessous.

Fonction musculosquelettique

- *Ostéoporose par inactivité*. En l'absence d'activités de mise en charge, les os se déminéralisent : ils perdent le calcium qui leur donne leur force et leur densité. Quelle que soit la teneur en calcium du régime alimentaire d'une personne, le processus de déminéralisation, que l'on désigne par le terme *ostéoporose*, s'aggrave avec l'immobilité. Les os deviennent spongieux ; ils se déforment graduellement et se fracturent facilement.

- *Atrophie par inactivité*. Des muscles non sollicités finissent par souffrir d'**atrophie** (leur masse diminue) et perdent la plus grande partie de leur force et de leur fonctionnement normal.

- *Contractures*. Quand les fibres musculaires ne sont pas en mesure de se fléchir et de s'étirer, une **contracture** (raccourcissement permanent du muscle) en vient à se former, limitant la mobilité de l'articulation. Ce processus peut aussi s'attaquer aux tendons, aux ligaments ou à la capsule articulaire, et devenir irréversible, sauf si on le traite par une intervention chirurgicale. Des déformations articulaires se produisent alors, comme le pied tombant (figure 42-31 ∎) ou la rotation externe de la hanche quand un muscle plus fort domine le muscle opposé.

- *Raideur et douleur articulaires*. En l'absence de mouvement, le tissu conjonctif (fibres de collagène) des articulations souffre d'**ankylose** (c'est-à-dire qu'il devient immobile de façon permanente). De plus, à mesure que les os se déminéralisent, une quantité excessive de calcium se dépose sur les articulations, augmentant ainsi la raideur et la douleur.

Fonction cardiovasculaire

- *Réduction de la réserve cardiaque* (la réserve cardiaque est la différence entre le débit cardiaque maximal d'une personne et son débit cardiaque de repos). Une diminution de la mobilité déséquilibre le système nerveux autonome. Cette condition entraîne une prépondérance de l'activité du système nerveux sympathique par rapport à l'activité cholinergique, dont le résultat est l'augmentation de la fréquence cardiaque. Une fréquence cardiaque rapide réduit la pression artérielle diastolique, le débit sanguin coronarien et la capacité du cœur de réagir à des demandes métaboliques dépassant le niveau de base. En raison de cette réserve cardiaque réduite, la per-

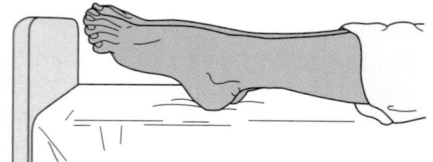

FIGURE **42-31** ∎ Contracture en flexion plantaire (pied tombant).

sonne immobilisée peut avoir des symptômes de tachycardie, même avec un effort minime.

■ *Recours accru à la manœuvre de Valsalva.* La **manœuvre de Valsalva** consiste à retenir sa respiration et à bloquer la glotte. Par exemple, une personne alitée a tendance à retenir son souffle pour tenter de remonter dans son lit ou de s'asseoir sur un bassin hygiénique. Cet effort produit une pression suffisante sur les grosses veines thoraciques pour entraver le retour du flux sanguin vers le cœur et les artères coronaires. Quand la personne expire et que la glotte s'ouvre de nouveau, la pression est libérée soudainement et un afflux de sang s'écoule vers le cœur. Des problèmes de tachycardie et d'arythmie cardiaque peuvent s'ensuivre en cas d'affection cardiaque.

■ *Hypotension orthostatique (posturale).* L'hypotension orthostatique est un effet courant de l'immobilisation. Dans des conditions normales, l'activité du système nerveux sympathique provoque une vasoconstriction automatique des vaisseaux sanguins de la partie inférieure du corps quand une personne ambulatoire passe de la position allongée à la position debout. La vasoconstriction prévient l'accumulation de sang dans les jambes et maintient la pression artérielle centrale pour assurer une perfusion adéquate du cœur et du cerveau. Pendant toute immobilité prolongée, ce réflexe est inactif. Quand une personne alitée essaie de s'asseoir ou de se mettre debout, ce mécanisme de constriction ne fonctionne plus correctement, malgré une augmentation de la production d'adrénaline. Le sang s'accumule dans les membres inférieurs et la pression artérielle centrale chute. La perfusion cérébrale se fait mal et la personne a des vertiges ou des étourdissements, et peut même s'évanouir. Cette succession d'événements s'accompagne habituellement d'une augmentation brusque et soudaine de la fréquence cardiaque ; le corps s'efforce de protéger le cerveau d'une irrigation sanguine insuffisante.

■ *Vasodilatation veineuse et stase.* Les muscles squelettiques d'une personne active se contractent à chaque mouvement ; ils compriment les vaisseaux sanguins et contribuent ainsi à pomper le sang vers le cœur, contre l'effet de la gravité. Les minuscules valvules des veines des jambes participent au retour veineux au cœur en évitant qu'il y ait un reflux sanguin, empêchant ainsi une accumulation de sang dans les parties déclives. Chez une personne immobile, les muscles squelettiques ne se contractent pas suffisamment et, par conséquent, s'atrophient. Ils ne contribuent plus à pomper le sang vers le cœur contre l'effet de la gravité. Le sang s'accumule dans les veines des jambes, provoquant ainsi de la vasodilatation et de l'engorgement. Les valvules des veines ne réussissent plus à éviter un reflux ni une accumulation de sang (figure 42-32 ■). On parle alors de « valvules incompétentes ». À mesure que le sang continue de s'accumuler dans les veines, l'augmentation du volume sanguin accroît la pression à l'intérieur de la veine, pression qui devient ainsi supérieure à celle des tissus entourant le vaisseau.

■ *Œdème orthostatique.* Quand la pression veineuse est trop élevée, une certaine quantité de la partie séreuse du sang traverse le vaisseau sanguin et s'accumule dans les espaces interstitiels, provoquant ainsi un œdème. L'œdème se produit le plus souvent dans les parties déclives. Un œdème orthostatique est plus susceptible de se produire autour du sacrum ou des talons chez une personne qui est assise dans

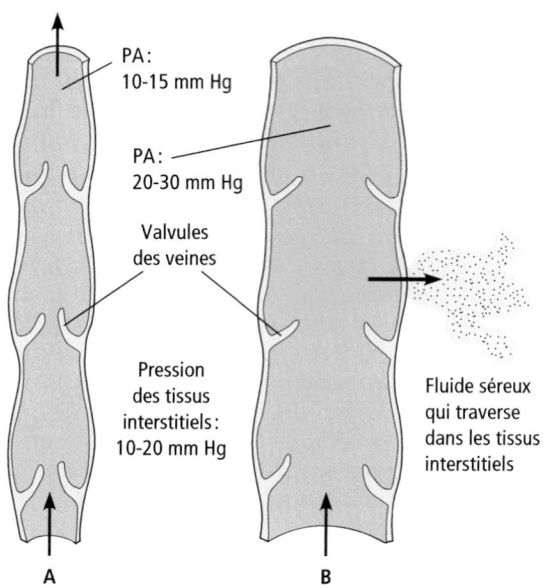

FIGURE 42-32 ■ Veines des jambes : *A*, chez une personne active ; *B*, chez une personne immobile.

son lit, ou encore dans les pieds et la partie inférieure des jambes chez une personne qui est assise dans un fauteuil. L'œdème nuit au retour veineux du sang vers le cœur ; cette stase provoque une accumulation additionnelle de liquide qui aggrave encore plus l'œdème. Les tissus œdémateux provoquent une sensation d'inconfort et sont plus susceptibles d'être endommagés que les tissus sains.

■ *Formation d'un thrombus.* Trois facteurs prédisposent à la formation d'une **thrombose veineuse profonde** (formation d'un caillot associé à l'inflammation de la veine) : perturbation du retour veineux au cœur, hypercoagulabilité du sang et présence d'une lésion sur une paroi vasculaire.

Un **thrombus** (caillot) est particulièrement dangereux s'il se détache de la veine et entre dans la circulation générale. Il forme alors un **embole** (objet qui a quitté l'endroit où il se trouvait initialement et qui obstrue la circulation ailleurs). De grands emboles qui pénètrent dans la circulation pulmonaire peuvent obstruer les vaisseaux qui irriguent les poumons et détruire une partie des poumons. Si la partie détruite est de grande taille, la fonction pulmonaire peut en être gravement affectée, et la mort peut s'ensuivre. Un embole qui se rend jusqu'aux vaisseaux coronaires ou au cerveau peut avoir un effet tout aussi dangereux.

Fonction respiratoire

■ *Diminution de l'amplitude respiratoire.* Chez une personne couchée et immobile, la ventilation des poumons est altérée de façon passive. Le corps exerce une pression sur le lit rigide et comprime les mouvements du thorax. Les organes abdominaux appuient sur le diaphragme ; le mouvement des poumons est réduit et une expansion pulmonaire complète devient difficile. Une personne couchée et immobile soupire rarement, en partie parce que l'atrophie musculaire généralisée touche aussi les muscles respiratoires, et en partie parce qu'il n'y a aucun stimulus d'activité. Sans ces mouvements d'étirement périodiques, les articulations cartilagineuses intercostales tendent à se figer dans la phase expiratoire de la respiration, limitant encore plus la possibilité d'une ventilation maximale. Ces changements entraînent une respiration superficielle et réduisent la **capacité vitale** (c'est-à-dire la quantité maximale d'air qui peut être expirée après une inhalation profonde).

- *Accumulation de sécrétions dans les voies respiratoires.* Les sécrétions des voies respiratoires sont normalement expulsées lorsqu'une personne change de position ou de posture et lorsqu'elle tousse. L'inactivité et l'effet de la gravité favorisent l'accumulation des sécrétions (figure 42-33 ■), ce qui entrave le processus normal de diffusion de l'oxygène et du dioxyde de carbone dans les alvéoles. La perte de tonus des muscles respiratoires, la déshydratation (qui épaissit les sécrétions) et, bien sûr, les sédatifs (qui diminuent le réflexe de la toux) peuvent aussi réduire la capacité de tousser pour expulser les sécrétions. Si la situation persiste, une mauvaise oxygénation et une rétention du dioxyde de carbone dans le sang prédisposent la personne à une acidose respiratoire, une affection qui peut être mortelle.

- *Atélectasie.* Quand la ventilation est réduite, les sécrétions peuvent s'accumuler et, éventuellement, bloquer une bronchiole. L'altération du débit sanguin à cet endroit diminue la quantité de surfactant produite. Le surfactant permet aux alvéoles de rester ouvertes. Or, la réduction de la quantité de surfactant et le blocage d'une bronchiole par du mucus peuvent provoquer une atélectasie (affaissement d'alvéoles d'un lobe pulmonaire ou de la totalité d'un poumon). Les personnes âgées immobiles et les personnes qui viennent de subir une intervention chirurgicale présentent de grands risques d'atélectasie.

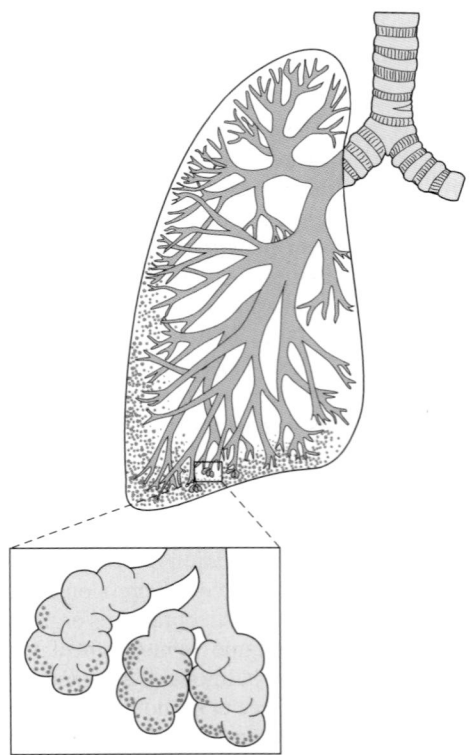

FIGURE 42-33 ■ Accumulation de sécrétions dans les poumons d'une personne immobile.

- *Pneumonie.* Les sécrétions accumulées favorisent grandement le développement de bactéries. Lorsque cela se produit, une infection respiratoire mineure peut rapidement se transformer en infection grave des voies respiratoires inférieures. La pneumonie causée par des sécrétions respiratoires stagnantes peut gravement réduire l'échange oxygène-dioxyde de carbone dans les alvéoles et est une cause assez courante de décès chez les personnes affaiblies et immobiles, notamment chez les gros fumeurs.

Fonction métabolique

- *Diminution du métabolisme.* Le **métabolisme** est la somme de tous les processus physiques et chimiques qui contribuent à la formation et au maintien de la substance vivante et qui rendent disponible l'énergie dont l'organisme a besoin. Le **métabolisme basal** est la quantité d'énergie minimale dépensée pour le maintien de ces processus ; cette énergie est exprimée en joules (J) ou en kilojoules (kJ). Chez une personne immobile, le métabolisme basal, la motilité gastro-intestinale et les sécrétions de différentes glandes digestives diminuent puisque les besoins en énergie du corps diminuent aussi.

- *Bilan azoté négatif.* Chez une personne active, la synthèse des protéines (**anabolisme**) et la dégradation des protéines (**catabolisme**) s'équilibrent. Par contre, l'immobilité crée un net déséquilibre et les processus cataboliques prennent le pas sur les processus anaboliques. Une masse musculaire catabolisée libère de l'azote. Avec le temps, l'organisme excrète une quantité d'azote plus grande que celle qu'il reçoit, ce qui produit un bilan azoté négatif. Par conséquent, les réserves de protéines essentielles à la reconstruction de la masse musculaire et à la guérison des plaies s'épuisent.

- *Anorexie.* La perte de l'appétit (**anorexie**) survient en raison de la baisse du métabolisme basal et de l'augmentation de la vitesse du catabolisme qui accompagnent l'immobilité. L'apport réduit en énergie est habituellement une réaction à la diminution des besoins en énergie de la personne inactive. Si l'apport en protéines est réduit, le déséquilibre de l'azote peut s'accentuer et s'aggraver, au point d'entraîner un phénomène de dénutrition.

- *Bilan calcique négatif.* Un bilan calcique négatif est le résultat direct de l'immobilité. Les os excrètent une quantité de calcium plus grande que celle qu'ils reçoivent. L'absence de mise en charge et de tension exercée sur les structures osseuses et articulaires est la cause directe de la perte de calcium des os. La mise en charge et la tension sont nécessaires au renouvellement du calcium dans les os.

Fonction rénale

- *Stase urinaire.* Chez une personne active, la gravité joue un rôle important et favorise l'écoulement de l'urine des reins vers la vessie. La forme et la position des reins ainsi que les contractions actives des reins contribuent de façon très importante à éliminer complètement l'urine des calices, du bassinet rénal (ou pelvis rénal) et des uretères (figure 42-34 ■, A). La forme et la position de la vessie (le détrusor) et les contractions actives de la vessie sont tout aussi importantes pour une élimination complète de l'urine (figure 42-35 ■, A).

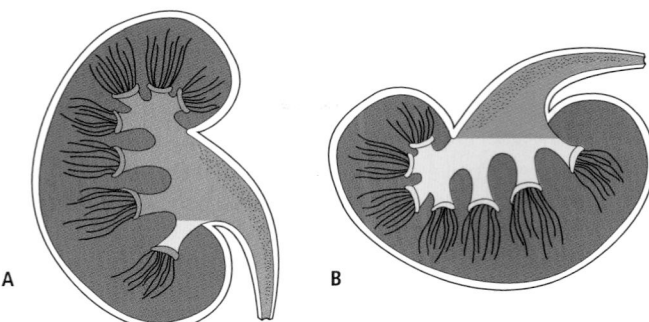

FIGURE 42-34 ■ Accumulation d'urine dans les reins :
A, la personne est debout ; B, la personne
est allongée sur le dos.

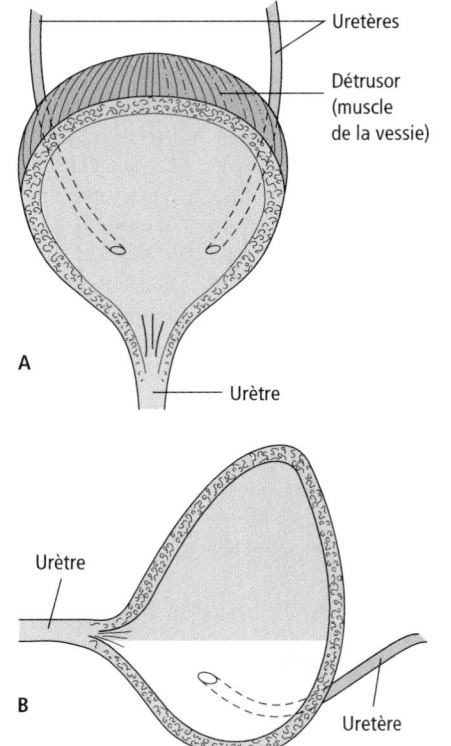

FIGURE 42-35 ■ Accumulation d'urine dans la vessie :
A, la personne est debout ; B, la personne
est allongée sur le dos.

Quand la personne est couchée, la gravité empêche les reins et la vessie de se vider. Pour uriner, la personne qui est en décubitus dorsal (couchée sur le dos) doit pousser vers le haut, contre l'effet de la gravité (figures 42-34 ■, B et 42-35 ■, B). Le bassinet rénal peut se remplir d'urine avant que l'urine ne soit évacuée vers les uretères. L'urine n'est pas complètement éliminée, ce qui crée une **stase urinaire** (arrêt ou ralentissement du flux urinaire) après quelques jours d'alitement seulement. En raison de la réduction générale du tonus musculaire pendant l'immobilisation, notamment du tonus du détrusor, la vidange de la vessie est compromise.

■ *Lithiase rénale (ou calculs urinaires).* Chez une personne active, le calcium de l'urine reste dissous parce que le calcium et l'acide citrique s'équilibrent et que le taux d'acidité de l'urine est adéquat. En cas d'immobilité, une quantité excessive de calcium est produite dans les urines et cet équilibre est rompu. L'urine devient plus alcaline et les sels calciques se précipitent et forment des cristaux, ou **lithiase rénale (calculs urinaires)**. Chez une personne immobile, en position couchée, le bassinet rénal est rempli d'urine stagnante et alcaline, ce qui constitue un terrain propice à l'apparition d'une lithiase. Les calculs (pierres) se forment habituellement dans le bassinet rénal et sont évacués dans la vessie, par les uretères. Le passage des calculs dans les uretères, qui sont longs et étroits, provoque une douleur extrême et des saignements. Ces pierres obstruent parfois les voies urinaires.

■ *Rétention urinaire.* La personne immobile peut souffrir de **rétention urinaire** (accumulation d'urine dans la vessie), de distension vésicale et, à l'occasion, d'**incontinence urinaire** (miction involontaire). La réduction du tonus musculaire de la vessie l'empêche de se vider complètement. La personne immobilisée n'arrive pas à détendre suffisamment les muscles du périnée pour uriner. L'inconfort qu'entraîne l'utilisation d'un bassin hygiénique ou d'un urinal, l'embarras et le manque d'intimité causés par cette contrainte ainsi que le manque de naturel de la position pour uriner sont autant de facteurs qui, combinés, empêchent la personne de détendre suffisamment les muscles du périnée pour uriner pendant qu'elle est alitée.

Quand la miction ne se fait pas, la vessie pleine d'urine se distend graduellement. Elle peut s'étirer à l'excès et finir par inhiber le besoin d'uriner. Quand la vessie est très distendue, une miction involontaire (fuites mictionnelles causées par la rétention et le débordement des urines) peut se produire. Cela ne soulage pourtant pas la distension vésicale puisque la plus grande partie de l'urine stagnante reste dans la vessie.

■ *Infection urinaire.* L'urine stagnante est tout à fait propice au développement de bactéries. L'action de « chasse d'eau » de mictions normales et fréquentes est absente, et la distension vésicale provoque souvent de minuscules déchirures dans la muqueuse vésicale, ouvrant ainsi le passage à des organismes infectieux. L'alcalinité croissante de l'urine provoquée par l'hypercalciurie alimente la croissance des bactéries. L'organisme qui provoque le plus souvent une infection des voies urinaires est *Escherichia coli*. Il se trouve d'ordinaire dans le côlon. Les voies urinaires normalement stériles peuvent être contaminées par des soins insuffisants de la région périnéale, par la pause d'une sonde à demeure ou, à l'occasion, par le **reflux urinaire**. Pendant le reflux, l'urine contaminée d'une vessie distendue à l'extrême remonte vers le bassinet rénal et le contamine aussi.

Fonction intestinale

La constipation est un problème courant chez les personnes immobilisées en raison de la diminution du péristaltisme et de la motilité du côlon. La faiblesse générale des muscles squelettiques se répercute sur les muscles abdominaux et périnéaux utilisés dans la défécation. Quand les selles deviennent très dures, une plus grande force est nécessaire pour les expulser. La personne immobile n'a pas toujours cette force.

La position de la personne alitée sur le bassin hygiénique est inconfortable et manque de naturel, ce qui ne facilite pas l'élimination. La position inclinée vers l'arrière ne favorise pas une utilisation efficace des muscles qui interviennent dans la défécation. Certaines personnes hésitent à utiliser le bassin hygiénique si elles ne sont pas seules. L'embarras, le manque d'intimité, la dépendance envers les autres pour manipuler le bassin hygiénique et le bouleversement des habitudes d'élimination sont autant d'éléments qui peuvent inciter la personne à ajourner ou à ignorer le besoin d'éliminer. Un ajournement répété peut supprimer le besoin d'éliminer et affaiblir le réflexe de la défécation.

Certaines personnes utilisent trop souvent la manœuvre de Valsalva pour essayer d'expulser les selles durcies. Cet effort augmente dangereusement la pression intra-abdominale et intrathoracique, et impose un stress au cœur et à la fonction vasculaire.

Fonction tégumentaire

- *Diminution de l'élasticité de la peau.* La peau peut s'atrophier en raison d'une immobilité prolongée. Les changements que subissent les liquides organiques entre les différents compartiments peuvent modifier la consistance et la santé du derme et des tissus sous-cutanés, ce qui provoque une perte graduelle de l'élasticité de la peau.
- *Rupture de l'épiderme.* Une circulation sanguine normale repose sur l'activité musculaire. L'immobilité ne favorise pas la circulation et réduit l'apport de nutriments à l'épiderme. Par conséquent, l'épiderme se rompt et des plaies de pression peuvent se former.

Fonction cognitive

Une personne incapable d'effectuer les activités habituellement liées à son rôle (par exemple, pourvoyeur, mari, mère ou sportif) prend conscience de sa dépendance envers les autres. Cette prise de conscience fait baisser l'estime que la personne a d'elle-même. La frustration et le manque d'estime de soi peuvent à leur tour provoquer des réactions émotionnelles excessives. Ces réactions varient considérablement. Certaines personnes deviennent apathiques et se replient sur elles-mêmes. Certaines régressent ; d'autres deviennent agressives et colériques.

Parce que la personne participe moins à la vie qui l'entoure et que la quantité de stimuli décroît, sa perception du temps se détériore. Ses capacités à résoudre des problèmes et à prendre des décisions peuvent aussi décliner en raison d'un manque de stimulation intellectuelle ou du stress lié à une affection et à l'immobilité. De plus, la perte de maîtrise sur les événements provoque parfois de l'anxiété.

L'immobilité peut aussi freiner le développement social et moteur des jeunes enfants.

DÉMARCHE SYSTÉMATIQUE
dans la pratique infirmière

Collecte des données

L'examen clinique permettant d'évaluer le niveau d'activité et les habitudes en matière d'exercice d'une personne comprend une anamnèse et un examen physique portant sur les points suivants : alignement corporel, démarche, aspect et mouvement des articulations, capacités et limites en matière de mouvement, masse et force musculaires, tolérance à l'activité, niveau d'assistance et problèmes liés à l'immobilité.

L'infirmière recueille l'information auprès de la personne et de sa famille ainsi que dans le dossier de la personne. L'anamnèse et l'examen physique sont des sources importantes d'information sur les handicaps touchant la mobilité de la personne et sa capacité à faire de l'exercice, notamment les contractures, les œdèmes, la douleur dans les membres ou la fatigue généralisée.

■ Anamnèse

Les questions en matière d'activité et d'exercice se trouvent habituellement sur le formulaire complet de l'anamnèse et comprennent ce qui suit : niveau quotidien d'activité, tolérance à l'activité, type d'exercice et fréquence, facteurs touchant la mobilité et effets de l'immobilité. Lorsque la personne mentionne un changement récent de ses habitudes ou des difficultés en matière de mobilité, il faut approfondir la collecte des données. Ces informations détaillées doivent porter sur la nature spécifique du problème, son apparition et sa fréquence, ses causes (si elles sont connues), la façon dont le problème se répercute sur la vie quotidienne de la personne, les mesures que prend la personne pour y faire face et l'efficacité de ces mesures. Des exemples des questions destinées à obtenir ces renseignements se trouvent dans l'encadré *Entrevue d'évaluation – Activité et exercice*.

■ Examen physique

L'examen physique relatif à l'activité et à l'exercice doit porter sur l'alignement corporel, la démarche, l'aspect et le mouvement des articulations, les capacités et les limites en matière de mouvement, la masse et la force musculaires, la tolérance à l'activité, le niveau d'assistance et les problèmes liés à l'immobilité.

ALIGNEMENT CORPOREL. L'évaluation de l'alignement corporel comprend l'observation de la personne en position debout. Cette évaluation vise à déterminer :

- Les variations normales de la posture selon l'étape du développement.
- La posture et les connaissances qui manquent à la personne pour qu'elle puisse conserver une bonne posture.
- Les facteurs contribuant à une mauvaise posture, notamment la fatigue ou une faible estime de soi.
- La faiblesse musculaire ou d'autres handicaps moteurs.

Pour évaluer l'alignement, l'infirmière examine la personne de côté (figure 42-36 ■, *A*), de face et de dos. En examinant la personne de face et de dos, l'infirmière doit observer si :

- Les épaules et les hanches sont alignées.
- Les orteils pointent vers l'avant.
- La colonne est droite et non pas courbée d'un côté ou de l'autre.

La posture « voûtée » (figure 42-36 ■, *B*) est le problème le plus courant des personnes qui se tiennent debout. Le cou est fléchi vers l'avant, l'abdomen ressort, le pelvis bascule vers l'avant, ce qui crée une **lordose** (c'est-à-dire une déviation du rachis lombaire à convexité postérieure), et les genoux sont en hyperextension.

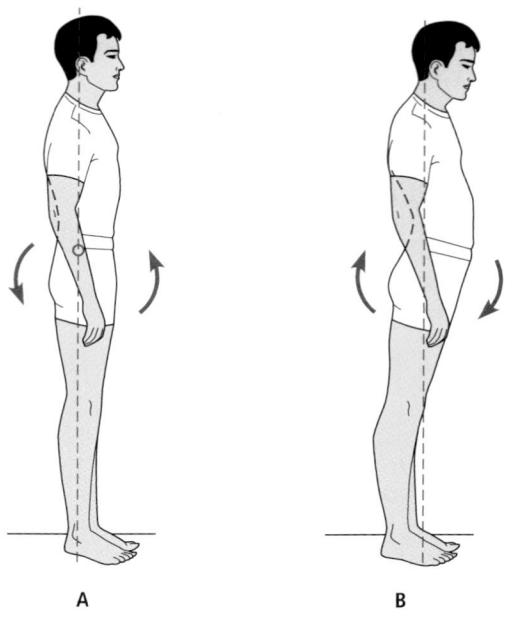

FIGURE 42-36 ■ Personné debout avec : *A*, un bon alignement du tronc ; *B*, un mauvais alignement du tronc. Les flèches indiquent la direction dans laquelle le pelvis bascule.

Début de la phase d'oscillation

Phase d'appui

Fin de la phase d'oscillation

FIGURE 42-37 ■ Phases d'appui et d'oscillation d'une démarche normale.

Une mauvaise posture occasionne rapidement des douleurs lombaires et de la fatigue.

DÉMARCHE. L'infirmière évalue les caractéristiques de la **démarche** (c'est-à-dire la façon dont une personne marche) pour déterminer la mobilité et les risques de blessure liés à des chutes. Les deux étapes d'une démarche normale sont la phase d'appui et la phase d'oscillation (figure 42-37 ■). Quand l'une des deux jambes entreprend la phase d'oscillation, l'autre est encore en phase d'appui. Dans la *phase d'appui*, le talon de l'un des deux pieds touche le sol et le poids du corps est réparti sur l'avant-pied alors que l'autre talon pousse sur le sol et le quitte. Dans la *phase d'oscillation*, la jambe de derrière se déplace vers le devant du corps.

L'infirmière évalue la démarche quand la personne arrive dans la salle d'examen ou lui demande de marcher sur une distance de quelques mètres dans un couloir ; l'infirmière doit alors observer si la personne effectue correctement ou non les mouvements suivants :

- La tête et la colonne vertébrale sont droites ; la personne regarde devant elle.
- Le talon touche le sol avant les orteils.
- Le pied est en flexion dorsale pendant la phase d'oscillation.
- Le bras opposé à la jambe en phase d'oscillation se déplace vers l'avant en même temps que la jambe.
- La démarche est souple, coordonnée et harmonieuse ; le poids est également réparti sur les deux pieds ; le balancement latéral du corps est limité et le mouvement est dirigé vers l'avant ; la personne commence et arrête facilement sa marche.

L'infirmière pourra aussi évaluer la **cadence** (c'est-à-dire le nombre de pas à la minute). Une cadence normale est de 70 à 100 pas par minute. La cadence d'une personne âgée peut ralentir jusqu'à 40 pas par minute.

L'infirmière doit également noter si la personne a besoin d'une prothèse ou d'un appareil fonctionnel, comme une canne ou un déambulateur. Si la personne utilise déjà un appareil fonctionnel, l'infirmière devra évaluer sa démarche sans l'appareil et sa démarche avec l'appareil pour pouvoir les comparer.

ASPECT ET MOUVEMENT DES ARTICULATIONS. L'examen physique des articulations comprend l'inspection, la palpation et l'évaluation de l'amplitude d'un mouvement actif. Si le mouvement actif est impossible, il faut alors évaluer l'amplitude d'un mouvement passif. L'infirmière doit évaluer les éléments suivants :

- Présence d'un œdème ou d'une rougeur, ce qui peut indiquer une blessure ou une inflammation.
- Présence d'une déformation, notamment une excroissance osseuse ou une contracture, et symétrie de la lésion.
- Développement musculaire, qui doit correspondre à chaque articulation ; taille relative et symétrie des muscles de chaque côté du corps.
- Présence d'une douleur spontanée ou à la palpation.
- Présence de **crépitation** (sensation de craquement ou de grincement palpable ou audible produite par le mouvement de l'articulation).
- Température autour de l'articulation. Si la température y est plus élevée qu'ailleurs, l'infirmière doit alors palper l'articulation avec le dos des doigts et comparer la température à celle d'une articulation correspondante.
- Amplitude du mouvement articulaire. L'infirmière doit demander à la personne de bouger certaines parties du corps, comme dans le tableau 42-2. Si cela est indiqué, elle devra mesurer

ENTREVUE D'ÉVALUATION

Activité et exercice

NIVEAU D'ACTIVITÉ QUOTIDIEN

- Quelles sont vos activités quotidiennes ?
- Pouvez-vous effectuer les tâches suivantes de façon autonome ?
  - a) Manger.
  - b) Vous vêtir ; vous raser ; vous maquiller ; vous brosser les dents.
  - c) Prendre un bain.
  - d) Utiliser les toilettes.
  - e) Vous déplacer.
  - f) Utiliser un fauteuil roulant.
  - g) Vous coucher et vous lever ; entrer dans la baignoire et en sortir ; monter en voiture et en descendre.
  - h) Cuisiner.
  - i) Entretenir votre domicile.
  - j) Faire vos courses.
- Dans le cas où vous avez des problèmes à accomplir ces tâches :
  - a) Diriez-vous que vous êtes partiellement ou totalement dépendant ?
  - b) De quelle façon ces tâches sont-elles effectuées (par un membre de la famille, un ami, le personnel d'un organisme ou avec du matériel spécialisé) ?

TOLÉRANCE À L'ACTIVITÉ

- Quel type d'activité vous fatigue et à quelle fréquence devenez-vous fatigué ?
- Avez-vous parfois des étourdissements ? Manquez-vous de souffle ? Constatez-vous une augmentation marquée de la vitesse de votre respiration ? D'autres problèmes surviennent-ils à la suite d'une activité d'intensité légère à modérée ?

EXERCICE

- Quel type d'exercice faites-vous pour améliorer votre aptitude physique ?
- Quelle est la fréquence et la durée de votre séance d'exercice ?
- Pensez-vous que l'exercice est bénéfique pour votre santé ? Expliquez.

FACTEURS TOUCHANT LA MOBILITÉ

- Facteurs environnementaux. La présence d'escaliers, l'absence de rampe ou d'autres appareils fonctionnels ou encore le manque de sécurité dans votre quartier freinent-ils votre mobilité ou vous empêchent-ils de faire vos exercices ?
- Problèmes de santé. L'un des problèmes de santé suivants se répercute-t-il sur votre force ou votre endurance musculaire : affection cardiaque, affection pulmonaire, accident vasculaire cérébral, cancer, affections neuromusculaires, affections musculosquelettiques, déficience visuelle ou mentale, traumatisme ou douleur ?
- Facteurs financiers. Vos finances vous permettent-elles d'obtenir de l'équipement ou d'autres aides dont vous avez besoin pour améliorer votre mobilité ?

l'amplitude du mouvement avec un goniomètre, un dispositif permettant de mesurer l'angle (en degrés) que forme une articulation (voir la figure 34-85, page 905).

L'évaluation de l'amplitude du mouvement ne doit pas être indûment fatigante. Les mouvements articulaires doivent se faire en douceur, lentement et de façon harmonieuse. Il ne faut contraindre aucune articulation. Des mouvements brusques, irréguliers et forcés risquent d'endommager l'articulation ainsi que les muscles et les ligaments qui s'y rattachent.

CAPACITÉS ET LIMITES DU MOUVEMENT. L'infirmière doit obtenir les renseignements nécessaires sur les obstacles ou les restrictions qui entravent les mouvements que la personne peut effectuer et sur le besoin d'aide de cette personne, notamment :

- Effet de l'affection sur la capacité de se mouvoir ; contre-indication d'un effort, d'une position ou d'un mouvement en raison de l'état de santé.
- Dispositifs qui gênent le mouvement, comme une perfusion intraveineuse ou un plâtre.
- Vivacité d'esprit et capacité de suivre des directives. Vérifier si la personne prend des médicaments qui l'empêchent de marcher en toute sécurité. Les opioïdes, les sédatifs, les calmants et certains antihistaminiques provoquent de la somnolence, des étourdissements, de la faiblesse et de l'hypotension orthostatique.
- Équilibre et coordination.
- Hypotension orthostatique avant un déplacement. Spécifiquement, évaluer toute augmentation de la fréquence du pouls, une chute marquée de la pression artérielle, des étourdissements et une vision trouble et voilée quand la personne passe d'une position de décubitus dorsal à la position debout.
- Niveau de malaise. Une personne qui ressent de la douleur ne voudra peut-être pas bouger et demandera un analgésique avant d'être déplacée.
- Vision. Vérifier si la vision est suffisante pour prévenir les chutes.

L'infirmière devra ensuite évaluer l'aide dont la personne a besoin pour effectuer les activités suivantes :

- Bouger dans son lit. En particulier, observer la personne afin de déterminer l'aide dont elle a besoin pour passer :
  - a) D'une position de décubitus dorsal à une position de décubitus latéral
  - b) D'une position de décubitus latéral sur un côté à une position de décubitus latéral sur l'autre côté
  - c) D'une position de décubitus dorsal à une position assise dans le lit
- Passer d'une position allongée à une position assise au bord du lit. Une personne en bonne santé peut normalement se lever sans s'appuyer sur les bras.
- Passer d'une position assise sur une chaise à une position debout. Normalement, ce mouvement se fait sans l'aide des bras.
- Coordination et équilibre. Déterminer la capacité de la personne de maintenir le corps droit, de faire une mise en charge, de conserver son équilibre en position debout, sur les deux jambes et sur une seule jambe, de faire quelques pas et de quitter une chaise ou son lit en poussant pour se lever.

MASSE ET FORCE MUSCULAIRES. Avant que la personne change de position ou essaie de faire quelques pas, il est essentiel que l'infirmière évalue la force de cette personne et sa capacité de marcher. Une aide adéquate réduit les risques d'étirement musculaire et de blessure corporelle, aussi bien pour la personne que pour l'infirmière. Il est particulièrement important d'évaluer la force des membres supérieurs d'une personne qui utilise une aide à la marche, comme un déambulateur ou des béquilles. Pour en savoir plus sur la façon de déterminer la masse et la force musculaires des membres inférieurs et supérieurs, voir le chapitre 34 ⊕.

TOLÉRANCE À L'ACTIVITÉ. L'infirmière peut prévoir, en déterminant un niveau d'activité approprié pour une personne, si celle-ci aura la force et l'endurance nécessaires pour participer à des activités exigeant des dépenses d'énergie de ce niveau. Cette évaluation est utile pour encourager une autonomie croissante chez une personne qui : (a) a une affection cardiovasculaire ou respiratoire ; (b) est complètement immobilisée pendant une période prolongée ; (c) connaît une réduction de sa masse musculaire ou a une affection de la fonction musculosquelettique ; (d) a des troubles du sommeil ; (e) ressent de la douleur ; ou (f) est déprimée, anxieuse ou manque de motivation.

Les mesures les plus utiles pour prévoir la tolérance à l'activité sont la fréquence et le rythme cardiaques ; la fréquence, l'amplitude et le rythme respiratoires ; la pression artérielle. L'infirmière doit recueillir ces données aux moments suivants :

- Avant le début de l'activité (données initiales), en période de repos
- Pendant l'activité
- Immédiatement après la fin de l'activité
- Trois minutes après la fin de l'activité, après un temps de repos

L'activité doit cesser immédiatement en cas de changement physiologique indiquant que l'exercice est trop exigeant ou trop long. Les changements qu'il faut surveiller sont les suivants :

- Pâleur soudaine du visage.
- Sensation d'étourdissement ou de faiblesse.
- Changement du niveau de conscience.
- Fréquence cardiaque ou respiratoire qui dépasse largement les niveaux préétablis.
- Modification du rythme cardiaque ou respiratoire, qui devient irrégulier.
- Diminution de l'amplitude du pouls.
- Dyspnée, essoufflement ou douleur thoracique.
- Changement de la pression artérielle diastolique de 10 mm Hg ou plus.

Toutefois, si la personne tolère bien l'activité et que sa fréquence cardiaque revient au niveau initial dans les cinq minutes suivant la fin de l'activité, on considère que l'activité ne présente aucun danger. Par la suite, cette activité peut servir de référence pour prévoir la tolérance de la personne à des activités similaires.

NIVEAU D'ASSISTANCE. Au cours de sa collecte des données, l'infirmière doit déterminer le niveau d'assistance que la personne requiert pour effectuer toute manœuvre (voir le tableau 42-3). La personne peut n'avoir besoin d'aucune assistance (par exemple, elle est capable de faire sa toilette). La personne peut avoir besoin de supervision afin d'effectuer un mouvement (par exemple, l'infirmière dicte des directives afin de l'aider à s'asseoir au bord du lit). La personne peut aussi nécessiter une assistance partielle (par exemple, une aide à la marche) ou une aide totale (par exemple,

TABLEAU 42-3

Niveaux d'assistance pour effectuer un déplacement

Capacités de la personne	Besoin d'assistance
Capable de faire le mouvement naturel propre au déplacement. Force, équilibre et coordination des membres supérieurs et inférieurs suffisants pour faire le déplacement elle-même ou pour utiliser les équipements. Doit être accompagnée pour choisir et orienter ses actes : manque d'initiative et de motivation, craintive, problèmes de mémoire, désorientée dans les gestes à faire, apathique, hésitante, etc.	Besoin d'être supervisée
Force insuffisante pour amorcer le mouvement naturel propre au déplacement. Mise en charge encore possible. Problèmes d'équilibre et/ou de coordination. Capable de choisir et d'orienter ses actes ou doit être accompagnée pour choisir et orienter ses actes.	Besoin d'une assistance physique pour compenser partiellement l'incapacité
Incapable de faire par elle-même le mouvement naturel pour le déplacement. Pas de mise en charge. Ne peut plus fournir d'effort significatif pour le déplacement. Capable ou incapable de choisir et d'orienter ses actes (la personne ne comprend plus, gémit ou crie constamment, est léthargique, semi-comateuse, comateuse).	Besoin d'une assistance physique pour compenser totalement l'incapacité

Source : *Principes pour le déplacement sécuritaire des bénéficiaires, PDSB – régulier (cahier du formateur)*, (p. 49), de l'Association paritaire pour la santé et la sécurité du travail du secteur affaires sociales (ASSTSAS), 2004, Montréal.

un lève-personne pour la lever de son lit et l'asseoir dans un fauteuil). À chaque déplacement, l'évaluation doit être reprise, car la personne peut avoir besoin d'une assistance différente selon son état de santé (par exemple, si elle fait une poussée de fièvre), le moment de la journée (par exemple, elle peut être courbaturée le matin ou plus fatiguée le soir) ou le type d'activité à effectuer (par exemple, elle peut manger seule, mais avoir besoin d'une aide totale pour les déplacements). Les consignes de l'Association paritaire pour la santé et la sécurité du travail du secteur affaires sociales (ASSTSAS) sont très claires : après avoir déterminé le niveau d'assistance requis (par l'évaluation de la personne), les intervenants doivent aussi considérer la manœuvre à effectuer, l'environnement, l'équipement, le temps alloué, la méthode utilisée et, particulièrement, la capacité de l'intervenant (ASSTSAS, 2004).

PROBLÈMES LIÉS À L'IMMOBILITÉ. Quand elle recueille des données sur les problèmes liés à l'immobilité, l'infirmière utilise différentes méthodes d'évaluation (inspection, palpation et auscultation). Elle vérifie les résultats des examens paracliniques et prend des mesures, notamment le poids corporel ainsi que les ingesta et les excreta. Le tableau 42-4 présente les techniques spécifiques permettant d'évaluer les problèmes liés à l'immobilité ainsi que les particularités associées aux complications provoquées par l'immobilité.

Il est essentiel d'obtenir et de consigner les données de l'examen clinique de base dès que la personne est immobilisée. Ces données serviront de point de comparaison pour toutes les autres données recueillies pendant la période d'immobilisation.

L'une des principales responsabilités de l'infirmière consiste à éviter les complications dues à l'immobilité. Par conséquent, l'infir-

TABLEAU 42-4

Évaluation des problèmes liés à l'immobilité

Évaluation	Particularités
Fonction musculosquelettique	
Mesurer la circonférence des bras et des jambes.	Réduction de la circonférence en raison d'une diminution de la masse musculaire
Palper et observer les articulations.	Raideur ou douleur articulaire
Prendre des mesures goniométriques de l'amplitude des mouvements articulaires.	Réduction de l'amplitude des mouvements articulaires ; contractures articulaires
Fonction cardiovasculaire	
Ausculter le cœur.	Augmentation de la fréquence cardiaque
Mesurer la pression artérielle.	Hypotension orthostatique
Palper et observer le sacrum, les membres inférieurs, les pieds.	Œdème orthostatique périphérique ; augmentation de l'engorgement des veines périphériques
Évaluer les pouls périphériques (pédieux, tibiaux, etc.).	Pouls périphériques de faible amplitude
Mesurer la circonférence des mollets.	Œdème
Observer les muscles du mollet (rougeur, douleur à la pression et tuméfaction).	Thrombophlébite
Fonction respiratoire	
Observer les mouvements du thorax.	Mouvements thoraciques asymétriques ; dyspnée
Ausculter le thorax.	Réduction des murmures vésiculaires, présence de crépitants fins ou rudes ; augmentation de la fréquence respiratoire
Fonction métabolique	
Mesurer la taille et le poids.	Perte de poids reliée à l'atrophie musculaire et à la réduction du tissu adipeux sous-cutané
Palper la peau.	Œdème généralisé relié à la baisse de la quantité de protéines sanguines
Fonction rénale	
Mesurer les ingesta et les excreta.	Déshydratation
Inspecter l'urine.	Urine trouble et foncée ; densité élevée
Palper la vessie.	Distension vésicale reliée à une rétention urinaire
Fonction intestinale	
Observer les selles.	Selles dures, sèches et petites reliées à la constipation
Ausculter les bruits intestinaux.	Diminution des bruits intestinaux en raison de la réduction de la motilité intestinale
Fonction tégumentaire	
Inspecter la peau.	Atteinte à l'intégrité de la peau

mière doit repérer les personnes à risque avant que des complications ne surviennent. Les personnes à risque : (a) sont dénutries ; (b) ont une sensibilité réduite à la douleur, à la température ou à la pression ; (c) ont une affection cardiovasculaire, pulmonaire, neurologique ou musculosquelettique ; (d) ont un niveau de conscience altéré.

Analyse

On peut considérer les problèmes relatifs à la mobilité comme un diagnostic infirmier en soi ou comme un facteur favorisant pour d'autres diagnostics infirmiers.

NANDA International utilise les énoncés suivants pour les diagnostics infirmiers concernant les problèmes d'activité et d'exercice :

- *Intolérance à l'activité.* Manque d'énergie physique ou psychique pour poursuivre ou mener à bien les activités quotidiennes requises ou désirées. Quatre niveaux permettent d'approfondir le diagnostic :
  - *Niveau I :* Marcher, à une cadence régulière, sur une surface plane, pendant une durée indéterminée ; monter une ou plusieurs volées de marches mais avec un essoufflement supérieur à la normale.
  - *Niveau II :* Marcher l'équivalent d'un pâté de maison, soit environ 150 mètres, sur une surface plane ; monter une volée de marches lentement sans s'arrêter.
  - *Niveau III :* Marcher environ 15 mètres au maximum sur une surface plane sans s'arrêter ; être incapable de monter une volée de marches sans s'arrêter.
  - *Niveau IV :* Dyspnée et fatigue au repos.
- *Risque d'intolérance à l'activité.* Présente des risques de manque d'énergie physique ou psychique pour poursuivre ou mener à bien les activités quotidiennes requises ou désirées.
- *Mobilité physique réduite.* Restriction de la capacité de se mouvoir de façon autonome qui affecte tout le corps ou l'une ou plusieurs de ses extrémités. Ce diagnostic infirmier se subdivise en diagnostics plus spécifiques :
  - *Mobilité réduite au lit*
  - *Difficulté à la marche*
  - *Mobilité réduite en fauteuil roulant*
  - *Difficulté lors d'un transfert*
- *Risque de syndrome d'immobilité.* Détérioration ou risque de détérioration des fonctions organiques dus à une inactivité musculosquelettique prescrite ou inévitable.

On parle de *syndrome* quand un diagnostic infirmier regroupe un ensemble de diagnostics actuels ou de diagnostics de type risque. Un *syndrome d'immobilité* regroupe, par exemple, les diagnostics *Risque d'atteinte à l'intégrité de la peau*, *Risque de constipation* et *Risque d'infection.* Un exemple clinique de ce diagnostic infirmier est présenté dans le *Plan de soins et de traitements infirmiers* et dans le *Schéma du plan de soins et de traitements infirmiers* des pages 1353 et 1354.

Les problèmes de mobilité touchent souvent d'autres domaines du fonctionnement humain et peuvent relever d'autres diagnostics. Dans ces circonstances, le problème de mobilité devient l'étiologie. Celle-ci doit être décrite plus explicitement, par exemple à partir des expressions « réduction de l'amplitude du mouvement »,

« restriction neuromusculaire ou musculosquelettique des membres supérieurs ou inférieurs », ou encore « douleur articulaire ». Dans les exemples suivants, le diagnostic *Mobilité physique réduite* correspond à l'étiologie :

- *Peur* (de tomber)
- *Stratégies d'adaptation inefficaces*
- *Estime de soi perturbée*
- *Sentiment d'impuissance*
- *Risque de chute*
- *Syndrome du déficit de soins personnels*

Quand des problèmes liés à une immobilité prolongée surviennent, plusieurs autres diagnostics infirmiers peuvent s'avérer nécessaires. En voici quelques exemples :

- *Dégagement inefficace des voies respiratoires,* relié à une stase des sécrétions pulmonaires
- *Risque d'infection,* relié à une stase urinaire ou à des sécrétions pulmonaires
- *Risque de blessure,* relié à l'hypotension orthostatique

Planification

Mettre en position, déplacer et faire marcher une personne relèvent presque toujours d'une pratique infirmière autonome. Habituellement, le médecin ne prescrit des positions corporelles spécifiques qu'après une intervention chirurgicale, une anesthésie ou un traumatisme touchant la fonction neurologique ou la fonction musculosquelettique. Toutes les personnes concernées doivent avoir une ordonnance de leur médecin en matière d'activité quand elles sont admises pour des soins.

L'infirmière doit repérer les personnes qui ont besoin d'aide pour leur alignement corporel et déterminer l'aide nécessaire. Elle doit être sensible au besoin d'autonomie de la personne tout en donnant l'aide nécessaire, le cas échéant.

La plupart des personnes ont besoin d'être guidées par l'infirmière à un degré quelconque. Elles ont besoin d'aide pour découvrir le fonctionnement corporel, mettre en pratique les leçons retenues et veiller au bon fonctionnement de l'organisme. L'infirmière doit aussi planifier un enseignement à la personne. Par exemple, une personne ayant une blessure au dos doit apprendre à quitter son lit en toute sécurité et dans le plus grand confort. Une personne ayant une blessure à la jambe doit apprendre comment passer de son lit à son fauteuil roulant également en toute sécurité. Enfin, une personne qui commence tout juste à utiliser un déambulateur doit apprendre à s'en servir. L'infirmière doit souvent montrer aux membres de la famille ou aux proches aidants des techniques tout à fait sûres pour bouger, soulever et déplacer une personne à la maison.

Les objectifs établis varient selon les diagnostics infirmiers et les caractéristiques propres à chacun. Voici quelques exemples d'objectifs généraux pour des personnes ayant des problèmes liés à la mobilité ou à l'activité, ou qui présentent un risque à cet égard.

La personne :

- Aura une plus grande tolérance à l'activité physique.
- Aura une plus grande capacité de se déplacer ou de participer aux AVQ.
- Connaîtra les principaux principes de la mécanique corporelle.
- Aura une meilleure aptitude physique.

- Ne connaîtra pas de complications liées à l'immobilité.
- Ressentira un plus grand bien-être social, émotionnel et intellectuel.

Des exemples de résultats de soins infirmiers, d'interventions et d'activités se trouvent dans le *Plan de soins et de traitements infirmiers* et dans le *Schéma du plan de soins et de traitements infirmiers* des pages 1353 et 1354.

Planification des soins à domicile

Une personne hospitalisée pour des problèmes d'activité ou de mobilité doit souvent poursuivre les interventions à la maison. Afin de préparer le congé, l'infirmière doit déterminer les problèmes de santé, les forces et les ressources actuels et éventuels de la personne. L'encadré *Évaluation pour les soins à domicile – Problèmes liés à la mobilité et à l'activité* décrit les données spécifiques de

ÉVALUATION POUR LES SOINS À DOMICILE

Problèmes liés à la mobilité et à l'activité

PERSONNE ET ENVIRONNEMENT
- Capacité ou tolérance en matière d'activités requises ou souhaitées : soins personnels (manger, prendre un bain, utiliser les toilettes, se vêtir et soigner son apparence, entretenir son domicile, faire ses courses, cuisiner); activités de loisir.
- Moyens de déplacement nécessaires : canne, déambulateur, béquilles, fauteuil roulant, planchette de transfert.
- Matériel nécessaire en cas d'immobilisation : lit spécial, ridelles, matelas à réduction de pression.
- Niveau actuel de connaissances : mécanique corporelle lors de l'utilisation de divers moyens de déplacement; exercices spécifiques prescrits.
- Évaluation des risques liés à la mobilité à domicile : éclairage suffisant; rampes; sécurité dans les corridors et les escaliers; endroits encombrés; tapis ou fils électriques non fixés et tout autre obstacle risquant d'entraver un déplacement ou de le rendre dangereux; modifications structurelles nécessaires pour un accès en fauteuil roulant.

FAMILLE ET PROCHES AIDANTS
- Disponibilité, compétences et bonne volonté du proche aidant : principal intervenant capable d'aider la personne à prendre soin d'elle, à se déplacer, à faire ses courses, etc.; capacité physique et émotionnelle pour contribuer aux soins; besoins en matière d'apprentissage.
- Changement des rôles familiaux et mécanismes d'adaptation : effet sur la situation financière, rôle des parents et des conjoints, rôles sociaux.
- Autres personnes pouvant aider le proche aidant : autres personnes disponibles pour des tâches occasionnelles, notamment les courses, le transport, le ménage, la cuisine, le budget et les soins de relève.

COMMUNAUTÉ
- Ressources : matériel médical, aide financière, services d'une auxiliaire familiale, soins d'hygiène; connaissance de ces ressources; livraison de repas à domicile; conseillers spirituels; soins de relève pour le proche aidant.

l'évaluation à laquelle il faut procéder avant de préparer le congé de la personne. Les besoins de la personne et de sa famille en matière de directives sont l'un des principaux aspects de la planification du congé. Consulter, à ce sujet, les différents encadrés *Enseignement* tout au long de ce chapitre.

Interventions

Les stratégies infirmières visant à maintenir ou à favoriser l'alignement corporel et la mobilité impliquent de mettre la personne dans une position appropriée, de la bouger et de la tourner dans son lit, de la déplacer, de lui faire faire des exercices d'amplitude du mouvement, de la faire marcher avec ou sans aide technique et d'appliquer des mesures pour prévenir les complications liées à l'immobilité. Quand elle met en position, déplace, soulève ou fait marcher une personne, l'infirmière doit utiliser les principes de la mécanique corporelle pour éviter toute tension et toute blessure de la fonction musculosquelettique.

Utiliser la mécanique corporelle

L'expression *mécanique corporelle* désigne l'utilisation efficace, coordonnée et sans danger qu'une personne fait de son corps pour déplacer des objets et effectuer ses activités quotidiennes. La mécanique corporelle vise essentiellement à faciliter l'utilisation efficace et sûre des bons groupes de muscles pour maintenir l'équilibre et réduire l'énergie nécessaire, la fatigue et les risques de blessure. Une bonne mécanique corporelle est essentielle, et cela aussi bien pour la personne que pour l'infirmière. Cette section aborde la mécanique corporelle que l'infirmière utilise pour bouger et tourner une personne dans son lit, et la déplacer de son lit à un fauteuil roulant ou à une civière.

Quand une personne bouge, le centre de gravité se déplace continuellement dans la direction des parties du corps en mouvement. L'équilibre dépend de la relation entre le centre de gravité, la ligne de gravité et le polygone de sustentation. Plus la ligne de gravité est proche du centre du polygone de sustentation, plus la personne est stable (figure 42-38 ■, *A*). Par contre, plus la ligne de gravité est proche du bord du polygone de sustentation, plus l'équilibre est précaire (figure 42-38 ■, *B*). Si la ligne de gravité sort du polygone de sustentation, la personne tombe (figure 42-38 ■, *C*).

Plus le polygone de sustentation est large et le centre de gravité est bas, plus la stabilité et l'équilibre sont grands. L'équilibre du corps, par conséquent, peut être grandement amélioré si on élargit le polygone de sustentation et qu'on abaisse le centre de gravité, c'est-à-dire en le rapprochant du polygone de sustentation. Le polygone de sustentation s'élargit facilement quand on écarte les pieds. Quant au centre de gravité, il est aisé de l'abaisser en fléchissant les genoux et les hanches pour se mettre dans une position accroupie. On n'insistera jamais assez sur l'importance de ces principes auprès des infirmières.

La torsion (rotation) de la colonne thoracolombaire et la flexion prononcée du dos sans fléchir les hanches et les genoux (en penchant le tronc en avant) sont deux mouvements dont il faut s'abstenir; ils risquent en effet de provoquer des blessures au dos. On peut éviter une mauvaise torsion du dos en se plaçant face à la direction du mouvement, qu'il s'agisse de pousser, de tirer, de glisser et de déplacer l'objet directement vers son centre de gravité ou de l'en éloigner.

ENSEIGNEMENT

Activité et exercice

MAINTENIR LA FONCTION MUSCULOSQUELETTIQUE

- Montrer comment faire des exercices d'amplitude des mouvements articulaires actifs pour maintenir une certaine force musculaire dans les régions non atteintes, ou encore des exercices d'amplitude des mouvements articulaires passifs pour préserver la mobilité des articulations atteintes.

- Au besoin, montrer comment faire des exercices isotoniques, isométriques ou isocinétiques pour conserver la masse et le tonus musculaires (collaborer avec le physiothérapeute à ce sujet). Intégrer des AVQ au programme d'exercice, au besoin.

- Établir un calendrier écrit pour le type d'exercices, leur fréquence et leur durée ; encourager l'utilisation d'un graphique de progression ou d'un tableau pour faciliter l'observance du traitement.

- Proposer un calendrier d'activités relatives à la marche afin d'augmenter graduellement les distances et les difficultés.

- Donner des instructions sur les aides à la marche et montrer comment s'en servir.

- Discuter des mesures de soulagement de la douleur nécessaires avant de faire de l'exercice.

PRÉVENIR LES BLESSURES

- Montrer la façon de déplacer une personne en toute sécurité ainsi que les techniques de marche.

- Discuter des mesures de sécurité permettant d'éviter les chutes (par exemple, bloquer les roues du fauteuil roulant, porter des chaussures appropriées, mettre des embouts en caoutchouc aux béquilles, préserver la sécurité de l'environnement et utiliser des aides techniques, comme un siège de toilettes surélevé, des barres d'appui, un urinal et un bassin hygiénique ou une chaise d'aisances pour faciliter l'utilisation des toilettes et l'élimination urinaire et fécale).

- Montrer le fonctionnement et les principes de la mécanique corporelle.

- Montrer comment prévenir l'hypotension orthostatique.

GÉRER L'ÉNERGIE POUR PRÉVENIR LA FATIGUE

- Discuter des habitudes en matière d'activité et de repos, et élaborer un plan approprié. Alterner les périodes de repos et les périodes d'activité.

- Discuter des moyens de réduire la fatigue, notamment faire les activités plus lentement et pendant moins longtemps, se reposer plus souvent et demander plus d'aide, au besoin.

- Donner de l'information sur les ressources disponibles pour contribuer à la gestion des AVQ et de l'entretien ménager.

- Montrer comment augmenter le niveau d'énergie (par exemple, consommer plus d'aliments à haute valeur énergétique, veiller à ce que le repos et le sommeil soient adéquats, soulager la douleur).

- Montrer des techniques pour surveiller la tolérance à l'activité, au besoin.

RESSOURCES COMMUNAUTAIRES

- Donner de l'information pertinente sur l'accès à des ressources communautaires : organismes offrant des soins à domicile, endroits où l'on trouve du matériel, etc.

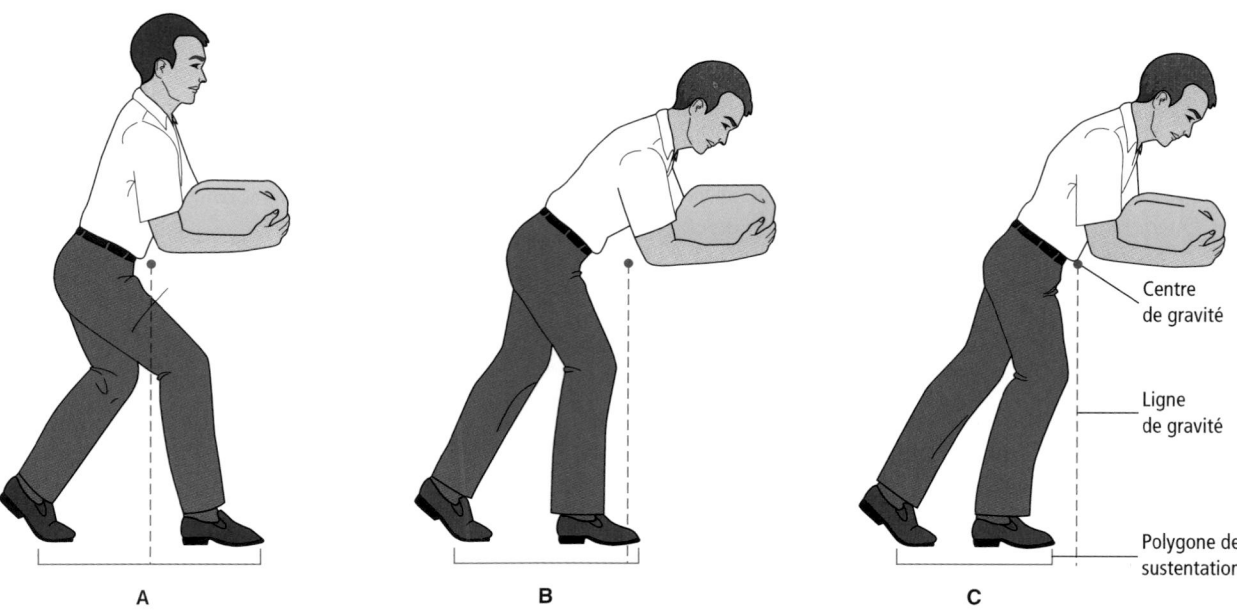

A B C

Centre de gravité

Ligne de gravité

Polygone de sustentation

FIGURE 42-38 ■ *A*, L'équilibre est maintenu quand la ligne de gravité se rapproche du polygone de sustentation. *B*, L'équilibre est précaire quand la ligne de gravité se rapproche du bord du polygone de sustentation. *C*, L'équilibre ne peut être maintenu quand la ligne de gravité se trouve à l'extérieur du polygone de sustentation.

Soulever

Quand une personne soulève ou transporte un objet, une valise, par exemple, le poids de l'objet devient partie intégrante du poids corporel de la personne. Ce poids modifie l'emplacement du centre de gravité, qui se déplace dans la direction correspondant à l'ajout de poids. Pour contrebalancer ce déséquilibre éventuel, des parties du corps (par exemple, le bras et le tronc) se déplacent dans la direction opposée au poids. Ainsi, le centre de gravité est maintenu au-dessus du polygone de sustentation. En conservant l'objet soulevé le plus près possible du centre de gravité du corps, la personne qui soulève le poids évite un déplacement excessif du centre de gravité et conserve une plus grande stabilité.

Un levier permet de soulever un poids plus lourd. Dans le corps, ce sont les os du squelette qui font office de leviers; les articulations, quant à elles, jouent le rôle de pivot ou de point d'appui (point fixe autour duquel le levier bouge), et les muscles exercent la force (figure 42-39 ■). Dans la pratique clinique, on utilise souvent les bras comme leviers, notamment quand il faut soulever la tête d'une personne alitée ou encore donner des soins à une personne en traction.

Pour soulever un poids, il faut exercer un mouvement contre la gravité. Par conséquent, l'infirmière doit utiliser les principaux groupes musculaires des cuisses, des genoux, des bras et des avant-bras, de l'abdomen et du pelvis pour prévenir les maux de dos. L'infirmière peut augmenter sa force musculaire générale en synchronisant l'utilisation du plus grand nombre possible de groupes musculaires pendant une activité. Ainsi, quand l'infirmière utilise les bras pour une activité, le fait de répartir le travail entre les bras et les jambes contribue à prévenir les lombalgies.

Une autre technique reposant sur le principe du levier peut être utilisée pour soulever jusqu'à la taille des objets qui se trouvent sur le sol. Cette technique demande qu'on fléchisse les genoux en conservant le dos le plus droit possible. Les genoux, en se dépliant, fournissent la majeure partie de la force nécessaire au soulèvement de l'objet (figure 42-40 ■). Cette technique permet de conserver son équilibre, de produire un effet de levier et d'utiliser ses muscles de façon synchronisée, ce qui contribue à diminuer les risques de lombalgies et de blessures. Quand on soulève un objet au niveau des genoux, les muscles des épaules et des bras tirent, les muscles abdominaux et lombaires se contractent pour faire un effet de levier et tirer, et les muscles des cuisses et des jambes exercent une poussée vers le haut pour soulever l'objet du sol. Quand on soulève jusqu'au niveau de la taille un objet qui se trouve à mi-cuisse, la force provient essentiellement des groupes musculaires des jambes et des cuisses, mais les muscles lombaires et du dos restent contractés.

Dans toutes les positions, il est important d'écarter les pieds d'au moins 30 cm et de conserver la charge près du corps, surtout au niveau des genoux. Avant de commencer à soulever la charge, l'infirmière doit veiller à ce qu'il n'y ait aucun obstacle pouvant constituer un danger sur le sol; le chemin doit être dégagé pour déplacer l'objet, et le polygone de sustentation de l'infirmière doit être solide.

Tirer et pousser

Quand il s'agit de tirer ou de pousser un objet, l'équilibre est plus facile à maintenir si le polygone de sustentation est élargi dans la direction du mouvement ou dans la direction opposée. Par exemple, si une personne pousse un objet, elle déplacera le pied avant vers

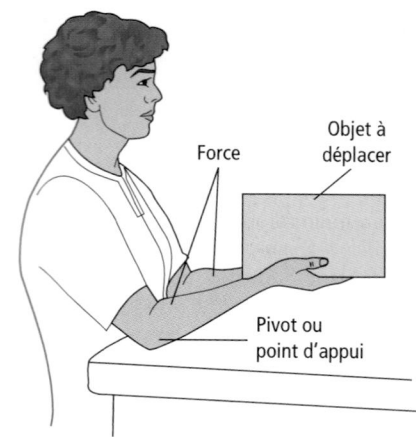

FIGURE 42-39 ■ Utilisation des bras comme leviers.

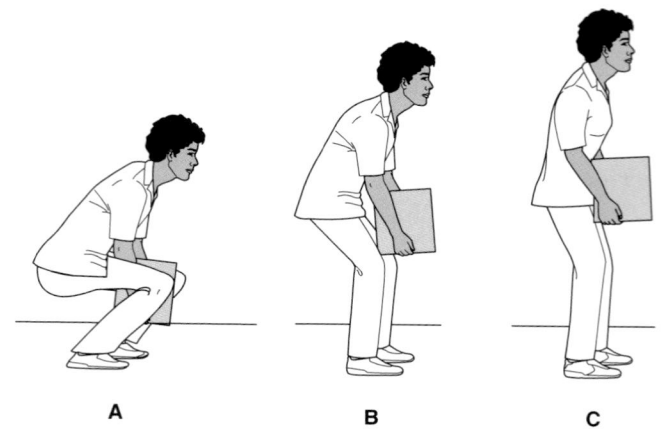

FIGURE 42-40 ■ Comment soulever des objets lourds du sol jusqu'au niveau de la taille. *A*, Se tenir près de la charge, fléchir les genoux en conservant au dos la position la plus droite possible, et abaisser le corps pour saisir la charge. *B*, Commencer à soulever la charge; tendre progressivement les genoux pour que les muscles des jambes supportent la plus grande partie du poids. *C*, Pour tenir l'objet ou marcher avec l'objet dans les bras, conserver une position moins fléchie mais pas complètement droite.

l'avant pour élargir son polygone de sustentation. Si, au contraire, elle tire un objet, elle élargira son polygone de sustentation en déplaçant la jambe arrière vers l'arrière si elle est face à l'objet ou en déplaçant le pied avant vers l'avant afin de se rapprocher d'un objet qui se trouverait plus loin. Il est plus facile et plus sûr de tirer un objet vers son centre de gravité que de l'en éloigner parce qu'on peut exercer une plus grande maîtrise sur le déplacement de l'objet quand on le tire.

Pivoter

Le pivot est une technique qui permet au corps de tourner de façon à éviter toute torsion de la colonne. Pour pivoter, on doit placer un pied devant l'autre, soulever très légèrement les talons et placer le poids du corps sur les avant-pieds. Quand le poids n'est plus sur les talons, la surface de friction est réduite et les genoux ne subissent aucune torsion quand ils tournent. En conservant l'alignement du corps, on doit tourner (pivoter) à environ 90° dans la direction souhaitée. Le pied qui se trouvait devant est maintenant derrière.

Un résumé de la marche à suivre et des justifications en matière de mécanique corporelle se trouve au tableau 42-5.

◼ Appliquer les principes pour le déplacement sécuritaire des bénéficiaires (PDSB)

Au Québec, l'Association paritaire pour la santé et la sécurité du travail du secteur affaires sociales (ASSTSAS) a, entre autres respon-

sabilités, celle d'assurer la formation du personnel pour le déplacement des personnes. L'association a donc établi plusieurs principes de base. Par exemple, pour tout déplacement de personnes nécessitant un niveau d'assistance partielle ou totale, l'ASSTSAS a énoncé une série de principes de positionnement, de prise et de mouvements qui sont fondés sur les principes mêmes de la mécanique corporelle (voir l'encadré 42-1).

Les informations sur le déplacement des personnes contenues dans cet ouvrage sont puisées dans les publications de l'ASSTSAS, mais elles n'ont certes pas la prétention de remplacer la formation officielle et obligatoire sur les PDSB fournie par l'ASSTSAS.

TABLEAU

| Résumé de la marche à suivre et des principes de la mécanique corporelle | 42-5 |

Marche à suivre	Justification scientifique
Préparer le déplacement avec soin. Retirer ce qui pourrait faire obstacle et approcher le matériel nécessaire de la tête ou du pied du lit.	*Une préparation appropriée prévient les chutes et les blessures éventuelles; elle protège la personne et le matériel.*
Obtenir l'aide d'autres personnes ou utiliser des dispositifs mécaniques pour déplacer les objets lourds. Encourager la personne déplacée à participer le plus possible à la manipulation, en poussant ou en tirant pour réduire votre effort musculaire. Au besoin, utiliser les bras comme des leviers pour démultiplier la force nécessaire au soulèvement.	*Plus un objet est lourd, plus grande est la force nécessaire pour le déplacer.*
Placer la surface de travail au niveau de la taille et garder le corps près de cette surface. Élever les lits réglables et les tables de chevet ou abaisser les ridelles pour éviter les étirements.	*Les objets proches du centre de gravité sont plus faciles à déplacer.*
Préparer un lit ferme, lisse et sec avant de déplacer une personne alitée, ou alors utiliser une alaise.	*Il y a ainsi moins de frictions entre l'objet déplacé et la surface sur laquelle l'objet est déplacé; la manipulation exige une dépense d'énergie moindre.*
Toujours faire face à la direction du mouvement.	*Les principaux groupes musculaires ne sont pas utilisés efficacement quand la colonne subit un mouvement de rotation ou de torsion.*
Commencer tout mouvement corporel par un bon alignement. Se tenir le plus près possible de l'objet à déplacer. Éviter les étirements et les torsions, qui risquent de placer la ligne de gravité à l'extérieur du polygone de sustentation.	*L'équilibre est maintenu et l'on évite tout étirement musculaire si la ligne de gravité passe par le polygone de sustentation.*
Avant de déplacer un objet, augmenter sa stabilité en écartant les pieds et en fléchissant les genoux, les hanches et les chevilles.	*Plus le polygone de sustentation est large et le centre de gravité est bas, plus la stabilité est grande.*
Éviter de travailler contre la gravité. Il faut tirer, pousser, rouler ou tourner les objets plutôt que de les soulever. Abaisser la tête du lit avant de remonter la personne dans son lit.	*Déplacer un objet sur une surface plane exige moins d'énergie que de tirer un objet vers le haut sur une surface inclinée ou de le tirer contre la gravité.*
Pour pousser un objet, élargir le polygone de sustentation en déplaçant le pied avant vers l'avant.	*Le fait d'utiliser le plus grand nombre possible de groupes musculaires de façon synchronisée pendant une activité augmente la force globale et prévient la fatigue musculaire et les blessures.*
Pour tirer un objet, élargir le polygone de sustentation en plaçant la jambe arrière vers l'arrière si vous faites face à l'objet, ou en plaçant le pied avant vers l'avant afin de vous rapprocher d'un objet qui se trouverait plus loin.	*L'équilibre est maintenu avec un minimum d'efforts quand le polygone de sustentation est élargi dans la direction du mouvement.*
Pour déplacer ou transporter un objet, le tenir le plus près possible du centre de gravité.	*Plus la ligne de gravité est proche du centre du polygone de sustentation, plus la stabilité est grande.*
Utiliser le poids du corps ou la propulsion d'une jambe comme une force pour tirer ou pousser.	*Le poids du corps ajoute de la force pour contrebalancer le poids de l'objet et réduit la tension sur les bras et le dos.*
Alterner les périodes de repos et d'activité musculaire pour prévenir la fatigue.	*Un effort musculaire continu peut entraîner un étirement musculaire et des blessures.*

ENCADRÉ

Principes pour le déplacement sécuritaire des bénéficiaires (PDSB) : personne nécessitant une aide partielle ou totale

42-1

PRINCIPES DE POSITIONNEMENT

- Pieds écartés
- Pieds orientés pour faciliter le mouvement
- Dos sans torsion
- Dos non voûté
- Genoux fléchis

PRINCIPES DE PRISE

- Prise solide
- Prise douce
- Contact étroit
- Bras enveloppants
- Utilisation de poignées
- Blocage des points de glissement
- Participation de la personne à la prise

PRINCIPES DE MOUVEMENT

- Accorder seulement le niveau d'assistance nécessaire.
- Dire à la personne quoi faire.
- Respecter le mouvement naturel.
- Rouler, glisser, faire pivoter la personne ; ne pas la soulever.
- Utiliser le transfert de poids ou le contrepoids pour fournir l'effort.
- Effectuer les mouvements un à la fois, étape par étape.
- Amener la personne vers soi plutôt que la pousser.

Source : *Principes pour le déplacement sécuritaire des bénéficiaires, PDSB – régulier (cahier du participant)*, (p. 48, 49 et 56), de l'Association paritaire pour la santé et la sécurité du travail du secteur affaires sociales (ASSTSAS), 2004, Montréal.

 ENSEIGNEMENT

Prévention des blessures au dos

- Prendre conscience de sa posture et des principes de la mécanique corporelle.
- En position debout prolongée, fléchir périodiquement une hanche et un genou, et faire reposer le pied sur un objet, si possible.
- En position assise, placer les genoux de façon à ce qu'ils soient légèrement plus hauts que les hanches.
- Utiliser un matelas ferme offrant un bon soutien et épousant les courbes naturelles du corps.
- Faire régulièrement de l'exercice pour conserver une bonne condition physique globale ; faire des exercices qui renforcent les muscles pelviens et abdominaux.
- Éviter les exercices provoquant des douleurs ou qui exigent de fléchir la colonne, les jambes tendues (par exemple, toucher les orteils et faire des redressements assis) ou une rotation de la colonne (torsion).
- Pour déplacer un objet, écarter les pieds pour élargir le polygone de sustentation.
- Pour soulever un objet, répartir le poids entre les grands muscles des jambes et des bras. Le poids maximal à soulever par 99 % des hommes et 75 % des femmes est de 23 kg dans des conditions optimales, soit lorsqu'on est debout, qu'on maintient le dos droit et qu'on tient la charge à deux mains contre le corps, à peu près à la hauteur des hanches. On diminue la charge maximale admissible de 23 kg si l'une ou l'autre de ces conditions ne peut être respectée (recommandations du National Institute of Occupational Safety and Health citées dans ASSTSAS, 1997).
- Porter des vêtements permettant une bonne mécanique corporelle et des chaussures confortables à talons plats, soutenant bien le pied, qui diminuent les risques de glisser, de trébucher ou de se tordre les chevilles.

■ Prévenir les blessures au dos

Plusieurs facteurs augmentent les risques de blessures lombaires, notamment une mauvaise posture qui provoque l'apparition d'une lordose. Les personnes ayant un excès de poids concentré à l'abdomen, les femmes enceintes et les femmes qui portent constamment des chaussures à talons hauts risquent de subir des blessures lombaires en raison de la courbure lombaire exagérée que ces situations produisent. Une personne sédentaire présente plus de risques en raison de la faiblesse de son dos et de ses muscles abdominaux.

Il est possible d'éviter les blessures lombaires. Certaines lignes directrices à cet effet se trouvent dans l'encadré *Enseignement – Prévention des blessures au dos*.

■ Positionnement des personnes

Bien installer une personne selon un bon alignement corporel et la changer régulièrement et systématiquement de position font partie des gestes essentiels de la pratique infirmière. Les personnes qui peuvent bouger facilement changent automatiquement de position pour trouver un plus grand confort. En règle générale, ces personnes n'ont pas vraiment besoin de l'aide de l'infirmière. Celle-ci peut néanmoins leur donner de l'information sur la façon de maintenir un bon alignement corporel et de faire travailler leurs articulations. Toutefois, une personne faible, fragile, souffrante, paralysée ou inconsciente a besoin de l'infirmière pour la changer

de position ou l'aider à le faire. Dans tous les cas, il est important d'évaluer la peau et d'en prendre soin avant et après un changement de position.

Toute position, bonne ou mauvaise, peut être préjudiciable si elle est maintenue pendant une période prolongée. Un changement fréquent de position évite l'inconfort musculaire, les dommages aux nerfs et aux vaisseaux sanguins superficiels, les contractures et une pression excessive qui à son tour entraînerait l'apparition de plaies de pression. Le changement de position contribue aussi au maintien du tonus musculaire et stimule les réflexes posturaux.

Quand la personne n'est pas capable de bouger toute seule ou de participer au changement de position, les infirmières doivent se mettre à deux ou plus pour procéder au changement de position. L'aide appropriée réduit les risques d'étirement musculaire et de blessure corporelle, aussi bien pour la personne que pour l'infirmière.

Quand elle met en position une personne dans son lit, l'infirmière peut faire un certain nombre de choses pour veiller au bon alignement de la personne et favoriser son confort et sa sécurité :

- Veiller à ce que le matelas soit ferme et horizontal, mais suffisamment souple pour épouser les courbes naturelles du corps et les soutenir. Utilisé pendant une période prolongée, un matelas trop mou qui s'affaisse ou un lit d'eau insuffisamment rempli peut contribuer à l'apparition de contractures de la hanche ainsi que de tensions et de douleurs lombaires. À la maison, il est particulièrement important d'inspecter le matelas et de vérifier le soutien qu'il offre. On recommande de plus en plus aux personnes ayant des problèmes de dos ou susceptibles d'en avoir de dormir sur un matelas mou sous lequel on a glissé une planche en contreplaqué.

- Veiller à ce que le lit soit propre et sec. Des draps froissés ou humides augmentent le risque d'apparition de plaies de pression. Les membres doivent pouvoir bouger librement. Par exemple, le drap de dessus doit être placé de façon à ce que la personne puisse bouger les pieds.

- Placer des dispositifs de soutien à des endroits spécifiques, selon la position de la personne. L'encadré 42-2 dresse la liste des dispositifs de soutien utilisés couramment. Utiliser uniquement les dispositifs nécessaires pour maintenir l'alignement et éviter toute tension sur les muscles et les articulations. Si la personne est capable de bouger, un trop grand nombre d'accessoires limiteront sa mobilité et augmenteront les risques de faiblesse musculaire et d'atrophie. Les problèmes courants liés à l'alignement corporel qui peuvent être corrigés grâce à des dispositifs de soutien sont les suivants :

  a) Flexion du cou
  b) Rotation interne de l'épaule
  c) Adduction de l'épaule
  d) Flexion du poignet
  e) Convexité antérieure de la courbure lombaire
  f) Rotation externe des hanches
  g) Hyperextension des genoux
  h) Flexion plantaire de la cheville

- Éviter de placer une partie du corps directement sur une autre partie du corps, en particulier sur une saillie osseuse. Une pression excessive peut endommager les veines et favoriser la formation d'un thrombus. La pression exercée sur l'espace poplité pourrait blesser les nerfs et les vaisseaux sanguins de cette région.

- Préparer un horaire systématique de 24 heures pour les changements de position.

- Pour que l'alignement qu'on fait du corps soit efficace, tenir compte à la fois de l'apparence du corps, en relation avec les critères d'alignement, et du confort de la personne. En effet, une personne dont l'alignement corporel semble bon peut ressentir un véritable inconfort.

POSITION DE FOWLER. La **position de Fowler** est une position semi-assise que l'on utilise pour les personnes alitées. La tête et le tronc sont surélevés et forment un angle de 45° à 60°. Dans la **position semi-Fowler** (ou **position de Fowler basse**) (figure 42-41 ■), la tête et le tronc sont élevés de 15° à 45°. Dans la **position de Fowler haute**, la tête et le tronc sont élevés de 60° à 90° (voir le tableau 42-6). Dans cette position, les genoux sont fléchis ou droits.

La position de Fowler est la position qui s'impose en cas de respiration difficile et d'affections cardiaques. Dans cette position,

---

Dispositifs de soutien 42-2

- **Oreillers.** Les oreillers sont offerts en différentes tailles. Ils servent à soutenir ou à surélever une partie du corps (par exemple, un bras). On peut utiliser des oreillers denses spécialement conçus pour surélever la partie supérieure du corps.

- **Rouleaux.** Différents types de rouleaux peuvent être utilisés. Les rouleaux servent à maintenir le membre dans une position neutre afin de prévenir une rotation externe (par exemple, le rouleau trochantérien maintient la fesse et la cuisse).

- **Sacs de sable.** Un sac de plastique rempli de sable permet de bien épouser les formes du corps, d'immobiliser une extrémité ou de maintenir un alignement précis.

- **Bottes de maintien.** Elles sont généralement faites de plastique ou de mousse rigide. L'extérieur est ferme et l'intérieur se compose de mousse rembourrée pour protéger la peau. Ces bottes soutiennent le pied, le maintiennent dans une position naturelle et évitent aux orteils de supporter le poids de la literie.

- **Appuie-pieds.** Il s'agit d'un panneau plat en plastique ou en bois. Il maintient les pieds en flexion dorsale pour éviter toute flexion plantaire.

- **Matelas.** Il existe deux types de matelas : l'un s'adapte au cadre de lit (par exemple, un matelas standard) et l'autre s'adapte au matelas standard (surmatelas). Ces matelas et surmatelas sont aussi de deux types. Les matelas statiques, tels que les matelas de mousse, exercent une pression stable sur les points d'appui corporels, tandis que les matelas dynamiques, tels que les matelas à air fluidisé, permettent une alternance de pression. Le matelas doit fournir un soutien optimal pour la personne.

- **Lits-fauteuils.** Ces lits peuvent prendre la position d'un fauteuil pour les personnes qui ne peuvent quitter le lit mais qui doivent rester en position assise.

- **Planches.** Ces planches sont habituellement en bois et se glissent sous le matelas pour offrir un soutien supplémentaire.

---

la gravité tire le diaphragme vers le bas, permettant ainsi une plus grande expansion du thorax et une plus grande ventilation des poumons.

Les infirmières commettent souvent l'erreur de placer la personne dans la position de Fowler en mettant un oreiller trop épais ou plusieurs oreillers derrière la tête de la personne, ce qui favorise l'apparition d'une contracture en flexion du cou. Si une personne souhaite avoir plusieurs oreillers pour la tête, l'infirmière doit l'encourager à se reposer sans oreiller pendant plusieurs heures chaque jour, et ce, afin d'allonger le cou complètement et de contrebalancer le mauvais alignement du cou.

POSITION ORTHOPNÉIQUE. Dans la **position orthopnéique**, la personne est assise dans son lit ou au bord du lit et utilise une table de chevet (figure 42-42 ■). Cette position facilite la respiration et permet une expansion maximale du thorax ; elle est particulièrement appropriée quand l'expiration se fait difficilement. On peut alors appuyer la partie inférieure du thorax contre le bord de la table de chevet.

TABLEAU

42-6

Position de Fowler

Position sans soutien	Problème à prévenir	Mesure corrective*
Position assise dans le lit; partie supérieure du corps relevée de 15° à 90° à partir des hanches	Convexité postérieure de la courbure lombaire	Oreiller dans la partie inférieure du dos (région lombaire) pour soutenir la région lombaire
Tête appuyée sur le lit	Hyperextension du cou	Oreillers pour soutenir la tête, le cou et la partie supérieure du dos
Bras pendants de chaque côté du corps	Étirement des muscles de l'épaule; luxation éventuelle de l'épaule, œdème des mains et des bras avec paralysie flasque; contracture en flexion du poignet	Oreillers sous les avant-bras pour éliminer la tension qui s'exerce sur les épaules et favoriser la circulation sanguine veineuse des mains vers les avant-bras
Jambes allongées sur la partie inférieure du lit	Hyperextension des genoux	Petit oreiller sous les cuisses pour fléchir les genoux
Talons sur le lit	Pression sur les talons	Oreiller sous la jambe inférieure
Pieds en flexion plantaire	Flexion plantaire des pieds (pied tombant)	Appuie-pieds pour maintenir une flexion dorsale

30°

FIGURE **42-41** ■ Position semi-Fowler (assistée). Le bras n'est pas soutenu ici. Le soutien dépend des besoins de la personne.

_____
* Les mesures correctives dépendent des besoins de chaque personne.

FIGURE **42-42** ■ Position orthopnéique.

DÉCUBITUS DORSAL. Dans la position de **décubitus dorsal**, la personne repose sur le dos (figure 42-43 ■). La tête et les épaules sont légèrement surélevées par un petit oreiller. Dans certains établissements, les expressions _décubitus dorsal_ et _position couchée sur le dos_ sont interchangeables. Toutefois, dans la _position couchée sur le dos_ ou **position dorsale**, la tête et les épaules ne sont pas surélevées. Dans ces deux positions, on peut surélever les avant-bras avec des oreillers ou les placer le long du corps. Le soutien est le même dans les deux positions, sauf pour l'oreiller de la tête

(voir le tableau 42-7). La position de décubitus dorsal est utilisée pour assurer le confort de la personne et favoriser la guérison à la suite de certaines interventions chirurgicales ou d'une anesthésie (par exemple, rachianesthésie).

DÉCUBITUS VENTRAL. Dans la position de **décubitus ventral**, la personne repose sur l'abdomen, la tête tournée sur le côté (figure 42-44 ■). Les hanches ne sont pas fléchies. Les enfants comme les adultes dorment souvent dans cette position, parfois avec un bras ou les deux bras fléchis au-dessus de la tête. Cette position présente de nombreux avantages. C'est la seule position, au lit, qui permet une extension complète de l'articulation des hanches et des genoux. Utilisée périodiquement, la position de décubitus ventral contribue à prévenir les contractures en flexion des hanches et des genoux, contrebalançant ainsi un problème provoqué par toutes les autres positions alitées. Le décubitus ventral favorise le drainage des sécrétions buccales et est particulièrement utile pour les personnes inconscientes ou celles qui se remettent d'une intervention chirurgicale de la bouche ou de la gorge (voir le tableau 42-8).

La position de décubitus ventral présente toutefois quelques inconvénients. La gravité du tronc produit une lordose marquée chez la plupart des gens, et le cou subit une rotation latérale de grande amplitude. C'est pourquoi le décubitus ventral n'est pas

Position de décubitus dorsal

42-7

Position sans soutien	Problème à prévenir	Mesure corrective*
Tête à plat sur le lit	Hyperextension du cou chez les personnes ayant un thorax en tonneau	Oreiller d'une bonne épaisseur sous la tête et les épaules, le cas échéant, pour un bon alignement
Courbure lombaire visible	Flexion postérieure de la courbure lombaire	Rouleau ou petit oreiller sous la courbure lombaire
Jambes en rotation externe	Rotation externe des jambes	Rouleau ou sac de sable placé parallèlement au trochanter du fémur (facultatif)
Jambes en extension	Hyperextension des genoux	Petit oreiller sous les cuisses pour fléchir légèrement les genoux
Pieds en flexion plantaire	Flexion plantaire des pieds (pied tombant)	Appuie-pieds ou oreiller plié au pied du lit pour maintenir les pieds en flexion dorsale
Talons sur le lit	Pression sur les talons	Oreiller sous la partie inférieure de la jambe

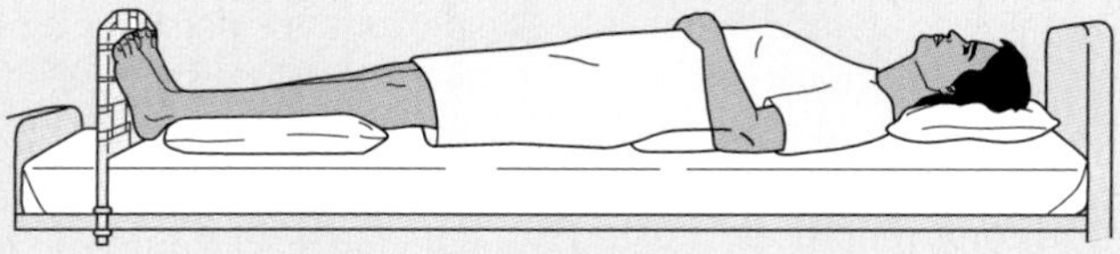

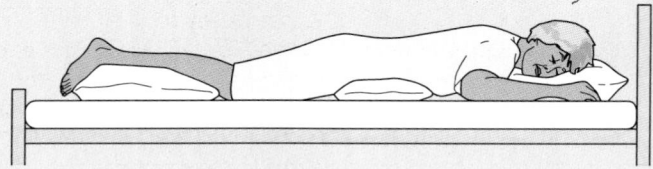

FIGURE 42-43 ■ Position de décubitus dorsal (assistée).

* Les mesures correctives dépendent des besoins de chaque personne.

Position de décubitus ventral

42-8

Position sans soutien	Problème à prévenir	Mesure corrective*
Tête tournée de côté et cou en légère flexion	Flexion ou hyperextension du cou	Petit oreiller sous la tête, sauf contre-indication, pour favoriser le drainage des sécrétions buccales.
Position ventrale droite, accentuant la courbure lombaire	Hyperextension de la courbure lombaire; respiration difficile; pression sur les seins chez la femme; pression sur les organes génitaux chez l'homme	Petit oreiller ou rouleau sous l'abdomen, juste au-dessous du diaphragme.
Orteils sur le lit; pieds en flexion plantaire	Pieds en flexion plantaire (pied tombant) Pression sur les orteils	Laisser les pieds tomber naturellement à l'extrémité du matelas ou soutenir la jambe inférieure avec un oreiller pour que les orteils ne touchent pas le lit.

FIGURE 42-44 ■ Position de décubitus ventral (assistée).

* Les mesures correctives dépendent des besoins de chaque personne.

recommandé pour les personnes ayant des problèmes de colonne cervicale ou lombaire. Cette position provoque aussi une flexion plantaire. Certaines personnes ayant une affection cardiaque ou respiratoire se sentent confinées dans cette position et suffoquent du fait que l'expansion du thorax est inhibée pendant la respiration. La position de décubitus ventral doit être utilisée uniquement si le dos de la personne est correctement aligné, pendant de courtes périodes seulement et en l'absence de toute anomalie vertébrale évidente.

DÉCUBITUS LATÉRAL. Dans la position de **décubitus latéral** (figure 42-45 ■), la personne est allongée sur l'un des côtés du corps. Le fait de fléchir la hanche et le genou supérieurs, et de placer la jambe du dessus devant le corps, crée un polygone de sustentation plus grand et permet une stabilité accrue. Plus la flexion de la hanche et du genou supérieurs est prononcée, plus la stabilité et l'équilibre sont grands dans cette position. Cette flexion réduit les risques d'apparition d'une lordose et favorise le bon alignement du dos. C'est pourquoi le décubitus latéral est une bonne position de repos et de sommeil. La position latérale permet d'alléger la pression sur le sacrum et les talons chez les personnes qui sont assises la plus grande partie de la journée ou qui ne peuvent quitter leur lit et doivent se reposer dans la position de Fowler ou en décubitus dorsal la plupart du temps. En décubitus latéral, la plus grande partie du poids du corps repose sur le côté de l'omoplate inférieure, le côté de l'ilion et le grand trochanter. Les personnes ayant un handicap sensoriel ou moteur d'un côté du corps trouvent habituellement plus confortable d'être allongées sur le côté sain (voir le tableau 42-9).

POSITION DE SIMS. La **position de Sims** (semi-latérale) se situe entre le décubitus latéral et le décubitus ventral (figure 42-46 ■). Le bras inférieur se trouve derrière le corps ; l'épaule et le coude du bras supérieur sont fléchis. Les deux jambes sont pliées devant le corps. La flexion de la hanche et du genou de la jambe du dessus est plus prononcée que la flexion de la jambe inférieure.

La position de Sims est appropriée pour les personnes inconscientes ; elle facilite en effet le drainage des sécrétions buccales et prévient l'aspiration des fluides. On l'utilise aussi pour les personnes paralysées parce qu'elle réduit la pression sur le sacrum et le grand trochanter de la hanche. On s'en sert souvent pour les personnes à qui l'on fait des lavements et, à l'occasion, pour les personnes qui font l'objet de traitements ou d'examens de la région périnéale. Nombre de personnes, notamment des femmes enceintes, trouvent la position de Sims confortable pour dormir. Les personnes ayant un handicap sensoriel ou moteur touchant l'un des côtés du corps trouvent habituellement plus confortable de s'allonger sur le côté sain (voir le tableau 42-10).

■ Déplacer et tourner une personne dans son lit

L'aide dont une personne a besoin dépend de sa capacité motrice et de son état de santé. L'infirmière doit être sensible au besoin d'autonomie de la personne et à son besoin d'aide.

Quand l'infirmière aide une personne à bouger, elle doit utiliser une bonne mécanique corporelle de façon à ne pas se blesser. Le bon alignement corporel de la personne alitée doit aussi être maintenu afin que l'appareil locomoteur ne subisse pas une tension excessive.

Voici les mesures à prendre pour déplacer et soulever une personne alitée, ainsi que leur justification :

■ Avant de déplacer la personne, évaluer le niveau d'effort qu'il lui est permis de faire et les points suivants : ses capacités

---

TABLEAU
42-9

Position de décubitus latéral

Position sans soutien	Problème à prévenir	Mesure corrective*
Corps tourné sur le côté, les deux bras à l'avant, masse reposant principalement sur les côtés de l'omoplate et de l'ilion	Flexion latérale et fatigue des muscles sternocléidomastoïdiens	Oreiller sous la tête et le cou afin de maintenir un bon alignement.
Rotation interne et adduction du bras et de l'épaule	Rotation interne et adduction du bras et de l'épaule et limitation subséquente des mouvements ; diminution de l'amplitude thoracique	Oreiller sous le bras supérieur pour maintenir un bon alignement ; le bras inférieur doit être plié confortablement.
Rotation interne et adduction de la partie supérieure de la cuisse et de la jambe	Rotation interne et adduction du fémur ; torsion de la colonne	Oreiller sous la jambe et la cuisse pour maintenir un bon alignement ; les épaules et les hanches doivent être alignées.

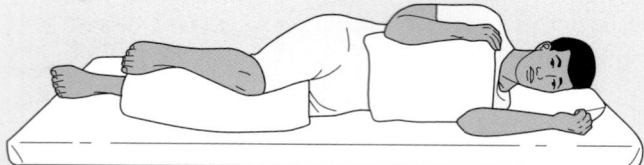

FIGURE **42-45** ■ Position de décubitus latéral (assistée).

---

* Les mesures correctives dépendent des besoins de chaque personne.

TABLEAU

42-10

Position de Sims (semi-latérale)

Position sans soutien	Problème à prévenir	Mesure corrective*
Tête sur le lit ; le côté de la boîte crânienne et les os de la face soutiennent la masse	Flexion latérale du cou	Oreiller sous la tête pour maintenir un bon alignement, sauf si un drainage des sécrétions buccales est nécessaire.
Rotation interne de l'épaule et du bras	Rotation interne de l'épaule et du bras ; pression réduisant l'expansion du thorax pendant la respiration	Oreiller sous le bras supérieur pour prévenir une rotation interne.
Rotation interne et adduction de la jambe et de la cuisse	Rotation interne et adduction de la hanche et de la jambe	Oreiller sous la jambe supérieure pour la soutenir et maintenir un bon alignement.
Flexion plantaire des pieds	Pied tombant	Sacs de sable pour soutenir les pieds en flexion dorsale.

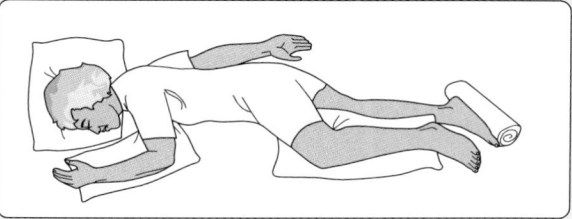

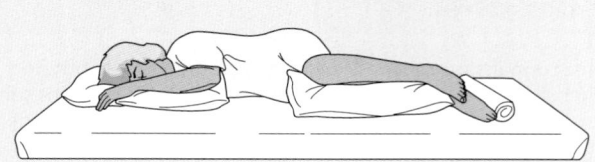

FIGURE 42-46 ■ Position de Sims (assistée).

* Les mesures correctives dépendent des besoins de chaque personne.

physiques (par exemple, force musculaire, paralysie éventuelle), sa capacité de suivre des directives, son niveau de confort ou d'inconfort, son poids, la présence éventuelle d'hypotension orthostatique (ce qui est particulièrement important si la personne doit se tenir debout), la force et la capacité des intervenants.

- Au besoin, prendre les mesures nécessaires pour soulager la douleur de la personne ou lui donner des médicaments avant de la déplacer.
- Préparer les dispositifs de soutien, par exemple oreillers et rouleau trochantérien.
- Obtenir l'aide nécessaire.
- Expliquer la procédure à la personne et écouter ses suggestions ou celles des personnes qui vont participer à la manœuvre.
- Préserver l'intimité de la personne.
- Se laver les mains.
- Élever le lit *pour rapprocher la personne de votre centre de gravité.*
- Bloquer les roues du lit et relever les ridelles du côté opposé à celui où vous vous trouvez *pour assurer la sécurité de la personne.*

- Faire face à la direction du mouvement *pour éviter une torsion de la colonne vertébrale.*
- Écarter les pieds *pour augmenter la stabilité et l'équilibre.*
- Pencher le tronc en avant et fléchir les hanches, les genoux et les chevilles *pour abaisser le centre de gravité, augmenter la stabilité et utiliser les groupes des grands muscles pendant les mouvements.*
- Pousser de la jambe avant vers la jambe arrière pour tirer la personne, *afin de vaincre la force d'inertie et de trouver un mouvement efficace et régulier.*
- Après avoir déplacé la personne, déterminer son niveau de confort, son alignement corporel, sa tolérance à l'activité (par exemple, vérifier son pouls et sa pression artérielle) et prendre les mesures de précaution nécessaires (par exemple, relever les ridelles).

Les procédés 42-1 à 42-4 expliquent comment déplacer et tourner une personne dans son lit, et l'aider à s'asseoir au bord du lit.

Remarque : Les sections « Collecte des données » et « Évaluation » sont les mêmes pour les quatre procédés ; par conséquent, elles ne sont présentées qu'une seule fois (au début du procédé 42-1 et à la fin du procédé 42-4).

PROCÉDÉ 42-1

Remonter une personne dans son lit

COLLECTE DES DONNÉES

Évaluez

- Les capacités physiques de la personne (par exemple, force musculaire, paralysie).
- La capacité de contribuer aux manœuvres.
- La capacité de comprendre des directives.
- Le niveau de malaise pendant le déplacement. Au besoin, administrer des analgésiques ou appliquer d'autres mesures destinées à soulager la douleur (voir le chapitre 44 ⊂⊃).

- Le poids de la personne.
- Votre force et votre capacité de déplacer la personne.
- Le niveau d'assistance requis.

PLANIFICATION

Prenez connaissance du dossier de la personne dans le but de vérifier si d'autres infirmières ont consigné des observations sur la capacité de cette personne de se déplacer ou s'il n'y a pas de contre-indications au déplacement.

Matériel

- Accessoires fonctionnels, notamment un trapèze et un piqué pour tirer ou tourner la personne

Objectif

- Remettre en position une personne qui a glissé vers le pied du lit.

INTERVENTION

Préparation

Déterminez:

- Ce qui pourrait entraver le mouvement, comme une intraveineuse ou une jambe plâtrée.
- Les médicaments que prend la personne; certains médicaments peuvent gêner le mouvement ou affaiblir la vivacité d'esprit.

Exécution

NIVEAU D'ASSISTANCE: SUPERVISION

1. Expliquez à la personne l'objet de la manœuvre.

2. Réglez la position du lit et placez les oreillers.
   - Mettez la tête du lit à plat ou à un niveau tolérable pour la personne. *Le déplacement vers le haut, contre la gravité, exige plus de force.*
   - Retirez tous les oreillers et placez-en un à la tête du lit. *Cet oreiller protégera la tête de la personne d'éventuelles blessures si elle venait à heurter la tête du lit pendant le déplacement vers le haut.*

3. Expliquez à la personne la position à prendre afin de réduire les forces de cisaillement.
   - Demandez à la personne de fléchir les hanches et les genoux et de placer les pieds de façon à pouvoir les utiliser

pour pousser. *Le fait de fléchir les hanches et les genoux décolle du lit toute la jambe inférieure, ce qui évite la friction pendant le déplacement; cela permet également à la personne d'utiliser les groupes des grands muscles des jambes pendant la poussée pour augmenter la force du mouvement.*

- Demandez à la personne de soulever la partie supérieure du corps sur les coudes et de pousser avec les mains et les avant-bras pendant le déplacement.

ou

Demandez-lui d'attraper le trapèze qui se trouve au-dessus de sa tête avec les deux mains, de se soulever et de tirer pendant le déplacement. *Le soulèvement empêche la friction pendant le déplacement. Ces mesures permettent à la personne d'utiliser les groupes des grands muscles des bras pour augmenter la force pendant le déplacement. Dans ce cas, il n'est pas nécessaire de mettre le lit à plat.*

NIVEAU D'ASSISTANCE: PARTIELLE

1. Expliquez à la personne l'objet de la manœuvre.

2. Lavez-vous les mains et observez toutes les autres mesures de prévention des infections.

3. Assurez-vous que l'intimité de la personne est préservée.

4. Réglez la position du lit et placez les oreillers.
   - Mettez la tête du lit à plat ou à un niveau tolérable pour la personne. *Le déplacement vers le haut, contre la gravité, exige plus de force.*
   - Ajustez la hauteur du lit *afin d'avoir le dos droit pendant la manœuvre.*
   - Retirez tous les oreillers et placez-en un à la tête du lit. *Cet oreiller protégera la tête de la personne d'éventuelles blessures si elle venait à heurter la tête du lit pendant le déplacement vers le haut.*

5. Expliquez à la personne la position à prendre afin de réduire les forces de cisaillement.
   - Demandez à la personne de fléchir les hanches et les genoux et de placer les pieds de façon à pouvoir les utiliser pour pousser. *Le fait de fléchir les hanches et les genoux décolle du lit toute la jambe inférieure, ce qui évite la friction pendant le déplacement; cela permet également à la personne d'utiliser les muscles des jambes pendant la poussée pour augmenter la force du mouvement.*

INTERVENTION (suite)

6. Bloquez les pieds de la personne en les maintenant fermement sur le matelas (figure 42-47 ■, *A*). *C'est sur ce point d'appui que poussera la personne afin de se remonter.*

7. Encouragez la personne à pousser sur ses pieds tout en dépliant les genoux (figure 42-47 ■, *B*).

NIVEAU D'ASSISTANCE : TOTALE (DEUX INFIRMIÈRES REQUISES)

1. Expliquez à la personne ce que vous allez faire, pourquoi vous allez le faire et comment elle peut coopérer. Écoutez les suggestions de la personne ou des autres intervenants. Expliquez-lui aussi que les résultats serviront à planifier les soins ou les traitements.

2. Lavez-vous les mains et observez les autres mesures de prévention des infections.

3. Assurez-vous que l'intimité de la personne est préservée.

4. Ajustez le lit et les oreillers. Mettez la tête du lit à plat ou à un niveau tolérable pour la personne. *Le déplacement vers le haut, contre la gravité, exige plus de force et peut provoquer des maux de dos.*
   - Ajustez la hauteur du lit afin de conserver les bras tendus.
   - Bloquez les roues du lit.
   - Retirez tous les oreillers et placez-en un à la tête du lit. *Cet oreiller protégera la tête de la personne d'éventuelles blessures si elle venait à heurter la tête du lit pendant le déplacement vers le haut.*

5. Expliquez à la personne la position à prendre afin de réduire les forces de cisaillement.
   - Demandez à la personne de fléchir les hanches et les genoux et de placer les pieds de façon à pouvoir les utiliser pour pousser. *Le fait de fléchir les hanches et les genoux décolle du lit toute la jambe inférieure, ce qui évite la friction pendant le déplacement ; cela permet également à la personne d'utiliser les groupes des grands muscles des jambes pendant la poussée pour augmenter la force du mouvement.*
   - Demandez à la personne de croiser les bras sur la poitrine. *Cette position dégage l'espace près du tronc et diminue la surface de friction.*

Méthode 1 : utilisation du transfert de poids ou du contrepoids en diagonale

- Placez-vous en diagonale de chaque côté du lit, au niveau des épaules de la personne.

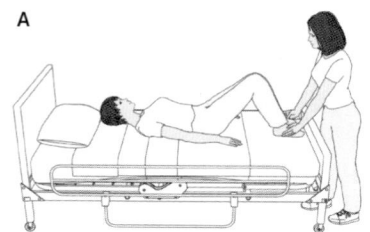 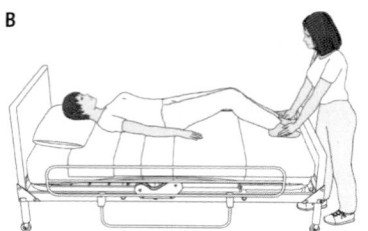

FIGURE 42-47 ■ Aider une personne à remonter dans son lit : *A*, l'infirmière bloque les pieds de la personne ; *B*, la personne pousse en dépliant les genoux. (Source : D'après *Principes pour le déplacement sécuritaire des bénéficiaires, PDSB – régulier (cahier du participant)*, (p. 77), de l'Association paritaire pour la santé et la sécurité du travail du secteur affaires sociales (ASSTSAS), 2004, Montréal.)

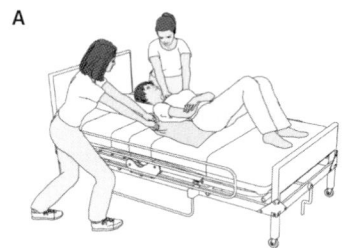 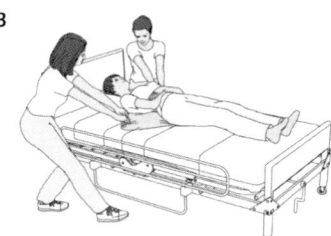

FIGURE 42-48 ■ Remonter une personne dans son lit à l'aide du transfert de poids avant-arrière ou du contrepoids en diagonale : *A*, position de départ ; *B*, position finale. (Source : D'après *Principes pour le déplacement sécuritaire des bénéficiaires, PDSB – régulier (cahier du participant)*, (p. 100), de l'Association paritaire pour la santé et la sécurité du travail du secteur affaires sociales (ASSTSAS), 2004, Montréal.)

- Prenez la position de transfert de poids avant-arrière : le pied arrière (près de la tête du lit) est à 45° et le genou est collé au lit ; le pied avant (celui qui est près du pied du lit) est dans le sens du mouvement et légèrement écarté du lit.

- Portez d'abord le poids sur la jambe fléchie, près du pied du lit.

- Tenez-vous le dos droit, sans torsion.

- Enroulez la partie libre du piqué vers le thorax de la personne.

- Saisissez le piqué à mi-hauteur du bras de la personne.

- Tendez les bras et stabilisez les épaules et le dos (figure 42-48 ■, *A*).

- Au signal, transférez votre poids de la jambe près du pied du lit sur la jambe à la tête du lit en entraînant le piqué (figure 42-48 ■, *B*).

- Ce mouvement peut se poursuivre par un contrepoids où vous abaissez vos hanches ou votre bassin vers le sol.

Méthode 2 : utilisation du contrepoids avec un genou dans le lit

- Placez-vous de côté, à la tête du lit.

- Mettez un genou dans le lit (celui près de la personne), environ à la hauteur des épaules de la personne : l'avant du pied est appuyé sur le bord du matelas, le bout du pied pend le long du matelas.

- Appuyez solidement l'autre jambe sur le sol.

- Fléchissez légèrement les hanches et gardez le dos droit et sans torsion.

- Enroulez la partie libre du piqué vers les épaules de la personne.

- Saisissez le piqué à mi-hauteur du bras de la personne.

- Tendez les bras et stabilisez les épaules et le dos (figure 42-49 ■, *A*).

- Au signal, abaissez les hanches ou le bassin et assoyez-vous sur le talon (figure 42-49 ■, *B*).

ÉTAPE FINALE POUR LES TROIS NIVEAUX D'ASSISTANCE

Consignez toute l'information pertinente :

- Heure et type de changement de position (ancienne position et nouvelle position).

- Signes apparaissant aux surfaces d'appui.

PROCÉDÉ 42-1 (SUITE)

Remonter une personne dans son lit (suite)

INTERVENTION (suite)

- Utilisation de dispositifs de soutien.
- Capacité de la personne de participer au déplacement et au changement de position.
- Réaction de la personne au déplacement et au changement de position (par exemple, anxiété, douleur, étourdissements).

Source : Adapté de *Principes pour le déplacement sécuritaire des bénéficiaires, PDSB – régulier (cahier du participant),* (p. 77, 100 et 101), de l'Association paritaire pour la santé et la sécurité du travail du secteur affaires sociales (ASSTSAS), 2004, Montréal.

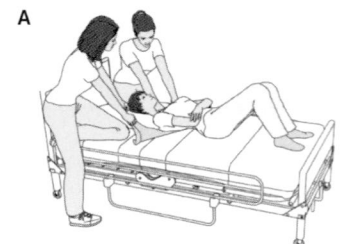 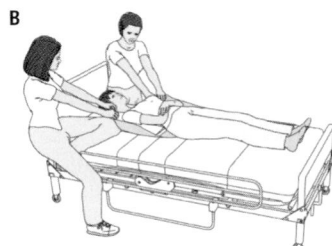

FIGURE 42-49 ■ Remonter une personne dans son lit à l'aide du contrepoids avec un genou dans le lit : *A*, position de départ ; *B*, position finale. (Source : D'après *Principes pour le déplacement sécuritaire des bénéficiaires, PDSB – régulier (cahier du participant),* (p. 101), de l'Association paritaire pour la santé et la sécurité du travail du secteur affaires sociales (ASSTSAS), 2004, Montréal.)

PROCÉDÉ 42-2

Tourner une personne alitée pour la mettre en décubitus latéral ou ventral

PLANIFICATION

Prenez connaissance du dossier de la personne dans le but de vérifier si d'autres infirmières ont consigné des observations sur la capacité de cette personne de se déplacer ou s'il n'y a pas de contre-indications au déplacement.

Matériel

- Piqué, accessoires fonctionnels nécessaires

Objectif

- Placer la personne en décubitus latéral afin de soulager les points de pression, de placer un bassin hygiénique ou de changer la literie.

INTERVENTION

Préparation

Déterminez :
- Les accessoires fonctionnels nécessaires.
- Ce qui pourrait entraver le mouvement, comme une intraveineuse ou une jambe plâtrée.
- Les médicaments que prend la personne ; certains médicaments peuvent gêner le mouvement ou affaiblir la vivacité d'esprit.

Exécution

NIVEAU D'ASSISTANCE : SUPERVISION

1. Placez-vous du côté du lit vers lequel la personne se tournera et donnez-lui les directives suivantes :
   - « Pliez vos genoux. » (figure 42-50 ■, *A*)

   - « Tournez votre tête vers moi et laissez-vous un peu d'espace pour tourner en écartant votre bras. » (figure 42-50 ■, *B*)
   - « Avec votre autre bras, agrippez-vous au bord du matelas. Tout en poussant avec vos jambes pour vous tourner, tirez sur le bord du matelas. » (figure 42-50 ■, *C*)

NIVEAU D'ASSISTANCE : PARTIELLE

1. Expliquez à la personne ce que vous allez faire, pourquoi vous allez le faire et comment elle peut coopérer. Écoutez les suggestions de la personne ou des autres intervenants. Expliquez-lui aussi que les résultats serviront à planifier les soins ou les traitements.

2. Lavez-vous les mains et observez toutes les autres mesures de prévention des infections.

3. Assurez-vous que l'intimité de la personne est préservée.

4. Assurez-vous qu'il y a un piqué et qu'il est bien installé dans le lit.

5. Ajustez le lit à la bonne hauteur, levez la ridelle du côté vers lequel la personne se tournera et abaissez la ridelle du côté où vous travaillez.

6. Demandez à la personne de plier les genoux.

7. Demandez à la personne de tourner la tête et de regarder du côté où elle va se tourner.

INTERVENTION

A

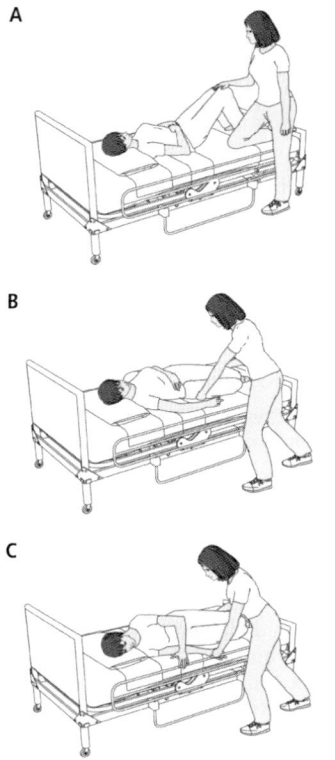

B

C

FIGURE 42-50 ■ Superviser une personne qui effectue un changement de position latérale : *A*, la personne plie les jambes ; *B*, elle écarte le bras ; *C*, elle agrippe le bord et tire. (Source : D'après *Principes pour le déplacement sécuritaire des bénéficiaires, PDSB – régulier (cahier du participant)*, (p. 130), de l'Association paritaire pour la santé et la sécurité du travail du secteur affaires sociales (ASSTSAS), 2004, Montréal.)

8. Demandez à la personne d'agripper la ridelle ou le bord du lit.
9. Enroulez le piqué jusqu'au corps de la personne et tenez-le fermement en gardant les bras tendus, les épaules et le dos bien stabilisés.

Méthode : transfert de poids avant-arrière

- Faites exécuter à la personne les mêmes manœuvres que pour tourner dans son lit sous supervision.
- Saisissez le piqué au niveau des épaules et des hanches, roulez-le tout près de la personne et placez-vous en position de transfert avant-arrière (figure 42-51 ■, *A*).
- Au signal, demandez à la personne de tirer sur le matelas ou sur la ridelle pendant que vous faites un transfert de poids avant-arrière (figure 42-51 ■, *B*).

A

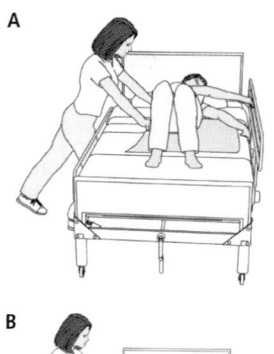

B

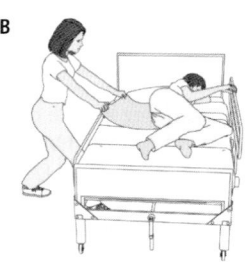

FIGURE 42-51 ■ Aider une personne à tourner dans son lit par transfert de poids avant-arrière : *A*, position de départ pour le déplacement de la personne sur le côté ; *B*, position finale. (Source : D'après *Principes pour le déplacement sécuritaire des bénéficiaires, PDSB – régulier (cahier du participant)*, (p. 78), de l'Association paritaire pour la santé et la sécurité du travail du secteur affaires sociales (ASSTSAS), 2004, Montréal.)

NIVEAU D'ASSISTANCE : TOTALE

1. Expliquez à la personne ce que vous allez faire, pourquoi vous allez le faire et comment elle peut coopérer. Écoutez les suggestions de la personne ou des autres intervenants. Expliquez-lui aussi que les résultats serviront à planifier les soins ou les traitements.
2. Lavez-vous les mains et observez les autres mesures de prévention des infections.
3. Assurez-vous que l'intimité de la personne est préservée.
4. Rapprochez la personne du côté du lit opposé à celui auquel elle fera face. *Cette manœuvre garantit que la personne se retrouvera au centre du lit, en toute sécurité, après avoir été tournée.*
5. Utilisez le piqué sous le tronc et les cuisses de la personne pour tirer cette dernière vers le bord du lit. Roulez le piqué le plus près possible du corps (figure 42-52 ■, *A*) et tirez la personne vers le bord du lit en utilisant un transfert de poids avant-arrière ou un contrepoids (figure 42-52 ■, *B*).

A

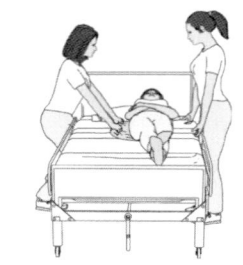

B

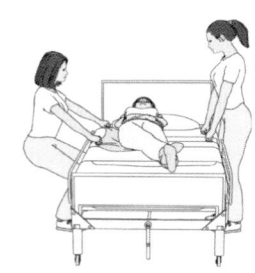

C

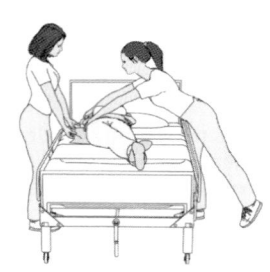

D

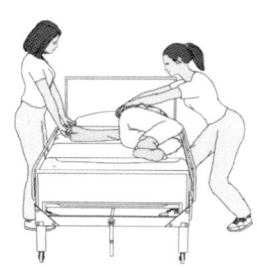

FIGURE 42-52 ■ Tourner une personne dans son lit à l'aide d'un piqué, d'un contrepoids et d'un transfert de poids avant-arrière : *A*, position de départ pour approcher la personne du bord du lit ; *B*, contrepoids pour effectuer le mouvement ; *C*, position de départ pour tourner la personne à l'aide d'un transfert de poids avant-arrière ; *D*, position finale. (Source : D'après *Principes pour le déplacement sécuritaire des bénéficiaires, PDSB – régulier (cahier du participant)*, (p. 72), de l'Association paritaire pour la santé et la sécurité du travail du secteur affaires sociales (ASSTSAS), 2004, Montréal.)

6. Placez correctement la tête de la personne, remettez ses jambes dans la bonne position et croisez le bras le plus proche de vous sur sa poitrine.

PROCÉDÉ 42-2 (SUITE)

Tourner une personne alitée pour la mettre en décubitus latéral ou ventral (suite)

INTERVENTION (suite)

7. Mettez l'épaule de la personne qui est la plus éloignée de vous légèrement en abduction en l'éloignant du corps et provoquez une rotation externe de l'épaule. *En tirant le bras vers l'avant, on peut tourner la personne plus facilement. Le fait de tirer l'autre bras pour l'éloigner du corps et provoquer une rotation externe de l'épaule empêche que le bras ne reste coincé sous le corps pendant la manœuvre.*

8. Croisez la cheville et le pied les plus éloignés de vous sur la cheville et le pied les plus près de vous. *Cette position permet de tourner la personne plus facilement. La préparation sur le côté du lit le plus proche de vous permet de prévenir les étirements superflus.*

9. Relevez les ridelles du côté de la personne avant de passer de l'autre côté du lit lorsque vous travaillez seule. *Ainsi, la personne ne risque pas de tomber, même si elle est placée près du bord du lit.*

10. En vous tenant du côté du lit vers lequel la personne va tourner, placez-vous à la hauteur de sa taille et le plus près possible du lit.

11. Penchez le tronc en avant à partir des hanches. Fléchissez les hanches, les genoux et les chevilles. Écartez les pieds et mettez un pied devant l'autre. Le poids doit se trouver sur ce pied. Placez une main sur la hanche la plus éloignée et l'autre main sur l'épaule

la plus éloignée de la personne (figure 42-52 ■, C). Il est possible aussi d'agripper le piqué au niveau de l'épaule et de la hanche. *Cette position des mains soutient la personne à la hauteur des deux parties les plus lourdes du corps, assurant ainsi une plus grande maîtrise du mouvement.*

12. Poussez vers l'arrière avec votre jambe avant et transférez ainsi le poids de la jambe avant sur la jambe arrière ; la personne roulera sur le côté, face à vous (figure 42-52 ■, D). *La personne se sentira plus en sécurité si elle vous fait face.*

13. Installez la personne sur le côté ; les bras et les jambes doivent être mis en position et soutenus comme il se doit (voir le tableau 42-9).

Variante : tourner la personne pour la mettre en décubitus ventral

Pour tourner une personne et la mettre en décubitus ventral, accomplissez les étapes précédentes, à deux exceptions près :

- Plutôt que de mettre le bras le plus éloigné en abduction, placez-le le long du corps pour que la personne roule par-dessus. *Ainsi, le bras ne restera pas coincé sous le corps pendant la manœuvre.*

- Roulez la personne complètement sur l'abdomen. *Il est essentiel d'approcher la personne le plus près possible du bord du lit avant de la tourner pour qu'elle se trouve au centre du lit après la manœuvre.*

Ne tirez jamais une personne sur le lit pendant qu'elle est en décubitus ventral. *Cela pourrait occasionner des blessures aux seins d'une femme ou aux organes génitaux d'un homme.*

ÉTAPE FINALE POUR LES TROIS NIVEAUX D'ASSISTANCE

Consignez toute l'information pertinente :

- Heure et type de changement de position (ancienne position et nouvelle position).
- Signes apparaissant aux surfaces d'appui.
- Utilisation de dispositifs de soutien.
- Capacité de la personne de participer au déplacement et au changement de position.
- Réaction de la personne au déplacement et au changement de position (par exemple, anxiété, douleur, étourdissements).

Sources : Adapté de *Principes pour le déplacement sécuritaire des bénéficiaires, PDSB – régulier (cahier du participant)*, (p. 78, 79 et 130), de l'Association paritaire pour la santé et la sécurité du travail du secteur affaires sociales (ASSTSAS), 2004, Montréal ; *Principes pour le déplacement sécuritaire des bénéficiaires, PDSB – régulier (cahier du participant)*, (p. 72), de l'Association paritaire pour la santé et la sécurité du travail du secteur affaires sociales (ASSTSAS), 1999, Montréal.

PROCÉDÉ 42-3

Tourner une personne en bloc

Objectif

- Tourner une personne dont le corps doit rester droit (comme un bloc) en tout temps, notamment une personne ayant un traumatisme médullaire. Ici, il faut redoubler d'attention pour éviter toute blessure supplémentaire. Cette technique exige la présence de deux infirmières ou, si la personne est corpulente, de trois infirmières. Si la personne a une blessure au niveau de la colonne cervicale, une des infirmières doit maintenir l'alignement de la tête et du cou.

INTERVENTION

Préparation

Déterminez :

- Les accessoires fonctionnels nécessaires.
- Ce qui pourrait entraver le mouvement, comme une intraveineuse ou une jambe plâtrée.
- Les médicaments que prend la personne ; certains médicaments peuvent gêner le mouvement ou affaiblir la vivacité d'esprit.
- L'aide nécessaire de la part des intervenants.

Exécution

1. Expliquez à la personne ce que vous allez faire, pourquoi vous allez le faire et comment elle peut coopérer. Écoutez les suggestions de la personne ou des autres intervenants. Expliquez-lui aussi que les résultats serviront à planifier les soins ou les traitements.
2. Lavez-vous les mains et observez les autres mesures de prévention des infections.
3. Assurez-vous que l'intimité de la personne est préservée.
4. Placez-vous et placez la personne dans la position appropriée avant de commencer la manœuvre.
   - Croisez les bras de la personne sur sa poitrine. *Ainsi, les bras ne resteront pas coincés sous le corps pendant la manœuvre.*
   - Placez-vous du même côté du lit, écartez les pieds et mettez un pied devant l'autre.
   - Penchez le tronc en avant et fléchissez les hanches, les genoux et les chevilles. *Il s'agit de la position de départ pour un transfert de poids avant-arrière.*
5. Tirez la personne vers le bord du lit.
   - Une infirmière compte : « Un, deux, trois, allez ! » Tous les intervenants tirent en même temps la personne vers le bord du lit en transférant leur poids sur la jambe arrière (figure 42-53 ■). *La synchronisation des mouvements permet de conserver le bon alignement du corps de la personne.*
6. Placez la personne pour la tourner sur le côté. Placez un oreiller pour soutenir la tête après que la personne aura été

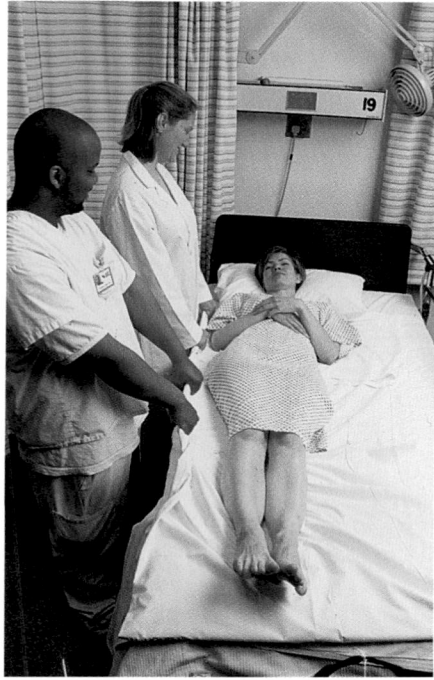

FIGURE 42-53 ■ Les infirmiers tirent le piqué pour amener la personne vers le bord du lit.

tournée. *Le soutien évite une flexion latérale du cou et préserve l'alignement de la colonne cervicale.*
   - Placez un ou deux oreillers entre les jambes de la personne pour soutenir la jambe du dessus pendant la manœuvre. *Ce soutien préviendra l'adduction de la jambe du dessus et permettra aux jambes de rester parallèles et alignées.*
7. Roulez la personne et mettez-la en position, dans le bon alignement.
   - Toutes les infirmières doivent fléchir les hanches, les genoux et les chevilles, écarter les pieds et mettre un pied en avant.
   - Toutes les infirmières doivent se pencher au-dessus de la personne et saisir le piqué au niveau des épaules et des hanches. *Ainsi, une grande partie du poids de la personne est répartie entre les bras de chaque infirmière.*

   - Une infirmière compte : « Un, deux, trois, allez ! » Toutes les infirmières roulent en même temps la personne et la mettent en position de décubitus latéral (figure 42-54 ■).
   - Il faut soutenir la tête, le dos et les membres supérieurs et inférieurs de la personne avec des oreillers.
   - Relevez les ridelles et placez la sonnette d'appel à la portée de la personne.
8. Consignez toute l'information pertinente :
   - Heure et type de changement de position (ancienne position et nouvelle position).
   - Signes apparaissant aux surfaces d'appui.
   - Utilisation de dispositifs de soutien.
   - Capacité de la personne de participer au déplacement et au changement de position.
   - Réaction de la personne au déplacement et au changement de position (par exemple, anxiété, douleur, étourdissements).

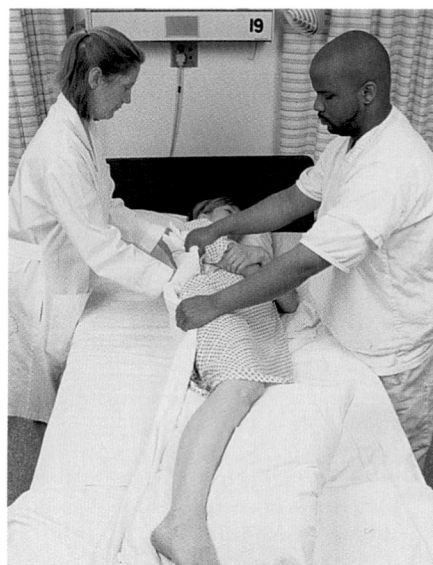

FIGURE 42-54 ■ L'infirmier à droite utilise le côté du piqué le plus éloigné pour rouler la personne vers lui ; l'infirmière à gauche reste derrière la personne et participe à la manœuvre.

PROCÉDÉ 42-4

Aider la personne à s'asseoir au bord du lit (jambes pendantes)

PLANIFICATION

Prenez connaissance du dossier de la personne dans le but de vérifier si d'autres infirmières ont consigné des observations sur la capacité de cette personne de se déplacer ou s'il n'y a pas de contre-indications au déplacement.

Objectif

- Aider la personne à s'asseoir au bord du lit avant de marcher, de s'installer dans un fauteuil ou un fauteuil roulant, de manger ou de faire d'autres activités.

INTERVENTION

Préparation

Déterminez :

- Les accessoires fonctionnels nécessaires.
- Ce qui pourrait entraver le mouvement, comme une intraveineuse ou une jambe plâtrée.
- Les médicaments que prend la personne ; certains médicaments peuvent gêner le mouvement ou affaiblir la vivacité d'esprit.
- L'aide nécessaire de la part des intervenants.

Exécution

NIVEAU D'ASSISTANCE : SUPERVISION

Une personne qui vient de subir une chirurgie abdominale ou qui est faible peut ressentir une trop grande douleur à l'abdomen ou manquer de force pour s'asseoir en position verticale dans son lit. On peut lui apprendre à s'asseoir au bord du lit, les jambes pendantes, sans aide.

1. Placez-vous du côté du lit vers lequel la personne se tournera et donnez-lui les directives suivantes :
   - « Pliez les genoux, tournez-vous sur le côté et sortez les jambes. » (figure 42-55 ■, *A*)
   - « Poussez sur le matelas avec la main extérieure et avec le coude intérieur. » (figure 42-55 ■, *B*)
   - « Poussez et pivotez jusqu'à ce que le tronc soit bien droit. »

Le tronc pivote de 90° si la tête du lit est à plat (figure 42-55 ■, C) et de 45° si la tête du lit est en position de Fowler (figure 42-55 ■, D). Plus l'angle de la tête du lit est grand, moins la personne doit déployer d'effort afin de s'asseoir.

NIVEAU D'ASSISTANCE : PARTIELLE

1. Expliquez à la personne ce que vous allez faire, pourquoi vous allez le faire et comment elle peut coopérer. Écoutez les suggestions de la personne ou des autres intervenants. Expliquez-lui aussi

A
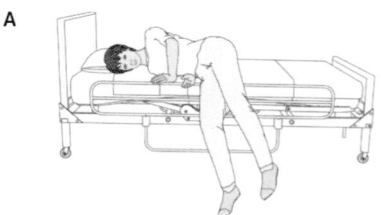

B
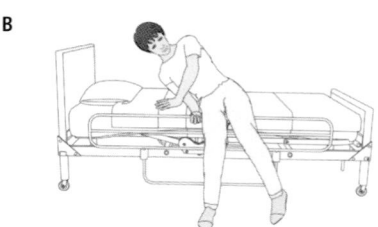

C
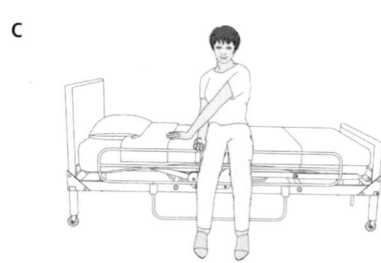

D
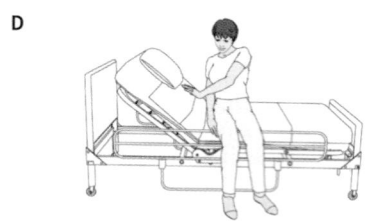

FIGURE 42-55 ■ Superviser une personne qui s'assoit au bord du lit : *A*, la personne sort les jambes du lit sur le côté ; *B*, elle pousse avec la main et le coude ; *C*, pivot de 90° ; *D*, pivot de 45°. (Source : D'après *Principes pour le déplacement sécuritaire des bénéficiaires, PDSB – régulier (cahier du participant)*, (p. 113-114), de l'Association paritaire pour la santé et la sécurité du travail du secteur affaires sociales (ASSTSAS), 2004, Montréal.)

que les résultats serviront à planifier les soins ou les traitements.

2. Lavez-vous les mains et observez les autres mesures de prévention des infections.

3. Assurez-vous que l'intimité de la personne est préservée.

4. Placez-vous et placez la personne dans la position appropriée avant de commencer la manœuvre.

Méthode 1 : aider la personne à s'asseoir à partir de la position couchée sur le côté

- Aidez la personne à prendre une position de décubitus latéral, face à vous.

- Relevez lentement la tête du lit dans la position la plus haute. *Cela réduit la distance que la personne devra parcourir pour s'asseoir au bord du lit.*

- Placez les pieds et la partie inférieure des jambes de la personne au bord du lit. *Les pieds de la personne peuvent ainsi bouger facilement à l'extérieur du lit pendant le mouvement. De plus, la gravité aide la personne à s'asseoir.*

- Placez-vous face aux hanches de la personne. Écartez les pieds. Fléchissez le genou près de la tête du lit.

- Placez un bras autour de l'épaule de la personne et posez votre autre main sur sa hanche (figure 42-56 ■, *A*). *Le fait de soutenir les épaules de la personne empêche cette dernière de tomber en arrière pendant le déplacement.*

- Effectuez un transfert de poids latéral (figure 42-56 ■, *B*). *Le poids des jambes de la personne qui pendent au bord du lit facilite le déplacement en contribuant à la verticalité de la partie supérieure du corps.*

- Continuez à soutenir la personne jusqu'à ce qu'elle ait trouvé son équilibre et soit assise dans une position confortable. *Certaines personnes risquent de s'évanouir.*

- Évaluez les signes vitaux (par exemple, pouls, respiration et pression artérielle), selon l'état de santé de la personne.

INTERVENTION (suite)

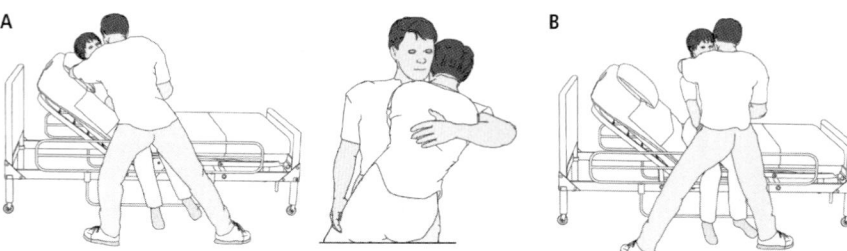

FIGURE 42-56 ■ Aider une personne à s'asseoir au bord du lit à partir de la position couchée sur le côté : *A,* envelopper soigneusement les épaules ; *B,* effectuer un transfert de poids latéral. (Source : D'après *Principes pour le déplacement sécuritaire des bénéficiaires, PDSB – régulier (cahier du participant),* (p. 82), de l'Association paritaire pour la santé et la sécurité du travail du secteur affaires sociales (ASSTSAS), 2004, Montréal.)

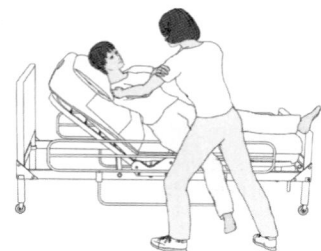

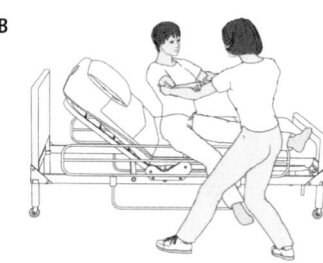

FIGURE 42-57 ■ Aider la personne à s'asseoir avec la prise des bras : *A,* position de départ ; *B,* position après le transfert de poids avant-arrière. (Source : D'après *Principes pour le déplacement sécuritaire des bénéficiaires, PDSB – régulier (cahier du participant),* (p. 80), de l'Association paritaire pour la santé et la sécurité du travail du secteur affaires sociales (ASSTSAS), 2004, Montréal.)

Méthode 2 : aider la personne à s'asseoir avec la prise des bras

- Redressez la tête du lit au maximum.
- Assurez-vous que la personne a suffisamment de force dans les bras.
- Demandez à la personne de sortir une jambe à l'extérieur du lit.
- Placez vos pieds de chaque côté de la jambe pendante de la personne (figure 42-57 ■, *A*).
- Saisissez les deux bras de la personne, qui fait de même.
- Effectuez un transfert de poids avant-arrière (figure 42-57 ■, *B*).

ÉTAPE FINALE POUR LES DEUX NIVEAUX D'ASSISTANCE

Consignez toute l'information pertinente :
- Heure et type de changement de position (ancienne position et nouvelle position).
- Signes apparaissant aux surfaces d'appui.
- Utilisation de dispositifs de soutien.
- Capacité de la personne de participer au déplacement et au changement de position.
- Réaction de la personne au déplacement et au changement de position (par exemple, anxiété, douleur, étourdissements).

ÉVALUATION

- Vérifiez l'intégrité de la peau aux surfaces d'appui de la position précédente. Comparez vos observations avec les données de l'évaluation précédente, le cas échéant. Faites le suivi des plaies de pression.
- Veillez au bon alignement de la personne après le changement de position. Faites une vérification visuelle et demandez à la personne si elle est installée confortablement.
- Déterminez si toutes les mesures de sécurité (par exemple, ridelles remontées) ont bien été prises.

- Déterminez la tolérance de la personne à l'activité (par exemple, signes vitaux avant et après la position assise au bord du lit), surtout s'il s'agit du premier changement de position.
- Signalez tout changement important au médecin.

———
Source : Adapté de *Principes pour le déplacement sécuritaire des bénéficiaires, PDSB – régulier (cahier du participant),* (p. 80, 82, 113 et 114), de l'Association paritaire pour la santé et la sécurité du travail du secteur affaires sociales (ASSTSAS), 2004, Montréal.

LES ÂGES DE LA VIE

Mettre en position, déplacer et tourner une personne

NOURRISSONS
- Toujours placer le nourrisson sur le dos.

ENFANTS
- Inspecter avec soin, au moins trois fois par 24 heures, la peau de toutes les surfaces d'appui des bébés et des enfants qui doivent rester alités.

PERSONNES ÂGÉES
- En raison de la diminution du tissu adipeux sous-cutané et de l'amincissement de la peau, les personnes âgées présentent des risques accrus de rupture de l'épiderme. Un change-

ment de position au moins toutes les deux heures réduit la pression des saillies osseuses et contribue à éviter les traumatismes de la peau.

- Les personnes ayant eu un accident vasculaire cérébral présentent des risques de luxation de l'épaule du côté paralysé si de mauvaises techniques de déplacement ou de positionnement sont utilisées. Il faut faire particulièrement attention quand on déplace ces personnes ou qu'on les met en position dans le lit. Il est utile d'utiliser des oreillers ou des dispositifs en mousse pour soutenir le bras et l'épaule paralysés, et éviter ainsi les blessures.

SOINS À DOMICILE

Mettre en position, déplacer et tourner une personne

- Quand l'infirmière fait une visite à domicile, il est particulièrement important qu'elle inspecte le matelas pour vérifier s'il offre un maintien suffisant. Utilisé pendant une période prolongée, un matelas qui s'affaisse, un matelas trop mou ou un lit d'eau insuffisamment rempli peut contribuer à l'apparition de contractures en flexion de la hanche ainsi qu'à des tensions et à des douleurs lombaires. On recommande de plus en plus aux personnes ayant des problèmes de dos ou susceptibles d'en avoir de dormir sur un matelas mou sous lequel on a glissé une planche en contreplaqué.

- L'infirmière doit évaluer les connaissances du proche aidant et la façon dont il applique les principes de la mécanique corporelle afin de diminuer les risques de blessures.

- Elle doit montrer comment tourner la personne alitée et la mettre en position dans le lit, et observer le proche aidant lorsqu'il effectue la manœuvre.

- L'infirmière doit montrer au proche aidant les principes de base de l'alignement corporel et la façon de vérifier si celui-ci est bon après avoir changé la personne alitée de position.

- Elle doit montrer au proche aidant comment vérifier la peau (rougeurs et intégrité) de la personne alitée après l'avoir changée de position. Le proche aidant doit mesurer le temps pendant lequel la peau des surfaces d'appui reste rouge après un changement de position et en aviser l'infirmière. L'infirmière doit préciser qu'il ne faut jamais masser les zones rouges. Cela pourrait en effet entraîner un traumatisme des tissus.

▣ Déplacer une personne

Un grand nombre de personnes ont besoin d'aide pour passer de leur lit à un fauteuil ou à un fauteuil roulant, du fauteuil roulant aux toilettes ou encore de leur lit à une civière. Toutefois, avant de déplacer une personne, l'infirmière doit déterminer si les capacités physiques et mentales de cette personne lui permettent ou non de participer au déplacement. De plus, l'infirmière doit analyser la situation et organiser l'activité. Voici la marche à suivre générale pour les techniques de déplacement :

- Planifier la manœuvre et la façon de procéder ; vérifier l'endroit où le déplacement aura lieu (les toilettes, par exemple, sont habituellement un espace trop petit) ; prévoir le nombre d'assistants nécessaires (un ou deux) pour procéder au déplacement en toute sécurité ; vérifier ses propres compétences et sa force ainsi que les capacités de la personne.

- Obtenir le matériel indispensable avant de commencer (par exemple, une ceinture de transfert, un fauteuil roulant) et vérifier son bon fonctionnement.

- Retirer tout ce qui pourrait encombrer l'endroit où le déplacement aura lieu.

- Expliquer le déplacement à la personne, y compris ce qu'elle devra faire.

CONSEILS PRATIQUES

Fauteuil roulant : mesures de sécurité

- Toujours bloquer les freins des deux roues pendant le transfert.

- Relever les plaques d'appui pour les pieds avant de faire asseoir la personne dans le fauteuil.

- Abaisser les plaques d'appui quand le transfert est terminé et placer les pieds de la personne dessus.

- S'assurer que la personne est bien assise au fond du fauteuil.

- Utiliser si nécessaire des ceintures qui s'attachent derrière le fauteuil pour empêcher les personnes confuses de tomber. *Remarque :* Ces ceintures sont considérées comme un moyen de contention et doivent être utilisées conformément aux politiques concernant le recours aux moyens de contention (voir le chapitre 36 ⬡).

- Pour entrer dans un ascenseur ou en sortir, placer les roues arrière du fauteuil en premier.

- En manœuvrant le fauteuil roulant sur une surface inclinée, se placer entre le fauteuil et le bas de la pente.

CONSEILS PRATIQUES

Civière : mesures de sécurité

- Bloquer les roues du lit et de la civière avant le transfert.

- Ne jamais laisser une personne sur une civière sans surveillance sauf si les roues sont bloquées et que les ridelles sont relevées des deux côtés.

- Toujours pousser la civière à partir de l'extrémité où se trouve la tête de la personne. Ainsi, en cas de collision, la tête de la personne est protégée.

- Si la civière a deux roues pivotantes et deux roues fixes :

  a) Toujours placer la tête de la personne à l'extrémité des roues fixes.

  b) Pousser la civière à partir de l'extrémité des roues fixes. La civière est ainsi plus facile à manœuvrer.

- Pour entrer dans un ascenseur, faire passer la tête de la personne en premier.

- Expliquer le déplacement au personnel ; préciser qui donnera les directives (une personne doit jouer le rôle de chef d'équipe).

- Toujours soutenir ou tenir la personne plutôt que le matériel.

- Pendant le déplacement, expliquer à la personne, étape par étape, ce qu'elle devra faire (par exemple, « Mettez le pied droit en avant »).

- Dresser un plan écrit du déplacement ; consigner également la tolérance de la personne (par exemple, le pouls et la respiration).

Du fait que les fauteuils roulants et les civières sont peu stables, leur utilisation peut entraîner des chutes et des blessures. Voir les précautions à prendre dans les encadrés *Conseils pratiques – Fauteuil roulant : mesures de sécurité* et *Conseils pratiques – Civière : mesures de sécurité.*

Ce sont les ceintures de transfert (ou de marche) qui offrent la plus grande sécurité. L'infirmière agrippe la ceinture pour diriger les mouvements de la personne pendant le déplacement. Dans un nombre croissant d'établissements de soins, le personnel utilise une ceinture de transfert pour faire marcher ou déplacer une personne. Le procédé 42-5 explique comment déplacer une personne du lit à un fauteuil et le procédé 42-6 explique comment déplacer une personne de la civière au lit. La section « Évaluation » qui se trouve à la fin du procédé 42-6 s'applique aussi au procédé 42-5.

PROCÉDÉ 42-5

Déplacement du lit à un fauteuil

Objectif

- Aider la personne à passer de son lit à un fauteuil roulant ou à un fauteuil, de son lit à une chaise d'aisances ou encore de son fauteuil roulant aux toilettes. Cette technique présente plusieurs variantes. Le choix de l'infirmière dépendra de facteurs liés à la personne, à l'environnement et aux règlements en vigueur dans l'établissement de soins. Il faut évaluer ces facteurs avant de commencer le déplacement.

COLLECTE DES DONNÉES

Évaluez

- La corpulence de la personne.
- La capacité de suivre les directives.
- La tolérance à l'activité.
- La force musculaire.
- La mobilité articulaire.
- La paralysie.
- Le niveau de confort.

- La présence d'hypotension orthostatique.
- La technique que la personne connaît.
- L'endroit où aura lieu la manœuvre (les toilettes, par exemple, sont habituellement un espace trop petit).
- Le nombre d'intervenants nécessaires (un ou deux) pour effectuer le déplacement en toute sécurité.
- La compétence et la force des infirmières.
- Le niveau d'assistance.

PLANIFICATION

Prenez connaissance du dossier de la personne dans le but de vérifier si d'autres infirmières ont consigné des observations sur la capacité de cette personne de se déplacer. Au besoin, appliquez les mesures de soulagement de la douleur nécessaires de manière à ce qu'elles aient commencé à agir au moment du déplacement.

Matériel

- Robe de chambre ou vêtements appropriés
- Pantoufles ou chaussures avec des semelles antidérapantes
- Ceinture de transfert ou de marche
- Fauteuil, chaise d'aisances, fauteuil roulant
- Planchette de transfert
- Levier à station debout

INTERVENTION

Préparation

- Planifiez la manœuvre et la façon de procéder.
- Obtenez le matériel essentiel avant de commencer (par exemple, ceinture de transfert, fauteuil roulant) et vérifiez son bon fonctionnement.
- Retirez tout ce qui pourrait encombrer l'endroit où le déplacement aura lieu.

Exécution

NIVEAU D'ASSISTANCE : SUPERVISION

1. En posant votre main sur l'épaule de la personne, donnez les consignes suivantes :
   - « Regardez le fauteuil et reculez jusqu'à ce que l'arrière de vos jambes touche le fauteuil. »

- « Mettez vos mains sur les appuie-bras. »
- « Pliez vos genoux pour vous asseoir. » (figure 42-58 ■)

NIVEAU D'ASSISTANCE : PARTIELLE

1. Expliquez le processus du déplacement à la personne. Pendant le déplacement, expliquez à la personne, étape par étape, ce qu'elle devra faire (par exemple, « Mettez votre pied droit en avant »).

2. Lavez-vous les mains et observez les autres mesures de prévention des infections.

3. Assurez-vous que l'intimité de la personne est préservée.

4. Disposez le matériel comme il se doit.

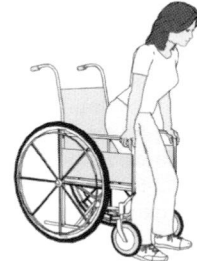

FIGURE 42-58 ■ Superviser une personne qui s'assoit dans son fauteuil. (Source : D'après *Principes pour le déplacement sécuritaire des bénéficiaires, PDSB – régulier (cahier du participant),* (p. 111), de l'Association paritaire pour la santé et la sécurité du travail du secteur affaires sociales (ASSTSAS), 2004, Montréal.)

PROCÉDÉ 42-5 (SUITE)

Déplacement du lit à un fauteuil (suite)

INTERVENTION (suite)

- Abaissez le lit de sorte que les pieds de la personne soient à plat sur le sol. Bloquez les roues du lit.
- Placez le fauteuil roulant parallèlement au lit, le plus près possible du lit. *Il importe d'approcher le fauteuil roulant du côté du lit correspondant au côté le plus fort de la personne.* Bloquez les roues du fauteuil roulant et relevez les plaques d'appui pour les pieds.

5. Préparez la personne et évaluez son état.
   - Aidez la personne à s'asseoir sur le bord du lit (voir le procédé 42-4).
   - Avant d'aider la personne à quitter son lit, évaluez la présence éventuelle d'hypotension orthostatique.
   - Aidez la personne à mettre une robe de chambre et des pantoufles ou des chaussures antidérapantes.

6. Donnez des instructions explicites à la personne.

Méthode 1 : prise avec les deux mains autour de la taille

Cette méthode est préconisée lors d'une assistance partielle majeure.

Demandez à la personne de :

- Se déplacer vers l'avant et s'asseoir sur le bord du lit. *Ainsi, le centre de gravité de la personne est plus proche de celui de l'infirmière.*
- Se pencher légèrement en avant, à partir des hanches. *Ainsi, le centre de gravité de la personne se trouve plus directement au-dessus du polygone de sustentation ; la tête et le tronc sont placés dans la direction du mouvement.*
- Écarter les pieds *pour améliorer la stabilité.*

Placez-vous correctement.

- Placez-vous directement en face de la personne. Fléchissez les hanches, les genoux et les chevilles. Écartez les pieds et placez-les de chaque côté des pieds de la personne sans les toucher (figure 42-59 ■, A). Vos genoux enserrent les genoux de la personne (figure 42-59 ■, B). *Les pieds collés sont moins stables en position debout. En bloquant les genoux, on se sert de ce point d'appui pour effectuer le contrepoids. Cette position favorise un meilleur équilibre pendant le déplacement.* Placez les mains de la personne autour de votre taille. La personne ne doit pas chercher à

attraper votre cou. *Cette précaution permet d'éviter les risques de blessures.*

- Passez les bras autour de la taille de la personne en utilisant une prise avec les mains croisées (figure 42-59 ■, C). *En soutenant la personne ainsi, on lui évite de pencher vers l'arrière pendant le déplacement.*

Aidez la personne à se mettre debout et à s'asseoir dans un fauteuil.

- Comptez « Un, deux, trois, allez ! » et, au signal, utilisez le contrepoids afin de

soulever le bassin de la personne. Dès que la personne a quitté le siège, redressez-vous ensemble en position debout (figure 42-59 ■, D).

- Gardez la personne en position debout pendant quelques instants. *Cela permet de tendre les articulations et de s'assurer de la stabilité de la personne avant de s'éloigner du lit.*
- Ensemble, pivotez d'environ 90° ou faites quelques pas vers le fauteuil (figure 42-59 ■, E).

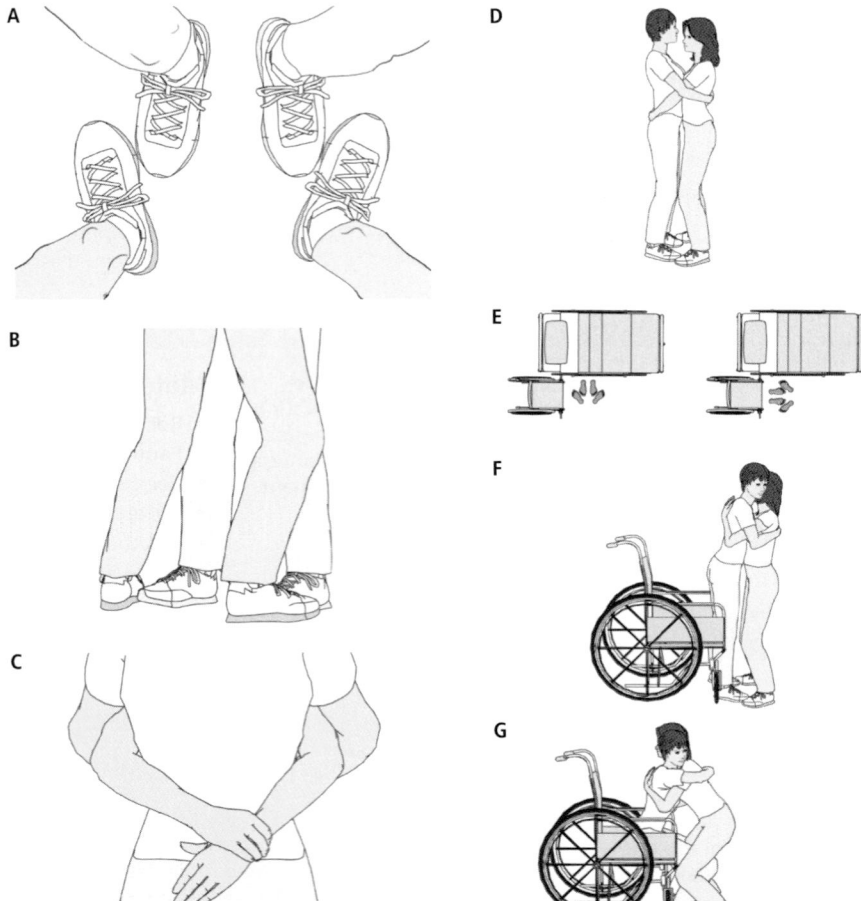

FIGURE 42-59 ■ Aider une personne à passer du lit à la chaise avec la méthode des deux mains autour de la taille : *A*, les pieds de l'infirmière sont placés de chaque côté des pieds de la personne ; *B*, l'infirmière bloque les genoux de la personne ; *C*, prise avec les mains croisées ; *D*, maintien de l'équilibre ; *E*, positions des pieds lors du déplacement ; *F*, position de départ pour aider une personne à s'asseoir ; *G*, léger contrepoids : descente en accompagnant la personne. (Source : D'après *Principes pour le déplacement sécuritaire des bénéficiaires, PDSB – régulier (cahier du participant)*, (p. 68-72), de l'Association paritaire pour la santé et la sécurité du travail du secteur affaires sociales (ASSTSAS), 2004, Montréal.)

INTERVENTION (suite)

- Faites reculer la personne jusqu'à ce qu'elle sente l'arrière de ses jambes toucher le fauteuil roulant. Assurez-vous au préalable que les roues ont été bloquées.
- Vos genoux légèrement fléchis touchent ceux de la personne.
- Déplacez vos mains vers les omoplates ou les épaules de la personne (figure 42-59 ■, *F*).
- Demandez à la personne de regarder vers le plancher et de s'asseoir. *Le fait de regarder vers le plancher entraîne une flexion du tronc.*
- Descendez avec la personne en enserrant légèrement ses genoux et en effectuant un léger contrepoids jusqu'à ce qu'elle soit assise (figure 42-59 ■, *G*). *Le fait de bloquer les genoux de la personne et de lui faire contrepoids adoucit sa descente.*

Méthode 2 : prise avec le coude et le pouce

Cette méthode est préconisée lors d'une assistance partielle légère.

Demandez à la personne de :

- Se déplacer vers l'avant et s'asseoir sur le bord du lit. *Ainsi, le centre de gravité de la personne est plus proche de celui de l'infirmière.*
- Se pencher légèrement en avant, à partir des hanches. *Ainsi, le centre de gravité de la personne se trouve plus directement au-dessus du polygone de sustentation ; la tête et le tronc sont placés dans la direction du mouvement.*
- Placer son pied du côté le plus fort près du bord du lit et l'autre pied en avant. *Ainsi, la personne peut utiliser les muscles du côté le plus fort pour se mettre en position debout et donner de la force au déplacement. Un polygone de sustentation plus large procure une plus grande stabilité à la personne pendant le déplacement.*
- Placer une main sur le lit de sorte qu'elle pourra exercer une poussée pour se lever. *Cela donnera plus de force au mouvement et réduira pour vous les risques de maux de dos.*
- Prendre votre pouce avec son autre main, tandis que vous lui saisissez le bras (figure 42-60 ■, *A*).

Placez-vous correctement.

- Placez-vous directement en face de la personne. Fléchissez les hanches et les genoux. Écartez les pieds et placez un pied en avant de l'autre. Si cela est possible, la personne doit placer ses pieds dans la même position, mais inversée (figure 42-60 ■, *B*). *Cette position*

favorise un meilleur équilibre pendant le déplacement.

Aidez la personne à se tenir debout et déplacez-vous ensemble vers le fauteuil roulant.

- Comptez « Un, deux, trois, allez ! » et, au signal, demandez à la personne de pousser avec le pied arrière, de transférer son poids sur le pied avant et de tendre les articulations des membres inférieurs. Effectuez un transfert de poids avant-arrière en poussant du pied avant vers le pied arrière (figure 42-60 ■, *C*).
- Soutenez la personne en position debout pendant quelques instants. *Cela vous permet de tendre les articulations et de*

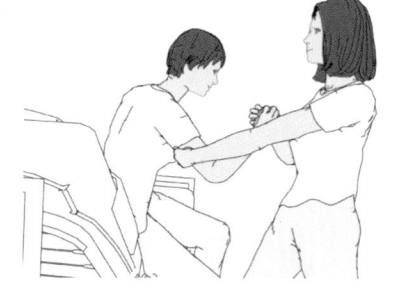

A

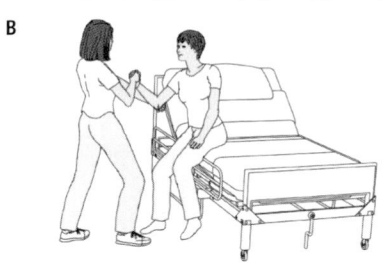

B

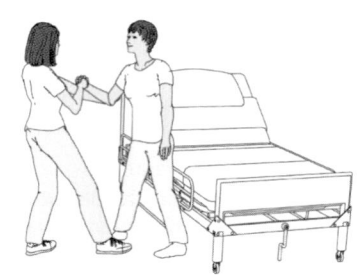

C

FIGURE 42-60 ■ Aider une personne à se lever du lit avec la méthode de la prise avec le pouce et le coude : *A*, la personne saisit le pouce de l'infirmière tandis que celle-ci lui tient le bras ; *B*, position des pieds ; *C*, transfert de poids avant-arrière. (Source : D'après *Principes pour le déplacement sécuritaire des bénéficiaires, PDSB – régulier (cahier du participant)*, (p. 66), de l'Association paritaire pour la santé et la sécurité du travail du secteur affaires sociales (ASSTSAS), 2004, Montréal.)

s'assurer de la stabilité de la personne avant de s'éloigner du lit.

- Ensemble, pivotez ou faites quelques pas vers le fauteuil roulant.

Aidez la personne à s'asseoir.

- Demandez à la personne de s'appuyer, en position debout, sur le fauteuil roulant et de placer les jambes contre le fauteuil. *Cette précaution réduit les risques de chute au moment de s'asseoir.*
- Demandez à la personne de placer ses deux mains sur les bras du fauteuil roulant. *Cela permet d'accroître la stabilité.*
- Comptez « Un, deux, trois, allez ! » et, au signal, demandez à la personne de se pencher vers l'avant et d'abaisser son corps sur le bord du siège du fauteuil roulant en fléchissant les articulations des hanches, des genoux et des bras.

Variante : déplacement à l'aide d'un levier à station debout

Le levier à station debout permet de transférer et de déplacer une personne de la position assise (sur le fauteuil, au bord du lit) à une autre position assise (sur la chaise d'aisances, aux toilettes, sur le fauteuil, etc.). La personne est retenue par une toile placée au niveau des hanches ou de la taille (figure 42-61 ■). Pour qu'on puisse utiliser le levier à station debout, la personne doit être autorisée à faire une mise en charge sur ses jambes et ses pieds et avoir un bon tonus au niveau du tronc.

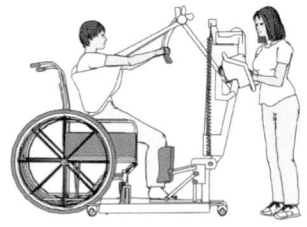

FIGURE 42-61 ■ Levier à station debout.

NIVEAU D'ASSISTANCE : TOTALE

Le transfert doit être effectué à l'aide d'un lève-personne ; il nécessite habituellement au moins deux infirmières.

1. Installez la toile.

- Tournez la personne sur le côté (voir le procédé 42-2).
- Déposez la moitié de la toile sur la personne et roulez l'autre moitié tout contre son dos (figure 42-62 ■, *A*). Ajustez la toile selon les indications du fabricant.
- Retournez la personne de l'autre côté, déroulez la toile sous elle (figure 42-62 ■, *B*) et remettez-la sur

PROCÉDÉ **42-5** (SUITE)

Déplacement du lit à un fauteuil (suite)

INTERVENTION (suite)

le dos. *La personne se trouve centrée sur la toile.*

2. Préparez le lève-personne.
   * Approchez le lève-personne, glissez la base sous le lit et élargissez la base au maximum. *L'élargissement de la base agrandit le polygone de sustentation.*
   * Fixez les sangles au levier selon la position voulue.

3. Effectuez le transfert.
   * Baissez le lit pour dégager le siège de la personne (figure 42-62 ■, *C*). *Le lit étant déjà monté pour faciliter le travail des infirmières, il est préférable de le baisser légèrement au lieu de soulever davantage la personne.*
   * Pendant qu'une infirmière soutient les jambes et participe au déplacement, l'autre infirmière manie le lève-personne et le dirige vers l'endroit voulu (figure 42-62 ■, *D*).
   * Une fois que la personne est placée au-dessus de l'endroit voulu, une infirmière déclenche le mécanisme pour faire descendre la personne tandis que l'autre infirmière dirige le mouvement et rectifie la position de la personne au besoin, en appuyant, par exemple, sur les genoux de celle-ci (figure 42-62 ■, *E*).

ÉTAPE FINALE POUR LES TROIS NIVEAUX D'ASSISTANCE
Veillez à la sécurité de la personne.
* Demandez à la personne de s'installer au fond du siège du fauteuil roulant. *Cette position élargit le polygone de sustentation, améliore la stabilité et réduit les risques de tomber du fauteuil. Un fauteuil roulant peut basculer si on s'assoit au bord du siège et si l'on se penche en avant.*
* Abaissez les plaques d'appui pour les pieds et placez-y les pieds de la personne.

A
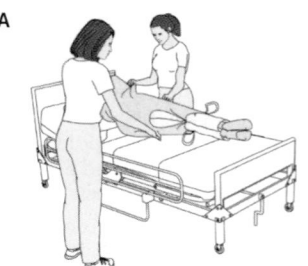

B
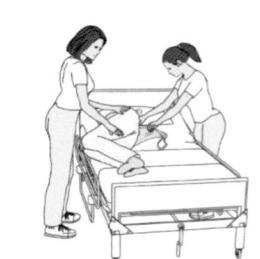

C
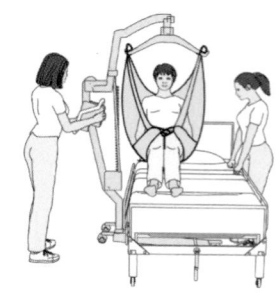

D
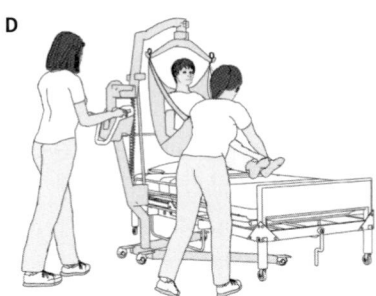

E
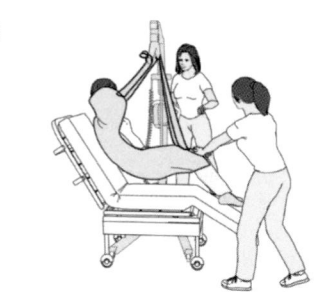

FIGURE **42-62** ■ Déplacer une personne de son lit au fauteuil à l'aide d'un lève-personne : *A,* installer la moitié de la toile sur la personne et rouler l'autre moitié près du corps de la personne ; *B,* dérouler la toile sous la personne ; *C,* baisser le lit pour dégager le siège de la personne ; *D,* effectuer le déplacement ; *E,* installer la personne au fauteuil. (Source : D'après *Principes pour le déplacement sécuritaire des bénéficiaires, PDSB – régulier (cahier du participant),* (p. 92-94), de l'Association paritaire pour la santé et la sécurité du travail du secteur affaires sociales (ASSTSAS), 2004, Montréal.)

Consignez toute l'information pertinente :
* Capacité de la personne de se mettre en charge et de pivoter.
* Nombre de personnes nécessaires au déplacement.
* Temps passé dans le fauteuil.
* Réaction de la personne au déplacement et à sa position dans le fauteuil ou le fauteuil roulant.

Source : Adapté de *Principes pour le déplacement sécuritaire des bénéficiaires, PDSB – régulier (cahier du participant),* (p. 66, 68-72, 92-94 et 111), de l'Association paritaire pour la santé et la sécurité du travail du secteur affaires sociales (ASSTSAS), 2004, Montréal.

PROCÉDÉ 42-6

Transfert de surface en position couchée : déplacement de la civière au lit

Objectif

- Déplacer une personne de la civière au lit.

COLLECTE DES DONNÉES

Évaluez

- La corpulence de la personne.
- La capacité de suivre les directives.
- La tolérance à l'activité.
- Le niveau de confort.

- L'endroit où la manœuvre doit avoir lieu.
- Le nombre d'intervenants nécessaires (un ou deux) pour effectuer le déplacement en toute sécurité.
- La compétence et la force des infirmières.

PLANIFICATION

Prenez connaissance du dossier de la personne dans le but de vérifier si d'autres infirmières ont consigné des observations sur la tolérance de cette personne à ce type de déplacement. Au besoin, appliquez les mesures de soulagement de la douleur nécessaires de manière à ce qu'elles aient commencé à agir au moment du déplacement.

Matériel

- Civière
- Planchette de transfert (facultatif)

INTERVENTION

Préparation

Rassemblez le matériel et le personnel nécessaires au déplacement.

Exécution

NIVEAU D'ASSISTANCE : SUPERVISION

1. Préparez la civière et le lit de la personne en vue du déplacement.
   - Réglez la tête de la civière et celle du lit à la même inclinaison, par exemple à plat ou à 45°.
   - Réglez la hauteur du lit pour qu'il soit légèrement plus bas que la civière. *Il est plus facile de suivre une inclinaison.*
   - Assurez-vous que les roues du lit sont bloquées.
   - Placez la civière parallèlement au lit ; bloquez les roues de la civière.
2. Demandez à la personne de se déplacer dans la civière pour se rapprocher du lit.
3. Aidez la personne à se déplacer de la civière au lit en donnant les instructions suivantes :
   - « Déplacez une jambe sur le lit. » (figure 42-63 ■, *A*)
   - « Appuyez la main sur le lit et soulevez les fesses. » (figure 42-63 ■, *B*)
4. Demandez à la personne de refaire ces deux mouvements jusqu'à ce qu'elle soit bien installée au centre du lit (figure 42-63 ■, *C*).

NIVEAU D'ASSISTANCE : TOTALE

1. Expliquez à la personne ce que vous allez faire, pourquoi vous allez le faire

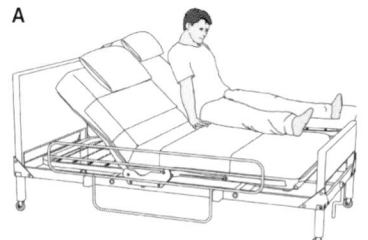

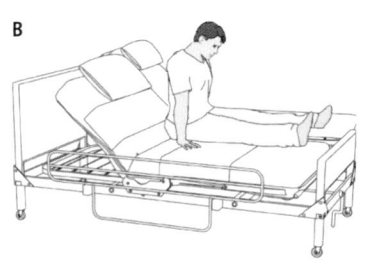

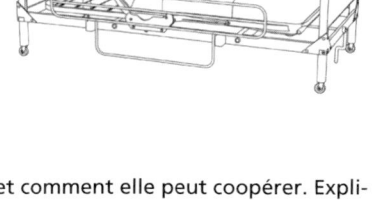

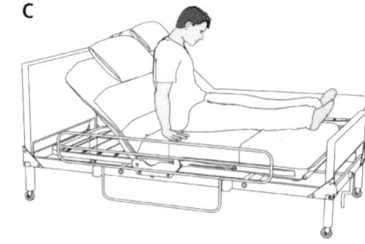

FIGURE 42-63 ■ Superviser une personne qui se déplace de la civière au lit : *A*, la personne déplace une jambe vers le bord du lit ; *B*, elle appuie la main sur le matelas du lit et soulève le siège ; *C*, elle reprend les étapes jusqu'à ce qu'elle soit installée au centre du lit. (Source : D'après *Principes pour le déplacement sécuritaire des bénéficiaires, PDSB – régulier (cahier du participant)*, (p. 119), de l'Association paritaire pour la santé et la sécurité du travail du secteur affaires sociales (ASSTSAS), 2004, Montréal.)

et comment elle peut coopérer. Expliquez la manœuvre à vos collègues et précisez qui doit donner les directives (une personne doit jouer le rôle de chef d'équipe).

2. Lavez-vous les mains et observez les autres mesures de prévention des infections.

3. Assurez-vous que l'intimité de la personne est préservée.

4. Préparez la civière et le lit de la personne en vue du déplacement.
   - Placez la tête du lit et de la civière à plat ou au degré le plus faible que la personne puisse tolérer.
   - Réglez la hauteur du lit pour qu'il soit légèrement plus bas que la civière. *Il est plus facile de suivre une inclinaison.*
   - Assurez-vous que les roues du lit sont bloquées.

PROCÉDÉ **42-6** (SUITE)

Transfert de surface en position couchée : déplacement de la civière au lit (suite)

INTERVENTION (suite)

5. Déplacez la personne vers le bord de la civière et mettez la civière en place.
   - Roulez le piqué le plus près possible du corps de la personne, agrippez le piqué au niveau des épaules et des hanches et mettez-vous en position en appuyant les genoux sur les ridelles (figure 42-64 ■, A).
   - Tirez la personne vers le bord de la civière en faisant un contrepoids (figure 42-64 ■, B).
   - Placez la civière parallèlement au lit ; bloquez les roues de la civière.

6. Insérez une planchette de transfert pour combler le vide entre le lit et la civière (figure 42-64 ■, C)
   - La planchette de transfert est une planchette en polyéthylène laqué ou lisse d'une largeur de 45 à 55 cm et d'une longueur de 182 cm, munie de poignées de chaque côté. Elle est conçue pour être utilisée par une seule infirmière ou par une équipe pouvant compter jusqu'à quatre personnes.
   - Faites rouler la personne dans une position latérale, dos vers vous, placez la planchette le plus près possible du dos de la personne et faites rouler celle-ci sur la planchette.

7. Déplacez la personne vers le lit en observant toutes les consignes de sécurité.
   - Déplacez les jambes de la personne sur le lit (figure 42-64 ■, D). *Le fait que les jambes soient déjà placées sur le lit limite la friction lors du déplacement.*
   - Agrippez le piqué au niveau des épaules et des hanches de la personne.
   - Tirez et glissez la personne de la civière au lit en exécutant un transfert de poids avant-arrière ou un contrepoids (figure 42-64 ■, E). *Un mouvement exécuté sur une surface inclinée*

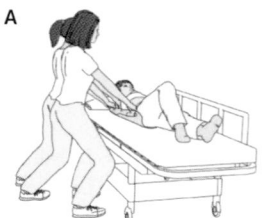
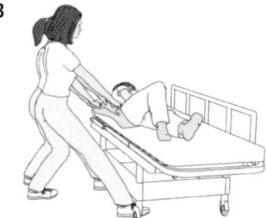

FIGURE 42-64 ■ Transfert de surface en position couchée, déplacement de la civière au lit : A, position de départ pour approcher une personne du bord du lit ; B, approcher la personne sur le bord du lit par contrepoids ; C, installer une planchette de transfert ; D, déplacer les jambes vers le lit ; E, agripper le piqué, tirer et glisser la personne par transfert de poids avant-arrière et par contrepoids. (Source : D'après ASSTSAS, (page consultée le 27 octobre 2004), [en ligne], <http://www.asstsas.qc.ca/dossier/pdsb-rep43.asp>.)

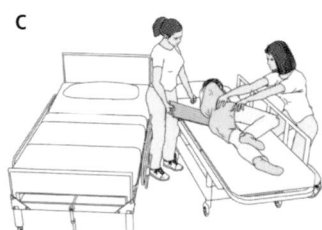

exige moins de force que sur une surface plane.
- Si possible, demandez à la personne de lever la tête pendant la manœuvre et de croiser les bras sur la poitrine. *Cette technique prévient le risque de blessures au cou et aux bras.*

ÉTAPE FINALE POUR LES DEUX NIVEAUX D'ASSISTANCE

Veillez à la sécurité de la personne.

Installez confortablement la personne.

Consignez toute l'information pertinente :
- Matériel utilisé
- Nombre de personnes nécessaires au déplacement
- Destination, s'il s'agit d'un transfert

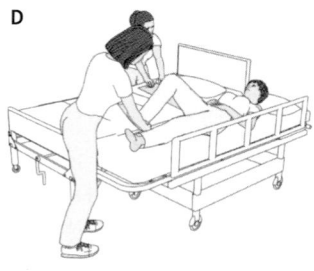
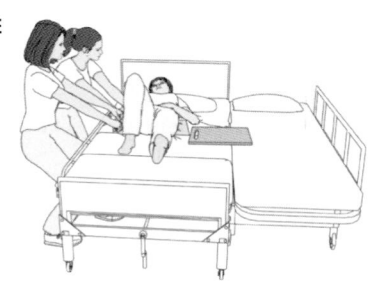

ÉVALUATION

- Comparez les capacités de la personne par rapport aux déplacements précédents, comme la mise en charge, la capacité de pivoter, la force et la maîtrise des mouvements.
- Signalez tout écart important par rapport à la normale au médecin.
- Consignez les mesures de sécurité adoptées par les différents intervenants pendant la manœuvre (par exemple, ceinture de transfert, immobilisation des roues du lit et du fauteuil roulant ou de la civière).

Source : Adapté de *Principes pour le déplacement sécuritaire des bénéficiaires, PDSB – régulier (cahier du participant),* (p. 119), de l'Association paritaire pour la santé et la sécurité du travail du secteur affaires sociales (ASSTSAS), 2004, Montréal.

LES ÂGES DE LA VIE

Déplacer une personne

NOURRISSONS

■ Pour déplacer un nourrisson qui est couché sur le côté ou sur le dos, on peut utiliser un berceau ou un lit à barreaux. Si le berceau est muni d'un plateau inférieur, celui-ci peut servir à transporter du matériel comme un moniteur.

TROTTINEURS

■ On doit transporter le trottineur dans un lit d'enfant équipé de hautes barres de sécurité, après avoir relevé les ridelles. On ne doit pas utiliser de civière, car l'enfant pourrait rouler ou tomber.

PERSONNES ÂGÉES

■ Redoubler de prudence avec les personnes âgées pour éviter les écorchures et les ecchymoses pendant un déplacement ou l'utilisation d'un lève-personne.

■ Comme l'état des personnes âgées change de jour en jour, toujours réévaluer la situation avant chaque déplacement, afin de rassembler le matériel et le personnel nécessaires.

■ Consigner la méthode employée pour déplacer chaque personne (matériel utilisé, meilleure position, nombre de personnes nécessaires) ; ces détails s'intègrent au plan de soins et peuvent être affichés dans la chambre de la personne pour servir de guide à tout le personnel infirmier.

■ Éviter les changements brusques de position. Ils peuvent causer une hypotension orthostatique et accroître les risques d'évanouissement et de chute.

SOINS À DOMICILE

Déplacement du lit à un fauteuil

■ Le proche aidant et la personne devraient pratiquer les techniques de déplacement sur place, avant de quitter l'établissement de soins.

■ Évaluer le mobilier au domicile de la personne. Son fauteuil préféré est-il muni d'appuie-bras qui en facilitent l'usage ? Examiner le tissu recouvrant le fauteuil. Est-il rugueux ? Causera-t-il des écorchures ? Si la personne doit utiliser un fauteuil roulant, y a-t-il assez d'espace dans la chambre et la salle de bain pour effectuer des déplacements en toute sécurité ?

■ Utiliser un lève-personne

Le lève-personne sert principalement à déplacer une personne incapable de s'aider. On peut utiliser un lève-personne pour déplacer une personne de son lit à un fauteuil roulant, à la baignoire ou à une civière. Le lève-personne traditionnel est un moyen de transfert et non pas un moyen de transport (figure 42-65 ■). Le lève-personne électrique est plus facile à utiliser et à diriger que les appareils manuels tels que le levier hydraulique. Certaines personnes peuvent même participer aux manœuvres en actionnant elles-mêmes le mécanisme : elles peuvent ainsi régler la hauteur,

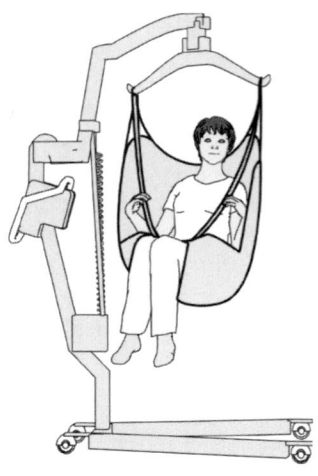

FIGURE **42-65** ■ Lève-personne mobile au sol.

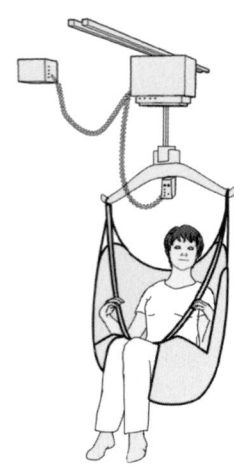

FIGURE **42-66** ■ Lève-personne sur rail au plafond.

la vitesse et le rythme du transfert. L'infirmière doit se familiariser avec le modèle et les pratiques en usage dans son milieu de travail. Avant d'utiliser un lève-personne, elle doit s'assurer qu'il fonctionne bien et que les accessoires sont en bon état. Dans les établissements du Québec, on conseille la présence de deux personnes pour utiliser un lève-personne. De plus en plus d'établissements possèdent des lève-personnes sur rail (figure 42-66 ■) ; ce type d'appareil sert parfois aussi au déplacement de la personne d'un endroit à un autre (par exemple, du fauteuil à la salle de bain).

■ Exercices d'amplitude des mouvements articulaires

En attendant de retrouver son niveau normal d'activité, la personne peut avoir besoin d'effectuer des exercices d'amplitude des mouvements articulaires. Les **exercices d'amplitude des mouvements articulaires actifs** sont des exercices isotoniques au cours desquels la personne fait bouger chacune de ses articulations selon l'amplitude du mouvement, pour étirer au maximum, dans chacun des plans, tous les groupes de muscles qui s'y rattachent. Ces exercices permettent de conserver ou d'accroître la force et l'endurance musculaires, et d'entretenir la fonction respiratoire chez une personne immobilisée. Ils préviennent également la détérioration des capsules articulaires, l'ankylose et les contractures.

La personne capable d'accomplir les AVQ de manière autonome, de changer de position dans son lit, de quitter son lit pour s'installer dans un fauteuil roulant ou sur une chaise ou encore de marcher sur une courte distance ne couvre pas forcément tout l'éventail possible des exercices d'amplitude des mouvements articulaires ; seuls quelques groupes de muscles sont étirés au maximum au cours de ces activités. En effet, même si la personne réussit à effectuer certains de ces étirements quand elle se brosse les cheveux, prend son bain et s'habille, ces mouvements ne touchent que les membres supérieurs. Il est très improbable qu'une personne immobilisée, si elle ne se lève pas ou ne marche pas, effectue des mouvements articulaires complets faisant travailler ses membres inférieurs. C'est pourquoi la plupart des personnes en fauteuil roulant et un grand nombre d'autres personnes doivent effectuer des exercices d'amplitude des mouvements articulaires jusqu'à ce qu'elles reprennent leurs activités normales.

Au début, l'infirmière doit indiquer à la personne la marche à suivre pour faire les exercices ; plus tard, la personne peut parfois les exécuter seule. Les directives relatives à ces exercices sont présentées dans l'encadré *Enseignement – Exercices d'amplitude des mouvements articulaires actifs*.

Les **exercices d'amplitude des mouvements articulaires passifs** sont exécutés par une personne autre que la personne soignée. Cette autre personne fait bouger chacune des articulations de la personne soignée selon l'amplitude de mouvement, en étirant au maximum, dans chacun des plans, tous les groupes de muscles qui s'y rattachent. Ces exercices permettent de conserver une certaine souplesse des articulations, mais, comme la personne soignée n'est pas en mesure de contracter ses muscles, ces exercices ne permettent pas d'entretenir la force musculaire. C'est pourquoi on ne doit effectuer les exercices passifs que si la personne est incapable de faire elle-même les exercices actifs.

On doit effectuer des exercices d'amplitude des mouvements articulaires passifs pour chaque mouvement des bras, des jambes et du cou que la personne ne peut exécuter seule. Tout comme dans le cas des exercices actifs, on devrait exécuter les exercices passifs jusqu'à ce qu'une légère résistance se fasse sentir, sans aller jusqu'à provoquer de la douleur. Il faut procéder méthodiquement et recommencer la même séquence d'exercices à chaque séance. On doit refaire chaque exercice trois fois, et la série entière doit être exécutée deux fois par jour. Il est utile d'en exécuter une série à l'heure du bain. Les exercices passifs se font le mieux quand la personne est en décubitus dorsal dans son lit. L'encadré *Conseils pratiques – Exécution des exercices d'amplitude des mouvements articulaires passifs* fournit des directives générales à ce sujet.

On peut aussi assigner à la personne des exercices semi-actifs ; la personne se sert alors de sa jambe ou de son bras le plus fort pour faire bouger les articulations d'un membre immobile. On doit lui indiquer comment faire pour soutenir le membre affaibli et le mouvoir avec le bras ou la jambe selon l'amplitude possible. L'infirmière continue ensuite le mouvement passif jusqu'à

ENSEIGNEMENT

Exercices d'amplitude des mouvements articulaires actifs

- Exécuter chaque exercice jusqu'à ce qu'une légère résistance se fasse sentir, sans jamais dépasser cette limite ni provoquer de douleur.
- Procéder méthodiquement et recommencer la même séquence d'exercices à chacune des séances.
- Faire chaque exercice trois fois.
- Exécuter la série d'exercices deux fois par jour.

PERSONNES ÂGÉES

- Dans le cas des personnes âgées, il n'est pas nécessaire que le mouvement de chaque articulation atteigne une amplitude maximale. Il faut plutôt se concentrer sur la mobilité nécessaire pour accomplir les AVQ, notamment marcher, s'habiller, se brosser les cheveux, se doucher et cuisiner.

son point maximal. Cette activité permet d'accroître les mouvements actifs exécutés du côté fort et d'entretenir la souplesse des articulations du côté faible. Elle est particulièrement utile pour une personne hémiplégique victime d'un accident vasculaire cérébral.

Les AVQ permettent également d'entretenir la souplesse fonctionnelle des articulations. En voici quelques exemples :

- Manger, se raser, soigner son apparence et prendre son bain font travailler le coude (flexion et extension) et l'épaule (abduction).
- Les activités faisant appel à la motricité fine, notamment écrire et manger, font travailler les doigts (flexion, extension, adduction et abduction) et le pouce (opposition).
- La marche fait intervenir le travail des épaules (flexion et extension), des hanches (flexion, extension et hyperextension), des genoux (flexion et extension) et des chevilles (flexion plantaire et dorsiflexion).
- S'étirer pour atteindre un objet sollicite les épaules (flexion, extension et, parfois, légère abduction ou adduction).
- S'habiller fait travailler plusieurs articulations.

CONSEILS PRATIQUES

Exécution des exercices d'amplitude des mouvements articulaires passifs

- S'assurer que la personne comprend le but des exercices.
- Si l'on croit que les mains risquent d'enfler, retirer les bagues.
- Habiller la personne d'une chemise d'hôpital ample et la couvrir d'une serviette de bain.
- Pendant les exercices, adopter une mécanique corporelle adéquate pour éviter de s'étirer un muscle ou d'étirer un muscle de la personne, de se blesser ou de blesser la personne.
- Élever le lit à la hauteur voulue.
- N'exposer que le membre qui travaille pour éviter de mettre la personne mal à l'aise.

- Dans le but de prévenir un étirement ou une blessure musculaire, soutenir le membre de la personne au-dessus et en dessous de l'articulation (figure 42-67 ■). On peut aussi tenir l'articulation dans la paume de la main ou soutenir le membre avec l'avant-bras (figure 42-68 ■). Si l'articulation est douloureuse (par exemple, en cas d'arthrose), soutenir le membre dans la région musculaire au-dessus et en dessous de l'articulation.
- Tenir le membre fermement, mais sans provoquer de douleur.
- Faire bouger les parties du corps doucement, lentement et de façon rythmée. Les mouvements saccadés entraînent de

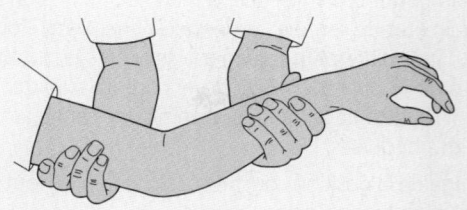

FIGURE 42-67 ■ Soutien d'un membre au-dessus et en dessous de l'articulation pendant des exercices passifs.

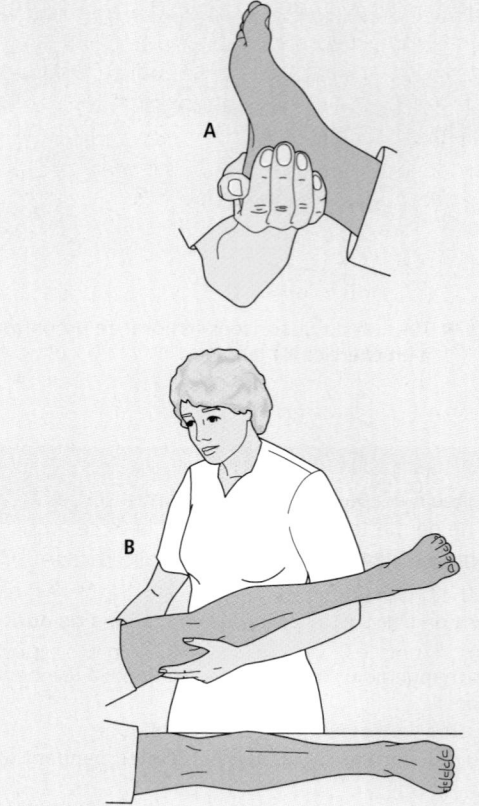

l'inconfort, voire des blessures. Les mouvements rapides peuvent provoquer de la spasticité (une contraction musculaire involontaire, soudaine et prolongée) ou de la rigidité (une crispation ou une absence de souplesse).

- Éviter de dépasser l'amplitude de mouvement maximale de la partie du corps. Cela pourrait provoquer un étirement, de la douleur ou une blessure. Cette mise en garde est particulièrement importante dans le cas des personnes atteintes de paralysie flasque ; on peut en effet étirer leurs muscles et disloquer leurs articulations sans qu'elles s'en rendent compte.
- Si un spasme musculaire se produit, interrompre le mouvement temporairement tout en continuant à appliquer une légère pression sur la partie concernée jusqu'à ce que le muscle se détende. Continuer ensuite le mouvement.
- S'il y a contracture, appliquer lentement une pression ferme, sans causer de douleur, pour étirer les fibres musculaires.
- S'il y a rigidité, appliquer une pression sur la partie touchée et poursuivre l'exercice.
- Dans le cas de soins donnés à domicile, expliquer à l'aidant naturel les objectifs visés par les exercices d'amplitude des mouvements articulaires passifs et les techniques à adopter.
- Éviter de trop étirer les articulations chez les personnes âgées souffrant d'arthrite.
- Profiter de la séance d'exercices pour évaluer en même temps l'état de la peau.

FIGURE 42-68 ■ Soutien d'un membre pendant des exercices passifs : *A*, dans la paume de la main ; *B*, avec l'avant-bras.

> **! ALERTE CLINIQUE** *Les personnes qui doivent faire des exercices d'amplitude des mouvements articulaires passifs à la suite d'une invalidité doivent passer progressivement à des exercices semi-actifs, puis à des exercices actifs.* ■

■ Marche

La **marche** est une fonction naturelle pour la plupart des gens. Or, les personnes alitées ne peuvent pas marcher. Plus une personne reste alitée longtemps, plus elle a de la difficulté à recommencer à marcher.

Même au bout d'une journée ou deux au lit, la personne se sent faible au lever, instable et chancelante. Cet état de faiblesse est encore plus prononcé en cas d'intervention chirurgicale ou d'immobilisation prolongée, ou encore chez une personne âgée. L'immobilité provoque beaucoup moins de problèmes si la personne se remet à marcher le plus tôt possible. L'infirmière doit aider la personne à se préparer à marcher en favorisant son autonomie pendant qu'elle est alitée. L'infirmière doit inciter la personne alitée à accomplir des AVQ, à conserver un bon alignement corporel et

à faire, dans la mesure du possible, des exercices d'amplitude des mouvements articulaires actifs, selon les limites imposées par l'affection et le plan de soins et de traitements infirmiers.

EXERCICES DE PRÉPARATION À LA MARCHE. Une personne qui a été alitée pendant une longue période doit faire des exercices pour améliorer son tonus musculaire et raffermir les muscles sollicités pendant la marche. Le quadriceps est l'un des groupes musculaires les plus importants ; il facilite l'extension du genou et la flexion de la cuisse ; il joue un rôle important quand il s'agit de lever la jambe, par exemple au moment de gravir des marches. Pour raffermir ces muscles, la personne doit les tendre volontairement. Elle doit appuyer le creux poplité sur le lit tout en relâchant la cheville sur le lit (figure 42-69 ■). On peut faire cet exercice du quadriceps en comptant ainsi : à un, on tend les muscles ; à deux, trois et quatre, on les maintient dans cette position ; à cinq, on les relâche. Il faut respecter la tolérance de chaque personne et éviter de fatiguer les muscles. Si l'on fait cet exercice simple à plusieurs reprises au cours de la journée, il raffermira considérablement les muscles sollicités pendant la marche.

AIDER LA PERSONNE À MARCHER. Même si une personne n'est immobilisée que pendant quelques jours, elle pourrait avoir

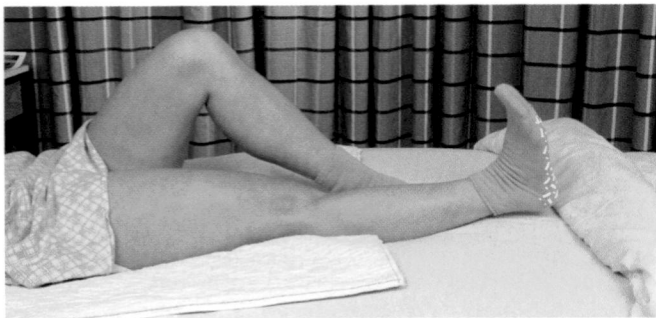

FIGURE 42-69 ■ Tension du quadriceps fémoral en préparation à un exercice de marche.

besoin d'aide pour recommencer à marcher, selon son affection, son âge, son état de santé et la période d'inactivité. Pour aider la personne, l'infirmière peut marcher à ses côtés en lui fournissant un appui (voir le procédé 42-7) ou encore lui expliquer le fonctionnement d'une aide technique, comme une canne, un déambulateur ou des béquilles.

Le passage de la position couchée à la position debout provoque parfois une hypotension orthostatique; si tel est le cas, il faut informer la personne des mesures à prendre pour limiter ce problème (voir l'encadré *Enseignement – Prévention de l'hypotension orthostatique*). Cet état peut s'accompagner des symptômes suivants: pâleur, diaphorèse, nausée, tachycardie et étourdissements. Si l'un ou l'autre de ces symptômes se manifeste, il faut aider la personne à se coucher sur le dos et l'examiner attentivement.

 ENSEIGNEMENT

Prévention de l'hypotension orthostatique

- Se reposer en gardant la tête du lit élevée de 30° environ. Cette position atténuera l'effet du changement de position au lever.
- Éviter les changements brusques de position. Se lever en trois étapes:
  a) Rester assis dans son lit pendant une minute.
  b) S'asseoir au bord du lit, jambes pendantes, pendant une minute.
  c) Se lever doucement, en s'appuyant sur le bord du lit ou sur tout autre objet immobilisé pendant une minute.
- Ne jamais se baisser complètement jusqu'au sol, ni se relever brusquement après s'être baissé.
- Attendre au moins une heure après le lever avant de se raser ou de se brosser les cheveux.
- Porter des bas de compression pendant le jour pour éviter la stase veineuse dans les jambes.

- Se rappeler que les symptômes d'hypotension sont le plus prononcés aux heures suivantes:
  a) De 30 à 60 minutes après un repas copieux
  b) De une à deux heures après un traitement antihypertenseur
- Sortir d'un bain chaud très lentement, car les températures élevées favorisent l'accumulation de sang.
- Se bercer régulièrement sur une chaise berçante pour améliorer la circulation dans les membres inférieurs. Même une légère mise en forme des jambes peut raffermir le tonus musculaire et améliorer la circulation.
- S'abstenir de toute activité exigeant un effort et nécessitant de retenir son souffle et de forcer. L'action de forcer en retenant son souffle s'appelle manœuvre de Valsalva; cette action ralentit la fréquence cardiaque et provoque ultérieurement une baisse de la pression artérielle.

PROCÉDÉ 42-7

Aider une personne à marcher

Objectif
- Créer les conditions nécessaires pour que la personne puisse marcher en toute sécurité, et lui apporter toute l'aide nécessaire.

COLLECTE DES DONNÉES

Évaluez
- La durée de l'alitement et l'heure du dernier lever.
- Les signes vitaux.
- L'amplitude du mouvement des articulations sollicitées pendant la marche (par exemple, hanches, genoux et chevilles).
- La force musculaire des membres inférieurs.
- Le besoin d'utiliser une aide à la marche (par exemple, canne, déambulateur ou béquilles).
- La prise de médicaments (par exemple, opioïdes, sédatifs, calmants et antihistaminiques) provoquant de la somnolence,

des étourdissements, un état de faiblesse ou d'hypotension orthostatique et limitant sérieusement la capacité de la personne à marcher en toute sécurité.
- La présence d'inflammation des articulations, de fractures, de faiblesse musculaire ou d'autres affections pouvant nuire à la mobilité.
- La capacité de comprendre des directives.
- Le niveau de douleur.
- Le niveau d'assistance.

PLANIFICATION

Appliquez les mesures de soulagement de la douleur nécessaires de manière à ce qu'elles aient commencé à agir au moment du déplacement.

L'aide dont la personne aura besoin pour marcher dépend de facteurs liés à son état, notamment l'âge, l'état de santé, la période d'inactivité et la disposition émotionnelle. Passez en revue les expériences antérieures de marche et leurs résultats. Planifiez la distance à parcourir avec la personne suivant les recommandations. Au besoin, raccourcissez le trajet en fonction de la tolérance à l'activité de la personne.

Matériel

- Ceinture de transfert si l'on sait que la personne est instable
- Fauteuil roulant pour suivre la personne ou fauteuils disposés le long du parcours pour qu'elle puisse se reposer

INTERVENTION

Préparation

Assurez-vous que d'autres personnes seront disponibles, au besoin. Planifiez le trajet dans un espace où les obstacles sont réduits au minimum.

Exécution

NIVEAU D'ASSISTANCE : SUPERVISION

1. Expliquez à la personne que vous allez l'accompagner dans sa marche et que vous demeurerez tout près d'elle. *Cela permet de la sécuriser.*

2. Dites à la personne qu'il est préférable qu'elle se repose à la moindre fatigue. *Si la personne attend d'être trop fatiguée, elle risque plus de tomber et elle n'aura peut-être pas la force de faire le chemin inverse pour revenir.*

3. Décrivez à la personne le parcours prévu, indiquez la distance estimée et les endroits où elle peut se reposer (par exemple, des chaises disposées dans le corridor). *Ces indications permettent à la personne de mieux visualiser le déplacement et de planifier des temps de pause.*

4. Préparez la personne pour la marche.
   - Veillez à ce que la personne porte des vêtements appropriés à la marche et des chaussures ou des pantoufles avec des semelles antidérapantes.
   - Au besoin, mettez des bas de compression (bas élastiques) à la personne.
   - Aidez la personne à s'asseoir au bord du lit.
   - Avant d'aider la personne à se lever, surveillez tout signe ou symptôme d'hypotension orthostatique (étourdissements, sensation de vertige ou augmentation soudaine de la fréquence cardiaque).
   - Aidez la personne à se tenir debout près du lit jusqu'à ce qu'elle se sente sûre d'elle.

5. Donnez les instructions suivantes afin d'amorcer la marche si la personne est hésitante :
   - « Penchez légèrement le corps vers l'avant. » (figure 42-70 ■, *A*)
   - « Penchez légèrement le corps sur le côté. » (figure 42-70 ■, *B*)

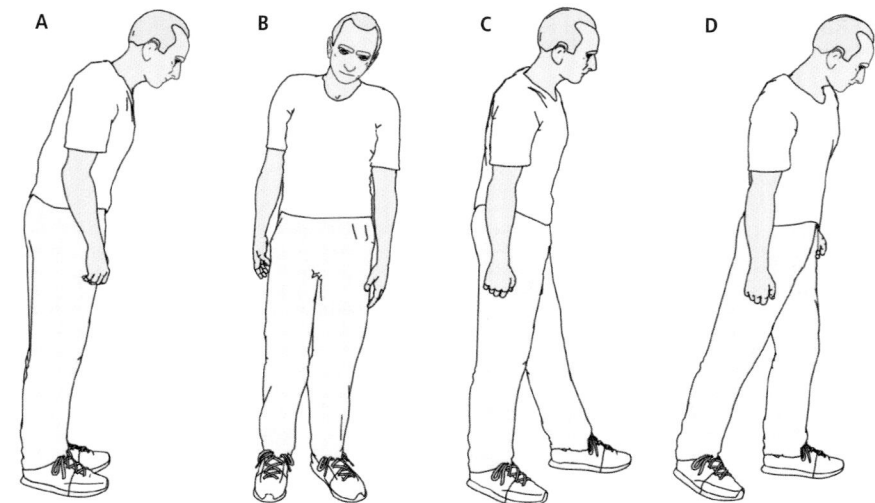

FIGURE 42-70 ■ Instructions pour faire un premier pas. (Source : D'après *Principes pour le déplacement sécuritaire des bénéficiaires, PDSB – régulier (cahier du participant),* (p. 116), de l'Association paritaire pour la santé et la sécurité du travail du secteur affaires sociales (ASSTSAS), 2004, Montréal.)

   - « Soulevez le pied sur lequel il y a le moins de mise en charge. » (figure 42-70 ■, *C*)
   - « Faites le premier pas. » (figure 42-70 ■, *D*)

6. Veillez à la sécurité de la personne pendant tout le parcours.
   - Encouragez-la à marcher seule si elle en est capable, mais restez à ses côtés.

NIVEAU D'ASSISTANCE : PARTIELLE

1. Expliquez à la personne ce que vous allez faire, pourquoi vous allez le faire et comment elle peut coopérer. Expliquez-lui aussi que les résultats serviront à planifier les soins ou les traitements.

2. Lavez-vous les mains et observez les autres mesures de prévention des infections.

3. Veillez à ce que la personne porte des vêtements appropriés à la marche et des chaussures ou des pantoufles avec des semelles antidérapantes.

4. Préparez la personne pour la marche.
   - Au besoin, mettez des bas de compression à la personne.
   - Aidez la personne à s'asseoir au bord du lit.
   - Avant d'aider la personne à se lever, surveillez tout signe ou symptôme d'hypotension orthostatique (étourdissements, sensation de vertige ou augmentation soudaine de la fréquence cardiaque).
   - Aidez la personne à se tenir debout près du lit jusqu'à ce qu'elle se sente sûre d'elle.

5. Veillez à la sécurité de la personne pendant tout le parcours.
   - Si c'est la première fois que la personne se lève après une intervention chirurgicale, une blessure ou une période d'immobilité prolongée, ou qu'elle est assez faible ou instable, demandez à un autre intervenant de vous suivre.

PROCÉDÉ 42-7 (SUITE)

Aider une personne à marcher (suite)

INTERVENTION (suite)

Méthode 1 : prise coudes à coudes avec la personne

- Agrippez la personne par les coudes (figure 42-71 ■, A).
- Donnez à la personne les instructions suivantes :
  « Regardez-moi, penchez-vous légèrement en avant, avancez une jambe, puis l'autre. » (figure 42-71 ■, B)

Méthode 2 : stimuler du bout des doigts

- Agrippez les doigts de la personne en vous servant de vos doigts comme d'un crochet.
- Donnez à la personne les instructions suivantes :
  « Regardez-moi, allongez vos bras, penchez-vous un peu vers l'avant, avancez une jambe, puis l'autre. » (figure 42-72 ■)

Méthode 3 : stimuler avec une prise du pouce

- Si la personne est hésitante ou instable, accompagnez-la du côté le plus faible.
- Tenez la main de la personne avec une prise du pouce (figure 42-73 ■, A) et passez l'autre main sous le coude (figure 42-73 ■, B).
- Demandez à la personne de regarder devant et de se pencher légèrement vers l'avant (figure 42-73 ■, C).
- Guidez la personne en lui disant d'avancer une jambe, puis l'autre, et suivez son rythme en exécutant des chassés (petits pas de côté) (figure 42-73 ■, D).
- Incitez la personne à adopter une posture et une démarche aussi normales que possible.

Méthode 4 : contact étroit

- Si la personne est faible et instable, placez le bras le plus proche autour de sa taille et, avec l'autre bras, soutenez son avant-bras et sa main (figure 42-74 ■, A). *Cette prise permet le rapprochement des deux centres de gravité afin de limiter l'effort.*
- Accompagnez la personne du côté le plus faible.
- Demandez à la personne de regarder devant et de se pencher légèrement vers l'avant.
- Guidez la personne en lui disant d'avancer une jambe, puis l'autre, et suivez son rythme en effectuant des chassés (petits pas de côté) (figure 42-74 ■, B).

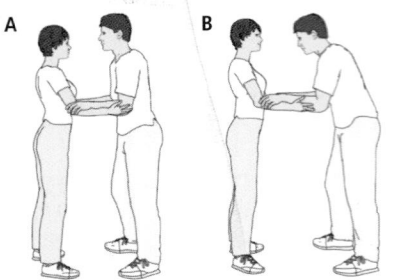
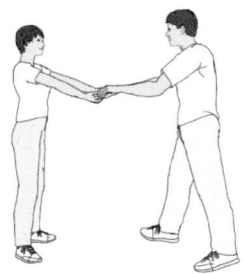

FIGURE 42-71 ■ *A*, Prise coudes à coudes. *B*, Position de marche. (Source : D'après *Principes pour le déplacement sécuritaire des bénéficiaires, PDSB – régulier (cahier du participant)*, (p. 131), de l'Association paritaire pour la santé et la sécurité du travail du secteur affaires sociales (ASSTSAS), 2004, Montréal.)

FIGURE 42-72 ■ Stimuler du bout des doigts. (Source : D'après *Principes pour le déplacement sécuritaire des bénéficiaires, PDSB – régulier (cahier du participant)*, (p. 131), de l'Association paritaire pour la santé et la sécurité du travail du secteur affaires sociales (ASSTSAS), 2004, Montréal.)

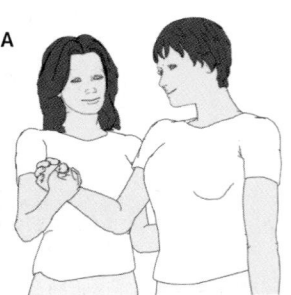
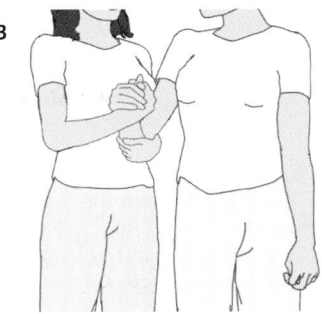
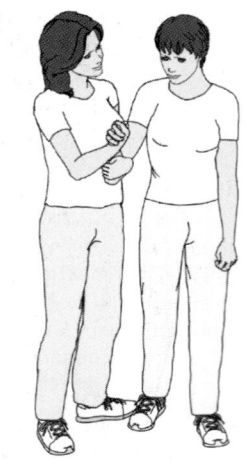
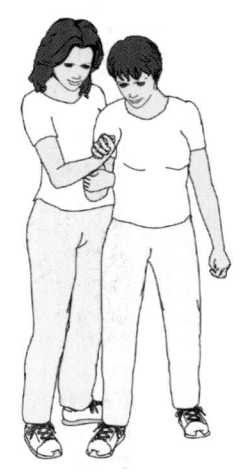

FIGURE 42-73 ■ Aider une personne à marcher avec une prise du pouce : *A*, la personne tient le pouce de l'infirmière ; *B*, l'infirmière soutient le coude de la personne ; *C*, la personne se penche légèrement en avant ; *D*, l'infirmière accompagne la personne en avançant de côté par des chassés. (Source : D'après *Principes pour le déplacement sécuritaire des bénéficiaires, PDSB – régulier (cahier du participant)*, (p. 132), de l'Association paritaire pour la santé et la sécurité du travail du secteur affaires sociales (ASSTSAS), 2004, Montréal.)

INTERVENTION (suite)

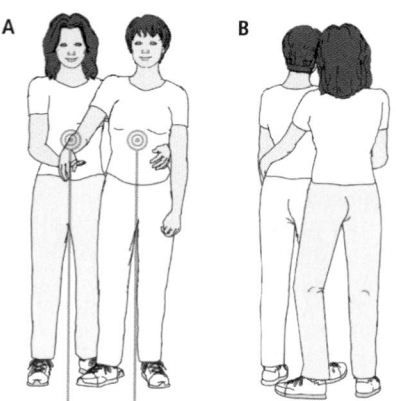

FIGURE 42-74 ■ Aider une personne à marcher par contact étroit : *A*, positionnement ; *B*, chassés (petits pas de côté). (Source : D'après *Principes pour le déplacement sécuritaire des bénéficiaires, PDSB – régulier (cahier du participant),* (p. 85), de l'Association paritaire pour la santé et la sécurité du travail du secteur affaires sociales (ASSTSAS), 2004, Montréal.)

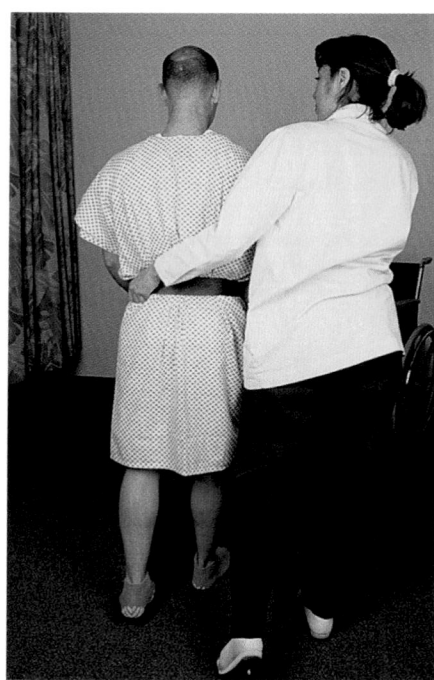

FIGURE 42-75 ■ Utilisation d'une ceinture de transfert (ou de marche) pour soutenir une personne.

- Au besoin, mettez à la personne une ceinture de transfert ou de marche pour parer à toute urgence (figure 42-75 ■).
- Incitez la personne à adopter une posture et une démarche aussi normales que possible.

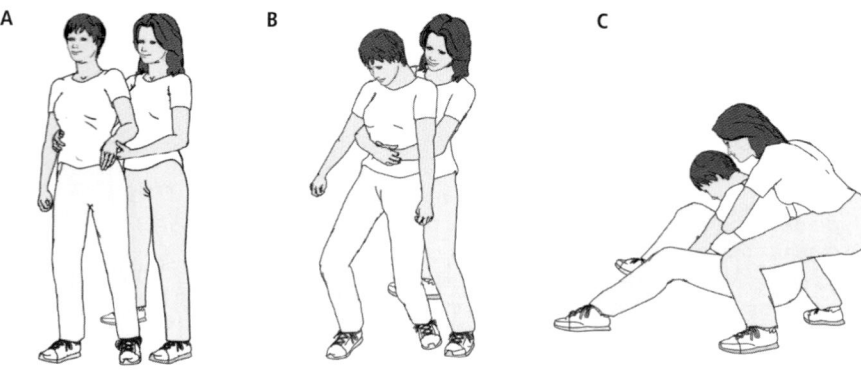

FIGURE 42-76 ■ Positions lorsqu'une personne est sur le point de s'évanouir : *A*, pieds écartés, l'un devant l'autre ; *B*, entraîner la personne vers soi ; *C*, poursuivre la descente jusqu'au sol. (Source : D'après *Principes pour le déplacement sécuritaire des bénéficiaires, PDSB – régulier (cahier du participant),* (p. 193), de l'Association paritaire pour la santé et la sécurité du travail du secteur affaires sociales (ASSTSAS), 2004, Montréal.)

En cas de faiblesse ou de chute

Protégez la personne si elle commence à tomber.

- Si elle montre des signes d'hypotension orthostatique ou de faiblesse extrême, dirigez rapidement la personne vers un fauteuil roulant ou une chaise et aidez-la à mettre la tête entre les genoux.
- Restez auprès d'elle. *Si elle s'évanouissait alors qu'elle est dans cette position, elle pourrait tomber de son fauteuil, tête la première.*
- Une fois le moment de faiblesse passé, aidez la personne à retourner à son lit.
- S'il n'y a pas de fauteuil à proximité, aidez la personne à s'allonger sur le sol avant qu'elle ne perde connaissance.
  a) Écartez les pieds et mettez un pied devant l'autre (figure 42-76 ■, *A*). *Le fait d'écarter les pieds élargit le polygone de sustentation. En plaçant un pied devant l'autre, on peut basculer vers l'arrière et, quand vient le moment de soutenir le poids de la personne, on peut solliciter les muscles fémoraux et abaisser le centre de gravité (voir l'étape suivante), ce qui diminue les risques de blessures au dos.*
  b) Entraînez la personne vers l'arrière de manière à appuyer son corps sur le vôtre (figure 42-76 ■, *B*). Une personne qui est sur le point de s'évanouir ou de tomber sera projetée légèrement vers l'avant en raison de l'élan produit par la marche. Le fait de ramener le poids de la personne vers l'arrière et de lui fournir un appui permet de la faire glisser graduellement vers le sol sans la blesser. De plus, l'infirmière*

risque moins d'être déportée vers l'avant ou vers l'extérieur et de perdre ainsi l'équilibre.
  c) Fléchissez les genoux et poursuivez la descente jusqu'au sol afin d'amortir l'impact (figure 42-76 ■, *C*). Veillez à protéger la tête de la personne.

ÉTAPE FINALE POUR LES DEUX NIVEAUX D'ASSISTANCE

Consignez la distance et la durée de la marche dans le dossier de la personne, sur un formulaire ou une fiche prévus à cet effet.

Ajoutez toute remarque pertinente.

Inscrivez les détails concernant la démarche de la personne (y compris son alignement corporel) ; la vitesse à laquelle elle se déplace ; sa tolérance à l'activité (par exemple, fréquence du pouls, couleur du visage, essoufflement, sentiment de vertige ou de faiblesse) ; le soutien nécessaire ; la fréquence respiratoire et la pression artérielle après la première marche, et ce, afin de pouvoir comparer ces renseignements aux données initiales.

Sources : Adapté de *Principes pour le déplacement sécuritaire des bénéficiaires, PDSB – régulier (cahier du participant),* (p. 85, 116, 131 et 132), de l'Association paritaire pour la santé et la sécurité du travail du secteur affaires sociales (ASSTSAS), 2004, Montréal ; *Principes pour le déplacement sécuritaire des bénéficiaires, PDSB – régulier (cahier du formateur),* (p. 193), de l'Association paritaire pour la santé et la sécurité du travail du secteur affaires sociales (ASSTSAS), 2004, Montréal.

Aider une personne à marcher

PERSONNES ÂGÉES

- Prendre connaissance des expériences de marche précédentes et adapter l'aide fournie en conséquence.
- Tenir compte de toute diminution de la vitesse, de la force, de la résistance à la fatigue, du temps de réaction ou de la coordination attribuable à une réduction de la conduction nerveuse.
- Faire preuve de prudence lorsqu'on utilise une ceinture de transfert avec une personne souffrant d'ostéoporose. Une pression excessive peut accroître les risques de fracture des vertèbres par tassement.
- Si la personne doit utiliser un déambulateur, un cadre de marche ou une canne, lui montrer comment s'en servir convenablement. Utiliser des béquilles peut être beaucoup plus malaisé pour une personne âgée en raison de la faiblesse accrue du tronc supérieur.
- Rester à l'affût de tout signe d'intolérance à l'activité, particulièrement chez les personnes âgées ayant une affection cardiaque ou pulmonaire.
- Fixer des objectifs modestes et les modifier graduellement dans le but d'accroître l'endurance, la force et la souplesse.
- Tenir compte de tous les facteurs accentuant les risques de chute, notamment :
  - Effets des médicaments
  - Affections neurologiques
  - Obstacles pouvant présenter un danger
  - Hypotension orthostatique
- Chez les personnes âgées, l'organisme revient lentement à la normale après une réaction. Ainsi, la fréquence cardiaque peut rester élevée pendant plusieurs heures après un exercice avant de se stabiliser.

Aider une personne à marcher

- Lors d'une visite à domicile, examiner en détail toutes les questions de sécurité liées à la marche. Signaler à la personne et à ses proches la présence de tapis non fixés au sol, de planchers glissants ou d'objets instables.
- Inspecter le domicile pour voir si on y trouve des dispositifs de soutien, comme des rampes et des barres d'appui.
- Recommander l'installation de bandes antidérapantes sur les marches extérieures et dans les escaliers sans moquette.

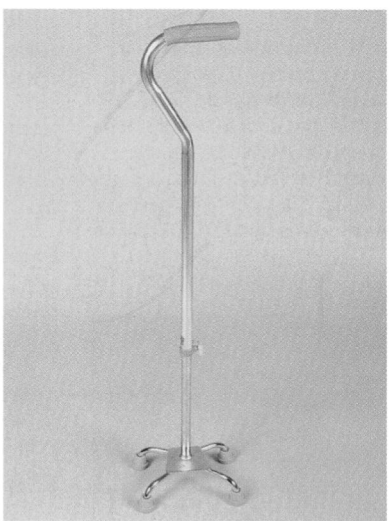

FIGURE 42-77 ■ Canne tétrapode.

■ Utilisation d'aides techniques à la marche

Les aides techniques servant à la marche comprennent les cannes, les cadres de marche, les déambulateurs et les béquilles.

CANNES. On utilise aujourd'hui deux types de cannes : la canne ordinaire à une seule tige et la canne tétrapode, qui comporte quatre pattes et offre le meilleur soutien (figure 42-77 ■). L'extrémité de la canne devrait être recouverte d'un embout en caoutchouc pour améliorer la traction et prévenir les risques de glissement. La canne ordinaire a une longueur de 91 cm ; certaines cannes en aluminium sont réglables et leur longueur va de 56 à 97 cm. On doit régler la longueur de la canne de façon à permettre de fléchir légèrement le coude. On peut utiliser une ou deux cannes, selon le soutien nécessaire.

CADRES DE MARCHE ET DÉAMBULATEURS. Les cadres de marche sont des appareils destinés aux personnes exigeant un plus grand soutien qu'avec une canne. Il en existe plusieurs formes et modèles conçus pour répondre aux besoins individuels. Le cadre de marche de base est fabriqué en aluminium poli. Il se compose de quatre pattes munies d'un embout en caoutchouc et de poignées en plastique (figure 42-78 ■, A). Plusieurs des modèles ont des pattes ajustables.

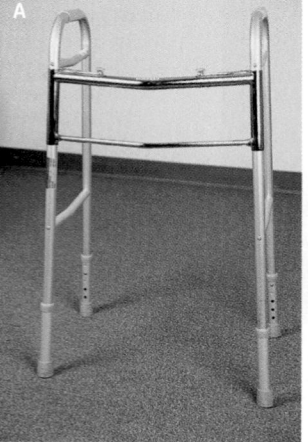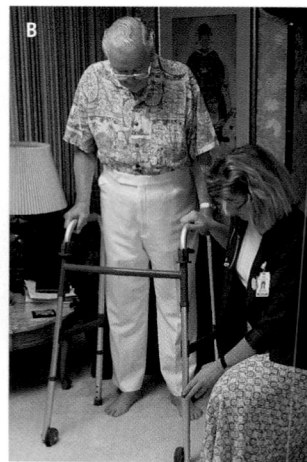

FIGURE 42-78 ■ A, Cadre de marche. B, Déambulateur à deux roues.

Pour utiliser un cadre de marche ordinaire, on doit avoir la capacité de le soulever. La personne doit donc posséder une certaine force dans les mains et dans les poignets ; les extenseurs du

ENSEIGNEMENT

Comment utiliser une canne

- Saisir la canne avec la main située du côté le plus solide. Cette position permet d'assurer une stabilité maximale et un bon alignement postural.

- Placer la pointe de la canne ordinaire (ou la pointe la plus proche de la canne tétrapode) à environ 15 cm vers l'extérieur du pied le plus proche et à 15 cm devant ce pied, de manière à ce que le coude soit légèrement fléchi.

POUR UN APPUI MAXIMAL

- Placer la canne à environ 30 cm devant soi ou à une distance confortable et répartir son poids entre les deux jambes (figure 42-79 ■, A).

- Ensuite, avancer la jambe affaiblie vers l'avant et répartir son poids entre la canne et la jambe solide (figure 42-79 ■, B).

- Enfin, avancer la jambe solide devant la canne et la jambe affaiblie, et répartir son poids entre la canne et la jambe affaiblie.

- Recommencer. Cette façon de se déplacer permet d'avoir deux points d'appui sur le sol, en tout temps.

POUR UN APPUI RÉDUIT SI L'ON PREND DE LA FORCE

- Déplacer la canne et la jambe affaiblie en même temps, et mettre son poids sur la jambe solide (figure 42-80 ■, A).

- Avancer la jambe solide et répartir son poids entre la canne et la jambe affaiblie (figure 42-80 ■, B).

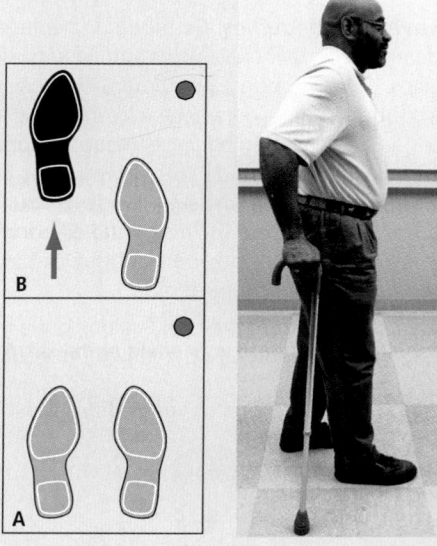

FIGURE 42-79 ■ Comment utiliser une canne pour un appui maximal.

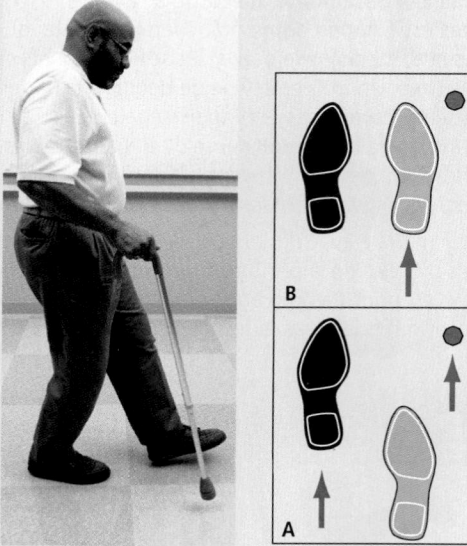

FIGURE 42-80 ■ Comment utiliser une canne pour un appui réduit.

coude et les abaisseurs de l'épaule doivent être résistants, et les jambes doivent pouvoir supporter une partie du poids du corps.

On trouve aussi des déambulateurs à deux (figure 42-78 ■, B) et à quatre roues qu'il n'est pas nécessaire de soulever pour avancer. Ces modèles sont cependant moins stables que les cadres de marche. Ils sont réservés aux personnes chancelantes ou trop faibles pour soulever et faire avancer un cadre de marche à chaque pas. Certains déambulateurs sont équipés d'un siège pour se reposer, au besoin. Le modèle à deux roues et à deux pattes offre une plus grande stabilité que le modèle à quatre roues parce qu'il est constamment en contact avec le sol. L'utilisateur fait basculer le déambulateur vers lui, pour relever les pattes alors que les roues sont en contact avec le sol, et il pousse l'appareil vers l'avant.

L'infirmière doit parfois régler le cadre de marche ou le déambulateur de sorte que les barres supérieures soient à la bonne hauteur et que les coudes de la personne soient légèrement

ENSEIGNEMENT

Comment utiliser un cadre de marche

POUR UN APPUI MAXIMAL

- Placer le cadre de marche à environ 15 cm devant soi et répartir son poids entre les deux jambes.

- Avancer le pied droit vers le cadre de marche et répartir son poids entre la jambe gauche et les bras.

- Avancer ensuite le pied gauche près du pied droit et répartir son poids entre la jambe droite et les bras.

SI UNE JAMBE EST AFFAIBLIE

- Placer le cadre de marche et la jambe affaiblie à environ 15 cm devant soi et mettre son poids sur la jambe la plus forte.

- Avancer la jambe la plus forte et répartir son poids entre la jambe affaiblie et les bras.

fléchis. Cette position est proche de la normale. Si les barres sont trop basses, la personne est obligée de se voûter ; si elles sont trop hautes, elle doit s'étirer pour les agripper.

BÉQUILLES. Les béquilles fournissent une aide temporaire pour certaines personnes et permanente pour d'autres. Au début, certaines personnes trouvent décourageant d'apprendre à marcher avec des béquilles. Une personne alitée ne se rend pas toujours compte de l'état de faiblesse dans lequel elle se trouve, jusqu'à ce qu'elle tente de marcher ou d'utiliser des béquilles. Elle prend alors conscience qu'il lui est plus difficile qu'avant de maintenir son équilibre, surtout si elle doit composer avec le poids d'un plâtre ou d'un membre paralysé. Au fil des jours, les progrès que la personne fait sont souvent moins rapides qu'elle le croyait. C'est pourquoi il est particulièrement important de fixer des objectifs réalistes et d'encourager la personne à persévérer.

Il existe plusieurs sortes de béquilles (figure 42-81 ■). Les plus courantes sont la béquille sous-axillaire avec poignées et la béquille d'avant-bras, qui ne remonte que jusqu'à l'avant-bras. La béquille d'avant-bras est équipée d'une manchette en métal qui entoure l'avant-bras et d'une poignée pour stabiliser les poignets et marcher en toute sécurité. Un troisième type de béquille, la béquille munie d'une gouttière d'avant-bras, comporte également une bande de métal qui entoure la partie supérieure du bras. Toutes les béquilles doivent être munies d'embout adhérents, habituellement en caoutchouc, qui préviennent les risques de glissement.

Quand on marche avec des béquilles, le poids du corps est soutenu par les muscles de la ceinture thoracique et par les membres supérieurs. Il est donc recommandé de faire au préalable des exercices pour raffermir les bras et les mains.

Longueur des béquilles. Pour choisir des béquilles sous-axillaires appropriées, il est très important de prendre des mesures afin de déterminer la longueur de la béquille et la position de la poignée. Deux méthodes permettent de mesurer la longueur nécessaire :

1. La personne est couchée sur le dos ; l'infirmière mesure la distance entre le pli antérieur de l'aisselle et le talon, et y ajoute 2,5 cm.

2. La personne est debout et place la béquille dans la position indiquée à la figure 42-82 ■. L'infirmière s'assure que la traverse de la béquille se trouve à une distance d'au moins trois doigts (2,5 à 5 cm) en dessous l'aisselle.

Pour déterminer la position de la poignée :

1. La personne est debout et appuie tout son poids sur les poignées.

2. L'infirmière mesure l'angle de flexion des coudes. Celui-ci devrait être de 30° environ. On peut utiliser un goniomètre (figure 34-85) pour vérifier si l'angle est bon.

Démarche avec des béquilles. Ce mode de déplacement consiste à transférer alternativement le poids entre une ou deux jambes et les béquilles. On distingue couramment cinq démarches : la démarche à quatre temps, la démarche à trois temps, la démarche à deux temps, la démarche en balancier jusqu'aux béquilles et la démarche en balancier au-delà du point d'appui des béquilles. Le choix d'une démarche repose sur les facteurs individuels suivants : (a) la capacité de faire des pas ; (b) la capacité de porter son poids et de rester en équilibre en position debout sur une ou deux jambes ; (c) la capacité de se tenir droit.

L'infirmière doit également montrer à la personne la technique pour s'asseoir dans un fauteuil ou se lever, et pour monter et

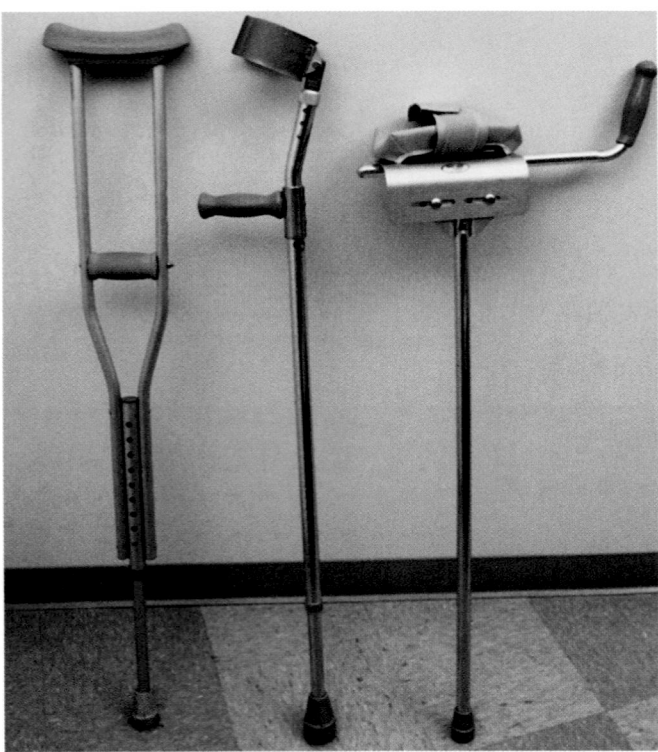

FIGURE 42-81 ■ Types de béquilles : béquille sous-axillaire, béquille d'avant-bras et béquille munie d'une gouttière d'avant-bras.

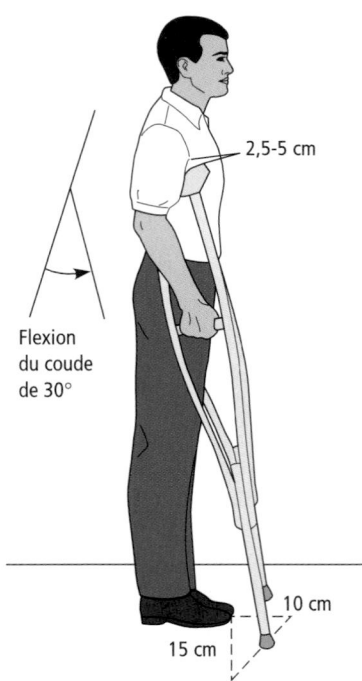

2,5-5 cm

Flexion du coude de 30°

10 cm

15 cm

FIGURE 42-82 ■ Position debout permettant de mesurer la longueur des béquilles.

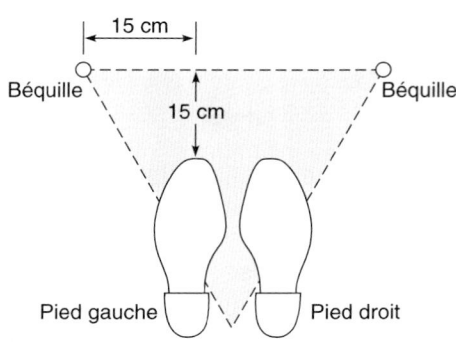

FIGURE 42-83 ■ Position du tripode.

descendre un escalier en toute sécurité. On recommande d'enseigner toutes ces techniques avant que la personne n'obtienne son congé et, de préférence, avant qu'elle ne subisse une intervention chirurgicale.

Position du tripode. Avant d'essayer de marcher avec des béquilles, la personne doit apprendre certains principes relatifs à la posture et à l'équilibre. Debout, la position adéquate se nomme **position du tripode** (figure 42-83 ■). On place les béquilles à une distance de 15 cm devant les pieds et de 15 cm de chaque côté. Cette position assure un bon équilibre, car elle élargit le polygone de sustentation. Une personne de grande taille doit former un polygone de sustentation plus large qu'une personne de petite taille. Les pieds sont légèrement écartés. Les hanches et les genoux sont en extension, le dos est droit et la tête est redressée. Les épaules ne doivent pas être voûtées et les aisselles ne doivent porter aucun poids. Les coudes sont en extension suffisante pour permettre aux mains de soutenir la mise en charge. Si la personne est instable, l'infirmière doit lui faire porter une ceinture de marche et doit agripper la ceinture par le haut plutôt que par le bas. Cette façon d'agripper la ceinture est plus efficace pour prévenir les chutes.

Démarche alternée à quatre temps. Parce qu'elle offre trois points d'appui en tout temps, cette démarche est la plus simple et la plus sécuritaire, mais elle demande une certaine coordination. On peut y recourir pour marcher dans une foule, parce qu'elle exige peu d'espace. La personne doit pouvoir porter son poids sur les deux jambes (figure 42-84 ■, de bas en haut). L'infirmière doit fournir les instructions suivantes :

1. Avancer la béquille droite à une distance raisonnable, soit de 10 à 15 cm.

2. Avancer le pied gauche, de préférence à la hauteur de la béquille gauche.

3. Avancer la béquille gauche.

4. Avancer le pied droit.

Démarche à trois temps. Cette démarche exige que la personne puisse déposer tout son poids sur la jambe saine. La mise en charge alterne entre les deux béquilles et la jambe saine (figure 42-85 ■, de bas en haut). L'infirmière doit fournir les instructions suivantes :

1. Avancer les deux béquilles et la jambe affaiblie.

2. Avancer la jambe saine.

Démarche alternée à deux temps. Cette démarche est plus rapide que la démarche à quatre temps. Elle exige un plus grand

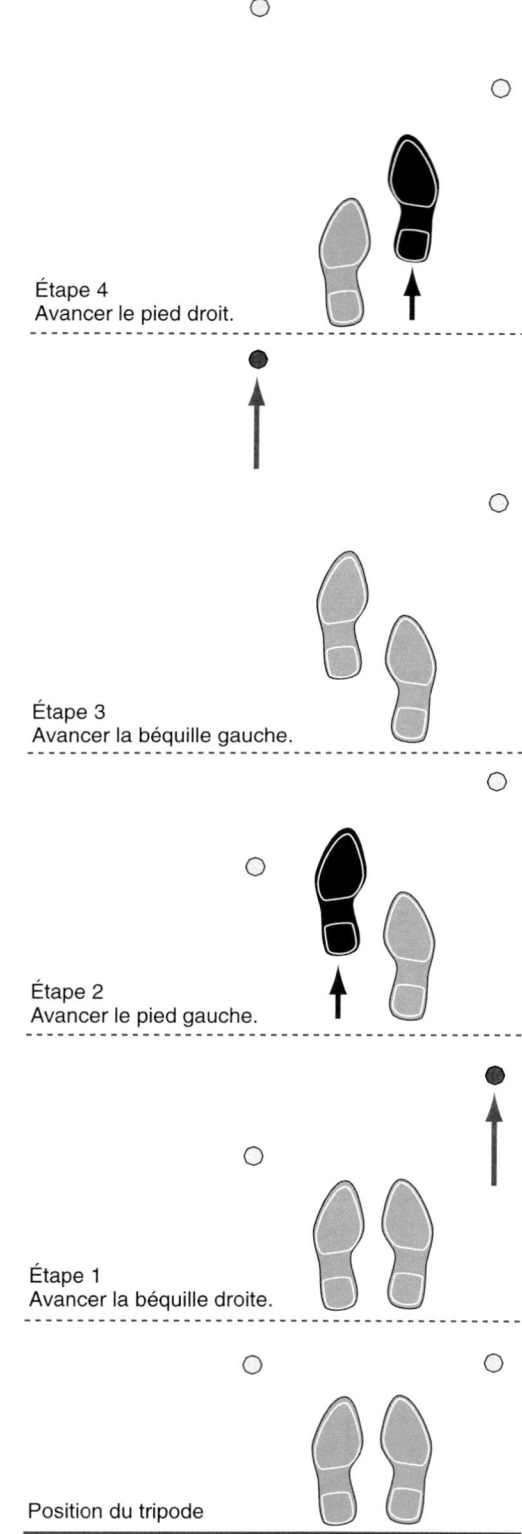

Étape 4
Avancer le pied droit.

Étape 3
Avancer la béquille gauche.

Étape 2
Avancer le pied gauche.

Étape 1
Avancer la béquille droite.

Position du tripode

FIGURE 42-84 ■ Démarche alternée à quatre temps.

sens de l'équilibre parce qu'elle n'offre que deux points d'appui à la fois ; elle impose également une mise en charge partielle sur chaque jambe. Le mouvement des bras est semblable à celui qui

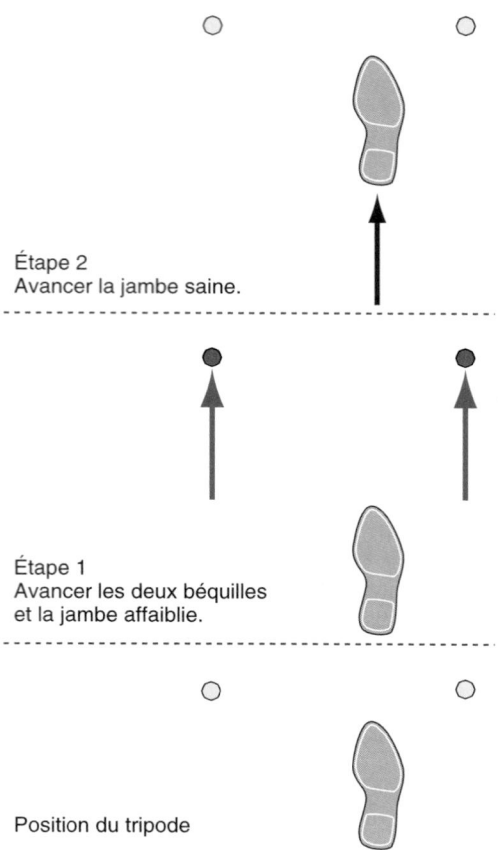

Étape 2
Avancer la jambe saine.

Étape 1
Avancer les deux béquilles
et la jambe affaiblie.

Position du tripode

FIGURE **42-85** ■ Démarche à trois temps.

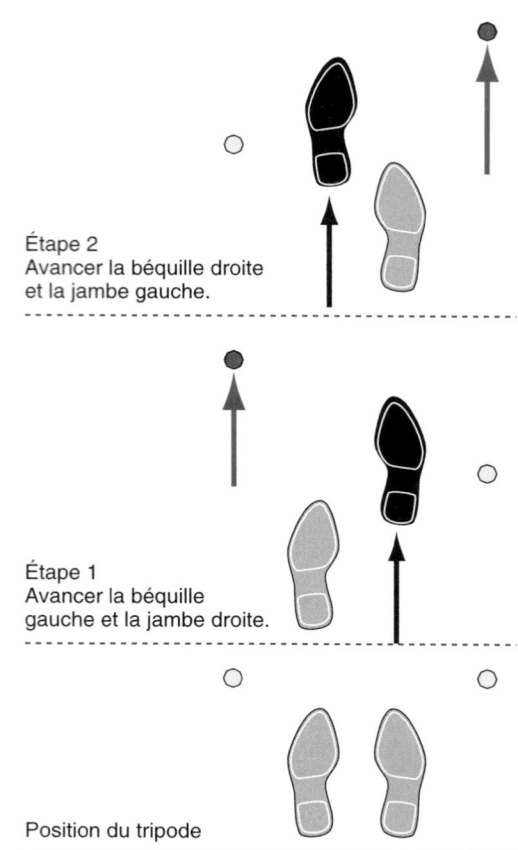

Étape 2
Avancer la béquille droite
et la jambe gauche.

Étape 1
Avancer la béquille
gauche et la jambe droite.

Position du tripode

FIGURE **42-86** ■ Démarche alternée à deux temps.

accompagne la marche ordinaire (figure 42-86 ■, de bas en haut). L'infirmière doit fournir les instructions suivantes :

1. Avancer en même temps la béquille gauche et la jambe droite.
2. Avancer en même temps la béquille droite et le pied gauche.

Démarche en balancier jusqu'aux béquilles. Les deux démarches en balancier (jusqu'aux béquilles et au-delà du point d'appui des béquilles) conviennent aux personnes ayant une paralysie des jambes et des hanches. Leur adoption prolongée aboutit à l'atrophie des muscles non sollicités. La démarche en balancier jusqu'aux béquilles est la plus facile des deux. L'infirmière doit fournir les instructions suivantes :

1. Avancer les deux béquilles en même temps (figure 42-87 ■, *A*).
2. S'appuyer sur les bras pour soulever le poids du corps et avancer les pieds à la hauteur des béquilles (figure 42-87 ■, *B*).

Démarche en balancier au-delà du point d'appui des béquilles. Cette démarche demande beaucoup d'habileté, de force et de coordination. L'infirmière doit fournir les instructions suivantes :

1. Avancer les deux béquilles en même temps (figure 42-88 ■, *A*).
2. S'appuyer sur les bras pour soulever le poids du corps et avancer les pieds un peu plus loin que les béquilles (figure 42-88 ■, *B*).

S'asseoir dans un fauteuil. Il est essentiel que le fauteuil soit équipé d'appuie-bras et qu'il soit fixé à quelque chose ou

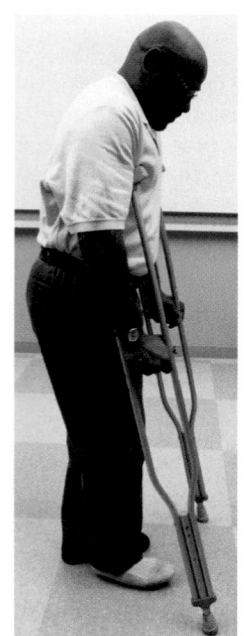
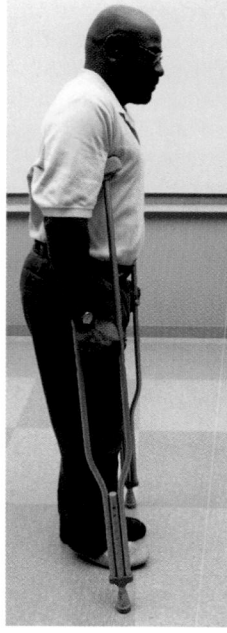

A   B

FIGURE **42-87** ■ Démarche en balancier jusqu'aux béquilles.

ENSEIGNEMENT

Comment utiliser des béquilles

- Avant de commencer à marcher avec des béquilles, suivre le programme d'exercices conçu dans le but de raffermir les muscles des bras.

- Demander à un professionnel de la santé de déterminer la longueur des béquilles et la position des poignées. Des béquilles trop longues font remonter les épaules et entravent le transfert du poids. Avec des béquilles trop courtes, les épaules se voûtent, ce qui amène une mauvaise posture.

- Le poids corporel doit être soutenu par les bras plutôt que par les aisselles. Une pression continue sur les aisselles peut endommager le nerf radial et provoquer le syndrome des béquillards, un affaiblissement des muscles de l'avant-bras, du poignet et de la main.

- Conserver une posture aussi droite que possible pour éviter d'endommager les muscles et les articulations, et pour garder l'équilibre.

- Chaque pas doit couvrir une distance raisonnable. Il est préférable de commencer par de petits pas.

- Inspecter régulièrement les pointes des béquilles et remplacer les embouts, au besoin.

- Veiller à ce que les pointes restent sèches et propres pour assurer une bonne friction de surface. Si elles se mouillent, les assécher avant de les réutiliser.

- Porter des chaussures à talon plat offrant une bonne adhérence. Les semelles en caoutchouc contribuent à prévenir les risques de glissement. Nouer les lacets de manière à ce qu'ils ne se détachent pas ou ne risquent pas de se prendre dans les béquilles. Songer à porter des chaussures faciles à fermer (par exemple, avec du velcro), en particulier s'il est difficile de se pencher pour nouer des lacets.

appuyé contre un mur. L'infirmière doit fournir les instructions suivantes :

1. Se tenir debout et placer la face postérieure de la jambe saine au centre, contre le fauteuil. Le fauteuil servira d'appui au cours des étapes suivantes.

2. Prendre les deux béquilles dans la main du côté de la jambe affaiblie et les tenir par les poignées. Agripper le bras du fauteuil avec l'autre main (figure 42-89 ■). De cette manière, le poids repose sur les bras et la jambe saine.

3. Se pencher en avant, fléchir les genoux et les hanches, et se laisser descendre vers le fauteuil.

Se lever d'un fauteuil. L'infirmière doit fournir les instructions suivantes :

1. S'avancer au bord du fauteuil ; placer la jambe saine légèrement sous le bord du fauteuil ou la laisser reposer contre le bord. Cette position permet de se lever tout en gardant son équilibre, grâce à l'appui que procure la jambe saine contre le bord du fauteuil.

2. Prendre les béquilles par les poignées dans la main du côté de la jambe affaiblie et agripper le bras du fauteuil avec l'autre main. Le poids du corps est réparti entre les béquilles, la jambe saine et la main placée sur le bras du fauteuil, ce qui permet de soutenir la jambe affaiblie au moment de se lever.

3. S'appuyer sur les béquilles et sur le bras du fauteuil pour se lever.

4. Adopter la position du tripode avant de se déplacer.

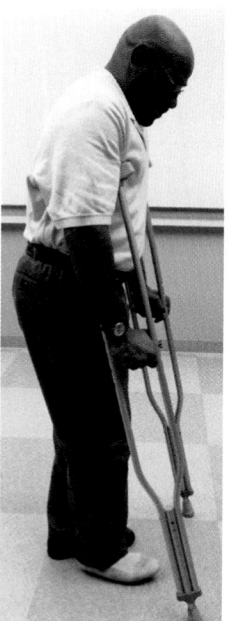 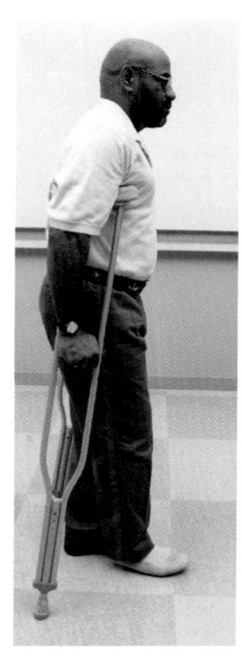

FIGURE 42-88 ■ Démarche en balancier au-delà du point d'appui des béquilles.

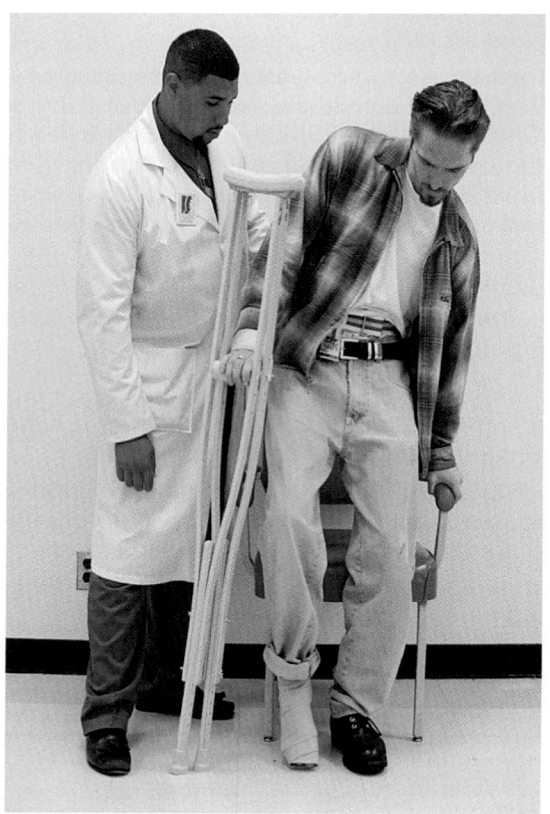

FIGURE 42-89 ■ Comment utiliser des béquilles pour s'asseoir dans un fauteuil.

Monter un escalier. L'infirmière doit se tenir derrière la personne et, le cas échéant, se placer un peu plus du côté de la jambe affaiblie. Elle doit fournir les instructions suivantes :

1. Adopter la position du tripode au bas de l'escalier.
2. Transférer le poids du corps vers les béquilles et poser la jambe saine sur la marche (figure 42-90 ■).
3. Transférer le poids du corps vers la jambe saine posée sur la marche et remonter les béquilles et la jambe affaiblie sur la marche. La jambe affaiblie doit toujours être soutenue par les béquilles.
4. Recommencer les étapes 2 et 3 jusqu'au haut de l'escalier.

Descendre un escalier. L'infirmière doit se tenir sur la marche inférieure et se placer du côté de la jambe affaiblie, le cas échéant. Elle doit fournir les instructions suivantes :

1. Adopter la position du tripode en haut de l'escalier.
2. Transférer le poids du corps vers la jambe saine et déplacer les béquilles et la jambe affaiblie vers la marche inférieure (figure 42-91 ■).
3. Transférer le poids du corps vers les béquilles et poser la jambe saine sur la nouvelle marche. La jambe affaiblie doit toujours être soutenue par les béquilles.
4. Recommencer les étapes 2 et 3 jusqu'au bas de l'escalier.

Évaluation

Les objectifs fixés à l'étape de la planification sont évalués en fonction des résultats escomptés, qu'on définit également à cette étape. Le *Plan de soins et de traitements infirmiers* en fournit quelques exemples.

Si les résultats escomptés ne sont pas atteints, l'infirmière, la personne soignée et, le cas échéant, une personne-ressource devront explorer les raisons de cet échec avant de modifier le plan de soins et de traitements infirmiers. Par exemple, si la personne immobilisée n'a pas réussi à entretenir sa masse et son tonus musculaires, ni la souplesse de ses articulations, on pourrait examiner les points suivants :

■ L'état physique ou mental de la personne a-t-il influé sur sa motivation et sa volonté de faire les exercices nécessaires ?

■ Les exercices d'amplitude du mouvement nécessaires ont-ils été faits ?

■ Dans la mesure du possible, a-t-on encouragé la personne à participer aux activités de soins personnels ?

■ A-t-on encouragé la personne à prendre le plus grand nombre de décisions possible dans l'établissement du programme quotidien d'activités et à communiquer ses inquiétudes ?

■ L'infirmière a-t-elle fourni la supervision et la surveillance nécessaires ?

■ Le régime alimentaire prescrit à la personne lui a-t-il permis d'accumuler les réserves d'énergie nécessaires ?

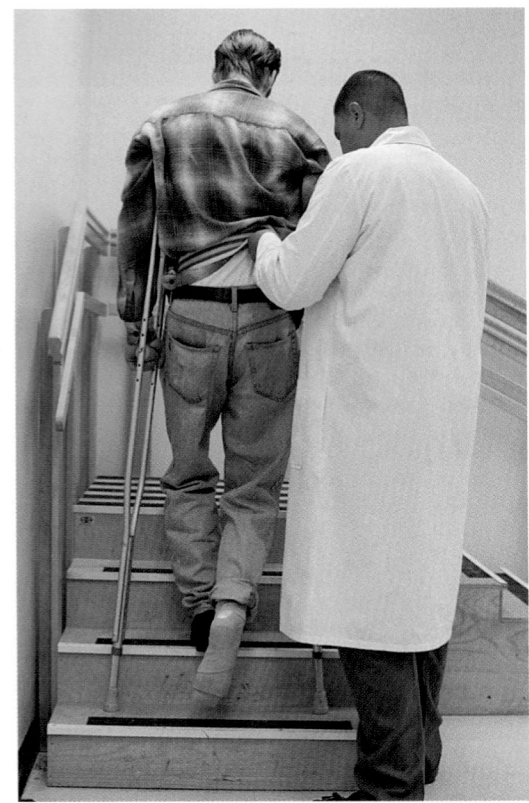

FIGURE 42-90 ■ Comment monter un escalier : placer le poids sur les béquilles et poser ensuite la jambe saine sur la marche.

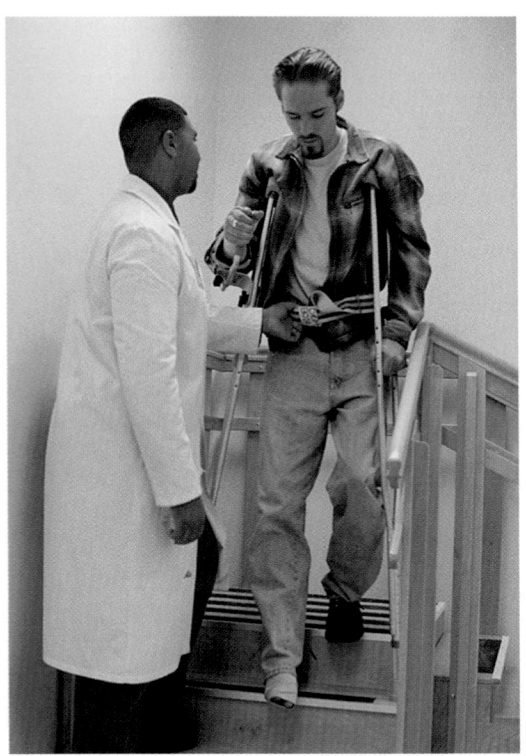

FIGURE 42-91 ■ Comment descendre un escalier : avancer les béquilles et la jambe affaiblie vers la marche suivante.

PLAN DE SOINS ET DE TRAITEMENTS INFIRMIERS

Risque de syndrome d'immobilité

COLLECTE DES DONNÉES		*DIAGNOSTIC INFIRMIER*	RÉSULTATS DE SOINS INFIRMIERS [Nº CRSI/NOC] ET INDICATEURS*
Anamnèse Pierre Caillé, un comptable célibataire âgé de 69 ans, est traité pour insuffisance cardiaque; il affirme que le moindre effort provoque chez lui une dyspnée. (« Je suis incapable de monter un escalier sans devoir m'arrêter et me reposer; je m'essouffle même quand je marche sur une surface plane. ») Il préfère la position orthopnéique. Il travaille à la maison et reste assis à une table presque toute la journée.	**Examen physique** Taille: 1,72 m (5 pi 8 po) Poids: 102 kg (225 lb) Température: 37,8 °C Fréquence cardiaque: 94 bpm Respirations: 20/minute Pression artérielle: 174/92 mm Hg Crépitants fins aux bases pulmonaires Légère dyspnée Teint pâle Œdème des pieds et des chevilles 3+ (5 mm) **Examens paracliniques** Hémogramme et examen des urines dans les limites normales. Radiographie thoracique qui révèle une hypertrophie du ventricule gauche.	*Risque de syndrome d'immobilité, relié à une diminution de l'activité résultant du déséquilibre entre l'apport en oxygène et la demande d'oxygène associé à une diminution du débit cardiaque et à l'obésité.*	Conséquences physiologiques de l'immobilité [0204], manifestées par des indicateurs légers: • Plaie de pression • Diminution de la force musculaire Conséquences psychocognitives de l'immobilité [0205], manifestées par des indicateurs légers: • Diminution de l'intérêt et de la motivation • Troubles du sommeil • Diminution de l'estime de soi Fonction musculaire [0209], manifestée par des indicateurs légèrement perturbés: • Tonus musculaire • Sûreté du mouvement • Force musculaire

INTERVENTIONS INFIRMIÈRES [Nº CISI/NIC] ET ACTIVITÉS CHOISIES*	*JUSTIFICATION SCIENTIFIQUE*
Positionnement [0840] • Installer la personne de manière à soulager la dyspnée, par exemple la position de Fowler haute.	*Les personnes ayant des sécrétions pulmonaires abondantes respirent mieux quand elles sont en position verticale; cette position permet en effet aux organes de l'abdomen de descendre et procure davantage d'espace pour l'excursion des poumons et du diaphragme.*
• Procurer un soutien aux régions œdémateuses, par exemple surélever les pieds sur un tabouret en position assise.	*L'élévation de la région déclive atténue la pression exercée sur les tissus et favorise le retour veineux au cœur.*
• Encourager l'exécution d'exercices d'amplitude des mouvements articulaires actifs.	*Des exercices d'amplitude des mouvements articulaires actifs préservent la force musculaire et activent la circulation. Ils contribuent également à brûler les valeurs énergétiques superflues.*
Amélioration de la conscience de soi [5390] • Encourager la personne à reconnaître et à exprimer ses pensées et ses émotions.	*Pour que la personne puisse s'adapter à la situation, elle doit prendre conscience de ses pensées et de ses émotions, et être en mesure de communiquer certaines d'entre elles à l'infirmière.*
• Aider la personne à déterminer l'impact de la maladie sur son concept de soi.	*Certaines personnes n'ont parfois pas conscience du rapport entre l'affection physique dont elles souffrent et leurs émotions.*
Thérapie par l'exercice: maîtrise musculaire [0226] • Collaborer avec un physiothérapeute ou un ergothérapeute à l'élaboration et à la supervision d'un programme d'exercices approprié.	*Le traitement de cette personne nécessitera l'adoption d'une approche multidisciplinaire. Chaque membre de l'équipe apportera son savoir-faire.*
• Expliquer à la personne et à sa famille les raisons et l'exécution de chaque exercice.	*Si la personne comprend les raisons qui motivent le choix de l'activité, elle n'en collaborera que mieux.*
• Expliquer, étape par étape, le déroulement de chacune des activités motrices effectuées pendant les exercices ou les AVQ.	*Les aide-mémoire permettent à la personne de se remémorer la séquence des mouvements.*
• Utiliser des aides visuelles afin de faciliter l'apprentissage de la bonne exécution des activités usuelles ou des mouvements des exercices.	*Chez certaines personnes, la mémoire visuelle est meilleure que la mémoire auditive.*

ÉVALUATION

Les résultats escomptés ont été atteints. On n'a observé aucune détérioration de la peau de M. Caillé, ni aucune autre complication associée à l'immobilité. Toutefois, comme les facteurs de risque persistent, il faut poursuivre la mise en œuvre du plan de soins et de traitements infirmiers.

---

* Les résultats, interventions et activités présentés ici sont simplement des exemples de ceux qui sont proposés par les systèmes CRSI/NOC et CISI/NIC. Ils doivent être personnalisés en fonction du cas de chaque personne.

SCHÉMA DU PLAN DE SOINS ET DE TRAITEMENTS INFIRMIERS

Risque de syndrome d'immobilité

P. C.
69 ans, ♂
Insuffisance cardiaque congestive

- Comptable célibataire : travaille à la maison. Raison de la consultation : dyspnée à l'effort
- Taille : 1,72 m (5 pi 8 po)
- Poids : 102 kg (225 lb)
- Température : 37,8 °C
- Fréquence cardiaque : 94 bpm
- Respirations : 20/minute
- Pression artérielle : 174/92 mm Hg

- Crépitants fins aux bases pulmonaires
- Légère dyspnée
- Teint pâle
- Œdème des pieds et des chevilles 3+ (5 mm)
- Hémogramme et examen des urines dans les limites normales
- Radiographie thoracique qui révèle une hypertrophie du ventricule gauche

Risque de syndrome d'immobilité, relié à une baisse de l'activité résultant du déséquilibre entre l'apport en O_2 et la demande d'O_2 associé à une ↓ du débit cardiaque et à l'obésité

Conséquences physiologiques de l'immobilité, manifestées par une atteinte légère des indicateurs suivants :
- Plaie de pression
- ↓ de la force musculaire

Conséquences psychocognitives de l'immobilité, manifestées par une atteinte légère des indicateurs suivants :
- Diminution de l'intérêt et de la motivation
- Troubles du sommeil
- Diminution de l'estime de soi

Fonction musculaire, manifestée par des indicateurs légèrement perturbés :
- Tonus musculaire
- Sûreté du mouvement
- Force musculaire

Positionnement

Installer la personne de manière à soulager la dyspnée, par exemple position de Fowler haute.

Encourager l'exécution d'exercices d'amplitude des mouvements articulaires actifs.

Procurer un soutien aux régions œdémateuses, par exemple surélever les pieds sur un tabouret en position assise.

Amélioration de la conscience de soi

Encourager la personne à reconnaître et à exprimer ses pensées et ses émotions.

Aider la personne à déterminer l'impact de la maladie sur son concept de soi.

Utiliser des aides visuelles afin de faciliter l'apprentissage de la bonne exécution des activités usuelles ou des mouvements des exercices.

Expliquer, étape par étape, le déroulement de chacune des activités motrices effectuées pendant les exercices ou les AVQ.

Thérapie par l'exercice : maîtrise musculaire

Expliquer à la personne et à sa famille les raisons et l'exécution de chaque exercice.

Collaborer avec un physiothérapeute ou un ergothérapeute à l'élaboration et à la supervision d'un programme d'exercices approprié.

Résultat de soins infirmiers atteint
- Aucune détérioration de la peau ou autre complication associée à l'immobilité à ce jour

Résultat de soins infirmiers atteint
- Aucune complication associée à l'immobilité à ce jour

Résultat de soins infirmiers atteint
- Aucun signe d'altération de la fonction musculaire
- Toutefois, comme les facteurs de risque persistent, poursuivre la mise en œuvre du plan de soins et de traitements infirmiers

Légende :
Collecte des données ☐ Diagnostic infirmier ☐ Résultats de soins infirmiers ☐ Interventions infirmières ▤ Activités ☐ Évaluation ☐

EXERCICES D'INTÉGRATION

1. Quelles données laissent craindre que l'état de mobilité décroissante de M. Caillé est responsable des autres problèmes qui se manifestent ?

2. Le cadre de marche pourrait s'avérer utile pour M. Caillé à la maison. Quelles indications faudrait-il lui donner à cet égard ?

3. Le plan de soins et de traitements infirmiers ne tient pas compte de l'un des facteurs de risque signalés dans le cas de M. Caillé – l'obésité. Serait-il indiqué de l'ajouter ? Justifiez votre réponse.

4. Sur quelles hypothèses l'infirmière s'est-elle basée pour formuler le résultat de soins infirmiers « Conséquences psycho-cognitives de l'immobilité » ?

5. En quoi le choix des résultats de soins infirmiers a-t-il été influencé par le diagnostic infirmier *Risque de syndrome d'immobilité*, associé à une affection chronique ?

Voir l'appendice A : Exercices d'intégration – Pistes de réflexion.

RÉVISION DU CHAPITRE

Concepts clés

- La capacité de se mouvoir librement, aisément et délibérément dans son milieu est une condition essentielle à la satisfaction des besoins fondamentaux de l'être humain.

- La capacité d'exécuter des mouvements corporels coordonnés et délibérés repose sur le fonctionnement intégré de la fonction musculosquelettique, de la fonction neurologique et du système vestibulaire de l'oreille interne.

- Le mouvement corporel comprend quatre éléments fondamentaux : l'alignement corporel, la mobilité articulaire, l'équilibre et le mouvement coordonné.

- Pour maintenir l'alignement corporel et l'équilibre, la ligne de gravité doit traverser le centre de gravité et le polygone de sustentation.

- Plus le polygone de sustentation est large et le centre de gravité est bas, plus la stabilité et l'équilibre sont grands.

- L'exercice est une activité physique effectuée dans le but d'entretenir le tonus musculaire et la mobilité des articulations, de stimuler le fonctionnement de l'organisme et d'améliorer la forme physique. La tolérance à l'activité correspond au type et à la quantité d'exercices ou d'activités de la vie quotidienne qu'une personne est capable d'exécuter sans subir d'effets néfastes.

- On classe les activités selon les catégories suivantes : isotoniques, isométriques ou isocinétiques, aérobiques ou anaérobiques.

- De nombreux facteurs déterminent l'alignement corporel et l'activité, notamment la croissance et le développement, la santé physique, la santé mentale, les valeurs et les attitudes personnelles, et les limitations prescrites.

- L'immobilité a des effets négatifs sur presque tous les organes et les systèmes de l'organisme ; elle entraîne aussi des problèmes psychosociaux. L'exercice, par contre, procure de nombreux bienfaits à l'organisme.

- Les problèmes associés à l'immobilité sont les suivants : ostéoporose par inactivité et atrophie ; contractures ; diminution de la réserve cardiaque ; hypotension orthostatique ; insuffisance veineuse, œdème et formation de thrombus ; diminution du mouvement respiratoire et accumulation de sécrétions ; ralentissement du métabolisme basal et bilan azoté négatif ; stase, rétention et infection urinaires ; constipation ; réactions émotionnelles variées.

- L'infirmière a la responsabilité : (a) de prévenir les complications liées à l'immobilité et de réduire la gravité de tout problème connexe ; (b) d'élaborer un programme d'exercices favorisant le bien-être de la personne.

- L'évaluation relative à l'activité et à l'exercice doit tenir compte des antécédents thérapeutiques et comprendre un examen physique de l'alignement corporel, de la démarche, de l'aspect et du mouvement des articulations, des capacités de mouvement et des limitations, de la masse et de la force musculaires, de la tolérance à l'activité et des problèmes dus à l'immobilité.

- Les données relatives à l'activité et à l'exercice comprennent le niveau quotidien d'activité, la tolérance à l'activité, le type d'exercices et leur fréquence, et les facteurs influant sur la mobilité.

- Les diagnostics infirmiers de NANDA relatifs aux problèmes liés à l'activité et à la mobilité sont les suivants : *Intolérance à l'activité, Risque d'intolérance à l'activité, Mobilité physique réduite* et *Risque de syndrome d'immobilité*. Parmi les autres diagnostics pertinents, mentionnons entre autres : *Déficit de soins personnels, Risque de chute, Peur* (de tomber), *Sentiment d'impuissance, Estime de soi perturbée, Stratégies d'adaptation inefficaces* et, si la personne est immobilisée, *Dégagement inefficace des voies respiratoires* et *Risque d'infection*.

- L'expression « mécanique corporelle » désigne une utilisation efficace, coordonnée et sans danger du corps pour déplacer des objets et effectuer les activités de la vie quotidienne.

- L'infirmière doit observer les principes d'une bonne mécanique corporelle dans son travail quotidien, notamment lorsqu'elle déplace ou tourne une personne dans son lit ou aide cette dernière à se déplacer. Les chutes et les blessures au dos comptent parmi les conséquences les plus courantes et les plus graves d'une mauvaise mécanique corporelle.

- Mettre une personne en position en observant les principes d'un bon alignement corporel et modifier régulièrement et systématiquement la position de la personne sont des aspects essentiels de la pratique infirmière.

- Avant de mettre une personne dépendante en position, l'infirmière doit planifier les changements de position

Concepts clés (suite)

à effectuer systématiquement pendant une période de 24 heures, et prévoir des positions assurant une extension complète du cou, des hanches et des genoux. Elle utilise aussi des dispositifs de soutien pour conserver l'alignement et prévenir la déformation des muscles et des articulations.

- Avant de déplacer ou de tourner une personne, l'infirmière doit tenir compte de l'état de santé de la personne, du degré d'effort qu'il lui est permis de faire, de sa capacité physique de collaborer, de sa capacité de comprendre des directives, de son niveau d'inconfort et de son poids; l'infirmière doit aussi tenir compte de ses propres forces et capacités.

- Si une personne est trop corpulente pour être déplacée en toute sécurité, l'infirmière doit demander l'aide de collègues ou utiliser un lève-personne.

- L'infirmière doit toujours observer les mesures de sécurité de rigueur quand elle utilise un fauteuil roulant ou une civière pour déplacer une personne.

- Les techniques de marche favorisant une démarche normale tout en fournissant le soutien nécessaire sont des plus efficaces. L'infirmière peut aider une personne à se préparer à marcher en l'amenant à être le plus autonome possible alors qu'elle est encore alitée.

- Il est essentiel qu'une personne immobilisée pendant une période prolongée fasse des exercices préparatoires pour raffermir les muscles sollicités pendant la marche.

- Il faut transmettre aux personnes concernées toutes les instructions nécessaires sur le bon usage d'une canne, d'un cadre de marche, d'un déambulateur ou de béquilles.

Questions de révision

42-1. Pour améliorer la stabilité d'une personne pendant un déplacement, l'infirmière élargit son polygone de sustentation:
- a) en se penchant légèrement vers l'arrière.
- b) en écartant les pieds.
- c) en contractant ses muscles abdominaux.
- d) en fléchissant les genoux.

42-2. Les exercices isotoniques, comme la marche, ont pour objectif:
- a) d'améliorer le tonus musculaire.
- b) d'accroître l'endurance.
- c) d'accroître le volume des muscles.
- d) d'épuiser la réserve en oxygène des muscles.

42-3. Cinq minutes après le premier exercice postopératoire, les signes vitaux d'une personne ne sont pas encore revenus aux valeurs normales. Quel est le diagnostic infirmier approprié?
- a) *Intolérance à l'activité.*
- b) *Risque d'intolérance à l'activité.*
- c) *Mobilité physique réduite.*
- d) *Risque de syndrome d'immobilité.*

42-4. Parmi les descriptions suivantes, laquelle correspond à une technique adéquate de déplacement d'une personne assise au bord de son lit vers un fauteuil?
- a) Demander à la personne de tenir le cou de l'infirmière pour rester stable en position debout.

- b) Se balancer de l'arrière vers l'avant tout en soulevant la personne.
- c) Placer le fauteuil perpendiculairement (angle droit) au lit.
- d) Demander à la personne de s'asseoir d'abord au bord du fauteuil et ensuite de s'installer au fond du fauteuil.

42-5. Une personne dont l'une des jambes est affaiblie apprend à utiliser des béquilles dans un escalier. Parmi les affirmations suivantes de la personne, laquelle indique qu'il faudra lui répéter les instructions qu'elle a reçues?
- a) «En montant, on pose d'abord la jambe saine, puis on fait suivre la jambe affaiblie et les béquilles.»
- b) «En descendant, on avance d'abord la jambe affaiblie en même temps que les béquilles, puis on pose la jambe saine.»
- c) «On commence toujours par poser la jambe affaiblie en même temps que les béquilles.»
- d) «Au lieu de deux béquilles, on peut utiliser une canne ou une seule béquille si on la tient du côté affaibli.»

Voir l'appendice B: Réponses aux questions de révision.

 BIBLIOGRAPHIE

En anglais

Borg, G. (1998). *Borg's perceived exertion and pain scales.* Champaign, IL: Human Kinetics.

California Department of Occupational Health. (1997). *A back injury prevention guide for health care providers.* Retrieved May 16, 2003, from www.dir.ca.gov/dosh/dosh_publications/ backinj.pdf

Centers for Disease Control and Prevention. (n.d.). *Introducing the Youth Media Compaign.* Retrieved May 16, 2003, from http://www.cdc.gov/ youthcompaign/index.htm

Gordon, M. (2002). *Manual of nursing diagnosis* (10th ed.). St. Louis, MO: Mosby.

Haigh, C., & Peacok, L. (1998, February). Dilemmas in moving and handling patients. *Community Nurse, 4*(1), 26–28.

Jitramentree, N. (2001). Evidence-based protocol: Exercise promotion—encouraging older adults

to walk. *Journal of Gerontological Nursing, 29*(10), 7–18.

Johnson, M., Maas, M., & Moorhead, S. (Eds.). (2000). *Nursing outcomes classification (NOC)* (2nd ed.). St. Louis, MO: Mosby.

Konradi, D. B., & Anglin, L. T. (2001). Moderate-intensity exercise: For our patients, for ourselves. *Orthopedic Nursing, 20,* 47–56.

Mahoney, J. E., Sager, M. A., & Jalaluddin, M. (1999). Use of an ambulation assistive device predicts functional decline associated with hospitalization. *American Journal of Gerontology, 54A,* M83–M88.

Mathieson, K. M., Kronenfeld, J. J., & Keith, V. M. (2002). Maintaining functional independence in elderly adults : The role of health status and financial resources in predicting home modifications and use of mobility equipment. *The Gerontologist, 42,* 24–31.

McCloskey, J. C., & Bulechek, G. M. (Eds.). (2000). *Nursing interventions classification (NIC)* (3rd ed.). St. Louis, MO : Mosby.

McConnell, E. A. (2001). Applying a hip abduction pillow. *Nursing, 31*(12), 14.

McConnell, E. A. (2002). Using proper body mechanics. *Nursing, 32*(5), 17.

Metules, T. J. (2001). Watch your back. *RN, 64*(6), 65–66.

NANDA International. (2003). *NANDA nursing diagnoses : Definitions and classification 2003-2004.* Philadelphia : Author.

National Institutes of Health Consensus Development Conference Statement [Electronic version]. (1995, December 18–20). *Physical Activity and Cardiovascular Health, 13*(3), 1–33. Retrieved May 16, 2003, from http://consensus.nih.gov/cons/101/101_statement.pdf

Schiff, L. (2001). Lift and transfer devices. *RN, 64*(8), 61–62.

Wilkinson, J. M. (2000). *Nursing diagnosis handbook with NIC interventions and NOC outcomes* (7th ed.). Upper Saddle River, NJ : Prentice Hall Health.

Wilkinson, J. M. (2001). *Nursing process and critical thinking* (3rd ed.). Upper Saddle River, NJ : Prentice Hall Health.

En français

Association paritaire pour la santé et la sécurité du travail du secteur affaires sociales (ASSTSAS). (1997). *Manutention et transport sécuritaire de charges : cahier du participant,* Montréal.

Association paritaire pour la santé et la sécurité du travail du secteur affaires sociales (ASSTSAS). (1999). *Principes pour le déplacement sécuritaire des bénéficiaires, PDSB régulier : cahier du participant,* Montréal.

Association paritaire pour la santé et la sécurité du travail du secteur affaires sociales (ASSTSAS). (2004a). *Principes pour le déplacement sécuritaire des bénéficiaires, PDSB – régulier (cahier du formateur),* Montréal.

Association paritaire pour la santé et la sécurité du travail du secteur affaires sociales (ASSTSAS). (2004b). *Principes pour le déplacement sécuritaire des bénéficiaires, PDSB – régulier (cahier du participant),* Montréal.

Carpenito, L. J. (2003). *Manuel de diagnostics infirmiers,* traduction de la 9e édition, Saint-Laurent : Éditions du Renouveau Pédagogique.

Direction de la santé publique de Montréal-Centre et al. (2002). *L'activité physique, déterminant de la santé des jeunes* (Avis du comité scientifique de Kino-Québec), (page consultée le 27 octobre 2004), [en ligne], <http://www.santepub-mtl.qc.ca/kino/jeune/pdf/physiquedirecteur.pdf>.

Institut national de santé publique du Québec. (1998). *Enquête québécoise sur l'activité physique et la santé*, Montréal.

Johnson, M. et Maas, M. (dir.). (1999). *Classification des résultats de soins infirmiers CRSI/NOC*, Paris : Masson.

McCloskey, J. C. et Bulechek, G. M. (dir.). (2000). *Classification des interventions de soins infirmiers CISI/NIC*, 2e éd., Paris : Masson.

NANDA International. (2004). *Diagnostics infirmiers : Définitions et classification 2003-2004*, Paris : Masson.

RESSOURCES ET SITES WEB

Association paritaire pour la santé et la sécurité du travail du secteur affaires sociales (ASSTSAS). <http://www.asstsas.qc.ca/dossier/pdsb-menu.asp>

Centre canadien d'hygiène et de sécurité au travail. <http://www.cchst.ca/>

Méthode ergonomique de déplacement du patient (ACHST). <http://www.cchst.ca/reponsessst/hsprograms/patient_handling.html >

OBJECTIFS D'APPRENTISSAGE

Après avoir étudié ce chapitre, vous pourrez :

- Expliquer les fonctions et la physiologie du sommeil.
- Décrire les caractéristiques du sommeil lent et du sommeil paradoxal.
- Décrire les quatre stades du sommeil lent.
- Décrire l'évolution du sommeil au cours de la vie.
- Définir les facteurs qui influent sur le sommeil.
- Décrire les principaux troubles du sommeil.
- Indiquer les composantes de l'évaluation des habitudes de sommeil.
- Décrire, en ce qui concerne les troubles du sommeil, les diagnostics infirmiers, les interventions infirmières et les résultats escomptés du traitement.
- Décrire les interventions susceptibles de favoriser un sommeil normal.

SOMMEIL ET REPOS

CHAPITRE 43

Adaptation française :
Lyne Cloutier, inf., M.Sc.
Professeure, Département des sciences infirmières
Université du Québec à Trois-Rivières

Tous les êtres humains ont besoin d'un sommeil et d'un repos adéquats pour être en bonne santé, mais la maladie oblige en général la personne à dormir plus que d'habitude pour guérir et retrouver sa vitalité. Les personnes affaiblies consacrent beaucoup d'énergie à se rétablir, reconstituer leurs forces et accomplir leurs tâches quotidiennes. Elles sont donc plus fatiguées que la normale, et il leur faut davantage de sommeil et de repos. Le repos nous permet de « recharger nos batteries » et de reprendre nos activités quotidiennes et notre fonctionnement optimal. Le manque de repos rend en général irritable, déprimé, exténué, voire exagérément émotif. Entre autres responsabilités professionnelles, l'infirmière doit par conséquent assurer à toutes les personnes soignées un environnement propice au repos.

Les besoins en repos ainsi que la définition même de cette notion varient considérablement d'une personne à l'autre. Le **repos** exige le calme, la détente, l'absence de stress émotionnel et l'absence d'anxiété. Il ne suppose donc pas forcément l'inactivité.

Certaines activités physiques, comme la marche au grand air, peuvent au contraire s'avérer très reposantes. Lorsqu'une personne doit prendre du repos, c'est elle qui doit déterminer avec l'infirmière le type de repos visé. La personne peut-elle vaquer à certaines occupations ou doit-elle éviter toute activité? Si l'immobilité s'impose, touche-t-elle l'ensemble du corps ou seulement une partie (par exemple, un bras)?

Le sommeil compte au nombre des besoins humains fondamentaux. Ce processus biologique est universel, c'est-à-dire commun à tous. Le **sommeil** était autrefois assimilé à un état d'inconscience, mais il est maintenant considéré comme un état de conscience modifié, marqué par une diminution des perceptions et des réactions à l'environnement. Le sommeil se caractérise par une activité physique minimale, des fluctuations du niveau de conscience, des modifications des processus physiologiques et une diminution de la réactivité aux stimuli externes. Certains stimuli environnementaux (par exemple, la sonnerie du détecteur de fumée) réveillent en général le dormeur. Ce n'est cependant pas le cas de tous les bruits; il semble en effet que nous ne réagissions qu'aux stimuli qui sont porteurs d'une signification pour nous. Ainsi, un nouveau papa se réveillera en entendant son enfant gémir dans son sommeil, même si le bruit n'est pas très fort.

Physiologie du sommeil

Les cycles du sommeil seraient régis par des centres situés dans l'hypothalamus (la partie inférieure du cerveau). Ces centres inhibent la vigilance et déclenchent ainsi l'endormissement.

Rythmes circadiens

Les plantes, les animaux et les êtres humains évoluent selon des **biorythmes**, c'est-à-dire des rythmes biologiques (communément désignés sous le nom d'«horloges biologiques»). Chez les humains, ces biorythmes sont déterminés par l'organisme en fonction de différents facteurs environnementaux tels que la lumière ou l'obscurité, la force gravitationnelle ou les stimuli électromagnétiques. Le biorythme le mieux connu est le rythme circadien – du latin *circa dies*, qui signifie «environ une journée».

Le sommeil est un rythme biologique complexe. Quand l'horloge biologique de la personne coïncide avec l'alternance veille-sommeil, on dit que cette personne est en état de **synchronisation circadienne**. En d'autres termes, elle est éveillée quand ses rythmes physiologiques et psychologiques sont les plus actifs, et endormie quand ils sont les moins actifs.

La régularité circadienne s'établit vers la troisième semaine suivant la naissance et pourrait être transmissible héréditairement. Les nouveau-nés sont en général plus éveillés tôt le matin et en fin d'après-midi. À partir du quatrième mois, le nourrisson adopte un cycle de 24 heures et dort essentiellement la nuit. Vers la fin du cinquième ou du sixième mois, l'alternance veille-sommeil du nourrisson est déjà presque identique à celle de l'adulte.

Phases du sommeil

L'**électroencéphalogramme** (**EEG**) représente graphiquement les étapes du sommeil. La technique d'enregistrement de l'EEG consiste tout d'abord à placer des électrodes en divers points du cuir chevelu du dormeur. Ces électrodes transmettront par la suite les impulsions électriques du cortex cérébral à l'appareil, qui illustrera les ondes cérébrales sur du papier millimétré.

On distingue deux types de sommeil: le **sommeil lent** (**SL**) et le **sommeil paradoxal** (**SP**) (dit aussi «phase de mouvements oculaires rapides – MOR», de l'anglais *rapid eye movements sleep – REM sleep*).

SOMMEIL LENT

Le sommeil lent (SL) s'appelle également sommeil à ondes lentes parce que le cerveau du dormeur produit des ondes plus lentes que les ondes alpha et bêta générées par une personne éveillée et alerte. Notre sommeil nocturne appartient pour l'essentiel à cette catégorie. Ce sommeil intense, reposant et réparateur se caractérise par une baisse de certaines fonctions physiologiques. En fait, tous les processus métaboliques ralentissent, y compris les signes vitaux, le métabolisme et l'action musculaire. La déglutition et la sécrétion salivaire elles-mêmes diminuent (Orr, 2000). Voir l'encadré 43-1.

Changements physiologiques survenant pendant le sommeil lent 43-1

- La pression artérielle diminue.
- La fréquence du pouls diminue.
- Les vaisseaux sanguins périphériques se dilatent.
- Le débit cardiaque diminue.
- Les muscles squelettiques se détendent.
- Le métabolisme basal diminue de 10 à 30 %.
- Le taux de somatotrophine (aussi appelée hormone somatotrope ou hormone de croissance) atteint son apogée.
- La pression intracrânienne diminue.

Le sommeil lent compte quatre stades. Le *stade I* est celui du sommeil très léger. Il se caractérise par une sensation de détente et de somnolence. Les yeux se déplacent de droite à gauche ; les fréquences cardiaque et respiratoire baissent légèrement. Ce premier stade ne dure que quelques minutes et le dormeur peut s'éveiller très facilement durant cette période.

Le *stade II* est celui du sommeil léger, au cours duquel les processus biologiques continuent de ralentir. En général, les yeux s'immobilisent ; les fréquences cardiaque et respiratoire baissent encore un peu, et la température corporelle commence à diminuer. Ce deuxième stade ne dure que de 10 à 15 minutes d'affilée mais constitue entre 40 et 45 % du sommeil total.

Le *stade III* se caractérise par un ralentissement encore plus marqué des fréquences cardiaque et respiratoire et des autres processus biologiques. Cette diminution est principalement liée à l'activité prédominante du système nerveux parasympathique. Il devient plus difficile de réveiller le dormeur. Les stimuli sensoriels ne le tirent pas du sommeil ; ses muscles squelettiques sont très détendus ; ses réflexes sont amoindris ; il arrive qu'il ronfle.

Le *stade IV* correspond au sommeil profond, ou sommeil delta. Les fréquences cardiaque et respiratoire sont de 20 à 30 % inférieures à leurs valeurs à l'état de veille. Le dormeur est très détendu ; il bouge peu et il est difficile de le réveiller. Le stade IV serait celui qui régénère véritablement les capacités physiques du corps. En général, les yeux du dormeur bougent et il rêve un peu.

SOMMEIL PARADOXAL

Moins réparateur que le SL, le sommeil paradoxal survient toutes les 90 minutes environ et dure entre 5 et 30 minutes. C'est à cette étape que se produisent la plupart des rêves. De plus, le dormeur s'en souvient habituellement, ce qui signifie qu'ils sont emmagasinés dans sa mémoire.

Le cerveau est très actif pendant le sommeil paradoxal. Le métabolisme cérébral peut augmenter de 20 % dans certains cas. Le qualificatif « paradoxal » s'explique justement par l'apparition d'une activité cérébrale très intense alors même que la personne dort. Le dormeur peut dans certains cas s'éveiller spontanément, mais il est parfois difficile de le tirer du sommeil paradoxal. Son tonus musculaire est faible ; ses sécrétions gastriques augmentent ; ses rythmes cardiaque et respiratoire sont souvent irréguliers.

Cycles du sommeil

Un cycle complet du sommeil comprend une phase lente et une phase paradoxale. Ce cycle dure en général une heure et demie chez l'adulte. Lors de son premier cycle, le dormeur franchit les trois premiers stades du sommeil lent en 20 à 30 minutes environ. Ensuite, le stade IV peut durer environ 30 minutes. À la fin du stade IV du SL, la personne repasse par les stades III et II en 20 minutes environ (figure 43-1 ■). Puis survient la première phase paradoxale, qui dure une dizaine de minutes et complète le premier cycle du sommeil. Nous avons en moyenne

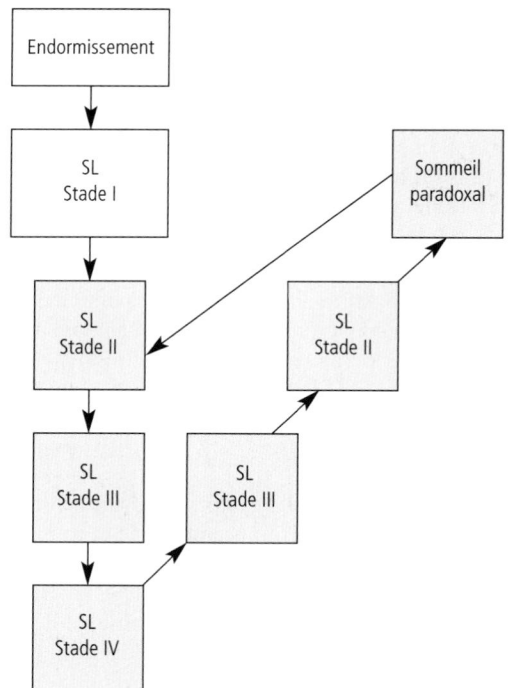

FIGURE 43-1 ■ **Le cycle du sommeil chez l'adulte.** Les stades indiqués sur fond grisé se répètent de quatre à six fois pendant 7 ou 8 heures de sommeil.

de quatre à six cycles durant une nuit de sommeil (figure 43-2 ■). S'il s'éveille pendant un cycle, le dormeur reprend le stade I du SL quand il se rendort et doit franchir tous les stades de la phase lente pour atteindre le sommeil paradoxal.

La durée des phases lente et paradoxale fluctue au cours d'une même nuit de sommeil. Plus la nuit avance, plus le dormeur est reposé et moins il s'attarde aux stades III et IV du SL.

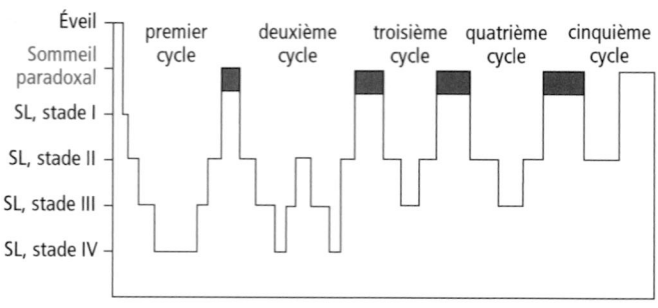

FIGURE 43-2 ■ La durée de la phase paradoxale et des stades du SL.

Ses périodes de sommeil paradoxal s'allongent, et ses rêves aussi. Si la personne est très fatiguée, les cycles paradoxaux sont en général courts au début de sa nuit de sommeil; ils peuvent durer par exemple 5 minutes au lieu de 20. Vers la fin de la période de sommeil surviennent des épisodes de quasi-éveil. Les stades I et II du SL et le sommeil paradoxal sont alors prédominants.

Fonctions du sommeil

On ne comprend pas encore très bien tous les effets du sommeil sur l'organisme, mais on sait qu'il exerce des effets physiologiques sur le système nerveux et sur les autres structures de l'organisme. D'une manière ou d'une autre, il rétablit le niveau habituel d'activité et l'équilibre normal du système nerveux. Il s'avère également indispensable à la synthèse des protéines, et assure ainsi la bonne marche des processus de réparation et de régénération.

Le sommeil contribue largement au bien-être psychologique, comme en témoigne la détérioration du fonctionnement psychique en cas de manque de sommeil. Les personnes qui dorment trop peu sont souvent irritables, et elles peuvent avoir du mal à se concentrer ou à prendre des décisions.

Habitudes normales de sommeil

Selon certains observateurs, le maintien d'un rythme veille-sommeil régulier serait plus important que le nombre d'heures de sommeil. (De fait, certaines personnes vivent très bien avec cinq heures de sommeil seulement par nuit.) L'infirmière doit donc aider la personne à maintenir son rythme veille-sommeil ou à le rétablir, par exemple après une interruption causée par une intervention chirurgicale.

> **! ALERTE CLINIQUE** *« La santé est la première des muses et le sommeil en constitue l'une des conditions essentielles. »*
> Ralph Waldo Emerson, 1932 ■

Nouveau-nés

Les nouveau-nés dorment chaque jour entre 16 et 18 heures, qui sont réparties en sept périodes environ. Leur sommeil lent présente plusieurs caractéristiques : respiration régulière, yeux fermés, absence de mouvements corporels ou oculaires. Leur sommeil paradoxal est agité de mouvements oculaires rapides observables à travers les paupières closes, de mouvements corporels et de respirations irrégulières. Les stades III et IV du sommeil lent représentent l'essentiel du sommeil des nouveaunés. Le sommeil paradoxal en constitue environ 40 %.

Nourrissons

Certains nourrissons dorment 22 heures par jour, d'autres « seulement » 12 à 14 heures. La phase paradoxale constitue entre 20 et 30 % de leur sommeil total. Les nourrissons en très bas âge se réveillent toutes les trois ou quatre heures, mangent et se rendorment. Les périodes d'éveil s'allongent graduellement au cours des premiers mois. À l'âge de quatre mois, la plupart des nourrissons font leurs nuits, c'est-à-dire qu'ils dorment de 8 à 10 heures par nuit, et adoptent un rythme de siestes variable. Cependant, la plupart des nourrissons se réveillent encore tôt le matin. À la fin de leur première année, ils font généralement une ou deux siestes par jour et dorment en moyenne 14 heures sur 24.

Le sommeil léger représente environ la moitié du sommeil total des nourrissons. Le sommeil léger se caractérise par une activité intense – mouvements, gazouillis, toux, etc. –, ce qui laisse croire à l'entourage du bébé qu'il est éveillé. Les parents doivent donc vérifier que l'enfant est bien réveillé avant de le sortir de son lit pour le nourrir ou le changer. La plupart des nourrissons recommencent à se réveiller au cours de la nuit entre leur cinquième et leur neuvième mois. Il est important de dire aux parents qu'il n'existe pas de solution miracle applicable à tous. La meilleure formule consiste en fait à établir et à maintenir un environnement sain pour le nourrisson comme pour ses parents.

Trottineurs

Les trottineurs ne dorment plus que de 10 à 12 heures par jour, dont 20 à 30 % en sommeil paradoxal. La plupart d'entre eux font encore la sieste l'après-midi, mais celle de la matinée disparaît graduellement. Le cycle veille-sommeil normal est généralement bien établi dès l'âge de deux ou trois ans. Le trottineur rechigne parfois à aller se coucher. Il importe d'indiquer aux parents qu'ils n'ont pas à s'inquiéter de cette situation. S'ils ont accordé suffisamment d'attention à l'enfant dans la journée, ils peuvent sans hésitation faire preuve de fermeté par rapport à son heure de coucher. Ils contribueront ainsi à instaurer et à maintenir de bonnes habitudes de sommeil pour l'ensemble des membres de la famille. Les cauchemars et terreurs nocturnes réveillent souvent les enfants. Ceux-ci peuvent alors s'effrayer de voir leur chambre plongée dans le noir.

Enfants d'âge préscolaire

Les enfants de cette tranche d'âge ont habituellement besoin de dormir de 11 à 12 heures par nuit. Leurs besoins en sommeil varient au gré de leurs activités et de leurs poussées de croissance. La plupart des enfants de cet âge détestent aller au lit et réclament souvent une histoire supplémentaire, un jeu ou une émission de télévision pour retarder leur coucher. Les enfants de quatre à cinq ans qui ne dorment pas suffisamment sont en général agités et irritables. Ils doivent parfois faire une sieste ou prendre un peu de repos dans la journée pour retrouver leur niveau habituel d'énergie.

Les enfants d'âge préscolaire ont encore besoin de rituels de coucher. Pour éviter ou atténuer les protestations, les parents pourront informer l'enfant de l'imminence de l'heure du coucher afin de l'y préparer, et maintenir la méthode de cohérence et de fermeté qui est recommandée pour les trottineurs. Les enfants d'âge préscolaire se réveillent très souvent la nuit. Leur sommeil paradoxal est encore de 20 à 30 % plus long que celui des adultes.

Enfants d'âge scolaire

Les enfants d'âge scolaire dorment entre 8 et 12 heures par nuit et ne font pas de sieste dans la journée. Les enfants de huit ans ont besoin d'au moins dix heures de sommeil chaque nuit. Vers 11 ou 12 ans, les enfants ont besoin de moins de sommeil et retardent parfois leur coucher jusqu'à 22 heures. Dans ce groupe d'âge, la phase paradoxale ne constitue plus que 20 % du sommeil. Certains enfants continuent à se réveiller la nuit à cause des cauchemars, mais ce problème tend à s'atténuer avec l'âge.

Adolescents

La plupart des adolescents doivent dormir entre huit et dix heures par nuit pour éviter une fatigue excessive et prévenir le plus possible les infections. Il n'est pas rare que la structure du sommeil change à l'adolescence. Des jeunes qui se levaient jusque-là très tôt se mettent à faire la grasse matinée et il leur arrive même de s'accorder une sieste l'après-midi. On ne connaît pas exactement les causes de ce sommeil diurne, mais il pourrait être attribuable au processus de maturation physique et à la réduction du nombre des heures de sommeil nocturne. À l'adolescence, la phase paradoxale constitue environ 20 % du sommeil.

Les garçons de cet âge commencent à avoir plusieurs fois par mois des **pollutions nocturnes**. Ces éjaculations spontanées s'accompagnent d'un orgasme avec émission de sperme pendant le sommeil. Comme les adolescents ont tendance à éprouver de la honte et de l'inquiétude, il importe de leur expliquer que ce phénomène est tout à fait normal.

Jeunes adultes

Le cycle veille-sommeil revêt une importance capitale pour les jeunes adultes. Compte tenu de leur mode de vie très actif, la plupart des observateurs estiment qu'ils devraient dormir de sept à huit heures par nuit. Certains s'accommodent cependant très bien d'une durée de sommeil moins longue.

Adultes d'âge mûr

Les adultes maintiennent en général la structure de sommeil qu'ils ont établie plus jeunes et dorment habituellement de six à huit heures par nuit. Le sommeil paradoxal constitue 20 % du sommeil. Les adultes tendent à se réveiller plus souvent la nuit. La durée du stade IV commence à diminuer.

Personnes âgées

Les personnes âgées dorment environ six heures par nuit, dont 20 à 25 % consiste en sommeil paradoxal. La durée du stade IV est en nette régression par rapport aux années antérieures et ce stade disparaît même complètement dans certains cas. La première période de sommeil paradoxal est plus longue. La plupart des personnes âgées se réveillent plus souvent la nuit et mettent plus de temps à se rendormir qu'auparavant. À cause des changements qui surviennent au stade IV, les aînés ont un sommeil réparateur moins long (voir l'encadré *Les âges de la vie*).

Certaines personnes âgées présentent le *syndrome des états crépusculaires*. Bien qu'il ne constitue pas à proprement parler un trouble du sommeil, ce syndrome caractérisé par l'émergence d'un état de confusion à la tombée du jour (d'où son nom) pourrait être attribuable à une modification du rythme circadien, à une diminution de la stimulation sensorielle en fin de journée ou à une perturbation mentale telle que la maladie d'Alzheimer.

RÉSULTATS DE RECHERCHE

Avons-nous vraiment besoin de huit heures de sommeil par nuit ?

Les professionnels de la santé interviennent quelquefois auprès de personnes malades qui disent dormir moins de huit heures par nuit. On croit souvent que cette durée est optimale, mais cette hypothèse n'a en fait jamais été prouvée.

Des chercheurs ont étudié la corrélation entre l'espérance de vie et la quantité de sommeil (Kripke, Garfinkel, Wingard, Klauber et Marler, 2002). Après avoir isolé l'effet des autres variables, ils ont noté que, selon les données recueillies (quoique à d'autres fins) auprès de plus d'un million d'adultes nord-américains, les personnes qui dorment sept heures par nuit bénéficient de l'espérance de vie la plus longue. L'espérance de vie la moins élevée est celle des gens qui dorment plus de huit heures et demie ou moins de trois heures et demie ou quatre heures et demie par nuit. Les chercheurs n'ont découvert aucun lien entre l'insomnie et la mortalité.

Implications : Cette très vaste étude a de quoi rassurer les professionnels de la santé ainsi que la population. Elle montre en effet que des nuits de six à huit heures de sommeil n'entraînent pas de risques, ou très peu, sur le plan de la santé. L'infirmière doit donc accorder plus d'importance à la sensation subjective de repos qu'éprouve la personne et aux autres signes éventuels de perturbations qu'à la durée en soi du sommeil. Le chiffre huit n'a rien de magique.

Source : « Mortality Associated with Sleep Duration and Insomnia », de D. F. Kripke, L. Garfinkel, D. L. Wingard, M. R. Klauber et M. R. Marler, 2002, *Archives of General Psychiatry*, *59*(2), p. 131-136.

LES ÂGES DE LA VIE

Personnes âgées

La qualité du sommeil se dégrade souvent avec l'âge. Plusieurs facteurs provoquent ou favorisent ces perturbations.

- Effets secondaires des médicaments
- Reflux gastrique
- Affections respiratoires ou cardiovasculaires causant un malaise ou de la dyspnée
- Douleurs causées par l'arthrite, diminution ou absence de mobilité, ou encore immobilité forcée
- Nycturie
- Dépression
- Perte du conjoint ou d'amis proches
- Perturbation des rituels du coucher (après l'admission dans un établissement de soins)
- Confusion due au délire ou à la démence

Les interventions favorisant le sommeil et le repos aident la personne à reconstituer ses forces. L'admission dans un centre de soins perturbe les habitudes et les rituels qui rythment la vie de la personne depuis des années. La liste ci-dessous récapitule les interventions susceptibles de favoriser le sommeil et le repos.

- Préserver le rituel du coucher ou en élaborer un nouveau, en collaboration avec la personne, afin de l'aider à se détendre et à dormir, par exemple: musique, techniques de relaxation, massage du dos, boisson chaude.
- Ajuster la température de la pièce.
- Maintenir une lumière allumée, telle une veilleuse, pour rassurer la personne.
- Placer les meubles de façon à s'assurer que la personne ne tombera pas si elle doit se lever pendant la nuit.
- Mettre en œuvre des mesures visant le bien-être, par exemple administration d'un analgésique (si besoin est), adoption d'une posture adéquate, etc.
- Aller voir souvent la personne et vérifier que la sonnette d'appel est à sa portée afin de lui procurer un sentiment de sécurité.
- Si le manque de sommeil est dû aux médicaments ou à une affection, élaborer des interventions conçues précisément en fonction de ces problèmes.
- Demander à la personne sa perception de son cycle veille-sommeil. Certaines personnes ne considèrent pas la difficulté à s'endormir comme un problème grave; elles se contentent de faire d'autres activités quand le sommeil ne vient pas et dorment quand elles sont fatiguées.

Facteurs pouvant influer sur le sommeil

Plusieurs facteurs exercent une grande influence sur la qualité du sommeil et sur sa quantité (voir l'encadré 43-2). La *qualité du sommeil* se définit par la capacité d'une personne à rester endormie et à bénéficier de durées adéquates de sommeil paradoxal et de sommeil lent. La *quantité de sommeil* est égale au temps pendant lequel une personne dort.

ENCADRÉ

Facteurs pouvant influer sur le sommeil	43-2

- Maladie
- Environnement
- Fatigue
- Mode de vie
- Stress
- Alcool et excitants
- Alimentation
- Tabac
- Volonté
- Médicaments

Maladie

Les maladies causant des souffrances physiques nuisent en général à la qualité du sommeil et à sa durée. Ce phénomène est d'autant plus marqué que tout processus morbide avec ou sans douleur entraîne déjà un plus grand besoin de sommeil chez un patient que chez une personne en bonne santé. C'est pourquoi le rythme veille-sommeil est souvent perturbé par la maladie.

Il arrive aussi que des problèmes respiratoires troublent le sommeil. La congestion nasale et la rhinorrhée en particulier entravent la respiration et, par conséquent, le sommeil.

En général, les personnes atteintes d'un ulcère gastrique ou duodénal dorment mal à cause de la douleur, souvent due à l'augmentation des sécrétions gastriques survenant pendant le sommeil paradoxal.

Certains troubles endocriniens peuvent également nuire au sommeil. Ainsi, l'hyperthyroïdie retarde l'endormissement. À l'inverse, l'hypothyroïdie écourte le stade IV. Les femmes ayant de faibles taux d'œstrogènes présentent souvent une fatigue excessive. De plus, elles souffrent parfois de perturbations du sommeil causées par la gêne liée aux bouffées de chaleur ou aux sueurs nocturnes qui accompagnent cette baisse hormonale.

La fièvre peut aussi réduire la durée des stades III et IV du sommeil lent et celle du sommeil paradoxal.

Enfin, l'envie d'uriner survenant la nuit perturbe le sommeil, et il arrive qu'on ait du mal à se rendormir après la miction.

Environnement

L'environnement peut soit favoriser le sommeil, soit l'entraver. Toute modification de l'environnement, par exemple un bruit, peut ainsi interrompre le sommeil ou faire en sorte que l'on ne puisse pas dormir. Il en va de même pour la suppression des stimuli habituels ou la présence de stimuli inhabituels dans l'environnement du dormeur. Le sommeil du stade I est le plus léger; celui des stades III et IV, le plus profond. Par conséquent, seuls les bruits forts vont réveiller le dormeur au stade III ou IV. On peut cependant s'habituer à un bruit, de sorte qu'il perturbe moins le sommeil avec le temps.

Le froid, la chaleur et un environnement suffocant peuvent aussi gêner le dormeur. Enfin, l'intensité lumineuse joue également un rôle dans le sommeil. Les personnes habituées à dormir dans le noir ont parfois du mal à trouver le sommeil ou à rester endormies s'il fait clair. On doit ainsi tenir compte des particularités du climat québécois (voir le tableau 43-1).

Fatigue

On estime habituellement qu'une fatigue modérée entraîne un sommeil réparateur. L'intensité de la fatigue exerce en effet une influence sur la structure du sommeil. Plus on est exténué, plus la première période de sommeil paradoxal est courte. Plus la personne est reposée, plus ses périodes de sommeil paradoxal s'allongent, ce qui rend son sommeil plus réparateur.

Mode de vie

Les personnes qui ont des horaires de travail variables doivent établir des rituels qui les aideront à s'endormir au moment voulu. Par exemple, une séance d'exercice modéré favorise en général l'endormissement, alors qu'une séance trop intensive le retarde. Les personnes qui arrivent à bien se détendre avant de se coucher ont habituellement moins de difficulté à s'endormir que celles qui sont nerveuses et angoissées.

Stress

En règle générale, l'anxiété et la dépression perturbent considérablement le sommeil. Quand nous sommes préoccupés, nous avons du mal à nous détendre suffisamment pour nous endormir. L'anxiété stimule le système sympathique et fait ainsi augmenter le taux de noradrénaline dans le sang. Cette altération chimique raccourcit le stade IV du sommeil lent ainsi que le sommeil paradoxal, favorise le passage d'un stade à l'autre et multiplie les réveils.

Alcool et excitants

Les boissons contenant de la caféine stimulent le système nerveux central et perturbent donc le sommeil. La consommation excessive d'alcool nuit aussi à la qualité du sommeil. Bien qu'il puisse accélérer l'endormissement, l'alcool consommé en quantité excessive induit une détérioration du sommeil paradoxal. Le dormeur récupère la phase paradoxale quand les effets de l'alcool commencent à s'atténuer, mais il n'est alors pas rare qu'il fasse des cauchemars. Les personnes qui boivent fréquemment de l'alcool, et en grandes quantités, ont souvent des problèmes de sommeil et deviennent par conséquent irritables.

Alimentation

Les personnes qui perdent du poids ont souvent tendance à dormir moins longtemps, à se réveiller plus souvent et à se lever plus tôt. À l'inverse, les sujets qui prennent du poids auraient plutôt tendance à dormir plus, à subir moins d'interruptions de leur sommeil et à se réveiller plus tard. Le L-tryptophane alimentaire (que l'on trouve, par exemple, dans le fromage et le lait) peut favoriser l'endormissement – ce qui explique en partie pourquoi le lait chaud aide certaines personnes à s'endormir.

Tabac

Puisque la nicotine exerce un effet stimulant sur l'organisme, les fumeurs ont souvent plus de difficulté que les non-fumeurs à s'endormir. Ils se réveillent plus fréquemment et considèrent en général qu'ils ont le sommeil léger. Pour mieux dormir, les fumeurs ont avantage à renoncer à la cigarette dans la soirée. Les personnes qui ont cessé de fumer constatent souvent que leur sommeil s'est amélioré depuis qu'elles ne fument plus.

Volonté

La volonté de rester éveillé permet souvent de surmonter la fatigue. Ainsi, on peut assister sans somnoler à un excellent concert même si on est très fatigué. Inversement, on a tendance à s'endormir tout de suite quand on s'ennuie et que l'on ne tient pas particulièrement à rester éveillé.

Médicaments

Certains médicaments ont des effets sensibles sur la qualité du sommeil. Les somnifères peuvent perturber les stades III et IV du sommeil lent et supprimer le sommeil paradoxal. Les

---

TABLEAU

Particularités du climat québécois

43-1

Fait	Implications
Le Québec étant situé très au nord du globe terrestre, la durée des journées varie considérablement d'une saison à l'autre. Ces fluctuations du cycle lumière-obscurité sont d'autant plus marquées qu'on se rapproche du pôle. Elles ont une influence directe sur la sécrétion de la mélatonine, car celle-ci augmente dans le noir. Les longues nuits de l'hiver septentrional accentuent les perturbations du sommeil observées dans les cas de dépression saisonnière, surtout chez les personnes qui ne s'exposent pas assez à la lumière naturelle.	Ni les adultes ni les enfants n'ont intérêt à se coucher plus tôt, car ils risquent de ne pas arriver à s'endormir. Ils peuvent par contre se lever plus tôt.
À l'inverse, la persistance du rayonnement solaire les soirs d'été amplifie l'impact du cycle circadien. La pratique d'activités sociales ou sportives en soirée accentue encore ce phénomène. C'est ce qui explique que, à la fin des vacances d'été, enfants et adultes ont souvent du mal à se réadapter aux horaires scolaires et professionnels de l'automne.	Pour aider les enfants, les parents et autres adultes à atténuer cette transition, l'infirmière pourra leur conseiller d'avancer l'heure du lever dans la semaine qui précède la fin des vacances.

bêta-bloquants provoquent de l'insomnie et des cauchemars. Les narcotiques (par exemple, le chlorhydrate de mépéridine [Demerol] et la morphine) suppriment le sommeil paradoxal et entraînent la somnolence ainsi que des réveils fréquents. Les benzodiazépines perturbent le sommeil paradoxal. Les amphétamines et les antidépresseurs écourtent la phase paradoxale. Le sevrage de l'un ou l'autre de ces médicaments s'accompagne d'un allongement du sommeil paradoxal au-delà de la durée habituelle et peut par conséquent causer des cauchemars éprouvants. L'encadré 43-3 indique plusieurs substances susceptibles de perturber le sommeil.

ENCADRÉ 43-3

Substances pouvant perturber le sommeil

Les substances énumérées ci-dessous peuvent perturber le sommeil paradoxal, retarder l'endormissement, raccourcir la durée du sommeil, provoquer des cauchemars ou favoriser la somnolence diurne.

- Alcool
- Amphétamines
- Antidépresseurs
- Antihypertenseurs
- Antipsychotiques
- Benzodiazépines
- Bronchodilatateurs
- Caféine
- Corticostéroïdes
- Décongestionnants
- Opioïdes

ENCADRÉ 43-4

Troubles du sommeil

Parasomnies

- Troubles de l'éveil durant le sommeil
  Somnambulisme
  Terreurs nocturnes
- Troubles de la transition veille-sommeil
  Somniloquie
- Parasomnies associées au sommeil paradoxal
  Cauchemars
- Autres types de parasomnies : bruxisme, énurésie nocturne, érections nocturnes, mouvements involontaires des membres (myoclonie)

Troubles primaires du sommeil

- Insomnie
- Hypersomnie
- Narcolepsie
- Apnée du sommeil
  Apnée d'origine obstructive
  Apnée d'origine centrale
  Apnée mixte
- Manque de sommeil

Troubles secondaires du sommeil

- Troubles associés à l'insuffisance cardiaque, à la dépression, à la maladie de Parkinson ou à une autre affection

Troubles du sommeil les plus courants

Une bonne connaissance des troubles du sommeil les plus courants aidera l'infirmière à recueillir les données les plus pertinentes. Les troubles du sommeil se répartissent en trois catégories : les parasomnies, les troubles primaires et les troubles secondaires du sommeil. Ces troubles sont résumés à l'encadré 43-4.

Parasomnies

La **parasomnie** est un comportement susceptible de perturber le sommeil ou de survenir pendant le sommeil. L'*International Classification of Sleep Disorders* (American Sleep Disorders Association, 1997) classe les parasomnies en troubles de l'éveil pendant le sommeil (par exemple, le somnambulisme et les terreurs nocturnes) ; troubles de la transition veille-sommeil (par exemple, la somniloquie) ; parasomnies associées au sommeil paradoxal (par exemple, les cauchemars) ; et autres types de parasomnies (par exemple, le bruxisme). L'encadré 43-5 décrit quelques parasomnies.

Troubles primaires du sommeil

Lorsque le trouble principal est une anomalie du sommeil lui-même, on parle de **troubles primaires du sommeil.** Cette catégorie comprend notamment l'insomnie, l'hypersomnie, la narcolepsie, l'apnée du sommeil et le manque de sommeil.

INSOMNIE

L'**insomnie** est le trouble du sommeil le plus courant. Il s'agit de l'incapacité à dormir de manière adéquate sur le plan de la quantité ou de la qualité (voire les deux). Les insomniaques se sentent fatigués au réveil. On distingue trois types d'insomnie :

1. Difficulté à s'endormir (insomnie initiale, ou insomnie du début de la nuit)
2. Difficulté à rester endormi à cause de réveils fréquents ou prolongés (insomnie intermittente)
3. Réveil précoce ou survenant trop tôt le matin (insomnie terminale)

L'insomnie peut être causée par un malaise physique, mais s'explique plus souvent par une stimulation mentale excessive attribuable à l'anxiété. Les personnes qui utilisent pendant une longue période certains médicaments, comme les benzodiazépines, ou qui boivent beaucoup d'alcool y sont très sujettes.

L'insomniaque doit en général adopter des habitudes favorisant le sommeil. L'utilité réelle des médicaments à cet égard ne fait pas l'unanimité. Certains médicaments ne suppriment pas la cause du problème et leur utilisation prolongée risque de créer une dépendance.

HYPERSOMNIE

L'**hypersomnie** est le contraire de l'insomnie. Elle consiste à dormir trop, notamment le jour. Le sujet peut ainsi dormir jusqu'à midi et faire ensuite plusieurs siestes dans la journée. L'hypersomnie est parfois causée par un problème de santé, par exemple une lésion du système nerveux central ou encore un trouble rénal, hépatique ou métabolique (comme l'acidocétose diabétique et l'hypothyroïdie). Dans certains cas aussi, l'hypersomnie est simplement une stratégie d'adaptation qui permet au sujet de fuir les responsabilités qui l'attendent au réveil.

Parasomnies

- *Bruxisme.* Le dormeur contracte les mâchoires et grince des dents. Le bruxisme se produit en général au stade II du sommeil lent et peut à la longue éroder les gencives et provoquer le déchaussement des dents.
- *Énurésie nocturne.* Ces émissions involontaires et inconscientes d'urine pendant le sommeil peuvent se produire chez les enfants de plus de trois ans, particulièrement les garçons. L'épisode survient en général de une à deux heures après l'endormissement, quand l'enfant passe du stade III au stade IV du sommeil lent.
- *Érections nocturnes.* Les érections et éjaculations nocturnes se produisent pendant le sommeil paradoxal. Elles commencent à l'adolescence et ne nuisent pas au sommeil.
- *Mouvements involontaires des membres (myoclonie).* Courant surtout chez les personnes âgées, ce phénomène se caractérise par une contraction des jambes deux ou trois fois par minute pendant le sommeil. Ces coups de pied peuvent réveiller la personne et, par conséquent, nuire à la qualité de son sommeil. Il est possible de traiter le

problème au moyen des médicaments prescrits pour la maladie de Parkinson. La myoclonie doit être distinguée des impatiences musculaires, qui peuvent se produire pendant les périodes de repos, et pas seulement pendant le sommeil. Les impatiences musculaires accompagnent parfois la grossesse ou un problème de santé qu'on peut traiter.

- *Somniloquie.* Cette parasomnie consiste à parler dans son sommeil. Elle survient pendant le sommeil lent, avant l'émergence du sommeil paradoxal. Elle constitue rarement un problème pour le dormeur, mais elle l'est parfois pour son entourage.
- *Somnambulisme.* Cette parasomnie consiste à marcher en dormant. Elle survient aux stades III et IV du sommeil lent. Ce phénomène épisodique se produit en général de une à deux heures après l'endormissement. Le dormeur n'a pas conscience des dangers présents dans son environnement (par exemple, les escaliers) et doit par conséquent faire l'objet d'une surveillance destinée à prévenir les blessures.

NARCOLEPSIE

La **narcolepsie** – du grec *narco*, « assoupissement », et du grec *lepsis*, « attaque » – se caractérise par des accès irrépressibles de sommeil pendant le jour. La personne semble être en proie à de véritables « attaques de sommeil ». Les causes de la narcolepsie sont encore inconnues. Les chercheurs pensent toutefois qu'elle pourrait provenir d'un taux insuffisant d'hypocrétine dans le système nerveux central, l'hypocrétine jouant un rôle important dans la régulation du sommeil. Les symptômes apparaissent en général entre l'âge de 15 et 30 ans. En cas de crise narcoleptique, le sommeil commence par la phase paradoxale. Les personnes atteintes dorment en général bien la nuit mais peuvent s'endormir plusieurs fois par jour, même en pleine conversation ou au volant de leur voiture. Avant que la recherche ne propose des pistes valables sur le plan thérapeutique, la narcolepsie était traitée, plus ou moins efficacement, au moyen de stimulants du système nerveux central et d'antidépresseurs. Le modafinil, un médicament approuvé en 1996 au Canada, accroît la vigilance sans stimuler les autres systèmes de l'organisme ni perturber le sommeil nocturne. Il représente donc un espoir pour les narcoleptiques.

APNÉE DU SOMMEIL

L'**apnée du sommeil** est un arrêt périodique de la respiration pendant le sommeil. La personne qui en est atteinte devrait être examinée par un pneumologue. On soupçonne la présence d'apnée lorsque le sujet ronfle très fort, se réveille fréquemment la nuit et souffre de somnolence durant la journée. Cette personne présente également d'autres symptômes tels que l'insomnie, des maux de tête matinaux, une détérioration des capacités intellectuelles, de l'irritabilité ou autre altération de la personnalité. Des changements physiologiques, comme une hausse de la pression artérielle ou l'apparition d'arythmies, peuvent également se manifester. L'apnée du sommeil est plus fréquente chez les hommes de plus de 50 ans et chez les femmes après la ménopause.

Les périodes d'apnée durent entre dix secondes et deux minutes et peuvent survenir pendant le sommeil lent ou le sommeil paradoxal. Leur fréquence s'échelonne de 50 à 600 épisodes par nuit. Ces apnées épuisent la personne et provoquent une somnolence diurne excessive.

Il existe trois grandes catégories d'apnée du sommeil : l'apnée d'origine obstructive, l'apnée d'origine centrale et l'apnée mixte. L'apnée d'origine obstructive se produit lorsque les structures du pharynx ou de la cavité buccale bloquent le passage de l'air inspiré. Le patient essaie de respirer : ses muscles thoraciques et abdominaux se contractent et s'étirent. Le mouvement du diaphragme s'intensifie alors, et ce jusqu'à ce que l'obstruction soit éliminée. Plusieurs facteurs prédisposent à l'apnée d'origine obstructive : amygdales œdématiées, déviation de la cloison nasale, polype nasal et obésité.

L'apnée d'origine centrale serait causée par une perturbation des centres respiratoires. Dans ce type d'apnée, toutes les activités intervenant dans la respiration, par exemple l'expansion thoracique, sont abolies. Les personnes atteintes d'une lésion au tronc cérébral ou de la dystrophie musculaire sont souvent sujettes à ce type d'apnée d'origine centrale. Il n'existe aucun traitement à l'heure actuelle. L'apnée mixte est une combinaison de l'apnée d'origine centrale et de l'apnée d'origine obstructive.

L'épisode d'apnée commence généralement par un ronflement. Ensuite, la respiration cesse, puis elle recommence en s'accompagnant d'un fort ronflement. À la fin de chaque épisode apnéique, l'augmentation du taux de dioxyde de carbone (CO_2) dans le sang réveille la personne.

Le traitement de l'apnée du sommeil consiste à en éliminer la cause. En cas d'œdème des amygdales, par exemple, l'ablation peut résoudre le problème. D'autres interventions chirurgicales (ablation au laser des tissus excédentaires dans le pharynx, ou autre) réduisent les ronflements ou les éliminent et peuvent atténuer les apnées. Dans d'autres cas, l'utilisation d'un dispositif de ventilation spontanée avec pression positive continue (CPAP) par masque nasal peut s'avérer efficace pour maintenir l'ouverture des voies respiratoires pendant la nuit.

L'apnée du sommeil peut avoir des conséquences désastreuses sur les résultats scolaires ou professionnels d'une personne. En outre, l'apnée prolongée est susceptible de provoquer une augmentation rapide de la pression artérielle et de mener à l'arrêt cardiaque. À la longue, les épisodes apnéiques peuvent causer des arythmies, de l'hypertension artérielle pulmonaire et, à plus long terme, l'insuffisance cardiaque gauche.

> **! ALERTE CLINIQUE** *Les conjoints des personnes atteintes d'apnée du sommeil détectent parfois le problème du fait que la personne ronfle, puis cesse de ronfler pendant l'épisode apnéique, et recommence à ronfler de plus belle. L'ablation chirurgicale des amygdales ou d'autres tissus pharyngiens, s'ils ne constituent pas la cause de l'apnée, peut en fait aggraver la situation en supprimant le ronflement et, par conséquent, le signal du déclenchement d'un épisode apnéique.* ■

MANQUE DE SOMMEIL

Si elle dort trop peu, trop mal ou de manière trop fractionnée pendant une période assez longue, une personne peut manifester le syndrome du **manque de sommeil**. Il ne s'agit pas d'un trouble du sommeil en soi mais d'un syndrome résultant de perturbations du sommeil. Il se traduit par un ensemble de modifications physiologiques et comportementales dont la gravité dépend de l'intensité de la privation. Le manque de sommeil se répartit en deux catégories, selon qu'il touche la phase paradoxale ou le SL. L'association des deux types inten-

sifie la gravité des symptômes. Le tableau 43-2 indique les causes et les symptômes et signes du manque de sommeil.

Troubles secondaires du sommeil

On appelle **troubles secondaires du sommeil** les perturbations du sommeil qui sont causées par un autre problème clinique (par exemple, psychique, endocrinien, etc.). Des affections très diverses peuvent provoquer des troubles secondaires du sommeil, en particulier la dépression, l'alcoolisme, la démence, la maladie de Parkinson, l'insuffisance cardiaque, les dysfonctions thyroïdiennes, la bronchopneumopathie obstructive chronique et l'ulcère gastroduodénal.

DÉMARCHE SYSTÉMATIQUE
dans la pratique infirmière

Collecte des données

En cas de perturbations du sommeil, la collecte des données peut compter notamment les volets suivants : antécédents en matière de sommeil ; journal des habitudes de sommeil ; examen physique ; examens paracliniques.

▨ Antécédents en matière de sommeil

Toutes les personnes admises dans un établissement de santé doivent indiquer brièvement leurs antécédents en matière de sommeil lors de la collecte des données. Cette information permet à l'infirmière d'intégrer les besoins et préférences de la personne à

TABLEAU
43-2

Types, causes, symptômes et signes du manque de sommeil

Types	Causes	Symptômes et signes
Manque de sommeil paradoxal	Alcool, barbituriques, horaires de travail variables, décalage horaire, hospitalisation prolongée au service des soins intensifs, opioïdes	Excitabilité, agitation, irritabilité et augmentation de la sensibilité à la douleur Confusion Méfiance
Manque de sommeil lent	Toutes les causes ci-dessus, plus : benzodiazépines, hypothyroïdie, dépression, détresse respiratoire, apnée du sommeil, âge (le manque de sommeil lent s'observe fréquemment chez les personnes âgées)	Labilité émotionnelle (changement rapide et marqué de l'humeur) Repli sur soi, apathie, hyporéactivité Sensation de malaise physique Relative inexpressivité du visage Détérioration du langage
Manque de sommeil paradoxal et lent	Voir ci-dessus	Somnolence excessive le jour Diminution de la capacité de raisonnement (jugement) et de la capacité de concentration Distraction, inattention Fatigue prononcée : vision trouble, démangeaisons oculaires, nausées, maux de tête Difficulté à effectuer les tâches quotidiennes Perte de mémoire, difficultés de mémorisation, hallucinations visuelles ou auditives

son plan de soins. La fiche des antécédents en matière de sommeil doit préciser l'information ci-dessous :

- Les habitudes de sommeil et, plus précisément, l'heure du coucher et du réveil ; le nombre d'heures de sommeil ininterrompu ; la qualité du sommeil (perçue subjectivement ou évaluée plus objectivement) – par exemple, l'effet du sommeil sur le niveau d'énergie dans les activités quotidiennes ; et l'heure et la durée des siestes.
- Les rituels du coucher qui aident la personne à s'endormir, par exemple : prendre une boisson chaude, lire, se détendre.
- La consommation de médicaments (pour le sommeil ou autres). Certains médicaments, par exemple les stimulants et les corticostéroïdes, peuvent perturber le sommeil s'ils sont pris pendant la soirée ou avant le coucher. Les somnifères et les antidépresseurs causent parfois une somnolence diurne excessive.
- L'environnement, par exemple : chambre obscure, température chaude ou fraîche, bruit, veilleuse.
- Les modifications observées dernièrement dans les habitudes de sommeil.

Si la personne indique que son sommeil a changé récemment ou qu'elle a du mal à dormir, l'infirmière doit procéder à une analyse plus détaillée des facteurs qui entravent le sommeil. Elle examinera la nature exacte du problème et sa cause, sa date d'apparition et sa fréquence, ses effets sur la vie quotidienne, les mesures que prend la personne pour régler le problème ou tenter de mieux vivre avec, et le degré d'efficacité de ces méthodes. L'encadré *Entrevue d'évaluation* indique certaines des questions que l'infirmière pourra poser à la personne.

Journal des habitudes de sommeil

Les personnes qui ont des problèmes de sommeil ont en général avantage à tenir un journal dans lequel elles noteront l'évolution de leur sommeil et les comportements et activités associés aux changements. Ce « journal des habitudes de sommeil » fournira à l'infirmière des informations plus détaillées que les antécédents. Il doit être tenu pendant au moins une semaine. Cette technique s'adresse uniquement aux personnes qui dorment chez elles. Le document peut porter sur différentes dimensions, selon le problème. Par exemple :

- Nombre total d'heures de sommeil par jour.
- Activités effectuées deux à trois heures avant le coucher (nature de l'activité, durée, heure).
- Rituels précédant le coucher, par exemple : consommation de nourriture, de boisson ou de médicaments.
- Heure à laquelle la personne (a) se couche ; (b) essaie de s'endormir ; (c) s'endort (heure approximative) ; (d) se réveille dans la nuit, le cas échéant (et durée de ces épisodes) ; et (e) se réveille le matin.
- Problèmes et inquiétudes qui, selon la personne, perturbent son sommeil.
- Facteurs qui, selon la personne, exercent une influence (positive ou négative) sur son sommeil.

Il arrive cependant que la tenue de ce journal devienne une source de stress additionnelle pour certaines personnes et perturbe encore plus leur sommeil. L'infirmière doit conseiller à la personne de solliciter l'aide d'un membre de sa famille pour tenir son journal, ou de cesser cette activité si elle lui pose problème.

ENTREVUE D'ÉVALUATION

Perturbations du sommeil

- En quoi consiste votre problème de sommeil ? Quels changements avez-vous observés dans vos habitudes de sommeil ? À quelle fréquence se produisent-ils ?
- Avez-vous du mal à vous endormir ?
- Vous réveillez-vous souvent la nuit ? Si oui, à quelle fréquence ?
- Le matin, vous réveillez-vous plus tôt que vous ne le souhaiteriez et avez-vous du mal à vous rendormir ?
- Comment vous sentez-vous quand vous vous réveillez le matin ?
- Dormez-vous plus que d'habitude ? Si oui, combien de fois dormez-vous chaque jour ?
- Connaissez-vous des épisodes de fatigue intense ? Si oui, quand se produisent-ils ?
- Vous est-il déjà arrivé de vous endormir soudainement durant la journée au milieu d'une activité ? Si oui, avez-vous constaté une paralysie ou une faiblesse de vos muscles ?
- Vous a-t-on déjà dit que vous ronfliez, que vous marchiez, que vous parliez ou que vous cessiez de respirer quand vous dormez ?
- Quelles mesures avez-vous prises par rapport à ce problème de sommeil ? Ont-elles porté fruit ?
- Quelles pourraient être selon vous les causes de ce problème ? Souffrez-vous d'un quelconque problème de santé pouvant allonger (ou écourter) votre sommeil ? Prenez-vous des médicaments susceptibles d'altérer vos habitudes de sommeil ? Vivez-vous actuellement des conflits ou des événements stressants ou perturbants pouvant altérer votre sommeil ?
- Quelles répercussions ce problème de sommeil a-t-il sur vous ?

Une fois le journal établi, l'infirmière et la personne peuvent élaborer des graphiques qui faciliteront l'organisation des données et la détermination du problème en cause.

Examen physique

L'examen consiste à observer le visage de la personne malade, son comportement et son niveau d'énergie. Plusieurs signes peuvent indiquer une carence en sommeil : cernes noirs autour des yeux, paupières bouffies, conjonctives rouges, yeux vitreux ou regard terne, visage inexpressif. Les comportements susceptibles de révéler un problème du sommeil sont : l'irritabilité, l'agitation, l'inattention, la confusion, la lenteur d'élocution, le manque de tonus, le tremblement des mains, le bâillement, le frottement des yeux, le repli sur soi et le manque de coordination. Enfin, des signes physiques d'affaiblissement, de léthargie ou de fatigue manifestent quelquefois une baisse d'énergie secondaire à une carence en sommeil.

L'infirmière doit en outre vérifier si la personne présente une déviation de la cloison nasale, si elle a un cou massif (> 42 cm de diamètre) ou si elle est obèse. Ces signes sont associés au ronflement ou à l'apnée d'origine obstructive du sommeil.

■ Examens paracliniques

La **polysomnographie** permet de mesurer objectivement le sommeil dans un laboratoire spécialisé. Elle consiste à procéder simultanément à un électroencéphalogramme (EEG), à un électro-myogramme (EMG) et à un électro-oculogramme (EOG). On place des électrodes sur le cuir chevelu de la personne afin d'enregistrer ses ondes cérébrales (EEG), sur le canthus externe des yeux pour enregistrer ses mouvements oculaires (EOG) et sur les muscles de la mâchoire pour obtenir l'électromyogramme (EMG). Selon les résultats de l'entrevue initiale, on peut également mesurer d'autres paramètres, par exemple: débit expiratoire, ECG, mouvement des jambes, saturation du sang en oxygène. La saturation en oxygène se mesure au moyen d'un saturomètre, soit une cellule électrique photosensible que l'on place au doigt ou à l'oreille. La mesure de la saturation en oxygène et l'ECG sont particulièrement importants chez les personnes qui présentent des apnées du sommeil. La polysomnographie permet de dresser le bilan des activités de la personne quand elle dort: mouvements, agitation, respiration bruyante, etc. Bien que la personne n'ait pas conscience de ces activités, ces dernières peuvent être la cause de ses réveils fréquents.

Analyse

On utilise le diagnostic infirmier de NANDA (2004) *Habitudes de sommeil perturbées* pour les personnes présentant des problèmes du sommeil. On le précise généralement à l'aide de descriptions telles que « difficulté d'endormissement » ou « réveils fréquents et prolongés ».

Plusieurs facteurs peuvent provoquer ou favoriser le problème de sommeil; ils doivent être évalués pour chaque personne. Ces facteurs sont par exemple: la douleur ou le malaise physique; l'anxiété liée à la perte (réelle ou redoutée) d'un être cher; la perte d'un travail; l'imminence de la mort causée par une maladie grave; l'inquiétude liée au comportement ou à la maladie d'un membre de la famille; les changements incessants dans l'heure du coucher dus à des horaires de travail variables; et les modifications des rituels du coucher ou de l'environnement du sommeil (bruit ou stimuli excessifs de l'environnement hospitalier; alcoolisme, toxicomanie ou pharmacodépendance; sevrage; mauvaise utilisation des sédatifs prescrits pour l'insomnie; effets de médicaments tels que les stéroïdes ou les stimulants, etc.).

Les perturbations du sommeil peuvent également constituer des facteurs favorisants d'autres problèmes faisant l'objet de diagnostics infirmiers. Dans de tels cas, l'infirmière devra s'attacher à résoudre en priorité la source du problème de sommeil. Voici quelques diagnostics infirmiers pouvant être associés à une perturbation du sommeil:

- *Risque d'accident,* relié au somnambulisme
- *Stratégies d'adaptation inefficaces,* reliées à l'insuffisance de sommeil (sur le plan qualitatif ou quantitatif)
- *Fatigue,* reliée à l'insomnie
- *Échanges gazeux perturbés,* reliés aux apnées du sommeil
- *Connaissances insuffisantes,* reliées à une information insuffisante ou erronée (utilisation de remèdes en vente libre pour l'insomnie)
- *Opérations de la pensée perturbées,* reliées à l'insomnie chronique
- *Anxiété,* reliée aux apnées du sommeil et à la peur de la mort
- *Intolérance à l'activité,* reliée au manque de sommeil

 SOINS À DOMICILE

L'infirmière qui intervient à domicile doit évaluer aussi le sommeil du proche aidant. Ce dernier dort-il suffisamment? Subit-il des perturbations de son sommeil? Il arrive que le patient soit parfaitement reposé alors que les personnes qui s'occupent de lui sont exténuées. Dans ce cas, il faut en général instaurer des soins de relève pour la famille.

DIAGNOSTICS INFIRMIERS, RÉSULTATS DE SOINS INFIRMIERS ET INTERVENTIONS

Perturbations du sommeil

COLLECTE DES DONNÉES	DIAGNOSTICS INFIRMIERS: *DÉFINITION*	EXEMPLES DE RÉSULTATS DE SOINS INFIRMIERS [N° CRSI/NOC]: *DÉFINITION*	INDICATEURS	INTERVENTIONS CHOISIES [N° CISI/NIC]: *DÉFINITION*	EXEMPLES D'ACTIVITÉS CISI/NIC
Geneviève Cossette, 51 ans, indique qu'elle a du mal à s'endormir depuis qu'elle a subi une mastectomie, il y a deux mois. Dès qu'elle diminue ses activités, elle se met à penser à sa maladie. Elle a essayé de	*Habitudes de sommeil perturbées: Dérèglement momentané de la quantité et de la qualité du sommeil (suspension*	Bien-être [2002]: *Expression de satisfaction d'un individu à propos de son état de santé.*	Non perturbé • Satisfait de sa capacité de se détendre • Satisfait de sa capacité d'exprimer ses émotions	Amélioration de la capacité d'adaptation [5230]: *Soutien à apporter à une personne afin qu'elle s'adapte au stress, à des changements ou à des*	• Évaluer l'adaptation de la personne aux changements de son image corporelle. • Analyser les stratégies d'adaptation déjà utilisées par la personne. • Encourager la personne à exprimer ses sentiments, ses perceptions et ses craintes. • Montrer à la personne des techniques de relaxation.

Perturbations du sommeil (suite)

COLLECTE DES DONNÉES	DIAGNOSTICS INFIRMIERS : DÉFINITION	EXEMPLES DE RÉSULTATS DE SOINS INFIRMIERS [N° CRSI/NOC] : DÉFINITION	INDICATEURS	INTERVENTIONS CHOISIES [N° CISI/NIC] : DÉFINITION	EXEMPLES D'ACTIVITÉS CISI/NIC
lire ou de regarder la télévision avant de se coucher, mais ces activités ne la détendent pas. Elle semble nerveuse et agitée.	normale ou périodique de la vigilance).			événements menaçants qui l'empêchent d'exercer ses différents rôles et de faire face aux exigences de la vie.	
Albert Michaud vous explique qu'une pénurie d'ambulanciers bouleverse complètement son horaire de travail depuis quelque temps. Il fait beaucoup d'heures supplémentaires, et ne travaille plus selon son horaire habituel. « Quand je rentre chez moi, dit-il, je n'ai qu'une envie : aller me coucher. Mais je n'arrive pas à dormir. Je crois que je suis trop énervé. »	Privation de sommeil : Périodes prolongées d'éveil sans qu'il y ait suspension naturelle et périodique de l'état de conscience.	Repos [0003] : Degré et mode de réduction des activités pour une récupération physique et psychologique.	Non perturbé • Quantité de repos • Mode de repos • Repos psychologique	Relaxation musculaire progressive [6040] : Séance dirigée de relaxation consistant à faire contracter, puis relâcher un à un, les principaux groupes musculaires, tout en étant attentif aux différentes sensations ressenties.	• Aménager un environnement tranquille et confortable. • Demander à la personne de contracter, pendant 5 à 10 secondes, chacun des 8 à 16 groupes musculaires principaux. • Demander à la personne de se concentrer sur les sensations ressenties dans les muscles lorsqu'ils sont contractés puis relaxés.
				Visualisation [6000] : Utilisation de l'imagination afin se susciter un état de relaxation ou de distraire l'attention de sensations indésirables.	• Discuter avec la personne d'une image agréable et relaxante qu'elle a déjà expérimentée, telle qu'être étendue sur la plage, regarder la neige tomber, flotter sur un radeau ou contempler le coucher du soleil. • Choisir une scène qui fait appel au plus grand nombre des cinq sens. • Demander à la personne de voyager mentalement jusqu'à la scène imaginée et l'aider à la décrire dans le détail. • Aider la personne à développer une méthode pour conclure la séance de visualisation, telle que compter lentement tout en respirant profondément, faire des mouvements lents et avoir des pensées de relaxation, de rafraîchissement et de vigilance.

Planification

En cas de perturbations du sommeil, l'objectif premier de l'infirmière doit être de maintenir (ou d'instaurer) chez la personne des habitudes de sommeil susceptibles de lui garantir un niveau d'énergie suffisant pour ses activités quotidiennes. L'infirmière pourra aussi prendre différentes mesures pour l'aider à se sentir bien ou pour améliorer la qualité de son sommeil (par opposition à sa quantité). Elle doit prévoir des interventions infirmières précises en fonction de chacun des objectifs à atteindre et en fonction des causes des facteurs favorisants constatés au moment où elle a posé le diagnostic infirmier. Ces interventions peuvent être de natures diverses, par exemple : limiter les sources de dérangement présentes dans l'environnement ; favoriser l'instauration ou le maintien de rituels du coucher ; maximiser le bien-être de la personne ; planifier les soins infirmiers de manière à interrompre son sommeil le moins possible ; enseigner à la personne des techniques d'adaptation au stress ; mettre en œuvre des techniques de relaxation.

L'infirmière doit définir ses interventions et les activités spécifiques s'y rapportant en fonction des besoins particuliers de la personne. Voir le *Plan de soins et de traitements infirmiers – Sommeil et repos* et le *Schéma du plan de soins et de traitements infirmiers – Sommeil et repos* à la fin de ce chapitre.

Interventions

Les interventions infirmières visant à améliorer la quantité et la qualité du sommeil des personnes soignées sont essentiellement de nature non pharmacologique. Elles consistent notamment à : informer la personne sur les saines habitudes de sommeil ; l'aider à maintenir ses rituels du coucher (ou à en adopter) ; instaurer un environnement reposant ; mettre en œuvre des mesures ciblées de détente et de réconfort ; et envisager avec discernement l'utilisation éventuelle de médicaments pour le sommeil.

Chez les personnes hospitalisées, les perturbations du sommeil sont souvent attribuables à l'environnement hospitalier lui-même ou à la maladie. Le rôle de l'infirmière est alors plus complexe, puisqu'elle doit notamment planifier ses activités professionnelles en fonction des périodes de sommeil de la personne, administrer des analgésiques et établir un environnement propice au repos. Elle doit aussi fournir des explications et procurer du soutien à la personne, surtout si cette dernière est anxieuse ou craintive.

▒ Enseignement

Les personnes en bonne santé doivent bien mesurer toute l'importance du repos et du sommeil pour le maintien d'une vie active et productive. Elles doivent en particulier connaître : (a) les condi-

---

ENSEIGNEMENT

Facteurs favorisant le sommeil et le repos

HABITUDES DE SOMMEIL

- Couchez-vous et levez-vous à la même heure tous les jours de la semaine afin de perturber le moins possible votre rythme biologique. Évitez les siestes trop longues. Si vous ressentez le besoin de dormir dans la journée, faites-le tous les jours à la même heure, et jamais plus de 30 minutes. Limitez-vous à une sieste par jour.
- Faites de l'exercice dans la journée pour atténuer votre stress, mais évitez les activités trop intensives deux heures avant de vous coucher.
- Évitez de penser à vos problèmes professionnels ou familiaux avant de vous endormir.
- Établissez des rituels que vous mettrez en œuvre tous les soirs avant de vous endormir, par exemple : lire, écouter de la musique douce, prendre un bain chaud, accomplir toute autre activité paisible que vous appréciez.
- Quand vous n'arrivez pas à dormir, pratiquez une activité relaxante jusqu'à ce que vous commenciez à somnoler.
- Si vous avez du mal à vous endormir, levez-vous et consacrez-vous à une activité paisible jusqu'à ce que vous commenciez à somnoler.
- Utilisez votre lit essentiellement pour y dormir, de façon à ce qu'il soit associé au sommeil dans votre esprit.

ENVIRONNEMENT

- Maintenez dans votre chambre une température, une aération et un éclairage adéquats.
- Supprimez le bruit le plus possible ; au besoin, neutralisez les bruits extérieurs avec une musique douce.

ALIMENTATION

- Évitez les repas lourds trois heures avant le coucher.
- Évitez l'alcool et les aliments et boissons contenant de la caféine (café, thé, chocolat) au moins quatre heures avant de vous coucher. La caféine perturbe le sommeil. La caféine et l'alcool sont des diurétiques et donnent envie d'uriner pendant la nuit.
- S'il le faut, réduisez votre consommation de liquides deux à quatre heures avant le coucher afin de ne pas avoir à vous lever la nuit pour uriner.
- Si vous éprouvez le besoin de manger un peu avant de vous coucher, limitez-vous à une petite portion de glucides légers (céréales) ou contentez-vous d'un verre de lait. Les aliments trop lourds ou épicés peuvent causer des dérangements gastro-intestinaux susceptibles de perturber le sommeil.

MÉDICAMENTS

- Ne prenez des somnifères ou autres médicaments pour le sommeil qu'en tout dernier recours. Consommez avec modération et discernement les médicaments vendus sans ordonnance, car certains contiennent des agents antihistaminiques qui peuvent provoquer de la somnolence diurne.
- En cas de douleurs, prenez un analgésique avant le coucher.
- Le cas échéant, demandez à votre médecin de vérifier si vos autres médicaments ne causent pas de l'insomnie ; il pourra alors soit modifier l'horaire de prise du médicament (par exemple, corticostéroïdes le matin plutôt que le soir), soit en prescrire un autre.

tions qui favorisent le sommeil et celles qui l'entravent ; (b) les conditions d'utilisation des médicaments pour le sommeil ; (c) les effets que les autres médicaments sur ordonnance exercent sur le sommeil ; et (d) les effets des maladies sur le sommeil. L'encadré *Enseignement – Facteurs favorisant le sommeil et le repos* de la page 1372 récapitule les renseignements à fournir à la personne pour l'aider à mieux dormir.

■ Maintien des rituels du coucher

La plupart des gens mettent en œuvre quotidiennement des rituels qui les aident à se détendre, puis à dormir. Toute modification de ces habitudes (ou, *a fortiori*, leur suppression) peut perturber le sommeil d'une personne. Pour mieux dormir, les adultes optent notamment pour les activités suivantes : faire une promenade, écouter de la musique, regarder la télévision, prendre un bain délassant, prier. Chez les enfants, les rituels consistent plutôt à se faire lire une histoire, à serrer sa couverture ou son jouet préféré dans ses bras ou à embrasser tous les membres de la famille à tour de rôle. En général, plusieurs mesures d'hygiène précèdent également le coucher : se laver le visage et les mains (ou prendre une douche ou un bain), se brosser les dents, aller aux toilettes.

Dans un établissement de santé, l'infirmière doit aider la personne à préserver ses rituels. Elle pourra ainsi l'aider à se laver le visage et les mains, la masser, lui apporter une boisson chaude, replacer ses oreillers ou lui apporter des couvertures supplémentaires.

■ Instauration d'un environnement apaisant

Nous avons tous besoin pour dormir d'un environnement peu bruyant, d'une température ambiante confortable, d'une bonne aération et d'un éclairage adéquat. La plupart des gens préfèrent dormir dans le noir. Cependant, les enfants et les personnes qui arrivent dans un environnement inconnu préfèrent parfois dormir avec une veilleuse. Les nourrissons et les enfants doivent être couchés dans une pièce tranquille, en général distincte de la chambre de leurs parents, sous une couverture légère ou plus épaisse selon le cas, et loin des fenêtres ouvertes et des courants d'air.

Certaines sources de perturbation telles que le bruit ambiant et celui des communications entre membres du personnel s'avèrent particulièrement éprouvantes pour les personnes hospitalisées. Le bruit ambiant se compose notamment des sonneries des téléavertisseurs, téléphones et systèmes d'alarme ; du claquement des portes ; des grincements des meubles ; et du roulement des chariots à linge dans les couloirs. Les communications entre membres du personnel peuvent constituer une nuisance sonore majeure si l'on n'y prête pas attention, surtout lors des changements d'équipe.

Pour instaurer un environnement apaisant, l'infirmière doit éliminer le plus possible les sources de dérangement, réduire au minimum les interruptions du sommeil de la personne, lui assurer un environnement sûr et établir dans sa chambre une température qui lui convient. L'encadré 43-6 indique certaines interventions permettant d'atténuer les perturbations, surtout sonores, en milieu hospitalier.

Pour que la personne se détende, il est essentiel aussi de lui garantir un environnement sans danger. Par exemple, les personnes qui ne sont pas habituées à dormir dans un lit étroit se sentent parfois plus rassurées quand on y installe des ridelles de sécurité.

Réduction des facteurs incommodants dans un établissement de santé　43-6

■ Si les sources lumineuses extérieures sont visibles depuis la chambre, fermez les rideaux des fenêtres.

■ Dans les chambres à deux lits ou plus, fermez les rideaux entre les lits.

■ Éteignez ou atténuez l'éclairage surplombant le lit ; installez une veilleuse au chevet de la personne ou dans la salle de bains.

■ Fermez la porte de la chambre.

■ Respectez la politique de l'établissement concernant la fermeture des téléviseurs et postes de radio des aires communes.

■ Éteignez ou baissez la sonnerie des téléphones se trouvant à proximité.

■ Éteignez le système de téléavertisseur après une certaine heure (par exemple, 21 h) ou baissez le volume.

■ Si vous devez parler à d'autres membres du personnel, faites-le à voix basse ; ne tenez pas les séances de compte rendu et autres discussions entre infirmières près des chambres des patients, mais dans une pièce à part.

■ Portez des chaussures à semelles de crêpe (caoutchouc).

■ Vérifiez que les roues des chariots sont bien huilées.

■ Si vous devez effectuer des tâches bruyantes pendant les heures de sommeil, limitez-vous à celles qui sont absolument indispensables.

L'infirmière peut prendre d'autres mesures afin d'assurer la sécurité de la personne. Par exemple :

■ Placer le lit à la position la plus basse.

■ Laisser les veilleuses allumées.

■ Placer la sonnette d'appel à portée de main de la personne.

■ Mesures de bien-être et de détente

Il est essentiel de prendre certaines mesures ciblées pour aider la personne à s'endormir et à bien dormir, surtout si sa maladie ou son traumatisme perturbe son sommeil. Pour l'aider à se détendre, et donc à bien dormir, l'infirmière devra adopter une attitude chaleureuse et compréhensive et mettre en œuvre des interventions adéquates telles que celles qui sont indiquées ci-dessous :

■ Remettre à la personne des vêtements de nuit suffisamment amples.

■ Assister au besoin la personne dans ses soins d'hygiène.

■ Vérifier que les draps du lit sont propres, secs et lisses.

■ Inviter la personne à aller aux toilettes avant le coucher ; l'assister au besoin.

■ Proposer à la personne un massage du dos avant le coucher (voir le procédé 43-1).

■ Si la personne a du mal à se mouvoir, la placer dans une position propice au relâchement musculaire et installer des dispositifs de support afin de protéger les zones de pression.

■ Établir le plan d'administration des médicaments, et notamment des diurétiques, de manière à prévenir les réveils nocturnes.

■ Si la personne éprouve de la douleur, lui administrer des analgésiques 30 minutes avant le coucher.

■ Prêter une oreille attentive aux préoccupations de la personne.

À tout âge, mais surtout avec le vieillissement, on a généralement du mal à dormir quand on a froid. Chez les personnes âgées, les modifications de la circulation, du métabolisme ou de la densité des tissus adipeux et musculaires réduisent la capacité de l'organisme à générer la chaleur et à la conserver. En outre, les chemises de nuit d'hôpital ont des manches courtes et sont faites de polyester fin. Les draps sont également faits de polyester, et non d'un tissu plus chaud tel que la flanelle de coton. Certaines interventions doivent donc être mises en œuvre pour permettre aux personnes âgées hospitalisées de rester au chaud pendant le sommeil. Par exemple :

- Avant que la personne ne se couche, placer des couvertures chaudes sur son lit.

- Inviter la personne à porter ses propres vêtements, par exemple un pyjama ou une chemise de nuit en flanelle, des chaussettes, des sous-vêtements chauds, un bonnet de nuit (si le crâne est dégarni), un tricot.

Le stress émotionnel nuit de toute évidence à la capacité d'une personne à se détendre, à se reposer et à dormir. Par ailleurs, les difficultés à trouver le sommeil ou à bien dormir accentuent les tensions et le sentiment de malaise. Or, on peut difficilement dormir si l'on n'est pas détendu. Les personnes qui éprouvent ce type de difficultés ont donc avantage à intégrer des techniques de relaxation à leurs rituels du coucher. Elles peuvent par exemple respirer lentement et à intervalles réguliers pendant quelques minutes, puis contracter et relâcher leurs muscles lentement et régulièrement afin d'atténuer leurs tensions et de trouver un peu de calme. L'infirmière peut aussi enseigner à la personne des techniques de visualisation, de méditation et de yoga. (Ces méthodes sont décrites plus en détail au chapitre 14 ⊂⊃.)

PROCÉDÉ 43-1

Massage du dos

L'**effleurage** est un type de massage consistant en glissements des mains dans de larges mouvements lents. Les recherches montrent que le massage du dos peut induire une détente (Gauthier, 1999). En général, un simple massage du dos de trois minutes procure à la personne mieux-être et détente et peut avoir un effet positif sur ses paramètres cardiovasculaires tels que la pression artérielle, la fréquence cardiaque et la fréquence respiratoire. Rowe et Alfred (1999) ont par ailleurs constaté que le massage à larges mouvements lents peut atténuer l'agitation des personnes atteintes de la maladie d'Alzheimer.

Objectifs

- Atténuer la tension musculaire.
- Favoriser la détente physique et mentale.
- Soulager l'insomnie.

COLLECTE DES DONNÉES

Évaluez

- Les comportements pouvant indiquer que la personne a besoin d'un massage du dos, par exemple : elle dit qu'elle a des raideurs ou des tensions musculaires dans le dos ou les épaules ; elle dort mal à cause de tensions psychiques ou de l'anxiété.

- Si la personne souhaite recevoir un massage : il se pourrait qu'elle n'aime pas se faire masser.
- Les contre-indications au massage du dos, par exemple : atteinte à l'intégrité de la peau, intervention chirurgicale dans le dos, fracture d'une côte ou d'une vertèbre.

PLANIFICATION

Veillez à disposer de tout le temps voulu pour effectuer le massage. Si la technique elle-même ne prend dans certains cas que cinq minutes, l'ensemble de la démarche doit être mené avec calme et sans précipitation.

Matériel

- Huile de massage ou crème hydratante
- Serviette pour éponger l'excès d'huile ou de crème

INTERVENTION

Préparation

(a) Revoyez les données portant sur la fonction tégumentaire de la personne ;

(b) sélectionnez le produit de massage à utiliser en tenant compte des allergies de la personne ; et (c) déterminez les positions contre-indiquées pour la personne. Afin que le massage soit vraiment efficace, assurez-vous que l'environnement sera calme et prenez les mesures nécessaires pour ne pas être dérangée pendant le procédé.

Exécution

1. Expliquez à la personne ce qu'on va faire, pourquoi on va le faire et comment elle peut coopérer. Invitez-la à intervenir pendant le massage pour vous dire si les pressions que vous exercez sur son dos sont adéquates, trop faibles ou trop fortes.

2. Lavez-vous les mains et prenez toutes les mesures appropriées d'hygiène et de prévention des infections.

3. Protégez l'intimité de la personne.

4. Préparez la personne.

- Aidez la personne à se rapprocher du bord du lit pour que son dos soit à votre portée et ajustez la hauteur du lit de manière à ce que vous ne risquiez pas de ressentir des *tensions dans le dos*.

- Déterminez la position que la personne préfère. Pour le massage du dos, il est en principe préférable qu'elle soit allongée sur le ventre. La personne peut aussi s'allonger sur le

INTERVENTION (suite)

côté si la position de décubitus ventral lui est impossible ou douloureuse.

- Dénudez le dos depuis les épaules jusqu'au bas de la région sacrée. Couvrez le reste du corps pour *éviter le refroidissement.*

5. Procédez au massage du dos.
- Versez une petite quantité d'huile de massage (ou de crème hydratante) dans votre paume et gardez-la au creux de vos mains pendant une minute. Vous pouvez également placer votre bouteille dans un récipient rempli d'eau chaude. *Les produits pour massage du dos sont souvent désagréablement froids pour la personne qui se fait masser. En les réchauffant, vous atténuez grandement ce problème.*
- Frottez la région lombaire en mouvements circulaires avec votre paume.
- Faites remonter vos mains de chaque côté de la colonne vertébrale jusqu'aux omoplates.

- Massez les omoplates en mouvements circulaires.
- Faites redescendre vos mains par les côtés du dos.
- Massez les crêtes iliaques gauche et droite (figure 43-3 ■).
- Appliquez une pression ferme et continue sans rompre le contact avec la peau de la personne.
- Répétez le parcours décrit ci-dessus pendant trois à cinq minutes en remettant de l'huile ou de la crème dans vos mains s'il le faut.
- Tout en massant la personne, relevez les rougeurs éventuelles ainsi que les zones où la circulation sanguine semble être diminuée.
- Épongez l'excès d'huile ou de crème avec une serviette.

6. Indiquez dans le dossier de la personne que vous lui avez massé le dos et précisez sa réaction. Notez également toutes les particularités observées.

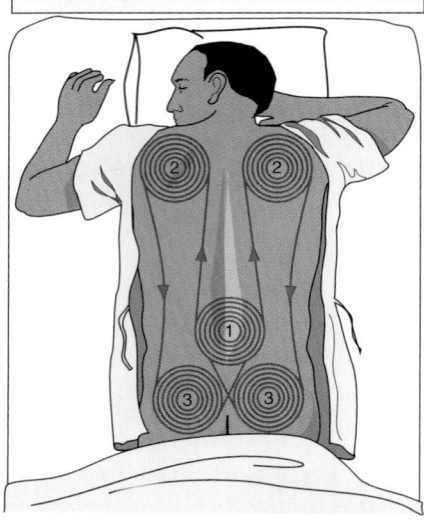

FIGURE 43-3 ■ Mouvements suggérés pour le massage du dos.

ÉVALUATION

Comparez les réactions de la personne à ses réactions antérieures au massage. Observe-t-on un résultat positif du fait du massage, par exemple une meilleure détente ou une diminution de la douleur et de l'anxiété ?

■ Amélioration du sommeil au moyen de médicaments

Les médicaments pour le sommeil généralement prescrits en PRN (au besoin) sont les hypnotiques, qui font dormir, et les anxiolytiques, qui atténuent les tensions et l'anxiété. Ces médicaments sont contre-indiqués durant la grossesse (risque d'anomalies congénitales) et l'allaitement (excrétion du médicament dans le lait maternel). Quand des médicaments pour le sommeil sont prescrits en PRN dans un établissement de soins, l'infirmière doit déterminer l'horaire des prises en collaboration avec la personne. Dans la mesure du possible, on privilégiera toutefois les interventions non pharmacologiques pour atténuer ou éliminer les perturbations du sommeil (voir plus haut).

L'infirmière et la personne doivent être pleinement informées des actions, effets et risques des médicaments prescrits. Ces actions et ces effets sont très variables d'un produit à l'autre. On retiendra néanmoins les généralités suivantes :

- Les hypnotiques produisent une dépression généralisée du système nerveux central ainsi qu'un sommeil artificiel. Ils altèrent dans une certaine mesure le sommeil paradoxal et le sommeil lent et peuvent entraîner une somnolence diurne ainsi qu'une sensation de « gueule de bois » au réveil.
- Les anxiolytiques favorisent l'action des neurones qui inhibent la réactivité aux stimuli dans le système nerveux central. Ils provoquent ainsi une diminution de la vigilance.

- La durée de l'action ainsi que le délai entre la prise et l'effet varient considérablement d'un produit à l'autre. Tous ces médicaments induisent cependant une perturbation de la vigilance jusqu'à la fin de leur activité chimique. Certains effets peuvent durer longtemps encore après que la personne a cessé d'éprouver une somnolence diurne et qu'elle a retrouvé toutes ses capacités psychomotrices. L'infirmière doit mettre la personne au courant de ces effets et lui conseiller de ne pas conduire de voiture ni faire fonctionner de machinerie tant que le médicament reste présent dans son organisme.
- Les médicaments pour le sommeil perturbent plus le sommeil paradoxal que le sommeil lent. L'infirmière doit prévenir la personne qu'elle rêvera probablement davantage dans la nuit ou les deux nuits qui suivront la cessation du traitement pharmacologique (reprise du sommeil paradoxal).
- Les médicaments pour le sommeil doivent d'abord être administrés à des doses faibles qui pourront être augmentées graduellement selon la réaction de la personne. Du fait des changements dans leur métabolisme, les personnes âgées sont particulièrement prédisposées aux effets secondaires. Il convient donc de surveiller étroitement leur coordination et leur vigilance. L'infirmière doit conseiller à la personne de prendre la plus petite dose possible pour obtenir l'effet voulu, et seulement pendant quelques nuits ou par intermittence, selon les besoins.
- La consommation régulière d'un médicament pour le sommeil, quel qu'il soit, peut causer l'accoutumance à plus ou moins long

terme (par exemple, quatre semaines) et provoquer de l'insomnie par effet rebond. Dans certains cas, ce phénomène incite la personne à prendre des doses plus élevées.

- La cessation brusque de la consommation de somnifères peut déclencher des symptômes de sevrage tels que : agitation, tremblements, faiblesse, insomnie, accélération de la fréquence cardiaque, spasmes et convulsions, voire mort. Les consommateurs de longue date doivent suivre un plan de sevrage graduel, c'est-à-dire une réduction de 25 à 30 % de la dose par semaine.

Près de la moitié des personnes qui se tournent vers la médecine pour régler un problème de sommeil sont traitées avec des somnifères (Vitiello, 1999). Le tableau 43-3 énumère certains des médicaments les plus prescrits pour améliorer le sommeil, avec la durée de leur demi-vie. La demi-vie correspond au temps qui doit s'écouler pour que la moitié du médicament soit métabolisée et

éliminée par l'organisme. Par conséquent, plus la demi-vie est courte, moins le médicament risque de provoquer une somnolence résiduelle.

Évaluation

L'infirmière doit dresser le bilan des données recueillies à l'occasion des soins et les comparer aux résultats escomptés définis à l'étape de la planification. Elle pourra ainsi déterminer si les objectifs fixés ont été atteints. La collecte des données peut prendre plusieurs formes, notamment : (a) mesure de la durée du sommeil de la personne et observation des signes caractéristiques du sommeil paradoxal et du sommeil lent ; et (b) entrevue avec la personne pour déterminer comment elle se sent au réveil et pour évaluer l'efficacité des interventions (par exemple, l'utilisation de techniques de relaxation, le maintien d'un cycle veille-sommeil régulier ou l'ingestion de produits laitiers avant le coucher).

Si les interventions ne produisent pas les résultats escomptés, l'infirmière et la personne ainsi que sa famille (au besoin) doivent analyser les causes de cet échec. Pour ce faire, ils pourront notamment se poser les questions suivantes :

- Les facteurs étiologiques ont-ils été correctement cernés ?
- L'état physique de la personne ou ses traitements pharmacologiques ont-ils changé ?
- La personne a-t-elle bien suivi les instructions entourant l'établissement d'habitudes régulières de sommeil et d'éveil ?
- La personne a-t-elle évité de consommer de la caféine ?
- La personne a-t-elle participé à des activités stimulantes pendant la journée afin de réduire les siestes au minimum nécessaire ?
- Toutes les mesures possibles ont-elles été prises pour assurer à la personne un environnement reposant ?
- Les rituels du coucher ont-ils été respectés ?
- Les mesures de bien-être et de relaxation ont-elles porté fruit ?

TABLEAU 43-3 Quelques somnifères administrés en cas d'insomnie	
Médicament	**Demi-vie**
Alprazolam (Xanax)	12 à 15 heures
Bromazépam (Lectopam)	8 à 20 heures
Clonazépam (Rivotril)	20 à 50 heures
Diazépam (Valium)	20 à 50 heures
Flurazépam (Dalmane)	40 à 110 heures
Lorazépam (Ativan)	10 à 20 heures
Mélatonine	1 heure
Oxazépam (Sérax)	5 à 20 heures
Témazépam (Restoril)	9 à 15 heures
Zaléplon (Starnoc)	1 heure
Zopiclone	5 heures

PLAN DE SOINS ET DE TRAITEMENTS INFIRMIERS

Sommeil et repos

COLLECTE DES DONNÉES		*DIAGNOSTIC INFIRMIER*	RÉSULTATS DE SOINS INFIRMIERS [N° CRSI/NOC] ET INDICATEURS*
Anamnèse Jacques Hébert, 36 ans, est policier dans un quartier présentant un taux élevé de criminalité. Il a été victime la semaine précédente d'un traumatisme par balle au bras. Il se présente aujourd'hui au service des consultations externes pour faire changer son pansement. Tout en discutant avec l'infirmière, M. Hébert mentionne qu'il vient d'être promu au poste	**Examen physique** Taille : 1,85 m (6 pi 2 po) Poids : 86 kg (190 lb) Température : 37,0 °C Pouls : 80 BPM Respirations : 18/min Pression artérielle : 136/84 mm Hg	*Habitudes de sommeil perturbées*, reliées à l'anxiété, ainsi qu'en témoignent la difficulté à s'endormir et à rester endormi, la fatigue, l'irritabilité, les traits tirés, les cernes noirs sous les yeux.	Sommeil [0004], manifesté par : • La personne décrit un ou deux facteurs susceptibles de l'empêcher de dormir ou de nuire à son sommeil. • La personne adopte des méthodes visant à provoquer l'endormissement. • Au plus tard le 21e jour, la personne se dit moins irritable et affirme se sentir mieux.

Sommeil et repos (suite)

COLLECTE DES DONNÉES		*DIAGNOSTIC INFIRMIER*	RÉSULTATS DE SOINS INFIRMIERS [N° CRSI/NOC] ET INDICATEURS*
d'enquêteur et qu'il a donc de toutes nouvelles responsabilités. Depuis cette promotion, il éprouve certaines difficultés à s'endormir. Il lui arrive même de se réveiller la nuit. M. Hébert s'inquiète du danger que représente son travail et souhaite ardemment faire bonne impression à son nouveau poste, ce qui constitue pour lui une source supplémentaire de stress. M. Hébert dit aussi qu'il se réveille fatigué et irritable.	Teint pâle, traits tirés, cernes noirs sous les yeux **Examens paracliniques** Formule sanguine complète dans les valeurs normales; radiographie du bras gauche: traces d'une lésion superficielle des tissus mous		• Au plus tard le 7e jour, la personne peut décrire ses mécanismes d'adaptation. • Au plus tard le 10e jour, la personne peut décrire ses stratégies d'adaptation les plus efficaces (les nouvelles et les anciennes).

INTERVENTIONS INFIRMIÈRES [N° CISI/NIC] ET ACTIVITÉS CHOISIES*	*JUSTIFICATION SCIENTIFIQUE*
Amélioration du sommeil [1850] • Déterminer le profil du cycle éveil-sommeil de la personne. • Encourager M. Hébert à établir une routine au coucher pour faciliter l'endormissement. • Aider M. Hébert à éliminer les situations stressantes avant le coucher. • Renseigner M. Hébert et les personnes significatives au sujet des facteurs qui concourent aux perturbations du sommeil (voir l'encadré 43-2). • Discuter avec M. Hébert et sa famille des mesures pour assurer le bien-être, des techniques pour favoriser le sommeil et des changements de mode de vie qui peuvent contribuer à optimiser le sommeil. • Vérifier parmi la nourriture et les boissons prises à l'heure du coucher celles qui facilitent ou gênent le sommeil.	*La quantité de sommeil dont la personne a besoin dépend de son mode de vie, de son état de santé et de son âge.* *Les habitudes et les rituels procurent détente et bien-être, et favorisent donc le sommeil.* *Le stress nuit à la détente, au sommeil et au repos.* *En établissant la cause des perturbations, la personne peut commencer à prendre des mesures pour les atténuer ou les supprimer afin de retrouver un meilleur sommeil.* *Si elle connaît les facteurs qui déterminent la qualité et la quantité de son sommeil, la personne peut peut-être apporter les modifications voulues à son mode de vie et à ses activités précédant l'heure du coucher.* *Le lait et les protéines contiennent du tryptophane, un précurseur de la sérotonine qui favoriserait l'endormissement et le sommeil. À l'inverse, les excitants doivent être évités parce qu'ils perturbent le sommeil.*
Amélioration du sentiment de sécurité [5380] • Discuter des situations précises qui menacent M. Hébert. • Aider M. Hébert et sa famille à déterminer les facteurs qui augmentent leur sentiment de sécurité. • Aider M. Hébert à utiliser les stratégies d'adaptation qui ont prouvé leur efficacité dans le passé.	*Toute situation angoissante peut paraître moins terrifiante lorsqu'on en parle. Par ailleurs, l'identification des facteurs qui accroissent la peur peut aider la personne concernée à mieux les dominer.* *La nervosité et l'anxiété augmentent le risque de maladies causées ou aggravées par le stress. Si la personne ne peut pas éliminer les facteurs de stress de son environnement, l'infirmière peut à tout le moins lui indiquer d'autres manières d'y réagir.* *Si elle définit des moyens qu'elle a déjà utilisés avec succès pour aborder les situations angoissantes ou terrifiantes, la personne se sent plus en sécurité.*
Diminution de l'anxiété [5820] • Créer un climat qui favorise la confiance. • Chercher à comprendre le point de vue de M. Hébert face à une situation stressante. • Encourager M. Hébert à exprimer ses sentiments, ses perceptions et ses craintes. • Aider M. Hébert à reconnaître les situations qui provoquent son anxiété. • Déterminer la capacité de la personne à prendre des décisions.	*La confiance constitue la base de toute relation thérapeutique.* *L'anxiété est suscitée par un vague sentiment de menace. L'infirmière doit comprendre la manière dont la personne définit les situations stressantes et les vit afin d'envisager une approche ciblée pour réduire son anxiété.* *L'expression libre des émotions permet aussi de mieux les cerner et de mieux les comprendre, par exemple: colère, désespoir, distorsion de la réalité, peurs irréalistes, etc.* *En dressant le bilan de ce qu'elle vit et ressent avant ses épisodes d'anxiété et la liste des événements qui sont associés à ces crises, la personne sera mieux outillée pour les prévenir ou, à tout le moins, en prendre conscience au moment opportun afin de mieux les aborder.* *L'inadéquation des mécanismes d'adaptation se caractérise par une incapacité à prendre des décisions.*

PLAN DE SOINS ET DE TRAITEMENTS INFIRMIERS (SUITE)

Sommeil et repos (suite)

ÉVALUATION

Le résultat escompté a été obtenu. M. Hébert reconnaît que son insomnie est l'expression somatique de l'anxiété qu'il éprouve par rapport à sa promotion et de sa crainte de l'échec. Il souligne qu'il s'est entretenu avec le conseiller du Service de police et que cette rencontre lui a été très profitable. Il applique ses techniques de relaxation tous les soirs et dort en moyenne sept heures par nuit. M. Hébert dit se sentir mieux.

* Les résultats, interventions et activités présentés ici sont simplement des exemples de ceux qui sont proposés par les systèmes CRSI/NOC et CISI/NIC. Ils doivent être personnalisés en fonction du cas de chaque personne.

EXERCICES D'INTÉGRATION

1. Expliquez les avantages que M. Hébert aurait à tenir un journal de ses habitudes de sommeil.
2. Quels autres renseignements pourrait-il vous fournir afin de vous aider à mieux cerner ses problèmes de sommeil ?
3. Quelles recommandations pouvez-vous soumettre à M. Hébert pour l'aider à adopter de meilleures habitudes de sommeil ?
4. Quels faits indiquent que M. Hébert souffre d'un trouble primaire du sommeil, et non d'un trouble secondaire ?
5. En général, quels sont les principaux facteurs qui perturbent le sommeil ?

Voir l'appendice A : Exercices d'intégration – Pistes de réflexion.

RÉVISION DU CHAPITRE

Concepts clés

- Le sommeil est un état modifié de conscience qui survient naturellement et se caractérise par une atténuation des perceptions et des réactions d'une personne à son environnement.

- Le sommeil et le repos sont réparateurs et protecteurs ; ils permettent à la personne de conserver et de régénérer ses forces.

- Le cycle du sommeil est régi par des zones spécialisées du tronc cérébral et dépend du rythme circadien de la personne.

- Chez l'adulte, une nuit normale de sommeil compte de quatre à six cycles comprenant chacun une phase de sommeil lent et une phase de sommeil paradoxal (phase de mouvements oculaires rapides).

- Le sommeil lent compte quatre stades qui s'enchaînent dans un ordre croissant d'intensification du sommeil, du stade I (sommeil très léger) au stade IV (sommeil profond). Ce SL constitue la plus grande partie du cycle du sommeil.

- Le sommeil paradoxal survient toutes les 90 minutes environ. Il est moins reposant que le sommeil lent et s'accompagne souvent de rêves.

- Le ratio entre le sommeil lent et le sommeil paradoxal change avec l'âge.

- De nombreux facteurs peuvent nuire au sommeil, notamment : la maladie ; l'environnement ; la fatigue ; le mode de vie ; le stress ; la consommation d'excitants ou d'alcool ; l'alimentation ; le tabagisme ; la volonté de rester éveillé ; les médicaments.

- Les perturbations les plus courantes du sommeil sont : les parasomnies (par exemple, le bruxisme, l'énurésie nocturne, la somniloquie et le somnambulisme) ; l'insomnie ; l'hypersomnie ; la narcolepsie ; l'apnée du sommeil ; le manque de sommeil.

- L'examen du sommeil d'une personne compte plusieurs étapes : antécédents en matière de sommeil ; entrevue d'évaluation ; journal des habitudes de sommeil ; examen physique (pour relever les signes éventuels d'un manque de sommeil) ; et examens paracliniques.

- Si une personne souffre de perturbations du sommeil, l'infirmière doit : (a) indiquer à la personne des moyens d'améliorer son sommeil et son repos ; (b) l'aider à maintenir ses rituels du coucher (ou à en adopter, s'il le faut) ; (c) instaurer un environnement reposant ; (d) favoriser la détente et le bien-être ; et (e) administrer les médicaments prescrits pour le sommeil.

- En cas de difficultés d'endormissement ou de perturbations du sommeil proprement dit, les interventions non pharmacologiques sont toujours préférables à l'administration de médicaments.

SCHÉMA DU PLAN DE SOINS ET DE TRAITEMENTS INFIRMIERS

Sommeil et repos

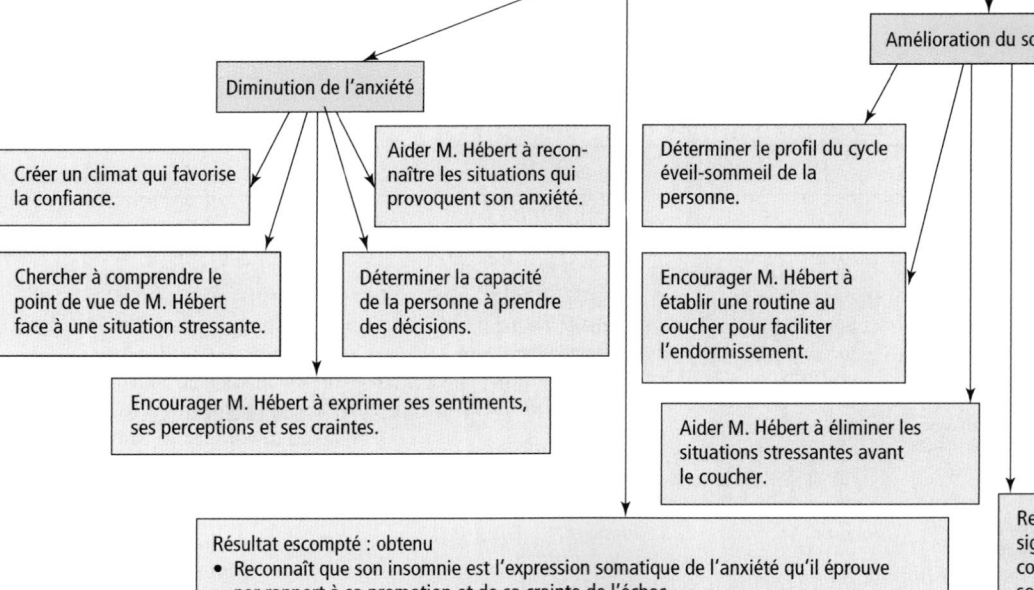

J.H.
♂ 36 ans

- Policier dans un quartier présentant un taux élevé de criminalité. Traumatisme par balle superficielle au bras il y a une semaine. Récemment promu au poste d'enquêteur.
Indique qu'il a de plus en plus de mal à s'endormir et qu'il lui arrive de se réveiller la nuit. S'inquiète du danger que représente son travail et souhaite faire bonne impression à son nouveau poste. Indique qu'il se réveille irritable et fatigué.

- Taille : 1,85 m (6 pi 2 po)
- Poids : 86 kg (190 lb)
- Température : 37,0 °C
- Pouls : 80 BPM
- Respirations : 18/min
- Pression artérielle : 136/84 mm Hg
- Teint pâle, traits tirés, cernes noirs sous les yeux

- Formule sanguine complète dans les valeurs normales ; radiographie du bras gauche : traces d'une lésion superficielle des tissus mous

Habitudes de sommeil perturbées, reliées à l'anxiété (manifestations : difficulté à s'endormir et à rester endormi, fatigue, irritabilité, traits tirés, cernes noirs sous les yeux)

Indicateurs du sommeil
- La personne décrit un ou deux facteurs susceptibles de causer son insomnie.
- La personne sélectionne deux ou trois mesures pouvant lui garantir un meilleur sommeil.
- Au plus tard le 21ᵉ jour, la personne se dit moins irritable et affirme se sentir mieux.
- Au plus tard le 7ᵉ jour, la personne peut décrire ses mécanismes d'adaptation.
- Au plus tard le 10ᵉ jour, la personne peut décrire ses stratégies d'adaptation les plus efficaces.

Diminution de l'anxiété

Amélioration du sommeil

Créer un climat qui favorise la confiance.

Aider M. Hébert à reconnaître les situations qui provoquent son anxiété.

Déterminer le profil du cycle éveil-sommeil de la personne.

Vérifier parmi la nourriture et les boissons prises à l'heure du coucher celles qui facilitent ou gênent le sommeil.

Chercher à comprendre le point de vue de M. Hébert face à une situation stressante.

Déterminer la capacité de la personne à prendre des décisions.

Encourager M. Hébert à établir une routine au coucher pour faciliter l'endormissement.

Discuter avec M. Hébert et sa famille des mesures pour assurer le bien-être, des techniques pour favoriser le sommeil et des changements de mode de vie qui peuvent contribuer à optimiser le sommeil.

Encourager M. Hébert à exprimer ses sentiments, ses perceptions et ses craintes.

Aider M. Hébert à éliminer les situations stressantes avant le coucher.

Renseigner M. Hébert et les personnes significatives au sujet des facteurs qui concourent aux perturbations du sommeil (voir l'encadré 43-2).

Résultat escompté : obtenu
- Reconnaît que son insomnie est l'expression somatique de l'anxiété qu'il éprouve par rapport à sa promotion et de sa crainte de l'échec.
- Souligne qu'il s'est entretenu avec le conseiller du Service de police et que cette rencontre lui a été très profitable.
- Applique des techniques de relaxation tous les soirs et dort en moyenne sept heures par nuit.
- Dit se sentir mieux.

Légende Collecte des données ☐ Diagnostic infirmier ☐ Résultats de soins infirmiers ☐ Interventions infirmières ☐ Activités ☐ Évaluation ☐

RÉVISION DU CHAPITRE (SUITE)

Questions de révision

43-1. Comment se sentent en général les personnes qui ont un sommeil paradoxal plus long que le sommeil lent?
   a) Elles sont très détendues.
   b) Elles font de l'hypotension artérielle.
   c) Elles se sentent constamment fatiguées.
   d) Elles se réveillent très facilement.

43-2. Une personne présente des antécédents d'apnée du sommeil. Quels sont les autres signes que l'infirmière est susceptible d'observer et d'inscrire à son dossier?
   a) Arythmies cardiaques.
   b) Déviation de la cloison nasale.
   c) Douleurs thoraciques.
   d) Insomnie.

43-3. Une personne âgée de 72 ans indique que ses soucis financiers l'empêchent de dormir. Lequel des objectifs ci-dessous serait le plus pertinent pour le plan de soins? « Au plus tard le 5e jour:
   a) la personne dormira de 8 à 10 heures par jour. »
   b) la personne se dira bien reposée. »
   c) la personne aura trouvé un moyen de payer toutes ses factures. »
   d) la personne trouvera à s'occuper jusqu'à l'heure de son coucher afin d'éviter de penser à ses problèmes financiers. »

43-4. Laquelle des techniques ci-dessous est la plus indiquée pour le massage du dos?
   a) L'infirmière verse l'huile de massage directement sur la peau de la personne.
   b) L'infirmière masse la personne du bout des doigts.
   c) L'infirmière applique une pression ferme et continue sur le corps de la personne.
   d) L'infirmière procure un massage d'au moins 15 minutes.

43-5. Un homme de 45 ans indique à l'infirmière qu'il prend des somnifères tous les soirs depuis plusieurs mois, mais qu'il aimerait maintenant arrêter. Que doit-elle lui conseiller?
   a) Prenez votre dernier comprimé un vendredi soir afin de pouvoir récupérer la fin de semaine.
   b) Puisque cela fait très longtemps que vous prenez ces comprimés, vous devez continuer. Sinon, vous n'arriverez plus jamais à dormir.
   c) Vous devez cesser d'un coup.
   d) Commencez par supprimer les comprimés un soir sur trois, puis un soir sur deux jusqu'à cessation complète.

Voir l'appendice B: Réponses aux questions de révision.

BIBLIOGRAPHIE

En anglais

Aaronson, L. S., Teel, C. S., Cassmeyer, V., Neuberger, G. B., Pallikkathayil, L., Pierce, J., et al. (1999). Defining and measuring fatigue. *Image: Journal of Nursing Scholarship, 31*, 45–50.

American Sleep Disorders Association. (1997). *The international classification of sleep disorders: Diagnostic and coding manual.* Lawrence, KS: Allen Press.

Anonymous. (2001). Nontraditional choices: Trying therapeutic massage. *Nursing, 31*(6), 26.

Barroso, J. (2002). HIV-related fatigue. *American Journal of Nursing, 102*(5), 83–86.

Beck-Little, R., & Weinrich, S. P. (1998). Assessment and management of sleep disorders in the elderly. *Journal of Gerontological Nursing, 24*(4), 21–29.

Davis, K. (2002). Symptomatic treatment of restless legs syndrome. *Patient Care, 36*(8), 10.

Dines-Kalinowski, C. M. (2002). Dream weaver. *Nursing Management, 33*(4), 48–49.

Emerson, R. W. (1932). *Uncollected lectures.* New York: W. E. Rudge.

Farella, C. (2002). Quiet riot: Newborn ICUs pump up the care and turn down the volume. *Nursing Spectrum, 3*(6), 16W–17W.

Gauthier, D. M. (1999). The healing potential of back massage. *Online Journal of Knowledge Synthesis for Nursing, 6*(5). Retrieved May 16, 2003 from http://www.stti.inpui.edu/library/ojksn/abstracts/060005.htm

Giron, M. S. T., Forsell, Y., Bernsten, C., Thorslund, M., Winblad, B., & Fastbom, J. (2002). Sleep problems in a very old population: Drug use and clinical correlates. *Journal of Gerontology Series A: Biological Sciences and Medical Sciences, 57*, M236–240.

Hoffart, M. B., & Keene, E. P. (1998). The benefits of visualization. *American Journal of Nursing, 98*(12), 44–47.

Johnson, M., Maas, M., & Moorhead, S. (Eds.). (2000). *Nursing outcomes classification (NOC)* (2nd ed.). St. Louis, MO: Mosby.

Kreiger, A. C., & Redeker, N. S. (2002). Obstructive sleep apnea syndrome: Its relationship with hypertension. *The Journal of Cardiovascular Nursing, 17*, 1–11.

Kripke, D. F., Garfinkel, L., Wingard, D. L., Klauber, M. R., & Marler, M. R. (2002). Mortality associated with sleep duration and insomnia. *Archives of General Psychiatry, 59*(2), 131–136.

McCloskey, J. C., & Bulechek, G. M. (Eds.). (2000). *Nursing interventions classification (NIC)* (3rd ed.). St. Louis, MO: Mosby.

Montgomery, L., Haynes, L. C., & Garner, A. F. (2002). An unusual sleep disorder. *RN, 65*(4), 41–43.

Morin, C. M., Mimeault, V., & Gagné, A. (1999). Nonpharmacological treatment of late-life insomnia. *Journal of Psychosomatic Research, 46*, 103–116.

NANDA International. (2003). *NANDA nursing diagnoses: Definitions and classification 2003-2004.* Philadelphia: Author.

Orr, W. C. (2000). Editorial: Sleep and functional bowel disorders: Can bad bowels cause bad dreams? *American Journal of Gastroenterology, 95*, 1118–1121.

Redeker, N. S. (2000). Sleep in acute care settings: An integrative review. *Journal of Nursing Scholarship, 32*, 31–38.

Richards, K. C., Sullivan, S. C., Phillips, R. L., Beck, C. K., & Overton-McCoy, A. L. (2001). The effect of individualized activities on sleep. *Journal of Gerontological Nursing, 27*(9), 30–37.

Rowe, M., & Alfred, D. (1999). The effectiveness of slow-stroke massage in diffusing agitated behaviors in individuals with Alzheimer's disease. *Journal of Gerontological Nursing, 25*, 2234.

Stansberry, T. T. (2001). Narcolepsy: Unveiling a mystery. *American Journal of Nursing, 101*(8), 50–53.

Vitiello, M. V. (1999). Effective treatments for age-related sleep disturbances. *Geriatrics, 54*, 47–52.

Yantis, M. A. (2002). Obstructive sleep apnea. *American Journal of Nursing, 102*(6), 83, 85.

En français

Billiard, M. (1998). *Le sommeil normal et pathologique – troubles du sommeil et de l'éveil*, Paris : Masson.

Boivin, D. B. (2000). Quand l'horloge biologique tourne mal, *Interface, 21*(2), 38-41.

Caldwell, J. P. et Association médicale canadienne. (1997). *Le sommeil : le comprendre et l'améliorer, ses troubles et ses remèdes*, Boisbriand : Prologue.

Carrier, J. (2000). Vieillir et moins bien dormir, *Interface, 21*(2), 45-47.

Dement, W. C. et Vaughan, C. (2001). *Avoir un bon sommeil*, Paris : Odile Jacob.

Friebel, V. (2003). *Les troubles du sommeil*, Paris : Vigot-Maloine.

Gaudet, A., Savard, P. et Brillon, P. (2002). L'insomnie : comment aider vos patients à mieux dormir sans médicament ?, *Le Clinicien, 17*(2), 75-84.

Guay, B. et Morin, C. (2002). Comment évaluer un problème d'insomnie ?, *Le Clinicien, 37*(101), 103-109.

Gentils, R. (2002). *Les troubles du sommeil*, Paris : Mango.

Giraud, M. (1999). La prise en charge du syndrome d'apnées du sommeil, *Revue de l'infirmière, 54*, 40-41.

Johnson, M. et Maas, M. (dir.). (1999). *Classification des résultats de soins infirmiers CRSI/NOC*, Paris : Masson.

McCloskey, J. C. et Bulechek, G. M. (dir.). (2000). *Classification des interventions de soins infirmiers CISI-NIC*, 2e éd., Paris : Masson.

Mennig, M. (2003). *Le sommeil, mode d'emploi*, Paris : Eyrolles.

Montplaisir, Y. (2000). Les maladies du sommeil, *Interface, 21*(2), 42-45.

NANDA International. (2004). *Diagnostics infirmiers : Définitions et classification 2003-2004*, Paris : Masson.

Pascal, A. et Frécon, E. (1999). Perturbation des habitudes de sommeil, *Soins, 635*, 63-64.

Shapiro, C. M. et Dement, W. C. (1996). *ABC des troubles du sommeil*, Paris : Maloine.

Steriade, M. (2000). Le sommeil [lent] au service de la mémoire, *Interface, 21*(2), 34-36.

OBJECTIFS D'APPRENTISSAGE

Après avoir étudié ce chapitre, vous pourrez:

- Nommer les types et les catégories de douleur en fonction du siège, de l'étiologie et de la durée.

- Faire la distinction entre le seuil de la douleur et la tolérance à la douleur.

- Décrire les quatre phases de la nociception et les mesures de soulagement qui agissent au cours de chacune d'entre elles.

- Exposer la théorie du portillon et son application en soins infirmiers.

- Indiquer les données subjectives et objectives à recueillir et à analyser dans l'évaluation de la douleur.

- Donner des exemples de diagnostics infirmiers relatifs à la douleur.

- Énumérer des indicateurs de résultat servant à évaluer les réactions de la personne aux mesures de soulagement de la douleur.

- Indiquer des obstacles au soulagement efficace de la douleur.

- Décrire des mesures pharmacologiques de soulagement de la douleur.

- Définir la tolérance, la dépendance et la toxicomanie.

- Décrire la méthode analgésique en trois paliers de l'Organisation mondiale de la santé pour le soulagement de la douleur cancéreuse.

- Exposer la justification scientifique de diverses voies d'administration des analgésiques.

- Décrire des mesures non pharmacologiques de soulagement de la douleur.

SOULAGEMENT DE LA DOULEUR

CHAPITRE

44

Adaptation française:
Sophie Longpré, inf., M.Sc.
Professeure, Département des sciences infirmières
Université du Québec à Trois-Rivières

La douleur est une sensation extrêmement désagréable et éminemment subjective qu'il est difficile de partager avec autrui. Elle peut monopoliser les pensées et les activités de la personne, et transformer sa vie en cauchemar. Pourtant, le concept de douleur demeure difficile à définir et à communiquer. L'infirmière, en effet, ne peut ni ressentir ni voir la douleur de la personne.

Chaque personne vit l'expérience de la douleur de manière unique. En outre, la perception de la douleur et la réaction à la douleur varient tellement, et les causes de la douleur sont si nombreuses, que l'élaboration d'un plan axé sur le soulagement et le bien-être pose à l'infirmière un véritable défi.

La douleur est plus qu'un symptôme, elle est un problème prioritaire en soi. Elle nuit au rétablissement et menace la santé physique et psychologique. On considère la douleur intense comme une urgence qui nécessite des interventions immédiates.

Le soulagement efficace de la douleur est un aspect important des soins infirmiers. Par exemple, l'administration et l'ajustement de la médication, selon une ordonnance individuelle ou collective, relèvent de l'infirmière et constituent l'une de ses activités réservées. L'administration et l'ajustement des doses d'opioïdes utilisées pour soulager la douleur en constituent un exemple. Ces ordonnances sont incluses dans le plan thérapeutique déterminé et géré par l'infirmière : le jugement clinique infirmier est donc vraiment indissociable de la thérapie médicamenteuse (OIIQ, 2003a, 2003b).

Nature de la douleur

La douleur est universelle, mais sa nature exacte demeure mystérieuse. On sait qu'elle est subjective et personnelle, et qu'elle compte parmi les mécanismes de défense qui signalent la présence d'un problème dans l'organisme. La douleur non soulagée compromet la santé et le rétablissement tant du point de vue physiologique que du point de vue psychologique. Selon McCaffery, la **douleur** correspond à « ce que la personne atteinte en dit » et existe « chaque fois que la personne le dit » (McCaffery et Pasero, 1999, p. 5). Cette définition implique que la personne est la seule juge de sa douleur et que les professionnels de la santé doivent lui donner crédit.

Types de douleur

On peut décrire la douleur en fonction de sa durée, de son siège ou de son étiologie. La **douleur aiguë** est une douleur dont la durée ne dépasse pas la période de rétablissement prévue, quelles que soient sa vitesse d'apparition et son intensité. La **douleur chronique**, à l'opposé, est une douleur prolongée qui revient ou persiste pendant six mois ou plus et qui nuit au fonctionnement de la personne. Une enquête sur la santé des Canadiens menée en 2000 indique que 16 % des personnes de 12 ans et plus ont souffert de douleurs chroniques (Meana, Cho et DesMeubles, 2004). La douleur chronique maligne survient avec le cancer ou d'autres affections potentiellement mortelles, tandis que la douleur chronique bénigne est celle qui accompagne une affection non évolutive telle l'arthrite. La douleur aiguë et la douleur chronique entraînent des réactions physiologiques et comportementales différentes (voir le tableau 44-1).

TABLEAU 44-1

Comparaison entre la douleur aiguë et la douleur chronique	
Douleur aiguë	**Douleur chronique**
De légère à intense.	De légère à intense.
Réactions du système nerveux sympathique :	Réactions du système nerveux parasympathique :
Augmentation de la fréquence et de l'amplitude du pouls	Signes vitaux normaux
Augmentation de la fréquence et de l'amplitude respiratoires	
Augmentation de la pression artérielle	
Diaphorèse	Peau sèche et chaude
Dilatation des pupilles	Pupilles normales ou dilatées
Reliée à une lésion des tissus ; disparaît avec la guérison.	Se prolonge après la guérison.
La personne paraît agitée et anxieuse.	La personne paraît déprimée et repliée sur elle-même.
La personne se plaint de douleur.	Souvent, la personne ne fait pas état de sa douleur, sauf si on s'en informe.
La personne présente des indicateurs comportementaux de la douleur : elle pleure, masse la région douloureuse ou la soutient.	Les indicateurs comportementaux de la douleur sont souvent absents.

Selon son origine, la douleur est qualifiée de cutanée, de somatique profonde ou de viscérale. La **douleur cutanée** prend naissance dans la peau ou les tissus sous-cutanés. La douleur vive du type d'une brûlure qu'on éprouve lorsqu'on se coupe avec une feuille de papier est un exemple de douleur cutanée. La **douleur somatique profonde** provient des ligaments, des tendons, des os, des vaisseaux sanguins et des nerfs. Diffuse, elle a tendance à durer plus longtemps que la douleur cutanée. La douleur causée par une entorse de la cheville en est un exemple. La **douleur viscérale** résulte de la stimulation des récepteurs de la douleur situés dans la cavité abdominale, le crâne et le thorax. Elle tend à être diffuse et s'apparente souvent à la douleur somatique profonde, en ce sens qu'elle est sourde ou qu'elle donne une sensation de brûlure ou de pression. La douleur viscérale est généralement causée par l'étirement des tissus, l'ischémie ou les spasmes musculaires. Une occlusion intestinale, par exemple, engendre une douleur viscérale.

On décrit aussi la douleur en fonction de son siège, c'est-à-dire de la partie du corps qu'elle touche. La **douleur irradiante** est perçue à sa source ainsi que dans les tissus environnants. La **douleur projetée** (ou **référée**) se manifeste dans une partie du corps éloignée des tissus qui la causent. Ainsi, la douleur provenant d'un viscère abdominal peut être perçue dans une région de la peau éloignée de l'organe atteint (figure 44-1 ■). Par exemple, une douleur liée à la cholécystite aiguë peut être également perçue à l'épaule droite.

Une **douleur irréductible** est une douleur qui résiste fortement aux mesures de soulagement, telle la douleur causée par un cancer avancé. L'infirmière qui s'occupe d'une personne souffrant d'une douleur irréductible doit mettre en œuvre un éventail de méthodes, pharmacologiques et non pharmacologiques, afin que la personne atteigne le meilleur niveau de soulagement possible.

La **douleur neuropathique** est causée par une atteinte présente ou passée du système nerveux périphérique ou du système nerveux central. Elle n'est pas nécessairement déclenchée par un stimulus comme une lésion tissulaire ou nerveuse. Prolongée et pénible, la douleur neuropathique peut être brûlante, sourde ou agaçante; elle peut aussi prendre un caractère vif et fulgurant (Hawthorn et Redmond, 1998).

L'**algohallucinose**, c'est-à-dire la sensation douloureuse perçue dans une partie du corps absente (comme une jambe amputée) ou paralysée à la suite d'une lésion médullaire, est une forme de douleur neuropathique. Elle diffère de l'*illusion des amputés* (ou *douleur fantôme*), c'est-à-dire la sensation que la partie manquante du corps est toujours présente. On peut prévenir l'apparition de l'algohallucinose en administrant des analgésiques par voie épidurale avant l'amputation.

On reconnaît aujourd'hui l'existence de syndromes douloureux correspondant aux états associés à une douleur prolongée ou intense. Parmi ces syndromes, on compte les syndromes de douleur périphérique, les syndromes de douleur centrale et les syndromes de douleur avec affection sous-jacente (voir l'encadré 44-1).

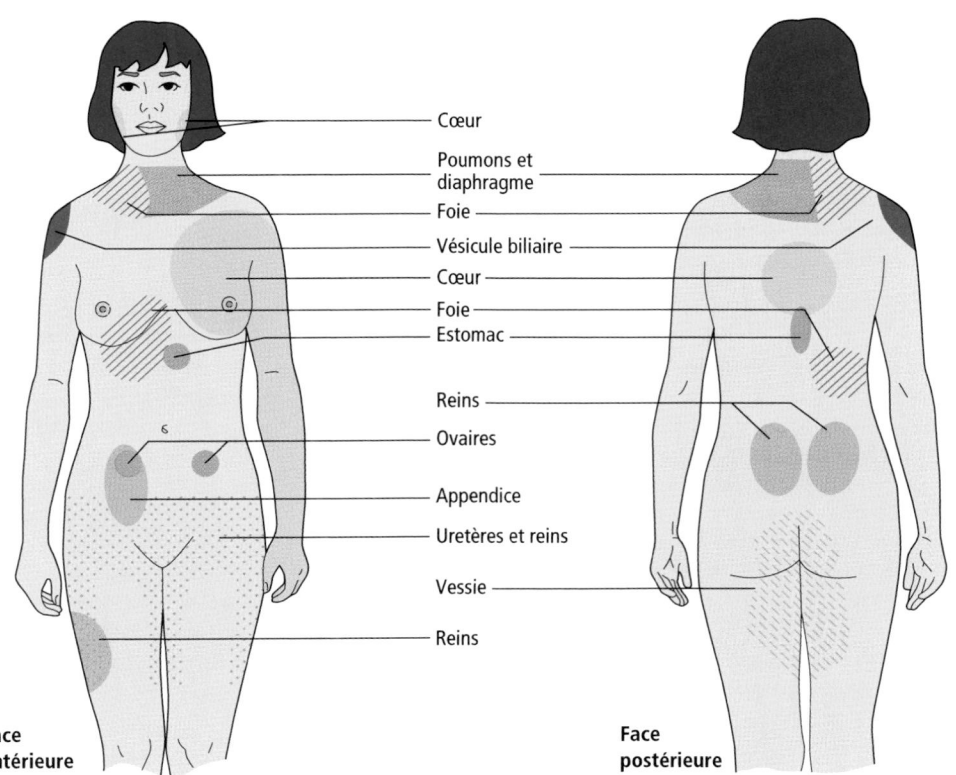

FIGURE **44-1** ■ Régions cutanées de la projection de la douleur provenant de certains organes.

Syndromes douloureux courants

SYNDROMES DE DOULEUR PÉRIPHÉRIQUE

- Névralgie postzoostérienne. Un accès de zona comporte deux phases : une éruption vésiculeuse suivie d'une douleur névralgique qui varie de légère à intense. Dans la névralgie postzoostérienne, la douleur intense et fulgurante se fait sentir dans la région de l'éruption initiale et persiste pendant des mois, voire des années.

- Algohallucinose. L'algohallucinose peut se manifester chez toute personne ayant subi une amputation. Il s'agit d'une douleur intense que les personnes atteintes décrivent souvent comme étant brûlante, constrictive ou crampoïde.

SYNDROMES DE DOULEUR CENTRALE

- Névralgie essentielle du trijumeau. La névralgie essentielle du trijumeau est une douleur intense et lancinante qui se distribue le long d'une ou de plusieurs branches du nerf trijumeau (cinquième nerf crânien). Elle se fait généralement sentir dans des parties du visage ou de la tête comme les gencives, l'œil, la joue et le cuir chevelu.

SYNDROMES DE DOULEUR AVEC AFFECTION SOUS-JACENTE

- Céphalée. La céphalée est une douleur somatique fréquente qui peut être causée par des problèmes intracrâniens ou extracrâniens. Pour établir un plan visant à prévenir ou à traiter la céphalée, l'infirmière doit évaluer la qualité, le siège, le moment d'apparition, la durée et la fréquence de la douleur ; elle doit également déterminer les signes et les symptômes qui précèdent l'apparition de la douleur.

- Douleur cancéreuse. La douleur cancéreuse peut être engendrée par l'évolution du cancer ou par les mesures visant à le traiter ou à le limiter.

- Douleur myofaciale. La douleur myofaciale touche les muscles et les fascias, particulièrement dans la région temporomandibulaire. Elle se caractérise par des spasmes musculaires, de la sensibilité, de la raideur, une limitation des mouvements et de la faiblesse. Elle est souvent qualifiée de sourde ; elle varie de légère à intense et est invalidante.

Notions associées à la douleur

La lésion d'un tissu cause une **sensation douloureuse** lorsque le **seuil de la douleur** est atteint. On définit le seuil de la douleur comme la quantité de stimulation douloureuse nécessaire à la perception de la douleur chez une personne. Il est généralement uniforme mais peut varier. Ainsi, un stimulus qui ne produit qu'une légère douleur à certains moments peut engendrer une douleur intense à une autre occasion. L'extrême sensibilité à la douleur est appelée **hyperalgésie**.

Il existe deux types de **réactions à la douleur** : la réaction du système nerveux autonome et la réaction comportementale. La réaction du système nerveux autonome est une réaction automatique de l'organisme qui, souvent, parvient à éviter à la personne une aggravation du mal. C'est ainsi que l'on retire automatiquement la main d'une casserole brûlante. La réaction comportementale, à l'opposé, est apprise et vise un certain contrôle de la douleur.

La **tolérance à la douleur** est l'aptitude à supporter la douleur. Elle varie considérablement d'une personne à l'autre et elle dépend fortement de facteurs psychologiques et socioculturels. Certaines personnes sont incapables de tolérer quelque douleur que ce soit, ne serait-ce qu'une douleur légère, tandis que d'autres préfèrent endurer une douleur intense plutôt que de recevoir un traitement.

Physiologie de la douleur

La science n'a pas encore élucidé complètement les mécanismes de transmission et de perception de la douleur. La perception et la modulation de la douleur reposent sur l'interaction entre le système d'analgésie de l'organisme, d'une part, et la transmission et l'interprétation des stimuli dans le système nerveux, d'autre part.

Nociception

Le système nerveux périphérique comprend notamment des neurones sensitifs de premier ordre qui détectent les lésions des tissus et engendrent les sensations de toucher, de chaleur, de froid, de douleur et de pression. Les récepteurs qui transmettent les sensations douloureuses sont appelés **nocicepteurs**. Ils sont activés par des stimuli mécaniques, thermiques ou chimiques (voir le tableau 44-2). La **nociception**, c'est-à-dire le processus physiologique de perception de la douleur, comprend les quatre phases suivantes : la transduction, la transmission, la perception proprement dite et la modulation (Paice, 2002).

TRANSDUCTION

Pendant la phase de transduction, les stimuli douloureux (causés par les lésions mécaniques, thermiques ou chimiques des tissus) déclenchent la libération de médiateurs biochimiques comme les prostaglandines, la bradykinine, la sérotonine, l'histamine et la substance P. De plus, les stimuli douloureux provoquent des mouvements d'ions à travers les membranes plasmiques. Ces deux phénomènes activent les nocicepteurs. Les médicaments analgésiques qui agissent au cours de cette phase inhibent la production de prostaglandines (c'est le cas de l'ibuprofène) ou atténuent les mouvements d'ions à travers les membranes plasmiques (comme le font les anesthésiques locaux).

TRANSMISSION

La deuxième phase de la nociception, la transmission, se subdivise en trois étapes (McCaffery et Pasero, 1999). Pendant la première étape, l'influx douloureux se transmet des neurofibres périphériques jusqu'à la moelle épinière. Le neurotransmetteur qui intervient alors est la substance P ; elle favorise la propagation des influx du neurone afférent de premier ordre au neurone de deuxième ordre dans la corne dorsale de la moelle épinière (figure 44-2 ■). Deux types de neurofibres nociceptives assurent cette transmission : les neurofibres de type C, qui transmettent

TABLEAU

44-2

Types de stimuli douloureux

Types de stimuli	Cause physiologique de la douleur
Mécaniques	
1. Lésion d'un tissu (intervention chirurgicale, par exemple)	Détérioration du tissu; activation directe des nocicepteurs; inflammation
2. Altération d'un tissu (œdème, par exemple)	Pression exercée sur les nocicepteurs
3. Obstruction d'un conduit	Distension de la lumière du conduit
4. Tumeur	Pression exercée sur les nocicepteurs; irritation des terminaisons nerveuses
5. Spasme musculaire	Stimulation des nocicepteurs (voir aussi stimuli chimiques)
Thermiques	
Chaleur ou froid extrêmes (brûlures, par exemple)	Destruction des tissus; stimulation des nocicepteurs thermosensibles
Chimiques	
1. Ischémie des tissus (obstruction d'une artère coronaire, par exemple)	Stimulation des nocicepteurs due à l'accumulation, dans les tissus, d'acide lactique et d'autres substances chimiques comme la bradykinine et les enzymes
2. Spasme musculaire	Ischémie des tissus consécutive à la stimulation mécanique (voir plus haut)

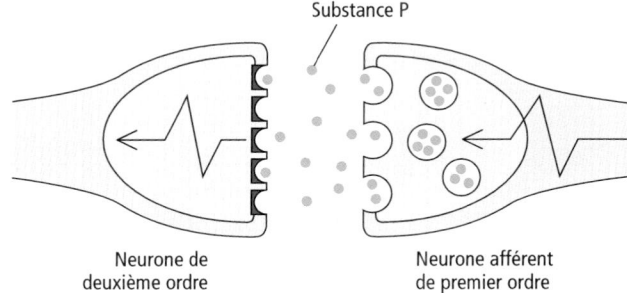

Substance P

Neurone de deuxième ordre

Neurone afférent de premier ordre

FIGURE 44-2 ■ La substance P facilite la transmission des influx nerveux dans la synapse située entre le neurone afférent de premier ordre et un neurone de deuxième ordre dans le faisceau spinothalamique.

la douleur sourde, et les neurofibres de type A-delta, qui transmettent la douleur vive et localisée. La deuxième étape de la transmission est celle de l'ascension des influx de la moelle épinière au tronc cérébral et au thalamus par le faisceau spinothalamique (figure 44-3 ■). À la troisième étape, les influx nerveux du thalamus se propagent dans l'aire somesthésique du cortex, où ils sont perçus comme de la douleur.

Certains médicaments analgésiques agissent au cours de la phase de transmission. Ainsi, les opioïdes (narcotiques) bloquent la libération des neurotransmetteurs, de la substance P en particulier, ce qui inhibe la douleur au niveau de la moelle épinière.

PERCEPTION

La troisième phase de la nociception, la perception proprement dite, correspond au moment où la personne devient consciente de la douleur. La perception de la douleur se produit dans des structures corticales, ce qui permet à la personne de mettre en œuvre différentes stratégies cognitives et comportementales pour atténuer les aspects sensoriels et affectifs de la douleur (McCaffery et Pasero, 1999). Ainsi, des interventions non phar-

macologiques comme la diversion, la visualisation et la musique peuvent permettre à la personne de détourner son attention de la douleur.

MODULATION

La modulation est la « phase descendante » de la nociception. Pendant cette phase, des neurones du tronc cérébral renvoient des influx nerveux dans la corne dorsale de la moelle épinière (Paice, 2002, p. 75). Ces neurofibres descendantes libèrent des substances comme des opioïdes endogènes, de la sérotonine et de la noradrénaline, qui peuvent inhiber les influx douloureux ascendants dans la corne dorsale. Malheureusement, le recaptage de ces neurotransmetteurs limite leur action analgésique (McCaffery et Pasero, 1999). On peut inhiber le recaptage de la noradrénaline et de la sérotonine chez les personnes souffrant de douleur chronique en leur administrant des antidépresseurs tricycliques. Ces médicaments intensifient la phase de modulation et atténuent donc les influx douloureux ascendants.

Théorie du portillon

Selon la théorie du portillon de Melzack et Wall (1965), les influx douloureux que les neurofibres périphériques propagent pourraient être modifiés au niveau de la moelle épinière, avant leur transmission à l'encéphale. Les cornes dorsales contiennent en effet des synapses qui agiraient comme des portillons : selon qu'elles sont ouvertes ou fermées, les cornes dorsales arrêteraient ou laisseraient passer les influx nerveux qui montent vers l'encéphale.

Ce mécanisme serait situé dans la substance gélatineuse de la corne dorsale, à l'endroit où entrent dans la moelle épinière les petites neurofibres de la douleur et les grosses neurofibres du toucher (figure 44-4 ■). Comme la quantité d'informations sensorielles pouvant atteindre l'encéphale simultanément est limitée, le portillon se fermerait aux influx douloureux lorsqu'ils sont moins nombreux que les influx provenant des neurofibres du toucher. Il semble en outre que l'encéphale influerait sur

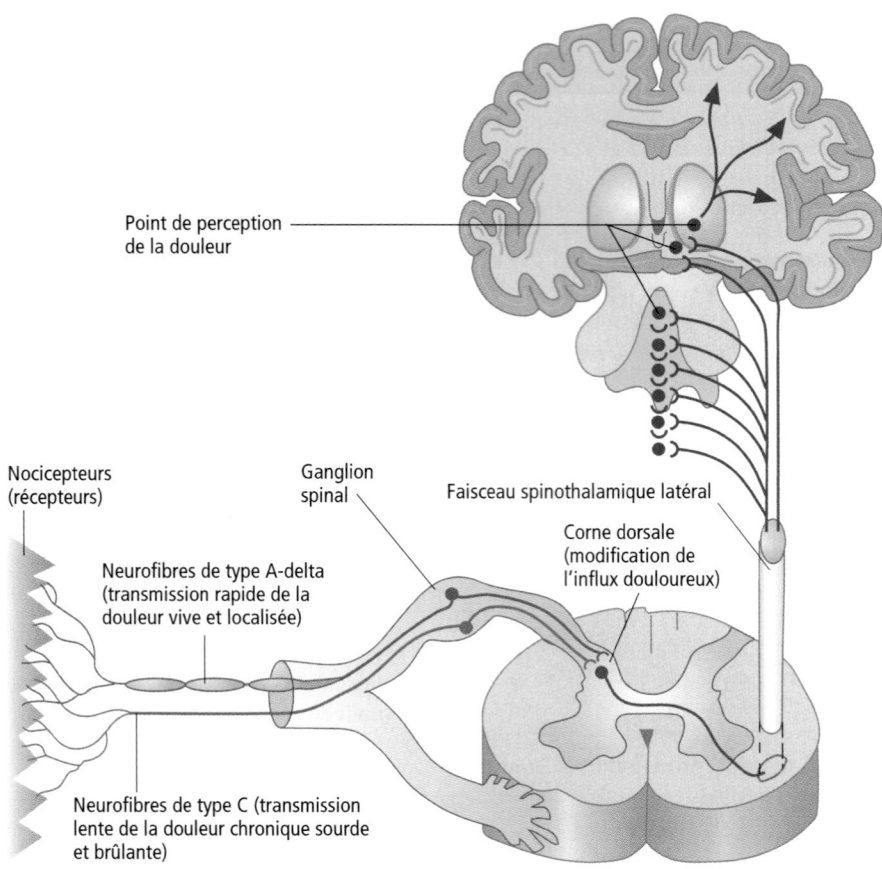

Point de perception de la douleur

Nocicepteurs (récepteurs)

Ganglion spinal

Faisceau spinothalamique latéral

Neurofibres de type A-delta (transmission rapide de la douleur vive et localisée)

Corne dorsale (modification de l'influx douloureux)

Neurofibres de type C (transmission lente de la douleur chronique sourde et brûlante)

FIGURE 44-3 ■ Physiologie de la perception de la douleur.

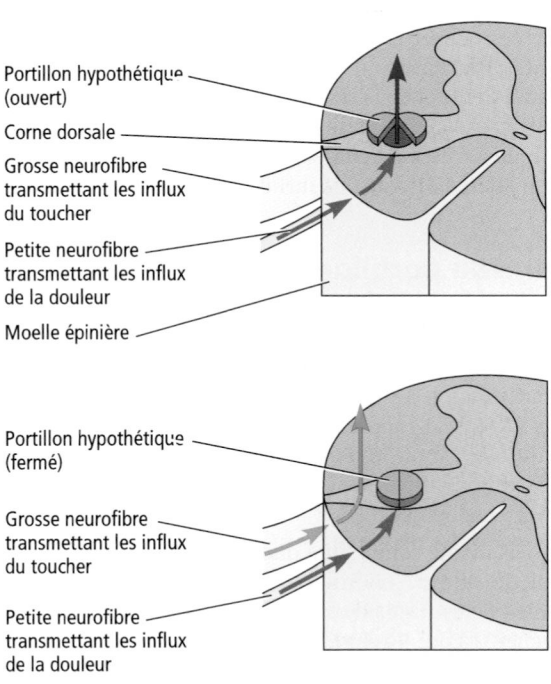

Portillon hypothétique (ouvert)

Corne dorsale

Grosse neurofibre transmettant les influx du toucher

Petite neurofibre transmettant les influx de la douleur

Moelle épinière

Portillon hypothétique (fermé)

Grosse neurofibre transmettant les influx du toucher

Petite neurofibre transmettant les influx de la douleur

FIGURE 44-4 ■ Illustration schématique de la théorie du portillon.

l'ouverture et la fermeture du portillon. Ce rôle de l'encéphale expliquerait pourquoi la réaction à la douleur dépend en partie des expériences douloureuses antérieures et aussi pourquoi l'interprétation des stimuli douloureux varie d'une personne à l'autre. La théorie du portillon ne fait pas l'unanimité parmi les experts, mais elle permet de justifier l'efficacité de la stimulation électrique et mécanique ainsi que celle de l'application de chaleur et de pression pour le soulagement de la douleur. En effet, un massage du dos stimule les grosses neurofibres du toucher et fermerait ainsi le portillon aux influx douloureux acheminés par les petites neurofibres de la douleur.

Réactions à la douleur

L'organisme oppose à la douleur une réaction complexe plutôt que spécifique; cette réaction comporte des aspects psychologiques et physiologiques à la fois. Dans un premier temps, le système nerveux sympathique déclenche la réaction de lutte ou de fuite. Puis, si la douleur persiste, le système nerveux parasympathique prend la relève et inverse plusieurs des réactions physiologiques initiales. Cette adaptation à la douleur se produit au bout de plusieurs heures ou de plusieurs jours. Cependant, l'adaptation des nocicepteurs reste faible, et ils continuent de transmettre des influx douloureux. La personne peut toutefois apprendre à composer avec la douleur à l'aide de stratégies cognitives et comportementales, telles les diversions, l'imagerie mentale et la relaxation, et de stratégies physiques, comme la prise d'analgésiques, le massage et l'exercice.

La stimulation des nocicepteurs provoque par ailleurs un réflexe de retrait qui a pour fonction de protéger l'intégrité de l'organisme. Les influx nerveux se propagent dans des neurofibres sensitives jusqu'à la moelle épinière. Là, les neurofibres sensitives font synapse avec des neurones moteurs, qui transmettent à leur tour les influx nerveux jusqu'à un muscle situé près du siège de la douleur (figure 44-5 ■). Par conséquent, le muscle se contracte pour sa protection. Si, par exemple, vous touchez à un élément chaud, votre main s'écartera automatiquement du stimulus, avant même que vous n'ayez conscience de la douleur.

Facteurs influant sur la douleur

De nombreux facteurs influent sur la perception de la douleur et sur la réaction à la douleur. Les principaux facteurs sont les valeurs ethniques et culturelles, le stade de développement, l'environnement et les proches aidants, les expériences passées, la signification de la douleur actuelle ainsi que l'anxiété et le stress.

VALEURS ETHNIQUES ET CULTURELLES

On sait depuis longtemps que l'héritage ethnique et culturel d'une personne influe sur sa manière de réagir à la douleur et de l'exprimer. Le comportement associé à la douleur s'acquiert

en effet au cours de la socialisation. C'est ainsi que, selon les cultures, les gens apprennent à taire ou à exprimer ouvertement leur douleur.

Le seuil de la douleur semble constant dans les cultures, mais la quantité de douleur qu'une personne est disposée à tolérer varie d'une culture à l'autre. Dans certaines sociétés d'Afrique et du Proche-Orient, les gens s'infligent eux-mêmes de la douleur en signe de deuil ou de chagrin. Ailleurs, la douleur fait partie intégrante de pratiques rituelles, si bien que la tolérance à la douleur est un signe de force et d'endurance. Il existe d'importantes variations dans l'expression de la douleur. Des études ont démontré que les personnes originaires d'Europe du Nord ont tendance à manifester plus de stoïcisme face à la douleur que les personnes originaires d'Europe du Sud.

L'infirmière doit prendre conscience de ses propres attitudes et de ses propres attentes à l'égard de la douleur. Andrews et Boyle (2003, p. 410) ont souligné que le système de santé a toujours été dominé par des chrétiens de race blanche et que la plupart des infirmières ont été imprégnées des valeurs et des croyances de ce groupe. Par exemple, elles sont susceptibles de valoriser le stoïcisme et la maîtrise de soi face à la douleur. Elles s'attendent à ce que les gens soient objectifs au sujet de la douleur et qu'ils en donnent une description détaillée. Certaines en viennent donc à nier ou à minimiser la douleur qu'elles observent chez autrui. L'infirmière qui aspire à prodiguer aux personnes souffrantes des soins adaptés à leur identité culturelle doit établir avec chacune d'elles une relation infirmière-personne soignée efficace ; elle doit aussi évaluer sa propre attitude personnelle envers la douleur.

STADE DE DÉVELOPPEMENT

L'âge et le stade de développement influent considérablement sur la réaction à la douleur et sur l'expression de la douleur. Le tableau 44-3 présente les variations de la perception et du comportement en fonction de l'âge ainsi que les interventions infirmières correspondantes.

La recherche dans le domaine de la santé a beaucoup fait évoluer le soulagement de la douleur chez l'enfant. Il est maintenant reconnu que le nouveau-né, quel que soit son âge gestationnel, possède les mécanismes anatomiques, physiologiques et biochimiques nécessaires à la transmission des sensations douloureuses. La Société canadienne de pédiatrie et l'American Academy of Pediatrics (2000) recommandent de mettre en œuvre des mesures environnementales, pharmacologiques et non pharmacologiques afin de prévenir, de réduire ou d'éliminer la douleur chez les nouveau-nés. Comme les indicateurs physiologiques de la douleur peuvent varier chez le nourrisson, on conseille d'évaluer la douleur au moyen de l'observation du comportement (Ball et Bindler, 2003). Les enfants sont moins aptes que les adultes à exprimer les sensations et les besoins que la douleur cause chez eux, de sorte qu'ils risquent de ne pas bénéficier de mesures de soulagement adéquates.

Les personnes âgées forment un pourcentage important des utilisateurs des différents services du système de santé. La prévalence de la douleur est généralement plus élevée dans ce groupe d'âge que dans les autres, étant donné la fréquence d'affections tant aiguës que chroniques. Au moins le tiers des personnes âgées déclarent souffrir de douleur ou de malaise, et ce pourcentage augmente chez les personnes de plus de 75 ans

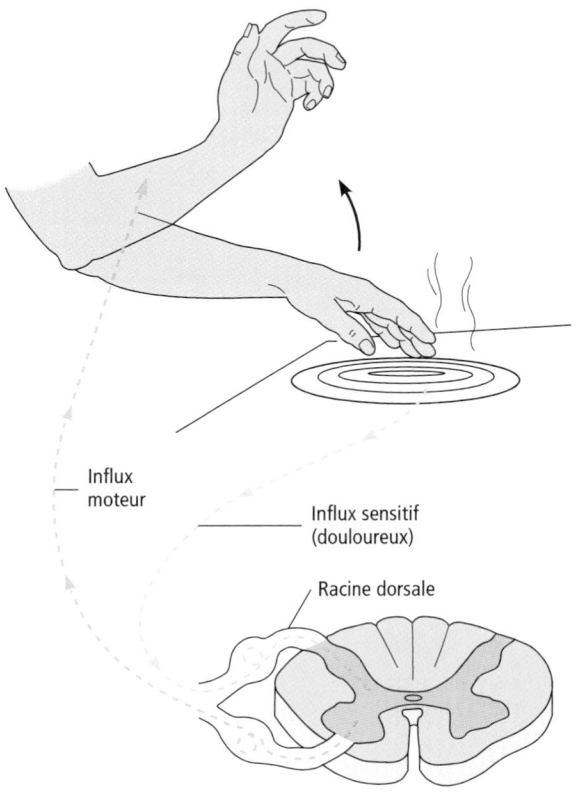

Influx moteur

Influx sensitif (douloureux)

Racine dorsale

FIGURE 44-5 ■ Réflexe de retrait provoqué par un stimulus douloureux.

TABLEAU

44-3

Variations des perceptions et des comportements reliés à la douleur selon les groupes d'âge		
Groupe d'âge	**Perceptions et comportements reliés à la douleur**	**Suggestions d'interventions infirmières**
Nourrisson	Perçoit la douleur.	Donner une tétine.
	Réagit à la douleur par une augmentation de la sensibilité.	Employer la stimulation tactile. Faire jouer de la musique ou l'enregistrement d'un cœur qui bat.
	Le nourrisson plus âgé tente d'éviter la douleur; par exemple, il se détourne ou résiste physiquement au stimulus.	
Trottineur et enfant d'âge préscolaire	Acquiert la capacité de décrire la douleur, son intensité et son siège.	Distraire l'enfant avec des jouets, des livres ou des images. L'inviter à faire des bulles de savon « qui emporteront la douleur ».
	Réagit souvent par des pleurs et de la colère, car il perçoit la douleur comme une menace à sa sécurité.	Exploiter la croyance de l'enfant en la magie en utilisant une couverture ou un gant « magiques » pour faire disparaître la douleur.
	L'enfant n'est pas toujours réceptif lorsqu'on tente de le raisonner.	Prendre l'enfant dans ses bras pour le réconforter.
	Peut considérer la douleur comme une punition.	Dissiper ses idées fausses à propos de la douleur.
	Se sent triste.	
	Peut apprendre que l'expression de la douleur varie selon le sexe.	
	Tend à tenir quelqu'un responsable de sa douleur.	
Enfant d'âge scolaire	Essaie d'être brave.	Utiliser l'imagerie mentale et lui apprendre à « fermer l'interrupteur de la douleur ».
	Tente de rationaliser la présence de la douleur.	
	Est sensible aux explications.	Faire un jeu de rôles avec l'enfant pour le préparer aux événements, à l'apparence des objets et aux sensations qu'il éprouvera.
	Est généralement capable de décrire la qualité de la douleur et d'en indiquer le siège.	
	Si la douleur persiste, peut régresser à un stade antérieur de développement.	Offrir du soutien et du réconfort.
Adolescent	Peut tarder à admettre la présence de douleur.	Lui donner des occasions de parler de sa douleur.
	Peut considérer comme un signe de « faiblesse » le fait d'admettre sa douleur ou d'y « céder ».	Lui donner de l'intimité.
	Désire paraître brave devant ses pairs et taire sa douleur.	Lui offrir des choix. L'encourager à se distraire en regardant la télévision ou en écoutant de la musique.
Adulte	Peut manifester les comportements considérés comme typiquement « féminins » ou « masculins » appris pendant l'enfance.	Dissiper ses idées fausses à propos de la douleur.
	Peut s'imaginer qu'admettre sa douleur serait un signe de faiblesse ou d'échec, et par conséquent peut l'ignorer.	Encourager la personne à se concentrer sur son sentiment de maîtrise face à la douleur.
	La peur de ce que signifie la douleur peut empêcher certaines personnes de passer à l'action (peur du diagnostic).	Soulager la peur et l'anxiété si possible.
Personne âgée	Peut être atteinte de plusieurs affections et présenter des symptômes vagues.	Il est essentiel d'effectuer un examen clinique rigoureux.
	Peut considérer la douleur comme un corollaire du vieillissement.	Passer du temps avec la personne et l'écouter attentivement.
	Peut présenter une diminution des sensations ou des perceptions de la douleur.	
	La léthargie, l'anorexie et la fatigue peuvent être des indicateurs de la douleur.	

Groupe d'âge	Perceptions et comportements reliés à la douleur	Suggestions d'interventions infirmières
	Peut éviter de se plaindre parce qu'elle craint de subir des traitements, d'être contrainte à des changements de mode de vie ou de devenir dépendante.	Dissiper ses idées fausses. Favoriser son autonomie autant que possible.
	Peut décrire la douleur différemment des personnes plus jeunes; peut par exemple parler de «mal», de «malaise» ou d'«inconfort».	
	Peut juger inacceptable d'admettre ou de montrer qu'elle a mal.	

et chez celles qui vivent dans un établissement de santé (DVA, 2002). Le seuil de la douleur ne semble pas changer avec l'âge, bien que l'effet des analgésiques puisse s'accentuer en raison des changements physiologiques reliés au métabolisme et à l'excrétion des médicaments (Eliopoulos, 2001).

ENVIRONNEMENT ET PROCHES AIDANTS

L'environnement inconnu d'un établissement de soins, avec ses bruits, son éclairage et son activité bourdonnante, peut faire augmenter la douleur. De plus, une personne seule privée d'un réseau de soutien peut percevoir la douleur plus intensément qu'une personne bien entourée. Certaines personnes se replient sur elles-mêmes quand elles souffrent, tandis que d'autres préfèrent se laisser distraire par les gens et le va-et-vient. Les membres de la famille peuvent apporter un soutien important à la personne souffrante. Du reste, les familles assument une part croissante de la responsabilité du soulagement de la douleur depuis que le système de santé s'oriente vers les soins en clinique externe et à domicile. L'enseignement relatif à l'évaluation et au soulagement de la douleur peut améliorer la perception de la qualité de vie par les personnes souffrantes et les professionnels de la santé (McCaffery et Pasero, 1999).

Les attentes des proches peuvent influer sur les perceptions et les réactions d'une personne face à la douleur. Dans certaines situations, par exemple, on permet aux filles d'exprimer leur douleur plus ouvertement que les garçons. De même, le rôle familial détermine parfois l'attitude de la personne face à la douleur. C'est ainsi qu'une femme qui élève seule ses trois enfants peut se sentir obligée d'ignorer sa douleur, faute de disposer de congés de maladie. Il arrive souvent que la présence de proches aidants modifie la réaction de la personne à la douleur. Par exemple, les trottineurs tolèrent mieux la douleur s'ils sont entourés d'infirmières et de parents bienveillants.

 CONSIDÉRATIONS CULTURELLES

Douleur

L'infirmière est en position de pouvoir lorsqu'elle a à décider de croire ou non à la description subjective que la personne fait de sa douleur. Par conséquent, il est important qu'elle établisse une relation efficace et constructive avec cette personne souffrante. Pour ce faire, l'infirmière doit adopter les comportements suivants:

- Respecter l'individualité de la personne:
  - En admettant qu'elle peut avoir des croyances différentes en matière de douleur.
  - En s'informant de ses croyances et de ses moyens de soulager la douleur.
- Respecter la réaction de la personne à la douleur:
  - En lui reconnaissant le droit de manifester face à la douleur la réaction qu'elle a apprise dans sa culture.
  - En gardant à l'esprit que les manières d'exprimer la douleur varient considérablement et qu'aucune n'est bonne ou mauvaise.
- Éviter d'adhérer aux stéréotypes culturels, car l'expression de la douleur varie entre les cultures et aussi au sein d'une même culture.

Source: *Transcultural Concepts in Nursing Care*, 4e éd., (p. 409-411), de M. M. Andrews et J. S. Boyle, 2003, Philadelphie, Lippincott Williams & Wilkins.

EXPÉRIENCES PASSÉES

Les expériences de douleur passées modifient la sensibilité d'une personne à la douleur. Souvent, les gens qui ont déjà éprouvé de la douleur ou qui ont été témoins de celle d'un proche redoutent davantage une douleur anticipée que les gens qui n'ont jamais souffert. En outre, l'efficacité ou l'échec des mesures de soulagement de la douleur expérimentées par le passé influent sur les attentes reliées à l'analgésie. Par exemple, une personne qui a tenté en vain diverses mesures de soulagement peut accueillir avec pessimisme les interventions infirmières.

SENS DE LA DOULEUR

Certaines personnes acceptent la douleur mieux que les autres, selon les circonstances et l'interprétation qu'elles lui donnent. Une personne qui associe la douleur à une issue positive peut manifester une tolérance étonnante. Ainsi, une femme qui donne naissance à un enfant et un athlète qui subit une intervention chirurgicale pour prolonger sa carrière supportent bien la douleur en raison des bénéfices qui lui sont associés. Ces personnes considèrent la douleur comme un inconvénient passager et non comme une menace ou une perturbation de leur vie quotidienne.

À l'opposé, la douleur chronique entraîne une souffrance profonde. Les personnes qui en sont atteintes peuvent y réagir par le désespoir, l'anxiété et la dépression, car elles ne lui trouvent ni sens ni raison d'être. Elles peuvent voir la douleur comme une menace à leur image corporelle et à leur mode de vie, ou encore comme un signe de mort imminente.

LES ÂGES DE LA VIE

Personnes âgées

Les personnes âgées sont souvent atteintes de multiples affections se manifestant par des symptômes vagues. Par conséquent, il peut être difficile, dans leur cas, de déterminer les causes exactes de la douleur et le traitement approprié. L'infirmière doit effectuer un examen clinique rigoureux afin d'obtenir toute l'information nécessaire à l'établissement d'un programme de soulagement de la douleur.

La diminution des fonctions rénale et hépatique qui accompagne souvent le vieillissement accroît les risques de toxicité, en particulier les risques d'atteinte rénale associés à la prise d'anti-inflammatoires non stéroïdiens (AINS). Il importe par conséquent de calculer minutieusement les dosages et de suivre attentivement les résultats des analyses de laboratoire reliées à la fonction rénale.

Les changements vasculaires et nerveux que cause le vieillissement peuvent entraîner une variation de la sensibilité douloureuse. La douleur peut diminuer ou, en présence d'une neuropathie, augmenter ou encore être perçue différemment.

Dans certaines situations, la douleur se manifeste par des symptômes atypiques tels que la désorientation, l'agitation et l'irritabilité, surtout chez les personnes atteintes de démence et chez celles qui ne peuvent s'exprimer.

La qualité de vie des personnes âgées va de pair avec le maintien d'un fonctionnement optimal. Si ces personnes ne bénéficient pas d'un soulagement efficace de la douleur, les composantes suivantes de leur vie quotidienne seront touchées :
- Tolérance à l'activité
- Mobilité
- Capacité de socialiser
- Sommeil
- Capacité d'accomplir les activités de la vie quotidienne
- Capacité de demeurer aussi autonome que possible

Il faut mettre en œuvre toutes les mesures possibles, pharmacologiques et non pharmacologiques, pour soulager la douleur et conserver les capacités fonctionnelles de la personne âgée. Celle-ci et sa famille doivent collaborer avec le médecin, le pharmacien et l'infirmière pour mettre au point le traitement le plus opportun et le mieux adapté possible.

ANXIÉTÉ ET STRESS

La douleur est souvent accompagnée d'anxiété. La peur de l'inconnu et l'incapacité d'apaiser la douleur ou de maîtriser les événements qui l'entourent intensifient souvent la perception de la douleur. De plus, la fatigue diminue la capacité d'adaptation et aiguise par le fait même la perception de la douleur. Si la douleur cause de l'insomnie, la fatigue et la tension musculaire qui s'ensuivent augmentent la douleur, ce qui fait qu'un cercle vicieux se met en place. Les personnes souffrantes qui croient maîtriser leur douleur présentent moins de peur et d'anxiété, et leur perception de la douleur en est diminuée. Les sentiments d'impuissance et de perte de maîtrise ont tendance

à rendre la perception de la douleur plus aiguë. Les personnes qui ont la possibilité d'exprimer leur douleur à une oreille attentive et de participer aux décisions liées à leur traitement éprouvent souvent un sentiment de maîtrise qui atténue leur perception de la douleur.

DÉMARCHE SYSTÉMATIQUE
dans la pratique infirmière

Collecte des données

Pour soulager efficacement la douleur, il faut d'abord l'évaluer adéquatement. On considère désormais la douleur comme le **cinquième signe vital**. En associant l'évaluation de la douleur aux activités habituelles de la prise et de la notation des signes vitaux, on s'assure d'évaluer la douleur chez toutes les personnes. La douleur étant subjective et personnelle, l'infirmière doit évaluer tous les facteurs qui l'influencent (physiologiques, psychologiques, comportementaux, émotionnels et socioculturels).

L'étendue de l'évaluation de la douleur varie selon les situations. Avec une personne présentant une douleur aiguë ou intense, l'infirmière s'attardera seulement au siège de la douleur, à sa qualité, à son intensité et aux premières interventions à accomplir. Une personne atteinte d'une douleur chronique peut généralement fournir une description plus détaillée de ses sensations. Par ailleurs, la fréquence de l'évaluation de la douleur dépend habituellement des mesures de soulagement mises en œuvre et des circonstances cliniques. Pendant la période postopératoire, par exemple, on évalue la douleur chaque fois qu'on mesure les signes vitaux, soit toutes les 15 minutes la première heure, aux 30 minutes la deuxième heure, puis toutes les 2 à 4 heures. Une fois les mesures de soulagement amorcées, on doit réévaluer l'intensité de la douleur à des intervalles appropriés. On doit par exemple réévaluer l'intensité de la douleur dans les 20 ou 30 minutes suivant l'administration de morphine.

C'est l'infirmière qui doit prendre l'initiative d'évaluer la douleur, car il a été démontré que nombre de gens n'expriment leur douleur que si on les invite à le faire. L'encadré 44-2 présente quelques-unes des nombreuses raisons pour lesquelles les personnes sont réticentes à faire état de leur douleur. Il est essentiel à l'établissement d'un sentiment de confiance que l'infirmière écoute les perceptions de la personne et les croie.

L'évaluation de la douleur comporte deux éléments : (a) la collecte des antécédents de douleur ; (b) l'observation directe des réactions comportementales et physiologiques de la personne. L'évaluation a pour but de fournir un tableau objectif d'une expérience subjective. Le tableau 44-4 présente un moyen mnémotechnique, la méthode PQRST, qui facilite l'évaluation de la douleur.

■ Antécédents de douleur

L'infirmière doit donner à la personne la possibilité de décrire dans ses propres mots la manière dont elle perçoit la douleur et voit la situation. L'infirmière peut ainsi connaître le sens que la personne donne à la douleur et ses moyens de la tolérer. Chaque personne vit la douleur de manière unique et est la meilleure interprète de son expérience. L'anamnèse doit être adaptée à chaque personne: on ne pose pas les mêmes questions à une victime d'accident, à une personne en phase postopératoire et à une personne atteinte de douleur chronique. Dans le cas d'une personne souffrant de douleur aiguë intense, on peut réduire l'évaluation initiale de la douleur à quelques questions seulement et procéder sans tarder à l'intervention. En outre, l'infirmière peut se concentrer sur les points suivants:

- Nature et efficacité des traitements antérieurs
- Nature des derniers analgésiques pris et moment de la prise
- Autres médicaments pris
- Allergies aux médicaments

Dans le cas d'une douleur chronique, l'infirmière peut faire porter ses questions sur les mécanismes d'adaptation de la personne, l'efficacité des mesures de soulagement actuelles et les répercussions de la douleur sur les activités de la vie quotidienne (AVQ).

Un questionnaire complet de la douleur porte sur son siège, son intensité, sa qualité, sa fréquence, les facteurs déclenchants, les facteurs calmants, les symptômes associés, ses effets sur les AVQ, les expériences passées, sa signification pour la personne, les ressources favorisant l'adaptation et les réactions affectives. Les questions à poser pour obtenir ces données apparaissent dans l'encadré *Entrevue d'évaluation – Anamnèse de la douleur*. Afin de faciliter la collecte d'une partie de ces informations, l'infirmière peut aussi se servir de la méthode PQRST présentée au tableau 44-4, qui s'avère intéressante, quoiqu'on doive la compléter par d'autres questions.

SIÈGE. Pour déterminer précisément le siège de la douleur, l'infirmière demande à la personne de l'indiquer du doigt sur son corps ou de le marquer sur un dessin du corps humain. L'utilisation de dessins est particulièrement appropriée dans le cas d'une personne qui présente plusieurs sièges de douleur.

ENCADRÉ 44-2

Pourquoi les personnes veulent-elles taire leur douleur?

- Elles hésitent à déranger le personnel, qu'elles considèrent comme étant très occupé.
- Elles craignent les injections (les enfants en particulier).
- Elles croient que la douleur fait partie intégrante du processus de rétablissement.
- Elles croient que la douleur est un corollaire normal du vieillissement ou une composante inévitable de la vie (les personnes âgées en particulier).
- Elles croient qu'exprimer leur douleur est un signe de faiblesse.
- Elles ont de la difficulté à exprimer leurs malaises.
- Elles s'inquiètent des risques associés aux opioïdes (la dépendance, par exemple).
- Elles redoutent la cause de leur douleur ou craignent de subir plus d'examens.
- Elles redoutent les effets secondaires indésirables, ceux des opioïdes en particulier.
- Elles craignent que le médicament qu'on leur proposerait devienne inefficace si jamais la douleur empirait.

TABLEAU 44-4

Méthode PQRST pour l'évaluation de la douleur

	Notion	Explication
P	Provoquer	Explorer non seulement les éléments qui ont provoqué l'apparition du symptôme, mais aussi ceux qui l'ont aggravé.
	Pallier	Déterminer les éléments qui soulagent le symptôme.
Q	Qualité	Décrire qualitativement le symptôme.
	Quantité	Quantifier le symptôme.
R	Région	Préciser la région où se manifeste le symptôme.
	Irradiation	Déterminer si d'autres régions sont touchées par le symptôme.
S	Symptômes associés	Mentionner si d'autres symptômes accompagnent le symptôme principal.
	Signes associés	Indiquer si d'autres signes accompagnent le symptôme principal.
T	Temps, durée	Déterminer le moment d'apparition et la durée du symptôme, et dire s'il s'est modifié depuis.
		Déterminer le nombre d'apparitions du symptôme par unité de temps (heure, jour, semaine).

Source: *L'examen clinique dans la pratique infirmière*, (p. 45), de M. Brûlé, L. Cloutier et O. Doyon (dir.), 2002, Saint-Laurent: Éditions du Renouveau Pédagogique.

ENTREVUE D'ÉVALUATION

Anamnèse de la douleur

- Siège : Où avez-vous mal ?
- Intensité : Sur une échelle de 0 à 10 (1 représentant le plus faible degré de douleur), où situez-vous la douleur que vous ressentez ?
- Qualité : Décrivez votre douleur.
- Fréquence
  a) Apparition : Quand la douleur commence-t-elle ou a-t-elle commencé ?
  b) Durée : Depuis quand avez-vous cette douleur ou combien de temps dure-t-elle d'habitude ?
  c) Constance : Y a-t-il des moments où vous n'avez pas mal ? Quand ? Combien de temps durent-ils ?
- Facteurs déclenchants : Qu'est-ce qui déclenche ou empire la douleur ?
- Facteurs atténuants : Quelles méthodes réussissent à atténuer ou à éliminer la douleur ? Quels médicaments contre la douleur prenez-vous ?
- Symptômes et signes associés : Avez-vous d'autres symptômes (comme des nausées, des étourdissements, une vision trouble, un essoufflement) avant, pendant ou après les épisodes de douleur ?
- Effets sur les AVQ : Quelles sont les répercussions de la douleur sur votre vie quotidienne (alimentation, travail, sommeil, activités sociales, loisirs) ?
- Expériences passées : Parlez-moi de vos expériences passées en ce qui a trait à la douleur. Quelle a été l'efficacité des mesures de soulagement ?
- Signification de la douleur : Comment interprétez-vous votre douleur ? Selon vous, quelles en seront les conséquences ? Que craignez-vous le plus à propos de votre douleur ?
- Stratégies d'adaptation : Que faites-vous, d'habitude, pour vous aider à supporter la douleur ?
- Réaction affective : Quels sentiments la douleur suscite-t-elle chez vous ? Éprouvez-vous de l'anxiété, de la dépression, de la peur, de la fatigue, le sentiment d'être un poids pour les autres ?

Lorsqu'elle cherche à déterminer le siège de la douleur chez un enfant, l'infirmière doit veiller à bien interpréter son langage. Ainsi, le mot *bedon* peut désigner aussi bien l'abdomen qu'une partie de la poitrine. L'infirmière doit faire confirmer sa compréhension du langage parlé en demandant à l'enfant de montrer du doigt l'endroit d'où vient sa douleur ou de l'indiquer sur un dessin. Elle peut aussi consulter les parents pour faciliter son interprétation.

L'infirmière peut se référer à divers repères anatomiques pour noter au dossier le siège de la douleur. Elle précisera ses indications en employant des termes comme *proximal*, *distal*, *médial*, *latéral* et *diffus*.

INTENSITÉ DE LA DOULEUR OU ÉCHELLES D'ÉVALUATION.
Le principal indicateur de l'existence et de l'intensité de la douleur est la description qu'en fait la personne. Pourtant, McCaffery, Ferrell et Pasero (2000) ont constaté que les infirmières ont tendance, en pratique, à évaluer la douleur à l'aide de mesures

moins fiables. Dans leur étude, les principaux indicateurs que les infirmières ont dit utiliser relevaient de facteurs culturels (expressions du visage, verbalisation et demande de soulagement, par exemple). D'autres études ont en outre démontré que le personnel soignant est susceptible de sous-estimer ou de surestimer l'intensité de la douleur (Bergh et Sjostrom, 1999). Pour pallier ces imprécisions, on se sert d'échelles d'évaluation de la douleur ; ce sont des outils simples et fiables pour déterminer l'intensité de la douleur chez une personne. On demande à la personne d'indiquer sur l'échelle le point qui correspond à l'intensité de sa douleur. L'échelle devient en quelque sorte la langue commune grâce à laquelle l'infirmière, les autres intervenants et la personne peuvent communiquer à propos de la douleur. La plupart des échelles s'étendent de 0 à 5 ou à 10, 0 signifiant « absence de douleur » et le nombre maximal, « douleur insupportable ». La figure 44-6 ■ présente une échelle d'évaluation de 0 à 10. La présence de qualificatifs sur l'échelle aide les personnes qui ont de la difficulté à quantifier leur douleur. Les résultats d'une étude de la Société canadienne de la douleur indiquent que plus de 50 % des personnes hospitalisées souffrent de douleur modérée à intense, c'est-à-dire un niveau de douleur nuisant au déroulement des activités de la vie quotidienne (AVQ) comme dormir et manger. Pour en savoir plus, consulter le site <http://www.canadianpainsociety.ca/cont-fra/4nouvelles-manifeste.htm>.

Lorsqu'on note l'intensité de la douleur, il est important de noter en même temps les facteurs qui l'influencent. L'infirmière doit rechercher la cause possible des variations d'intensité de la

RÉSULTATS DE RECHERCHE

Les infirmières peuvent-elles contribuer au soulagement de la douleur et au sentiment de maîtrise en période postopératoire ?

Au cours de cette étude, les infirmières ont interrogé 16 femmes de 75 à 93 ans qui venaient de subir une chirurgie abdominale et qui étaient en mesure de parler de la douleur postopératoire. L'étude utilisait une approche phénoménologique : au cours d'entretiens, on posait des questions ouvertes sur la raison de l'hospitalisation et sur la douleur postopératoire. On a analysé les résultats en fonction de thèmes particuliers. Les particularités de la douleur chez chacune des femmes et leurs difficultés à parler de cette expérience ont montré qu'il est important de prendre son temps lorsqu'on évalue la douleur chez les personnes âgées. Le sentiment de maîtrise a été évalué de la période préopératoire à la période postopératoire. Les doutes au sujet du retour de la mobilité et du fonctionnement normal étaient importants, et on en a tenu compte au cours de l'utilisation de différentes stratégies destinées à promouvoir un sentiment de maîtrise et de soulagement de la douleur.

Implications : Les infirmières peuvent faciliter le rétablissement après une intervention chirurgicale en analysant la signification de la douleur pour la personne et en lui prodiguant des soins individualisés qui tiennent compte de ses forces et de ses besoins particuliers.

Source : « Pain in Frail, Elderly Women After Surgery », de M. Lieb Zalon et B. Pieper, 1997, *Image : Journal of Nursing Scholarship*, *29*(1), p. 21-26.

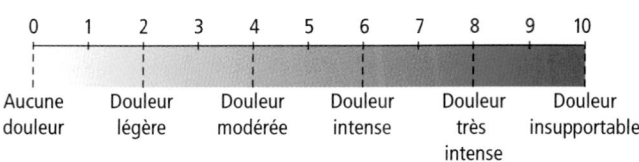

FIGURE **44-6** ∎ Échelle d'évaluation de la douleur en 10 points avec qualificatifs.

douleur. Par exemple, la disparition brusque d'une douleur abdominale aiguë peut être le signe d'une rupture de l'appendice. Plusieurs facteurs peuvent influer sur la perception de l'intensité de la douleur par la personne : (1) son degré de distraction ou de concentration sur un autre événement ; (2) son état de conscience ; (3) son degré d'activité ; (4) ses attentes.

Certaines personnes ne peuvent ni comprendre ni utiliser les échelles numériques d'intensité de la douleur. C'est le cas des enfants incapables d'exprimer verbalement leur malaise, des personnes âgées qui présentent des atteintes de la cognition ou de la communication, et des personnes qui ne parlent ni français ni anglais. L'échelle d'évaluation FACES de Wong-Baker (figure 44-7 ∎) est tout indiquée pour ces personnes (Wong, Hockenberry-Eaton, Wilson, Winkelstein et Schwartz, 2001). Cette échelle est composée de nombres associés à des dessins représentant des expressions du visage. Lorsqu'il est impossible d'utiliser quelque échelle que ce soit avec une personne, l'infirmière doit s'en remettre à l'observation du comportement et des indices physiologiques dont nous traiterons plus loin. Pour faciliter l'interprétation de ses observations, elle peut consulter les parents ou les proches aidants de la personne. Ensuite, elle note au dossier une description objective des données comportementales et physiologiques qu'elle a obtenues.

Pour que l'utilisation d'une échelle d'évaluation de la douleur soit efficace, la personne doit non seulement en comprendre la raison d'être, mais aussi savoir que l'information servira à détecter les changements de son état et à déterminer l'efficacité des mesures de soulagement de la douleur. On doit en outre demander à la personne quel degré de bien-être lui paraît acceptable pour l'accomplissement d'activités particulières (Acello, 2000). On s'assure ainsi de lui procurer un soulagement adéquat.

QUALITÉ DE LA DOULEUR. Les comparaisons et les métaphores aident les personnes à préciser la qualité de la douleur. Ainsi, certaines affirmeront, à propos de leur céphalée, qu'elles ont l'impression de recevoir des « coups de marteau sur la tête », tandis que d'autres diront que leur douleur abdominale est perçante « comme des coups de poignard ». Il arrive que les personnes aient de la difficulté à décrire leur douleur parce qu'elles n'ont jamais éprouvé de sensation semblable. Le tableau 44-5 présente quelques-uns des termes couramment employés pour décrire la douleur.

Expliquez à la personne que les visages représentent une personne qui se sent joyeuse parce qu'elle n'a pas mal ou triste parce qu'elle a mal. La personne représentée par le visage 0 est très joyeuse parce qu'elle n'a aucune douleur. La personne représentée par le visage 1 a un peu mal. La personne représentée par le visage 2 a un peu plus mal. La personne représentée par le visage 3 a encore plus mal. La personne représentée par le visage 4 a vraiment très mal. Enfin, la personne représentée par le visage 5 ressent la pire douleur qu'on puisse imaginer, bien qu'une telle douleur ne s'accompagne pas nécessairement de pleurs. Demandez à la personne de choisir le visage qui correspond le plus exactement à ses sensations.

Cette échelle d'évaluation est recommandée pour les personnes âgées de trois ans et plus.

Directives brèves : Désignez chaque visage en lisant la légende qui l'accompagne. Demandez à l'enfant de choisir celui qui représente le mieux la douleur qu'il ressent. Notez le nombre approprié.

FIGURE **44-7** ∎ Échelle d'évaluation FACES de Wong-Baker. (Source : *Wong's Essentials of Pediatric Nursing*, 6ᵉ éd., (p. 1301), de D. L. Wong, M. Hockenberry-Eaton, D. Wilson, M. L. Winkelstein et P. Schwartz, 2001, St. Louis : Mosby. Reproduit avec l'autorisation de Elsevier.)

Mots fréquemment employés pour décrire la douleur	TABLEAU 44-5

Domaine sensoriel	Domaine affectif
Fulgurante	Insupportable
Brûlante	Atroce
Vive	Intense
Perçante	Effroyable
Térébrante	Affreuse
Déchirante	Terrible
Lancinante	Épuisante
Constrictive	Suffocante
Pénétrante	Terrifiante
Piquante	Éprouvante
Sensible à la pression	Cruelle
Engourdissement	Intense
Froide	Pulsatile
Fugitive	Gênante
Irradiante	Tenace
Sourde	Fatigante
Endolorissement	Ennuyeuse
Courbature	Rongeante
Crampe	Déplaisante
	Nauséeuse
	Sensible à la pression

L'infirmière doit noter textuellement la manière dont la personne décrit sa douleur, car les mots de la personne sont plus précis et plus descriptifs que ne le serait l'interprétation de l'infirmière. L'exactitude de la notation peut faciliter autant la détermination des causes de la douleur que le choix du traitement. Par exemple, il arrive fréquemment qu'une douleur décrite comme étant chaude, électrique et vive soit d'origine neuropathique et qu'elle se résorbe mieux avec des anticonvulsivants (comme le gabapentin [Neurontin] ou la carbamazépine [Tegretol]) qu'avec des opioïdes (comme la morphine).

FRÉQUENCE. On mesure la fréquence de la douleur en notant le moment de son apparition, sa durée et sa constance. Si la douleur est récurrente, l'infirmière doit aussi déterminer la longueur des intervalles sans douleur et le moment du dernier épisode.

FACTEURS DÉCLENCHANTS. Il arrive que la douleur apparaisse à la suite de certaines activités. Par exemple, la douleur angineuse peut faire suite à l'activité physique et la douleur abdominale, aux repas. Ces observations peuvent faciliter la prévention de la douleur et la détermination de sa cause.

Les facteurs environnementaux comme l'humidité ainsi que la chaleur et le froid extrêmes peuvent influer sur certains types de douleur. Ainsi, le fait de pratiquer une activité physique soudaine par une journée chaude peut déclencher des spasmes musculaires.

Les facteurs de stress physique et psychologique peuvent également précipiter les épisodes de douleur. La tension émotionnelle provoque souvent des migraines, tandis que la peur intense et l'activité physique peuvent causer une douleur angineuse.

FACTEURS ATTÉNUANTS. L'infirmière doit demander à la personne de décrire tous les moyens qu'elle a pris pour atténuer sa douleur (tisanes, médicaments, repos, application de chaleur ou de froid, prière, diversions comme la télévision). Il est important de déterminer si ces moyens ont donné des résultats, s'ils ont amené un soulagement ou si, au contraire, la douleur a augmenté.

SYMPTÔMES ET SIGNES ASSOCIÉS. L'évaluation clinique de la douleur doit aussi porter sur les symptômes et signes qui l'accompagnent, tels les nausées, les vomissements, les étourdissements et la diarrhée. Ces symptômes et signes peuvent être reliés aux facteurs qui ont causé l'apparition de la douleur ou découler de sa présence.

RÉPERCUSSIONS SUR LES ACTIVITÉS DE LA VIE QUOTIDIENNE. Pour mieux comprendre le point de vue de la personne sur l'intensité de sa douleur, l'infirmière doit s'informer des répercussions de la douleur chronique sur les AVQ. Elle demandera donc à la personne de décrire les effets que la douleur a eus sur les éléments suivants de sa vie :

- Sommeil
- Appétit
- Concentration
- Travail, études
- Relations interpersonnelles
- Relations de couple, sexualité
- Activités domestiques
- Conduite automobile, marche
- Loisirs
- État émotionnel (humeur, irritabilité, dépression, anxiété)

L'infirmière peut utiliser une échelle, par exemple une échelle en trois points (aucun effet, légers effets, effets importants), pour déterminer l'importance des répercussions de la douleur sur les AVQ de la personne.

STRATÉGIES D'ADAPTATION. Chaque personne a ses moyens pour tolérer la douleur, par exemple le repli sur soi, la diversion, la prière ou d'autres pratiques religieuses, ou encore l'aide des proches. Ces stratégies peuvent provenir des expériences antérieures de la personne, ou peuvent être reliées à la signification que prend la douleur pour elle ou encore à ses valeurs religieuses ou culturelles. L'infirmière peut inciter la personne à recourir aux méthodes de soulagement qui se sont révélées efficaces pour elle.

RÉACTIONS AFFECTIVES. Les réactions affectives varient selon la situation, le degré et la durée de la douleur, l'interprétation que la personne en fait et de nombreux autres facteurs. L'infirmière doit tenir compte des sentiments d'anxiété, de peur, d'épuisement, de dépression ou d'échec qu'éprouve la personne. Elle doit en outre évaluer le risque de suicide, car un grand nombre de personnes atteintes de douleur chronique deviennent déprimées et suicidaires. Dans le cas d'une douleur chronique, l'infirmière doit poser à la personne les questions suivantes : « Vous arrive-t-il d'avoir mal au point de vouloir mourir ? Est-ce que vous vous sentez comme cela en ce moment ? »

Observation des réactions comportementales et physiologiques

Les réactions non verbales à la douleur varient considérablement. Elles constituent le seul moyen de communication pour les personnes très jeunes, aphasiques ou désorientées. L'expression du

RÉSULTATS DE RECHERCHE

Quelles interventions sont les plus douloureuses?

Puntillo et ses collaborateurs (2001) ont compilé les données provenant d'une étude à laquelle ont participé plus de 6 000 personnes gravement malades âgées de 4 à 97 ans, réparties dans plusieurs établissements de santé. Ils ont fait porter leur étude sur la douleur reliée à six interventions que subissent fréquemment les personnes atteintes d'une affection aiguë ou grave, soit le changement de position, le retrait du drain d'une incision, l'aspiration des sécrétions trachéales, le retrait d'un cathéter fémoral, l'insertion d'un cathéter veineux central et le changement d'un pansement pour une plaie autre qu'une brûlure. Pour ce faire, les chercheurs ont utilisé des échelles d'évaluation numériques et des listes de mots décrivant la qualité de la douleur.

Les chercheurs ont ainsi découvert que les interventions les plus pénibles étaient: le changement de position pour les adultes de 18 ans et plus, les soins de la plaie pour les adolescents de 13 à 17 ans et l'aspiration des sécrétions trachéales pour les enfants de 8 à 12 ans. Les auteurs notent que le changement de position et l'aspiration des sécrétions trachéales étaient les soins les plus fréquemment effectués, et souvent sans analgésie préalable.

Implications: La qualité et l'intensité de la douleur associée aux soins varient selon les interventions. Sachant cela, l'infirmière est en mesure de prévenir ou de réduire considérablement cette douleur en prenant des mesures préventives. Les auteurs soulignent que la fréquence à laquelle les personnes atteintes d'affections aiguës ou graves subissent des interventions justifie que le personnel soignant les prépare et les soulage de manière individualisée.

Source: « Patients' Perceptions and Responses to Procedural Pain: Results from Thunder Project II », de K. A. Puntillo *et al.*, 2001, *American Journal of Critical Care, 10,* p. 238-251.

visage est souvent le premier, voire le seul signe de la douleur. La personne qui ressent de la douleur a les dents serrées, les paupières fermées et contractées, ou le regard sombre; elle se mord les lèvres ou grimace. Elle peut encore gémir, grommeler, pleurer ou crier.

L'immobilisation du corps ou d'une partie du corps peut également s'avérer comme un signe de douleur. Les personnes atteintes de douleur thoracique se tiennent fréquemment le bras gauche en travers de la poitrine. Une personne qui souffre de colique remuera le moins possible et prendra la position qui lui est la plus confortable, c'est-à-dire le plus souvent les genoux et les hanches en flexion.

Il faut interpréter comme des signes possibles de douleur les mouvements erratiques comme les gesticulations et les changements de position fréquents dans le lit. De même, les mouvements involontaires tels que le retrait réflexe d'un membre au moment d'une injection signalent la présence de douleur. Si certains adultes sont capables de réprimer ce réflexe, les enfants n'ont pas nécessairement la capacité ou la volonté de le faire.

Une personne qui se masse une partie du corps ou qui remue de façon rythmique éprouve vraisemblablement de la douleur. Il arrive que l'adulte et l'enfant qui souffrent de douleur abdo-

minale prennent la position du fœtus et se balancent d'avant en arrière. Une femme en travail peut se masser l'abdomen de façon rythmique.

Il est important de noter que les réactions comportementales ne sont pas les plus révélatrices dans la mesure où les personnes peuvent les maîtriser. D'ailleurs, la douleur chronique s'accompagne rarement de réactions comportementales manifestes, car la personne met au point des stratégies d'adaptation personnelles pour la tolérer.

Les réactions physiologiques varient selon l'origine de la douleur et sa durée. L'apparition d'une douleur aiguë stimule le système nerveux sympathique et entraîne une augmentation de la pression artérielle, de la fréquence et de l'amplitude du pouls et de la respiration ainsi que de la pâleur, de la diaphorèse et la dilatation des pupilles. L'organisme ne peut supporter longtemps cette intensification de l'activité sympathique, si bien que les réactions physiologiques s'atténuent ou disparaissent. On ne les observe d'ailleurs que rarement chez les personnes atteintes de douleur chronique, en raison de l'adaptation de leur système nerveux central (SNC). Les réactions physiologiques sont donc de piètres indicateurs de la douleur, et il est important que l'infirmière ne s'y limite pas.

Il est très important de faire une bonne évaluation initiale de la douleur: pour ce faire, l'infirmière dispose habituellement d'un formulaire à remplir lors de sa première rencontre avec la personne (voir un exemple de formulaire à la figure 44-8 ■). Ce formulaire sert d'instrument de référence lors des visites subséquentes; il permet d'ajuster au besoin les activités infirmières, et il est essentiel d'y recourir pour bien mener l'évaluation des progrès réalisés.

■ Journal de la douleur

Dans le cas d'une douleur chronique, tenir un journal peut aider la personne et l'infirmière à établir la fréquence de la douleur et à déterminer les facteurs qui l'exacerbent ou l'atténuent. Si la personne est traitée à domicile, on peut enseigner aux proches aidants la manière de tenir le journal. Ils peuvent y noter:

- Le moment où la douleur apparaît.
- L'activité pratiquée avant son apparition.
- Les positions ou les comportements qui la provoquent.
- Le degré d'intensité de la douleur.
- L'utilisation d'analgésiques ou d'autres mesures de soulagement.
- La durée de la douleur.
- Le temps consacré aux mesures de soulagement.

Les données consignées dans le journal, dont vous trouverez un exemple à la figure 44-9 ■, peuvent aider l'infirmière à élaborer le plan de soins et de traitements, ou à le modifier. Pour que cet outil soit efficace, il est important que l'infirmière renseigne la personne et sa famille sur sa raison d'être, et qu'elle s'assure que la personne est capable de le tenir correctement.

Analyse

Deux des diagnostics infirmiers de NANDA s'appliquent aux personnes qui présentent de la douleur:

- *Douleur aiguë*
- *Douleur chronique*

CLINIQUE ANTIDOULEUR
Évaluation initiale

Données préliminaires
1. Date et heure de l'entrevue :
2. Origine culturelle :
3. Condition familiale :
4. Condition professionnelle et socioéconomique :

Raison de la consultation

Antécédents pertinents

Douleur
1. Localisations et caractères :
   (ordre selon l'intensité,
   de la plus forte à la plus faible)
2. Durée :
3. Intensité : EN
   – Actuelle :   – Pire :
   – Faible :   – Acceptable :
4. Facteurs déclencheurs et d'entretien :

Condition biophysiologique   PA :   FC :
1. – Respiration :   – Peau/Phanères :
   – Alimentation :   – Limitations fonctionnelles :
   – Élimination :   – Sommeil :
2. Contre-indications à une infiltration :
   – Allergies connues :   – Anticoagulants :
   – Fièvre/Infection/Antibio :   – Tr. coagulation :
   – Tb :
3. Habitudes : ROH   – Drogues

Condition psychosociale
1. Antécédents :
2. État psychologique observé :
3. Problèmes reliés à la douleur :
4. Soutien :
   – Famille :   – Amis :   – Milieu de travail
   – Professionnel :   – Groupes d'entraide, associations :

Méthodes de contrôle de la douleur
1. Infiltrations, blocs :
2. Médication :

3. Approches complémentaires :
   – Physiothérapie :
   – TENS :
   – Application chaud/froid :
   – Coussins, matelas :
   – Exercices (types) :
   – Relaxation (types) :
   – Imagerie :
   – Musicothérapie :
   – Distraction, hobbies :
   – Respect de ses limites :
   – Acupuncture :
   – Autres :

Synthèse

Soins/Enseignement

Signature :   **Heure :**

FIGURE 44-8 ■ Clinique antidouleur : évaluation initiale. (Source : Centre hospitalier de l'Université de Montréal – CHUM.)

JOURNAL DE LA DOULEUR³

0	1	2	3	4	5	6	7	8	9	10
Aucune douleur		Douleur légère		Douleur modérée		Douleur sévère		Douleur très sévère		Pire douleur possible

Voici quelques mots qui vous aideront à décrire votre douleur :

Heure/Date	Évaluation de la douleur (0 -10)	Description et lieu de la douleur	Que faisiez-vous quand vous avez ressenti la douleur ?	Quelle mesure ou quel médicament avez-vous pris ?	Cela a-t-il fonctionné?	Évaluation de la douleur après la mesure ou le médicament (0 -10)
					❑ Oui ❑ Non	
					❑ Oui ❑ Non	
					❑ Oui ❑ Non	
					❑ Oui ❑ Non	
					❑ Oui ❑ Non	
					❑ Oui ❑ Non	
					❑ Oui ❑ Non	
					❑ Oui ❑ Non	
					❑ Oui ❑ Non	
					❑ Oui ❑ Non	
					❑ Oui ❑ Non	
					❑ Oui ❑ Non	
					❑ Oui ❑ Non	
					❑ Oui ❑ Non	
					❑ Oui ❑ Non	
					❑ Oui ❑ Non	
					❑ Oui ❑ Non	

qui fourmille
qui rayonne
fulgurante
qui poignarde
brûlante
profonde
engourdie
aiguë
qui arrache
qui crampe
qui perce
poignante
sensible
qui fend
qui transperce
pénible
qui bat
qui ronge
vive
épuisante
continue
qui rentre
énervante
insupportable
intolérable

JOURNAL DE LA DOULEUR

FIGURE 44-9 ■ **Journal de la douleur.** (Source : © Headcan)

L'infirmière doit indiquer précisément le siège de la douleur (par exemple, douleur dans la cheville droite ou céphalée frontale gauche). Elle doit également noter les facteurs physiologiques et psychologiques connexes, si elle les connaît. Parmi ces facteurs, on compte bien sûr l'agent causal, mais il peut s'y ajouter, par exemple, des connaissances insuffisantes sur les techniques de soulagement de la douleur, ou encore la peur de la tolérance et de la dépendance aux médicaments.

L'encadré *Diagnostics infirmiers, résultats de soins infirmiers et interventions* présente des applications cliniques de diagnostics de douleur ainsi que des exemples de résultats de soins infirmiers et d'interventions infirmières.

Comme la douleur se répercute sur de nombreux aspects de l'existence, elle peut constituer l'étiologie d'autres diagnostics infirmiers, tels :

- *Dégagement inefficace des voies respiratoires,* relié à une toux faible consécutive à la douleur abdominale postopératoire au siège de l'incision

- *Perte d'espoir,* reliée à une douleur continuelle
- *Anxiété,* reliée à des expériences passées de soulagement insuffisant ou inefficace de la douleur et à l'anticipation de la douleur
- *Stratégies d'adaptation inefficaces,* reliées à une dorsalgie continuelle, à un soulagement insuffisant de la douleur et à un réseau de soutien inadéquat
- *Maintien inefficace de l'état de santé,* relié à la douleur chronique et à la fatigue
- *Déficit de soins personnels (préciser),* relié à un soulagement insuffisant de la douleur
- *Connaissances insuffisantes (mesures de soulagement de la douleur),* reliées à un accès insuffisant aux sources d'information
- *Mobilité physique réduite,* reliée à une douleur arthritique dans le genou et la cheville
- *Habitudes de sommeil perturbées,* reliées à une intensification de la perception de la douleur pendant la nuit

DIAGNOSTICS INFIRMIERS, RÉSULTATS DE SOINS INFIRMIERS ET INTERVENTIONS

Douleur

COLLECTE DES DONNÉES	DIAGNOSTICS INFIRMIERS : DÉFINITION	EXEMPLES DE RÉSULTATS DE SOINS INFIRMIERS [N° CRSI/NOC] : DÉFINITION	INDICATEURS	INTERVENTIONS CHOISIES [N° CISI/NIC] : DÉFINITION	EXEMPLES D'ACTIVITÉS CISI/NIC
Marie-Louise Audette, âgée de 75 ans, a fait une chute et s'est fracturé la hanche droite. Elle a subi hier une intervention chirurgicale visant à réduire la fracture. Elle évalue la douleur ressentie au siège de l'opération à 6 sur une échelle de 0 à 10; elle précise que le degré de douleur atteint 9 quand on la change de position dans le lit. Le médecin lui a prescrit 10 mg de morphine toutes les 4 heures au besoin. Elle a reçu une dose il y a cinq heures. Elle dit : « J'essaie de tenir le plus longtemps possible avant de demander un antidouleur. »	*Douleur aiguë : Expérience sensorielle et émotionnelle désagréable, associée à une lésion tissulaire réelle ou potentielle, ou décrite dans des termes évoquant une telle lésion (Association internationale pour l'étude de la douleur). Le début est brusque ou lent ; l'intensité varie, de légère à extrême ; l'arrêt est prévisible ; la durée est inférieure à 6 mois.*	Contrôle de la douleur [1605] : *Actions personnelles mises en place afin de contrôler la douleur.*	Souvent démontrés : • Identifie les facteurs favorisants. • Utilise des analgésiques à bon escient. • Signale les symptômes à un professionnel de la santé. • Exprime un soulagement de la douleur.	Administration d'analgésiques [2210] : *Utilisation d'agents pharmacologiques pour réduire ou éliminer la douleur.*	• Déterminer la localisation de la douleur, ses caractéristiques, son type et son intensité avant d'administrer un médicament. • Conseiller à la personne de faire la demande de l'analgésique si besoin avant que la douleur ne devienne trop intense. • Assurer le bien-être de la personne, lui faire pratiquer des activités de relaxation, pour favoriser l'action de l'analgésique. • Corriger les idées fausses de la personne ou de ses proches concernant les analgésiques, en particulier les opioïdes (par exemple dépendance, risques de surdosage).
Lan Nguyen, âgée de 51 ans, est atteinte d'un cancer du sein qu'on a diagnostiqué il y a 3 ans; on a procédé il y a 6 mois à l'ablation d'une tumeur métastatique du poumon. Elle qualifie de « chaude, lancinante et insupportable » la douleur prolongée reliée à la thoracotomie. Mᵐᵉ Nguyen dit qu'elle adore la couture et la broderie, mais	*Douleur chronique : Expérience sensorielle et émotionnelle désagréable, associée à une lésion tissulaire réelle ou potentielle, ou décrite dans des termes évoquant une telle lésion (Association internationale pour l'étude de la douleur). Le début est brusque ou lent ; l'intensité varie, de légère à sévère ; elle est constante ou*	Niveau de bien-être [2100] : *Sensation de bien-être physique et psychologique.*	Modéré à important : • Est satisfaite du contrôle de la douleur. • Est satisfaite de son niveau d'indépendance. • Signale un bien-être psychologique.	Conduite à tenir devant la douleur [1400] : *Apaisement de la douleur ou diminution de la douleur à un seuil tolérable pour la personne.*	• S'assurer que la personne reçoive les traitements analgésiques appropriés. • Déterminer l'impact de la douleur sur la qualité de vie de la personne : sommeil, appétit, activités, processus cognitif, humeur, relations interpersonnelles, performances professionnelles et responsabilités dans l'exercice du rôle. • Choisir et mettre en œuvre des mesures diversifiées (pharmacologiques, non pharmacologiques ou interpersonnelles) pour favoriser le soulagement de la douleur, si besoin. • Collaborer avec la personne, ses proches et les autres professionnels de la santé à choisir et à mettre en œuvre des

Douleur (suite)

COLLECTE DES DONNÉES	DIAGNOSTICS INFIRMIERS: DÉFINITION	EXEMPLES DE RÉSULTATS DE SOINS INFIRMIERS [N° CRSI/NOC]: DÉFINITION	INDICATEURS	INTERVENTIONS CHOISIES [N° CISI/NIC]: DÉFINITION	EXEMPLES D'ACTIVITÉS CISI/NIC
qu'elle est incapable de s'y adonner en ce moment en raison de la douleur.	récurrente; l'arrêt est imprévisible; la durée est supérieure à 6 mois.				mesures antalgiques non pharmacologiques. • Évaluer la satisfaction de la personne en regard de la prise en charge de la douleur à intervalles réguliers.

Planification

Les objectifs établis pour la personne varient selon le diagnostic et ses caractéristiques déterminantes. L'infirmière peut choisir des interventions particulières pour répondre aux besoins individuels de la personne. L'encadré *Diagnostics infirmiers, résultats de soins infirmiers et interventions* présente des exemples de résultats escomptés et d'interventions de soins infirmiers.

■ Plan de soins et de traitements

À l'étape de la planification, l'infirmière doit choisir des mesures de soulagement correspondant aux besoins de la personne, en s'appuyant sur les données de l'évaluation et sur les renseignements fournis par la personne ou par ses proches aidants. Les interventions infirmières peuvent comprendre diverses mesures pharmacologiques et non pharmacologiques. D'ailleurs, les plans qui comportent des stratégies très variées sont généralement les plus efficaces. Que la personne reçoive ses soins dans un établissement de soins actifs ou à domicile, il est important que toutes les personnes qui participent au traitement de la douleur comprennent le plan thérapeutique. Le plan thérapeutique doit figurer dans le dossier de la personne; dans le cas des soins à domicile, il faut en fournir une copie à la personne, à ses proches aidants et à tous les intervenants concernés. La participation de la personne et de ses proches aidants est en effet essentielle.

Lorsque la fréquence et l'intensité de la douleur sont connues ou prévisibles, on peut administrer les analgésiques à heures fixes afin de maintenir une concentration sérique constante. On procède de cette manière dans les 24 ou les 48 heures suivant une intervention chirurgicale, période pendant laquelle le soulagement de la douleur aiguë nécessite l'administration d'analgésiques opioïdes. On peut ajuster le schéma posologique de manière à prévenir une réapparition de la douleur. En cas de douleur persistante, on doit administrer des analgésiques jour et nuit, et prévoir des doses supplémentaires à administrer au besoin (Herr, 2002a). On doit aussi établir un horaire fixe pour les interventions non pharmacologiques. Le recours à un horaire permet de réduire les périodes de douleur et évite à la personne l'anxiété reliée à une anticipation de la douleur.

■ Planification des soins à domicile

En prévision du congé, l'infirmière doit déterminer les besoins, les forces et les ressources de la personne et de sa famille. L'encadré

Évaluation pour les soins à domicile – Douleur présente les données à recueillir au moment de la planification du congé. L'infirmière s'appuie ensuite sur ces données pour élaborer un plan d'enseignement à l'intention de la personne et de sa famille.

ÉVALUATION POUR LES SOINS À DOMICILE

Douleur
PERSONNE
■ Niveau de connaissances: mesures pharmacologiques et non pharmacologiques choisies pour le soulagement de la douleur; effets indésirables et mesures prises pour les contrer; signes avant-coureurs à signaler à la personne soignante.
■ Capacité d'autoadministration des analgésiques: capacité d'utiliser les analgésiques adéquatement (mesure des doses et observance du schéma posologique, par exemple); dextérité manuelle nécessaire à la prise de comprimés ou à l'administration de médicaments par voie intraveineuse ainsi qu'au rangement des produits; capacité d'obtenir des ordonnances ou des médicaments en vente libre à la pharmacie.

FAMILLE
■ Disponibilité, habiletés et bonne volonté des proches aidants: capacité et volonté des proches aidants à participer au soulagement de la douleur; capacité de faire les courses de la personne si celle-ci doit restreindre ses activités; capacité de comprendre les traitements choisis (pompes à perfusion, imagerie mentale, massage, changements de position et techniques de relaxation, par exemple), de les exécuter ou d'aider la personne à les effectuer au besoin.
■ Perturbation des rôles familiaux et adaptation: effets sur la situation financière, l'exercice des rôles parental et social, les relations de couple et la sexualité.

COMMUNAUTÉ
■ Ressources: accès aux ressources comme le matériel, l'aide à domicile et l'aide financière.

Interventions

L'expression **soulagement de la douleur** désigne l'ensemble des mesures destinées à éliminer la douleur ou à l'apaiser jusqu'à un niveau acceptable pour la personne. Ces mesures comprennent des interventions pharmacologiques et non pharmacologiques ainsi que des interventions autonomes et en collaboration. En règle générale, les interventions non envahissantes relèvent des fonctions autonomes de l'infirmière, tandis que l'administration d'analgésiques nécessite une ordonnance médicale. Cependant, la décision d'administrer les médicaments prescrits revient souvent à l'infirmière, qui doit alors juger de la dose des médicaments et du moment où on les administre.

La clé du soulagement de la douleur réside généralement dans la diversification des stratégies. Il faut parfois procéder par essais et erreurs jusqu'à ce que la personne obtienne un soulagement efficace. L'encadré *Conseils pratiques* donne des indications sur la manière d'individualiser les soins de la personne souffrante.

Obstacles au soulagement de la douleur

L'ignorance, les idées fausses et les préjugés, tant de la part de l'infirmière que de celle de la personne, peuvent faire obstacle au soulagement de la douleur. Les réactions à la douleur varient selon les cultures, les expériences personnelles et les interprétations des personnes. Beaucoup de gens s'attendent à souffrir un jour ou l'autre et acceptent la douleur comme un corollaire de la maladie. Les personnes et leurs familles peuvent manquer de connaissances sur les effets indésirables de la douleur ainsi que sur l'usage des analgésiques. Certaines personnes taisent leur douleur parce qu'elles ne la jugent pas assez grave, pensent qu'on ne peut rien y faire ou craignent de déranger les personnes soignantes ou de

leur nuire. Le tableau 44-6 présente d'autres idées fausses répandues à propos de la douleur. La peur de la dépendance constitue un important obstacle au soulagement efficace de la douleur, surtout dans les cas d'utilisation prolongée d'opioïdes. Cet aspect préoccupe non seulement les personnes, mais aussi un bon nombre d'infirmières. Il est donc important que toutes connaissent la différence entre toxicomanie, dépendance physique et tolérance (voir l'encadré 44-3).

Éléments clés du soulagement de la douleur

Les éléments clés du soulagement de la douleur sont : reconnaître et accepter la douleur de la personne, épauler les proches aidants, corriger les idées fausses à propos de la douleur, atténuer la peur et l'anxiété, et prévenir la douleur.

RECONNAÎTRE ET ACCEPTER LA DOULEUR DE LA PERSONNE. Toutes les stratégies de soulagement de la douleur reposent sur le même principe, à savoir que l'infirmière doit montrer à la personne qu'elle croit à sa douleur. Voici quatre façons de le faire :

1. Reconnaître explicitement la présence de la douleur par des phrases comme les suivantes : « Je comprends que votre jambe vous fait très mal. Quels sont vos sentiments à l'égard de la douleur ? »
2. Écouter attentivement ce que dit la personne à propos de sa douleur.
3. Laisser savoir à la personne qu'on l'interroge non pas pour vérifier si sa douleur est réelle ou non, mais bien pour mieux la comprendre, en lui demandant, par exemple : « Quel genre de douleur avez-vous en ce moment ? » ou « Comment vous sentez-vous en ce moment, comparativement à il y a une heure ? »
4. Répondre promptement aux besoins de la personne.

ENSEIGNEMENT

Surveillance et soulagement de la douleur

- Enseignez à la personne à tenir un journal dans lequel elle notera le début de la douleur et son intensité, les activités qui précèdent son apparition, l'utilisation d'analgésiques ou d'autres mesures de soulagement, etc.
- Conseillez à la personne de communiquer avec un professionnel de la santé si les mesures de soulagement planifiées se révèlent inefficaces.

SOULAGEMENT DE LA DOULEUR

- Enseignez à la personne diverses techniques non pharmacologiques telles que la relaxation, la visualisation, la diversion, la musicothérapie, le massage, etc.
- Expliquez à la personne les modes d'action, les effets secondaires, les dosages et les fréquences d'administration des analgésiques prescrits.
- Suggérez à la personne des moyens de contrer les effets secondaires des médicaments.
- Fournissez des renseignements précis sur la tolérance, la dépendance physique et la toxicomanie à la personne qui s'inquiète de prendre des analgésiques opioïdes.
- Conseillez à la personne d'amorcer des mesures de soulagement avant que la douleur ne devienne intense.
- Informez la personne des effets d'une douleur non traitée.

- Devant la personne ou son proche aidant, faites une démonstration du mode d'administration des analgésiques (timbres transdermiques, injections, pompes à perfusion ou analgésie contrôlée par la personne). Demandez à la personne ou à son proche aidant de refaire la démonstration à son tour. Pour utiliser une pompe à perfusion à domicile, le proche aidant doit pouvoir :
  a) Démarrer la pompe et l'arrêter.
  b) Changer la cartouche de médicament et la tubulure.
  c) Ajuster la dose.
  d) Effectuer les soins requis au point d'insertion.
  e) Reconnaître les signes indiquant qu'un changement de point d'insertion s'impose.
  f) Décrire l'entretien de la pompe et les soins à apporter au point d'insertion lorsque la personne se déplace, se lave, dort ou voyage.
  g) Résoudre les problèmes signalés par le déclenchement de l'alarme.
  h) Changer la pile.

RESSOURCES

- Fournissez des renseignements appropriés sur l'accès aux ressources communautaires, les services de soins à domicile et les associations qui organisent des groupes d'entraide et proposent du matériel éducatif.

CONSEILS PRATIQUES

Individualisation des soins à la personne atteinte de douleur

- Établissez une relation de confiance avec la personne. Exprimez votre empathie à la personne et montrez-lui que vous croyez à sa douleur. La confiance favorise l'expression des pensées et des sentiments, et augmente l'efficacité des mesures de soulagement planifiées.

- Tenez compte de la capacité et de la volonté de la personne de participer aux mesures de soulagement. Certaines personnes ne sont pas aptes à gérer elles-mêmes leur analgésie, par exemple celles qui présentent une altération du niveau de conscience ou des opérations de la pensée. En revanche, une personne même très fatiguée peut se montrer disposée à utiliser des mesures de soulagement qui demandent peu d'effort, comme écouter de la musique ou pratiquer des techniques de relaxation.

- Utilisez plusieurs mesures de soulagement différentes. Comme la douleur peut varier, il est important de diversifier les mesures de soulagement et de les combiner. Les experts pensent en outre que les mesures de soulagement ont un effet additif. Tout plan de soulagement devrait comprendre au moins les deux mesures suivantes : (a) l'établissement d'une relation infirmière-personne soignée constructive ; (b) l'enseignement à la personne.

- Amorcez des mesures de soulagement avant que la douleur ne devienne intense. Aussi, il vaut mieux donner un analgésique avant l'apparition de la douleur plutôt que d'attendre que la personne se plaigne, car elle aurait alors besoin d'une dose plus importante.

- Utilisez les mesures de soulagement que la personne considère comme efficaces. Il est reconnu que la personne connaît sa douleur mieux que quiconque. Il convient donc d'incorporer ses propres techniques au plan de soulagement, dans la mesure où elles sont sécuritaires.

- Choisissez les mesures de soulagement en fonction de l'évaluation que fait la personne de sa douleur. Si une personne dit souffrir d'une douleur légère, un analgésique comme l'aspirine peut être indiqué. Par contre, la personne qui se plaint d'une douleur intense a probablement besoin d'une mesure de soulagement plus puissante.

- Incitez la personne à faire encore une ou deux tentatives avant de renoncer à une mesure de soulagement qui s'est avérée inefficace dans son cas. L'anxiété peut nuire à l'efficacité d'une mesure de soulagement ; par ailleurs, certaines méthodes, comme la diversion, ne deviennent efficaces qu'après une période d'entraînement.

- Restez ouverte à des mesures de soulagement inédites. On découvre sans cesse de nouveaux moyens de soulager la douleur. L'efficacité des mesures de soulagement ne s'explique pas toujours, mais il faut continuer à les utiliser si elles ne nuisent pas à la personne.

- Persévérez. Ne négligez pas une personne sous prétexte que sa douleur résiste aux mesures de soulagement. Dans une telle situation, réévaluez la douleur et cherchez d'autres stratégies.

- Ne nuisez pas à la personne. Le traitement de la douleur ne doit pas aggraver les souffrances de la personne ni lui causer de tort. Il est inévitable que certaines mesures de soulagement aient des effets indésirables, telle la fatigue, mais elles ne doivent pas invalider la personne.

- Informez la personne et ses proches aidants sur la douleur. Renseignez-les sur les causes possibles de la douleur, les facteurs qui la déclenchent ou l'atténuent ainsi que les mesures de soulagement non pharmacologiques. Rectifiez de même toutes leurs idées fausses sur la douleur et son traitement.

TABLEAU

Idées fausses répandues à propos de la douleur

44-6

Idées fausses	Rectifications
La douleur intense apparaît seulement à la suite d'une intervention chirurgicale majeure.	Même une intervention chirurgicale mineure peut causer une douleur intense.
L'infirmière ou d'autres professionnels de la santé sont les seules autorités en matière de douleur.	La personne atteinte de douleur est la seule autorité à pouvoir juger de la présence et de la nature de la douleur.
L'administration régulière d'analgésiques entraîne la dépendance.	Il n'y a que de très faibles probabilités qu'une personne acquière une dépendance à un analgésique.
L'intensité et la durée de la douleur sont directement proportionnelles à l'étendue de la lésion tissulaire.	La douleur est une expérience subjective ; son intensité et sa durée varient considérablement d'une personne à l'autre.
La douleur s'accompagne de signes physiologiques ou comportementaux visibles qui permettent de vérifier son existence.	Même une douleur intense peut être entrecoupée de périodes d'adaptation physiologique et comportementale.

Définitions

L'American Academy of Pain Medicine, l'American Pain Society et l'American Society of Addiction Medicine ont adopté les définitions suivantes et en recommandent l'usage.

TOXICOMANIE
La toxicomanie est une affection neurobiologique primaire et chronique dont l'évolution et les manifestations sont influencées par des facteurs génétiques, psychosociaux et environnementaux. Elle se caractérise par un ou plusieurs des comportements suivants : très faible maîtrise de la consommation de drogues, usage compulsif, maintien de la consommation en dépit des effets nocifs et besoin impérieux.

DÉPENDANCE PHYSIQUE
La dépendance physique est un état d'adaptation qui se manifeste par l'apparition d'un syndrome de sevrage spécifique à la suite d'un arrêt brusque de la consommation, d'une diminution rapide des doses, d'une diminution de la concentration sanguine de la drogue ou de l'administration d'un antagoniste.

TOLÉRANCE
La tolérance est un état d'adaptation lié aux changements provoqués par la consommation d'une drogue, changements qui entraînent une diminution graduelle d'un ou de plusieurs des effets de la drogue en cause.

Source : « Definitions Related to the Use of Opioids for the Treatment of Pain », *A Consensus Document from the American Academy of Pain Medicine, the American Pain Society, and the American Society of Addiction Medicine,* © 2001 American Academy of Pain Medicine, American Pain Society, et American Society of Addiction Medicine.

L'encadré *Conseils pratiques* présente des stratégies à utiliser dans les situations où le personnel soignant doute des propos de la personne au sujet de sa douleur.

CONSEILS PRATIQUES

Stratégies à utiliser si un intervenant doute des propos de la personne au sujet de sa douleur

Que faire si un intervenant n'accorde pas foi à une personne qui dit éprouver de la douleur ?

- Reconnaissez que chacun a droit à son opinion, mais que les opinions personnelles ne peuvent être à la base d'une pratique professionnelle.

- Soulignez que la douleur est une sensation subjective dont on ne peut ni prouver ni nier l'existence.

- Posez la question suivante : « Pourquoi est-il si difficile de croire que cette personne a mal ? »

Source : *Pain : Clinical Manual,* 2e éd., (p. 41), de M. McCaffery et C. Pasero, 1999, St. Louis : Mosby. Reproduit avec l'autorisation de Elsevier.

> **ALERTE CLINIQUE** *Croyez toutes les personnes, au risque d'être dupée. Vous pourrez vous dire que vous avez aidé toutes celles qui souffraient. Vous aurez témoigné de votre respect pour les personnes soignées et vous aurez mis en œuvre les interventions appropriées.* ∎

SOUTENIR LES PROCHES AIDANTS. Les proches aidants ont souvent besoin de soutien pour réagir de manière constructive à la douleur de la personne. L'infirmière peut leur apporter ce soutien en leur fournissant une information exacte sur la douleur et en leur donnant des occasions d'exprimer leurs émotions, qu'il s'agisse de la colère, de la peur, de la frustration ou d'un sentiment d'incompétence. L'infirmière peut en outre encourager les proches aidants et apaiser leur sentiment d'impuissance en les faisant participer aux mesures de soulagement et en leur demandant par exemple de masser le dos de la personne. Les proches aidants ont besoin eux aussi que l'infirmière reconnaisse explicitement l'importance de leur dévouement et de leur participation aux soins de la personne.

CORRIGER LES IDÉES FAUSSES À PROPOS DE LA DOULEUR. La correction des idées fausses d'une personne à propos de la douleur et de son traitement permet souvent d'éviter une intensification de la douleur. L'infirmière doit expliquer à la personne que la douleur est une expérience tout à fait individuelle et qu'elle est la seule à la comprendre vraiment, même si les autres peuvent manifester de l'empathie. L'infirmière peut aussi apporter les précisions nécessaires quand elle discute avec la personne des raisons pour lesquelles la douleur augmente ou diminue. Par exemple, une personne dont la douleur empire le soir peut attribuer à tort son malaise au fait d'avoir mangé plutôt qu'à la fatigue.

> **ALERTE CLINIQUE** *Rappelez à la personne que le bien-être (le soulagement de la douleur) est en relation directe avec la capacité d'accomplir les actions nécessaires au rétablissement (tousser, respirer profondément, se lever, etc.).* ∎

ATTÉNUER LA PEUR ET L'ANXIÉTÉ. La peur et l'anxiété forment la composante affective de la douleur, et il est important de les soulager aussi. La douleur et les réactions qu'elle provoque peuvent s'intensifier chez une personne qui n'a pas l'occasion de parler de sa douleur et de ses peurs. La personne qui croit qu'on ne traite pas sa douleur risque de se mettre en colère et de se plaindre des soins infirmiers qu'elle reçoit. Si l'infirmière est honnête et répond promptement aux besoins de la personne, celle-ci comprendra que l'infirmière croit à sa douleur.

L'apport d'une information exacte permet de dissiper bien des craintes, telle la peur de devenir toxicomane ou de souffrir à jamais. En outre, de nombreuses personnes apprécient qu'on respecte leur intimité pendant les épisodes de douleur.

PRÉVENIR LA DOULEUR. L'approche préventive de la douleur consiste à traiter la douleur avant qu'elle n'apparaisse ou ne s'intensifie. L'**analgésie préventive** est l'administration d'analgésiques avant une intervention envahissante ou une intervention chirurgicale ; elle vise à traiter la douleur avant même son apparition. Ainsi, l'infiltration locale d'un anesthésique ou l'administration parentérale d'un opioïde en période préopératoire peut réduire la douleur postopératoire. L'infirmière adopte l'approche préventive lorsqu'elle fournit un analgésique régulièrement plutôt qu'au besoin.

Traitement pharmacologique

Le traitement pharmacologique de la douleur comprend l'utilisation d'analgésiques opioïdes (narcotiques), d'analgésiques non opioïdes et d'anti-inflammatoires non stéroïdiens (AINS), et d'analgésiques adjuvants, aussi appelés coanalgésiques (voir l'encadré 44-4).

ANALGÉSIQUES OPIOÏDES. Les analgésiques opioïdes (narcotiques) sont les dérivés naturels de l'opium, tels que la morphine et la codéine, et ses dérivés synthétiques et semi-synthétiques. Il faut maintenant employer le mot *opioïde* au lieu de *narcotique*. Ce dernier terme est devenu désuet dans le langage médical et ne s'emploie maintenant que dans le langage juridique pour désigner diverses substances pouvant faire l'objet d'un usage abusif. Le terme *opiacé* est également utilisé, mais il ne désigne pas les dérivés synthétiques de l'opium.

Les opioïdes soulagent la douleur et procurent une sensation d'euphorie. Ils agissent en se liant à leurs récepteurs et en activant la suppression endogène (provenant de l'intérieur même du corps)

ENCADRÉ 44-4

Catégories d'analgésiques et exemples

ANALGÉSIQUES OPIOÏDES
- Butorphanol (Stadol)
- Fentanyl par voie parentérale (Fentanyl)
- Fentanyl par voie transdermique (Duragesic)
- Hydromorphone (Dilaudid, Hydromorph Contin)
- Chlorhydrate de mépéridine (Demerol)
- Codéine (Codéine Contin, Tylenol nᵒˢ 1 à 4, Empracet [avec acétaminophène])
- Morphine (Statex, MS-IR, MS Contin, M-Eslon)
- Propoxyphène (Darvon-N)
- Oxycodone (Supeudol, OxyContin, Percocet [avec acétaminophène])
- Pentazocine (Talwin)

ANALGÉSIQUES NON OPIOÏDES ET AINS
- Acétaminophène (Atasol, Tylenol)
- Acide acétylsalicylique, ou AAS (Aspirin, Entrophen)
- Trisalicylate de choline et de magnésium (Trilisate)
- Diclofénac (Voltaren)
- Ibuprofène (Motrin, Advil)
- Indométhacine (Indocid)
- Naproxène (Naprosyn)
- Naproxène sodique (Anaprox)
- Piroxicam (Feldene)
- Tolmétine (Tolectin)
- Célécoxib (Celebrex)
- Valdécoxib (Bextra)

ANALGÉSIQUES ADJUVANTS (COANALGÉSIQUES)
- Amitriptyline (Elavil)
- Désipramine (Norpramin)
- Gabapentin (Neurontin)
- Carbamazépine (Tegretol)
- Diazépam (Valium)

---

de la douleur dans le SNC. Il existe plusieurs types de récepteurs des opioïdes, dont les récepteurs mu (μ) — les plus fréquemment associés au soulagement de la douleur —, delta (δ) et kappa (κ). Les opioïdes induisent des changements d'humeur et d'attitude ainsi que des sentiments de bien-être ; ils n'éliminent pas la douleur à proprement parler mais en modifient la perception.

Il existe quatre types principaux d'opioïdes :

1. *Agonistes purs.* Les **analgésiques agonistes** sont des médicaments opioïdes qui se lient fermement aux récepteurs mu, ce qui entraîne une inhibition efficace de la douleur. Cette catégorie comprend entre autres la morphine, la codéine, la mépéridine, le fentanyl et l'hydromorphone. Il n'y a pas de plafond au degré d'analgésie produit par ces médicaments ; on peut en augmenter la dose de manière constante (sauf pour la codéine). Il n'existe pas non plus de dose quotidienne maximale.

2. *Agonistes-antagonistes mixtes.* Les **analgésiques agonistes-antagonistes** peuvent agir comme les agonistes purs et soulager la douleur chez une personne qui n'a pas pris d'agonistes purs (effet agoniste). Cependant, ils peuvent bloquer ou inactiver l'effet d'autres opioïdes et entraîner une intensification de la douleur (effet antagoniste). Ces effets varient selon la dose administrée. Cette catégorie comprend la pentazocine (Talwin), le butorphanol (Stadol) et la nalbuphine (Nubain). Il existe une dose maximale pour ces médicaments. Ils ne sont pas recommandés pour le soulagement de la douleur chronique ou cancéreuse.

3. *Agonistes partiels.* Contrairement aux agonistes purs, les **analgésiques agonistes partiels**, telle la buprénorphine, ont un effet de plafonnement, car ils n'activent que partiellement les récepteurs mu.

4. *Antagonistes purs.* Les **antagonistes purs**, comme la naloxone (Narcan), bloquent l'action des autres opioïdes et entraînent une intensification de la douleur. Ils ne causent donc jamais les effets indésirables propres aux autres types d'opioïdes. Ils sont en fait utilisés pour contrer les effets indésirables sévères des autres opioïdes.

Quel que soit l'analgésique qu'elle administre, l'infirmière doit tenir compte de ses effets secondaires. Les opioïdes entraînent généralement de la somnolence au début, mais cet effet secondaire tend à disparaître si la prise se prolonge. Les opioïdes peuvent aussi causer des nausées, des vomissements, de la constipation, de la rétention urinaire, de la confusion et une dépression respiratoire. Il faut les utiliser avec prudence chez les personnes atteintes de troubles respiratoires.

ALERTE CLINIQUE *Les opioïdes entraînent presque toujours de la constipation. Toutes les personnes devraient recevoir un laxatif stimulant à titre prophylactique, sauf contre-indication. Informez la personne des mesures de prévention suivantes : augmentation de l'apport en fibres alimentaires, utilisation régulière d'un laxatif doux (comme le lait de magnésie), prise de laxatifs oraux au coucher, insertion de suppositoires le matin. Rappelez-vous que les laxatifs émollients ne traitent efficacement la constipation que s'ils sont associés à des laxatifs stimulants. Les laxatifs mucilagineux ou agents de masse, comme le psyllium (Metamucil, Prodiem), doivent être évités chez les personnes prenant des opioïdes, car ils peuvent causer une obstruction intestinale.* ■

Une dépression respiratoire importante (se manifestant par exemple par le passage de 16 à 8 respirations par minute) et une sédation trop prononcée sont des signes d'un dosage excessif. L'infirmière doit évaluer le degré de vigilance et la fréquence respiratoire de la personne avant d'administrer des opioïdes. Une augmentation du degré de sédation peut constituer un signe précoce de dépression respiratoire (Pasero et McCaffery, 2002). L'encadré 44-5 présente une échelle d'évaluation de la sédation. Il arrive souvent que l'augmentation de la sédation *précède* la diminution de la fréquence et de l'amplitude respiratoires. L'infirmière doit évaluer et noter le degré de sédation en même temps qu'elle vérifie l'état respiratoire. La détection précoce d'une intensification de la sédation ou de la dépression respiratoire permet à l'infirmière d'instaurer promptement les mesures appropriées (comme obtenir une ordonnance pour diminuer le dosage du médicament opioïde). L'encadré 44-6 présente un aperçu des mesures à prendre pour prévenir les effets secondaires des analgésiques opioïdes et les traiter.

Les personnes âgées sont particulièrement sensibles aux propriétés analgésiques des opioïdes, et un grand nombre d'entre elles ont besoin de doses inférieures à celles qu'on administre aux plus jeunes. Cette plus grande sensibilité est probablement due à une altération des fonctions hépatiques et rénales.

DOSES ANALGÉSIQUES ÉQUIVALENTES. L'individualisation d'une pharmacothérapie analgésique suppose parfois que l'on ajuste la dose et la fréquence d'administration de même que la voie d'administration et le choix de l'agent. On peut alors utiliser un tableau des **doses analgésiques équivalentes**. Ainsi, pour une personne qui reçoit 100 mg de mépéridine par voie intramusculaire et qui présente des effets indésirables, la dose analgésique

équivalente de morphine par voie parentérale s'établit à 10 mg toutes les 3 ou 4 heures, et la dose analgésique équivalente d'hydromorphone par voie orale, à 4 mg toutes les 3 ou 4 heures. Il est important d'adapter les doses et les fréquences aux réactions de chaque personne. Enfin, l'infirmière doit vérifier la politique de l'établissement et les ordonnances du médecin en matière de doses analgésiques équivalentes.

ENCADRÉ

Prévention et traitement des effets secondaires des opioïdes
44-6

CONSTIPATION
- Augmenter l'apport liquidien (faire boire de six à huit verres d'eau par jour, par exemple).
- Augmenter l'apport en fibres alimentaires (offrir des fruits et des légumes frais, par exemple).
- Éviter les laxatifs de masse.
- Faire faire plus d'exercice.
- Administrer des laxatifs émollients en plus des stimulants.

NAUSÉES ET VOMISSEMENTS
- Faire savoir à la personne que la tolérance à l'effet émétique apparaît généralement au bout de quelques jours.
- Donner un antiémétique au besoin.
- Changer d'analgésique au besoin.

SÉDATION
- Faire savoir à la personne que la tolérance apparaît généralement au bout de trois à cinq jours.
- Administrer un stimulant comme la dextroamphétamine (Dexedrine) ou le méthylphénidate (Ritalin) tous les matins aux personnes qui reçoivent des opioïdes pour la douleur chronique et ne présentent pas de tolérance.

DÉPRESSION RESPIRATOIRE
- Administrer un antagoniste des opioïdes comme la naloxone (Narcan) jusqu'à ce que la fréquence respiratoire redevienne acceptable. Administrer lentement par voie intraveineuse le médicament dilué dans 10 mL de solution saline. Surveiller la personne de près et répéter l'intervention au besoin.
- Si la personne reçoit une analgésie autocontrôlée par voie intraveineuse, cesser la perfusion ou en diminuer le débit.

PRURIT
- Appliquer des compresses froides ou de la lotion hydratante, et proposer des activités de diversion.
- Administrer un antihistaminique comme la diphenhydramine (Benadryl).
- Faire savoir à la personne qu'elle acquerra une tolérance à l'effet prurigineux.
- Administrer un antagoniste des opioïdes, comme la naloxone (Narcan), dans les cas graves.

RÉTENTION URINAIRE
- Installer une sonde vésicale au besoin.
- Administrer de l'urécholine (béthanéchol) pour relaxer les muscles de la vessie contractés par l'opioïde.
- Administrer un antagoniste des opioïdes, comme la naloxone (Narcan), dans les cas graves.

ENCADRÉ

Échelle de sédation
44-5

E = Personne endormie mais facile à réveiller : ne nécessite aucune intervention.

1 = Personne éveillée et alerte : ne nécessite aucune intervention.

2 = Pesonne légèrement somnolente mais facile à réveiller : ne nécessite aucune intervention.

3 = Personne souvent somnolente, peut être réveillée, tombe endormie pendant les conversations : diminuer les analgésiques opioïdes.

4 = Personne somnolente, réaction minimale ou absente à la stimulation physique : cesser les analgésiques opioïdes ; considérer l'utilisation de naloxone (Narcan).

Source : *Pain : Clinical Manual*, 2e éd., (p. 267), de M. McCaffery et C. Pasero, 1999, St. Louis : Mosby. Reproduit avec l'autorisation de Elsevier.

! ALERTE CLINIQUE *L'évaluation du degré de sédation et de l'état respiratoire est cruciale au cours des 12 à 24 premières heures du traitement avec des analgésiques opioïdes (ou après une augmentation de la dose). L'utilisation des analgésiques opioïdes devient plus sécuritaire avec le temps, à mesure qu'augmente la tolérance de la personne aux effets sédatifs et dépresseurs du médicament sur le système respiratoire.* ■

Bon nombre de profession-nels de la santé sous-estiment l'efficacité de médicaments courants comme l'aspirine et l'acétaminophène. Saviez-vous que deux comprimés ordinaires d'aspirine ou d'acétamino-phène apportent un soulagement équivalent, pour la douleur légère à modérée, à celui qu'on obtient avec 5 mg de mor-phine ou 50 mg de mépéridine par voie orale? ■

ANALGÉSIQUES NON OPIOÏDES ET AINS. Les analgé-siques non opioïdes comprennent l'acétaminophène et les **anti-inflammatoires non stéroïdiens (AINS)** comme l'ibuprofène. Les AINS possèdent des propriétés anti-inflammatoires, analgésiques et antipyrétiques, tandis que l'acétaminophène n'a que des propriétés analgésiques et antipyrétiques. Ces médicaments soula-gent la douleur en agissant sur les terminaisons nerveuses périphériques voisines de la lésion, en diminuant la concentration de médiateurs inflammatoires et en bloquant la production de prostaglandines autour de la lésion. Très mal connu, le mécanisme d'action de l'acétaminophène est différent de celui de l'aspirine et des autres AINS (McCaffery et Pasero, 1999, p. 130). Il semble que l'analgésie découle principalement d'un mécanisme central et non périphérique. Il existe diverses associations de médicaments analgésiques. Ainsi, Empracet-30 contient à la fois de l'acétamino-phène (un agent non opioïde) et 30 mg de codéine (un opioïde).

Les propriétés analgésiques, le métabolisme, l'excrétion et les effets secondaires des agents non opioïdes et des AINS varient considérablement.

Les effets secondaires les plus fréquents des analgésiques non opioïdes touchent le système digestif, par exemple les brûlures d'estomac et l'indigestion. On doit recommander aux personnes de prendre les AINS avec de la nourriture ou un verre d'eau. Par ailleurs, la plupart des AINS perturbent l'agrégation plaquettaire. L'acétaminophène n'a pas cet effet et entraîne rarement des malaises gastro-intestinaux. Il peut cependant causer une hépa-totoxicité (surtout lorsque la dose maximale de 4 g par jour est dépassée) et doit être administré avec prudence aux personnes qui présentent des troubles hépatiques.

L'association d'AINS et d'opioïdes permet de réduire la dose d'opioïdes nécessaire et soulage mieux la douleur que la seule administration de médicaments de l'une ou l'autre de ces catégories. Ces médicaments doivent être prescrits par un médecin et ont tous une dose quotidienne maximale. L'association d'AINS et d'opioïdes est avantageuse, mais l'infirmière doit vérifier non seule-ment l'ordonnance mais aussi la quantité que prend la personne en 24 heures. Supposons par exemple que le médecin a prescrit Empracet-30. La composante acétaminophène de ce médicament entraînera une toxicité si la personne prend plus que la dose maxi-male en 24 heures. L'infirmière doit constamment évaluer l'ap-port total en Tylenol et en codéine, et communiquer avec le médecin si la personne n'obtient pas un soulagement adéquat. Le médecin peut alors prescrire un autre médicament ou modifier le dosage afin de traiter la douleur tout en restant dans des con-centrations sécuritaires.

Le traitement pharmacologique de la douleur légère à modérée doit commencer par l'administration d'un AINS, sauf en cas de contre-indication (USDHHS, 1992a, p. 16). Les AINS sont contre-indiqués pour les personnes qui présentent un trouble de la coagu-lation, des saignements gastro-intestinaux, des risques d'ulcère, une affection rénale, une thrombopénie ou une possibilité d'infec-tion (parce que les AINS masqueront la fièvre). Le tableau 44-7 présente une liste des idées fausses les plus répandues à propos des analgésiques non opioïdes.

ANALGÉSIQUES ADJUVANTS. Un **analgésique adjuvant**, ou *coanalgésique*, est un médicament qui a été mis au point à d'autres fins que l'analgésie mais qui, en plus de son action prin-cipale, réduit la douleur chronique, voire la douleur aiguë. Ainsi, les sédatifs et les anxiolytiques légers peuvent atténuer l'anxiété, le stress et la tension, et procurer ainsi à la personne une bonne nuit de sommeil. Les antidépresseurs servent à traiter la dépres-sion ou les troubles de l'humeur, mais peuvent aussi favoriser l'efficacité d'autres mesures de soulagement. Les anticonvulsi-vants, généralement prescrits pour traiter les crises convulsives, peuvent aussi juguler les neuropathies telles que le zona et les neuropathies diabétiques.

■ Méthode analgésique en trois paliers de l'OMS

L'Organisation mondiale de la santé (OMS) recommande une méthode analgésique en trois paliers pour le traitement de la douleur cancéreuse chronique (figure 44-10 ■). Cette approche est axée sur l'intensité de la douleur. Les personnes ne franchissent pas nécessairement les trois paliers. Le premier palier correspond à l'administration d'un analgésique non opioïde, avec ou sans analgésique adjuvant. Si la personne reçoit la dose maximale recommandée d'un analgésique non opioïde et demeure souf-frante, on passe au deuxième palier, c'est-à-dire qu'on ajoute un opioïde. La différence entre le deuxième et le troisième palier réside dans le choix des analgésiques. Au troisième palier, par exemple, les analgésiques doivent être administrés par diverses voies (orale, rectale, sous-cutanée, etc.) et posséder une courte demi-vie afin qu'on puisse augmenter le dosage en cas de douleur intense et grandissante (McCaffery et Pasero, 1999, p. 117). La méthode en trois paliers constitue un guide utile, mais elle ne peut pas s'appliquer de façon absolue à toutes les personnes. En effet, il est parfois nécessaire de commencer le traitement au deuxième ou au troisième palier.

Certains médicaments, tels que Percocet et Empracet, contien-nent à la fois des substances opioïdes et des substances non opioïdes. L'infirmière doit en être avertie afin d'administrer ces médicaments correctement et de prodiguer à la personne un enseignement approprié au moment du congé.

On néglige souvent d'associer des analgésiques opioïdes et non opioïdes. Ces médicaments n'ont ni les mêmes mécanismes d'action ni les mêmes effets secondaires. Il n'y a aucun danger à alterner leur utilisation ni à les administrer simultanément. ■

■ Administration de placebos

Un **placebo** est « un médicament ou une intervention, pouvant être chirurgicale, qui produit un effet chez une personne en raison de son objet implicite ou explicite et non de ses propriétés physiques ou chimiques spécifiques » (McCaffery et Pasero, 1999). Les chercheurs utilisent souvent des placebos dans les études sur les nouveaux médicaments. Il est important de rappeler que les sujets d'une étude accordent leur consentement éclairé aux chercheurs et qu'ils savent qu'ils sont susceptibles de recevoir un placebo. Par ailleurs, l'utilisation de placebos en vue d'évaluer la présence ou

TABLEAU

44-7

Idées fausses à propos des analgésiques non opioïdes

Idées fausses	Rectifications
La prise quotidienne d'AINS est beaucoup plus sûre que la prise d'opioïdes.	Les effets secondaires de l'usage prolongé d'AINS sont beaucoup plus marqués et risqués que ceux de doses quotidiennes de morphine ou d'autres opioïdes par voie orale. L'effet secondaire le plus répandu de l'usage prolongé d'opioïdes est la constipation. D'un autre côté, les AINS peuvent entraîner l'apparition d'ulcères gastriques, une augmentation du temps de saignement et une insuffisance rénale. L'acétaminophène peut causer une hépatotoxicité lorsque la dose quotidienne maximale est dépassée.
Il ne faut pas administrer un analgésique non opioïde en même temps qu'un analgésique opioïde.	Il n'y a pas de danger à administrer simultanément un analgésique non opioïde et un analgésique opioïde. Il n'y a pas plus de danger à les administrer simultanément qu'à des moments différents. De fait, plusieurs médicaments analgésiques sont composés d'une substance opioïde et d'une substance non opioïde. Percocet, par exemple, contient de l'oxycodone et de l'acétaminophène.
On peut administrer un antiacide avec un AINS pour réduire les malaises gastriques.	L'administration d'un antiacide peut atténuer les malaises gastriques, mais aussi être nuisible. En effet, certains AINS ont un enrobage spécial qui permet de protéger l'estomac, car il se dissout seulement dans l'intestin. Or, en présence d'un antiacide, l'enrobage peut se dissoudre dans l'estomac et perdre son utilité.
Les analgésiques non opioïdes ne sont pas efficaces contre la douleur intense.	Les analgésiques non opioïdes sont rarement efficaces à eux seuls contre la douleur intense, mais ils constituent une composante importante d'un traitement analgésique global. L'un des principes fondamentaux du traitement analgésique est que l'on doit considérer l'ajout d'un analgésique non opioïde dans tous les cas de douleur dont l'intensité dicte l'administration d'un opioïde.
Les malaises gastriques (comme la douleur abdominale) sont le signe d'une ulcération due aux AINS.	Les saignements ou la perforation ne sont précédés d'aucun symptôme chez la plupart des personnes atteintes de lésions gastriques.

Source : *Pain : Clinical Manual*, 2ᵉ éd., de M. McCaffery et C. Pasero, 1999, St. Louis : Mosby. Reproduit avec l'autorisation de Elsevier.

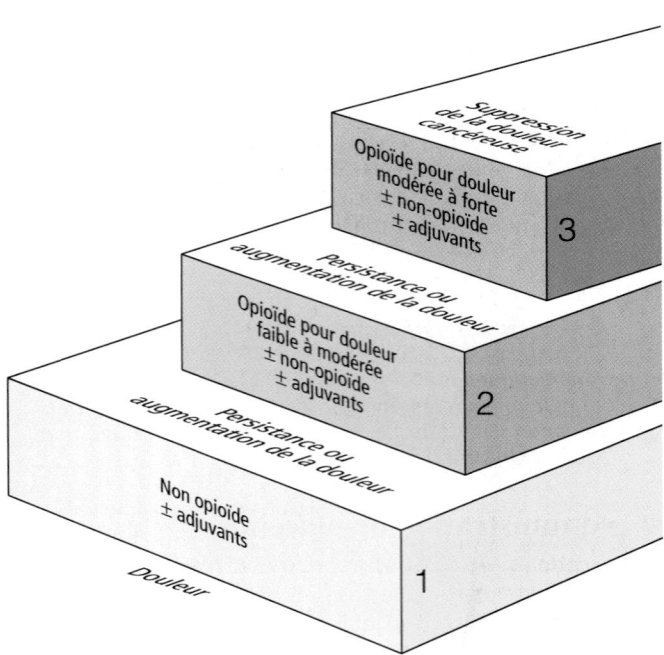

FIGURE **44-10** ■ **Méthode analgésique en trois paliers de l'OMS.** (Source : *Traitement de la douleur cancéreuse,* 2ᵉ éd., (p. 17), de l'Organisation mondiale de la santé, 1997, Genève.)

la nature de la douleur soulève d'importantes questions éthiques et déontologiques. Une réponse positive à l'administration d'un placebo ne témoigne pas d'une absence de douleur réelle mais seulement de la réalité de l'effet placebo, lequel se manifeste chez au moins 30 % de la population (McCaffery et Pasero, 1999). Étant donné que les placebos sont inefficaces chez un grand nombre de gens, l'American Pain Society (1999) est en désaccord avec leur usage à l'insu des personnes dans le traitement de la douleur.

■ Voies d'administration des analgésiques opioïdes

Les analgésiques opioïdes ont longtemps été administrés par voie orale, sous-cutanée, intramusculaire et intraveineuse. Il existe à présent d'autres voies d'administration qui permettent d'éviter les obstacles associés aux voies traditionnelles. Ces nouvelles voies sont la pharmacothérapie nasale et transdermique, les perfusions sous-cutanées continues et la perfusion rachidienne.

VOIE ORALE. Étant donné sa commodité, la voie orale constitue encore le mode d'administration privilégié pour les opioïdes. Autrefois, les personnes atteintes de douleur chronique devaient se réveiller plusieurs fois par nuit pour prendre leurs médicaments, car la plupart des opioïdes ont une durée d'action d'environ quatre heures. Pour leur éviter ce désagrément, on a mis au point des formes d'opioïdes à action prolongée ou à libération continue dont la durée d'action atteint huit heures ou plus (comme Codeine Contin [codéine], Hydromorph Contin [hydromorphone], MS Contin [morphine] et OxyContin [oxycodone]). Les personnes qui reçoivent des opioïdes à action prolongée ont aussi besoin d'analgésiques à libération immédiate, qui fournissent un soulagement rapide en cas d'accès de douleur.

On peut aussi administrer par voie orale de la morphine liquide à forte concentration. Grâce à cette formule, les personnes qui ne peuvent avaler que de petites quantités sont en mesure de continuer à prendre le médicament par voie orale.

VOIE NASALE. Les médicaments administrés par voie nasale agissent rapidement, car ils sont absorbés directement à travers la muqueuse nasale, qui est fortement vascularisée. Parmi les médicaments administrés par voie nasale, on compte le butorphanol (Stadol), un agoniste-antagoniste mixte indiqué pour les céphalées aiguës, ainsi que la calcitonine intranasale (Miacalcin), utilisée pour l'ostéoporose et pour soulager la douleur osseuse.

VOIE TRANSDERMIQUE. L'administration d'un médicament par voie transdermique a l'avantage de ne pas être envahissante et de permettre de maintenir une concentration plasmatique relativement stable. Par exemple, le fentanyl (Duragesic) est un opioïde offert sous forme de timbres transdermiques à différents dosages dont la durée peut atteindre 72 heures.

VOIE RECTALE. Plusieurs opioïdes sont maintenant présentés sous forme de suppositoires. La voie rectale est particulièrement appropriée pour les personnes atteintes de dysphagie (difficultés de déglutition), de nausées ou de vomissements. Il est possible d'administrer par voie rectale la plupart des analgésiques habituellement destinés à l'administration par voie orale, après les avoir écrasés et dissous dans de l'eau (McCaffery et Pasero, 1999, p. 205). Les analgésiques à libération prolongée font exception, car on ne doit pas les écraser. Certains médicaments, tels OxyContin et MS Contin, sont conçus pour avoir une durée d'action de 12 heures. Si on les écrase avant de les donner à la personne, ils risquent de produire un surdosage, car la quantité totale du médicament est libérée sur-le-champ plutôt qu'en une période de 12 heures.

VOIE SOUS-CUTANÉE. L'administration sous-cutanée d'opioïdes est la voie parentérale de choix pour les personnes qui ne peuvent recevoir ces médicaments par voie orale. Il est maintenant possible de fournir une perfusion sous-cutanée continue (PSCC) grâce aux cathéters sous-cutanés et aux pompes à perfusion portatives. Ce mode d'administration se révèle particulièrement utile pour les personnes : (a) dont la douleur résiste aux analgésiques par voie orale ; (b) qui présentent une dysphagie ou une obstruction gastro-intestinale ; (c) qui ont besoin de recevoir des opioïdes par voie parentérale pendant de longues périodes. La PSCC nécessite l'utilisation d'une pompe légère et de petite dimension qui, alimentée par une pile, pousse le médicament à travers une aiguille à ailettes de calibre 23 ou 25. On peut insérer l'aiguille dans la face antérieure du thorax, la région sous-claviculaire, la paroi abdominale ou encore la face externe des bras ou des cuisses. La personne porte la pompe à la ceinture ou dans un sac à bandoulière, et peut ainsi conserver sa mobilité (figure 44-11 ■). On doit changer le point d'insertion tous les trois à sept jours.

L'infirmière doit fournir un enseignement approprié aux membres de la famille qui seront appelés à manipuler la pompe, à changer le point d'insertion et à effectuer les soins du point d'insertion. Les proches aidants doivent pouvoir :

- Décrire les composantes principales et les symboles du système.
- Énumérer les manières de déterminer si la pompe fonctionne correctement ou non.

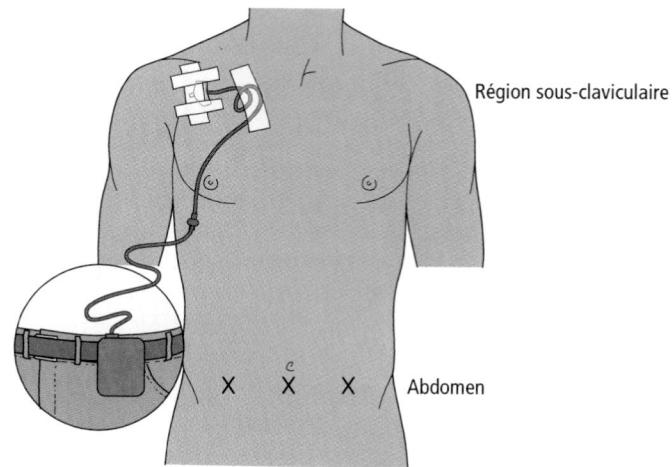

FIGURE 44-11 ■ Points d'insertion possibles de l'aiguille raccordée à une pompe à perfusion sous-cutanée continue. On peut aussi insérer l'aiguille dans les bras et les cuisses. On doit effectuer une rotation des points d'insertion. (Source : *Pain : Clinical Manual*, 2e éd., (p. 211), de M. McCaffery et C. Pasero, 1999, St. Louis : Mosby. Reproduit avec l'autorisation de Elsevier.)

- Changer la pile.
- Changer le contenant du médicament.
- Faire la démonstration de l'arrêt et de la mise en marche de la pompe.
- Faire la démonstration de l'entretien de la tubulure ainsi que des soins à apporter au point d'insertion.
- Énumérer les signes indiquant qu'il faut changer le point d'insertion.
- Décrire la manière de manipuler la pompe quand la personne se déplace, se lave, dort ou voyage.
- Expliquer comment résoudre les problèmes signalés par le déclenchement de l'alarme.

VOIE INTRAMUSCULAIRE. La voie intramusculaire (IM) est la moins propice à l'administration d'opioïdes, car les injections intramusculaires causent de la douleur, entraînent des variations de l'absorption et doivent être répétées toutes les trois ou quatre heures.

VOIE INTRAVEINEUSE. L'administration d'analgésiques par voie intraveineuse (IV) procure un soulagement rapide et efficace de la douleur, mais exige l'installation d'un cathéter intraveineux. L'analgésique peut être administré au moyen d'un bolus ou d'une perfusion continue que la personne commande au moyen d'un appareil placé à son chevet (voir plus loin la section *Analgésie contrôlée par la personne*).

VOIE RACHIDIENNE. Il est de plus en plus fréquent qu'on administre les opioïdes par voie rachidienne, c'est-à-dire à l'aide d'un cathéter qu'on insère dans l'espace épidural ou intrathécal (sous-arachnoïdien) (figure 44-12 ■). Les analgésiques administrés de cette façon, dont le fentanyl et la morphine sans agent de conservation, agissent directement sur les récepteurs situés dans la corne dorsale de la moelle épinière. La pharmacothérapie par voie rachidienne a pour principal avantage d'exercer moins d'effets sédatifs que l'approche systémique. On insère le plus souvent le cathéter dans l'espace épidural, car la dure-mère sert de barrière protectrice contre les infections et notamment contre la méningite. Comme le cathéter épidural pénètre dans une cavité et non dans

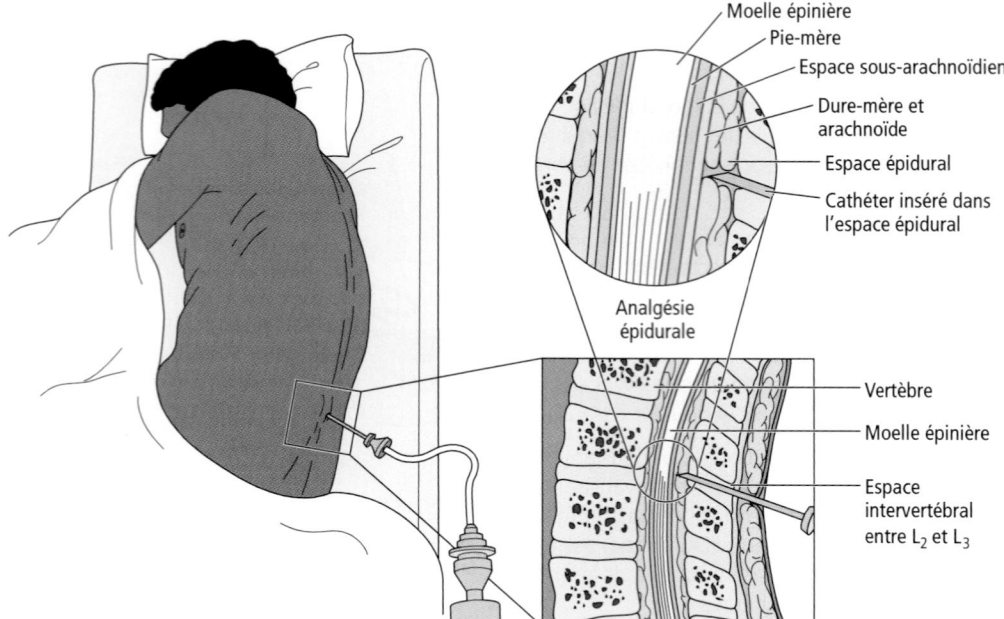

FIGURE 44-12 ■ Insertion d'un cathéter dans l'espace épidural.

un vaisseau sanguin, on peut interrompre la perfusion pendant des heures puis la reprendre sans crainte d'occlusion (McCaffery et Pasero, 1999, p. 37).

Quand on insère le cathéter dans l'espace épidural plutôt que dans l'espace intrathécal, on doit augmenter le dosage du médicament pour obtenir une analgésie équivalente. L'espace intrathécal, en effet, contient du liquide cérébrospinal (LCS) et entoure directement la moelle épinière, si bien que les opioïdes agissent rapidement sur les récepteurs situés dans la corne dorsale. Une très faible quantité du médicament pénètre dans la circulation systémique. Quant à l'espace épidural, il est séparé de la moelle épinière par la dure-mère. Il est rempli de tissu adipeux et parcouru par un réseau veineux dense. Ces obstacles retardent la diffusion du médicament, dont une partie a le temps d'entrer dans la circulation systémique par le plexus veineux.

Il existe trois méthodes d'administration d'un analgésique par voie rachidienne :

1. *Bolus.* Pour certaines interventions chirurgicales (une césarienne, par exemple), un seul bolus peut suffire à soulager la douleur pendant une période allant jusqu'à 24 heures. Au bout de ce délai, on peut administrer des analgésiques par voie orale ou intraveineuse. Au Québec, seuls les médecins anesthésistes ont le droit d'installer une perfusion épidurale et d'administrer un bolus unique. Dans certains cas, on peut administrer des bolus de façon répétée, plutôt qu'une perfusion, pour obtenir une analgésie continue.

2. *Perfusion continue au moyen d'une pompe.* La pompe peut être externe (pour la douleur aiguë ou chronique) ou implantée (pour la douleur chronique).

3. *Analgésie épidurale contrôlée par la personne (AECP).* Cette forme d'analgésie rachidienne nécessite que la personne utilise une pompe munie d'un bouton (voir plus loin la section *Analgésie contrôlée par la personne*). On recourt souvent à l'AECP pour traiter la douleur postopératoire aiguë, la douleur chronique et la douleur cancéreuse irréductible. L'anesthésiste insère dans

l'espace intrathécal ou dans l'espace épidural une aiguille dans laquelle il fait passer un cathéter. Le cathéter est relié à une tubulure que l'on fait courir le long de la colonne vertébrale et par-dessus l'épaule. On fixe solidement l'ensemble du cathéter et de la tubulure à l'aide de ruban adhésif pour éviter tout déplacement.

On utilise des cathéters temporaires pour le traitement à court terme de la douleur aiguë ; on les insère habituellement au niveau des vertèbres lombaires ou thoraciques et on les retire au bout de deux à quatre jours. Quant aux cathéters permanents, destinés aux personnes atteintes de douleur chronique, on peut les faire courir sous la peau et ressortir sur le côté du corps. L'utilisation de tubulure réduit les risques d'infection et de déplacement du cathéter. Après l'insertion du cathéter, c'est l'infirmière qui assure la surveillance de la perfusion et l'évaluation de la personne. Le tableau 44-8 présente un résumé des soins infirmiers à prodiguer aux personnes qui reçoivent une perfusion rachidienne.

Certains pensent à tort que l'administration d'opioïdes par voie épidurale cause un accroissement de l'incidence de la détresse respiratoire et qu'on doit par conséquent garder la personne qui les reçoit à l'unité des soins intensifs. La réalité est tout autre : avec la voie épidurale, la fréquence de la dépression respiratoire est moins élevée qu'avec la voie intramusculaire ; elle se rapproche davantage de la fréquence observée avec l'ACP par voie intraveineuse (McCaffery et Pasero, 1999, p. 214). L'infirmière peut donc assurer une surveillance adéquate de l'état respiratoire et du degré de sédation à l'extérieur de l'unité des soins intensifs.

ALERTE CLINIQUE *Pour chaque personne qui reçoit des opioïdes par voie épidurale, gardez le matériel suivant à portée de la main par mesure de précaution : une ampoule de chlorhydrate de naloxone (Narcan), une solution de chlorure de sodium à 0,9 % et le matériel nécessaire à une injection (Cox, 2001).* ■

TABLEAU

44-8

Interventions infirmières destinées aux personnes qui reçoivent des analgésiques par un cathéter épidural	
Objectifs de soins infirmiers	**Interventions**
Assurer la sécurité de la personne.	Apposer une étiquette portant le mot ÉPIDURALE sur la tubulure, le sac de perfusion et la partie avant de la pompe afin d'éviter toute confusion avec la tubulure de perfusion intraveineuse.
	Placer au-dessus du lit un écriteau indiquant que la personne porte un cathéter épidural.
	Fixer tous les raccords avec du ruban adhésif.
	Si la perfusion n'est pas continue, appliquer du ruban adhésif sur tous les points d'injection de la tubulure afin d'éviter qu'on injecte dans le cathéter épidural des substances destinées à l'administration par voie intraveineuse.
	Ne pas utiliser d'alcool pour les soins du cathéter ou du point d'insertion, car cette substance peut être neurotoxique.
	S'assurer que toute solution injectée ou perfusée par voie rachidienne est stérile, dépourvue d'agent de conservation et appropriée à ce mode d'administration.
Maintenir le cathéter en place.	Fixer les cathéters temporaires avec du ruban adhésif.
	Aider la personne à changer de position ou à sortir du lit.
	Faire savoir à la personne qu'elle doit éviter de tirer sur le cathéter.
	Examiner le point d'insertion afin de détecter les écoulements lors de l'administration de chaque bolus ou au moins toutes les 8 à 12 heures.
Prévenir l'infection.	Utiliser une technique aseptique stricte pour toutes les interventions reliées à l'analgésie par voie épidurale.
	Recouvrir le point d'insertion avec un pansement occlusif stérile.
	Examiner le point d'insertion afin de détecter tout signe d'infection.
	Surveiller de près la personne qui présente une intensification d'une dorsalgie diffuse ou encore une sensibilité ou une paresthésie, car ce sont là les signes distinctifs d'une infection rachidienne (McCaffery et Pasero, 1999, p. 234).
Maintenir la fonction urinaire et intestinale.	Mesurer les ingesta et les excreta.
	Dépister la distension vésicale ou intestinale.
Prévenir la dépression respiratoire.	Évaluer le degré de sédation et l'état respiratoire toutes les heures pendant les 24 premières heures et toutes les 4 heures par la suite.
	Ne pas administrer d'autres opioïdes ni d'autres dépresseurs du système nerveux central, sauf si le médecin le prescrit.
	Garder une ampoule de chlorhydrate de naloxone (0,4 mg) au chevet de la personne.
	Avertir le médecin si la fréquence respiratoire diminue à moins de 8 par minute ou si la personne est difficile à réveiller.

Administration continue d'anesthésiques locaux

L'administration sous-cutanée ou intraveineuse continue d'anesthésiques locaux à action prolongée permet de soulager la douleur postopératoire. On utilise cette technique pour toutes sortes d'interventions chirurgicales, dont l'arthroplastie du genou, l'hystérectomie par voie abdominale, la cure de hernie et la mastectomie (Pasero, 2000, p. 22).

Le chirurgien insère un cathéter dans le tissu sous-cutané, au-dessus du muscle, à l'intérieur ou à proximité de l'incision chirurgicale. Un pansement transparent maintient le cathéter en place. La personne reçoit une dose de départ d'anesthésique local avant que ne débute la perfusion continue. Le cathéter est relié à une pompe à perfusion que l'on règle au débit prescrit par le médecin. On doit se servir d'une pompe semblable à celle qu'on utilise pour l'analgésie par voie intraveineuse ou épidurale.

Les interventions infirmières destinées à une personne qui reçoit un anesthésique local continu sont les suivantes :

- Évaluer et noter l'intensité de la douleur toutes les deux à quatre heures pendant les périodes où la personne est éveillée.

- Vérifier l'intégrité du pansement toutes les huit heures. On laisse habituellement le même pansement en place afin d'éviter de déloger le cathéter. Communiquer avec le médecin si le pansement se relâche.

- Examiner le point d'insertion du cathéter. Il devrait être propre et sec.

- Dépister les signes de toxicité (comme des étourdissements, des acouphènes, la présence d'un goût métallique dans la bouche, des picotements ou encore un engourdissement des lèvres, des gencives ou de la langue) (Pasero, 2000, p. 22-23).

- Signaler au médecin tout signe de toxicité. Un dépistage précoce permet d'entreprendre promptement le traitement et d'éviter des complications graves.

Analgésie contrôlée par la personne

L'**analgésie contrôlée par la personne (ACP)** est une méthode interactive de soulagement de la douleur qui permet à la personne de s'administrer elle-même des doses d'analgésique (McCaffery et Pasero, 1999). La plupart du temps, on administre l'ACP par voie orale, mais on utilise de plus en plus souvent les voies sous-cutanée, intraveineuse et épidurale. L'ACP permet d'atténuer les pics et les creux de la sédation associés aux méthodes traditionnelles de dosage au besoin. Si on a choisi la voie parentérale, la personne s'administre une dose prédéterminée d'opioïde au moyen d'une pompe à perfusion électronique. Elle peut ainsi maintenir un degré constant de soulagement ; cela lui permet aussi d'utiliser une quantité moindre d'analgésique. L'ACP s'est révélée efficace auprès des personnes atteintes de douleur aiguë reliée à une incision chirurgicale, à un trauma, au travail et à l'accouchement, ou de douleur chronique comme la douleur cancéreuse. À domicile, on recourt à l'ACP même si la personne est incapable d'actionner elle-même la pompe en raison de son jeune âge ou d'une incapacité physique ou cognitive ; on confie alors cette responsabilité à un proche aidant disposé à l'accepter. On parle alors d'*analgésie contrôlée par la famille*.

Le médecin prescrit la dose d'analgésique ainsi que la voie et la fréquence d'administration. Que l'on soit dans un établissement de soins actifs, dans une unité de soins ambulatoires ou à domicile, c'est une infirmière qui donne l'enseignement initial au sujet de l'ACP et qui assure la surveillance continue du traitement. Elle doit évaluer la douleur de la personne à intervalles réguliers et noter dans son dossier le déroulement du traitement.

Les pompes d'ACP se présentent sous diverses formes mais sont toutes dotées de mécanismes de sûreté destinés à prévenir les doses excessives, l'usage abusif et le vol d'opioïdes. La tubulure de la pompe s'insère généralement dans le point d'injection d'une perfusion intraveineuse primaire (figure 44-13 ■). Pour s'administrer une dose d'analgésique, la personne appuie sur un bouton relié à la pompe à perfusion (figure 44-14 ■). Ensuite, le fonc-

ENSEIGNEMENT

Analgésie contrôlée par la personne

Choisissez pour l'enseignement un moment où la personne n'éprouve pas de douleur afin qu'elle puisse se concentrer sur vos propos.

- Faites la démonstration du fonctionnement de la pompe et expliquez à la personne qu'elle peut appuyer sur le bouton sans crainte de recevoir une dose excessive.
- Décrivez l'utilisation de l'échelle d'évaluation de la douleur et incitez la personne à la commenter afin de vérifier si elle en comprend bien la raison d'être.
- Expliquez à la personne qu'elle doit demander l'aide du personnel si elle désire se déplacer (pour aller aux toilettes, par exemple).

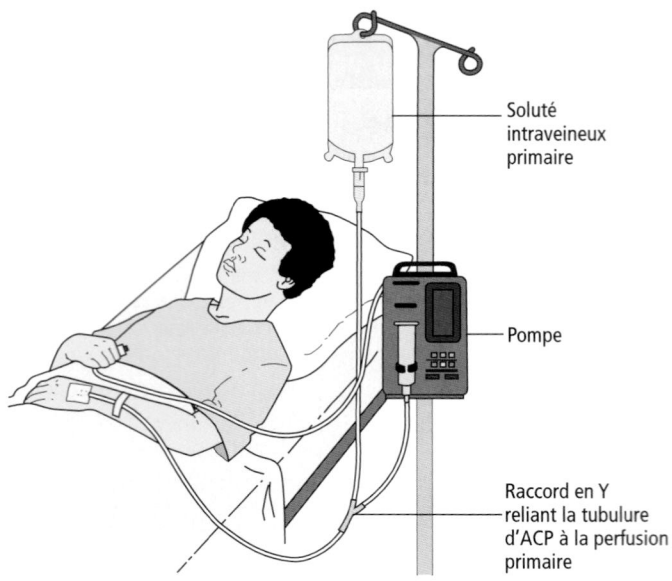

FIGURE 44-13 ■ Tubulure d'ACP insérée dans le point d'injection d'une perfusion primaire.

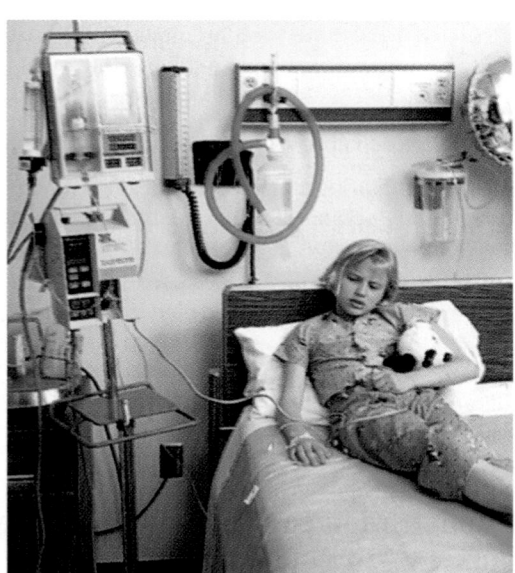

FIGURE 44-14 ■ Un enfant d'âge scolaire est capable d'actionner une pompe d'ACP.

tionnement de la pompe est bloqué pendant un intervalle programmable (de 10 à 15 minutes habituellement) ; la personne ne peut alors s'administrer une dose, même si elle appuie sur le bouton. Il est possible de programmer la dose maximale que l'appareil peut libérer au cours d'une période de quelques heures (quatre généralement). Plusieurs modèles de pompes permettent une perfusion continue à faible débit afin de fournir une analgésie constante pendant les périodes de repos et de sommeil de la personne. Voir à ce sujet le procédé 44-1.

PROCÉDÉ 44-1

Analgésie contrôlée par la personne (ACP)

Objectifs
- Accroître le soulagement de la douleur.
- Faire diminuer les besoins en opioïdes.
- Favoriser la participation de la personne au traitement de la douleur.

COLLECTE DES DONNÉES

Évaluez
- La douleur (intensité, siège, présence de douleur projetée, symptômes associés, facteurs déclenchants et facteurs atténuants).
- Les allergies de la personne.
- Les signes vitaux initiaux.
- La compréhension du fonctionnement de la pompe.

PLANIFICATION

Matériel
- Gants propres
- Nécessaire à perfusion intraveineuse
- Cathéter intraveineux
- Tubulure intraveineuse primaire
- Soluté intraveineux primaire (selon l'ordonnance)
- Pompe d'ACP et tubulure appropriée
- Mode d'emploi du modèle de pompe utilisé
- Feuille de route pour l'ACP
- Médicament prémélangé dans une seringue appropriée

INTERVENTION

Préparation
Avant d'amorcer l'ACP, déterminez les contre-indications possibles (altération de l'état mental ou de l'état respiratoire, par exemple), prenez connaissance de la quantité d'opioïde indiquée dans l'ordonnance, vérifiez les paramètres de dosage du bolus et de la perfusion continue, le type de solution primaire ainsi que la compatibilité de la solution primaire et de l'analgésique qui s'écouleront dans la même tubulure. Calculez :
- La dose du bolus initial en milligrammes de médicament par millilitre de soluté
- La dose des bolus intermittents
- La dose maximale par période de quatre heures

Assurez-vous que le médicament est mélangé à la quantité nécessaire de diluant.

Exécution
1. Expliquez à la personne l'objectif et le fonctionnement de l'ACP.
2. Lavez-vous les mains et observez les autres mesures de prévention des infections.
3. Assurez-vous que l'intimité de la personne est préservée.
4. Préparez la personne.
   - Vérifiez le bracelet d'identité de la personne *afin d'éviter toute confusion.*
   - Si vous ne l'avez pas déjà fait, prenez les signes vitaux initiaux. Si une des valeurs se situe à l'extérieur

de limites prédéterminées, consultez le médecin avant d'administrer le médicament.
5. Installez le dispositif de perfusion intraveineuse primaire.
   - Enfilez des gants propres.
   - Installez la perfusion intraveineuse primaire. *Vous aurez alors établi un accès veineux.*
6. Installez la tubulure de perfusion d'ACP conformément aux directives du fabricant.
   - Retirez les capuchons protecteurs de l'injecteur et de la fiole de médicament prémélangé.
   - Vissez l'injecteur dans la fiole.
   - Expulsez l'excès d'air de la fiole en y poussant l'injecteur.
   - Reliez la tubulure d'ACP à l'injecteur.
   - Purgez la tubulure d'ACP jusqu'au niveau du raccord en Y.
   - Clampez la tubulure d'ACP au-dessus du raccord en Y. *Vous éviterez ainsi d'injecter accidentellement un bolus et de laisser s'écouler l'opioïde dans la tubulure primaire.*
   - Placez l'injecteur et la fiole qui y est rattachée dans l'appareil en vous conformant au mode d'emploi.
7. Reliez la tubulure d'ACP à la tubulure primaire.
   - Reliez la tubulure d'ACP à la tubulure primaire à l'aide du raccord en Y. (Les pinces devraient être encore

fermées sur la tubulure primaire et la tubulure d'ACP.)
8. Purgez la tubulure au-dessous du raccord en Y avec un soluté intraveineux compatible.
9. Administrez la dose de départ.
   - Réglez l'intervalle de verrouillage à 0 minute.
   - Réglez le volume à injecter d'après le dosage calculé pour la dose de départ.
   - Injectez la dose de départ en appuyant sur le bouton prévu à cet effet.
10. Réglez les paramètres de sécurité de la pompe d'ACP conformément aux directives du fabricant. Par exemple :
    - Limite de volume. *Vous limiterez ainsi la quantité de médicament que la personne peut recevoir en appuyant sur le bouton.*
    - Intervalle de verrouillage entre les doses. L'intervalle de verrouillage est généralement de 5 à 12 minutes. *Il s'agit du laps de temps minimal qui doit s'écouler avant que la personne puisse recevoir une autre dose du médicament. L'intervalle de verrouillage se calcule à partir du dosage habituellement prescrit pour le médicament et de l'état de la personne.*

PROCÉDÉ 44-1 (SUITE)

Analgésie contrôlée par la personne (ACP) (suite)

INTERVENTION (suite)

- Limite de dosage par période de quatre heures. Réglez la limite de dosage par période de quatre heures conformément à l'ordonnance. *Il s'agit d'une mesure de sûreté supplémentaire visant à limiter la quantité de médicament injectée en quatre heures.*

11. Verrouillez l'appareil.
    - Fermez le couvercle de la pompe.
    - Assurez-vous que vous avez fait tous les réglages en vérifiant les témoins numériques et les alarmes. Apportez les corrections nécessaires, le cas échéant.
    - Verrouillez l'appareil à l'aide de la clé.

12. Commencez la perfusion du médicament.

- Ouvrez la pince sur le raccord en Y et appuyez sur le bouton de mise en marche pour commencer la perfusion.
- Mettez le bouton de mise en marche à la portée de la personne.

13. Surveillez la personne ; vérifiez les signes vitaux, le degré de sédation, le degré de soulagement et la présence d'effets secondaires.
    - Vérifiez l'état de la personne toutes les 2 heures pendant les 24 à 36 premières heures de la perfusion puis régulièrement par la suite, selon l'état de la personne et le protocole en vigueur dans l'établissement.

14. Surveillez la perfusion.
    - Vérifiez les paramètres de l'appareil.

- Examinez le point d'insertion du cathéter pour détecter des signes d'infiltration et de phlébite.
- Assurez-vous que la tubulure ne présente aucun coude qui pourrait entraver l'écoulement des liquides.
- Notez le nombre total de doses et le nombre total de milligrammes de médicament que la personne a reçus.

15. Notez au dossier toute information pertinente.
    - Notez l'heure où l'ACP a commencé, le réglage de la dose, le nombre de doses reçues, l'intensité de la douleur et les résultats de toutes vos évaluations. Reportez-vous au protocole en vigueur dans l'établissement.

ÉVALUATION

Faites le suivi approprié :
- État de la douleur
- Fréquence respiratoire et qualité de la respiration
- Quantité de médicament reçue
- Fréquence d'utilisation

- Effets secondaires et réaction au traitement visant à les éliminer

Reportez-vous aux résultats antérieurs, s'il y a lieu, et signalez au médecin tout écart important par rapport aux observations courantes.

 ## LES ÂGES DE LA VIE

Pompe d'ACP

ENFANTS
- Faites participer les parents à l'enseignement.
- Assurez-vous que l'enfant a la capacité d'utiliser le bouton de mise en marche.

PERSONNES ÂGÉES
- Surveillez la personne de près pour détecter l'apparition d'effets secondaires.
- Utilisez l'ACP avec prudence auprès des personnes qui présentent une altération de la fonction rénale ou respiratoire.
- Assurez-vous que la personne a les capacités physique et cognitive nécessaires pour utiliser le bouton de mise en marche.

 ## SOINS À DOMICILE

Pompe d'ACP
- Recherchez les signes et les symptômes d'une sédation excessive, tels une somnolence excessive, un ralentissement de la fréquence respiratoire ou un changement de l'état mental.
- Ne modifiez pas les réglages avant d'avoir consulté le médecin.

activités de diversion, les techniques de relaxation, l'imagerie mentale, la méditation, la rétroaction biologique, l'hypnose et le toucher thérapeutique. Nous traitons ci-dessous des interventions physiques et des activités de diversion. Voir le chapitre 14 🔗 pour en savoir plus sur les autres interventions cognitives-comportementales et l'acupuncture.

INTERVENTIONS PHYSIQUES. Les interventions physiques ont pour but d'augmenter le bien-être de la personne, de modifier ses réactions physiologiques et d'atténuer les peurs associées à l'immobilité ou à la restriction des activités.

Stimulation cutanée. La stimulation cutanée peut soulager temporairement la douleur. Elle réduit la perception de la douleur en attirant l'attention de la personne sur des stimuli tactiles. On pense

■ Traitement non pharmacologique

Le traitement non pharmacologique de la douleur repose sur diverses interventions à caractère physique et cognitif-comportemental. Les interventions physiques sont la stimulation cutanée, l'immobilisation et l'électrostimulation transcutanée (TENS). Les interventions cognitives-comportementales comprennent les

aussi que la stimulation tactile : (a) entraîne la libération d'endorphines qui bloquent la transmission des influx douloureux ; (b) stimule les grosses neurofibres sensorielles A-bêta, ce qui bloque la transmission des influx douloureux dans les petites neurofibres A-delta et C. Les techniques de stimulation cutanée sont les suivantes :

- Massage
- Application de chaleur ou de froid
- Acupression
- Stimulation controlatérale

On peut pratiquer la stimulation cutanée directement sur la région douloureuse, en amont, en aval ou sur la région controlatérale (du côté opposé). La stimulation cutanée est contre-indiquée dans les régions où l'épiderme présente des lésions.

Massage. Le massage peut favoriser la relaxation, faire relâcher la tension musculaire et atténuer l'anxiété, car le contact physique est reçu comme une marque de sollicitude. Le massage peut aussi diminuer l'intensité de la douleur en stimulant la circulation superficielle. On peut masser le dos et le cou, les mains et les bras ou les pieds de la personne. L'utilisation d'onguents ou de liniments peut procurer un soulagement local de la douleur musculaire ou articulaire. Le massage est contre-indiqué dans les régions où l'épiderme présente des lésions.

Application de chaleur ou de froid. En règle générale, les bains chauds, les coussins chauffants, les sacs de glace, les massages avec de la glace, les compresses chaudes ou froides et les bains de siège chauds ou froids soulagent la douleur et favorisent la guérison des tissus (voir le chapitre 40).

Acupression. Dérivée de l'acupuncture, l'acupression est une technique qui consiste à appliquer du bout des doigts une pression sur des points qui correspondent pour la plupart à des points d'acupuncture (voir le chapitre 14).

Stimulation controlatérale. La stimulation controlatérale consiste à stimuler la peau de la région opposée à la région douloureuse (par exemple, celle du genou gauche si la douleur se situe dans le genou droit). On peut gratter la région controlatérale pour soulager les démangeaisons, la masser en cas de crampes ou encore y appliquer des compresses froides ou des onguents analgésiques. Cette méthode est particulièrement commode dans les cas d'algohallucinose ou encore quand la douleur provient d'une région inaccessible à cause de son hypersensibilité ou parce qu'elle est entourée d'un plâtre ou de bandages.

Immobilisation. L'immobilisation d'un membre ou la restriction des mouvements peuvent soulager la douleur aiguë dans une articulation ou un membre. Les attelles et les dispositifs de soutien doivent maintenir les articulations dans la position qui permet le fonctionnement optimal ; on doit les retirer régulièrement en se conformant au protocole en vigueur dans l'établissement afin de permettre à la personne de faire des exercices d'amplitude de mouvement articulaire. Une immobilisation prolongée peut provoquer des contractures articulaires, une atrophie musculaire et des troubles cardiovasculaires. On doit par conséquent inciter la personne à effectuer ses soins personnels et à demeurer aussi active que possible.

Électrostimulation transcutanée. L'**électrostimulation transcutanée** (ou **TENS**, pour *transcutaneous electrical nerve stimulation*) consiste à appliquer une stimulation électrique de faible intensité directement sur une région douloureuse, sur un point d'acupression, le long du nerf périphérique qui parcourt la région douloureuse ou le long de la colonne vertébrale. L'appareil est composé d'un dispositif portatif actionné par des piles, de fils et d'électrodes (figure 44-15 ■). L'électrostimulation activerait les grosses neurofibres qui modulent la transmission des influx nociceptifs dans le système nerveux périphérique et le système nerveux central, fermant ainsi le « portillon » de la douleur. De plus, l'électrostimulation entraînerait la libération d'endorphines dans le SNC. Cette technique est contre-indiquée chez les personnes qui portent un stimulateur cardiaque ou qui sont atteintes d'arythmie. On ne doit pas non plus appliquer les électrodes sur une région dont l'épiderme présente des lésions.

DIVERSION. La diversion détourne l'attention de la personne de la douleur et peut donc atténuer, voire éliminer la perception de la douleur. C'est ainsi qu'une personne qui se remet d'une intervention chirurgicale peut ne ressentir aucune douleur pendant qu'elle regarde une partie de football à la télévision et recommencer à en éprouver par la suite. L'encadré 44-7 présente quelques activités de diversion.

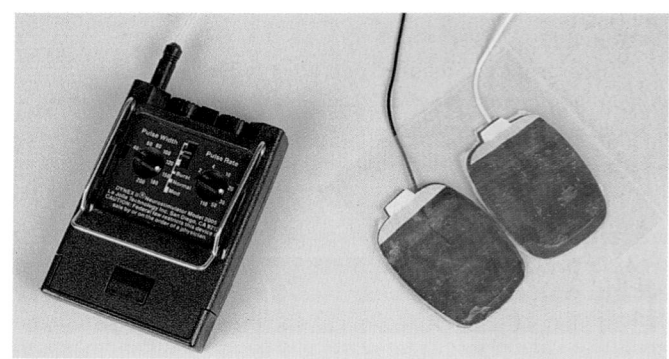

FIGURE **44-15** ■ Appareil d'électrostimulation transcutanée.

ENCADRÉ
Activités de diversion **44-7**

DIVERSION VISUELLE
- Lire ou regarder la télévision.
- Regarder une partie de hockey.
- Pratiquer la visualisation.

DIVERSION AUDITIVE
- Utiliser l'humour.
- Écouter de la musique.

DIVERSION TACTILE
- Pratiquer la respiration lente et rythmique.
- Recevoir un massage.
- Tenir un jouet ou caresser un animal familier.

DIVERSION INTELLECTUELLE
- Faire des mots croisés.
- Jouer aux cartes.
- Pratiquer un passe-temps (collectionner les timbres, écrire une histoire, etc.).

LES ÂGES DE LA VIE

Soulagement de la douleur

NOURRISSONS

- Pour soulager la douleur associée à certaines interventions, on peut donner au nourrisson une tétine trempée dans une solution d'eau et de sucrose. Cette technique est particulièrement utile auprès des nourrissons de très faible poids de naissance.

ENFANTS

- Distraire l'enfant avec des jouets, des livres ou des images.
- Tenir l'enfant dans ses bras pour le réconforter.
- Dissiper ses idées fausses sur la douleur.
- Miser sur l'imagination fertile de l'enfant en lui faisant pratiquer la visualisation. Inviter l'enfant à visualiser un « interrupteur de la douleur » et même à lui donner une couleur. Lui dire d'imaginer qu'il ferme cet interrupteur dans la région douloureuse. Lui proposer de même d'appliquer un « gant magique » ou une « couverture magique » sur une région de son corps (main, cuisse, dos, hanche, etc.) pour calmer la douleur.

PERSONNES ÂGÉES

- Laisser le plus de maîtrise possible à la personne.
- Passer du temps avec la personne et l'écouter attentivement.
- Dissiper ses idées fausses.
- Encourager son autonomie dans la mesure du possible.

SOINS À DOMICILE

Soulagement de la douleur

- Conseiller à la personne de tenir un journal de la douleur dans lequel elle notera le moment d'apparition de la douleur, les activités qui la précèdent, son intensité, l'usage d'analgésiques ou d'autres mesures de soulagement, etc.
- Expliquer à la personne qu'elle doit communiquer avec un professionnel de la santé si les mesures de soulagement planifiées se révèlent inefficaces.
- Enseigner à la personne à utiliser les techniques non pharmacologiques qui lui conviennent le mieux (relaxation, visualisation, diversion, musicothérapie, massage, etc.).
- Encourager la personne à utiliser des mesures de soulagement avant que la douleur ne devienne intense.
- Informer la personne des effets de la douleur non traitée.
- Fournir des renseignements appropriés sur l'accès aux ressources communautaires, les services de soins à domicile et les associations qui organisent des rencontres de soutien et proposent du matériel éducatif.

■ Traitements non pharmacologiques effractifs

Une **anesthésie par blocage nerveux** consiste à injecter un anesthésique local dans un nerf en vue d'y interrompre la transmission des influx. Ce type d'anesthésie est largement utilisé en médecine dentaire. L'anesthésique injecté bloque les voies nerveuses

issues de la dent douloureuse, ce qui fait cesser la transmission des influx nociceptifs vers l'encéphale. Par ailleurs, on utilise l'anesthésie par blocage nerveux pour soulager la douleur causée par une hyperextension cervicale grave (coup du lapin), les dorsalgies basses, les bursites et le cancer. Le blocage par alcoolisation détruit les neurofibres ; on le réserve donc, généralement, à l'anesthésie des nerfs périphériques, qui sont capables de régénération.

On peut aussi interrompre chirurgicalement les voies de la douleur. Comme ce traitement a des effets permanents, il n'est utilisé qu'en dernier recours, le plus souvent pour vaincre la douleur irréductible. La **chordotomie** est la section d'un faisceau spinothalamique. Elle fait disparaître les sensations douloureuses et thermiques, et on y recourt habituellement pour traiter la douleur dans les jambes et le tronc. La **rhizotomie** est la section de la racine dorsale ou ventrale d'un nerf, située entre le ganglion et la moelle épinière. La section de la racine ventrale d'un nerf moteur fait cesser les mouvements spasmodiques qui accompagnent la paraplégie, tandis que la section de la racine ventrale d'un nerf sensitif élimine la douleur dans les régions innervées par cette racine. La rhizotomie est généralement pratiquée sur la racine d'un nerf cervical afin de soulager la douleur causée dans la tête et le cou par le cancer ou la névralgie.

Une **névrotomie** est la section d'un nerf périphérique ou crânien visant à soulager une douleur localisée comme celle que cause une occlusion vasculaire dans la jambe ou le pied. Une **sympathectomie** est la section d'une voie du système nerveux sympathique. Cette intervention élimine le vasospasme, améliore l'irrigation périphérique et soulage par conséquent la douleur engendrée par des troubles vasculaires comme la maladie de Raynaud.

On pratique la **stimulation de la moelle épinière (SME)** pour soulager la douleur non cancéreuse qui résiste aux traitements moins envahissants. Elle consiste à placer une électrode directement sur la moelle épinière à l'aide d'un câble relié à un appareil qui envoie des influx électriques.

Évaluation

À l'étape de l'évaluation, l'infirmière vérifie l'atteinte des objectifs établis à l'étape de la planification (voir l'encadré *Diagnostics infirmiers, résultats de soins infirmiers et interventions* à la page 1400). Elle peut alors se reporter à la feuille de route ou au journal de la personne. Pour déterminer l'efficacité des mesures de soulagement, l'infirmière et la personne peuvent utiliser une feuille de route ou un journal hebdomadaire. Elles y noteront, pour chaque jour de la semaine, l'heure de l'apparition de la douleur, les activités qui l'ont précédée, les mesures de soulagement employées et la durée de la douleur. Il a été démontré que l'utilisation combinée d'une échelle d'évaluation et d'une feuille de route facilite le soulagement de la douleur (McCaffery et Pasero, 1999). En centre hospitalier, un des outils utilisés par l'infirmière, le formulaire *Évaluation des symptômes et enregistrement d'analgésiques*, lui permet de suivre l'évolution de certaines manifestations de la douleur en corrélation avec la prise d'analgésiques (figure 44-16 ■).

• ALERTE CLINIQUE *« Avertissez-moi quand la douleur reviendra. » Cette simple phrase invite la personne à participer à son traitement. De plus, elle incite les personnes qui hésitent à « se plaindre » à demander un soulagement et leur donne le sentiment qu'elles y sont autorisées. ■*

ÉVALUATION DE SYMPTÔMES ET ENREGISTREMENT D'ANALGÉSIQUES – réguliers et prn

CHUM

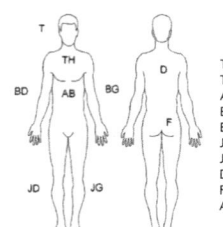

Douleur
0 = Aucune douleur
10 = Douleur insupportable
+ = Légère
++ = Modérée
+++ = Sévère
? = Incapable de répondre
Espace libre = Non évalué

T Tête et cou
TH THorax
AB ABdomen
BD Bras Droit
BG Bras Gauche
JD Jambe Droite
JG Jambe Gauche
D Dos
F Fesse
A Autre.............

Échelle de somnolence
0 AUCUNE : Alerte
1 LÉGÈRE : Somnolent, s'éveille spontanément
2 MODÉRÉE : Endormi, éveil facile
3 SÉVÈRE : Endormi, éveil difficile
S SOMMEIL NORMAL : Sommeil normal, éveil facile

Dyspnée ou toux
0 AUCUNE   1 LÉGÈRE
2 MODÉRÉE   3 SÉVÈRE

Année Mois Date	Heure	Douleur				Somnolence	Resp. (/min)	Dyspnée Toux	OPIACÉS PRN ET RÉGULIERS Acétaminophène prn Benzodiazépine prn	Dose régulière	Entredose (mg)	Voie	Site	Signature de l'infirmière ou initiales
		Au repos	À la mobilisation	Au pic d'action si douleur > 5	Site									

ÉVALUATION DE LA DOULEUR

1. Évaluer d'abord avec l'échelle numérique verbale entre 0 et 10 : « Sur une échelle de 0 à 10, si « 0 » égale aucune douleur et « 10 » une douleur insupportable, quelle est l'intensité de votre douleur en ce moment ? » Les personnes âgées sont capables d'utiliser cette échelle. Prendre plus de temps pour expliquer les deux extrêmes, parler lentement, assez fort en la regardant et laisser assez de temps pour répondre.

2. Si la personne ne peut répondre en utilisant l'échelle 0 à 10, employez l'échelle de catégories (qualificatifs) : « Avez-vous une douleur « légère + » (un peu de douleur), « modérée ++ » (moyennement de douleur) ou « sévère +++ » (beaucoup de douleur) » ?

3. Si elle est incapable de répondre, indiquer « ? » Dans ce cas, seule votre observation de l'expression de la douleur peut guider l'évaluation de la douleur.

® **Douleur au repos**
C'est la douleur qui est ressentie lorsque la personne est au repos depuis au moins quelques minutes. Elle est évaluée avant l'administration de chaque analgésique ou lorsqu'elle se plaint de douleur. Les personnes âgées parlent plutôt de malaise, pesanteur ou autre terme connexe. Utiliser leur terme.

® **Douleur à la mobilisation**
C'est la douleur qui est ressentie lorsque la personne bouge dans son lit ou à l'extérieur du lit, lorsqu'elle fait les activités nécessaires à sa récupération (marche, exercices respiratoires, pansement, AVQ, etc.). Elle est évaluée lorsqu'elle est présente ou lorsqu'on cherche à la contrôler par l'administration d'analgésique avant la mobilisation ou un traitement douloureux. « Lorsque vous bougez, quelle est l'intensité de votre douleur ? »

® **Douleur au pic d'action si douleur > 5**
C'est la douleur qui est ressentie au moment du pic d'action de l'analgésique. Cette évaluation est essentielle lorsque la personne se plaint d'une douleur au repos supérieure à 5 quand elle demande un analgésique. Lorsqu'elle dort durant cette période, évaluer rétrospectivement sa douleur quand elle demandera un autre analgésique. « ... minutes/heure après avoir reçu votre médicament contre la douleur, quelle était l'intensité de votre douleur ? » Le moment du pic d'action varie selon la voie d'administration de l'analgésique narcotique (opiacés = morphine et ses dérivés = mépéridine et ses dérivés).

Voie d'administration des opiacés	Pic d'action
IV	2-10 min
Épidurale : fentanyl, hydromorphone ou mépéridine	10-20 min
Épidurale : morphine à 0,5 mg/ml	5-35 min
IM – SC	15-30 min
PO – IR	30-60 min
PO à longue action	4-12 heures
timbre transdermique	18-24 heures après la 1re application puis stable

Médicaments pour contrôler des effets secondaires des opiacés	Début d'action	Pic d'action	Durée d'action
Maxeran ou metoclopramide IV	1-3 min	15 min	4-6 heures
Gravol ou dimenhydrinate IV	1-3 min	15-30 min	4-6 heures
Benadryl ou dimenhydramine IV	1-3 min	1 heure	4-6 heures

® **Site**
Lorsqu'il y a plus d'un ou 2 sites principaux de douleur, les indiquer dans « Notes de l'infirmière ». Encourager la personne à vous indiquer le site principal sur lequel elle désire que l'on évalue l'efficacité de l'analgésique.

® **Somnolence**
C'est une tendance à l'assoupissement, au demi-sommeil. Les signes de somnolence sont évalués par observation du sommeil et de la capacité à s'éveiller selon l'échelle de somnolence. Cette évaluation est essentielle avant d'administrer chaque analgésique en même temps que la douleur. Une somnolence sévère peut être un signe d'intoxication aux opiacés et elle est précurseur d'une dépression respiratoire.

® **Autres symptômes**
Les symptômes tels que nausées, prurit, etc. doivent être inscrits dans le formulaire « Notes de l'infirmière ». L'intensité du symptôme doit être évaluée par la personne elle-même au moyen de cette échelle de catégories (qualificatifs) : léger + (un peu), modéré ++ (moyennement), sévère +++ (beaucoup). Les notes au dossier doivent inclure le symptôme et son intensité, le médicament pour le contrôler et l'effet de ce médicament au moment du pic d'action. Ex. 14 h 00 : Nausées +++, Maxeran 10 mg IV donné. 14 h 30 : Nausées +++, Maxeran 10 mg IV donné. 15 h 00 : Nausées +

® Consultation avec les Départements d'anesthésie-réanimation et de pharmacie

FIGURE **44-16** ■ Évaluation des symptômes et enregistrement d'analgésiques. (Source : Centre hospitalier de l'Université de Montréal – CHUM.)

Si l'infirmière et la personne n'ont pas obtenu les résultats escomptés, elles doivent en chercher les raisons avant de modifier le plan de soins et de traitements. Pour ce faire, l'infirmière peut se poser les questions suivantes :

- La personne a-t-elle reçu un analgésique adéquat ? Serait-il indiqué de modifier la dose ou l'intervalle entre les doses ?
- A-t-on tenu compte des croyances et des valeurs de la personne en matière de traitement de la douleur ?
- La personne a-t-elle minimisé la douleur qu'elle ressentait ?
- S'est-on assuré de dissiper les idées fausses de la personne à propos du traitement de la douleur ?

- La personne et ses proches ont-ils compris les directives relatives aux techniques de soulagement de la douleur ?
- La personne bénéficie-t-elle d'un soutien adéquat de la part de ses proches ?
- La condition physique de la personne a-t-elle subi des changements qui nécessitent une modification des interventions ?
- Doit-on réévaluer certaines stratégies d'intervention ?

Voir à ce sujet le *Plan de soins et de traitements infirmiers* et le schéma qui suivent.

EXERCICES D'INTÉGRATION

Mme Longval a subi une intervention chirurgicale à l'abdomen il y a environ six heures. Elle a une incision médiane de 15 cm recouverte d'un pansement chirurgical sec et intact. L'examen révèle que Mme Longval transpire abondamment, est couchée dans une position rigide, se soutient l'abdomen et grimace. Sa pression artérielle est de 150/90 mm Hg ; sa fréquence cardiaque s'établit à 100 battements par minute et sa fréquence respiratoire, à 32 par minute. Elle évalue son degré de douleur à 5 sur une échelle de 1 à 10.

1. Quelles conclusions l'infirmière peut-elle tirer au sujet de la douleur qu'éprouve Mme Longval ?

2. Le fait que Mme Longval évalue son degré de douleur à 5 signifie-t-il que l'intensité de sa douleur ne justifie pas une intervention ?

3. De quel type de douleur Mme Longval souffre-t-elle ?

4. Outre l'administration d'analgésiques, quelles sont les interventions qui pourraient apporter un soulagement à Mme Longval ?

5. Qu'est-ce qui indiquera à l'infirmière que ses interventions ont porté fruit ?

Voir l'appendice A : Exercices d'intégration – Pistes de réflexion.

PLAN DE SOINS ET DE TRAITEMENTS INFIRMIERS

Douleur aiguë

COLLECTE DES DONNÉES		*DIAGNOSTIC INFIRMIER*	RÉSULTATS DE SOINS INFIRMIERS [N° CRSI/NOC] ET INDICATEURS*
Anamnèse M. Louis Carrier est un homme d'affaires de 57 ans qui a été admis à l'unité de chirurgie pour le traitement d'une hernie inguinale étranglée. Il a subi il y a deux jours une résection intestinale partielle. Le médecin a prescrit un jeûne complet, la perfusion intraveineuse de D5 % ½ NS dans le bras gauche à raison de 125 mL par heure et une sonde nasogastrique avec succion faible intermittente. M. Carrier est en décubitus dorsal et il tente de fléchir les jambes. Il paraît agité et se plaint de douleur abdominale (évaluée à 7 sur une échelle de 1 à 10).	**Examen physique** Taille : 1,88 m (6 pi 3 po) Poids : 90 kg (200 lb) Température : 37 °C FC : 90 bpm, régulière Respirations : 24/min, régulières Pression artérielle : 158/82 mm Hg Peau pâle et humide, pupilles dilatées. Incision abdominale médiane, sutures sèches et intactes. **Examens paracliniques** Radiographies pulmonaires et analyse d'urine négatives ; nombre de leucocytes : 12 000	*Douleur aiguë*, reliée à une lésion tissulaire consécutive à l'intervention chirurgicale (manifestée par l'agitation, la pâleur, l'augmentation de la fréquence cardiaque, de la fréquence respiratoire et de la pression systolique, la dilatation des pupilles et l'évaluation de la douleur abdominale à 7/10).	Niveau de bien-être [2100], manifesté par : • Est satisfait du contrôle des symptômes. • Change de position, tousse et respire profondément en éprouvant un minimum de douleur dès le deuxième jour de la période postopératoire. Contrôle de la douleur [1605], manifesté par des indicateurs souvent démontrés : • Utilise des analgésiques à bon escient. • Utilise des moyens de soulagement de la douleur non pharmacologiques. • Signale les symptômes aux professionnels de la santé. • Utilise des mesures préventives.

Douleur aiguë (suite)

COLLECTE DES DONNÉES		*DIAGNOSTIC INFIRMIER*	RÉSULTATS DE SOINS INFIRMIERS [N° CRSI/NOC] ET INDICATEURS*
			Intensité de la douleur [2102], manifestée par des indicateurs légers ou absents : • Douleur rapportée. • Positions antalgiques. • Agitation. • Variation du diamètre pupillaire. • Transpiration. • Variations de la PA, de la FC et de la R par rapport aux valeurs initiales.

INTERVENTIONS INFIRMIÈRES [N° CISI/NIC] ET ACTIVITÉS CHOISIES*	*JUSTIFICATION SCIENTIFIQUE*
Conduite à tenir devant la douleur [1400] • Réaliser une évaluation globale de la douleur : localisation, caractéristiques, début, durée, fréquence, qualité, intensité/sévérité de la douleur et de ses facteurs déclenchants.	*La douleur est une sensation subjective qu'on doit laisser la personne décrire elle-même pour que le traitement envisagé soit efficace.*
• Prendre en compte l'influence culturelle de la réponse à la douleur (dans certaines cultures, par exemple, on s'attend à ce que la personne fasse preuve de stoïcisme).	*Chaque personne ressent et exprime la douleur de manière unique, et utilise des stratégies d'adaptation influencées par son milieu socioculturel.*
• Réduire ou éliminer les facteurs générateurs de douleur ou qui favorisent son augmentation (peur, fatigue, monotonie et manque de connaissances).	*La perception de la douleur et la tolérance à la douleur sont influencées par des facteurs personnels. Il faut réduire ou éliminer ceux qui génèrent ou intensifient la douleur.*
• Enseigner les techniques non pharmacologiques de soulagement (relaxation, visualisation, musicothérapie, diversion, et massage) avant, après et, si possible, pendant les activités douloureuses ; avant la survenue de la douleur ou son augmentation en association avec d'autres mesures à visée antalgique.	*L'utilisation de mesures de soulagement non envahissantes peut favoriser la libération d'endorphines et intensifier les effets thérapeutiques des analgésiques.*
• Procurer à la personne un soulagement optimal grâce à l'emploi des analgésiques prescrits.	*Chaque personne a le droit d'exiger et de recevoir un soulagement maximal. Lui fournir un soulagement optimal au moyen d'analgésiques suppose que l'on adapte le choix de l'agent, de la voie d'administration, du dosage et de la fréquence d'administration à son cas précis.*
• Administrer un analgésique avant d'initier une activité afin d'accroître la participation, mais évaluer les dangers que représente la sédation.	*Les changements de position et les déplacements seront plus faciles pour la personne si sa douleur est soulagée ou atténuée. Il faut évaluer le degré de sédation avant l'activité pour des raisons de sécurité.*
• Évaluer l'efficacité des mesures de contrôle de la douleur en ayant recours à l'évaluation continue de l'expérience douloureuse.	*La recherche a démontré que l'absence de soulagement est due le plus souvent à des lacunes de l'évaluation. De nombreuses personnes tolèrent la douleur en silence si on ne s'informe pas explicitement de leur état.*
Administration d'analgésiques [2210] • Se référer à la prescription médicale pour connaître le médicament à employer, la posologie et la fréquence d'administration.	*L'infirmière s'assure ainsi d'administrer le médicament approprié à la personne appropriée, selon la voie d'administration, le dosage et la fréquence appropriés.*
• Établir une sélection d'analgésiques (opioïdes, non opioïdes et AINS) selon le type et l'intensité de la douleur.	*Le choix des analgésiques dépend du type de douleur (aiguë, chronique, neuropathique, arthritique, etc.). Certains types de douleur cèdent seulement aux analgésiques non opioïdes, tandis que d'autres peuvent être soulagés par l'association d'un opioïde à faible dose et d'un non-opioïde.*
• Mettre en place les mesures de sécurité nécessaires pour la personne qui reçoit des analgésiques opioïdes.	*La somnolence et la sédation sont deux des principaux effets secondaires des analgésiques opioïdes.*
• Conseiller à la personne de faire la demande de l'analgésique si besoin avant que la douleur ne devienne trop intense.	*La douleur intense résiste davantage aux analgésiques et provoque de l'anxiété et de la fatigue. L'approche préventive permet de réduire la dose d'analgésique prise en 24 heures.*

PLAN DE SOINS ET DE TRAITEMENTS INFIRMIERS (SUITE)

Douleur aiguë (suite)

INTERVENTIONS INFIRMIÈRES [N° CISI/NIC] ET ACTIVITÉS CHOISIES*	JUSTIFICATION SCIENTIFIQUE
• Évaluer fréquemment et régulièrement les effets de l'analgésique après chaque administration, particulièrement après les premières doses; surveiller également les signes et les symptômes d'effets secondaires (par exemple dépression respiratoire, nausées et vomissements, xérostomie et constipation).	La dose pourrait ne pas suffire au soulagement ou causer des effets secondaires intolérables ou dangereux. L'évaluation continue permet d'apporter les corrections nécessaires à un soulagement efficace.
• Consigner les réactions à l'analgésique et les effets secondaires.	Les notes au dossier facilitent le traitement de la douleur, car elles permettent à toute l'équipe de soins de déterminer si chacune des stratégies est efficace ou non.
• Prendre les mesures visant à diminuer les effets secondaires dus à l'analgésique (tels que la constipation ou l'irritation gastrique).	Les opioïdes entraînent souvent de la constipation; il faut instituer dès le début du traitement un plan visant à prévenir cet effet secondaire.
Thérapie par la relaxation [6040]	
• Tenir compte, dans le choix d'une stratégie de relaxation, de la motivation et de la capacité de la personne à participer, de ses préférences, de ses expériences passées et des contre-indications.	La personne doit être disposée à tenter une approche différente. Il faut la faire participer au processus de planification afin d'éviter d'adopter des stratégies inefficaces.
• Demander à la personne d'adopter des comportements qui favorisent la relaxation, tels que la respiration profonde, le bâillement, la respiration abdominale et les images calmes.	Les techniques de relaxation réduisent la tension musculaire, ce qui a pour effet de diminuer l'intensité de la douleur.
• Créer un environnement dont le calme ne soit pas interrompu, avec les lumières tamisées et une température confortable.	La tranquillité favorise la relaxation et permet à la personne de se concentrer pleinement sur la technique.
• Personnaliser le contenu de l'intervention de relaxation (par exemple en demandant des suggestions sur les changements à apporter).	Chaque personne a une manière bien à elle de se détendre.
• Faire la démonstration de la technique de relaxation et la pratiquer avec la personne.	En demandant à la personne de faire à son tour une démonstration de la technique, l'infirmière peut évaluer l'efficacité de son enseignement.
• Évaluer et consigner au dossier la réaction à la thérapie de relaxation.	Il est important de communiquer à l'équipe de soins les stratégies qui réussissent à atténuer ou à éliminer la douleur.

ÉVALUATION

Les résultats escomptés sont partiellement obtenus. La personne verbalise sa douleur et son malaise, et demande des analgésiques dès l'apparition de la douleur. Elle évalue le degré de douleur à 2 (sur une échelle de 1 à 10) 30 minutes après l'administration de l'analgésique. Elle demande un analgésique 30 minutes avant de se lever. Elle hésite encore à tousser et à respirer profondément, même à la suite de l'administration d'un analgésique le deuxième jour après l'intervention chirurgicale. Elle se dit prête à essayer des techniques de relaxation, mais ne l'a pas encore fait.

* Les résultats, interventions et activités présentés ici sont simplement des exemples de ceux qui sont proposés par les systèmes CRSI/NOC et CISI/NIC. Ils doivent être personnalisés en fonction du cas de chaque personne.

EXERCICES D'INTÉGRATION

1. Quelles autres données l'infirmière devrait-elle recueillir avant de planifier le traitement de la douleur chez M. Carrier?

2. M. Carrier ne reçoit pas d'ACP. Quelles interventions infirmières doivent être réalisées en priorité?

3. Quel genre de données inciterait l'infirmière à discuter avec le médecin de la possibilité d'amorcer une ACP?

4. Quelles suggestions l'infirmière pourrait-elle prodiguer à M. Carrier afin de l'inciter à tousser et à respirer profondément?

Voir l'appendice A: Exercices d'intégration – Pistes de réflexion.

SCHÉMA DU PLAN DE SOINS ET DE TRAITEMENTS INFIRMIERS

Douleur aiguë

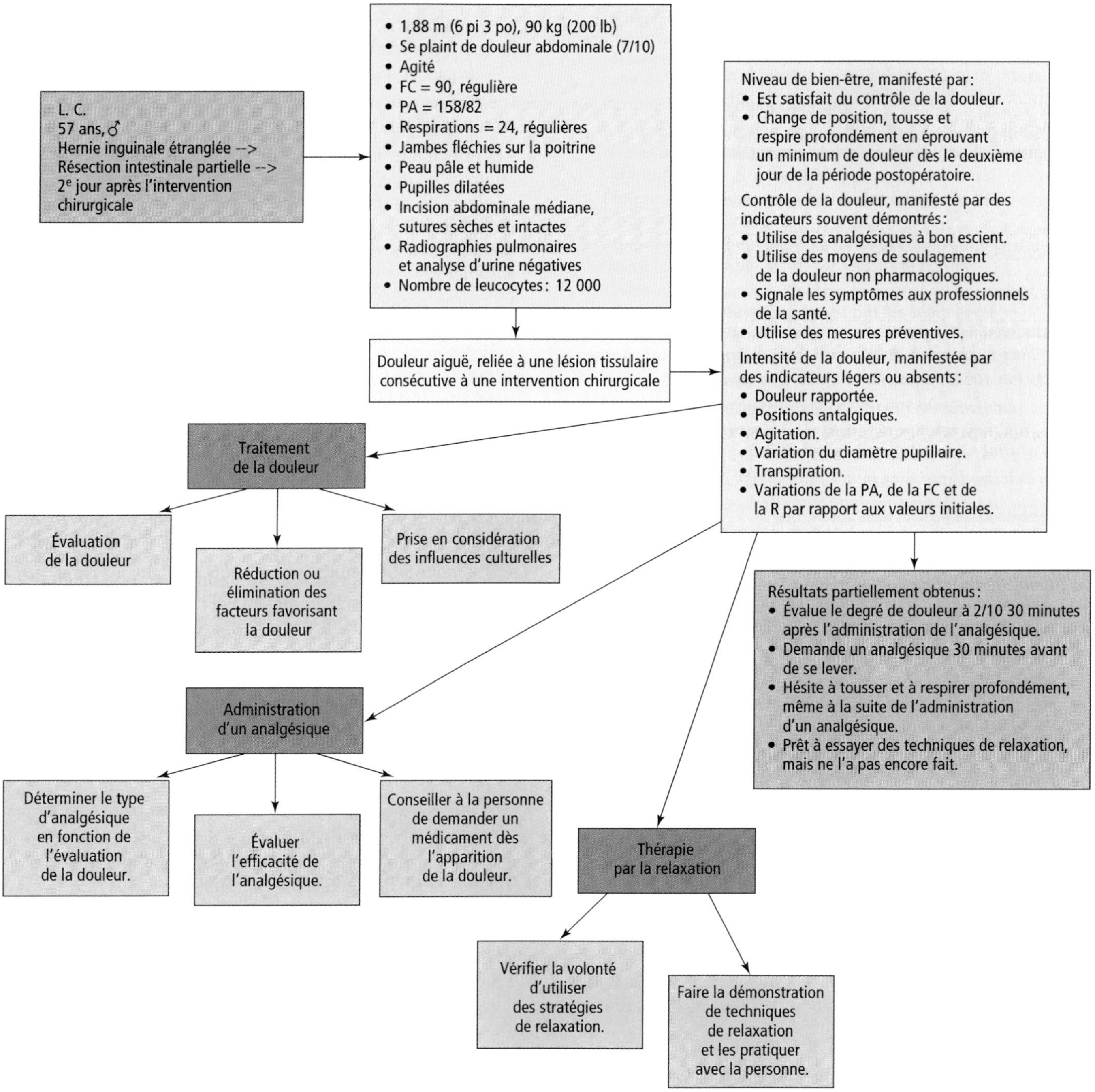

- 1,88 m (6 pi 3 po), 90 kg (200 lb)
- Se plaint de douleur abdominale (7/10)
- Agité
- FC = 90, régulière
- PA = 158/82
- Respirations = 24, régulières
- Jambes fléchies sur la poitrine
- Peau pâle et humide
- Pupilles dilatées
- Incision abdominale médiane, sutures sèches et intactes
- Radiographies pulmonaires et analyse d'urine négatives
- Nombre de leucocytes : 12 000

L. C.
57 ans, ♂
Hernie inguinale étranglée -->
Résection intestinale partielle -->
2ᵉ jour après l'intervention chirurgicale

Niveau de bien-être, manifesté par :
- Est satisfait du contrôle de la douleur.
- Change de position, tousse et respire profondément en éprouvant un minimum de douleur dès le deuxième jour de la période postopératoire.

Contrôle de la douleur, manifesté par des indicateurs souvent démontrés :
- Utilise des analgésiques à bon escient.
- Utilise des moyens de soulagement de la douleur non pharmacologiques.
- Signale les symptômes aux professionnels de la santé.
- Utilise des mesures préventives.

Intensité de la douleur, manifestée par des indicateurs légers ou absents :
- Douleur rapportée.
- Positions antalgiques.
- Agitation.
- Variation du diamètre pupillaire.
- Transpiration.
- Variations de la PA, de la FC et de la R par rapport aux valeurs initiales.

Douleur aiguë, reliée à une lésion tissulaire consécutive à une intervention chirurgicale

Traitement de la douleur

Évaluation de la douleur

Réduction ou élimination des facteurs favorisant la douleur

Prise en considération des influences culturelles

Résultats partiellement obtenus :
- Évalue le degré de douleur à 2/10 30 minutes après l'administration de l'analgésique.
- Demande un analgésique 30 minutes avant de se lever.
- Hésite à tousser et à respirer profondément, même à la suite de l'administration d'un analgésique.
- Prêt à essayer des techniques de relaxation, mais ne l'a pas encore fait.

Administration d'un analgésique

Déterminer le type d'analgésique en fonction de l'évaluation de la douleur.

Évaluer l'efficacité de l'analgésique.

Conseiller à la personne de demander un médicament dès l'apparition de la douleur.

Thérapie par la relaxation

Vérifier la volonté d'utiliser des stratégies de relaxation.

Faire la démonstration de techniques de relaxation et les pratiquer avec la personne.

Légende : Collecte des données ☐ Diagnostics infirmiers ☐ Résultats de soins infirmiers ☐ Interventions infirmières ◼ Activités ☐ Évaluation ☐

RÉVISION DU CHAPITRE

Concepts clés

- La douleur est une sensation subjective à laquelle chacun réagit différemment. Elle peut nuire directement à la santé et retarder le rétablissement à la suite d'une intervention chirurgicale, d'une affection ou d'un trauma.

- Selon son origine, la douleur est dite cutanée, somatique profonde ou viscérale. Selon sa durée, la douleur est qualifiée d'aiguë ou de chronique.

- Le seuil de la douleur est relativement uniforme d'une personne à l'autre, mais la tolérance à la douleur et la réaction à la douleur varient considérablement.

- Une sensation douloureuse naît de la stimulation des nocicepteurs. Les stimuli douloureux peuvent être mécaniques, thermiques ou chimiques.

- La nociception est l'ensemble des processus physiologiques reliés à la perception de la douleur. Ces processus sont la transduction, la transmission, la perception proprement dite et la modulation.

- Selon la théorie du portillon, les influx douloureux transmis dans les neurofibres périphériques peuvent être modifiés au niveau de la moelle épinière, avant d'atteindre l'encéphale. Cette théorie a donné naissance à de nombreuses stratégies de soulagement de la douleur.

- De nombreux facteurs influent sur la perception de la douleur et sur la réaction à la douleur : les valeurs ethniques et culturelles, le stade de développement, l'environnement et les proches aidants, les expériences antérieures, la signification que prend la douleur pour la personne, l'anxiété et le stress.

- La douleur est subjective, de sorte que la description qu'en fait la personne elle-même est l'indicateur le plus fiable de sa présence et de son intensité. L'examen clinique d'une personne atteinte de douleur doit comprendre une collecte exhaustive des antécédents de douleur.

- Les diagnostics infirmiers qu'on peut formuler pour une personne atteinte de douleur sont *Douleur aiguë* et *Douleur chronique*. Cependant, la douleur elle-même peut constituer l'étiologie de nombreux autres diagnostics infirmiers.

- Les objectifs de soins généraux sont la prévention, l'atténuation ou l'élimination de la douleur afin que la personne puisse reprendre en tout ou en partie ses activités normales et s'adapter à la douleur le plus efficacement possible.

- À l'étape de la planification, l'infirmière choisit les mesures de soulagement appropriées à la personne.

- Le traitement de la douleur comprend deux types principaux d'interventions infirmières : les interventions pharmacologiques et les interventions non pharmacologiques.

- Il est beaucoup plus efficace de prévenir la douleur que de tenter de la soulager une fois qu'elle est apparue.

- Les principales stratégies infirmières destinées aux personnes atteintes de douleur sont de reconnaître et d'accepter leur douleur, de soutenir les proches aidants, de dissiper les idées fausses à propos de la douleur, de prévenir la douleur, et d'atténuer la peur et l'anxiété qui lui sont associées.

- Les interventions pharmacologiques, prescrites par le médecin, comprennent l'administration d'opioïdes, de non-opioïdes ou d'AINS, et de médicaments adjuvants.

- L'Organisation mondiale de la santé recommande une méthode analgésique en trois paliers pour le soulagement de la douleur cancéreuse chronique.

- Les placebos sont inefficaces chez un grand nombre de personnes. Utiliser un placebo à l'insu de la personne constitue une pratique inacceptable.

- Les voies d'administration des analgésiques sont les voies orale, nasale, rectale, transdermique, topique, sous-cutanée et intraveineuse ; les méthodes d'administration sont la perfusion continue, le bolus et la perfusion rachidienne.

- L'analgésie contrôlée par la personne (ACP) permet à la personne de s'administrer elle-même des doses d'analgésique.

- Les mesures de soulagement non pharmacologiques à caractère physique sont les suivantes : la stimulation cutanée (massage, application de chaleur ou de froid, acupression et stimulation controlatérale), l'immobilisation et l'électrostimulation transcutanée.

- Les interventions cognitives-comportementales sont les suivantes : les techniques de diversion, les techniques de relaxation, la visualisation, la rétroaction biologique, le toucher thérapeutique et l'hypnose.

- L'évaluation des mesures de soulagement doit porter sur la réaction de la personne, les variations de la douleur et les perceptions de la personne quant à l'efficacité du traitement. La rétroaction continuelle de la personne et de sa famille, sous forme écrite ou verbale, fait partie intégrante de ce processus.

Questions de révision

44-1. Quelle méthode de soulagement est la plus efficace pendant la phase de transduction de la nociception ?
a) Les antidépresseurs tricycliques.
b) Les opioïdes.
c) L'ibuprofène.
d) La diversion.

44-2. Une personne revient de la salle d'opération. Parmi les données suivantes, laquelle l'infirmière doit-elle obtenir en priorité ?
a) Les signes vitaux.
b) L'intensité de la douleur.
c) Le siège de la douleur.
d) Les antécédents de douleur.

Questions de révision (suite)

44-3. Une personne qui évalue son degré de douleur à 6 sur une échelle de 1 à 10 présente :
a) une douleur intense.
b) une douleur légère.
c) une douleur très intense.
d) une douleur modérée.

44-4. Une personne a subi une intervention chirurgicale à l'abdomen il y a quatre heures. Elle reçoit une perfusion épidurale continue d'un analgésique pour soulager la douleur postopératoire. Laquelle des observations suivantes dicte une intervention infirmière ?
a) Somnolente ; tombe endormie au milieu d'une phrase.
b) Respirations = 18/minute.
c) Somnolente ; facile à réveiller.
d) Évalue son degré de douleur à 1 ou 2 sur 10.

44-5. Une personne a reçu une ordonnance de morphine à raison de 2,5 à 5,0 mg par voie intraveineuse toutes les 4 heures. Elle a reçu 2,5 mg il y a 4 heures pour sou- lager une douleur évaluée à 3 sur une échelle de 0 à 10. En ce moment, elle regarde la télévision et bavarde avec ses visiteurs. L'infirmière s'informe de sa douleur, et la personne l'évalue à 5. Ses signes vitaux sont stables. Laquelle des interventions infirmières suivantes est la plus appropriée ?
a) Administrer 3,5 mg de morphine par voie intra- veineuse et conseiller à la personne de continuer à regarder la télévision parce que cela la distrait de sa douleur.
b) Administrer 2,5 mg de morphine par voie intraveineuse afin d'éviter la dépendance.
c) Ne rien administrer à la personne pour le moment, car elle ne présente aucun signe de douleur.
d) Administrer 5,0 mg de morphine par voie intra- veineuse et réévaluer l'état de la personne dans 20 minutes.

Voir l'appendice B : Réponses aux questions de révision.

BIBLIOGRAPHIE

En anglais

Acello, B. (2000). Meeting JCAHO standards for pain control. *Nursing, 30*(3), 52–54.

American Academy of Pediatrics & Canadian Paediatric Society. (2000). Prevention and management of pain and stress in the neonate. *Pediatrics, 105*(2), 454–461.

American Pain Society. (1999). *Principles of analgesic use in the treatment of acute pain and cancer pain* (4th ed.). Glenview, IL : Author.

Andrews, M. M., & Boyle, J. S. (2003). *Transcultural concepts in nursing care* (4th ed.). Philadelphia : Lippincott Williams & Wilkins.

Anonymous. (2001). Controlling pain. Taming pain with TENS. *Nursing, 31*(11), 84.

Ball, J. W., & Bindler, R. C. (2003). *Pediatric nursing : Caring for children* (3rd ed.). Upper Saddle River, NJ : Prentice Hall.

Bergh, I., & Sjostrom, B. (1999). A comparative study of nurses' and elderly patients' ratings of pain and pain tolerance. *Journal of Gerontological Nursing, 25*(5), 30–36.

Bieri, D., Reeve, R., Champion, G., Addicoat, L., & Ziegler, J. B. (1990). The Faces Pain Scale for the assessment of the severity of pain experienced by children : Development, initial validation, and preliminary investigation for ratio scale properties. *Pain, 41*, 139–150.

Cox, F. (2001). Clinical care of patients with epidural infusions. *The Professional Nurse, 16*, 1429–1432.

Eliopoulos, C. (2001). *Gerontological nursing* (5th ed.). Philadelphia : Lippincott.

Gallagher, B. (2001). Controlling pain. Managing pain in elderly patients at home. *Nursing, 31*(8), 18.

Hawthorn, J., & Redmond, K. (1998). *Pain causes and management.* Oxford : Blackwell Science Ltd.

Herr, K. (2002a). Chronic pain. Challenges and assessment strategies. *Journal of Gerontological Nursing, 28*(1), 20–27.

Herr, K. (2002b). Chronic pain in the older patient : Management strategies. *Journal of Gerontological Nursing, 28*(2), 28–34.

Howell, D., Butler, L., Vincent, L., Watt-Watson, J., & Stearns, N. (2002). Influencing nurses' knowledge, attitudes, and practice in cancer pain management. *Cancer Nursing, 23*(1), 55–63.

Johnson, M., Maas, M., & Moorhead, S. (Eds.). (2000). *Nursing outcomes classification (NOC)* (2nd ed.). St. Louis, MO : Mosby.

Keefe, S. (2002). Children's drawings help diagnose migraines. *Nursing Spectrum Western Edition, 3*(11), 10–11.

Kingsley, C. (2001). Epidural analgesia. Your role. *RN, 64*(3), 53–57.

Kreger, C. (2001). Getting to the root of pain. Spinal anesthesia and analgesia. *Nursing, 31*(6), 36–41.

Kwekkeboom, K. L. (1999). A model for cogni- tive-behavioral interventions in cancer pain management. *Image : Journal of Nursing Scholarship, 31*, 151–155.

LaDuke, S. (2002). Undertreated pain : Could it land you in court ? *Nursing, 32*(9), 18.

Loeb, J. L. (1999). Pain management in long- term care. *American Journal of Nursing, 99*(2), 48–52.

McCaffery, M. (2002). Controlling pain : Choosing a Faces pain scale. *Nursing, 32*(5), 68.

McCaffery, M., Ferrell, B. R., & Pasero, C. (2000). Nurses' personal opinions about patients' pain and their effect on recorded assessments and titration of opioid doses. *Pain Management Nursing, 1*(3), 79–87.

McCaffery, M., & Pasero, C. (1999). *Pain : Clinical manual* (2nd ed.). St. Louis, MO : Mosby.

McCaffery, M., & Pasero, C. (2000). How to choose the best route for an opioid. *Nursing, 30*(12), 34–39.

McCaffery, M., & Pasero, C. (2001). Pain con- trol. Assessment and treatment of patients with mental illness. *American Journal of Nursing, 101*(7), 69–70.

McCaffery, M., & Robinson, E. S. (2002). Your patient is in pain. Here's how you respond. *Nursing, 32*(10), 36–45.

McCloskey, J. C., & Bulechek, G. M. (Eds.). (2000). *Nursing interventions classification (NIC)* (3rd ed.). St. Louis, MO : Mosby.

Melzack, R., & Wall, P. D. (1965). Pain mecha- nisms : A new theory. *Science, 150*, 971–979.

Merkel, S. (2002). Pain control. Pain assessment in infants and young children : The finger span scale. *American Journal of Nursing, 102*(11), 55–56.

NANDA International. (2003). *NANDA nursing diagnoses : Definitions and classification 2003–2004.* Philadelphia : Author.

Paice, J. A. (2002). Controlling pain. Understanding nociceptive pain. *Nursing, 32*(3), 74–75.

Panke, J. T. (2002). Difficulties in managing pain at the end of life. *American Journal of Nursing, 102*(7), 26–33.

Parke, B. (1998). Realizing the presence of pain in cognitively impaired older adults : Gerontological nurses' ways of knowing. *Journal of Gerontological Nursing, 24*(6), 21–28.

Pasero, C. (2000a). Continuous local anesthetics. *American Journal of Nursing, 100*(8), 22–23.

Pasero, C., & McCaffery, M. (2001a). Pain con- trol : The lidocaine patch. *American Journal of Nursing, 101*(3), 22–23.

BIBLIOGRAPHIE (SUITE)

Pasero, C., & McCaffery, M. (2001b). Pain control : The patient's report of pain. *American Journal of Nursing, 101*(12), 73–74.

Pasero, C., & McCaffery, M. (2001c). Pain control : The undertreatment of pain. *American Journal of Nursing, 101*(11), 62–64.

Pasero, C., & McCaffery, M. (2002). Pain control : Monitoring sedation. *American Journal of Nursing, 102*(2), 67–68.

Perkins, E. M. (2002). Less morphine, or more ? *RN, 65*(11), 51–54.

Plaisance, L., & Ellis, J. A. (2002). Pain control : Opioid-induced constipation. *American Journal of Nursing, 102*(3), 72–73.

Puntillo, K. A., White, C., Morris, A. B., Perdue, S. T., Stanik-Hutt, J., Thompson, C. L., et al. (2001). Patients' perceptions and responses to procedural pain : Results from Thunder Project II. *American Journal of Critical Care, 10,* 238–251.

Rhiner, M., & Kedziera, P. (1999). Managing breakthrough pain : A new approach. *American Journal of Nursing, 99*(3), Supplement 3–12.

Salimbene, S. (2000). *What language does your patient hurt in ? A practical guide to culturally competent patient care.* St. Paul, MN : EMC Paradigm.

Slaughter, A., Pasero, C., & Manworren, R. (2002). Pain control : Unacceptable pain levels. *American Journal of Nursing, 102*(5), 75–77.

Thomas, S. P. (2000). A phenomenologic study of chronic pain. *Western Journal of Nursing Research, 22,* 683–699.

Tucker, K. L. (2001). Deceptive placebo administration. *American Journal of Nursing, 101*(8), 55–56.

U.S. Department of Health and Human Services. (1992a). *Clinical practice guidelines : Acute pain management in adults : Operative procedures : Quick reference guide for clinicians* (Publication No. 92-0019). Rockville, MD : Public Health Service Agency for Health Care Policy and Research.

U.S. Department of Health and Human Services. (1992b). *Clinical practice guidelines : Acute pain management in infants, children, and adolescents : Operative and medical procedures : Quick reference guide for clinicians* (Publication No. 92-0020). Rockville, MD : Public Health Service Agency for Health Care Policy and Research.

Van Kooten, M. E. (1999). Non-pharmacologic pain management for postoperative coronary artery bypass graft surgery patients. *Image : Journal of Nursing Scholarship, 31*(2), 157.

Wentz, J. D. (2001). Controlling pain. Assessing pain in cognitively impaired adults. *Nursing, 31*(7), 26.

Wong, D. L., Hockenberry-Eaton, M., Wilson, D., Winkelstein, M. L., & Schwartz, P. (2001). *Essentials of pediatric nursing* (6th ed.). St. Louis, MO : Mosby.

World Health Organization (1999). *Cancer pain relief.* Geneva : Author.

En français

Association nord-américaine pour le diagnostic infirmier (ANADI). (2002). *Diagnostics infirmiers : Définitions et classification 2001-2002*, Paris : Masson.

Beauchamp, Y. (2003). Quand « neuropathique » rime avec « catastrophique », *Le Médecin du Québec, 38*(6), 75-82.

Beauchamp, Y. (2004). Gérialgie et pharmacothérapie : un survol, *Le Clinicien, 19*(3), 83-90.

Boulanger, A. (2003). Les opiacés et la douleur chronique : comment amorcer le traitement, *Le Médecin du Québec, 38*(6), 63-70.

Brouillette, N. (2003). La douleur abdominale, pas de quoi en faire un plat, *Le médecin du Québec, 38*(9), 39-45.

Brûlé, M., Cloutier, L. et Doyon, O. (dir.). (2002). *L'examen clinique dans la pratique infirmière*, Saint-Laurent : Éditions du Renouveau Pédagogique.

Brunet, J. (2003). Sédation et analgésie aux soins intensifs ou comment calmer intensivement, *Le Médecin du Québec, 38*(11), 59-69.

Carpenito, L. J. (2003). *Manuel de diagnostics infirmiers*, traduction de la 9e édition, Saint-Laurent : Éditions du Renouveau Pédagogique.

Choinière, M. (2003). Le traitement inadéquat de la douleur : un fléau insidieux, *Le Médecin du Québec, 38*(6), 53-60.

Dion, H. (2004). La douleur abdominale chronique : comment élucider ses secrets ?, *Le Clinicien, 19*(3), p. 17-19.

Division du vieillissement et des aînés. *La douleur dérange*, Expression : Bulletin du Conseil consultatif national sur le troisième âge, Santé Canada, (page consultée le 29 avril 2004), [en ligne], <http ://www.hc-sc.gc.ca/seniors-aines/naca/expression/15-3/exp15-3_2_f.htm>.

Dolbec, P. (2003). Les centres antidouleur, *Le Médecin du Québec, 38*(6), 99-102.

Fergane, B. et Jeanmougin, C. (2003). *Douleur : soins préventifs et prise en charge*, Paris : Flammarion Médecine-sciences.

Gagnon, R. (1990). Surveillance d'un client sous épidurale continue, *L'infirmière du Québec, 6*(1), 13-14.

Gélinas, C. (2004). Prévenir la dépression respiratoire liée à certains médicaments, *Perspective infirmière, 2*(2), 23-27.

Ginies, P. (2003). *Le traitement de la douleur cancéreuse chronique. 5e journée d'hépatologie et de gastroentérologie*, Montpellier. Centre anti-douleur de Montpellier (<http ://www.bmlweb.org/montpellier20005.html>).

Johnson, M. et Maas, M. (dir.). (1999). *Classification des résultats de soins infirmiers CRSI/NOC*, Paris : Masson.

Latimer, E. (2000). Soulager les symptômes en soins palliatifs : les petits détails sont la clé du succès, *Le Clinicien, 15*(11), 47-53.

McCloskey, J. C. et Bulechek, G. M. (dir.). (2000). *Classification des interventions de soins infirmiers CISI/NIC*, Paris : Masson.

Meana, M., Cho, R. et DesMeubles, M. *Douleur chronique : fardeau supplémentaire sur les Canadiennes. Rapport de surveillance de la santé des femmes.* Direction générale de la santé de la population et de la santé publique (DGSPSP). Santé Canada, (page consultée le 17 mai 2004), [en ligne], <http ://www.hc-sc.gc.ca/pphb-dgspsp/publicat/whsr-rssf/chap_16_f.html>.

Muller, A. (2000). *Soins infirmiers et douleur*, Paris : Masson.

Ordre des infirmières et infirmiers du Québec (OIIQ). (avril 2003a). *Guide d'application de la nouvelle Loi sur les infirmières et infirmiers et de la Loi modifiant le code des professions et d'autres dispositions législatives dans le domaine de la santé*, Montréal : OIIQ.

Ordre des infirmières et infirmiers du Québec (OIIQ). (avril 2003b). *Notre profession prend une nouvelle dimension : des pistes pour mieux comprendre la Loi sur les infirmières et les infirmiers et en tirer avantage dans notre pratique*, Montréal : OIIQ.

Page, C. P., Curtis, M. J., Walker, M. J., Sutter, M. C. et Hoffman, B. B. (1999). *Pharmacologie intégrée*, Bruxelles : De Boeck Université.

Saint-Arnaud, L. (1990). Le soulagement de la douleur chronique : aspects éthiques, *L'infirmière du Québec, 6*(2), 40-43.

Société canadienne de la douleur. *Manifeste de la douleur chez le patient* (page consultée le 17 mai 2004), [en ligne], <http ://www.canadian-painsociety.ca/cont-fra/4nouvelles-manifeste.htm>.

Tortora, G. J. et Grabowski, S. R. (2001). *Principes d'anatomie et de physiologie*, Saint-Laurent : Éditions du Renouveau Pédagogique.

Waldman, S. P. (2003). *Atlas de syndromes douloureux courants*, Paris : Maloine.

RESSOURCES ET SITES WEB

Association internationale Ensemble contre la douleur.
.

Association nord-américaine de la douleur chronique du Canada.
<http ://www.chronicpaincanada.org/French/frindex.htm>.

Société canadienne de la douleur.
<http ://www.canadianpainsociety.ca>.

Société Québécoise de la douleur.
<http ://www.sqd.ca>.

OBJECTIFS D'APPRENTISSAGE

Après avoir étudié ce chapitre, vous pourrez:

- Distinguer les nutriments essentiels et leurs principales sources alimentaires.

- Décrire les processus de la digestion, de l'absorption ainsi que du métabolisme des glucides, des protéines et des lipides.

- Expliquer les dimensions les plus importantes du bilan énergétique.

- Analyser les normes de la masse et du poids corporels.

- Définir les facteurs déterminant l'alimentation.

- Décrire l'évolution des besoins nutritionnels de l'être humain au fil de son développement.

- Évaluer un régime alimentaire à la lumière du *Guide alimentaire canadien pour manger sainement.*

- Présenter les objectifs et les principaux volets du dépistage nutritionnel et de l'évaluation de l'état nutritionnel.

- Énoncer les facteurs de risque et les signes cliniques de la malnutrition.

- Décrire les interventions infirmières pour promouvoir une saine alimentation.

- Expliquer les interventions infirmières destinées à traiter les personnes présentant des problèmes nutritionnels.

- Planifier, prodiguer et évaluer les soins infirmiers correspondant aux problèmes nutritionnels.

NUTRITION ET ALIMENTATION

CHAPITRE **45**

Adaptation française:
Sophie Longpré, inf., M.Sc
Professeure, Département
des sciences infirmières
Université du Québec
à Trois-Rivières

La **nutrition** est l'ensemble des interactions entre l'organisme et les aliments consommés. Elle concerne donc tous les solides et liquides dont la personne se nourrit ainsi que l'utilisation que son corps en fait. Les **nutriments** sont des substances organiques ou non organiques que les aliments contiennent et dont le corps a besoin pour fonctionner. Beaucoup de nutriments nous sont indispensables pour grandir, pour nous développer, pour entretenir nos organes et nos tissus et pour assurer le fonctionnement de nos processus corporels.

Une alimentation équilibrée procure à l'organisme les nutriments essentiels suivants en quantité suffisante : eau, glucides, protéines, lipides, vitamines et minéraux. Les aliments n'ont pas tous la même **valeur nutritive** : à volume égal, ils ne procurent pas à l'organisme les mêmes quantités des mêmes nutriments. Par ailleurs, aucun aliment ne fournit tous les nutriments essentiels. Les nutriments remplissent trois fonctions principales : fournir l'énergie nécessaire aux mouvements et aux processus corporels ; fournir la matière essentielle aux tissus du corps ; assurer la régulation des processus corporels.

Nutriments essentiels

L'eau constitue le nutriment dont le corps a le plus besoin. Chaque cellule du corps doit aussi bénéficier d'un apport continuel en énergie. Après l'eau, les nutriments énergétiques se classent donc au deuxième rang des «incontournables nutritionnels»: ce sont les glucides, les lipides et les protéines. La faim nous pousse à consommer suffisamment de nutriments énergétiques pour combler nos besoins en «carburant». Par contre, notre corps n'émet aucun signal particulier pour nous inciter à ingérer les vitamines et les minéraux nécessaires à notre bien-être et à notre santé.

Glucides

Les glucides se composent de carbone (C), d'hydrogène (H) et d'oxygène (O). On les divise en deux catégories: les glucides simples (sucres simples) et les glucides complexes (amidons et fibres).

CATÉGORIES DE GLUCIDES

Sucres simples. Les sucres simples sont hydrosolubles. Les plantes et les animaux en sécrètent naturellement. Ils se répartissent en **monosaccharides** (à molécules simples) et en **disaccharides** (à molécules doubles). Le glucose est, de loin, le plus abondant des trois monosaccharides (glucose, fructose et galactose).

La plupart des sucres simples sont produits de façon naturelle par les plantes, en particulier les fruits, la canne à sucre et la betterave sucrière. Le lait fournit le lactose, une combinaison de glucose et de galactose. On obtient les sucres dits «traités» ou «raffinés» en concentrant des sucres de source naturelle (par exemple, sucre ordinaire, mélasse, sirop de maïs). On ajoute des sucres raffinés à la plupart des boissons gazeuses, des biscuits, des bonbons, des crèmes glacées et des céréales.

Amidons. La famille des amidons regroupe les glucides non solubles et non sucrés. Les amidons sont des **polysaccharides**: ils sont composés de chaînes ramifiées de dizaines (parfois, de centaines) de molécules de glucose. Comme les sucres, presque tous les amidons se trouvent à l'état naturel dans des plantes, notamment les céréales, les légumineuses et les pommes de terre. On les utilise largement dans le secteur alimentaire (par exemple, dans les céréales prêtes à consommer, le pain, la farine et les crèmes-desserts).

Fibres. Les fibres sont des glucides complexes, solubles ou insolubles, d'origine végétale. Bien que l'être humain ne puisse pas les digérer, elles présentent plusieurs avantages nutritionnels importants: elles rassasient, elles facilitent le bon fonctionnement du système digestif et elles favorisent l'élimination des déchets de la digestion. De plus, elles contribuent à la normalisation de la lipémie et de la glycémie postprandiale. Les fibres sont fournies par les couches externes des céréales, le son ainsi que par la pelure (ou peau), les graines (ou pépins) et la pulpe de nombreux fruits et légumes.

Les sources glucidiques naturelles fournissent également à l'organisme certains nutriments vitaux, tels que les protéines, les vitamines et les minéraux qu'on ne trouve pas dans les aliments préparés. Il est donc indispensable de consommer des glucides naturels. Les sucres raffinés (qu'on trouve dans les aliments préparés) fournissent relativement peu de nutriments comparativement à leur apport énergétique. C'est la raison pour laquelle on dit parfois qu'ils ne fournissent que des «calories vides». Les boissons alcoolisées contiennent également d'importantes quantités de glucides et très peu de nutriments.

DIGESTION

Plusieurs enzymes jouent un rôle de premier plan dans la digestion des glucides, notamment la ptyaline (amylase salivaire), l'amylase pancréatique et les disaccharidases: maltase, sucrase (invertase) et lactase (bêta-galactosidase). Les **enzymes** sont des catalyseurs biologiques qui accélèrent les réactions chimiques. Les monosaccharides sont les produits finaux de la digestion normale des glucides. Certains sucres simples sont déjà des monosaccharides, et l'organisme n'a pas à les digérer.

Chez les personnes en bonne santé, les monosaccharides sont à peu près tous absorbés par l'intestin grêle. L'insuline, une hormone sécrétée par le pancréas, facilite le passage du glucose à travers les membranes cellulaires.

MÉTABOLISME DES GLUCIDES

Le métabolisme des glucides représente une source majeure d'énergie pour le corps. Une fois que l'organisme a décomposé les glucides en glucose, une partie de ce glucose continue de circuler dans le sang pour maintenir la glycémie à un niveau normal et garantir au corps un approvisionnement énergétique immédiat en cas de nécessité. Le reste du glucose est utilisé sous forme d'énergie ou emmagasiné.

Stockage et transformation. Les glucides sont stockés dans le corps sous forme de glycogène ou de graisse. Le **glycogène** est un grand polymère (molécule composée de plusieurs molécules) du glucose. Le procédé de formation du glycogène s'appelle **glycogenèse**. Toutes les cellules du corps peuvent emmagasiner du glycogène. Cependant, le stockage se fait essentiellement dans le foie et dans les muscles squelettiques, où le glycogène reste disponible pour être retransformé en glucose. Le glucose qui ne peut pas être emmagasiné sous forme de glycogène se transforme en graisse.

Protéines

Les protéines sont des substances organiques composées d'acides aminés. Comme les glucides, les protéines contiennent du carbone (C), de l'hydrogène (H) et de l'oxygène (O); à la différence des glucides, elles contiennent aussi de l'azote (N). Toutes les cellules du corps contiennent une certaine quantité de protéines; les trois quarts des solides corporels sont formés de protéines.

Les acides aminés se répartissent en deux groupes: les acides aminés essentiels et les acides aminés non essentiels. Les **acides aminés essentiels** sont ceux que le corps ne peut pas fabriquer et qu'il doit par conséquent puiser dans les protéines alimentaires. Au total, neuf acides aminés essentiels sont indispensables à la croissance et à l'entretien des tissus corporels: thréonine, leucine, isoleucine, valine, lysine, méthionine, phénylalanine, tryptophane et histidine. Les **acides aminés non essentiels** sont ceux que le corps fabrique lui-même en décomposant les acides aminés d'origine alimentaire pour en construire de nouveaux à partir des éléments de base dissociés (glucides et azote). Les acides aminés non essentiels sont les suivants: arginine, glycine, alanine, acide aspartique, acide glutamique, proline, hydroxyproline, cystéine, tyrosine, sérine, asparagine et glutamine. L'arginine, par exemple, joue un rôle important dans la synthèse hépatique de l'urée et de l'oxyde nitrique.

On distingue deux catégories de protéines: les protéines complètes et les protéines incomplètes. Les **protéines complètes** (ou **protéines de haute valeur biologique**) contiennent tous les acides aminés essentiels et de nombreux acides aminés non essentiels. La plupart des protéines d'origine animale sont complètes: viande rouge, volaille, poisson, produits laitiers, œufs. Cependant, certaines protéines ne fournissent pas tous les acides aminés essentiels en quantité suffisante et, par conséquent, elles ne peuvent pas, à elles seules, soutenir la croissance de l'organisme. On les appelle parfois **protéines partiellement complètes** (par exemple, la gélatine, qui contient très peu de tryptophane, et la caséine, une protéine du lait qui fournit très peu d'arginine).

Les **protéines incomplètes** (ou **protéines de basse valeur biologique**) ne fournissent que certains acides aminés essentiels. En particulier, il leur manque souvent la lysine, la méthionine ou le tryptophane. On les trouve généralement dans les légumes. Il est toutefois possible de maintenir un bon équilibre d'acides aminés essentiels en combinant des protéines végétales d'une manière judicieuse. Ainsi, la combinaison du maïs (pauvre en tryptophane et en lysine) avec des fèves (pauvres en méthionine) forme une protéine complète. Ces associations de deux ou trois aliments végétaux fournissent des *protéines complémentaires*. Pour tirer le meilleur parti des protéines végétales, on peut également les consommer avec une petite quantité de protéines animales (par exemple, pâtes alimentaires au fromage ou au thon, riz accompagné de porc, céréales arrosées de lait).

DIGESTION

La digestion des protéines commence dans la bouche, quand une enzyme, la *pepsine*, les décompose en unités plus petites. La plupart des protéines sont toutefois digérées dans l'intestin grêle, où d'autres enzymes les décomposent en molécules de plus en plus petites jusqu'au stade de l'acide aminé, le produit final de la digestion protéique. Le pancréas sécrète plusieurs enzymes protéolytiques (protéases): la trypsine, la chymotrypsine et la carboxypeptidase. Les glandes des parois intestinales sécrètent l'aminopeptidase et la dipeptidase.

STOCKAGE

Les acides aminés traversent la membrane plasmique selon un processus de transport actif qui a lieu surtout dans le duodénum et le jéjunum. Le foie utilise une petite quantité d'acides aminés pour synthétiser certaines protéines (par exemple, les cellules hépatiques et les protéines plasmatiques, comme l'albumine, la globuline et le fibrinogène). Les protéines plasmatiques constituent un moyen de stockage et peuvent être rapidement retransformées en acides aminés si l'organisme en a besoin.

Les autres acides aminés sont acheminés vers les tissus et les cellules, où ils servent à fabriquer les protéines indispensables aux structures cellulaires. D'une certaine manière, on peut dire que les protéines sont emmagasinées sous la forme de tissus corporels. Bien que le corps ne puisse pas stocker les acides aminés excédentaires pour utilisation ultérieure, il en reste cependant une certaine quantité dans le « pool métabolique », créé par un processus continu de décomposition et de recomposition des protéines dans les tissus de l'organisme.

MÉTABOLISME DES PROTÉINES

Le métabolisme protéique regroupe deux activités : l'**anabolisme** (synthèse des protéines) et le **catabolisme** (dégradation ou décomposition des protéines). Le **bilan azoté** permet d'évaluer l'équilibre entre ces deux processus.

Anabolisme. Toutes les cellules du corps synthétisent des protéines à partir d'acides aminés. Cependant, chaque cellule construit certains types de protéines en fonction de ses caractéristiques propres – c'est-à-dire en fonction de ses gènes.

Catabolisme. Comme une cellule ne peut accumuler qu'une quantité limitée de protéines, les acides aminés excédentaires se transforment en graisse ou se décomposent pour fournir de l'énergie à l'organisme. C'est essentiellement dans le foie que survient cette décomposition protéique.

Bilan azoté. L'azote est l'élément qui distingue, d'une part, les protéines et, d'autre part, les lipides et les glucides. Le bilan azoté rend donc compte avec exactitude des dimensions protéiques de la nutrition ; c'est une mesure de l'anabolisme et du catabolisme des protéines. Il correspond à la différence entre la consommation et la perte d'azote. Il est donc nul quand la consommation d'azote est égale aux quantités utilisées par l'organisme : l'équilibre est atteint.

Lipides

Les **lipides** sont des substances organiques grasses et insolubles dans l'eau, mais solubles dans l'alcool ou l'éther. On distingue les **graisses** et les **huiles** : à température ambiante, les premières restent à l'état solide et les secondes se liquéfient. Dans le langage courant, on utilise indifféremment les termes *graisses*, *matières grasses* et *lipides*. Les lipides sont composés des mêmes éléments de base que les glucides (carbone, hydrogène et oxygène), mais la proportion d'hydrogène y est plus élevée.

Les **acides gras** sont faits d'hydrogène et de chaînes de carbone. Ils constituent les unités structurales de base de la plupart des lipides. On distingue les acides gras saturés et les acides gras insaturés, selon le nombre relatif d'atomes d'hydrogène de leur structure. On appelle **acides gras saturés** les acides gras dont tous les atomes de carbone sont saturés d'hydrogène (par exemple, l'acide butyrique du beurre). Les **acides gras insaturés** peuvent attirer plus d'atomes d'hydrogène qu'ils n'en comptent ; ils comportent au moins deux atomes de carbone qui ne sont pas liés à un atome d'hydrogène, mais qui sont associés entre eux par une liaison double. Les acides gras qui comptent une seule liaison double sont les **acides gras monoinsaturés** ; ceux qui comptent plus d'une liaison double (ou de nombreux atomes de carbone qui ne sont pas liés à un atome d'hydrogène) sont les **acides gras polyinsaturés** (par exemple, l'acide linoléique, qu'on trouve dans les huiles végétales). L'hydrogénation des huiles végétales est un procédé qui transforme les acides gras polyinsaturés en acides gras saturés, ce qui produit des **acides gras trans.** Le but de cette opération est d'affermir leur consistance. Ces acides gras trans sont, en fait, des acides gras insaturés qui ont tendance à se comporter comme des acides gras saturés. Les acides gras trans accroissent le nombre de lipoprotéines de basse densité (LDL) et réduisent celui des lipoprotéines de haute densité (HDL), ce qui en fait des composés encore plus dommageables pour la santé que les acides gras saturés.

Par ailleurs, les lipides sont simples ou composés, selon leur composition chimique. Les lipides simples, les **glycérides,** sont les plus répandus. Ils se composent d'une molécule de glycérol et d'une, deux ou trois molécules d'acides gras. Les **triglycérides** (qui comportent trois molécules d'acides gras) représentent plus de 90 % des lipides contenus dans les aliments ou dans le corps humain. Ils peuvent contenir des acides gras saturés ou insaturés. Les triglycérides saturés proviennent notamment des produits d'origine animale, tels que le beurre, et se maintiennent généralement à l'état solide à température ambiante. Les triglycérides insaturés sont souvent liquides à température ambiante et proviennent de produits végétaux, tels que l'huile d'olive ou de maïs.

Le **cholestérol** est une substance adipeuse (graisseuse) que le corps sécrète ou puise dans les aliments d'origine animale. La plus grande partie du cholestérol présent dans l'organisme est synthétisée par le foie. Une petite partie provient cependant de l'alimentation (par exemple, lait, jaune d'œuf, abats). Le cholestérol est indispensable à la production des acides biliaires et à la synthèse des stéroïdes hormonaux. À l'instar des phospholipides, le cholestérol est abondant dans la membrane cellulaire et dans d'autres structures cellulaires.

DIGESTION

La digestion chimique des lipides commence dans l'estomac, mais elle s'effectue pour l'essentiel dans l'intestin grêle – en particulier sous l'action de la bile, de la lipase pancréatique et de la lipase entérique (une enzyme intestinale). La digestion des lipides produit du glycérol, des acides gras et du cholestérol. Ces produits de digestion se recombinent immédiatement dans les cellules intestinales pour former des triglycérides et des esters du cholestérol (molécules de cholestérol appariées à des molécules d'acide gras), qui ne sont pas hydrosolubles. L'intestin grêle et le foie doivent transformer ces produits en composés solubles, les lipoprotéines, pour qu'ils soient transportés dans l'organisme et utilisés. Les **lipoprotéines** se composent de plusieurs lipides et d'une protéine.

Micronutriments

Les **vitamines** sont des composés organiques que le corps ne produit pas mais dont il a absolument besoin, quoiqu'en quantité limitée, pour catalyser les réactions métaboliques. Si l'alimentation n'apporte pas à l'organisme les vitamines dont il a besoin, des carences métaboliques se développent. Les vitamines se répartissent généralement en deux catégories : les vitamines hydrosolubles et les vitamines liposolubles.

Les **vitamines hydrosolubles** sont notamment la vitamine C et les vitamines du groupe B : B_1 (thiamine), B_2 (riboflavine ou lactoflavine), B_3 (niacine ou acide nicotinique), B_6 (pyridoxine), B_9 (acide folique), B_{12} (cobalamine), acide pantothénique et biotine. Notre organisme ne pouvant pas stocker les vitamines hydrosolubles, il est indispensable que notre alimentation nous en fournisse quotidiennement. Par ailleurs, la transformation, l'entreposage et la préparation des aliments peuvent détériorer les vitamines hydrosolubles.

Les **vitamines liposolubles** sont les vitamines A, D, E et K. L'organisme peut les stocker (en quantité limitée dans le cas des vitamines E et K). Il n'est donc pas indispensable que l'alimentation procure quotidiennement à l'organisme toutes les vitamines liposolubles dont il a besoin. Les produits frais consommés immédiatement après leur récolte sont les plus riches en vitamines.

Les **minéraux** se trouvent dans les composés organiques sous forme de composés inorganiques ou sous forme d'ions libres (en solution). L'oxydation des minéraux produit des cendres qui peuvent être acides ou alcalines. Le calcium et le phosphore représentent environ 80 % des minéraux du corps humain. On distingue deux catégories de minéraux : les macrominéraux et les microminéraux.

Les **macrominéraux** ont une teneur plus grande que 0,005 % du poids corporel, et nous devons consommer plus de 100 mg par jour de chacun de ces minéraux. Ce sont notamment le calcium, le phosphore, le sodium, le potassium, le magnésium, le chlore et le soufre.

Les **microminéraux** (ou **oligoéléments**) ont une teneur plus petite que 0,005 % du poids corporel et nous en avons besoin de moins de 100 mg par jour au total. Ce sont notamment le fer, le zinc, le manganèse, l'iode, le fluor, le cuivre, le cobalt, le chrome et le sélénium.

Les déséquilibres en minéraux peuvent provoquer différents problèmes de santé, par exemple l'anémie (carence en fer) et l'ostéoporose (déperdition de calcium osseux). Pour en apprendre davantage sur les minéraux et sur l'équilibre hydroélectrolytique de l'organisme, voir le chapitre 50 ⌐⌐.

Bilan énergétique

Le bilan énergétique est le rapport entre l'énergie que l'organisme tire des aliments et l'énergie qu'il utilise. L'organisme puise son énergie dans les glucides, les protéines, les lipides et l'alcool. Cette énergie sert aux activités volontaires (par exemple, marcher, parler) et involontaires (par exemple, respirer, sécréter des enzymes).

Apport énergétique

La calorie (cal) est l'unité d'énergie qui représente la quantité d'énergie nécessaire pour élever de 1°C la température de 1 g d'eau dont la température est à 15 °C. La kilocalorie (kcal) équivaut à 1 000 calories. Au Canada, depuis l'adoption du système international d'unités (système international, SI) en 1979, le joule (J) et le kilojoule (1 000 joules) remplacent la calorie et la kilocalorie quand il s'agit d'exprimer la teneur énergétique des aliments.

La **teneur énergétique** d'un aliment ou d'un nutriment est égale à la quantité d'énergie qu'il procure à l'organisme. Le **kilojoule** (**kJ**) en est l'unité de mesure de base et correspond à la quantité d'énergie déployée par une force de un newton (1 N) pour déplacer un poids de un kilogramme (1 kg) sur une distance de un mètre (1 m). En fait, quand on parle d'énergie, on devrait utiliser l'unité de mesure « kilojoule ». Cependant, comme l'étiquetage de nombreux produits alimentaires utilise plutôt les unités de mesure « calories » et « kilocalories », nous indiquons aussi, tout au long du chapitre, la valeur énergétique des aliments en kilocalories (pour faciliter la lecture, les valeurs sont arrondies). Précisons qu'une kilocalorie est égale à 4,19 kilojoules.

Les chercheurs ont déterminé l'énergie libérée par le métabolisme alimentaire comme suit :

- Glucides = 17 kJ/g (4 kcal/g)
- Protéines = 17 kJ/g (4 kcal/g)
- Lipides = 38 kJ/g (9 kcal/g)
- Alcool = 29 kJ/g (7 kcal/g)

Dépense énergétique

Le **métabolisme** est l'ensemble des réactions biochimiques et physiologiques qui permettent au corps de se développer et de rester en vie. La vitesse du métabolisme est le rythme auquel ces réactions chimiques libèrent de la chaleur. Le **taux métabolique basal** (ou **vitesse du métabolisme basal**) est la vitesse à laquelle le corps doit métaboliser les aliments pour maintenir le niveau d'énergie d'une personne éveillée et au repos. L'énergie que procurent les aliments entretient le métabolisme basal et sert aussi de « carburant » pour les activités du corps (marche, course, etc.).

Le **métabolisme basal** (dépense énergétique au repos) est la quantité d'énergie dont le corps a besoin pour maintenir ses fonctions de base. Il correspond au nombre de kilojoules indispensables au maintien de la vie : de 5 000 à 7 500 kJ/j (de 1 200 à 1 800 kcal/j) chez l'adulte, soit environ 100 kJ/kg (24 kcal/kg) de masse corporelle chez l'homme et 92 kJ/kg (22 kcal/kg) de masse corporelle chez la femme.

La dépense énergétique quotidienne réelle d'une personne dépend de son niveau d'activité et l'énergie supplémentaire nécessaire varie énormément. Par exemple, chez une jeune femme qui mène une vie plutôt sédentaire, la digestion et la marche pourraient nécessiter un surplus de 2 100 kJ (500 kcal). Les besoins énergétiques quotidiens d'un athlète peuvent augmenter de 12 500 kJ (3 000 kcal) pendant un entraînement pour une compétition. Dans la liste suivante, les pourcentages indiquent de façon approximative le rapport entre la dépense énergétique réelle nécessaire à certaines activités et la dépense énergétique au repos et à l'état d'éveil (métabolisme basal) :

Sommeil	90 %
Petits travaux ménagers	210 %
Marche normale	350 %
Gros travaux ménagers	400 %
Travail (première phase de l'accouchement)	500 %
Course à pied (vitesse moyenne), bicyclette, nage vigoureuse	700 %

Normes de la masse et du poids corporels

Pour maintenir un poids-santé, il faut préserver l'équilibre entre les apports nutritionnels et les dépenses énergétiques. D'une manière générale, quand la consommation énergétique quotidienne d'une personne est égale à ses besoins en énergie, son poids reste stable. Le **poids-santé** (ou **poids normal**) est le poids recommandé pour garder un état de santé optimal. Un groupe d'experts des normes pondérales, mandaté par le ministère de la Santé du Canada, a proposé l'utilisation de l'**indice de masse corporelle** (**IMC**). Cet indice est reconnu à l'échelle nationale et utilisé depuis 1988 comme mesure des risques liés au poids corporel pour la santé. Pour les personnes âgées de plus de 18 ans, l'IMC rend compte de l'évolution des stocks de graisse corporelle et indique les correspondances entre le poids et la taille. Dans certains cas, il peut être d'un précieux secours pour détecter la malnutrition. On doit l'utiliser avec précaution dans le cas des personnes qui font de la rétention hydrique (par exemple, ascite ou œdème), des athlètes et des personnes âgées. La méthode de calcul de l'IMC est la suivante :

1. Mesurer la taille de la personne en mètres (par exemple, 1,5 m).
2. Mesurer son poids en kilogrammes (par exemple, 60 kg).
3. Appliquer la formule de calcul suivante :

$$IMC = \frac{\text{Poids en kilogrammes}}{(\text{Taille en mètres})^2}$$

Appliquons la formule à notre exemple :

$$IMC = \frac{60 \text{ kg}}{(1,5 \text{ m})^2} = 26,7$$

L'indice de masse corporelle de cette personne est donc de 26,7.

L'encadré 45-1 propose une autre façon d'évaluer l'IMC; les figures qui accompagnent l'encadré illustrent la méthode du nomogramme. Le tableau 45-1 montre comment interpréter les résultats.

Une personne dont l'IMC est inférieur à 18,5 peut éprouver des problèmes de santé, tels que l'hypertension, des irrégularités cardiaques, des dépressions ou d'autres troubles émotionnels, l'anémie ou la diarrhée. Un IMC situé entre 18,5 et 24,9 signifie que la personne a un poids-santé (ou poids normal); pour conserver ce poids-santé, la personne doit maintenir un équilibre énergétique. Un IMC situé entre 25,0 et 29,9 est synonyme d'un risque accru pour la santé; la personne doit surveiller son poids. Chez la personne âgée, il semblerait que l'IMC associé au meilleur état de santé et de longévité se situe

entre 24 et 27. Or, plus l'IMC dépasse 30,0, plus les risques sont élevés de présenter des problèmes de santé, tels que l'hypertension, le diabète, une affection cardiaque, certains types de cancer, l'arthrite ou des troubles émotionnels attribuables au manque d'estime de soi (Dubost et Scheider, 2000; Santé Canada, 2003a). Comme il repose uniquement sur la taille et le poids, l'IMC peut fournir des résultats trompeurs pour certains groupes de personnes, par exemple les athlètes, les personnes âgées frêles et les enfants.

L'évaluation de l'ossature à partir de la mesure de la circonférence du poignet est également un indice efficace. La pondération de la mesure de l'ossature est différente selon qu'il s'agit d'un homme ou d'une femme et elle dépend de la taille de la personne. Chez l'homme, on n'utilise qu'une seule série de données, les différences étant négligeables chez les individus de moins de 1,63 cm (voir le tableau 45-2). Par ailleurs, la mesure du rapport tour de taille sur tour de hanches constitue probablement le meilleur indicateur pour estimer le risque de problèmes de santé associés à un excès de graisse abdominale (voir le tableau 45-3).

Facteurs déterminant l'alimentation

La planification des repas devrait reposer essentiellement sur le contenu nutritionnel des aliments. Cependant, les habitudes, les préférences et les aversions alimentaires d'un individu ont une influence majeure sur la nature et la quantité des aliments qu'il consomme. Plusieurs facteurs influent sur les habitudes alimentaires d'un individu : le stade de développement, le sexe, l'appartenance ethnique et culturelle, les croyances liées à l'alimentation, les goûts personnels, les pratiques religieuses, le mode de vie, la prise de médicaments et les autres traitements, l'état de santé, la consommation d'alcool, la publicité et les facteurs psychologiques.

La figure 45-3 ■ propose une description des facteurs associés à la modification du comportement alimentaire au cours d'une situation clinique dont l'objectif est de réduire l'apport de matières grasses. Cet exemple rend compte des nombreux facteurs déterminant l'alimentation d'une personne.

Stade de développement

Les périodes de croissance rapide (petite enfance et adolescence) se caractérisent par des besoins élevés en nutriments. À l'inverse, les personnes âgées ont besoin d'un apport énergétique moindre que les jeunes adultes, et le risque d'affections cardiaques, d'ostéoporose et d'hypertension les oblige souvent à modifier leur alimentation.

Sexe

Les différences de constitution et de fonction de reproduction qui existent entre les hommes et les femmes déterminent des besoins nutritionnels tout aussi différents. Les hommes ont une masse musculaire plus grande que celle des femmes, ce qui les oblige à consommer des aliments à plus forte teneur énergétique

Évaluation de l'indice de masse corporelle (IMC)

L'évaluation de l'indice de masse corporelle peut se faire à l'aide d'un nomogramme (figure 45-1 ■).

1. Tracer un X sur la ligne de l'échelle A correspondant à la taille de la personne (figure 45-2 ■).

2. Tracer un X sur la ligne de l'échelle B correspondant au poids de la personne.

3. À l'aide d'une règle, tracer une ligne pour relier les deux X et prolonger cette ligne jusqu'à l'échelle C.

4. Tracer un X sur le point d'intersection de la ligne avec l'échelle C. Ce point correspond à l'IMC de la personne.

Exemple :
Denis mesure 1,70 m et pèse 66 kg. Son indice de masse corporelle est d'un peu plus de 23.

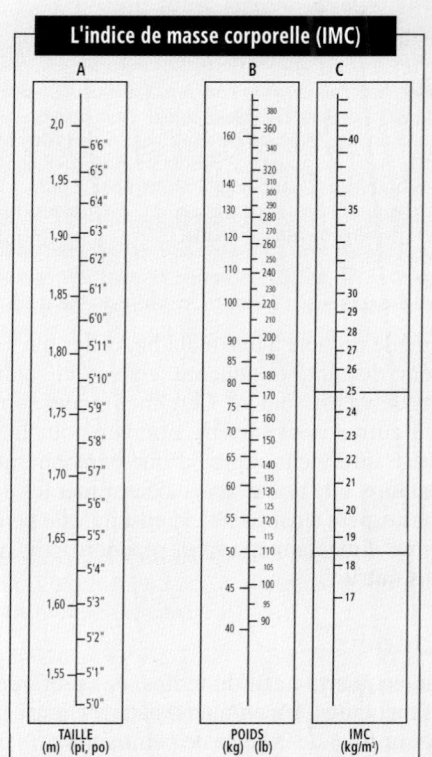

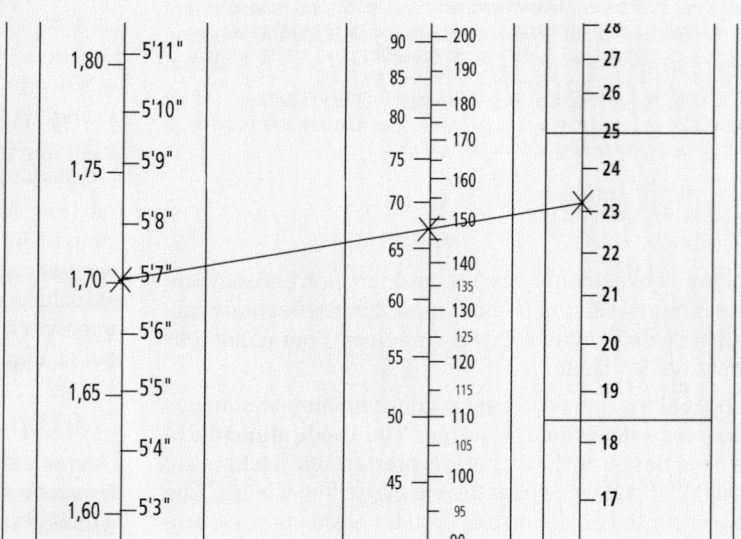

FIGURE **45-1** ■ Nomogramme servant à déterminer l'IMC.

FIGURE **45-2** ■ Exemple de calcul de l'IMC.

Source : *Lignes directrices canadiennes pour la classification du poids chez les adultes*, de Santé Canada, Bureau de la politique et de la promotion de la nutrition, Direction générale des produits de santé et des aliments, 2003, (page consultée le 8 mars 2005), [en ligne], <www.hc-sc.gc.cal/hpfb-dgpsa/onpp-bppn/bmi_chart_java_f.html>. Nomogramme de l'indice de masse corporelle adapté et reproduit avec la permission du Ministre des Travaux publics et Services gouvernementaux Canada, 2005.

et plus riches en protéines. Par ailleurs, compte tenu des menstruations, les femmes ont besoin d'un apport ferrique plus important que celui des hommes, et ce jusqu'à la ménopause. Enfin, les femmes enceintes ou qui allaitent doivent augmenter leur apport énergétique et liquidien.

Appartenance ethnique et culturelle

L'origine ethnique détermine en grande partie les goûts alimentaires. Les traditions culinaires persistent généralement bien au-delà des autres coutumes, que ce soit le riz pour les Asiatiques, les pâtes pour les Italiens ou le cari pour les Indiens.

L'infirmière doit éviter d'adopter l'attitude simpliste qui consiste à classer les aliments en deux groupes : les bons et les mauvais. Dans certaines circonstances, elle doit plutôt faire preuve d'ouverture d'esprit par rapport à la diversité alimen-

taire. Dans le domaine, les seules directives « universellement » acceptables sont les suivantes : (a) consommer une grande diversité d'aliments pour bénéficier d'un apport nutritionnel adéquat ; (b) manger modérément afin de garder un poids-santé. Il ne faut pas non plus oublier que les goûts alimentaires diffèrent non seulement d'un groupe ethnique à un autre, mais aussi d'un individu à l'autre dans le même groupe ethnique. Ainsi, les Italiens n'aiment pas tous la pizza et ils sont certainement très nombreux à raffoler de la cuisine mexicaine.

Croyances liées à l'alimentation

Nos choix alimentaires dépendent de nos croyances liées aux aliments et à leurs effets sur le bien-être et la santé. Certaines de ces croyances s'acquièrent sous l'influence de la télévision, des magazines et des autres médias. Par exemple, à la suite de

<table>
<tr><td colspan="3">Classification du risque pour la santé en fonction de l'indice de masse corporelle (IMC)</td><td>TABLEAU
45-1</td></tr>
</table>

Classification	Catégorie de l'IMC (kg/m²)	Risque de présenter des problèmes de santé
Poids insuffisant	< 18,5	Accru
Poids-santé (poids normal)	18,5 - 24,9	Moindre
Excès de poids	25,0 - 29,9	Accru
Obésité, classe I	30,0 - 34,9	Élevé
Obésité, classe II	35,0 - 39,9	Très élevé
Obésité, classe III	≥ 40,0	Extrêmement élevé

Source: *Lignes directrices canadiennes pour la classification du poids chez les adultes,* (p. 10), de Santé Canada, Bureau de la politique et de la promotion de la nutrition, Direction générale des produits de santé et des aliments, 2003, (page consultée le 2 novembre 2004), [en ligne], <www.hc-sc.gc.ca/hpfb-dgpsa/onpp-bppn/weight_book_f.pdf>. Tableau adapté et reproduit avec la permission du Ministre des Travaux publics et Services gouvernementaux Canada, 2005.

<table>
<tr><td colspan="3">Tour de taille</td><td>TABLEAU
45-3</td></tr>
</table>

Rapport taille-hanches	Tour de taille	
	Risque accru	Risque considérablement accru
Hommes : 1,0	≥ 94 cm	≥ 102 cm
Femmes : 0,8	≥ 80 cm	≥ 88 cm

Source: *Lignes directrices canadiennes pour la classification du poids chez les adultes,* (p. 21), de Santé Canada, Bureau de la politique et de la promotion de la nutrition, Direction générale des produits de santé et des aliments, 2003, (page consultée le 2 novembre 2004), [en ligne], <www.hc-sc.gc.ca/hpfb-dgpsa/onpp-bppn/weight_book_f.pdf>. Tableau adapté et reproduit avec la permission du Ministre des Travaux publics et Services gouvernementaux Canada, 2005.

recherches qui ont démontré que la consommation excessive de gras animal représentait un risque important d'affections cardiovasculaires, de nombreux Nord-Américains ont réduit leur consommation de viande.

Les modes alimentaires prônant la consommation d'aliments recherchés ou exotiques sont fréquentes. Une **mode alimentaire** est une vogue de courte durée, parfois presque une « religion », qu'un nombre important de gens suivent avec enthousiasme. Elle peut reposer sur la conviction que certains aliments possèdent des qualités exceptionnelles ou, à l'inverse, qu'ils s'avèrent nuisibles. L'encadré 45-2 rappelle quelques modes ou mythes alimentaires qui ont déjà suscité un engouement dans la population. Ces modes séduisent particulièrement les personnes qui

cherchent un remède miracle à une maladie, celles qui veulent améliorer leur état de santé ou, encore, celles qui souhaitent retarder les effets du vieillissement. Certaines modes sont inoffensives, mais d'autres peuvent être nocives pour la santé. Quand l'infirmière intervient auprès d'une personne qui suit une mode alimentaire, elle doit d'abord déterminer les besoins que cette personne espère ainsi combler ; ensuite, elle pourra lui proposer un régime alimentaire qui saura répondre à ses besoins tout en étant plus nutritif.

Goûts personnels

Chaque individu acquiert, au fil du temps, des préférences et des aversions alimentaires. Un enfant très attaché à ses grands-parents peut ainsi raffoler de la gelée de pommettes qu'il mange chez eux. Il pourra, par contre, détester le pot-au-feu que lui sert une tante austère pour laquelle il n'éprouve aucune affection. Ces préférences et aversions alimentaires persistent souvent jusqu'à l'âge adulte.

<table>
<tr><td>Mesure de la circonférence du poignet</td><td>TABLEAU
45-2</td></tr>
</table>

	Femmes		
	Taille		
Ossature	< 1,55 m	1,55 m - 1,63 m	> 1,63 m
Petite	< 140 mm	< 152 mm	< 159 mm
Moyenne	140 - 146 mm	152 - 159 mm	159 - 165 mm
Forte	> 146 mm	> 159 mm	> 165 mm

	Hommes
Ossature	Taille > 1,63 m
Petite	140 - 165 mm
Moyenne	165 - 191 mm
Forte	< 191 mm

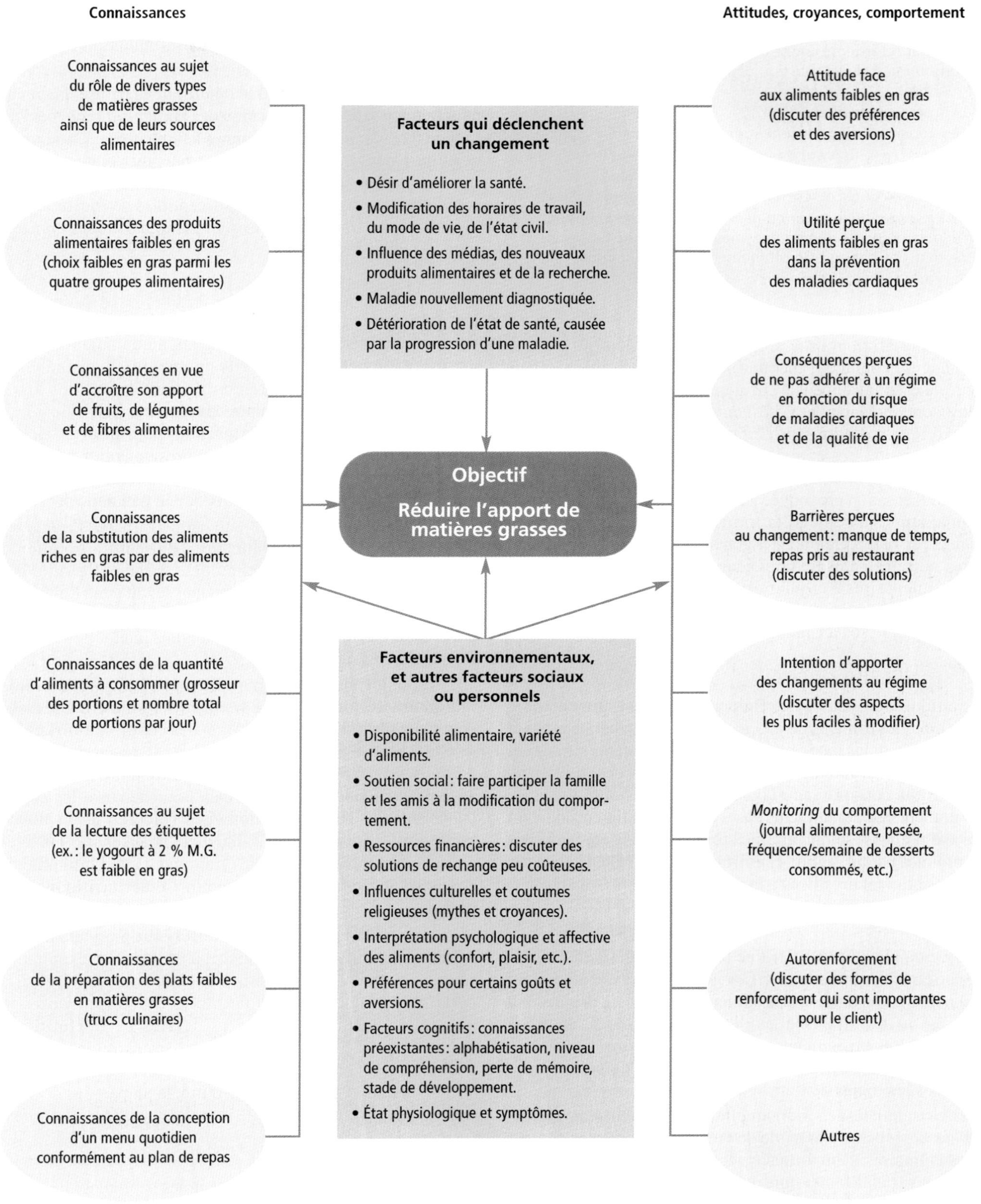

Connaissances

Attitudes, croyances, comportement

Connaissances au sujet
du rôle de divers types
de matières grasses
ainsi que de leurs sources
alimentaires

Connaissances des produits
alimentaires faibles en gras
(choix faibles en gras parmi les
quatre groupes alimentaires)

Connaissances en vue
d'accroître son apport
de fruits, de légumes
et de fibres alimentaires

Connaissances
de la substitution des aliments
riches en gras par des aliments
faibles en gras

Connaissances de la quantité
d'aliments à consommer (grosseur
des portions et nombre total
de portions par jour)

Connaissances au sujet
de la lecture des étiquettes
(ex.: le yogourt à 2 % M.G.
est faible en gras)

Connaissances
de la préparation des plats faibles
en matières grasses
(trucs culinaires)

Connaissances de la conception
d'un menu quotidien
conformément au plan de repas

**Facteurs qui déclenchent
un changement**

- Désir d'améliorer la santé.
- Modification des horaires de travail,
  du mode de vie, de l'état civil.
- Influence des médias, des nouveaux
  produits alimentaires et de la recherche.
- Maladie nouvellement diagnostiquée.
- Détérioration de l'état de santé, causée
  par la progression d'une maladie.

**Objectif
Réduire l'apport de
matières grasses**

**Facteurs environnementaux,
et autres facteurs sociaux
ou personnels**

- Disponibilité alimentaire, variété
  d'aliments.
- Soutien social: faire participer la famille
  et les amis à la modification du comportement.
- Ressources financières: discuter des
  solutions de rechange peu coûteuses.
- Influences culturelles et coutumes
  religieuses (mythes et croyances).
- Interprétation psychologique et affective
  des aliments (confort, plaisir, etc.).
- Préférences pour certains goûts et
  aversions.
- Facteurs cognitifs: connaissances
  préexistantes: alphabétisation, niveau
  de compréhension, perte de mémoire,
  stade de développement.
- État physiologique et symptômes.

Attitude face
aux aliments faibles en gras
(discuter des préférences
et des aversions)

Utilité perçue
des aliments faibles en gras
dans la prévention
des maladies cardiaques

Conséquences perçues
de ne pas adhérer à un régime
en fonction du risque
de maladies cardiaques
et de la qualité de vie

Barrières perçues
au changement: manque de temps,
repas pris au restaurant
(discuter des solutions)

Intention d'apporter
des changements au régime
(discuter des aspects
les plus faciles à modifier)

Monitoring du comportement
(journal alimentaire, pesée,
fréquence/semaine de desserts
consommés, etc.)

Autorenforcement
(discuter des formes de
renforcement qui sont importantes
pour le client)

Autres

FIGURE **45-3** ■ **Facteurs associés à la modification du comportement alimentaire au cours d'une situation clinique dont
l'objectif est de réduire l'apport de matières grasses.** (Source: I. Strychar, É. Blain, L. Mongeau, S. Simard-Mavrikakis,
L. Lavallée-Côté, M. Daigneault-Gélinas. Chapitre 1.1, Counseling nutritionnel et modification du comportement dans *Manuel de
nutrition clinique,* OPDQ, 2000, page 5.)

- On peut retarder les signes du vieillissement en consommant du yogourt ou de la vitamine E en grande quantité.
- Le fromage constipe.
- Le chou et les oignons font surir le lait maternel.
- Les œufs crus, le bœuf maigre saignant et les huîtres accroissent la puissance sexuelle et la fertilité.
- Le pain, les pâtes et les pommes de terre font engraisser.
- Il faut éviter de manger en même temps des légumes et du poisson parce que les enzymes digestives de l'estomac ne peuvent pas agir simultanément sur ces aliments.
- Sauter un repas fait maigrir.

Les goûts alimentaires sont par ailleurs déterminés par l'habitude (le connu et l'inconnu). Il est courant qu'un enfant déclare détester un aliment avant même d'y avoir goûté. Certains adultes sont audacieux et n'hésitent pas à essayer les plats les plus exotiques; d'autres préfèrent manger tout le temps les mêmes aliments. Les choix alimentaires dépendent aussi des préférences personnelles liées aux aliments: la saveur, l'odeur, la flaveur (sensation provoquée à la fois par la saveur et l'odeur), la température, la couleur, la forme et la taille. Par exemple, certaines personnes préfèrent les goûts aigres et doux aux saveurs amères ou salées. Les textures jouent un rôle majeur dans les goûts alimentaires: on peut ainsi préférer le croustillant à l'onctueux, le ferme au mou, le tendre au râpeux, le crémeux au granuleux, le sec à l'humide, etc.

Pratiques religieuses

Les pratiques religieuses déterminent en partie l'alimentation. Les catholiques romains devraient en principe éviter de manger de la viande certains jours; plusieurs cultes protestants interdisent la viande, le thé, le café ou l'alcool. L'islam et le judaïsme interdisent la consommation de porc. Les juifs orthodoxes ne consomment que des aliments casher: certains aliments doivent avoir été préparés selon certaines règles et avoir été inspectés et approuvés par un rabbin. L'infirmière doit être sensible à ces pratiques alimentaires liées à la religion.

Mode de vie

Le mode de vie peut exercer une influence importante sur les comportements alimentaires. Les gens toujours pressés sont plus enclins à consommer des aliments pratiques, des plats tout préparés ou des repas à emporter commandés dans les restaurants. Les gens qui passent de longues heures à la maison sont parfois plus disposés à prendre le temps de préparer des repas dans les règles de l'art.

Les caractéristiques individuelles déterminent par ailleurs certaines dimensions du mode de vie (par exemple, les compétences culinaires, l'importance accordée à la santé). Les personnes qui travaillent selon un horaire moins répandu (par exemple, le soir ou la nuit) doivent généralement y adapter leurs habitudes alimentaires et modifier l'horaire de prise de médicaments, en particulier si celle-ci est liée aux repas.

Parmi tous les facteurs physiologiques, c'est l'activité musculaire qui influe le plus sur la vitesse du métabolisme.

Plus l'activité d'un individu est intense et pénible, plus son métabolisme accélère. Par exemple, le fait de rester allongé, même éveillé, entraîne une dépense énergétique de 0,418 kJ/kg/h (0,1 kcal/kg/h), ce qui représente une stimulation du métabolisme qui reste bien modeste.

Le niveau socioéconomique détermine la nature, la quantité et la fréquence de consommation des aliments qu'une personne mange. Par exemple, les personnes à faible revenu, notamment certaines personnes âgées, n'ont pas souvent les moyens d'acheter de la viande et des légumes frais. À l'inverse, les personnes à revenu élevé sont plus susceptibles de consommer des protéines et des matières grasses, mais moins de consommer des glucides complexes.

Prise de médicaments et autres traitements

Les effets que les médicaments peuvent avoir sur l'alimentation varient considérablement. Ainsi, les médicaments peuvent modifier l'appétit, perturber les perceptions gustatives ou, encore, entraver l'absorption ou l'excrétion des nutriments. L'infirmière doit donc connaître les répercussions que peuvent avoir les médicaments sur la nutrition pour pouvoir analyser avec justesse les problèmes alimentaires potentiels; l'entretien d'évaluation qui complète l'anamnèse lui permettra notamment d'établir la liste des médicaments que la personne prend.

Inversement, les aliments peuvent perturber les traitements médicamenteux. Certains aliments réduisent l'absorption des médicaments, d'autres la stimulent. Prenons l'exemple des antibiotiques: le calcium contenu dans le lait gêne l'absorption de la tétracycline, mais favorise celle de l'érythromycine. Le tableau 45-4 passe en revue quelques interactions entre les aliments et les médicaments.

Certains traitements (par exemple, chimiothérapie et radiothérapie) ont par ailleurs d'importantes répercussions négatives sur l'alimentation. Ainsi, les cellules normales de la moelle osseuse et de la muqueuse gastro-intestinale sont naturellement très actives et particulièrement sensibles aux agents antinéoplasiques (utilisés pour détruire les cellules cancéreuses). Divers phénomènes (ulcères de la bouche, hémorragies intestinales et diarrhées) causés par les agents antinéoplasiques toxiques des traitements de chimiothérapie concourent à détériorer gravement l'état nutritionnel de la personne.

La radiothérapie produit des effets sur l'organisme, bien différents selon la partie du corps traitée. Par exemple, les séances de radiothérapie de la tête et du cou produisent, dans certains cas, une diminution des sécrétions salivaires, des anomalies gustatives et des difficultés de déglutition; la radiothérapie de l'abdomen et du bassin entraîne parfois des problèmes d'absorption des nutriments, des nausées, des vomissements et la diarrhée. En outre, la plupart des personnes traitées éprouvent une fatigue intense et souffrent d'anorexie.

État de santé

L'état de santé influe grandement sur les habitudes alimentaires et l'état nutritionnel. L'absence de certaines dents, la malocclusion et les douleurs buccales empêchent souvent la mastication efficace des aliments. La **dysphagie** (difficulté à déglutir) causée par une inflammation douloureuse de la gorge ou une constriction (resserrement) de l'œsophage provoque, dans certains

Quelques interactions entre les aliments et les médicaments	45-4

Médicaments	Répercussions sur l'alimentation
Acide acétylsalicylique (aspirine) et autres salicylates	Peuvent causer des nausées et des gastrites. À hautes doses : ▪ Diminue la concentration des folates dans le sérum et l'absorption de la folacine. ▪ Stimule l'excrétion de la vitamine C, de la thiamine, du potassium, des acides aminés et du glucose.
Antiacides contenant de l'hydroxyde d'aluminium ou de magnésium	Diminuent l'absorption des phosphates et de la vitamine A. Désactivent la thiamine. Peuvent provoquer des carences en calcium et en vitamine D. Antiacides contenant de l'hydroxyde d'aluminium : peuvent causer de la constipation et l'hypophosphatémie. Antiacides contenant de l'hydroxyde de magnésium : peuvent causer la diarrhée et l'hypermagnésémie.
Diurétiques thiazidiques	Augmentent l'excrétion du sodium, du potassium et du magnésium. Diminuent l'excrétion du calcium. Peuvent causer de l'anorexie, des nausées ou vomissements, de la constipation.
Diurétiques de l'anse	Augmentent l'excrétion du sodium, du potassium, du magnésium et du calcium.
Chlorure de potassium	Peut causer l'anorexie, des nausées ou des vomissements. Est incompatible avec les hydrolysats protéiques.
Laxatifs	En usage chronique, peuvent causer une déplétion du calcium, du sodium et du potassium. Les huiles minérales diminuent l'absorption des vitamines A, D, E et K.
Antihypertenseurs	Peuvent provoquer de la sécheresse buccale, des nausées, des vomissements, la diarrhée et la constipation. L'hydralazine (Apresoline) peut causer l'anorexie, des vomissements, des nausées et la constipation. Le méthyldopa (Aldomet) à haute dose augmente les besoins en vitamine B_{12} et en folates.
Colchicine	Diminue l'absorption de la vitamine B_{12}, du carotène, des matières grasses, du lactose, du sodium, du potassium, des protéines et du cholestérol.
Antipsychotiques atypiques	Peuvent augmenter l'appétit et entraîner un gain de poids.
Antidépresseurs	Peuvent causer des nausées et vomissements, de la sécheresse buccale et de la constipation ou de la diarrhée. Peuvent stimuler l'appétit ou causer de l'anorexie. L'effet est variable d'une personne à l'autre et selon le médicament et la dose utilisés.
Corticostéroïdes	Augmentent l'appétit. Diminuent l'absorption du calcium et du phosphore.
Agents antinéoplasiques	Peuvent provoquer des nausées, des vomissements, la malabsorption et la diarrhée.
Aliments et nutriments	**Répercussions sur la médication**
Pamplemousse	Peut augmenter les effets et la toxicité de plusieurs médicaments dont l'amlodipine (Norvasc), la nifédipine (Adalat), l'érythromycine (Erythrocin), la carbamazépine (Tegretol), la cyclosporine (Neoral), le saquinavir (Fortovase), le vérapamil (Isoptin), le sirolimus (Rapamune), le tacrolimus (Prograf).
Vitamine K	Peut diminuer l'efficacité de la warfarine (Coumadin).
Tyramine (surtout présente dans les aliments vieillis ou fermentés comme les fromages vieillis, la bière, le vin, les saucisses séchées, le soja fermenté et la choucroute)	Est contre-indiquée en combinaison avec les inhibiteurs de la monoamine oxydase (IMAO) ; par exemple, la phénelzine (Nardil) et la tranylcypromine (Parnate).
Lait et produits laitiers	Entrave l'absorption des antibiotiques de la famille des tétracyclines et des fluoroquinolones.

cas, des carences (ou insuffisances) alimentaires. Les affections et les opérations chirurgicales du tractus gastro-intestinal peuvent influer sur la digestion, l'absorption, le métabolisme et l'excrétion des nutriments essentiels. Plusieurs affections, gastro-intestinales et autres, entraînent l'anorexie ou des nausées, des vomissements ou la diarrhée – et ces affections sont susceptibles de diminuer l'appétit et de détériorer l'état nutritionnel de la personne atteinte. Les calculs biliaires, qui gênent l'écoulement de la bile, causent très souvent des problèmes de digestion des lipides. Les

affections hépatiques peuvent dérégler les processus métaboliques. Enfin, les affections du pancréas nuisent souvent au métabolisme du glucose ou à la digestion des matières grasses.

«Près de 75 % de la population mondiale tolère mal le lait d'origine animale et ses dérivés.» (Service Vie Santé, 2004) Au Canada, l'**intolérance au lactose** touche entre 70 et 90 % des Amérindiens et des Inuits. Les personnes qui souffrent d'une intolérance au lactose (sucre du lait) accusent une déficience en lactase, une enzyme du système digestif indispensable à la décomposition du lactose et à sa transformation en glucose et en galactose afin qu'il soit absorbé par l'intestin.

Consommation d'alcool

La teneur énergétique totale des boissons alcoolisées représente la somme de la teneur énergétique de l'alcool lui-même et de la teneur énergétique du jus de fruits ou d'un autre liquide ajouté au cocktail. Au total, ces boissons peuvent avoir une teneur énergétique impressionnante: 630 kJ (150 kcal) pour un verre de bière ordinaire de 350 mL; 672 kJ (160 kcal) pour une vodka-orange (40 mL de vodka; 120 mL de jus d'orange). La consommation d'alcool fait prendre du poids de deux façons: d'une part, la teneur énergétique des boissons alcoolisées s'ajoute à celle des repas proprement dits; d'autre part, l'alcool a des répercussions négatives sur le métabolisme des graisses. Seule une quantité minime de l'alcool bu se transforme directement en graisse; le reste est transformé en acétate par le foie. Or, l'organisme utilise cet acétate libéré dans le flux sanguin comme source d'énergie au lieu de se servir des graisses; celles-ci ont donc tendance à s'accumuler dans l'organisme. Une étude indique que le rythme du métabolisme des graisses baisse de 73 % après seulement deux boissons alcoolisées (Siler, Neese et Hellerstein, 1999).

Une consommation excessive d'alcool peut également favoriser les carences nutritionnelles, et ce pour plusieurs raisons. Chez certaines personnes, l'alcool remplace les aliments et diminue leur appétit. Bu en quantité excessive, l'alcool a un effet toxique sur la muqueuse intestinale, ce qui entrave l'absorption des nutriments. La consommation d'alcool augmente les besoins en vitamines du groupe B, nécessaires au métabolisme de l'alcool. Enfin, les boissons alcoolisées détériorent la capacité de l'organisme à emmagasiner les nutriments et en stimulent le catabolisme et l'excrétion.

Publicité

Les producteurs d'aliments tentent constamment de convaincre les consommateurs d'acheter leurs produits au lieu de ceux de leurs concurrents. Ils font appel à des artistes bien connus pour influencer le public des stations de télévision ou de radio. Les analystes confirment que la publicité influe dans une certaine mesure sur les choix et les habitudes alimentaires des personnes qui y sont exposées. Il est à noter que certains produits (par exemple, boissons alcoolisées, mélanges à gâteaux et autres desserts, soupes, thé, café, repas surgelés et boissons gazeuses) font l'objet de campagnes publicitaires plus massives que d'autres (par exemple, lait, poissons et fruits de mer en boîte, pain, fromage, volaille, fruits et légumes).

Les messages publicitaires pour les plantes (tisanes, gélules ou autres) et pour les suppléments alimentaires se sont multipliés ces dernières années. Ils s'adressent particulièrement aux personnes âgées. Certains de ces produits ne présentent aucun danger sur le plan nutritionnel; d'autres peuvent cependant provoquer des interactions médicamenteuses ou des effets secondaires inattendus. Par ailleurs, ces produits coûtent généralement cher; leur achat peut empêcher les personnes âgées d'acheter des aliments nourrissants.

Facteurs psychologiques

Certaines personnes ont tendance à trop manger quand elles sont exposées au stress, à la déprime, à la dépression ou au sentiment de solitude; dans ces mêmes circonstances, d'autres individus sont plutôt enclins à sauter des repas ou à réduire leurs portions. L'**anorexie**, qui est la perte ou la diminution de l'appétit, et la perte de poids sont parfois révélatrices de stress ou de dépression grave. L'anorexie mentale et la boulimie constituent des affections psychophysiologiques qui touchent le plus souvent les adolescentes.

Besoins nutritionnels à travers les âges de la vie

Les besoins nutritionnels de l'être humain varient considérablement selon l'étape de croissance et de développement où il se situe. On trouvera ci-après les caractéristiques de chaque stade du développement ainsi que les principales directives qui y sont pertinentes (pour en apprendre davantage sur les stades du développement, voir le chapitre 21 ⊙).

Nouveau-né et nourrisson (de la naissance à un an)

Le lait maternel ou maternisé comble tous les besoins du nouveau-né en liquides et en nutriments. Les nouveau-nés et les nourrissons doivent consommer proportionnellement plus de liquides que les adultes pour trois raisons: leur métabolisme est plus rapide; leurs reins ne sont pas encore parfaitement développés; ils perdent plus d'eau par la peau et les poumons, surtout parce que leur respiration est plus rapide. L'équilibre liquidien constitue donc un facteur critique de la santé du nouveau-né. Dans des conditions climatiques normales, il est inutile de donner une quantité supplémentaire d'eau à l'enfant. Par contre, par temps très chaud, la prudence recommande d'accroître l'apport liquidien.

Les besoins nutritionnels quotidiens du nouveau-né s'établissent entre 80 et 100 mL de lait maternel ou maternisé par kilogramme de masse corporelle. Le nouveau-né possède une capacité stomacale d'environ 90 mL et doit être nourri toutes les 2,5 à 4 heures.

On nourrit généralement le nouveau-né «à la demande». L'**alimentation à la demande** consiste à faire boire le nouveau-né dès qu'il exprime sa faim ou sa soif. Cette méthode réduit généralement le risque de suralimentation ou de sous-alimentation. Les besoins énergétiques quotidiens du nouveau-né sont d'environ 2 500 kJ (600 kcal). Quand il a faim, le nouveau-né pleure, et tout son corps devient tendu; il tète dès qu'on lui présente le sein ou le biberon. Il est important de le faire éructer régulièrement pendant l'alimentation: tous les 30 mL s'il est nourri au lait maternisé ou toutes les cinq minutes s'il est allaité au sein. Les parents doivent savoir qu'il ne faut jamais placer le biberon à la verticale pendant l'allaitement, car cela représente un véritable danger d'aspiration ou de suffocation.

Quand l'enfant commence à être repu, il ralentit le rythme de la tétée ou s'endort. Dans ce cas, il ne faut pas l'obliger à continuer, car le surplus de lait pourrait provoquer des malaises ou la suralimentation. Une fois que l'enfant a fini de boire, on doit le coucher sur le dos. D'ailleurs, il est important de toujours utiliser cette position chez le nouveau-né et le nourrisson en bonne santé pendant les six premiers mois afin de réduire le risque de syndrome de mort subite du nourrisson (SMSN) (voir le chapitre 22 ⊙).

Durant la première année de vie, les **régurgitations** (ou reflux d'aliments) se produisent fréquemment pendant ou après le repas. Bien qu'elles inquiètent parfois les parents, elles sont peu susceptibles d'entraîner des carences nutritionnelles. Pour assurer une alimentation suffisante à leur enfant, les parents doivent plutôt surveiller sa prise de poids. Les besoins énergétiques quotidiens d'un nourrisson sont d'environ 3 800 kJ (900 kcal).

L'intégration d'aliments solides au régime du nourrisson intervient en moyenne entre le quatrième et le sixième mois. À six mois, le bébé arrive à se tenir assis, il peut saisir une cuillère entre ses doigts et son réflexe de succion commence à régresser : il est donc mieux outillé pour manger des aliments solides. On intègre successivement ces derniers aux repas sous forme de purées ou de bouillies, en général dans l'ordre suivant : céréales (riz), fruits, légumes jaunes, légumes verts et viandes. On doit intégrer les nouveaux aliments un par un, de préférence à intervalles d'au moins cinq jours pour vérifier si l'enfant les tolère bien et n'y est pas allergique. L'ordre d'intégration des aliments solides varie selon le milieu culturel. Dès que ses dents sortent, vers l'âge de sept ou neuf mois, l'enfant peut commencer à mastiquer et il découvre de nouvelles textures alimentaires. Il aime alors manger avec ses doigts : des morceaux de fruits (petits et pelés pour éviter de provoquer la suffocation), des céréales sèches, du pain grillé, etc.

Vers l'âge de six mois, le nourrisson doit recevoir des suppléments de fer pour éviter l'**anémie ferriprive**. Cette forme d'anémie résulte d'une consommation de fer insuffisante pour permettre de catalyser la synthèse de l'hémoglobine. On recommande généralement les céréales enrichies de fer dès l'âge de 6 mois, et elles peuvent faire partie du régime alimentaire de l'enfant jusqu'à l'âge de 18 mois.

Que le bébé soit nourri au sein ou au biberon, le sevrage se fait de manière graduelle et s'achève le plus souvent vers l'âge de un an. L'enfant peut alors commencer à boire dans une tasse. Certains ont du mal à renoncer à leur biberon, en particulier au coucher et à l'heure de la sieste. Les parents doivent savoir qu'il ne faut pas laisser le biberon à l'enfant quand ils le mettent au lit, car cette habitude risque de provoquer le **syndrome du biberon** : le contact prolongé avec le liquide sucré du biberon finit par causer des caries et abîmer la dentition. Certains dentistes recommandent de brosser ou de nettoyer les dents du nouveau-né pour prévenir les caries dentaires, surtout dans le cas des enfants qui ne peuvent pas s'endormir sans biberon le soir ou à l'heure de la sieste. Pour faciliter le sevrage du biberon, les parents peuvent diluer de plus en plus le lait maternisé avec de l'eau, jusqu'à ce que le bébé ne tète plus que de l'eau. Vers un an, la plupart des bébés mangent les mêmes aliments que les adultes et consomment quotidiennement environ 560 mL de lait.

Trottineur (de un à trois ans)

Comme sa fonction gastro-intestinale est de plus en plus développée, le trottineur peut digérer la plupart des aliments et prendre trois repas par jour. Il possède par ailleurs une dextérité suffisante pour manger seul. Toutefois, jusqu'à l'âge de 20 mois, il a généralement besoin d'aide pour boire dans un verre ou dans une tasse, car il maîtrise encore mal les mouvements des poignets. À trois ans, la plupart de ses dents de lait sont sorties et l'enfant peut alors mordre dans les mêmes aliments que les adultes et les mastiquer.

Le trottineur refuse parfois certains aliments dans le seul but d'exprimer son indépendance. Comme sa capacité d'attention est limitée et que les distractions sont nombreuses, les parents auront avantage à limiter la durée des repas. Attaché aux rituels, le trottineur aime généralement manger ses aliments dans un certain ordre, les couper d'une manière bien précise ou accompagner systématiquement certains plats de la même boisson.

Le risque d'insuffisance liquidienne est moins important chez le trottineur que chez le nourrisson. Sa fonction gastro-intestinale est plus développée et les liquides représentent un pourcentage moins important de sa masse corporelle. Un enfant de 15 kg en bonne santé doit boire environ 1 250 mL de liquide chaque jour.

Comme sa croissance ralentit, le trottineur a des besoins énergétiques moindres que ceux du nourrisson : de 3 780 kJ à 7 560 kJ (de 900 kcal à 1 800 kcal) par jour. Entre 12 et 24 mois, les parents ajoutent généralement aux repas du trottineur quelques aliments qu'ils mangent eux-mêmes. Ils ont avantage à lire attentivement les étiquettes et à se rappeler que les aliments ordinaires sont plus diversifiés, coûtent moins cher et sont plus nourrissants que les aliments pour bébés déjà préparés. Le *Guide alimentaire canadien pour manger sainement* (voir plus loin dans le texte) aidera l'infirmière à analyser l'alimentation du trottineur en compagnie des parents. L'infirmière devra par ailleurs souligner l'importance du fer, du calcium et des vitamines C et A, dont on observe couramment la carence chez les trottineurs.

Les recommandations suivantes pourront aider les parents à répondre aux besoins nutritionnels de leur enfant et à établir avec lui des interactions fructueuses :

- L'ambiance des repas doit être agréable : éviter les tensions ; éviter de revenir sur les comportements discutables de l'enfant.
- Servir de petites portions d'aliments simples, attrayants et diversifiés ; éviter les plats cuisinés avec plusieurs ingrédients (par exemple, les ragoûts).
- Si l'enfant refuse de manger, ne jamais se servir d'un aliment comme punition ou récompense.
- Établir l'horaire des repas, des périodes de sommeil et des collations de manière que l'enfant soit calme et ait faim au moment de passer à table.
- Éviter de servir systématiquement des desserts sucrés (par exemple, pâtisserie, gâteau) à tous les repas ; servir plutôt des fruits frais.

Enfant d'âge préscolaire (quatre et cinq ans)

L'enfant d'âge préscolaire mange les mêmes aliments que les adultes. Pour combler tous ses besoins nutritionnels, les parents doivent s'informer sur la teneur des repas servis à la garderie ou à la maternelle. Les enfants de cet âge sont très actifs et ont parfois tendance à expédier les repas pour retourner jouer au plus vite. À quatre ans, l'enfant a encore besoin de l'aide de ses parents pour couper la viande et il lui arrive de renverser du lait ou du jus de fruits. Les parents doivent montrer à l'enfant d'âge préscolaire comment utiliser les ustensiles de table et lui fournir de nombreuses occasions de le faire (par exemple, lui demander de beurrer son pain). Il n'est cependant pas rare que les enfants d'âge préscolaire mangent encore avec leurs doigts. Pour eux, les bonnes manières à table représentent tout au plus une amusante curiosité… Comme il est particulièrement actif, l'enfant d'âge préscolaire doit en général prendre des collations entre les repas. Le fromage, les fruits, le yogourt, les crudités et le lait offrent d'intéressantes possibilités à cet égard. Les enfants de cet âge aiment généralement aider leurs parents à faire la cuisine, et il est bon d'encourager tant les garçons que les filles à le faire.

L'insuffisance liquidienne représente un risque encore moins important pour l'enfant d'âge préscolaire que pour le trotteur. En moyenne, un enfant âgé de 5 ans et pesant 20 kg doit boire quotidiennement au moins 75 mL de liquide par kilogramme de masse corporelle, soit 1 500 mL environ.

Enfant d'âge scolaire (de 6 à 12 ans)

À cet âge marqué par une forte croissance, une bonne alimentation demeure une priorité. L'enfant d'âge scolaire a besoin d'un régime alimentaire équilibré de 8 500 kJ (2 000 kcal) par jour. Il prend trois repas et une ou deux collations nutritives par jour. Au petit-déjeuner, il doit consommer des aliments riches en protéines afin de pouvoir fournir les efforts physiques et mentaux prolongés que l'école exige de lui. Les études montrent que les enfants qui ne déjeunent pas deviennent distraits et agités vers la fin de l'avant-midi et que leur capacité de résoudre des problèmes est inférieure à celle de leurs camarades. Les enfants d'âge scolaire qui n'ont pas une alimentation suffisante se fatiguent rapidement et sont plus exposés aux infections, ce qui augmente le risque d'absentéisme.

Un enfant âgé de 8 ans, en bonne santé et pesant 30 kg doit boire quotidiennement environ 1 750 mL de liquide. De nombreux enfants d'âge scolaire ne prennent en famille qu'un seul repas par jour, soit le souper. Les repas pris en famille doivent être des moments de convivialité appréciés de tous. Les parents doivent par conséquent éviter de faire allusion aux mauvaises habitudes alimentaires de l'enfant à ce moment-là. Ils se rappelleront par ailleurs que c'est en observant leurs parents que les enfants acquièrent la plupart de leurs habitudes, y compris les habitudes alimentaires. Il est donc primordial que tous les membres de la famille maintiennent une alimentation équilibrée.

Beaucoup d'enfants d'âge scolaire dînent à l'école. Ils peuvent apporter leur boîte à lunch ou s'acheter à manger à la cafétéria. Cette liberté peut être source de nombreux problèmes alimentaires. L'enfant peut en effet être tenté d'échanger son repas, de ne pas le manger ou, encore, d'acheter des bonbons ou d'autres aliments peu nutritifs avec l'argent que ses parents lui ont confié. Ceux-ci doivent discuter avec l'enfant des aliments à privilégier et maintenir à la maison un régime alimentaire sain et équilibré.

Les mauvaises habitudes alimentaires peuvent causer l'obésité. Il arrive souvent que les enfants d'âge scolaire obèses réduisent leurs activités physiques et éprouvent des problèmes psychosociaux. En effet, les enfants obèses sont exposés aux moqueries de leurs camarades et à l'ostracisme – un rejet qui concourt à détériorer l'estime de soi. Dans ce cas, le conseil psychologique portera notamment sur les points suivants :

- Analyse des habitudes alimentaires de l'enfant, y compris les collations
- Modification de la teneur des repas ; amélioration de la qualité et de la variété
- Implantation d'un système de récompenses non alimentaires
- Mise en place d'un programme régulier d'exercice physique

Adolescent (de 12 à 18 ans)

Les besoins en nutriments et en énergie augmentent à l'adolescence (surtout pendant la poussée de croissance), notamment pour les protéines, le calcium, la vitamine D, le fer et les vitamines du groupe B. Pour avoir un régime alimentaire adapté à sa physiologie, l'adolescent doit manger une quantité suffisante de viande et de substituts, de produits laitiers, de légumes, de fruits, de pain et de céréales. Le calcium consommé pendant l'adolescence (de 1 200 à 1 500 mg/jour) peut réduire le risque d'ostéoporose (diminution de la densité osseuse) dans les années ultérieures (Committee on Nutrition, American Academy of Pediatrics, 1999).

Les parents ont souvent l'impression que les adolescents, surtout les garçons, mangent tout le temps. En fait, les adolescents mènent une vie très active et ont des habitudes alimentaires très irrégulières. Ils suivent souvent un régime alimentaire ou grignotent à toute heure du jour, privilégiant alors des aliments très énergétiques, tels que les beignes, les boissons gazeuses, la crème glacée, les frites et les hamburgers. L'infirmière et les parents peuvent les aider à adopter durablement des habitudes alimentaires plus saines en les incitant à privilégier les collations santé (par exemple, les fruits et le fromage). Dans le même esprit, les parents ont avantage à limiter la présence d'aliments peu nutritifs dans la maison. Il faut toutefois savoir que les choix alimentaires des adolescents reposent sur des impulsions et des facteurs physiques, sociaux et émotifs. Par ailleurs, les adolescents résistent souvent aux conseils éclairés de leur entourage… L'infirmière rappellera aux parents que l'adolescent doit prendre ses propres décisions et en assumer les conséquences dans différents domaines, y compris son alimentation. Elle leur conseillera d'éviter d'entrer en conflit avec leurs enfants adolescents au sujet de l'alimentation.

Plusieurs problèmes touchant à la fois l'alimentation et l'estime de soi sont relativement courants à l'adolescence, en particulier l'obésité, l'anorexie mentale et la boulimie.

Fréquente à la préadolescence, l'obésité continue d'être un problème au cours des quelques années qui suivent. Les adolescents obèses se sentent souvent laids et exclus de la société ; ils sont très exposés à la dépression. Dans ce groupe d'âge, on traite l'obésité en donnant de l'information nutritionnelle à la personne concernée, en utilisant des interventions ciblées pour résoudre les problèmes psychosociaux à l'origine de la surconsommation alimentaire et en favorisant la pratique régulière d'activité physique.

Soumis au modèle social de minceur, certains adolescents réduisent considérablement leur alimentation, parfois très audessous du minimum dont leur organisme a besoin pour se développer normalement. Dans certains cas, l'adolescent présente ainsi un trouble de l'alimentation, tel que l'anorexie ou la boulimie. Ces affections psychophysiologiques graves frappent surtout les adolescentes et les jeunes femmes. L'**anorexie mentale** se caractérise par l'incapacité ou le refus prolongé de manger, par la perte rapide de poids et par l'émaciation (amaigrissement extrême) chez une personne qui continue néanmoins de se trouver grosse. Il n'est pas rare que les anorexiques se fassent vomir ou prennent des diurétiques et des laxatifs pour éviter de prendre du poids. La **boulimie** est une compulsion, irrépressible par définition, qui pousse la personne à consommer des quantités considérables de nourriture et à les expulser par la suite en se faisant vomir ou en prenant des laxatifs. Le meilleur traitement de l'anorexie mentale et de la boulimie est de recourir à la psychothérapie le plus tôt possible après l'apparition de l'affection. Si la privation alimentaire met en danger la vie de l'adolescent, l'hospitalisation s'avère généralement indispensable.

Jeune adulte (de 20 à 40 ans)

En général, un individu maintient tout au long de sa vie les habitudes alimentaires qu'il a acquises au début de l'âge adulte. La plupart des jeunes adultes connaissent les groupes alimentaires, mais ils n'ont pas une idée très claire du nombre de portions à consommer chaque jour ou de la quantité que représente une portion. L'infirmière peut leur proposer différentes ressources susceptibles de les aider à mieux se nourrir, par exemple une liste ou un tableau indiquant les aliments de chaque groupe alimentaire et les quantités à consommer quotidiennement.

Les jeunes femmes doivent veiller à consommer suffisamment de fer. Il n'est pas rare en effet que l'alimentation quotidienne ne couvre pas les besoins de l'organisme dans ce groupe de population. L'**anémie** est une diminution du nombre de globules rouges dans le flux sanguin. Pour prévenir cette affection, les femmes devraient consommer quotidiennement 18 mg de fer pendant la menstruation. L'infirmière peut leur conseiller d'intégrer à leurs repas des aliments riches en fer, par exemple des abats (foie et rognons), des œufs, du poisson, de la volaille, des légumes-feuilles et des fruits séchés.

Les jeunes adultes ont besoin de calcium pour maintenir leur masse osseuse et pour réduire le risque d'ostéoporose dans les années ultérieures. Ils doivent par ailleurs consommer une quantité suffisante de vitamine D, indispensable à l'absorption du calcium contenu dans les aliments. Au Canada, le lait et la margarine sont enrichis de vitamine D, qu'on trouve aussi dans le jaune d'œuf et le poisson gras. Cette vitamine est fabriquée par la peau exposée au soleil. Au Canada, de la mi-mai à la mi-octobre, l'exposition au rayonnement solaire pendant au moins 15 minutes à raison de 3 fois par semaine est profitable. En cas d'exposition insuffisante, la consommation de suppléments peut s'avérer indispensable.

L'obésité survient parfois au début de l'âge adulte, quand l'activité de l'adolescence laisse la place à une vie plus sédentaire, sans réduction d'apport énergétique. Les jeunes adultes qui souffrent d'un surplus de poids ou d'obésité sont plus exposés à l'hypertension, un problème de santé majeur dans ce groupe d'âge.

Les spécialistes distinguent plus de 40 facteurs de risque liés aux affections cardiovasculaires, notamment l'hypertension et l'obésité. Il est crucial d'éliminer ou d'atténuer le plus possible ces facteurs de risque pour réduire l'incidence d'affections cardiovasculaires chez les jeunes adultes. Le maintien d'un régime alimentaire varié et équilibré, faible en gras saturés et en gras trans, contribue grandement à la prévention de ces affections et accroît la probabilité de réussite de leur traitement.

Adulte d'âge mûr (de 40 à 65 ans)

Les adultes d'âge mûr doivent maintenir une alimentation saine et consommer la quantité recommandée des aliments des quatre groupes (produits céréaliers ; légumes et fruits ; produits laitiers ; viandes et substituts), en particulier pour les aliments qui contiennent des protéines et du calcium. Les personnes de ce groupe d'âge veilleront par ailleurs à limiter leur consommation de cholestérol et leur apport énergétique. L'adulte d'âge mûr doit boire quotidiennement de 2 à 3 L de liquide. En consommant une quantité suffisante d'aliments variés provenant des quatre groupes, les femmes en postménopause s'assurent de combler leurs besoins nutritionnels et, ainsi, minimisent le risque de présenter des affections chroniques, telles que l'ostéoporose ou les affections cardiovasculaires.

La prise de poids chez l'adulte d'âge mûr est souvent causée par l'ignorance de certains traits caractéristiques de cette tranche d'âge. Par exemple, l'activité métabolique diminue avec les années ; comme l'activité physique tend aussi à ralentir, les personnes d'âge mûr n'ont plus besoin d'un apport énergétique aussi important. L'infirmière leur conseillera de réduire cet apport et de faire régulièrement de l'exercice afin d'éviter l'obésité. Elle soulignera que le surplus de poids constitue un facteur de risque non négligeable, non seulement de nombreuses affections chroniques (par exemple, diabète et hypertension), mais aussi de certains problèmes de mobilité (par exemple, arthrite). Par ailleurs, une légère prise de poids (2 kg) chez une femme en ménopause qui a un poids-santé est tout à fait normale et contribue à compenser la diminution de la sécrétion hormonale des ovaires.

Différents programmes peuvent être utiles aux personnes qui ont besoin de ressources supplémentaires. La plupart de ces programmes préconisent la rééducation comportementale et le soutien par les pairs. Il est important de savoir qu'il faut obtenir un avis médical éclairé avant d'apporter quelque modification majeure que ce soit à son régime alimentaire.

La fin de l'âge mûr se caractérise par une baisse graduelle de la sécrétion de sucs gastriques et d'acides libres, ce qui provoque parfois des brûlures d'estomac (aigreurs, pyrosis) et une augmentation des éructations. Les personnes vieillissantes tolèrent moins bien certains aliments. L'infirmière leur conseillera d'adopter des habitudes alimentaires correspondant à leur âge et d'éviter les aliments gras ou frits.

Personne âgée (plus de 65 ans)

Les personnes âgées ont les mêmes besoins nutritionnels de base que les adultes plus jeunes. Cependant, comme leur métabolisme ralentit et que leur activité physique diminue, elles doivent réduire leur apport énergétique.

Les besoins en nutriments changent peu. Certaines personnes âgées doivent toutefois consommer plus d'aliments riches en fibres et boire suffisamment afin de compenser le ralentissement du péristaltisme. Des modifications sur le plan physique, telles que la perte de dents et le déclin des sens du goût et de l'odorat, peuvent entraîner une modification de l'alimentation, de même que la diminution des sécrétions salivaires et gastriques.

Certains facteurs psychosociaux causent ou aggravent des problèmes nutritionnels. Les personnes âgées qui vivent seules n'ont pas toujours envie de cuisiner ou de manger en solitaire et peuvent ainsi adopter de mauvaises habitudes. D'autres facteurs influent de façon importante sur l'état nutritionnel : absence de moyen de transport, difficulté d'accès aux magasins d'alimentation, incapacité de cuisiner. La perte du conjoint, l'angoisse, la dépression, la dépendance envers l'entourage et la baisse du revenu ont également des répercussions importantes sur les habitudes alimentaires (voir le tableau 45-5). L'encadré *Enseignement – Alimentation de la personne âgée* passe en revue les principaux aliments nutritifs qui répondent aux besoins des personnes de ce groupe d'âge. Voir également l'encadré *Les âges de la vie – Conseils nutritionnels pour la personne âgée*.

Normes de l'alimentation saine

Il existe de nombreux guides alimentaires que les gens en bonne santé peuvent consulter pour planifier leurs repas et maintenir une alimentation qui répond à leurs besoins quotidiens en nutriments essentiels. Les guides reposant sur les groupes alimentaires conseillent des portions par catégorie d'aliments plutôt que par aliment. Les catégories regroupent des aliments dont la composition et, souvent, la valeur nutritive sont comparables. Par exemple, toutes les céréales, qu'il s'agisse de blé ou d'avoine, constituent une bonne source de glucides, de fer et de thiamine (vitamine du groupe B). On trouvera utile de consulter les tableaux suivants :

- Tableau 45-6 – Principales sources alimentaires de calcium
- Tableau 45-7 – Principales sources alimentaires de fer
- Tableau 45-8 – Aliments riches en fibres
- Tableau 45-9 – Principales sources alimentaires de minéraux
- Tableau 45-10 – Principales sources alimentaires de vitamines

TABLEAU

45-5

Problèmes nutritionnels chez la personne âgée	
Problème	**Interventions infirmières**
Difficultés de mastication	Conseiller à la personne de consulter régulièrement son dentiste pour faire réparer, remplacer ou ajuster ses prothèses dentaires. Lui recommander de couper les fruits ou les légumes en petits morceaux et les légumes-feuilles, en languettes. Lui recommander de privilégier la volaille, le poisson ou la viande rouge hachée.
Diminution de la tolérance au glucose	Recommander à la personne de consommer des glucides complexes, de préférence à grains entiers (pain, céréales, riz, pâtes, pommes de terre et légumineuses), plutôt que des aliments riches en sucre. Lui recommander de prendre chaque jour trois repas équilibrés et, au besoin, des collations.
Diminution des contacts sociaux et solitude	Conseiller à la personne de favoriser, dans la mesure du possible, les repas qui permettent des contacts sociaux. Stimuler son intérêt et celui de son conjoint pour la préparation et la présentation des aliments ; leur suggérer de cuisiner ensemble. Si la personne est incapable de cuisiner, la renseigner sur les ressources disponibles dans la communauté (par exemple, popote roulante). Lui suggérer de pique-niquer dans la cour arrière ou d'inviter des amis.
Diminution de l'appétit et détérioration des sens du goût et de l'odorat	Recommander à la personne de manger d'abord les aliments essentiels (les plus nutritifs), puis le dessert et, enfin, les aliments non indispensables au bon fonctionnement du corps. Dresser le bilan des restrictions alimentaires et déterminer les moyens à prendre pour rendre les repas appétissants malgré tout. Suggérer à la personne de prendre fréquemment de petits repas plutôt que de prendre trois repas copieux par jour.
Insuffisance du revenu	Conseiller à la personne d'acheter des produits génériques plutôt que des produits de marque ; lui recommander d'utiliser les bons de réduction. Lui suggérer de remplacer la viande par les légumineuses, les œufs, les noix et, à l'occasion, par le lait et les produits laitiers (ces derniers ne contiennent pas de fer et ne peuvent donc pas remplacer toute la viande). Dans la mesure où elle peut cuisiner, lui recommander d'éviter les plats préparés. Lui suggérer d'acheter les aliments en promotion et de les congeler pour utilisation ultérieure. La renseigner sur les ressources disponibles dans la communauté et les programmes nutritionnels susceptibles de l'aider.
Perturbations du sommeil nocturne	Recommander à la personne de prendre le repas le plus important le midi plutôt que le soir. Lui recommander de ne pas boire de thé, de café ou d'autres stimulants le soir.

ENSEIGNEMENT

Alimentation de la personne âgée

- Consommez au moins le nombre minimal de portions indiqué dans le *Guide alimentaire canadien pour manger sainement* pour chacun des groupes d'aliments :

Produits céréaliers	de 5 à 12 portions
Légumes et fruits	de 5 à 10 portions
Produits laitiers	de 2 à 4 portions
Viandes et substituts	2 ou 3 portions

- Réduisez l'apport énergétique. (En général, comme les personnes âgées deviennent physiquement moins actives, leurs besoins énergétiques diminuent ; elles doivent privilégier les aliments nutritifs.)

- Réduisez votre consommation de matières grasses, en particulier les gras saturés et les gras hydrogénés (source des gras trans). Mangez quotidiennement entre 110 et 170 g de viande, de préférence maigre. (Comme les personnes âgées ont souvent tendance à manger trop peu d'aliments du groupe des viandes, il convient de vérifier si l'apport quotidien est suffisant.) Consommez des aliments grillés, bouillis ou cuits au four plutôt que frits. Consommez du lait et des fromages à faible teneur en matière grasse. Limitez votre consommation de beurre, de margarine, de vinaigrettes et d'autres sauces à salade.

- Évitez les aliments qui contiennent surtout des « calories vides » (qui ne fournissent que peu de nutriments comparativement à leur apport énergétique). Remplacez les pâtisseries, les biscuits, les gâteaux et les autres desserts à forte teneur énergétique par des fruits ou des crèmes-desserts à base de lait écrémé ou allégé.

- Dans le cas d'une personne âgée qui souffre d'hypertension ou d'affections cardiaques : Réduisez votre consommation de sodium. Évitez les soupes en boîte, la moutarde et le ketchup préparés. Évitez les aliments (volaille, viande rouge et poisson) salés, fumés, saumurés ou marinés (par exemple, le bacon ou le jambon). Ne salez pas les aliments en faisant la cuisine ni à table.

- Maintenez une consommation suffisante de calcium pour prévenir les déperditions osseuses (au moins 800 mg par jour). Le lait, le fromage, le yogourt, les potages à la crème, les crèmes-desserts et les produits laitiers glacés en constituent de bonnes sources (voir le tableau 45-6).

- Maintenez une consommation suffisante de vitamine D. (Cette vitamine joue un rôle essentiel dans l'homéostasie du calcium.) Buvez du lait, car les autres produits laitiers ne sont généralement pas enrichis de vitamine D. (En cas d'intolérance au lait liée à une déficience en lactose, prévoir des suppléments vitaminiques.)

- Maintenez une consommation suffisante de fer. (Plusieurs facteurs peuvent compromettre la consommation de fer chez les personnes âgées ; par exemple, problèmes gastro-intestinaux, diarrhée chronique, consommation régulière d'aspirine et diminution de la consommation de viande.) (Voir le tableau 45-7.)

- Consommez des aliments riches en fibres afin de prévenir la constipation et d'éviter le plus possible l'utilisation de laxatifs (voir le tableau 45-8). (De plus, comme les aliments riches en fibres rassasient, ils calment rapidement l'appétit et favorisent un poids-santé.)

LES ÂGES DE LA VIE

Conseils nutritionnels pour la personne âgée

Les personnes âgées étant plus exposées aux affections chroniques, il leur arrive fréquemment d'avoir à prendre plusieurs médicaments par jour. Cette médication multiple entraîne certains risques.

- Plusieurs aliments interagissent négativement avec certains médicaments ou en diminuent l'efficacité. Par exemple, les aliments riches en vitamine K et les anticoagulants, comme la warfarine (Coumadin).

- Certains médicaments augmentent l'appétit (par exemple, les glucocorticoïdes).

- Certains médicaments diminuent l'appétit, soit par leur action directe, soit en laissant un goût désagréable dans la bouche.

- Certains médicaments ne peuvent pas être administrés par voie buccale ou par sonde gastrique après avoir été écrasés (par exemple, les comprimés gastrorésistants et les produits à libération retardée).

Des affections telles que les maladies neuromusculaires et la démence compliquent l'alimentation de la personne âgée, qu'elle se nourrisse elle-même ou qu'elle doive être nourrie par une autre personne. La sécurité doit rester une dimension prioritaire de l'alimentation. Il convient, en particulier, d'éviter que la personne aspire des morceaux d'aliments ; tous les professionnels de la santé et les proches aidants doivent donc maîtriser les techniques de prévention, notamment les suivantes.

- Une personne souffrant de dysphagie (difficulté à déglutir) peut faciliter l'ingestion de nourriture en ramenant le menton sur la poitrine. Inviter la personne à incliner la tête vers sa poitrine avant d'avaler, ce qui diminue le risque d'aspiration pulmonaire.

- Proposer uniquement des aliments de la consistance prescrite. Les personnes âgées ont généralement moins de difficulté à avaler les aliments épais que les aliments très liquides.

- Dans la mesure du possible, respecter les préférences alimentaires de la personne. La famille peut en général donner cette information au personnel soignant.

- Faire de chaque repas une activité sociale agréable : converser avec la personne et lui assurer un environnement agréable.

TABLEAU

45-6

Principales sources alimentaires de calcium

Aliment	Quantité	Calcium (mg)	Aliment	Quantité	Calcium (mg)
Produits laitiers			**Légumes**		
Fromage cheddar	30 g	213	Betteraves	125 mL	72
Fromage cottage, 4 % M. G.	30 g	27	Brocoli (cuit)	1 bouquet (moyen)	158
Fromage fondu (en tranches)	30 g (1 tranche)	198	Chou vert	125 mL	179
Fromage suisse	30 g	262	Gombos (okras)	10	98
Crème pâtissière	125 mL	148	**Fruits**		
Crème glacée	125 mL	97	Mûres	250 mL	46
Lait écrémé (reconstitué)	250 mL	240	Dattes	10	45
Lait écrémé (1 % M. G.)	250 mL	296	Orange	1 (moyenne)	54
Lait entier	250 mL	288	Rhubarbe (sucrée)	125 mL	105
Yogourt	250 mL	295			
Poisson et fruits de mer					
Saumon (en boîte)	30 g	91			
Sardines (en boîte)	30 g	124			
Fruits de mer	30 g	35			

TABLEAU

45-7

Principales sources alimentaires de fer

Aliments	Quantité	Fer (mg)	Aliments	Quantité	Fer (mg)
Viande, volaille, poisson et fruits de mer			Fèves de soja	100 mL	2,8
Bœuf haché	85 g	3,2	Épinards		
Foie de bœuf	85 g	5,1	Crus	125 mL	2,0
Cœur de bœuf	100 g	5,9	Cuits	125 mL	2,2
Rognons de bœuf	100 g	7,4	**Produits céréaliers**		
Poitrine de poulet	85 g	1,3	Pain		
Huîtres	de 5 à 8 (moyennes)	5,5	Blanc	1 tranche	0,6
			Blé entier	1 tranche	0,8
Pétoncles	100 g	3,0	Céréales : flocons de son	30 g	5,3
Crevettes	100 g	3,1	Céréales : flocons d'avoine	30 g	5,4
Thon (en boîte)	85 g	1,5	Pâtes enrichies	125 g	2,0
Fruits et légumes			Spaghettis enrichis	125 g	0,3
Betteraves	170 mL	1,9	**Autres**		
Pois chiches	125 mL	3,0	Œufs	2 moyens	2,3
Dattes (dénoyautées)	125 mL	3,0	Mélasse noire, 3e extraction	30 mL	6,7
Haricots secs	125 mL	3	Arachides	170 g	2,1
Jus de pruneau	125 mL	4,1	Tofu	125 g	1,9
Raisins secs	170 mL	3,5			

TABLEAU

45-8

Aliments riches en fibres

Aliments	Quantité	Teneur en fibres alimentaires non solubles (g)	Aliments	Quantité	Teneur en fibres alimentaires non solubles (g)
Pomme	1 (moyenne)	3,3	Céréales : flocons de son	250 mL	5,5
Banane	1	2,1	Poire fraîche	1 (moyenne)	4,2
Haricots verts	125 mL	1,8 – 2,2	Haricots secs	125 mL	5,6
Brocoli	250 mL	4,8	Haricots de Lima	125 mL	3,2
Céréales de son :			Pois	250 mL	5,0
All Bran	30 g	8,8			

TABLEAU
45-9

Principales sources alimentaires de minéraux

Minéral	Sélection d'aliments
Calcium	Produits laitiers (p. ex., fromage, lait, yaourt), saumon ou sardines en boîte (avec les os), figues séchées, légumineuses (p. ex., haricots) et amandes.
Chrome	Viandes, produits laitiers, grains entiers et levure de bière.
Cuivre	Légumineuses (p. ex., haricots), abats (p. ex., cœur, foie), crustacés et coquillages, noix et grains entiers.
Fer	Viande rouge, volaille, abats (p. ex., foie), épinards, fruits secs, grains entiers, noix, haricots et coquillages. Le fer de source animale est mieux absorbé que le fer de source végétale.
Iode	Sel de table (iodé), produits laitiers (p. ex., fromage, lait), pain, fruits de mer (p. ex., poissons, crevettes).
Magnésium	Légumes verts feuillus (p. ex., bette, gombo, épinards), noix, tofu, grains entiers non décortiqués, légumineuses (p. ex., haricots), avocats et bananes.
Potassium	Légumes (p. ex., choux de Bruxelles, pommes de terre, courges,) fruits (p. ex., avocats, bananes, cantaloup, oranges, papaye), fruits secs, viande maigre et lait.
Sélénium	Viandes, poissons (p. ex., morue, thon), noix du Brésil, noix (Juglans regia), grains entiers et œufs.
Zinc	Viande maigre, huîtres, noix (p. ex., noix de cajou) et légumineuses (p. ex., haricots, pois, cacahuètes). Le zinc de source animale est mieux absorbé que le zinc de source végétale.

Source : *Compendium des produits et spécialités pharmaceutiques,* (p. L84), de l'Association des pharmaciens du Canada, 2004, Ottawa : Association des pharmaciens du Canada. Reproduction autorisée.

TABLEAU
45-10

Principales sources alimentaires de vitamines

Vitamine	Sélection d'aliments
Liposoluble	
Vitamine A	Fruits jaunes et oranges (p. ex., abricots, cantaloup, mangues, oranges, pêches) et légumes (p. ex., carottes, patates douces), légumes feuillus vert foncé (p. ex., chou frisé, épinards), foie, œufs, produits laitiers enrichis en vitamines (p. ex., lait, margarine).
Bêta-carotène	Fruits et légumes jaune-orange foncé et vert foncé (p. ex.; abricots, brocoli, carottes, laitue, papaye, courges, patates douces).
Vitamine D	Produits laitiers enrichis en vitamines (p. ex., margarine, lait), poissons gras (p. ex., morue, anguille, saumon) et huile de foie de poisson.
Vitamine E	Huiles végétales (p. ex., huile de maïs, de coton, de carthame, de soja), germe de blé, noix (p. ex., amandes, pacanes, graines de tournesol) et céréales enrichies en vitamines.
Vitamine K	Légumes feuillus vert foncé (p. ex., laitue, épinards), brocoli, chou-fleur, produits laitiers et viandes.
Hydrosoluble	
Acide folique	Asperges, épinards, légumineuses (p. ex., haricots, lentilles), avocats, cantaloup, céréales enrichies en vitamines et produits céréaliers, foie.
Acide pantothénique (vitamine B_3)	Abats (p. ex., foie), jaune d'œuf, céréales de grains entiers et pain complet, avocats, saumon et lait.
Niacine (vitamine B_3)	Viandes, volaille, poissons (p. ex., morue, flétan, saumon), œufs, produits laitiers (p. ex., lait), grains entiers, farine et céréales enrichies en vitamines.
Riboflavine (vitamine B_2)	Produits laitiers (p. ex., lait), champignons, saumon, abats (p. ex., rein, foie), céréales de grains entiers, céréales enrichies en vitamines, pain complet ou enrichi en vitamines.
Thiamine (vitamine B_1)	Céréales de grains entiers, céréales enrichies en vitamines, pain complet ou enrichi en vitamines, viandes (en particulier le porc), levure de bière, haricots et noix du Brésil.
Vitamine B_6 (pyridoxine)	Viandes, volaille, poissons (p. ex., saumon, truite, thon), légumineuses (p. ex., pois chiches, haricots de Lima), bananes, pommes de terre, céréales enrichies en vitamines et grains entiers.
Vitamine B_{12} (cyanocobalamine)	Foie, poissons (p. ex., églefin, saumon, thon), viandes, produits laitiers (p. ex., fromage, lait, yaourt), céréales enrichies en vitamine et œufs.
Vitamine C (acide ascorbique)	Poivrons (vert, rouge, jaune), cantaloup, kiwi, mangue, papaye, agrumes (p. ex., pamplemousse, orange) et jus d'agrumes.

Source : *Compendium des produits et spécialités pharmaceutiques,* (p. L84), de l'Association des pharmaciens du Canada, 2004, Ottawa : Association des pharmaciens du Canada. Reproduction autorisée.

Guide alimentaire canadien pour manger sainement

Le *Guide alimentaire canadien pour manger sainement* (figure 45-4 ■) est un livret regroupant des directives diététiques destinées aux Canadiens âgés de plus de quatre ans. Il souligne l'importance d'une alimentation diversifiée et recommande en particulier de consommer des aliments de quatre groupes. Le *Guide* préconise un apport quotidien de 7 500 à 13 500 kJ (de 1 800 à 3 200 kcal). Les personnes qui ont besoin d'un apport énergétique plus important doivent par conséquent augmenter le nombre et la grosseur des portions selon les différents groupes ou intégrer d'autres aliments à leurs repas. À cet effet, le guide permet d'élaborer des menus quotidiens qui fournissent de 5 000 à 15 000 kJ (de 1 200 à 3 600 kcal) dans la mesure où les quantités recommandées sont respectées. Par ailleurs, le *Guide* recommande de diminuer la consommation de matières grasses et de limiter la consommation de sel, d'alcool et de caféine. L'encadré 45-3 reprend les *Recommandations sur la nutrition pour les Canadiens,* élaborées par la Direction générale des produits de santé et des aliments à Santé Canada (2003b). Le tableau 45-11 donne des exemples de portions alimentaires pour les adultes et le tableau 45-12, pour les enfants d'âge préscolaire.

L'encadré *Enseignement – Réduction de la consommation de matières grasses* décrit comment préparer et choisir des aliments plus faibles en gras.

Apports nutritionnels de référence (ANREF)

En 2003, Santé Canada a adopté les **apports nutritionnels de référence** (ou **ANREF**), organisés en quatre catégories : les besoins moyens estimés (BME), les apports nutritionnels recommandés (ANR), les apports suffisants (AS) et les apports maximaux tolérables (AMT). Le tableau 45-13 définit les quatre valeurs de référence et la figure 45-5 ■ illustre le lien entre les valeurs des ANREF, le risque de consommation insuffisante

de nutriments et le risque d'effets indésirables sur la santé. La plupart des applications des ANREF se classent en deux catégories générales :

- L'*évaluation de l'alimentation* consiste à comparer les apports nutritionnels habituels aux besoins nutritionnels et à examiner la probabilité de consommation insuffisante ou excessive.
- La *planification de l'alimentation* a pour but d'organiser les régimes alimentaires habituels de manière que la probabilité de consommation insuffisante ou excessive soit faible.

Les valeurs de référence sont adaptées au sexe et au groupe d'âge :

- Tableau 45-14 : Apports nutritionnels de référence (apports nutritionnels recommandés et apports suffisants) : recommandations d'apports individuels pour les Canadiens et les Américains (1999-2000)
- Tableau 45-15 : Apports nutritionnels recommandés pour les Canadiens (nutriments non révisés, 1990)
- Tableau 45-16 : Apports maximaux tolérables (AMT) pour certains nutriments (1998)

Il est à noter que l'établissement des ANREF ne tient pas compte des deux aspects suivants : l'accroissement possible des besoins en nutriments lié aux blessures ou aux affections ; les variations individuelles dans un même sous-groupe.

Végétarisme

Les raisons qui peuvent pousser un individu à devenir végétarien sont multiples : finances personnelles, motifs religieux, question de principe, préoccupations d'ordre écologique ou raisons de santé. On distingue deux grandes catégories de régimes alimentaires végétariens : ceux qui se composent uniquement d'aliments d'origine végétale (régimes végétaliens) et ceux qui intègrent le lait, les œufs ou l'ensemble des produits laitiers. Dans les faits, certaines personnes mangent du poisson ou de la volaille, mais pas de viande rouge (bœuf, agneau, porc, etc.) ; d'autres se nourrissent exclusivement de fruits frais, de jus et de noix ;

Recommandations sur la nutrition pour les Canadiens **45-3**

- Le régime alimentaire des Canadiens devrait leur fournir l'énergie nécessaire pour qu'ils maintiennent leur poids corporel dans les limites recommandées.
- Le régime alimentaire des Canadiens devrait leur fournir les quantités recommandées des éléments nutritifs essentiels.
- Le régime alimentaire des Canadiens ne devrait pas leur fournir plus de 30 % de la quantité totale d'énergie sous forme de lipides (33 g/1 000 kcal ou 39 g/5 000 kJ) et pas plus de 10 % sous forme de graisses saturées (11 g/1 000 kcal ou 13 g/5 000 kJ).
- Le régime alimentaire des Canadiens devrait leur fournir 55 % de la quantité totale d'énergie sous forme de glucides (138 g/1 000 kcal ou 165 g/5 000 kJ) provenant de diverses sources.

- La teneur en sodium du régime alimentaire des Canadiens devrait être abaissée.
- Le régime alimentaire des Canadiens ne devrait pas leur fournir plus de 5 % de l'apport total en énergie sous forme d'alcool, ou deux consommations de boisson alcoolisée par jour, le choix devant porter sur la plus faible des deux quantités d'alcool.
- Le régime alimentaire des Canadiens ne devrait pas leur fournir plus de caféine que l'équivalent de quatre tasses de café par jour.
- Lorsque l'eau provenant de la municipalité contient moins de 1 mg de fluor par litre, elle devrait être fluorée pour atteindre ce taux.

Source : *Recommandations sur la nutrition pour les Canadiens,* de Santé Canada, Bureau de la politique et de la promotion de la nutrition, Direction générale des produits de santé et des aliments, 2003, (page consultée le 25 octobre 2004), [en ligne], <www.hc-sc.gc.ca/ hpfb-dgpsa/onpp-bppn/nutrition_canadians_f.html>. Reproduit avec la permission du Ministre des Travaux publics et Services gouvernementaux Canada, 2005.

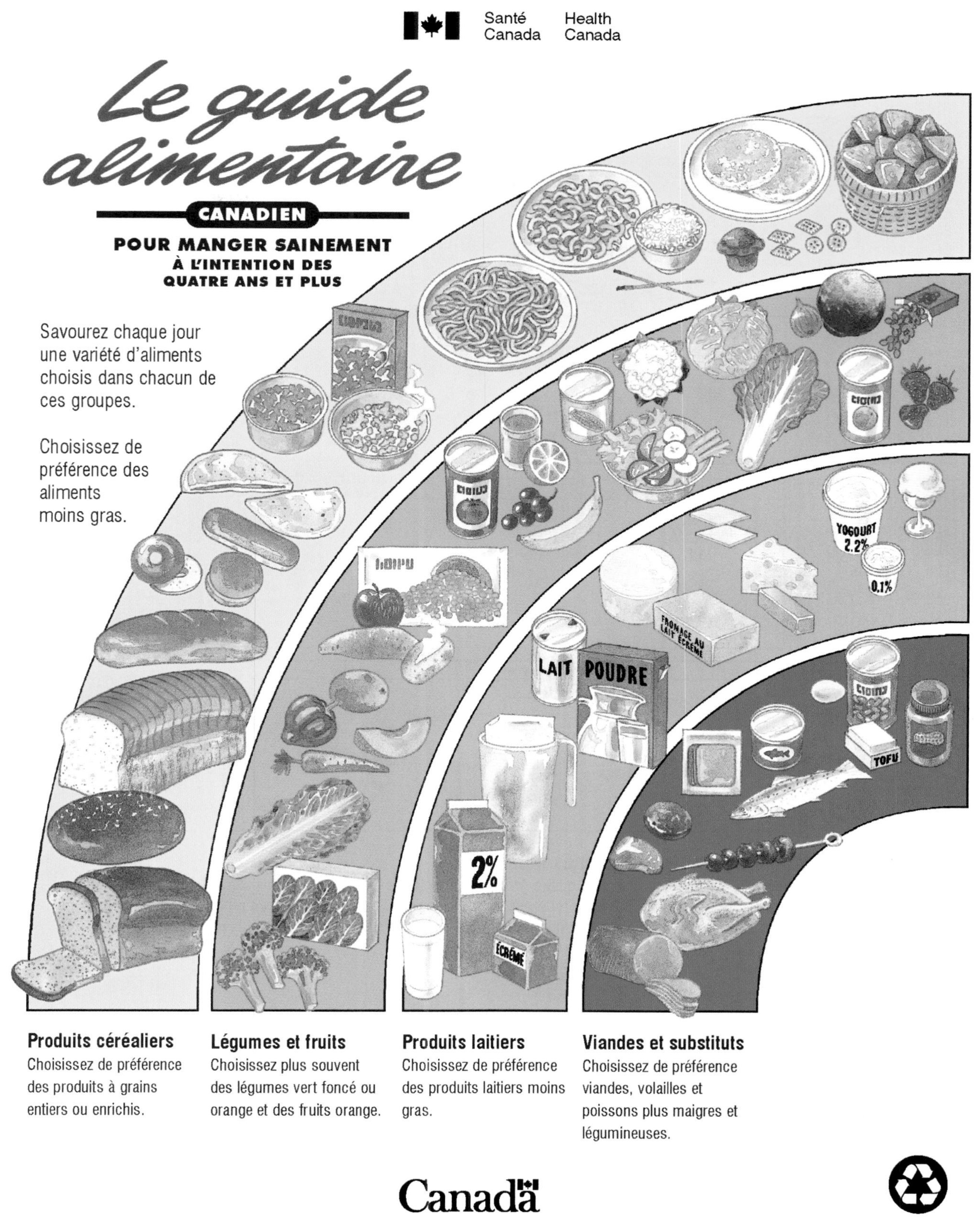

 Santé Health
Canada Canada

Le guide alimentaire

CANADIEN

POUR MANGER SAINEMENT
À L'INTENTION DES
QUATRE ANS ET PLUS

Savourez chaque jour
une variété d'aliments
choisis dans chacun de
ces groupes.

Choisissez de
préférence des
aliments
moins gras.

Produits céréaliers
Choisissez de préférence
des produits à grains
entiers ou enrichis.

Légumes et fruits
Choisissez plus souvent
des légumes vert foncé ou
orange et des fruits orange.

Produits laitiers
Choisissez de préférence
des produits laitiers moins
gras.

Viandes et substituts
Choisissez de préférence
viandes, volailles et
poissons plus maigres et
légumineuses.

Canada

FIGURE 45-4 ■ *Guide alimentaire canadien pour manger sainement.* (Source: *Guide alimentaire canadien pour manger sainement,*
de Santé Canada, Bureau de la politique et de la promotion de la nutrition, Direction générale des produits de santé et des
aliments, 2003, (page consultée le 25 octobre 2004), [en ligne], <www.hc-sc.gc.ca/hpfb-dgpsa/onpp-bppn/food_guide_
rainbow_f.html>. Reproduit avec la permission du Ministre des Travaux publics et Services gouvernementaux Canada, 2005.)

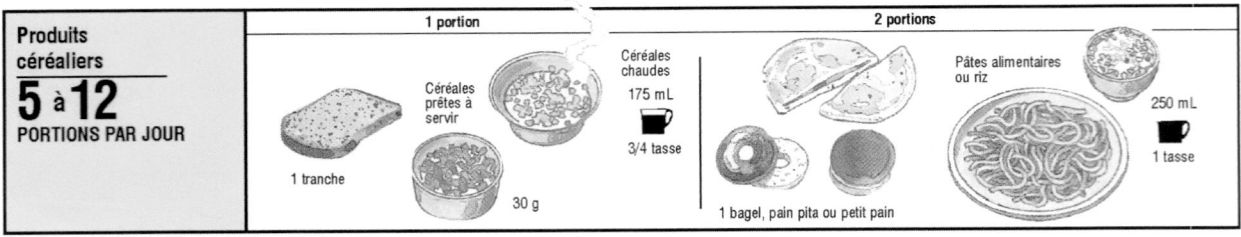

Produits céréaliers
5 à 12
PORTIONS PAR JOUR

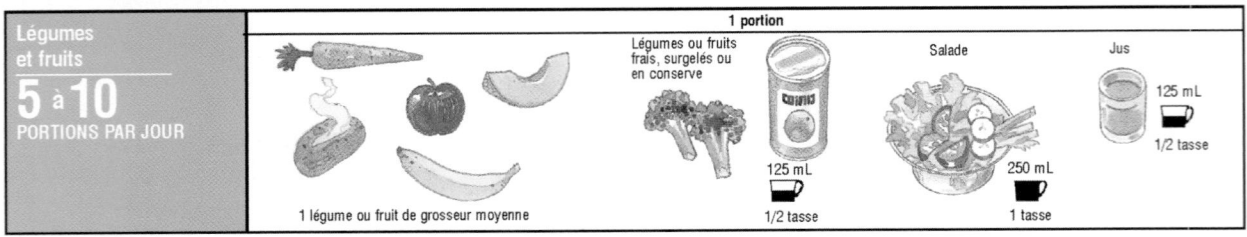

Légumes et fruits
5 à 10
PORTIONS PAR JOUR

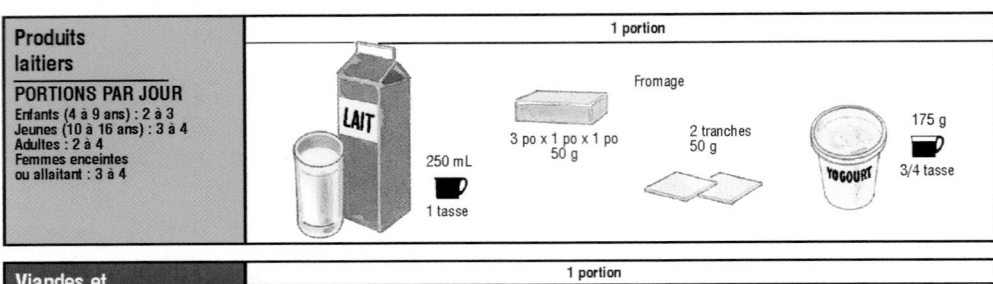

Produits laitiers
PORTIONS PAR JOUR
Enfants (4 à 9 ans) : 2 à 3
Jeunes (10 à 16 ans) : 3 à 4
Adultes : 2 à 4
Femmes enceintes ou allaitant : 3 à 4

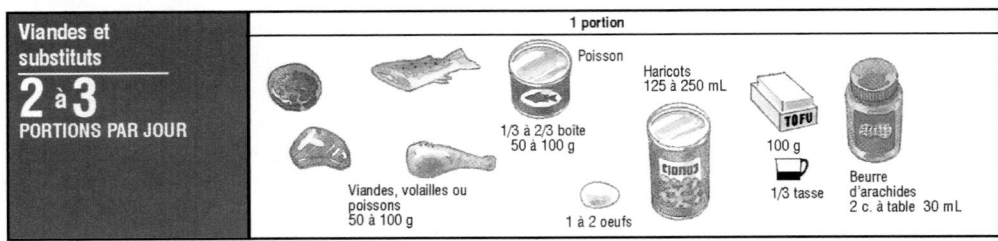

Viandes et substituts
2 à 3
PORTIONS PAR JOUR

Autres aliments

D'autres aliments et boissons qui ne font pas partie des quatre groupes peuvent aussi apporter saveur et plaisir. Certains de ces aliments ont une teneur plus élevée en gras ou en énergie. Consommez-les avec modération.

Des quantités différentes pour des personnes différentes

La quantité que vous devez choisir chaque jour dans les quatre groupes alimentaires et parmi les autres aliments varie selon l'âge, la taille, le sexe, le niveau d'activité; elle augmente durant la grossesse et l'allaitement. Le guide alimentaire propose un nombre plus ou moins grand de portions pour chaque groupe d'aliments. Ainsi, les enfants peuvent choisir les quantités les plus petites et les adolescents, les plus grandes. La plupart des gens peuvent choisir entre les deux.

Consultez le *Guide d'activité physique canadien pour une vie active saine* pour vous aider à mettre l'activité physique au programme de votre vie de tous les jours.

Mangez bon, mangez bien. Bougez. Soyez bien dans votre peau. C'est ça la VITALIT

© Ministre de Travaux publics et Services gouvernementaux Canada, 1997
Cat. H39-252/1992F   ISBN 0-662-97564-2
Toute modification est interdite. Peut être reproduit sans autorisation.

FIGURE **45-4** ■ (SUITE)

TABLEAU

45-11

Portions alimentaires et nutriments pour les adultes selon le *Guide alimentaire canadien pour manger sainement*

Groupes alimentaires et portions	Grosseur des portions et des aliments	Principaux nutriments
Produits céréaliers De 5 à 12 portions, y compris de plusieurs produits enrichis ou entiers. Limiter la consommation de matières grasses et de sucre (par exemple, biscuits et pâtisseries).	1 portion = 1 tranche de pain ; 30 g de céréales prêtes à manger ; 125 mL de céréales cuites, de semoule de maïs, de gruau, de spaghettis, de macaronis, de nouilles, de maïs soufflé, de tortillas (galettes de maïs) ou de riz	Glucides complexes, thiamine, niacine, fer, petite quantité de protéines, fibres
Légumes et fruits De 5 à 10 portions. Consommer souvent des légumes orange, vert foncé, bleus, violets, rouges ou blancs.	1 portion = 250 mL de légumes-feuilles crus ; 125 mL d'autres légumes frais, surgelés ou en boîte ; 125 mL de jus de légumes frais, congelé ou en boîte ; 60 mL de légumes déshydratés	Glucides, vitamines C et A, fer, folacine, calcium, fibres (naturellement pauvres en matières grasses)
	Brocoli, choux de Bruxelles, poivrons verts, asperges, chou, chou-fleur, chou vert, pommes de terre, épinards, tomates	Vitamine C
	Brocoli, carottes, bettes à carde, chou vert, chou vert frisé, citrouille, épinards, patates douces, navets, potirons (courges d'hiver)	Vitamine A
(Consommer souvent des fruits de couleur orange, rouges, bleus, violets ou verts.)	1 portion = 1 pomme, 1 banane ou 1 orange moyenne ; 125 mL de fruits crus, cuits ou en boîte ; 125 mL de jus de fruits ; 60 mL de fruits secs	Vitamines A et C, potassium, folacine, fibres (naturellement pauvres en sodium)
	Pamplemousses ou jus de pamplemousse ; orange ou jus d'orange ; cantaloup ; fraises crues	Vitamine C
	Abricots, cantaloup	Vitamine A
Viandes et substituts 2 ou 3 portions. Préférer les viandes maigres et la volaille sans la peau ; limiter la consommation des jaunes d'œufs, mais pas des blancs.	1 portion = 1 ou 2 œufs ; 125 mL de légumineuses cuites (par exemple, pois chiches, haricots secs, haricots de Lima, haricots pintos ou petits haricots blancs, lentilles, pois cassés) ; 100 g de tofu ; 30 ml de beurre d'arachide ; 60 g de noix ou de graines ; de 50 à 100 g de bœuf, de porc, d'agneau, de veau, de volaille ou de poisson (sans les arêtes) maigre	Protéines, vitamines du groupe B, fer, zinc, niacine, matières grasses (dans les viandes, les noix et les graines)
Produits laitiers Portions : Enfants (de 4 à 9 ans) : 2 à 3. Jeunes (de 10 à 16 ans) : 3 à 4. Adultes : 2 à 4. Femmes enceintes ou allaitantes : 3 ou 4. Préférer le lait et le yogourt écrémé ou à faible teneur en matières grasses ; limiter la consommation de crème glacée et de fromage à teneur élevée en matières grasses.	1 portion (en fonction de la teneur en calcium) = 250 mL de lait, 175 g de yogourt, 50 g de fromage, 50 g de fromage fondu, 250 mL de crème-dessert, 420 mL de crème glacée	Protéines, matières grasses, vitamines A et D, riboflavine, vitamine B_{12}, calcium, phosphore
Matières grasses, huiles et sucreries À consommer avec modération.	Beurre, huile de table, margarine, saindoux Sucre blanc, cassonade, sucre glace, miel, mélasse, sirop d'érable, sirop de glucose (sirop de maïs), confiture, gelée, cola et autres boissons gazeuses	Matières grasses, glucides (très énergétiques)

TABLEAU
45-12

Portions alimentaires pour les enfants d'âge préscolaire selon le *Guide alimentaire canadien pour manger sainement*

Produits céréaliers	1/2 à 1 tranche de pain
	15 à 30 g de céréales prêtes à servir
	75 à 175 mL (1/3 à 3/4 de tasse) de céréales chaudes
	1/4 à 1/2 bagel, pain pita ou petit pain
	1/2 à 1 muffin
	50 à 125 mL (1/4 à 1/2 tasse) de pâtes alimentaires ou de riz
	4 à 8 craquelins
Légumes et fruits	1/2 à 1 légume ou fruit de grosseur moyenne
	50 à 125 mL (1/4 à 1/2 tasse) de fruits ou de légumes frais, surgelés ou en conserve
	125 à 250 mL (1/2 à 1 tasse) de salade
	50 à 125 mL (1/4 à 1/2 tasse) de jus
Produits laitiers	25 à 50 g de fromage
	75 à 175 g (1/3 à 3/4 de tasse) de yogourt
	Les enfants d'âge préscolaire devraient consommer 500 mL (2 tasses) de lait chaque jour.
Viandes et substituts	25 à 50 g de viande, de poisson ou de volaille
	1 œuf
	50 à 125 mL (1/4 à 1/2 tasse) de fèves
	50 à 100 g (1/4 à 1/3 tasse) de tofu
	15 à 30 mL (1 à 2 c. table) de beurre d'arachide

Source : *Guide alimentaire canadien pour manger sainement. Renseignements sur les enfants d'âge préscolaire à l'intention des éducateurs et des communicateurs,* de Santé Canada, Bureau de la politique et de la promotion de la nutrition, Direction générale des produits de santé et des aliments, 2003, (page consultée le 25 octobre 2004), [en ligne], <www.hc-sc.gc.ca/hpfb-dgpsa/onpp-bppn/food_guide_preschoolers_f.html>. Reproduit avec la permission du Ministre des Travaux publics et Services gouvernementaux Canada, 2005.

 ENSEIGNEMENT

Réduction de la consommation de matières grasses

- Au lieu de faire frire la viande, faites-la griller ou bien faites-la cuire au four conventionnel ou à microondes.
- Pour la collation, préférez le maïs soufflé et les bretzels aux croustilles de pommes de terre ou de maïs, aux bâtonnets au fromage et aux noix.
- Lisez attentivement les étiquettes. Par exemple, les craquelins ne sont pas tous riches en matières grasses.
- Évitez les desserts riches en matières grasses (par exemple, sucreries, crème glacée, gâteaux et biscuits).
- Que ce soit pour boire ou pour cuisiner, utilisez le lait écrémé ou allégé de préférence au lait entier.
- Tartinez moins de beurre ou de margarine sur le pain.
- Enlevez le gras de la viande et la peau du poulet avant la cuisson.
- Mangez moins de viande, plus de poisson.
- Mettez moins de vinaigrette dans la salade ou utilisez une vinaigrette allégée.
- Consommez des protéines d'origine végétale (par exemple, haricots secs, haricots de Lima et petits haricots blancs).
- Évitez les aliments qui contiennent des gras hydrogénés (lire l'étiquette du produit).

il y en a aussi qui mangent des aliments d'origine végétale et des produits laitiers, mais pas d'œufs (voir le tableau 45-17).

Un régime végétarien peut apporter tous les nutriments nécessaires à l'organisme dans la mesure où la personne consomme une grande diversité d'aliments, maintient un apport protéique équilibré et recourt à des suppléments de vitamines et de minéraux adéquats. Les protéines d'origine végétale étant incomplètes, les végétariens doivent consommer des aliments protéiques complémentaires pour bénéficier d'un apport suffisant d'acides aminés. Les protéines complètes sont particulièrement importantes pour les enfants et les femmes enceintes ou allaitantes, car leur organisme a des besoins protéiques importants. Certaines combinaisons de protéines végétales forment des protéines complètes (voir l'encadré 45-4). En général, dans une même journée, la combinaison entre, d'une part, des légumineuses (pois, lentilles et fèves riches en amidon) et, d'autre part, des céréales, des noix ou des graines forme des protéines complètes. Les régimes plus restrictifs (par exemple, régime fruitarien) ne procurent pas des quantités suffisantes de tous les nutriments essentiels et ne sont par conséquent pas recommandés sur une longue période.

TABLEAU
45-13

Définitions des ANREF et lien avec le risque de consommation insuffisante et le risque d'effets indésirables sur la santé

ANREF	Définition et observations	Concepts illustrés par la figure 45-5
Besoin moyen estimé (BME)	Une estimation statistique fondée sur des données de l'apport nutritionnel quotidien moyen jugé nécessaire pour répondre aux besoins de la moitié des personnes bien portantes d'un sexe donné et à un stade précis de la vie.	Le BME est l'apport auquel le risque de consommation insuffisante pour une personne est de 50 %.
Apport nutritionnel recommandé (ANR)	L'apport nutritionnel quotidien moyen jugé nécessaire pour répondre aux besoins de la quasi-totalité des personnes (97 à 98 %) bien portantes d'un sexe donné et à un stade précis de la vie. Calculé à partir du BME.	L'ANR est l'apport auquel le risque de consommation insuffisante pour une personne est très faible (seulement 2 à 3 %).
Apport suffisant (AS)	Un apport quotidien moyen recommandé qui repose sur des approximations observées ou déterminées expérimentalement ou sur des estimations de l'apport nutritionnel d'un ou de plusieurs groupes de personnes apparemment en bonne santé qui maintiennent vraisemblablement un état nutritionnel adéquat. Établi si on ne dispose pas de données scientifiques suffisantes pour établir un BME et, par conséquent, un ANR. Indique qu'il faut pousser plus loin les recherches en vue de déterminer la moyenne et la distribution des besoins en un nutriment particulier.	L'AS n'a pas une relation uniforme avec le BME ou l'ANR parce qu'il est fixé sans que l'on puisse estimer le besoin; il ne peut donc être inscrit sur cette figure.
Apport maximal tolérable (AMT)	L'apport nutritionnel quotidien le plus élevé qui n'entraîne vraisemblablement pas de risques d'effets indésirables sur la santé chez la plupart des membres de la population en général.	Lorsque l'apport se situe entre l'ANR et l'AMT, les risques d'apport insuffisant et d'apport excessif sont presque nuls. Lorsque l'apport est supérieur à l'AMT, le risque d'effets indésirables augmente. Comme on connaît peu la forme de la courbe de risque d'événements indésirables, on ne peut estimer avec exactitude la proportion de la population qui subit des effets indésirables à divers niveaux d'apport supérieurs à l'AMT.

Source : *Utilisation des apports nutritionnels de référence. Tableau : Définitions des ANREF et lien avec le risque de consommation insuffisante et le risque d'effets indésirables sur la santé,* de Santé Canada, 2003, Bureau de la politique et de la promotion de la nutrition, Direction générale des produits de santé et des aliments, (page consultée le 25 octobre 2004), [en ligne], <www.hc-sc.gc.ca/ hpfb-dgpsa/onpp-bppn/diet_using_table1_f.html>. Reproduit avec la permission du Ministre des Travaux publics et Services gouvernementaux Canada, 2005.

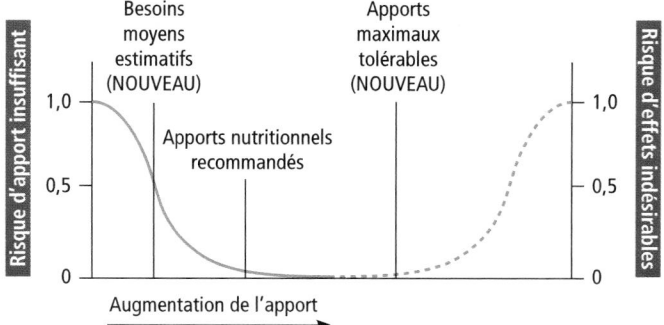

FIGURE 45-5 ■ Lien entre les valeurs des ANREF, le risque de consommation insuffisante de nutriments et le risque d'effets indésirables sur la santé.
(Source : *Utilisation des apports nutritionnels de référence,* de Santé Canada, Bureau de la politique et de la promotion de la nutrition, Direction générale des produits de santé et des aliments, 2003, (page consultée le 25 octobre 2004), [en ligne], <www.hc-sc.gc.ca/hpfb-dgpsa/onpp-bppn/diet_using_f.html>. Reproduit avec la permission du Ministre des Travaux publics et Services gouvernementaux Canada, 2005.)

TABLEAU 45-14

Apports nutritionnels de référence (apports nutritionnels recommandés et apports suffisants): recommandations d'apports individuels (2000)

Groupes d'âge	Calcium mg/j	Phosphore mg/j	Magnésium mg/j	Vitamine D[a,b] µg/j	Fluor mg/j	Thiamine mg/j	Ribo-flavine mg/j	Niacine[c] mg/j	Vitamine B6 mg/j	Acide folique[d] µg/j	Vitamine B12 µg/j	Acide pantothénique mg/j	Biotine µg/j	Choline[e] mg/j	Vitamine C mg/j	Vitamine E[f] mg/j	Sélénium µg/j
Nourrissons																	
0-5 m	210*	100*	30*	5*	0,01*	0,2*	0,3*	2*	0,1*	65*	0,4*	1,7*	5*	125*	40*	4*	15*
6-11 m	270*	275*	75*	5*	0,5*	0,3*	0,4*	4*	0,3*	80*	0,5*	1,8*	6*	150*	50*	6*	20*
Enfants																	
1-3 a	500*	460	80	5*	0,7*	0,5	0,5	6	0,5	150	0,9	2*	8*	200*	15	6	20
4-8 a	800*	500	130	5*	1*	0,6	0,6	8	0,6	200	1,2	3*	12*	250*	25	7	30
Garçons																	
9-13 a	1 300*	1 250*	240	5*	2*	0,9	0,9	12	1,0	300	1,8	4*	20*	375*	45	11	40
14-18 a	1 300*	1 250*	410	5*	3*	1,2	1,3	16	1,3	400	2,4	5*	25*	550*	75	15	55
19-30 a	1 000*	700	400	5*	4*	1,2	1,3	16	1,3	400	2,4	5*	30*	550*	90	15	55
31-50 a	1 000*	700	420	5*	4*	1,2	1,3	16	1,3	400	2,4	5*	30*	550*	90	15	55
51-70 a	1 200*	700	420	10*	4*	1,2	1,3	16	1,7	400	2,4[g]	5*	30*	550*	90	15	55
>70 a	1 200*	700	420	15*	4*	1,2	1,3	16	1,7	400	2,4[g]	5*	30*	550*	90	15	55
Filles																	
9-13 a	1 300*	1 250*	240	5*	2*	0,9	0,9	12	1,0	300	1,8	4*	20*	375*	45	11	40
14-18 a	1 300*	1 250*	360	5*	3*	1,0	1,0	14	1,2	400[h]	2,4	5*	25*	400*	65[i]	15	55
19-30 a	1 000*	700	310	5*	3*	1,1	1,1	14	1,3	400[h]	2,4	5*	30*	425*	75[i]	15	55
31-50 a	1 000*	700	320	5*	3*	1,1	1,1	14	1,3	400[h]	2,4	5*	30*	425*	75[i]	15	55
51-70 a	1 200*	700	320	10*	3*	1,1	1,1	14	1,5	400	2,4[g]	5*	30*	425*	75[i]	15	55
>70 a	1 200*	700	320	15*	3*	1,1	1,1	14	1,5	400	2,4[g]	5*	30*	425*	75[i]	15	55
Grossesse																	
<19 a	1 300*	1 250*	400	5*	3*	1,4	1,4	18	1,9	600[h]	2,6	6*	30*	450*	80	15	60
19-30 a	1 000*	700	350	5*	3*	1,4	1,4	18	1,9	600[h]	2,6	6*	30*	450*	85	15	60
31-50 a	1 000*	700	360	5*	3*	1,4	1,4	18	1,9	600[h]	2,6	6*	30*	450*	85	15	60
Lactation																	
<19 a	1 300*	1 250*	360	5*	3*	1,4	1,6	17	2,0	500	2,8	7*	35*	550*	115	19	70
19-30 a	1 000*	700	310	5*	3*	1,4	1,6	17	2,0	500	2,8	7*	35*	550*	120	19	70
31-50 a	1 000*	700	320	5*	3*	1,4	1,6	17	2,0	500	2,8	7*	35*	550*	120	19	70

REMARQUE: Ce tableau présente les Apports nutritionnels recommandés (ANA) en caractère gras et les apports suffisants (AS) en caractère ordinaire, suivis d'un astérisque (*). Les ANR et les AS peuvent servir d'objectif pour les apports individuels. Les ANR couvrent les besoins de 97 % à 98 % de la population. Chez les nourrissons allaités, les AS correspondent aux apports moyens. Chez les autres groupes d'âge, les AS devraient satisfaire les besoins, bien que l'information disponible ne permette pas de le confirmer.

a Cholécalciférol. 1 µg de cholécalciférol = 40 UI de vitamine D.

b En l'absence d'exposition suffisante au soleil.

c Équivalents niacine (EN). 1 mg de niacine = 60 mg de tryptophane. De 0 à 6 mois = niacine préformée et non EN.

d Équivalents de folate alimentaire (EFA). 1 EFA = 1µg de folate alimentaire = 0,6 µg de folate folique (des aliments enrichis ou de suppléments) consommé avec des aliments = 0,5 µg d'un supplément consommé sans aliments.

e Même si un AS a été fixé pour la choline, peu de données permettent d'estimer le besoin de choline pendant les divers âges de la vie. Les besoins en choline pourraient être comblés par la biosynthèse au cours de certains de ces âges.

f Sous forme d'α-tocophérol. Il inclut le RRR-α-tocophérol, la seule forme d'α-tocophérol présente dans les aliments, et les formes stéréo-isomères 2R, présentes dans les aliments enrichis et dans les suppléments;

il n'inclut pas les formes stéréo-isomères 2S, présentes aussi dans les aliments enrichis et dans les suppléments.

g Comme l'absorption de la vitamine B12 liée aux aliments serait réduite chez 10 % à 30 % des personnes âgées, on suggère que les personnes âgées de plus de 50 ans prennent les apports recommandés de cette vitamine sous la forme d'aliments enrichis ou de suppléments de vitamine B12.

h Étant donné les liens entre l'apport de folates et les anomalies du tube neural fœtal, il est recommandé que toutes les femmes en âge de procréer consomment 400 µg d'acide folique de synthèse, provenant d'aliments enrichis ou de suppléments, en plus des apports alimentaires de folates.

i On suppose que les femmes continueront de consommer 400 µg d'acide folique jusqu'à ce que leur grossesse soit confirmée et qu'elles recevront des soins prénataux, ce qui survient habituellement après la fin de la période périconceptionnelle, qui est critique pour la formation du tube neural.

Source: *Dietary Reference Intakes for Vitamin C, Vitamin E, Selenium, and Carotenoids* (2000), «Summary Table, Dietary Reference Intakes: Recommended Intakes for Individuals», p. 507-509, National Academies Press, Washington, DC.

TABLEAU
45-15

Apports nutritionnels recommandés pour les Canadiens (nutriments non révisés, 1990)

RATIONS JOURNALIÈRES

Âge	Sexe	Poids kg	Protéines g	Vit. A ER[a]	Vit. E mg	Vit. C mg	Fer mg	Iode μg	Zinc mg	AGP (n-3)[e] g	AGP (n-6)[e] g
Mois											
0-4	M/F	6,0	12[b]	400	3	20	0,3[c]	30	2[c]	0,5	3
5-12	M/F	9,0	12	400	3	20	7	40	3	0,5	3
Années											
1	M/F	11	13	400	3	20	6	55	4	0,6	4
2-3	M/F	14	16	400	4	20	6	65	4	0,7	4
4-6	M/F	18	19	500	5	25	8	85	5	1,0	6
7-9	M	25	26	700	7	25	8	110	7	1,2	7
	F	25	26	700	6	25	8	95	7	1,0	6
10-12	M	34	34	800	8	25	8	125	9	1,4	8
	F	36	36	800	7	25	8	110	9	1,2	7
13-15	M	50	49	900	9	30[d]	10	160	12	1,5	9
	F	48	46	800	7	30[d]	13	160	9	1,2	7
16-18	M	62	58	1000	10	40[d]	10	160	12	1,8	11
	F	53	47	800	7	30[d]	12	160	9	1,2	7
19-24	M	71	61	1000	10	40[d]	9	160	12	1,6	10
	F	58	50	800	7	30[d]	13	160	9	1,2	7
25-49	M	74	64	1000	9	40[d]	9	160	12	1,5	9
	F	59	51	800	6	30[d]	13	160	9	1,1[f]	7[f]
50-74	M	73	63	1000	7	40[d]	9	160	12	1,3	8
	F	63	54	800	6	30[d]	8	160	9	1,1[f]	7[f]
75 +	M	69	59	1000	6	40[d]	9	160	12	1,1	7
	F	64	55	800	5	30[d]	8	160	9	1,1[f]	7[f]
Grossesse (supplément)											
1er trimestre			5	0	2	0	0	25	6	0,05	0,3
2e trimestre			20	0	2	10	5	25	6	0,16	0,9
3e trimestre			24	0	2	10	10	25	6	0,16	0,9
Lactation (supplément)			20	400	3	25	0	50	6	0,25	1,5

a Equivalents de rétinol.
b On suppose que la protéine est celle du lait maternel ; il faut un ajustement pour les préparations de lait pour nourrissons.
c On suppose que le lait maternel est la source des minéraux.
d Les fumeurs doivent augmenter leur apport en vitamine C de 50 %.
e AGP, acides gras polyinsaturés.
f Valeur sous laquelle l'apport ne doit pas descendre.

Source : Santé et Bien-être social Canada. *Rapport du Comité de révision scientifique. Recommandations sur la nutrition,* Ottawa, ministre des Approvisionnements et Services Canada, 1990.

Les aliments d'origine animale constituent la meilleure source de vitamine B_{12} ; les végétariens doivent donc trouver cet apport en consommant d'autres produits (par exemple, levure de bière, aliments enrichis de vitamine B_{12} ou suppléments vitaminiques). Comme l'organisme absorbe moins bien le fer d'origine végé-tale que le fer d'origine animale, les végétariens doivent con-sommer de grandes quantités d'aliments naturellement riches en fer (légumes-feuilles, céréales entières, raisins secs, mélasse, etc.) ou enrichis de fer ; ils ont intérêt à consommer à chaque repas des aliments riches en vitamine C, car celle-ci favorise

TABLEAU

45-16

Apports maximaux tolérables[a] (AMT) pour certains nutriments (1998)

Groupe d'âge	Calcium (g/jour)	Phosphore (g/jour)	Magnésium[b] (mg/jour)	Vitamine D (μg/jour)	Fluorure (mg/jour)	Niacine[c] (mg/jour)	Vitamine B6 (mg/jour)	Acide folique de synthèse[c] (μg/jour)	Choline (g/jour)
0-6 mois	ND[d]	ND	ND	25	0,7	ND	ND	ND	ND
7-12 mois	ND	ND	ND	25	0,9	ND	ND	ND	ND
1-3 ans	2,5	3	65	50	1,3	10	30	300	1,0
4-8 ans	2,5	3	110	50	2,2	15	40	400	1,0
9-13 ans	2,5	4	350	50	10	20	60	600	2,0
14-18 ans	2,5	4	350	50	10	30	80	800	3,0
19-70 ans	2,5	4	350	50	10	35	100	1000	3,5
Plus de 70 ans	2,5	3	350	50	10	35	100	1000	3,5
Grossesse									
18 ans et moins	2,5	3,5	350	50	10	30	80	800	3,0
19-50 ans	2,5	3,5	350	50	10	35	100	1000	3,5
Allaitement									
18 ans et moins	2,5	4	350	50	10	30	80	800	3,0
19-50 ans	2,5	4	350	50	10	35	100	1000	3,5

a AMT = quantité d'un nutriment la plus élevée que la plupart des gens peuvent consommer quotidiennement sans risque d'effets indésirables. À moins d'indication contraire, l'AMT comprend l'apport provenant des aliments, de l'eau et des suppléments. En raison d'un manque de données, aucun AMT n'a été établi pour la thiamine, la riboflavine, la vitamine B12, l'acide pantothénique et la biotine. En l'absence d'AMT, on recommande encore plus de prudence dans la consommation de quantités qui excèdent l'apport recommandé.

b En ce qui concerne le magnésium, l'AMT représente l'apport provenant de suppléments et exclut celui provenant des aliments et de l'eau.

c Pour la niacine et l'acide folique de synthèse, l'AMT comprend l'apport provenant des suppléments, des aliments enrichis ou des deux.

d ND = non déterminé en raison de l'absence de données relatives aux effets indésirables que l'on peut observer chez les jeunes enfants et de leur faible capacité à disposer d'un excès. Les sources devraient se limiter aux aliments afin d'éviter un apport excessif.

Source : Yates, A. A., Schlicker, S. A. et C. W. Suitor. "Dietary reference intakes : the new basis for recommendations for calcium and related nutrients, B vitamins, and choline", Journal of the American Dietetic Association, vol. 98, 1998, p. 699-706. Traduit et reproduit avec permission.

l'absorption du fer. Les personnes qui suivent un régime végétalien (en anglais, *strict vegetarian*) sont exposées aux carences en calcium. Pour prévenir ces carences, les végétaliens devraient consommer de généreuses quantités de légumes-feuilles, de même que de tofu et de boisson de soja, tous deux enrichis de calcium.

Troubles nutritionnels

La **malnutrition** se définit généralement par une alimentation insuffisante ou inadéquate. En pratique, elle recouvre deux notions : la surnutrition et la dénutrition.

La **surnutrition** (ou **suralimentation**) est causée par le maintien d'un apport énergétique supérieur aux besoins quotidiens, ce qui entraîne un stockage d'énergie dans l'organisme sous forme de tissus adipeux. Plus la quantité des graisses ainsi stockées augmente, plus la personne grossit – jusqu'à avoir un

excès de poids ou devenir obèse. L'**excès de poids** (**embonpoint, surpoids, surplus de poids** ou **surcharge pondérale**) correspond à un IMC (voir plus haut dans le texte la section *Normes de la masse et du poids corporels*) de 25 à 29,9 ; l'**obésité,** à un IMC de 30 et plus (Santé Canada, 2003a).

L'excès de poids accroît le stress infligé aux organes internes et prédispose l'individu à plusieurs problèmes chroniques de santé (par exemple, hypertension artérielle et diabète). L'obésité est dite « morbide » quand elle réduit la mobilité ou entrave la respiration. Il est à noter que les personnes obèses peuvent souffrir de dénutrition par rapport à certains nutriments importants (par exemple, vitamines ou minéraux), même si leur apport énergétique excède amplement leurs besoins.

La **dénutrition** (ou **sous-alimentation**) se définit par un apport de nutriments insuffisant pour répondre aux besoins énergétiques quotidiens, soit parce que l'alimentation est inadéquate, soit parce que l'organisme digère ou absorbe mal les aliments. Plusieurs causes peuvent expliquer l'insuffisance

TABLEAU

45-17

Typologie des régimes végétariens

Régime	Aliments inclus	Aliments exclus
Végétalien	Tous les aliments d'origine végétale.	Tous les autres aliments d'origine animale (y compris parfois le miel, les bouillons de chair animale et la gélatine).
Ovo-végétarien	Tous les aliments d'origine végétale. Œufs.	Tous les autres aliments d'origine animale.
Lacto-végétarien	Tous les aliments d'origine végétale. Produits laitiers.	Tous les autres aliments d'origine animale.
Lacto-ovo-végétarien	Tous les aliments d'origine végétale. Produits laitiers et œufs.	Tous les autres aliments d'origine animale.
Semi-végétarien (ou végétarien modéré)	Tous les aliments d'origine végétale. Produits de la chasse et de la pêche (gibier, volaille et poisson) en quantités modérées. Produits laitiers et œufs.	Viande rouge et charcuteries. Poisson et volaille d'élevage.
Régime macrobiotique	Produits céréaliers à grains entiers (> 50 %). Légumes (20 % à 30 %). Légumineuses, algues, poissons à chair blanche, fruits, noix et graines (10 % à 15 %). Soupe au miso. Eau de source ou de puits, café de céréales, tisanes, thés bancha, mu et kukicha seulement. Huiles pressées à froid. Sel de mer, assaisonnements à base de tamari, tamari, algues rôties, graines de sésame et miso.	Viande rouge et charcuteries. Produits laitiers et œufs. Aliments transformés et raffinés. Jus de fruits et boissons gazeuses. Boissons stimulantes (café, thé). Épices fortes, sucres concentrés, vinaigre.

Source : D. Lamontagne et C. Caty, section 3.2, p. 2, dans *Manuel de nutrition clinique*, OPDQ, 2000.

Protéines végétales et protéines complètes

Céréale + légumineuse = protéine complète
Légumineuse + noix ou graines = protéine complète
Céréale, légumineuse, noix ou graines + lait ou produit laitier (par exemple, fromage) = protéine complète

Céréales	Légumineuses	Noix et graines
Riz brun (entier)	Haricots noirs	Amandes
Orge	Haricots de Lima	Noix du Brésil
Semoule de maïs	Doliques à œil noir	Cajous
Millet	Autres haricots secs	Pacanes
Avoine ou gruau	Fèves de soja	Noix de Grenoble
Seigle	Lentilles	Graines
Blé entier	Tofu	de citrouille
	Graines de tournesol	Graines
	Pois cassés	de sésame

Exemples de combinaisons	Doliques à œil noir + riz
	Soupe aux lentilles + pain de blé entier
	Fèves + tortillas
	Haricots de Lima + graines de sésame
Exemples de repas	Céréales arrosées de lait
	Macaronis au fromage

de l'apport alimentaire : incapacité de se procurer les aliments voulus ou de les préparer, méconnaissance des nutriments essentiels et des principes de base de l'alimentation équilibrée, malaises ressentis pendant ou après les repas, dysphagie, anorexie, nausées, vomissements, etc. Les problèmes de digestion et d'absorption des nutriments peuvent être causés soit par des perturbations de la sécrétion hormonale ou enzymatique, soit par une affection provoquant une inflammation ou une obstruction du tractus gastro-intestinal.

L'insuffisance nutritionnelle s'accompagne de plusieurs symptômes : perte de poids importante, faiblesse généralisée, anomalie des capacités fonctionnelles, lenteur de la cicatrisation, susceptibilité accrue aux infections, détérioration de l'immunocompétence (compétence immunitaire), anomalie de la fonction pulmonaire et allongement des séjours hospitaliers. Soumis à la dénutrition, l'organisme exploite les réserves de glucides emmagasinés sous forme de glycogène hépatique ou musculaire. Ces réserves ne peuvent cependant combler les besoins énergétiques qu'à court terme, soit environ 24 heures. Le corps doit ensuite mobiliser ses protéines.

La **malnutrition protéinoénergétique** (MPE) est causée par un apport inadéquat de protéines (particulièrement, l'albumine), d'énergie ou des deux. Par exemple, le kwashiorkor est une forme de dénutrition qui correspond à un apport protéique insuffisant et qui touche surtout les enfants dans certains pays du tiers-monde. La MPE représente aussi un problème majeur pour les personnes dont l'apport énergétique est insuffisant sur une longue période (par exemple, personnes atteintes d'un cancer ou d'une affection chronique). La MPE se caractérise par une perte de poids et une fonte musculaire et adipeuse visible.

Les réserves protéiques du corps se répartissent générale-ment en deux catégories : les réserves somatiques et les réserves viscérales. Les protéines somatiques forment l'essentiel de la masse musculaire squelettique. Leur évaluation se fait le plus souvent au moyen de mesures anthropométriques, notamment la circonférence brachiale (ou périmètre brachial) et la circon-férence musculaire brachiale (ou périmètre musculaire brachial) (voir la section *Mesures anthropométriques*). Les protéines vis-cérales regroupent les protéines plasmatiques, l'hémoglobine, plusieurs facteurs de coagulation, les hormones et les anticorps. Elles se mesurent en général au taux de protéines présentes dans le sérum (protéinémie) : albumine, transferrine (sidérophi-line), etc. (voir la section *Examens paracliniques*).

DÉMARCHE SYSTÉMATIQUE
dans la pratique infirmière

Collecte des données

L'évaluation nutritionnelle clinique permet de déterminer si une personne présente un état nutritionnel insatisfaisant ou un risque de malnutrition. Dans la plupart des établissements de santé, médecin, diététiste et infirmière se partagent la responsabilité de cette évaluation et du suivi. Cependant, comme elle exige temps et argent, l'équipe de soins choisit souvent une formule plus rapide et moins exhaustive, et l'infirmière réalise en général un dépistage nutritionnel. S'il y a lieu, l'évaluation nutritionnelle clinique com-plète est effectuée le plus souvent par un diététiste (ou nutrition-niste) et par le médecin. Le tableau 45-18 passe en revue les volets de l'évaluation nutritionnelle clinique : anthropométrique, biochi-mique, clinique et diététique (ABCD).

■ Dépistage nutritionnel

Comme nous l'avons dit au sujet de l'évaluation nutritionnelle, le dépistage nutritionnel permet lui aussi de déterminer si une per-sonne souffre de malnutrition ou présente un risque de malnutrition. Les personnes qui présentent un risque moyen ou élevé doivent faire ensuite l'objet d'un examen complet effectué par un diététiste (voir l'encadré 45-5).

Pour réaliser le dépistage nutritionnel, l'infirmière établit les antécédents de la personne et fait son examen physique. Il existe des outils de dépistage propres à certaines affections (par exemple, affections cardiaques) ou adaptés à certains groupes de popula-tion (par exemple, personnes âgées ou femmes enceintes). L'infirmière peut utiliser certains outils d'évaluation globale, tels que l'évaluation de l'état nutritionnel (*Mini Nutritional Assessment* ou MNA ; figure 45-6 ■) ou l'évaluation nutritionnelle subjective globale (ENSG) (figure 45-7 ■). Cette dernière permet de déter-miner subjectivement l'état nutritionnel de la personne (bien nourrie, modérément dénutrie, gravement dénutrie) à partir de ses antécédents alimentaires et de son examen physique (McCallum, 2000). Établie à l'origine pour les personnes atteintes d'un cancer,

TABLEAU

45-18

Volets de l'évaluation nutritionnelle clinique		
	Données obtenues par le dépistage nutritionnel	**Données complémentaires**
A – Données anthropométriques	■ Taille ■ Poids ■ Poids-santé ■ Poids habituel ■ Indice de masse corporelle ■ Rapport taille-hanches	■ Pli cutané tricipital (au triceps) ■ Circonférence brachiale (périmètre brachial) ■ Circonférence musculaire brachiale (périmètre musculaire brachial)
B – Données biochimiques	■ Hémoglobine ■ Sérumalbumine ■ Numération lymphocytaire absolue	■ Taux de transferrine (sidérophiline) sérique ■ Urée urinaire ■ Créatininurie
C – Données cliniques	■ Peau ■ Cheveux et ongles ■ Muqueuses ■ Niveau d'activité	■ Examen capillaire ■ Tests neurologiques
D – Données diététiques	■ Bilan alimentaire des 24 heures ■ Récapitulatif de la fréquence de consommation des produits alimentaires	■ Récapitulatif sélectif de la fréquence de consommation des produits alimentaires ■ Journal alimentaire ■ Bilan alimentaire complet

Facteurs de risque des perturbations nutritionnelles

BILAN ALIMENTAIRE

- Difficultés de mastication ou de déglutition (y compris malocclusion dentaire, caries et dents manquantes).
- Budget alimentaire insuffisant.
- Alimentation inadéquate.
- Lieux ou équipements inadéquats pour la préparation des aliments.
- Lieux ou équipements inadéquats pour l'entreposage des aliments.
- Liquides intraveineux (autres que l'alimentation parentérale totale pendant 10 jours ou plus).
- Solitude (la personne vit et mange seule).
- Aucune alimentation (jeûne) pendant 10 jours ou plus.
- Incapacités physiques.
- Régime alimentaire restrictif ou mode alimentaire.

ANTÉCÉDENTS MÉDICAUX

- Grossesse à l'adolescence ou grossesses rapprochées.
- Alcoolisme ou toxicomanie.
- Perturbations cataboliques ou hypermétabolisme : brûlures, traumas.

- Affections chroniques : affection hépatique, séropositivité, affection pulmonaire (BPCO), cancer, insuffisance rénale terminale.
- Problèmes dentaires : difficultés de mastication, malocclusion.
- Déséquilibres hydroélectrolytiques.
- Problèmes gastro-intestinaux : anorexie, dysphagie, nausées, vomissements, diarrhée, constipation.
- Déficiences neurologiques ou cognitives.
- Interventions chirurgicales buccales ou gastro-intestinales.
- Prise ou perte de poids non intentionnelle de 10 % ou plus au cours des six mois précédents.

ANTÉCÉDENTS PHARMACEUTIQUES[1]

- Antiacides.
- Antidépresseurs.
- Antihypertenseurs.
- Anti-inflammatoires.
- Agents anticancéreux.
- Aspirine.
- Digitale.
- Diurétiques (thiaziques).
- Laxatifs.
- Chlorure de potassium.

1. Le tableau 45-4 passe en revue les répercussions possibles de certains médicaments sur l'alimentation et l'état nutritionnel.

---

cette méthode a ensuite été étendue aux personnes présentant d'autres affections, qu'elles soient ou non hospitalisées. L'encadré 45-6 présente un formulaire abrégé de dépistage nutritionnel.

Anamnèse

Comme nous l'avons déjà mentionné, l'anamnèse fournit à l'infirmière un volume considérable de données sur l'alimentation et sur l'état nutritionnel de la personne, notamment les suivantes :

- Âge, sexe, niveau d'activité physique.
- Difficultés liées à l'alimentation (par exemple, pour mastiquer ou avaler).
- Changements constatés dans l'appétit.
- Modification du poids.
- Incapacités physiques qui empêchent la personne de faire ses courses, de préparer ses repas ou de consommer certains aliments.
- Caractéristiques culturelles et convictions religieuses influant sur les choix alimentaires.
- Mode de vie (par exemple, la personne vit seule) et statut économique.
- État de santé général, affections et blessures.
- Antécédents pharmaceutiques.

Examen physique

L'examen physique permet de dépister les insuffisances et les excès nutritionnels ainsi que les changements de poids importants. Il

porte en particulier sur les tissus à croissance rapide (par exemple, peau, cheveux, ongles, yeux et muqueuses), mais il comprend aussi un bilan systématique (comme dans tout examen physique de routine). Le tableau 45-19 passe en revue les signes cliniques potentiellement liés à la malnutrition. Il est à noter que ces signes ne sont pas particuliers à la malnutrition. Par exemple, la rougeur de la conjonctive est parfois le signe d'une insuffisance nutritionnelle, mais parfois aussi celui d'une infection ; des cheveux secs et ternes peuvent signaler le kwashiorkor (carence protéique importante), mais leur état peut aussi résulter d'une exposition excessive au soleil. Pour confirmer le diagnostic de malnutrition, l'équipe soignante complétera les observations cliniques à l'aide d'examens paracliniques et de données nutritionnelles précises.

Calcul d'une perte de poids en pourcentage

L'infirmière doit déterminer avec exactitude la taille de la personne, son poids actuel et son poids habituel. Elle pourra ensuite comparer ce dernier avec le poids-santé correspondant à sa stature (voir précédemment). Notons que cette technique d'évaluation s'applique uniquement aux personnes en bonne santé et ne tient compte ni des modifications qui peuvent toucher l'organisme en cas d'affection ni des variations du poids. Le poids habituel donne une idée plus juste de la prise ou de la perte de poids et, donc, d'une éventuelle malnutrition. L'encadré 45-7 présente deux formules de calcul : la première sert à établir le rapport en pourcentage entre le poids actuel et le poids habituel ; la seconde est utilisée pour déterminer la perte de poids en pourcentage ; on y précise également les critères d'interprétation des résultats obtenus. Le bilan pondéral

NESTLÉ NUTRITION SERVICES

Nestlé

Évaluation de l'état nutritionnel
Mini Nutritional Assessment MNA™

Nom :	Prénom :	Sexe :	Date :

Âge :	Poids, kg :	Taille en cm :	Hauteur du genou, cm :

Répondez à la première partie du questionnaire en indiquant le score approprié pour chaque question. Additionnez les points de la partie Dépistage, si le résultat est égal à 11 ou inférieur, complétez le questionnaire pour obtenir l'appréciation précise de l'état nutritionnel.

Dépistage

A La patient présente-t-il une perte d'appétit ?
A-t-il mangé moins ces 3 derniers mois par manque d'appétit, problèmes digestifs, difficultés de mastication ou de déglutition ?
0 = anorexie sévère
1 = anorexie modérée
2 = pas d'anorexie ☐

B Perte récente de poids (< 3 mois)
0 = perte de poids > 3 kg
1 = ne sait pas
2 = perte de poids entre 1 et 3 kg
3 = pas de perte de poids ☐

C Motricité
0 = du lit au fauteuil
1 = autonome à l'intérieur
2 = sort du domicile ☐

D Maladie aiguë ou stress psychologique
lors des 3 derniers mois ?
0 = oui   2 = non ☐

E Problèmes neuropsychologiques
0 = démence ou dépression sévère
1 = démence ou dépression modérée
2 = pas de problème psychologique ☐

F Indice de masse corporelle (IMC = poids/(taille)^2 en kg/m^2)
0 = IMC < 19
1 = 19 ≤ IMC < 21
2 = 21 ≤ IMC < 23
3 = IMC ≥ 23 ☐

Score de dépistage (sous-total max. 14 points) ☐☐

12 points ou plus   normal pas besoin de continuer l'évaluation
11 points ou moins   possibilité de malnutrition
                      continuez l'évaluation

Évaluation globale

G Le patient vit de façon indépendante à domicile ?
0 = non   1 = oui ☐

H Prend plus de 3 médicaments
0 = oui   1 = non ☐

I Escarres ou plaies cutanées ?
0 = oui   1 = non ☐

Réf. : Guigoz, Y., Vellas, B. et Garry, P. J. 1994. Mini Nutritional Assessment : A practical assessment tool for grading the nutritional state of elderly patients, *Facts and Research in Gerontology,* Supplément 2 :15- 59.

Rubenstein, L. Z. Harker, J. Guigoz, Y. et Vellas, B. Comprehensive Geriatric Assessment (CGA) and the MNA : An overview of CGA, Nutritional Assessment, and Development of a Shortened Version of the MNA. In "Mini nutritional Assessment (MNA) : Research and Practice in the Elderly", Vellas, B., Garry, J. P. et Guigoz, Y, dir., Nestlé Nutrition Workshop Series. Clinical & Performance Programme, vol. 1. Karger, Bâle, in press.

J Combien de véritables repas le patient prend-il par jour ?
0 = 1 repas
1 = 2 repas
2 = 3 repas ☐

K Consomme-t-il ?
• Une fois par jour au moins
des produits laitiers ?   oui ☐ non ☐
• Une ou deux fois par semaine
des œufs ou des légumineuses ?   oui ☐ non ☐
• Chaque jour de la viande,
du poisson ou de la volaille ?   oui ☐ non ☐
0,0 = si 0 ou 1 oui
0,5 = si 2 oui
1,0 = si 3 oui ☐,☐

L Consomme-t-il deux fois par jour au moins
des fruits ou des légumes ?
0 = non   1 = oui ☐

M Combien de verres de boissons consomme-t-il par jour ?
(eau, jus, café, thé, lait, vin, bière…)
0,0 = moins de 3 verres
0,5 = de 3 à 5 verres
1,0 = plus de 5 verres ☐,☐

N Manière de se nourrir
0 = nécessite une assistance
1 = se nourrit seul avec difficulté
2 = se nourrit seul sans difficulté ☐

O La patient se considère-t-il bien nourri ? (problèmes nutritionnels)
0 = malnutrition sévère
1 = ne sait pas ou malnutrition modérée
2 = pas de problème de nutrition ☐

P La patient se sent-il en meilleure ou en moins bonne santé
que la plupart des personnes de son âge ?
0,0 = moins bonne
0,5 = ne sait pas
1,0 = aussi bonne
2,0 = meilleure ☐,☐

Q Circonférence brachiale (CB en cm)
0,0 = CB < 21
0,5 = 21 ≤ CB < 22
1,0 = CB > 22 ☐☐

R Circonférence du mollet (CM en cm)
0 = CM < 31   1 = CM ≥ 31 ☐

Évaluation globale (max. 16 points) ☐☐,☐

Score de dépistage ☐☐

Score total (max. 30 points) ☐☐,☐

Appréciation de l'état nutritionnel

de 17 à 23,5 points	risque de malnutrition	☐
moins de 17 points	mauvais état nutritionnel	☐

FIGURE 45-6 ■ Évaluation de l'état nutritionnel (*Mini Nutritional Assessment* ou MNA). (Source : Société des produits Nestlé S.A.)

Évaluation nutritionnelle subjective globale (ENSG)

A. ANTÉCÉDENTS

1. Évolution du poids
Poids il y a six mois : _____   Poids actuel : _____
Perte de poids depuis six mois : _____ kg = _____ % perte
Changement de poids depuis deux semaines :
☐ Augmentation   ☐ Aucun changement   ☐ Diminution

2. Apport alimentaire (comparativement à la normale)
☐ Aucun changement   ☐ Adéquat   ☐ Inadéquat
☐ Changement :   durée   _____ Semaines
                   type :   ☐ Régime solide inférieur à la normale
                              ☐ Régime liquide faible en énergie
                              ☐ Régime semi-liquide incomplet
                              ☐ Ne mange pas

3. Symptômes gastro-intestinaux (persistant depuis plus de deux semaines)
☐ Aucun   ☐ Nausées   ☐ Vomissements   ☐ Diarrhée   ☐ Anorexie

4. Capacité fonctionnelle
☐ Aucune incapacité
☐ Incapacité :   durée   _____ Semaines
                   type :   ☐ Capacité de travail diminuée
                              ☐ Incapacité de travailler mais ambulatoire
                              ☐ Alité

5. Maladies et état métabolique
Diagnostic primaire : _____
Stress métabolique :   ☐ Aucun   ☐ Léger   ☐ Modéré   ☐ Grave

B. Examen physique (0 = normal ; + = léger ; ++ = modéré ; +++ = grave)

_____ Perte de tissu adipeux sous-cutané (triceps, côtes)
_____ Perte de masse musculaire (quadriceps, deltoïde)
_____ Œdème des chevilles
_____ Œdème sacré
_____ Ascite

C. Évaluation subjective globale

_____ A = Bien nourri
_____ B = Modérément dénutri (ou soupçonné de dénutrition)
_____ C = Dénutri

FIGURE 45-7 ■ **Évaluation nutritionnelle subjective globale (ENSG).** (Source : Adapté de « What is Subjective Global Assessment », de A. S. Detsky, J. R. McLaughlin, N. Johnston, S. Whittaker, R. A. Mendelson et K. N. Jeejeelhoy, 1987, *JPEN J Parenter Enteral Nutr, 11,* p. 8-13. Reproduit avec l'autorisation de l'American Society for Parenteral and Enteral Nutrition (ASPEN). L'ASPEN ne cautionne l'utilisation de ce matériel que s'il est complet.)

Formulaire abrégé de dépistage nutritionnel

Lisez attentivement les énoncés ci-dessous et encerclez le chiffre de la colonne « Oui » pour chacune des affirmations qui s'appliquent à vous. Faites ensuite le total.

Énoncés liés à l'évaluation nutritionnelle	Oui
Une maladie ou autre affection m'oblige à modifier la nature ou la quantité des aliments que je mange.	2
Je prends un seul repas par jour.	3
Je mange peu de fruits, de légumes ou de produits laitiers.	2
Chaque jour ou presque, je bois trois verres ou plus de bière, d'alcool ou de vin.	2
J'ai des problèmes dentaires ou buccaux qui me gênent pour manger.	2
Il m'arrive de manquer d'argent pour acheter les aliments dont j'ai besoin.	4
Je mange seul presque tout le temps.	1
Je prends au moins trois médicaments différents par jour (sur ordonnance ou en vente libre).	1
J'ai pris ou perdu cinq kilogrammes au cours des six derniers mois, sans avoir cherché à le faire.	2
Je ne suis pas toujours suffisamment en forme physiquement pour faire mes courses, cuisiner ou m'alimenter.	2
Total	____

Interprétation du résultat

0-2 : Très bien ! Dans six mois, répondez de nouveau aux questions et faites le total.

3-5 : Vous présentez un risque nutritionnel modéré. Efforcez-vous d'améliorer vos habitudes alimentaires et votre mode de vie. Dans trois mois, répondez de nouveau aux questions et faites le total.

6 ou plus : Vous présentez un risque nutritionnel élevé. Soumettez ce questionnaire rempli à votre médecin ou à une infirmière qui travaille en établissement de santé ou en soins à domicile. Demandez qu'on vous aide à améliorer votre état nutritionnel.

Source : « Determine Your Nutritional Health », de la Nutrition Screening Initiative, 2003, Washington (D.C.), National Council on Aging. La Nutrition Screening Initiative est un projet de l'American Dietetic Association, financé en partie par une subvention de Ross Products, une filiale de Abbott Laboratories.

Signes cliniques potentiellement liés à la malnutrition

Examen physique	Signes cliniques
Vitalité et allure générale	Personne apathique, sans énergie, toujours fatiguée ; manque de dynamisme et de résistance.
Poids	Surcharge ou insuffisance pondérale.
Peau	Sèche, squameuse, écailleuse ; pâle ou pigmentée ; présence de pétéchies et d'ecchymoses ; gras sous-cutané insuffisant.
Ongles	Cassants, pâles, striés ou bombés (en forme de cuillère).
Cheveux	Secs, ternes, clairsemés, décolorés, cassants.
Yeux	Conjonctive rouge ou décolorée ; sécheresse oculaire ; cornée molle ; cornée terne.
Lèvres	Enflées ; craquelures rouges aux commissures ; fissures verticales.
Langue	Gonflée ; rouge vif ou rose magenta ; lisse ; plus grosse ou plus petite que d'habitude.
Gencives	Molles, enflées, enflammées ; saignent facilement.
Muscles	Sous-développés, flasques, atrophiés, hypotoniques.
Fonction gastro-intestinale	Anorexie ; indigestion ; diarrhée ; constipation ; foie hypertrophié.
Fonction neurologique	Diminution des réflexes ; détérioration des perceptions sensorielles ; sensations de brûlure ou de picotements dans les mains et les pieds ; irritabilité ou confusion mentale.

établi au cours de l'anamnèse doit comporter, en particulier, une description de l'évolution du poids. L'infirmière rendra compte de toute perte ou prise de poids, de la durée du changement et de ses causes : cette perte ou cette prise de poids était-elle intentionnelle ou non ?

■ Antécédents alimentaires

Les antécédents alimentaires passent en revue les habitudes alimentaires de la personne : goûts, aversions, allergies et intolérances ; catégories et quantités d'aliments, fréquence de consommation ; facteurs sociaux, économiques, ethniques, culturels et religieux

ENCADRÉ
45-7

Calcul et interprétation (a) du rapport en pourcentage entre le poids actuel et le poids habituel et (b) de la perte de poids en pourcentage

a) RAPPORT EN POURCENTAGE ENTRE LE POIDS ACTUEL ET LE POIDS HABITUEL

Calcul

Rapport (%) entre poids actuel et poids habituel

$$= \frac{\text{Poids actuel}}{\text{Poids habituel}} \times 100$$

Interprétation

Malnutrition légère	85 – 90 %
Malnutrition modérée	75 – 84 %
Malnutrition grave	< 75 %

b) PERTE DE POIDS EN POURCENTAGE

Calcul

$$\text{Perte de poids (\%)} = \frac{\text{Poids habituel} - \text{Poids actuel}}{\text{Poids habituel}} \times 100$$

Interprétation

Perte de poids significative	Perte de poids grave
5 % en 1 mois	> 5 % en 1 mois
7,5 % en 3 mois	> 7,5 % en 3 mois
10 % en 6 mois	> 10 % en 6 mois

qui ont des répercussions sur l'alimentation. Entre autres facteurs, on trouve les suivants : solitude (la personne vit et mange seule) ; capacité de faire les courses et de préparer les repas ; accès à des équipements de réfrigération et de cuisine ; niveau de revenu ; répercussions de l'appartenance religieuse, ethnique et culturelle sur les choix alimentaires.

On distingue quatre méthodes de collecte de données alimentaires : le bilan alimentaire des 24 heures, le récapitulatif de la fréquence de consommation des produits alimentaires, le journal alimentaire et le bilan alimentaire complet.

Pour établir le **bilan alimentaire des 24 heures**, l'infirmière demande à la personne de dresser la liste complète des aliments et des boissons qu'elle consomme habituellement durant une période de 24 heures. L'infirmière évalue ensuite la qualité globale de cette alimentation à la lumière du *Guide alimentaire canadien pour manger sainement*.

Le **récapitulatif de la fréquence de consommation des produits alimentaires** est la liste des groupes alimentaires ou des aliments précis que la personne consomme, accompagnés de la fréquence de consommation pendant une période donnée. Cette fréquence peut s'exprimer en « nombre de fois par jour », en « nombre de fois par semaine », en « nombre de fois par mois » ou selon une échelle, telle que la suivante : « souvent », « rarement », « jamais ». Comme le bilan alimentaire des 24 heures, ce récapitulatif tient compte de la nature des aliments consommés, mais non des quantités. Si on soupçonne que la personne ne consomme pas suffisamment certaines catégories d'aliments ou de nutriments, ou qu'elle en consomme trop, il faut utiliser un outil de mesure de la fréquence pour déterminer la consommation précise de matières grasses, de fruits, de légumes, de fibres, etc. : c'est ce qu'on appelle le « récapitulatif sélectif de la fréquence de consommation des produits alimentaires ».

Le **journal alimentaire** est le bilan détaillé des quantités (on mesure les portions) de tous les aliments solides et de toutes les boissons que la personne consomme pendant une période donnée (en général, de trois à sept jours).

Le **bilan alimentaire complet** dresse la liste exhaustive des aliments liquides et solides que la personne consomme. Pour l'établir, le diététiste mène une entrevue en profondeur avec la personne. Le bilan alimentaire complet prend beaucoup de temps : on y précise la catégorie, la fréquence et la quantité des aliments habituellement consommés. Il peut par conséquent inclure le bilan alimentaire des 24 heures, le récapitulatif de la fréquence de consommation des produits alimentaires et le journal alimentaire. L'équipe soignante doit par ailleurs faire le point sur les facteurs médicaux et psychosociaux en jeu afin de mesurer leurs répercussions sur les besoins nutritionnels de la personne ainsi que sur ses habitudes et ses choix alimentaires. Les données sont ensuite traitées (informatiquement ou non) pour être exprimées en apport énergétique et en apport nutritionnel. Enfin, on compare ces résultats avec les ANREF correspondant à l'âge, au sexe et à l'état de santé de la personne.

◾ Mesures anthropométriques

Les mesures anthropométriques sont des techniques non effractives (sans bris cutané) utilisées pour mesurer l'évolution de la constitution du corps. Le poids et la taille sont les mesures anthropométriques les plus importantes. On mesure la taille à l'aide d'une toise ou, dans le cas d'une personne alitée, à l'aide d'un ruban à mesurer en tissu. On peut par ailleurs estimer la taille ou le poids d'une personne grâce à la mesure de la longueur des bras ou à partir de la hauteur du genou. On utilise encore aujourd'hui des tableaux de tailles et de poids, élaborés à partir des données d'une enquête menée par Nutrition Canada de 1970 à 1972, mais ces normes soulèvent la controverse (Decelles, Gélinas et Côté, 2000).

La mesure du pli cutané aide à évaluer les réserves de graisses. Elle se prend généralement au triceps et on l'appelle **pli cutané tricipital** (PCT). Elle permet d'évaluer les tissus sous-cutanés, mais non les muscles sous-jacents. Elle se prend à l'aide d'un adipomètre et s'exprime en millimètres. Pour mesurer le pli cutané tricipital (figure 45-8 ◾), l'infirmière repère le milieu du bras (à mi-chemin entre l'acromion et l'olécrane) puis pince la peau à l'arrière du bras, le long de l'humérus. Elle place l'adipomètre un peu plus haut que ses doigts et mesure l'épaisseur du pli au millimètre près.

La **circonférence brachiale** (ou **périmètre brachial**), CB (ou PB), est une mesure de la graisse, des muscles et des os du bras. Assise ou debout, la personne laisse pendre le bras et replie l'avant-bras à l'horizontale. L'infirmière mesure au millimètre près le tour du bras à mi-chemin entre l'épaule et le coude (figure 45-9 ◾) ; elle le note en centimètres (par exemple, 24,6 cm). On calcule ensuite la **circonférence musculaire brachiale** (ou **périmètre musculaire brachial**), CMB (ou PMB), soit à l'aide de tableaux de référence, soit en utilisant une formule conçue à cet effet (voir ci-dessous). La circonférence musculaire brachiale donne une estimation de la masse maigre du corps (ou réserves musculaires squelettiques). Si les tableaux de référence font défaut, l'infirmière peut appliquer la formule suivante en utilisant les mesures de la circonférence brachiale (CB) et du pli cutané tricipital (PCT) :

$$\text{CMB (cm)} = \frac{\text{CB (cm)} - 3,143 \times \text{PCT (mm)}}{10}$$

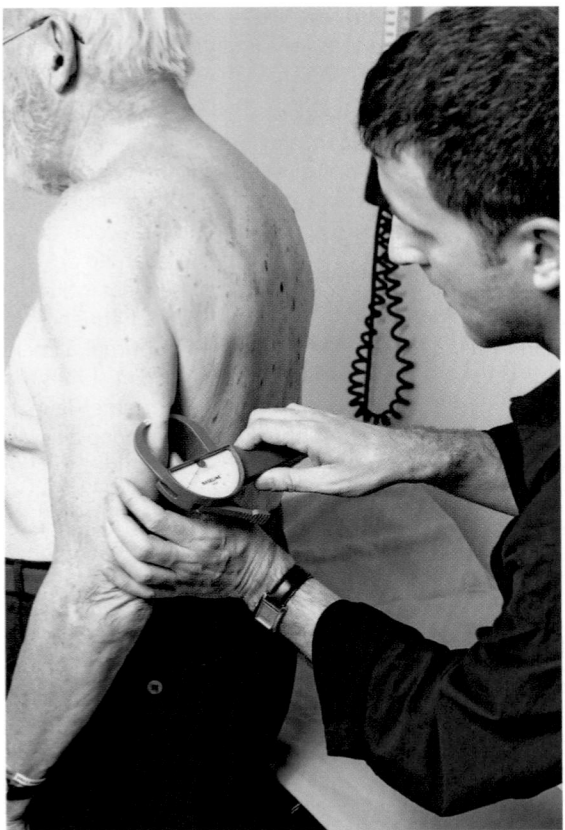

FIGURE **45-8** ■ **Mesure du pli cutané tricipital.** (Source : *L'examen clinique dans la pratique infirmière,* (p. 74), de M. Brûlé, L. Cloutier et O. Doyon, 2002, Saint-Laurent : Éditions du Renouveau Pédagogique. Photo : André Gamache, Institut universitaire de gériatrie de Montréal, © 2000.)

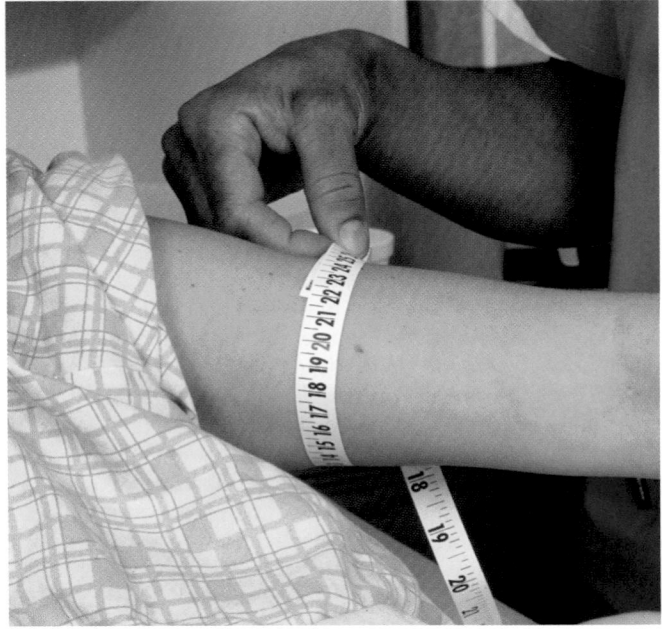

FIGURE **45-9** ■ **Mesure de la circonférence brachiale (ou périmètre brachial).**

Le tableau 45-20 passe en revue les valeurs courantes, chez l'adulte, des mesures anthropométriques que nous venons de voir.

Une autre évaluation anthropométrique est la mesure du rapport taille-hanches (RTH). Le **tour de taille** se mesure au niveau de la douzième côte et le **tour de hanches**, au niveau de la symphyse pubienne et du renflement fessier maximal (figure 45-10 ■). La valeur du RTH idéal est de 1 mais n'est valide que pour un IMC entre 18,5 et 34,9. Une valeur plus grande indique une obésité abdominale et est associée à un risque d'affections cardiovasculaires. Un tour de taille égal ou supérieur à 88 cm chez la femme et à 102 cm chez l'homme est associé à un risque accru d'affections cardiovasculaires.

Les mesures anthropométriques d'une personne évoluent généralement de manière graduelle ; elles rendent donc compte de modifications de l'état nutritionnel sur une longue période et non de façon ponctuelle. Cette évolution des mesures permet par conséquent de suivre l'état de la personne sur plusieurs mois ou plusieurs années, non sur quelques jours ou quelques semaines. Idéalement, les mesures initiales et les mesures ultérieures devraient être prises par le même clinicien. En outre, il faut interpréter les résultats avec précaution : en effet, les anomalies de l'hydratation qui accompagnent souvent une affection peuvent fausser de façon importante ces chiffres ; de plus, les normes anthropométriques ne tiennent pas compte des changements normaux de la constitution du corps (par exemple, ceux qui accompagnent le vieillissement).

■ Examens paracliniques

Les examens paracliniques fournissent des données objectives sur l'état nutritionnel de la personne. Cependant, comme de nombreux facteurs peuvent influer sur les résultats de ces examens, il n'existe pas de test universel pour déterminer à la fois le risque nutritionnel ainsi que la présence et l'étendue d'un problème nutritionnel. Les examens paracliniques les plus courants sont les suivants : protéines sériques, analyse d'urine, numération lymphocytaire absolue.

PROTÉINES SÉRIQUES. Le taux de protéines sériques (présentes dans le sérum) permet d'estimer les réserves de protéines viscérales. Les tests les plus courants dans ce domaine sont les suivants : hémoglobine, albumine, transferrine (sidérophiline) et capacité totale de fixation du fer. Quand le taux d'hémoglobine est faible, l'équipe soignante doit s'attendre à l'existence d'une anémie ferriprive. Pour conclure à la carence en fer alimentaire, on doit cependant s'assurer que la personne n'a pas subi d'hémorragie importante et qu'un processus pathologique, tel qu'un cancer gastro-intestinal, n'est pas en cours.

L'albumine, qui représente plus de 50 % de l'ensemble des protéines sériques, est une protéine viscérale commune, qu'on mesure au cours d'une évaluation nutritionnelle. Comme l'albumine est abondante dans l'organisme et qu'elle se décompose très lentement (c'est-à-dire qu'elle a une demi-vie assez longue, soit de 18 à 20 jours environ), sa concentration varie très lentement. Un taux d'albumine sérique faible est donc plus révélateur d'une déplétion protéique prolongée que d'un changement aigu ou récent de l'état nutritionnel. Cependant, de nombreuses affections, autres que la dénutrition, peuvent faire baisser la concentration d'albumine (par exemple, perturbations de la fonction hépatique, hydratation importante, pertes importantes de sérum causées par des blessures ouvertes ou des brûlures).

TABLEAU
45-20

Normes des mesures anthropométriques de l'adulte canadien

Percentiles pour le pli cutané tricipital (mm) par âge chez les adultes canadiens, hommes et femmes

Âge (ans)	5	10	25	Percentiles 50 Pli cutané tricipital (mm)	75	90	95
Hommes							
20-29	3	4	7	10	16	21	28
30-39	4	6	7	10	16	19	23
40-49	5	6	8	11	14	17	19
50-59	4	5	8	11	14	16	20
60-69	5	6	7	10	14	20	21
70 +	5	6	8	11	14	19	21
Femmes							
20-29	8	11	16	20	25	29	32
30-39	10	11	15	19	24	29	33
40-49	11	13	16	20	26	29	32
50-59	12	14	18	23	26	31	33
60-69	14	17	20	23	27	30	34
70 +	11	13	17	21	25	30	31

Percentiles pour la circonférence brachiale (cm) par âge chez les adultes canadiens, hommes et femmes

Âge (ans)	5	10	25	Percentiles 50 Circonférence brachiale (cm)	75	90	95
Hommes							
20-29	25,50	26,00	27,30	30,20	32,50	35,30	35,80
30-39	26,80	27,20	28,70	31,30	33,20	35,20	37,10
40-49	26,60	28,30	29,80	31,30	33,10	34,00	35,30
50-59	26,70	27,20	29,30	30,90	32,60	33,90	36,00
60-69	25,80	27,20	29,00	30,80	32,50	34,90	36,20
70 +	23,40	24,80	27,00	28,70	30,60	32,70	34,20
Femmes							
20-29	20,20	22,90	24,30	27,40	29,60	32,20	34,30
30-39	22,30	23,60	25,50	27,10	28,80	32,60	35,20
40-49	23,90	24,60	27,30	29,00	31,60	34,50	35,80
50-59	23,30	24,30	27,00	29,80	32,30	35,00	37,00
60-69	25,30	26,70	28,30	30,30	32,50	35,90	38,00
70 +	23,10	24,80	27,30	29,70	32,30	34,40	38,40

Percentiles pour la circonférence musculaire brachiale (cm) par âge chez les adultes canadiens, hommes et femmes

Âge (ans)	5	10	25	Percentiles 50 Circonférence musculaire brachiale (cm)	75	90	95
Hommes							
20-29	23,24	23,71	24,90	26,31	28,15	29,98	30,64
30-39	23,57	24,87	26,28	27,43	29,24	30,47	30,88
40-49	24,43	25,08	26,14	27,90	29,28	29,91	30,45
50-59	24,11	24,57	25,94	27,33	28,63	29,93	30,90
60-69	22,95	23,95	25,47	27,40	28,67	29,87	31,47
70 +	21,05	22,15	23,58	24,82	26,83	28,20	29,02
Femmes							
20-29	17,93	18,43	19,64	21,03	22,37	24,31	25,14
30-39	18,08	18,60	19,71	21,20	22,46	24,13	25,77
40-49	19,53	19,81	21,08	22,97	24,27	26,30	27,63
50-59	18,17	19,03	20,61	22,50	24,16	26,23	27,96
60-69	19,05	19,88	21,45	23,31	24,80	26,27	28,91
70 +	18,68	19,28	21,35	23,10	24,73	26,86	28,66

Source : *Guide des mensurations anthropométriques des adultes canadiens,* de M. Jetté, 1983, Ottawa : Université d'Ottawa : Faculté des sciences de la santé, Département de kinanthropologie.

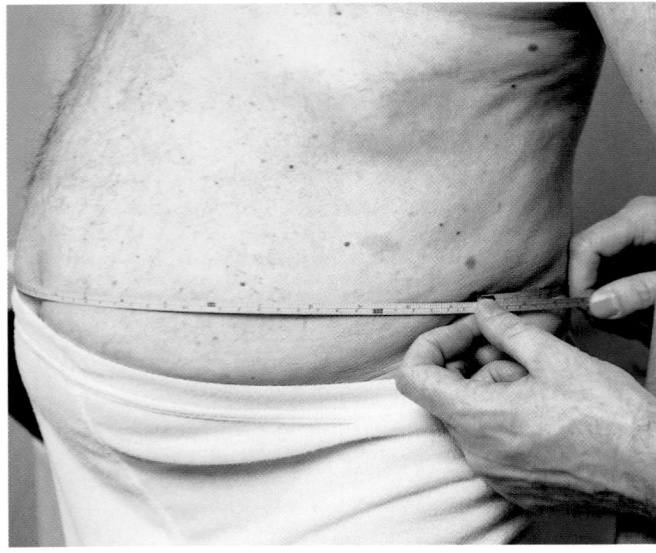

A

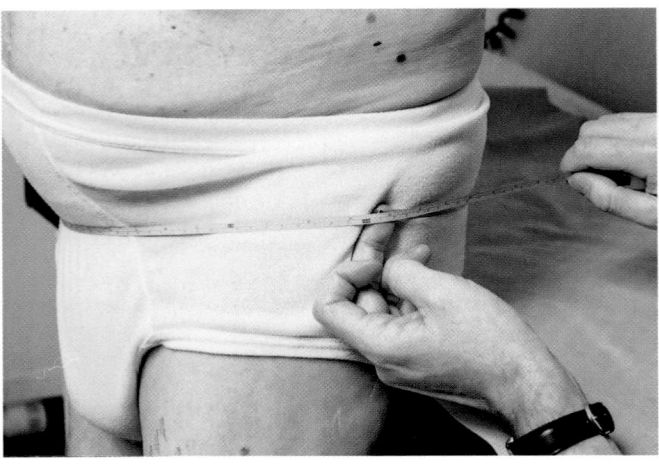

B

FIGURE 45-10 ■ *A,* **Mesure du tour de taille.** *B,* **Mesure du tour de hanches.** (Source : *L'examen clinique dans la pratique infirmière,* (p. 73), de M. Brûlé, L. Cloutier et O. Doyon, 2002, Saint-Laurent : Éditions du Renouveau Pédagogique. Photo : André Gamache, Institut universitaire de gériatrie de Montréal, © 2000.)

La transferrine (sidérophiline) est une protéine qui fixe le fer et l'expulse du système intestinal grâce au sérum. Comme sa demi-vie est plus courte que celle de l'albumine (de huit à neuf jours), la transferrine réagit plus rapidement à la déplétion protéique que le fait l'albumine. La transferrine sérique peut être mesurée directement ou à l'aide d'un test de capacité totale de fixation du fer. Comme son nom l'indique, ce test permet de déterminer la quantité totale de fer sanguin que la transferrine peut fixer. Un taux de transferrine inférieur à la normale est généralement le signe d'une déperdition protéique, d'une anémie ferriprive, d'une grossesse, d'une hépatite ou d'une dysfonction hépatique. L'accroissement de la capacité totale de fixation du fer peut renvoyer à une carence en fer ; sa diminution est le plus souvent révélatrice d'une anémie ferriprive.

La préalbumine (transthyrétine ou albumine de fixation de la thyroxine) est la protéine sérique qui a la demi-vie la plus courte et le pool corporel le plus petit. C'est par conséquent elle qui réagit le plus rapidement aux modifications de l'état nutritionnel. Malheureusement, les tests qui permettent de la mesurer sont très coûteux.

ANALYSE D'URINE. Les mesures de l'urée et de la créatinine urinaires permettent d'évaluer le catabolisme des protéines et le bilan azoté. Principal produit final du métabolisme des acides aminés, l'**urée** se forme à partir de l'ammoniac détoxiqué par le foie. Elle circule dans le sang jusqu'aux reins pour être excrétée dans l'urine. Par conséquent, les concentrations d'urée dans le sang et dans l'urine rendent directement compte de la consommation de protéines alimentaires et de leur décomposition, du rythme de la production d'urée dans le foie et du rythme d'élimination de l'urée par les reins.

Le bilan azoté résulte de la comparaison entre l'apport d'azote (grammes de protéines) et l'excrétion d'urée sur une période de 24 heures. Il est positif quand l'apport est supérieur à l'élimination et négatif dans le cas contraire. Les deux conditions suivantes doivent être remplies pour que la mesure de l'urée urinaire soit valable : la consommation de protéines doit être notée avec exactitude ; les reins doivent fonctionner normalement.

La créatinine urinaire rend compte de la masse musculaire totale de la personne. En effet, la créatinine constitue le principal dérivé de la créatine qui accompagne la décharge énergétique causée par le métabolisme des muscles squelettiques. Le taux de formation de la créatinine est directement proportionnel à la masse musculaire totale. La créatinine quitte le flux sanguin pour être traitée par les reins, puis elle est excrétée dans l'urine à un rythme similaire à celui de sa formation. Plus la masse musculaire est importante, plus l'excrétion de la créatinine est rapide. Par conséquent, l'excrétion de la créatinine diminue quand les muscles squelettiques s'atrophient sous l'effet de la dénutrition. Les normes de l'excrétion de la créatinine sont établies en fonction du sexe et de la taille. L'excrétion de la créatinine urinaire dépend également de la consommation de protéines, de l'activité physique, de l'âge et des fonctions rénale et thyroïdienne.

NUMÉRATION LYMPHOCYTAIRE ABSOLUE. Certaines carences en nutriments et certaines formes de dénutrition protéinoénergétique dépriment le système immunitaire. La déplétion protéique s'accompagne d'une baisse du nombre total de lymphocytes.

Analyse

Plusieurs diagnostics infirmiers de NANDA (2004) peuvent s'appliquer aux problèmes nutritionnels, notamment :

- *Alimentation excessive – Apport nutritionnel supérieur aux besoins métaboliques*
- *Alimentation déficiente – Apport nutritionnel inférieur aux besoins métaboliques*
- *Risque d'alimentation excessive – Apport nutritionnel risquant d'être supérieur aux besoins métaboliques*

L'encadré *Diagnostics infirmiers, résultats de soins infirmiers et interventions* donne des exemples d'interprétation clinique d'observations en regard des diagnostics infirmiers.

Comme les problèmes nutritionnels touchent généralement plusieurs fonctions, de nombreux autres diagnostics infirmiers peuvent s'appliquer à la personne. Le diagnostic de perturbation nutritionnelle doit être alors considéré comme la cause (facteur étiologique) de ces diagnostics infirmiers corollaires. Exemples :

- *Intolérance à l'activité,* reliée à une anémie ferriprive attribuable à une consommation insuffisante d'aliments riches en fer
- *Constipation,* reliée à une insuffisance de la consommation de liquides et de fibres
- *Estime de soi perturbée,* reliée à l'obésité
- *Risque d'infection,* relié à une immunosuppression due à une consommation insuffisante de protéines

DIAGNOSTICS INFIRMIERS, RÉSULTATS DE SOINS INFIRMIERS ET INTERVENTIONS

Perturbations nutritionnelles

COLLECTE DES DONNÉES	DIAGNOSTICS INFIRMIERS : *DÉFINITION*	EXEMPLES DE RÉSULTATS DE SOINS INFIRMIERS [N° CRSI/NOC] : *DÉFINITION*	INDICATEURS	INTERVENTIONS CHOISIES [N° CISI/NIC] : *DÉFINITION*	EXEMPLES D'ACTIVITÉS CISI/NIC
Mark Malakoff, âgé de 71 ans, souffre d'une bronchopneumopathie chronique obstructive (BPCO). Sa femme est morte deux ans auparavant. « Je n'ai plus envie de manger, dit-il. Même si je le voulais, je n'ai plus assez d'énergie pour faire les courses. Et puis, ce n'est pas très stimulant de cuisiner quand on est seul. » M. Malakoff mesure 1,78 m et pèse 61,2 kg. La mesure du pli cutané tricipital s'établit à 9,2 mm et la circonférence brachiale est de 20,4 cm. Le bilan alimentaire indique qu'il se nourrit essentiellement de pain, de céréales, de lait entier ainsi que de viande et de poisson en boîte. Il ne consomme presque jamais de fruits ou de légumes.	*Alimentation déficiente : Apport nutritionnel inférieur aux besoins métaboliques.*	État nutritionnel : Apports nutritifs [1009] : *Adéquation entre les aliments absorbés et les besoins.*	Modérément adéquats : • Les apports énergétiques de la personne correspondent à ses besoins. • Les apports vitaminiques de la personne correspondent à ses besoins.	Thérapie alimentaire [1120] : *Apport de nourriture et de liquides afin de soutenir les processus métaboliques chez une personne qui souffre ou risque de souffrir de malnutrition.*	• Déterminer les préférences alimentaires de la personne en tenant compte de ses appartenances culturelle et religieuse. • Déterminer, avec le diététiste, la teneur énergétique et le type de nutriments requis pour satisfaire les exigences nutritionnelles. • Vérifier que la personne peut se procurer des aliments nutritifs en quantités suffisantes. • Structurer l'environnement de la personne de manière à favoriser le maintien de bonnes habitudes alimentaires.

DIAGNOSTICS INFIRMIERS, RÉSULTATS DE SOINS INFIRMIERS ET INTERVENTIONS (SUITE)

Perturbations nutritionnelles (suite)

COLLECTE DES DONNÉES	DIAGNOSTICS INFIRMIERS : *DÉFINITION*	EXEMPLES DE RÉSULTATS DE SOINS INFIRMIERS [N° CRSI/NOC] : *DÉFINITION*	INDICATEURS	INTERVENTIONS CHOISIES [N° CISI/NIC] : *DÉFINITION*	EXEMPLES D'ACTIVITÉS CISI/NIC
Rose Rosenthal, âgée de 27 ans, est répartitrice dans une entreprise de taxis. Ses parents sont pâtissiers. Elle les qualifie de « gros ». « J'adore les pâtisseries de mes parents, ajoute-t-elle. Souvent, j'en emporte au travail et j'en grignote toute la journée. Je déteste faire du sport. Le problème, c'est qu'à ce rythme-là, je vais finir par ressembler à mes parents. Il faut vraiment que je fasse quelque chose. » Mme Rosenthal mesure 1,55 m et pèse 58,5 kg.	*Risque d'alimentation excessive :* Apport nutritionnel risquant d'être supérieur aux besoins métaboliques.	État nutritionnel : Masse corporelle [1006] : *Harmonie entre poids corporel, masse musculaire, masse adipeuse, et taille, stature et sexe.*	Écarts légers par rapport aux normes : • Poids. • Taille et tour des hanches.	Surveillance de l'état nutritionnel [1160] : *Collecte et analyse de données présentes chez une personne afin de prévenir ou de corriger la malnutrition.*	• Peser la personne à intervalles déterminés. • Vérifier le type et la quantité des exercices habituellement pratiqués. • Examiner l'environnement où se fait l'alimentation. • Déterminer si la personne a besoin d'information sur l'alimentation.

Planification

Dans le cas de personnes qui ont des problèmes alimentaires ou qui présentent un risque nutritionnel, les principaux objectifs des interventions infirmières sont les suivants :

- Rétablir (ou maintenir) un état nutritionnel optimal.
- Favoriser l'adoption d'habitudes alimentaires saines.
- Prévenir les complications de la malnutrition.
- Aider la personne à perdre ou à prendre (ou reprendre) du poids, selon le cas.

L'encadré *Diagnostics infirmiers, résultats de soins infirmiers et interventions* propose des exemples de résultats (CRSI/NOC) et d'interventions (CISI/NIC) liés à certains de ces objectifs. Pour chacune des interventions choisies, l'équipe infirmière opte pour les activités les plus adaptées aux besoins de la personne considérée. Voir le *Plan de soins et de traitements infirmiers* et le *Schéma du plan de soins et de traitements infirmiers* à la fin de ce chapitre.

■ Planification des soins à domicile

Pour assurer la continuité des soins, l'infirmière doit prévoir l'évolution des besoins nutritionnels de la personne après son congé de l'établissement. Certaines personnes ont besoin d'aide pour faire leurs courses, préparer leurs repas et manger ; d'autres ont besoin d'avoir des instructions précises au sujet de l'alimentation entérale ou parentérale.

Dans le contexte de la planification des soins à domicile, l'équipe de soins doit évaluer la capacité de la personne et de sa famille à combler les besoins médicaux et mesurer leurs ressources financières ; elle doit déterminer s'il faut diriger la personne et sa famille vers des spécialistes ou des services de santé à domicile. Dans le cas d'une personne âgée qui vit seule et est en perte d'autonomie, l'infirmière peut évaluer les besoins alimentaires à l'aide d'un questionnaire prévu à cet effet (figure 45-11 ■). Les réponses lui permettront d'évaluer le risque nutritionnel que présente la personne et d'agir en conséquence :

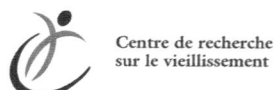
Centre de recherche
sur le vieillissement

Institut universitaire
de gériatrie de Sherbrooke

DNA©
DÉPISTAGE NUTRITIONNEL DES AÎNÉS

Ce questionnaire a été élaboré pour identifier les personnes âgées qui requièrent de l'aide pour améliorer leur alimentation et combler leurs besoins nutritionnels. Il a été conçu pour être utilisé par le personnel des services d'aide à domicile. Les réponses aux questions sont obtenues au moyen d'une entrevue. Le chiffre encerclé correspond à la réponse de la personne âgée et non au jugement de l'interviewer, sauf pour un énoncé : LA PERSONNE EST TRÈS MAIGRE.

NOTER QUE L'UTILITÉ DU PRÉSENT QUESTIONNAIRE A ÉTÉ DÉMONTRÉE *UNIQUEMENT* AUPRÈS DES PERSONNES ÂGÉES EN PERTE D'AUTONOMIE VIVANT À DOMICILE

Poids : Taille à l'âge adulte :	Le poids et la taille ne sont pas mesurés. On demande à la personne âgée son poids actuel et la taille qu'elle avait à l'âge adulte.

LE QUESTIONNAIRE : CONSEILS PRATIQUES

La personne est très maigre.	Il s'agit d'une appréciation **subjective** de l'interviewer.
Avez-vous perdu du poids ?	**Toute** perte de poids est notée OUI.
La plupart du temps, que prenez-vous comme petit déjeuner ?	Il s'agit ici de la routine « habituelle » et non pas d'une journée en particulier.

LES RECOMMANDATIONS

La personne à **risque nutritionnel élevé** a besoin d'un apport accru d'énergie et d'éléments nutritifs. En plus de conseils et d'encouragements, elle devrait recevoir de l'aide pour augmenter ses apports alimentaires. Les services offerts peuvent prendre la forme de préparation de repas à domicile, de livraison de repas, de transport à une cafétéria communautaire, etc.

La personne à **risque nutritionnel modéré** nécessite des conseils et des encouragements répétés pour améliorer son alimentation et prévenir la détérioration de son état nutritionnel.

La personne à **risque nutritionnel faible** doit quand même faire l'objet d'une surveillance. L'état nutritionnel des personnes âgées en perte d'autonomie à domicile est généralement précaire. Tout changement de situation (perte d'un proche, grippe, déménagement, hospitalisation...) risque d'amener une détérioration rapide de l'état nutritionnel.

FIGURE **45-11** ■ Questionnaire pour dépister le besoin d'aide alimentaire des personnes âgées.
(Source : Centre d'expertise, IUGS, 375, rue Argyll, Sherbrooke, Qc, J1J 3H5, (819) 821-1170, poste 3331. Reproduction autorisée. Tous droits réservés.)

Centre de recherche
sur le vieillissement

 Institut universitaire
de gériatrie de Sherbrooke

Nom : _____

N° de dossier : _____

Poids : _____ kg ou lbs
Taille à l'âge adulte : _____,_____ m ou pi, po

DNA©
DÉPISTAGE NUTRITIONNEL DES AÎNÉS

ENCERCLER LE CHIFFRE CORRESPONDANT À L'ÉNONCÉ QUI S'APPLIQUE À LA PERSONNE

La personne est très maigre.	Oui	2
	Non	0
Avez-vous perdu du poids au cours de la dernière année ?	Oui	1
	Non	0
Souffrez-vous d'arthrite, assez pour nuire à vos activités ?	Oui	1
	Non	0
Même avec vos lunettes, est-ce que votre vue est	Bonne	0
	Moyenne	1
	Faible	2
Avez-vous bon appétit ?	Souvent	0
	Quelquefois	1
	Jamais	2
Avez-vous vécu dernièrement un événement qui vous a beaucoup affecté (ex. : maladie personnelle/décès d'un proche) ?	Oui	1
	Non	0

 Centre de recherche
sur le vieillissement

 Institut universitaire
de gériatrie de Sherbrooke

LA PLUPART DU TEMPS, que prenez-vous comme petit déjeuner ?

Fruit ou jus de fruits	Oui	0
	Non	1
Œuf ou fromage ou beurre d'arachide	Oui	0
	Non	1
Pain ou céréales	Oui	0
	Non	1
Lait (1 verre ou plus que ¼ tasse dans le café)	Oui	0
	Non	1

Total : _____

SCORE OBTENU		RECOMMANDATIONS
	Risque nutritionnel	
6-13	Élevé	Service d'aide à l'alimentation **ET** Référence à un professionnel en nutrition
3-5	Modéré	Surveillance alimentaire constante (s'informer régulièrement de l'alimentation, donner des conseils, des encouragements…)
0-2	Faible	Vigilance quant à l'apparition d'un facteur de risque (ex. : changement de situation, perte de poids…)

FIGURE 45-11 ■ (SUITE)

- Une personne qui présente un *risque nutritionnel élevé* aura besoin d'un meilleur apport d'énergie et d'aliments nutritifs; l'aide pourrait alors prendre la forme de préparation de repas à domicile ou de livraison de repas.

- On peut donner des conseils et des encouragements à une personne qui présente un *risque nutritionnel moyen* de façon à prévenir la détérioration de son état nutritionnel.

- Une personne qui présente un *risque nutritionnel faible* doit quand même faire l'objet d'un suivi, puisque tout changement de situation risque d'amener une détérioration rapide de son état nutritionnel.

L'encadré *Évaluation pour les soins à domicile – Alimentation* passe en revue les données à recueillir pour planifier les interventions à domicile dans le cas des personnes présentant des problèmes nutritionnels ou des besoins alimentaires particuliers. Dans la planification du congé accordé à une personne par l'établissement de soins, l'infirmière (ou un autre membre de l'équipe soignante) doit penser à donner tous les renseignements nécessaires (voir l'encadré *Enseignement – Alimentation saine*).

Interventions

Dans ses interventions pour assurer une alimentation optimale à une personne hospitalisée, l'infirmière collabore habituellement avec le médecin (qui prescrit le régime alimentaire) et le diététiste (qui renseigne les personnes sur les régimes thérapeutiques). L'infirmière

a plusieurs responsabilités envers la personne hospitalisée : lui rappeler toute cette information; établir un climat propice à une saine alimentation; aider la personne à manger; évaluer de façon régulière son appétit et son alimentation; s'il y a lieu, lui donner une alimentation entérale (ou gavage) ou parentérale; en collaboration avec le médecin et le diététiste, examiner tout nouveau problème nutritionnel dès son apparition.

Dans le domaine de la nutrition, le rôle communautaire de l'infirmière consiste essentiellement à informer les personnes. Par exemple, elle présente les principes de l'alimentation saine dans les foires sur la santé, dans les écoles, dans les cours prénataux et chez les personnes qu'elle soigne. En soins à domicile, l'infirmière doit également effectuer le dépistage nutritionnel, mettre les personnes qui présentent un risque nutritionnel en communication avec des personnes-ressources, renseigner les personnes sur l'alimentation entérale et parentérale, et fournir les conseils nutritionnels nécessaires. Ces conseils ne se limitent pas à fournir de l'information; l'infirmière doit aussi aider la personne à intégrer le régime alimentaire prescrit à son quotidien et lui proposer des stratégies pour modifier efficacement ses habitudes alimentaires.

Mise en œuvre des régimes alimentaires spéciaux

Les modifications de régime alimentaire sont très courantes, que ce soit pour traiter une affection (diabète ou autre), pour préparer une personne à un examen ou à une intervention chirurgicale,

ÉVALUATION POUR LES SOINS À DOMICILE

Alimentation

PERSONNE ET ENVIRONNEMENT
- Capacité à prendre soin de soi-même : déterminer la capacité de la personne à s'alimenter, à acheter des produits alimentaires et à préparer les repas.
- Accessoires et aides pour l'alimentation : déterminer les besoins de la personne (par exemple, tasses, assiettes et ustensiles de table adaptés).
- Besoins d'information : fournir à la personne les renseignements dont elle a besoin : alimentation (guide alimentaire, directives diététiques, régime alimentaire adapté, etc.), aide spécialisée (accessoires adaptés), modifications à apporter à son mode de vie, techniques d'alimentation entérale ou parentérale, etc.
- Environnement physique : déterminer si les appareils et les services d'utilisation courante dont la personne dispose sont adaptés à ses besoins (eau, électricité, réfrigération, téléphone); s'il y a lieu, vérifier si elle a accès à un endroit propre et sûr pour entreposer et installer son équipement d'alimentation entérale ou parentérale.

FAMILLE
- Disponibilité et compétence du réseau de soutien : établir la liste des proches disponibles (et des personnes « de réserve ») qui pourront aider la personne à faire ses courses, à préparer ses repas, à manger et, s'il y a lieu, à mettre en place le régime alimentaire prescrit ou à assurer l'alimentation entérale ou parentérale.

- Évolution des rôles familiaux et adaptation aux changements : mesurer les répercussions des problèmes actuels sur les rôles parentaux et conjugaux, les ressources financières et les rôles sociaux.
- Autres personnes-ressources et ressources : dresser la liste des autres proches, des bénévoles, des membres de l'église et des différents intervenants; établir la liste des services d'entretien ménager et des services de soins de relève (centres de jour, centres pour personnes âgées), etc.

COMMUNAUTÉ
- Connaissance et utilisation des ressources de la communauté : établir la liste des services de conseil en nutrition, des organismes de soins de santé à domicile (pour l'alimentation entérale ou parentérale) et des diététistes disponibles (pour planifier des menus correspondant au régime alimentaire recommandé); déterminer des moyens d'intégrer au régime prescrit les préférences alimentaires liées à la culture et fournir des menus écrits pour les repas; établir la liste des fabricants de fournitures et d'équipement médicaux indispensables ainsi que la liste des services d'aide financière et des services d'information ou de soutien, par exemple :
  - Associations de perte de poids ou de programmes alimentaires (par exemple, *Weight Watchers, Minçavi*).
  - Popote roulante.

ENSEIGNEMENT

ALIMENTATION SAINE
- Renseigner la personne sur les principes de l'alimentation équilibrée à la lumière du *Guide alimentaire canadien pour manger sainement*.
- Inciter la personne, surtout si elle est âgée, à réduire sa consommation de matières grasses (voir l'encadré *Enseignement – Réduction de la consommation de matières grasses,* p. 0000).
- Si la personne ne consomme aucun produit d'origine animale, la renseigner sur les compléments protéiques et les suppléments alimentaires (vitamines et minéraux).
- Dresser la liste des aliments particulièrement riches en nutriments dont la personne a besoin : protéines, fer, calcium, vitamine C, fibres, etc.
- Rappeler l'importance des soins dentaires et de l'ajustage des appareils et des prothèses dentaires.
- Au besoin, renseigner la personne sur les mesures d'hygiène qui ont trait à la conservation et à la préparation des aliments.

NOUVEAU RÉGIME ALIMENTAIRE
- Donner les raisons et les objectifs du régime alimentaire proposé.
- Dresser la liste des aliments recommandés et celle des aliments à éviter.
- Souligner le fait qu'il est important de lire les étiquettes sur les produits alimentaires.
- S'il y a lieu, faire participer les proches à l'application du régime alimentaire.
- Au besoin, revenir sur l'information fournie par le diététiste.
- Discuter des substituts du sel et du sucre (par exemple, fines herbes et épices).

SURCHARGE PONDÉRALE
- Analyser les facteurs physiologiques et psychologiques ainsi que les dimensions du mode de vie qui prédisposent à la prise de poids.
- Renseigner la personne sur les normes pondérales et les apports énergétiques recommandés.

- Indiquer les principes de base de l'alimentation saine ; dresser la liste des aliments à faible teneur énergétique et la liste des aliments à haute teneur énergétique.
- Inciter la personne à choisir des boissons à faible teneur énergétique et sans caféine ; lui recommander de boire beaucoup d'eau.
- Discuter des possibilités de changer ses habitudes pour réduire l'apport énergétique : utiliser des assiettes plus petites, se servir des portions plus petites, mâcher chaque bouchée un certain nombre de fois ; déposer les ustensiles entre les bouchées.
- Évaluer différents moyens de lutter contre la compulsion alimentaire : aller marcher, boire un verre d'eau, respirer lentement et profondément, etc.
- Souligner l'importance de l'activité physique et aider la personne à choisir et à suivre un programme d'activité physique.
- Présenter différentes techniques de réduction du stress.
- Renseigner la personne sur les ressources disponibles dans la communauté : associations de perte de poids, conseillers alimentaires, programmes sportifs, groupes d'entraide, etc.

INSUFFISANCE PONDÉRALE
- Analyser les facteurs pouvant contribuer à l'insuffisance alimentaire et à la perte de poids.
- Renseigner la personne sur les normes pondérales et les apports énergétiques recommandés.
- La renseigner sur les principes de l'alimentation équilibrée.
- Proposer des moyens d'accroître l'apport énergétique : suppléments alimentaires, aliments riches en protéines, aliments à haute teneur énergétique, etc.
- Analyser différents moyens pour éliminer ou réduire les facteurs qui contribuent à la mauvaise alimentation.
- S'il y a lieu, renseigner la personne sur les aliments nutritifs à prix abordable.
- La renseigner sur les organismes communautaires auprès desquels elle peut se procurer des aliments (par exemple, popote roulante).

pour l'aider à perdre ou à gagner du poids, pour combler des carences nutritionnelles ou pour garder au repos un organe afin de favoriser sa guérison. On peut modifier un régime alimentaire selon plusieurs aspects : texture, teneur énergétique, assaisonnement, consistance, teneur en nutriments (par exemple, fibres ou sodium).

Les personnes hospitalisées qui n'ont pas de besoins nutritionnels particuliers suivent le régime alimentaire ordinaire de l'établissement. Cette alimentation équilibrée répond aux besoins métaboliques quotidiens d'une personne qui mène une vie sédentaire (soit environ 8 500 kJ ou 2 000 kcal). La plupart des établissements de santé proposent un menu quotidien dans lequel les personnes choisissent leurs repas du lendemain ; d'autres n'offrent qu'une seule possibilité de plat par repas. Certains aliments sont généralement exclus des menus ordinaires (conçus pour les personnes sans besoins nutritionnels particuliers) ; par exemple, le chou, qui produit généralement des flatulences, et les aliments frits ou épicés, parfois difficiles à digérer.

Voici une classification des régimes spéciaux, inspirée de celle de Decelles, Gélinas et Côté (2000) :
- Régime léger
- Régime liquide strict (ou régime liquide)
- Régime semi-liquide (ou régime semi-solide)
- Régime de textures adaptées
- Régime progressif
- Régime thérapeutique

RÉGIME LÉGER. Ce régime s'adresse aux personnes qui ne peuvent pas prendre de repas ordinaires (par exemple, personnes qui tolèrent mal ou qui risquent de mal tolérer un régime ordinaire et personnes dont l'état n'a pas encore été diagnostiqué de façon précise). Dans un régime léger, la personne peut consommer certains aliments selon son degré de tolérance. Généralement, on exclut les aliments suivants : aliments riches en épices, fritures ou alcool, aliments riches en fibres alimentaires, aliments gras qui séjournent longtemps dans l'estomac.

RÉGIME LIQUIDE STRICT. Ce régime se compose exclusivement d'eau, de thé, de café, de bouillon filtré, de boissons gazeuses (soda au gingembre ou autre), de jus filtré (sans pulpe ni morceaux), de sucettes glacées et de gélatine nature. Il fournit les liquides et les glucides (sous forme de sucres), mais non les protéines, les matières grasses, les vitamines, les minéraux et la teneur énergétique. Ce régime n'est donc prescrit qu'à court terme (de 24 à 36 heures) à des personnes qui viennent de subir certaines opérations chirurgicales ou qui se trouvent au stade aigu d'une infection (en particulier, du tractus gastro-intestinal). Les principaux objectifs du régime liquide strict sont les suivants : étancher la soif, prévenir la déshydratation, limiter la stimulation du tractus gastro-intestinal.

RÉGIME SEMI-LIQUIDE. Ce régime est composé d'aliments solides ou semi-liquides. Aux aliments du régime liquide strict on ajoute le lait, les œufs pasteurisés, les céréales cuites, certaines purées très liquides et les desserts au lait. Ce régime est destiné aux personnes qui ne peuvent manger d'aliments solides (par exemple, après une chirurgie, une fracture de la mâchoire ou une sténose œsophagienne).

RÉGIME DE TEXTURES ADAPTÉES. Ce régime est généralement réservé aux personnes qui vont subir ou viennent de subir une intervention chirurgicale et à celles qui souffrent d'une affection gastro-intestinale. Ce régime se subdivise en cinq sous-catégories de texture : liquide (ou semi-solide), purée, hachée, molle ou dure. Le régime liquide ou semi-solide se compose exclusivement de liquides ou d'aliments qui deviennent liquides à la température du corps (par exemple, crème glacée). Il est généralement réservé aux personnes qui ne tolèrent pas les aliments solides, notamment en cas de problèmes gastro-intestinaux. Il n'est pas conseillé à long terme, car il fournit peu de fer, de protéines et d'énergie. En outre, comme il comporte beaucoup de produits laitiers, il a une teneur élevée en cholestérol. Les personnes qui doivent suivre un régime liquide (ou semi-solide) sur une longue période prennent généralement des suppléments nutritionnels équilibrés par voie orale (par exemple, Ensure, Sustacal) ; c'est un régime monotone, et il est difficile de s'y adapter. Pour assurer un apport nutritionnel suffisant, il est préférable de prévoir au moins six petits repas par jour. Les aliments du régime à texture molle sont faciles à mastiquer, à avaler et à digérer.

RÉGIME PROGRESSIF. Ce régime doit être mis en œuvre quand des changements sont à prévoir soit dans l'appétit de la personne, soit dans ses capacités de mastication, de déglutition ou de digestion, soit dans sa tolérance envers certains aliments. Par exemple, le régime liquide strict pourra être prescrit le lendemain d'une opération. Si la personne n'a pas de nausées, si sa motilité intestinale revient à la normale et si elle a envie de manger, on pourra lui faire successivement suivre un régime à texture adaptée (liquide ou semi-solide), un régime léger et un régime normal.

RÉGIME THÉRAPEUTIQUE : ADAPTATION DU RÉGIME ALIMENTAIRE AUX AFFECTIONS. Différents régimes alimentaires peuvent être prescrits en cas d'affection ou d'anomalie du métabolisme. Ainsi, les personnes souffrant de diabète doivent parfois suivre un régime adapté, comme celui que recommande l'Association canadienne du diabète (2003) ; certaines personnes obèses adoptent un régime hypoénergétique ; les cardiaques limitent leur consommation de matières grasses et de sodium ; enfin, toutes les personnes qui souffrent d'allergies alimentaires devraient éviter de manger des aliments susceptibles de leur causer une réaction allergique.

Même sans aucune contre-indication alimentaire, une personne qui souffre de dysphagie peut présenter un risque nutritionnel. Plusieurs problèmes sont alors à craindre : insuffisance de l'apport solide ou liquidien ; incapacité à avaler les médicaments ; risque de contracter une pneumonie à la suite de l'aspiration d'aliments ou de liquides. Les personnes les plus exposées à la dysphagie sont les personnes âgées, celles qui ont subi un accident vasculaire cérébral, les personnes cancéreuses qui ont suivi un traitement de radiothérapie à la tête ou au cou et les personnes qui souffrent d'une dysfonction des nerfs crâniens. L'infirmière est parfois la première à détecter la dysphagie chez une personne. Elle est alors la mieux placée, d'une part pour recommander un examen plus approfondi, mettre en œuvre un régime alimentaire et des méthodes d'alimentation spécialisées, d'autre part pour élaborer un plan d'intervention en collaboration avec la personne, sa famille et les autres membres de l'équipe soignante (Terrado, Russell et Bowman, 2001). En cas de dysphagie apparente, l'infirmière doit analyser les antécédents de la personne, interroger cette dernière ou ses proches, lui examiner la bouche, la gorge et la poitrine ainsi que l'observer déglutir. Souvent considéré comme signe que la personne peut avaler en toute sécurité, le réflexe pharyngé (ou réflexe nauséeux) peut persister malgré la dysphagie ; ce n'est donc pas un indicateur fiable (Williams et Waxman, 2002). L'infirmière élabore un plan d'intervention auprès de la personne dysphagique, en collaboration avec le diététiste, l'ergothérapeute ou le médecin. Par exemple, dans le cas d'une personne qui a déjà fait une pneumonie par aspiration à la suite d'un accident vasculaire cérébral, les aliments triturés (réduits en poudre ou en pâte à l'aide de la pression et de la friction) seraient moins susceptibles de causer de nouveau une pneumonie (Agency for Health Care Policy and Research, 1999). En général, le dépistage et l'intervention précoces suffisent pour prévenir les conséquences néfastes de la dysphagie.

Certaines personnes doivent suivre un régime alimentaire spécial toute leur vie (par exemple, personne diabétique). Ces personnes doivent non seulement bien comprendre les consignes alimentaires, mais aussi acquérir une attitude saine et positive envers les restrictions alimentaires. Le diététiste et l'infirmière doivent aider la personne et son entourage à intégrer le régime alimentaire au quotidien. Le diététiste leur indique les aliments autorisés et les aliments interdits, et il participe à la planification des repas. L'infirmière rappelle les consignes et apporte des précisions supplémentaires au besoin, elle aide la personne à apporter les changements nécessaires à son mode de vie et elle évalue les réactions de la personne par rapport aux restrictions.

Il faut toujours personnaliser les consignes alimentaires : capacités intellectuelles, degré de motivation, mode de vie, appartenance culturelle et ressources financières. Les diététistes peuvent généralement aider l'équipe infirmière à adapter le régime alimentaire aux besoins et aux caractéristiques de la personne. Il est important non seulement de donner des instructions verbales simples, mais aussi de fournir de la documentation. Il faut aussi transmettre les consignes alimentaires aux membres de la famille et aux autres proches.

■ Stimulation de l'appétit

Plusieurs facteurs peuvent diminuer l'appétit : affection, aliments inconnus ou peu appétissants, modifications du mode de vie, perturbations psychologiques, malaises physiques, douleur, etc. Tant qu'elle est de courte durée, la diminution de l'apport alimentaire ne pose généralement pas de problème chez l'adulte. À plus long terme, toutefois, elle provoque la perte de poids, la diminution des forces et de l'endurance ainsi que plusieurs autres problèmes alimentaires. La réduction de l'apport nutritionnel solide s'accompagne généralement d'une diminution de la consommation de liquides, ce qui peut causer des perturbations hydroélectrolytiques. Pour stimuler l'appétit d'une personne, l'infirmière doit tout d'abord déterminer les causes de sa condition actuelle. L'encadré 45-8 passe en revue quelques interventions possibles.

■ Assistance pendant les repas

Comme les personnes hospitalisées sont généralement confinées au lit, on doit leur apporter leurs repas dans un plateau préparé à la cuisine de l'établissement. C'est parfois le personnel infirmier qui fait le service des plateaux. Les établissements de soins prolongés et certains autres établissements servent les repas aux personnes ambulatoires à la salle à manger. L'encadré 45-9 passe en revue les consignes à suivre pour servir les repas à une personne alitée.

On subdivise en deux groupes les personnes qui ont généralement besoin d'aide pour prendre leurs repas : d'une part, les personnes âgées affaiblies ; d'autre part, les personnes handicapées (par exemple, les aveugles), les personnes confinées au lit et les personnes qui ne peuvent pas se servir de leurs mains. Le plan de soins et de traitements infirmiers de la personne précise le degré d'assistance dont elle a besoin pour manger.

L'infirmière doit être sensible aux sentiments éprouvés par la personne : gêne, ressentiment, tristesse liée à la perte d'autonomie, etc. Dans la mesure du possible, l'infirmière doit aider la personne à manger plutôt que de la faire manger. Le besoin d'aide peut causer un sentiment de dépression chez certaines personnes, qui se considèrent alors comme un fardeau pour l'équipe infirmière déjà surchargée de travail. Bien que le service des repas prenne beaucoup de temps, l'infirmière ne doit pas l'expédier ; elle doit

plutôt chercher à donner l'impression qu'elle a tout le temps voulu pour le faire (par exemple, s'asseoir au chevet de la personne).

Avant de faire manger une personne, l'infirmière doit lui demander dans quel ordre elle préfère manger ses aliments. Si la personne ne peut pas voir les aliments, il faut les lui décrire. Il faut laisser à la personne le temps de mastiquer correctement et d'avaler une bouchée avant de lui offrir la suivante. Il faut faire boire la personne sur demande ou, si elle ne peut pas communiquer, à toutes les trois ou quatre bouchées d'aliments solides. Il est important que le repas reste un moment de détente. Si la personne veut bavarder, on peut choisir des sujets de conversation qui l'intéressent.

On doit utiliser des couverts ordinaires dans la mesure du possible. Dans certains cas, il faut cependant recourir à des couverts spéciaux. Une personne qui a de la difficulté à boire au verre ou à la tasse trouvera la chose plus facile à l'aide d'une paille. Par ailleurs, il existe différents modèles de tasses adaptées ; certains sont munis d'un bec verseur ; d'autres n'ont pas besoin d'être aussi inclinés qu'une tasse normale pour qu'on puisse y boire.

Les aides de table (ou accessoires adaptés) permettent aux personnes de s'alimenter elles-mêmes et de préserver ainsi leur autonomie. Par exemple, les ustensiles de table munis d'un manche surdimensionné s'avèrent très utiles pour les personnes qui ont des difficultés de préhension. On en trouve sur le marché, mais on peut en fabriquer en fixant simplement un morceau de caoutchouc mousse autour du manche d'un ustensile ordinaire. Le caoutchouc mousse accroît la friction et aide par conséquent la personne à tenir plus fermement l'ustensile. Les ustensiles de table à manche coudé (ou plié) sont tout indiqués pour les personnes qui ont des problèmes de mobilité dans le haut du corps. Par ailleurs, on peut fixer le manche d'un ustensile à la main d'une personne à l'aide d'une sangle. Enfin, les personnes astreintes à un régime liquide ou semi-liquide doivent parfois être nourries à l'aide d'une seringue.

Les assiettes à rebord et les garde-assiettes (ou bagues d'assiette) en plastique ou en métal permettent à la personne de pousser les aliments contre le rebord pour les prendre plus facilement. Au besoin, on peut placer une ventouse, une éponge ou un morceau de tissu humide sous l'assiette ou le plat pour l'empêcher de bouger. Les tasses à bec verseur et les tasses à deux anses sont

---

ENCADRÉ

Stimulation de l'appétit

45-8

- Offrir à la personne des aliments qu'elle connaît et qu'elle aime. En général, les proches apportent volontiers à la personne des plats qu'ils ont eux-mêmes cuisinés. Dans ce cas, l'équipe de soins peut leur indiquer les restrictions alimentaires qui s'appliquent.
- Proposer à la personne anorexique des petites portions qui l'effrayeront moins que des portions normales.
- Éviter d'administrer un traitement désagréable ou douloureux immédiatement avant ou après un repas.
- Assurer à la personne un environnement propre et ordonné, sans rien de désagréable pour la vue ou l'odorat. Les pansements souillés, les bassins hygiéniques non nettoyés, les tubulures et même les assiettes sales peuvent dégoûter une personne de la nourriture.

- Inviter la personne à procéder à ses soins d'hygiène buccale avant les repas (au besoin, les lui prodiguer). Ces soins améliorent la fonction gustative.
- Avant d'apporter le repas à la personne, soulager les symptômes susceptibles de réduire l'appétit (par exemple, administrer un analgésique en cas de douleur ou un antipyrétique en cas de fièvre, laisser la personne se reposer si elle est fatiguée).
- Atténuer le stress psychologique dans la mesure du possible. Dans certaines situations, la personne est plus sujette à l'anorexie : incompréhension des traitements administrés, peur liée à une opération prochaine, appréhension liée à des procédés et à leur issue. L'infirmière peut généralement réduire ce stress en discutant avec la personne de ce qu'elle ressent, en lui prodiguant soutien et information ainsi qu'en cherchant à apaiser ses craintes.

Service des repas à une personne alitée

- Avant le repas, proposer à la personne de l'aider à se laver les mains et à se brosser les dents.
- La plupart des gens préfèrent manger assis. Si la personne peut s'asseoir, l'aider à s'installer confortablement dans son lit ou sur une chaise, selon le cas.
- Débarrasser la table de lit et y déposer le plateau. Si la personne doit rester allongée, placer la table à son chevet pour qu'elle puisse voir et prendre (si la chose est possible) les aliments dans l'assiette.
- Vérifier systématiquement l'exactitude du nom de la personne et du régime alimentaire indiqués sur le plateau; vérifier si tous les aliments prévus sont là. Ne jamais laisser une personne manger un repas qui ne correspond pas au régime alimentaire prescrit.
- Aider la personne selon ses besoins: retirer les couvercles, beurrer le pain, verser le thé, couper la viande, etc.
- Si la personne est aveugle, lui indiquer l'emplacement des aliments dans l'assiette selon le code des heures (figure 45-12 ■). Par exemple, « Les pommes de terre sont à 8 h; le poulet, à midi; les haricots, à 4 h. »
- Quand la personne a terminé son repas, évaluer la quantité de chaque aliment consommé, y compris les liquides. Consigner au dossier l'apport liquidien et énergétique, selon les directives.
- Si la personne suit un régime spécial ou qu'elle a des difficultés à manger, consigner également au dossier les symptômes relatifs à la fatigue, aux douleurs ou aux nausées.
- Si la personne ne mange pas, le consigner au dossier pour qu'on apporte les changements nécessaires (par exemple, modifier l'horaire des repas, augmenter la fréquence des repas en diminuant les portions, utiliser des aides adaptées).

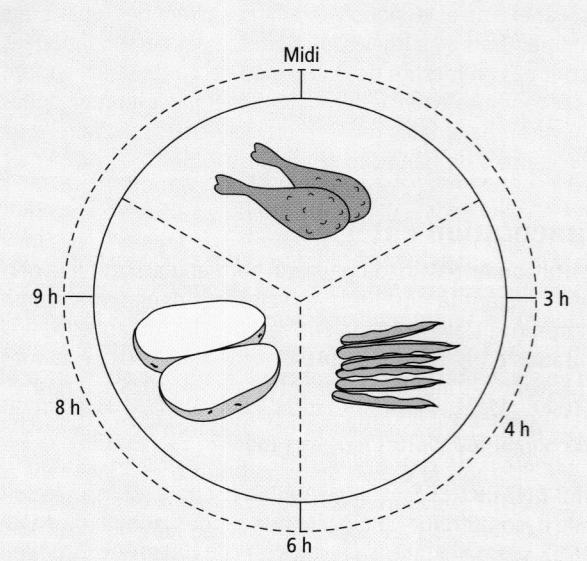

FIGURE 45-12 ■ L'infirmière peut utiliser le code des heures pour indiquer à une personne aveugle l'emplacement des aliments dans son assiette.

très utiles en cas de problème de coordination manuelle. Les porte-verres fabriqués en tissu-éponge extensible ou en tricot, ou confectionnés au crochet, assurent une meilleure prise. On trouve également dans le commerce des verres antibasculement munis d'un couvercle. Les figures 45-13 ■ et 45-14 ■ illustrent quelques accessoires adaptés.

FIGURE 45-13 ■ De gauche à droite: porte-verre, tasse évasée pour le nez et porte-tasse à deux anses.

FIGURE 45-14 ■ En haut, de gauche à droite: assiette munie d'un garde-assiette (ou bague d'assiette) et assiette à rebord destinées à aider la personne à prendre les aliments. En bas, de gauche à droite: cuillère à manche coudé et couteau à manche surdimensionné pour faciliter la prise.

Services nutritionnels de la communauté

Dans de nombreux milieux, il existe des programmes destinés à aider certains groupes de population à combler leurs besoins nutritionnels. Par exemple, les popotes roulantes livrent des repas prêts à consommer (frais ou surgelés) au domicile des personnes âgées qui ne sont pas en mesure de cuisiner ou de quitter leur maison. D'autres organismes livrent les produits alimentaires aux personnes qui peuvent préparer leurs repas, mais qui ne peuvent faire leurs courses à cause d'un handicap physique.

Alimentation entérale

L'**alimentation entérale** (ou **gavage**) permet d'alimenter la personne en injectant la nourriture directement dans son système gastro-intestinal. L'alimentation entérale (AE), qu'on appelle aussi « alimentation entérale totale » (AET), est réservée aux personnes qui ne peuvent pas ingérer d'aliments ou dont le tractus gastro-intestinal supérieur est endommagé, ce qui empêche l'acheminement des aliments jusqu'à l'intestin grêle.

SONDES ENTÉRALES. L'alimentation entérale est assurée soit par sonde nasogastrique, soit par sonde nasoentérique (ou naso-intestinale), soit par sonde de gastrostomie ou de jéjunostomie.

La **sonde nasogastrique** est introduite par une narine et descend jusqu'au tube digestif par le rhinopharynx. La sonde est parfois insérée par la bouche et le pharynx ; cette méthode est en général plus pénible pour les adultes et elle peut provoquer des nausées ; elle est par contre tout indiquée pour les enfants en bas âge qui doivent respirer par le nez et pour les nouveau-nés prématurés qui n'ont pas encore le réflexe nauséeux.

Les sondes nasogastriques traditionnelles sont rigides et ont un grand diamètre : plus de 12 Fr (unité « French », abrégée aussi en « F » et égale à un tiers de millimètre). Les sondes nasogastriques sont insérées dans l'estomac. Ce sont, par exemple, les sondes de Levin (tubulure de plastique ou de caoutchouc flexible, dotée d'un canal simple et percée d'orifices près de l'extrémité) et les sondes de Salem (dotées d'un canal double). Dans ce dernier cas, le canal le plus large permet l'évacuation des matières gastriques, alors que le plus petit achemine de l'air dans l'estomac pour éviter la formation d'un vide dans le cas où la sonde gastrique adhérerait à la paroi stomacale. Ce système a donc l'avantage de prévenir les irritations de la muqueuse gastrique. On utilise très souvent une sonde de faible diamètre (moins de 12 Fr), plus flexible et moins irritante (figure 45-15 ■).

Les sondes nasogastriques sont réservées aux personnes dont les réflexes nauséeux et tussigènes sont intacts, dont l'estomac possède une bonne capacité de vidange gastrique et qui n'ont besoin de gavage qu'à court terme (en général, moins de six semaines). Le procédé 45-1 décrit la marche à suivre pour l'insertion d'une sonde nasogastrique ; le procédé 45-2 décrit la marche à suivre pour retirer cette dernière.

Bien que ce chapitre porte sur l'alimentation, il est important de souligner que les sondes nasogastriques ont d'autres utilisations :

- Prévenir les nausées, les vomissements et les distensions gastriques postchirurgicales ; la sonde doit alors être reliée à un dispositif d'aspiration.
- Prélever des matières stomacales en vue de les analyser en laboratoire.
- Effectuer un lavement d'estomac en cas d'empoisonnement ou de surdose médicamenteuse.

RÉSULTATS DE RECHERCHE

Que pensent les infirmières et les infirmières auxiliaires des besoins nutritionnels des personnes qu'elles soignent ?

Une étude menée par Crogan, Shultz, Adams et Massey en 2001 avait pour objectif de déterminer le point de vue des infirmières et des infirmières auxiliaires sur le rôle qui leur incombe dans le service des repas donnés aux personnes en établissement de soins de santé. Se fondant sur le modèle des croyances relatives à la santé, cette équipe de recherche a élaboré un questionnaire sur les rôles, les attitudes et les convictions qui peuvent entraver le service des repas. L'étude portait sur 99 infirmières auxiliaires et 44 infirmières. Les réponses des deux groupes de professionnelles convergeaient dans certains domaines. Cependant, c'est dans une proportion plus importante que les infirmières estimaient que les communications entre les membres de l'équipe de soins étaient suffisantes pour répondre aux besoins nutritionnels des personnes. Par contre, infirmières et infirmières auxiliaires s'entendaient sur deux obstacles à l'alimentation des personnes : la qualité de la nourriture et le manque de personnel.

Implications : Au terme de cette étude, l'équipe de recherche recommandait de donner une formation ciblée aux infirmières auxiliaires, d'améliorer l'efficacité des communications entre les infirmières et les infirmières auxiliaires et de faire observer, par les infirmières, les personnes pendant leurs repas. Dans le cas des personnes hospitalisées en soins prolongés, les obstacles observés représentaient un risque significatif de dénutrition. À la lumière des résultats de cette enquête, les établissements de soins prolongés devraient mettre en place un programme de prévention des risques nutritionnels.

Source : « Barriers to Nutrition Care for Nursing Home Residents », de N. L. Crogan, J. A. Shultz, C. E. Adams et L. K. Massey, 2001, *Journal of Gerontological Nursing,* 27(12), p. 25-31.

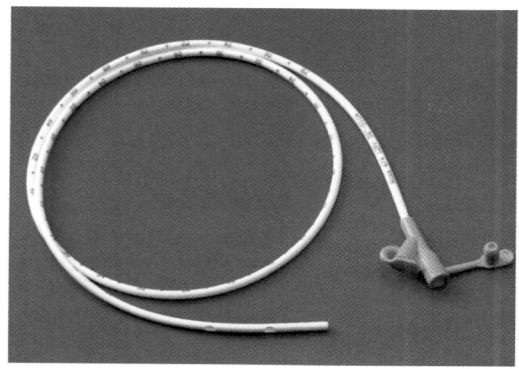
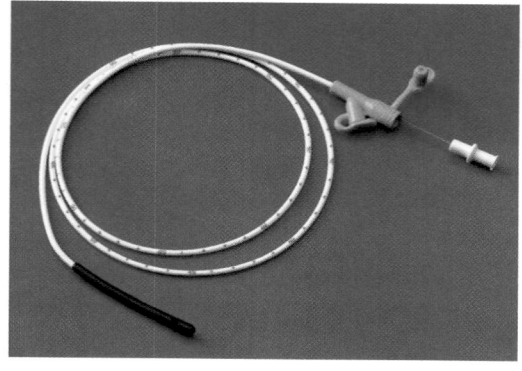

FIGURE 45-15 ■ Sondes d'alimentation nasogastriques : *A*, 12 Fr, 90 cm ; *B*, 8 Fr, opaque, 114 cm, extrémité effilée et lestée. Il est à noter que ces deux sondes sont munies d'un raccord en Y qui permet d'irriguer la sonde et d'administrer des médicaments sans avoir à débrancher le dispositif de gavage. (Source : Ross Products, une filiale de Abbott Laboratories, Columbus, Ohio.)

PROCÉDÉ 45-1

Insertion d'une sonde nasogastrique

Objectifs

- Administrer l'alimentation et les médicaments par sonde aux personnes qui ne peuvent pas avaler ou ingérer des aliments en quantité et en qualité suffisantes sans aspirer des solides ou des liquides dans les poumons.
- Établir un moyen d'aspirer le contenu stomacal afin de prévenir la distension gastrique, les nausées et les vomissements.

- Retirer les matières contenues dans l'estomac pour les analyser en laboratoire.
- Effectuer un lavement de l'estomac en cas d'empoisonnement ou de surdose médicamenteuse.

COLLECTE DES DONNÉES

Évaluez

- La perméabilité (ouverture) des narines et l'intégrité des tissus nasaux. Déterminez si la personne a déjà subi une opération au nez ou si elle a souffert d'une déviation septale (déviation de la cloison nasale).

- La présence du réflexe pharyngé (réflexe nauséeux).
- L'état mental de la personne et la capacité de collaborer à la mise en place de la sonde.

PLANIFICATION

Avant d'insérer la sonde nasogastrique, déterminez la longueur de la tubulure à mettre en place et si elle devra être rattachée à un dispositif d'aspiration.

Matériel

- Sonde nasogastrique (16 ou 18 Fr)
- Ruban adhésif hypoallergène de 2,5 cm de largeur
- Gants propres
- Lubrifiant hydrosoluble
- Mouchoirs en papier
- Verre d'eau et paille

- Seringue de 20 à 50 mL munie d'un pavillon de raccordement
- Cuvette
- Languette de mesure du pH ou pH-mètre
- Stéthoscope
- Serviette jetable
- Clamp ou bouchon (facultatif)
- Appareil d'aspiration (au besoin)
- Carré de gaze ou sac de plastique pour prélèvements et élastique
- Épingle de sûreté et élastique

PROCÉDÉ 45-1 (SUITE)

Insertion d'une sonde nasogastrique (suite)

INTERVENTION

Préparation

Aidez la personne à prendre la position de Fowler haute, si son état de santé le lui permet, et placez un oreiller sous sa tête. *Il est souvent plus facile d'avaler dans cette position; de plus, la force de gravité facilite le passage de la sonde.*

Placez la serviette jetable sur la poitrine de la personne.

Exécution

1. Expliquez à la personne ce que vous allez faire, pourquoi vous allez le faire et comment elle peut coopérer. Le passage de la sonde gastrique n'est pas douloureux, mais il est déplaisant, car il déclenche le réflexe nauséeux. Établissez avec la personne une méthode qui lui servira à vous demander d'interrompre le procédé de manière à lui permettre de revenir à un état satisfaisant de bien-être avant de continuer; on convient souvent de lever le doigt ou la main.

2. Lavez-vous les mains et observez les autres mesures de prévention des infections (par exemple, mettez des gants propres).

3. Assurez-vous que l'intimité de la personne est préservée.

4. Examinez les narines de la personne.

   • Demandez à la personne de lever la tête et vérifiez l'intégrité des tissus nasaux au moyen d'une petite lampe; en particulier, assurez-vous que les narines ne portent pas de traces d'irritation ou d'abrasion.

   • Vérifiez que les narines ne sont pas obstruées ni déformées. Pour ce faire, invitez la personne à respirer par une narine tandis que vous boucherez l'autre.

   • Pour l'insertion, choisissez la narine qui permet le meilleur écoulement d'air.

5. Déterminez la longueur sur laquelle vous devrez insérer la sonde.

   • À l'aide de la tubulure, mesurez la distance entre le bout du nez de la personne et le lobe de son oreille, puis du lobe de l'oreille jusqu'au processus xyphoïde (figure 45-16 ■). *Cette distance est plus ou moins égale à celle qui sépare les narines de l'estomac. Il est à noter cependant qu'elle peut varier d'une personne à l'autre.*

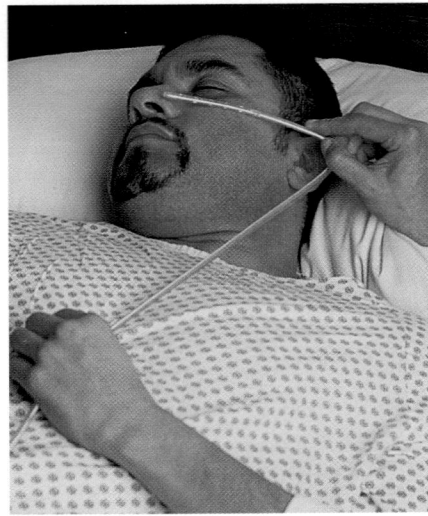

FIGURE **45-16** ■ Mesure de la longueur d'insertion d'une sonde nasogastrique.

   • Si la sonde ne présente pas de repères de longueur, marquez cette distance avec un morceau de ruban adhésif.

6. Insérez la sonde.

   • Mettez des gants.

   • Lubrifiez l'extrémité de la sonde avec un lubrifiant hydrosoluble ou avec de l'eau pour faciliter l'insertion. *Si la sonde entre accidentellement dans les poumons, les produits hydrosolubles ont l'avantage de se dissoudre, alors que les lubrifiants à base d'huile, tels que la vaseline, ne se dissolvent pas et peuvent entraîner des complications respiratoires.*

   • Insérez la sonde dans la narine la plus dégagée en dirigeant la courbe naturelle du tube vers la personne. Demandez à la personne de lever la tête et faites progresser délicatement le tube vers le rhinopharynx. *L'hyperextension du cou réduit la courbure rhinopharyngienne.*

   • Pour éviter que la sonde s'enroule le long des parois latérales, faites-la glisser contre la paroi inférieure de la narine, vers l'oreille du même côté du visage.

   • Il faut, dans certains cas, exercer une légère pression pour faire passer la sonde dans le rhinopharynx. À cette étape, il peut arriver que les yeux de

la personne se mettent à larmoyer. *Les larmes constituent une réaction corporelle naturelle.* Au besoin, donnez des mouchoirs en papier à la personne.

   • Si la progression de la sonde devient plus difficile, retirez-la, lubrifiez-la de nouveau et insérez-la dans l'autre narine. *Il ne faut jamais forcer le passage de la sonde: vous risqueriez de causer des lésions.*

   • La sonde peut déclencher le réflexe nauséeux (provoquer des haut-le-cœur) en arrivant dans l'oropharynx (gorge). Demandez à la personne de pencher la tête vers l'avant et de boire un peu d'eau. *Quand la tête est penchée vers l'avant, la sonde passe par la partie postérieure du pharynx et par l'œsophage, et non par le larynx; les déglutitions amènent l'épiglotte sur l'ouverture du larynx (figure 45-17 ■).*

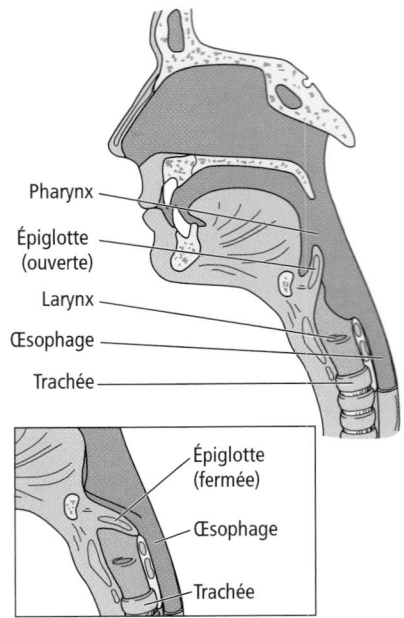

Pharynx
Épiglotte (ouverte)
Larynx
Œsophage
Trachée

Épiglotte (fermée)
Œsophage
Trachée

FIGURE **45-17** ■ La déglutition ferme l'épiglotte.

   • Si la personne a des haut-le-cœur, interrompez l'insertion de la sonde pendant quelques instants. Invitez la personne à se reposer, à inspirer

INTERVENTION (suite)

plusieurs fois de suite et à prendre un peu d'eau pour calmer le réflexe nauséeux.

- En collaboration avec la personne, insérez la sonde de 5 à 10 cm à chaque gorgée, jusqu'à ce que la longueur voulue soit atteinte.

- Si la personne continue d'avoir des haut-le-cœur et que la sonde ne progresse pas à chaque gorgée, retirez-la de quelques centimètres et examinez la gorge en regardant au fond de la cavité buccale. *Il est possible que la sonde s'y soit enroulée.* Dans ce cas, retirez-la jusqu'à ce qu'elle soit redevenue droite et essayez de l'insérer de nouveau.

7. Vérifiez si la sonde est bien placée.

- Inspirez le contenu de l'estomac et vérifiez-en le pH (il devrait être acide). *Les recherches montrent que la mesure du pH constitue un moyen sûr de déterminer l'emplacement d'une sonde d'alimentation.*

- Mesurez l'insufflation : placez un stéthoscope sur l'épigastre de la personne et injectez de 10 à 30 mL d'air dans la tubulure jusqu'à ce qu'un sifflement se fasse entendre. *Cette méthode doit être utilisée uniquement dans un but de confirmation ou, à défaut d'une technique plus efficace, pour déterminer l'emplacement de la sonde d'alimentation, car elle est rarement fiable.*

- Si ces méthodes ne permettent pas de confirmer que la sonde a atteint l'estomac, faites-la progresser de 5 cm et répétez les vérifications.

- Si vous utilisez une sonde de faible diamètre, laissez le stylet ou le fil guide en place jusqu'à ce qu'un examen radiographique confirme qu'elle est bien placée.

8. Fixez la sonde sur l'arête du nez à l'aide d'un morceau de ruban adhésif.

- Si la personne a la peau grasse, essuyez d'abord son nez.

- Coupez 7,5 cm de ruban adhésif et séparez-le en deux sur toute la longueur, sauf sur 2,5 cm.

- Placez la partie non dédoublée sur l'arête du nez de la personne et enroulez les deux languettes de la partie découpée en dessous, puis autour de la sonde ; ou enroulez-les en dessous de la sonde et rabattez-les sur le nez (figure 45-18 ■). *Cette méthode de fixation empêche que la sonde exerce une pression sur le bord des narines et les irrite.*

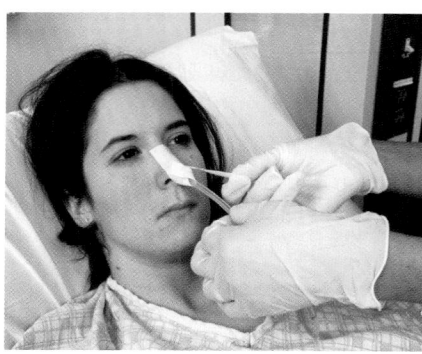

FIGURE 45-18 ■ Fixation d'une sonde nasogastrique sur l'arête du nez.

9. Branchez la sonde à l'appareil d'aspiration ou d'alimentation, selon les directives, ou clampez son extrémité.

- Si la sonde est insérée avant une intervention chirurgicale, elle doit en général être clampée ou fixée à un apareil. On peut aussi la recouvrir à l'aide d'un morceau de gaze ou d'un sac de plastique pour prélèvements retenu par un élastique.

10. Fixez la sonde à la chemise d'hôpital de la personne.

- Enroulez un élastique autour de l'extrémité de la sonde et fixez-le à la chemise d'hôpital à l'aide d'une épingle de sûreté.

ou

- Fixez un morceau de ruban adhésif à la sonde et épinglez-le à la chemise d'hôpital. *La sonde doit être fixée aux vêtements pour éviter qu'elle pende et exerce ainsi une traction irritante sur les narines.*

11. Consignez au dossier de la personne toute l'information pertinente : l'insertion de la sonde, les moyens qui ont permis de déterminer qu'elle était bien placée et les réactions de la personne (malaise, distension abdominale, etc.).

12. Établissez un plan d'administration des soins quotidiens pour la sonde nasogastrique.

- Examinez la narine *pour vérifier qu'il n'y a pas d'écoulement ni d'irritation.*

- Nettoyez la narine et la sonde avec un coton-tige humidifié.

- En cas de sécheresse cutanée ou de présence de croûtes, appliquez un lubrifiant hydrosoluble sur la narine.

- Changez le ruban adhésif au besoin.

- Assurez des soins buccaux fréquents à la personne. Dans certains cas, celle-ci doit respirer par la bouche et ne peut pas boire.

13. Si les matières gastriques doivent être aspirées, vérifiez la perméabilité de la sonde nasogastrique et celle de la tubulure d'aspiration.

- Il faut parfois injecter 30 mL de solution physiologique (soluté physiologique) dans la sonde à intervalles réguliers pour l'irriguer. Dans certains établissements, ces irrigations doivent être prescrites par le médecin.

- Notez avec exactitude la consommation et l'excrétion liquidiennes de la personne, ainsi que les quantités et les caractéristiques des matières gastriques.

- Notez dans le dossier de la personne le type de sonde utilisée, la date et l'heure de l'insertion, le type d'aspiration utilisée, la couleur et le volume des matières gastriques, ainsi que le degré de tolérance de la personne envers le procédé.

Variante : insertion d'une sonde naso-intestinale

- Ajoutez de 3 à 4 cm à la distance mesurée pour l'insertion nasogastrique et marquez cette longueur au moyen d'un morceau de ruban adhésif.

- Une fois la sonde insérée dans l'estomac, placez la personne sur son côté droit *pour permettre la progression de la sonde à travers le sphincter pylorique,* ce qui peut prendre jusqu'à 24 h.

- Une fois que la sonde a progressé jusqu'au point marqué par le ruban adhésif, mesurez le pH des matières aspirées *afin de vérifier que la sonde a bien atteint l'intestin.*

- Faites vérifier l'emplacement de la sonde à l'aide d'un examen radiographique. Une fois la confirmation obtenue, maintenez la tubulure en place au moyen d'un ruban adhésif.

PROCÉDÉ **45-1**(SUITE)

Insertion d'une sonde nasogastrique (suite)

ÉVALUATION

Effectuez l'examen de suivi (par exemple, degré de bien-être ou de malaise de la personne, tolérance à la présence de la sonde nasogastrique, emplacement de la sonde dans l'estomac, com- préhension qu'a la personne des restrictions imposées par l'intu- bation, couleur et quantité des matières gastriques).

PROCÉDÉ **45-2**

Retrait d'une sonde nasogastrique

Évaluez

- La présence de borborygmes (bruits intestinaux).
- L'absence de nausées et de vomissements quand la sonde est clampée.

PLANIFICATION

Matériel

- Compresses jetables
- Mouchoirs en papier
- Gants propres
- Seringue de 50 mL (facultatif)
- Sac jetable en plastique

INTERVENTION

Préparation

- Assurez-vous que le médecin a bien prescrit le retrait de la sonde.
- Aidez la personne à s'asseoir (si son état de santé le lui permet).
- Placez une compresse jetable sur sa poitrine pour éponger le mucus et les sécrétions gastriques qui pourraient s'écouler de la sonde.
- Donnez des mouchoirs en papier à la personne pour qu'elle s'essuie le nez et la bouche après le retrait de la sonde.

Exécution

1. Expliquez à la personne ce que vous allez faire, pourquoi vous allez le faire et comment elle peut coopérer. Précisez que le procédé ne cause ni douleur ni malaise.
2. Lavez-vous les mains et observez les autres mesures de prévention des infections (par exemple, mettez des gants propres).
3. Assurez-vous que l'intimité de la per- sonne est préservée.
4. Détachez la sonde.

- Débranchez la sonde nasogastrique de l'appareil d'aspiration.
- Détachez la sonde de la chemise d'hôpital de la personne.
- Retirez le ruban adhésif qui fixait la sonde au nez de la personne.

5. Retirez la sonde nasogastrique.

- Mettez des gants jetables.
- Facultatif : insufflez 50 mL d'air dans la sonde. *Cette façon de faire vide la sonde de toutes les matières qu'elle contient (par exemple, formule nutritive complète et matières gastriques).*
- Demandez à la personne de prendre une profonde inspiration et de retenir son souffle. *Le blocage de l'inspira- tion ferme la glotte et prévient ainsi l'aspiration accidentelle de matières gastriques.*
- Pincez la sonde de votre main gantée. *Cette technique empêche les matières contenues dans la sonde de s'écouler dans la gorge de la personne.*
- Retirez la sonde rapidement et sans à-coups.

- Placez immédiatement la sonde dans le sac de plastique. *Cette précaution empêche la contamination des objets et des personnes par les microorga- nismes se trouvant dans la sonde ou sur ses parois externes.*
- Vérifiez si la sonde est intacte.

6. Évaluez le degré de bien-être de la personne.

- Prodiguez-lui des soins buccaux si elle le souhaite.
- Au besoin, aidez-la à se moucher. *Il arrive que des sécrétions s'accumu- lent dans les voies nasales au cours de ce procédé.*

7. Jetez les fournitures utilisées selon les normes de sécurité applicables.

- Placez la serviette, le sac contenant la sonde et les gants dans le récipient prévu à cette fin par l'établissement. *Pour éviter la propagation des microorganismes, toutes les mesures de sécurité applicables à la manipula- tion des déchets doivent être scrupuleusement respectées.*

INTERVENTION (suite)

8. Si la sonde était reliée à un appareil d'aspiration, examinez le contenu du drainage nasogastrique.

   • Mesurez la quantité des matières aspirées et consignez l'information au dossier de la personne sous la rubrique des excrétions liquidiennes.

   • Examinez l'apparence et la consistance des matières aspirées.

9. Consignez au dossier de la personne toutes les données pertinentes.

   • Notez le retrait de la sonde, la quantité et l'apparence des matières drainées (si la sonde était reliée à un appareil d'aspiration) et tout autre renseignement pertinent relatif à l'état de santé de la personne.

ÉVALUATION

■ Effectuez l'examen de suivi (par exemple, présence de borborygmes, absence de nausées ou de vomissements après le retrait de la sonde, intégrité des tissus des narines).

■ Comparez vos observations avec les résultats des évaluations antérieures (s'il y a lieu).

■ Signalez au médecin tout écart significatif par rapport à la normale.

LES ÂGES DE LA VIE

Insertion d'une sonde nasogastrique chez le bébé ou l'enfant en bas âge

■ Il faut parfois utiliser des moyens de contention pour insérer la sonde ou administrer le traitement. *La contention permet d'éviter que la sonde soit arrachée de manière accidentelle.*

■ Assoyez le bébé dans un siège adapté à son âge ou placez un coussin (ou une serviette roulée) sous sa tête et ses épaules.

■ Examinez chaque narine en bouchant l'autre ; placez vos doigts devant la narine ouverte afin d'évaluer l'écoulement d'air. Si la voie nasale est très étroite ou obstruée, l'utilisation d'une sonde orogastrique peut être indiquée.

■ Mesurez la longueur de sonde nécessaire : du nez à l'extrémité du lobe de l'oreille, puis du lobe jusqu'au point situé à mi-chemin entre le nombril et le processus xiphoïde.

■ Si vous utilisez une sonde orogastrique, mesurez la distance de l'extrémité du lobe de l'oreille jusqu'à la commissure des lèvres, puis de la commissure jusqu'au processus xiphoïde.

■ Ne soumettez pas le cou de l'enfant à une hyperextension ou à une hyperflexion. *L'hyperextension et l'hyperflexion du cou peuvent obstruer les voies aériennes.*

■ Fixez la sonde à l'aide de ruban adhésif à la joue et au sillon nasolabial (ou philtrum : zone comprise entre l'ouverture des narines et la lèvre supérieure).

■ Détérioration du niveau de conscience.

■ Anomalie du réflexe tussigène ou du réflexe pharyngé (nauséeux).

■ Intubation endotrachéale.

■ Extubation récente.

■ Incapacité de coopérer à l'exécution du procédé.

■ Nervosité ou agitation.

Les dispositifs de **gastrostomie** et de **jéjunostomie** sont utilisés pour le soutien nutritionnel à long terme, généralement plus de six à huit semaines. Le procédé consiste à insérer, par intervention chirurgicale ou laparoscopie, une sonde ordinaire dans la paroi abdominale jusqu'à l'estomac (gastrostomie) ou jusqu'au jéjunum (jéjunostomie).

On referme l'incision chirurgicale à l'aide d'une suture serrée autour de la sonde ou du cathéter afin d'éviter les fuites. Jusqu'à sa cicatrisation, cette incision doit être nettoyée et soignée selon les normes d'asepsie chirurgicale. Une fois que l'incision est guérie (de 10 à 14 jours), la sonde ou le cathéter peut être retiré et réinséré à chaque gavage. Pour fermer la stomie entre les gavages, on utilise généralement une prothèse (tige longue de 3 à 5 cm et munie d'un embout interne, d'un embout externe et d'un bouchon dévissable).

La **gastrostomie percutanée endoscopique (GPE)** (figure 45-19 ■) et la **jéjunostomie percutanée endoscopique (JPE)** (figure 45-20 ■) nécessitent l'utilisation d'un endoscope qui permet de voir à l'intérieur de l'estomac. Le procédé consiste à pratiquer une incision dans la peau et dans les tissus sous-cutanés de l'abdomen afin d'insérer le cathéter de GPE ou de JPE dans l'estomac. Le cathéter est maintenu en place par deux butoirs (interne et externe) et un ballonnet gonflable. Une fois que l'incision est cicatrisée, les sondes de rechange peuvent être insérées sans recours à l'endoscopie.

VÉRIFICATION DE L'EMPLACEMENT DE LA SONDE ALIMENTAIRE. Il faut toujours vérifier la position de la sonde à l'aide d'un examen radiographique avant le premier gavage — surtout s'il s'agit d'une sonde de faible diamètre ou si la personne présente un risque d'aspiration. Après la vérification de l'emplacement, l'infirmière marque la sonde à l'aide d'un trait d'encre

La **sonde nasoentérique** est plus longue que la sonde nasogastrique : on utilise une sonde d'au moins 100 cm pour un adulte. Elle est insérée dans une narine et descend jusqu'à la partie supérieure de l'intestin grêle. Pour effectuer ce procédé, certains établissements de santé font appel à un médecin ou à une infirmière possédant une formation spécialisée. Les sondes nasoentériques s'utilisent pour les personnes exposées à un risque d'aspiration, c'est-à-dire les personnes qui présentent une ou certaines des caractéristiques suivantes :

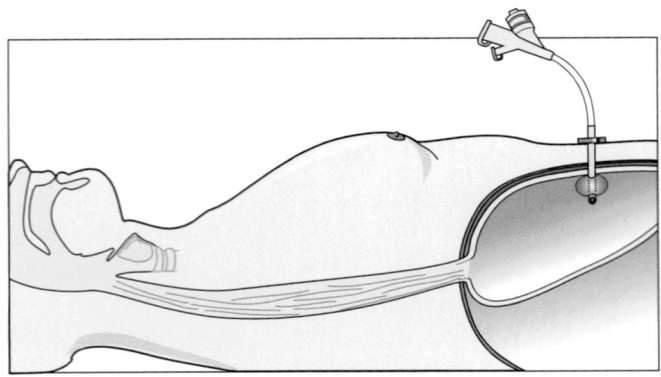

FIGURE **45-19** ■ Sonde de gastrostomie percutanée endoscopique (GPE).

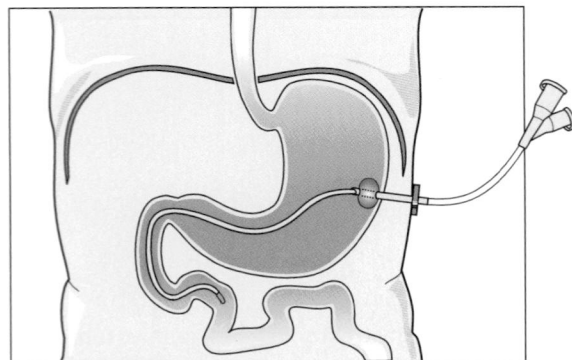

FIGURE **45-20** ■ Sonde de jéjunostomie percutanée endoscopique (JPE).

indélébile ou d'un morceau de ruban adhésif à l'endroit où elle sort du nez. L'infirmière inscrit ensuite la longueur visible (partie extérieure) de la sonde dans le dossier de la personne pour consultation ultérieure. L'infirmière doit vérifier la position (gastro-intestinale ou respiratoire) de la sonde avant chaque gavage en cas d'alimentation intermittente ou à intervalles réguliers (par exemple, au moins une fois par quart de travail) en cas d'alimentation continue. On peut utiliser la méthode de vérification suivante :

1. Aspirer de 20 à 30 mL de sécrétions gastro-intestinales. À l'aspiration, les sondes de faible diamètre offrent plus de résistance que les sondes de large diamètre ; elles sont plus susceptibles de s'affaisser sous l'effet d'une pression négative (voir l'encadré *Conseils pratiques – Aspiration des sécrétions gastro-intestinales à l'aide d'une sonde de faible diamètre*). Les sécrétions gastriques sont généralement vert vif, blanc cassé, beige clair ou brun clair ; le liquide intestinal est jaune doré ou vert brunâtre et tacheté de bile.

2. Mesurer le pH des liquides aspirés. Cette méthode est la plus recommandée pour déterminer efficacement l'emplacement de la sonde. Le pH permet en effet de déterminer si la sonde aboutit dans l'estomac, dans le système respiratoire ou dans les intestins (Metheny et Titler, 2001 ; Metheny, Wehrle, Wiersema et Clark, 1998).
   - Les matières gastriques sont généralement acides, avec un pH de 1 à 4, qui peut atteindre 6 si la personne prend des médicaments pour réduire l'acidité gastrique (antiacides).

- Les matières aspirées dans l'intestin grêle présentent généralement un pH égal ou supérieur à 6.
- Les sécrétions respiratoires sont plus alcalines, avec un pH égal ou supérieur à 7. Il est toutefois possible que la sonde aboutisse dans le système respiratoire, alors que le pH des matières aspirées n'est que de 6.

Il faut par conséquent envisager de confirmer l'emplacement de la sonde à l'aide d'un examen radiographique si les matières aspirées ont un pH égal ou supérieur à 6, surtout en cas d'anomalie du réflexe tussigène et du réflexe nauséeux.

3. Injecter de 5 à 20 mL d'air pour observer le comportement de l'épigastre. Quand on injecte de l'air dans l'estomac, il se produit des « glouglous », des sifflements et d'autres bruits de bouillonnement dans l'épigastre et dans le quadrant supérieur gauche de l'abdomen. Cette méthode n'est cependant pas aussi fiable que celle du pH.

Pour déterminer l'emplacement de la sonde, l'examen radiographique est à l'heure actuelle la méthode la plus efficace. Toutefois, il est impossible de soumettre une personne à cet examen de manière répétée, d'une part à cause des coûts, d'autre part à cause du risque de surexposition aux rayons X. Il est à souhaiter que la recherche permettra d'élaborer des méthodes plus efficaces, surtout en ce qui concerne l'emplacement des sondes de faible diamètre. D'ici là, l'infirmière doit : (a) veiller à ce que l'emplacement de la sonde de faible diamètre soit vérifié à l'aide d'un examen radiographique avant le premier gavage ; (b) aspirer les

 CONSEILS PRATIQUES

Aspiration des sécrétions gastro-intestinales à l'aide d'une sonde de faible diamètre

- Injectez 20 mL d'air dans la sonde avec une seringue de 30 à 60 mL. L'injection d'air vide la sonde des liquides et résidus alimentaires qu'elle contient et en éloigne l'extrémité de la tunique muqueuse.
- Aspirez l'air et le liquide gastro-intestinal. L'aspiration de l'air permet d'éviter la distension gastrique. Pour éviter l'affaissement de la sonde, veillez à ne pas exercer une pression négative trop importante pendant l'aspiration.
- Une fois le liquide aspiré, mesurez son volume et son pH, puis nettoyez la sonde à l'eau pour maintenir sa perméabilité.
- Si aucun liquide n'est aspiré, injectez de nouveau 20 mL d'air avec une seringue plus petite (par exemple, 10 mL) et essayez d'aspirer le contenu. Les seringues plus petites exercent généralement une pression négative moins importante et réduisent le risque d'affaissement de la sonde.
- Si le procédé ne fonctionne toujours pas, reprenez les étapes ci-dessus en utilisant la seringue la plus grosse pour insuffler l'air, puis fixez la seringue plus petite à la sonde et laissez-la pendant 15 minutes avant de tenter d'aspirer l'air et le liquide. Ce délai permet au liquide de s'accumuler.
- Modifiez la position de la personne : faites-la s'allonger sur l'autre côté, abaissez ou relevez la tête du lit. Ces mouvements peuvent déplacer la sonde jusque dans la zone d'accumulation du liquide.

matières et mesurer leur acidité ; (c) observer la personne pour déceler rapidement tout signe éventuel de détresse ; (d) être à l'affût du déplacement de la sonde en cas de toux, d'éternuements ou de vomissements.

GAVAGE. C'est le médecin, en collaboration avec le diététiste, qui détermine la formule nutritive à employer ainsi que le débit de l'alimentation entérale. Les mélanges alimentaires liquides sont soit achetés dans le commerce, soit préparés par le service alimentaire de l'établissement de santé, selon les recommandations du médecin ou du diététiste. Ces liquides procurent généralement 4,2 kJ /mL (1 kcal/mL) et contiennent un dosage bien précis de protéines, de matières grasses, de glucides, de minéraux et de vitamines.

L'alimentation entérale peut être intermittente ou continue. L'alimentation intermittente consiste à administrer de 300 à 500 mL de liquide entéral plusieurs fois par jour, de préférence dans l'estomac. Un gavage dure habituellement au moins 30 minutes. L'alimentation intermittente par injection rapide est administrée à l'aide d'une seringue qui achemine le produit directement dans l'estomac. L'administration étant rapide, elle n'est généralement pas recommandée à long terme ; on peut cependant y recourir pendant une certaine période si la personne la tolère. La formule nutritive complète doit être injectée directement dans l'estomac. On doit assurer un suivi étroit de la personne pour limiter les distensions et les aspirations.

L'alimentation continue est généralement administrée 24 heures sur 24 au moyen d'une pompe à perfusion qui assure un débit constant (figure 45-21 ■). Elle s'impose quand la formule nutritive complète doit être injectée directement dans l'intestin grêle. On y recourt également quand une sonde gastrique de faible diamètre a été mise en place ou que l'écoulement par la force de gravité est insuffisant pour instiller la formule dans l'organisme de la personne.

Quand elle est administrée pendant moins de 24 heures (par exemple, de 12 à 16 heures), l'alimentation continue est dite « cyclique ». Les gavages sont généralement administrés la nuit, ce qui permet à la personne d'essayer de prendre des repas ordinaires le jour. L'alimentation nocturne est parfois plus dense en nutriments et peut être administrée à un rythme plus soutenu que l'alimentation continue ordinaire. Il faut donc surveiller l'évolution de l'état liquidien de la personne et éviter que le volume circulatoire excède la capacité de l'organisme.

L'alimentation entérale peut être administrée en système ouvert ou fermé. En système ouvert, on injecte le produit à l'aide d'une seringue ou d'un contenant à dessus ouvert. La formule nutritive complète est conditionnée dans des boîtes à couvercle rabattable ou sous forme de poudre à diluer dans de l'eau stérile. Pour réduire le risque de contamination microbienne, on doit absolument utiliser de l'eau stérile et non de l'eau du robinet. Les systèmes fermés se composent d'un contenant prérempli et d'une tubulure qu'on fixe au dispositif d'administration. Ces contenants préremplis contiennent généralement 1 L de produit alimentaire et peuvent être utilisés sans risque de contamination pendant 24 à 36 heures, à condition d'observer toutes les consignes d'hygiène recommandées.

Le procédé 45-3 donne les principales étapes de l'administration d'une alimentation par sonde ; le procédé 45-4 décrit plus particulièrement l'alimentation par sonde de gastrostomie ou de jéjunostomie.

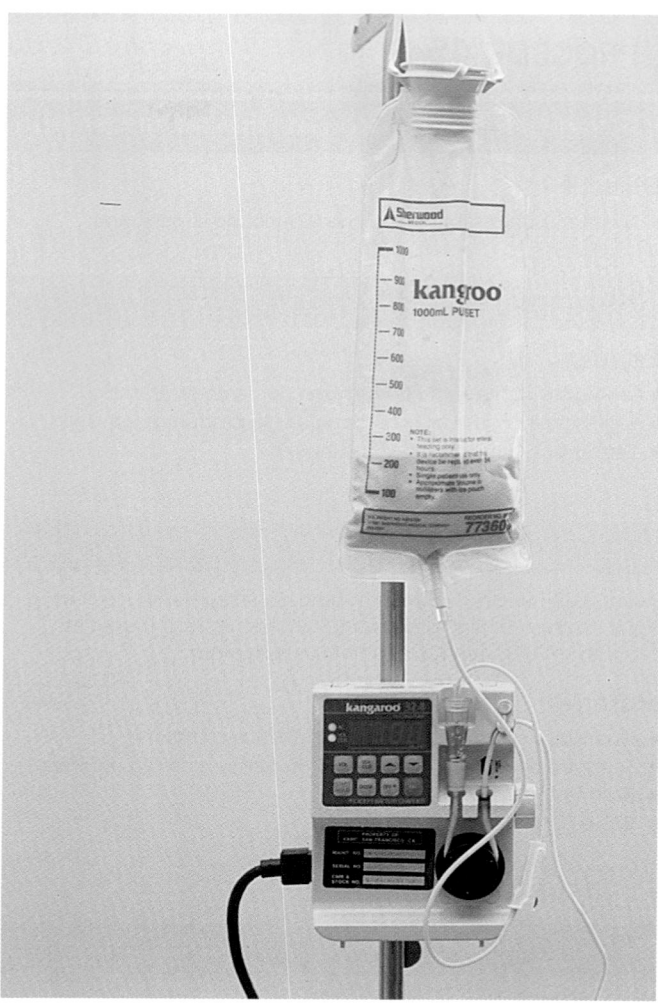

FIGURE **45-21** ■ Pompe d'alimentation entérale.

Avant d'administrer l'alimentation par sonde, l'infirmière doit déterminer si la personne souffre d'allergies alimentaires et évaluer sa tolérance aux gavages précédents. Le tableau 45-21 décrit l'examen clinique qui précède le gavage. L'infirmière doit vérifier la date de péremption sur le contenant du liquide alimentaire (s'il a été acheté dans le commerce) ou la date et l'heure de sa fabrication (s'il a été préparé dans l'établissement). Elle jettera tout produit d'alimentation périmé ou dont la préparation remonte à plus de 24 heures.

Les liquides de gavage sont généralement administrés à température ambiante, à moins d'indication contraire. L'infirmière laisse la formule nutritive complète sur la table de chevet jusqu'à ce qu'elle atteigne la température ambiante. Comme la chaleur favorise la prolifération des microorganismes, le liquide ne doit pas être laissé à température ambiante plus longtemps que le fabricant le recommande. Les liquides d'alimentation continue doivent également être gardés au frais pour deux raisons : la chaleur fait cailler le lait et les œufs ; les liquides chauds peuvent irriter les membranes muqueuses. Il convient toutefois de ne pas refroidir à l'excès les produits destinés à l'alimentation par sonde, car le froid provoque une vasoconstriction, ce qui diminue la sécrétion des sucs digestifs et peut causer des crampes.

PROCÉDÉ 45-3

Gavage par sonde nasogastrique ou nasoentérique

Objectif

- Maintenir ou rétablir l'état nutritionnel de la personne.

COLLECTE DES DONNÉES

Évaluez

- Les signes cliniques de dénutrition ou de déshydratation
- L'allergie à un aliment contenu dans le produit de gavage
- Les borborygmes (bruits intestinaux)

- Les signes possibles d'une intolérance aux gavages antérieurs (par exemple : vidange gastrique trop lente, syndrome de chasse, distension abdominale, constipation ou déshydratation)

PLANIFICATION

Avant d'administrer l'alimentation nasogastrique ou nasoentérique, dressez le bilan des gavages antérieurs : techniques et produits utilisés, quantité, fréquence, tolérance.

Matériel

- Quantité nécessaire de formule nutritive complète
- Seringue de 20 à 50 mL munie d'un pavillon de raccordement
- Bassin réniforme
- Gants propres

- Grande seringue à piston ; ou sac de gavage en plastique calibré avec tubulure pouvant être attachée à la sonde de gavage ; ou contenant prérempli avec chambre compte-gouttes, tubulure et clamp régulateur de débit
- Languette de mesure du pH ou pH-mètre
- Système ouvert : contenant doseur pour mesurer le liquide de gavage
- 60 mL (ou selon les indications) d'eau à température ambiante
- Alimentation continue : pompe à perfusion (par exemple, Kangaroo)

INTERVENTION

Préparation

Aidez la personne à s'asseoir sur une chaise ou à prendre la position de Fowler dans son lit. Si la position assise est contre-indiquée, la personne peut rester allongée sur le côté droit, à condition que le haut de son corps soit légèrement surélevé. *Ces positions accélèrent l'écoulement de la formule alimentaire par la force de gravité et préviennent l'aspiration de liquide dans les poumons.*

Exécution

1. Expliquez à la personne ce que vous allez faire, pourquoi vous allez le faire et comment elle peut coopérer. Précisez que le gavage ne cause ni douleur ni malaise, mais qu'il entraîne parfois une sensation de satiété. Chez l'adulte, l'alimentation intermittente dure généralement 30 minutes ; la durée exacte du gavage dépend en grande partie de la quantité administrée.

2. Lavez-vous les mains et observez les autres mesures de prévention de l'infection (par exemple, mettez des gants propres).

3. Assurez-vous que l'intimité de la personne est préservée. Certaines personnes n'aiment pas être vues pendant qu'elles sont alimentées par voie nasogastrique ou nasoentérale.

4. Vérifiez l'emplacement de la sonde.
   - Fixez la seringue à l'extrémité de la tubulure et aspirez les sécrétions alimentaires. Mesurez-en le pH.
   - Si la personne a pris des médicaments, attendez une heure avant de mesurer le pH.
   - Si la personne est en alimentation continue ou qu'un colorant alimentaire a été ajouté au produit de gavage, utilisez un pH-mètre plutôt qu'une languette.

5. Examinez les résidus alimentaires.
   - Aspirez tout le contenu stomacal et mesurez-en la quantité avant d'administrer le gavage. *Cette façon de faire permet d'évaluer la proportion du gavage précédent qui n'a pas été digérée et d'en déterminer ainsi le taux d'absorption.*
   - Si les matières aspirées représentent plus de 100 mL (ou plus de la moitié du gavage précédent), communiquez avec l'infirmière responsable ou consultez la politique de l'établissement

avant d'administrer le gavage suivant. C'est généralement le médecin ou la politique de l'établissement qui détermine la quantité au-delà de laquelle l'infirmière doit pousser plus loin les examens. *Certains établissements de santé interdisent à l'infirmière d'administrer l'alimentation par sonde à partir d'un certain volume résiduel de matières non digérées (et donc encore présentes dans l'estomac). Dans d'autres établissements, la quantité des matières retirées est soustraite de la quantité totale du gavage et on administre graduellement un volume égal au volume restant (volume total moins portion non digérée).*
   ou
   - Selon les consignes du médecin ou la politique de l'établissement, réinjectez le contenu gastrique dans l'estomac. Retirez la poire ou le piston de la seringue et versez le contenu gastrique dans la sonde nasogastrique au moyen de la seringue. *L'aspiration des matières gastriques peut perturber l'équilibre électrolytique de la personne.*
   - Si la personne est en alimentation continue, mesurez les résidus gastri-

INTERVENTION (suite)

ques à toutes les quatre à six heures, ou selon le protocole de l'établissement.

6. Administrez le gavage.

- Avant d'administrer le gavage : vérifiez la date de péremption du produit.

  Portez la formule nutritive complète à température ambiante. *Une formule trop froide risque de provoquer des crampes.*

- Système ouvert : nettoyez le dessus du contenant avant de l'ouvrir. *Cette précaution réduit le risque de contamination de la seringue ou du sac de gavage.*

Sac de gavage (système ouvert)

- Suspendez le sac à environ 30 cm au-dessus du point d'insertion de la sonde dans le corps de la personne.

- Clampez la tubulure et versez la formule nutritive complète dans le sac.

- Ouvrez le clamp, faites passer la formule nutritive complète dans la tubulure et refermez le clamp. La formule nutritive complète remplacera l'air dans la tubulure, évitant ainsi que trop d'air soit insufflé dans l'estomac ou l'intestin de la personne.

- Reliez le sac à la sonde nasogastrique ou nasoentérale (figure 45-22 ▪) et ajustez le débit avec le clamp, selon les indications inscrites sur le sac (par exemple, 20 gouttes/mL).

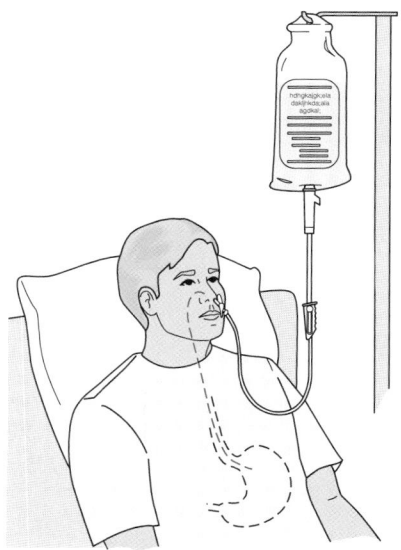

FIGURE 45-22 ▪ Utilisation d'un sac en plastique calibré pour l'alimentation par sonde.

Seringue (système ouvert)

- Retirez le piston de la seringue et insérez cette dernière dans la sonde nasogastrique pincée ou clampée. *Le pinçage ou le clampage de la tubulure permet d'éviter l'entrée d'un volume excessif d'air dans l'estomac de la personne, ce qui risquerait de provoquer de la distension.*

- Versez le liquide de gavage dans le cylindre de la seringue (figure 45-23 ▪).

- Laissez-le s'écouler lentement, au rythme prescrit. Au besoin, élevez ou abaissez la seringue pour ajuster le débit. Si la personne éprouve une sensation de malaise, pincez ou clampez la tubulure pour interrompre l'écoulement pendant 60 secondes. *Un débit de gavage trop rapide peut provoquer des flatuosités, des crampes ou des vomissements de reflux.*

Bouteille préremplie munie d'une chambre compte-gouttes (système fermé)

- Retirez le bouchon dévissable et fixez au contenant la tubulure d'alimentation à chambre compte-gouttes (figure 45-24 ▪).

- Fermez le clamp de la tubulure.

- Suspendez le contenant à une tige pour intraveineuse, à environ 30 cm au-dessus du point d'insertion de la sonde dans le corps de la personne. *À cette hauteur, la formule nutritive complète devrait s'écouler dans l'estomac ou dans l'intestin à un rythme ne présentant aucun danger.*

- Pressez les parois de la chambre compte-gouttes pour la remplir jusqu'au tiers ou à la moitié de sa capacité.

- Ouvrez le clamp de la tubulure, faites passer la formule nutritive complète dans la tubulure et refermez le clamp. *La formule nutritive complète remplacera l'air contenu dans la tubulure, empêchant ainsi l'instillation d'une quantité excessive d'air.*

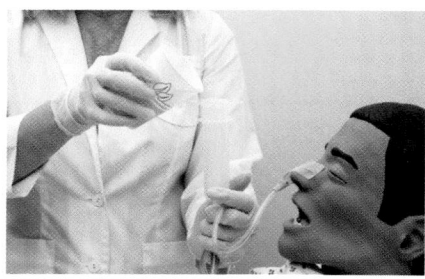

FIGURE 45-23 ▪ Utilisation d'une seringue pour l'alimentation par sonde.

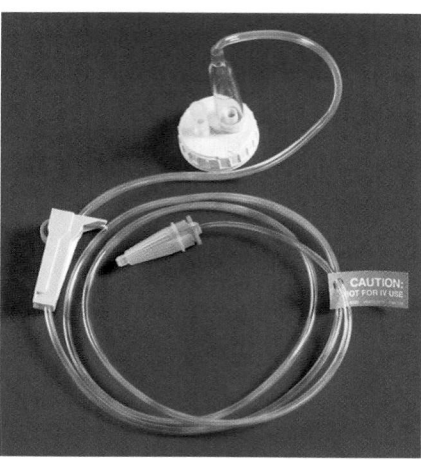

FIGURE 45-24 ▪ Tubulure d'alimentation munie d'une chambre compte-gouttes. (Source : Ross Products, une filiale de Abbott Laboratories.)

- Raccordez la tubulure d'alimentation à la sonde et ajustez le débit en fonction de la durée prévue pour le gavage. On peut ajuster le débit des systèmes préremplis en les raccordant à une pompe de gavage.

7. Rincez la sonde d'alimentation immédiatement avant la fin de l'écoulement du liquide dans la tubulure.

- Instillez de 50 à 100 mL d'eau dans la tubulure. L'eau nettoie la sonde et empêche la formule nutritive complète (relativement épaisse et collante) de l'obstruer.

- Instillez l'eau avant la fin de l'écoulement du liquide hors de la seringue ou de la tubulure. Avant de verser de l'eau dans le sac de gavage ou dans le système prérempli, clampez et débranchez la sonde d'alimentation et la tubulure d'administration du produit alimentaire. *En versant l'eau avant que la seringue ou la tubulure soit vide, vous empêchez l'air d'entrer dans l'estomac ou l'intestin de la personne et prévenez ainsi la distension.*

8. Clampez la sonde d'alimentation et couvrez-la.

- Clampez la sonde avant la fin du passage de toute l'eau. *Cette technique permet d'éviter les fuites et empêche l'air d'entrer dans la sonde.*

- Couvrez l'extrémité de la sonde d'alimentation avec un morceau de gaze que vous fixerez à l'aide d'un élastique. *Cette précaution permet d'éviter les fuites de liquide.*

PROCÉDÉ 45-3 (SUITE)

Gavage par sonde nasogastrique ou nasoentérique (suite)

INTERVENTION (suite)

9. Vérifiez la sécurité et le bien-être de la personne.

   • Épinglez la sonde à la chemise d'hôpital de la personne. *Cette précaution permet d'éviter que la sonde soit déplacée ou arrachée, ce qui provoquerait une sensation désagréable chez la personne.*

   • Demandez à la personne de rester assise en position de Fowler ou allongée sur le côté droit, le haut du corps légèrement surélevé, pendant au moins 30 minutes. *Ces postures facilitent la digestion et le passage du produit de gavage de l'estomac au tractus digestif; elles préviennent également l'aspiration de liquide alimentaire dans les poumons.*

   • Consultez la politique de l'établissement pour déterminer la fréquence de changement de la sonde nasogastrique et les modalités d'utilisation des tubulures de faible diamètre (si la tubulure actuelle est de grand diamètre). *Ces mesures préviennent l'irritation et l'érosion des muqueuses du pharynx et de l'œsophage.*

10. Jetez les fournitures utilisées selon les consignes de sécurité applicables.

    • Si les fournitures doivent être réutilisées, lavez-les soigneusement à l'eau savonneuse.

    • Renouvelez les fournitures toutes les 24 heures ou selon les consignes de l'établissement.

11. Consignez au dossier de la personne toute l'information pertinente.

    • Inscrivez les données se rapportant au gavage: produit utilisé, quantité, durée du gavage, état de la personne.

    • Inscrivez sous la rubrique de l'ingestion et de l'excrétion le volume du gavage et la quantité d'eau administrée.

12. Observez la personne pour relever tout problème éventuel.

    • Examinez soigneusement la personne afin de déceler rapidement tout problème.

    • Selon les consignes, administrez à la personne des quantités d'eau supplémentaires (en plus du gavage prescrit) pour prévenir la déshydratation.

    Variante: alimentation par écoulement continu

    • Si l'alimentation par sonde est administrée en continu, apposez sur le contenant une étiquette pour l'indiquer.

    • Au moins à toutes les quatre à six heures (ou selon le protocole de l'établissement ou les consignes du fabricant), clampez la tubulure, aspirez les matières gastriques et mesurez-en la quantité. Puis, nettoyez la tubulure en y injectant de 30 à 50 mL d'eau. *Cette technique permet de vérifier que la sonde est bien installée et que les aliments sont correctement absorbés. Si la tubulure est de faible diamètre et qu'elle semble mal placée, la personne doit être soumise à un examen radiographique pour qu'on puisse vérifier l'emplacement de la sonde.*

    • Consultez le protocole de l'établissement concernant l'interruption des gavages. La plupart des établissements suspendent l'alimentation par sonde dès que les matières résiduelles aspirées représentent plus de 75 à 100 mL.

    • Pour éviter la détérioration ou la contamination bactérienne du produit, ne laissez jamais un contenant de solution suspendu à la pompe plus de quatre à huit heures. Consultez la politique de l'établissement ou les recommandations du fabricant pour déterminer le délai maximal d'utilisation.

    • Appliquez la politique de l'établissement concernant le changement du sac et de la tubulure de gavage: on recommande généralement de le faire à toutes les 24 heures afin de réduire le risque de contamination.

ÉVALUATION

Effectuez l'examen de suivi, par exemple:

■ Degré de tolérance au gavage.
■ Régurgitations et sensation de satiété après le gavage.
■ Prise ou perte de poids.
■ Caractéristiques de l'élimination fécale (par exemple, diarrhée, flatulence, constipation).
■ Signe du pli cutané (turgor).

■ Débit urinaire.
■ Présence de glucose et d'acétone dans l'urine.
■ Comparaison des observations avec les données antérieures, s'il y a lieu. L'infirmière doit signaler au médecin tous les écarts significatifs de l'état de la personne par rapport à la normale.

PROCÉDÉ 45-4

Administration de l'alimentation par sonde de gastrostomie ou de jéjunostomie

Objectif

Voir le procédé 45-3.

Voir le procédé 45-3.

Avant d'administrer l'alimentation gastrostomique ou jéjuno-stomique, déterminez le type et la quantité de liquide alimentaire à utiliser, la fréquence des gavages et toute autre donnée pertinente relative au gavage précédent (par exemple, la position la plus confortable pour la personne).

Matériel

- Quantité nécessaire de formule nutritive complète
- Contenant gradué pour mesurer le liquide
- Seringue à grande poire
- Contenant gradué contenant 60 mL d'eau pour nettoyer la tubulure
- Contenant gradué pour mesurer la formule nutritive complète restante

Sonde fixe (suturée)

- Compresses de gaze (10 cm sur 10 cm) pour couvrir l'extrémité de la sonde
- Élastique

Insertion de la sonde

- Gants propres
- Sac étanche
- Lubrifiant hydrosoluble
- Cathéter de 18 Fr à biseau ou autre sonde d'alimentation
- Clamp à tubulure

Nettoyage de la peau péristomiale et pansement de la stomie

- Eau et savon doux
- Gants propres
- Vaseline, onguent à l'oxyde de zinc ou autre protecteur cutané
- Compresses de gaze à fente prédécoupée (10 cm sur 10 cm)
- Compresses de gaze (10 cm sur 10 cm)
- Compresses abdominales
- Bandage abdominal ou bandage de Montgomery

Préparation

Voir le procédé 45-3.

Exécution

1. Expliquez à la personne ce que vous allez faire, pourquoi vous allez le faire et comment elle peut coopérer.

2. Lavez-vous les mains et observez les autres mesures de prévention de l'infection.

3. Assurez-vous que l'intimité de la personne est préservée.

4. Évaluez l'état de la personne et préparez-la pour le procédé.
   - Voir le procédé 45-3.

5. Au besoin, insérez une sonde d'alimentation.
   - Mettez des gants propres et retirez le pansement qui couvre la stomie. Placez le pansement et les gants dans le sac étanche.
   - Lubrifiez l'extrémité de la sonde et enfoncez-la de 10 à 15 cm dans la stomie.

6. Si la sonde est suturée ou fixée, vérifiez-en la perméabilité.
   - Aspirez les sécrétions et mesurez-en le pH *pour vérifier si la sonde est bien placée.*
   - Versez de 15 à 30 mL d'eau dans la seringue, enlevez le clamp de la tubulure et laissez l'eau s'écouler dans la sonde. *Cette façon de faire permet de vérifier la perméabilité de la sonde. Si l'eau s'écoule librement, c'est qu'elle est perméable.*
   - Si l'eau ne s'écoule pas librement, avertissez l'infirmière responsable ou le médecin.

7. Mesurez la quantité de liquide alimentaire restant dans l'estomac ou le jéjunum.
   - Fixez la poire à la seringue et comprimez-la. *Pour éviter d'instiller de l'air dans l'estomac ou le jéjunum, il faut comprimer la poire avant de fixer la seringue à la tubulure d'alimentation.*
   - Fixez la seringue à la sonde d'alimentation, puis retirez le contenu stoma-cal ou jéjunal et mesurez-en la quantité.
   - Si la quantité des matières non digérées est égale ou inférieure à 150 mL, appliquez la politique de l'établissement. Si elle est supérieure à 150 mL, n'administrez pas le gavage et vérifiez de nouveau le contenu stomacal ou jéjunal de trois à quatre heures plus tard ou selon la politique de l'établissement. Si la quantité des matières non digérées est très importante, avertissez le médecin.
   - Si la personne est alimentée en continu, vérifiez la quantité des matières résiduelles toutes les quatre à six heures et, au besoin, espacez les gavages selon la politique de l'établissement. L'infirmière doit toujours prévenir le médecin si les quantités résiduelles sont importantes.

8. Administrez le gavage.
   - Tenez le cylindre de la seringue de 7 à 15 cm au-dessus de la stomie.

PROCÉDÉ 45-4 (SUITE)

Administration de l'alimentation par sonde de gastrostomie ou de jéjunostomie (suite)

INTERVENTION (suite)

- Versez lentement la formule nutritive complète dans la seringue et laissez-la s'écouler dans la tubulure par la force de gravité.
- Juste avant que tout le liquide se soit écoulé et que la seringue soit vide, versez 30 mL d'eau dans cette dernière. *L'eau nettoie la tubulure et en maintient la perméabilité.*
- Si la sonde est suturée (fixée), tenez-la à la verticale, enlevez la seringue, puis clampez ou bouchez la tubulure afin de prévenir les fuites. Couvrez l'extrémité de la tubulure d'une compresse de gaze (10 cm sur 10 cm) et assujettissez cette dernière avec un élastique.
- Si vous avez inséré un cathéter pour le gavage, retirez-le.

9. Vérifiez que la personne est en sécurité et qu'elle se sent bien.
   - Une fois le gavage terminé, demandez à la personne de rester assise ou couchée sur le côté droit, le haut du corps légèrement surélevé, pendant au moins 30 minutes. *Ces positions réduisent le risque d'aspiration.*
   - Examinez la peau péristomiale. Les produits du drainage gastrique ou jéjunal contiennent des enzymes digestives qui peuvent irriter la peau. Inscrivez au dossier de la personne les éventuelles rougeurs ou lésions cutanées.

- Consultez les directives de nettoyage de la peau péristomiale ; appliquez un protecteur cutané, puis un pansement approprié. En général, l'infirmière doit laver la peau péristomiale à l'eau et au savon doux au moins une fois par jour.
- Vous pouvez appliquer de la vaseline, un onguent à l'oxyde de zinc ou autre protecteur cutané autour de la stomie, puis placer des compresses de gaze à fente prédécoupée (10 cm sur 10 cm) autour de la sonde. Recouvrez-les à l'aide de compresses de gaze ordinaires de même dimension et enroulez la tubulure dessus. Couvrez le tout de compresses abdominales et faites un bandage abdominal ou utilisez des bandes de Montgomery.
- Observez la personne pour détecter les complications les plus communes du gavage entéral : aspiration, hyperglycémie, distension abdominale, diarrhée, rétention fécale (risque de fécalome). Transmettez vos observations au médecin. Très souvent, il suffit de changer la formule nutritive ou d'ajuster le débit du gavage pour corriger ce genre de problèmes.
- Au besoin, expliquez à la personne la méthode d'administration des gavages et indiquez-lui les problèmes qu'elle doit signaler sans tarder à l'équipe soignante.

Variante : gastrostomie percutanée endoscopique (GPE)

La sonde de GPE est maintenue grâce à une petite croix ou une traverse placée près de la peau à la stomie.

- Nettoyez la stomie tous les jours avec un morceau de coton ou de gaze imbibé d'eau savonneuse en faisant des mouvements circulaires.
- Faites tourner la traverse et nettoyez la peau en dessous.
- Faites tourner la sonde sur 360° entre le pouce et l'index tous les jours.
- Une fois la peau nettoyée, laissez-la sécher à l'air libre.
- Indiquez à l'équipe de soins tout signe de complication : rougeur, douleur, inconfort, œdème ou écoulement.
- Ne placez pas de pansement sur la GPE. *La mise en place d'un pansement et de ruban adhésif pourrait provoquer une excoriation et des lésions cutanées.*

10. Consignez au dossier de la personne toutes vos observations et les interventions effectuées.

ÉVALUATION

Voir le procédé 45-3.

LES ÂGES DE LA VIE

Administration du gavage

NOUVEAU-NÉS ET NOURRISSONS
- La sonde de gavage peut être réintroduite à chaque repas afin de prévenir les irritations des muqueuses, l'obstruction des voies nasales et les perforations stomacales qui risquent de se produire si elle est maintenue en place de manière permanente. Suivez la politique de l'établissement.

ENFANTS
- Si l'enfant est en bas âge, installez-le sur vos genoux, donnez-lui une sucette pour le calmer et cajolez-le tout au long du gavage. Ce contact le rassurera, favorisera le réflexe de succion (chez le bébé) et facilitera la digestion.

PERSONNES ÂGÉES
- Les changements physiologiques qui accompagnent le vieillissement rendent souvent les personnes âgées plus sujettes aux complications liées à l'alimentation entérale. Comme l'estomac se vide moins bien avec l'âge, vérifiez fréquemment les résidus gastriques de la personne âgée alimentée par sonde. Les diarrhées provoquées par un débit trop rapide ou par une concentration trop élevée de nutriments peuvent causer la déshydratation. Si la formule nutritive complète contient beaucoup de glucose, assurez-vous que la personne ne souffre pas d'hyperglycémie : avec l'âge, le corps a plus de difficulté à affronter l'augmentation soudaine de glycémie.

- L'estomac se vide moins rapidement sous l'effet de certaines affections (par exemple, hernie hiatale ou diabète). Les personnes alimentées par sonde sont donc plus exposées au risque d'aspiration. Si le problème survient régulièrement, vérifiez plus fréquemment la présence de matières résiduelles dans l'estomac et prenez les mesures qui s'imposent. Il suffit dans certains cas de changer la formule nutritive ou d'ajuster le débit du gavage, de placer la personne dans une position différente ou d'administrer un médicament (sur ordonnance du médecin) qui aide l'estomac à se vider.

SOINS À DOMICILE

Administration du gavage
- Expliquez à la personne ou aux proches aidants comment mesurer le pH pour vérifier si la sonde est bien placée avant d'administrer le gavage.
- Fournissez à la personne et à son entourage toutes les instructions relatives à l'entretien de la tubulure et au nettoyage du point d'insertion.
- Indiquez-leur les signes et les symptômes à signaler au médecin ou à l'infirmière en soins à domicile.

TABLEAU 45-21

Évaluation clinique des personnes sous gavage

Évaluation	Justification scientifique
Allergie à des aliments contenus dans la formule nutritive	Les aliments les plus allergènes sont notamment les suivants : lait, sucre, œufs et huile végétale.
Présence de borborygmes (bruits intestinaux) avant le gavage ou, en cas d'alimentation continue, à toutes les quatre à huit heures	Les borborygmes permettent de déterminer l'activité intestinale.
Emplacement de la sonde avant chaque gavage	Cette observation aide à prévenir l'aspiration de matières alimentaires.
Régurgitations et sensation de satiété après chaque gavage	Les régurgitations et la sensation de satiété peuvent être l'indication que l'estomac se vide trop lentement, qu'il faut diminuer la quantité ou le débit du gavage, ou que la formule nutritive complète utilisée contient trop de matières grasses.
Syndrome de chasse : nausées, vomissements, diarrhée, crampes, pâleur, sudation excessive, palpitations cardiaques, accélération du pouls et évanouissement après le gavage	Les personnes qui ont subi une jéjunostomie présentent parfois ces symptômes. Ils sont causés par une distension soudaine du jéjunum au cours de l'administration de liquides ou d'aliments solides hypertoniques. Les liquides corporels quittent rapidement le système vasculaire de la personne pour permettre au contenu intestinal de redevenir isotonique.
Distension abdominale au moins une fois par jour (mesurer le périmètre abdominal à la hauteur du nombril)	La distension abdominale peut être le signe d'une intolérance à un gavage antérieur.
Diarrhée, constipation ou flatulence	Les formules nutritives contiennent peu de fibres et provoquent souvent la constipation. Dans certains cas, les ingrédients hypertoniques ou concentrés causent la diarrhée et la flatulence.
Teneur en sucre et en acétone de l'urine	L'hyperglycémie est à craindre si la teneur en sucre du liquide alimentaire est trop élevée.
Hématocrite et poids spécifique de l'urine	Ces deux valeurs augmentent en cas de déshydratation.
Taux de sodium et taux d'urée sérique	Les liquides alimentaires sont souvent hyperprotéinés. Si la personne consomme beaucoup de protéines et trop peu de liquides, ses reins peuvent avoir de la difficulté à excréter correctement les déchets azotés.

■ Alimentation parentérale

L'**alimentation parentérale** ([**AP**], **alimentation parentérale totale** [**APT**] ou **hyperalimentation intraveineuse** [**HAIV**]), s'impose quand le tractus gastro-intestinal ne fonctionne plus – soit qu'il a été sectionné, soit qu'il est obstrué, soit que sa capacité d'absorption est devenue insuffisante. L'alimentation parentérale est administrée par voie intraveineuse (par exemple, au moyen d'un cathéter veineux central dans la veine cave supérieure).

Les liquides de gavage parentéral sont des solutions de dextrose, d'eau, de lipides, de protéines, d'électrolytes, de vitamines et d'oligoéléments. Ils procurent à la personne toute la teneur énergétique dont elle a besoin. Les solutions d'APT étant hypertoniques (c'est-à-dire qu'elles sont très concentrées par rapport au sang), elles doivent toujours être injectées dans des veines centrales à fort débit, où elles se diluent plus facilement dans le sang.

L'APT permet de ramener à l'état anabolique les personnes dont l'organisme n'arrive pas à maintenir un bilan azoté normal. Plusieurs facteurs peuvent expliquer cette incapacité : dénutrition grave, brûlures majeures, affections ou perturbations intestinales (par exemple, rectocolite hémorragique ou fistule intestinale), insuffisance rénale aiguë, insuffisance hépatique, cancer métastatique, intervention chirurgicale majeure accompagnée d'une interdiction de s'alimenter par voie buccale pendant plus de cinq jours.

L'APT comporte certains risques. En particulier, la prévention des infections revêt une importance capitale au cours des traitements de cette nature. L'infirmière doit appliquer d'une manière rigoureuse les mesures d'asepsie chirurgicale quand elle change la solution d'alimentation, la tubulure, les pansements ou les filtres. Les personnes sous APT sont également plus exposées au risque de déséquilibre liquidien, électrolytique et glucosique. Il convient par conséquent de les examiner fréquemment et, au besoin, d'ajuster la formule nutritive complète.

Les solutions d'APT contiennent de 10 à 50 % de dextrose dilué dans l'eau ainsi qu'un mélange d'acides aminés et d'adjuvants, tels que des vitamines (par exemple, groupe B, C, D, K), des minéraux (par exemple, potassium, sodium, chlorure, calcium, phosphate, magnésium) et des oligoéléments (par exemple, cobalt, zinc, manganèse). La teneur en adjuvants est déterminée selon les besoins nutritionnels de la personne considérée. Des émulsions de matières grasses peuvent être administrées pour procurer à la personne les acides gras essentiels dont elle a besoin (pour corriger ou prévenir une carence) ou pour lui fournir la teneur énergétique indispensable (par exemple, si elle a des besoins énergétiques importants ou si elle ne tolère pas le glucose comme source unique d'apport énergétique). Il est à noter que 1 000 mL de solution de glucose ou de dextrose à 5 % contiennent 50 g de sucre. Par conséquent, 1 L de cette solution fournit moins de 840 kJ (200 kcal) !

Les solutions d'APT sont riches en glucose ; la perfusion doit donc être mise en place de manière graduelle pour éviter l'hyperglycémie. Pour s'adapter à l'APT, l'organisme doit en effet accroître la quantité d'insuline excrétée par le pancréas. On pourra par exemple administrer à une personne adulte 1 L (40 mL/h) de solution d'APT le premier jour si elle tolère la perfusion, puis 2 L (80 mL/h) pendant 24 à 48 heures, puis 3 L (120 mL/h) pendant les 3 à 5 jours suivants. Le taux de glucose doit être régulièrement mesuré pendant la perfusion.

À la fin du traitement alimentaire parentéral total, on doit réduire graduellement la perfusion afin d'éviter l'hyperinsulinisme et l'hypoglycémie. Le sevrage de l'APT prend parfois jusqu'à 48 heures, mais il peut aussi s'achever en 6 heures seulement – à condition que la personne bénéficie d'un apport suffisant en glucides par voie orale ou intraveineuse.

Le gavage entéral ou parentéral peut être amorcé ou poursuivi au domicile de la personne. Voir l'encadré *Enseignement – Traitement nutritionnel.*

ENSEIGNEMENT

Traitement nutritionnel

On doit fournir l'information suivante à la personne et aux proches aidants afin de leur permettre d'administrer correctement les gavages.

- *Préparation du liquide alimentaire.* Indiquer le nom du produit, les quantités à administrer et la fréquence des gavages. Souligner l'importance de toujours vérifier la date de péremption du liquide et de s'assurer que le sac ou la boîte ne présente aucune fuite ni craquelure. Au besoin, expliquer la méthode de préparation du liquide alimentaire et les mesures d'hygiène applicables (par exemple, essuyer le dessus du contenant avant de l'ouvrir, changer le système d'administration et le réservoir de la seringue à toutes les 24 heures).
- *Entreposage et conservation du liquide alimentaire.* Une fois qu'il a été reconstitué ou dilué, le liquide doit être réfrigéré. Les produits contenant des adjuvants doivent également être placés au réfrigérateur.
- *Administration du gavage.* Expliquer les techniques pour se laver les mains, remplir le sac d'alimentation, le suspendre à la pompe, faire fonctionner la pompe à perfusion (s'il y a lieu), ajuster le débit du gavage et placer la

personne dans une position adéquate pendant et après le gavage.
- *Entretien du dispositif d'alimentation entérale ou parentérale.* Selon le cas, expliquer comment nettoyer le point d'insertion, appliquer les techniques d'asepsie indispensables et changer les pansements. Indiquer l'aspect normal que le point d'insertion devrait avoir. Expliquer la marche à suivre pour le nettoyage des tubulures (produit à utiliser et fréquence de nettoyage) de l'alimentation entérale.
- *Suivi quotidien.* Il faut mesurer chaque jour la température, le poids, les quantités injectées et les excreta.
- *Signes et symptômes de complications à signaler à l'équipe soignante.* Mentionner notamment les points suivants : fièvre, augmentation du rythme respiratoire, diminution de l'élimination urinaire, augmentation de la fréquence d'élimination fécale, anomalies du niveau de conscience.
- *Personnes à joindre en cas de questions ou de problèmes.* Préciser le numéro de téléphone d'urgence de l'établissement de santé, celui du médecin ou de l'infirmière, ou celui d'un service d'urgence accessible jour et nuit.

Évaluation

L'infirmière vérifie l'atteinte des objectifs définis à la planification. Pour ce faire, elle doit s'assurer que les objectifs, également définis à la planification, sont atteints (voir l'encadré *Diagnostics infirmiers, résultats de soins infirmiers et interventions*).

Si les résultats escomptés n'ont pas été atteints, l'infirmière analysera les causes de cet échec. Elle se posera en particulier les questions suivantes :

- La cause du problème a-t-elle été correctement cernée ?

- L'entourage familial de la personne a-t-il été bien informé ? Se montre-t-il coopératif ? Appuie-t-il les mesures mises en œuvre ?

- La personne présente-t-elle des symptômes qui lui font perdre l'appétit (par exemple, douleurs, nausées, fatigue) ?

- Les résultats visés étaient-ils réalistes pour la personne ?

- A-t-on tenu compte des goûts alimentaires de la personne dans le plan d'intervention ?

- Y a-t-il des facteurs qui entravent la digestion ou l'absorption des nutriments (par exemple, diarrhée) ?

PLAN DE SOINS ET DE TRAITEMENTS INFIRMIERS

Alimentation

COLLECTE DES DONNÉES		DIAGNOSTIC INFIRMIER	RÉSULTATS DE SOINS INFIRMIERS [N° CRSI/NOC] ET INDICATEURS*
Anamnèse Mme Rose Santini, auxiliaire familiale âgée de 59 ans, assiste à une foire sur la santé organisée par un centre communautaire de son quartier. Au stand consacré à l'alimentation, elle fait établir ses antécédents alimentaires par une infirmière. Mme Santini est très fâchée d'avoir pris 9 kg. Depuis la mort de son mari, il y a quatre mois, elle a cessé de s'intéresser aux nombreuses activités physiques et sociales qui égayaient son existence jusque-là. Elle n'assiste plus aux cours de natation et de remise en forme du YMCA et a perdu tout contact avec le club de bridge qu'elle fréquentait en compagnie de son mari. Mme Santini souligne qu'elle s'ennuie, qu'elle est déprimée et qu'elle se désole pour sa silhouette. Elle a une ossature délicate et a toujours été très fière de sa minceur. Elle précise que ses habitudes alimentaires ont considérablement changé. Elle grignote constamment en regardant la télé et se prépare rarement des repas complets.	**Examen physique** Taille : 162,6 cm (5 pi 4 po) Poids : 63,6 kg (140 lb) Température : 37 °C Pouls : 76 BPM Respirations : 16/minute Pression artérielle : 144/84 mm Hg Pli cutané tricipital : 21 mm Ossature délicate ; poids actuel supérieur de plus de 10 % au poids idéal (compte tenu de la taille et de l'ossature) **Examens paracliniques** Hémogramme, analyse d'urine, radiographie thoracique, profil thyroïdien : tous normaux	*Alimentation excessive,* reliée à une surconsommation alimentaire et une réduction de la dépense énergétique – démontrée par la prise de poids de 9 kg, le pli cutané tricipital supérieur à la normale et les mauvaises habitudes alimentaires : *Apport nutritionnel supérieur aux besoins métaboliques.*	Perte et stabilisation du poids [1612]. Manifesté par : • La personne prend chaque jour 3 repas qui totalisent 2 000 kJ (500 kcal) de moins que son apport actuel. • Au plus tard le 5e jour, elle se dote d'un programme d'activité physique représentant de 15 à 20 minutes d'exercice par jour. • Au plus tard le 2e jour, elle dresse le bilan de ses habitudes alimentaires qui contribuent à sa prise de poids.

INTERVENTIONS INFIRMIÈRES [N° CISI/NIC] ET ACTIVITÉS CHOISIES*	JUSTIFICATION SCIENTIFIQUE
Aide à la perte de poids [1280] • Inviter Mme Santini à tenir un journal alimentaire dans lequel elle inscrira tous les aliments qu'elle consomme, avec l'heure et le lieu, afin de dresser un bilan exact de ses habitudes alimentaires actuelles. • Fixer un objectif hebdomadaire pour la perte de poids. • Inviter la personne à s'accorder une récompense qu'elle aura elle-même choisie chaque fois qu'elle atteint l'un de ses objectifs.	*Ce journal permettra à la personne de prendre conscience des activités et des aliments qui favorisent le plus sa surconsommation alimentaire.* *Le rythme idéal de perte de poids est de 500 g à 1 000 g par semaine.* *L'établissement d'objectifs constitue un puissant facteur de motivation, laquelle est indispensable pour perdre du poids.*

PLAN DE SOINS ET DE TRAITEMENTS INFIRMIERS (SUITE)

Alimentation (suite)

INTERVENTIONS INFIRMIÈRES [N° CISI/NIC] ET ACTIVITÉS CHOISIES*	JUSTIFICATION SCIENTIFIQUE
• Établir en compagnie de Mme Santini un plan réaliste de réduction de son apport énergétique et d'augmentation de ses dépenses énergétiques.	*L'association de la réduction de l'apport énergétique et de l'exercice physique représente une bonne synergie, car l'activité physique accélère la combustion énergétique.*
• Aider la personne à comprendre sa motivation à manger et les stimuli internes et externes associés à l'ingestion de nourriture.	*En prenant conscience des facteurs qui l'incitent à grignoter ou à consommer des portions trop importantes, la personne pourra modifier graduellement son comportement et ses habitudes afin d'éviter les situations qui la poussent à trop manger.*
• Encourager la personne à se joindre à des groupes de soutien pour la perte de poids ou l'orienter vers un programme communautaire de surveillance du poids.	*Les groupes de soutien encouragent leurs membres, stimulent leur motivation et proposent des solutions pratiques aux problèmes posés par l'observation d'un régime alimentaire amincissant.*
• Établir un plan de repas quotidiens réunissant les caractéristiques suivantes: alimentation équilibrée; réduction de l'apport énergétique; réduction de la consommation de matières grasses.	*Les personnes en excès de poids présentent souvent plusieurs carences nutritionnelles ou signes de malnutrition. La personne doit réduire son apport alimentaire d'environ 2 000 kJ (500 kcal) par jour pour perdre 500 g par semaine.*

Consultation de diététique [5246]

• Faciliter l'identification des comportements alimentaires nécessitant d'être modifiés.	*En prenant conscience des comportements qui contribuent à la faire grossir, la personne sera mieux outillée pour les modifier.*
• Utiliser les normes reconnues dans le domaine de la nutrition afin de permettre à Mme Santini d'évaluer l'adéquation de ses prises alimentaires.	*En comparant les antécédents alimentaires de la personne et les normes nutritionnelles en vigueur, l'infirmière pourra définir clairement ses excès et insuffisances alimentaires.*
• Aider Mme Santini à prendre en considération les facteurs liés à l'âge, au niveau de développement et de croissance, aux expériences alimentaires antérieures, aux blessures, aux affections, à la culture et aux ressources financières lors de la planification des besoins nutritionnels requis.	*Les facteurs sociaux, économiques, physiques et psychologiques déterminent en grande partie la qualité de l'alimentation.*
• Discuter des connaissances de Mme Santini concernant les quatre groupes alimentaires de base ainsi que de sa perception des changements alimentaires requis.	*Cette intervention permet d'apporter à la personne les connaissances dont elle a besoin, de lui expliquer les principes diététiques de base et de corriger les points de vue erronés qu'elle pourrait avoir.*
• Discuter des goûts et des aversions alimentaires de la personne en matière d'aliments.	*La personne sera plus encline à respecter son régime alimentaire si elle tient compte de ses goûts.*
• Aider Mme Santini à exprimer ses sentiments concernant l'atteinte des objectifs.	*La peur d'échouer, la peur de réussir et d'autres obstacles et préoccupations peuvent empêcher la personne de concrétiser ses buts.*

Modification du comportement [4360]

• Aider Mme Santini à déceler ses points forts et à les consolider.	*La mise en valeur des points forts accroît l'estime de soi et incite la personne à se servir de ces atouts pour concrétiser ses objectifs de perte de poids.*
• Encourager la personne à évaluer son comportement.	*En posant sur elle-même un regard critique, Mme Santini déterminera d'une manière plus exacte les comportements qui contribuent à sa surconsommation alimentaire.*
• Caractériser le comportement à modifier (comportement cible) en termes précis et concrets, par exemple: « Arrêter de grignoter devant la télé. »	*La définition claire et précise des comportements à modifier constitue un volet indispensable du processus de rééducation comportementale.*
• Indiquer qu'il est parfois plus facile de développer un comportement souhaitable que de restreindre un comportement nuisible. Par exemple, il est plus facile de se consacrer plus souvent à des passe-temps manuels habituels (couture ou autre) que de s'empêcher de grignoter devant la télé.	*Les comportements solidement enracinés sont difficiles à changer. Pour perdre une mauvaise habitude, il est parfois plus efficace de consacrer simplement plus de temps à une bonne habitude que l'on aime...*
• Choisir des renforçateurs qui seront efficaces avec la personne.	*Si les encouragements choisis n'ont aucune pertinence aux yeux de la personne, ils ne l'aideront nullement à modifier son comportement.*

ÉVALUATION

Les résultats de soins infirmiers ont été obtenus. Mme Santini a tenu son journal alimentaire pendant 5 jours et a pris quotidiennement des repas bien équilibrés. Elle a ainsi réduit son apport d'environ 2 000 kJ (500 kcal) par jour. Mme Santini est consciente du fait qu'elle mange trop parce qu'elle s'ennuie et qu'elle est triste. Elle a repris contact avec les membres de son club de bridge. Elle s'est également acheté un vélo d'appartement et fait de l'exercice 20 minutes par jour. Elle s'est inscrite à un cours de tricot qui a lieu deux soirs par semaine. Elle a perdu 750 g la semaine dernière. En guise de récompense, elle a renouvelé son abonnement au YMCA.

* Les résultats, interventions et activités présentés ici sont simplement des exemples de ceux qui sont proposés par les systèmes CRSI/NOC et CISI/NIC. Ils doivent être personnalisés en fonction du cas de chaque personne.

EXERCICES D'INTÉGRATION

1. Quelle influence les caractéristiques personnelles de Mme Santini ont-elles sur ses besoins nutritionnels ?

2. Quelles autres données l'infirmière devrait-elle obtenir pour évaluer d'une manière plus exacte l'alimentation actuelle de Mme Santini ?

3. Quels conseils l'infirmière pourrait-elle donner à Mme Santini pour l'aider à ne plus grignoter ?

4. Mme Santini aimerait savoir à quoi correspond son poids-santé. Que peut lui répondre l'infirmière ?

Voir l'appendice A : Exercices d'intégration – Pistes de réflexion.

SCHÉMA DU PLAN DE SOINS ET DE TRAITEMENTS INFIRMIERS

Alimentation

R. S.;
59 ans; ♀

- Auxiliaire familiale; a pris 9 kg.
- Depuis la mort de son mari, il y a quatre mois, a cessé de s'intéresser aux activités physiques et sociales; n'assiste plus aux cours de natation et de remise en forme du YMCA; ne va plus au club de bridge qu'elle fréquentait avec son mari.
- Souligne qu'elle s'ennuie, qu'elle est déprimée et qu'elle se désole pour sa silhouette.
- A une ossature délicate; a toujours été très fière de sa minceur.

- A changé ses habitudes alimentaires: elle grignote en regardant la télé et se prépare rarement des repas complets.
- Taille: 162,6 cm (5 pi 4 po).
- Poids: 63,6 kg (140 lb).
- Température: 37 °C – Pouls: 76 BPM – Respirations: 16/minute – Pression artérielle: 144/84 mm Hg.
- Pli cutané tricipital: 21 mm.
- Ossature délicate; poids actuel supérieur de plus de 10 % au poids-santé (compte tenu de la taille et de l'ossature).
- Hémogramme, analyse d'urine, radiographie thoracique, profil thyroïdien: tout est normal.

Alimentation excessive (apport nutritionnel supérieur aux besoins métaboliques), (a) reliée à une surconsommation alimentaire et à une réduction de la dépense énergétique et (b) démontrée par la prise de poids de 9 kg, le pli cutané tricipital supérieur à la normale et de mauvaises habitudes alimentaires.

Aide à la perte de poids

Établir en compagnie de Mme Santini un plan réaliste de réduction d'apport énergétique et d'augmentation de la dépense énergétique.

Inviter Mme Santini à s'accorder une récompense qu'elle aura elle-même choisie chaque fois qu'elle atteint l'un de ses objectifs.

Perte et stabilisation du poids démontrées par les éléments suivants:
- Prend chaque jour 3 repas qui totalisent 2 000 kJ (500 kcal) de moins que son apport actuel.
- Au plus tard le cinquième jour, se dote d'un programme d'activité physique représentant de 15 à 20 minutes d'exercice par jour.
- Au plus tard le deuxième jour, dresse le bilan de ses habitudes alimentaires qui contribuent à sa prise de poids.

Inviter Mme Santini à tenir un journal alimentaire dans lequel elle inscrira tous les aliments qu'elle consomme, avec l'heure et le lieu, afin de dresser un bilan exact de ses habitudes alimentaires actuelles.

Fixer un objectif hebdomadaire pour la perte de poids.

Aider Mme Santini à comprendre sa motivation à manger et les stimuli internes et externes associés à l'ingestion de nourriture.

Les résultats de soins infirmiers ont été atteints.
- Mme Santini a tenu son journal alimentaire pendant cinq jours.
- Elle a pris quotidiennement des repas bien équilibrés ⇒ Réduction de son apport d'environ 2 000 kJ (500 kcal) par jour.
- Elle est consciente du fait qu'elle mange trop parce qu'elle s'ennuie et qu'elle est triste.
- Elle a rétabli ses contacts sociaux (par exemple, avec les membres de son club de bridge).
- Elle s'est également acheté un vélo d'appartement et fait de l'exercice 20 minutes par jour.
- Elle s'est inscrite à un cours de tricot qui a lieu deux soirs par semaine.
- Elle a perdu 750 g la semaine dernière. En guise de récompense, elle a renouvelé son abonnement au YMCA.

Consultation de diététique

Discuter des préférences et des aversions alimentaires de Mme Santini.

Aider Mme Santini à exprimer ses sentiments concernant l'atteinte de ses objectifs.

Discuter des connaissances de Mme Santini concernant les quatre groupes alimentaires de base ainsi que de sa perception des changements alimentaires requis.

Faciliter la détermination des comportements alimentaires qui nécessitent d'être modifiés.

Utiliser les normes reconnues dans le domaine de la nutrition afin de permettre à Mme Santini d'évaluer l'adéquation de sa consommation alimentaire.

À l'occasion de la planification des besoins nutritionnels, aider Mme Santini à prendre en considération les facteurs liés à l'âge, au niveau de développement et de croissance, aux expériences alimentaires antérieures, aux blessures, aux affections, à la culture et aux ressources financières.

Modification du comportement

Aider Mme Santini à déceler ses points forts et à les consolider.

Encourager Mme Santini à évaluer son comportement.

Choisir des renforçateurs qui seront efficaces avec Mme Santini.

Indiquer qu'il est parfois plus facile d'acquérir un comportement souhaitable que de limiter un comportement nuisible. Par exemple, il est plus facile de se consacrer plus souvent à des passe-temps manuels habituels (couture ou autre) que de s'empêcher de grignoter en regardant la télé.

Caractériser le comportement à modifier (comportement cible) en termes précis et concrets (par exemple, «Arrêter de grignoter en regardant la télé»).

Légende: Examen ☐   Diagnostic infirmier ☐   Résultats de soins infirmiers ☐   Interventions infirmières ☐   Activités ☐   Évaluation ☐

RÉVISION DU CHAPITRE

Concepts clés

■ Bien que nous soyons bombardés quotidiennement d'information sur l'alimentation, il incombe à chacun de faire preuve de discernement pour choisir les aliments qui lui apporteront tous les nutriments indispensables. Dans ce domaine, le rôle de l'infirmière consiste à aider les personnes à décoder l'information nutritionnelle qui abonde dans les médias.

■ Les nutriments essentiels se répartissent en six catégories : eau, glucides, matières grasses, protéines, vitamines, minéraux.

■ Les nutriments ont trois fonctions de base : former les structures corporelles (par exemple, os et sang), procurer de l'énergie, réguler les réactions biochimiques du corps.

■ Le bilan énergétique décrit le rapport entre l'énergie puisée dans l'alimentation et l'énergie utilisée par le corps.

■ La teneur énergétique d'un aliment correspond à la quantité d'énergie qu'il apporte au corps. La dépense énergétique au repos (métabolisme basal) est la quantité d'énergie dont le corps au repos a besoin pour maintenir ses fonctions de base. Le taux métabolique basal (ou vitesse du métabolisme basal) est la vitesse à laquelle le corps d'une personne éveillée, mais au repos, métabolise les aliments pour maintenir son niveau d'énergie et combler ses besoins fonctionnels.

■ On obtient le bilan énergétique en comparant l'apport en teneur énergétique avec la dépense énergétique.

■ L'indice de masse corporelle (IMC) et le pourcentage de graisse corporelle (pourcentage des réserves lipidiques de l'organisme, taux d'adiposité corporelle) témoignent de l'évolution des stocks de graisse dans le corps et montrent si le poids de la personne correspond à sa taille. Ils peuvent dans certains cas aider à déterminer l'état nutritionnel.

■ Le poids-santé est le poids recommandé pour jouir d'une santé optimale. Pour maintenir un poids-santé (ou poids normal), l'indice de masse corporelle (IMC) doit être situé entre 18,5 et 24,9 chez l'adulte et entre 24 et 27 chez la personne âgée.

■ Les habitudes alimentaires d'un individu dépendent de plusieurs facteurs, notamment : le stade de développement, le sexe, l'appartenance ethnique et culturelle, les croyances liées à l'alimentation, les goûts personnels, les pratiques religieuses, le mode de vie, la prise de médicaments et les autres traitements, l'état de santé, la consommation d'alcool, la publicité et les facteurs psychologiques, tels que le stress, l'isolement et la dépression.

■ Les besoins nutritionnels fluctuent considérablement selon l'âge, le stade de croissance et les besoins énergétiques. Comme ils grandissent rapidement, les adolescents ont besoin de beaucoup d'énergie. Dans leur cas, un régime alimentaire riche en produits laitiers, en viandes et en substituts, en légumes verts et jaunes ainsi qu'en fruits frais s'avère indispensable. Les adultes d'âge mûr et les personnes âgées doivent en général réduire leur apport énergétique, car leur métabolisme ralentit et leur niveau d'activité physique baisse. Très souvent, ils doivent limiter leur consommation de matières grasses, de sucre et de sodium.

■ Différents guides alimentaires aident les consommateurs en bonne santé à planifier leurs repas et à maintenir une alimentation qui répond à leurs besoins en nutriments essentiels. Au Canada, c'est le *Guide alimentaire canadien pour manger sainement* qui est préconisé.

■ La malnutrition peut être causée par un apport inadéquat, insuffisant ou excessif de nutriments. Les effets de la malnutrition sont soit généraux, soit spécifiques, selon la nature des nutriments en insuffisance ou en excès et selon l'ampleur de cette insuffisance ou de cet excès.

■ À long terme, les excès nutritionnels peuvent favoriser l'apparition de plusieurs problèmes de santé (par exemple, affections coronariennes et diabète).

■ L'évaluation de l'état nutritionnel peut comporter les volets suivants : anamnèse, examen physique, calcul du pourcentage de perte de poids, antécédents alimentaires, mesures anthropométriques, examens paracliniques.

■ Les diagnostics infirmiers généraux qui s'appliquent aux personnes présentant des problèmes nutritionnels sont les suivants : *Alimentation excessive (Apport nutritionnel supérieur aux besoins métaboliques), Alimentation déficiente (Apport nutritionnel inférieur aux besoins métaboliques)* et *Risque d'alimentation excessive*. Comme les problèmes nutritionnels touchent généralement plusieurs fonctions, ils constituent souvent la cause (le facteur étiologique) d'autres affections, par exemple : *Intolérance à l'activité* et *Estime de soi perturbée*.

■ Dans le cas d'une personne qui a des problèmes alimentaires ou qui présente un risque nutritionnel, les principaux objectifs des interventions infirmières sont les suivants : rétablir (ou maintenir) un état nutritionnel optimal, amener la personne à perdre ou à prendre (ou reprendre) un poids déterminé, favoriser l'adoption d'habitudes alimentaires saines et prévenir les complications de la malnutrition.

■ L'infirmière et le diététiste doivent aider la personne et son entourage à mettre en œuvre et à maintenir le régime alimentaire thérapeutique prescrit. L'infirmière rappellera à la personne les instructions fournies par le diététiste, l'aidera à apporter les changements voulus à son mode de vie et évaluera ses réactions aux changements envisagés.

■ La plupart des personnes hospitalisées n'ayant guère envie de manger, l'infirmière doit mettre en œuvre des interventions ciblées de stimulation de l'appétit.

■ Dans la mesure du possible, l'infirmière doit aider les personnes qui ont un handicap ou une autre limitation à s'alimenter elles-mêmes. Différents accessoires adaptés (ou aides spécialisées) permettent aux personnes qui ont du mal à manipuler les couverts habituels à manger par elles-mêmes.

RÉVISION DU CHAPITRE (SUITE)

Concepts clés (suite)

■ L'infirmière peut donner des renseignements sur les programmes offerts dans la communauté pour aider certains groupes de population à combler leurs besoins nutritionnels.

■ L'alimentation entérale est administrée soit par sonde nasogastrique, soit par sonde nasoentérique, soit par sonde de gastrostomie, soit par sonde de jéjunostomie. Cette alimentation s'avère indispensable pour les personnes qui ne peuvent pas ingérer d'aliments ou dont le tractus gastro-intestinal supérieur ne fonctionne pas normalement.

■ Les sondes nasogastriques ou nasoentériques servent à administrer le gavage (alimentation entérale) à court terme (moins de six semaines); les sondes de gastrostomie et de jéjunostomie servent à administrer l'alimentation entérale à long terme.

■ L'alimentation parentérale totale (APT) doit être mise en œuvre quand le tractus gastro-intestinal ne fonctionne pas de manière satisfaisante (par exemple, quand sa capacité d'absorption est insuffisante). La formule nutritive complète est injectée dans une grande veine centrale, par exemple la veine cave supérieure.

Questions de révision

45-1. Lequel des diagnostics infirmiers ci-dessous est le plus susceptible de s'appliquer à une personne dont l'IMC est de 35 ?
   a) *Alimentation déficiente – Apport nutritionnel* inférieur *aux besoins métaboliques.*
   b) *Alimentation excessive – Apport nutritionnel* supérieur *aux besoins métaboliques.*
   c) *Risque d'alimentation excessive ou déficiente*
   d) *Connaissances insuffisantes.*

45-2. Une personne adulte décrit son alimentation quotidienne moyenne à l'infirmière : 2 portions de produits laitiers, 3 portions de fruits, 4 portions de légumes, 3 portions de céréales et 3 portions de viande. Quel conseil l'infirmière devrait-elle donner à cette personne ?
   a) Maintenez cette alimentation. Ces portions sont tout à fait adéquates.
   b) Augmentez le nombre de portions de produits laitiers.
   c) Diminuez le nombre de portions de légumes et de fruits.
   d) Augmentez le nombre de portions de céréales.

45-3. Lequel des aliments suivants *NE DOIT PAS* figurer dans un régime liquide ?
   a) Les œufs brouillés.
   b) La crème-dessert au chocolat.

   c) Le jus de tomate.
   d) Les bonbons durs.

45-4. Lequel des signes suivants indique le plus sûrement que la sonde nasogastrique est bien placée dans l'estomac ?
   a) La personne n'arrive pas à parler.
   b) La personne a eu des haut-le-cœur pendant l'insertion.
   c) Le pH des matières aspirées est inférieur à 5.
   d) Les liquides s'écoulent facilement dans la sonde.

45-5. Laquelle des techniques suivantes est la plus indiquée pour le gavage acheminé par la force de gravité ?
   a) Le sac d'alimentation est suspendu à 30 cm au-dessus du point d'insertion de la sonde dans le corps de la personne.
   b) L'infirmière administre le gavage suivant seulement s'il y a moins de 25 mL de résidus gastriques.
   c) La personne est couchée sur le côté gauche afin que la formule nutritive complète progresse plus facilement dans son système intestinal.
   d) La formule nutritive complète est froide quand elle est administrée afin de réduire la prolifération bactérienne pendant le gavage.

Voir l'appendice B : Réponses aux questions de révision.

BIBLIOGRAPHIE

En anglais

Agency for Health Care Policy and Research. (1999). *Diagnosis and treatment of swallowing disorders (dysphagia) in acute-care stroke patients.* Rockville, MD : Author. Retrieved May 19, 2003, from http://www.ahrq.gov/clinic/ epcsums/dysphsum.htm

American Dietetic Association. (2002). *The national dysphagia diet (NDD :*

Standardization for optimal care). Chicago : Author.

Biggs, A. J., & Freed, P. E. (2000). Nutrition and older adults. *Journal of Gerontological Nursing, 26*(8), 6–14.

Blaum, C. S., O'Neill, E. F., Clements, K. M., Fries, B. E., & Fiatarone, M. A. (1999). Validity of the Minimum Data Set for assessing nutritional status in nursing home residents. *American Journal of Clinical Nutrition, 66*(4), 787–794.

Bond, S. (1998). Why eating matters. *Nursing Standard, 12*(50), 26–27.

Bowers, S. (2000). All about tubes. *Nursing, 30*(12), 41–48.

Canada's Food Guide to Healthy Eating. (1992). Ottawa, Ontario : Minister of Public Works and Government Services Canada.

Cason, K. L. (1998). Maintaining nutrition during drug therapy. *Nursing, 28*(9), 54–55.

Committee on Nutrition, American Academy of Pediatrics. (1999). Calcium requirements of infants, children, and adolescents. *Pediatrics, 104,* 1152–1157.

Crogan, N. L., Shultz, J. A., Adams, C. E., & Massey, L. K. (2001). Barriers to nutrition care for nursing home residents. *Journal of Gerontological Nursing, 27*(12), 25–31.

Dudek, S. G. (1997). *Nutrition handbook for nursing practice* (3rd ed.). Philadelphia : Lippincott.

Dudek, S. G. (2000). *Nutrition essentials for nursing practice* (4th ed.). Philadelphia : Lippincott Williams & Wilkins.

Gary, R., & Fleury, J. (2002). Nutritional status : Key to preventing functional decline in hospitalized older adults. *Topics in Geriatric Rehabilitation, 17*(3), 40–71.

Hamilton, S. (2001). Detecting dehydration and malnutrition in the elderly. *Nursing, 31*(12), 56–57.

Holmes, S. (1998). Food for thought. *Nursing Standard, 12*(46), 23–26.

Institute of Medicine. (2001). *Dietary reference intakes : Applications in dietary assessment.* Washington, DC : National Academy Press.

Jeffery, R. W., & French, S. A. (1998). Epidemic obesity in the United States : Are fast foods and television viewing contributing ? *American Journal of Public Health, 88*(2), 277–280.

Johnson, M., Maas, M., & Moorhead, S. (Eds.). (2000). *Nursing outcomes classification (NOC)* (2nd ed.). St. Louis, MO : Mosby.

Kayser-Jones, J. (2001). Starved for attention. *Reflections on Nursing Leadership, 27*(1), 10–14, 45.

Kohn-Keeth, C. (2000). How to keep feeding tubes flowing freely. *Nursing, 30*(3), 58–59.

Koschel, M. J. (2001). Inserting an NG tube. *American Journal of Nursing, 101*(6), 75.

Krupp, K. B., & Heximer, B. (1998). Going with the flow : How to prevent feeding tubes from clogging. *Nursing, 28*(4), 54–55.

Laporte, M., Villalon, L., & Payette, H. (2001). Simple nutrition screening tools for healthcare facilities : Development and validity assessment. *Canadian Journal of Dietetic Practice and Research, 62*(1), 26–34.

Loan, T., Magnuson, B., & Williams, S. (1998). Debunking six myths about enteral feeding. *Nursing 98, 28*(8), 43–48.

Lord, L. (2001). How to insert a large-bore nasogastric tube. *Nursing, 31*(9), 46–48.

Mathieu, J. (2002). NSI : Providing simple tools for our nation's health. *Journal of the American Dietetic Association, 102,* 1394.

McCallum, P. D. (2000). Patient generated subjective global assessment. In P. D. McCallum & C. G. Polisena (Eds.), *The clinical guide to oncology nutrition.* Chicago, IL : American Dietetic Association.

McCloskey, J.C., & Bulechek, G. M. (Eds.). (2000). *Nursing interventions classification (NIC)* (3rd ed.). St. Louis, MO : Mosby.

McConnell, E. A. (2001). Myths and facts about dysphagia. *Nursing, 31*(7), 29.

McLaren, S., & Green, S. (1998). Nutritional screening and assessment. *Nursing Standard, 12*(48), 28–29.

Messina, V. K., & Burke, K. I. (1997). Position of the American Dietetic Association : Vegetarian diets. *Journal of the American Dietetic Association, 97*(11). Retrieved May 19, 2003, from http://www.vrg.org/nutrition/adapaper.htm

Metheny, N., Wehrle, M. A., Wiersema, L., & Clark, J. (1998). Testing feeding tube placement : Auscultation vs. pH method. *American Journal of Nursing, 98*(5), 37–42.

Metheny, N. A., & Titler, M. G. (2001). Assessing placement of feeding tubes. *American Journal of Nursing, 101*(5), 36–46.

Miceli, B. V. (1999). Nursing unit meal management maintenance program : Continuation of safe swallowing and feeding beyond skilled therapeutic intervention. *Journal of Gerontological Nursing, 25*(8), 22–36.

Moore, J. (1998). Vitamins and health : The role of a balanced diet. *Community Nurse, 4*(4), 15–17.

NANDA International. (2003). *NANDA nursing diagnoses : Definitions and classification 2003–2004.* Philadelphia : Author.

National Heart, Lung, and Blood Institute. (1998). *Clinical guidelines on the identification, evaluation, and treatment of overweight and obesity in adults : The evidence report.* Washington, DC : U.S. Department of Health & Human Services.

National Institute of Diabetes and Digestive and Kidney Diseases. (2002). *Lactose intolerance* (NIH Publication No. 02-2751). Bethesda, MD : Author.

Nutrition Screening Initiative. (2003). *Determine your nutritional health.* Washington, DC : National Council on Aging.

O'Brien, B., Davis, S., & Erwin-Toth, P. (1999). G-tube site care : A practical guide. *RN, 62*(2), 52–56.

Pai, M. P., & Paloucek, F. P. (2000). The origin of the "ideal" body weight equations. *The Annals of Pharmacotherapy, 34,* 1066–1069.

Schnirring, L. (2001). Body fat testing : Evaluating the options. *The Physician and Sportsmedicine, 29*(5), 13–16.

Scott, A., & Hamilton, K. (1998). Nutritional screening : An audit. *Nursing Standard, 12*(48), 46–47.

Siler, S. Q., Neese, R. A., & Hellerstein, M. K. (1999). De novo lipogenesis, lipid kinetics, and whole-body lipid balances in humans after acute alcohol consumption. *American Journal of Clinical Nutrition, 70,* 928–936.

Terrado, M., Russell, C., & Bowman, J. B. (2001). Dysphagia : An overview. *MEDSURG Nursing, 10,* 233–250.

U.S. Department of Agriculture. (2000). *Dietary guidelines for Americans* (5th ed.). Washington, DC : Author.

U.S. Department of Health and Human Services. (2000). *Healthy people 2010 : Understanding and improving health* (2nd ed.). Washington, DC : U.S. Government Printing Office.

Walters, E. (1998). Know how : Nutritional assessment. *Nursing Times, 94*(8), 68–69.

White, S. (1998). Percutaneous endoscopic gastrostomy (PEG). *Nursing Standard, 12*(28), 41–47.

Williams, M. P., & Waxman, J. (2002). How to assess swallowing after a stroke. *Nursing, 32*(8), HN5–HN6.

Williams, S. R., & Schlenker, E. (2003). *Essentials of nutrition and diet therapy* (8th ed.). St. Louis, MO : Mosby.

Wilson, J. M. (1998). Nutritional assessment and its application. *Journal of Intravenous Nursing, 19*(6), 307–314.

Wood, P., & Vogen, B. D. (1998). Feeding the anorectic client : Comfort foods and happy hour. *Geriatric Nursing, 19*(4), 192–194.

World Health Organization and Food and Agricultural Organization. (1998). Carbohydrate and nutrition. *Nursing Standard, 12*(45), 32–33.

Yen, P. K. (1998). Adding calories to medications. *Geriatric Nursing, 19*(3), 168–169.

En français

Association canadienne du diabète. (2003). *Principes de base : une alimentation saine pour la prévention et le traitement du diabète,* (page consultée le 2 novembre 2004), [en ligne], <www.diabetes.ca/section_main/francais.asp#6>.

Association des pharmaciens du Canada. (2004). *Compendium des produits et spécialités pharmaceutiques,* 39e éd., Ottawa : Association des pharmaciens du Canada.

Brûlé, M., Cloutier, L. et Doyon, O. (dir.). (2002). *L'examen clinique dans la pratique infirmière,* Saint-Laurent : Éditions du Renouveau Pédagogique.

Decelles, D. C., Gélinas, M. D. et Côté, L. L. (2000). *Manuel de nutrition clinique,* 3e éd., Montréal : Ordre professionnel des diététistes du Québec.

Dubost, M. et Scheider, W. L. (2000). *La nutrition,* 2e éd., Montréal : Chenelière / McGraw-Hill.

Jetté, M. (1983). *Guide des mensurations anthropométriques des adultes canadiens,* Ottawa : Université d'Ottawa, Département de kinanthropologie, Faculté des sciences de la santé.

Neyrat, P. (2001). *Les guides pratiques. Guide diététique. Conseils de base en diététique. L'équilibre alimentaire,* (page consultée le 2 novembre 2004), [en ligne], <www.e-sante.be/guide/article_1665_855.htm>.

Santé Canada. (2003a). *Lignes directrices canadiennes pour la classification du poids chez les adultes,* Bureau de la politique et de la promotion de la nutrition, Direction générale des produits de santé et des aliments (page consultée le 2 novembre 2004), [en ligne], <www.hc-sc.gc.ca/hpfb-dgpsa/onpp-bppn/weight_book_f.pdf>.

Santé Canada. (2003b). *Recommandations sur la nutrition pour les Canadiens,* Bureau de la politique et de la promotion de la nutrition, Direction générale des produits de santé et des aliments, (page consultée le 25 octobre 2004), [en ligne], <www.hc-sc.gc.ca/hpfb-dgpsa/onpp-bppn/nutrition_canadians_f.html>.

Santé Canada. (2003c). *Guide alimentaire canadien pour manger sainement. Renseignements sur les enfants d'âge préscolaire à l'intention des éducateurs et des communicateurs,* Bureau de la politique et de la promotion de la nutrition, Direction générale des produits de santé et des aliments, (page consultée le 25 octobre 2004), [en ligne], <www.hc-sc.gc.ca/hpfb-dgpsa/onpp-bppn/food_guide_preschoolers_f.html>.

BIBLIOGRAPHIE (SUITE)

Santé Canada. (2003d). *Utilisation des apports nutritionnels de référence,* Bureau de la politique et de la promotion de la nutrition, Direction générale des produits de santé et des aliments, (page consultée le 25 octobre 2004), [en ligne], <www.hc-sc.gc.ca/hpfb-dgpsa/onpp-bppn/diet_using_f.html>.

Service Vie Santé. (2004). *Intolérance au lactose,* (page consultée le 8 novembre 2004), [en ligne], <www.servicevie.com/02Sante/Cle_des_maux/I/maux63.html>.

RESSOURCES ET SITES WEB

Association canadienne du diabète. <www.diabetes.ca/section_main/francais.asp>.

Diabète Québec. <www.diabete.qc.ca/>.

Minçavi. <www.mincavi.com/>.

Santé Canada, section « Alimentation et nutrition ». <www.hc-sc.gc.ca/francais/vie_saine/nutrition.html>.

Après avoir étudié ce chapitre, vous pourrez :

- Comprendre la physiologie de la défécation.
- Dresser la liste des facteurs influant sur l'élimination intestinale.
- Distinguer les caractéristiques normales et les caractéristiques anormales des fèces et de leurs composants.
- Décrire les méthodes utilisées pour évaluer le tractus intestinal.
- Nommer les causes et les effets des problèmes d'élimination intestinale.
- Donner des exemples de diagnostics infirmiers, de résultats escomptés et d'interventions relatifs aux personnes ayant des problèmes d'élimination.
- Dresser la liste des mesures visant à favoriser une élimination normale.
- Décrire les soins aux personnes stomisées.

CHAPITRE

ÉLIMINATION INTESTINALE

46

Adaptation française :
Lyne Cloutier, inf., M.Sc.
Professeure, Département
des sciences infirmières
Université du Québec
à Trois-Rivières

On consulte souvent l'infirmière pour des problèmes d'élimination intestinale ; elle joue un rôle important dans l'évaluation, la planification et la mise en œuvre des soins et des traitements. Bien des gens sont mal à l'aise de parler de ce genre de problèmes, bien que ceux-ci puissent entraîner des malaises qui nuisent à la qualité de vie et à la santé. Par ailleurs, la fonction intestinale préoccupe nombre de personnes âgées. En effet, une personne qui est allée quotidiennement à la selle pendant 75 ans aura parfois tendance à considérer le fait de sauter une journée comme un problème sérieux.

Physiologie de la défécation

L'évacuation des déchets de la digestion par l'organisme est essentielle à la bonne santé. On appelle ces déchets **fèces** (ou **selles**).

Gros intestin

Le gros intestin (côlon) s'étend de la valve iléocæcale (iléocolique), située entre le petit intestin et le gros intestin, à l'anus. Chez l'adulte, le côlon (gros intestin) mesure en moyenne de 1,25 à 1,5 m de long. Il se divise en sept parties : le cæcum, les côlons ascendant, transverse et descendant, le sigmoïde, le rectum et l'anus (figure 46-1 ■).

Le gros intestin est un tube musculaire tapissé d'une muqueuse. Les fibres musculaires sont à la fois circulaires et longitudinales, ce qui permet à l'intestin de se distendre et de se contracter tant dans le sens de la largeur que dans celui de la longueur. Les muscles longitudinaux sont plus courts que le côlon et créent par conséquent dans le gros intestin des poches, appelées **haustrations**, qui lui donnent un aspect bosselé.

Les principales fonctions du côlon sont les suivantes : absorption de l'eau et des nutriments, protection de la muqueuse de la paroi intestinale et élimination. En temps normal, le contenu du côlon est représentatif des aliments absorbés au cours des 4 jours précédents ; toutefois, la plupart des déchets sont évacués dans les 48 heures suivant l'**ingestion** (acte d'absorber des aliments). On appelle **chyme** la masse de déchets qui quitte l'estomac par l'intestin grêle pour passer ensuite par la valve iléocæcale. Pas moins de 1 500 mL de chyme pénètrent quotidiennement dans le gros intestin. Cette matière sera réabsorbée presque entièrement par la moitié proximale du côlon ; les 100 mL restants seront évacués dans les fèces.

Le côlon sécrète du mucus, lié à sa fonction protectrice. Ce liquide contient de grandes quantités d'ions bicarbonate. La sécrétion de mucus est stimulée par l'excitation des nerfs parasympathiques. En cas de stimulation extrême – provoquée par les émotions, notamment –, de grandes quantités de mucus sont libérées, ce qui donne lieu à l'évacuation de mucus filamenteux ne contenant aucunes fèces ou très peu. Le mucus sert à lier les matières fécales et à protéger la paroi du gros intestin des lésions que pourraient causer les acides qui se forment dans les fèces. Le mucus protège également la paroi du gros intestin de l'activité bactérienne.

Les produits de la digestion sont transportés dans la lumière du côlon, pour être évacués ultérieurement par le canal anal : ce sont les flatuosités et les fèces. Les **flatuosités** se composent essentiellement d'air et de sous-produits de la digestion des glucides. Trois sortes de mouvements se produisent dans le gros intestin : les contractions haustrales, le péristaltisme colique et les mouvements de masse.

Les **contractions haustrales** correspondent au mouvement de va-et-vient du chyme dans les haustrations. Cette action mélange les matières, favorise l'absorption de l'eau et fait avancer le chyme vers les haustrations suivantes.

Le **péristaltisme** est un mouvement ondulatoire suscité par les fibres musculaires circulaires et longitudinales de la paroi intestinale ; il fait progresser le contenu dans l'intestin.

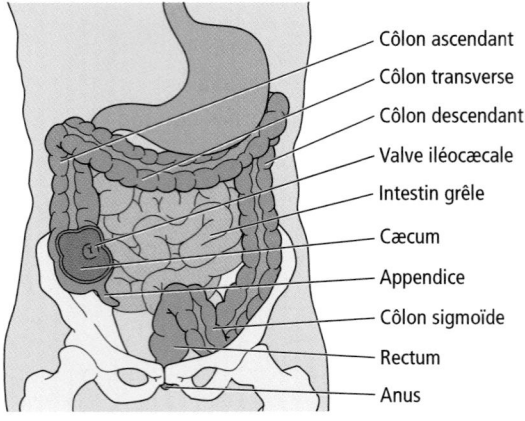

Côlon ascendant
Côlon transverse
Côlon descendant
Valve iléocæcale
Intestin grêle
Cæcum
Appendice
Côlon sigmoïde
Rectum
Anus

FIGURE **46-1** ■ Gros intestin et rectum.

Le péristaltisme est très lent ; on pense qu'il ne contribue que peu à faire progresser le chyme dans le gros intestin.

Enfin, les **mouvements de masse** désignent la puissante contraction musculaire qui agit sur de vastes segments du côlon. Habituellement, ce phénomène se produit après l'ingestion de nourriture, dont la présence dans l'estomac et dans l'intestin grêle en stimule le déclenchement. Chez les adultes, ces ondes péristaltiques de masse ne se produisent que quelques fois par jour.

Rectum et canal anal

Chez l'adulte, le rectum mesure habituellement de 10 à 15 cm ; sa partie terminale, qui correspond au canal anal, mesure de 2,5 à 5 cm de long. Le rectum contient des replis verticaux pourvus chacun d'une veine et d'une artère. On pense que ces replis permettent de retenir les fèces dans le rectum. Lorsque les veines se distendent à la suite de pressions répétées, des **hémorroïdes** se forment (figure 46-2 ■).

Le canal anal est circonscrit par un muscle sphincter interne à motricité involontaire et un muscle sphincter externe à motricité volontaire (figure 46-3 ■). Le premier est innervé par le système nerveux autonome et le second, par le système nerveux somatique (volontaire).

Défécation

La **défécation** désigne l'expulsion des fèces de l'anus et du rectum. On l'appelle aussi « exonération » et on emploie l'expression « aller à la selle ». La fréquence de la défécation varie beaucoup selon les personnes, de plusieurs fois par jour à deux ou trois fois par semaine. Le volume des selles varie également selon les gens. Les ondes péristaltiques font avancer les fèces dans le côlon sigmoïde et le rectum ; les nerfs sensitifs du rectum sont alors stimulés, et la personne prend conscience du besoin de déféquer.

Le relâchement du sphincter anal interne fait avancer les fèces dans le canal anal. La personne s'assoit sur le siège des toilettes ou sur le bassin hygiénique et relâche volontairement

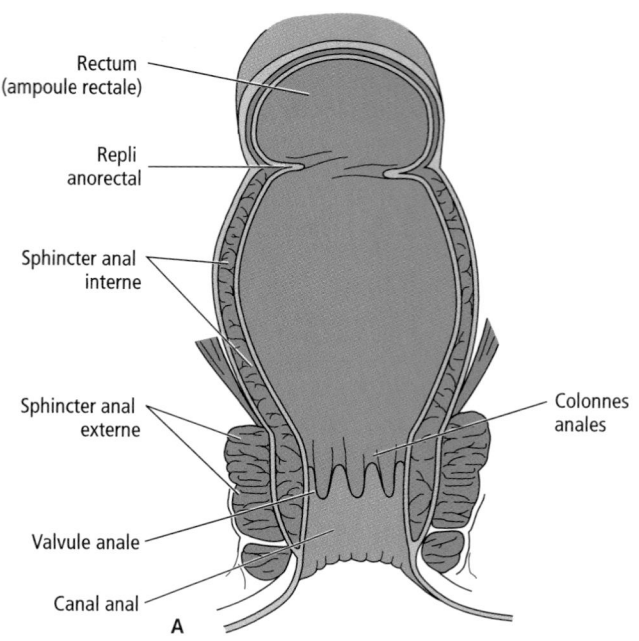

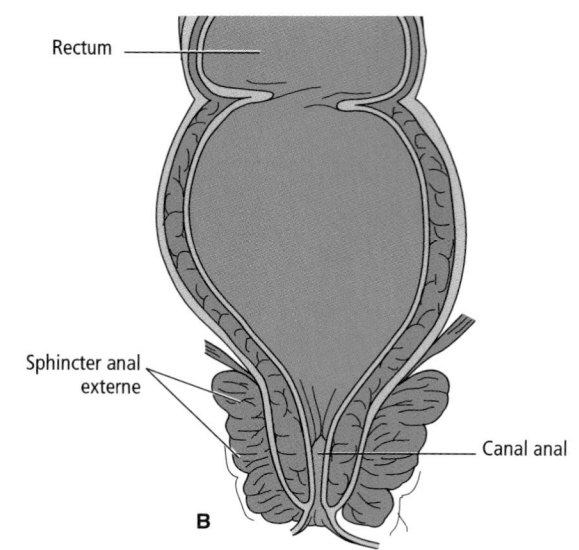

FIGURE **46-3** ■ Rectum, canal anal et sphincters anaux : A, ouverts ; B, fermés.

> **ALERTE CLINIQUE** *Les termes utilisés pour désigner les selles peuvent varier grandement d'une personne à une autre (particulièrement chez les enfants). L'infirmière devra peut-être faire plusieurs tentatives avant de trouver le terme que la personne comprend. ■*

le sphincter anal externe. L'expulsion des fèces est favorisée par la contraction des muscles abdominaux et du diaphragme (qui accroît la pression abdominale), et par la contraction des muscles du plancher pelvien (qui fait avancer les fèces dans le canal anal). La défécation est facilitée par : (a) la flexion des cuisses, qui accroît la pression intraabdominale ; (b) la position assise, qui augmente la pression descendante sur le rectum.

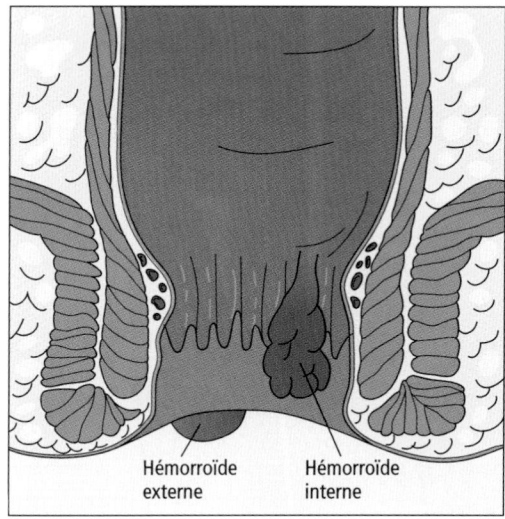

FIGURE **46-2** ■ Hémorroïdes internes et externes.

Si on ne tient pas compte du réflexe de défécation ou si on le réprime consciemment en contractant le sphincter externe, le besoin de déféquer disparaît normalement pour se manifester de nouveau quelques heures plus tard. Ce comportement répété peut entraîner l'élargissement du volume du rectum, rendu nécessaire pour contenir les fèces accumulées ; il peut s'en-suivre, à la longue, la perte de sensibilité au besoin de déféquer et, en dernier ressort, la constipation.

Fèces

Des fèces normales contiennent environ 75 % d'eau et 25 % de matières solides. Elles sont molles tout en étant moulées. Si le transit des fèces s'effectue très rapidement dans le gros intestin, l'eau présente dans le chyme sera réabsorbée en moins grande quantité et les fèces seront plus liquides, contenant jusqu'à 95 % d'eau. Des fèces normales dépendent d'une hydratation adéquate ; des fèces contenant peu d'eau tendent à être dures et difficiles à expulser.

En temps normal, les fèces sont de couleur brune, une appa-rence principalement attribuable à la présence de stercobiline et d'urobiline, deux dérivés de la bilirubine (pigment rouge contenu dans la bile). L'action de bactéries comme *Escherichia coli* ou les staphylocoques, habituellement présentes dans le gros intestin, a aussi un effet sur la couleur des fèces. L'odeur des fèces provient de l'action des microorganismes contenus dans le chyme. Le tableau 46-1 dresse la liste des caractéristiques des fèces normales et des fèces anormales tout en précisant les causes possibles de ces dernières.

TABLEAU 46-1

Caractéristiques des fèces normales et des fèces anormales

Caractéristiques	Fèces normales	Fèces anormales	Causes possibles
Couleur	Adulte : brunes Nourrisson : jaunes	Décolorées, grises ou blanchâtres	Absence de pigments biliaires (obstruction de la bile) ; examen radio-logique nécessitant du baryum
		Noirâtres ou noir goudron	Médicaments (par exemple, fer) ; saignement de la partie supérieure du tractus gastro-intestinal (par exemple, estomac, intestin grêle) ; alimentation riche en viande rouge et en légumes vert foncé (par exemple, épinards)
		Rougeâtres	Saignement de la partie inférieure du tractus gastro-intestinal (par exemple, rectum) ; certains aliments (par exemple, betteraves)
		Pâles	Malabsorption des matières grasses ; alimentation riche en produits laitiers (y compris le lait) et pauvre en viande
		Orange ou vertes	Infection intestinale
Consistance	Moulées, molles, pâteuses, humides	Dures, sèches	Déshydratation ; diminution de la motilité intestinale résultant d'une carence en fibres, d'un manque d'exercice, d'un bouleversement émotionnel, d'un abus de laxatifs
		Diarrhée	Augmentation de la motilité intes-tinale (par exemple, en raison d'une irritation du côlon d'origine bacté-rienne)
Forme	Cylindriques (du diamètre du rectum), environ 2,5 cm de diamètre chez les adultes	Étroites, en forme de crayon, filiformes	Affection obstructive du rectum
Quantité	Variable selon le régime alimentaire (de 100 à 400 g par jour environ)		
Odeur	Selon les aliments absorbés et la flore bactérienne	Âcre	Infection, sang

Caractéristiques	Fèces normales	Fèces anormales	Causes possibles
Composants	Petites quantités de fibres alimentaires non digérées, bactéries mortes et cellules épithéliales, graisses, protéines, composants secs des sucs digestifs (par exemple, pigments biliaires et matières inorganiques)	Pus Mucus Parasites Sang Grandes quantités de matières grasses Corps étrangers	Infection bactérienne Inflammation Saignement du tractus gastro-intestinal Malabsorption Ingestion accidentelle

Chez l'adulte, de 7 à 10 L de flatuosités (gaz) se forment habituellement toutes les 24 heures dans le gros intestin. Ces gaz contiennent du dioxyde de carbone, du méthane, de l'hydrogène et de l'azote. Certains sont avalés en même temps que les aliments et les boissons, alors que d'autres résultent de l'action des bactéries sur le chyme dans le gros intestin ; d'autres se diffusent dans le tractus gastro-intestinal par le sang.

Facteurs agissant sur la défécation

Les modes de défécation varient selon l'âge. Toutes sortes de circonstances jouent également un rôle, comme le régime alimentaire, les ingesta et les excreta, l'activité, les facteurs psychologiques, le mode de vie, les médicaments et la maladie.

Développement

Il y a des points communs et des distinctions entre les modes d'élimination des nouveau-nés et des nourrissons, des trotineurs, des enfants et des personnes âgées.

NOUVEAU-NÉS ET NOURRISSONS

Le **méconium** désigne les premières matières fécales que le nouveau-né évacue dans les 24 heures suivant la naissance. Le méconium a une couleur noirâtre et une apparence goudronneuse ; il est inodore et collant. Les selles de transition, qui se produiront pendant environ une semaine, sont en général d'un jaune verdâtre ; elles contiennent du mucus et sont très molles.

Les selles du nourrisson sont fréquentes et il arrive souvent qu'elles se produisent après chaque allaitement. L'intestin du nourrisson, encore peu développé, absorbe mal l'eau, ce qui donne des selles molles, liquides et fréquentes. Peu à peu, la flore bactérienne se développe. Quand l'enfant commence à manger des aliments solides, les selles sont plus dures et elles s'espacent.

Les fèces du nourrisson allaité au sein sont jaune vif ou dorées ; celles d'un enfant nourri au lait artificiel sont jaune foncé ou ocre ; elles sont aussi plus moulées et leur odeur est plus forte.

TROTTINEURS

Les trotineurs commencent à acquérir une certaine maîtrise de la défécation vers l'âge de un an et demi ou deux ans. À ce stade, l'enfant a appris à marcher et son développement neuromusculaire suffisamment avancé lui permet de maîtriser l'élimination intestinale. Le désir de le faire et d'utiliser les toilettes pendant la journée se manifeste généralement à partir du moment où l'enfant prend conscience : (a) de l'inconfort causé par une couche souillée ; (b) de la sensation qui accompagne le besoin de déféquer. Normalement, vers l'âge de deux ans et demi, l'enfant initié à l'apprentissage de la propreté aura acquis la maîtrise de l'élimination diurne.

ENFANTS D'ÂGE SCOLAIRE ET ADOLESCENTS

Les enfants d'âge scolaire et les adolescents ont des habitudes d'élimination semblables à celles des adultes. Le mode d'élimination varie en fréquence, en volume et en consistance. Certains enfants retarderont parfois le moment de la défécation s'ils sont en train de jouer.

PERSONNES ÂGÉES

La constipation est un problème courant chez les personnes âgées. Elle est en partie attribuable à une diminution de l'activité physique, à un apport insuffisant de liquides ou de fibres et à l'affaiblissement des muscles. De nombreuses personnes âgées croient que la « régularité » correspond à une défécation quotidienne. Si ce n'est pas le cas, certaines personnes âgées achètent des produits en vente libre pour tenter de régler ce qu'elles estiment être un problème de constipation. Il faut rappeler aux personnes âgées que les habitudes d'élimination varient grandement d'une personne à l'autre. Certains individus ne défèquent qu'une fois tous les deux jours et d'autres, deux fois par jour. Un apport suffisant en fibres, l'exercice régulier et l'ingestion de six à huit verres de liquide par jour comptent parmi les mesures essentielles de prévention de la constipation. Une tasse d'eau chaude ou de thé tous les matins à la même heure est bénéfique à certaines personnes. Il est également important d'expliquer aux personnes âgées qu'elles devraient aller aux toilettes lorsqu'elles ressentent le **réflexe gastrocolique** (accélération du péristaltisme provoquée par l'arrivée des aliments dans l'estomac). En effet, si on réagit tardivement à ce réflexe, l'ampoule rectale se distend pour retenir davantage de selles, ce qui ne fait que compliquer la situation.

Il faut prévenir les personnes âgées que la consommation régulière de laxatifs finit par inhiber le réflexe naturel de défécation ; on pense même qu'il s'agit là d'une cause de constipation plutôt que d'un remède. L'effet des laxatifs diminue progressivement avec l'usage, si bien que la personne qui en consomme de façon régulière doit constamment augmenter la quantité ou la dose. Les laxatifs peuvent en outre altérer l'équilibre des électrolytes dans l'organisme et réduire l'absorption de certaines vitamines. Les causes de la constipation sont multiples et vont des habitudes de vie (par exemple, le manque d'exercice) aux affections graves. L'infirmière doit évaluer attentivement tout symptôme de constipation qu'une personne âgée lui signale. Si elle observe une modification des habitudes d'élimination sur une période de plusieurs semaines, accompagnée ou non d'une perte de poids, de douleur ou de fièvre, l'infirmière devrait encourager la personne à consulter un médecin pour subir un examen clinique complet.

Alimentation

Pour que le volume des fèces soit adéquat, l'alimentation doit comporter suffisamment de fibres alimentaires (cellulose). Une diète sans aliments irritants est quelquefois proposée aux personnes souffrant de troubles gastro-intestinaux. Elle a pour but de diminuer le péristaltisme et d'éviter l'irritation des muqueuses. Cette diète et les diètes dont la teneur en fibres est faible ne produisent pas suffisamment de résidus pour activer le réflexe de défécation. Les aliments à faibles résidus, comme le riz blanc, les œufs et la viande maigre, progressent lentement dans les voies intestinales ; l'augmentation de l'apport liquidien accélère au contraire le transit intestinal de ces aliments.

RÉSULTATS DE RECHERCHE

Que pensent les personnes âgées de la constipation ?

Préoccupées par l'idée que les personnes âgées et le personnel soignant ne définissaient pas la constipation et son traitement de la même façon, Koch et Hudson (2000) ont conçu une étude pilote dans le but d'explorer le sujet. Le questionnaire qu'elles ont élaboré comprenait une série de questions détaillées portant sur la définition des termes, les solutions préconisées (y compris les remèdes maison) et les croyances. Le groupe de recherche a ensuite mené des entrevues individuelles auprès de personnes âgées qui pensaient souffrir de constipation. Ces dernières ont décrit les symptômes jugés nuisibles et indésirables de la constipation ainsi que le traitement qu'elles utilisaient. En se fondant sur les thèmes dégagés, le groupe de recherche a établi les trois diagnostics infirmiers suivants : *Risque de sentiment de solitude, Estime de soi perturbée et Anxiété*. L'article passe également en revue la littérature spécialisée qui porte sur l'usage des laxatifs.

Implications : Venir en aide aux personnes souffrant de problèmes d'élimination intestinale n'est pas toujours chose aisée, même si ces problèmes sont courants. Pour planifier son enseignement et ses interventions de façon adéquate, l'infirmière doit adopter une perspective compatible avec celle de la personne. Les perceptions concernant les habitudes quotidiennes évoluent au fil du temps, et les personnes âgées ont parfois des idées très arrêtées sur ce qui est acceptable ou non. Il faudra poursuivre les recherches pour dégager une vue d'ensemble des préoccupations des personnes âgées à l'égard de la constipation, ce qui permettra de personnaliser davantage les soins.

Source : « Older People and Laxative Use : Literature Review and Pilot Study Report », de T. Koch et S. Hudson, 2000, *Journal of Clinical Nursing*, 9, p. 516-525.

Certaines personnes digèrent mal ou ne digèrent pas du tout certains aliments ; ces derniers provoquent des troubles digestifs et, dans certains cas, sont à l'origine de selles liquides. Des habitudes alimentaires irrégulières peuvent également nuire à la régularité de la défécation. En prenant ses repas à heure fixe, on favorise la constance de la réaction physiologique à l'ingestion des aliments et à l'activité péristaltique.

Les aliments épicés peuvent provoquer de la diarrhée et des flatuosités. La consommation excessive de sucre est aussi une cause de diarrhée. Voici d'autres aliments susceptibles d'influer sur l'élimination intestinale :

- Les aliments qui produisent beaucoup de flatuosités, comme le chou, les oignons, le chou-fleur, les bananes et les pommes.
- Les aliments laxatifs, comme le son, les prunes, les figues, le chocolat et l'alcool.
- Les aliments constipants, comme le fromage, les pâtes, les œufs et la viande maigre.

LIQUIDES

Même lorsque l'apport liquidien est inadéquat ou lorsqu'il y a, pour une raison ou une autre, une élimination excessive (par exemple, par les mictions ou les vomissements), l'organisme continue à réabsorber les liquides présents dans le chyme pendant le passage de ce dernier dans le côlon. Le chyme devient plus sec qu'à l'habitude et produit des fèces dures. En outre, un apport liquidien moindre ralentit le transit intestinal du chyme, ce qui accroît d'autant le volume de liquides réabsorbés. En temps normal, une élimination intestinale saine requiert un apport liquidien quotidien de l'ordre de 2 à 3 L. Par contre, si le chyme passe trop rapidement dans le gros intestin, le temps consacré à la réabsorption des liquides dans le sang diminue ; on obtient alors des fèces molles ou même aqueuses.

Activité physique

L'activité physique stimule le péristaltisme et favorise par conséquent le mouvement du chyme dans le côlon. Lorsque les muscles abdominaux et pelviens sont affaiblis, ils sont peu efficaces pour exercer la pression intraabdominale nécessaire à l'activation ou à la maîtrise de la défécation. Le manque d'exercice, l'immobilité ou la détérioration des fonctions neurologiques sont autant d'éléments qui causent l'affaiblissement des muscles. C'est pourquoi les personnes alitées sont souvent constipées.

Facteurs psychologiques

L'activité péristaltique s'intensifie parfois en cas d'anxiété ou de colère, ce qui peut donner lieu à la nausée ou à la diarrhée. Par contre, on observe parfois le ralentissement de la motilité intestinale, ce qui provoque la constipation chez les personnes déprimées. La réaction individuelle aux états émotifs varie selon les différentes réactions du système nerveux entérique à la stimulation exercée par le système nerveux autonome (système parasympathique).

Habitudes d'élimination

L'apprentissage de la propreté peut permettre d'ancrer l'habitude de déféquer selon un horaire régulier. Pour de nombreuses personnes, la défécation se produit après le petit-déjeuner, alors que le réflexe gastrocolique provoque des ondes péristaltiques de masse dans le gros intestin. Si on réprime cette envie de déféquer, l'eau continue d'être réabsorbée, ce qui durcira les fèces et rendra plus difficile leur évacuation. L'inhibition du réflexe normal de défécation conduit à son affaiblissement progressif. Si ce comportement devient une habitude, le besoin de déféquer finira par disparaître. Le stress lié aux contraintes de temps et aux exigences du travail incite parfois les adultes à refouler le réflexe gastrocolique. Les personnes hospitalisées le réprimeront à cause de la gêne que suscite l'utilisation du bassin hygiénique, du manque d'intimité ou des douleurs liées à la défécation.

Médicaments

Les médicaments ont parfois des effets secondaires négatifs sur l'élimination. Certains produits provoquent la diarrhée et d'autres, la constipation. Certains sédatifs pris en fortes doses et l'usage d'opioïdes (morphine ou codéine, par exemple) agissent sur le système nerveux central, ce qui réduit l'activité gastro-intestinale et provoque la constipation. Les comprimés contenant du fer ont un effet astringent (qui resserre les tissus et diminue les sécrétions); ils agissent localement sur la muqueuse intestinale et constituent une autre cause de constipation.

Certains médicaments, comme les **laxatifs**, agissent directement sur le processus d'élimination; ils stimulent l'activité intestinale et l'élimination. D'autres ramollissent les fèces, ce qui facilite la défécation. D'autres encore inhibent l'activité péristaltique et servent à traiter la diarrhée.

Les médicaments ont aussi une influence sur l'apparence des fèces. Tout médicament pouvant causer un saignement gastro-intestinal (par exemple, l'aspirine) peut donner lieu à des fèces rougeâtres ou noirâtres. En raison du phénomène d'oxydation, les sels de fer noircissent les fèces. Les antibiotiques peuvent entraîner une décoloration tirant sur le gris-vert. Les antiacides peuvent provoquer une apparence blanchâtre ou de petits dépôts blancs. Quant au Pepto-Bismol, un médicament en vente libre et d'usage courant, il donne aux selles une couleur noirâtre.

Examens paracliniques

Avant de subir certaines interventions, comme l'examen visuel du côlon (coloscopie ou sigmoïdoscopie), la personne doit s'abstenir de consommer quelque liquide ou nourriture que ce soit. Parfois, elle doit aussi subir un lavement évacuateur avant l'examen. Dans ce cas, l'élimination reprend son cours normal quand la personne recommence à manger.

Anesthésie et chirurgie

En bloquant la stimulation parasympathique des muscles du côlon, l'anesthésie générale provoque un arrêt ou un ralentissement du péristaltisme. La personne qui subit une anesthésie rachidienne est moins susceptible d'éprouver ce problème.

Les interventions chirurgicales impliquant la manipulation directe de l'intestin interrompent temporairement l'élimination intestinale. Cet état, appelé **iléus paralytique**, dure habituellement de 24 à 48 heures. Surveiller la présence de bruits intestinaux, qui signalent un retour de la motilité, est un aspect important de l'examen clinique que doit faire l'infirmière après une intervention chirurgicale.

États pathologiques

Les traumatismes crâniens et médullaires peuvent réduire la stimulation sensorielle de la défécation. La mobilité restreinte peut aussi limiter la capacité d'une personne à réagir au besoin de déféquer et entraîner la constipation. Par contre, la dysfonction des sphincters anaux peut favoriser l'incontinence fécale.

Douleur

Il arrive souvent qu'une personne éprouvant des douleurs pendant la défécation (par exemple, dans le cas d'hémorroïdes) réprime le besoin de déféquer. Cette réaction cause fréquemment la constipation. Celle-ci est également l'un des effets secondaires associés aux analgésiques opioïdes.

Problèmes d'élimination intestinale

Quatre problèmes courants sont associés à l'élimination intestinale: la constipation, la diarrhée, l'incontinence fécale et la flatulence.

Constipation

La **constipation** se définit comme le fait d'aller à la selle moins de trois fois par semaine. Elle suppose l'évacuation de fèces sèches et dures ou l'incapacité de déféquer. Il y a constipation quand les fèces progressent lentement dans le gros intestin, ce qui laisse à ce dernier le temps de réabsorber l'eau. La difficulté d'évacuer les fèces et l'effort supplémentaire exigé des muscles volontaires de la défécation sont associés à la constipation. Après la défécation, la personne qui souffre de constipation a parfois l'impression de ne pas avoir évacué toutes les fèces. Il est néanmoins très important de définir la constipation en tenant compte du mode d'élimination habituel de chacun. Certaines personnes n'ont, en temps normal, que quelques selles par semaine; d'autres défèquent plus d'une fois par jour. Il est donc nécessaire d'évaluer attentivement les habitudes de la personne avant de poser un diagnostic de constipation. L'encadré 46-1 énumère les principales caractéristiques associées à ce problème.

Les facteurs qui contribuent à la constipation sont nombreux. En voici quelques-uns:

- Apport en fibres insuffisant
- Apport liquidien insuffisant
- Manque d'exercice ou immobilité
- Irrégularité des habitudes de défécation
- Modification des habitudes quotidiennes
- Absence d'intimité
- Usage chronique de laxatifs ou de lavements
- Troubles émotifs (notamment, dépression ou confusion mentale)
- Médicaments (notamment, opioïdes ou sels de fer).

La constipation présente parfois des risques. Si on fait des efforts pour déféquer, on retient alors souvent sa respiration: la manœuvre de Valsalva peut provoquer des problèmes graves

Exemples de caractéristiques associées à la constipation

- Diminution de la fréquence de la défécation
- Fèces dures, sèches et moulées
- Efforts à la défécation; défécation douloureuse
- Sensation de plénitude rectale, de pression ou d'évacuation incomplète des matières fécales
- Douleurs, crampes ou distensions abdominales
- Usage de laxatifs
- Perte d'appétit
- Maux de tête

pour les personnes souffrant d'une affection cardiaque, d'un traumatisme crânien ou d'une affection respiratoire, puisque le fait de retenir son souffle accroît la pression intrathoracique et intracrânienne.

FÉCALOME

Le **fécalome** est une masse de fèces durcies, coincée dans les replis du rectum. Il résulte de la rétention et de l'accumulation prolongées des matières fécales. Dans les cas graves, la masse peut s'étendre jusque dans le côlon sigmoïde et même au-delà. On soupçonne la présence d'un fécalome quand il y a un écoulement de selles diarrhéiques et qu'il n'y a pas de selles normales. La partie liquide des fèces filtre alors autour de la masse durcie. Le toucher rectal permet souvent de détecter un fécalome par palpation de la masse durcie. Lorsque l'infirmière soupçonne la présence d'un fécalome, elle peut effectuer un toucher rectal.

L'incapacité d'expulser des selles en dépit d'un besoin répété de déféquer et les douleurs rectales sont d'autres signes de la présence d'un fécalome. Il s'ensuit une sensation généralisée de malaise; la personne n'a plus faim (anorexie), son abdomen se distend et elle peut souffrir de nausées et de vomissements.

Des habitudes d'élimination irrégulières et la constipation sont habituellement à l'origine d'un fécalome. Le baryum utilisé pendant les examens radiologiques du tractus gastro-intestinal peut aussi être en cause. Après ces examens, on administre souvent un laxatif ou un lavement pour favoriser l'évacuation du baryum. Par ailleurs, les personnes désorientées, inconscientes ou très affaiblies ont un plus grand risque de présenter un fécalome, parce qu'elles ont peu ou pas conscience du besoin de déféquer ou qu'elles sont trop faibles pour le faire.

Même s'il est généralement possible de prévenir les fécalomes, il est parfois nécessaire d'effectuer un traitement pour évacuer la masse de matières fécales. Si on soupçonne la présence d'un fécalome, on peut effectuer un lavement huileux à rétention (qui lubrifie l'ampoule rectale), le faire suivre d'un lavement évacuateur (effectué entre deux et quatre heures plus tard) ou administrer des suppositoires ou des laxatifs émollients. Si toutes ces mesures échouent, le fécalome doit être retiré manuellement par toucher rectal.

Diarrhée

La **diarrhée** correspond à l'évacuation de fèces liquides et à l'augmentation de la fréquence de la défécation. À l'opposé de la constipation, elle résulte du transit accéléré des matières

fécales dans le gros intestin. Le passage rapide du chyme écourte le temps alloué à l'absorption de l'eau et des électrolytes. Certaines personnes défèquent à une fréquence plus élevée que la moyenne, mais il n'y a présence de diarrhée que lorsque les fèces sont relativement peu moulées ou excessivement liquides. La personne qui souffre de diarrhée peut difficilement maîtriser l'envie pressante de déféquer, encore moins sur une longue période. La diarrhée et la peur de l'incontinence constituent des sources d'embarras. La diarrhée s'accompagne souvent de crampes spasmodiques, et les bruits intestinaux se multiplient. Si elle persiste, la diarrhée irrite la région anale jusqu'au périnée et au siège. La diarrhée prolongée entraîne la déshydratation, la fatigue, la faiblesse, des malaises et la perte de poids.

En présence d'irritants de la voie intestinale (par exemple, des agents pathogènes), l'évacuation provoquée par la diarrhée constitue souvent un mécanisme de protection de l'organisme. Néanmoins, elle peut provoquer d'importantes pertes liquidiennes et électrolytiques lors de l'évacuation de ces irritants. La déshydratation et le déséquilibre électrolytique peuvent apparaître avec une rapidité surprenante, surtout chez les nourrissons, les jeunes enfants et les personnes âgées. Le tableau 46-2 dresse la liste des principales causes et conséquences physiologiques de la diarrhée.

Lors de diarrhées prolongées, les fèces sont acides et contiennent des enzymes digestives très irritables pour la peau. Par conséquent, il faut veiller à ce que la région anale reste propre et sèche, et la protéger avec un onguent d'oxyde de zinc ou une autre pommade. On peut aussi utiliser un collecteur fécal (voir la section *Collecteur fécal* à la page 1518).

Incontinence fécale

L'**incontinence fécale** est la perte de la capacité de maîtriser volontairement l'évacuation des gaz et des fèces par le sphincter anal. Elle peut se produire de façon régulière (par exemple, après les repas) ou irrégulière; elle est soit partielle, soit majeure. L'incontinence partielle est l'incapacité de maîtriser les flatuosités ou l'émission de petites quantités de fèces. L'incontinence majeure correspond à l'incapacité de maîtriser les fèces, même quand leur consistance est normale.

L'incontinence fécale est généralement associée au dysfonctionnement du sphincter anal ou de son innervation, comme dans le cas de certaines affections neuromusculaires, de lésions médullaires ou de tumeurs du sphincter anal externe.

L'incontinence fécale est un problème affligeant qui peut provoquer l'isolement social. Les personnes qui en souffrent ne sortent plus de la maison ou se confinent dans leur chambre d'hôpital pour éviter le plus possible l'humiliation. Il existe plusieurs interventions chirurgicales pour traiter l'incontinence fécale, dont la réparation du sphincter et la dérivation intestinale ou la colostomie.

Flatulence

La flatulence est surtout causée par trois phénomènes : (a) l'action bactérienne sur le chyme dans le gros intestin; (b) la déglutition d'air; (c) la diffusion de gaz entre la circulation sanguine et l'intestin.

La plupart des gaz que nous avalons sont expulsés par les éructations (rots). Toutefois, de grandes quantités peuvent s'ac-

TABLEAU
46-2

Principales causes et conséquences physiologiques de la diarrhée	
Cause	**Conséquences physiologiques**
Stress psychologique (par exemple, anxiété)	Augmentation de la motilité intestinale et de la sécrétion de mucus
Médicaments	
Antibiotiques	Irritation de la muqueuse intestinale
	Inflammation et infection de la muqueuse, attribuables à la prolifération des microorganismes pathogènes dans l'intestin (consécutive à la perturbation de la flore intestinale par l'antibiotique)
Fer	Irritation de la muqueuse intestinale
Cathartiques	Irritation de la muqueuse intestinale
Allergie à des aliments, à des liquides ou à des médicaments	Digestion incomplète des aliments ou des liquides
Intolérance à des aliments ou à des liquides	Augmentation de la motilité intestinale et de la sécrétion de mucus
Maladies du côlon (exemples)	
Syndrome de malabsorption	Réduction de l'absorption des liquides
Maladie de Crohn	Inflammation de la muqueuse aboutissant souvent à l'ulcération

cumuler et produire une distension de l'estomac. Les gaz qui se forment dans le gros intestin sont absorbés en grande partie dans la circulation sanguine, par la voie des capillaires intestinaux. La **flatulence** est la présence d'une quantité excessive de flatuosités dans les intestins ; elle provoque l'étirement et le ballonnement des intestins (distension intestinale). La flatulence est attribuable à différentes causes, comme certains aliments (par exemple, le chou et les oignons), une chirurgie abdominale ou des opioïdes. Quand les gaz se déplacent sous l'action du péristaltisme avant d'être absorbés, ils sont parfois évacués par l'anus. Dans de très rares cas, il peut être nécessaire d'insérer une sonde rectale pour provoquer leur expulsion.

Dérivations intestinales

Une **stomie** est un abouchement du tube digestif, du tractus urinaire ou des voies respiratoires à la peau. Il y a plusieurs types de stomies du tube digestif. La **gastrostomie** est une ouverture pratiquée dans la paroi abdominale vers l'estomac. La **jéjunostomie** abouche le jéjunum (section proximale du petit intestin) à la peau de l'abdomen ; l'**iléostomie** abouche l'iléum (section distale du petit intestin) ; et la **colostomie**, le côlon (gros intestin). On pratique généralement la gastrostomie et la jéjunostomie pour fournir une voie d'alimentation de rechange. Les stomies intestinales servent à dériver et à drainer les matières fécales. Elles sont classées en fonction de : (a) leur caractère temporaire ou définitif ; (b) leur siège anatomique ; (c) la configuration de l'**abouchement**, c'est-à-dire l'orifice créé dans la paroi abdominale par la stomie.

Caractère temporaire ou définitif

Une colostomie peut être temporaire ou définitive. Les colostomies temporaires sont généralement pratiquées à la suite d'un traumatisme ou d'une affection inflammatoire de l'intestin. Elles permettent à la partie touchée de rester au repos et de guérir. Les colostomies définitives sont pratiquées pour permettre

l'élimination si le rectum ou l'anus, en raison d'une anomalie congénitale ou d'une maladie comme le cancer de l'intestin, ne fonctionnent plus.

 LES ÂGES DE LA VIE

Facteurs influant sur les problèmes d'élimination

PERSONNES ÂGÉES

- Un apport liquidien insuffisant et une alimentation pauvre en fibres (attribuable aux difficultés liées à la déglutition et à la mastication) sont des causes fréquentes de constipation chez les personnes âgées.
- Les médicaments comme les antiacides, de nombreux antihypertenseurs, les antidépresseurs, les diurétiques et les opioïdes favorisent aussi la constipation.
- L'alimentation par sonde peut être une cause de diarrhée. Pour soulager celle-ci, il faut modifier la composition, la teneur ou la température du produit, ou encore adapter la vitesse du débit.
- L'administration d'une préparation laxative avant une radiographie ou une autre intervention peut entraîner un déséquilibre hydroélectrolytique causé par la diarrhée.
- Les personnes souffrant de troubles cognitifs, comme la maladie d'Alzheimer, ne sont pas toujours conscientes des aliments et des liquides qu'elles consomment ni de leurs habitudes d'élimination. C'est le personnel soignant qui doit déterminer les besoins particuliers de la personne et y répondre.
- Les personnes dont la mobilité est réduite auront parfois de la difficulté à se rendre aux toilettes ou à utiliser des toilettes ordinaires. Les accessoires, comme un siège de toilette surélevé ou des barres d'appui, leur sont très utiles.
- L'inactivité peut aussi être un facteur de constipation.

Siège anatomique

L'emplacement de la stomie détermine le caractère des matières éliminées et la façon dont elles seront évacuées (figure 46-4 ■). Plus la stomie est proche de la portion distale de l'intestin, plus les fèces seront moulées (étant donné que le gros intestin absorbe l'eau de la masse fécale) et plus il sera facile de maîtriser la fréquence de l'évacuation. Voici quelques exemples :

■ L'iléostomie produit des fèces liquides puisque tout le gros intestin est retiré. L'écoulement de fèces est constant et sa fréquence ne peut être régulée. Les matières contiennent des enzymes digestives dommageables pour la peau. Pour cette raison, la personne porteuse d'une iléostomie doit constamment porter une poche de stomie et prendre des précautions pour prévenir la dégradation de la peau. Comparativement aux

colostomies, toutefois, l'odeur qui s'en dégage est moindre en raison de la faible présence de bactéries.

■ La colostomie ascendante et la cæcostomie ressemblent à l'iléostomie puisque l'écoulement est liquide et ne peut être régulé, et qu'il y a présence d'enzymes digestives. Elles produisent toutefois une odeur qui doit être maîtrisée.

■ La colostomie transverse produit un écoulement malodorant et semblable à de la purée, une partie des liquides ayant été absorbée. On ne peut habituellement pas réguler la fréquence de l'évacuation.

■ La colostomie descendante produit des matières de plus en plus solides selon son emplacement. Les fèces évacuées par sigmoïdostomie ont une consistance normale et une forme moulée ; la fréquence de l'évacuation peut être maîtrisée. Dans certains cas, il n'est pas nécessaire de porter une poche de stomie en tout temps ; les odeurs peuvent généralement être maîtrisées.

Le temps écoulé après l'installation de la stomie permet de déterminer la consistance des fèces, notamment dans le cas d'une colostomie transverse ou d'une colostomie gauche. Avec le temps, les fèces se mouleront davantage, puisque les segments fonctionnels du côlon tendront à compenser l'absorption d'eau.

Configuration de la stomie

Il y a différents types de stomies : simple, latérale sur baguette sous-cutanée, double et de Bouilly-Volkmann. On crée une *stomie simple* lorsqu'on abouche une extrémité de l'intestin à la paroi abdominale antérieure. On parle aussi de *colostomie terminale* ; il s'agit d'une stomie permanente (figure 46-5 ■). La section distale de l'intestin est alors enlevée.

Dans le cas d'une *colostomie latérale sur baguette sous-cutanée*, on abouche une anse intestinale à la paroi abdominale et on la supporte à l'aide d'un pont en plastique, d'une tige de verre ou d'un segment de tube en caoutchouc (figure 46-6 ■).

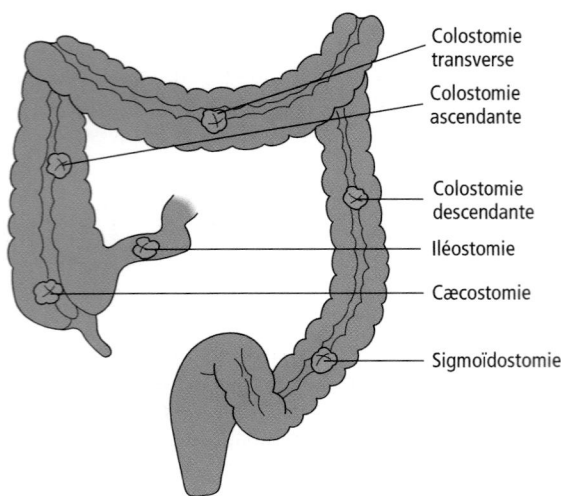

Colostomie transverse
Colostomie ascendante
Colostomie descendante
Iléostomie
Cæcostomie
Sigmoïdostomie

FIGURE **46-4** ■ Siège des stomies intestinales.

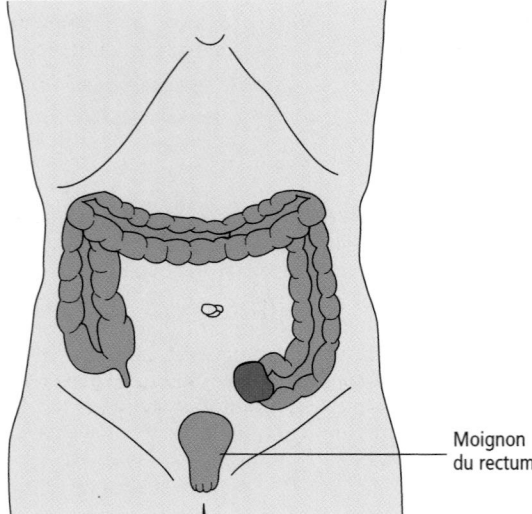

Moignon du rectum

FIGURE **46-5** ■ Colostomie simple ou terminale : on enlève le segment distal tout en laissant le rectum en place.

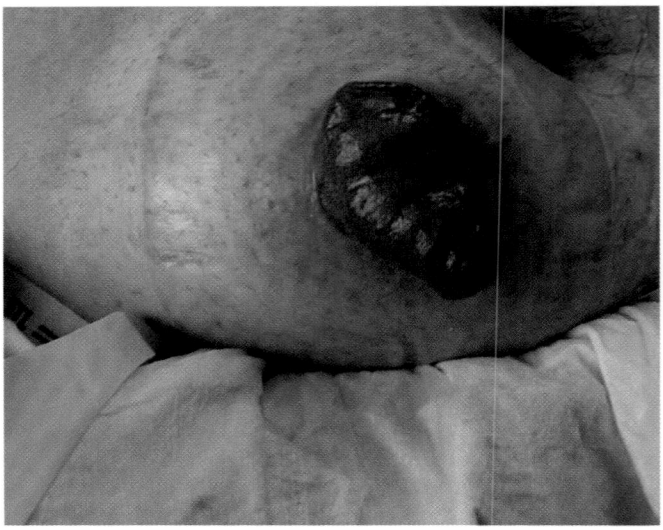

FIGURE **46-6** ■ Colostomie latérale sur baguette sous-cutanée.
(Source : Cory Patrick Hartley, RN, San Ramon Regional Medical Center, San Ramon, Californie.)

Une colostomie latérale sur baguette sous-cutanée comporte deux orifices : l'extrémité proximale, qui est fonctionnelle, et l'extrémité distale, qui ne l'est pas. Cette intervention est habituellement pratiquée en cas d'urgence médicale ; elle touche souvent le côlon transverse droit. Elle donne lieu à une stomie encombrante, plus difficile à entretenir qu'une stomie simple.

La *colostomie double* se compose de deux anastomoses abouchées à l'abdomen, mais séparées l'une de l'autre (figure 46-7 ■). L'ouverture est créée à l'extrémité digestive ou proximale. Dans ce cas, l'extrémité distale est souvent appelée « fistule muqueuse » parce que le segment intestinal continue à secréter du mucus. Cette intervention est souvent pratiquée dans des situations où on cherche à éviter un déversement des fèces dans l'extrémité distale de l'intestin.

La *colostomie de Bouilly-Volkmann* ressemble à une arme à deux canons (figure 46-8 ■). Les anses proximale et distale de l'intestin sont suturées l'une à l'autre sur une longueur d'environ 10 cm, et les deux extrémités sont abouchées à la paroi intestinale.

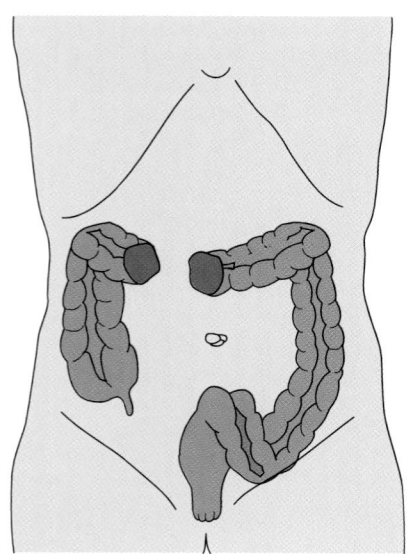

FIGURE 46-7 ■ Colostomie double : les deux stomies sont séparées.

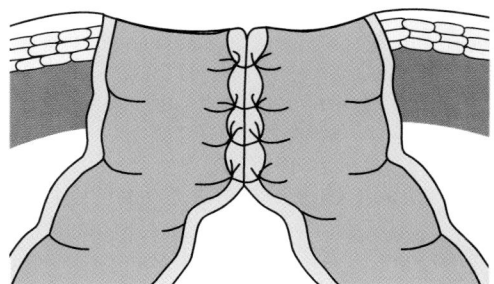

FIGURE 46-8 ■ Colostomie de Bouilly-Volkmann.

DÉMARCHE SYSTÉMATIQUE
dans la pratique infirmière

Collecte des données

Toute évaluation de l'élimination intestinale doit comprendre une anamnèse, un examen physique de l'abdomen, du rectum et de l'anus, ainsi qu'un examen attentif des fèces. L'infirmière doit aussi vérifier toutes les données fournies par les examens paracliniques pertinents.

■ Anamnèse

Une anamnèse relative à l'élimination intestinale permet à l'infirmière de vérifier les habitudes de la personne à cet égard. L'infirmière obtient une description des fèces et de tout changement récent les concernant, et recueille de l'information sur les problèmes passés et courants relatifs à l'élimination, sur la présence d'une stomie et sur les facteurs influant sur les habitudes d'élimination.

L'encadré *Entrevue d'évaluation – Élimination intestinale* présente une liste de questions à poser pour obtenir ces renseignements. Les réponses de la personne aux questions des trois premières catégories détermineront les questions ultérieures. Ainsi, les questions relatives aux facteurs influant sur l'élimination ne seront peut-être nécessaires que dans le cas des personnes qui éprouvent des problèmes.

Au moment de recueillir des données sur le mode d'élimination, l'infirmière doit se rappeler que le moment et la fréquence de la défécation, de même que le volume des fèces évacuées, sont propres à chaque personne. Les habitudes individuelles dans ce domaine sont intimement liées à l'apprentissage de la propreté pendant l'enfance et à des raisons de commodité.

■ Examen physique

L'examen physique relatif aux problèmes d'élimination intestinale comprend l'inspection, l'auscultation, la percussion et la palpation de l'abdomen ; l'auscultation doit précéder la palpation, parce que cette dernière peut modifier le péristaltisme. L'examen du rectum et de l'anus comprend l'inspection et la palpation. L'examen de l'abdomen, du rectum et de l'anus est abordé au chapitre 34 ⬭.

■ Inspection des fèces

Il faut vérifier la couleur, la consistance, la forme, le volume et l'odeur des fèces, et relever la présence d'anomalies (voir le tableau 46-1).

■ Examens paracliniques

Les examens relatifs au tractus gastro-intestinal comprennent les techniques d'imagerie directe et d'imagerie indirecte ainsi que les analyses de laboratoire visant à détecter les composants anormaux (voir le chapitre 38 ⬭).

Analyse

NANDA (2004) a approuvé les diagnostics infirmiers suivants, relatifs aux problèmes d'élimination intestinale :

ENTREVUE D'ÉVALUATION

Élimination intestinale

MODE D'ÉLIMINATION

- Quand allez-vous habituellement à la selle ?
- Cette habitude a-t-elle changé récemment ?

DESCRIPTION DES FÈCES ET DES CHANGEMENTS SURVENUS

- Avez-vous constaté des variations dans la couleur, la texture (selles dures, molles, liquides), la forme ou l'odeur de vos selles récemment ?

PROBLÈMES D'ÉLIMINATION INTESTINALE

- Avez-vous ou avez-vous déjà eu des problèmes d'élimination intestinale (constipation, diarrhée, flatulence excessive, écoulements accidentels ou incontinence) ?
- À quel moment et à quelle fréquence ces problèmes se produisent-ils ?
- À votre avis, quelles en sont les causes (aliments, liquides, exercice, émotions, médicaments, maladie, chirurgie) ?
- Qu'avez-vous fait pour tenter de régler le problème ? Ces mesures se sont-elles avérées efficaces ?

FACTEURS AGISSANT SUR L'ÉLIMINATION

- Recours aux aides à l'élimination. Qu'avez-vous fait pour conserver vos habitudes de défécation ? Avez-vous fait appel à des moyens naturels, comme certains aliments ou liquides (par exemple, un jus de citron chaud avant le petit-déjeuner) ? Avez-vous pris des laxatifs ou subi des lavements ?
- Alimentation. Selon vous, quels aliments ont un effet sur l'élimination ? Quels aliments consommez-vous habituellement ? Quels aliments évitez-vous ? Prenez-vous vos repas à heures fixes ?
- Liquides. Quelles sortes de liquides consommez-vous chaque jour ? En quelles quantités (par exemple, six verres d'eau, deux tasses de café) ?
- Exercice. Quelles activités physiques pratiquez-vous ? À quelle fréquence le faites-vous ?
- Médicaments. Avez-vous pris des médicaments sur ordonnance ou en vente libre qui pourraient avoir un effet sur vos intestins (par exemple, médicaments contenant du fer, antibiotiques) ?
- Stress. Éprouvez-vous du stress ? Pensez-vous que le stress a un effet sur votre mode d'élimination ? Si oui, de quelle façon ?

PRÉSENCE D'UNE STOMIE ET ENTRETIEN

- En quoi consiste l'entretien habituel de votre colostomie (ou iléostomie) ?
- Éprouvez-vous des problèmes dans ce domaine ? Lesquels ?
- Comment l'infirmière pourrait-elle vous aider ?

- *Incontinence fécale*
- *Constipation*
- *Risque de constipation*
- *Pseudo-constipation*
- *Diarrhée*

L'application clinique des diagnostics infirmiers choisis est illustrée dans l'encadré *Diagnostics infirmiers, résultats de soins infirmiers et interventions* ainsi que dans le *Plan de soins et de traitements infirmiers* et dans le *Schéma du plan de soins et de traitements infirmiers* qui se trouvent à la fin du chapitre.

Les problèmes relatifs à l'élimination intestinale peuvent entraîner des effets sur d'autres fonctions physiologiques et, par conséquent, constituer des facteurs favorisants d'autres diagnostics de NANDA. En voici quelques exemples :

- *Risque de déficit de volume liquidien,* relié à
  a) Une diarrhée prolongée
  b) Une perte anormale de liquides par la stomie
- *Risque d'atteinte à l'intégrité de la peau,* relié à
  a) Une diarrhée prolongée
  b) De l'incontinence fécale
  c) Une stomie intestinale
- *Risque de diminution situationnelle de l'estime de soi,* relié à
  a) Une stomie
  b) De l'incontinence fécale
  c) Un besoin d'aide pour aller aux toilettes
- *Connaissances insuffisantes (rééducation intestinale, prise en charge de la stomie),* reliées au manque d'expérience préalable

- *Anxiété*, reliée à
  a) Une maîtrise insuffisante de l'élimination intestinale consécutive à la stomie
  b) Des réactions d'autrui à la stomie

Planification

Les principaux objectifs à viser en cas de problèmes d'élimination sont les suivants :

- Maintenir le mode normal d'élimination intestinale ou le rétablir.
- Maintenir la consistance normale des selles ou la rétablir.
- Prévenir les risques connexes, comme le déséquilibre hydroélectrolytique, la dégradation de la peau, la distension abdominale et la douleur.

Il faut déterminer les interventions infirmières préventives et correctives nécessaires à l'atteinte de ces objectifs. L'infirmière peut choisir des activités précises se rapportant à chacune de ces interventions en fonction des besoins de la personne concernée. On trouvera des exemples de ces applications cliniques, fondés sur les désignations de NANDA, la CISI/NIC et la CRSI/NOC dans l'encadré *Diagnostics infirmiers, résultats de soins infirmiers et interventions* ainsi que dans le *Plan de soins et de traitements infirmiers.*

■ Planification des soins à domicile

Une personne stomisée qui doit porter une poche pour recueillir les matières fécales ou qui a d'autres problèmes d'élimination aura besoin de soins à domicile pendant une période prolongée. En vue de préparer le retour à la maison, l'infirmière doit évaluer la

DIAGNOSTICS INFIRMIERS, RÉSULTATS DE SOINS INFIRMIERS ET INTERVENTIONS

Problèmes d'élimination intestinale

COLLECTE DES DONNÉES	DIAGNOSTICS INFIRMIERS : DÉFINITION	EXEMPLES DE RÉSULTATS DE SOINS INFIRMIERS [Nº CRSI/NOC] : DÉFINITION	INDICATEURS	INTERVENTIONS CHOISIES [Nº CISI/NIC] : DÉFINITION	EXEMPLES D'ACTIVITÉS CISI/NIC
Marco Lombardi déclare avoir eu des selles liquides et brun clair pendant deux jours. La défécation s'accompagnait de crampes abdominales douloureuses. Les borborygmes ont augmenté. La température de M. Lombardi est de 38 °C. Il n'a pas pris de médicaments, mais il dit ressentir un malaise généralisé. Il déclare avoir mangé dans un restaurant-minute deux jours auparavant.	*Diarrhée : Élimination de selles molles non moulées.*	Élimination intestinale [0501] : *Fonctionnement du système gastro-intestinal permettant de former et d'évacuer les selles de façon efficace.*	Non perturbé • Absence de diarrhée • Absence de crampes douloureuses	Traitement de la diarrhée [0460] : *Prévention et soulagement de la diarrhée.*	• Obtenir un échantillon de selles afin de procéder à une culture et à l'analyse de la sensibilité aux antibiotiques si la diarrhée persiste. • Observer l'élasticité de la peau de façon régulière. • Examiner la peau de la région périanale afin de déceler toute irritation ou ulcération. • Consulter le médecin si les signes et les symptômes de diarrhée persistent.
Marie-Lan Nguyen a eu un écoulement involontaire de selles. Elle affirme que ses vêtements sont tachés plusieurs fois par jour et dit que cela la gêne au point de refuser de sortir avec ses amies en raison de l'odeur. Ses dernières selles remontent à plus de trois jours. Un toucher rectal révèle un fécalome.	*Incontinence fécale : Changement dans les habitudes d'élimination intestinale caractérisé par l'émission involontaire de selles.*	Continence intestinale [0500] : Contrôle de l'émission des selles.	Constamment démontré • Émission régulière de selles au moins tous les trois jours. • Répond à temps au besoin de défécation. • Connaît l'influence des apports alimentaires sur la régularité intestinale.	Constipation : Conduite à tenir en présence de constipation ou d'un fécalome [0450] : *Prévention de la constipation et de la formation d'un fécalome et soulagement de ces problèmes intestinaux.*	• Administrer les laxatifs ou les lavements prescrits. • Enseigner à la personne comment retirer les selles manuellement si nécessaire.
				Traitement de l'incontinence fécale [0410] : *Mise en œuvre de moyens pour remédier à l'incontinence fécale et pour maintenir l'intégrité de la région périanale.*	• Nettoyer la région périanale à l'eau et au savon et l'assécher après chaque selle. • Vérifier si l'élimination fécale est adéquate. • Surveiller les besoins nutritionnels et liquidiens.

capacité de la personne et de ses proches à répondre adéquatement aux besoins de soins. L'encadré *Évaluation pour les soins à domicile – Élimination intestinale* présente les critères à évaluer avant d'élaborer un plan de soins à domicile. À l'aide des renseignements obtenus, l'infirmière sera en mesure de planifier un programme d'enseignement destiné à la personne et aux membres de sa famille (voir l'encadré *Enseignement – Favoriser l'élimination intestinale*).

Interventions

▨ Favoriser la régularité de l'élimination

L'infirmière peut favoriser la régularité de l'élimination chez une personne en veillant aux éléments suivants : (a) protection de l'intimité ; (b) choix du moment ; (c) alimentation et liquides ; (d) exercice ; (e) position.

INTIMITÉ. Pour de nombreux individus, l'intimité est un aspect extrêmement important de la défécation. L'infirmière doit donc veiller à assurer la plus grande intimité possible à la personne ; néanmoins, elle devra parfois rester auprès des personnes trop faibles pour être laissées seules. Par ailleurs, certaines personnes préfèrent s'essuyer, se laver et se sécher elles-mêmes après la défécation. L'infirmière doit donc leur fournir de l'eau, une débarbouillette et une serviette à cette fin.

CHOIX DU MOMENT. On doit encourager la personne à déféquer quand elle en ressent le besoin. Pour établir des habitudes d'élimination, l'infirmière et la personne peuvent déterminer ensemble le moment où les mouvements de masse se produisent normalement et prévoir le temps nécessaire à la défécation. De nombreux individus ont des habitudes d'élimination bien établies. Les activités comme le bain ou la marche ne devraient pas empiéter sur le temps nécessaire à la défécation.

ALIMENTATION ET APPORT LIQUIDIEN. Le régime alimentaire favorable à une élimination régulière variera d'une personne à l'autre, selon le type de fèces, la fréquence de la défécation et le type d'aliments que la personne juge propices à l'élimination normale.

En présence de constipation. Augmenter l'apport liquidien quotidien (2 à 3 L) et conseiller à la personne de consommer des boissons chaudes et des jus de fruits, notamment du jus de pruneau. Intégrer des fibres dans son alimentation, comme des fruits crus, des aliments qui contiennent du son, des céréales entières et du pain complet.

En présence de diarrhée. Encourager la personne à consommer des liquides et des aliments sans irritants. Les petites portions peuvent être bénéfiques parce que leur absorption s'en trouve facilitée. Il faut éviter les liquides trop chauds ou trop froids parce qu'ils stimulent le péristaltisme. Les aliments très épicés et riches en fibres peuvent aussi aggraver la diarrhée (voir l'encadré *Enseignement – Traitement de la diarrhée*).

En présence de flatulence. Limiter la consommation de boissons gazeuses et de gomme à mâcher ainsi que l'usage de pailles pour boire, habitudes qui favorisent toutes l'ingestion d'air. La personne doit aussi éviter les aliments gazogènes, comme le chou, les légumineuses (fèves, haricots, pois, etc.), les oignons et le chou-fleur.

EXERCICE. Un programme d'exercice régulier favorise de bonnes habitudes d'élimination. Les exercices isométriques suivants raffermiront les muscles abdominaux et pelviens qui sont affaiblis et entravent la défécation :

■ En décubitus dorsal, la personne contracte les muscles abdominaux en les rentrant vers l'intérieur ; elle garde cette position

---

ÉVALUATION POUR LES SOINS À DOMICILE

Élimination intestinale

PERSONNE ET ENVIRONNEMENT

■ Capacité d'utiliser les toilettes : S'y rendre, retirer et remettre ses vêtements, se nettoyer et tirer la chasse d'eau.

■ Aides techniques requises : Déambulateur, canne, fauteuil roulant, siège de toilette surélevé, barres d'appui, bassin hygiénique, chaise d'aisances.

■ Obstacles physiques limitant l'accès aux toilettes ou présentant un danger : Éclairage inadéquat, encombrement du passage menant aux toilettes, porte trop étroite pour le fauteuil roulant, etc.

■ Problèmes d'élimination intestinale : Changements relatifs aux caractéristiques des fèces, diarrhée, constipation, incontinence, présence de stomie et soins relatifs à cette dernière.

■ Niveau de connaissances : Programme d'enseignement lié aux problèmes d'élimination intestinale, médicaments prescrits, soins relatifs à la stomie, modification du régime alimentaire, exigences et restrictions relatives à l'ingestion de liquides et à l'exercice.

■ Installations sanitaires : Caractère adéquat des installations sanitaires pour favoriser l'hygiène et les soins relatifs à la stomie ainsi que pour évacuer les fèces susceptibles d'être contaminées par des microorganismes pathogènes.

FAMILLE

■ Disponibilité et compétences des aidants naturels : Capacité d'offrir de l'aide pour l'utilisation des toilettes, la prise des médicaments, les soins relatifs à la stomie et les autres mesures thérapeutiques prescrites.

■ Transformation des rôles familiaux et adaptation : Effets sur la situation financière, les rôles de parent et de conjoint, la vie sexuelle et les rôles sociaux.

■ Soins de relève : Par exemple, d'autres membres de la famille, des bénévoles, des paroissiens, du personnel soignant ou des aides rémunérés ; services de relève offerts (soins de jour, centres pour aînés).

COMMUNAUTÉ

Connaissances des ressources offertes : Entreprises vendant du matériel et des fournitures (orthèses, prothèses), aide financière, associations.

ENSEIGNEMENT

Favoriser l'élimination intestinale

- Veiller à rendre l'accès aux toilettes facile et sécuritaire. Vérifier si l'éclairage est suffisant, si les tapis ont été enlevés ou solidement fixés, etc.
- Le cas échéant, donner des explications sur les techniques de déplacement.
- Faire des suggestions pour rendre le déshabillage plus facile dans les toilettes (par exemple, le port de vêtements munis de fermetures velcro).

OBSERVATION DES HABITUDES D'ÉLIMINATION

- Le cas échéant, demander à la personne de prendre en note les renseignements suivants : les moments où elle va aux toilettes, la fréquence de ses selles, leur couleur et leur consistance, ainsi que la présence de douleurs.

MODIFICATION DU RÉGIME ALIMENTAIRE

- Fournir des renseignements sur les changements à apporter à la consommation d'aliments et de liquides pour faciliter la défécation ou traiter une diarrhée.

MÉDICAMENTS

- Le cas échéant, discuter des problèmes associés à la surconsommation de laxatifs et offrir des solutions de rechange aux laxatifs, aux suppositoires et aux lavements.
- Si la personne prend un médicament qui peut entraîner la constipation, discuter de la possibilité d'ajouter un supplément de fibres à son régime alimentaire.

MESURES PROPRES AU PROBLÈME D'ÉLIMINATION

Fournir les indications relatives au problème d'élimination et à son traitement, notamment :
a) La constipation
b) La diarrhée
c) Les soins relatifs à la stomie

ORGANISMES COMMUNAUTAIRES ET AUTRES RESSOURCES

- Renseigner la personne sur les services communautaires ou de soins à domicile qui pourront lui donner l'information sur l'installation de barres de sécurité, de sièges de toilettes surélevés et de rampes d'accès ; la renseigner également sur les services d'aide à l'entretien ménager et de soins à domicile pour les activités de la vie quotidienne ainsi que sur les services d'une infirmière stomothérapeute pour les soins relatifs à la stomie et le choix du matériel nécessaire.
- Indiquer à la personne les adresses où elle pourra acheter, louer ou obtenir gratuitement du matériel médical durable (par exemple, siège de toilettes surélevé, chaise d'aisances, bassin, urinoir) et des fournitures médicales (par exemple, serviettes pour incontinence, accessoires utiles aux stomisés).
- Renseigner la personne sur les autres sources d'information et d'aide, comme les groupes de soutien aux stomisés.

 ENSEIGNEMENT

Traitement de la diarrhée

- Buvez au moins huit verres d'eau par jour pour prévenir la déshydratation.
- Consommez des aliments contenant du sodium et du potassium. La plupart des aliments contiennent du sodium. On trouve du potassium dans la viande et dans de nombreux fruits et légumes, notamment les tomates, les pommes de terre, les bananes, les pêches et les abricots.
- Consommez davantage d'aliments contenant des fibres solubles, comme l'avoine, de même que des fruits et des pommes de terre épluchés.
- Limitez la consommation d'aliments renfermant des fibres insolubles, comme le pain complet, les céréales entières et les crudités (fruits et légumes).
- Limitez la consommation d'aliments gras.

- Évitez de consommer de l'alcool et des boissons contenant de la caféine, car cela aggrave le problème.
- Pour prévenir l'irritation et la dégradation de la peau, nettoyez et asséchez minutieusement la région périanale après l'évacuation des selles. Utilisez du papier hygiénique doux pour nettoyer et assécher la région. Appliquer au besoin une crème ou une pommade hydrofuge, comme de l'oxyde de zinc ou de la vaseline.
- Discutez avec votre médecin des problèmes causés par les médicaments ; un changement d'ordonnance pourrait être pertinent.
- Pour rétablir la flore intestinale une fois que la diarrhée aura cessé, consommez des produits laitiers fermentés, comme du yogourt.

pendant 10 secondes avant de les relâcher. Elle doit refaire cet exercice de 5 à 10 fois, 4 fois par jour, selon son état de santé.

- Toujours en décubitus dorsal, la personne contracte les muscles des cuisses pendant 10 secondes et refait ce mouvement de 5 à 10 fois, 4 fois par jour. Cet exercice permet à la personne alitée de raffermir les muscles de ses cuisses, ce qui peut faciliter l'usage du bassin hygiénique.

POSITION. Bien que la position accroupie soit la plus propice à la défécation, il semble que, sur le siège de toilettes, l'inclinaison du corps vers l'avant soit la position qui donne les meilleurs résultats.

La personne ayant des difficultés à s'asseoir et à se relever pourra utiliser un siège surélevé qui s'adapte aux toilettes ordinaires et diminue l'amplitude des mouvements à faire. On peut acheter ces sièges pour un usage domestique.

On trouve aussi des **chaises d'aisances** ; il s'agit de chaises portables, munies d'un siège de toilettes et d'un récipient. Ces chaises sont utiles pour les adultes capables de sortir de leur lit, mais incapables de se rendre aux toilettes. Certains modèles sont équipés de roulettes et, en retirant le récipient, on peut les installer au-dessus de toilettes ordinaires ; la personne pourra ainsi profiter de l'intimité du cabinet de toilettes. D'autres possèdent un siège amovible et peuvent servir de fauteuil (figure 46-9 ■). On trouve également des chaises d'aisances pour enfant.

Pour une personne alitée, il faudra peut-être utiliser un **bassin hygiénique.** Il s'agit d'un récipient qui sert à recueillir les urines et les fèces (figure 46-10 ■). Les femmes ont besoin d'un seul bassin pour la miction et la défécation, tandis que les hommes utilisent un bassin pour les fèces et un urinal pour les urines.

Il y a deux principaux types de bassins hygiéniques : le bassin ordinaire, à rebord arrière montant, et le bassin orthopédique (voir la figure 46-10). Le bassin orthopédique, dont le rebord arrière est peu élevé, est conçu pour les personnes incapables de soulever les fesses en raison d'un problème physique ou d'une contre-indication relative à ce mouvement. Il est très commode pour de nombreuses personnes âgées. L'encadré *Conseils pratiques – Installation d'un bassin hygiénique* présente les techniques d'installation.

■ Indications concernant les médicaments

Parmi les catégories de médicaments les plus courants qui agissent sur l'élimination fécale, on compte les laxatifs, les antidiarrhéiques et les antiflatulents.

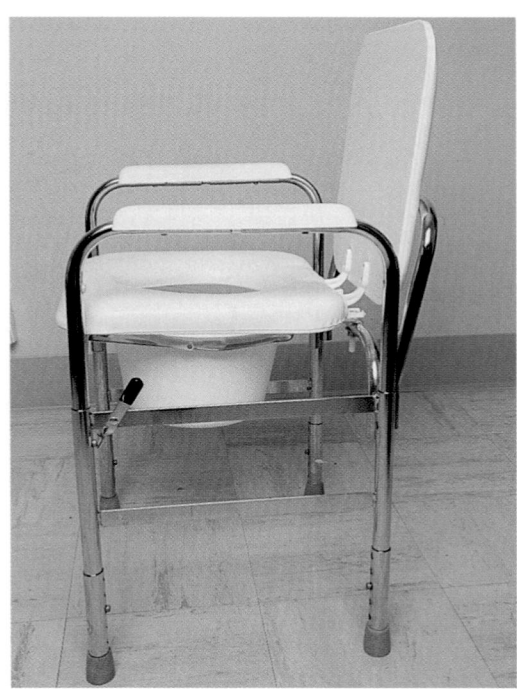

FIGURE **46-9** ■ Chaise d'aisances à siège surélevé.

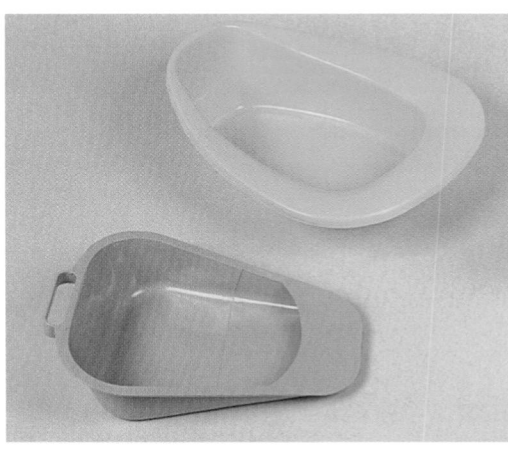

FIGURE **46-10** ■ *En haut,* bassin hygiénique ordinaire à rebord arrière montant ; *en bas,* bassin hygiénique orthopédique.

LAXATIFS. Les laxatifs sont des médicaments qui provoquent la défécation. Certains ont une action modérée et produisent des selles molles ou liquides qui s'accompagnent parfois de crampes abdominales. L'huile de ricin, la cascara et le bisacodyl sont des exemples de laxatifs puissants. Le tableau 46-3 présente différents types de laxatifs.

L'usage de laxatifs est contre-indiqué en cas de nausées, de crampes, de coliques, de vomissements ou de douleurs abdominales non diagnostiquées. La personne qui utilise des laxatifs doit être informée de leurs effets nocifs. Leur usage prolongé affaiblit les réactions naturelles de l'intestin à la distension produite par les fèces, provoquant de la constipation chronique. Pour mettre un terme à la consommation chronique de laxatifs, l'infirmière peut renseigner la personne sur les fibres alimentaires, les bienfaits d'un programme d'exercices régulier, la consommation de liquides en quantité suffisante et la nécessité d'avoir des habitudes régulières de défécation. Par ailleurs, il faut vérifier si certains médicaments que prend la personne peuvent provoquer la constipation.

Certains laxatifs sont administrés sous forme de **suppositoires.** Ils agissent de différentes façons : ils ramollissent les fèces, libèrent des gaz, comme le dioxyde de carbone (ce qui distend le rectum), ou stimulent les terminaisons nerveuses de la muqueuse rectale. On obtient les meilleurs résultats en insérant le suppositoire 30 minutes avant l'heure habituelle de la défécation ou lorsque l'action péristaltique est la plus forte, comme après le petit-déjeuner.

ANTIDIARRHÉIQUES. Ces médicaments ralentissent la motilité intestinale ou provoquent l'absorption des liquides excédentaires dans l'intestin. Les indications relatives à l'usage des antidiarrhéiques sont présentées dans l'encadré 46-2.

ANTIFLATULENTS. Les agents **antiflatulents**, comme la siméthicone (par exemple, Ovol), ne réduisent pas la formation de flatuosités ; ils favorisent plutôt la coalescence des bulles de gaz et facilitent leur évacuation par éructation ou leur expulsion par l'anus. Ces agents sont souvent combinés à un antiacide. Les carminatifs sont des huiles essentielles qui favorisent l'expulsion des gaz de l'estomac et de l'intestin. On peut aussi administrer des suppositoires qui soulagent les flatuosités en activant la motilité intestinale.

CONSEILS PRATIQUES

Installation d'un bassin hygiénique

- Prendre les mesures nécessaires pour préserver l'intimité de la personne.
- Mettre des gants jetables.
- Si le bassin est en métal, le réchauffer en le rinçant à l'eau chaude.
- Régler le lit à la hauteur désirée pour prévenir les maux de dos.
- Élever la ridelle du côté opposé pour empêcher que la personne tombe du lit.
- Demander à la personne de collaborer en fléchissant les genoux, en transférant ensuite son poids sur son dos et ses talons tout en soulevant ses hanches. Un trapèze (poignée suspendue) peut être fort utile à la personne.
- Le cas échéant, aider la personne à se soulever en plaçant votre main sur le bas de son dos, tout en appuyant votre coude sur le matelas, et en utilisant votre avant-bras comme levier.
- Placer un bassin ordinaire de manière à ce que les fesses de la personne reposent contre le rebord arrondi et lisse. S'il s'agit d'un bassin orthopédique, le placer en faisant glisser le rebord aplati sous les fesses de la personne (figure 46-11 ■).
- Si la personne est incapable de collaborer, demander l'aide d'une autre infirmière pour la soulever ou pour la faire rouler sur le côté, puis placer le bassin contre ses fesses (figure 46-12 ■) et la ramener sur le dos.
- Pour réduire la tension dans le bas du dos, de préférence élever la tête du lit dans la position de semi-Fowler. Si cette position est contre-indiquée, soutenir le dos de la personne avec des oreillers, pour prévenir l'hyperextension.

- Couvrir la personne avec un drap pour assurer son bien-être et son intimité.
- Donner du papier hygiénique à la personne, placer la sonnette d'appel à sa portée, abaisser le lit en position inférieure, relever la seconde ridelle s'il y a lieu et laisser la personne seule.
- Répondre promptement à la sonnette d'appel.
- Pour retirer le bassin, ramener le lit dans la position utilisée pour placer le bassin, tenir le récipient d'une main ferme pour ne pas en reverser le contenu, le couvrir et le déposer sur une surface plane à proximité.
- Si la personne a besoin d'aide, mettre des gants et essuyer la région périnéale avec plusieurs feuilles de papier hygiénique. S'il faut recueillir un échantillon, jeter le papier souillé dans un autre récipient étanche. S'il s'agit d'une femme, essuyer en allant de l'urètre vers l'anus pour éviter de déplacer des microorganismes du rectum au méat de l'urètre.
- Dans le cas d'une personne non autonome, nettoyer la région périnéale avec de l'eau et du savon, selon les indications, et l'assécher avec soin.
- Toujours fournir à la personne de l'eau chaude, du savon, une débarbouillette et une serviette pour qu'elle puisse se laver les mains.
- Aider la personne à reprendre une position confortable; vider le bassin, le nettoyer et le remettre à sa place, près du lit.
- Retirer ses gants et les jeter; se laver les mains.
- Inscrire au dossier la couleur, l'odeur, le volume et la consistance des urines et des fèces, ainsi que l'état de la région périnéale.

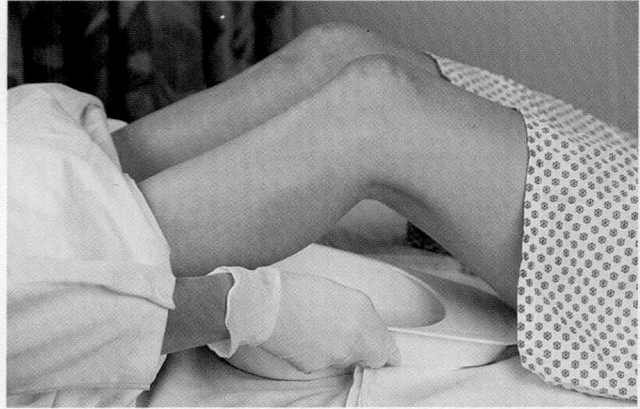

FIGURE 46-11 ■ Installation d'un bassin orthopédique sous les fesses.

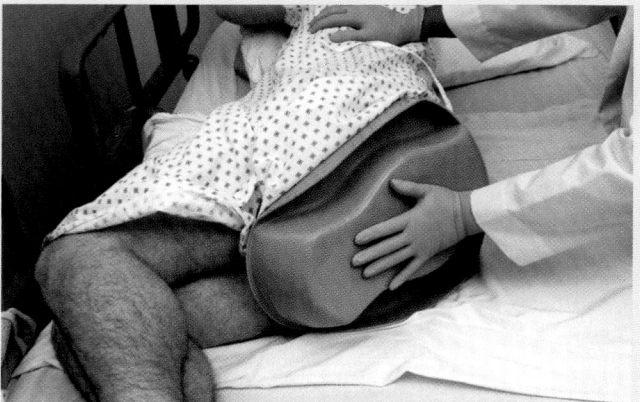

FIGURE 46-12 ■ Installation d'un bassin ordinaire contre les fesses.

■ Mesures pour réduire la flatulence

Un certain nombre de mesures permettent de réduire les flatuosités ou de les expulser, notamment faire de l'exercice, bouger dans son lit, marcher et éviter de consommer des aliments gazogènes. Le mouvement stimule le péristaltisme tout en favorisant l'élimination des flatuosités et l'absorption des gaz par les capillaires intestinaux. L'un des traitements de la flatulence consiste à insérer une sonde rectale. Dans ce cas, il faut suivre les indications suivantes:

TABLEAU
46-3

Types de laxatifs

Type	Action	Exemples	Indications pertinentes pour l'enseignement
Mucilagineux	Augmentent le volume des liquides, des gaz et des solides dans l'intestin.	Muciloïde hydrophile de psyllium (Metamucil, Prodiem)	Ils peuvent prendre 12 heures et plus pour agir. Il faut consommer une quantité suffisante de liquides. Consommation sûre à long terme.
Émollients	Ramollissent les fèces et retardent leur assèchement; favorisent la pénétration des matières grasses et de l'eau dans les fèces.	Docusate de sodium (Colace)	Ils peuvent prendre plusieurs jours à agir.
Stimulants ou irritants	Irritent la muqueuse intestinale ou stimulent les terminaisons nerveuses de la paroi intestinale, ce qui favorise le déplacement accéléré des matières fécales.	Bisacodyl (Dulcolax), séné (Senokot, Ex-Lax), cascara, huile de ricin	Ils agissent plus rapidement que les agents mucilagineux. Les liquides sont expulsés avec les fèces. Ils peuvent causer des crampes. Leur usage prolongé peut provoquer un déséquilibre hydroélectrolytique.
Lubrifiants	Lubrifient les fèces présentes dans le côlon.	Huile minérale (Lansoyl)	Leur usage prolongé diminue l'absorption de certaines vitamines liposolubles.
Solutions salines ou osmotiques	Apportent de l'eau dans l'intestin par osmose, distendent l'intestin et stimulent le péristaltisme.	Sel d'Epsom, hydroxyde de magnésium (lait de magnésie), citrate de magnésium, phosphate de sodium (Fleet Phospho-Soda)	Leur action peut être rapide. Ils peuvent provoquer un déséquilibre hydroélectrolytique, notamment chez les personnes âgées et chez les enfants ayant une affection cardiaque ou rénale. Ils ne devraient pas être administrés aux personnes âgées. Leur usage prolongé inhibe l'absorption de certaines vitamines liposolubles.

Indications concernant l'usage de médicaments antidiarrhéiques

- Si les fèces deviennent noires, rouges ou vertes, la personne doit consulter le médecin.
- Si la diarrhée persiste pendant plus de trois ou quatre jours, en déterminer la cause sous-jacente. L'usage de certains médicaments (par exemple, opioïdes) peut prolonger la diarrhée lorsqu'une infection, une toxine ou un poison est en cause.
- L'usage prolongé de certains médicaments en vente libre (par exemple, lopéramide [Imodium]) peut entraîner une dépendance.
- Certains agents antidiarrhéiques peuvent causer de la somnolence (par exemple, diphénoxylate [Lomotil]); on ne devrait pas en consommer si on doit conduire un véhicule ou faire fonctionner de la machinerie.
- Les préparations de silicate de magnésium et d'aluminium hydraté (par exemple, Kaopectate) peuvent absorber les éléments nutritifs.
- On peut utiliser des laxatifs mucilagineux et d'autres éléments absorbants pour fixer les toxines et absorber les liquides en excès dans l'intestin.
- Les préparations à base de subsalicylate de bismuth (par exemple, Pepto-Bismol), souvent utilisées pour traiter la diarrhée du voyageur (ou «tourista»), ne devraient pas être administrées aux enfants ou aux adolescents atteints de varicelle, de grippe ou d'autres infections virales à cause du risque de syndrome de Reye lié à l'administration de salicylates.

1. Utiliser une sonde rectale de calibre 22 à 30 pour un adulte; la sonde sera plus petite s'il s'agit d'un enfant.

2. Demander à la personne de s'allonger sur le côté.

3. Lubrifier la sonde rectale pour réduire l'irritation de la muqueuse.

4. Exposer l'anus et insérer la sonde dans le rectum à une profondeur de 10 cm. La sonde stimulera le péristaltisme. Si aucune

flatuosité n'est expulsée, insérer la sonde un peu plus profondément (2 cm environ). Si la sonde ne pénètre pas facilement, ne pas insister.

5. Envelopper l'extrémité de la sonde avec du papier hygiénique, de manière à recueillir le liquide qui pourrait s'échapper. On peut insérer la sonde dans l'anus et placer l'autre extrémité dans un récipient rempli d'eau. L'évacuation des flatuosités peut ainsi être confirmée par la formation de bulles dans l'eau.

6. Pour éviter d'irriter la muqueuse rectale, ne pas laisser la sonde dans le rectum plus de 30 minutes. Si on n'a pas réussi à soulager la distension abdominale, on peut réinsérer la sonde de nouveau au bout de deux ou trois heures.

7. Encourager la personne à changer régulièrement de position dans son lit.

Si on n'a pas réussi à soulager les flatuosités, consulter le médecin pour déterminer s'il faut recourir à un suppositoire, à un lavement ou à un médicament.

■ Administration d'un lavement

Un **lavement** consiste à instiller une solution dans le rectum et le gros intestin. Son action vise à distendre l'intestin et, parfois, à irriter la muqueuse intestinale de manière à augmenter le péristaltisme et, donc, l'expulsion des fèces et des flatuosités.

TYPES DE LAVEMENTS. On classe les lavements en trois catégories : évacuateurs, antiflatulents et de rétention.

Lavements évacuateurs. Ils servent à évacuer les fèces. Voici leurs principales utilisations :

- Prévenir l'évacuation de fèces pendant une chirurgie.
- Préparer l'intestin à certaines épreuves diagnostiques, comme les radiographies et les examens endoscopiques (par exemple, la colonoscopie).
- Évacuer les fèces dans les cas de constipation ou de présence d'un fécalome.

Les lavements évacuateurs font appel à une variété de solutions. Le tableau 46-4 dresse la liste des solutions les plus couramment utilisées.

Les solutions hypertoniques (par exemple, les solutions salines) exercent une pression osmotique qui favorise le transfert de liquides des espaces interstitiels vers le côlon. Le volume du contenu du côlon augmente, ce qui active le péristaltisme et donc la défécation. La solution au phosphate Fleet est l'une des solutions hypertoniques les plus couramment utilisées. Les solutions hypotoniques (par exemple, l'eau du robinet) exercent une pression osmotique plus faible que celle des liquides interstitiels environnants ; l'eau passe alors du côlon aux espaces interstitiels. Avant que l'eau ne quitte le côlon, elle stimule le péristaltisme et la défécation. Étant donné que l'eau sort du côlon, on ne doit pas donner de lavements répétés avec de l'eau du robinet, car ils peuvent provoquer une surcharge liquidienne si l'eau passe des espaces interstitiels à l'espace vasculaire.

On considère que les solutions isotoniques, comme le soluté physiologique (soluté isotonique de chlorure de sodium), sont les plus sûres pour effectuer un lavement. Elles exercent la même pression osmotique que les liquides interstitiels qui entourent le côlon. Par conséquent, il ne se produit aucun échange de liquides. C'est le volume de soluté instillé dans le côlon qui stimule le péristaltisme. Quant aux solutions savonneuses, elles provoquent le péristaltisme en augmentant le volume du côlon et en irritant la muqueuse. Pour limiter l'irritation de la muqueuse, on doit utiliser un savon pur, comme le savon de Castille.

Certains lavements pour adultes ont un volume élevé (entre 500 mL et 1 000 mL) et d'autres, un faible volume, dont ceux à base de solutions hypertoniques. La quantité de solution administrée pour un lavement à volume élevé dépendra de l'âge et de l'état de santé de la personne. Ainsi, la rétention importante de liquides qui résulte d'un lavement hypotonique à volume élevé peut être nocive pour les personnes atteintes de certaines affections cardiaques ou rénales.

TABLEAU 46-4

Solutions couramment utilisées pour les lavements évacuateurs

Solution	Composants	Action	Délai d'action	Effets indésirables
Hypertonique	90-120 mL de solution (par exemple, phosphate de sodium)	Attire de l'eau dans le côlon.	5-10 min	Rétention de sodium
Hypotonique	500-1 000 mL d'eau du robinet	Distend le côlon, stimule le péristaltisme et ramollit les fèces.	15-20 min	Déséquilibre hydroélectrolytique ; intoxication par l'eau
Isotonique	500-1 000 mL de soluté isotonique (9 mL de NaCl pour 1 000 mL d'eau)	Distend le côlon, stimule le péristaltisme et ramollit les fèces.	15-20 min	Possibilité de rétention de sodium
Savonneuse	500-1 000 mL (3-5 mL de savon pour 1 000 mL d'eau)	Irrite la muqueuse et distend le côlon.	10-15 min	Irritation de la muqueuse et possibilité de lésions
Huile (minérale, d'olive, de noyaux de coton)	90-120 mL	Lubrifie les fèces et la muqueuse du côlon.	0,5-3 h	

Le lavement évacuateur peut être haut ou bas :

- Le lavement haut permet de nettoyer la totalité du côlon. Pour que la solution puisse se répandre sur toute la longueur du gros intestin, la personne doit passer d'abord de la position de décubitus latéral gauche à la position de décubitus dorsal et, ensuite, à celle de décubitus latéral droit.
- Le lavement bas ne nettoie que le rectum et le côlon sigmoïde. La personne reste en décubitus latéral gauche pendant son administration.

La pression à laquelle la solution s'écoule est déterminée par :

- La hauteur à laquelle on place le sac qui la contient.
- Le diamètre du tube.
- La viscosité de la solution.
- La résistance exercée par le rectum.

Plus le sac est élevé par rapport au rectum, plus la solution s'écoule rapidement et plus la pression exercée sur le rectum est grande. Dans la plupart des cas de lavement administré à un adulte, le contenant ne devrait pas se trouver à plus de 30 cm au-dessus des hanches. Dans le cas d'un lavement haut, on place habituellement le contenant à une hauteur de 30 à 46 cm au-dessus des hanches, ce qui permet d'instiller le liquide plus profondément et de nettoyer l'intestin dans sa totalité.

Lavements antiflatulents. On les administre principalement dans le but d'expulser les flatuosités. La solution instillée dans le rectum libère les gaz qui distendent à leur tour le rectum et le côlon, ce qui stimule le péristaltisme. Dans le cas d'un adulte, la solution instillée est de 60 à 80 mL.

Lavements de rétention. On introduit de l'huile ou un médicament dans le rectum et le côlon sigmoïde. La personne doit retenir le liquide pendant une période de temps relativement longue (de une à trois heures). L'huile ramollit les fèces et lubrifie le rectum et le canal anal, ce qui facilite l'évacuation des fèces. Par ailleurs, on peut également ajouter au lavement des antibiotiques (pour traiter localement une infection) ou des anthelminthiques (pour tuer les helminthes, comme les vers et les parasites intestinaux).

Le procédé 46-1 décrit la marche à suivre pour administrer un lavement.

> **● ALERTE CLINIQUE** *Certaines personnes préfèrent s'administrer elles-mêmes un lavement. Si cette approche est justifiée, l'infirmière doit s'assurer que la personne connaît la marche à suivre et l'aider, s'il y a lieu.* ■

PROCÉDÉ 46-1

Administration d'un lavement

Objectif

- Distendre l'intestin de manière à augmenter le péristaltisme pour favoriser l'expulsion des fèces et des flatuosités.

COLLECTE DES DONNÉES

- Établissez le moment où la personne est allée à la selle pour la dernière fois, ainsi que le volume, la couleur et la consistance des fèces.
- Vérifiez s'il y a ou non distension abdominale (l'abdomen distendu semble gonflé et ferme au toucher plutôt que souple).

- Vérifiez si la personne peut maîtriser son sphincter.
- Déterminez si la personne peut se rendre aux toilettes (ou utiliser une chaise d'aisances) ou si elle doit rester au lit et utiliser un bassin hygiénique.

PLANIFICATION

Avant de procéder à un lavement, déterminez s'il est nécessaire d'obtenir une ordonnance du médecin. Dans certains établissements, c'est le médecin qui décide du type de lavement et du moment où il faut l'administrer, le matin d'un examen par exemple. Si la personne a une maladie du rectum, le médecin précisera le type de sonde à utiliser. Dans d'autres établissements, les lavements sont laissés à l'appréciation de l'infirmière (c'est-à-dire selon les besoins). Enfin, déterminez si la personne a une affection cardiaque ou rénale ; dans ces cas, l'utilisation d'une solution hypotonique est contre-indiquée.

Matériel

- Piqué imperméable à usage unique
- Drap de bain

- Bassin hygiénique ou chaise d'aisances
- Gants propres
- Lubrifiant hydrosoluble si le tube de lavement n'est pas prélubrifié
- Essuie-tout

Lavement à volume élevé

- Sac à lavement contenant la solution, tube de diamètre adéquat et presse-tube
- Solution en quantité suffisante et à la bonne température
- Potence pour intraveineuse

Lavement à faible volume

- Flacon jetable préconditionné et à canule lubrifiée

INTERVENTION

Préparation

- Lubrifiez la canule rectale sur une longueur de 5 cm (certains flacons vendus dans le commerce ont un embout prélubrifié). *La lubrification facilite l'introduction de la canule dans les sphincters et réduit l'anxiété chez la personne.*
- Si vous utilisez un sac pour lavement à volume élevé, faites passer un peu de solution dans le tube et dans la canule rectale pour en expulser l'air, puis refermez la pince de rétention. *Même si elle est sans danger, l'introduction d'air dans le rectum produit une distension désagréable.*

Exécution

1. Expliquez à la personne ce que vous allez faire, pourquoi vous allez le faire et comment elle peut coopérer. Expliquez-lui aussi que les résultats serviront à planifier les soins ou les traitements. Précisez-lui qu'elle pourrait éprouver une sensation de lourdeur au moment de l'administration de la solution.

2. Lavez-vous les mains, mettez des gants propres et observez les autres mesures de prévention des infections.

3. Assurez-vous que l'intimité de la personne est préservée.

4. Aidez la personne à s'installer en décubitus latéral gauche et à fléchir la jambe droite le plus loin possible vers l'avant (figure 46-13 ■); placez le protège-drap sous ses fesses. *Cette position permet à la solution de s'écouler, sous l'action de la pesanteur, dans le côlon sigmoïde et le côlon descendant, situés sur le côté gauche. La flexion accentuée de la jambe droite permet de bien exposer l'anus.*

5. Insérez la canule rectale.
   - Si la personne est en décubitus latéral gauche, soulevez la fesse droite pour bien dégager l'anus.

- Insérez la canule délicatement et lentement dans le rectum, en la dirigeant vers l'ombilic (figure 46-14 ■). *Cet angle permet de suivre la courbure normale du rectum. Une insertion lente prévient la contraction du sphincter.*
- Insérez la canule sur une longueur de 7 à 10 cm. *Comme le canal anal mesure entre 2,5 et 5 cm environ chez l'adulte, cette longueur permet de dépasser le canal anal et d'atteindre le rectum avec l'extrémité de la canule.*
- Si le sphincter interne exerce une résistance, demandez à la personne de respirer profondément et éjectez une petite quantité de solution de la canule pour favoriser la relaxation du sphincter anal interne.
- Ne forcez jamais l'insertion d'une canule ou d'une solution. Si l'instillation d'une petite quantité de solution n'a pas permis à la canule de pénétrer plus avant ou à la solution de s'écouler librement, retirez la canule. Vérifiez si des selles bloquent l'entrée du tube. Si tel est le cas, débouchez l'entrée du tube et retentez l'intervention. On peut aussi procéder à un toucher rectal pour déceler la présence d'un fécalome ou de toute autre obstruction mécanique. Si la résistance persiste, mettez fin à l'intervention et signalez le problème au médecin.

6. Administrez peu à peu la solution du lavement.
   - Maintenez le sac en hauteur et ouvrez la pince de rétention pour permettre à la solution de s'écouler. ou
   - Comprimez le contenant souple avec la main.
   - Dans la plupart des cas de lavement bas, tenez ou accrochez le sac à une hauteur ne dépassant pas 30 cm au-dessus des hanches. *Plus la position du sac est élevée par rapport au*

rectum, plus la solution s'écoulera rapidement et plus la pression exercée sur le rectum sera grande. S'il s'agit d'un lavement haut, accrochez le sac à une hauteur d'environ 45 cm. La solution doit pénétrer le plus loin possible pour nettoyer l'intestin tout entier. Consultez le protocole de l'établissement à cet égard.

- Administrez la solution lentement. Si la personne se plaint de lourdeur ou de douleur, utilisez la pince de rétention pour interrompre l'écoulement pendant 30 secondes, puis recommencez à un débit plus lent. *Le faible débit de l'écoulement et son interruption momentanée réduisent les risques de spasme intestinal et d'éjection prématurée de la solution.*
- Dans le cas d'un flacon en plastique préconditionné, roulez-en l'extrémité au fur et à mesure de l'instillation de la solution (figure 46-15 ■). *Cette précaution empêche le reflux de la solution dans le flacon.*

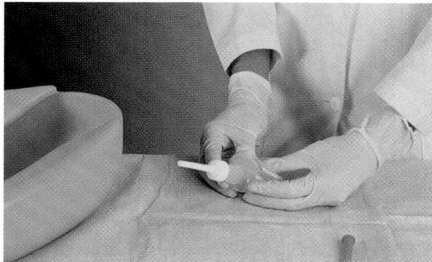

FIGURE **46-15** ■ Il faut rouler l'extrémité du contenant de solution à lavement.

- Lorsque toute la solution a été instillée ou que la personne ne peut plus la retenir et ressent le besoin de déféquer (ce qui indique qu'on a administré suffisamment de solution), fermez la pince de rétention et retirez la canule de l'anus.
- Placez la canule dans une serviette jetable tout de suite après l'avoir retirée.

7. Encouragez la personne à retenir la solution.
   - Demandez-lui de rester couchée. *Cette position est plus propice à la rétention que la position assise ou debout, parce que l'action de la pesanteur provoque l'élimination et le péristaltisme.*
   - Demandez-lui de retenir la solution aussi longtemps que c'est nécessaire; par exemple, de 5 à 10 minutes pour un lavement évacuateur et au moins 30 minutes pour un lavement de rétention.

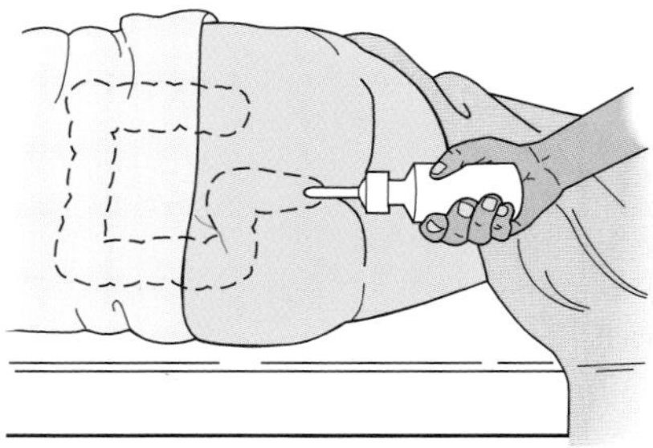

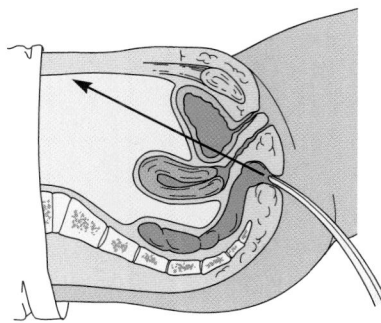

FIGURE **46-13** ■ Position de décubitus latéral gauche pour le lavement.

FIGURE **46-14** ■ Insertion de la canule en suivant la courbure du rectum.

PROCÉDÉ 46-1 (SUITE)

Administration d'un lavement (suite)

INTERVENTION (suite)

8. Aidez la personne à déféquer.
   - Aidez la personne à prendre place sur le bassin hygiénique, la chaise d'aisances ou les toilettes. La position assise favorise la défécation.
   - Si la personne utilise les toilettes, demandez-lui de ne pas tirer la chasse d'eau après la défécation. Vous devez en effet inspecter les fèces.
   - Si vous devez recueillir un échantillon de fèces, demandez à la personne d'utiliser un bassin hygiénique ou une chaise d'aisances.

Variante : administration d'un lavement à une personne incontinente

L'infirmière doit parfois administrer un lavement à une personne incapable de maîtriser le muscle du sphincter externe et, par conséquent, de retenir la solution ne serait-ce que quelques minutes. Dans pareil cas, après avoir inséré la canule, il faudra installer la personne en décubitus dorsal sur le bassin hygiénique. On peut surélever légèrement la tête du lit, jusqu'à un angle de 30° au besoin (afin de faciliter la respiration), et placer des

oreillers pour soutenir la tête et le dos de la personne.

9. Consignez les détails de l'intervention au dossier de la personne à l'aide d'un formulaire ou d'une liste de vérification accompagnée de vos commentaires, s'il y a lieu : le type de solution utilisée, la période de rétention de cette dernière ; le volume, la couleur et la consistance des matières évacuées ; vos observations concernant le soulagement des flatuosités et la distension abdominale.

ÉVALUATION

- Effectuez le suivi détaillé en tenant compte des écarts par rapport aux résultats escomptés ou jugés normaux pour la personne concernée. Évaluez les résultats à la lumière des observations précédentes, le cas échéant. Signalez tout écart significatif au médecin.

▨ Extraction manuelle d'un fécalome

L'extraction manuelle consiste à morceler la masse fécale à la main et à la retirer par petits morceaux. Ce procédé est contre-indiqué dans certains cas parce qu'il peut provoquer une stimulation excessive du nerf vague et une arythmie cardiaque. Avant d'effectuer une extraction manuelle, il est recommandé d'administrer un lavement huileux à la personne et de lui demander de le retenir pendant 30 minutes. Après l'extraction, l'infirmière peut recourir à différentes méthodes pour évacuer le reste des fèces, notamment donner un lavement évacuateur ou insérer un suppositoire.

Le retrait manuel d'un fécalome peut être douloureux. Cinq minutes avant de procéder, l'infirmière peut mettre un gant jetable, enduire un doigt avec 1 ou 2 mL de lidocaïne (par exemple, Xylocaine) en gel et insérer celui-ci aussi loin que possible dans le canal anal. La lidocaïne anesthésiera le canal anal et le rectum.

Les étapes de l'extraction manuelle d'un fécalome sont les suivantes :

1. Le cas échéant, demander l'aide d'une assistante pour réconforter la personne pendant l'intervention.

2. Demander à la personne de s'installer en décubitus latéral gauche, les genoux pliés, le dos tourné à l'infirmière.

3. Placer un protège-drap sous les fesses de la personne et poser un bassin hygiénique à proximité pour y déposer les fèces.

4. Recouvrir la personne avec un drap et n'exposer que les fesses.

5. Mettre des gants propres et lubrifier abondamment l'index qu'on insérera dans le rectum.

6. Insérer délicatement l'index dans le rectum et le déplacer le long de la paroi rectale.

7. Détacher délicatement la matière fécale en massant. Pétrir du doigt la masse durcie, en prenant garde d'endommager la muqueuse rectale.

8. Amener délicatement la matière fécale vers l'extrémité du rectum et la retirer par petits morceaux. Continuer à extraire la plus grande quantité possible de matières fécales. Surveiller les signes de fatigue, comme la pâleur, la diaphorèse ou un changement de la fréquence du pouls. La stimulation manuelle doit être la plus modérée possible.

9. Une fois l'extraction terminée, aider la personne à nettoyer la région anale et le siège. L'aider ensuite à prendre place sur un bassin hygiénique ou une chaise d'aisances pendant une courte période ; la stimulation manuelle du rectum suscite fréquemment l'envie de déféquer.

🏠 SOINS À DOMICILE

Administration d'un lavement

Donner les indications suivantes :

- Pour composer une solution saline, mélanger une cuillerée à café de sel de table à 500 mL d'eau du robinet.
- Suivre scrupuleusement les indications. Les lavements ne doivent pas remplacer de bonnes habitudes d'élimination intestinale.
- Avant le lavement, s'assurer d'être à proximité des toilettes ou placer un bassin hygiénique ou une chaise d'aisances à sa portée.

LES ÂGES DE LA VIE

Administration d'un lavement

NOURRISSONS ET ENFANTS

- Expliquer au préalable tous les détails de l'intervention aux parents et à l'enfant.
- Il faut utiliser une solution isotonique (habituellement, un soluté isotonique de chlorure de sodium). Certaines solutions hypertoniques en vente libre (par exemple, lavement Fleet) peuvent provoquer une hypovolémie ou un déséquilibre électrolytique. En outre, l'effet osmotique du lavement peut causer de la diarrhée et, par la suite, une acidose métabolique.
- Il faut aider les nourrissons et les jeunes enfants ne maîtrisant pas leur sphincter à retenir la solution du lavement. Pour administrer le lavement, l'infirmière installe l'enfant en position couchée, les fesses sur le bassin hygiénique ; elle presse ensuite fermement les fesses de l'enfant l'une contre l'autre pour empêcher l'expulsion immédiate de la solution. De manière générale, les enfants plus âgés sont capables de retenir la solution s'ils ont compris ce qu'il faut faire et si la période de rétention n'est pas trop longue. Si l'enfant peut aller aux toilettes de façon autonome, il faut s'assurer que les toilettes sont libres avant de procéder au lavement ou prévoir un bassin hygiénique.
- À moins d'indication contraire, la température de la solution doit être à 37,7 °C.
- La quantité de solution pour un lavement à volume élevé est déterminée comme suit :
  - De 50 à 200 mL chez les enfants de moins de 18 mois
  - De 200 à 300 mL chez les enfants âgés de 18 mois à 5 ans
  - De 300 à 500 mL chez les enfants âgés de 5 à 12 ans
- Il est particulièrement important de donner des explications détaillées aux enfants d'âge préscolaire. Un lavement est une mesure radicale et, par conséquent, menaçante.

- On installe souvent les nourrissons et les jeunes enfants en décubitus dorsal pour effectuer un lavement. Faire prendre la position à l'enfant sur un petit bassin rembourré et lui fournir un appui pour le dos et la tête. Placer une couche sous le bassin et la rabattre autour des cuisses de l'enfant de manière à lui immobiliser les jambes. Placer le piqué sous le bassin et couvrir l'enfant avec un drap de bain.
- Insérer le tube sur une longueur de 5 à 7,5 cm s'il s'agit d'un enfant et de 2,5 à 3,75 cm seulement s'il s'agit d'un nourrisson.
- S'il s'agit d'un enfant, adapter la hauteur du sac en fonction de son âge. Consulter le protocole de l'établissement à cet égard.
- Pour aider un jeune enfant à retenir la solution, appliquer une pression ferme sur l'anus avec du papier hygiénique ou tenir ses fesses serrées l'une contre l'autre.

PERSONNES ÂGÉES

- Les personnes âgées se fatiguent parfois facilement.
- Elles sont plus vulnérables aux déséquilibres hydroélectrolytiques. Faire preuve d'une grande prudence dans le cas d'un lavement à l'eau du robinet.
- Il faut rester attentif à la tolérance de la personne tout au long de l'intervention et demeurer à l'affût des malaises liés à la stimulation du nerf vague (choc vagal par stimulation du système nerveux parasympathique) et des dysrythmies.
- Protéger la peau des personnes âgées contre l'exposition prolongée à l'humidité.
- Aider les personnes âgées à prendre soin de leur région périnéale, le cas échéant.

▨ Programme de rééducation intestinale

La rééducation intestinale peut s'avérer utile en cas de constipation chronique, de fécalomes à répétition ou d'incontinence fécale. Le programme repose sur des éléments que la personne peut maîtriser et il est conçu pour l'aider à acquérir de bonnes habitudes d'élimination intestinale. Il tient compte de facteurs comme la consommation d'aliments et de liquides, l'exercice et les habitudes d'élimination. Avant de commencer un programme de rééducation avec une personne, il faut s'assurer qu'elle comprend bien ce dont il s'agit et qu'elle est prête à collaborer. Voici les principales étapes à suivre :

- Évaluer les habitudes d'élimination de la personne et les facteurs qui favorisent ou entravent la défécation régulière.
- De concert avec la personne, élaborer un plan qui comprendra les mesures suivantes :
  a) Apport liquidien quotidien de l'ordre de 2 L à 3 L.
  b) Augmentation de la consommation d'aliments riches en fibres.
  c) Consommation de boissons chaudes, en particulier juste avant le moment habituel de la défécation.
  d) Augmentation de l'exercice physique.

- Établir les habitudes quotidiennes suivantes pendant deux à trois semaines :
  a) Administrer un suppositoire purgatif (par exemple, Dulcolax) 30 minutes avant l'heure de la défécation pour stimuler le péristaltisme.
  b) Lorsque l'envie de déféquer se manifeste, aider la personne à se rendre aux toilettes ou à prendre place sur la chaise d'aisances ou sur le bassin hygiénique. Consigner le temps écoulé entre l'insertion du suppositoire et l'envie de déféquer.
  c) Assurer l'intimité de la personne et délimiter la période de défécation ; de 30 à 40 minutes devraient suffire.
  d) Demander à la personne de se pencher vers l'avant au moment de la défécation, d'appliquer ensuite une pression manuelle sur l'abdomen et de pousser, mais sans forcer (il est important de ne pas forcer ; en effet, la pression suscitée peut entraîner la formation d'hémorroïdes). Ces mesures permettent d'augmenter la pression exercée sur le côlon.
- Si la personne réussit à déféquer, l'encourager en lui faisant des commentaires positifs. Dans le cas contraire, éviter toute remarque négative.
- Préciser à la personne qu'il faut souvent faire preuve de patience. En effet, il se peut que le programme ne donne pas de résultats avant plusieurs semaines, voire des mois.

Collecteur fécal

Pour recueillir et contenir d'importants volumes de fèces, l'infirmière peut installer un collecteur fécal autour de la région anale. Ce sac sert, d'une part, à prévenir l'irritation et la dégradation progressives de la peau dans la région périanale et, d'autre part, à réduire le nombre de changements de literie occasionnés par l'incontinence.

Le collecteur fécal est fixé autour de l'anus et peut ou non être relié à un mécanisme d'évacuation. Il est préférable de l'installer avant que la peau de la région périnéale ne soit endommagée. Si cette peau est déjà endommagée, l'infirmière doit : (a) appliquer une crème hydrofuge pour la protéger jusqu'à ce qu'elle guérisse ; ou (b) appliquer une poudre protectrice, une protection cutanée ou un pansement hydrocolloïdal (par exemple, Duoderm), de manière à obtenir la meilleure adhérence possible.

Les responsabilités de l'infirmière auprès d'une personne qui porte un collecteur fécal sont les suivantes : (a) vérifier régulièrement l'état de la peau dans la région périnéale et en prendre note ; (b) changer le collecteur toutes les 72 heures ou plus fréquemment dans le cas de fuites ; (c) entretenir le système d'évacuation ; (d) fournir des explications et des encouragements à la personne et à ses proches.

Dans certains cas d'incontinence fécale, on peut recourir à la chirurgie pour réparer un sphincter endommagé ou installer un sphincter anal artificiel. Ce dernier se compose de trois parties : un ballonnet entourant le canal anal, une poire régulatrice de pression et une pompe rattachée au ballonnet (figure 46-16 ■). Pour déféquer, on dégonfle le ballonnet. Il se regonflera automatiquement au bout de 10 minutes.

Soins aux stomisés

Les personnes porteuses d'une stomie nécessitent des soins considérables, tant sur le plan du soutien psychologique et de l'enseignement que sur le plan physique. Cette section n'aborde que les interventions infirmières relatives à la dimension physique, c'est-à-dire l'examen des stomies, la pose de l'appareil nécessaire pour recueillir les fèces et l'établissement d'une défécation régulière par l'irrigation de la colostomie. De nombreux établissements emploient des infirmières stomothérapeutes pour assister les personnes porteuses d'une stomie.

STOMIES ET SOINS DE LA PEAU. L'entretien de la stomie et de la peau sont des aspects importants des soins donnés aux stomisés. Les matières fécales produites par colostomie ou iléostomie sont irritantes pour la peau péristomiale ; cela est particulièrement vrai dans le cas des effluents iléaux, qui contiennent des enzymes digestives. Il est donc important de vérifier l'état de la peau péristomiale chaque fois qu'on change l'appareil. Il faut traiter sur-le-champ toute irritation ou dégradation observée. On entretient la peau en la nettoyant de toute souillure et en l'asséchant complètement. On applique également une protection cutanée, comme la pâte de karaya, pour prévenir tout contact entre la peau du pourtour de la stomie et les fèces. On fixe ensuite une poche à la stomie de façon à éviter les fuites. Il est essentiel d'assécher la peau avant l'installation, faute de quoi la poche n'adhérera pas, et les effluents entreront en contact avec la peau. On trouve de nombreux systèmes pour stomies sur le marché. Tous ces appareils ont trois éléments en commun : une poche destinée à recueillir les effluents, une ouverture dans la partie inférieure pour faciliter la vidange et un support. Les poches temporaires sont en plastique transparent et sont munies d'un support à surface adhésive

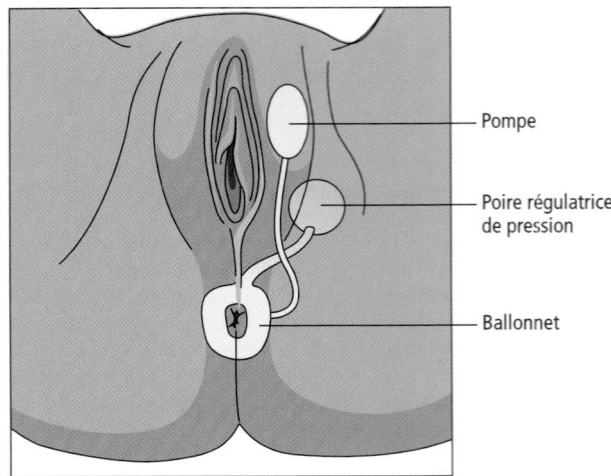

FIGURE **46-16** ■ Sphincter artificiel gonflable.

sur lequel on a pratiqué un trou aux dimensions de la stomie. Les poches permanentes, transparentes ou opaques, sont en caoutchouc ou en vinyle ; elles sont munies d'un support à anneau rigide qui se fixe autour de la stomie (figure 46-17 ■).

La maîtrise des odeurs est une dimension essentielle de l'estime de soi pour la personne stomisée. Dès qu'elle est en mesure de se déplacer, la personne peut apprendre à entretenir la stomie aux toilettes pour prévenir les odeurs dans la chambre à coucher. Pour maîtriser les odeurs, il faut choisir un appareil adéquat et le maintenir en bon état. Il faut aussi rincer minutieusement l'appareil après l'avoir vidé. On peut introduire un désodorisant dans la poche ou utiliser un appareil muni d'un filtre au charbon.

Les appareils de stomie jetables peuvent se porter pendant sept jours (il faut les vider quand ils sont pleins au tiers ou à la moitié). Ils doivent être changés dès qu'il y a une fuite d'effluents sur la peau. De nombreuses personnes préfèrent changer la poche quotidiennement ou dès qu'elle est souillée, mais cette pratique

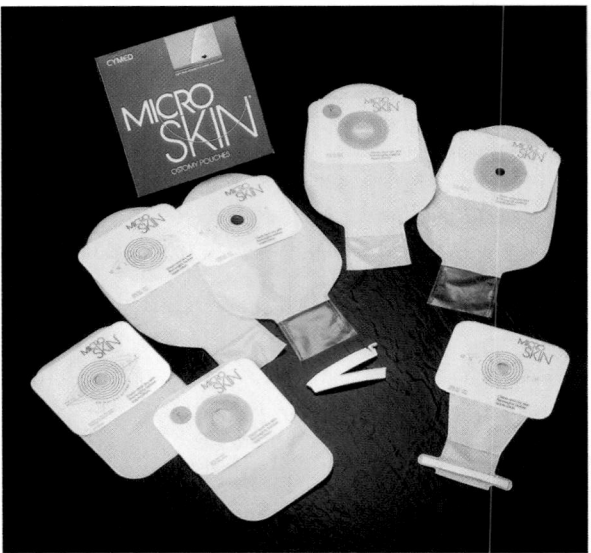

FIGURE **46-17** ■ Poches pour stomies. (Source : Cymed Ostomy Co., Berkeley, CA.)

peut mener à une perte d'intégrité de la peau péristomiale ; de plus, elle coûte cher. Il est recommandé de retirer la poche et le protecteur cutané deux fois par semaine dans le but de nettoyer la peau et de l'inspecter. Si la peau est érythémateuse, érodée, dénudée ou ulcérée, son traitement impose le changement de la poche toutes les 24 à 48 heures. On recommande un changement plus fréquent lorsque la personne se plaint de douleur ou d'inconfort. Le procédé 46-2 décrit la marche à suivre pour changer une poche pour stomie.

IRRIGATION D'UNE COLOSTOMIE. L'irrigation de la colostomie est une méthode d'entretien de la stomie, analogue au lavement, utilisée seulement par les porteurs d'une colostomie sigmoïdienne ou descendante gauche. Le but de l'irrigation est de dilater l'intestin, suffisamment pour activer le péristaltisme et stimuler, par le fait même, l'évacuation. Une fois que les habitudes d'élimination deviennent régulières, il n'est plus nécessaire pour la personne de porter une poche. À l'heure actuelle, on n'enseigne pas couramment cette méthode. La décision de procéder à ces irrigations quotidiennes appartient, en dernier ressort, à la personne concernée. Comme le procédé peut prendre jusqu'à une heure, certaines personnes préfèrent s'en tenir à un régime alimentaire strict pour arriver à maîtriser le moment de l'élimination fécale. L'irrigation doit être pratiquée tous les jours, à heure fixe. Elle nécessite une certaine maîtrise de son alimentation. Il faut s'abstenir, par exemple, de consommer des aliments laxatifs, qui pourraient provoquer une évacuation soudaine des matières fécales.

Chez la plupart des personnes, un volume relativement faible de solution (de 300 à 500 mL) suffit à favoriser l'évacuation. D'autres personnes pourront avoir à instiller jusqu'à 1 000 mL, puisqu'une colostomie n'a pas de sphincter et qu'un phénomène de refoulement a tendance à se produire à mesure que la solution est instillée. On peut atténuer ce problème en installant un entonnoir avec la sonde d'irrigation. Cet accessoire permet de maintenir les liquides dans l'intestin pendant l'irrigation.

Évaluation

Les objectifs fixés à l'étape de la planification sont évalués en fonction des résultats escomptés, définis également à cette étape. L'encadré *Diagnostics infirmiers, résultats de soins infirmiers et interventions* en fournit des exemples.

Si on n'a pas atteint les résultats escomptés, l'infirmière doit en chercher les raisons. Elle peut se poser les questions suivantes :

- L'apport liquidien et le régime alimentaire de la personne sont-ils adéquats ?
- Le niveau d'activité de la personne est-il suffisant ?
- A-t-on prescrit des médicaments modifiant la fonction gastro-intestinale ? Pourrait-il y avoir d'autres facteurs en cause ?
- La personne et ses proches ont-ils suffisamment bien compris les indications qu'on leur a données pour observer le traitement ?
- A-t-on offert le soutien physique et affectif nécessaire à la personne ?

PROCÉDÉ 46-2

Changement d'une poche pour stomie

Objectifs

- Évaluer l'état de la peau péristomiale et apporter les soins nécessaires.
- Recueillir les effluents dans le but d'en évaluer le volume et le type.

- Réduire les odeurs au minimum pour assurer le confort et l'estime de soi de la personne stomisée.

COLLECTE DES DONNÉES

Déterminez

- Le type de stomie et son emplacement sur l'abdomen. Les chirurgiens tracent souvent un diagramme quand il y a deux stomies. Si tel est le cas, il est important de vérifier laquelle des deux fonctionne.
- Le type de poche utilisé, sa taille et le protecteur cutané appliqué sur la peau, conformément au plan de soins et de traitements infirmiers.
- Toute allergie aux rubans adhésifs.

Évaluez

- La couleur de la stomie. Elle devrait être rougeâtre, semblable à la muqueuse qui tapisse l'intérieur de la joue. Les stomies d'un bleuâtre ou d'un violacé (très pâle ou très foncé) indiquent que la circulation sanguine dans la région n'est pas adéquate.
- La taille et la forme de la stomie. La plupart des stomies font légèrement saillie sur l'abdomen. Normalement, une stomie récente semble œdémateuse ; l'œdème tendra à disparaître au cours des deux ou trois semaines suivant la chirurgie, mais cela peut prendre jusqu'à six semaines. La persistance de l'œdème

peut signaler la présence d'un problème, une obstruction par exemple.
- La présence d'hémorragie gastrique. Au début, il est normal que la stomie saigne légèrement au toucher, mais on devrait signaler tout autre saignement.
- L'état de la peau péristomiale. Il faut consigner au dossier toute rougeur ou irritation de la peau péristomiale dans un rayon de 5 à 13 cm. L'apparition de rougeurs temporaires après le retrait d'un adhésif est un phénomène normal.
- Le volume et le type de fèces. Inspectez la quantité, la couleur, l'odeur et la consistance des effluents iléaux et des fèces (effluents de la colostomie). Surveillez les anomalies, notamment la présence de pus ou de sang.
- Les plaintes de la personne. Une sensation de brûlure sous la plaque peut signaler une dégradation de la peau. Déterminez s'il y a distension ou malaise abdominal.
- Les besoins de la personne et de ses proches en matière d'apprentissage des soins relatifs à la stomie et des soins personnels.
- L'état affectif de la personne, notamment ses stratégies d'adaptation à la situation.

PROCÉDÉ 46-2 (SUITE)

Changement d'une poche pour stomie (suite)

PLANIFICATION

Vérifiez l'appareillage relié à la stomie : tous les éléments nécessaires doivent être présents et en état de fonctionner normalement.

Matériel

- Gants propres
- Rasoir
- Bassin hygiénique
- Solvant (éponges préhumidifiées ou solution)
- Sac étanche (pour recueillir les poches jetables)
- Articles de nettoyage : mouchoirs de papier, eau tiède, savon doux (facultatif), débarbouillette ou tampons d'ouate, serviette

- Compresse de gaze ou mouchoir de papier
- Protection cutanée (pâte, poudre, eau ou agent d'étanchéité liquide)
- Guide de mesure des stomies
- Stylo ou crayon et ciseaux
- Poche pour stomie propre ; ceinture facultative
- Fermoir
- Ruban adhésif spécial, au besoin
- Désodorisant (liquide ou en capsule) si la poche n'est pas à l'épreuve des odeurs

INTERVENTION

Préparation

1. Déterminez s'il est nécessaire de changer la poche.
   - Vérifiez si la poche fuit. *Les fuites peuvent irriter la peau péristomiale.*
   - Demandez à la personne si elle ressent des douleurs au siège de la stomie ou dans la zone péristomiale. *Une sensation de brûlure peut signaler que la peau située sous le support se dégrade.*
   - Vérifiez si la poche est pleine. *Le poids d'une poche trop pleine peut desserrer le support et le détacher de la peau, ce qui provoquera des fuites irritantes.*

2. En cas de fuite ou de douleurs au siège de la stomie et dans la région péristomiale, changez la poche.

3. Déterminez le moment propice pour changer la poche.
   - Évitez les moments proches des repas ou des visites. *L'odeur de la stomie et des effluents peut réduire l'appétit ou embarrasser la personne.*
   - Évitez les moments qui suivent les repas ou l'administration de médicaments susceptibles de stimuler l'élimination intestinale. *Il est préférable de procéder au changement à un moment où le risque d'écoulement est moindre.*

Exécution

1. Expliquez à la personne ce que vous allez faire, pourquoi vous allez le faire et comment elle peut coopérer. Expliquez-lui aussi que les résultats serviront à planifier les soins ou les traitements. Le changement de

l'appareil ne devrait pas être douloureux, mais il peut susciter du dégoût chez la personne. Offrez-lui réconfort et soutien. Il est important d'agir avec rapidité et dextérité. Demandez de l'aide, au besoin.

2. Lavez-vous les mains, mettez des gants propres et observez les autres mesures de prévention des infections.

3. Assurez-vous que l'intimité de la personne est préservée. De préférence, exécutez le procédé dans les toilettes et montrez à la personne la marche à suivre de façon à ce qu'elle puisse changer l'appareil à la maison.

4. Installez la personne confortablement dans son lit, en position assise ou couchée, ou, de préférence, en position assise ou debout dans les toilettes. *La position couchée ou debout facilite la pose de l'appareil et évite la formation de plis.*

5. Détachez la ceinture de la personne, s'il y a lieu.

6. S'il s'agit d'une stomie bien établie, rasez la région péristomiale, s'il y a lieu.
   - Utilisez régulièrement un rasoir pour éliminer les poils superflus. *À force d'être arrachés au moment d'enlever la poche et le protecteur cutané, les follicules pileux peuvent s'irriter ou s'infecter. De plus, l'abondance de poils peut réduire l'adhérence de la poche.*

7. Videz l'appareil et enlevez-le.
   - Avant d'enlever la poche, videz son contenu par le bas dans le bassin hygiénique. *Cette mesure prévient les éclaboussures sur la peau.*

- Examinez la consistance et le volume du contenu.
- Détachez l'appareil lentement à l'aide d'une main, tout en tendant la peau avec l'autre. *Cette mesure réduit les risques de douleurs et d'écorchures de la peau.*
- S'il s'agit d'un appareil jetable, mettez-le dans un sac étanche.

8. Lavez et asséchez la peau péristomiale et la stomie.
   - Essuyez les sécrétions avec des mouchoirs de papier.
   - Nettoyez la peau et la stomie avec de l'eau tiède, du savon doux (facultatif) et une débarbouillette (figure 46-18 ■). Vérifiez les pratiques de l'établissement pour ce qui est du savon. *Il n'est pas toujours recommandé d'utiliser un savon parce qu'il peut irriter la peau.*

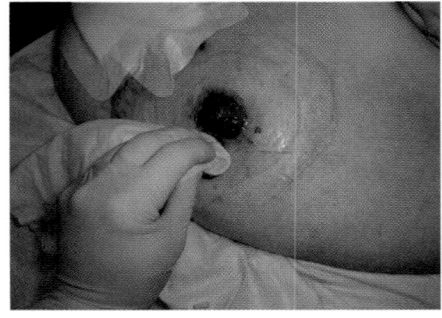

FIGURE 46-18 ■ Nettoyage de la peau. (Source : Cory Patrick Hartley, RN, San Ramon Regional Medical Center, San Ramon, Californie.)

INTERVENTION (suite)

- Utilisez un nettoyant spécial pour retirer les fèces séchées et durcies sur la peau. *Le produit émulsifie les fèces, ce qui facilite le nettoyage et prévient les lésions cutanées.*

- Avec une serviette, tapotez minutieusement la peau pour l'assécher tout à fait. *Les frottements peuvent écorcher la peau.*

9. Examinez la stomie et l'état de la peau péristomiale.

   - Vérifiez la couleur, la taille et la forme de la stomie, et observez s'il y a ou non saignement.

   - Inspectez l'état de la peau pour déceler la présence de rougeurs, d'ulcérations ou d'irritations. Il est normal que des rougeurs temporaires apparaissent après le retrait d'un adhésif.

   - Couvrez la stomie à l'aide d'une compresse de gaze et changez-la, si nécessaire. Elle absorbera les sécrétions.

10. Au besoin, appliquez d'abord une pâte protectrice.

    - Enduisez de pâte les plis abdominaux et les fossettes. *Cette mesure produit une surface lisse qui facilitera l'application du protecteur cutané et l'assujettissement de la poche.*

    - Laissez sécher la pâte pendant une minute ou deux, ou selon les indications du fabricant.

11. Préparez le protecteur cutané (solide ou liquide) et appliquez-le (de façon à garantir l'étanchéité de la poche pour stomie).

Protecteur cutané solide en forme de rondelle

- Mesurez les dimensions de la stomie à l'aide du guide (figure 46-19 ■).

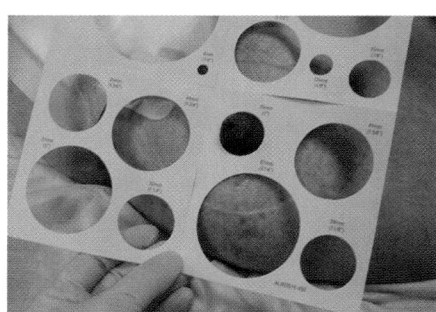

FIGURE 46-19 ■ Guide de mesure des stomies. (Source : Cory Patrick Hartley, RN, San Ramon Regional Medical Center, San Ramon, Californie.)

- Tracez un cercle de la même dimension que l'orifice de la stomie sur le dessus du protecteur cutané.

- Découpez un trou dans le protecteur cutané en suivant le tracé. L'ouverture ne devrait pas excéder le diamètre de la stomie de plus de 3 ou 4 mm. *Cet espace permet à la stomie de se dilater et limite le risque de contact entre la peau et les effluents.*

- Détachez le film protecteur pour exposer la partie adhésive.

- Centrez le protecteur cutané au-dessus de la stomie et pressez-le délicatement sur la peau en prenant soin de lisser les plis et les bulles (figure 46-20 ■).

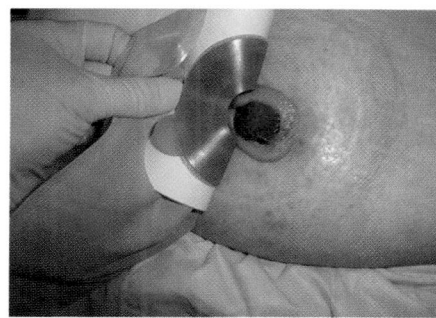

FIGURE 46-20 ■ Centrage du protecteur cutané au-dessus de la stomie. (Source : Cory Patrick Hartley, RN, San Ramon Regional Medical Center, San Ramon, Californie.)

Agent d'étanchéité sous forme liquide

Couvrez la stomie avec une compresse de gaze. *Cette mesure prévient tout contact entre la stomie et le produit.*

Appliquez le produit uniformément sur le pourtour de la stomie, de façon à obtenir une fine couche de revêtement plastique.

Laissez sécher le produit jusqu'à ce qu'il ne soit plus collant au toucher.

12. Si la stomie est de forme irrégulière, enduisez toute la peau exposée sur le pourtour.

    - Appliquez de la pâte sur les parties exposées. Si la peau est excoriée, utilisez un produit sans alcool. *L'alcool peut provoquer une sensation de piqûre ou de brûlure.*

    ou

    - Saupoudrez de la poudre péristomiale sur la peau, essuyez l'excédent et tamponnez la poudre avec une gaze légèrement humide ou avec un applicateur imbibé de protecteur cutané liquide. *Cette action sert à*

créer une protection ou un joint étanche.

13. Préparez l'appareil et installez-le.

    - Retirez la compresse de gaze posée sur la stomie avant d'installer la poche.

Poche jetable munie d'un support adhésif

- Si l'appareil ne possède pas d'ouverture prédécoupée, tracez un cercle de 3 à 4 mm plus grand que le diamètre de la stomie sur le dessus du support adhésif. *On pratique une ouverture un peu plus grande que l'orifice de la stomie dans le but de prévenir les frottements, les éraflures ou les blessures.*

- Découpez un trou dans le support adhésif. Prenez garde d'abîmer la poche (figure 46-21 ■).

- Détachez le film protecteur.

- Centrez l'orifice de la poche au-dessus de la stomie et appliquez-la directement sur le protecteur cutané (figure 46-22 ■).

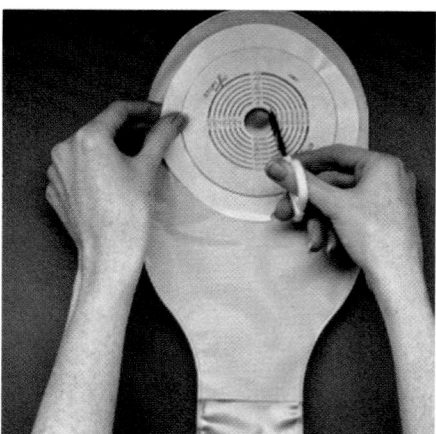

FIGURE 46-21 ■ Découpage du support adhésif. (Source : ConvaTec, une entreprise de Bristol-Myers Squibb.)

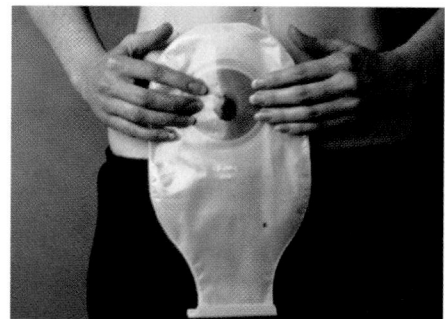

FIGURE 46-22 ■ Installation d'une poche jetable. (Source : ConvaTec, une entreprise de Bristol-Myers Squibb.)

PROCÉDÉ 46-2 (SUITE)

Changement d'une poche pour stomie (suite)

INTERVENTION (suite)

- Pressez délicatement le support adhésif sur la peau et lissez les plis qui pourraient se former, de la stomie vers l'extérieur. *Les plis favorisent les fuites, qui peuvent irriter la peau ou salir les vêtements.*
- Retirez l'air de la poche. *Cela permet d'aplatir la poche contre l'abdomen.*
- Placez un désodorisant dans la poche (facultatif).
- Fermez la poche en la retournant sur elle-même à quelques reprises et en appliquant ensuite la pince de rétention: enroulez le bord inférieur, repliez-le sur la longueur et fixez le fermoir.

Poche réutilisable à support intégré

- Selon l'appareil utilisé, appliquez une colle ou un disque adhésif à double face sur le support. Suivez les indications du fabricant.
- Appliquez fermement la surface adhésive à la peau péristomiale.
- Si la poche n'est pas à l'épreuve des odeurs, placez-y un désodorisant. La plupart des poches filtrent les odeurs.
- Fermez l'extrémité de la poche avec le fermoir prévu à cet effet.
- Attachez la ceinture et ajustez-la autour de la taille de la personne (facultatif).

Variante: application d'une poche réutilisable à support détachable

Certaines infirmières recommandent l'application d'un agent d'étanchéité (par exemple, Skin Prep) sur le support avant de coller le disque adhésif. Cette mesure facilite le retrait du disque adhésif.

- Détachez le film protecteur sur l'un des côtés du disque adhésif à double face.
- Appliquez la surface collante à l'endos du support.
- Détachez le film protecteur de l'autre côté du support.
- Centrez le support au-dessus de la stomie et du protecteur cutané, puis appliquez-le sur la peau en le maintenant en place pendant quelques minutes pour créer un joint étanche.
- Pressez sur le pourtour du disque adhésif.
- Fixez le support sur l'abdomen à l'aide de quatre ou huit bandes de

ruban adhésif hypoallergène de 7,5 cm de longueur. Disposez ces bandes autour de la collerette de manière à l'«encadrer»; appliquez une bande de chaque côté, une au-dessus et une au-dessous (figure 46-23 ■). On peut ensuite appliquer les autres bandes en diagonale, par-dessus les autres, pour créer un joint étanche.

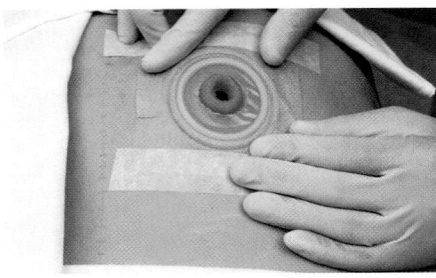

FIGURE 46-23 ■ Fixation du support sur l'abdomen.

- Étirez l'ouverture placée à l'arrière de la poche et placez-la au-dessus du support. Appliquez-la délicatement sur la collerette du support.
- Placez l'anneau entre la poche et la collerette (figure 46-24 ■) pour fixer la poche solidement.
- Fermez l'extrémité inférieure de la poche avec le fermoir prévu à cet effet.
- Attachez la ceinture de la poche et ajustez-la autour de la taille (facultatif).

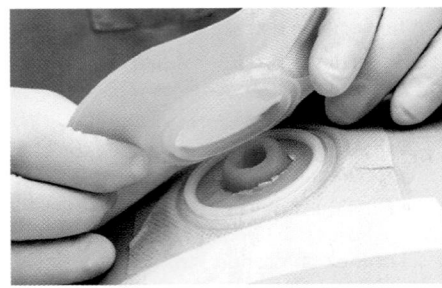

FIGURE 46-24 ■ Fixation de la poche sur le support.

14. Jetez le matériel utilisé ou nettoyez le matériel réutilisable.
    - Placez l'appareil jetable dans un sac en plastique avant de le jeter dans le récipient à déchets.

- Si les fèces sont liquides, mesurez-en le volume. Observez leur aspect, leur consistance et leur couleur avant de les jeter dans les toilettes.
- Lavez les poches réutilisables à l'eau froide avec un savon doux, rincez-les et asséchez-les.
- Laver les ceintures souillées à l'eau chaude avec un savon doux, rincez-les et asséchez-les.
- Retirez les gants et jetez-les.

Variante: application d'un système «une pièce»

Si on utilise un protecteur cutané en forme de rondelle, on peut appliquer le protecteur et le support en une seule opération. *Cette méthode est plus rapide et on estime qu'elle limite la formation de plis. Elle est aussi plus facile à suivre pour le stomisé, qui pourra procéder seul au changement.*

- Mesurez les dimensions de la stomie, tracez un cercle à l'endos du protecteur cutané et découpez un trou.
- Préparez le support en découpant une ouverture plus grande que la stomie de 3 à 4 mm; détachez le film protecteur de la surface adhésive.
- Centrez l'ouverture de la poche au-dessus de la protection cutanée.
- Détachez le film protecteur pour exposer la surface adhésive.
- Centrez la protection cutanée, appliquez-la au-dessus de la stomie et pressez-la contre la peau.

15. Consignez le procédé au dossier de la personne, à l'aide d'un formulaire ou d'une liste de vérification accompagnée, le cas échéant, de commentaires. Indiquez les résultats de l'examen clinique et des interventions réalisées. Signalez l'augmentation des dimensions de la stomie, les changements de couleur indiquant un problème circulatoire et les cas d'irritation ou d'érosion cutanée. Notez les détails sur les anomalies de la coloration de la stomie, l'apparence de la peau péristomiale, le volume des écoulements et leur apparence, les réactions de la personne pendant le procédé, son degré d'expérience et les habiletés qu'elle a acquises.

ÉVALUATION

- Évaluez les résultats à la lumière des observations précédentes, le cas échéant. Adaptez le plan d'enseignement et le plan de soins et de traitements infirmiers en conséquence. Indiquez le matériel utilisé et la marche à suivre dans le plan d'enseignement. Des interventions infirmières méthodiques facilitent l'apprentissage à la personne concernée.

- Effectuez un suivi détaillé en tenant compte des écarts par rapport aux résultats escomptés ou jugés normaux pour la personne concernée. Signalez tout écart significatif au médecin.

SOINS À DOMICILE

Changer un appareil pour stomie

- Fournir les informations nécessaires afin qu'une infirmière des soins à domicile assure le suivi.
- Indiquer les signes à surveiller et à signaler à un professionnel de la santé (par exemple, rougeurs dans la région péristomiale, dégradation de la peau et changement de la couleur de la stomie).
- Fournir à la personne et à ses proches toutes les indications nécessaires sur l'entretien de la stomie et de l'appareil pendant les déplacements.

- Enseigner à la personne et à ses proches les mesures de prévention des infections, notamment pour se débarrasser des poches usagées. En effet, on ne peut pas jeter ces poches dans les toilettes.
- Les jeunes pourraient exprimer certaines inquiétudes relativement à l'odeur et à l'apparence. Leur donner des renseignements sur les soins pour stomisés et sur les groupes de soutien. Une rencontre avec une personne porteuse d'une stomie et ayant vécu des circonstances semblables pourrait s'avérer utile.

PLAN DE SOINS ET DE TRAITEMENTS INFIRMIERS

Anomalie de l'élimination intestinale

COLLECTE DES DONNÉES		*DIAGNOSTIC INFIRMIER*	RÉSULTATS DE SOINS INFIRMIERS [Nº CRSI/NOC] ET INDICATEURS*
Anamnèse Mme Émilie Brodeur, âgée de 78 ans, est veuve depuis 10 mois. Elle vit dans une résidence pour personnes âgées. Ses deux enfants ont chacun leur famille et vivent dans une ville située à environ 150 km. Mme Brodeur a toujours pris plaisir à faire la cuisine pour les siens; maintenant qu'elle vit en résidence, elle ne cuisine plus, si bien qu'elle a acquis des habitudes irrégulières et a tendance à se contenter de soupes et de sandwichs. Elle fait peu d'exercice et, depuis la mort de son conjoint, elle connaît des épisodes d'insomnie. Depuis un mois, Mme Brodeur souffre de constipation. Elle dit aller à la selle tous les trois ou quatre jours; ses fèces sont dures et leur évacuation est douloureuse. Mme Brodeur décide d'assister au « Festival de la santé » organisé par le personnel de la résidence et de parler de son problème à une infirmière.	**Examen physique** Taille : 1,62 m (5 pi 4 po) Poids : 65 kg (143 lb) Température : 36,2 °C Fréquence cardiaque : 82 BPM Respirations : 16/minute Pression artérielle : 128/74 mm Hg Bruits intestinaux actifs, abdomen légèrement distendu **Examens paracliniques** Formule sanguine complète : hémoglobine 108 g/L Examen des urines négatif	*Constipation,* reliée à une alimentation pauvre en fibres et à l'inactivité (manifestée par l'émission de selles peu fréquentes et dures; une défécation douloureuse; une distension abdominale).	Élimination intestinale [0501], manifestée par : • Défécation facile • Ingestion suffisante de fibres • Exercices physiques suffisants

PLAN DE SOINS ET DE TRAITEMENTS INFIRMIERS (SUITE)

Anomalie de l'élimination intestinale (suite)

INTERVENTIONS INFIRMIÈRES [N° CISI/NIC] ET ACTIVITÉS CHOISIES*	JUSTIFICATION SCIENTIFIQUE
Conduite à tenir en présence de constipation ou d'un fécalome [0450]	
• Déterminer les facteurs (par exemple, médicaments, repos au lit, diète) susceptibles de causer ou d'aggraver la constipation.	*Évaluer les facteurs en cause constitue une première étape essentielle dans l'enseignement et la planification d'un programme visant à améliorer l'élimination intestinale.*
• Conseiller à la personne d'augmenter l'absorption de liquides à moins de contre-indications.	*Pour que les selles aient une bonne consistance, l'apport liquidien doit être adéquat, de façon à ce que l'intestin puisse absorber les liquides en quantité suffisante.*
• Évaluer les effets secondaires possibles de la médication sur le système gastro-intestinal.	*La constipation est un effet secondaire connu de nombreux médicaments, dont les opioïdes et les antiacides.*
• Montrer à Mme Brodeur comment tenir un journal nutritionnel.	*Évaluer l'alimentation de Mme Brodeur permettra de déterminer si le régime de cette dernière est équilibré et si elle consomme un volume suffisant de liquides et de fibres. Une alimentation trop riche en viande ou en aliments raffinés produit des fèces dures et petites.*
• Recommander à Mme Brodeur une alimentation riche en fibres, le cas échéant.	*Les fibres absorbent l'eau, ce qui augmente la masse fécale, la ramollit et accélère son transit dans les intestins.*
• Enseigner à Mme Brodeur la relation entre le régime alimentaire, l'exercice, l'apport liquidien et la constipation ou l'occlusion intestinale.	*Si elles sont consommées sans apport d'eau suffisant, les fibres peuvent entraver et non pas améliorer la fonction intestinale.*
Incitation à faire de l'exercice [0200]	
• Encourager la personne à exprimer ses sentiments face à l'exercice ou à ses besoins d'exercice.	*Les perceptions relatives à la nécessité de faire de l'exercice sont parfois influencées par des idées fausses, des croyances culturelles et sociales, des peurs ou l'âge.*
• Aider la personne à choisir un modèle afin de poursuivre un programme d'exercices.	*Les personnes ayant réussi à adopter un programme d'exercice pourraient être une source de motivation pour Mme Brodeur. La présence d'une compagne ou d'un compagnon de marche pourrait lui être bénéfique.*
• Informer sur les bienfaits pour la santé et sur les effets physiologiques de l'exercice.	*L'activité a un effet sur l'élimination intestinale car elle améliore le tonus musculaire et stimule le péristaltisme.*
• Renseigner Mme Brodeur sur les différents types d'exercices adaptés à son état de santé, en collaboration avec le médecin et le physiothérapeute.	*Une personne qui entreprend un programme d'exercice devrait préalablement consulter un médecin pour faire évaluer sa fonction cardiaque. Il faudra tenir compte de l'âge et des habitudes sédentaires de Mme Brodeur au moment de déterminer le niveau d'activité qui lui convient.*
• Aider Mme Brodeur à se fixer des objectifs à court et à long termes en ce qui a trait à son programme d'exercices.	*Fixer des objectifs réalistes oriente la personne dans la bonne direction et la motive.*

ÉVALUATION

Les résultats escomptés n'ont pas été atteints. Mme Brodeur tient un journal alimentaire et reconnaît la nécessité d'augmenter sa consommation de liquides et de fibres; toutefois, elle n'a pas mis ce principe en application de manière systématique. Elle a entrepris un programme de marche avec une voisine, mais elle n'arrive à marcher que pendant des périodes de 10 minutes consécutives, 2 fois par semaine. Elle précise que ses dernières selles remontent à trois jours.

* Les résultats escomptés, interventions et activités présentés ici sont simplement des exemples de ceux qui sont proposés par les systèmes CRSI/NOC et CISI/NIC. Ils doivent être personnalisés en fonction du cas de chaque personne.

EXERCICES D'INTÉGRATION

1. Vous apprenez que les selles de Mme Brodeur sont liquides et très peu abondantes et qu'elles se produisent à intervalles irréguliers, habituellement au moment où Mme Brodeur éprouve le besoin de déféquer. Quelles autres données devez-vous obtenir auprès de Mme Brodeur ?

2. Avant de donner à Mme Brodeur des conseils sur les mesures à prendre pour corriger ou prévenir le problème, quelle intervention infirmière serait-il indiqué d'effectuer ?

3. Quelles suggestions pourriez-vous faire à Mme Brodeur pour l'aider à conserver des habitudes d'élimination régulières ?

4. Expliquez les raisons pour lesquelles l'usage de purgatifs et d'antiacides est généralement contre-indiqué dans un cas comme celui de Mme Brodeur.

Voir l'appendice A: Exercices d'intégration – Pistes de réflexion.

SCHÉMA DU PLAN DE SOINS ET DE TRAITEMENTS INFIRMIERS

Anomalie de l'élimination intestinale

E. B.
78 ans, ♀

- Veuve depuis peu. Vit seule. Signale avoir des selles dures et douloureuses q 3-4 jours depuis un mois. Alimentation irrégulière.

- Taille : 1,62 m (5 pi 4 po)
- Poids : 65 kg (143 lb)
- Température : 36,2 °C
- Fréquence cardiaque : 82 BPM
- Respirations : 16/min

- Pression artérielle : 128/74 mm Hg
- Bruits intestinaux actifs, abdomen légèrement distendu
- Formule sanguine complète : Hb 108 g/L
- Examen des urines négatif

Constipation, reliée à une alimentation pauvre en fibres et à l'inactivité (manifestée par l'émission de selles peu fréquentes, dures ; défécation douloureuse ; distension abdominale)

Élimination intestinale, manifestée par :
- Défécation facile
- Ingestion suffisante de fibres
- Exercices physiques suffisants

Conduite à tenir en présence de constipation ou d'un fécalome

Incitation à faire de l'exercice

Conseiller à la personne d'augmenter l'absorption de liquides à moins de contre-indications.

Déterminer les facteurs (par exemple, médicaments, repos au lit, diète) susceptibles de causer ou d'aggraver la constipation.

Enseigner à Mme Brodeur la relation entre le régime alimentaire, l'exercice, l'apport liquidien et la constipation ou l'occlusion intestinale.

Évaluer les effets secondaires possibles de la médication sur le système gastro-intestinal.

Recommander à Mme Brodeur une alimentation riche en fibres, le cas échéant.

Montrer à Mme Brodeur comment tenir un journal nutritionnel.

Aider la personne à choisir un modèle afin de poursuivre un programme d'exercices.

Encourager la personne à exprimer ses sentiments face à l'exercice ou à ses besoins d'exercice.

Renseigner Mme Brodeur sur les différents types d'exercices adaptés à son état de santé, en collaboration avec le médecin et le physiothérapeute.

Aider Mme Brodeur à se fixer des objectifs à court et à long termes en ce qui a trait à son programme d'exercices.

Informer sur les bienfaits pour la santé et sur les effets physiologiques de l'exercice.

Résultats escomptés non atteints
- Mme Brodeur tient un journal alimentaire et reconnaît la nécessité d'augmenter sa consommation de liquides et de fibres ; toutefois, elle n'a pas observé ce principe de manière systématique.
- Elle a entrepris un programme de marche avec une voisine mais n'arrive à marcher que pendant des périodes de 10 minutes consécutives, 2 fois par semaine.
- Elle signale que ses dernières selles remontent à trois jours.

Légende : Collecte des données ☐ Diagnostic infirmier ☐ Résultats de soins infirmiers ☐ Interventions infirmières ☐ Activités ☐ Évaluation ☐

RÉVISION DU CHAPITRE

Concepts clés

- Le gros intestin a pour fonctions essentielles d'évacuer les déchets de la digestion et de préserver l'équilibre liquidien.

- Le mode d'élimination intestinale varie grandement d'une personne à l'autre, mais l'évacuation régulière de fèces moulées et molles est un facteur essentiel de la santé et de la sensation de bien-être.

- Un ensemble de facteurs influent sur la défécation : niveau de développement, régime alimentaire, apport liquidien, niveau d'activité et exercice, facteurs psychologiques, régularité de la défécation, médicaments, examens para-cliniques, anesthésie et affections.

- Certaines mesures favorisent l'élimination, tant chez une personne malade que chez une personne en bonne santé : préserver l'intimité, indiquer qu'il faut réagir promptement à l'envie de déféquer, faciliter l'installation de la personne en position assise lorsque c'est possible, préconiser la consommation d'aliments et de liquides appropriés, et planifier un programme d'exercice.

- La constipation, la diarrhée, l'incontinence fécale et la flatulence comptent parmi les problèmes courants d'élimination intestinale. Chaque problème a des caractéristiques déterminantes et des causes très souvent associées aux facteurs qui influent sur la défécation ou identiques à ces facteurs.

- Le manque d'exercice, l'irrégularité de l'élimination, un régime alimentaire peu varié et la surconsommation de laxatifs sont autant de facteurs qui contribuent à la consti-pation. Pour que les fèces restent molles, il faut consommer des liquides et des fibres en quantité suffisante.

- La constipation peut nécessiter des efforts intenses et prolongés pour déféquer, pendant lesquels la personne concernée effectue parfois la manœuvre de Valsalva. Cette action entraîne parfois des problèmes cardiaques.

- Une diarrhée persistante peut causer un déséquilibre hydroélectrolytique.

- La collecte des données relatives à l'élimination intestinale comprend l'anamnèse, l'examen physique de l'abdomen, du rectum et de l'anus ainsi que, dans certains cas, un examen attentif et l'analyse des fèces en vue de déceler la présence d'anomalies, comme la présence de sang.

- L'anamnèse comprend les éléments suivants : les habitudes d'élimination de la personne ; la description des fèces et des changements les concernant ; les problèmes d'élimina-tion ; les données sur les facteurs susceptibles d'avoir un effet sur l'élimination.

- Quand elle inspecte les fèces, l'infirmière doit examiner la couleur, la consistance, la forme, le volume, l'odeur et la présence de composants anormaux.

- L'un des rôles de l'infirmière consiste à aider la personne à observer les indications relatives à l'alimentation et à l'élimination avant un examen endoscopique ou radio-graphique du gros intestin.

- Les diagnostics infirmiers approuvés par NANDA qui se rapportent de manière spécifique à l'élimination intestinale sont les suivants : *Risque de constipation, Constipation, Pseudo-constipation, Diarrhée* et *Incontinence fécale*. Toutefois, comme une modification des habitudes d'élimination peut avoir des effets sur d'autres fonctions physiologiques, les diagnostics suivants peuvent aussi s'appliquer : *Risque de déficit de volume liquidien, Risque de diminuation situationnelle de l'estime de soi, Risque d'atteinte à l'intégrité de la peau, Connaissances insuf-fisantes* et *Anxiété*.

- Parmi les stratégies infirmières, on compte les suivantes : l'administration de laxatifs et d'antidiarrhéiques ; l'administration de lavements évacuateurs, antiflatulents ou de rétention ; l'insertion d'une sonde rectale pour réduire la flatulence ; l'application d'agents de protection cutanée ; le suivi de l'équilibre des liquides et des électrolytes ; l'enseignement de méthodes propices à la défécation.

- Le retrait manuel d'un fécalome doit être effectué avec délicatesse en raison du risque de stimulation du nerf vague et de la diminution de la fréquence cardiaque que cette stimulation peut entraîner.

- Une personne porteuse d'une stomie a besoin de soins particuliers sur le plan de l'adaptation psychologique, de l'alimentation ainsi que de l'entretien de la stomie et de la peau. Il y a diverses méthodes d'entretien des stomies, selon le type de stomie et son emplacement.

Questions de révision

46-1. On doit enseigner que la répression répétée de l'envie de déféquer peut provoquer :

    a) la constipation.

    b) la diarrhée.

    c) l'incontinence.

    d) la formation d'hémorroïdes.

46-2. Une personne âgée sujette à la constipation s'adresse à une infirmière. Parmi les affirmations suivantes de cette personne, laquelle confirme le besoin de pour-suivre l'enseignement ?

    a) « Il faut boire entre 1,5 et 2 L de liquide par jour. »

    b) « Si je ne vais pas à la selle pendant 24 heures d'affilée, je devrais prendre un laxatif, comme du lait de magnésie. »

    c) « Si je constate que mes habitudes d'élimination se modifient, je devrais vous le signaler. »

    d) « Prendre mes repas à heure fixe augmente mes chances d'avoir des selles régulières. »

46-3. Une personne doit subir une sigmoïdoscopie qui permettra d'examiner son anus, son rectum et son

Questions de révision (suite)

côlon sigmoïde. Quel type de lavement l'infirmière doit-elle s'attendre à administrer à la personne pour la préparer à cet examen ?

a) Un lavement huileux.

b) Un lavement haut à volume élevé.

c) Un lavement bas à faible volume.

46-4. Une infirmière fait l'examen d'une colostomie bien établie. Dans quel cas doit-elle signaler la présence d'une anomalie ?

a) Elle observe que la stomie fait saillie sur 1 cm par rapport à l'abdomen.

b) Elle observe que la peau sous l'appareil a une apparence rougeâtre peu de temps après avoir retiré l'appareil.

c) Elle observe que la stomie a une couleur rouge pourpre prononcée.

d) Elle observe que la colostomie, de type ascendant, entraîne des fèces liquides.

46-5. Une personne a la diarrhée. On attribue cette affection à l'administration d'un antibiotique pour traiter une infection des voies respiratoires supérieures. Lequel des objectifs suivants faut-il s'efforcer d'atteindre ?

a) La personne devra porter un bracelet Medic-Alert indiquant qu'elle est allergique aux antibiotiques.

b) La personne devra retrouver des habitudes d'élimination semblables à celles qu'elle avait auparavant.

c) La personne devra exprimer la nécessité de prendre un antidiarrhéique toutes les quatre heures, sans interruption.

d) La personne devra exprimer la nécessité d'augmenter la teneur en fibres insolubles dans son alimentation en consommant, par exemple, des céréales.

BIBLIOGRAPHIE

En anglais

Addison, R., Ness, W., Abulafi, M., & Swift, I. (2000). How to administer enemas and suppositories. *Nursing Times, 96*(6), 3–4.

Annells, M., & Koch, T. (2002). Faecal impaction: Older people's experiences and nursing practice. *British Journal of Community Nursing, 7*(3), 118, 120–122, 124–126.

Anonymous. (2000). Quick reference guide 13: Protocols for stoma care. *Nursing Standard, 14*(20), insert 2p.

Arnold, M. (2002). Ostomy care. *Advance for Providers of Post-Acute Care, 5*(2), 18–19.

Ball, E. M. (2000). A teaching guide for continent ileostomy. *RN, 63*(12), 35–36, 38, 40.

Butler, M. (1998). Laxatives and rectal preparations. *Nursing Times, 94*(3), 56–58.

Fries, C. F. (1999). Wound care: Managing an ostomy. *Nursing, 29*(8), 26.

Hinrichs, M. D., & Huseboe, J. (2001). Research-based protocol: Management of constipation. *Journal of Gerontological Nursing, 27*(2), 17–28.

Johnson, M., Maas, M., & Moorhead, S. (Eds.). (2000). *Nursing outcomes classification (NOC)* (2nd ed.). St. Louis, MO: Mosby.

Kenny, K. A., & Skelly, J. M. (2001). Dietary fiber for constipation in older adults: A systematic review. *Clinical Effectiveness in Nursing, 5*(3), 120–128.

Koch, T., & Hudson, S. (2000). Older people and laxative use: Literature review and pilot study report. *Journal of Clinical Nursing, 9,* 516–525.

McCloskey, J. C., & Bulechek, G. M. (Eds.). (2000). *Nursing interventions classification (NIC)* (3rd ed.). St. Louis, MO: Mosby.

Moppett, S. (1999). Practical procedures for nurses: Administration of an enema. *Nursing Times, 95*(22), insert 2p.

NANDA International. (2003). *NANDA nursing diagnoses: Definitions and classification 2003-2004.* Philadelphia: Author.

Nyam, D. C. N. K. (2000). Fecal incontinence: Hope for an underdiagnosed condition. *Singapore Medical Journal, 41*(4), 188–192.

O'Brien, B. K. (1999). Coming of age with an ostomy: Life with a stoma may be especially difficult for teens. *American Journal of Nursing, 99*(8), 71–74, 76.

Plaisance, L., & Ellis, J. A. (2002). Opioid-induced constipation. *American Journal of Nursing, 102*(3), 72–73.

Ross, H. (1998). Constipation: Cause and control in an acute hospital setting. *British Journal of Nursing, 7,* 907–913.

Schmelzer, M., Case, P., Chappell, S. M., & Wright, K. B. (2000). Colonic cleansing, fluid absorption, and discomfort following tap water and soapsuds enemas. *Applied Nursing Research, 13,* 83–91.

Selig, H., & Boyle, J. (2001). Bowel care and maintenance in long-term care. *Canadian Nurse, 97*(8), 28–33.

Thompson, J. (2000). A practical ostomy guide. *RN, 63*(11), 61–64, 66, 68, 71–73.

Vaccari, J. A. (1998). Making it easy for patients to clean colostomy pouches. …This practice may actually harm patients. *RN, 61*(12), 9–10.

En français

Bertinotti, C. (1998). Technique de colostomie latérale sur baguette sous-cutanée, *Journal de chirurgie, 135*(5) 158-162.

Dancygier, H. (2000). *Mémento de gastroentérologie et hépatologie,* Paris: Maloine.

Guyot, M. (2004). La clinique infirmière, une réalité en devenir – La consultation infirmière en stomathérapie, un chemin d'expertise clinique, *Soins, Revue de référence, 684,* 52-54.

Johnson, M. et Maas, M. (dir.). (1999). *Classification des résultats de soins infirmiers CRSI/NOC,* Paris: Masson.

Mallay, D. (1999). *Gastro-entérologie-hépatologie,* Paris: Estem.

McCloskey, J. C. et Bulechek, G. M. (dir.). (2000). *Classification des interventions de soins infirmiers CISI/NIC,* Paris: Masson.

Montandon, S., Guyot, M. et Degarat, F. (1986). *La stomathérapie,* Paris: Le Centurion.

Montandon, S., Guyot, M. et Valois, M.-F. (2003). Les guides des bonnes pratiques en stomathérapie, *Journal d'économie médicale, 21*(7,8)

NANDA International. (2004). *Diagnostics infirmiers: Définitions et classification 2003-2004,* Paris: Masson.

Rioufol, M.-O. (2001). Soins et actions de prévention: prévention de la constipation, *Soins, 657,* p. 57-59.

RESSOURCES ET SITES WEB

Association canadienne pour la stomathérapie (CAET). <http://www.caet.ca>.

Association d'iléostomie et de colostomie de Montréal (AICM). 5151, boulevard de l'Assomption, Montréal (Québec), H1T 4A9. Téléphone: (514) 255-3041. Télécopieur: (514) 645-5464. <jean-pierre.lapointe@ sympatico.ca>.

OBJECTIFS D'APPRENTISSAGE

Après avoir étudié ce chapitre, vous pourrez :

- Décrire le processus de l'élimination urinaire, depuis la production de l'urine jusqu'à la miction.

- Définir les facteurs qui influent sur l'élimination urinaire.

- Déterminer les causes courantes de certaines particularités de l'élimination urinaire.

- Décrire les étapes de la collecte et de l'analyse des données subjectives et objectives.

- Décrire les caractéristiques et les composants normaux et anormaux de l'urine.

- Définir des diagnostics infirmiers, des résultats escomptés et des interventions relativement à l'élimination urinaire.

- Définir les mesures à prendre pour prévenir les infections urinaires.

- Expliquer les soins qu'il faut donner aux personnes portant une sonde à demeure.

CHAPITRE

47

ÉLIMINATION URINAIRE

Adaptation française :
Sophie Longpré, inf., M.Sc.
Professeure, Département
des sciences infirmières
Université du Québec
à Trois-Rivières

L'élimination urinaire est un phénomène qui semble aller de soi pour la plupart des personnes. Souvent, nous ne prenons conscience de nos habitudes à cet égard que lorsqu'un problème survient et que des symptômes se manifestent.

Les pratiques de chacun en matière d'élimination urinaire dépendent de la culture, des habitudes personnelles et des capacités physiques. En Amérique du Nord, la plupart des personnes ont l'habitude d'uriner dans un endroit intime et propre (voire bien décoré).

Le choix du moment approprié pour uriner, l'accès à des installations convenables et propres, et l'apprentissage de la propreté constituent autant de facteurs qui influent sur les habitudes personnelles de miction. L'élimination urinaire est une fonction essentielle pour la santé ; le réflexe de miction ne peut être différé que durant un certain temps, jusqu'au moment où le besoin d'uriner devient irrépressible.

Physiologie de l'élimination urinaire

L'élimination urinaire repose sur le bon fonctionnement du système urinaire, qui comprend les deux reins, les deux uretères, la vessie et l'urètre (figure 47-1 ■).

Reins

Les reins, au nombre de deux, se situent de part et d'autre de la colonne vertébrale, derrière la cavité péritonéale. Ils constituent les principaux régulateurs des liquides et de l'équilibre acidobasique dans l'organisme. Les unités fonctionnelles du rein, les néphrons, filtrent le sang et le débarrassent des déchets métaboliques. Chez l'adulte moyen, 1 200 mL de sang par minute traversent les reins, c'est-à-dire 21 % du débit cardiaque. Chaque rein renferme environ un million de néphrons, et chaque néphron comporte un réseau de capillaires enchevêtrés appelé **glomérule**, qui est entouré d'une capsule glomérulaire (capsule de Bowman), et un **tubule** (figure 47-2 ■). L'endothélium des capillaires glomérulaires est poreux, ce qui permet aux liquides et aux solutés (comme les électrolytes) de passer plus facilement à travers la membrane, vers la capsule. En revanche, les protéines plasmatiques, les globules rouges et les plaquettes ne peuvent normalement pas traverser cette paroi, étant trop gros. Le filtrat glomérulaire ressemble au plasma : il se compose d'eau, d'électrolytes, de glucose, d'acides aminés et de déchets métaboliques.

Le filtrat passe de la capsule glomérulaire au tubule du néphron. L'eau et les électrolytes sont en grande partie réabsorbés dans le tubule contourné proximal, tandis que les solutés comme le glucose sont réabsorbés dans l'anse du néphron (anse de Henlé). Cependant, dans cette même région, d'autres substances sont sécrétées dans le filtrat, ce qui concentre l'urine. Dans le tubule contourné distal, l'action de certaines hormones, comme l'hormone antidiurétique (ADH) et l'aldostérone, régule la réabsorption d'eau et de sodium. Cette réabsorption contrôlée assure minutieusement l'équilibre des liquides et des électrolytes dans l'organisme. Ainsi, lorsque l'apport liquidien est faible ou que la concentration de solutés dans le sang est élevée, l'hypophyse libère de l'ADH, et une plus grande quantité d'eau est réabsorbée dans le tubule distal, ce qui diminue la quantité d'urine produite. En revanche, quand

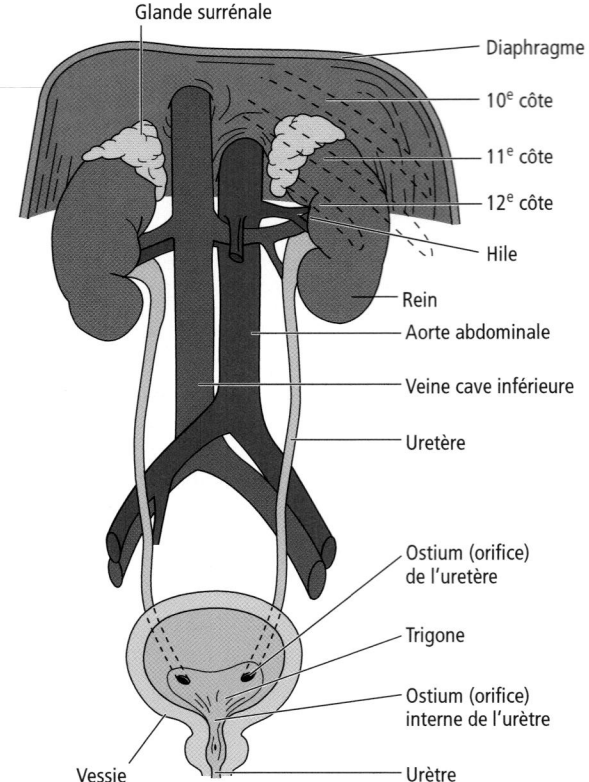

FIGURE 47-1 ■ Structure anatomique des voies urinaires.

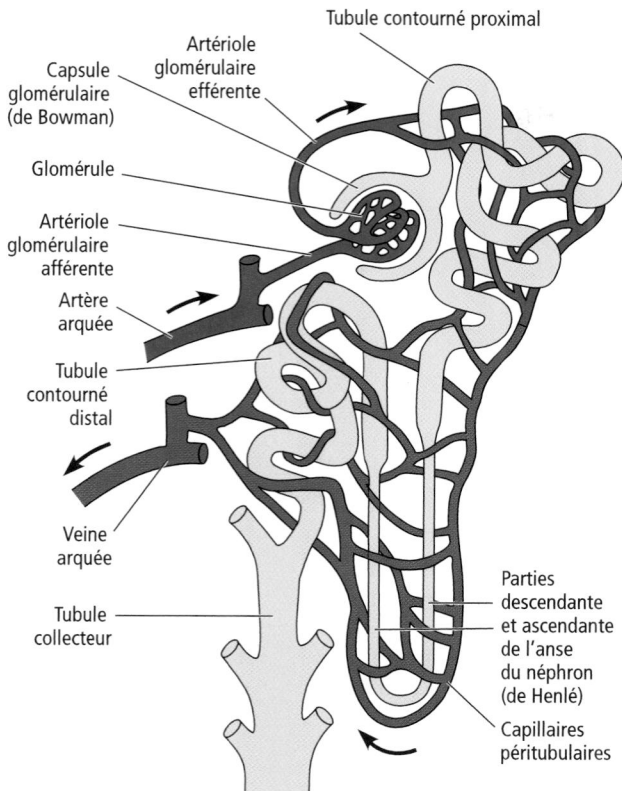

FIGURE **47-2** ■ Les néphrons du rein se composent de six parties : glomérule, capsule glomérulaire (de Bowman), tubule contourné proximal, anse du néphron (de Henlé), tubule contourné distal et tubule collecteur.

l'apport liquidien est élevé ou que la concentration de solutés dans le sang est faible, la production d'ADH est inhibée. En l'absence d'ADH, le tubule distal devient imperméable à l'eau, et la quantité d'urine produite augmente. L'aldostérone agit aussi sur le tubule distal ; lorsque la corticosurrénale la sécrète, par exemple en réaction à la déshydratation, les quantités réabsorbées de sodium et d'eau s'accroissent, ce qui fait augmenter le volume sanguin et réduit la quantité d'urine produite.

Uretères

L'urine que produisent les reins traverse les tubules collecteurs vers les calices du bassinet du rein et, de là, vers les uretères. Chez l'adulte, les uretères mesurent de 25 à 30 cm de long et environ 1,25 cm de diamètre. L'extrémité supérieure de chaque uretère a la forme d'un entonnoir à l'endroit où elle s'abouche au rein. L'autre extrémité s'abouche à la vessie, à l'un ou l'autre des sommets postérieurs du plancher de celle-ci (voir la figure 47-1). Au point d'intersection entre l'uretère et la vessie, une muqueuse semblable à un rabat joue le rôle de valve ; elle empêche le **reflux** de l'urine dans les uretères.

Vessie

La vessie est un organe musculaire creux ayant pour fonction de recueillir l'urine et de l'excréter. Quand elle est vide, elle se loge derrière la symphyse pubienne. Chez l'homme, la vessie

se trouve devant le rectum et au-dessus de la prostate (figure 47-3 ■) ; chez la femme, elle se situe devant le vagin et sous l'utérus (figure 47-4 ■). La paroi de la vessie se compose de quatre couches : (a) une muqueuse profonde ; (b) une couche de tissu conjonctif ; (c) trois lames de fibres musculaires lisses, dont certaines sont longitudinales, d'autres obliques et d'autres plus ou moins circulaires ; (d) une couche séreuse extérieure. La couche de lames musculaires lisses est appelée **détrusor** (**muscle vésical** ou **musculeuse**). Sur le plancher vésical se trouve une région triangulaire appelée **trigone**, que délimitent les ostiums des uretères au sommet postérieur et l'ouverture de l'urètre, soit l'ostium interne de l'urètre, au sommet antérieur inférieur.

Grâce aux replis de la muqueuse et à l'élasticité de ses parois, la vessie peut se distendre de manière considérable. Quand elle est pleine, son globe monte au-dessus de la symphyse pubienne ; quand elle est extrêmement distendue, il peut même s'étendre jusqu'à l'ombilic.

Urètre

L'urètre s'étend de la vessie jusqu'au **méat** (ouverture) **urétral**. Chez la femme adulte, il se situe directement derrière la

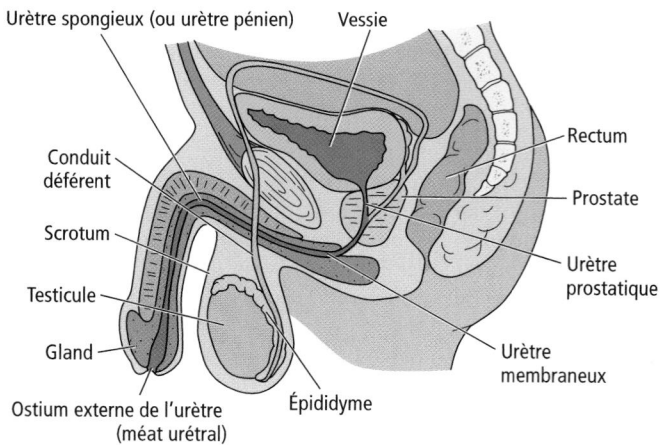

FIGURE **47-3** ■ Appareil génito-urinaire de l'homme.

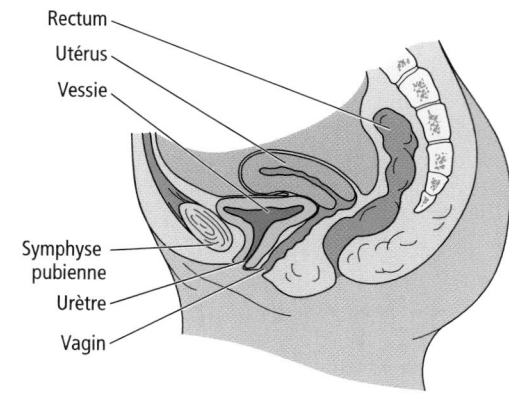

FIGURE **47-4** ■ Appareil génito-urinaire de la femme.

symphyse pubienne et devant le vagin ; il mesure environ 3,7 cm de long (voir la figure 47-4). L'urètre ne sert que de conduit permettant l'élimination de l'urine. Le méat urétral se trouve entre les petites lèvres, devant le vagin et sous le clitoris. L'urètre masculin mesure environ 20 cm de long et sert également de conduit pour l'émission du sperme (voir la figure 47-3). Le méat se situe chez l'homme sur l'extrémité distale du pénis.

Le sphincter interne se trouvant sur le plancher vésical est un muscle à motricité involontaire. À l'inverse, le sphincter externe est un muscle à motricité volontaire ; il permet de déclencher la miction au moment voulu.

Chez l'homme comme chez la femme, l'urètre comporte une muqueuse qui est en continuité avec la vessie et les uretères. C'est pourquoi une infection de l'urètre peut remonter les voies urinaires jusqu'au rein. Les femmes sont particulièrement sujettes aux infections des voies urinaires, puisque, chez elles, l'urètre est court et que le méat urétral se trouve à proximité du vagin et de l'anus.

Miction

La **miction** désigne le processus par lequel l'urine est excrétée de la vessie. L'urine s'accumule dans la vessie jusqu'à ce que la pression stimule les terminaisons nerveuses sensorielles logées dans la paroi vésicale, lesquelles portent le nom de mécanorécepteurs musculaires. Cela se produit chez l'adulte quand le volume d'urine présent dans la vessie atteint entre 250 et 450 mL. Chez l'enfant, un volume beaucoup plus faible suffit pour déclencher cette réaction.

Les mécanorécepteurs musculaires transmettent des impulsions à la moelle épinière et, en particulier, au centre de la miction, situé entre la deuxième et la quatrième vertèbre sacrée ; cela provoque un relâchement du sphincter interne et l'envie d'uriner. Si le moment et l'endroit s'y prêtent, la portion consciente du cerveau fait en sorte que le sphincter externe de l'urètre se relâche, et la miction se produit. Dans le cas contraire, le réflexe de miction s'apaise habituellement jusqu'à ce que la vessie se remplisse davantage et déclenche de nouveau ce réflexe.

La motricité volontaire de la miction n'est possible que lorsque les nerfs innervant la vessie et l'urètre, les voies neurales de la moelle épinière et du cerveau, de même que la région motrice de celui-ci, sont intacts. La personne doit pouvoir ressentir que sa vessie est pleine pour que la miction ait lieu normalement. Toute lésion touchant l'une ou l'autre de ces parties du système nerveux – résultant, par exemple, d'une hémorragie cérébrale ou d'un traumatisme médullaire au-dessus de la région sacrée – entraînera une miction involontaire intermittente. Les personnes âgées dont les facultés cognitives se trouvent affaiblies n'ont parfois pas conscience de l'envie d'uriner ou, encore, ne sont pas en mesure d'y répondre en cherchant des toilettes.

Facteurs influant sur la miction

De nombreux facteurs influent sur le volume et les caractéristiques de l'urine que produit une personne, ainsi que sur son mode d'excrétion.

Facteurs relatifs à la croissance et au développement

NOURRISSONS

Le débit urinaire varie en fonction de l'apport liquidien, mais il augmente graduellement, passant de 250 à 500 mL par jour au cours de la première année. Le nourrisson peut uriner jusqu'à 20 fois par jour. L'urine du nouveau-né est incolore et inodore ; elle a une densité de 1,008. Comme les reins ne sont pas encore développés chez les nouveau-nés et les nourrissons, ils ne sont pas en mesure de concentrer l'urine très efficacement.

Les nourrissons ne maîtrisent pas la miction à la naissance. La plupart acquerront cette capacité entre l'âge de deux et cinq ans. Ils maîtriseront généralement la miction diurne avant la miction nocturne.

ENFANTS D'ÂGE PRÉSCOLAIRE

L'enfant d'âge préscolaire peut se rendre seul à la salle de bain. Les parents doivent savoir que des mictions accidentelles peuvent survenir ; ils ne devraient jamais punir ou réprimander l'enfant si cela se produit. Les enfants oublient souvent de se laver les mains ou de tirer la chasse d'eau ; on doit leur enseigner comment s'essuyer. Les filles d'âge préscolaire doivent notamment apprendre à le faire en procédant de l'avant vers l'arrière, pour éviter que les fèces ne contaminent les voies urinaires.

ENFANTS D'ÂGE SCOLAIRE

Le système urinaire de l'enfant parvient à maturité au cours de cette période. Entre l'âge de 5 et 10 ans, la taille des reins double. À ce stade, l'enfant urine de six à huit fois par jour. L'**énurésie**, que l'on définit comme une miction involontaire à un âge où la propreté est habituellement acquise (vers cinq ans), peut devenir un problème chez certains enfants d'âge scolaire. On estime qu'environ 10 % des enfants âgés de six ans éprouvent de la difficulté à maîtriser la miction. L'**énurésie nocturne**, ou incontinence urinaire nocturne, est une miction involontaire qui se produit la nuit. Avant que l'enfant atteigne l'âge de six ans, on ne devrait pas considérer ces épisodes comme un problème. Si l'enfant n'a jamais acquis la maîtrise de la miction nocturne, on parlera d'énurésie nocturne primitive ou d'énurésie primaire. Ce phénomène s'explique du fait que le cerveau de l'enfant ne reconnaît pas les messages que lui envoie la vessie : l'enfant n'a donc jamais passé une nuit sans mouiller son lit. Des prédispositions génétiques peuvent exposer l'enfant à ce problème : si l'un des parents mouillait son lit, la possibilité que l'enfant mouille le sien s'élève à 25 % ; si les deux parents mouillaient leur lit, ce pourcentage grimpe alors à 65 %. Bref, des retards de développement du système nerveux et une prédisposition génétique comptent parmi les causes les plus courantes de ce problème (Cendron, 1999 ; Gorodzinksy, 2004 ; Jenkins, 2004). La fréquence des épisodes d'énurésie nocturne diminue avec l'âge. Les études menées à cet égard révèlent qu'environ 15 % des enfants de 5 ans mouillent leur lit. À l'âge de 10 ans, ce pourcentage tombe à 5 %, et, à 15 ans, seulement 1 % des enfants souffrent toujours d'énurésie nocturne. L'énurésie secondaire, c'est-à-dire lorsque l'enfant éprouve soudainement des problèmes d'énurésie nocturne après avoir été continent pendant une période d'au moins six mois, semble reliée à un autre problème de nature physique comme le stress ou une affection; souvent, l'enfant souffrira d'une infection urinaire ou d'une affection métabolique, comme le diabète. Environ 1 % des problèmes d'incontinence tombent dans cette catégorie, et l'incontinence disparaîtra en même temps que la cause (Gorodzinsky, 2004; Jenkins, 2004).

PERSONNES ÂGÉES

La fonction excrétoire des reins s'affaiblit avec l'âge, mais, à moins qu'un processus morbide ne soit en cause, en règle générale elle ne tombera pas de façon notable à un niveau inférieur à la normale. L'artériosclérose peut réduire le débit sanguin, ce qui affaiblira la capacité des reins à jouer leur rôle. D'autre part, et toujours en raison de l'âge, le nombre de néphrons fonctionnels diminue sensiblement, et le débit de filtration des reins s'en trouve réduit. Chez les personnes âgées, les affections et les événements ayant un effet sur les ingesta et les excreta liquidiens normaux, comme le fait d'avoir la grippe ou de subir une intervention chirurgicale, peuvent nuire à la capacité de filtration des reins et au maintien de l'équilibre acidobasique et électrolytique qu'ils assurent. Les reins mettent au surplus beaucoup de temps avant de se rétablir à cet égard. L'affaiblissement de la fonction rénale peut enfin rendre plus grand le risque d'intoxication par les médicaments si le niveau d'excrétion n'est pas normal, c'est-à-dire qu'il faut plus de temps aux reins pour éliminer les déchets organiques ou autres.

Du point de vue de la miction, les changements les plus notables reliés au vieillissement touchent la vessie. Les plaintes relatives au besoin impérieux d'uriner ou à la fréquence des mictions sont courantes chez les personnes âgées. Chez l'homme, ces problèmes sont souvent attribuables à l'hypertrophie (augmentation du volume) de la prostate et, chez la femme, à l'affaiblissement des muscles qui soutiennent la vessie ou le sphincter de l'urètre. D'autre part, la capacité volumique de la vessie et la capacité de la personne à vider complètement sa vessie diminuent avec l'âge. C'est pourquoi les personnes âgées ressentent le besoin de se lever la nuit pour uriner (on parle alors de nycturie) et souffrent parfois de rétention urinaire, un facteur qui les prédispose aux infections vésicales.

Pour un résumé des effets de la croissance et du développement sur le débit urinaire, reportez-vous au tableau 47-1 et à l'encadré *Les âges de la vie – Facteurs influant sur la miction*.

Facteurs psychosociaux

Pour de nombreuses personnes, le réflexe de miction dépend d'un ensemble de facteurs tels le niveau d'intimité, la position

TABLEAU **47-1**

Changements relatifs à l'élimination urinaire au fil des âges de la vie

Stade	Changements
Fœtus	Le rein fœtal commence à excréter de l'urine entre la 11e et la 12e semaine.
Nourrissons	La capacité de concentrer l'urine est minimale, ce qui donne à l'urine une légère teinte jaune.
	Le système neuromusculaire étant peu développé, il n'y a pas de motricité volontaire de la miction.
Enfants	La fonction rénale atteint son plein développement entre la première et la deuxième année; l'urine se concentre efficacement et acquiert une couleur ambrée.
	De 18 à 24 mois, l'enfant commence à prendre conscience de la sensation de plénitude de la vessie et à acquérir la capacité de retenir l'urine après avoir ressenti le besoin d'uriner.
	Vers l'âge de deux ans et demi ou trois ans environ, l'enfant est en mesure de reconnaître la sensation de plénitude, de retenir l'urine pendant un certain temps et de communiquer le besoin d'uriner.
	La pleine maîtrise de la miction s'acquiert habituellement vers l'âge de quatre ou cinq ans; celle de la miction diurne, vers l'âge de trois ans.
	Le développement des reins est proportionnel à celui de l'ensemble de l'organisme.
Adultes	Les reins atteignent leur taille maximale entre l'âge de 35 ou 40 ans.
	Après 50 ans, les reins commencent à perdre du volume, et leur fonction tend à s'affaiblir. L'atrophie touche surtout le cortex rénal, à mesure que le nombre de néphrons fonctionnels diminue.
Personnes âgées	On estime que 30 % des néphrons ne sont plus fonctionnels une fois que la personne atteint l'âge de 80 ans.
	Le débit sanguin rénal diminue en raison des changements qui touchent le système vasculaire et de la réduction du débit cardiaque.
	La capacité de concentrer l'urine diminue.
	Le tonus musculaire de la vessie s'affaiblit, ce qui accroît la fréquence des mictions et cause la nycturie.
	La diminution de la tonicité et de la contractilité de la vessie peut provoquer la rétention d'urine dans la vessie après la miction, ce qui accroît le risque de croissance bactérienne et d'infection.
	Les problèmes liés à la mobilité ou à la détérioration neurologique peuvent provoquer de l'incontinence urinaire.

LES ÂGES DE LA VIE

Facteurs influant sur la miction

NOURRISSONS ET ENFANTS

- L'infection des voies urinaires se classe au deuxième rang des infections les plus courantes chez les enfants ; elle se produit fréquemment chez les nouveau-nés et les jeunes nourrissons de sexe masculin en raison d'une obstruction (à n'importe quel niveau du système urinaire supérieur ou inférieur), et plus fréquemment chez les nourrissons de sexe féminin d'un âge un peu plus avancé en raison de la contamination de l'urètre par les fèces (Ball et Bindler, 2003).
- Enseigner aux enfants de bons principes d'hygiène peut contribuer à réduire les infections de la région périnéale. Les fillettes doivent apprendre à s'essuyer de l'avant vers l'arrière et porter des sous-vêtements de coton.
- Il faut enseigner aux enfants et aux parents qu'ils doivent aller aux toilettes dès que l'envie d'uriner se manifeste, et non pas tenter de la réprimer.

PERSONNES ÂGÉES

Les nombreux changements associés au vieillissement se trouvent à l'origine de problèmes spécifiques d'élimination urinaire qui touchent les personnes âgées. On peut traiter un grand nombre de ces problèmes et recourir à la chirurgie pour les résoudre ou limiter leurs effets. Voici quelques situations reconnues comme des facteurs provoquant des problèmes d'élimination urinaire :

- Chez de nombreux hommes, l'hypertrophie de la prostate peut causer de la rétention et de l'incontinence urinaires.
- Le taux d'œstrogènes diminue chez les femmes ménopausées, ce qui entraîne un affaiblissement du tonus périnéal et des muscles qui soutiennent la vessie, le vagin et les tissus conjonctifs. Cela favorise souvent une incontinence urinaire par besoin impérieux et une incontinence à l'effort, et peut même faire augmenter la fréquence des infections urinaires.
- L'accroissement de la raideur et des douleurs articulaires, une intervention chirurgicale touchant des articulations ou des problèmes neuromusculaires peuvent entraver la mobilité de la personne et occasionner des difficultés quand vient le temps d'aller aux toilettes.
- Les troubles cognitifs, comme la démence, empêchent souvent la personne de percevoir le besoin d'uriner et de comprendre ce qu'elle doit faire.

Voici quelques interventions susceptibles d'améliorer ces situations :

- Donner des médicaments ou procéder à des chirurgies dans le but de soulager les obstructions chez l'homme ou de raffermir les muscles et les tissus de la région génito-urinaire chez la femme.
- Favoriser un entraînement comportemental visant à améliorer la maîtrise de la vessie.
- Faciliter un accès sécuritaire aux toilettes ou à une chaise d'aisances, que ce soit à domicile ou en établissement. S'assurer que la salle de bain est adéquatement éclairée, que le milieu ne présente aucun danger et que des aides techniques se trouvent à portée de main (déambulateur, canne, etc.).
- Favoriser l'acquisition d'habitudes ; il s'agira par exemple d'accompagner une personne aux toilettes à heures fixes, une méthode qui procure généralement de bons résultats auprès des personnes atteintes d'affections cognitives.

---

du corps, le temps dont dispose la personne et, parfois, un bruit d'eau courante, lesquels peuvent tous, entre autres, favoriser ce réflexe. La modification des habitudes d'une personne peut engendrer chez celle-ci anxiété et tension musculaire ; en conséquence, elle peut devenir incapable de relâcher ses muscles abdominaux et périnéaux, et le sphincter externe de l'urètre, ce qui inhibe la miction. Les contraintes de temps poussent également certaines personnes à réprimer consciemment l'envie d'uriner ; les infirmières, par exemple, attendront souvent jusqu'à l'heure de la pause pour aller aux toilettes. Ce comportement peut accroître le risque d'infection des voies urinaires.

Apport liquidien et alimentaire

Tout organisme sain maintient un équilibre entre le volume de liquides ingéré et le volume excrété. Si l'apport liquidien augmente, il en va normalement de même du débit urinaire. Certains liquides comme l'alcool font augmenter le débit urinaire parce qu'ils inhibent la production des hormones antidiurétiques. Les liquides qui contiennent de la caféine (café, thé et boissons apparentées au coca-cola) stimulent également la production d'urine. À l'opposé, les aliments et les liquides riches en sodium peuvent provoquer la rétention des liquides, l'organisme retenant l'eau pour maintenir à un niveau normal la concentration en électrolytes.

Certains aliments et liquides peuvent modifier la couleur de l'urine. Les betteraves, par exemple, lui donneront une teinte rouge, et les aliments riches en carotène lui donneront une teinte jaune plus prononcée que d'habitude.

Médicaments

De nombreux médicaments, notamment ceux qui agissent sur le système nerveux autonome, perturbent le processus normal de la miction et peuvent causer de la rétention (voir l'encadré 47-1). Les **diurétiques** tel le furosémide (Lasix) peuvent accroître la production d'urine, car ils empêchent les tubules rénaux de réabsorber l'eau et les électrolytes vers la circulation sanguine. Certains médicaments peuvent aussi modifier la couleur de l'urine.

Tonus musculaire

Une bonne tonicité s'avère essentielle au maintien de la souplesse et de la contractilité du détrusor (muscle vésical ou musculeuse) ; elle permet en effet à la vessie de se remplir et de se vider efficacement. Les personnes qui portent une sonde à demeure durant une longue période éprouvent parfois une perte de tonus parce que l'écoulement continu de l'urine par la sonde suppose que la vessie ne se remplit ni ne se vide d'elle-même.

Médicaments favorisant la rétention d'urine

47-1

- Médicaments anticholinergiques et antispasmodiques, comme l'atropine et la dicyclomine (Bentylol)
- Agents antidépresseurs et antipsychotiques, comme les tricycliques et les phénothiazines
- Antihistaminiques de première génération, comme la diphenhydramine (Benadryl)
- Décongestionnants oraux, comme la pseudoéphédrine (Actifed et Sudafed)
- Antihypertenseurs, comme l'hydralazine (Apresoline) et la méthyldopa (Aldomet)
- Antiparkinsoniens, comme la lévodopa, le trihexyphenidyl (Artane) et la benztropine (Cogentin)
- Bêtabloquants, comme le propranolol (Inderal)
- Opioïdes, comme la codéine et la morphine

Le tonus des muscles abdominaux et pelviens joue également un rôle dans la miction: la contraction des muscles abdominaux favorise la vidange de la vessie, et les muscles pelviens rendent possible la rétention active de l'urine quand l'envie d'uriner se manifeste.

États pathologiques

Certaines affections influent sur la production et l'excrétion de l'urine. Les affections du rein entravent la capacité des néphrons à produire de l'urine. Les urines peuvent en conséquence contenir une quantité anormale de protéines ou de cellules sanguines, ou encore les reins peuvent cesser complètement de fonctionner, ce qu'on appelle l'insuffisance rénale. Les affections cardiovasculaires comme l'insuffisance cardiaque, les chocs (cardiogénique ou hypovolémique, par exemple) ou l'hypertension artérielle peuvent se répercuter sur le débit sanguin passant à travers les reins et nuire à la production de l'urine. Si l'organisme perd des quantités anormales de liquides par d'autres voies (en raison de vomissements ou d'une forte fièvre, par exemple), les reins retiendront l'eau, et le débit urinaire diminuera d'autant.

Les processus qui altèrent l'écoulement de l'urine, des reins jusqu'à l'urètre, ont des conséquences sur l'excrétion urinaire. Un calcul peut obstruer un uretère et ainsi bloquer l'écoulement de l'urine des reins vers la vessie. L'hypertrophie de la prostate, une particularité courante chez les hommes âgés, peut entraîner l'obstruction de l'urètre et entraver la miction et la vidange de la vessie.

Interventions chirurgicales et examens paracliniques

Certains examens paracliniques et certaines interventions chirurgicales influent sur la miction et sur l'urine même. Une cystoscopie peut irriter l'urètre; par ailleurs, les interventions chirurgicales touchant les voies urinaires, quelle que soit la partie concernée, provoqueront peut-être des saignements postopératoires, et les urines paraîtront pendant un certain temps rougeâtres ou rosâtres.

Les anesthésiques rachidiens peuvent également influer sur la miction en rendant la personne moins sensible à l'envie

d'uriner. Enfin, les interventions chirurgicales touchant des organes situés à proximité des voies urinaires (comme l'utérus) entraveront vraisemblablement la miction en raison de l'œdème qu'elles provoquent dans la région abdominale.

Problèmes liés à la production d'urine

Même si les habitudes en matière de miction varient considérablement d'une personne à l'autre, la plupart des gens urinent environ cinq fois par jour. Ils le font habituellement au lever, au coucher et à l'heure des repas. Le tableau 47-2 fournit un aperçu des débits urinaires quotidiens moyens en fonction de l'âge.

Polyurie

On dira d'une personne qu'elle souffre de **polyurie** lorsque ses reins produisent une quantité anormalement élevée d'urine, dépassant souvent de plusieurs litres son débit urinaire habituel. La polyurie peut résulter d'un apport liquidien excessif (on parle alors de **polydipsie**) ou être reliée à des affections comme le diabète, le diabète insipide ou la néphrite chronique. La polyurie peut provoquer une perte excessive de liquides, engendrant une soif intense, la déshydratation et une perte de poids.

Oligurie et anurie

On utilise les termes « oligurie » et « anurie » pour désigner une diminution du débit urinaire. L'**oligurie** est la production d'une quantité d'urine se situant largement sous le seuil d'une production normale, habituellement moins de 500 mL par jour ou moins de 30 mL par heure. Bien qu'une perte anormale de liquides (consécutive à des vomissements, par exemple) ou un apport liquidien insuffisant puissent en être la cause, l'oligurie indique souvent que le débit sanguin rénal est insuffisant ou qu'une insuffisance rénale est imminente; il faut donc la signaler sans délai au médecin traitant. Le rétablissement du débit sanguin rénal et du débit urinaire peut prévenir rapidement l'insuffisance rénale et les complications qui y sont associées. L'**anurie** est l'absence de production d'urine.

TABLEAU

Débit urinaire quotidien moyen selon l'âge

47-2

Âge	Volume (mL)
1 à 2 jours	15-60
3 à 10 jours	100-300
10 jours à 2 mois	250-450
2 mois à 1 an	400-500
1 à 3 ans	500-600
3 à 5 ans	600-700
5 à 8 ans	700-1 000
8 à 14 ans	800-1 400
14 ans jusqu'à l'âge adulte	1 500
Âge avancé	1 500 ou moins

Si les reins ne fonctionnent plus adéquatement, il est nécessaire, pour ralentir la progression de la maladie et éviter la mort, de recourir à un mécanisme de filtration du sang, la **dialyse**. Cette technique permet aux liquides et aux solutés de passer à travers une membrane semiperméable, conformément aux principes de l'osmose. L'hémodialyse et la dialyse péritonéale constituent les deux méthodes de dialyse les plus courantes. Dans le premier cas, le sang s'écoule par des sondes vasculaires et passe par la solution de dialyse dans un appareil avant de retourner dans l'organisme. Selon la deuxième méthode, on instille la solution de dialyse dans la cavité péritonéale à l'aide d'une sonde, et elle y demeure un certain temps pendant que l'échange de liquides et de solutés se produit ; par la suite, on recueille le liquide de drainage (le dialysat) par gravité. Il faut pratiquer ces deux méthodes à intervalles rapprochés, jusqu'à ce que les reins se remettent à fonctionner normalement. Au Québec, plus de 6 000 personnes souffrent d'insuffisance rénale au stade terminal, et des milliers d'autres en sont atteintes à un stade moins avancé. L'insuffisance rénale chronique est un des diagnostics d'admission pour 19 082 admissions en 2000-2001 et, de ce nombre, 9,6 % affichaient également un code d'inter-vention de dialyse et 6,2 % avaient un code d'insuffisance rénale chronique comme diagnostic responsable de l'hospitalisation (RCITO, 2004).

Problèmes d'élimination urinaire

Même quand la production d'urine s'accomplit normalement, un certain nombre de facteurs peuvent en perturber l'élimination. La pollakiurie, la nycturie, la miction impérieuse et la dysurie sont souvent des manifestations d'une affection sous-jacente, telle une infection des voies urinaires. L'énurésie, l'incontinence, la rétention et la vessie neurogène peuvent constituer le symptôme d'une autre affection ou représenter un problème de miction en soi. Le tableau 47-3 présente une liste de facteurs associés à la perturbation des habitudes de miction.

Pollakiurie et nycturie

On parle de **pollakiurie** lorsque les intervalles entre les mictions sont plus rapprochés que d'habitude. Comme on l'a dit,

TABLEAU 47-3

Liste sommaire des facteurs associés aux problèmes d'élimination urinaire	
Problème	**Facteurs associés**
Polyurie	Ingestion de liquides contenant de la caféine ou de l'alcool Diurétique prescrit Soif, déshydratation ou perte de poids Antécédents de diabète, de diabète insipide ou d'affection rénale
Oligurie, anurie	Diminution de l'apport liquidien Signes de déshydratation Hypotension, choc hypovolémique ou insuffisance cardiaque Antécédents d'affection rénale Signes d'insuffisance rénale, notamment concentration élevée d'urée et de créatinine, œdème, hypertension
Pollakiurie ou nycturie	Utérus gravide Augmentation de l'apport liquidien Infection des voies urinaires
Miction impérieuse	Stress psychologique Infection des voies urinaires
Dysurie	Inflammation, infection ou traumatisme des voies urinaires Retard à la miction, hématurie, pyurie (pus dans l'urine) et pollakiurie
Énurésie	Antécédents familiaux d'énurésie Accès difficile aux toilettes Facteurs de stress domestiques
Incontinence	Inflammation de la vessie ou autre affection Autonomie insuffisante pour utiliser les toilettes par ses propres moyens (handicap physique) Fuites d'urine provoquées par la toux, le rire ou des éternuements Troubles cognitifs
Rétention	Vessie distendue à la palpation et à la percussion Signes associés, notamment inconfort au niveau du pubis, agitation, pollakiurie et faible volume des urines Anesthésie récente Intervention chirurgicale récente dans la région périnéale Œdème dans la région périnéale Médicaments Manque d'intimité ou autres facteurs inhibant la miction

une augmentation de l'apport liquidien a un certain effet sur la fréquence de miction. Cela étant, l'élimination répétée de petites quantités d'urine (de 50 à 100 mL) peut également être causée par une infection des voies urinaires, le stress et une grossesse, cependant que les ingesta et les excreta de liquides sont considérés comme normaux.

La **nycturie** est le fait d'uriner deux fois ou plus pendant la nuit. Elle s'exprime, comme pour la pollakiurie, par le nombre de fois où la personne doit se lever pour uriner : « nycturie 4 ✕ », par exemple.

Miction impérieuse

Lorsqu'une personne éprouve le besoin d'uriner sur-le-champ, que la vessie soit pleine ou non, on parle de **miction impérieuse**. Le stress psychologique et l'irritation du trigone et de l'urètre engendrent souvent cette sensation d'urgence, qui est courante chez les jeunes enfants qui ne maîtrisent pas de façon satisfaisante leur sphincter externe.

Dysurie

On appelle **dysurie** une miction douloureuse ou difficile. Elle peut résulter d'un rétrécissement de l'urètre, d'une infection urinaire ou d'un traumatisme vésical ou urétral. Les personnes qui en souffrent diront souvent qu'elles doivent pousser pour uriner ou que la miction s'accompagne ou est suivie de douleurs. La sensation de brûlure peut s'avérer aiguë, comme celle que causerait un tisonnier, ou plus sourde, analogue à celle d'un coup de soleil. Fréquemment, le **retard à la miction** (difficulté à déclencher la miction) sera relié à la dysurie.

Énurésie

On parle d'énurésie lorsque la miction est involontaire chez les enfants qui ont atteint l'âge où la maîtrise volontaire de la miction est généralement acquise, c'est-à-dire vers quatre ou cinq ans. L'énurésie nocturne est un phénomène qui se produit de façon irrégulière et touche davantage les garçons que les filles. L'énurésie diurne peut persister et avoir une cause pathologique. Elle touche davantage les femmes et les filles.

Incontinence urinaire

L'**incontinence urinaire** constitue un symptôme, pas une affection en soi. Elle peut se répercuter de façon importante sur la vie d'une personne, en occasionnant chez celle-ci des problèmes physiques, comme une atteinte à l'intégrité de la peau, ou en suscitant des problèmes de nature psychosociale, comme la gêne, l'isolement et le retrait de la vie sociale. Même si l'incontinence se rencontre fréquemment chez les personnes âgées, elle ne résulte pas nécessairement du vieillissement et peut souvent être traitée. L'infirmière doit s'informer des habitudes de miction de toutes les personnes auxquelles elle prodigue des soins. Si une personne fait état d'un problème d'incontinence, il faut procéder à une collecte exhaustive des données. Les personnes les plus susceptibles de souffrir d'incontinence présentent des antécédents relatifs à une infection urinaire, à une intervention chirurgicale ou à un traumatisme ; à des infections transmissibles sexuellement ; à de multiples accouchements vaginaux ; à des affections touchant les fonctions locomotrice, endocrinienne ou neurologique (Shultz, 2002). NANDA classe l'incontinence dans cinq catégories (voir la section « Analyse », à la page 1540). Parmi les traitements permettant de remédier à l'incontinence, on compte l'intervention chirurgicale, les médicaments et les thérapies comportementales.

Rétention urinaire

Quand la vidange de la vessie est perturbée, l'urine s'accumule, et la vessie se distend. Il s'agit là d'une affection que l'on nomme **rétention urinaire**. La surdistension de la vessie affaiblit la contractilité du détrusor, ce qui entrave d'autant plus la miction. L'hypertrophie (augmentation du volume) de la prostate, les interventions chirurgicales et certains médicaments comptent parmi les causes courantes de rétention urinaire (voir l'encadré 47-1).

La rétention urinaire peut aussi s'accompagner d'incontinence (ou miction) par regorgement, ce qui provoque des mictions à intervalles rapprochés, le volume des urines se situant entre 25 et 50 mL. Dans cette situation, la vessie se révèle ferme et distendue à la palpation, et parfois déplacée d'un côté ou de l'autre par rapport au plan médian.

Vessie neurogène

La perturbation de la fonction neurologique peut modifier les mécanismes normaux de la miction et produire une **vessie neurogène**. La personne touchée ne perçoit pas la plénitude de la vessie et n'arrive pas à maîtriser les sphincters de l'urètre. La vessie peut alors devenir flasque et distendue, ou spastique, ce qui provoque des mictions involontaires fréquentes.

DÉMARCHE SYSTÉMATIQUE
dans la pratique infirmière

Collecte des données

Pour être complète, la collecte des données relative à la fonction urinaire doit comprendre les éléments suivants :

- Anamnèse
- Examen physique : rein, vessie et méat urétral ; état d'hydratation
- Examens paracliniques : analyse de l'urine ; mesure du volume d'urine ; mesure du volume résiduel ; urée et clairance de la créatinine

■ Anamnèse

L'infirmière doit déterminer quelles sont les habitudes de la personne en matière de miction, l'apparence des urines et les changements récents à cet égard, les problèmes passés ou actuels relatifs à l'élimination, s'il y a ou non présence d'une stomie, et les facteurs influant sur les habitudes de miction.

L'encardré *Entrevue d'évaluation – Élimination urinaire* comporte une liste de questions que peut poser l'infirmière pour obtenir

ENTREVUE D'ÉVALUATION

Élimination urinaire

HABITUDES DE MICTION

- Combien de fois urinez-vous au cours d'une période de 24 heures ?
- Cette habitude a-t-elle changé récemment ?
- Éprouvez-vous le besoin de vous lever la nuit pour uriner ? À quelle fréquence ?

DESCRIPTION DES URINES ET DES CHANGEMENTS

- Comment décririez-vous vos urines sur le plan de la couleur, de la transparence (urines claires, limpides ou troubles) et de l'odeur (faible ou forte) ?

PROBLÈMES D'ÉLIMINATION URINAIRE

- Quels problèmes avez-vous connus ou connaissez-vous à l'heure actuelle relativement au passage de l'urine ?
- Quelle quantité d'urine évacuez-vous ?
- Les intervalles entre les mictions sont-ils plus rapprochés que d'habitude ?
- Éprouvez-vous de la difficulté à vous rendre aux toilettes à temps ou ressentez-vous un besoin impérieux d'uriner ?
- La miction est-elle douloureuse ?
- Éprouvez-vous de la difficulté à déclencher le jet mictionnel ?
- Le jet mictionnel est-il plus faible que d'habitude ?
- Éprouvez-vous fréquemment des fuites postmictionnelles ou avez-vous une sensation de plénitude de la vessie, le tout associé à l'évacuation de petites quantités d'urine ?
- Vous arrive-t-il de souffrir de fuites d'urine accidentelles ? Si tel est le cas, à quel moment cela se produit-il (après que vous ayez toussé, ri ou éternué ; la nuit ; le jour) ?

- Avez-vous déjà souffert de maladies des voies urinaires antérieures telles qu'une infection rénale, vésicale ou de l'urètre ? Avez-vous déjà eu des calculs urinaires ?
- Avez-vous subi une intervention chirurgicale touchant les reins, les uretères ou la vessie ?

FACTEURS INFLUANT SUR L'ÉLIMINATION URINAIRE

- Médicaments. Prenez-vous des médicaments susceptibles d'augmenter le débit urinaire ou de provoquer de la rétention d'urine ? (L'infirmière doit prendre en note le nom des médicaments et leur posologie.)
- Apport liquidien. Quel type de liquides consommez-vous quotidiennement et en quelle quantité (par exemple, six verres d'eau, deux tasses de café, trois verres de coca-cola caféiné ou décaféiné) ?
- Facteurs environnementaux. Éprouvez-vous de la difficulté à aller aux toilettes ? Si oui, s'agit-il d'un problème de mobilité, de vêtements (difficulté à vous dévêtir), de disposition des toilettes (siège trop bas), de sécurité (absence d'une barre d'appui) ?
- Stress. Éprouvez-vous un stress important ? Si tel est le cas, quelles en sont les causes ? Pensez-vous qu'elles ont une influence sur vos habitudes de miction ?
- Affections. Souffrez-vous ou avez-vous souffert des affections suivantes, qui pourraient influer sur votre fonction urinaire : hypertension artérielle, maladie cardiaque, maladie neurologique, cancer, hypertrophie de la prostate, diabète ?
- Examens paracliniques. Avez-vous subi récemment une cystoscopie ou une anesthésie ?

---

ces renseignements au cours de l'entrevue relative à la collecte des données. Le nombre de questions que posera l'infirmière dépendra de la personne concernée et des réponses qu'elle fournira aux questions des trois premières catégories.

■ Examen physique

L'examen physique complet des voies urinaires comprend habituellement la percussion des reins, ce qui permet de détecter une sensibilité au niveau rénal. L'infirmière effectuera également la palpation et la percussion de la vessie. Si les antécédents de la personne ou ses problèmes actuels le justifient, on inspectera en outre le méat urétral pour déceler des signes d'œdème, d'écoulement ou d'inflammation, tant chez l'homme que chez la femme.

Les problèmes de miction peuvent perturber l'élimination des déchets de l'organisme ; il est donc important que l'infirmière inspecte et palpe la peau pour en évaluer la couleur et la texture, pour en vérifier l'élasticité et la mobilité (turgescence), et pour y déceler la présence éventuelle d'œdème. Si des épisodes d'incontinence, de fuites postmictionnelles ou de dysurie sont consignés au dossier, il faut inspecter la peau du périnée pour vérifier si elle n'est pas irritée, car le contact avec l'urine peut l'excorier. Voir à cet égard le chapitre 34 ⊜ pour les détails concernant l'examen physique du système urinaire.

■ Examens paracliniques

ANALYSE DE L'URINE. L'urine normale se compose à 96 % d'eau et à 4 % de solutés. Les solutés organiques comprennent l'urée, l'ammoniaque, la créatinine et l'acide urique ; en quantité, l'urée est le plus important des solutés organiques. Les solutés inorganiques comprennent quant à eux les éléments suivants : sodium, potassium, sulfate, magnésium et phosphore ; le sodium est le plus abondant des sels inorganiques. Le tableau 47-4 dresse une liste des caractéristiques normales et anormales de l'urine.

MESURE DU VOLUME D'URINE. En temps normal, les reins produisent de l'urine à un débit approximatif de 60 mL/heure ou de 1 500 mL/jour. Le volume d'urine dépend de nombreux facteurs, tels l'apport liquidien, les pertes de liquides par d'autres voies (transpiration, respiration ou diarrhée, par exemple) et l'état du système cardiovasculaire et des reins.

Un débit inférieur à 30 mL/heure peut indiquer une hypovolémie ou un mauvais fonctionnement des reins : il doit être signalé. Voici les étapes que doit suivre l'infirmière pour mesurer les excreta liquides :

- Porter des gants pour éviter tout contact avec les microorganismes ou le sang pouvant être présents dans l'urine.

TABLEAU

47-4

Caractéristiques normales et anormales de l'urine

Caractéristiques	Normales	Anormales	Considérations relatives aux soins infirmiers
Quantité en 24 heures (adulte)	1 200-1 500 mL	Inférieure à 1 200 mL Quantité excessive par rapport aux ingesta	En temps normal, les excreta sont à peu près égaux aux ingesta. Une quantité inférieure à 30 mL/heure pourrait indiquer une diminution de la circulation sanguine dans les reins et doit être signalée sur-le-champ.
Couleur, transparence	Paille, ambre Transparente	Ambre foncé Trouble Orange foncé Brun rougeâtre ou noirâtre Bouchons muqueux, gluante, épaisse	La couleur de l'urine concentrée est foncée. Celle de l'urine diluée peut sembler presque limpide, ou d'un jaune très pâle. Certains aliments et médicaments colorent l'urine. La présence d'érythrocytes dans l'urine (hématurie) donne à celle-ci une teinte rose, rouge vif ou brun rouille. Les leucocytes, les bactéries, le pus et les contaminants, comme le liquide prostatique, le sperme ou l'écoulement vaginal, peuvent rendre l'urine trouble.
Odeur	Légèrement aromatique	Désagréable	Certains aliments (les asperges, par exemple) produisent une odeur de moisi; une urine riche en glucose a une odeur sucrée.
Stérilité	Absence de microorganismes	Présence de microorganismes	Les échantillons d'urine peuvent avoir été contaminés par des bactéries du périnée pendant le prélèvement.
pH	4,5-8; 6 en moyenne	Supérieur à 8 Inférieur à 4,5	Habituellement, l'urine fraîche est légèrement acide. Une urine alcaline pourrait signaler une alcalose, une infection urinaire ou une alimentation riche en fruits et légumes. La famine, la diarrhée et une alimentation riche en protéines ou en canneberges produisent une urine acidifiée (faible pH).
Densité	1,010-1,025	Supérieure à 1,025 Inférieure à 1,010	L'urine concentrée a une densité élevée; l'urine diluée, une densité moindre.
Glucose	Absent	Présent	La présence de glucose dans l'urine indique un taux élevé de glucose dans le sang (>11 mmol/L) et peut indiquer un diabète non diagnostiqué ou non maîtrisé.
Corps cétoniques (acétone)	Absents	Présents	Les corps cétoniques, produit final de la dégradation des acides gras, ne se trouvent pas dans l'urine en temps normal. Dans le cas contraire, le diabète non maîtrisé, la famine ou la consommation excessive d'aspirine peuvent en être la cause. On pourra trouver des corps cétoniques dans les urines lorsque la glycémie est supérieure à 15 mmol/L.
Sang	Absent	Occulte (microscopique) Rouge vif	Il peut y avoir du sang dans l'urine des personnes souffrant d'infection urinaire, de maladie du rein ou de saignements des voies urinaires.

- Demander à la personne d'uriner dans un urinal, un bassin hygiénique, une chaise d'aisances ou un dispositif récepteur pour toilettes (chapeau).
- Préciser à la personne qu'elle devra éviter de mêler urine et fèces, et de jeter du papier hygiénique dans le contenant.
- Verser l'urine dans un contenant gradué.
- En tenant le contenant gradué à la hauteur des yeux, lire la mesure correspondante au niveau d'urine. On trouve habituellement une échelle graduée sur la face intérieure de ces contenants.
- Consigner le volume relevé sur la fiche des ingesta et excreta se trouvant près du lit ou dans les toilettes.

- Rincer les contenants collecteur et de mesure à l'eau froide, et les ranger dans un endroit convenable.
- Retirer les gants et se laver les mains.
- Calculer le volume total d'urine à la fin de chaque quart de travail et au bout de 24 heures; consigner ce volume au dossier de la personne.

De nombreuses personnes sont capables de mesurer elles-mêmes leur volume urinaire et d'en prendre note une fois qu'on leur a expliqué la marche à suivre.

Voici comment l'infirmière doit procéder pour calculer la diurèse d'une personne portant une sonde à demeure:

- Enfiler des gants.

- Placer le contenant gradué près du lit.
- Placer le contenant sous le sac collecteur d'urine de manière à ce que le bec verseur se trouve au-dessus du contenant sans toutefois le toucher. C'est que le contenant gradué n'est pas stérile, alors que l'intérieur du sac l'est.
- Ouvrir le clamp et laisser l'urine s'écouler dans le contenant.
- Refermer le clamp, repositionner le bec verseur et suivre les étapes décrites précédemment.

MESURE DE L'URINE RÉSIDUELLE. En temps normal, il ne devrait pas y avoir d'**urine résiduelle** (ou **résidu postmictionnel**) dans la vessie après la miction, sinon quelques millilitres. Toutefois, une obstruction des orifices de sortie de la vessie (en raison d'une hypertrophie de la prostate, par exemple) ou une perte de tonicité vésicale peuvent entraver la vidange complète de la vessie au moment de la miction. Les mictions fréquentes et peu abondantes (de moins de 100 mL chez l'adulte, par exemple) sont parfois un signe de rétention urinaire. La stase urinaire et les infections urinaires constituent des conséquences éventuelles de la miction incomplète. On mesurera alors l'urine résiduelle pour évaluer quelle quantité d'urine est retenue après la miction et juger s'il est nécessaire d'intervenir (au moyen de médicaments favorisant la contraction de la musculeuse, par exemple).

Pour mesurer le volume d'urine résiduelle, l'infirmière doit procéder à un cathétérisme vésical tout de suite après la miction. Elle mesure et consigne la quantité d'urine excrétée et celle obtenue par cathétérisme. Normalement, la quantité d'urine résiduelle est inférieure à 50 mL. Si par ailleurs le résidu postmictionnel est supérieur à une quantité déterminée par le médecin, l'installation d'une sonde à demeure pourrait s'imposer.

URÉE ET CLAIRANCE DE LA CRÉATININE. On évalue de façon courante la fonction rénale en procédant à l'analyse de la concentration sanguine de l'urée et de la créatinine, deux produits du métabolisme. Les reins évacuent habituellement ces deux substances grâce à la filtration et à la sécrétion tubulaire. L'**urée** est un déchet résultant du métabolisme des protéines. L'augmentation de la concentration d'urée dans le sang est un indicateur de troubles rénaux, mais d'autres facteurs peuvent la provoquer, tels qu'une infection, une fièvre ou une hémorragie gastro-intestinale. La créatinine est produite en quantités relativement constantes par les muscles. Le test de **clairance de la créatinine** sert à analyser le volume d'urine et la concentration de créatinine au cours d'une période de 24 heures, et permet de déterminer le débit de filtration glomérulaire, un indicateur plus précis de l'état de la fonction rénale. On présente au chapitre 38 ⊂⊃ d'autres examens paracliniques liés à la fonction urinaire, tels que le prélèvement des échantillons d'urine, le calcul de la densité urinaire et les techniques d'imagerie.

Analyse

NANDA (2004) propose une rubrique diagnostique générale pour les problèmes d'élimination urinaire et plusieurs autres rubriques spécifiques :

- *Élimination urinaire altérée :* perturbation de l'élimination urinaire

Les autres diagnostics infirmiers relatifs à l'élimination urinaire qu'établit NANDA constituent des sous-catégories de ce diagnostic infirmier général. Les voici :

- *Incontinence urinaire fonctionnelle*
- *Incontinence urinaire réflexe*
- *Incontinence urinaire à l'effort*
- *Incontinence urinaire complète (vraie)*
- *Incontinence urinaire par besoin impérieux*
- *Rétention urinaire*

Des exemples cliniques relatifs aux données recueillies et aux diagnostics infirmiers, aux résultats escomptés et aux interventions qui s'y rapportent figurent dans l'encadré *Diagnostics infirmiers, résultats de soins infirmiers et interventions*, ainsi qu'à la fin de ce chapitre, dans le *Plan de soins et de traitements infirmiers – Problème d'élimination urinaire* et dans le *Schéma du plan de soins et de traitements infirmiers – Problème d'élimination urinaire*.

Il est possible que les problèmes spécifiques à l'élimination urinaire soient à l'origine d'autres problèmes. En voici quelques exemples :

- *Risque d'infection* si la personne souffre de rétention urinaire ou subit une intervention effractive, comme un cathétérisme ou une cystoscopie.
- *Estime de soi perturbée* ou *Isolement social* dans les cas d'incontinence. Parce qu'elle est considérée comme socialement inacceptable, l'incontinence peut engendrer de la souffrance physique et psychologique. Souvent, la personne concernée craindra les fuites postmictionnelles ou les accidents, et cela pourra l'amener à restreindre ses activités.
- *Risque d'atteinte à l'intégrité de la peau* dans les cas d'incontinence. La literie et les vêtements saturés d'urine irritent et peuvent léser la peau. Le fait que la peau se trouve en contact prolongé avec des tissus humides provoque la dermatite (inflammation de la peau) et la formation subséquente de plaies de pression.
- *Déficit de soins personnels : utiliser les toilettes* en cas de difficulté à utiliser les toilettes sans aide.
- *Déficit de volume liquidien* ou *Excès de volume liquidien* en cas de perturbation de la fonction urinaire attribuable à un processus morbide.
- *Image corporelle perturbée* si la personne souffre d'une dérivation des voies urinaires.
- *Connaissances insuffisantes* si la personne doit posséder des compétences en matière de soins personnels (pour utiliser adéquatement un nouveau dispositif de dérivation des voies urinaires, par exemple).
- *Risque de tension dans l'exercice du rôle de l'aidant naturel* si la personne est incontinente et reçoit des soins d'un proche pendant des périodes prolongées.

Planification

Les résultats escomptés varieront en fonction du diagnostic infirmier et des caractéristiques déterminantes. Voici quelques exemples de résultats escomptés pour des personnes aux prises avec des problèmes d'élimination urinaire :

- Maintien ou rétablissement des habitudes normales d'élimination urinaire
- Rétablissement du débit urinaire normal

DIAGNOSTICS INFIRMIERS, RÉSULTATS DE SOINS INFIRMIERS ET INTERVENTIONS

Problèmes d'élimination urinaire

COLLECTE DES DONNÉES	DIAGNOSTICS INFIRMIERS : DÉFINITION	EXEMPLES DE RÉSULTATS DE SOINS INFIRMIERS [N° CRSI/NOC] : DÉFINITION	INDICATEURS	INTERVENTIONS CHOISIES [N° CISI/NIC] : DÉFINITION	EXEMPLES D'ACTIVITÉS CISI/NIC
Mme Annette Bélanger, 75 ans, rapporte qu'elle éprouve des fuites accidentelles d'urine avant d'avoir atteint les toilettes. Elle ressent le besoin d'uriner, mais explique que, depuis son accident vasculaire cérébral, elle ne parvient pas à se rendre aux toilettes à temps.	*Incontinence urinaire fonctionnelle : Incapacité pour une personne habituellement continente d'atteindre les toilettes à temps pour éviter la perte involontaire d'urine.*	Continence urinaire [0502] : *Contrôle de l'élimination urinaire*	Constamment démontré • Répond à temps au besoin d'uriner. • Urine >150 mL à chaque fois. • Absence d'urine résiduelle >100 mL.	Stimulation du réflexe de la miction [0640] : *Promotion de la continence urinaire au moyen de rappels de vive voix à heures fixes et grâce au renforcement social positif.*	• Établir dans quelle mesure la personne a conscience de son état de continence en lui demandant si elle souffre parfois de fuites. • Inviter par trois fois (mais sans plus) la personne à utiliser les toilettes ou un substitut, sans égard à l'état de continence. • Faire des commentaires positifs quand la personne adopte l'habitude souhaitée. • Consigner les résultats obtenus à cet égard.
Antoine Côté, un adolescent victime d'une lésion médullaire, ne ressent pas l'envie d'uriner ni la plénitude de la vessie. Il rapporte souffrir de fuites d'urine se produisant à intervalles assez réguliers.	*Incontinence urinaire réflexe : Perte involontaire d'urine à intervalles relativement prévisibles, quand la vessie atteint un volume déterminé.*	Élimination urinaire [0503] : *Capacité du système urinaire de filtrer les déchets, de conserver les substances essentielles à l'organisme, de collecter et d'évacuer les urines de façon normale*	Non perturbé • Équilibre des ingesta et des excreta au cours d'une période de 24 heures. • Vidange complète de la vessie. • Continence urinaire. • Urée et créatinine en concentrations normales.	Cathétérisme vésical : périodique [0582] : *Utilisation périodique et régulière d'un cathéter pour vider la vessie.*	• Apprendre à la personne et à sa famille les buts, le matériel nécessaire, la méthode à employer et les explications relatives au cathétérisme intermittent. • Familiariser la personne et sa famille avec le procédé du cathétérisme intermittent et demander par la suite à la personne de démontrer qu'elle a assimilé l'information en lui faisant répéter le procédé. • Déterminer l'horaire des cathétérismes d'après une évaluation exhaustive.
Thérèse Toupin rapporte des fuites d'urine chaque fois qu'elle rit, tousse ou éternue. Elle est enceinte de huit mois.	*Incontinence urinaire à l'effort : Écoulement d'urine de moins de 50 mL se produisant lorsque la pression abdominale augmente.*	Contrôle des symptômes [1608] : *Actions personnelles mises en œuvre pour minimiser les troubles du fonctionnement physique et émotionnel*	Constamment démontré • Utilise des mesures préventives. • Utilise les ressources disponibles.	Rééducation périnéale [0560] : *Renforcer les muscles pubococcygiens grâce à des contractions volontaires et répétitives visant à diminuer l'incontinence à l'effort ou la miction impérieuse (exercices de Kegel).*	• Apprendre à la personne à raidir puis à relaxer la ceinture musculaire qui entoure l'urètre et l'anus, comme si elle essayait de se retenir d'uriner ou de déféquer. • Aider la personne à choisir un vêtement ou une protection pour incontinence comme mesure temporaire. • Nettoyer la peau de la région génitale à intervalles réguliers.

DIAGNOSTICS INFIRMIERS, RÉSULTATS DE SOINS INFIRMIERS ET INTERVENTIONS (SUITE)

Problèmes d'élimination urinaire (suite)

COLLECTE DES DONNÉES	DIAGNOSTICS INFIRMIERS : DÉFINITION	EXEMPLES DE RÉSULTATS DE SOINS INFIRMIERS [N° CRSI/NOC] : DÉFINITION	INDICATEURS	INTERVENTIONS CHOISIES [N° CISI/NIC] : DÉFINITION	EXEMPLES D'ACTIVITÉS CISI/NIC
Mme Ginette Boucher rapporte des épisodes de miction impérieuse, de difficultés à se rendre aux toilettes à temps, de la pollakiurie (miction plus fréquente qu'aux deux heures) et des fuites d'urine quand elle n'accède pas aux toilettes à temps.	Incontinence urinaire par besoin impérieux : Écoulement involontaire d'urine peu après qu'une forte envie d'uriner s'est fait ressentir.	Intégrité des tissus : Peau et muqueuses [1101] : Structure intacte et fonctions physiologiques normales de la peau et des muqueuses	Non perturbé • Intégrité cutanée.	Entraînement de la vessie (rééducation vésicale) [0570] : Amélioration de la fonction vésicale chez des personnes présentant une incontinence d'effort, en augmentant la capacité de la vessie à retenir les urines et la capacité de la personne à arrêter la miction.	• Tenir un relevé de la continence sur trois jours afin de mettre en évidence les rythmes de miction. • Établir un intervalle de fréquentation des toilettes qui ne soit pas inférieur à une heure et préférablement non inférieur à deux heures. • Réduire l'intervalle de fréquentation des toilettes de 1/2 heure si plus de 3 épisodes d'incontinence sont observés en 24 heures. • Augmenter l'intervalle de fréquentation des toilettes de 1/2 heure en l'absence d'épisode d'incontinence pendant 3 jours, jusqu'à ce que l'intervalle optimal de 4 heures soit atteint.

- Prévention des risques connexes tels l'infection, la dégradation de la peau, le déséquilibre hydroélectrolytique et la diminution de l'estime de soi
- Accomplissement des activités d'élimination de manière autonome, avec ou sans aides techniques

Il faut déterminer les interventions infirmières préventives et correctives nécessaires pour atteindre ces objectifs. L'infirmière peut avoir recours à des activités précises se rapportant à chacune de ces interventions en fonction des besoins précis de chaque personne. On trouvera des exemples d'applications cliniques, fondés sur les désignations de NANDA, de la CISI/NIC et de la CRSI/NOC, dans le tableau *Diagnostics infirmiers, résultats de soins infirmiers et interventions*, dans le *Plan de soins et de traitements infirmiers – Problème d'élimination urinaire* et dans le *Schéma du plan de soins et de traitements infirmiers – Problème d'élimination urinaire*, à la fin de ce chapitre.

Planification des soins à domicile

Dans le but d'assurer la continuité des soins, l'infirmière doit tenir compte des besoins de la personne en matière d'enseignement et d'assistance, relativement aux soins à domicile. En vue de préparer le retour à la maison, l'infirmière doit évaluer les ressources et les compétences de la personne et de ses proches en ce qui concerne les soins personnels et les capacités financières, et déterminer s'il s'avère nécessaire de faire appel à des intervenants et à des services de soins à domicile. L'encadré *Évaluation pour les soins à domicile – Élimination urinaire* présente les critères per-

mettant d'évaluer l'environnement d'une personne souffrant de problèmes d'élimination urinaire. L'encadré *Enseignement – Élimination urinaire* traite des besoins de la personne et de ses proches en matière d'enseignement.

Interventions

Maintenir des habitudes normales d'élimination urinaire

L'infirmière peut assumer de manière autonome la plupart des interventions visant à maintenir chez la personne un mode d'élimination urinaire normal. Ces interventions portent sur les aspects suivants : favoriser un apport liquidien adéquat, promouvoir le maintien d'habitudes normales de miction et fournir l'aide nécessaire pour aller aux toilettes.

FAVORISER UN APPORT LIQUIDIEN ADÉQUAT. L'augmentation de l'apport liquidien accroît la production d'urine, ce qui stimule le réflexe de miction. Un apport liquidien moyen de 1 500 mL est habituellement suffisant pour la plupart des adultes.

De nombreuses personnes requièrent une hydratation supérieure à la normale, ce qui nécessite une augmentation de l'apport liquidien quotidien. Ainsi, une personne qui transpire excessivement (diaphorèse) ou qui perd des quantités anormales de liquide en raison de vomissements, d'aspiration gastrique, d'une diarrhée ou du drainage d'une plaie doit pouvoir compenser ces pertes et maintenir un apport liquidien normal.

ÉVALUATION POUR LES SOINS À DOMICILE

Élimination urinaire

PERSONNE ET ENVIRONNEMENT

- Soins personnels : Capacité de la personne de consommer des liquides en quantité adéquate, de percevoir la plénitude de la vessie, de se déplacer et d'accéder aux toilettes, de retirer et de remettre ses vêtements, et d'appliquer les mesures d'hygiène nécessaires après la miction.
- Niveau actuel de connaissances : Modification de l'apport liquidien et de l'alimentation visant à rétablir les habitudes de miction, méthodes de rééducation vésicale et techniques spécifiques d'entretien pour les personnes devant utiliser une sonde à demeure ou ayant subi une stomie (le cas échéant).
- Aides techniques requises : Aides à la marche, tels un déambulateur, une canne ou un fauteuil roulant ; dispositifs de sécurité, telles des barres d'appui ; aides à l'élimination, tels un siège de toilettes surélevé, un urinal, une chaise d'aisances ou un bassin hygiénique ; présence d'une sonde vésicale.
- Facteurs physiques présentant un obstacle à l'élimination : Distance entre les toilettes et la chambre ou les salles communes ; obstacles entravant l'accès aux toilettes, tels des escaliers, un tapis, un passage encombré, une entrée de porte étroite ; éclairage (y compris une veilleuse).
- Problèmes d'élimination urinaire : Type d'incontinence et causes déterminantes ; signes d'infection urinaire (dysurie, pollakiurie et miction impérieuse), signes d'hypertrophie

de la prostate et effets sur la miction ; capacité de pratiquer soi-même les cathétérismes et d'entretenir d'autres appareils d'élimination urinaire, comme une sonde à demeure, une dérivation urinaire ou un condom collecteur.

FAMILLE

- Disponibilité, compétences et réactions des proches aidants : Capacité et volonté d'assumer la responsabilité des soins, dont l'aide à l'élimination, le cathétérisme intermittent et l'entretien d'une sonde à demeure, d'un système de drainage de l'urine ou d'une stomie. Accès facile à la buanderie ; accès à des soins de relève et volonté d'y faire appel.
- Transformation des rôles familiaux et adaptation : Effet sur la situation financière, les rôles de conjoint et de parent, le sommeil et le repos, la sexualité et les rapports sociaux.
- Ressources financières : Capacité d'acheter des serviettes et des vêtements protecteurs, ainsi que des fournitures pour cathétérisme ou stomie.

COMMUNAUTÉ

- Environnement physique : Accès aux toilettes publiques et aux installations sanitaires.
- Connaissances et expérience relatives aux ressources offertes : Entreprises vendant du matériel et des fournitures médicales, pharmacies, organismes de soins à domicile, aide financière, organismes d'aide et d'éducation.

ENSEIGNEMENT

Élimination urinaire

FACILITER LES SOINS PERSONNELS EN MATIÈRE D'ÉLIMINATION URINAIRE

- Informez la personne et ses proches des mesures à prendre pour rendre l'accès aux toilettes le plus facile possible, notamment en enlevant les tapis et en libérant les passages et les entrées de porte de tout encombrement.
- Suggérez l'installation d'un dispositif d'éclairage tamisé pour les mictions nocturnes, telles une veilleuse dans la chambre et une lampe de faible intensité dans le couloir.
- Recommandez, le cas échéant, l'installation de barres d'appui et d'un siège de toilettes surélevé.
- Enseignez à la personne des techniques de déplacement sécuritaires.
- Suggérez à la personne d'adopter des vêtements faciles à retirer en vue de la miction, comme des pantalons avec une ceinture élastique ou des fermetures velcro.

FAVORISER L'ÉLIMINATION URINAIRE

- Incitez la personne à répondre aussi vite que possible au besoin d'uriner et à éviter de retenir l'urine de manière délibérée.
- Indiquez qu'il faut vider la vessie complètement à chaque miction.

- Soulignez qu'il faut boire quotidiennement 225 mL d'eau, de 8 à 10 fois par jour.
- Enseignez aux femmes les exercices de Kegel pour raffermir les muscles du périnée.
- Le cas échéant, expliquez le lien entre le tabagisme et le cancer de la vessie, et fournissez des renseignements sur les programmes de désaccoutumance au tabac.
- Enjoignez la personne à signaler sans délai à son médecin traitant l'apparition de l'un ou l'autre des problèmes suivants : douleurs ou sensations de brûlure à la miction, modification de la couleur de l'urine ou de sa transparence, urine malodorante, modification des habitudes de miction (nycturie, pollakiurie, fuites postmictionnelles, par exemple).

ASEPSIE

- Indiquez à la personne les mesures à prendre pour assurer l'hygiène des régions périnéale et génitale : se laver tous les jours avec du savon et de l'eau, et nettoyer la région anale et périnéale après la défécation.
- Assurez-vous que les femmes savent qu'il faut s'essuyer de l'avant vers l'arrière après la miction et jeter le papier hygiénique après chaque essuyage.

ENSEIGNEMENT (SUITE)

- Renseignez les personnes incontinentes sur les produits de protection de la peau, des vêtements et des meubles. Soulignez qu'il est important de nettoyer et d'assécher la région périnéale après un épisode d'incontinence. Le cas échéant, montrez comment utiliser les produits de protection cutanée.
- Enseignez à la personne portant une sonde à demeure, de même qu'à sa famille, les mesures à observer pour nettoyer le méat urétral, entretenir et vider le dispositif collecteur, et maintenir le système en circuit fermé.
- Enseignez aux personnes portant une dérivation urinaire et à leurs proches les mesures relatives à l'entretien de la stomie, des appareils de drainage et de la peau . Pour les dérivations continentes, enseignez la marche à suivre pour un cathétérisme de la stomie permettant de drainer la vessie.
- Dites aux personnes portant une sonde à demeure ou une dérivation urinaire qu'il est important de boire de grandes quantités de liquides (de 2 à 2,5 L par jour, selon les indications) et de signaler rapidement toute modification du débit urinaire, tout signe de rétention, comme les douleurs abdominales, et toute manifestation d'infection urinaire, comme une urine malodorante, une sensation de malaise dans l'abdomen, de la fièvre ou de la confusion.

MÉDICAMENTS

- Précisez qu'il est important de respecter la posologie des médicaments. Indiquez que, pour traiter une infection des voies urinaires, il faut prendre tous les antibiotiques prescrits, et ce, même si les symptômes ont disparu.
- Informez la personne et ses proches de toute modification possible de la couleur ou de l'odeur de l'urine en fonction des médicaments prescrits.
- Dites à la personne souffrant de rétention urinaire que, avant de prendre quelque médicament que ce soit, elle doit consulter son médecin traitant pour vérifier si le produit (même s'il s'agit de médicaments en vente libre, comme les antihistaminiques) peut ou non exacerber les symptômes.
- Dites à la personne qui prend des médicaments pouvant causer des dommages aux reins (comme les aminosides, par exemple) qu'elle doit boire de grandes quantités de liquides.
- Recommandez des mesures visant à atténuer les effets secondaires prévus des médicaments prescrits, notamment une augmentation de la consommation d'aliments riches en potassium lorsque la personne prend un diurétique comme le furosémide, lequel a pour effet de réduire le taux de potassium dans l'organisme.

CHANGEMENTS RELATIFS AU RÉGIME ALIMENTAIRE

- Renseignez la personne sur les changements qu'elle pourrait apporter à son alimentation dans le but de favoriser la fonction urinaire, en consommant, par exemple, du jus de canneberge et des aliments qui acidifient l'urine pour réduire le risque d'infections urinaires à répétition ou de formation de calculs calciques.
- Enjoignez les personnes souffrant d'incontinence urinaire à l'effort ou par besoin impérieux à limiter leur consommation de caféine, d'alcool, de jus d'agrumes et d'édulcorants artificiels ; ces produits sont tous des irritants pour la vessie et risquent d'accroître l'incontinence. Indiquez également à ces personnes qu'il leur faut limiter leur apport liquidien en soirée, afin de réduire les risques d'incontinence nocturne.

MESURES PROPRES AUX PROBLÈMES D'ÉLIMINATION URINAIRE

- Fournissez des indications relatives aux aspects ci-dessous aux personnes souffrant de problèmes d'élimination urinaire particuliers ou suivant des traitements spécifiques :
  a) Échantillons d'urine d'une période déterminée (voir le chapitre 38 🔗)
  b) Incontinence urinaire
  c) Rétention urinaire
  d) Sondes à demeure

RESSOURCES

- Dirigez la personne vers des organismes de soins à domicile, des services communautaires ou des services sociaux qui pourront lui fournir de l'aide pour l'installation de barres d'appui et de sièges de toilettes surélevés, l'accès des fauteuils roulants aux toilettes, les aides à l'élimination (notamment chaises d'aisances, urinaux et bassins hygiéniques) ; dirigez-la vers les services d'aide à domicile pour les activités de la vie quotidienne, si nécessaire.

ORGANISMES COMMUNAUTAIRES ET AUTRES SOURCES DE SOUTIEN

- Donnez à la personne les adresses où il est possible d'obtenir du matériel médical durable, comme des chaises d'aisances et des sièges de toilettes surélevés, de l'aide financière et des fournitures médicales, comme des sacs collecteurs, des sous-vêtements pour incontinent ou des serviettes de protection.
- Suggérez d'autres sources d'information et d'aide comme la Fondation canadienne du rein, la Fondation canadienne du rein (succursale du Québec) ou l'Association québécoise des infirmières et infirmiers en urologie.

Une personne sujette aux infections urinaires ou à la formation de calculs devrait consommer entre 2 000 et 3 000 mL de liquides par jour. La dilution des urines et les mictions fréquentes en réduisent les risques.

Par contre, il est parfois contre-indiqué d'augmenter l'apport liquidien, notamment lorsqu'une personne souffre d'insuffisance rénale ou cardiaque. Il faut alors restreindre la consommation de liquides pour prévenir une surcharge liquidienne et un œdème.

PROMOUVOIR LE MAINTIEN D'HABITUDES NORMALES DE MICTION. Certains traitements médicaux entraînent des modifications des habitudes de miction. Si le mode d'élimination urinaire de la personne est adéquat, l'infirmière devra l'aider, dans la mesure du possible, à maintenir ses habitudes à ce chapitre (voir l'encadré *Conseils pratiques – Maintien d'habitudes normales de miction*).

FOURNIR L'AIDE NÉCESSAIRE POUR ALLER AUX TOILETTES.
Une personne affaiblie par une affection ou ayant une déficience physique a besoin d'aide pour aller aux toilettes. L'infirmière doit l'y conduire et rester auprès d'elle s'il y a un risque de chute. La salle de bain devrait être équipée d'une sonnette d'appel facilement accessible, permettant à la personne d'appeler à l'aide, le cas échéant. L'infirmière devrait également encourager la personne à utiliser les barres d'appui placées près de la cuvette.

Si la personne n'est pas en mesure d'utiliser les installations sanitaires, l'infirmière placera près du lit des aides à l'élimination (un urinal, un bassin hygiénique ou une chaise d'aisances, par exemple) et aidera la personne à s'en servir.

Prévenir les infections des voies urinaires

Les femmes sont plus sujettes aux infections des voies urinaires que les hommes : chaque année, 500 000 Canadiennes consultent un médecin en raison d'une infection des voies urinaires (Todd, 2004). Le taux annuel d'infection des voies urinaires chez les femmes s'élève à 20 %, alors qu'il est de 0,1 % chez les hommes ; cette affection compte pour 30 à 40 % de toutes les infections nosocomiales, et, de ce nombre, 70 % seraient directement reliées à l'installation d'une sonde vésicale à demeure ou aux cathétérismes vésicaux (Marchiondo, 1998). La plupart des infections urinaires sont causées par une bactérie que l'on trouve à la surface de la peau de la région génitale et couramment dans le milieu intestinal, soit *Escherichia coli (E. coli)*. Cette bactérie gastro-intestinale peut coloniser la région périnéale et se déplacer vers l'urètre, notamment lorsqu'il y a traumatisme, irritation ou manipulation de l'urètre. Parce que leur urètre est court et qu'il est situé à proximité des régions anale et vaginale, les femmes présentent des risques élevés de contracter ce type d'infection.

Si elle traite une femme ayant déjà souffert d'une infection urinaire, l'infirmière doit fournir les indications nécessaires pour prévenir une rechute. Marchiondo (1998) propose des mesures qui peuvent s'appliquer de manière universelle :

- Boire quotidiennement 10 verres d'eau de 225 mL pour évacuer les bactéries présentes dans l'appareil urinaire.
- Uriner souvent (toutes les deux à quatre heures) pour éliminer les bactéries présentes dans l'urètre et les empêcher de remonter vers la vessie. Uriner immédiatement après les rapports sexuels.
- Éviter d'utiliser des savons irritants, de la poudre ou des parfums sur la région périnéale, et éviter de prendre des bains moussants. Ces substances peuvent irriter l'urètre et entraîner une inflammation ou une infection d'origine bactérienne.
- Éviter de porter des pantalons serrés ou d'autres vêtements susceptibles d'irriter l'urètre et de gêner l'aération de la région périnéale.
- Porter des sous-vêtements en coton plutôt qu'en nylon. L'accumulation d'humidité est propice à la croissance bactérienne, et le coton permet d'aérer la région périnéale.

 CONSEILS PRATIQUES

Maintien d'habitudes normales de miction

POSITION
- Aidez la personne à prendre une position normale pour la miction, à savoir une position debout pour les hommes et une position accroupie ou assise, le corps légèrement penché vers l'avant, pour les femmes. Ces positions accentuent la gravité, ce qui favorise le mouvement de l'urine dans l'appareil urinaire.
- Si la personne est incapable de marcher jusqu'aux toilettes, utilisez une chaise d'aisances pour les femmes et un urinal pour les hommes, qui devront tout de même se mettre debout, à côté du lit.
- Le cas échéant, encouragez la personne à exercer une pression sur la région pubienne avec ses mains ou à se pencher vers l'avant pour accroître la pression intra-abdominale et externe sur la vessie.

RELAXATION
- Prenez les mesures nécessaires pour préserver l'intimité de la personne. Nombreuses sont les personnes incapables d'uriner en présence de quelqu'un.
- Allouez à la personne tout le temps nécessaire à la miction.
- Proposez à la personne de lire ou d'écouter de la musique.
- Procurez à la personne des stimuli sensoriels propices à la relaxation. Faites couler de l'eau tiède sur le périnée s'il s'agit d'une femme ou invitez la personne à s'asseoir dans un bain chaud, en vue de favoriser une relaxation des muscles.

- Faites couler l'eau du robinet de manière à ce que la personne l'entende ; cela favorise le réflexe urinaire tout en couvrant le bruit de la miction, que certains trouvent gênant.
- Administrez les analgésiques prescrits et fournissez le soutien nécessaire pour soulager le malaise physique et émotionnel, et favoriser un relâchement de la tension musculaire.

OPPORTUNITÉ DU MOMENT
- Aidez la personne qui ressent le besoin d'uriner à le faire immédiatement. Les retards à cet égard ne font qu'accroître la difficulté à déclencher la miction, et l'envie d'uriner peut disparaître.
- Offrez à la personne de l'aide pour aller aux toilettes aux heures habituellement propices à la miction, notamment au lever, avant ou après les repas, et au coucher.

PERSONNES ALITÉES
- Réchauffez le bassin hygiénique. Un bassin froid pourra provoquer une contraction des muscles du périnée et inhiber la miction.
- Relevez la tête du lit en position de Fowler, placez un petit oreiller ou une serviette de toilette enroulée dans le creux du dos de la personne pour assurer soutien et confort, et demandez à celle-ci de fléchir les hanches et les genoux. Cette position simule la position normale propice à la miction.

- Toujours essuyer la région périnéale de l'avant vers l'arrière après la miction ou la défécation, afin de ne pas introduire les bactéries des fèces dans l'urètre.

- Prendre des douches plutôt que des bains lorsque les infections urinaires s'avèrent récurrentes, car les bactéries se trouvant dans l'eau du bain peuvent facilement pénétrer dans l'urètre.

- Accroître l'acidité des urines en maintenant un apport régulier en vitamine C et en buvant quotidiennement deux ou trois verres de jus de canneberge.

Prise en charge de l'incontinence urinaire

Il importe de rappeler que l'incontinence urinaire ne découle pas inévitablement du vieillissement et qu'il est souvent possible de la traiter. Parmi les interventions que l'infirmière peut mettre en œuvre de manière autonome auprès des personnes souffrant d'incontinence urinaire, on compte : (a) un programme d'entraînement à la continence axé sur le comportement, pouvant comprendre la rééducation vésicale, l'acquisition d'habitudes d'élimination, la stimulation du réflexe de miction et des exercices de raffermissement des muscles pelviens ; (b) le maintien de l'intégrité de la peau ; (c) chez l'homme, l'installation d'un système de drainage vésical externe (condom collecteur).

ENTRAÎNEMENT À LA CONTINENCE. Un programme d'entraînement à la continence requiert la participation de l'infirmière, de la personne et des proches aidants. La personne doit être alerte, et physiquement apte à suivre le programme, qui pourra comprendre les éléments suivants :

Rééducation vésicale. La personne doit apprendre à reporter la miction, à réprimer l'envie d'uriner ou à y résister, et à uriner selon un horaire préétabli plutôt que lorsque le besoin s'en fait sentir. L'objectif consiste à cet égard à allonger graduellement les intervalles entre les mictions, dans le but de réduire leur fréquence, de stabiliser la vessie et d'atténuer la sensation du besoin d'uriner. Cette approche convient à des personnes dont la vessie fonctionne irrégulièrement et qui souffrent d'incontinence par besoin impérieux. Retarder la miction accroît le volume des urines excrétées et prolonge l'intervalle entre les mictions. Au début de la rééducation, l'infirmière encouragera la personne à uriner toutes les deux à trois heures, sauf pendant la nuit, puis toutes les quatre à six heures. Inhiber la sensation que produit l'envie d'uriner constitue un aspect primordial de la rééducation vésicale. Pour y parvenir, la personne doit respirer lentement et profondément jusqu'à ce que l'envie s'atténue ou disparaisse. Elle doit recommencer chaque fois qu'elle éprouve prématurément le besoin d'uriner. Voir l'encadré *Conseils pratiques – Rééducation vésicale.*

Acquisition d'habitudes d'élimination, ou miction minutée. Il s'agit ici de faire uriner la personne à intervalles réguliers de manière à ce qu'elle soit toujours au sec. On ne doit pas retarder la miction si le besoin d'uriner se fait sentir.

Stimulation du réflexe de miction. Cet aspect termine l'acquisition d'habitudes ; à ce stade, l'infirmière encourage la personne à essayer d'uriner en lui rappelant, le moment venu, qu'il est temps d'aller aux toilettes.

EXERCICES DE RAFFERMISSEMENT DES MUSCLES PELVIENS. Connus sous le nom d'exercices de Kegel, ces exercices permettent de raffermir les muscles du plancher pelvien et de réduire les épisodes d'incontinence chez la femme. Pour repérer les muscles du périnée, il suffit d'interrompre une miction en cours ou de resserrer le sphincter anal comme si on tentait de retenir les selles.

CONSEILS PRATIQUES

Rééducation vésicale

- Déterminez quelles sont les heures habituelles de miction de la personne et encouragez-la à les respecter, ou établissez un horaire fixe pour les mictions (au réveil, à des intervalles de une ou deux heures le jour et le soir, avant le coucher et toutes les quatre heures pendant la nuit, par exemple) et aidez la personne à l'observer, qu'elle éprouve ou non le besoin d'uriner. Un tel régime engendre une alternance entre la tension que provoque l'inhibition volontaire de la miction et la relaxation qu'induit la miction se déroulant au moment opportun. Or, cette alternance contribue à raffermir la tonicité de la vessie et à favoriser la maîtrise volontaire. Encouragez la personne à inhiber l'envie d'uriner quand celle-ci se fait sentir prématurément. Montrez-lui comment respirer lentement et profondément jusqu'à ce que l'envie d'uriner s'atténue ou disparaisse.

- Quand elle maîtrise ses mictions, invitez la personne à prolonger peu à peu l'intervalle entre celles-ci, ce qui pourra se faire sans qu'il y ait perte de continence.

- Dans le but de réduire le besoin d'uriner la nuit, adaptez l'apport liquidien, notamment en soirée.

- Entre 6 h et 18 h, encouragez la personne à consommer des liquides environ une demi-heure avant l'heure prévue pour la miction.

- Invitez la personne à éviter la consommation excessive de jus d'agrumes, de boissons gazéifiées (en particulier celles qui contiennent un édulcorant artificiel), d'alcool et de boissons à base de caféine ; toutes ces substances irritent la vessie et accroissent le risque d'incontinence.

- Administrez les diurétiques tôt le matin.

- Expliquez à la personne qu'elle doit maintenir un apport liquidien adéquat pour produire de l'urine en quantité suffisante et provoquer le réflexe de miction.

- Installez un piqué pour garder la literie au sec et fournissez à la personne des sous-vêtements étanches, spécialement conçus pour contenir l'urine et atténuer le sentiment d'embarras. Abstenez-vous d'utiliser des couches ; elles peuvent être dégradantes aux yeux de certaines personnes et contribuent à entretenir l'idée que l'incontinence est acceptable.

- Aidez la personne à adopter un programme d'exercices qui améliorera le tonus de ses muscles abdominaux et pelviens.

- Faites des commentaires positifs pour encourager la continence. Félicitez la personne qui s'efforce d'aller aux toilettes et de maîtriser ses mictions.

Pour enseigner les exercices de Kegel, on a parfois recours à la technique suivante. L'infirmière demande à la personne d'imaginer que ses muscles périnéaux ressemblent à un ascenseur. Lorsqu'elle relâche ses muscles, la personne doit imaginer que celui-ci se trouve au rez-de-chaussée. Ayant illustré ainsi le début de la séquence, l'infirmière demande ensuite à la personne de contracter les muscles périnéaux de façon à ce que l'« ascenseur » monte graduellement d'un étage à l'autre, jusqu'au quatrième (ce qui correspond donc à quatre contractions consécutives). La personne devra maintenir l'« ascenseur » à cet étage pendant quelques secondes, contractant sans relâche les muscles périnéaux. Ensuite, il s'agira de laisser la région se détendre progressivement. Pour exécuter correctement cet exercice, la personne doit éviter de serrer les muscles des fesses et des cuisses.

Il est possible d'effectuer les exercices de Kegel en tout temps et partout, assis ou debout – voire en urinant. L'encadré *Enseignement – Exercices de Kegel* résume les directives concernant l'exécution de ces exercices.

MAINTIEN DE L'INTÉGRITÉ DE LA PEAU.
Une peau constamment humide finit par devenir macérée (flétrie). L'urine qui s'accumule à sa surface se transforme en ammoniaque, une substance très irritante. Puisque l'irritation et la macération prédisposent toutes deux la peau à la dégradation et à l'ulcération, la personne incontinente requiert des soins cutanés minutieux. Pour préserver l'intégrité de la peau, l'infirmière doit nettoyer la région périnéale avec du savon et de l'eau après les épisodes d'incontinence ; elle doit la rincer soigneusement, l'assécher doucement et minutieusement, puis fournir à la personne des vêtements ou des draps propres et secs. Si la peau se trouve irritée, l'infirmière appliquera un onguent, comme de l'oxyde de zinc, pour la protéger du contact avec l'urine. S'il est nécessaire de matelasser les vêtements pour les protéger, l'infirmière utilisera des produits qui absorbent l'humidité et gardent au sec la surface de contact avec la peau.

ENSEIGNEMENT

Exercices de Kegel
- Écartez les jambes, en position assise ou debout.
- Contractez le rectum, l'urètre et le vagin vers l'intérieur durant trois à cinq secondes. Vous devriez sentir la contraction dans le sillon interfessier.
- Recommencez à 10 reprises, 5 fois par jour.
- Pour faire ces exercices, vous devriez choisir des moments précis qui serviront de rappels : dans la voiture au moment d'aller au travail, en vous affairant devant l'évier de cuisine ou à heures fixes (à 7 h, 10 h, 13 h, 16 h et 19 h, par exemple).
- Pendant que vous urinez, essayez de déclencher et d'interrompre le jet mictionnel.
- Pour maîtriser les épisodes d'incontinence à l'effort, vous devez bander les muscles et exécuter la manœuvre de Kegel avant de procéder à toute activité qui accroît la pression intra-abdominale, notamment avant de tousser, de rire, d'éternuer ou de soulever un poids.

En ce qui concerne les personnes incontinentes et alitées, on peut utiliser un piqué spécialement conçu, qui offre des avantages très nets par rapport aux piqués usuels. Ce piqué possède une double épaisseur : d'un côté, on trouve une surface matelassée en nylon ou en polyester et, de l'autre, une surface absorbante en rayonne viscose. Le piqué de rayonne comporte généralement un renfort d'envers étanche. Les liquides (c'est-à-dire l'urine) passent à travers la couche matelassée ; ensuite, la rayonne viscose les absorbe et les disperse, ce qui laisse la surface matelassée sèche au toucher. Ce piqué absorbant contribue au maintien de l'intégrité de la peau ; il n'y adhère pas lorsqu'il est mouillé, il diminue le risque de plaies de pression et absorbe les odeurs.

INSTALLATION D'UN SYSTÈME DE DRAINAGE VÉSICAL EXTERNE.
Chez l'homme incontinent, on prescrit habituellement l'installation d'un condom urinaire (ou collecteur urinaire externe), raccordé à un système de drainage vésical. L'utilisation du condom urinaire est préférable à l'insertion d'une sonde à demeure parce que celui-ci réduit au minimum le risque d'infection des voies urinaires.

Comme les méthodes d'installation du condom urinaire varient, l'infirmière doit suivre les indications du fabricant. Elle doit d'abord déterminer à quels moments la personne est incontinente. Dans certains cas, le port d'un condom urinaire ne sera nécessaire que la nuit ; dans d'autres cas, la personne devra le porter sans interruption. Le procédé 47-1 décrit la marche à suivre pour installer et retirer un collecteur urinaire externe.

■ Gérer la rétention urinaire

Les interventions visant à maintenir des habitudes normales de miction, que nous avons décrites précédemment, s'appliquent également aux problèmes de rétention urinaire. Si ces interventions ne donnent aucun résultat, le médecin traitant pourrait prescrire un cholinergique, comme le béthanéchol (Urecholine), pour stimuler les contractions de la vessie et faciliter la miction. Les personnes souffrant d'une **vessie neurogène hypotonique (flaccide)**, c'est-à-dire dont les muscles vésicaux sont affaiblis et lâches, peuvent exercer une pression manuelle suspubienne pour favoriser la vidange. C'est ce qu'on appelle la **manœuvre de Credé**. Cette technique est toutefois déconseillée, à moins qu'un médecin ou une infirmière dotée d'une formation spécifique l'ait prescrite ; en fait, on l'utilise seulement lorsqu'on sait qu'une personne ne récupérera pas la maîtrise de sa vessie. Lorsque toutes ces mesures échouent, il pourra s'avérer nécessaire de recourir au cathétérisme vésical pour vidanger complètement la vessie. Dans certains cas, on insérera une sonde à demeure (sonde de Foley) jusqu'à ce qu'on puisse traiter la cause sous-jacente. Dans d'autres, on procédera à un cathétérisme intermittent (toutes les trois ou quatre heures), cette intervention offrant l'avantage de réduire le risque d'infection urinaire.

■ Cathétérisme vésical

Le cathétérisme vésical consiste à introduire une sonde dans l'urètre jusqu'à la vessie. Dans la mesure où il est possible que des micro-organismes s'introduisent en même temps dans la vessie, cette intervention n'est pratiquée qu'en dernier ressort. Les personnes dont la résistance immunitaire se trouve affaiblie courent le plus de risques d'infection à cet égard. Or, une infection de la vessie peut remonter les uretères et se propager aux reins. Au surplus,

PROCÉDÉ 47-1

Installation d'un collecteur urinaire externe (condom urinaire)

Objectifs

- Recueillir les urines et maîtriser l'incontinence urinaire.
- Permettre à la personne de faire de l'activité physique sans crainte d'être embarrassée par une fuite d'urine.

- Prévenir l'irritation de la peau consécutive à l'incontinence urinaire.

COLLECTE DES DONNÉES

- Examinez le dossier de la personne pour connaître ses habitudes de miction et recueillir toute autre donnée pertinente.

- Mettez des gants et examinez le pénis de l'homme pour déceler tout signe d'œdème ou d'excoriation qui empêcherait ou limiterait l'usage d'un collecteur urinaire externe (condom urinaire).

PLANIFICATION

Déterminez si la personne a déjà porté un collecteur urinaire externe par le passé et, le cas échéant, si des problèmes en ont résulté. Procédez à toute intervention qu'il est préférable de mener en l'absence des composants du dispositif tels que le sac et le tube, comme peser la personne, par exemple.

Matériel

- Sac collecteur se portant sur la jambe avec tubulure ou sac collecteur d'urine avec tubulure

- Condom urinaire (collecteur urinaire externe)
- Serviette de bain ou accessoire du même type
- Gants
- Bassine d'eau tiède et savon
- Débarbouillette et serviette
- Ruban adhésif élastique ou courroie velcro

INTERVENTION

Préparation

- Préparez le sac collecteur se portant sur la jambe ou le sac collecteur d'urine en vue de le raccorder au condom urinaire.
- Enroulez le rebord du condom urinaire vers l'extérieur pour en faciliter l'installation (figure 47-5 ■). Certains modèles comportent un rabat que l'on peut appliquer autour du méat urétral pour prévenir le reflux de l'urine.

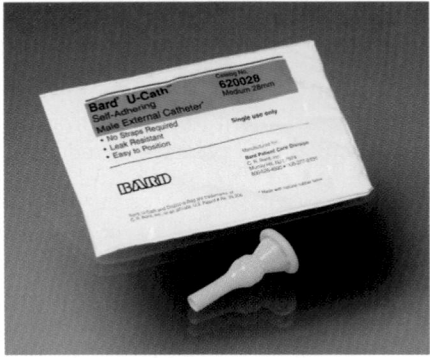

FIGURE **47-5** ■ Avant d'installer le condom urinaire, enrouler le rebord vers l'extérieur. (Avec l'autorisation de Bard Medical Division, Covington, GA.)

- Installez la personne en position couchée ou assise.

Exécution

1. Expliquez à la personne ce que vous allez faire, pourquoi vous allez le faire et comment elle peut coopérer.

2. Informez la personne de l'effet du condom urinaire sur les soins ou les traitements à venir.

3. Lavez-vous les mains, mettez des gants et observez toutes les mesures de prévention des infections.

4. Assurez-vous que l'intimité de la personne est préservée.
   - Recouvrez-la de manière convenable avec la serviette de bain, en n'exposant que le pénis.

5. Inspectez et nettoyez le pénis.
   - Coupez les poils qui se trouvent à la base du pénis : *les poils peuvent coller au ruban adhésif et nuire à la bonne adhérence du condom urinaire sur le pénis.*
   - Nettoyez la région génitale et asséchez-la avec minutie. *Cette précaution vise à réduire au minimum le risque d'irritation et d'excoriation de la peau une fois le condom urinaire installé.*

6. Installez le condom urinaire et fixez-le.
   - Déroulez le condom urinaire doucement autour du pénis, en laissant un vide de 2,5 cm entre l'extrémité du pénis et la tubulure de raccordement (figure 47-6 ■). *Cet espace permet de prévenir l'irritation du gland et de drainer complètement la vessie.*
   - Fixez fermement le condom urinaire au pénis, en évitant de trop serrer. L'intérieur de l'extrémité proximale de certains condoms urinaires est muni d'une bande qui adhère à la peau de la base du pénis. L'emballage de nombreux condoms urinaires

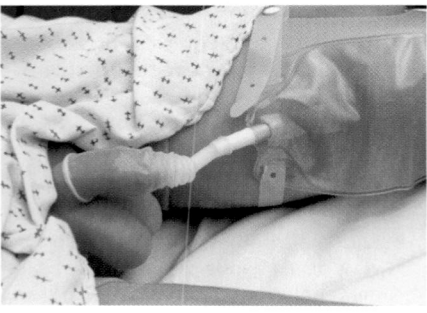

FIGURE **47-6** ■ Condom urinaire enroulé autour du pénis.

INTERVENTION (suite)

contient aussi une bande adhésive spéciale qu'il faut installer en spirale; *il faut veiller à ce que la bande adhésive ne se chevauche pas, ce qui pourrait nuire à la circulation sanguine.* Si le type de condom que vous installez n'est pas muni de telles bandes, fixez-le autour de la base du pénis avec une bande de ruban adhésif élastique ou une courroie velcro qu'il faudra également installer en spirale. *L'usage d'un ruban adhésif ordinaire est contre-indiqué parce qu'il n'est pas souple et peut bloquer la circulation sanguine.*

7. Raccordez solidement le système de drainage.
   • Veillez à ce que l'extrémité du pénis n'entre pas en contact avec le condom urinaire et à ce que celui-ci ne se torde pas. *Un condom urinaire tordu peut empêcher l'urine de s'écouler.*
   • Raccordez le dispositif de drainage au condom.
   • Retirez vos gants et lavez-vous les mains.
   • Si la personne doit demeurer alitée, attachez le sac collecteur au cadre de lit.
   • Si la personne peut se déplacer, fixez le sac collecteur à sa jambe (figure 47-7 ■). *Cette précaution*

permet de limiter le mouvement de la tubulure et empêche que le matériau délicat dont est fait le condom urinaire ne se torde à l'extrémité du pénis.

8. Indiquez à la personne quelles précautions il faut prendre relativement au système de drainage.
   • Expliquez-lui que le sac collecteur doit rester sous le niveau du condom et qu'il faut éviter de tortiller ou de plier la tubulure.

9. Inspectez le pénis 30 minutes après l'installation du condom et vérifiez

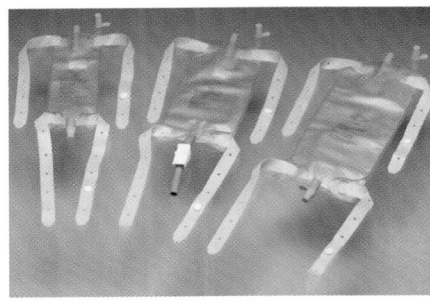

FIGURE 47-7 ■ Sacs collecteurs se portant sur la jambe. (Avec l'autorisation de Bard Medical Division, Covington, GA.)

l'écoulement de l'urine. Consignez ces observations au dossier.
   • Examinez le pénis pour déceler tout œdème ou changement de coloration, *signes que le condom est trop serré.*
   • Si la personne a uriné, vérifiez l'écoulement de l'urine. Normalement, s'il n'y a pas d'obstruction, la tubulure devrait contenir un peu d'urine.

10. Changez le condom urinaire tous les jours et procédez aux soins cutanés requis.
   • Retirez le ruban adhésif élastique ou la courroie velcro, mettez des gants et déroulez le condom pour l'enlever.
   • Nettoyez le pénis avec de l'eau savonneuse, rincez-le et asséchez-le minutieusement.
   • Inspectez le prépuce *pour déceler tout signe d'irritation, d'œdème ou de décoloration.*
   • Installez un nouveau condom urinaire.

11. Consignez vos observations au dossier de la personne en les complétant, le cas échéant, avec les fiches ou les listes de vérification pertinentes. Consignez les données relatives à l'intervention, à l'heure où le condom urinaire a été installé et à la présence de lésions cutanées sur le pénis.

ÉVALUATION

■ Effectuez un suivi détaillé en tenant compte des écarts par rapport aux résultats escomptés ou jugés normaux pour la personne concernée. Évaluez les résultats à la lumière des observations précédentes, le cas échéant.

■ Signalez tout écart significatif au médecin traitant.

---

une fois la sonde en place, le danger d'infection demeure bien réel, puisque la sonde court-circuite les mécanismes de défense naturels de l'organisme, comme l'évacuation intermittente des microorganismes par la miction. Il faut donc observer une technique d'asepsie stricte lorsqu'on procède à un cathétérisme vésical.

Le risque de traumatisme constitue un autre danger relié au cathétérisme vésical, en particulier chez les hommes dont l'urètre est long et tortueux. Il est important que la sonde épouse les con-

tours naturels de l'urètre, sinon on risque d'endommager celui-ci en tentant de forcer le passage de la sonde dans un resserrement ou en adoptant un mauvais angle d'insertion. Chez l'homme, l'urètre suit une courbe naturelle, qu'il est toutefois possible de redresser en élevant le pénis perpendiculairement par rapport au corps.

On fabrique généralement les sondes en caoutchouc ou en plastique, mais elles peuvent l'être aussi en latex, en silicone ou en polychlorure de vinyle (PVC). Le diamètre de la lumière détermine leur calibre; plus la Charrière (CH) est élevée, plus le diamètre est grand et la lumière large. En anglais, on utilise la filière French, soit Fr. En général, pour les enfants, on utilise des sondes Fr8 à Fr10; pour les femmes, Fr14 à Fr16; et pour les hommes, Fr16 à Fr18. Il existe des sondes droites, que l'on insère pour drainer la vessie et que l'on retire immédiatement après, et des sondes à demeure, qu'on laisse en place.

La sonde droite est un tube à une seule lumière doté d'un petit orifice, à environ 1,25 cm de son extrémité (figure 47-8 ■).

! ALERTE CLINIQUE *Les infections nosocomiales touchent 7 % des personnes hospitalisées. Les infections des voies urinaires représentent 30 à 40 % de ces infections nosocomiales et, de ce nombre, 70 % seraient directement reliées à l'installation de sondes vésicales à demeure ou aux cathétérismes vésicaux (Marchiondo, 1998; Maki et Tambyah, 2001).* ■

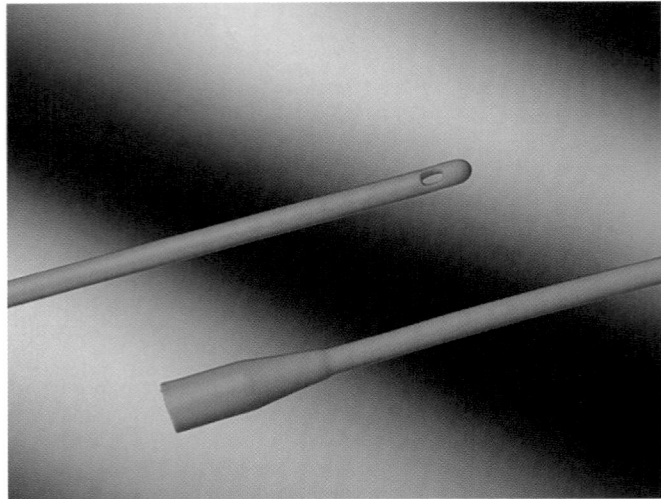

A

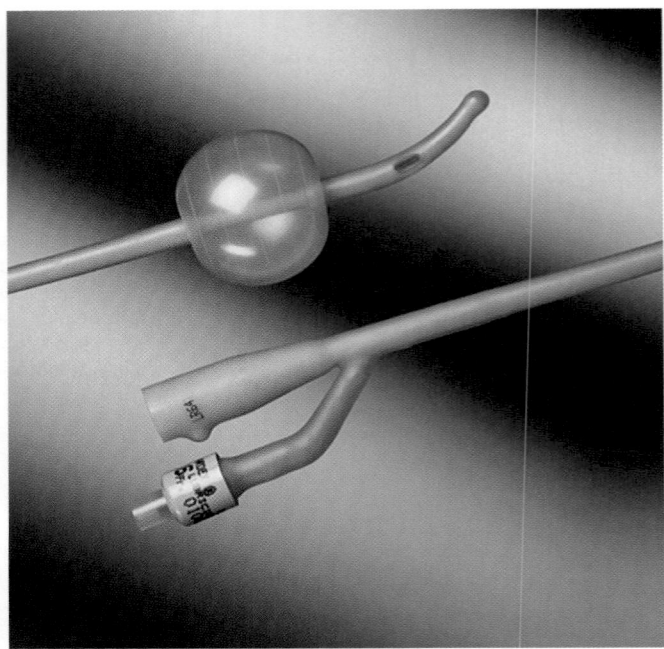

FIGURE **47-9** ■ **Sonde coudée.** (Avec l'autorisation de Bard Medical Division, Covington, GA.)

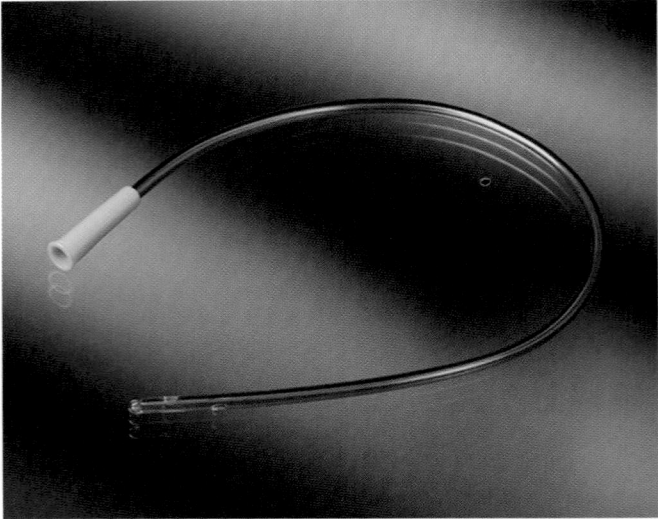

B

FIGURE **47-8** ■ *A,* Sonde droite en caoutchouc rouge. *B,* Sonde droite en plastique Robinson. (Avec l'autorisation de Bard Medical Division, Covington, GA.)

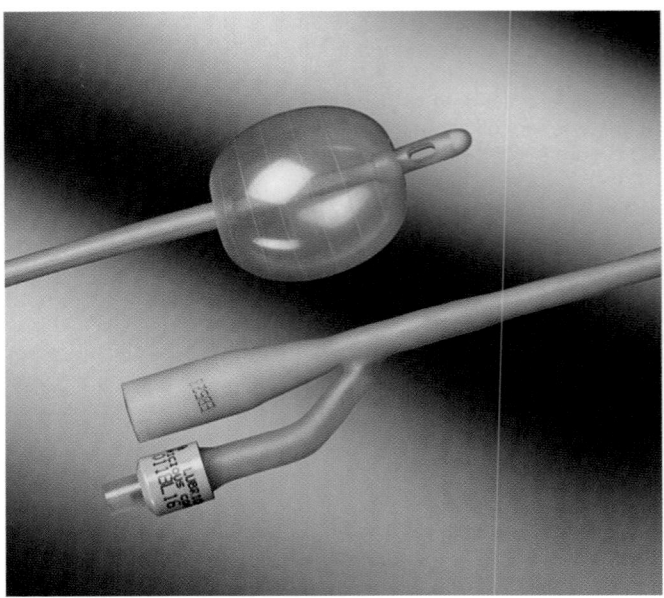

FIGURE **47-10** ■ **Sonde à demeure (de Foley), dont le ballonnet se trouve gonflé.** (Avec l'autorisation de Bard Medical Division, Covington, GA.)

La sonde coudée est une variante de la sonde droite, plus rigide que celle-ci et possédant une extrémité courbée et effilée (figure 47-9 ■). On l'utilise chez les hommes souffrant d'hypertrophie de la prostate parce qu'elle se manie plus aisément et réduit les risques de traumas aux tissus.

La sonde à demeure, ou sonde de Foley, est un cathéter à deux lumières. La lumière à large diamètre sert à évacuer l'urine, tandis que l'autre permet de gonfler un ballonnet servant à maintenir la sonde en place dans la vessie (figure 47-10 ■). Il existe également une sonde de Foley à trois lumières, qu'on utilise pour les personnes nécessitant une irrigation continue ou intermittente de la vessie (figure 47-11 ■). La troisième lumière sert à instiller une solution stérile dans la vessie, qui s'écoulera ensuite par la lumière réservée au drainage, en même temps que l'urine.

La taille des ballonnets varie en fonction du volume de solution nécessaire pour les gonfler. Les ballonnets de 5 mL et 30 mL sont les plus couramment utilisés. La taille du ballonnet est indiquée sur la sonde, à côté du diamètre de celle-ci : par exemple, « Fr18 – 5 mL ». L'encadré 47-2 dresse une liste des directives à observer pour le choix des sondes.

Les sondes à demeure sont habituellement raccordées à un système de drainage en circuit fermé. Ce dispositif se compose d'une sonde, d'une tubulure de drainage et d'un sac collecteur d'urine. Le circuit ne doit comporter aucune ouverture depuis la sonde jusqu'au sac collecteur, pour réduire le risque que des microorganismes pénètrent dans le système et infectent les voies urinaires.

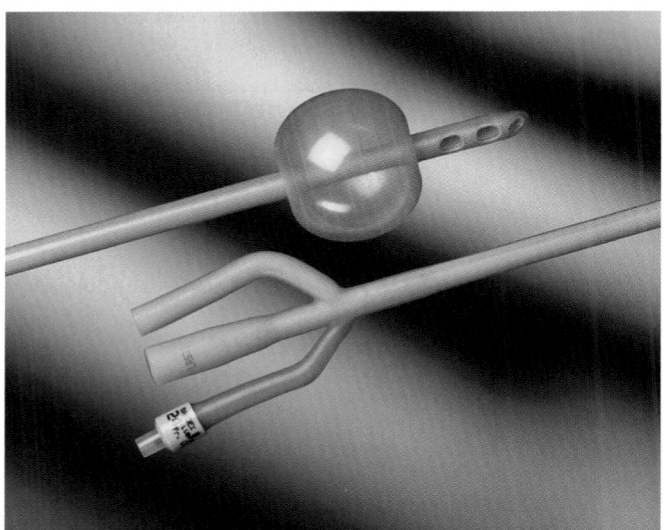

FIGURE 47-11 ■ Sonde de Foley à trois lumières. (Avec l'autorisation de Bard Medical Division, Covington, GA.)

LES ÂGES DE LA VIE

Cathétérisme

NOURRISSONS ET ENFANTS
- Choisissez une sonde dont le calibre convient aux nourrissons et aux enfants.
- Le cas échéant, demandez à un proche de tenir le nourrisson ou l'enfant pendant le cathétérisme.

PERSONNES ÂGÉES
Quand on procède à un cathétérisme chez une personne âgée, il faut être très attentif aux problèmes relatifs à la restriction des mouvements, en particulier en ce qui concerne les hanches. L'arthrose, ou une chirurgie de la hanche ou du genou, peut limiter l'amplitude des mouvements et engendrer de la douleur. Modifiez la position de la personne aussi souvent que nécessaire pour pratiquer l'intervention en toute sécurité et maintenir la personne dans un état de bien-être. Pour une femme, demandez au besoin à une autre infirmière de vous assister pour fléchir les genoux et les hanches de la personne et les maintenir en place, ou encore installez la personne dans une position de Sims modifiée.

En règle générale, dans ce type de dispositif, l'urine s'écoule de la vessie vers le sac collecteur grâce à la gravité.

Le procédé 47-2 décrit la marche à suivre pour pratiquer un cathétérisme vésical à l'aide d'une sonde droite tant chez la femme que chez l'homme, et la marche à suivre pour installer une sonde vésicale à demeure.

▨ Interventions infirmières auprès des personnes portant une sonde à demeure

Les soins qu'il faut prodiguer aux personnes portant une sonde à demeure et un dispositif de drainage continu visent, dans une large mesure, à prévenir les infections urinaires et à assurer l'écoulement de l'urine dans le dispositif de drainage. Multiples, ces soins comprennent les aspects suivants : favoriser la consommation de grandes quantités de liquides, tenir un relevé précis des ingesta et des excreta, changer la sonde et la tubulure, maintenir la perméabilité du dispositif de drainage tout en prévenant sa contamination, et enseigner ces soins.

LIQUIDES. Les personnes qui portent une sonde à demeure doivent consommer entre 2 000 et 3 000 mL de liquides par jour, si cela leur est permis. Cet apport liquidien contribue à maintenir un débit urinaire élevé, ce qui, en retour, rend possible une vidange adéquate de la vessie, tout en diminuant la probabilité de stase urinaire et d'infection subséquente. En outre, une quantité d'urine abondante réduit le risque que des sédiments ou d'autres particules obstruent la tubulure de drainage.

ENCADRÉ

Choisir la bonne sonde	47-2

- Choisissez le matériel d'après la période de temps prévue de cathétérisme. Afin de réduire le risque d'infection, il est aussi possible de recourir à une sonde imprégnée d'un agent antibactérien ou enduite d'argent et d'hydrogel.
  a) N'utilisez des sondes en plastique que pour de très brèves périodes (quelques jours au maximum), car elles ne sont pas souples et sont vraiment inconfortables.
  b) Utilisez des sondes en caoutchouc ou en latex pour des périodes allant de deux à trois semaines. Il faut noter qu'environ 1 % des personnes sont allergiques au latex.
  c) Utilisez des sondes en silicone pur ou en téflon pour des périodes prolongées de cathétérisme (de deux à trois mois, par exemple), parce qu'elles s'incrustent moins dans le méat urétral. Elles sont toutefois onéreuses.
- Déterminez quelle longueur devra avoir la sonde en fonction du sexe de la personne. S'il s'agit d'une femme adulte, utilisez une sonde de 22 cm ; s'il s'agit d'un homme adulte, utilisez une sonde de 40 cm.
- Déterminez le diamètre de la sonde en fonction de la taille du canal urétral. Utilisez un calibre 8 ou 10 pour les enfants et un calibre 14 ou 16 pour les adultes. Les hommes requièrent souvent un diamètre plus élevé que les femmes, un calibre 18, par exemple.
- Choisissez un ballonnet de taille appropriée. Pour un adulte, on utilise en général un ballonnet de 5 ou de 10 mL pour favoriser un écoulement optimal de l'urine. Les ballonnets de petite taille permettent un meilleur drainage de la vessie dans la mesure où ils rapprochent l'extrémité de la sonde de l'orifice de l'urètre à l'intérieur de la vessie. Il est toutefois courant, à la suite d'une prostatectomie, d'utiliser un ballonnet de 30 mL pour favoriser l'hémostase de la région prostatique. Pour les enfants, on utilise des ballonnets de 3 mL.

PROCÉDÉ 47-2

Cathétérisme vésical et installation d'une sonde vésicale à demeure

Objectifs

Cathétérisme vésical

- Soulager le malaise que cause la distension de la vessie ou favoriser la décompression progressive d'une vessie distendue.
- Déterminer la quantité d'urine résiduelle en cas de vidange incomplète de la vessie.
- Obtenir un échantillon d'urine.
- Pallier l'incontinence quand toute autre mesure a échoué.

Sonde vésicale à demeure

- Fournir une mesure exacte du débit urinaire des personnes dont l'état est grave et dont il faut surveiller le débit toutes les heures.
- Assurer le drainage et l'irrigation de la vessie par intermittence ou de façon continue.
- Vidanger complètement la vessie avant une intervention chirurgicale.
- Empêcher que l'urine entre en contact avec une incision, après une chirurgie périnéale.
- Pallier l'incontinence quand toute autre mesure a échoué.

COLLECTE DES DONNÉES

- Déterminez la méthode de cathétérisme la plus appropriée, selon l'objectif à atteindre et d'après les critères que précise l'ordonnance, comme le volume d'urine à retirer ou le calibre de la sonde à utiliser.
- Utilisez une sonde droite pour prélever ponctuellement un échantillon d'urine, mesurer la quantité d'urine résiduelle, ou vidanger et détendre temporairement la vessie.
- Utilisez une sonde à demeure si la vessie doit rester vide ou si l'on doit procéder de façon répétitive à des mesures et à des prélèvements d'urine.

- Évaluez l'état général de la personne. Déterminez si elle se trouve en mesure de coopérer et de rester immobile pendant le procédé, et s'il est possible de l'installer en décubitus dorsal, la tête presque à l'horizontale.
- Déterminez à quel moment a eu lieu la dernière miction ou le dernier cathétérisme.
- Percutez la vessie pour vérifier si elle est pleine ou distendue.

PLANIFICATION

Allouez-vous tout le temps nécessaire pour procéder au cathétérisme. Même s'il est possible d'effectuer le procédé en 15 minutes, plusieurs problèmes pourront en prolonger l'exécution. Dans la mesure du possible, évitez de vous livrer à cette intervention dans les heures qui précèdent et suivent les repas.

Matériel

- Sonde stérile de calibre approprié (ayez également sous la main une sonde supplémentaire)
- Trousse de cathétérisme (figure 47-12 ■) ou fournitures stériles:

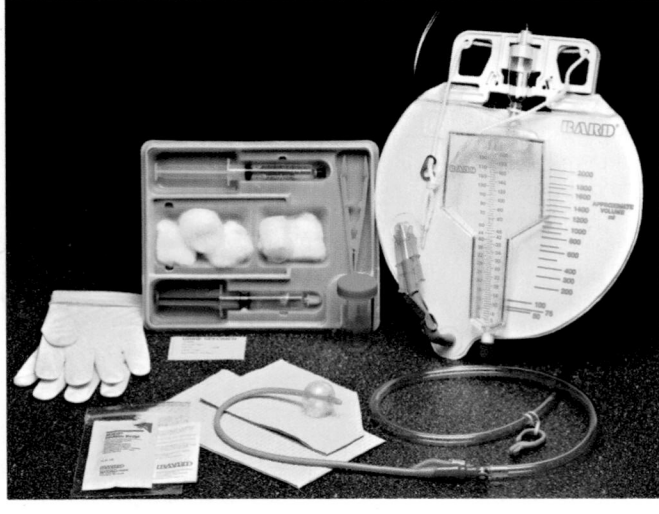

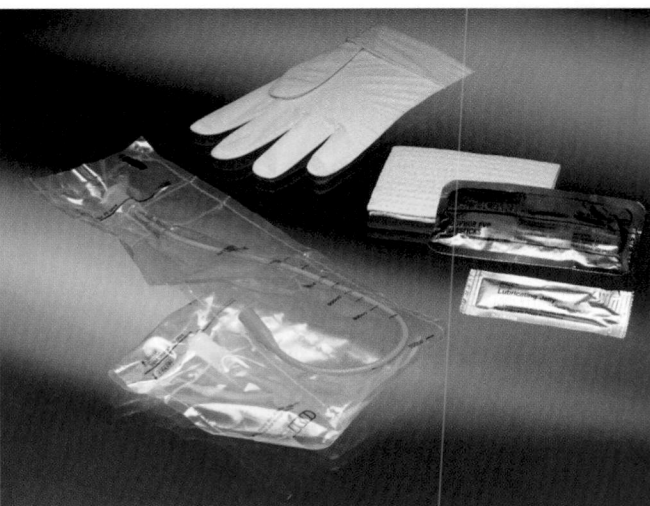

A

B

FIGURE 47-12 ■ Trousses de cathétérisme: *A*, sonde vésicale à demeure. *B*, sonde droite pour cathétérisme vésical.
(Avec l'autorisation de Bard Medical Division, Covington, GA.)

- Une ou deux paires de gants stériles
- Piqués imperméables
- Solution antiseptique
- Tampons d'ouate
- Pinces
- Lubrifiant hydrosoluble
- Récipient pour l'urine
- Contenant à échantillon
- Champ stérile fenestré

- Pour une sonde à demeure :
  - Seringue remplie d'eau stérile selon la quantité que spécifie le fabricant de la sonde (pour le ballonnet)
  - Sac collecteur et tubulure
- Fournitures pour nettoyer la région périnéale
- Serviette de bain ou drap pour couvrir la personne
- Dispositif d'éclairage efficace (au besoin, procurez-vous une lampe de poche ou une lampe)

INTERVENTION

Préparation

Si vous utilisez une trousse pour sonde vésicale à demeure, lisez l'étiquette attentivement pour vous assurer que la trousse contient bien toutes les fournitures nécessaires. Procédez aux soins périnéaux de routine et nettoyez le méat de toute souillure. Chez la femme, profitez-en pour repérer le méat urétral par rapport aux organes voisins (figure 47-13 ■).

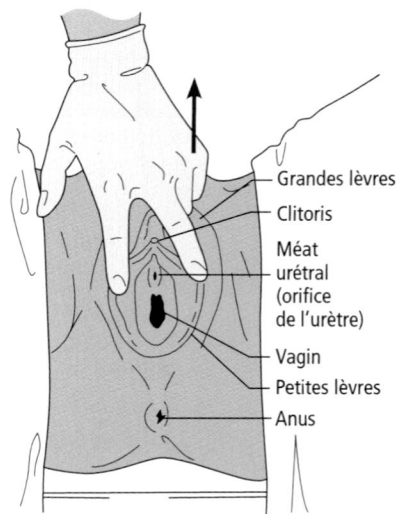

Grandes lèvres
Clitoris
Méat urétral (orifice de l'urètre)
Vagin
Petites lèvres
Anus

FIGURE 47-13 ■ Pour exposer le méat urétral, écartez les petites lèvres et relevez-les vers le haut.

Exécution

1. Expliquez à la personne ce que vous allez faire, pourquoi vous allez le faire et comment elle peut coopérer. Précisez-lui que l'introduction de la sonde provoquera le besoin d'uriner et peut-être une sensation de brûlure. Expliquez-lui en quoi les résultats découlant du cathétérisme serviront à planifier les soins ou les traitements à venir.

2. Lavez-vous les mains et observez les autres mesures de prévention des infections.

3. Assurez-vous que l'intimité de la personne est préservée.

4. Aidez la personne à s'installer dans la position requise et couvrez toutes les parties du corps à l'exception de la région génitale.
   a) Position pour les femmes : décubitus dorsal, genoux fléchis et tournés vers l'extérieur.
   b) Position pour les hommes : décubitus dorsal, genoux légèrement en abduction.

5. Ajustez adéquatement l'éclairage ambiant. L'infirmière se tient à droite de la personne si elle est droitière et à sa gauche si elle est gauchère.

6. Si l'utilisation d'un sac collecteur est prévue, ouvrez l'emballage et placez l'extrémité de la tubulure à portée de main. *Puisqu'une main doit tenir la sonde une fois que celle-ci est en place, il est préférable d'ouvrir l'emballage tandis que les deux mains se trouvent libres.*

7. Ouvrez la trousse. Placez un piqué imperméable sous les fesses (pour les femmes) ou le pénis (pour les hommes) en évitant de contaminer le centre du champ fenestré avec vos mains.

8. Mettez des gants stériles.

9. Le cas échéant, recouvrez la région génitale avec le champ stérile fenestré de manière à n'exposer que le méat urétral.

10. Préparez les autres fournitures.
    - Saturez les tampons d'ouate de solution antiseptique.
    - Ouvrez l'emballage du lubrifiant.
    - Retirez le contenant à échantillon de son emballage et placez-le à portée de main en déposant le couvercle sur le flacon, sans le fixer.

11. Raccordez la seringue préremplie à la valve du ballonnet et vérifiez si le ballonnet fonctionne. *Si le ballonnet fonctionne mal, il faudra le remplacer avant de procéder.*

12. Lubrifiez la sonde (sur 2,5 cm à 5 cm chez les femmes, sur 15 à 18 cm chez

les hommes) et placez-en l'autre extrémité dans le récipient collecteur.

13. Nettoyez le méat urétral. *Remarque :* On considère que la main non dominante est contaminée dès qu'elle entre en contact avec la peau de la personne.
    a) Pour les femmes
       À l'aide de votre main non dominante, écartez les grandes lèvres. Assurez-vous que votre prise est solide, mais tout en douceur. Les tissus pourraient s'avérer glissants en raison de l'antiseptique, et il faut veiller à ce que les lèvres ne se referment pas sur le méat une fois qu'il a été nettoyé. Avec votre main dominante et à l'aide de la pince et d'un tampon d'ouate, essuyez un côté des grandes lèvres en effectuant un mouvement antéro-postérieur (figure 47-14 ■).

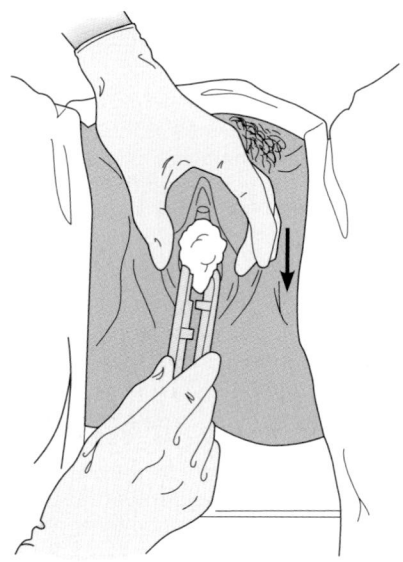

FIGURE 47-14 ■ Nettoyez le méat urétral du haut vers le bas, c'est-à-dire en effectuant un mouvement antéropostérieur.

PROCÉDÉ 47-2 (SUITE)

Cathétérisme vésical et installation d'une sonde vésicale à demeure (suite)

INTERVENTION (suite)

Procédez avec soin et veillez à ce que ce geste ne contamine pas votre main stérile. Utilisez un autre tampon pour nettoyer le côté opposé. Recommencez de même pour les petites lèvres. Utilisez le dernier tampon pour nettoyer la zone se trouvant directement au-dessus du méat urétral.

b) Pour les hommes
Avec votre main non dominante, saisissez le pénis sous le gland. Le cas échéant, rabattez le prépuce. Tenez fermement le pénis en position verticale, en le tendant légèrement. *Cette position permet d'étirer l'urètre.* Avec votre main dominante et à l'aide de la pince et d'un tampon d'ouate, nettoyez la peau tout autour du gland, en commençant par le centre du méat. Procédez avec soin et veillez à ce que ce geste ne contamine pas la main stérile. Recommencez trois fois, chaque fois à l'aide d'un nouveau tampon. Les tissus pourraient s'avérer glissants en raison de l'antiseptique, et il faut veiller à ce que le prépuce ne se referme pas sur le méat une fois que celui-ci a été nettoyé ; il ne faut pas non plus lâcher le pénis.

14. Introduisez la sonde.
Tenez la sonde fermement à 5 ou 7,5 cm de l'extrémité et lubrifiez-en généreusement l'extrémité.
a) Pour les femmes
• Demandez à la femme de respirer profondément ; introduisez la sonde au moment où elle expire. Attendez-vous à sentir une légère résistance lorsque la sonde atteindra le sphincter. Le cas échéant, faites rouler la sonde sur elle-même ou appliquez une pression jusqu'à ce que le sphincter se détende (figure 47-15 ■).
• Lorsque l'urine aura commencé à s'écouler par la sonde, faites avancer la sonde de 5 cm *pour vous assurer qu'elle rejoint la vessie et qu'elle se trouve à l'intérieur de celle-ci, non pas seulement près de l'ostium interne de l'urètre, par exemple.*
• Si la sonde entre accidentellement en contact avec les lèvres ou se loge dans le vagin, on considère qu'elle est contaminée ; si cela se

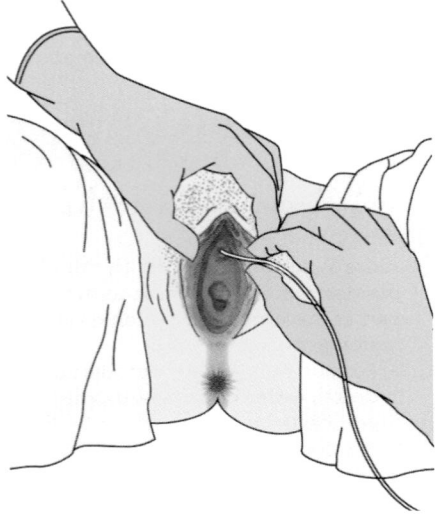

FIGURE 47-15 ■ Insertion de la sonde vésicale chez la femme.

produit, il faudra utiliser une nouvelle sonde stérile. *Pour éviter de confondre le méat urétral et l'orifice du vagin, on pourra laisser la sonde contaminée dans le vagin jusqu'à l'insertion de la nouvelle sonde.*

b) Pour les hommes
• Tenez le pénis perpendiculairement et tirez-le légèrement (figure 47-16 ■, A).

• Exercez une légère pression à la base du gland pour ouvrir le méat urétral.
• Tout en demandant à l'homme de pousser comme s'il allait uriner, introduisez lentement la sonde dans le méat.
• Au moment où une légère résistance se fait sentir, abaissez le pénis à environ 60° et continuez à introduire la sonde jusqu'à ce que l'urine s'écoule (figure 47-16 ■, B). Lorsque l'urine aura commencé à s'écouler, faites avancer la sonde de 5 cm, *pour vous assurer qu'elle rejoint bel et bien la vessie.*
• Déposez le pénis sur le drap en prenant soin de ne pas retirer la sonde.

15. Si vous avez introduit une sonde à demeure, gonflez le ballonnet jusqu'à obtention du volume indiqué.
• Sans relâcher la sonde, raccordez la seringue tout en tenant la valve de gonflage entre deux doigts de votre main non dominante (si vous n'avez pas laissé la seringue raccordée à l'étape de la vérification du ballonnet) et, avec votre main dominante, gonflez le ballonnet. Si la personne ressent de la douleur, retirez immédiatement le liquide que vous avez instillé, introduisez la sonde plus avant et tentez de gonfler le ballonnet de nouveau.
• Pour vérifier que le ballonnet est suffisamment gonflé et se trouve

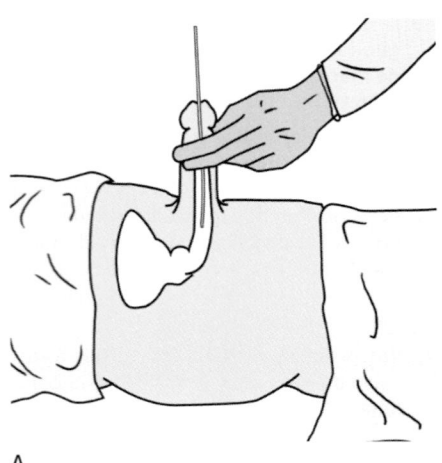
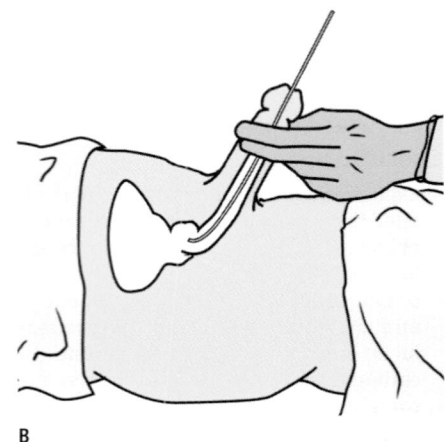

A   B

FIGURE 47-16 ■ A, Insertion de la sonde vésicale chez l'homme en tenant le pénis à 90°. B, Suite de l'insertion de la sonde vésicale chez l'homme en abaissant le pénis à 60°.

INTERVENTION (suite)

bien dans le trigone de la vessie, tirez doucement sur la sonde jusqu'à ce qu'une légère résistance se fasse sentir (figure 47-17 ■, *A* et *B*).

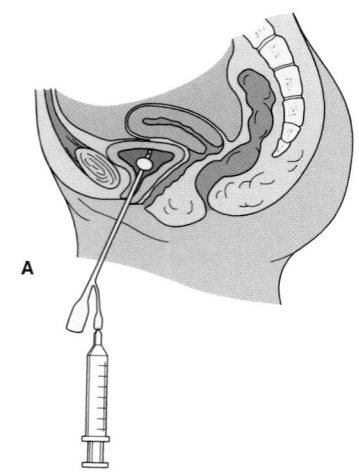

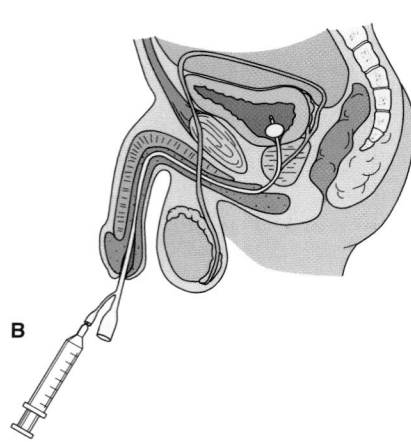

FIGURE 47-17 ■ Emplacement d'une sonde à demeure et d'un ballonnet : *A*, chez la femme ; *B*, chez l'homme.

16. Si besoin est, recueillez un échantillon d'urine. Laissez s'écouler de 20 à 30 mL d'urine dans le flacon, en évitant que la sonde et le flacon entrent en contact.

17. Si vous utilisez une sonde droite, laissez la vessie se vider. Si vous utilisez une sonde à demeure, raccordez l'extré-

mité de la sonde à la tubulure et au sac collecteur.

18. Examinez l'urine et mesurez-en la quantité. Dans certains cas, on ne doit recueillir que de 750 à 1 000 mL d'urine en une seule séance. Si tel est le cas, consultez les règlements de l'établissement pour obtenir la marche à suivre.

19. Si vous utilisez une sonde droite, retirez celle-ci quand l'urine a cessé de s'écouler. Si vous utilisez une sonde à demeure, fixez-la sur la face interne de la cuisse chez les femmes (figure 47-18 ■) et sur la partie supérieure de la cuisse ou sur l'abdomen chez les hommes (figure 47-19 ■), tout en laissant suffisamment de jeu *pour que la personne conserve une amplitude de mouvement.* Fixez également la tubulure aux draps et accrochez le sac collecteur sous le niveau de la vessie. Veillez à ce que la tubulure ne pende pas sous le sac (figure 47-20 ■).

20. Essuyez la région périnéale pour enlever tout excédent d'antiseptique ou de lubrifiant. Aidez la personne à s'installer dans une position confortable.

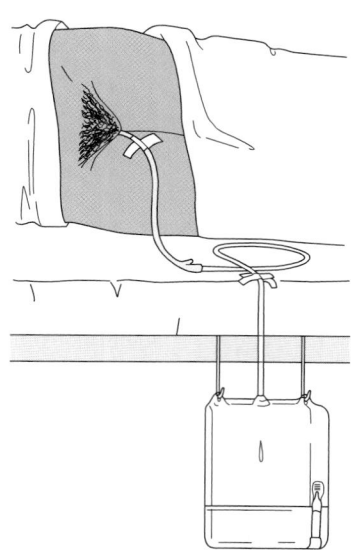

FIGURE 47-18 ■ Fixez la sonde sur la face interne de la cuisse chez la femme.

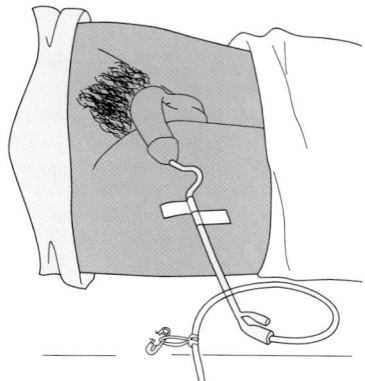

FIGURE 47-19 ■ Fixez la sonde sur la cuisse ou sur l'abdomen chez l'homme.

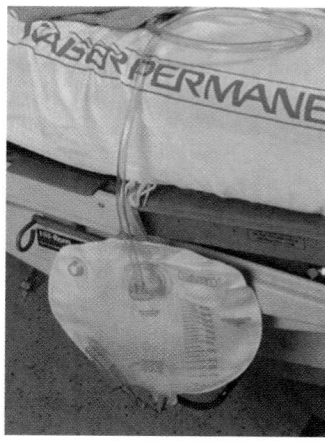

FIGURE 47-20 ■ Position adéquate d'un sac collecteur d'urine et de la tubulure.

21. Jetez toutes les fournitures utilisées dans un récipient approprié et lavez-vous les mains.

22. Consignez les données relatives au cathétérisme dans le dossier de la personne, notamment le calibre de la sonde et les résultats, à l'aide d'un formulaire ou d'une liste de vérification qu'il s'agira de compléter, le cas échéant, par des notes manuscrites.

ÉVALUATION

Observez les mesures de suivi prescrites, notamment en informant le médecin traitant des résultats du cathétérisme. Effectuez un suivi détaillé en tenant compte des écarts par rapport aux résultats escomptés ou jugés normaux pour la personne concernée. Le cas échéant, évaluez les résultats à la lumière des observations précédentes.

SOINS À DOMICILE

Cathétérisme

Si la personne doit avoir recours à un cathétérisme intermittent, donnez-lui les instructions suivantes :

- Observez les directives relatives à la technique propre.
- Lavez-vous soigneusement les mains avec de l'eau tiède et du savon avant de manipuler le matériel ou de procéder au cathétérisme.
- Soyez attentive aux signes d'infection urinaire, tels que des brûlures, une miction impérieuse, des douleurs abdominales et une urine trouble.
- Veillez à ce que votre apport liquidien soit adéquat.
- Après chaque cathétérisme, vérifiez la couleur, l'odeur et la transparence de l'urine ainsi que la présence éventuelle de sang.
- Nettoyez minutieusement les sondes en caoutchouc avec du savon et de l'eau après chaque usage, séchez-les et rangez-les dans un endroit propre.

Si la personne doit utiliser une sonde à demeure, donnez-lui les instructions suivantes :

- Ne tirez jamais sur la sonde.
- Veillez à ce que la tubulure ne plie pas ni ne s'entortille.
- Maintenez le sac collecteur d'urine sous le niveau de la vessie (figure 47-21 ■) ; chez les personnes capables de se tenir debout, on peut substituer au sac suspendu un sac se portant sur la jambe.
- Videz régulièrement le sac collecteur.
- Prenez des douches plutôt que des bains ; les bains favorisent l'entrée des bactéries dans les voies urinaires.
- Soyez attentive aux signes d'infection urinaire, tels que des brûlures, une miction impérieuse, des douleurs abdominales et une urine trouble.
- Veillez à ce que votre apport liquidien soit adéquat.

- Si vous devez porter une sonde à demeure pendant de longues périodes, changez celle-ci et le sac à intervalles réguliers (bien souvent, la norme à cet égard prescrit un changement tous les mois, mais cette norme peut varier selon les fabricants).

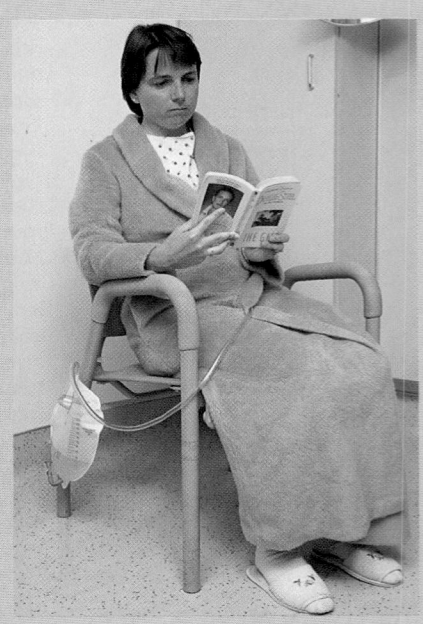

FIGURE 47-21 ■ Installation du sac collecteur et de la tubulure en position assise.

On peut contribuer à réduire les risques d'infection urinaire et de formation de calculs chez les personnes portant une sonde à demeure en acidifiant leur urine au moyen d'une médication appropriée.

SOINS PÉRINÉAUX. Outre les soins d'hygiène usuels, aucune mesure spécifique n'est nécessaire à cet égard, même en ce qui concerne le méat urétral. Les pratiques établies relativement aux sondes vésicales varient grandement d'un établissement à l'autre ; l'infirmière devra en prendre connaissance.

CHANGEMENT DE LA SONDE VÉSICALE ET DE LA TUBULURE. Il n'est pas recommandé de changer systématiquement les sondes et les tubulures. Il faut toutefois changer le dispositif de drainage lorsque des sédiments s'accumulent dans la sonde ou la tubulure, ou que l'appareil fonctionne mal. Dans ces cas, on doit retirer la sonde et le système de drainage, et les remplacer par une nouvelle sonde stérile munie d'un système en circuit fermé.

L'encadré *Conseils pratiques – Prévention des infections liées à l'installation d'une sonde* dresse une liste des directives relatives à la prévention des infections des voies urinaires. Par ailleurs, l'évaluation continue des personnes portant une sonde vésicale constitue une priorité (voir l'encadré 47-3).

RETRAIT D'UNE SONDE À DEMEURE. Lorsque l'utilisation de la sonde vésicale a donné les résultats escomptés, on la retire, généralement à la suite d'une ordonnance du médecin traitant. Si la sonde n'est en place que depuis peu de temps (c'est-à-dire quelques jours), la fonction urinaire devrait normalement se rétablir sans difficulté. Toutefois, au début, un œdème de l'urètre pourrait entraver la miction ; l'infirmière doit donc surveiller les signes de rétention urinaire chez la personne jusqu'à ce que la miction redevienne normale.

Il faudra peut-être rééduquer la vessie des personnes ayant porté une sonde à demeure pendant une période prolongée, pour lui redonner son tonus musculaire. En effet, une fois la sonde en place, les muscles de la vessie n'ont pas l'occasion de s'étirer et de se contracter régulièrement, comme cela se produit lorsque la vessie se remplit et se vide ensuite au moment de la miction. Quelques jours avant son retrait, l'infirmière clampera la sonde durant des périodes de temps précises (de deux à quatre heures, par exemple), puis la déclampera pour vidanger la vessie. Cette mesure permet à la vessie de se distendre et stimule sa musculature. À cet égard, l'infirmière devra consulter les programmes de soins pour prendre connaissance des pratiques admises en matière de rééducation vésicale.

CONSEILS PRATIQUES

Prévention des infections liées à l'installation d'une sonde

- Observez un programme établi de contrôle des infections.
- Ne procédez à un cathétérisme que lorsque cela est nécessaire, en recourant à une technique d'asepsie, à du matériel stérile et à du personnel spécialisé.
- Maintenez stérile le système en circuit fermé.
- Ne débranchez la sonde et la tubulure qu'en cas d'absolue nécessité.
- Retirez la sonde le plus tôt possible.
- Lavez-vous les mains en observant une technique adéquate.
- Fournissez à la personne les soins d'hygiène périnéale usuels, tels que le nettoyage à l'eau et au savon après les défécations.
- En ce qui a trait aux personnes incontinentes, tâchez d'éviter que les fèces ne contaminent la sonde.

ENCADRÉ
47-3

Évaluation continue des personnes portant une sonde vésicale à demeure

- Assurez-vous que le dispositif de drainage n'est pas obstrué. Vérifiez que la tubulure ne s'est pas entortillée, que la personne ne se trouve pas couchée dessus ou que du mucus ou du sang ne l'obstrue pas.
- Assurez-vous qu'aucune tension ne s'exerce sur la sonde ou la tubulure, que la sonde est solidement fixée à la cuisse ou à l'abdomen, et que la tubulure l'est aux draps.
- Maintenez le drainage par gravité. Assurez-vous que la tubulure ne s'est pas entortillée et que le sac collecteur se trouve sous le niveau de la vessie de la personne.
- Assurez-vous que le système de drainage est parfaitement étanche ou qu'il se trouve en circuit fermé.
- Observez l'écoulement de l'urine toutes les deux ou trois heures; prenez note de la couleur, de l'odeur et de tout composant anormal. S'il y a présence de sédiments, inspectez la sonde à plusieurs reprises pour vérifier qu'elle n'est pas bouchée.

RÉSULTATS DE RECHERCHE

Quel est le meilleur moment pour retirer une sonde vésicale à demeure?

Pendant de nombreuses années, on a procédé couramment au retrait d'une sonde vésicale à demeure très tôt le matin, lorsque le médecin en avait donné l'ordre; l'infirmière de nuit s'en chargeait souvent, tout juste avant l'arrivée du personnel de jour. Cependant, nulle recherche n'avait démontré jusque-là que ce moment de la journée était à cet égard plus propice, ou moins, que les autres; en réalité, nulle recherche n'avait été menée en ce sens. En 2002, Kelleher a lancé un projet de recherche visant à mesurer, dans deux groupes de 80 personnes: le temps s'écoulant entre le retrait de la sonde et le moment où se produisaient la première et la deuxième miction; la quantité d'urine excrétée lors de ces deux mictions; la nécessité de procéder à un nouveau cathétérisme après le retrait de la sonde; à quel moment les personnes obtenaient leur congé de l'hôpital. Dans le premier groupe, le retrait de la sonde a eu lieu à 6 h (groupe 1); dans le second, à minuit (groupe 2). Les deux groupes se constituaient de personnes ayant subi des interventions chirurgicales semblables, exigeant par la suite le port d'une sonde. Voici un aperçu des résultats significatifs sur le plan statistique: (a) la première miction se produisait plus tardivement chez les sujets du groupe 2 (3,65 heures par rapport à 2,97 heures); (b) la quantité d'urine excrétée au terme de la première et de la deuxième miction était supérieure chez les sujets du groupe 2 (286 mL contre 177 mL, et 322 mL contre 195 mL). De plus, alors que 93 % des sondes avaient été retirées dans les 30 minutes suivant le moment désigné pour le groupe 2, ce chiffre n'atteignait que 65 % au sein du groupe 1. Comme ils avaient uriné plus tôt le matin (avant 6 h, dans une proportion d'au moins 80 %), les

sujets du groupe 2 étaient aussi plus susceptibles d'obtenir leur congé le jour même.

Implications: L'étude que nous résumons sommairement ici démontre les avantages que comporte pour la personne une modification de routine – dans ce cas précis, retirer la sonde à minuit plutôt qu'à 6 h. Les résultats indiquent que les sujets du groupe de minuit ont retrouvé des habitudes normales de miction (intervalles entre les mictions et quantité d'urine) plus rapidement que ceux de l'autre groupe. D'autre part, en ce qui a trait au groupe de 6 h, l'infirmière n'a pu procéder « à temps » au retrait de la sonde que dans un tiers des cas; cela indique que la pratique admise n'était pas aussi opportune pour les membres du personnel qu'on aurait pu le croire jusque-là. Même si ces résultats, fort intéressants, méritent que d'autres recherches les corroborent en fonction d'autres contextes, l'établissement où s'est déroulée l'étude a modifié sa façon de faire à cet égard. Il est important que les infirmières continuent à soumettre à l'analyse leurs pratiques courantes, afin d'en confirmer ou d'en infirmer le bien-fondé, surtout lorsqu'elles risquent d'en bénéficier tout autant que les personnes qu'elles soignent.

Source: « Removal of Urinary Catheters: Midnight vs. 0600 Hours », de M. M. B. Kelleher, 2002, *British Journal of Nursing*, 11, p. 84, 86, 88-90.

Voici les étapes que l'infirmière doit observer pour retirer une sonde à demeure :

- Se procurer : un sac à rebuts ; un piqué ; une serviette propre ; des gants jetables ; une seringue stérile pour dégonfler le ballonnet. Celle-ci doit pouvoir contenir toute la solution qui gonfle le ballonnet, dont la taille se trouve indiquée sur l'étiquette apposée à l'extrémité de la sonde.
- Demander à la personne de s'installer en décubitus dorsal, c'est-à-dire la même position qu'elle a dû prendre au moment de l'installation de la sonde.
- *Facultatif :* Obtenir un échantillon d'urine avant de procéder au retrait de la sonde. Vérifier le protocole de l'établissement à ce sujet.
- Retirer le ruban adhésif retenant la sonde à la personne, enfiler des gants et placer le piqué entre les jambes chez la femme et sur les cuisses chez l'homme.
- Introduire la seringue dans l'orifice de gonflage et aspirer la solution que contient le ballonnet. Si on ne parvient pas à retirer toute la solution, en informer l'infirmière responsable avant de continuer l'intervention.
- Ne pas tirer sur la sonde quand le ballonnet est gonflé, car cela pourrait traumatiser l'urètre.
- Après avoir aspiré toute la solution, retirer délicatement la sonde et la placer dans le récipient à déchets. Généralement, on enroule la sonde autour d'une main gantée et on retire le gant en l'enroulant à l'envers, emprisonnant ainsi la sonde à l'intérieur du gant.
- Sécher la région périnéale avec une serviette.
- Mesurer la quantité d'urine se trouvant dans le sac collecteur, retirer les gants, se laver les mains et consigner les données relatives au retrait de la sonde. Prendre note : (a) de l'heure du retrait de la sonde ; (b) de la quantité d'urine, de sa couleur et de sa transparence ; (c) de l'état de la sonde ; (d) des indications données à la personne.
- Après le retrait de la sonde, noter à quel moment se produit la première miction et quelle quantité d'urine est excrétée ; noter également la quantité d'urine que la personne excrète dans les huit heures suivant l'intervention. Comparer cette quantité à l'apport liquidien.

Autocathétérisme intermittent

L'autocathétérisme intermittent est une pratique que doivent adopter de nombreuses personnes souffrant d'une vessie neurogène, consécutive notamment à une lésion médullaire. Dans un établissement de soins, on utilise à cet égard une technique d'asepsie stérile, mais, à domicile, la personne utilisera une technique propre. Cette façon de faire permet à la personne :

- De préserver son autonomie et de retrouver la maîtrise de sa vessie.
- De réduire l'incidence des infections urinaires.
- De protéger les voies urinaires supérieures des reflux.
- D'avoir des rapports sexuels normaux sans incontinence.
- De réduire l'utilisation d'une sonde à demeure ou d'une couche.
- De prévenir les fuites postmictionnelles embarrassantes.

Le procédé que la personne doit suivre pour un autocathétérisme intermittent ressemble à celui qu'observe l'infirmière pour procéder à un cathétérisme. L'encadré *Enseignement – Autocathétérisme*

intermittent en décrit les étapes essentielles. Comme l'autocathétérisme exige une certaine préparation physique et intellectuelle, il est primordial de procéder à une collecte des données pertinente. La personne devrait :

- Posséder la dextérité manuelle nécessaire pour manipuler une sonde.
- Disposer des capacités intellectuelles requises.
- Démontrer qu'elle accepte de se soumettre au procédé et que les résultats escomptés de celui-ci la motivent.
- Disposer de la souplesse nécessaire pour atteindre l'urètre, s'il s'agit d'une femme.
- Posséder une capacité vésicale supérieure à 100 mL.

Avant d'enseigner la marche à suivre, l'infirmière devrait déterminer les habitudes de miction de la personne, la quantité d'urine excrétée, l'apport liquidien et la quantité d'urine résiduelle. Il est à noter que cette technique s'avère plus facile à apprendre pour les hommes que pour les femmes en raison de la visibilité du méat urétral chez ceux-ci. Les femmes doivent d'abord apprendre à exécuter cette intervention à l'aide d'un miroir, mais, avec le temps, elles devraient y parvenir par le seul sens du toucher.

Irrigation de la vessie

L'**irrigation vésicale** est une technique de rinçage par instillation d'une solution spécifique. L'irrigation de la vessie se pratique sur ordonnance d'un médecin, habituellement pour nettoyer la vessie à l'aide d'une solution antiseptique ou pour traiter localement la paroi vésicale à l'aide d'un antibiotique. Quant à l'irrigation de la sonde, elle sert à maintenir ou à restaurer sa perméabilité, notamment pour la débarrasser du pus ou des caillots qui pourraient l'obstruer.

La méthode en circuit fermé constitue une technique privilégiée en matière d'irrigation de la sonde ou de la vessie, parce que les risques d'infection urinaire associés à cette méthode sont moindres que ceux associés à d'autres méthodes. La méthode en circuit fermé peut être continue ou intermittente. De manière générale, on l'utilise avec les sondes à trois lumières (voir la figure 47-11). On instille une solution d'irrigation dans la vessie par la lumière réservée à cet effet, et cette solution est évacuée par une autre lumière servant au drainage de l'urine.

Il arrive que l'on doive employer une méthode d'irrigation en circuit ouvert pour restaurer la perméabilité d'une sonde. Le risque d'injection de microorganismes dans les voies urinaires augmente toutefois, puisque la continuité entre la sonde et la tubulure se trouve alors rompue. Il faut prendre des précautions d'asepsie strictes pour d'une part maintenir la stérilité de la tubulure de drainage et de l'intérieur de la sonde, et d'autre part réduire le plus possible le risque de contamination.

On pratique la méthode d'irrigation de la sonde ou de la vessie en circuit ouvert à l'aide des sondes à demeure à deux lumières. Cette méthode peut s'avérer nécessaire si des caillots de sang ou des mucosités obstruent la sonde, ou encore lorsqu'il est préférable de ne pas changer la sonde. Le procédé 47-3 expose les techniques relatives à l'irrigation vésicale.

Dérivations des voies urinaires

Une dérivation des voies urinaires résulte d'une intervention chirurgicale qui détourne l'urine de la vessie et la redirige ailleurs. On procède habituellement à cette intervention quand l'ablation de

ENSEIGNEMENT

Autocathétérisme intermittent

- Effectuez le cathétérisme aussi souvent que nécessaire. Au début, il faudra peut-être recommencer toutes les deux à trois heures, avant de passer à un intervalle de quatre à six heures.
- Avant de procéder au cathétérisme, essayez d'uriner ; si cela est impossible ou si la quantité d'urine excrétée est insuffisante (moins de 100 mL, par exemple), introduisez la sonde pour évacuer l'urine résiduelle.
- Réunissez toutes les fournitures nécessaires avant de procéder. Il est essentiel de disposer d'un bon éclairage, en particulier pour les femmes.
- Si vous portez un tampon hygiénique, retirez-le avant de commencer l'intervention. *Les tampons hygiéniques peuvent nuire au cathétérisme.*
- Lavez-vous les mains.
- Nettoyez le méat urétral à l'aide d'une compresse ou d'une débarbouillette savonneuse, et rincez-le avec une débarbouillette mouillée. Les femmes doivent nettoyer cette région dans un mouvement antéropostérieur.
- Installez-vous dans une position confortable qui facilitera le passage de la sonde, notamment la position semi-couchée au lit ou la position assise sur une chaise ou sur le siège des toilettes. Certains hommes préféreront se tenir debout, au-dessus de la cuvette des toilettes, et certaines femmes choisiront de se tenir debout en plaçant un pied sur le bord de la baignoire.
- Enduisez l'extrémité de la sonde de lubrifiant (sur 2,5 cm pour les femmes ; sur 5 à 15 cm pour les hommes).
- Introduisez la sonde jusqu'à ce que l'urine commence à s'en écouler.
  a) Pour les femmes : repérez le méat urétral à l'aide d'un miroir ou d'un autre dispositif, ou recourez à la technique du « toucher » en procédant de la manière suivante :
     - Placez l'index de votre main non dominante sur le clitoris.
     - Placez le majeur et l'annulaire au niveau du vagin.
     - Déplacez votre index et votre majeur de part et d'autre du méat urétral.
     - Orientez la sonde pour l'introduire dans le méat et dirigez-la ensuite vers le haut et l'avant, en direction de l'ombilic.
  b) Pour les hommes : tenez votre pénis à un angle de 60 à 90° en l'étirant légèrement vers l'avant et introduisez la sonde. Lorsque l'urine commence à s'écouler, replacez le pénis dans sa position naturelle.
- Gardez la sonde en place jusqu'à ce que l'urine cesse de s'écouler.
- Retirez la sonde lentement *pour vous assurer que la vessie s'est entièrement vidée de son urine.*
- Nettoyez la sonde avec de l'eau et du savon ; rangez-la dans un contenant propre. Si la sonde devient trop difficile à nettoyer, ou si elle se ramollit ou se durcit au point où il devient difficile de l'insérer, remplacez-la.
- Communiquez avec votre médecin traitant si l'urine est trouble ou contient des sédiments, si le passage de la sonde se fait difficilement ou provoque des saignements ou de la douleur, ou encore si vous faites de la fièvre.
- *Pour permettre à la vessie de se remplir et de se vider efficacement,* consommez de 2 000 à 2 500 mL de liquides par jour, au moins. *Pour maintenir l'acidité de l'urine et réduire les risques d'infection,* buvez du jus de canneberge et de prune.

---

la vessie se révèle nécessaire, notamment en raison d'un cancer ou d'un traumatisme. Il est ainsi possible d'aboucher les uretères directement à la peau pour former de petites stomies (urétérostomie cutanée). Cette intervention comporte toutefois certains inconvénients. Les stomies fournissent aux microorganismes une voie d'accès directe, de la peau aux reins. Il est également difficile d'appareiller la stomie avec un dispositif collecteur si elle est de petite taille ; de plus, la stomie peut rétrécir et entraver éventuellement l'écoulement de l'urine.

La dérivation urinaire la plus couramment pratiquée est l'anse iléale (ou conduit iléal) (figure 47-22 ■). Pendant cette intervention, on isole un segment de l'iléum et on relie les deux extrémités de l'intestin. Au moyen du segment autonome, on fabrique une poche à l'aide de points de suture à une extrémité et on abouche l'autre extrémité à la paroi abdominale pour construire une stomie. On implante ensuite les uretères dans cette poche. En raison de sa taille, l'iléostomie est plus facile à appareiller que l'urétérostomie. La muqueuse de l'iléum fournit également un certain degré de protection contre les infections ascendantes. L'urine s'écoule de la poche sans interruption.

Il est possible de créer ce qu'on appelle une iléostomie continente de Kock au moyen d'un segment de l'iléum, afin de fabriquer un réservoir interne pour l'urine. Cette intervention consiste à aboucher les uretères dans un segment isolé de l'iléon et à invaginer une autre portion de l'iléon à la peau afin de confectionner des valves antireflux. À mesure que la poche de Kock se remplit d'urine, les valves se ferment, empêchant que des fuites se produisent à l'extérieur et que l'urine reflue vers les reins. La personne ayant subi cette intervention doit procéder à des autocathétérismes toutes les quatre heures environ. Entre les cathétérismes, on applique un petit pansement pour protéger la stomie et les vêtements.

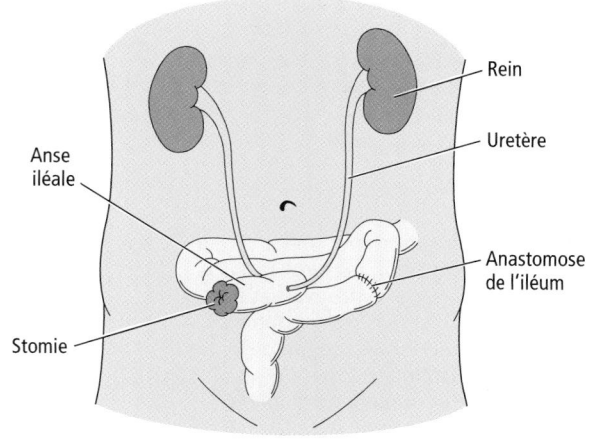

FIGURE **47-22** ■ Anse iléale (ou conduit iléal).

PROCÉDÉ 47-3

Irrigation vésicale

Objectifs

- Irrigation vésicale continue : nettoyer la vessie à l'aide d'une solution antiseptique ou traiter localement la paroi vésicale à l'aide d'un antibiotique.

- Irrigation vésicale intermittente : débloquer une sonde vésicale ou la tubulure.

COLLECTE DES DONNÉES

- Déterminez quel type de dispositif de drainage vésical la personne utilise. Prenez connaissance de son dossier pour vous informer des ingesta et des excreta récents, et des difficultés que la personne éprouve avec le dispositif. Étudiez les résultats des irrigations précédentes.

- Examinez la personne pour déceler toute douleur à la vessie, tout spasme ou une distension de la vessie.

PLANIFICATION

Avant de procéder à l'irrigation d'une sonde ou de la vessie, vérifier : (a) pour quelle raison il faut procéder à l'irrigation ; (b) l'ordonnance autorisant la pratique d'une irrigation continue ou intermittente (cette intervention exige une ordonnance d'un médecin) ; (c) le type et la quantité de solution stérile à utiliser, sa concentration et, dans le cas d'une irrigation continue, le débit requis ; (d) le type de sonde que porte la personne. Si ces renseignements ne figurent pas au dossier, vérifiez le protocole de l'établissement.

Matériel

- Gants jetables (deux paires)
- Sonde à demeure (déjà installée)

- Tubulure de drainage et sac collecteur (déjà installés)
- Compresses antiseptiques
- Récipient stérile
- Solution d'irrigation stérile préchauffée ou se trouvant à température ambiante (étiquetez la solution de manière claire [« Solution d'irrigation de la vessie »] et indiquez tout médicament ayant été ajouté à la solution de base)
- Tubulure d'irrigation
- Potence (tige à soluté)

INTERVENTION

Exécution

1. Expliquez à la personne ce que vous allez faire, pourquoi vous allez le faire et comment elle peut coopérer. L'irrigation ne devrait causer ni douleur ni malaise. Indiquez à la personne en quoi les résultats de l'intervention serviront à planifier les soins ou les traitements à venir.

2. Lavez-vous les mains et observez les autres mesures de prévention des infections.

3. Assurez-vous que l'intimité de la personne est préservée.

4. Mettez une première paire de gants jetables.

5. Videz le sac collecteur, mesurez la quantité d'urine qui s'y trouvait et évaluez sa couleur ; consignez ces données. Jetez l'urine et les gants. *Le fait de vider le sac collecteur permet de mesurer le débit urinaire de manière plus précise une fois que le système d'irrigation est installé ou que l'irrigation est terminée. L'examen des caractéris-*

tiques de l'urine fournit des données de base pour la comparaison.

6. Préparez le matériel nécessaire.
   - Lavez-vous les mains.
   - Raccordez la tubulure au sac de solution d'irrigation et faites passer la solution dans la tubulure tout en vous assurant que son extrémité reste stérile. *Cette mesure permet de retirer l'air de la tubulure, empêchant ainsi qu'il ne soit instillé dans la vessie.*
   - Mettez la seconde paire de gants jetables et, à l'aide de compresses antiseptiques, nettoyez l'orifice d'injection.
   - Raccordez la tubulure d'irrigation à l'orifice d'injection de la sonde à trois lumières (figure 47-23 ■).
   - Retirez les gants et lavez-vous les mains.

7. Irriguez la vessie.
   a) Si vous procédez à une irrigation continue, assurez-vous que le presse-tube de la tubulure de drainage est ouvert. *Cela permet à la solution d'irrigation de s'écouler de la vessie sans interruption.*

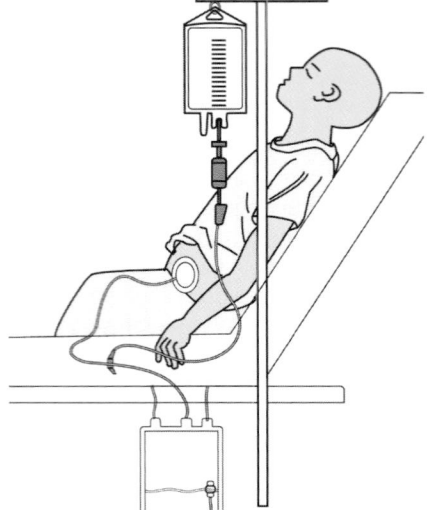

FIGURE 47-23 ■ Irrigation continue en circuit fermé.

INTERVENTION (suite)

• Ouvrez le presse-tube situé sur la tubulure d'irrigation et régularisez le débit selon l'ordonnance du médecin traitant; en l'absence d'ordonnance, réglez le débit à 40 à 60 gouttes par minute.

• Inspectez le liquide de drainage pour en évaluer la quantité, la couleur et la transparence. *Le volume de celui-ci devrait équivaloir à la somme de la quantité de solution instillée dans la vessie et de la quantité d'urine escomptée.*

b) Si vous procédez à une irrigation intermittente, vérifiez si la solution doit rester dans la vessie pendant un certain temps.

• Si la solution doit rester dans la vessie (pour une irrigation de la vessie ou une instillation), fermez le presse-tube de la tubulure de drainage. *Cela permet à la solution de rester dans la vessie et d'entrer en contact avec la paroi vésicale.*

• Ouvrez le presse-tube de la tubulure d'irrigation et laissez instiller la quantité de solution requise. Refermez le presse-tube de la tubulure d'irrigation.

• Une fois écoulée la période pendant laquelle la solution doit rester dans la vessie, ouvrez le presse-tube de la tubulure de drainage et laissez la vessie se vider.

• Si la solution est instillée dans le but d'irriguer la sonde même, laissez le presse-tube de la tubulure de drainage ouvert. *Ainsi, la solution d'irrigation s'écoulera à travers l'orifice et la tubulure de drainage, et en retirera les mucosités ou les caillots.*

• Inspectez le liquide de drainage *pour en évaluer la quantité, la couleur et la transparence. Le volume de celui-ci devrait être équivalent à la somme de la quantité de solution instillée dans la vessie et de la quantité d'urine escomptée.*

8. Examinez la personne et calculez le débit urinaire. Évaluez le degré de bien-être de la personne.

• Videz le sac collecteur et mesurez-en le contenu. Pour calculer la quantité d'urine excrétée, soustrayez la quantité de solution d'irrigation instillée du volume total de liquide drainé.

9. Consignez le déroulement de l'intervention et ses résultats au dossier de la personne, à l'aide d'un formulaire ou d'une liste de vérification qu'il s'agira de compléter, le cas échéant, par des notes manuscrites.

• Signalez tout composant anormal tel que des caillots sanguins, du pus ou des mucosités.

Variante : irrigation vésicale à l'aide d'une sonde à demeure à deux lumières

1. Réunissez le matériel nécessaire. Utilisez un plateau d'irrigation (figure 47-24 ■) ou réunissez les différents accessoires requis :
   • Gants stériles
   • Champ stérile
   • Solution d'irrigation stérile
   • Bassin stérile
   • Seringue stérile d'une capacité allant de 30 à 50 mL et de calibre 18 ou 19
   • Compresses antiseptiques

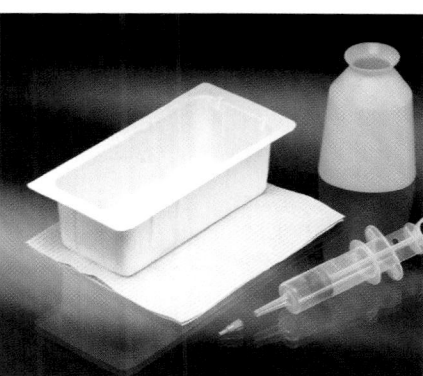

FIGURE **47-24** ■ Plateau d'irrigation. (Avec l'autorisation de Bard Medical Division, Covington, GA.)

2. Préparez la personne (voir ci-dessus les étapes 1 à 5 de la section « Exécution »).

3. Préparez le matériel.
   • Lavez-vous les mains.
   • Clampez la tubulure de drainage juste sous le point de raccord avec la sonde. *Cette mesure empêche l'urine et la solution de s'écouler dans le sac collecteur.*
   • Tout en suivant une technique stérile, déballez les fournitures et versez la solution dans le bassin ou le récipient stérile. *L'utilisation de la technique stérile est primordiale si l'on veut réduire les risques d'instillation de microorganismes dans les voies urinaires pendant l'irrigation.*
   • Enfilez les gants stériles.
   • Placez le champ stérile sous la sonde.
   • Retirez de la seringue le capuchon de l'aiguille et aspirez la quantité prescrite de solution tout en veillant à préserver la stérilité de la seringue et de la solution.

• À l'aide d'une compresse antiseptique, nettoyez sur la sonde ou la tubulure de drainage l'orifice d'injection qui servira à instiller la solution.

• Si la ponction de la sonde est proscrite dans l'établissement où vous travaillez, ce qui est le cas dans plusieurs établissements, retirez la tubulure de drainage de la sonde, bloquez-la au moyen d'un bouchon protecteur stérile et instillez lentement la solution directement dans la lumière de la sonde, après avoir pris soin de retirer l'aiguille de la seringue.

4. Irriguez la vessie.
   • Insérez l'aiguille dans l'orifice d'insertion.
   • Administrez lentement la solution dans la sonde. Chez les adultes, on instille habituellement entre 30 et 40 mL pour une irrigation de la sonde, et entre 100 et 200 mL pour une irrigation de la vessie. *On risque moins de traumatiser la muqueuse vésicale et de provoquer des spasmes de la vessie lorsqu'on instille lentement la solution.*
   • S'il s'agit d'une irrigation de la sonde, ouvrez le presse-tube de la tubulure de drainage *pour permettre à la solution d'irrigation de s'écouler.*
   • Une fois que la quantité de solution requise a été instillée (ou, pour une irrigation de la sonde, quand l'urine s'écoule librement), retirez la seringue de l'orifice d'insertion et jetez-la, avec l'aiguille, dans un récipient réservé à cet effet (soit un contenant biomédical pour objets pointus et tranchants). *Cette mesure de sécurité prévient les risques de blessure accidentelle causée par des aiguilles.*
   • Retirez les gants et lavez-vous les mains.
   • Une fois écoulée la période prescrite pendant laquelle la solution doit rester dans la vessie, retirez le clamp ou ouvrez le presse-tube de la tubulure de drainage, et laissez l'urine et la solution s'écouler dans le sac collecteur.
   • Inspectez le liquide de drainage pour en évaluer la quantité, la couleur et la transparence. Le volume de celui-ci devrait équivaloir à la somme de la quantité de solution instillée dans la vessie et de la quantité d'urine escomptée.

5. Examinez la personne et calculez le débit urinaire. Prenez note du déroulement de l'intervention et observez les étapes 8 et 9, présentées précédemment dans la section « Exécution ».

PROCÉDÉ 47-3 (SUITE)

Irrigation vésicale (suite)

ÉVALUATION

- Effectuez un suivi détaillé en tenant compte des écarts par rapport aux résultats escomptés ou jugés normaux pour la personne concernée. Évaluez les résultats à la lumière des observations précédentes, le cas échéant.

- Signalez tout écart significatif au médecin traitant.

Lorsque la vessie est intacte mais que la miction par l'urètre s'avère impossible (en raison d'une obstruction ou d'une vessie neurogène, par exemple), il est possible de créer une cystotomie continente, ce qui consiste à suturer la paroi vésicale à la paroi abdominale pour former une stomie, tandis que les uretères restent reliés à la vessie (figure 47-25 ■). Le principe est le même qu'avec l'iléostomie continente de Kock, sauf qu'au lieu d'un segment de l'iléon, c'est la vessie qui est utilisée.

Pour prodiguer des soins aux personnes ayant subi une dérivation des voies urinaires, l'infirmière doit calculer les ingesta et les excreta de manière précise, prendre note de toute modification de la couleur, de l'odeur ou de la transparence de l'urine (des mucosités apparaissent souvent dans l'urine des personnes ayant une anse iléale), et évaluer régulièrement l'état de la stomie et de la peau péristomiale. Les personnes qui doivent porter un appareil recueillant l'urine présentent des risques d'atteinte à l'intégrité de la peau, en raison de l'irritation que cause l'urine. Il est primordial à cet égard que l'appareil soit bien ajusté. L'infirmière doit consulter une infirmière stomathérapeute pour déterminer quel dispositif répondra le mieux aux besoins de chaque personne.

Une dérivation des voies urinaires peut occasionner chez la personne des problèmes sur le plan de l'image corporelle (représentation que la personne a de son corps) et de la sexualité ; les personnes concernées pourraient requérir de l'aide pour s'adapter à ces changements et entretenir la stomie. La plupart pourront reprendre leurs activités et leur mode de vie habituels.

! ALERTE CLINIQUE *Contrairement à la cystotomie, la néovessie (comme celle de Studer) remplace la vessie malade ou endommagée par un segment d'iléum, que l'on suture à l'urètre. Les personnes ayant subi cette intervention sont capables de maîtriser la miction.* ■

■ Sonde vésicale suspubienne

La **sonde vésicale suspubienne** s'insère dans la vessie à travers la paroi abdominale et au-dessus de la symphyse pubienne (figure 47-26 ■). Le médecin introduit la sonde sous anesthésie locale ou pendant une chirurgie de la vessie ou du vagin. Si l'on n'utilise pas de ballonnet, on peut fixer la sonde au moyen de sutures et la raccorder à un système de drainage en circuit fermé. On peut installer cette sonde de manière provisoire, en attendant que la personne recouvre la maîtrise normale de sa miction, ou de manière définitive.

Les soins qu'il faut donner aux personnes portant une sonde vésicale suspubienne comprennent : l'évaluation régulière de l'urine, de l'apport liquidien et du confort ; l'entretien du système de drainage pour en préserver la perméabilité ; l'entretien de la peau autour du siège d'insertion ; le clampage périodique de la sonde

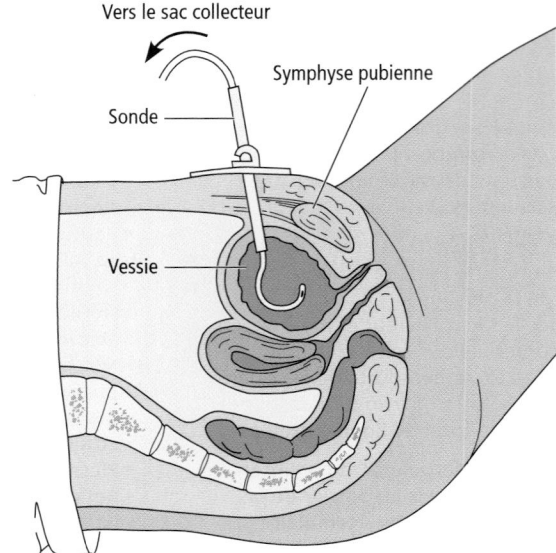

FIGURE **47-26** ■ Sonde vésicale suspubienne en place.

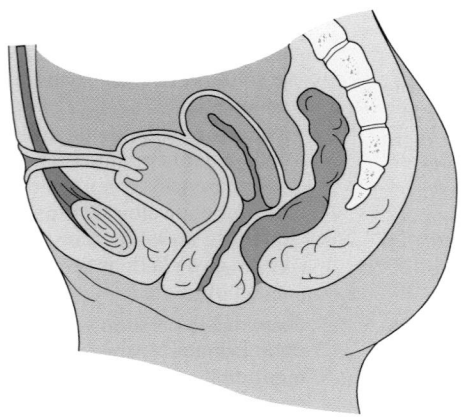

FIGURE **47-25** ■ Cystotomie continente.

afin d'en préparer le retrait si elle n'est installée que temporairement. S'il s'agit d'une sonde provisoire, on prescrit généralement de la laisser ouverte de 48 à 72 heures, puis de clamper la tubulure pendant 3 à 4 heures le jour, jusqu'à ce que la personne parvienne à uriner des quantités satisfaisantes. On détermine si la miction est satisfaisante en mesurant la quantité d'urine résiduelle après chaque miction.

Les soins qu'il faut prodiguer relativement au site d'insertion de la sonde exigent une technique stérile. Dans le but d'empêcher la croissance bactérienne autour de l'orifice et de réduire le risque d'infection, on change les pansements entourant une sonde vésicale suspubienne nouvellement installée dès qu'ils se souillent de liquide de drainage. On applique autour de l'orifice une petite quantité d'onguent, à intervalles fréquents, et on couvre l'orifice de pansements de gaze. En ce qui concerne les sondes qui doivent demeurer en place pendant une longue période, il n'est pas nécessaire d'appliquer de pansements ; la cicatrisation de la voie d'insertion permet de retirer et de remplacer la sonde au moment voulu. L'infirmière doit examiner l'orifice d'insertion à intervalles réguliers. Si des poils abdominaux l'envahissent, elle doit les raser avec précaution en utilisant un rasoir électrique. Il faut signaler l'apparition de toute rougeur ou sécrétion autour de l'orifice.

Évaluation

En ayant en tête les objectifs généraux et les résultats escomptés que nous avons indiqués à l'étape de la planification, l'infirmière doit recueillir les données nécessaires à l'évaluation de l'efficacité de ses interventions. Des exemples d'objectifs et de résultats se trouvent dans l'encadré *Diagnostics infirmiers, résultats de soins infirmiers et interventions*, présenté plus tôt dans ce chapitre.

Si les résultats escomptés n'ont pas été atteints, on doit en expliquer la ou les raisons avant de modifier le plan de soins et de traitements infirmiers. À titre d'exemple, si le résultat « Reste au sec entre les mictions et au cours de la nuit » n'est pas atteint, il faut évaluer cet échec à la lumière des questions qui suivent, lesquelles soulèvent des aspects qui peuvent peut-être faire partie du problème :

- Comment la personne concernée perçoit-elle le problème ?
- Comprend-elle les instructions qui lui ont été fournies et les observe-t-elle ?
- L'accès aux toilettes pose-t-il un problème ?
- La personne est-elle capable de retirer et de remettre ses vêtements pour aller aux toilettes ? Pourrait-on lui faciliter la tâche à cet égard, d'une façon ou d'une autre ?
- Les moments choisis pour la miction conviennent-ils ?
- Le passage vers les toilettes est-il suffisamment éclairé la nuit ?
- La personne a-t-elle besoin d'une aide à la mobilité (déambulateur, siège de toilettes surélevé ou barre d'appui) ? Si la personne en utilise une, cette aide est-elle appropriée ou adéquate ?
- La personne observe-t-elle le programme d'exercices des muscles du plancher pelvien selon l'horaire prévu ?
- L'apport liquidien est-il adéquat ? Est-il nécessaire d'en modifier l'horaire (en limitant, par exemple, la consommation après l'heure du souper) ?
- La personne limite-t-elle sa consommation de caféine, de jus d'agrumes, de boissons gazeuses et d'édulcorants artificiels ?
- Prend-elle un diurétique ? Si tel est le cas, à quelle heure est-il administré ? Est-il nécessaire de modifier cet horaire (en administrant, par exemple, la seconde dose à 16 h au plus tard) ?
- Devrait-on envisager de recourir à une aide à la continence, comme un condom urinaire ou une protection absorbante ?

PLAN DE SOINS ET DE TRAITEMENTS INFIRMIERS

Problème d'élimination urinaire

COLLECTE DES DONNÉES		*DIAGNOSTIC INFIRMIER*	RÉSULTATS DE SOINS INFIRMIERS [N° CRSI/NOC] ET INDICATEURS*
Anamnèse Commerçant âgé de 68 ans, M. Jean Beaulieu a été admis à l'hôpital parce qu'il souffrait de rétention urinaire, d'hématurie et de fièvre. L'infirmière chargée de l'admission a recueilli les détails suivants durant l'anamnèse. M. Beaulieu rapporte qu'il a remarqué un accroissement des mictions diurnes ces deux dernières semaines et qu'il n'a pas la sensation que sa vessie est vide après la miction. Il doit également se lever deux ou trois fois la nuit pour uriner. Depuis quelques jours, il éprouve du mal à déclencher la miction et rapporte des fuites postmictionnelles.	**Examen physique** Taille : 1,85 m (6 pi 2 po) Poids : 85,7 kg (189 lb) Température : 38,1 °C Fréquence cardiaque : 88 bpm Respirations : 20/minute Pression artérielle : 146/86 mm Hg Le cathétérisme vésical postmictionnel a permis l'écoulement de 300 mL d'urine de couleur ambre. Sonde de Foley laissée en place pendant deux jours.	*Élimination urinaire altérée* (rétention urinaire et miction par regorgement), reliée à une obstruction du col vésical, attribuable à une hypertrophie de la prostate (manifestée par dysurie, pollakiurie, nycturie, fuites postmictionnelles, retard à la miction et distension de la vessie)	Continence urinaire [0502], manifestée par : • Capacité de commencer et d'arrêter le jet • Vidange complète de la vessie Connaissances : Programme thérapeutique [1813], manifestées par : • Description des responsabilités relatives aux soins personnels • Efficacité du procédé thérapeutique

PLAN DE SOINS ET DE TRAITEMENTS INFIRMIERS (SUITE)

Problème d'élimination urinaire (suite)

COLLECTE DES DONNÉES		DIAGNOSTIC INFIRMIER	RÉSULTATS DE SOINS INFIRMIERS [N° CRSI/NOC] ET INDICATEURS*
Il exprime l'embarras que lui causent ses problèmes d'élimination urinaire dans ses rapports avec le public. M. Beaulieu s'inquiète de la cause pouvant être à l'origine de ses problèmes urinaires. Il reçoit un diagnostic d'hypertrophie bénigne de la prostate (HBP) et est dirigé vers un urologue, qui recommande une résection transurétrale de la prostate (RTUP) d'ici quelques mois. On a prescrit à M. Beaulieu des antibiotiques.	**Examens paracliniques** Hémogramme normal Analyse d'urine : ambre ; claire ; pH : 6,5 ; densité : 1,025 ; glucose, protéine, cétose, érythrocytes et bactéries : négatifs Urographie intraveineuse : signes d'hypertrophie de la prostate		

INTERVENTIONS INFIRMIÈRES [N° CISI/NIC] ET ACTIVITÉS CHOISIES*	JUSTIFICATION SCIENTIFIQUE
Traitement de l'incontinence urinaire [0610]	
• Surveiller l'élimination urinaire : fréquence, densité, odeur, volume et couleur.	*Ces caractéristiques de l'urine permettront de déterminer l'efficacité de l'appareil urinaire.*
• Aider la personne à choisir un vêtement ou des protections absorbantes visant à pallier une incontinence à court terme, pendant l'élaboration de modalités de traitement plus définitives.	*Des vêtements appropriés permettent parfois d'atténuer les aspects embarrassants de l'incontinence urinaire.*
• Demander à M. Beaulieu de réduire l'absorption de liquides durant les deux ou trois heures qui précèdent le coucher.	*Une diminution de l'apport liquidien plusieurs heures avant le coucher fait baisser l'incidence de la rétention urinaire et des mictions par regorgement, tout en favorisant le repos.*
• Demander à M. Beaulieu d'absorber un minimum de 2 000 mL de liquides par jour (soit 8 verres de 250 mL).	*Une augmentation de l'apport liquidien pendant la journée accroît le débit urinaire et prévient la croissance bactérienne.*
• Limiter l'ingestion de substances irritantes pour la vessie (telles que de l'alcool, du coca-cola, du café et du thé, par exemple).	*L'alcool, le coca-cola, le café et le thé ont un effet diurétique naturel et constituent des substances irritantes pour la vessie.*
Traitement de la rétention urinaire [0620]	
• Demander à M. Beaulieu ou à l'un de ses proches d'établir un relevé de ses ingesta et de ses excreta.	*Ces données indiqueront si les voies urinaires et les reins fonctionnent adéquatement ou non, et si l'équilibre liquidien se maintient.*
• Procéder à un cathétérisme pour retirer l'urine résiduelle, si nécessaire.	*Une prostate hypertrophiée comprime l'urètre de telle sorte que l'urine se trouve retenue dans la vessie. Le fait de vérifier s'il y a présence ou non d'urine résiduelle fournit des renseignements sur la vidange de la vessie.*
• Réaliser des cathétérismes vésicaux intermittents si besoin.	*Cette pratique permet de maintenir la tonicité de la musculeuse en empêchant la surdistension de la vessie et en favorisant la vidange complète.*
• Laisser suffisamment de temps à la vessie pour se vider (10 minutes).	*Outre l'effet que produit une prostate hypertrophiée sur la vessie, le stress et l'anxiété peuvent inhiber le relâchement du sphincter de l'urètre. On devrait donc allouer suffisamment de temps pour la miction.*
• Enseigner à M. Beaulieu les moyens de prévenir la constipation et les fécalomes.	*Les fécalomes peuvent exercer une pression sur l'orifice de sortie de la vessie, ce qui cause de la rétention urinaire.*
Enseignement : processus de la maladie [5602]	
• Évaluer les connaissances actuelles de M. Beaulieu sur l'hypertrophie bénigne de la prostate.	*Évaluer les connaissances de la personne permet d'établir un plan d'enseignement fondé sur sa compréhension de son état.*

INTERVENTIONS INFIRMIÈRES [N° CISI/NIC] ET ACTIVITÉS CHOISIES*	JUSTIFICATION SCIENTIFIQUE
• Lui expliquer les processus physiologiques de la maladie et ses effets sur l'appareil et la fonction urinaires.	*Dans le cas présent, la rétention urinaire et les mictions par regorgement résultent d'une obstruction du col vésical, attribuable à une hypertrophie de la prostate.*
• Lui expliquer le raisonnement sous-tendant la prise en charge, le traitement et les recommandations thérapeutiques.	*Le fait de fournir des renseignements exacts et adéquats sur les divers traitements possibles et sur celui qui a été retenu contribue grandement à réduire l'anxiété de la personne, à promouvoir l'observance thérapeutique et à l'aider à prendre des décisions éclairées.*
• Indiquer à M. Beaulieu les signes et les symptômes qu'il devra signaler à son médecin (brûlures à la miction, hématurie, oligurie, par exemple).	*Chez la personne souffrant d'hypertrophie de la prostate, la rétention urinaire et la surdistension de la vessie réduisent la circulation sanguine allant vers la paroi vésicale, ce qui en fait un milieu propice à la croissance bactérienne. Il est donc essentiel de surveiller les signes d'infection urinaire à cet égard.*

ÉVALUATION

Les résultats escomptés ont été partiellement atteints. Après le retrait de la sonde de Foley, M. Beaulieu rapporte que le déclenchement du jet mictionnel reste difficile, mais que les épisodes de fuites postmictionnelles et de nycturie sont moins nombreux qu'auparavant. Il a choisi, avec l'aide de sa femme, des sous-vêtements qu'il a jugés acceptables et dit se sentir plus confiant. Un cathétérisme intermittent est non indiqué. Les ingesta sont supérieurs aux excreta de 200 mL. M. Beaulieu est capable de discuter du lien entre hypertrophie de la prostate et problèmes d'élimination urinaire. Une prostatectomie transurétrale est prévue d'ici deux semaines.

* Les résultats, interventions et activités présentés ici sont simplement des exemples de ceux qui sont proposés par les systèmes CRSI/NOC et CISI/NIC. Ils doivent être personnalisés en fonction du cas de chaque personne.

EXERCICES D'INTÉGRATION

1. Si l'on tient compte des antécédents de M. Beaulieu et des données recueillies à son sujet, quels autres états pathologiques pourraient expliquer ses symptômes ?

2. Le médecin a recommandé une intervention chirurgicale. Quelles hypothèses l'infirmière devra-t-elle vérifier en vue de préparer M. et Mme Beaulieu à cette intervention ?

3. Il ne semble pas qu'on ait envisagé d'autres solutions que l'intervention chirurgicale. Quelles pourraient en être les raisons ?

4. L'incontinence peut amener une personne à restreindre ses activités sociales. Si M. Beaulieu affirmait qu'il compte rester chez lui jusqu'au jour de l'intervention chirurgicale, quelle réponse serait-on justifié de lui faire ?

Voir l'appendice A: Exercices d'intégration – Pistes de réflexion.

SCHÉMA DU PLAN DE SOINS ET DE TRAITEMENTS INFIRMIERS

Problème d'élimination urinaire

J. B.
68 ans, ♂
HBP

- Commerçant, consulte pour pollakiurie depuis deux semaines, nycturie 2-3 × /nuit, difficulté à déclencher le jet, fuites postmictionnelles, sensation de miction incomplète

- Taille: 1,85 m (6 pi 2 po)
- Poids: 85,7 kg (189 lb)
- Température: 38,1 °C
- Fréquence cardiaque: 88 bpm
- Respirations: 20/minute
- Pression artérielle: 146/86 mm Hg

- Le cathétérisme vésical postmictionnel a produit 300 mL d'urine de couleur ambre.
- Sonde de Foley laissée en place pendant deux jours.
- Hémogramme normal; analyse d'urine: ambre, claire, pH 6,5, densité 1,025, glucose, protéine, cétose, érythrocytes et bactéries négatifs; urographie intraveineuse: signes d'hypertrophie de la prostate.

Élimination urinaire altérée (rétention et miction par regorgement), reliée à une obstruction du col vésical, attribuable à une hypertrophie de la prostate (manifestée par dysurie, pollakiurie, nycturie, fuites postmictionnelles, retard à la miction et distension de la vessie)

Continence urinaire, constamment démontrée par:
- Capacité de déclencher et d'interrompre la miction
- Vidange complète de la vessie

Connaissances: programme thérapeutique, démontrées par:
- Description des responsabilités relatives aux soins personnels
- Efficacité du procédé thérapeutique

Traitement de l'incontinence urinaire

Traitement de la rétention urinaire

Demander à M. Beaulieu de réduire l'absorption de liquide durant les deux ou trois heures qui précèdent le coucher.

Surveiller l'élimination urinaire, notamment la fréquence, la densité, l'odeur, le volume et la couleur des urines.

Demander à M. Beaulieu ou à l'un de ses proches d'établir un relevé de ses ingesta et de ses excreta.

Procéder à un cathétérisme pour retirer l'urine résiduelle, si nécessaire.

Aider la personne à choisir un vêtement ou des protections visant à pallier une incontinence à court terme, pendant l'élaboration de modalités de traitement plus définitives.

Limiter l'ingestion de substances irritantes pour la vessie (telles que de l'alcool, du coca-cola, du café et du thé, par exemple).

Laisser suffisamment de temps à la vessie pour se vider (10 minutes).

Enseigner à M. Beaulieu les moyens de prévenir la constipation et les fécalomes.

Lui demander d'absorber un minimum de 2 000 mL de liquides par jour (soit 8 verres de 250 mL).

Réaliser des cathétérismes vésicaux intermittents, si nécessaire.

Résultats escomptés partiellement atteints:
- Après le retrait de la sonde de Foley, la personne rapporte que le déclenchement du jet mictionnel reste difficile, mais que les épisodes de fuites postmictionnelles et de nycturie sont moins fréquents qu'avant.
- La personne a choisi des sous-vêtements qui lui conviennent et dit se sentir plus confiante.
- Cathétérisme intermittent non indiqué.
- Ingesta ~200 mL > excreta.
- La personne est capable de discuter du lien entre hypertrophie de la prostate et problèmes d'élimination urinaire.
- Prostatectomie transurétrale prévue d'ici deux semaines.

Enseignement: processus de la maladie

Expliquer à la personne les processus physiologiques de la maladie et ses effets sur l'appareil et la fonction urinaires.

Lui expliquer le raisonnement sous-tendant la prise en charge, le traitement et les recommandations thérapeutiques.

Indiquer à M. Beaulieu les signes et les symptômes qu'il devra signaler à son médecin (brûlures à la miction, hématurie, oligurie, par exemple).

Évaluer les connaissances actuelles de M. Beaulieu sur l'hypertrophie bénigne de la prostate.

Légende: Collecte des données ☐ Diagnostic infirmier ☐ Résultats de soins infirmiers ☐ Interventions infirmières ▨ Activités ☐ Évaluation ▨

RÉVISION DU CHAPITRE

Concepts clés

- L'élimination urinaire dépend du bon fonctionnement de l'appareil urinaire et des systèmes cardiovasculaire et nerveux.

- L'urine se forme dans les néphrons, l'unité fonctionnelle du rein, grâce à un processus de filtration, de réabsorption et de sécrétion. Des hormones telles les hormones antidiurétiques et l'aldostérone influent sur la réabsorption du sodium et de l'eau, ce qui conditionne la quantité d'urine produite.

- Le processus normal de la miction se déclenche lorsqu'une quantité suffisante d'urine s'accumule dans la vessie et stimule les mécanorécepteurs musculaires. Ceux-ci transmettent des impulsions à la moelle épinière et au cerveau, ce qui provoque le relâchement du sphincter interne (maîtrise involontaire) et, si les conditions s'y prêtent, du sphincter externe (maîtrise volontaire).

- Chez l'adulte, la sensation de plénitude de la vessie commence généralement à se faire sentir quand de 250 à 450 mL d'urine se sont accumulés dans la vessie.

- De nombreux facteurs influent sur l'élimination urinaire, notamment la croissance et le développement, l'apport liquidien, le stress, l'activité, les médicaments et diverses affections.

- Au nombre des perturbations touchant la production et l'élimination de l'urine, on compte la polyurie, l'oligurie, l'anurie, la pollakiurie, la nycturie, la miction impérieuse, la dysurie, l'énurésie, l'hématurie, l'incontinence et la rétention. Chacune de ces affections découle de facteurs déterminants et connexes qu'il faut cerner.

- La collecte des données relatives à la fonction urinaire repose sur les éléments suivants : (a) anamnèse précisant les habitudes de miction, les changements récents à cet égard, les problèmes d'élimination urinaire passés et actuels, et les facteurs influant sur les habitudes de miction ; (b) examen physique de l'appareil génito-urinaire ; (c) examens paracliniques : analyse de l'urine, mesure du volume d'urine, mesure de l'urine résiduelle, urée et clairance de la créatinine.

- De nombreux diagnostics infirmiers approuvés par NANDA s'appliquent aux personnes dont les habitudes d'élimination urinaire sont perturbées, notamment *Incontinence urinaire fonctionnelle* et *Rétention urinaire* ; il existe aussi des diagnostics infirmiers connexes comme le *Risque d'infection.*

- L'incontinence peut devenir une source de problèmes physiques et affectifs dans la mesure où elle est jugée inacceptable par la société.

- La rééducation vésicale permet souvent de réduire la fréquence des épisodes d'incontinence.

- En plus d'éprouver des malaises, les personnes souffrant de rétention urinaire risquent aussi de contracter une infection des voies urinaires.

- Les interventions effractives, comme le cathétérisme et la cystoscopie, comptent parmi les causes les plus courantes d'infection urinaire. Les femmes sont particulièrement sujettes aux infections urinaires ascendantes parce que leur urètre est court.

- Pour une personne ayant des problèmes d'élimination urinaire, les objectifs à atteindre sont les suivants : maintenir ou rétablir des habitudes normales de miction, et prévenir les risques connexes, comme la dégradation de la peau.

- Lorsqu'elle planifie les soins à domicile, l'infirmière doit tenir compte des besoins en matière d'enseignement, de soutien et d'aides techniques.

- Les interventions infirmières en matière d'élimination urinaire visent généralement à faciliter le fonctionnement normal de l'appareil urinaire et à prodiguer des soins aux personnes touchées.

- Les interventions visent : (a) à aider la personne à maintenir un apport liquidien adéquat ; (b) à aider la personne à conserver des habitudes normales de miction ; (c) à surveiller les ingesta et les excreta tous les jours ; (d) à maintenir propre la région génitale.

- Le cathétérisme vésical est une mesure souvent nécessaire en cas de rétention ; toutefois, on ne doit y avoir recours que si toutes les autres mesures visant à favoriser la miction ont échoué. Il est essentiel d'utiliser une technique stérile pour prévenir les infections urinaires ascendantes.

- Les soins qu'on fournit aux personnes portant une sonde à demeure visent à prévenir les infections urinaires et à favoriser l'écoulement urinaire dans le système de drainage.

- On peut montrer aux personnes souffrant de rétention urinaire de quelle façon pratiquer des autocathétérismes intermittents selon une méthode propre, dans le but d'accroître leur autonomie, de réduire les risques d'infection et de supprimer l'incontinence.

- L'irrigation de la vessie ou d'une sonde sert notamment à administrer des médicaments pour traiter la paroi vésicale et à préserver la perméabilité de la sonde.

- En cas d'ablation de la vessie, on construit une dérivation urinaire pour permettre à l'urine d'être excrétée de l'organisme. L'anse iléale est la plus courante de ces dérivations ; la personne ayant subi une telle intervention devra porter continuellement un sac collecteur d'urine relié à la stomie.

RÉVISION DU CHAPITRE (SUITE)

Questions de révision

47-1. L'infirmière sait que, même chez les personnes âgées en bonne santé, les habitudes de miction peuvent se modifier parce que :
   a) la vessie se distend, et sa capacité s'accroît.
   b) les personnes âgées répriment le besoin d'uriner.
   c) l'urine se concentre.
   d) la quantité d'urine retenue après la miction augmente.

47-2. Au cours d'une collecte des données auprès d'une personne souffrant d'incontinence urinaire, l'infirmière s'attend à faire les observations suivantes, À L'EXCEPTION D'UNE SEULE. Laquelle ?
   a) Irritation de la peau périnéale.
   b) Apport liquidien inférieur à 1 500 mL/jour.
   c) Antécédents de consommation d'antihistaminiques.
   d) Antécédents d'infections urinaires à répétition.

47-3. Laquelle des mesures suivantes est indiquée en matière de soins infirmiers relatifs au condom urinaire ?
   a) Prendre soin de ne laisser aucun espace entre l'extrémité du condom urinaire et celle du pénis.
   b) Vérifier la circulation sanguine au pénis 30 minutes après l'installation.
   c) Changer le condom urinaire toutes les huit heures.
   d) Fixer la tubulure au bas-ventre avec du ruban adhésif.

47-4. Pendant un cathétérisme qu'on effectue chez une femme au moyen d'une sonde droite, que doit faire l'infirmière si la sonde glisse et pénètre dans le vagin ?
   a) Laisser la sonde en place et se procurer une nouvelle sonde stérile.
   b) Laisser la sonde en place et demander à une autre infirmière de procéder à l'intervention.
   c) Retirer la sonde et la rediriger vers le méat urétral.
   d) Retirer la sonde, l'essuyer avec une gaze stérile et l'introduire dans le méat urétral.

47-5. Lequel des énoncés suivants indique qu'il est nécessaire de répéter les indications relatives aux soins à domicile à une personne qui porte une sonde à demeure ?
   a) « Je dois placer le sac collecteur sous le niveau de la vessie en tout temps. »
   b) « La consommation de jus de canneberge peut contribuer à réduire les risques d'infection. »
   c) « Prendre un bain tiède peut soulager l'irritation que provoque la sonde. »
   d) « Je dois appliquer une technique propre au moment de vider le sac collecteur. »

Voir l'appendice B : Réponses aux questions de révision.

BIBLIOGRAPHIE

En anglais

Archer, C. L., & Foote, J. E. (2000). Urinary incontinence in the elderly female. *Urologic Nursing, 20,* 301–305.

Association of Women's Health, Obstetric and Neonatal Nurses (AWHONN). (2000). *Evidence-based clinical practice guideline : Continence for women.* Washington, DC : Author.

Ball, J. W., & Bindler, R. C. (2003). *Pediatric nursing : Caring for children* (3rd ed.). Upper Saddle River, NJ : Prentice Hall.

Bates, F., & Porter, G. (2002). The role of the nurse continence advisor in a urology wellness clinic. *Urologic Nursing, 22*(1), 23–26.

Brennan, M. L., & Evans, A. (2001). Why catheterize ? Audit findings on the use of catheters. *British Journal of Nursing, 10,* 580, 582, 584, 588, 590.

Cendron, M. (1999). Primary nocturnal enuresis : Current concepts. *American Family Physician, 59,* 1205–1214, 1219–1220.

Dougherty, M. C., Dwyer, J. W., Pendergast, J. F., Boyington, A. R., Tomlinson, B. U., Coward, R. T., et al. (2002). Urinary incontinence in older rural women. *Research in Nursing & Health, 25,* 3–13.

Fillingham, S. (1999). Caring for patients with urological stomas. *Journal of Community Health Nursing, 13*(12), 29–30, 32, 34.

Gray, M. (2000a). Urinary retention : Management in the acute care setting, Part 1. *American Journal of Nursing, 100*(7), 40–48.

Gray, M. (2000b). Urinary retention : Management in the acute care setting, Part 2. *American Journal of Nursing, 100*(8), 36–44.

Gray, M., Ratliff, C., & Donovan, A. (2002). Tender mercies : Providing skin care for an incontinent patient. *Nursing, 32*(7), 51–54.

Johnson, M., Maas, M., & Moorhead, S. (Eds.). (2000). *Nursing outcomes classification (NOC)* (2nd ed.). St. Louis, MO : Mosby.

Kane, A. M. (2000a). Criteria for successful neobladder surgery : Patient selection and surgical construction. *Urologic Nursing, 20,* 182, 187–188, 198.

Kane, A. M. (2000b). Nursing management of neobladder surgery : The Studer pouch. *Urologic Nursing, 20,* 189–193, 197.

Kelleher, M. M. B. (2002). Removal of urinary catheters : Midnight vs. 0600 hours. *British Journal of Nursing, 11,* 84, 86, 88–90.

Maki, D. G., & Tambyah, P. A. (2001). Engineering out the risk of infection with urinary catheters. *Emerging Infectious Diseases, 7*(2), 1–6.

Marchiondo, K. (1998). A new look at urinary tract infection. *American Journal of Nursing, 98*(3), 34–39.

Matthews, S. D. (2001). Orthotopic neobladder surgery. *American Journal of Nursing, 101*(7), 24AA–24EE.

McCloskey, J. C., & Bulechek, G. M. (Eds.). (2000). *Nursing interventions classification (NIC)* (3rd ed.). St. Louis, MO : Mosby.

McConnell, E. A. (2000). New catheters decrease nosocomial infections. *Nursing Management, 31*(6), 52, 55.

McConnell, E. A. (2001). Applying a condom catheter. *Nursing, 31*(1), 70.

Muller, N. (2001). The impact of incontinence. *Advance for Providers of Post-Acute Care, 4*(6), 26, 79.

NANDA International. (2003). *NANDA Nursing diagnoses : Definitions and classification 2003-2004.* Philadelphia : Author.

Newman, D. K., & Giovannini, D. (2002). The overactive bladder : A nursing perspective. *American Journal of Nursing, 102*(6), 36–46.

Reilly, N. J. (2000). Nursing management of older women with urinary incontinence. *Urologic Nursing, 20,* 307–311, 315.

Rosto, L. (2001). Slowing the flow. *Advance for Providers of Post-Acute Care, 4*(2), 59–62.

Shultz, J. M. (2002). Urinary incontinence : Solving a secret problem. *Nursing, 32*(11), 53–55.

Tambyah, P. A., Knasinski, V., & Maki, D. G. (2002). The direct costs of nosocomial catheter-associated urinary tract infections in the era of managed care. *Infection Control and Hospital Epidemiology, 23,* 27–31.

Taylor, P. (2001). Choosing the right stoma appliance for a urostomy. *Community Nurse, 7*(2), 35–36.

Webster, J., Hood, R. H., Burridge, C. A., Doidge, M. L., Phillips, K. M., & George, N. (2001). Water or antiseptic for periurethral cleaning for urinary catheterization : A randomized controlled trial. *American Journal of Infection Control, 29,* 389–394.

Winder, A. (1999). Female urinary catheterization. *Community Nurse, 5*(10), 33–34, 36.

En français

Carpenito, L. J. (2003). *Manuel de diagnostics infirmiers*, traduction de la 9e édition, Saint-Laurent : Éditions du Renouveau Pédagogique.

Delaby, L. (1999). Un tour d'horizon de l'infection urinaire récidivante [chez les femmes], *Le Clinicien, 14*(1), 81-89.

Gorodzinsky, F. *Les soins de nos enfants : l'incontinence urinaire*, Société canadienne de pédiatrie, (page consultée le 25 octobre 2004), [en ligne], <http://www.soinsdenosenfants. cps.ca/comportement/enuresie.htm>.

Jenkins, K. (2004). *Plus courant qu'on ne le croit : ce que les parents doivent savoir sur l'incontinence urinaire nocturne*, (entrevue avec le Dr Gorodzinksy), Réseau canadien de la santé, (page consultée le 25 octobre 2004), [en ligne], <http://www.canadian-health-network.ca/servlet/ContentServer ?cid= 1074435655677&pagename=CHN-RCS%2 FCHNResource%2FCHNResourcePage Template&c=CHNResource&lang=Fr>.

Johnson, M. et Maas, M. (dir.). (1999). *Classification des résultats de soins infirmiers CRSI/NOC*, Paris : Masson.

Lebœuf, L. (2001). L'incontinence urinaire chez la femme, *Le Médecin du Québec, 36*(7), 51-58.

Magnier, A.-M., Perrigot, M., Vu, P. et Mazevet, D. (2003). Prise en charge de l'incontinence urinaire chez la femme, *Revue de l'infirmière, 95,* 15-20.

McCloskey, J. C. et Bulechek, G. M. (dir). (2000). *Classification des interventions de soins infirmiers CISI/NIC*, 2e éd., Paris : Masson.

NANDA International. (2004). *Diagnostics infirmiers : Définitions et classifications 2003-2004*, Paris : Masson.

Perrin, L. (2001). Les exercices de Kegel pendant la grossesse : une mesure préventive ?, *Le Médecin du Québec, 36*(5), 119.

Pharand, D. (2001). La rétention urinaire : traitements et complications, *Le Médecin du Québec, 36*(7), 59-63.

Registre canadien des insuffisances et des transplantations d'organes (RCITO). *Insuffisance rénale chronique : Admissions et durée du séjour dans les hôpitaux de soins de courte durée, 2000-2001 ; Québec : Admissions et durée du séjour pour l'insuffisance rénale chronique*, (page consultée le 26 octobre 2004), [en ligne], <http://secure.cihi.ca/ cihiweb/dispPage.jsp ?cw_page=reports_ corrinsites_dec2002_que_f>.

Todd, G. (2004). *Les infections urinaires*, Fondation canadienne du rein, (page consultée le 13 juillet 2004), [en ligne], <http://www.rein.ca/francais/publications/broc hures/infectionsurinaires/infectionsurinaires. htm>.

Tortora, G. J. et Grabowski, S. R. (2001). *Principes d'anatomie et de physiologie*, Saint-Laurent : Éditions du Renouveau Pédagogique.

Valiquette, L. et McCormack, M. (2003). L'incontinence urinaire chez la femme : parlons-en !, *Le Clinicien, 18*(9), 85-95.

Widmer, H. (2001). Docteur, mon enfant mouille encore son lit…, *Le Médecin du Québec, 36*(7), 29-32.

RESSOURCES ET SITES WEB

Association québécoise des infirmières et infirmiers en urologie
1635, rue Taillefer
Sainte-Rose,
Laval (Qc) H7L 1T9
Téléphone : (450) 963-3511
Télécopieur : (450) 963-1875
Courriels : aqiiu@videotron.ca ou
uronurse@uro.jgh.mcgill.ca

Fondation canadienne du rein.
<http://www.rein.ca/>.

Fondation canadienne du rein :
succursale du Québec.
<http://www.reinquebec.ca/>.

OBJECTIFS D'APPRENTISSAGE

Après avoir étudié ce chapitre, vous pourrez :

- Décrire sommairement la structure et le fonctionnement du système respiratoire.
- Décrire les processus de ventilation (inspiration et expiration) et de respiration (échanges gazeux).
- Expliquer le rôle et la fonction du système respiratoire dans le transport de l'oxygène vers les tissus de l'organisme et du gaz carbonique provenant de ceux-ci.
- Nommer les facteurs qui influent sur la fonction respiratoire.
- Nommer des manifestations courantes d'une perturbation de la fonction respiratoire.
- Nommer et décrire des interventions infirmières qui visent à stimuler la fonction respiratoire et l'oxygénation.
- Expliquer l'emploi de mesures thérapeutiques visant à améliorer la fonction respiratoire, telles que la médication, l'inhalothérapie, l'oxygénothérapie, l'utilisation d'une canule oropharyngée ou nasopharyngée, la trachéostomie, l'aspiration des sécrétions, la percussion et le drainage postural.
- Énoncer des critères pour évaluer la réaction d'une personne aux mesures visant à assurer une oxygénation adéquate.

OXYGÉNATION

Adaptation française :
Sophie Longpré, inf., M.Sc
Professeure, Département
des sciences infirmières
Université du Québec
à Trois-Rivières

Gaz incolore et inodore, l'oxygène constitue environ 21 % de l'air que nous respirons et est essentiel à toutes les cellules vivantes : son absence entraîne la mort. Bien que toutes les fonctions organiques influent sur la distribution d'oxygène aux tissus, c'est la fonction respiratoire qui intervient le plus directement dans ce processus. La perturbation de celle-ci peut altérer la capacité de bien respirer, la qualité des échanges gazeux et la participation de la personne aux activités de la vie quotidienne.

Processus par lequel se font les échanges gazeux entre la personne et son environnement, la **respiration** comprend deux composantes :

1. La ventilation pulmonaire, à savoir le mouvement de l'air entre l'atmosphère et les alvéoles pulmonaires.

2. La diffusion de l'oxygène et du gaz carbonique entre les alvéoles et les capillaires pulmonaires.

Physiologie du système respiratoire

La fonction respiratoire consiste en l'échange de gaz. L'oxygène que contient l'air inspiré diffuse des alvéoles pulmonaires vers le sang circulant dans les capillaires pulmonaires. Le gaz carbonique produit au cours du métabolisme cellulaire diffuse du sang à travers les capillaires pulmonaires vers les alvéoles avant d'être expiré. Les organes de la fonction respiratoire facilitent les échanges gazeux et protègent l'organisme contre les corps étrangers, tels les particules et les agents pathogènes.

Structure du système respiratoire

Sur le plan structural, le système respiratoire (figure 48-1 ■) se divise en système respiratoire supérieur et en système respiratoire inférieur. La bouche, le nez, le pharynx et le larynx composent le système respiratoire supérieur ; le système respiratoire inférieur comprend la trachée et les poumons, ce qui inclut les bronches, les bronchioles, les alvéoles, le réseau de capillaires pulmonaires et les membranes pleurales.

L'air entre par le nez, où il est réchauffé, humidifié et filtré. Les grosses particules présentes dans l'air sont captées par les poils situés à l'avant des narines, et les petites particules sont filtrées et captées lorsque l'air change de direction en entrant en contact avec les cornets nasaux et le septum. La présence d'irritants dans les voies nasales déclenche le réflexe de l'éternuement. Un important volume d'air est alors expulsé par le nez et la bouche, ce qui contribue à libérer les voies nasales.

L'air inspiré passe du nez au pharynx, qui est une voie commune pour l'air et les aliments. Le pharynx comprend le nasopharynx et l'oropharynx, richement pourvus de tissu lymphoïde, qui capte et détruit les agents pathogènes qui pénètrent dans le pharynx en même temps que l'air.

Le larynx est une structure cartilagineuse dont la pomme d'Adam constitue la manifestation extérieure. En plus de jouer un rôle essentiel dans la phonation, il est important pour le maintien du dégagement des voies aériennes et la protection des voies respiratoires inférieures lors de l'ingestion d'aliments solides ou liquides. Lors de la déglutition, l'épiglotte bloque le passage menant au larynx, de sorte que les aliments se dirigent vers l'œsophage. Inversement, l'épiglotte s'ouvre durant l'inspiration, ce qui permet à l'air de pénétrer dans les voies aériennes inférieures.

La trachée, qui fait suite au larynx, mène aux bronches principales droite et gauche, puis aux bronchioles. Dans les poumons, les bronches principales se divisent successivement en bronchioles de plus en plus petites, les dernières étant les bronchioles terminales. Toutes ces ramifications forment ce qu'on appelle l'arbre bronchique. La trachée et les bronches sont tapissées d'une muqueuse comportant un épithélium constitué de cellules qui produisent une mince couche de mucus. Celle-ci capte les agents pathogènes et les particules microscopiques, que les cils (de minuscules projections des cellules épithéliales ressemblant à des poils) repoussent ensuite vers le haut, dans le larynx et la gorge. La présence d'irritants dans le larynx, la trachée ou les bronches déclenche le réflexe de la toux, que décrit l'encadré 48-1.

Il n'y a aucun échange gazeux jusqu'à ce que l'air, en passant par les bronchioles terminales, pénètre dans les bronchioles respiratoires et les alvéoles. La zone respiratoire des poumons comprend les bronchioles respiratoires (dont les parois contiennent un certain nombre de sacs alvéolaires dispersés), les conduits alvéolaires et les alvéoles pulmonaires (voir la figure 48-1). Les parois de celles-ci sont extrêmement minces ; elles se composent d'une seule couche de cellules épithéliales, recouvertes d'un épais réseau de capillaires pulmonaires. Les parois alvéolaires et capillaires forment la **membrane alvéolocapillaire**, à travers laquelle se produisent les échanges gazeux entre l'air contenu dans les alvéoles et le sang contenu dans les capillaires. Les voies aériennes permettent le passage de l'air vers les alvéoles et depuis celles-ci ; le ventricule droit et le réseau vasculaire pulmonaire transportent le sang vers le côté capillaire de la membrane.

La surface extérieure des poumons est recouverte de deux feuillets de séreuse, qui forment la plèvre. Le feuillet superficiel, ou plèvre pariétale, tapisse la paroi de la cavité thoracique

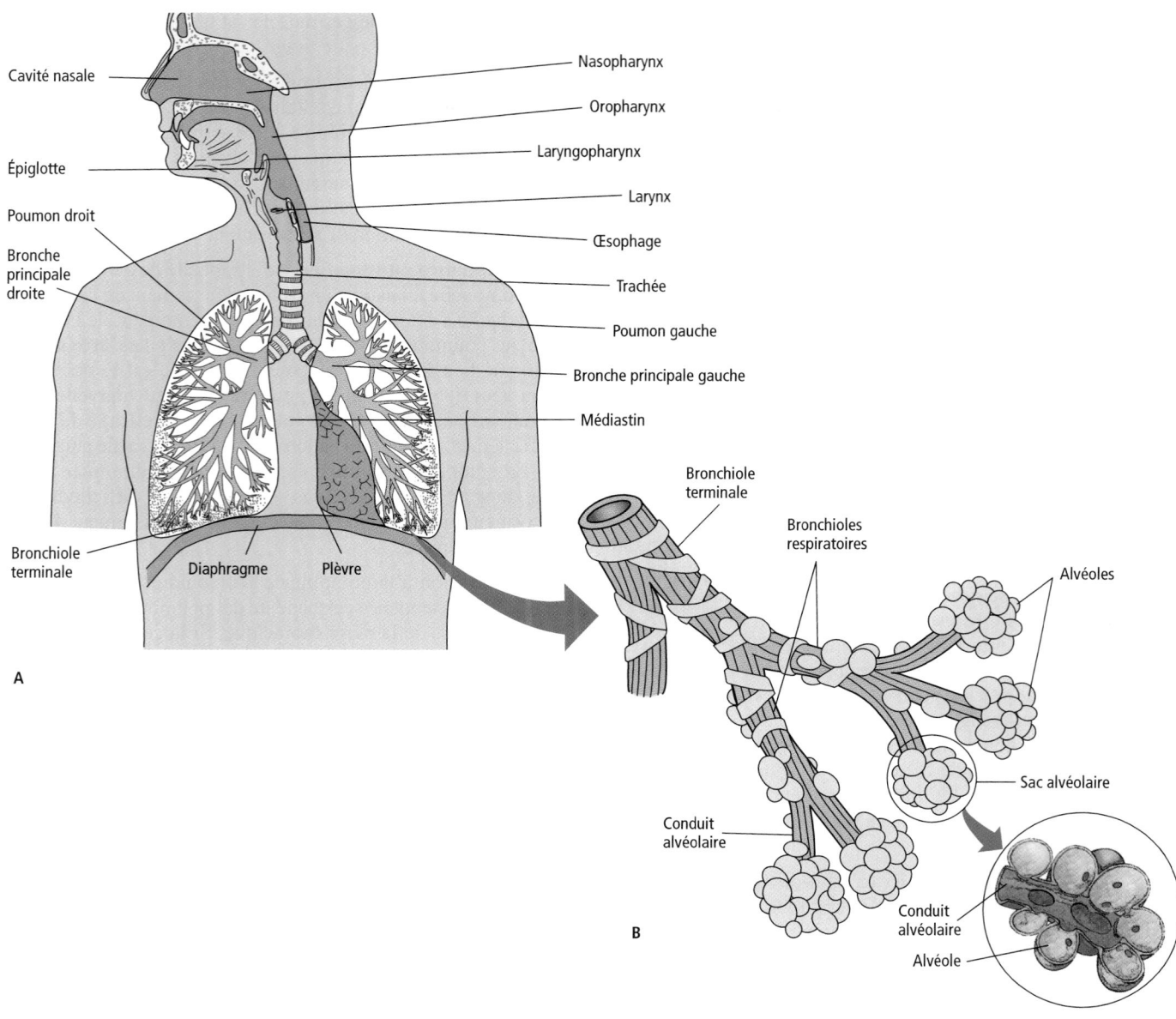

FIGURE 48-1 ■ *A*, Structures du système respiratoire. *B*, Bronchioles, conduits alvéolaires et alvéoles.

ENCADRÉ

Réflexe de la toux
48-1

- Le nerf vague envoie des influx nerveux au bulbe rachidien.
- Il se produit une grande inspiration d'environ 2,5 L d'air.
- L'épiglotte et la glotte (les cordes vocales) se ferment.
- Une forte contraction des muscles abdominaux et intercostaux internes provoque une augmentation considérable de la pression dans les poumons.
- L'épiglotte et la glotte s'ouvrent brusquement.
- L'air se déplace à grande vitesse vers l'extérieur.
- Le mucus et tout corps étranger sont expulsés hors du système respiratoire inférieur et projetés vers le haut, puis vers l'extérieur.

et la surface du diaphragme. Le feuillet interne, ou plèvre viscérale, recouvre la surface externe des poumons. Entre les deux feuillets se trouve un petit espace qui contient une faible quantité de liquide lubrifiant, que sécrète la membrane séreuse et qu'on appelle liquide pleural. Celui-ci réduit la friction lors de la ventilation et rend possible l'adhérence des deux feuillets en raison de sa tension superficielle.

Ventilation pulmonaire

Le double processus d'**inspiration** (ou **inhalation**), où l'air pénètre dans les poumons, et d'**expiration** (ou **exhalation**), où l'air sort des poumons, assure la **ventilation** des poumons. Une ventilation adéquate dépend de plusieurs facteurs :

- Le dégagement des voies aériennes.

- L'intégrité du système nerveux central et du centre respiratoire.
- L'intégrité de la cavité thoracique, de manière qu'elle puisse se dilater et se contracter.
- Une compliance pulmonaire et une rétraction élastique adéquates.

Plusieurs mécanismes, dont l'activité ciliaire et le réflexe de la toux, concourent à maintenir les voies aériennes ouvertes et dégagées. Cependant, dans certains cas, ces défenses ne suffisent pas. L'inflammation, l'œdème et la production excessive de mucus associés à certaines affections pulmonaires entraînent parfois l'obstruction des petites voies aériennes, ce qui perturbe la ventilation des alvéoles distales.

Composé de neurones situés dans le bulbe rachidien et le pont, qui font partie du tronc cérébral, le centre respiratoire régit le rythme respiratoire. Les traumatismes crâniens graves et la consommation de drogues qui dépriment le système nerveux central, comme les opioïdes et les barbituriques, perturbent le fonctionnement du centre respiratoire, ce qui peut entraîner un arrêt de la respiration.

La dilatation et le relâchement des poumons constituent des réactions passives faisant suite à des variations de pression dans la cavité thoracique et les poumons eux-mêmes. La **pression intrapleurale** (c'est-à-dire la pression entre les deux plèvres) se trouve toujours légèrement inférieure à la pression atmosphérique, phénomène essentiel pour créer l'effet de succion faisant adhérer les plèvres viscérale et pariétale l'une à l'autre lorsque la cage thoracique se dilate ou se contracte. La tendance des poumons à se relâcher joue un rôle déterminant dans la présence de cette pression sous-atmosphérique entre les deux plèvres. Le liquide intrapleural contribue aussi à l'adhérence de celles-ci, un peu comme une pellicule d'eau retient deux lames de verre.

La **pression intrapulmonaire** (c'est-à-dire la pression à l'intérieur des poumons) fluctue au cours de la respiration mais tend à demeurer égale à la pression atmosphérique. L'inspiration a lieu lorsque le diaphragme et les muscles intercostaux se contractent, ce qui fait augmenter la dimension de la cavité thoracique. Le volume des poumons augmente de même, ce qui entraîne une réduction de la pression intrapulmonaire. L'air pénètre alors rapidement dans les poumons, jusqu'à ce que la pression y soit égale à la pression atmosphérique. Inversement, quand le diaphragme et les muscles intercostaux se relâchent, le volume des poumons diminue, la pression intrapulmonaire croît, et l'air est expulsé jusqu'à ce que la pression intrapulmonaire redevienne égale à la pression atmosphérique.

Pendant la respiration normale, l'expansion de la cage thoracique est minime et ne nécessite donc qu'une faible dépense d'énergie. Un adulte en bonne santé inspire et expire environ 500 mL d'air à chaque respiration. C'est ce qu'on appelle le **volume courant**. Pendant l'exercice intense et chez les personnes souffrant de certaines affections cardiaques, la respiration requiert une expansion plus importante de la cage thoracique et un plus grand effort. Dans ces situations, chaque respiration peut déplacer plus de 1 500 mL d'air. Les muscles inspiratoires accessoires, à savoir les muscles intercostaux, le sternocléidomastoïdien, les muscles scalènes et des muscles de l'abdomen, entrent alors en jeu. Chez les personnes atteintes d'une bronchopneumopathie chronique obstructive (BPCO), on observe une utilisation active de ces muscles et un effort évident lié à la respiration, qu'on appelle tirage.

Des affections, telle la dystrophie musculaire, et des traumatismes, telle une lésion médullaire, peuvent affecter les muscles respiratoires, ce qui réduit la capacité d'expansion et de contraction de la cavité thoracique. À la suite d'une blessure par balle ou d'un autre traumatisme de la paroi thoracique, la pression intrapleurale peut devenir égale à la pression atmosphérique, ce qui entraîne l'affaissement des poumons.

La **compliance pulmonaire**, ou la capacité de distension du tissu pulmonaire, constitue un facteur déterminant de la facilité avec laquelle s'effectue la ventilation. Au moment de la naissance, les poumons, remplis de liquide, sont rigides, et leur distension se heurte à une résistance, comme c'est le cas d'un ballon neuf que l'on tente de gonfler. À chaque nouvelle respiration, la compliance des alvéoles augmente : elles se dilatent plus facilement, comme un ballon que l'on aurait gonflé plusieurs fois. La compliance pulmonaire a tendance à diminuer avec l'âge, de sorte que les alvéoles se dilatent plus difficilement ; il s'ensuit un risque accru d'**atélectasie**, ou affaissement d'une partie des poumons.

Par opposition à la compliance pulmonaire, la **rétraction élastique** est la tendance permanente des poumons à s'éloigner, en se relâchant, de la paroi thoracique. Si la compliance pulmonaire est essentielle à l'inspiration normale, la rétraction élastique est essentielle à l'expiration normale. Bien que les fibres élastiques du tissu pulmonaire contribuent à la rétraction, c'est la tension superficielle de la pellicule de liquide alvéolaire qui joue le plus grand rôle dans ce processus. Les molécules de liquide ont tendance à se regrouper, ce qui entraîne une réduction de la dimension des alvéoles. Le **surfactant**, une lipoprotéine que produisent des cellules alvéolaires spécialisées, diminue la tension superficielle du liquide alvéolaire. En l'absence de surfactant, l'expansion des poumons est extrêmement difficile, de sorte qu'ils s'affaissent. Les prématurés dont les poumons sont incapables de produire adéquatement du surfactant présentent le syndrome de détresse respiratoire aigu.

Échanges gazeux alvéolaires

Après la ventilation des alvéoles commence la seconde phase du processus de respiration, soit la *diffusion* de l'oxygène des alvéoles vers les capillaires sanguins pulmonaires. On appelle **diffusion** le mouvement de gaz ou de particules d'une zone où la pression ou la concentration a une valeur donnée vers une zone de plus faible pression ou concentration.

La différence de pression des gaz qui se trouvent de part et d'autre de la membrane alvéolocapillaire a évidemment un effet sur la diffusion. Quand la pression de l'oxygène est plus grande dans les alvéoles que dans le sang, ce gaz diffuse vers le sang. Ce phénomène s'explique en raison de la **pression partielle**, c'est-à-dire la pression qu'exerce un gaz particulier dans un mélange selon sa concentration dans celui-ci. Or, la pression partielle de l'oxygène (PO_2) dans les alvéoles est d'environ 100 mm Hg, alors qu'elle est approximativement de 60 mm Hg dans le sang veineux des artères pulmonaires. Cependant, ces pressions deviennent rapidement égales, de sorte que la pression de l'oxygène dans le sang artériel atteint aussi éventuellement environ 100 mm Hg. Par contre, le gaz carbonique dans le sang veineux a une pression partielle d'environ 45 mm Hg (PCO_2) au moment où il entre dans les capillaires pulmonaires, et sa pression partielle dans les alvéoles est approximativement de 40 mm Hg. Le gaz carbonique diffuse donc du sang vers les alvéoles, d'où il est éliminé avec l'air expiré. Le symbole « PaO_2 » désigne la pression de l'oxygène dans le sang artériel, tandis que « PO_2 » (sans « a ») désigne la pression partielle de l'oxygène dans le sang veineux.

Transport de l'oxygène et du gaz carbonique

La troisième phase du processus de respiration tient au transport des gaz qui y participent. L'oxygène doit se déplacer des poumons aux tissus, et le gaz carbonique doit quitter les tissus pour se déplacer vers les poumons. Normalement, la plus grande partie de l'oxygène (environ 98,5 %) se lie plus ou moins solidement avec l'**hémoglobine** (un pigment rouge qui le transporte) des globules rouges, et se rend aux tissus sous forme d'**oxyhémoglobine** (le composé résultant de la combinaison de l'oxygène et de l'hémoglobine). Le reste de l'oxygène se dissout dans le plasma sanguin, qui le transporte également.

Entre autres facteurs qui déterminent la quantité d'oxygène qui passe des poumons aux tissus, on trouve :

1. Le débit cardiaque
2. Le nombre d'érythrocytes et l'hématocrite
3. L'exercice

Toute affection provoquant une réduction du débit cardiaque (comme une lésion du muscle cardiaque, une hémorragie ou une mauvaise circulation sanguine périphérique) entraîne une diminution de la quantité d'oxygène arrivant aux tissus. Le cœur compense un débit inadéquat en accroissant sa fréquence ; toutefois, si une lésion grave ou une hémorragie abondante s'est produite, ce mécanisme compensatoire ne permet pas de rétablir une circulation sanguine adéquate et d'assurer l'apport d'une quantité suffisante d'oxygène aux tissus.

Le deuxième facteur influant sur le transport de l'oxygène a trait au nombre d'**érythrocytes** (ou globules rouges) et à l'hématocrite. L'**hématocrite** est le pourcentage du volume sanguin total qu'occupent les érythrocytes. Chez les hommes, le taux moyen d'érythrocytes circulant dans le sang s'élève normalement à environ 5×10^{12}/L, tandis qu'il est approximativement de $4,5 \times 10^{12}$/L chez les femmes. Habituellement, l'hématocrite se situe entre 40 et 54 % chez les hommes, et entre 37 et 48 % chez les femmes. Un accroissement excessif de l'hématocrite entraîne une augmentation de la viscosité du sang, ce qui ralentit le débit cardiaque et, par conséquent, le transport d'oxygène. Une diminution excessive de l'hématocrite, comme celle qu'on observe dans les cas d'anémie, réduit également le transport d'oxygène.

L'exercice influe aussi directement sur le transport d'oxygène. Chez les athlètes qui s'entraînent intensivement, le transport d'oxygène atteint jusqu'à 20 fois le taux normal, ce qui s'explique en partie par l'augmentation du débit cardiaque et de la quantité d'oxygène qu'utilisent les cellules.

Le gaz carbonique, que produit continuellement le processus de métabolisme cellulaire, passe des cellules aux poumons sous trois formes principales. La plus grande partie de ce gaz, soit environ 70 %, est transportée par le plasma sanguin sous forme d'ions bicarbonate (HCO_3^-) et constitue une composante importante du système tampon acide carbonique-bicarbonate (voir le chapitre 50 ⊂⊃). Une quantité modérée de gaz carbonique, soit environ 23 %, se combine à l'hémoglobine, ce qui donne de la carbhémoglobine ($HbCO_2$), et est transportée sous cette forme. Enfin, une plus petite quantité de gaz carbonique, soit environ 7 %, est transportée en solution par le plasma sanguin sous forme d'acide carbonique (H_2CO_3), le composé résultant de la combinaison du gaz carbonique et de l'eau.

Régulation de la respiration

La régulation de la respiration est à la fois de nature neurale et chimique ; elle permet de maintenir des concentrations appropriées d'oxygène, de gaz carbonique et d'ions hydrogène dans les liquides organiques. Le système nerveux règle le rythme de la ventilation alvéolaire de manière à satisfaire les besoins de l'organisme, de sorte que la PO_2 et la PCO_2 sont relativement constantes. Le « centre respiratoire » se compose en fait de plusieurs groupes de neurones situés dans le bulbe rachidien et le pont.

Les chimiorécepteurs centraux, localisés dans le bulbe rachidien, réagissent fortement à l'accroissement de la concentration de gaz carbonique ou d'ions hydrogène dans le sang. En agissant sur les autres composantes du centre respiratoire, ils intensifient l'activité de l'aire inspiratoire, et font ainsi augmenter la fréquence et l'amplitude de la respiration. À la stimulation chimique directe du centre bulbaire s'ajoute l'action des chimiorécepteurs périphériques, particulièrement sensibles à la diminution de la concentration d'oxygène ; ils sont situés à l'extérieur du système nerveux central, dans les carotides (juste au-dessus de la division des artères carotides communes) et la crosse de l'aorte. Toute réduction de la concentration d'oxygène dans le sang artériel stimule les chimiorécepteurs périphériques, qui stimulent à leur tour le centre respiratoire, ce qui intensifie la ventilation. Des variations des trois gaz sanguins (oxygène, gaz carbonique et hydrogène) susceptibles de déclencher l'action des chimiorécepteurs, c'est normalement l'accroissement de la concentration de gaz carbonique qui stimule le plus la respiration. Toutefois, chez les personnes atteintes de certaines insuffisances respiratoires chroniques, comme l'**emphysème**, la concentration d'oxygène, et non celle de gaz carbonique, joue le rôle le plus important dans la régulation de la respiration. Pour ces personnes, la réduction de la concentration d'oxygène constitue le facteur qui stimule le plus fortement la respiration. On appelle parfois ce phénomène « pulsion hypoxique ». Chez ces personnes, si la concentration d'oxygène dans le sang augmente, la fréquence respiratoire diminue. C'est pourquoi on ne leur donne de l'oxygène d'appoint qu'en faible concentration.

! ALERTE CLINIQUE *L'administration d'oxygène d'appoint à une personne souffrant d'une bronchopneumopathie chronique obstructive risque en fait de causer un arrêt de la respiration.* ∎

Facteurs influant sur la fonction respiratoire

Les facteurs influant sur l'oxygénation agissent tant sur la fonction cardiovasculaire que sur la fonction respiratoire. Ces facteurs comprennent l'âge, l'environnement, le mode de vie, l'état de santé, la médication et le stress.

Âge

Des facteurs liés au développement ont une grande influence sur la fonction respiratoire. Par exemple, à la naissance, la fonction respiratoire subit d'importants changements : jusque-là remplis de liquide, les poumons se vident, la PO_2 augmente, et le nouveau-né prend sa première respiration. Les poumons se dilatent graduellement à chaque inspiration et atteignent leur expansion maximale vers l'âge de deux semaines. Les changements que cause le vieillissement et qui affectent la fonction respiratoire des personnes âgées prennent une importance particulière lorsque cette fonction est par exemple altérée par une infection, un stress physique ou émotionnel, une chirurgie, une anesthésie ou un autre type d'intervention. Ces changements comprennent :

- L'accroissement de la rigidité de la paroi thoracique et des voies aériennes, qui perdent de leur élasticité.
- La diminution de la quantité d'air inspiré et expiré.
- La réduction du réflexe de la toux et de l'activité ciliaire.
- L'assèchement des muqueuses, qui deviennent plus fragiles.
- La réduction de la force musculaire et de l'endurance.
- La dilatation inadéquate des poumons dans certains cas d'ostéoporose.
- La diminution de l'efficacité du système immunitaire.
- Le reflux gastro-œsophagien, plus fréquent chez les personnes âgées ; celui-ci augmente le risque d'aspiration du contenu de l'estomac dans les poumons, qui cause souvent une affection bronchospasmodique en raison du déclenchement d'une réaction inflammatoire.

Environnement

L'altitude, la température et la pollution atmosphérique influent sur l'oxygénation. Plus l'altitude est élevée, plus la PO_2 de l'air inspiré est faible. C'est pourquoi la fréquence et l'amplitude respiratoires, de même que la fréquence cardiaque, augmentent avec l'altitude, ce qui est particulièrement évident durant l'exercice.

Les personnes en bonne santé qui sont exposées à la pollution atmosphérique, tel le smog, rapportent souvent une sensation de brûlure aux yeux et de suffocation, des maux de tête, des étourdissements et de la toux. Les personnes qui souffrent d'une affection respiratoire éprouvent, dans un environnement pollué, encore plus de difficulté à respirer selon une échelle variable, et certaines ont alors plus de difficulté à effectuer leurs activités de la vie quotidienne.

Mode de vie

L'exercice ou l'activité physique font augmenter la fréquence et l'amplitude respiratoires et, par conséquent, l'apport d'oxygène à l'organisme. À l'inverse, les personnes sédentaires ne bénéficient pas de l'expansion alvéolaire et des habitudes de respiration profonde des individus qui font régulièrement de l'exercice ; elles réagissent donc moins bien aux stress respiratoires.

Certaines activités professionnelles rendent ceux qui les pratiquent plus vulnérables à des affections respiratoires. Ainsi, la silicose est plus fréquente chez les dynamiteurs de grès que dans l'ensemble de la population. Il en est de même de l'asbestose chez les ouvriers de l'amiante, de l'anthracose chez les mineurs travaillant à l'extraction du charbon, et des affections causées par les poussières organiques chez les agriculteurs et les ouvriers agricoles qui manipulent du foin moisi.

État de santé

Chez une personne en bonne santé, la fonction respiratoire fournit à l'organisme l'oxygène dont il a besoin. Toutefois, les affections respiratoires peuvent avoir des effets négatifs sur l'oxygénation du sang.

Médication

Plusieurs médicaments peuvent diminuer la fréquence et l'amplitude respiratoires. Parmi les plus courants, on trouve les benzodiazépines, comme le diazépam (Valium), le flurazépam (Dalmane) et le midazolam (Versed), les barbituriques, comme le phénobarbital, et les opioïdes, telles la morphine et la mépéridine (Demerol). Si elle administre l'une de ces substances, l'infirmière doit surveiller étroitement l'état respiratoire de la personne, surtout lorsque celle-ci amorce sa médication ou quand on en augmente la dose. Bien qu'il existe un danger, les effets bénéfiques de la médication surpassent souvent les risques de dépression respiratoire.

Stress

En présence de stress et de facteurs de stress, les réactions tant psychologiques que physiologiques peuvent influer sur l'oxygénation. Certaines personnes hyperventilent lorsqu'elles sont soumises à un stress ; on observe chez celles-ci une augmentation de la PO_2 et une diminution de la PCO_2, et elles peuvent alors être prises de vertiges et éprouver une sensation d'engourdissement et de fourmillement dans les doigts et les orteils, et autour de la bouche.

Sur le plan physiologique, un stress quelconque peut stimuler le système nerveux sympathique, ce qui entraîne la libération d'adrénaline. Sous l'action de celle-ci, les bronchioles se dilatent, le débit sanguin augmente de même que l'apport d'oxygène aux muscles actifs. Bien qu'elles représentent à court terme une stratégie d'adaptation, ces réactions peuvent être nuisibles si le stress persiste, car elles accroissent le risque d'affections cardiovasculaires.

Anomalies de la fonction respiratoire

La fonction respiratoire peut être perturbée par les facteurs qui agissent sur :

- Le mouvement de l'air qui entre et sort des poumons.
- La diffusion de l'oxygène et du gaz carbonique entre les alvéoles et les capillaires pulmonaires.

LES ÂGES DE LA VIE

Développement du système respiratoire

NOUVEAU-NÉS ET NOURRISSONS

- La fréquence respiratoire atteint sa valeur maximale chez les nouveau-nés, chez qui elle est très variable : elle se situe entre 40 et 80 respirations par minute.
- Chez les nourrissons, la fréquence respiratoire est en moyenne d'environ 30 respirations par minute.
- À cause de la structure de leur cage thoracique, les nourrissons pratiquent presque uniquement la respiration diaphragmatique, aussi appelée «respiration abdominale», car l'abdomen se soulève et s'abaisse à chaque respiration.

ENFANTS

- La fréquence respiratoire diminue graduellement, de sorte qu'elle est en moyenne d'environ 25 respirations par minute chez les enfants d'âge préscolaire, et de 12 à 18 respirations par minute à la fin de l'adolescence, ce qui est aussi la fréquence chez les adultes.
- Les infections du système respiratoire supérieur sont fréquentes chez les nouveau-nés, les nourrissons et les enfants. Le risque d'obstruction des voies aériennes par un corps étranger, comme une pièce de monnaie ou un petit jouet, est également élevé chez les nourrissons et les enfants d'âge préscolaire. La fibrose kystique du pancréas est une affection héréditaire touchant les poumons, qu'un mucus épais et tenace (qui ne s'écoule pas facilement) obstrue éventuellement. L'asthme est aussi une affection chronique qui apparaît souvent durant l'enfance. Chez un enfant asthmatique, divers stimuli, tels les allergènes, l'exercice et l'air froid, provoquent une réaction des voies aériennes, qui se contractent, deviennent œdémateuses et sécrètent une quantité excessive de mucus. La circulation de l'air s'en trouve ralentie, et la respiration de l'enfant peut devenir sifflante parce que l'air se déplace dans des voies rétrécies.

PERSONNES ÂGÉES

- Le risque d'affections respiratoires aiguës, comme la pneumonie, ou chroniques, comme l'emphysème pulmonaire et la bronchite chronique, est plus élevé chez les personnes

âgées. Celles-ci sont aussi susceptibles de souffrir de bronchopneumopathie chronique obstructive (BPCO), surtout si elles ont été exposées à la fumée de cigarette ou à des polluants industriels pendant plusieurs années.
- La pneumonie ne présente pas nécessairement le symptôme habituel de la fièvre ; elle présente plutôt des symptômes atypiques, tels la confusion, la faiblesse, un manque d'appétit et une augmentation des fréquences cardiaque et respiratoire.
- Les interventions de l'infirmière devraient viser à optimiser l'effort respiratoire et les échanges gazeux. Ainsi, l'infirmière devrait :
  - Inciter au bien-être et à la prévention des affections en insistant sur la nécessité de bien s'alimenter, de faire de l'exercice et de se faire vacciner, notamment contre la grippe (influenza) et la pneumonie.
  - Inciter la personne à ingérer une plus grande quantité de liquide, à moins que ce ne soit contre-indiqué en raison d'un autre problème de santé, comme une insuffisance cardiaque ou rénale.
  - Inviter la personne à adopter une posture appropriée et à changer fréquemment de position, ce qui facilite la dilatation des poumons, de même que le mouvement de l'air et des liquides.
  - Enseigner à la personne des exercices de respiration de manière à améliorer les échanges d'air (voir les encadrés *Enseignement* insérés dans le présent chapitre).
  - Espacer ou regrouper les activités de la personne de manière à ne pas l'épuiser.
  - Inciter la personne à prendre de petits repas, quitte à en prendre plus souvent, afin de réduire la distension gastrique, qui risque d'accroître la pression qui s'exerce sur le diaphragme.
  - Enseigner à la personne à éviter les températures très froides ou très chaudes, qui exigent un effort accru du système respiratoire.
  - Informer la personne de l'action et des effets secondaires des médicaments, y compris ceux qui sont administrés par inhalation, et des traitements.

- Le transport de l'oxygène et du gaz carbonique dans le sang, respectivement vers les tissus et en provenance de ceux-ci.

L'hypoxie, les modes de respiration inefficaces et l'obstruction partielle ou totale des voies aériennes constituent trois anomalies importantes de la respiration.

Hypoxie

L'**hypoxie** est un déficit d'oxygène dans les cellules, causé par un apport insuffisant en oxygène. Elle peut être liée à l'une des composantes de la respiration (ventilation, diffusion des gaz, transport des gaz dans le sang) et causée par une affection qui perturbe une ou plusieurs phases du processus.

L'**hypoventilation**, qui se traduit par une respiration lente et superficielle, est une ventilation inadéquate et insuffisante des alvéoles, qui peut provoquer l'hypoxie. Elle est attribuable

notamment à une affection des muscles respiratoires, à l'administration de médicaments ou à l'anesthésie. En présence d'hypoventilation, le gaz carbonique s'accumule dans le sang ; c'est ce qu'on appelle l'**hypercapnie.**

Parfois, l'hypoxie est due à une réduction de la diffusion de l'oxygène des alvéoles vers le sang artériel, ce qui peut se produire, par exemple, en présence d'un œdème pulmonaire ; d'autre part, une hypoxie peut également survenir en raison d'une perturbation du transport de l'oxygène vers les tissus, comme dans les cas d'anémie, d'arrêt cardiaque ou d'embolie. L'**hypoxémie** est une diminution du taux d'oxygène dans le sang ; elle se caractérise par une faible pression partielle de l'oxygène dans le sang artériel ou une faible teneur en hémoglobine du sang. L'encadré 48-2 présente les signes d'hypoxémie. La **sphygmooxymétrie** permet de surveiller la **saturation en oxygène** (SaO_2), c'est-à-dire d'évaluer la teneur en oxygène du sang.

ENCADRÉ

Signes d'hypoxémie — 48-2

- Anxiété, appréhension
- Respiration rapide et superficielle, dyspnée
- Pouls rapide
- Battement des ailes du nez
- Rétraction des muscles sous-sternaux et intercostaux (tirage)
- Augmentation de l'agitation, étourdissements
- Fatigue
- Cyanose
- Altération de l'état de conscience

La saturation du sang en oxygène est le rapport de l'hémoglobine oxygénée sur la quantité globale d'hémoglobine. Par exemple, une saturation de 92 % indique que seulement 92 % de toutes les liaisons oxygène de l'hémoglobine sont occupées par de l'oxygène alors que la normale devrait être de 95 % et plus.

Une **cyanose** (changement de la coloration de la peau, qui prend une teinte légèrement bleutée ou violet sombre, particulièrement visible sur le lit des ongles et les muqueuses) se produit lorsque la teneur en hémoglobine non oxygénée circulant dans le sang augmente. Pour que la cyanose soit décelable, les capillaires superficiels doivent être dilatés, et la saturation en oxygène doit se situer au-dessous de 85 %. Des facteurs influant sur l'un ou l'autre de ces deux phénomènes (par exemple, une anémie grave ou l'administration d'adrénaline) diminuent la gravité de la cyanose, même si la personne souffre d'hypoxie.

Une oxygénation adéquate est essentielle au fonctionnement du cerveau. Le cortex cérébral tolère l'hypoxie pendant trois à cinq minutes seulement ; si elle dure plus longtemps, il se produit des lésions permanentes. Le visage d'une personne souffrant d'hypoxémie grave exprime habituellement l'anxiété et la fatigue, et ses traits sont tirés. Elle a tendance à s'asseoir, en se penchant légèrement vers l'avant, ce qui permet une plus grande expansion de la cavité thoracique.

Dans les cas d'hypoxémie chronique, les personnes semblent souvent fatiguées et sont léthargiques. Certaines présentent un hippocratisme digital (incurvation latérale et longitudinale des ongles avec abolition puis inversion de l'angle à la racine), ce qui indique que la teneur en oxygène dans le sang artériel a été insuffisante pendant une longue période. Chez ces personnes, la racine de l'ongle et les extrémités des doigts et des orteils grossissent. L'angle que détermine le corps de l'ongle et la racine en vient à dépasser 180° (voir la figure 34-11, p. 841).

Modes de respiration inefficaces

On entend par *mode de respiration* la fréquence, le volume et le rythme respiratoires, de même que l'aisance ou la difficulté à respirer. Le tableau 48-1 décrit quelques types de respirations avec différentes caractéristiques et origines possibles. La respiration normale, ou **eupnée**, est calme, rythmée et aisée (fréquence respiratoire de 16 à 20 par minute). La **tachypnée** (fréquence respiratoire de plus de 28 par minute) s'observe en présence de fièvre, d'acidose métabolique, de douleur, d'hypercapnie ou d'hypoxémie. La **bradypnée** est une respiration anor-

malement lente (fréquence respiratoire de moins de 10 par minute), qu'on observe chez les personnes prenant des médicaments tels que la morphine, ou souffrant d'alcalose métabolique ou d'une augmentation de la pression intracrânienne (à la suite d'un traumatisme crânien par exemple). L'**apnée** est un arrêt de la respiration.

L'**hyperventilation**, aussi appelée **hyperventilation alvéolaire**, est un accroissement de la quantité d'air qui entre dans les poumons et en sort. Lors de l'hyperventilation, la fréquence et l'amplitude de la respiration augmentent, et la quantité de gaz carbonique expirée est supérieure à la quantité produite. La **respiration de Kussmaul** est un type particulier d'hyperventilation ; elle accompagne l'acidose métabolique. Il s'agit d'un mécanisme de compensation, par lequel l'organisme tente de se débarrasser d'un excès d'acides organiques en rejetant du gaz carbonique au moyen d'une respiration profonde et rapide. Enfin, l'hyperventilation constitue parfois une réaction au stress, comme nous l'avons déjà souligné.

Un rythme respiratoire anormal crée un mode respiratoire irrégulier. En voici deux exemples :

- **Respiration de Cheyne-Stokes.** Il s'agit d'un cycle de ventilation irrégulière commençant par des respirations superficielles, qui augmentent en fréquence et en amplitude, puis diminuent et cessent complètement pendant 15 à 20 secondes. Les causes de ce mode de respiration comprennent fréquemment l'insuffisance cardiaque globale, une pression intracrânienne anormalement élevée et une surdose de médicaments ou de drogues.

- **Respiration de Biot.** Il s'agit de respirations superficielles entrecoupées d'apnée. On observe ce mode de respiration chez les personnes souffrant d'une affection du système nerveux central.

On appelle **orthopnée** l'incapacité de respirer autrement qu'en position assise ou debout. La **dyspnée** correspond à une respiration difficile ou douloureuse. Les personnes dyspnéiques ont souvent l'air anxieuses et essoufflées ; elles ont l'impression d'être incapables d'absorber suffisamment d'air. On observe fréquemment chez celles-ci un élargissement des narines, dû à l'augmentation de l'effort pour inspirer. Leur peau prend parfois une couleur pourpre, et leur fréquence cardiaque est anormalement élevée. Il existe plusieurs causes de dyspnée, mais la plupart sont liées à des affections cardiaques ou respiratoires. Étant donné que le traitement vise à en éliminer la cause sous-jacente, il est important que l'infirmière recueille le plus d'informations possible sur le moment où la personne a commencé à souffrir de dyspnée, sur la durée du symptôme et sur les facteurs qui font augmenter ou diminuer celui-ci, et qu'elle procède à un examen clinique complet.

Afin d'évaluer objectivement la dyspnée, la New York Heart Association (NYHA) a élaboré une classification fonctionnelle en quatre niveaux (voir le tableau 48-2).

Obstruction des voies aériennes

L'obstruction partielle ou totale d'une voie aérienne peut se produire n'importe où dans le système respiratoire supérieur ou inférieur. Dans le premier cas, c'est-à-dire si elle se situe dans le nez, le pharynx ou le larynx, l'obstruction peut être due à la présence d'un corps étranger, comme des aliments ; au repli de la langue

TABLEAU
48-1

Types de respiration

Types	Caractéristiques	Origines possibles
Eupnée 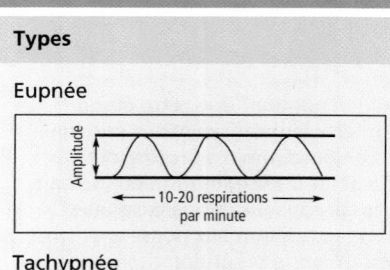	Fréquence 10-20/min. Rythme régulier. Amplitude profonde. Silencieuse.	Type de respiration normal
Tachypnée 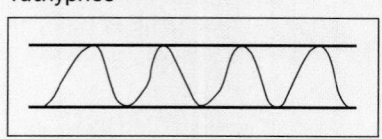	Fréquence > 28/min. Rythme régulier. Amplitude profonde. Peu être légèrement bruyante.	Effort, anxiété ou peur, hyperthermie, infection, douleur pleurétique
Bradypnée 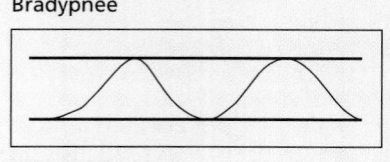	Fréquence < 10/min. Rythme régulier. Amplitude profonde. Silencieuse.	Dépression respiratoire, augmentation de la pression intracrânienne, coma diabétique
Apnée 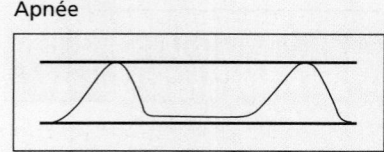	Absence de respiration. Peut être par intervalles ou complète.	Atteinte neurologique, mort clinique
Hyperventilation 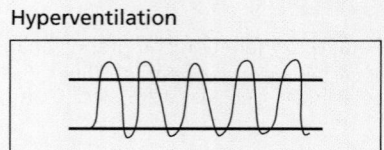	Augmentation de la fréquence. Augmentation de l'amplitude. Manifestée par l'accroissement de la quantité d'air qui entre et qui sort des poumons.	Anxiété ou peur, augmentation de la $PaCO_2$
Respiration de Kussmaul 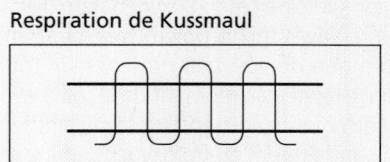	Augmentation de la fréquence. Augmentation de l'amplitude. Manifestée par l'accroissement de la quantité d'air qui entre et qui sort des poumons.	Type d'hyperventilation accompagnant spécifiquement l'acidose métabolique
Hypoventilation 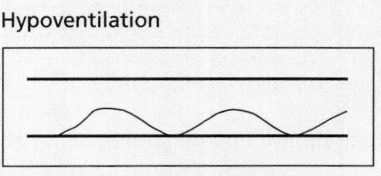	Diminution de la fréquence. Diminution de l'amplitude. Manifestée par une diminution de la quantité d'air qui entre et qui sort des poumons.	Dose excessive d'opioïdes ou d'anesthésiques
Respiration de Cheyne-Stokes 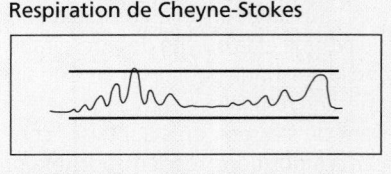	Cycle de ventilation irrégulière se manifestant par une augmentation progressive de la fréquence et de l'amplitude, suivie d'une diminution progressive de la fréquence et de l'amplitude, puis d'une période d'apnée.	Insuffisance cardiaque globale, pression intracrânienne élevée, intoxication médicamenteuse, surdose de drogue, phase terminale
Respiration de Biot (ou ataxique) 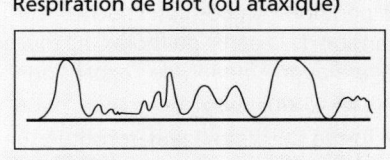	Irrégularité imprévisible du rythme et de la fréquence, avec période d'apnée.	Lésion cérébrale, abcès cérébral, accident vasculaire cérébral, méningite, encéphalite

Source : Brûlé, M., Cloutier, L. et Doyon, O. (dir.). (2002). *L'examen clinique dans la pratique infirmière,* Saint-Laurent : Éditions du Renouveau Pédagogique, p. 268-270.

RÉSULTATS DE RECHERCHE

Les crises de dyspnée à domicile : l'expérience de couples

Le but de cette étude consistait à déterminer comment les couples vivent l'expérience d'une crise de dyspnée. Pour qu'un couple soit sélectionné, l'homme devait avoir fait l'objet d'un diagnostic de bronchopneumopathie chronique obstructive et avoir expérimenté une crise de dyspnée au cours de la dernière année. À l'aide de deux entrevues semi-structurées, le conjoint et la conjointe décrivaient l'expérience de la crise de dyspnée. Trois grands thèmes ont émergé de l'analyse de contenu des entrevues : la mort d'un des conjoints est imminente et terrifiante ; l'échec des efforts personnels et des traitements ou, au contraire, le désir de relever à nouveau le défi avec les professionnels de la santé ; la transformation de la vie de couple par suite de cet épisode. À ces trois thèmes se rattachent une série de sous-thèmes, desquels on peut tirer des conclusions et proposer des interventions infirmières spécifiques.

Implications : Voici les recommandations que cette étude propose à la pratique infirmière : les programmes d'enseignement devraient inclure les conjoints afin d'accroître leur confiance et leur capacité à gérer la crise ; l'infirmière devrait sensibiliser ceux-ci aux signes précurseurs d'une crise ; elle devrait porter une plus grande attention aux pensées et aux sentiments des couples concernant la répétition des crises ; finalement, elle devrait promouvoir le respect de la perception de la personne quant à sa qualité de vie.

Source : « Les crises de dyspnée à domicile : l'expérience de couples », de L. Gagné, J. Pépin et C. Michaud, 2000, *L'infirmière du Québec*, vol. 7, n° 6, p. 20-30.

TABLEAU
48-2

Classification fonctionnelle de la dyspnée selon la NYHA	
Classe	Symptôme
I/IV	Aucun symptôme
II/IV	Confortable au repos Symptômes présents lors d'activités ordinaires
III/IV	Confortable au repos Symptômes apparaissant à la moindre activité
IV/IV	Symptômes au repos

dans l'oropharynx pendant que la personne est inconsciente ; ou à l'accumulation de sécrétions dans les voies aériennes. Dans le second cas, l'inspiration s'accompagne de crépitants ou de ronchi, que cause l'air en tentant de passer à travers les sécrétions. Ce type d'obstruction est attribuable à l'occlusion partielle des bronches, des bronchioles ou des alvéoles. Il incombe à l'infirmière de s'assurer que l'air peut passer, et cela requiert fréquemment une action immédiate. L'obstruction partielle des voies aériennes supérieures se manifeste par des bruits de crépitants rudes durant l'inspiration ; l'obstruction totale se manifeste quant à elle par un effort intense lors de l'inspiration, qui ne produit pas de mouvement du thorax ni de bruits respiratoires. Parfois, chez les personnes souffrant d'obstruction totale, l'effort lié à l'inspiration est associé à une rétraction marquée des muscles supraclaviculaires et intercostaux. Par opposition, les symptômes de l'obstruction du système respiratoire inférieur s'avèrent souvent moins évidents et sont donc plus difficilement décelables. Il est cependant possible d'entendre un **stridor**, c'est-à-dire un bruit striduleux (aigu et sifflant), audible surtout lors de l'inspiration. On peut aussi observer des concentrations anormales de gaz sanguins artériels, de l'agitation, de la dyspnée et des **bruits respiratoires surajoutés** ou **adventices** (voir le tableau 34-8, p. 876).

DÉMARCHE SYSTÉMATIQUE
dans la pratique infirmière

Collecte des données

L'évaluation infirmière de l'état d'oxygénation comprend l'anamnèse, l'examen physique et certains examens paracliniques.

▣ Anamnèse

Une évaluation infirmière complète de l'état d'oxygénation devrait comprendre des données relatives aux problèmes respiratoires actuels ou antérieurs ; au mode de vie ; à la présence de toux, d'**expectorations** (substance rejetée au moment de la toux) et de douleur ; à la prise de médicaments agissant sur la respiration ; aux facteurs de risque pouvant altérer l'état d'oxygénation. L'encadré *Entrevue d'évaluation – Oxygénation* présente des exemples de questions qui permettent d'obtenir des informations de ce type.

▣ Examen physique

Pour évaluer l'état d'oxygénation d'une personne, l'infirmière emploie les quatre techniques d'examen physique : l'inspection, la palpation, la percussion et l'auscultation. Elle observe d'abord la fréquence, l'amplitude, le rythme et la qualité de la respiration, et note la position que prend la personne pour respirer. Certaines personnes atteintes d'une affection respiratoire chronique préfèrent pencher le thorax vers l'avant ou s'asseoir en s'appuyant contre une table pour respirer, car ces positions rendent possible une plus grande dilatation des poumons. La position couchée, sur le dos ou le côté, limite l'expansion de la partie du thorax qui touche au matelas. Même une légère augmentation de l'expansion est importante pour les personnes dyspnéiques.

Une modification de la forme du thorax peut constituer une adaptation à une affection respiratoire chronique. Ainsi, chez les personnes souffrant d'emphysème, le thorax prend avec le temps la forme d'un tonneau.

ENTREVUE D'ÉVALUATION

Oxygénation

PROBLÈMES RESPIRATOIRES ACTUELS
- Avez-vous remarqué quelque changement que ce soit dans votre respiration (par exemple, de l'essoufflement, de la difficulté à respirer, le besoin d'être en position assise ou debout pour respirer, ou une respiration rapide et superficielle) ?
- Si vous avez noté des changements, quelles activités provoquent les symptômes ?
- Combien d'oreillers utilisez-vous pour dormir ?

ANTÉCÉDENTS D'AFFECTIONS RESPIRATOIRES
- Avez-vous souffert de rhumes, d'allergies, d'asthme, de tuberculose, de bronchite, de pneumonie ou d'emphysème ?
- À quelle fréquence avez-vous souffert de ces affections ? Combien de temps ont-elles duré ? Comment ont-elles été traitées ?
- Avez-vous été exposé à un polluant quelconque ?

MODE DE VIE
- Fumez-vous ? Si oui, en quelle quantité ? Sinon, avez-vous déjà fumé et quand avez-vous cessé ?
- Est-ce qu'un membre de votre famille fume ?
- Y a-t-il de la fumée de cigarette ou d'autres polluants (par exemple, de la fumée, de la poussière, du charbon ou de l'amiante) dans votre milieu de travail ?
- Décrivez votre consommation d'alcool. Buvez-vous des cocktails, du vin ou de la bière et, si oui, en quelle quantité ? Buvez-vous quotidiennement, hebdomadairement ou à l'occasion ?
- Décrivez vos habitudes en matière d'exercice. À quelle fréquence faites-vous de l'exercice et pendant combien de temps ?

PRÉSENCE DE TOUX
- À quelle fréquence toussez-vous et pendant combien de temps ?
- S'agit-il d'une toux productive, c'est-à-dire accompagnée d'expectoration de sécrétions, ou d'une toux non productive, c'est-à-dire sèche ?
- La toux se produit-elle pendant que vous faites certaines activités ou à certains moments de la journée ?

DESCRIPTION DES EXPECTORATIONS
- Quand crachez-vous ?
- Quelle est la quantité, la couleur, la consistance et l'odeur des crachats ?
- Du sang est-il parfois mêlé aux crachats ?

PRÉSENCE DE DOULEUR THORACIQUE
- Ressentez-vous de la douleur quand vous respirez ou que vous faites une activité physique ?
- À quel endroit ressentez-vous de la douleur ?
- Décrivez la douleur. Que ressentez-vous ?
- Avez-vous mal lorsque vous inspirez ou expirez ?
- Combien de temps la douleur dure-t-elle et de quelle façon agit-elle sur votre respiration ?
- Éprouvez-vous d'autres symptômes lorsque la douleur est présente (par exemple, de la nausée, de l'essoufflement, de la difficulté à respirer, des étourdissements ou des palpitations) ?
- Après quelles activités ressentez-vous de la douleur ?
- Que faites-vous pour soulager la douleur ?

PRÉSENCE DE FACTEURS DE RISQUE
- Y a-t-il des antécédents de cancer du poumon, d'affection cardiovasculaire (y compris d'accident vasculaire cérébral) ou de tuberculose dans votre famille ?
- L'infirmière devrait aussi noter le poids de la personne, ses activités habituelles et les résultats de l'évaluation en matière de nutrition. Les facteurs de risque comprennent l'obésité, un mode de vie sédentaire et une alimentation riche en gras saturés.

PRISE DE MÉDICAMENTS
- Avez-vous déjà pris ou prenez-vous actuellement des médicaments en vente libre ou d'ordonnance qui agissent sur la respiration (comme les bronchodilatateurs, les inhalateurs et les opioïdes) ?
- Si oui, quels médicaments prenez-vous ? Quelle en est la dose ? Quand les prenez-vous et quels en sont les effets, y compris les effets secondaires ?

■ Examens paracliniques

Il est possible de prescrire plusieurs examens paracliniques afin d'évaluer l'état et la fonction respiratoires ainsi que l'oxygénation de la personne. Ces examens comprennent l'analyse des expectorations, la culture de prélèvements de gorge, l'analyse de prélèvements de sang veineux et artériel, les tests de fonction respiratoire et la détermination du débit de pointe.

La mesure des gaz artériels constitue un important examen paraclinique (voir le chapitre 50 ⏳). Un médecin, une infirmière ou un inhalothérapeute effectuera généralement les prélèvements de sang artériel, qu'on prendra dans les artères radiales, brachiales ou fémorales au moyen d'une canule artérielle ou d'un cathéter central inséré dans une grosse artère. Il est à noter que seul un médecin peut procéder à un prélèvement artériel direct en ponctionnant l'artère. La pression artérielle y étant relativement élevée,

il est important alors d'exercer une pression pendant au moins cinq minutes sur le point d'insertion de l'aiguille, après que le médecin a retiré celle-ci, afin de prévenir l'hémorragie.

TESTS DE FONCTION RESPIRATOIRE (SPIROMÉTRIE).
Les tests de fonction respiratoire (spirométrie) mesurent les volumes et les capacités pulmonaires. Ces tests, qui ne sont pas douloureux, sont généralement effectués par un inhalothérapeute. Comme on demande à la personne de respirer dans un appareil, sa coopération est essentielle. Il est important que l'infirmière explique à l'avance à la personne en quoi consistent les tests et qu'elle l'aide à se reposer après l'administration de l'épreuve, car celle-ci est souvent fatigante. Le tableau 48-3 décrit les mesures que permettent d'obtenir ces tests, et la figure 48-2 ■ indique la relation entre les volumes et les capacités pulmonaires chez un adulte en bonne santé.

TABLEAU
48-3

Volumes et capacités respiratoires

Volumes et capacités	Description
Volume courant (V_T)	Volume inspiré et expiré durant une respiration calme normale.
Volume de réserve inspiratoire	Volume maximal d'air inspiré en supplément d'une inspiration normale.
Volume de réserve expiratoire	Volume maximal d'air expulsé en supplément d'une expiration normale.
Volume résiduel	Volume d'air qui reste dans les poumons après une expiration forcée.
Capacité pulmonaire totale	Volume total des poumons lors d'une ventilation maximale ; on le calcule en additionnant le volume courant, les volumes de réserve inspiratoire et expiratoire, et le volume résiduel.
Capacité vitale	Volume total d'air expiré après une inspiration forcée ; on le calcule en additionnant le volume courant et les volumes de réserve inspiratoire et expiratoire.
Capacité inspiratoire	Volume total d'air inspiré après une expiration calme normale ; on le calcule en additionnant le volume courant et le volume de réserve inspiratoire.
Capacité résiduelle fonctionnelle	Volume d'air qui reste dans les poumons après une expiration normale ; on le calcule en additionnant le volume de réserve expiratoire et le volume résiduel.
Ventilation minute (VM)	Volume total d'air inspiré et expiré en une minute.

Analyse

NANDA suggère entre autres les diagnostics infirmiers suivants dans le cas de personnes qui présentent des problèmes d'oxygénation :

- *Dégagement inefficace des voies respiratoires :* Incapacité de libérer les voies respiratoires des sécrétions ou des obstructions qui entravent le libre passage de l'air. On donne un exemple clinique correspondant à ce diagnostic dans le *Plan de soins et de traitements infirmiers* et le *Schéma du plan de soins et de traitements infirmiers* présentés plus loin dans le présent chapitre.

- *Mode de respiration inefficace :* L'inspiration ou l'expiration sont insuffisantes pour maintenir une ventilation adéquate.

- *Échanges gazeux perturbés :* Excès ou manque d'oxygénation ou d'élimination du gaz carbonique au niveau de la membrane alvéolocapillaire.

- *Intolérance à l'activité :* Diminution de la capacité physiologique ou psychologique de tolérer le degré d'activité voulu ou requis dans la vie quotidienne.

Ces diagnostics peuvent aussi constituer l'étiologie de plusieurs autres diagnostics infirmiers, dont voici quelques exemples :

- *Anxiété,* reliée à un dégagement inefficace des voies respiratoires et à une sensation d'étouffement

- *Fatigue,* reliée à un mode de respiration inefficace

- *Peur,* reliée à une affection respiratoire chronique invalidante

- *Sentiment d'impuissance,* relié à l'incapacité d'effectuer sans aide les activités relatives aux soins personnels, en raison d'un mode de respiration inefficace

- *Habitudes de sommeil perturbées,* reliées à la présence d'orthopnée et au besoin d'oxygénothérapie

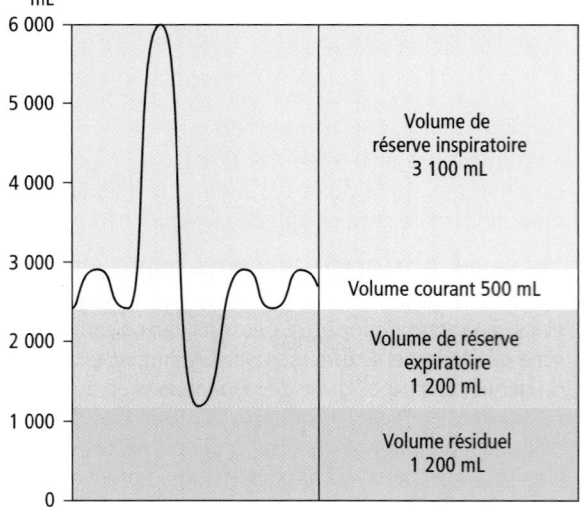
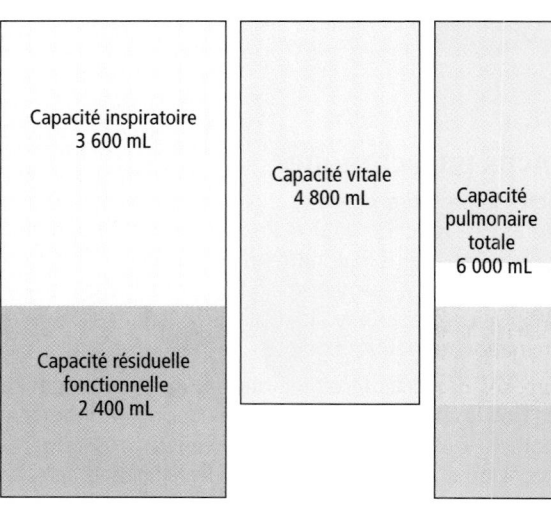

FIGURE 48-2 ■ Spirogramme des volumes et des capacités respiratoires illustrant les relations entre les volumes et les capacités pulmonaires. Les volumes indiqués (en millilitres) constituent des valeurs moyennes pour les hommes ; les valeurs moyennes pour les femmes sont inférieures de 20 à 25 %.

- *Isolement social,* relié à une intolérance à l'activité et à l'incapacité de se déplacer pour participer à des activités sociales habituelles

Planification

Pour une personne qui présente des problèmes d'oxygénation, les principaux objectifs sont les suivants :

- Maintenir le dégagement des voies respiratoires.
- Accroître l'aisance et la facilité à respirer.
- Maintenir ou améliorer la ventilation pulmonaire et l'oxygénation.
- Accroître la capacité à effectuer des activités physiques.
- Prévenir les risques associés aux problèmes d'oxygénation, tels la rupture de l'épiderme ou des tissus, la syncope, les déséquilibres acidobasiques et les sentiments d'impuissance et d'isolement social.

Les interventions infirmières visant à faciliter la ventilation pulmonaire comprennent notamment le maintien du dégagement des voies respiratoires et d'une position adéquate, l'incitation à respirer profondément et à tousser, et le maintien d'une bonne hydratation. Parmi les autres interventions infirmières susceptibles de favoriser la ventilation, on note l'aspiration des sécrétions, les techniques favorisant l'expansion des poumons, l'administration d'analgésiques avant les exercices de respiration profonde et de toux, le drainage postural, et la percussion et la vibration. Les interventions infirmières visant à faciliter la diffusion des gaz à travers la membrane alvéolocapillaire comprennent l'incitation à tousser, à respirer profondément et à faire des activités appropriées. Le plan de soins et de traitements infirmiers devrait inclure des interventions infirmières en collaboration telles que l'oxygénothérapie, le soin d'une trachéostomie et l'entretien d'un drain thoracique.

On présente un exemple de résultats escomptés, d'interventions et d'activités dans les encadrés *Plan de soins et de traitements infirmiers* et *Schéma du plan de soins et de traitements infirmiers* de ce chapitre.

◼ Planification des soins à domicile

Afin d'assurer la continuité des soins, l'infirmière doit considérer les besoins de la personne en matière d'enseignement et d'aide pour les soins à domicile. La planification comprend une évaluation des connaissances et des habiletés de la personne et de sa famille concernant les soins personnels, de leurs ressources financières et des besoins en matière de services de soins à domicile. L'encadré *Évaluation pour les soins à domicile – Oxygénation* décrit brièvement l'évaluation des problèmes et des besoins de la personne en matière d'oxygénation, et l'encadré *Enseignement – Oxygénation* traite des besoins de la personne et de sa famille en matière d'apprentissage.

ÉVALUATION POUR LES SOINS À DOMICILE

Oxygénation

PERSONNE

- Capacités en matière de soins personnels : capacité de se déplacer et d'effectuer sans aide les activités de la vie quotidienne.
- Exercice et activité : nature et fréquence de l'exercice physique ; perception de l'énergie nécessaire pour pratiquer les activités de loisirs par opposition à l'énergie qu'il faut réellement.
- Aides techniques requises : oxygène d'appoint ; humidificateur ; nébuliseur ou inhalateur ; déambulateur, canne ou fauteuil roulant ; barres d'appui, chaise de douche ou tout autre dispositif visant à améliorer la sécurité et à réduire au minimum la dépense d'énergie ; pèse-personne pour vérifier régulièrement le poids.
- Facteurs nuisant au dégagement des voies respiratoires ou aux échanges gazeux, ou réduisant la tolérance à l'activité : polluants à l'intérieur du domicile, comme la fumée de cigarette, la poussière et les allergènes, dus notamment à la présence d'animaux ; taux d'humidité de l'air trop faible ; obstacles tels les escaliers.
- Niveau actuel des connaissances : nécessité d'éviter la consommation de tabac et d'éliminer les autres polluants en général ; réduction de la teneur en sel des aliments et application d'autres restrictions alimentaires s'il y a lieu ; activités recommandées ; médication ; nécessité de réduire au minimum les risques d'infection pulmonaire ; utilisation du nébuliseur, de l'inhalateur ou du matériel dispensateur d'oxygène prescrit ; niveau d'activité.

FAMILLE ET PROCHES AIDANTS

- Disponibilité, habiletés et réactions du proche aidant : capacité et volonté de fournir les soins requis (préparation des repas ; aide pour les activités de la vie quotidienne, pour le transport et les emplettes, pour les soins et les traitements tels les percussions et le drainage postural).
- Modifications des rôles au sein de la famille et capacité d'adaptation : effets sur la situation financière, l'exercice du rôle de parent et de conjoint, la sexualité, le rôle social.
- Substituts potentiels du principal proche aidant ou soins de relève : un autre membre de la famille ou un bénévole, par exemple ; soignant ou service d'aide ménagère rétribués ; service de relève communautaire (un centre de jour pour adultes ou pour personnes âgées, par exemple).

COMMUNAUTÉ

- Environnement : température et humidité ambiantes habituelles ; présence de polluants atmosphériques comme les gaz d'échappement des voitures ; fumée et polluants industriels ; fumée provenant de la combustion de champs de culture.
- Connaissances actuelles et expérience relatives aux ressources communautaires : équipement médical, accessoires fonctionnels et fournisseurs ; services d'inhalothérapie et de physiothérapie ; organismes de soins à domicile ; pharmacies de quartier ; possibilités d'aide financière ; organismes de soutien et d'éducation tels une association pulmonaire locale ou un groupe d'entraide pour personnes atteintes de BPCO.

ENSEIGNEMENT

Oxygénation

MAINTIEN DU DÉGAGEMENT DES VOIES RESPIRATOIRES ET D'ÉCHANGES GAZEUX EFFICACES

- Insister auprès de la personne et de sa famille sur la nécessité de s'abstenir de fumer. Diriger les personnes qui en auraient besoin vers un programme d'abandon du tabac. Si des membres de la famille ne sont pas prêts à arrêter de fumer, insister sur la nécessité de ne pas fumer dans le domicile.
- Enseigner à la personne des techniques de toux efficaces, telle la toux contrôlée ou « profonde » (voir le paragraphe « Respiration profonde et toux », de la section « Interventions »).
- Discuter de la signification de la modification des expectorations, quant à la quantité et à la couleur, à la viscosité et à l'odeur, par exemple. Expliquer à la personne à quel moment elle devrait consulter un professionnel de la santé.
- Expliquer à la personne qu'elle doit ingérer de 2 500 mL à 3 000 mL de liquide chaque jour, sauf s'il existe des contre-indications.
- Montrer à la personne, s'il y a lieu, comment utiliser le nébuliseur ou l'inhalateur qu'on lui a prescrit (voir le chapitre 39 , p. 1192).
- Montrer à la personne et à sa famille comment utiliser le matériel dispensateur d'oxygène à domicile.

PROMOTION D'UNE RESPIRATION EFFICACE

- Enseigner à la personne des techniques de relaxation, telles la relaxation musculaire progressive, la méditation et la visualisation. Utiliser au besoin des cassettes préenregistrées.
- Aider la personne à déterminer précisément quels facteurs altèrent sa respiration, comme le stress, l'exposition à des allergènes, l'exposition à la pollution atmosphérique ou l'exposition au froid. L'aider aussi à déterminer quelles interventions et mesures lui permettraient d'éliminer ces facteurs.

MÉDICATION

- Donner à la personne des informations sur les médicaments prescrits, notamment sur la dose, les effets bénéfiques, les effets secondaires possibles et les risques associés à la prise d'un médicament donné avec des aliments, des boissons ou d'autres médicaments.

MESURES SPÉCIFIQUES DANS LE CAS DE PROBLÈMES D'OXYGÉNATION

- Fournir des directives concernant des procédés ou des problèmes spécifiques, comme :
  a) L'aspiration des cavités oropharyngée et nasopharyngée
  b) Le soin d'une trachéostomie temporaire ou permanente
  c) La prévention de la transmission de la tuberculose et de toute infection respiratoire aux autres membres de la famille ou à d'autres personnes

RESSOURCES

- Orienter la personne vers des organismes de soins à domicile ou des services sociaux communautaires appropriés si elle a besoin d'aide pour obtenir de l'équipement médical ou des aides techniques, par exemple des barres d'appui, des services d'inhalothérapie ou de physiothérapie, et vers des services d'aide en hygiène familiale ou d'aide ménagère qui pourraient lui venir en aide dans le cadre des activités de la vie quotidienne.

ORGANISMES COMMUNAUTAIRES ET AUTRES SOURCES DE SOUTIEN

- Fournir à la personne ou au proche aidant des informations sur les endroits où ils peuvent acheter, louer ou obtenir gratuitement de l'équipement médical durable ; la façon d'obtenir du matériel dispensateur d'oxygène à domicile et des services de soutien ; les services de physiothérapie et d'ergothérapie ; les endroits où ils peuvent obtenir des suppléments nutritionnels.
- Diriger la personne vers des sources additionnelles d'information telles l'Association pulmonaire du Québec (http://www.pq.poumon.ca/) ou l'Association pulmonaire du Canada (http://www.poumon.ca/).

Interventions

▦ Amélioration de l'oxygénation

La majorité des gens en bonne santé pensent très peu à leur fonction respiratoire. Changer fréquemment de position, marcher et faire de l'exercice permettent habituellement de maintenir une ventilation et des échanges gazeux adéquats. L'encadré *Enseignement – Promotion d'une bonne respiration* présente d'autres façons de promouvoir une bonne respiration.

Cependant, quand une personne est malade, sa fonction respiratoire est parfois altérée à cause, par exemple, de la douleur ou de l'immobilité. Une respiration superficielle entraîne une diminution à la fois de l'excursion diaphragmatique et de la capacité d'expansion pulmonaire. L'expansion inadéquate de la cage thoracique provoque une accumulation de sécrétions dans les voies respiratoires, de sorte que des microorganismes envahissent éventuellement celles-ci et que le risque d'infection s'en trouve accru. L'administration d'opioïdes pour soulager la douleur aggrave souvent ces phénomènes, car ces substances ont pour effet de déprimer la fréquence et l'amplitude respiratoires.

Les interventions infirmières suivantes visent à maintenir une respiration normale chez la personne :

- Placer la personne de manière à permettre une expansion maximale de la cage thoracique.
- Inciter la personne à changer fréquemment de position ou s'assurer qu'on la change fréquemment de position.
- Inciter la personne à marcher.
- Adopter des mesures qui procurent à la personne un sentiment de bien-être, comme l'administration d'analgésiques.

La position semi-Fowler ou la position de Fowler haute permet une expansion maximale de la cage thoracique chez les personnes alitées, en particulier chez les personnes dyspnéiques. L'infirmière devrait aussi inciter la personne à se tourner souvent d'un côté à l'autre, de manière que chaque côté du thorax puisse tour à tour profiter d'une expansion maximale. Les personnes dyspnéiques

ENSEIGNEMENT

Promotion d'une bonne respiration

- Tenez-vous droit lorsque vous êtes assis ou debout, afin de permettre une dilatation maximale des poumons.
- Faites régulièrement de l'exercice.
- Respirez par le nez.
- Inspirez de manière à permettre une expansion maximale de la cage thoracique.
- Abstenez-vous de fumer la cigarette, le cigare ou la pipe.
- Renoncez à l'emploi de pesticides et de produits d'entretien domestique irritants, ou réduisez-en l'utilisation.

- Ne faites pas brûler de déchets dans la maison.
- Évitez l'exposition à la fumée secondaire.
- Utilisez des matériaux de construction qui ne libèrent pas de vapeurs.
- Assurez-vous, s'il y a lieu, que la fournaise, le four et le poêle à bois sont adéquatement ventilés.
- Militez en faveur d'un environnement sain.

s'assoient fréquemment sur le lit et se penchent au-dessus de la table de lit (placée à une hauteur appropriée) en utilisant habituellement un oreiller comme support. Cette position orthopnéique constitue une variante de la position de Fowler haute. Elle présente un avantage supplémentaire du fait que les organes abdominaux n'exercent pas de pression sur le diaphragme, comme cela se produit dans la position de Fowler haute. De plus, dans cette position orthopnéique, la personne peut presser la partie inférieure du thorax contre la table pour faciliter l'expiration (figure 48-3 ■).

■ Respiration profonde et toux

L'infirmière peut améliorer la fonction respiratoire de la personne en l'incitant à faire des exercices de respiration et à tousser, de manière à éliminer les sécrétions des voies aériennes. Si la toux fait suffisamment monter les sécrétions, la personne peut alors les **expectorer** (c'est-à-dire les cracher) ou les avaler. Le fait d'avaler des sécrétions n'est pas nocif, mais il ne permet pas à l'infirmière

FIGURE 48-3 ■ Position orthopnéique : la personne utilise sa table de lit pour s'aider à respirer.

de les examiner pour noter leurs caractéristiques ni d'obtenir un prélèvement pour l'analyse. Les expectorations peuvent être décrites selon plusieurs caractéristiques, telles que la couleur, l'aspect, la consistance et la quantité (voir le tableau 48-4).

On recommande souvent de faire des exercices de respiration aux personnes chez qui l'expansion de la cage thoracique est restreinte, et notamment à celles qui souffrent de bronchopneumopathie chronique obstructive (BPCO) ou qui sont en convalescence à la suite d'une chirurgie thoracique.

La respiration *diaphragmatique* (ou *abdominale*) et la respiration avec les lèvres pincées constituent deux exercices de respiration fréquemment employés. La respiration diaphragmatique permet à la personne de respirer à fond en faisant peu d'effort. La respiration avec les lèvres pincées aide la personne à apprendre à contrôler sa respiration. Le fait de fermer la bouche à demi oppose une résistance à l'air qui sort des poumons, ce qui prolonge l'expiration et empêche l'affaissement des voies respiratoires par le maintien d'une pression positive. La personne pince les lèvres comme si elle s'apprêtait à siffler, puis elle expire lentement et doucement en contractant les muscles abdominaux, ce qui accroît l'efficacité de l'expiration. Elle inspire habituellement en comptant jusqu'à trois, puis elle expire en comptant jusqu'à sept.

La toux forcée est souvent moins efficace que les techniques de toux contrôlée. Les directives pour les exercices de respiration diaphragmatique et de respiration avec les lèvres pincées ainsi que les techniques de toux contrôlée sont présentées dans les encadrés *Enseignement – Respiration diaphragmatique et respiration avec les lèvres pincées* et *Enseignement – Toux contrôlée*.

■ Hydratation

Une hydratation adéquate maintient l'humidité des muqueuses des voies respiratoires. Les sécrétions du système respiratoire sont normalement fluides, de sorte que l'activité ciliaire les fait se déplacer facilement. Cependant, si une personne est déshydratée ou si le taux d'humidité de l'air ambiant est faible, les sécrétions respiratoires peuvent devenir épaisses et tenaces. Une personne se trouvant dans cette situation devrait ingérer plus de liquides. On étudiera au chapitre 50 ⟨⟨⟩⟩ l'apport quotidien en liquides qu'une personne doit normalement ingérer.

Un **humidificateur** est un dispositif qui accroît la teneur en vapeur d'eau de l'air, en projetant de la vapeur froide dans l'air ambiant. Un nébuliseur sert à pulvériser de la vapeur d'eau ou un liquide médicamenteux. On utilise ces appareils en conjonction

Caractéristiques des expectorations

Couleur	Origines possibles
Transparentes, blanches	Infection bactérienne ou virale (expectorations mucoïdes, non infectées, indolores)
Jaunâtres, verdâtres	Infection bactérienne ou virale (expectorations purulentes et épaisses)
Couleur rouille	Tuberculose, pneumonie à pneumocoques
Rosâtres	Œdème aigu pulmonaire (spumeuses), sympathomimétiques
Striées de sang (sanguinolentes)	Hémoptysie, cavité buccale, tabagisme, infection mineure, bronchite, anticoagulothérapie ou dysfonctionnement plaquettaire, embolie pulmonaire, nécrose du tissu pulmonaire, tuberculose, cancer
Grises	Pneumoconioses, mycoses pulmonaires

Aspect	Origines possibles
Spumeuses	Œdème aigu pulmonaire
Mucoïdes	Expectorations normales, non infectées
Mucopurulentes	Infection
Purulentes	Infection
Nauséabondes	Abcès pulmonaire, halitose concomitante

Consistance	Symboles
Liquides, claires	Fluides
Peu épaisses	+
Moyennement épaisses	++
Très épaisses	+++

Quantité	Symboles
15 mL	+
15-30 mL	++
30-250 mL	+++
> 250 mL	++++

Source: Brûlé, M., Cloutier, L. et Doyon, O. (dir.). (2002). *L'examen clinique dans la pratique infirmière*, Saint-Laurent: Éditions du Renouveau Pédagogique, p. 265.

ENSEIGNEMENT

Respiration diaphragmatique et respiration avec les lèvres pincées

- Prenez une position confortable à demi assise, sur le lit ou une chaise, ou allongez-vous sur le lit, la tête appuyée sur un oreiller.
- Fléchissez les genoux de manière à détendre les muscles de l'abdomen.
- Placez les deux mains, ou une seule, sur l'abdomen, juste sous les côtes.
- Respirez profondément par le nez, en gardant la bouche fermée.
- Concentrez votre attention sur votre abdomen, qui devrait s'élever au maximum; restez détendu et évitez d'arquer le dos. Si vous avez de la difficulté à soulever l'abdomen, inspirez brièvement et fortement par le nez.
- Pincez ensuite les lèvres comme si vous vouliez siffler, puis expirez lentement et doucement en émettant lentement un bruit de vent, sans gonfler les joues. Ce mode de respiration oppose une résistance à l'air qui sort des poumons, augmente la pression de l'air dans les bronches (les principaux conduits d'air) et réduit l'affaissement des conduits plus petits, un problème fréquent chez les personnes souffrant de BPCO.
- Concentrez votre attention sur votre abdomen, qui devrait s'abaisser, et contractez les muscles abdominaux en expirant afin d'accroître l'efficacité de l'expiration. Comptez jusqu'à sept pendant l'expiration.
- Faites cet exercice chaque fois que vous vous sentez essoufflé, puis augmentez-en graduellement la fréquence jusqu'à 5 à 10 minutes quatre fois par jour. Un entraînement régulier devrait vous permettre d'adopter ce mode de respiration sans qu'il y ait d'effort conscient à fournir. Une fois que vous aurez appris cet exercice, vous pourrez l'effectuer en vous tenant droit, assis ou debout, ou en marchant.

Toux contrôlée

- Après avoir utilisé un bronchodilatateur (s'il vous a été prescrit), inhalez profondément et retenez votre respiration pendant quelques secondes.
- Toussez deux fois. La première toux détache le mucus, la seconde expulse les sécrétions.
- Pour pratiquer la toux contrôlée, penchez-vous vers l'avant et expirez brusquement en émettant un bruit rauque. Cette technique aide à maintenir les voies respiratoires dégagées en poussant les sécrétions vers le haut, puis à l'extérieur des poumons.
- Inhalez en prenant de petites inspirations rapides (« reniflage ») pour empêcher le mucus de retourner dans les petits conduits respiratoires.
- Reposez-vous.
- Évitez si possible de tousser pendant de longs intervalles de temps, car cela risque d'entraîner de la fatigue et de l'hypoxie.

avec du matériel dispensateur d'oxygène pour fournir directement de l'air humide à la personne. Ils servent à éviter l'assèchement et l'irritation des muqueuses et à détacher les sécrétions, qui sont alors plus faciles à expulser.

Médication

Il existe plusieurs types de médicaments à l'usage des personnes ayant des problèmes d'oxygénation.

Les bronchodilatateurs, les cortirostéroïdes, les expectorants et les antitussifs sont tous utilisés pour traiter les affections respiratoires. Les *bronchodilatateurs* tels que les substances sympathomimétiques et les xanthines réduisent les bronchospasmes, dilatent les voies respiratoires rétrécies ou congestionnées, et facilitent la ventilation. Il est possible d'administrer ces médicaments par voie orale ou intraveineuse, mais on les administre de préférence par inhalation pour prévenir plusieurs effets secondaires systémiques.

Étant donné que les médicaments employés pour dilater les bronchioles et améliorer la respiration stimulent généralement le système nerveux sympathique, il faut surveiller leurs effets secondaires, qui comprennent l'accélération de la fréquence cardiaque et l'augmentation de la pression artérielle, de l'anxiété et de l'agitation. Cela est particulièrement important dans le cas des personnes âgées, plus susceptibles de souffrir d'affections cardiaques. Des médicaments offerts en vente libre pour le soulagement des problèmes respiratoires produisent les mêmes effets; l'infirmière doit donc expliquer pourquoi il faut consulter le médecin traitant avant de prendre ces médicaments. Précisons que certains bronchodilatateurs sympathomimétiques (par exemple, salbutamol [Ventolin], orciprénaline [Alupent] et terbutaline [Bricanyl]) se lient plus spécifiquement aux récepteurs pulmonaires et ont donc moins d'effets sur le cœur. Certains bronchodilatateurs (ipratropium [Atrovent] et tiotropium [Spivira] agissent sur les récepteurs parasympathiques pulmonaires et n'ont donc pas d'effets sur le cœur. Dans le traitement des problèmes d'oxygénation, on utilise également les *corticostéroïdes,* tels les glucocorticoïdes, qui s'administrent

par voie orale ou intraveineuse, ou par inhalation. Ces médicaments agissent en réduisant l'œdème et l'inflammation des voies respiratoires, et en améliorant les échanges gazeux. Si on prescrit l'administration à la fois d'un bronchodilatateur et d'un corticostéroïde en aérosol, il faut avertir la personne qu'elle doit inhaler d'abord le premier, puis le second. En effet, si les bronchioles sont dilatées, le corticostéroïde peut agir sur une plus grande surface de tissu.

Les *expectorants* contribuent à réduire la viscosité des sécrétions tenaces en faisant augmenter la quantité de liquides présents dans les voies respiratoires. Ils soulagent donc la toux en facilitant l'expectoration des sécrétions. La quaifénésine est un expectorant d'usage courant, que l'on trouve dans plusieurs sirops contre la toux, offerts en vente libre ou délivrés sur ordonnance. Si une toux fréquente ou prolongée perturbe le sommeil, on peut prescrire un *antitussif* tel que le dextrométhorphane (DM) ou la codéine. Voir l'encadré *Enseignement – Emploi de médicaments contre la toux*.

D'autres médicaments favorisent l'oxygénation en améliorant la fonction cardiovasculaire. La digoxine agit directement sur le cœur; elle accroît l'intensité des contractions et ralentit la fréquence cardiaque. Les *agents bêtabloquants*, tel le propranolol (Inderal), réduisent la charge de travail du cœur en agissant sur le système nerveux sympathique. Ces médicaments peuvent toutefois avoir des effets indésirables chez les personnes souffrant d'asthme ou de BPCO, car ils sont susceptibles de provoquer la constriction des voies respiratoires.

Inspirométrie d'incitation

L'**inspiromètre d'incitation** (figure 48-4 ■), aussi appelé *dispositif d'inspiration maximale soutenue,* mesure le volume d'air inhalé, grâce à l'embout buccal. On s'en sert pour:

- Améliorer la ventilation pulmonaire.
- Contrebalancer les effets de l'anesthésie ou de l'hypoventilation.
- Détacher les sécrétions des voies respiratoires.
- Faciliter les échanges gazeux.
- Dilater les alvéoles affaissées.

Les dispositifs de ce type constituent des incitatifs visant à améliorer l'inspiration. L'infirmière devrait aider la personne qui utilise un inspiromètre à adopter une position favorisant une

Emploi de médicaments contre la toux

- Évitez de prendre une dose excessive de médicaments contre la toux à cause des effets secondaires qu'ils pourraient entraîner.
- Si vous souffrez de diabète, ne prenez pas de sirop contre la toux contenant du sucre ou de l'alcool, car ces substances risquent de perturber le contrôle de votre diabète.
- Si un médicament contre la toux ne produit pas les effets escomptés, consultez un professionnel de la santé.
- Tenez compte des effets secondaires (la somnolence, par exemple) qui rendent dangereuses la conduite d'un véhicule et l'utilisation de machines.

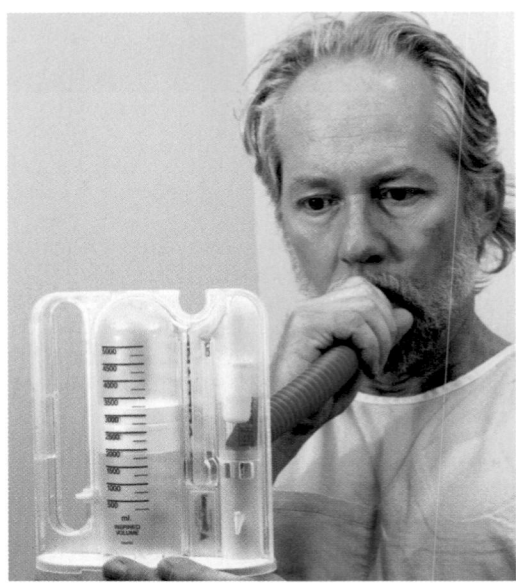

FIGURE **48-4** ■ *A,* Inspiromètre d'incitation de débit. *B,* Inspiromètre d'incitation de volume.

ventilation maximale, à savoir une position assise sur le lit ou sur une chaise. L'encadré *Enseignement – Utilisation d'un inspiromètre d'incitation* présente les directives à donner à la personne.

■ Surveillance du débit expiratoire de pointe

Un **débitmètre expiratoire de pointe** mesure le débit aérien, c'est-à-dire la vitesse à laquelle l'air peut circuler dans les voies respiratoires. Il mesure le débit de pointe, à savoir la *vitesse maximale du souffle* lors d'une expiration. Plus les voies respiratoires sont étroites, plus le débit expiratoire est lent. La mesure du débit

expiratoire de pointe est donc employée pour évaluer, par exemple, l'obstruction bronchique chez une personne atteinte d'asthme. Elle est particulièrement utile dans ce cas, puisque le débit de pointe diminue bien avant qu'une crise d'asthme se déclenche. La mesure régulière du débit de pointe, préférablement toujours au même moment de la journée, permet donc de prévoir la survenue prochaine d'une crise et de prendre les mesures nécessaires pour l'éviter. Différents appareils sont offerts sur le marché, mais le plus utilisé est le débitmètre Mini-Wright (figure 48-5 ■), dont on explique le fonctionnement dans l'encadré *Enseignement – Utilisation du débitmètre Mini-Wright*.

 ENSEIGNEMENT

Utilisation d'un inspiromètre d'incitation de débit ou de volume

- Tenez ou placez l'inspiromètre à la verticale. Pour un inspiromètre d'incitation de débit, l'effort requis pour faire monter les billes ou les disques est moindre si l'on penche le dispositif ; un inspiromètre d'incitation de volume ne fonctionne pas correctement s'il ne se trouve pas en position verticale.
- Expirez normalement.
- Refermez fermement les lèvres sur l'embout buccal.
- Inspirez lentement et profondément afin de faire monter les billes ou le cylindre, puis maintenez votre souffle pendant deux secondes. Graduellement, augmentez à six secondes (la durée optimale) la durée pour laquelle les billes ou le cylindre se trouvent à hauteur maximale.
- Si vous utilisez un inspiromètre d'incitation de débit, évitez de prendre des inspirations rapides et courtes, qui envoient les billes contre la paroi supérieure du dispositif. On obtient une meilleure expansion des poumons en inspirant très lentement, même si cela ne fait pas monter les billes ou ne

les maintient pas à la hauteur maximale pendant toute la durée de l'inspiration. Une élévation soutenue des billes ou du cylindre assure une ventilation adéquate des alvéoles (ou des sacs alvéolaires).
- Si vous avez de la difficulté à respirer uniquement par la bouche, vous pouvez employer un pince-nez.
- Retirez l'embout de votre bouche, puis expirez normalement.
- Toussez après avoir fourni cet effort. Une ventilation profonde peut faire en sorte que les sécrétions se soient détachées, et la toux en facilite l'expulsion.
- Détendez-vous et respirez normalement plusieurs fois avant d'utiliser de nouveau l'inspiromètre.
- Refaites le même exercice plusieurs fois, puis recommencez quatre ou cinq fois par heure. L'entraînement fait augmenter la capacité inspiratoire, maintient la ventilation des alvéoles et prévient l'atélectasie (ou affaissement des sacs alvéolaires).
- Rincez l'embout buccal et secouez-le pour l'égoutter.

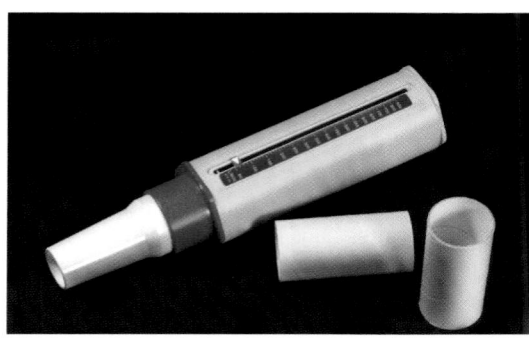

FIGURE 48-5 ■ Débitmètre Mini-Wright.

■ Percussion, vibration et drainage postural

La percussion, la vibration et le drainage postural constituent des interventions infirmières en collaboration avec le physiothérapeute ou l'inhalothérapeute. La **percussion** consiste à frapper le thorax avec les mains, qu'on dispose en forme de coupe. On peut également employer à cet effet des coupes de percussion ou des vibrateurs mécaniques. Pour la technique manuelle, il s'agit de garder les doigts, y compris le pouce, serrés les uns contre les autres et de les plier légèrement de manière à former une coupe, comme si on voulait recueillir de l'eau avec la main. Si elle est effectuée au-dessus des zones pulmonaires qui sont congestionnées, la percussion peut déloger mécaniquement des sécrétions tenaces des parois bronchiques. Puisqu'elles sont placées en forme de coupe, les mains emprisonnent l'air contre le thorax, ce qui envoie des vibrations à travers la paroi thoracique, jusqu'aux sécrétions.

Voici les étapes à suivre pour effectuer une percussion :

■ Recouvrir la zone à frapper avec une serviette ou une chemise d'hôpital, pour réduire la douleur.

■ Demander à la personne de respirer lentement et profondément afin de se détendre.

■ Percuter le thorax en utilisant alternativement les deux poignets, selon un rythme rapide (figure 48-6 ■).

■ Effectuer la percussion pendant une à deux minutes dans chaque zone des poumons à traiter.

Si on pratique correctement la percussion, chaque coup émet un bruit grave de bouchon qui saute. On évite d'effectuer la percussion au-dessus des seins, du sternum, de la colonne vertébrale et des reins.

La **vibration** consiste en une suite de pressions vigoureuses que l'infirmière exerce avec ses mains, posées à plat contre la paroi thoracique de la personne. On emploie la vibration après la percussion pour accroître la turbulence de l'air expiré et obliger ainsi les sécrétions épaisses à se détacher. En réalité, on fait souvent alterner la vibration et la percussion.

Voici les étapes à suivre pour effectuer la vibration :

■ Placer une paume sur la zone du thorax qu'il s'agit de drainer et l'autre paume sur la main se trouvant sur le thorax, les doigts resserrés et tendus (figure 48-7 ■). On peut aussi placer les mains côte à côte.

■ Demander à la personne d'inspirer profondément, puis d'expirer lentement par le nez ou en pinçant les lèvres.

■ Durant l'expiration, tendre tous les muscles de la main et du bras, et, en utilisant essentiellement le talon de la main, faire

---

ENSEIGNEMENT

Utilisation du débitmètre Mini-Wright

AVANT
■ Mettez le curseur au bas de l'échelle graduée.
■ Tenez-vous assis bien droit ou debout.

PENDANT
■ Placez l'appareil à l'horizontale.
■ Gonflez la poitrine au maximum, bouche ouverte.
■ Introduisez l'embout dans la bouche.
■ Fermez les lèvres autour de l'embout.
■ Soufflez d'un seul coup, le plus fort et le plus vite possible.

APRÈS
■ Recommencez l'opération trois fois et notez la valeur la plus élevée.

À NE PAS FAIRE
■ Utiliser le débitmètre de pointe comme une sarbacane (joues gonflées, langue dans l'embout buccal).
■ Gêner la course du curseur avec les doigts.
■ Obstruer les sorties d'air.

SIGNIFICATION DES RÉSULTATS
Les résultats quotidiens doivent être notés pendant une période de deux ou trois semaines où l'asthme est bien

maîtrisé et où il n'y a pas de problème respiratoire. La moyenne des meilleurs résultats fera office de *norme de référence*. Par la suite, la surveillance du débit expiratoire de pointe sera faite en fonction de cette norme de référence. Trois situations sont possibles :

1. Le débit de pointe est supérieur à 80 % de la norme de référence (zone « verte ») : *a priori*, il n'y a pas lieu de s'inquiéter.

2. Le débit de pointe est compris entre 50 et 80 % de la norme de référence (zone « orange ») : il y a un risque de crise d'asthme dans les heures suivantes, et il faut adapter le traitement de façon à la prévenir (conduite à tenir prescrite par le médecin).

3. Le débit de pointe est inférieur à 50 % de la norme de référence (zone « rouge ») : il y a un fort risque de crise d'asthme à court terme (les premiers symptômes sont peut-être même déjà présents), et il faut prendre immédiatement les mesures thérapeutiques conseillées par le médecin ou le consulter très rapidement.

Source : *Maîtrise de l'asthme,* Association pulmonaire du Canada, 2004, (page consultée le 16 septembre 2004), [en ligne], <http://www.poumon.ca/asthme/manage/peakflow.html>.

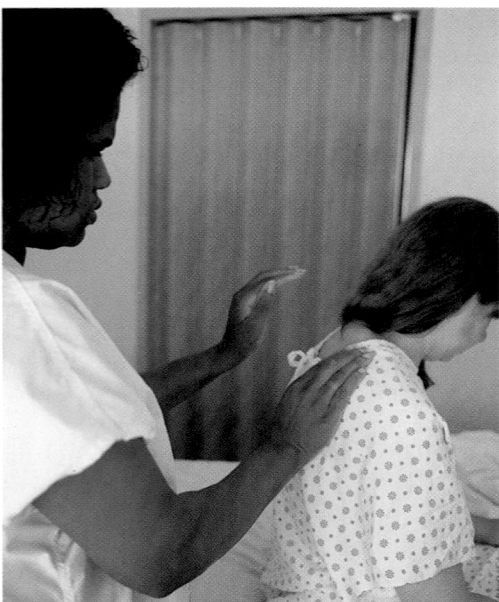

FIGURE 48-6 ■ Percussion de la partie supérieure arrière du thorax.

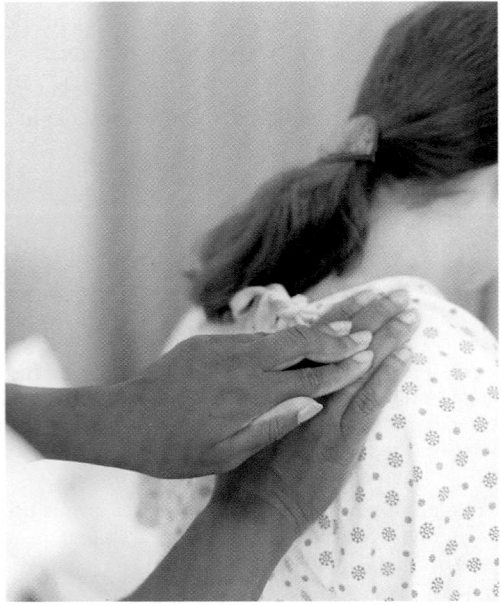

FIGURE 48-7 ■ Vibration de la partie supérieure arrière du thorax.

vibrer (ou trembler) les mains en les déplaçant vers le bas (on effectue les vibrations d'une zone inférieure du poumon en orientant les mouvements vers le haut). Cesser les vibrations quand la personne inspire.

■ Effectuer des vibrations pendant cinq expirations au-dessus d'une même zone pulmonaire, avant de passer à une autre (s'il y a lieu).

■ Après chaque série de vibrations, inciter la personne à tousser et à cracher les sécrétions dans un bassin à expectorations.

Le **drainage postural** consiste à drainer par gravité les sécrétions de différentes zones des poumons. L'accumulation de sécrétions dans les poumons ou les voies respiratoires favorise la croissance bactérienne et, par conséquent, les infections. Elle peut également causer l'obstruction des petits conduits respiratoires et l'atélectasie. Les sécrétions présentes dans les principales voies respiratoires, comme la trachée et les bronches principales droite et gauche, sont généralement rejetées dans le pharynx par la toux, d'où elles peuvent être expectorées, avalées ou éliminées par aspiration.

Des positions différentes sont nécessaires afin de drainer des segments spécifiques des poumons ou des bronches. La personne doit donc adopter les positions qui lui permettent de drainer les segments atteints. Ce sont les lobes inférieurs qui ont le plus fréquemment besoin d'être drainés, car les lobes supérieurs se drainent normalement par gravité. Avant de procéder à un drainage postural, on peut administrer à la personne un bronchodilatateur ou une thérapie par nébuliseur pour favoriser la mobilisation des sécrétions. Il faut prévoir deux ou trois traitements de drainage postural par jour, selon le degré de congestion des poumons. Les meilleurs moments pour les administrer se situent avant le déjeuner, avant le dîner, à la fin de l'après-midi et avant le coucher. Il est préférable de ne pas effectuer de traitement de ce type juste avant ou peu de temps après un repas, car il risque alors de provoquer de la fatigue et des vomissements.

L'infirmière doit estimer la tolérance de la personne au drainage postural en évaluant la stabilité de ses signes vitaux, notamment de son pouls et de sa fréquence respiratoire, et en notant tout signe d'intolérance, comme la pâleur, la transpiration profuse, la dyspnée et la fatigue. Si la personne réagit mal à certaines positions de drainage, l'infirmière doit procéder aux ajustements appropriés. Par exemple, pour les personnes souffrant de dyspnée en position de Trendelenburg, il est préférable de réduire l'inclinaison et de garder la position moins longtemps.

Pour une thérapie de percussion, de vibration et de drainage, on effectue généralement les différentes étapes de la façon suivante : positionnement, percussion, vibration, expulsion des sécrétions au moyen de la toux ou de l'aspiration. La personne garde habituellement chaque position durant 10 à 15 minutes, mais au début il est possible de faire de plus courtes séances et d'en augmenter graduellement la durée.

Après un traitement de percussion, de vibration et de drainage, l'infirmière devrait ausculter les poumons de la personne, comparer les résultats avec les données de référence et noter la quantité, la couleur et les caractéristiques des sécrétions expectorées.

■ Oxygénothérapie

L'oxygénothérapie sert entre autres à prévenir l'hypoxémie chez les personnes incapables de ventiler la totalité des poumons, chez celles qui présentent des échanges gazeux inefficaces et chez celles qui souffrent d'insuffisance cardiaque.

C'est le médecin qui prescrit l'oxygénothérapie et qui précise la concentration, la méthode de distribution et le débit (en litres par minute). Toutefois, si l'administration d'oxygène constitue une mesure d'urgence, l'infirmière peut amorcer le traitement. Il est essentiel d'utiliser du matériel d'oxygénation à faible débit pour les personnes atteintes de BPCO.

L'oxygénothérapie exige l'application de mesures de sécurité (voir l'encadré 48-3). Même si l'oxygène lui-même ne brûle pas et n'explose pas, il stimule la combustion. Par exemple, généralement, un drap se consumera lentement s'il brûle dans une atmosphère normale ; toutefois, s'il est imprégné d'oxygène en circulation libre et qu'une étincelle y met le feu, il brûlera rapidement et de façon explosive. Plus la concentration de l'air en oxygène est élevée, plus les matériaux s'enflamment facilement et brûlent rapidement ; en outre, les incendies survenant dans ce type de conditions sont difficiles à éteindre. Enfin, étant donné que l'oxygène est incolore, inodore et insipide, on n'en détecte pas facilement la présence.

Il est possible d'administrer l'oxygène de plusieurs façons. Dans les hôpitaux et les centres de soins prolongés, des tuyaux intramuraux l'acheminent habituellement jusqu'à une prise murale située près du lit, de sorte qu'on peut facilement l'administrer en tout temps. Lorsqu'il n'y a pas de prise murale d'oxygène ou qu'il est impossible d'employer celle-ci (comme durant le transfert entre deux milieux de soins), on utilise habituellement des bouteilles d'oxygène sous pression.

Les personnes ayant besoin d'oxygénothérapie à domicile peuvent se servir de petites bouteilles d'oxygène, d'oxygène liquide ou d'un concentrateur d'oxygène. Il existe des appareils portatifs d'alimentation en oxygène qui permettent à la personne d'être plus autonome. Par ailleurs, plusieurs établissements offrent des services d'oxygénothérapie à domicile, fournissent habituellement l'oxygène et le matériel dispensateur (et entretiennent celui-ci au besoin), forment la personne et sa famille, et mettent sur pied des services d'urgence pour parer à toute éventualité.

L'oxygène provenant d'une bouteille ou d'une prise murale est sec. Étant donné que les gaz secs assèchent les muqueuses des voies respiratoires, il est essentiel de toujours utiliser conjointement avec l'oxygénothérapie un dispositif d'humidification qui ajoute de la vapeur d'eau à l'air inspiré (figure 48-8 ■), surtout lorsque le débit d'oxygène est supérieur à deux litres par minute (L/min). Ce type d'équipement fournit un taux d'humidité variant de 20 à 40 %. L'oxygène passe à travers de l'eau distillée stérile, puis est acheminé dans un conduit jusqu'au dispositif par lequel il sera inhalé (des lunettes nasales ou un masque à oxygène, par exemple).

L'utilisation d'un dispositif d'humidification prévient l'assèchement et l'irritation des muqueuses, et contribue à liquéfier les sécrétions, qu'il est alors plus facile d'expectorer. Quand l'oxygène passe à travers l'eau, il s'y mêle de la vapeur avant que la personne ne le respire. Plus ce processus entraîne la formation de bulles, plus la quantité de vapeur produite est importante. Lorsque l'oxygénation s'effectue en fonction d'un très faible débit (de 1 à 2 L/min avec des lunettes nasales, par exemple), l'humidification n'est pas nécessaire.

Mesures de sécurité pour l'oxygénothérapie   48-3

- Si de l'oxygène est utilisé à domicile, demander à la famille et aux autres occupants de la chambre de fumer à l'extérieur.
- Placer une affiche avec la mise en garde « Interdiction de fumer : oxygénothérapie en cours » sur la porte de la chambre de la personne, au pied ou à la tête de son lit, et sur le matériel de distribution d'oxygène.
- Informer la personne et les visiteurs du danger qu'il y a à fumer pendant que de l'oxygène est utilisé.
- S'assurer que tous les appareils électriques (rasoir, appareil auditif, radio, téléviseur, coussin chauffant, etc.) sont en bon état de marche, afin d'éviter qu'un court-circuit ne produise des étincelles.
- Ne pas utiliser d'objets constitués de tissus qui produisent de l'électricité statique, comme la laine et les tissus synthétiques. Il faut plutôt employer des couvertures de coton ; de même, la personne et les proches aidants devraient porter des vêtements de coton.
- Ne pas employer à proximité de la personne qui reçoit de l'oxygène des substances volatiles ou inflammables, comme les huiles, les graisses, l'alcool, l'éther et l'acétone (présents par exemple dans les dissolvants pour vernis à ongles).
- S'assurer que le matériel de monitorage électrique, les dispositifs d'aspiration et les appareils de diagnostic portables ont un dispositif de mise à terre.
- Indiquer où se trouvent les extincteurs et s'assurer que les membres de la famille, les proches aidants ou les infirmières (selon le cas) savent comment les utiliser, particulièrement à domicile.

FIGURE 48-8 ■ Bouteille d'eau distillée stérile permettant d'humidifier l'oxygène, fixée au débitmètre d'une prise murale.

Il faut prendre des précautions lorsqu'on manipule ou qu'on entrepose de l'oxygène ; il faut fermement attacher les bouteilles quand on les déplace sur un dispositif à roulettes ou qu'on les dispose sur une étagère, afin d'éviter qu'elles ne tombent, et qu'une ou des valves se brisent. On doit de plus les garder à l'écart des aires de circulation et des radiateurs.

Voici la marche à suivre pour utiliser une prise d'oxygène murale :

- Relier le débitmètre à la prise murale en exerçant une forte pression. Le débitmètre doit être à la position « arrêt ».
- Relier la bouteille d'humidification (remplie d'eau stérile) à la base du débitmètre.
- Relier les tubes à oxygène ou le dispositif de distribution d'oxygène, tel qu'il est prescrit, à la bouteille d'humidification.
- Régler le débitmètre à la valeur prescrite.

■ Systèmes de distribution d'oxygène

Il existe plusieurs systèmes pour administrer de l'oxygène à une personne. Le choix de la méthode s'effectue en fonction des besoins de la personne en oxygène, de son bien-être et de facteurs liés au développement. L'oxygène que fournissent certains appareils se mélange à l'air ambiant que la personne respire. On détermine la quantité d'oxygène administrée en réglant le débit (par exemple, de 2 à 6 L/min), mais il est impossible de régler précisément le pourcentage ou la fraction d'oxygène inspiré (FiO$_2$). S'il est important de régler de façon précise le pourcentage d'oxygène que la personne reçoit, on utilisera un dispositif tel que le masque Venturi.

LUNETTES NASALES. Les lunettes nasales constituent un dispositif peu coûteux, fréquemment employé pour administrer de l'oxygène (figure 48-9 ■). Elles sont faciles à utiliser et n'entravent pas la personne quand elle parle ou mange. De plus, elles gênent relativement peu la personne, permettent une certaine liberté de mouvement, et les personnes les tolèrent bien. Elles fournissent de l'oxygène en faible concentration (de 24 à 45 %), à un débit variant entre 2 et 6 L/min. Si on accroît le débit à plus de 6 L, la personne a tendance à avaler de l'air, de sorte que la fraction d'oxygène inspiré n'augmente pas. La marche à suivre pour administrer de l'oxygène au moyen de lunettes nasales est décrite dans le procédé 48-1.

MASQUE FACIAL. Les masques faciaux qui couvrent le nez et la bouche de la personne peuvent également servir à administrer de l'oxygène. Le gaz carbonique s'en échappe par des orifices d'expiration situés de chaque côté du masque. Il existe sur le marché plusieurs types de masques à oxygène :

- Le masque facial simple fournit de l'oxygène dont la concentration varie de 40 à 60 %, à un débit de 5 à 8 L/min (figure 48-10 ■).
- Le masque de réinspiration partielle fournit de l'oxygène dont la concentration varie de 60 à 90 %, à un débit de 6 à 10 L/min. Il est relié à un sac-réservoir à oxygène qui permet à la personne de réinspirer environ un tiers de l'air qu'elle a expiré en même temps qu'elle inspire un nouveau flux d'oxygène (figure 48-11 ■) ; le recyclage de l'oxygène expiré fait augmenter la fraction d'oxygène inspiré. Il faut faire en sorte que le sac du système de réinspiration partielle ne se dégonfle pas complètement pendant l'inspiration, afin d'éviter l'accumulation du gaz carbonique. Si le sac se dégonfle, l'infirmière doit augmenter le débit de l'oxygène.

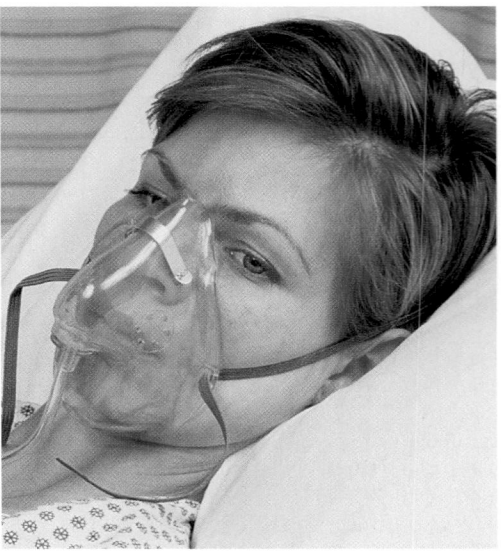

FIGURE 48-10 ■ Masque facial simple.

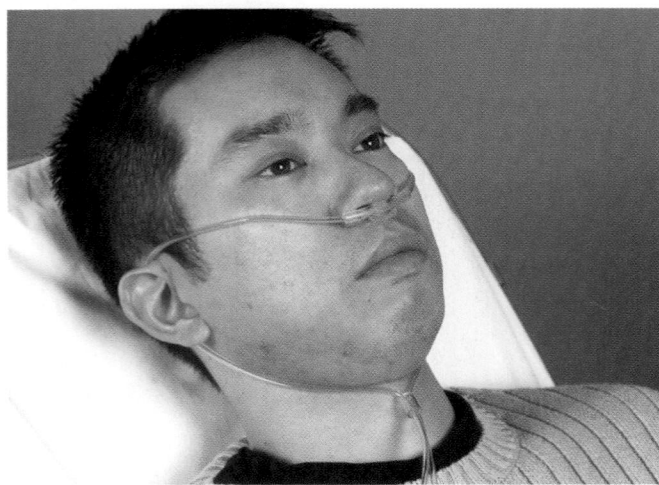

FIGURE 48-9 ■ Lunettes nasales.

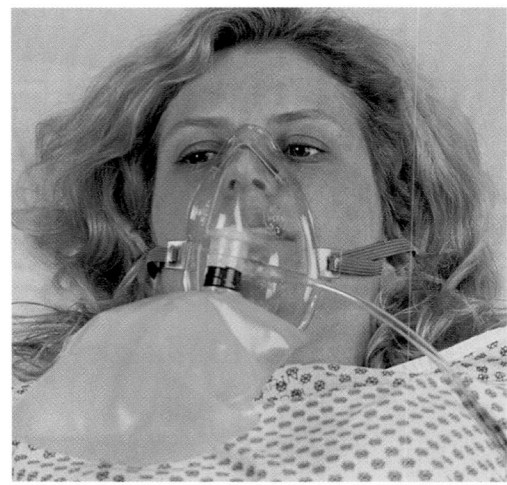

FIGURE 48-11 ■ Masque de réinspiration partielle.

- Le masque sans réinspiration fournit de l'oxygène dont la concentration est maximale, soit de 95 à 100 %, par d'autres moyens que l'intubation ou la ventilation assistée, à un débit de 10 à 15 L/min. Des valves antireflux situées sur le masque et entre celui-ci et le sac-réservoir empêchent l'air ambiant et l'air qu'expire la personne d'entrer dans le sac, de sorte que la personne inspire uniquement l'oxygène que le sac contient (figure 48-12 ■). Il faut s'assurer que le sac du système sans réinspiration ne se dégonfle pas complètement pendant l'inspiration, afin d'éviter l'accumulation du gaz carbonique. Si le sac se dégonfle, l'infirmière peut alors régler le problème en augmentant le débit de l'oxygène.

- Le masque facial Venturi fournit de l'oxygène dont la concentration varie de 24 à 40 % ou 50 %, à un débit de 4 à 10 L/min (figure 48-13 ■). Il est muni d'une large tubulure d'admission de gaz et d'un adaptateur dont la couleur correspond, selon un code, à une concentration en oxygène et à un débit précis. Par exemple, un adaptateur bleu fournit de l'oxygène dont la concentration s'élève à 24 %, à un débit de 4 L/min ; un adaptateur vert fournit de l'oxygène dont la concentration s'élève à 35 %, à un débit de 8 L/min. Certains masques Venturi sont désormais munis d'un dispositif unique permettant l'ajustement de la concentration d'oxygène.

L'administration d'oxygène au moyen d'un masque s'effectue presque de la même façon qu'avec des lunettes nasales, excepté que l'infirmière doit trouver un masque de la taille appropriée. Il existe à cet égard des masques de petite taille pour les enfants. Lorsqu'on utilise un masque, il faut examiner fréquemment la

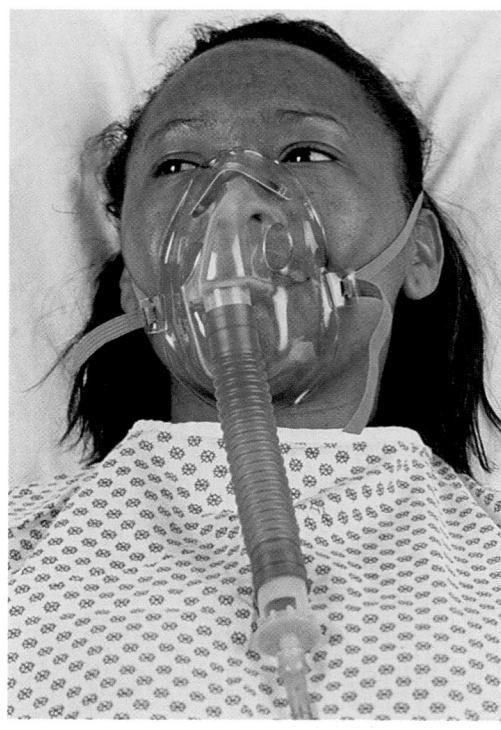

FIGURE 48-13 ■ Masque facial Venturi.

peau du visage de la personne pour vérifier si elle est humide ou irritée, et l'assécher. La marche à suivre pour administrer de l'oxygène au moyen d'un masque est décrite dans le procédé 48-1.

TENTE FACIALE. Si une personne supporte mal le masque facial, il est possible d'avoir recours à une tente faciale (figure 48-14 ■). Celle-ci fournit de l'oxygène dont la concentration peut varier de 30 à 50 %, à un débit de 4 à 8 L/min. Lorsqu'on utilise un tel dispositif, il faut examiner fréquemment la peau du visage de la personne pour vérifier si elle est humide ou irritée, et l'assécher.

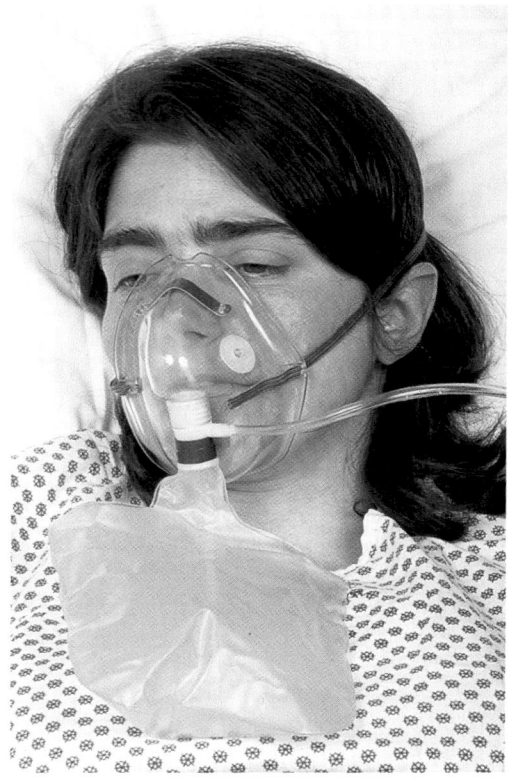

FIGURE 48-12 ■ Masque sans réinspiration avec valves antireflux.

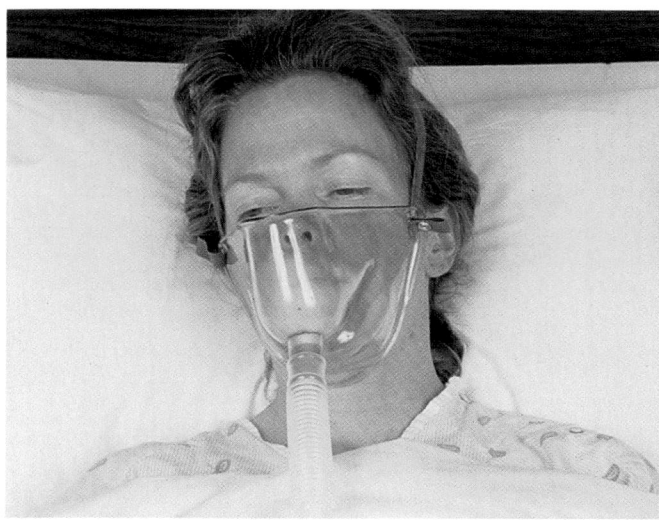

FIGURE 48-14 ■ Tente à oxygène faciale.

PROCÉDÉ 48-1

Administration d'oxygène au moyen de lunettes nasales, d'un masque facial ou d'une tente faciale

Avant d'administrer de l'oxygène, vérifier : (a) quelle est l'ordonnance d'oxygène, notamment quel dispositif et quel débit ou concentration d'oxygène (en litres par minute) il faut utiliser ; (b) la teneur en oxygène (PO_2) et en gaz carbonique ($PaCO_2$) du sang artériel de la personne (la PaO_2 se situe normalement entre 80 et 100 mm Hg, et la $PaCO_2$ entre 35 et 45 mm Hg) ; (c) si la personne souffre de BPCO.

Objectifs

Lunettes nasales

- Administrer de l'oxygène en concentration relativement faible, lorsqu'un apport minimal en oxygène est requis.

- Permettre l'administration continue d'oxygène pendant que la personne boit ou mange.

Masque facial

- Fournir un apport modéré d'oxygène ; la concentration d'oxygène et la teneur en vapeur d'eau que fournit un masque facial sont plus élevées que celles de lunettes nasales.

Tente faciale

- Procurer une teneur en vapeur d'eau élevée.
- Administrer de l'oxygène lorsque la personne supporte mal un masque.
- Administrer de l'oxygène à un débit élevé lorsque le dispositif est relié à un système de type Venturi.

COLLECTE DES DONNÉES

Voir le procédé 34-11 : Examen du thorax et des poumons, à la page 877.

Évaluez

- La couleur de la peau et des membranes : notez s'il y a lieu la présence de cyanose.
- Le mode de respiration : notez l'amplitude de la respiration et la présence, s'il y a lieu, de tachypnée, de bradypnée ou d'orthopnée.
- Les mouvements du thorax : notez s'il y a ou non tirage intercostal, sous-sternal, suprasternal, supraclaviculaire ou trachéal durant l'inspiration ou l'expiration.
- La forme de la paroi thoracique (pour y déceler, par exemple, une cyphose).
- La présence de bruits respiratoires et de bruits surajoutés audibles à l'oreille ou lors de l'auscultation du thorax.
- La présence de signes cliniques d'hypoxémie : tachycardie, tachypnée, agitation, dyspnée, cyanose ou confusion. La tachycardie et la tachypnée en constituent souvent des signes précoces, tandis que la confusion est un signe tardif d'un manque grave d'oxygène.
- La présence de signes cliniques d'hypercapnie : agitation, hypertension, maux de tête, léthargie, tremblements.

- La présence de signes cliniques d'intoxication par l'oxygène : irritation de la trachée, toux, dyspnée et réduction de la ventilation pulmonaire.

Déterminez

- Les signes vitaux, en particulier le pouls et la qualité de celui-ci, de même que la fréquence, le rythme et l'amplitude respiratoires.
- Si la personne souffre de BPCO. Un taux élevé de gaz carbonique dans le sang stimule normalement la respiration. Toutefois, chez certaines personnes atteintes de BPCO, la teneur du sang en gaz carbonique est chroniquement élevée, et c'est l'hypoxémie qui stimule la respiration. Un faible débit d'oxygène (soit 2 L/min) stimule alors l'inspiration, car il maintient une légère hypoxémie. Si de l'oxygène est administré de façon continue, on surveille l'hypoxémie en effectuant régulièrement des prélèvements sanguins artériels pour mesurer la teneur en oxygène (PaO_2) et en gaz carbonique ($PaCO_2$).
- Les résultats des examens paracliniques, tels que la saturation en oxygène, la concentration des gaz sanguins artériels, l'hémoglobine, l'hématocrite et la numération globulaire ainsi que les tests de fonction respiratoire.

PLANIFICATION

Consultez au besoin un inhalothérapeute au début et pendant toute la durée de l'oxygénothérapie. Dans de nombreux établissements, c'est l'inhalothérapeute qui choisit initialement le matériel à utiliser et qui s'occupe de l'enseignement à la personne.

Matériel

Lunettes nasales

- Source d'oxygène avec un débitmètre et un adaptateur
- Bouteille d'humidification remplie d'eau stérile
- Lunettes nasales et tubulure
- Ruban adhésif hypoallergène
- Compresses pour protéger la peau, s'il y a lieu

Masque facial

- Source d'oxygène avec un débitmètre et un adaptateur
- Bouteille d'humidification remplie d'eau stérile
- Masque facial prescrit, d'une taille appropriée
- Compresses pour protéger la peau

Tente faciale

- Source d'oxygène avec un débitmètre et un adaptateur
- Bouteille d'humidification remplie d'eau stérile
- Tente faciale prescrite, d'une taille appropriée

INTERVENTION

Préparation

1. Déterminez si une oxygénothérapie est nécessaire et vérifiez l'ordonnance de la thérapie.
   - Effectuez un examen clinique du système respiratoire afin d'obtenir des données de référence si celles-ci ne sont pas déjà disponibles.
2. Préparez la personne et les proches aidants.
   - Si possible, aidez la personne à prendre la position semi-Fowler, *qui favorise l'expansion du thorax et facilite par conséquent la respiration.*
   - Expliquez que l'utilisation de l'oxygène n'est pas dangereuse si on applique les mesures de sécurité appropriées. Informez la personne et les proches aidants des mesures à prendre quand on utilise de l'oxygène.

Exécution

1. Expliquez à la personne ce que vous allez faire, pourquoi vous allez le faire et comment elle peut coopérer. *Ces explications peuvent réduire l'anxiété chez la personne et ainsi réduire sa consommation d'oxygène.* Expliquez en quoi les effets de l'oxygénothérapie influeront sur la planification des soins ou des traitements ultérieurs, *afin de favoriser une meilleure participation de la personne.*
2. Lavez-vous les mains et observez les autres mesures de prévention des infections.
3. Assurez-vous que l'intimité de la personne est préservée.
4. Installez le matériel de distribution d'oxygène et l'humidificateur.
   - Reliez le débitmètre à la prise murale ou à la bouteille d'oxygène. Le débitmètre devrait être à la position « arrêt ».
   - Reliez la bouteille d'humidification à la base du débitmètre.
   - Reliez à la bouteille d'humidification les tubes à oxygène et le dispositif de distribution d'oxygène prescrits.
5. Mettez le distributeur d'oxygène en marche au débit prescrit et assurez-vous qu'il fonctionne bien.

- Vérifiez que l'oxygène circule librement dans la tubulure. Il ne devrait pas y avoir de coude brusque ou de nœuds dans celle-ci, et les joints devraient être étanches. On observe parfois des bulles dans la bouteille d'humidification lorsque l'oxygène y circule. On devrait sentir le flux d'oxygène à la sortie des lunettes nasales, du masque ou de la tente.
- Réglez le débit d'oxygène à la valeur prescrite.
6. Appliquez le dispositif approprié de distribution d'oxygène.

Lunettes nasales

- Placez les lunettes nasales au-dessus du visage de la personne, insérez les deux branches des lunettes dans les narines, puis passez la bande élastique autour de la tête. Certains modèles sont munis d'une courroie qui s'ajuste sous le menton (voir la figure 48-9).
- Si les lunettes ne restent pas en place, fixez-les sur les joues à l'aide de ruban adhésif hypoallergène.
- Insérez au besoin des compresses sous la tubulure au niveau des oreilles et des pommettes *afin d'éviter que celle-ci n'irrite la peau.*

Masque facial

- Placez le masque au-dessus du visage de la personne et appliquez-le d'abord sur le nez, puis sur la bouche.
- Placez le masque de manière qu'il épouse la forme du visage de la personne (voir la figure 48-10), *afin que le moins d'oxygène possible ne s'échappe en direction des yeux et le long des joues et du menton.*
- Ajustez la bande élastique autour de la tête de la personne de manière que le masque soit collé au visage, mais ne serrez pas jusqu'au point où cela gêne la personne.
- Placez des compresses sous la bande élastique, derrière les oreilles et sur les pommettes, *afin d'éviter que le masque n'irrite la peau.*

Tente faciale

- Placez la tente sur le visage de la personne, passez autour de la tête la

bande élastique et ajustez celle-ci (voir la figure 48-14).
7. Examinez régulièrement la personne.
   - Prenez les signes vitaux de la personne, évaluez son degré d'anxiété, vérifiez la couleur de son visage et la facilité avec laquelle elle respire, et fournissez-lui du soutien durant la période d'adaptation au dispositif.
   - Observez la personne toutes les 10 à 15 minutes, selon son état, et continuez de l'observer régulièrement par la suite.
   - Observez régulièrement la personne afin de déceler tout signe clinique d'hypoxémie, de tachycardie, de confusion, de dyspnée, d'agitation ou de cyanose. Examinez également les résultats des gaz sanguins artériels.

Lunettes nasales

- Examinez les narines de la personne pour vérifier la présence de croûtes ou d'irritation. Appliquez au besoin un lubrifiant hydrosoluble afin de lénifier les muqueuses.

Masque facial ou tente faciale

- Examinez régulièrement la peau du visage pour vérifier si elle n'est pas humide ou irritée. Asséchez-la ou prodiguez un traitement au besoin.
8. Vérifiez régulièrement l'équipement.
   - Vérifiez le débit de l'oxygène et le niveau de l'eau dans la bouteille 30 minutes après le début du traitement et chaque fois que vous prodiguez des soins à la personne.
   - Assurez-vous que les mesures de sécurité sont respectées.
9. Inscrivez les données pertinentes (signes vitaux, évaluation respiratoire, oxygénothérapie, réactions) dans le dossier de la personne en utilisant des formulaires ou des listes de vérification, et ajoutez-y au besoin des observations pertinentes.

ÉVALUATION

- Effectuez un suivi en vous fondant sur les résultats qui s'écartent des résultats escomptés ou normalement observés pour cette personne. Comparez ces résultats avec des données antérieures si celles-ci sont disponibles.

- Signalez au médecin tout résultat qui présente un écart important par rapport à la normale.

CATHÉTER TRANSTRACHÉAL À OXYGÈNE. On utilise un cathéter transtrachéal pour les personnes qui dépendent de l'oxygène. Celui-ci est administré au moyen d'une canule en plastique courte et étroite, qu'on insère à travers la peau, directement dans la trachée, lors d'une opération chirurgicale (figure 48-15 ■). Une courroie passée autour du cou maintient le cathéter en place.

Lorsqu'on emploie un tel dispositif, les besoins en oxygène de la personne sont moins élevés (soit de 0,5 à 2 L/min), car tout le gaz fourni pénètre dans les poumons. Il est tout de même nécessaire d'utiliser un dispositif d'humidification. Afin de maintenir la canule libre, l'infirmière y injecte 1,5 mL de soluté isotonique de chlorure de sodium, puis y insère une tige de nettoyage en effectuant un mouvement de va-et-vient, avant d'y injecter de nouveau 1,5 mL de soluté. Ce procédé doit être répété deux ou trois fois par jour.

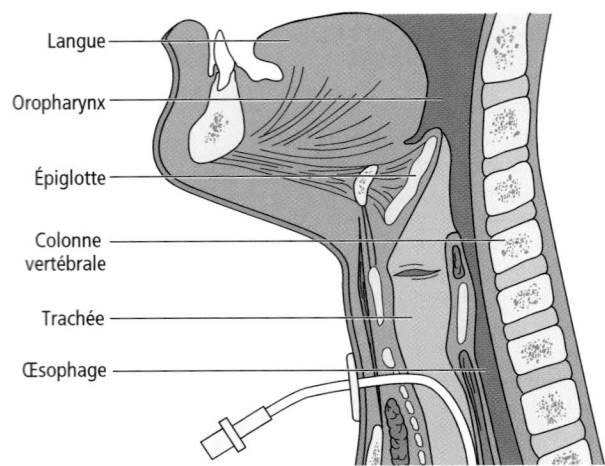

FIGURE **48-15** ■ Cathéter transtrachéal à oxygène en position.

■ Canules pharyngées, canules endo- trachéales et canules de trachéostomie

On insère une canule dans les voies respiratoires de la personne lorsqu'elles sont obstruées, ou risquent de le devenir, afin de maintenir un passage par lequel l'air puisse pénétrer dans les poumons et en sortir. Voici les quatre types de canules les plus utilisées : les canules oropharyngées, nasopharyngées et endotrachéales et les canules de trachéostomie.

CANULES OROPHARYNGÉES ET NASOPHARYNGÉES. On utilise les canules pharyngées pour que l'air puisse passer dans les voies respiratoires supérieures lorsque celles-ci risquent d'être obstruées par des sécrétions ou la langue. Elles sont faciles à insérer, et le risque de complication est faible. Elles existent en différentes dimensions, et on doit choisir celle qui convient à la personne, compte tenu de sa taille et de son âge. Il faut lubrifier adéquatement la canule avec un gel hydrosoluble avant de l'insérer.

LES ÂGES DE LA VIE

Système de distribution d'oxygène

NOUVEAU-NÉS ET NOURRISSONS
Enceinte de Hood

■ Une enceinte de Hood est une cloche en plastique transparent et rigide que l'on place au-dessus de la tête du bébé. Elle fournit de l'oxygène à une concentration précise et maintient un taux d'humidité élevé.

■ Le gaz ne devrait pas être dirigé directement vers le visage du bébé, et l'enceinte ne devrait pas toucher à son cou, à son menton ou à ses épaules.

ENFANTS
Tente à oxygène (figure 48-16 ■)

■ Une tente à oxygène est un abri rectangulaire, en plastique transparent, muni de prises que l'on relie à une source d'oxygène ou d'air comprimé et à un humidificateur, qui augmente la teneur en vapeur d'eau de l'oxygène ou de l'air.

■ La tente étant fermée, elle est munie d'un dispositif de refroidissement, tel un réfrigérant ou un groupe frigorifique, qui maintient la température entre 20 et 21 °C.

■ Il faut couvrir l'enfant d'une chemise ou d'une couverture de coton. Certains établissements fournissent des chemises d'hôpital avec capuchon, mais on peut aussi enrouler une petite serviette autour de la tête de l'enfant. *Il faut protéger l'enfant du froid, de l'humidité et de la condensation qui règnent dans la tente.*

■ Il faut saturer la tente d'oxygène en réglant le débitmètre à 15 L/min pour une période santé 5 minutes. On réglera

FIGURE **48-16** ■ Tente à oxygène pédiatrique.

ensuite le débitmètre à la valeur prescrite (par exemple, entre 10 et 15 L/min). *Le fait de saturer la tente d'oxygène permet d'atteindre rapidement la concentration d'oxygène désirée.*

■ Une tente fournit de l'oxygène selon une concentration d'environ 30 %.

■ De plus en plus, on préfère les lunettes nasales à la tente à oxygène.

SOINS À DOMICILE

Matériel dispensateur d'oxygène à domicile

Trois principaux systèmes de distribution d'oxygène pour soins à domicile sont généralement accessibles : la bouteille de gaz comprimé, l'oxygène liquide et les concentrateurs d'oxygène.

1. Les bouteilles de gaz comprimé (ou « cylindres verts »). Il s'agit du système privilégié pour les personnes qui consomment de l'oxygène seulement au besoin. Il présente deux avantages : les bouteilles peuvent libérer du gaz à différents débits (entre 1 et 15 L/min), et l'oxygène ne s'évapore pas durant l'entreposage. Par contre, les bouteilles sont lourdes et ne se manipulent pas facilement, et on doit prévenir le fournisseur lorsqu'il faut remplir la bouteille. Un cylindre de taille D pèse environ 3,5 kg et a une capacité de 425 L ; un cylindre E a une capacité de 680 L et est fixé à un support à roulettes (figure 48-17 ■). La masse d'un cylindre H est d'environ 68 kg. Le manomètre d'une bouteille pleine indique une pression d'au moins 13 700 kPa, et on considère que la bouteille est vide lorsque le manomètre indique une pression inférieure à 3 400 kPa.

2. L'oxygène liquide. Les dispositifs à oxygène liquide sont formés de deux composantes : un gros réservoir fixe et un appareil mobile comprenant une bouteille légère et petite, que l'on remplit avec le contenu du réservoir fixe. Dans le réservoir à liquide, l'oxygène est entreposé à une température de –212 °C et occupe moins d'espace que sous forme de gaz comprimé. Il est avantageux d'utiliser les bouteilles de ce type puisqu'elles sont plus légères,

plus faciles à manipuler que les cylindres de gaz comprimé, et de meilleure apparence. Il existe toutefois des désavantages liés à leur utilisation : ce système n'est généralement accessible que dans les zones urbaines ; l'oxygène s'évapore lorsque l'appareil n'est pas utilisé ; il faut maintenir le débit à un faible niveau (de 1 à 4 L/min), sinon le liquide gèle ; le dispositif portable, conçu pour être transporté sur l'épaule, pèse entre 3,5 et 4,5 kg, ce qui représente un fardeau pour la majorité des personnes atteintes de BPCO (figure 48-18 ■) ; il est toujours possible d'utiliser un chariot, mais celui-ci risque d'être tout aussi encombrant.

3. Les concentrateurs d'oxygène. Un concentrateur est un appareil électrique qui fabrique de l'oxygène en utilisant l'air ambiant. Les systèmes de ce type fournissent de l'oxygène à une concentration de 95 %, à un débit de 1 L/min, mais, si on augmente le débit, la concentration diminue (elle est par exemple de 75 % si le débit est de 4 L/min). Ces systèmes présentent les avantages suivants : ils ont meilleure apparence que les bouteilles, puisqu'ils ressemblent à un meuble plutôt qu'à de l'équipement médical ; il n'est pas nécessaire de faire livrer fréquemment de l'oxygène ou de faire remplir des bouteilles ; l'alimentation en oxygène étant constante, la personne n'a pas à craindre d'en manquer ; il s'agit du système le plus économique pour les personnes qui consomment de l'oxygène de façon continue. Les principaux désavantages associés aux concentrateurs sont les suivants : ils sont coûteux ; ils ne sont pas vraiment portatifs (la masse d'un petit appareil s'élève à près de 13 kg) ; ils sont généralement bruyants ;

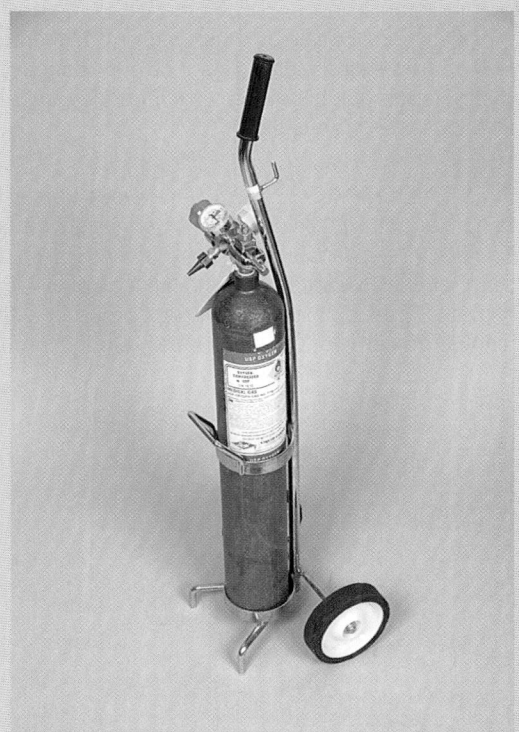

FIGURE 48-17 ■ Cylindre d'oxygène de taille E placé sur un support mobile.

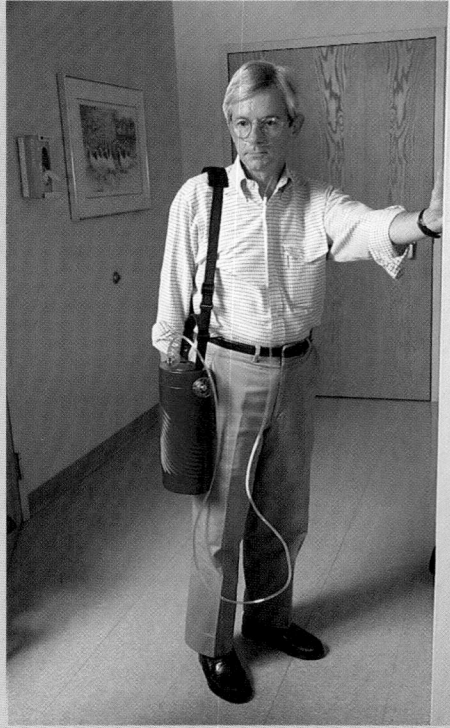

FIGURE 48-18 ■ Dispositif portable d'alimentation en oxygène liquide.

SOINS À DOMICILE (SUITE)

ils fonctionnent à l'électricité, de sorte que les personnes pour qui une panne de courant représenterait un risque majeur doivent se munir d'un dispositif d'urgence, telle une bouteille d'oxygène; la chaleur que libère le moteur de l'appareil constitue un problème pour les personnes qui habitent une roulotte ou un petit logement, ou durant les canicules; enfin, il faut vérifier périodiquement le concentrateur d'oxygène à l'aide d'un analyseur d'oxygène afin de s'assurer que l'appareil fournit de l'oxygène de façon appropriée.

Les *dispositifs d'enrichissement en oxygène* constituent un type particulier de concentrateurs. Ils comportent une membrane de plastique qui laisse passer la vapeur d'eau en même temps que l'oxygène, ce qui permet d'éviter l'utilisation d'un dispositif d'humidification. On croit également qu'ils filtrent les bactéries présentes dans l'air. Ils fournissent de l'oxygène à une concentration de 40 %, peu importe le débit; ils sont généralement moins bruyants que les concentrateurs; ils présentent moins de risques de combustion, étant donné que le gaz qu'ils fournissent ne contient que

40 % d'oxygène; ils comportent seulement deux pièces mobiles, ce qui réduit au minimum le risque de défectuosité; il est possible de faire fonctionner un nébuliseur à même le dispositif d'enrichissement, puisqu'il génère un débit important d'oxygène.

L'infirmière doit s'assurer que la personne reçoit l'aide dont elle a besoin pour se procurer le matériel dispensateur d'oxygène à domicile qui lui est nécessaire, et qu'elle a accès aux différents services offerts, notamment:

- Un service d'urgence accessible 24 heures par jour.
- La livraison du matériel par du personnel qualifié, capable d'expliquer à la personne comment l'utiliser et l'entretenir correctement et de façon sécuritaire.
- La visite, au moins une fois par mois, d'une personne capable de vérifier le matériel et de fournir au besoin des informations additionnelles à la personne.

Au Canada, les régimes d'assurance-maladie provinciaux et territoriaux couvrent la totalité des coûts de l'oxygénothérapie à domicile.

Les canules oropharyngées (figure 48-19 ■) stimulent le réflexe nauséeux; on les emploie uniquement chez les personnes dont l'état de conscience est altéré (en raison d'une anesthésie générale, d'une surdose ou d'un traumatisme crânien). Voici la marche à suivre pour insérer une canule de ce type:

- Coucher la personne sur le dos ou en position semi-Fowler.
- Enfiler des gants propres.
- Tenir la canule lubrifiée par l'ailette externe, l'extrémité distale pointée vers le haut.
- Ouvrir la bouche de la personne et insérer la canule le long de la face supérieure de la langue.
- Quand l'extrémité distale atteint le palais mou, au fond de la bouche, tourner la canule de 180° vers le bas et la glisser au-delà de l'uvule, dans l'oropharynx.
- Si ce n'est pas contre-indiqué, coucher la personne sur le côté ou lui tourner la tête sur le côté afin de permettre aux sécrétions de s'échapper par la bouche.
- Effectuer au besoin une aspiration de l'oropharynx en insérant le cathéter d'aspiration le long de la canule.

- Ne pas fixer la canule avec du ruban adhésif; la retirer si la personne commence à tousser ou si elle a des nausées.
- Effectuer les soins de la bouche à des intervalles de deux à quatre heures; laisser à cet effet le dispositif d'aspiration au chevet de la personne.

Les personnes conscientes supportent mieux la canule nasopharyngée que la canule oropharyngée. On insère ce type de canule par les narines, jusque dans l'oropharynx (figure 48-20 ■). La personne qui porte ce type de canule requiert fréquemment des soins de la bouche et des narines; il faut de plus changer la canule de narine toutes les huit heures, ou aux intervalles prescrits, pour éviter la nécrose des muqueuses.

CANULES ENDOTRACHÉALES.
On se sert le plus souvent d'une canule endotrachéale pour les personnes qui ont subi une anesthésie générale et dans les situations d'urgence où on doit avoir recours à la ventilation assistée. Seuls un médecin ou une infirmière ayant reçu une formation spéciale peuvent procéder à l'insertion d'une canule de ce type. On l'insère par la bouche ou le nez,

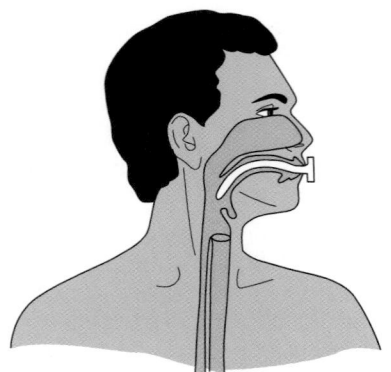

FIGURE 48-19 ■ Canule oropharyngée.

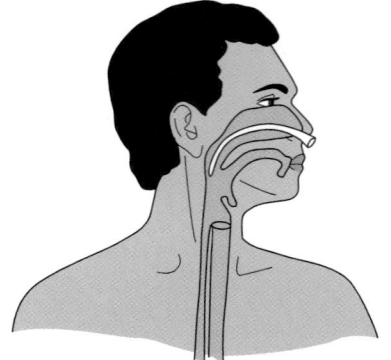

FIGURE 48-20 ■ Canule nasopharyngée.

jusque dans la trachée, en se guidant à l'aide d'un laryngoscope (figure 48-21 ◼). On s'arrête lorsque l'extrémité de la canule atteint un point situé juste au-dessus de la bifurcation de la trachée vers les bronches. Certaines canules sont munies d'un manchon gonflable (ou ballonnet), qui assure l'étanchéité. Étant donné que la canule endotrachéale passe dans l'épiglotte et la glotte, la personne est incapable de parler. Les interventions infirmières relatives aux personnes portant une canule endotrachéale sont décrites dans l'encadré 48-4.

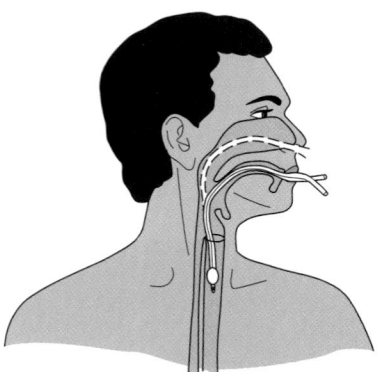

FIGURE 48-21 ◼ Canule endotrachéale.

CANULES DE TRACHÉOSTOMIE. Chez les personnes qui ont besoin d'aide à la respiration sur une longue période, on pratique parfois une trachéotomie, c'est-à-dire une petite incision dans la trachée, juste sous le larynx. La stomie ainsi créée, à savoir l'abouchement de la trachée, s'appelle une trachéostomie. On insère une canule courbe de trachéostomie à travers l'ouverture, jusque dans la trachée (figure 48-22 ◼). Il existe des canules de plastique, de silicone et de métal, de différentes dimensions.

Une canule de trachéostomie comprend une canule externe, qui s'insère dans la trachée, et un collet (ou ailette), qui repose sur le cou et permet de fixer la canule à l'aide de ruban adhésif ou de cordons (figure 48-23 ◼). Toutes les canules de trachéostomie sont munies d'un mandrin (obturateur), qui sert à insérer la canule externe et que l'on retire par la suite. On laisse l'obturateur au chevet de la personne au cas où la canule viendrait à se déplacer et qu'on devrait l'insérer de nouveau. Certaines canules de trachéo-

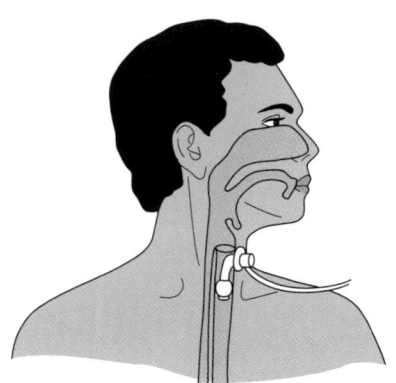

FIGURE 48-22 ◼ Canule de trachéostomie.

Interventions infirmières relatives aux personnes portant une canule endotrachéale
48-4

- Évaluer l'état respiratoire de la personne au moins toutes les quatre heures et plus souvent si nécessaire. Observer : la fréquence, le rythme et l'amplitude respiratoires ; les bruits respiratoires ; le niveau de conscience ; la couleur de la peau.

- Vérifier fréquemment si les muqueuses du nez et de la bouche sont rouges ou irritées. Rapporter tout résultat anormal au médecin.

- Fixer la canule endotrachéale avec du ruban adhésif pour prévenir tout déplacement accidentel du cathéter vers l'intérieur ou l'extérieur de la trachée. Vérifier fréquemment la position de la canule. Si la canule sort de la trachée, en informer immédiatement le médecin ; si la canule pénètre dans l'une des bronches principales, il faut la retirer légèrement pour assurer la ventilation des deux poumons.

- Si ce n'est pas contre-indiqué, coucher la personne en décubitus latéral, pour prévenir l'aspiration des sécrétions orales.

- En utilisant une technique stérile, aspirer au besoin les sécrétions de la canule endotrachéale pour en empêcher l'accumulation.

- Surveiller attentivement la pression dans le ballonnet et la maintenir entre 20 et 25 mm Hg (ou entre les valeurs que recommande le fabricant de la canule) afin de réduire au minimum le risque de nécrose des tissus de la trachée. Si on le recommande, dégonfler périodiquement le ballonnet.

- Effectuer les soins de la bouche et du nez à des intervalles de deux à quatre heures. Utiliser une canule oropharyngée pour empêcher la personne de mordre la canule endotrachéale et déplacer celle-ci dans la partie opposée de la bouche toutes les heures ou aux intervalles que prescrit l'établissement, en prenant soin de ne pas modifier la position de la canule dans la trachée.

- Fournir à la personne de l'air ou de l'oxygène humidifié, car la canule endotrachéale contourne les voies respiratoires supérieures, où l'air inspiré est normalement humidifié.

- Si on utilise la ventilation assistée, s'assurer que toutes les alarmes sont en état de fonctionner en tout temps, car la personne ne peut pas demander d'aide s'il se produit une urgence.

- Communiquer fréquemment avec la personne et lui fournir à cette fin un bloc-notes ou un tableau de pictogrammes pour lui permettre de s'exprimer.

stomie comprennent une canule interne que l'on peut retirer périodiquement pour la nettoyer.

Les canules de trachéostomie à manchon sont entourées d'un ballonnet qui assure l'étanchéité entre la canule et la trachée : il prévient l'aspiration des sécrétions oropharyngées et la fuite d'air. On emploie fréquemment les canules de ce type immédiatement après avoir pratiqué une trachéotomie, et leur utilisation est indispensable lorsque la personne ayant subi une trachéotomie reçoit une ventilation assistée.

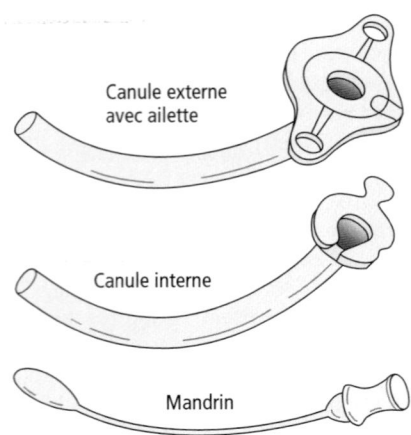

FIGURE 48-23 ■ Composantes d'une canule de trachéostomie.

On emploie couramment un ballonnet à faible pression (figure 48-24 ■) pour maintenir une faible pression constante sur la trachée, afin de réduire au minimum le risque de nécrose des tissus. Il n'est pas nécessaire de dégonfler périodiquement les ballonnets de ce type pour réduire la pression sur la paroi de la trachée. Par ailleurs, il n'est pas nécessaire d'injecter de l'air dans les canules de trachéostomie à ballonnet en polystyrène (figure 48-25 ■) : lorsqu'on ouvre la valve de celles-ci, l'air ambiant pénètre dans le ballonnet, qui épouse alors la forme de la trachée de la personne. On extrait l'air du ballonnet avant d'insérer ou de retirer la canule.

L'infirmière prodigue les soins relatifs à une trachéostomie lorsque celle-ci est récente afin de maintenir la canule dégagée et de réduire au minimum les risques d'infection. Au début, il peut être nécessaire d'aspirer les sécrétions (voir ci-dessous la section « Aspiration des sécrétions » et de nettoyer la trachéostomie toutes les heures ou les deux heures. Lorsque la réaction inflammatoire initiale diminue, il suffit généralement d'effectuer les soins une ou deux fois par jour, selon les personnes. Dans le procédé 48-2, on décrit les soins relatifs à une trachéostomie.

Quand une personne respire au moyen d'une trachéostomie, l'air n'est ni filtré ni humidifié comme lorsqu'il passe par les voies respiratoires supérieures ; il faut donc prendre à cet égard des précautions particulières. Il est possible de fournir de l'humidité au moyen d'un collier trachéal (figure 48-26 ■) ; pour les personnes qui devront respirer durant une longue période au moyen d'une trachéostomie, on pourra fixer sur l'ouverture du dispositif un fichu léger ou une compresse de gaze de 10 cm sur 10 cm, à l'aide d'un cordon de coton, et ce, afin de filtrer l'air qui pénètre dans la trachéostomie.

■ Aspiration des sécrétions

Si une personne éprouve de la difficulté à éliminer ses sécrétions ou si elle porte une canule, il s'avère parfois nécessaire d'aspirer les sécrétions pour dégager les voies respiratoires. L'**aspiration des sécrétions** se fait au moyen d'un cathéter relié à une source d'aspiration et à un régulateur d'aspiration. Même si les voies respiratoires supérieures (l'oropharynx et le nasopharynx) ne sont

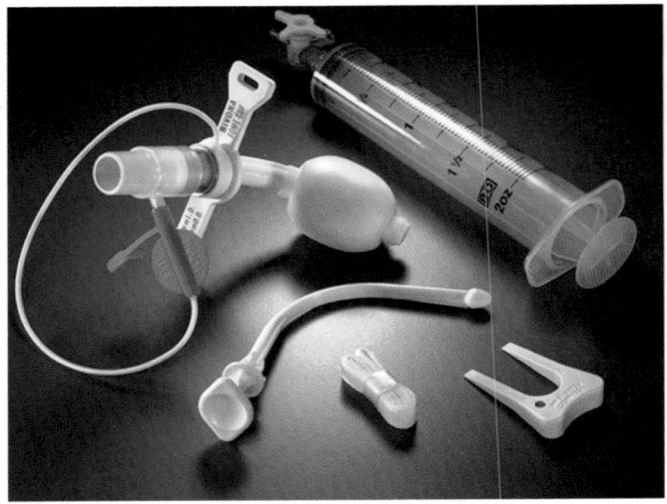

FIGURE 48-25 ■ Canule de trachéostomie avec ballonnet en polystyrène. (Source : Smiths Medical ASD, Inc., Keene, NH.)

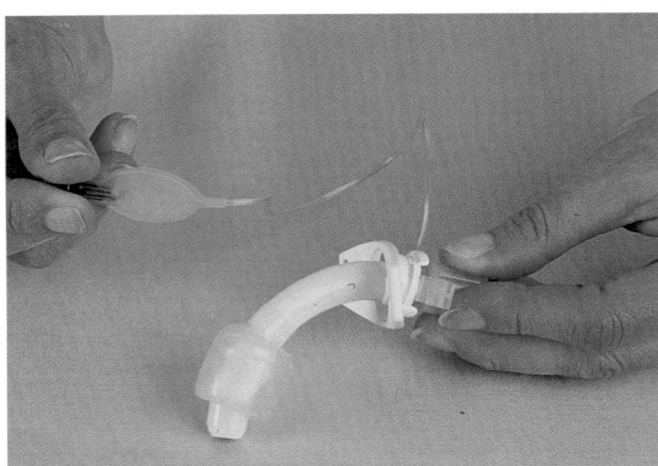

FIGURE 48-24 ■ Canule de trachéostomie avec ballonnet à faible pression.

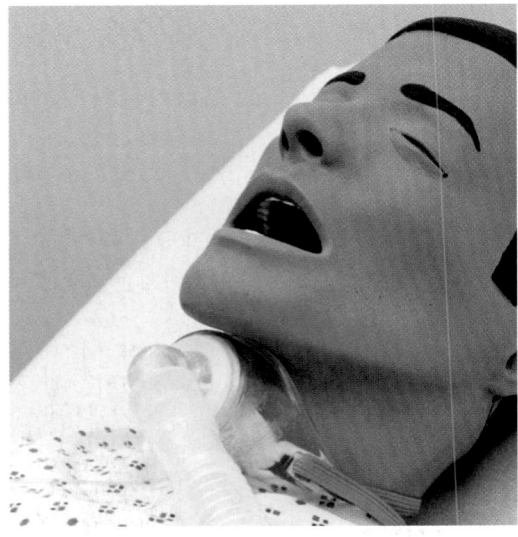

FIGURE 48-26 ■ Collier trachéal d'humidification pour trachéostomie.

PROCÉDÉ 48-2

Soins relatifs à une trachéostomie

Objectifs

- Maintenir la canule dégagée.
- Maintenir propre l'emplacement de la trachéostomie et prévenir les infections.
- Favoriser la guérison et prévenir l'excoriation de la peau autour de l'incision.
- Accroître le bien-être de la personne.

COLLECTE DES DONNÉES

Évaluez

- L'état respiratoire de la personne : la facilité à respirer ; la fréquence, le rythme, l'amplitude et les bruits respiratoires.
- La fréquence cardiaque.
- Les caractéristiques et la quantité des sécrétions présentes dans la trachéostomie.
- L'état des cordons qui maintiennent la canule en place.
- L'aspect de l'incision : noter la présence de rougeur, de gonflement et de matière purulente, de même que l'odeur.

PLANIFICATION

Matériel

- Trousse de nettoyage de trachéostomie jetable stérile ou fournitures comprenant des contenants stériles, une brosse de nylon stérile, des cure-pipes, des cotons-tiges et des compresses de gaze
- Serviette pour protéger la literie
- Cathéter à succion
- Peroxyde d'hydrogène à 3 % et solution physiologique stérile
- Deux contenants stériles pour les solutions
- Deux paires de gants stériles
- Gants propres
- Sac à rebuts résistant à l'humidité
- Pansement stérile pour trachéostomie ou compresses de gaze stériles de 10 cm sur 10 cm
- Cordons de coton (ruban sergé)
- Ciseaux propres

INTERVENTION

Exécution

1. Expliquez à la personne ce que vous allez faire, pourquoi vous allez le faire et comment elle peut coopérer. Convenez avec elle d'un signe qui lui permettra d'indiquer si elle ressent de la douleur ou se sent en détresse, en l'invitant par exemple à cligner des yeux ou à lever un doigt.

2. Lavez-vous les mains et observez les autres mesures de prévention des infections.

3. Assurez-vous que l'intimité de la personne est préservée.

4. Préparez la personne et le matériel.
   - Aidez la personne à prendre la position semi-Fowler ou de Fowler *pour favoriser l'expansion pulmonaire.*
   - Ouvrez la trousse de trachéostomie ou les récipients stériles. Versez le peroxyde d'hydrogène et la solution physiologique dans deux contenants différents.
   - Préparez un champ stérile.

- Sortez de leur emballage les autres fournitures stériles au fur et à mesure que vous en avez besoin, y compris les cotons-tiges, le cathéter à succion et les pansements pour trachéostomie.

5. Aspirez les sécrétions de la canule de trachéostomie.
   - Mettez un gant propre sur la main non dominante et un gant stérile sur l'autre main (ou mettez une paire de gants stériles).
   - Aspirez les sécrétions de la canule de trachéostomie sur toute sa longueur *pour les retirer et vous assurer que la canule est bien dégagée* (voir le procédé 48-3).
   - Rincez le cathéter à succion, enroulez-le autour de la main et retirez le gant en le retournant sur le cathéter puis jetez le tout dans le sac à rebuts.
   - Avec la main gantée, libérez la canule interne, s'il y a lieu, et retirez-la en tirant doucement vers vous, dans la direction de sa courbure. Placez la

canule interne dans le peroxyde d'hydrogène, *afin d'humidifier les sécrétions sèches et d'en réduire l'adhérence.*

- Retirez le pansement souillé de la trachéostomie ; gardez-le dans la main gantée et enlevez le gant en le retournant sur le pansement. Jetez le gant avec le pansement.
- Mettez des gants stériles et gardez stérile le gant recouvrant la main dominante durant tout le procédé.

6. Nettoyez la canule interne.
   - Retirez la canule interne de la solution désinfectante.
   - Nettoyez minutieusement la lumière et la canule interne dans son ensemble à l'aide de la brosse ou des cure-pipes imbibés de la solution physiologique stérile (figure 48-27 ■). Assurez-vous que la canule est bien propre en la tenant au niveau des yeux, vis-à-vis d'une source de lumière, et en regardant à travers.

PROCÉDÉ 48-2 (SUITE)

Soins relatifs à une trachéostomie (suite)

INTERVENTION (suite)

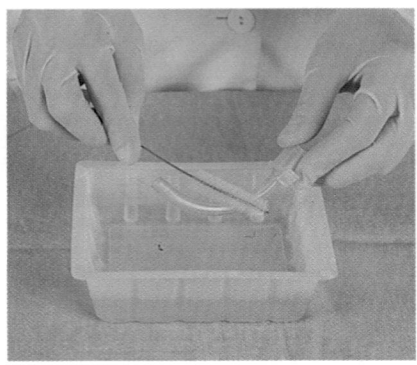

FIGURE 48-27 ■ Nettoyage de la canule interne à l'aide d'une brosse.

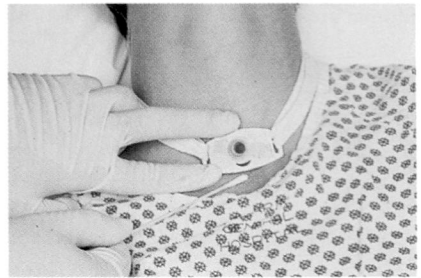

FIGURE 48-28 ■ Nettoyage du siège de la trachéostomie à l'aide d'un coton-tige.

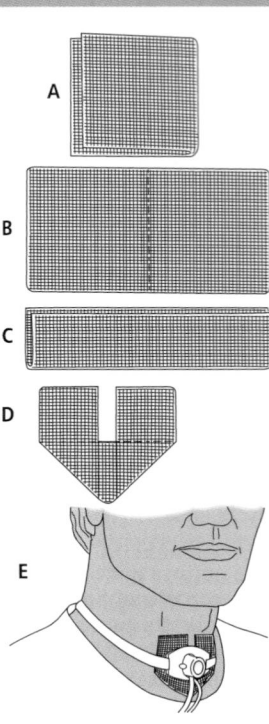

FIGURE 48-29 ■ Pliage d'une compresse de gaze de 10 cm sur 10 cm permettant d'obtenir un pansement de trachéostomie.

• Rincez la canule interne à fond dans la solution physiologique. *Il est important de la rincer pour y éliminer le peroxyde d'hydrogène.*
• Après l'avoir rincée, frappez doucement la canule interne contre la paroi interne du récipient qui contient la solution physiologique. À l'aide d'un cure-pipe, asséchez la paroi interne de la canule; ne pas assécher l'extérieur. *On élimine ainsi l'excès de liquide de la canule, afin de prévenir l'aspiration de celui-ci par la personne, tout en laissant sur la surface externe un film d'eau qui jouera le rôle de lubrifiant lors de la réinsertion de la canule.*
• En utilisant une technique stérile, aspirez les sécrétions de la canule externe, *afin de les en retirer.*

7. Replacez la canule interne et fixez-la solidement.
   • Insérez la canule interne en prenant la canule externe par le collet et en poussant la canule interne dans la direction de sa courbure.
   • Mettez la canule interne en place en tournant, s'il y a lieu, le dispositif de verrouillage, de manière à fixer le rebord de la canule interne à la canule externe.

8. Nettoyez le siège de l'incision et le collet de la canule.
   • Nettoyez le siège de l'incision à l'aide de cotons-tiges stériles ou de compresses imprégnées de solution physiologique (figure 48-28 ■). Manipulez les fournitures stériles avec la main dominante. Effectuez un seul mouve-

ment avec chaque coton-tige ou compresse, puis jetez-les. *On évite ainsi de contaminer une zone propre avec un coton-tige ou une compresse souillés.*
   • On peut utiliser du peroxyde d'hydrogène (généralement sous forme de solution composée à moitié de soluté physiologique; on emploie alors au besoin un contenant stérile différent) pour éliminer les sécrétions encroûtées. Rincez à fond la zone nettoyée avec des compresses imprégnées de solution physiologique. *Le peroxyde d'hydrogène irrite la peau et retarde la guérison si on ne l'élimine pas complètement.*
   • Nettoyez le collet de la canule de la même façon.
   • Asséchez à fond la peau et les rebords de la trachéostomie avec des compresses sèches.

9. Appliquez un pansement stérile.
   • Le pansement de trachéostomie est utilisé seulement en présence d'une quantité importante d'exsudats. *Ce pansement contribue à l'apparition d'humidité et peut prédisposer la personne à l'infection.*
   • Utilisez un pansement de trachéostomie stérile, fait d'un matériau qui ne s'effiloche pas, ou dépliez une compresse de gaze de 10 cm sur 10 cm puis repliez-la en forme de V, comme l'indiquent les illustrations A à D de la figure 48-29 ■. N'utilisez pas de pansement composé et ne coupez pas les morceaux de gaze de 10 cm sur 10 cm, *car la personne risquerait d'aspirer des fibres de coton ou de gaze, et cela pourrait entraîner la formation d'un abcès dans la trachée.*

   • Placez le pansement sous le collet de la canule de trachéostomie, comme l'indique l'illustration E de la figure 48-29.
   • Lors de l'application du pansement, assurez-vous que la canule de trachéostomie est bien fixée. *Un mouvement excessif de la canule irriterait la trachée.*

10. Changez les cordons de trachéostomie.

Méthode des deux bandes
   • Découpez deux bandes inégales de ruban sergé: l'une mesurant environ 25 cm et l'autre 50 cm. *En utilisant deux bandes de longueurs différentes, on peut les fixer sur le côté du cou, de sorte qu'il est facile de les manipuler et que le nœud n'exerce pas de pression sur la peau de la nuque.*
   • Pratiquez une fente de 1 cm dans chaque bande, dans le sens de la longueur, à environ 2,5 cm d'une extrémité. Pour ce faire, repliez chaque bande à 2,5 cm d'une

INTERVENTION (suite)

extrémité et pratiquez une fente en son milieu, à partir du point de pliage.
- Sans retirer les vieilles attaches, enfilez, depuis le bas, l'extrémité fendue de l'une des bandes dans l'œil de l'ailette (du collet) de la canule de trachéostomie ; enfilez ensuite l'autre extrémité de la bande dans la fente, puis tirez-la fortement jusqu'à ce qu'elle soit solidement fixée au collet. *On laisse les vieilles attaches en place pendant qu'on en met des propres, pour éviter de déplacer accidentellement la canule de trachéostomie. En procédant comme on l'indique, il n'est pas nécessaire de faire des nœuds qui risqueraient de se défaire, d'exercer de la pression ou de causer de l'irritation.*
- Si les vieilles attaches sont très souillées ou s'il est difficile d'en enfiler de nouvelles sans enlever les vieilles, demandez à un aide de mettre un gant propre et de maintenir la canule en place pendant que vous remplacez les attaches.
- Procédez de la même façon pour remplacer la seconde attache.
- Demandez à la personne de fléchir la tête. Passez la bande la plus longue derrière le cou ; mettez un ou deux doigts entre celle-ci et le cou de la personne (figure 48-30 ■) ; nouez les extrémités libres des deux bandes sur le côté du cou. *La flexion du cou en*

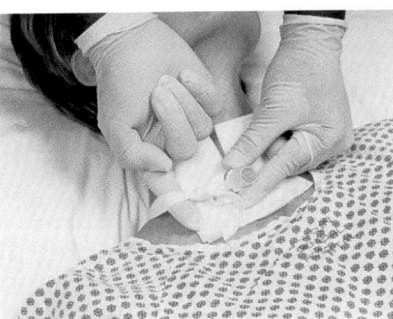

FIGURE 48-30 ■ L'infirmière place un doigt sous les bandes avant de les nouer.

augmente le diamètre de la même façon que la toux. En plaçant deux doigts sous les bandes, on évite de trop serrer celles-ci, ce qui gênerait la personne lorsqu'elle tousse ou créerait une pression sur la veine jugulaire.
- Nouez les extrémités libres des bandes au moyen de nœuds plats, puis coupez tout excédent, en ne laissant que 1 à 2 cm de ruban. *L'utilisation de nœuds plats empêche le glissement et le relâchement des bandes. En coupant celles-ci à une distance appropriée du nœud, on évite qu'il se défasse accidentellement.*
- Après avoir fixé les nouvelles bandes, enlevez les attaches souillées et jetez-les.
- Il est aussi possible d'utiliser des cordons velcro, plus faciles à ajuster.

Méthode de la bande unique (moins courante)

- Coupez un morceau de ruban sergé dont la longueur est égale à 2,5 fois la longueur nécessaire pour aller d'un œil à l'autre de la canule en passant derrière la nuque.
- Enfilez une extrémité du ruban dans l'une des fentes situées sur le côté du collet.
- Superposez les deux extrémités du ruban et, en évitant de tordre celui-ci, passez-le autour du cou de la personne.
- Enfilez l'extrémité du ruban située le plus près du cou de la personne dans la seconde fente, en allant de l'arrière vers l'avant.
- Demandez à la personne de fléchir la tête. Attachez les extrémités libres du ruban au moyen d'un nœud plat, sur le côté du cou, en laissant assez d'espace pour qu'il soit possible d'insérer un ou deux doigts sous le ruban (comme dans la méthode des deux bandes). Coupez l'excédent de ruban.

11. Insérez un tampon sous le nœud et fixez celui-ci avec du ruban adhésif.
- Pliez une compresse de gaze de 10 cm sur 10 cm et placez-la sous le nœud,

puis fixez-la avec du ruban adhésif. *On réduit ainsi l'irritation que cause le nœud des attaches et on évite de confondre celui-ci avec les nœuds des attaches de la chemise d'hôpital de la personne.*

12. Vérifiez l'ajustement des attaches.
- Vérifiez fréquemment l'ajustement des attaches de la canule de trachéostomie et la position de la canule. *Il est possible que les attaches provoquent un serrement quand le cou se gonfle, ce qui gêne la toux et la circulation. À l'inverse, chez les personnes agitées, les attaches peuvent se relâcher, et la canule risque alors de sortir de la trachéostomie.*

13. Notez toutes les informations pertinentes.
- Notez l'aspiration des sécrétions, les soins de la trachéostomie et le changement du pansement, de même que toute observation pertinente.

Variante : emploi d'une canule interne jetable

- Vérifiez la politique concernant la fréquence de remplacement de la canule interne, *car les normes varient d'un établissement à l'autre.*
- Ouvrez l'emballage d'une canule neuve.
- Avec une main gantée, dégagez la canule interne en place, s'il y a lieu, et enlevez-la en tirant doucement vers vous en fonction de la direction de la courbure.
- Observez la quantité et la nature des sécrétions présentes sur la canule interne, puis jetez celle-ci de la manière appropriée.
- Prenez la canule interne neuve en touchant uniquement au dispositif de verrouillage externe.
- Insérez la canule interne neuve dans la canule de trachéostomie.
- Fixez la canule interne en place en tournant le dispositif de verrouillage, s'il y a lieu.

ÉVALUATION

- Effectuez un suivi approprié : observez la nature et la quantité des sécrétions, et l'aspect de l'incision, par exemple ; comparez la fréquence cardiaque et l'état respiratoire avec les données de référence ; si la personne se plaint de douleur ou de gêne au siège de la trachéostomie, notez-le.
- Comparez les résultats aux données d'évaluation antérieures si celles-ci sont disponibles.
- Signalez au médecin tout résultat qui présente un écart important par rapport à la normale.

LES ÂGES DE LA VIE

Soins relatifs à une trachéostomie

NOURRISSONS ET ENFANTS

■ Un aide devrait *toujours* être présent lorsque l'infirmière effectue les soins relatifs à une trachéostomie.

PERSONNES ÂGÉES

■ La peau des personnes âgées est particulièrement fragile et se déchire facilement. Les soins de la peau au siège de la trachéostomie sont donc très importants.

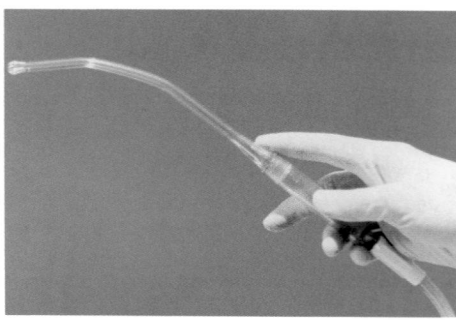

FIGURE 48-32 ■ Cathéter d'aspiration buccale (ou de Yankauer).

FIGURE 48-33 ■ Dispositif mural pour l'aspiration des sécrétions.

pas stériles, il est recommandé d'appliquer une technique stérile à toute intervention d'aspiration, pour ne pas introduire d'agents pathogènes dans les voies respiratoires.

Il existe des cathéters d'aspiration à extrémité distale ouverte et des cathéters à extrémité distale biseautée (figure 48-31 ■). Les seconds irritent moins les tissus respiratoires, mais les premiers sont plus efficaces pour éliminer les bouchons de mucus épais. On utilise un cathéter d'aspiration buccale, ou dispositif de Yankauer, pour aspirer les sécrétions de la cavité buccale (figure 48-32 ■). La majorité des cathéters d'aspiration sont munis d'un orifice qui permet de régler l'aspiration et qui se trouve sur le côté. Le cathéter est relié à une tubulure, qui est elle-même reliée à un récipient collecteur et à une jauge de régulation d'aspiration (figure 48-33 ■).

L'aspiration oropharyngée ou nasopharyngée élimine les sécrétions des voies respiratoires supérieures ; l'aspiration endotrachéale permet d'éliminer les sécrétions de la trachée et des bronches. L'infirmière doit décider à quel moment il est nécessaire de procéder à l'aspiration, en se fondant sur les signes de détresse respiratoire qu'émet la personne ou sur certaines indications démontrant que celle-ci est incapable de tousser et d'expectorer ses sécrétions. La dyspnée, des bruits respiratoires tels des crépitants rudes, un changement de la coloration de la peau (cyanose) ou une diminution de la SaO$_2$ (saturation du sang artériel en oxyhémoglobine) indiquent qu'il est nécessaire de procéder à une aspiration. À cet égard, l'infirmière doit faire preuve de jugement clinique, car l'aspi-

ration irrite les muqueuses et risque de stimuler la production de sécrétions si on la pratique trop souvent. Le procédé 48-3 décrit l'aspiration oropharyngée et nasopharyngée.

SOINS À DOMICILE

Soins relatifs à une trachéostomie

■ Pour les trachéostomies ayant plus d'un mois, appliquer une simple technique propre pour les soins (Humphrey, 1998).

■ Sensibiliser le proche aidant à l'importance d'une bonne technique de lavage des mains.

■ Indiquer au proche aidant qu'il est possible de rincer la canule interne à l'eau du robinet.

■ Enseigner au proche aidant le procédé relatif aux soins de la trachéostomie et l'observer pendant qu'il l'applique.

■ Expliquer au proche aidant les signes et les symptômes d'infection du siège de la trachéostomie ou des voies respiratoires inférieures.

■ Fournir à la personne et au proche aidant le nom et le numéro de téléphone de professionnels de la santé avec qui ils peuvent communiquer en tout temps en cas d'urgence ou s'ils ont besoin de conseils.

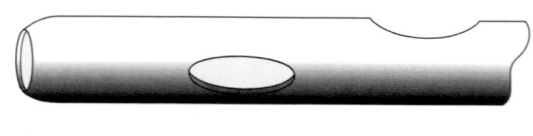

A

B

FIGURE 48-31 ■ Deux types de cathéters d'aspiration des sécrétions : *A*, cathéter à extrémité distale ouverte. *B*, cathéter à extrémité distale biseautée.

PROCÉDÉ 48-3

Aspiration des sécrétions des cavités oropharyngée et nasopharyngée

Objectifs

- Éliminer les sécrétions qui obstruent les voies respiratoires.
- Favoriser la ventilation.
- Obtenir des sécrétions à des fins diagnostiques.

- Prévenir les infections que peut provoquer l'accumulation des sécrétions.

COLLECTE DES DONNÉES

Observez les signes cliniques indiquant la nécessité de procéder à une aspiration :

- Ronchi audibles à l'oreille lors de la respiration
- Bruits respiratoires surajoutés (ou adventices) lors de l'auscultation du thorax (crépitants ou ronchi)
- Respiration (fréquence et rythme)

- Pouls (fréquence et rythme)
- Coloration de la peau
- Agitation
- Modification du niveau de conscience

PLANIFICATION

Matériel

- Serviette
- Appareil d'aspiration portable ou prise murale avec tubulure et récipient collecteur
- Solution physiologique ou eau stérile
- Gants stériles
- Lunettes de protection
- Cathéter d'aspiration stérile (calibre 12 à 18 Fr pour les adultes ; 8 à 10 Fr pour les enfants ; 5 à 8 Fr pour les nourrissons) ; si on procède à l'aspiration à la fois de l'oropharynx et

du nasopharynx, il faut utiliser un cathéter stérile pour chaque intervention
- Lubrifiant hydrosoluble (pour l'aspiration nasopharyngée)
- Raccord en Y
- Compresses de gaze stériles
- Sac à rebuts résistant à l'humidité
- Contenant stérile pour prélèvements des sécrétions par aspiration

INTERVENTION

Exécution

1. Expliquez à la personne ce que vous allez faire, pourquoi vous allez le faire et comment elle peut coopérer. Indiquez-lui que l'aspiration des sécrétions lui permettra de respirer plus facilement et qu'elle n'est pas douloureuse, bien qu'elle puisse la gêner et stimuler les réflexes de toux, de haut-le-cœur et d'éternuement.
   Si la personne sait que l'aspiration va réduire ses problèmes de respiration, cela la rassure et l'incite à coopérer, en général.

2. Lavez-vous les mains et observez les autres mesures de prévention des infections.

3. Assurez-vous que l'intimité de la personne est préservée.

4. Préparez la personne.
   - Aidez la personne consciente, dont le réflexe nauséeux est fonctionnel, à prendre la position semi-Fowler, la tête tournée sur le côté pour une aspiration buccale, le cou allongé au

maximum pour une aspiration nasale.
   Ces positions facilitent l'insertion du cathéter et contribuent à prévenir l'aspiration des sécrétions par la personne.
   - Placez la personne inconsciente en position latérale, face à vous. Dans cette position, la langue tombe vers l'avant, de sorte qu'elle n'obstrue pas le cathéter au moment de son insertion. De plus, la position latérale facilite le drainage des sécrétions à l'extérieur du pharynx et prévient l'aspiration des sécrétions par la personne.
   - Placez la serviette sur l'oreiller ou sous le menton de la personne.

5. Préparez le matériel.
   - Réglez la pression à l'aide de la valve, puis mettez l'appareil en marche au mode intermittent. Les divers appareils sont calibrés pour trois intervalles de pression :
     – Prise murale
       Adultes : 100 à 120 mm Hg

Enfants : 95 à 110 mm Hg
Nourrissons : 50 à 95 mm Hg
     – Appareil portable
       Adultes : 10 à 15 mm Hg
       Enfants : 5 à 10 mm Hg
       Nourrissons : 2 à 5 mm Hg
   - Ouvrez le contenant de lubrifiant si vous pratiquez une aspiration nasopharyngée.
   - Ouvrez l'emballage de la trousse d'aspiration stérile.
     a) Installez le récipient en le tenant uniquement par la paroi extérieure.
     b) Versez de l'eau ou de la solution physiologique stérile dans le récipient.
     c) Mettez les gants stériles ou encore un gant non stérile sur la main non dominante, puis un gant stérile sur l'autre main.
     Le port du gant stérile préserve la stérilité du cathéter d'aspiration, et le port du gant non stérile prévient la transmission de microorganismes à l'infirmière.

PROCÉDÉ 48-3 (SUITE)

Aspiration des sécrétions des cavités oropharyngée et nasopharyngée (suite)

INTERVENTION (suite)

• Prenez le cathéter avec la main portant le gant stérile et fixez-le à l'appareil d'aspiration (figure 48-34 ■).

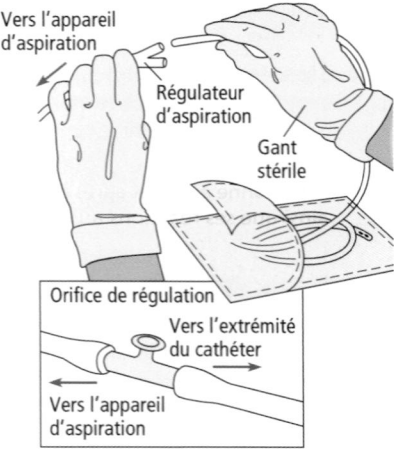

FIGURE 48-34 ■ Raccordement du cathéter à l'appareil d'aspiration.

6. Évaluez la profondeur à laquelle il faut insérer le cathéter et vérifiez le matériel.
   • Mesurez la distance entre le bout du nez et le lobe de l'oreille de la personne ; elle est en moyenne d'environ 13 cm chez un adulte.
   • Tenez le cathéter avec la main portant le gant stérile à l'emplacement précédemment mesuré.
   • Vérifiez la puissance d'aspiration et le dégagement du cathéter en appliquant un doigt ou le pouce de la main portant le gant non stérile sur l'orifice de régulation ou sur la branche ouverte du raccord en Y (cathéter de régulation) afin de créer une succion.

7. Lubrifiez le cathéter et introduisez-le dans la cavité appropriée.
   • Pour l'aspiration nasopharyngée, lubrifiez l'extrémité du cathéter avec de l'eau stérile, une solution physiologique ou un lubrifiant hydrosoluble ; pour l'aspiration oropharyngée, humidifiez l'extrémité du cathéter avec de l'eau stérile ou une solution physiologique. *On réduit ainsi le frottement dans les deux cas, ce qui facilite l'insertion du cathéter.*

Aspiration oropharyngée

• Si nécessaire, tirez la langue de la personne vers l'avant en la tenant avec une compresse.

• N'aspirez pas (c'est-à-dire ne bouchez pas l'orifice de régulation avec le doigt) durant l'insertion du cathéter. *Le fait d'aspirer pendant l'insertion endommage les muqueuses.*
• Faites pénétrer le cathéter sur une distance de 10 à 15 cm dans l'oropharynx, le long d'un côté de la bouche. *Le fait d'insérer le cathéter le long d'un côté de la bouche prévient les nausées.*

Aspiration nasopharyngée

• Sans aspirer, insérez le cathéter sur la distance mesurée ou recommandée dans l'une ou l'autre narine, le long du plancher de la cavité nasale. On contourne ainsi les cornets nasaux.
• Ne forcez pas si le cathéter bute contre un obstacle. Si une narine est obstruée, essayez d'insérer le cathéter dans l'autre narine.

> **⚠ ALERTE CLINIQUE** *Ne jamais aspirer pendant l'insertion du cathéter. En présence de détresse respiratoire, il faut cesser immédiatement l'aspiration des sécrétions.* ■

8. Procédez à l'aspiration.
   • Appliquez un doigt sur l'orifice de régulation et faites tourner doucement le cathéter. *Lorsqu'on tourne doucement le cathéter, on a l'assurance d'aspirer les sécrétions sur toute la surface et de ne pas aspirer trop longtemps une zone particulière des muqueuses, ce qui l'endommagerait.*
   • Aspirez pendant 5 à 10 secondes tout en retirant lentement le cathéter, puis enlevez le doigt de l'orifice de régulation et retirez le cathéter.
   • L'intervention ne devrait pas durer plus de 10 à 15 secondes, soit le temps requis pour insérer le cathéter, procéder à l'aspiration, cesser d'aspirer et retirer le cathéter.
   • Lors de l'aspiration oropharyngée, il est parfois nécessaire d'appliquer le cathéter sur des sécrétions qui se sont accumulées dans le vestibule de la bouche et au-delà de la langue.

9. Nettoyez le cathéter et répétez les étapes de l'aspiration décrites précédemment.
   • Essuyez le cathéter avec une compresse s'il est recouvert d'une épaisse couche de sécrétions. Jetez la compresse souillée dans un sac résistant à l'humidité.

• Rincez le cathéter avec de l'eau stérile ou de la solution physiologique.
• Lubrifiez de nouveau le cathéter et procédez à une autre aspiration. On répète l'intervention jusqu'à ce que le passage pour l'air soit dégagé. En général, on n'intervient pas plus de trois fois avec le même cathéter.
• Attendez de 20 à 30 secondes entre deux aspirations successives et n'aspirez pas pendant plus de 5 minutes en tout. *Une aspiration prolongée risque de stimuler la production de sécrétions ou de réduire l'alimentation en oxygène de la personne.*
• Passez le cathéter dans une narine différente à chaque aspiration.
• Incitez la personne à respirer profondément et à tousser entre deux aspirations. *La toux et la respiration profonde aident à déplacer les sécrétions de la trachée et des bronches vers le pharynx, où il est possible de les atteindre avec le cathéter d'aspiration.*

10. Si nécessaire, procédez à un prélèvement en utilisant un contenant stérile pour prélèvements des sécrétions par aspiration (figure 48-35 ■).

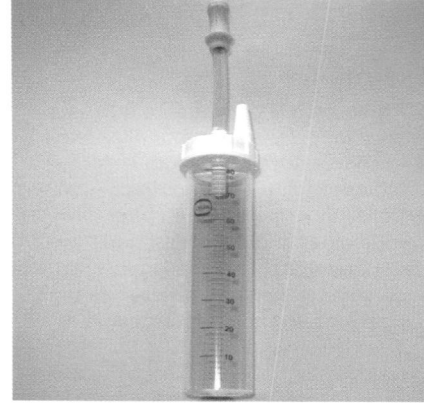

FIGURE 48-35 ■ Contenant stérile pour prélèvements des sécrétions par aspiration.

• Raccordez le cathéter d'aspiration à la tubulure du contenant stérile pour prélèvements des sécrétions par aspiration.
• Raccordez la tubulure d'aspiration à la soupape d'évacuation d'air du contenant stérile pour prélèvements des sécrétions par aspiration.

INTERVENTION (suite)

- Aspirez le nasopharynx ou l'oropharynx de la personne. Le contenant stérile recueille le mucus pendant l'aspiration.
- Retirez le cathéter d'aspiration de la cavité de la personne. Débranchez du cathéter d'aspiration la tubulure du contenant stérile pour prélèvements des sécrétions par aspiration. Débranchez la tubulure d'aspiration de la soupape d'évacuation d'air du contenant stérile.
- Raccordez la tubulure du contenant stérile pour prélèvements des sécrétions à la soupape d'évacuation d'air. *On s'assure ainsi que tous les microorganismes restent dans le contenant stérile.*
- Raccordez le cathéter d'aspiration à la tubulure.
- Rincez le cathéter pour éliminer toute sécrétion de la tubulure.

11. Favorisez le bien-être de la personne.
   - Offrez à la personne de l'aider pour les soins d'hygiène buccale et nasale.

- Aidez la personne à prendre une position qui facilite la respiration.

12. Rangez le matériel et assurez-vous qu'il sera disponible pour la prochaine aspiration.
   - Jetez le cathéter, les gants, l'eau et le contenant à déchets. Enroulez le cathéter autour de la main portant un gant stérile et tenez-le ainsi pendant que vous retirez le gant en le retournant sur le cathéter; jetez le gant dans le sac à rebuts.
   - Rincez si nécessaire la tubulure d'aspiration en insérant l'extrémité dans le récipient contenant de l'eau. Videz le récipient collecteur et rincez-le si nécessaire ou si cela est indiqué dans le protocole. Changez la tubulure d'aspiration et le récipient chaque jour.
   - Assurez-vous que vous avez tout le matériel requis pour la prochaine aspiration (trousse d'aspiration, gants, eau et solution physiologique).

13. Évaluez l'efficacité de l'aspiration.
   - Auscultez la personne pour écouter les bruits respiratoires afin de vérifier que les voies respiratoires sont libres de sécrétions. Observez la coloration de la peau, la présence de dyspnée et le degré d'anxiété.

14. Notez au dossier les données pertinentes.
   - Décrivez le procédé; notez la quantité, la consistance, la couleur et l'odeur des expectorations (sécrétions spumeuses, mucus blanc; mucus verdâtre épais; mucus tacheté de sang, par exemple), de même que l'état respiratoire de la personne avant et après le procédé ainsi que ses réactions au procédé.
   - S'il faut effectuer fréquemment le procédé (toutes les heures, par exemple), il suffit souvent de noter les observations une seule fois, soit à la fin du quart de travail; il faut toutefois noter la fréquence des aspirations.

ÉVALUATION

- Effectuez un suivi approprié. Observez par exemple l'aspect des sécrétions aspirées; les bruits respiratoires; la fréquence, le rythme et l'amplitude respiratoires; le pouls (fréquence et rythme); la coloration de la peau.

- Comparez les résultats avec les données d'évaluation antérieures si celles-ci sont disponibles.
- Signalez au médecin tout écart important par rapport à la normale.

Après une intubation endotrachéale ou une trachéostomie, la trachée et les tissus respiratoires environnants sont irrités et réagissent en produisant une quantité excessive de sécrétions. L'aspiration des sécrétions est nécessaire pour éliminer celles-ci et maintenir les voies respiratoires dégagées. La fréquence de l'aspiration dépend de l'état de santé de la personne et du temps qui s'est écoulé depuis l'intubation.

Plusieurs complications graves sont associées à l'aspiration: hypoxémie, traumatisme des voies respiratoires, infection nosocomiale et arythmie cardiaque reliée à l'hypoxémie. On emploie les techniques suivantes pour réduire au minimum ces complications:

- **Hyperventilation.** L'hyperventilation consiste à fournir à la personne des ventilations dont le volume courant équivaut à une fois et demie le volume déterminé par le ventilateur; on prodigue ces ventilations soit au moyen du ventilateur, soit à l'aide d'un ballon de réanimation manuel (ou masque Ambu). On fournit de trois à cinq hyperventilations avant et après chaque aspiration.

- **Hyperoxygénation.** On effectue l'**hyperoxygénation** soit à l'aide d'un ballon de réanimation, soit au moyen d'une venti-

lation assistée; elle consiste à accroître la concentration d'oxygène (habituellement à 100 %) avant la première aspiration et entre deux aspirations successives.

Pour l'aspiration d'une trachéostomie ou l'aspiration endotrachéale, le diamètre du cathéter d'aspiration devrait être égal à la moitié du diamètre intérieur de la canule de trachéostomie ou endotrachéale, afin de prévenir l'hypoxie. L'infirmière doit employer des techniques stériles pour prévenir l'infection des voies respiratoires (voir le procédé 48-4). On appelle «méthode en circuit ouvert» la méthode traditionnelle d'aspiration d'une canule endotrachéale ou de trachéostomie. Si la personne se trouve sous ventilation assistée, l'infirmière débranche son ventilateur, aspire les sécrétions se trouvant dans la canule, rebranche le ventilateur et jette le cathéter d'aspiration. Parmi les désavantages de la méthode en circuit ouvert, on note la nécessité pour l'infirmière de porter un équipement de protection individuelle (des lunettes de protection ou un écran facial, une blouse, par exemple) afin d'éviter de s'exposer aux expectorations de la personne; on note également le coût associé à l'utilisation de cathéters jetables, surtout si la personne requiert des aspirations fréquentes.

Si on utilise un *système d'aspiration trachéale en circuit fermé* (figure 48-36 ■), on raccorde le cathéter d'aspiration à la tubulure du ventilateur, et il n'est pas nécessaire de débrancher celui-ci. Par ailleurs, l'infirmière ne se trouve pas exposée aux sécrétions puisque le cathéter d'aspiration est entouré d'une gaine de plastique. On peut réutiliser le cathéter autant de fois qu'il est nécessaire, jusqu'à ce qu'on remplace le système. À cet égard, les fabricants recommandent de remplacer tous les jours les systèmes de cathéter d'aspiration en circuit fermé. Cependant, des études mettent en doute cette recommandation : elles démontrent que celle-ci n'a aucune influence sur certains facteurs, tels que la fréquence des pneumonies associées à l'utilisation d'un ventilateur et la durée du séjour à l'hôpital des personnes dont on a changé le système en circuit fermé une fois par semaine (Hess, 1999) ou selon le besoin (Little, 1998) plutôt qu'une fois par jour. Même si le prix d'un système de cathéter d'aspiration en circuit fermé dépasse largement celui d'un cathéter d'aspiration traditionnel, l'aspiration en circuit fermé est de plus en plus courante dans les milieux de soins, à cause de l'avantage associé à la réutilisation du cathéter et du fait que des études récentes ont démontré qu'on peut réduire les coûts en ne changeant le système qu'une fois par semaine ou au besoin. Il convient donc que l'infirmière s'informe de la politique de l'établissement de santé concernant le remplacement du système d'aspiration en circuit fermé.

SOINS À DOMICILE

Aspiration des sécrétions

- Expliquer à la personne et à sa famille que l'élément le plus important de la prévention des infections réside dans le lavage fréquent des mains.
- On considère que l'aspiration des voies respiratoires à domicile est un procédé propre (Humphrey, 1998).
- On rince le cathéter d'aspiration en aspirant de l'eau distillée ou bouillie, afin d'éliminer le mucus, puis on aspire de l'air pour en assécher la paroi interne, ce qui réduit la croissance bactérienne. On peut aussi passer sur la paroi externe un tampon imbibé d'alcool ou de peroxyde d'hydrogène. Il faut laisser sécher le cathéter d'aspiration, puis le ranger dans un endroit propre et sec (American Association for Respiratory Care, 1999, p. 100).
- Si on entretient un cathéter d'aspiration comme on vient de le décrire, il est possible de le réutiliser, mais il est recommandé de le jeter au bout de 24 heures. On peut nettoyer, faire bouillir et réutiliser indéfiniment un cathéter Yankauer (American Association for Respiratory Care, 1999, p. 100).

LES ÂGES DE LA VIE

Aspiration des sécrétions

NOUVEAU-NÉS ET NOURRISSONS
- On emploie une poire ou un cathéter pour éliminer les sécrétions du nez et de la bouche d'un nourrisson. Il faut prendre garde de ne pas stimuler le réflexe nauséeux.

ENFANTS
- On emploie un cathéter pour éliminer les sécrétions de la bouche et du nez d'un enfant.

■ Drains thoraciques et systèmes de drainage

Si une affection, une chirurgie ou un traumatisme pulmonaire entraîne une rupture de la plèvre, qui est formée de deux minces feuillets, la pression négative entre ceux-ci risque de disparaître. Le poumon s'affaisse alors, car il n'est plus tiré vers l'extérieur lors de la contraction du diaphragme et des muscles intercostaux durant l'inspiration. On appelle **pneumothorax** l'accumulation d'air dans la cavité pleurale. L'accumulation de sang ou d'un autre liquide, appelée **hémothorax**, exerce une pression sur le tissu pulmonaire, ce qui gêne l'expansion du poumon. On insère un drain thoracique dans la cavité pleurale afin de recréer une pression négative et de drainer le liquide ou le sang accumulé. Comme l'air a tendance à s'élever, on insère souvent le drain dans la partie

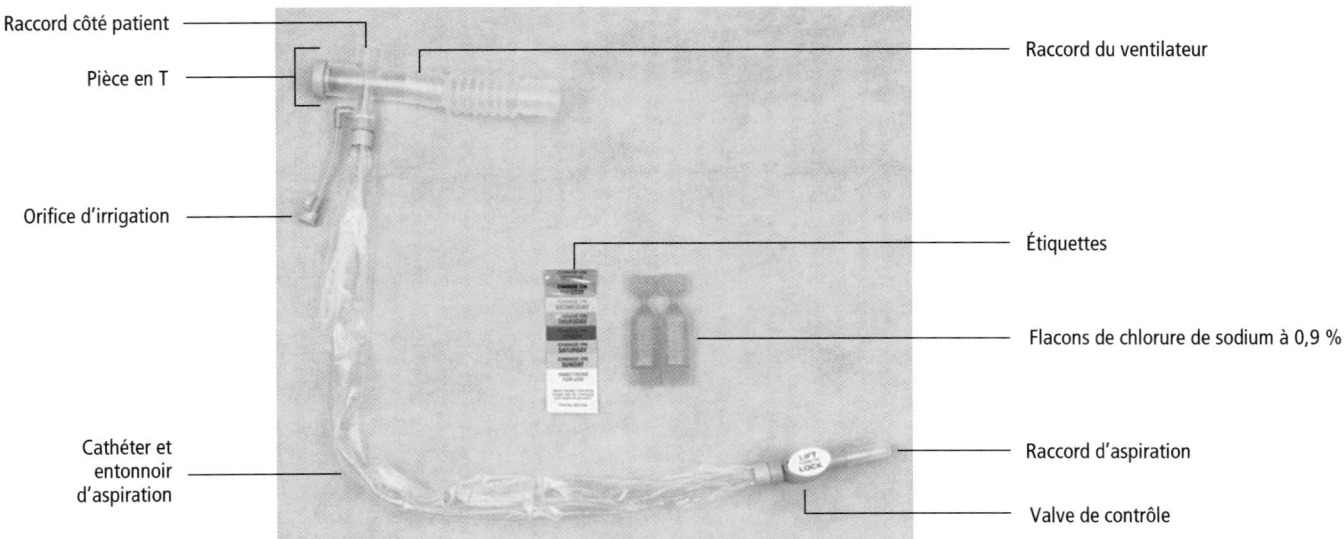

FIGURE 48-36 ■ Dispositif d'aspiration en circuit fermé.

PROCÉDÉ **48-4**

Aspiration d'une canule de trachéostomie ou d'une canule endotrachéale

Objectifs

- Maintenir les voies respiratoires dégagées et en prévenir l'obstruction.
- Améliorer la fonction respiratoire (optimiser les échanges d'oxygène et de gaz carbonique entre les poumons et l'environnement).

- Prévenir la pneumonie provoquée par l'accumulation des sécrétions.

COLLECTE DES DONNÉES

Évaluez l'état respiratoire de la personne : fréquence, rythme, amplitude.

Auscultez le thorax de la personne afin de déceler la présence de sécrétions. Notez la capacité ou l'incapacité de la personne à éliminer les sécrétions au moyen de la toux.

PLANIFICATION

Matériel

- Ballon de réanimation (ou masque Ambu) raccordé à une source d'oxygène à 100 %
- Champ stérile (facultatif)
- Dispositif d'aspiration (voir le procédé 48-3)

- Lunettes de protection et masque si nécessaire
- Blouse (si nécessaire)
- Gants stériles
- Sac à rebuts résistant à l'humidité

INTERVENTION

Préparation

Vérifiez si la personne a déjà subi une aspiration et, si oui, examinez les notes relatives au dernier procédé. Il peut être très utile à l'infirmière de consulter cette information, notamment pour se préparer aux conséquences physiologiques et psychologiques qu'entraîne l'aspiration pour la personne.

Exécution

1. Expliquez à la personne ce que vous allez faire, pourquoi vous allez le faire et comment elle peut coopérer. Dites-lui que l'aspiration provoque généralement une toux intermittente, ce qui contribue à éliminer les sécrétions.

2. Lavez-vous les mains et observez les autres mesures de prévention des infections (comme le port de gants et de lunettes de protection).

3. Assurez-vous que l'intimité de la personne est préservée.

4. Préparez la personne.
   - À moins que ce ne soit contre-indiqué en raison de l'état de santé de la personne, placez celle-ci dans la position semi-Fowler *afin de favoriser une respiration profonde, l'expansion maximale des poumons et une toux efficace. La respiration profonde oxygène les poumons, atténue les*

effets hypoxiques de l'aspiration et est susceptible de déclencher la toux, qui aide à détacher et à éliminer les sécrétions.
   - Avant l'aspiration, administrez si nécessaire un analgésique. *L'aspiration endotrachéale stimule le réflexe de la toux, et celle-ci est souvent douloureuse pour la personne ayant subi une chirurgie thoracique ou abdominale, ou un traumatisme. La prémédication est susceptible d'accroître le bien-être de la personne durant le procédé d'aspiration.*

5. Préparez le matériel.
   - Raccordez le matériel de réanimation à la source d'oxygène (figure 48-37 ■). Réglez le débit d'oxygène à 100 %.
   - Déballez le matériel stérile pour qu'il soit prêt à être utilisé.
   - Placez le champ stérile, s'il y a lieu, sur le thorax de la personne, au-dessous de la trachéostomie.
   - Mettez le dispositif d'aspiration en marche et réglez la puissance. Si on emploie une prise murale, on règle généralement la pression entre 100 et 120 mm Hg pour un adulte, et entre 50 et 95 mm Hg pour les nourrissons et les enfants.
   - Mettez des lunettes de protection, un masque et une blouse si nécessaire.

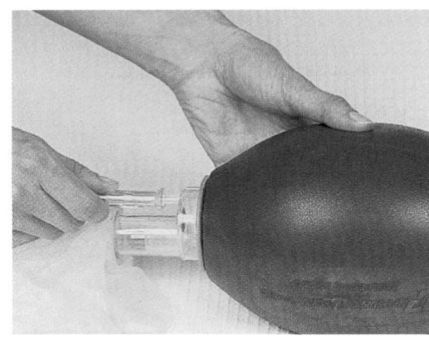

FIGURE 48-37 ■ Raccordement du matériel de réanimation à la source d'oxygène.

   - Mettez des gants stériles. Certains établissements recommandent d'enfiler un gant stérile sur la main dominante et un gant non stérile sur l'autre main, ce dernier servant à protéger l'infirmière.
   - En tenant le cathéter avec la main dominante et le raccord avec l'autre main, raccordez le cathéter d'aspiration à la tubulure d'aspiration (voir la figure 48-34).

6. Rincez et lubrifiez le cathéter.
   - Avec la main dominante, placez l'extrémité du cathéter dans la solution physiologique.

PROCÉDÉ **48-4** (SUITE)

Aspiration d'une canule de trachéostomie ou d'une canule endotrachéale (suite)

INTERVENTION (suite)

- Avec le pouce de la main non dominante, fermez l'orifice de régulation et aspirez une petite quantité de solution physiologique. *On vérifie de cette façon que le dispositif d'aspiration fonctionne bien, tout en lubrifiant la paroi externe et la lumière du cathéter. La lubrification facilite l'insertion de celui-ci et réduit le risque d'endommager les tissus lors de l'insertion. La lubrification de la lumière contribue à éviter que les sécrétions ne collent à la paroi interne du cathéter.*

7. Si les sécrétions ne sont pas très abondantes, hyperventilez les poumons à l'aide d'un ballon de réanimation avant de procéder à l'aspiration.
   - Demandez si possible de l'aide pour effectuer cette opération.
   - Avec la main non dominante, ouvrez le circuit d'oxygène à un débit de 12 à 15 L/min.
   - Si la personne reçoit de l'oxygène, débranchez la source d'oxygène de la canule de trachéostomie avec la main non dominante.
   - Raccordez le ballon de réanimation à la canule de trachéostomie ou à la canule endotrachéale (figure 48-38 ■).
   - Comprimez le ballon Ambu de trois à cinq fois pendant que la personne inspire. Il est préférable qu'une autre personne que l'infirmière le fasse en utilisant ses deux mains, ce qui permet de gonfler davantage le ballon.
   - Observez les mouvements du thorax de la personne, lequel se soulève et s'abaisse, pour évaluer la qualité de chaque ventilation.

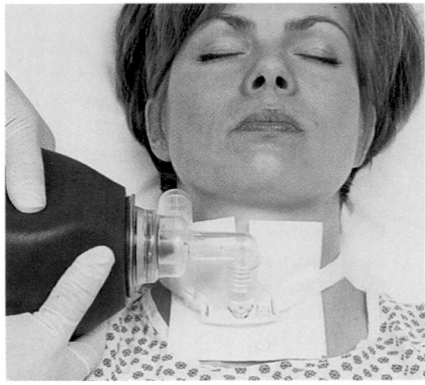

FIGURE **48-38** ■ Raccordement du ballon de réanimation à la trachéostomie.

- Retirez le dispositif de réanimation et placez-le sur le lit ou le thorax de la personne, le raccord étant dirigé vers le haut.

Variante : hyperventilation à l'aide d'un ventilateur

- Si la personne se trouve sous ventilation assistée, utilisez le ventilateur pour l'hyperventilation et l'hyperoxygénation. Les modèles les plus récents sont munis d'une fonction qui permet de fournir de l'oxygène à 100 % pendant deux minutes puis de revenir au réglage antérieur, de même que d'une commande manuelle de soupir. *L'hyperventilation et l'hyperoxygénation sont plus constantes si on les effectue en modifiant le réglage du ventilateur plutôt qu'à l'aide du dispositif de réanimation.*

8. Si la quantité de sécrétions est importante, ne procédez pas à l'hyperventilation au moyen d'un dispositif de réanimation. *Procédez plutôt comme suit :*
   - Laissez la source habituelle d'oxygène branchée et augmentez le débit ou réglez le pourcentage d'oxygène inspiré à 100 % pendant plusieurs respirations avant de procéder à l'aspiration. *Si les sécrétions sont abondantes, l'hyperventilation pourrait les faire descendre dans les voies respiratoires.*

9. Insérez rapidement, mais doucement, le cathéter dans la trachée, sans aspirer.
   - En évitant de boucher l'orifice de régulation avec le pouce de la main non dominante, insérez rapidement, mais doucement, le cathéter à travers la canule de trachéostomie, jusque dans la trachée (figure 48-39 ■). *On évite d'aspirer pendant l'insertion du cathéter afin de ne pas endommager les tissus et de ne pas réduire l'apport en oxygène.*
   - Insérez le cathéter sur une distance d'environ 13 cm chez les adultes, et sur une distance moins longue chez les enfants, ou jusqu'à ce que la personne tousse ou qu'on sente une résistance. *Le fait de sentir une résistance indique généralement que l'extrémité du cathéter a atteint la bifurcation de la trachée.* Retirez le cathéter de 1 à 2 cm avant de commencer à aspirer afin de ne pas endommager les muqueuses au point de bifurcation.

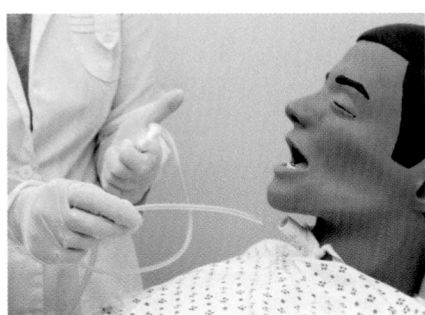

FIGURE **48-39** ■ Insertion du cathéter à travers la canule de trachéostomie, jusque dans la trachée. *Remarque :* Il ne faut pas aspirer pendant l'insertion du cathéter.

10. Procédez à l'aspiration.
    - Aspirez de façon intermittente pendant 5 à 10 secondes en plaçant le pouce de la main non dominante sur l'orifice de régulation. *La durée de l'aspiration est limitée à 10 secondes au plus afin de réduire au minimum la perte d'oxygène.*
    - Retirez lentement le cathéter de la canule tout en le faisant tourner entre le pouce et l'index. *On évite ainsi d'endommager les tissus, car cela réduit au minimum la durée de l'aspiration sur chaque zone de la trachée.*
    - Cessez l'aspiration et retirez complètement le cathéter.
    - Hyperventilez la personne.
    - Recommencez le processus.

11. Réévaluez l'état d'oxygénation de la personne et aspirez de nouveau.
    - Observez la respiration de la personne et la coloration de sa peau. Prenez le pouls, si nécessaire, avec la main non dominante.
    - Incitez la personne à respirer profondément et à tousser entre les aspirations.
    - Attendez si possible deux à trois minutes entre deux aspirations successives. *On permet ainsi la réoxygénation des poumons.*
    - Rincez le cathéter et recommencez à aspirer jusqu'à ce que le passage pour l'air soit bien dégagé et que la respiration soit relativement facile et silencieuse.
    - Après chaque aspiration, prenez le ballon de réanimation avec la main

INTERVENTION (suite)

non dominante et ventilez la personne pendant au moins trois ventilations.

12. Rangez le matériel et assurez-vous qu'il sera disponible pour la prochaine aspiration.
    - Rincez le cathéter et la tubulure d'aspiration.
    - Mettez le dispositif d'aspiration en position « arrêt » et débranchez le cathéter de la tubulure d'aspiration.
    - Enroulez le cathéter autour de la main portant le gant stérile et retirez celui-ci en le retournant sur le cathéter.
    - Déposez le gant et le cathéter dans le sac à rebuts résistant à l'humidité.
    - Remplacez le liquide stérile et les autres fournitures afin qu'ils soient disponibles pour la prochaine aspiration. *La personne qui a besoin de fréquentes aspirations en a besoin sans délai. Il est donc essentiel de laisser tout le matériel nécessaire à son chevet, prêt à être utilisé.*

13. Assurez-vous que la personne est à l'aise et en sécurité.
    - Aidez la personne à prendre une position confortable et sécuritaire, qui facilite la respiration. Si elle est consciente, il est souvent recommandé de lui faire prendre la position semi-Fowler ; si elle est inconsciente, la position de Sims favorise le drainage des sécrétions par la bouche.

14. Notez au dossier les données pertinentes.
    - Notez les données relatives à l'aspiration, y compris la quantité et la description des produits d'aspiration, et les résultats de toute autre évaluation pertinente.

Variante : système d'aspiration sous vide (ou en circuit fermé)

- Si le cathéter n'est pas raccordé au système de ventilation, mettez des gants propres, déballez de façon aseptique une nouvelle trousse d'aspiration sous vide et fixez le raccord du ventilateur à la pièce en T de la tubulure du ventilateur. Reliez le dispositif de raccordement côté patient à la canule endotrachéale ou à la canule de trachéostomie.
- Fixez une extrémité de la tubulure de raccordement du système d'aspiration à l'orifice de régulation du système sous vide et l'autre extrémité au dispositif d'aspiration.
- Mettez le système d'aspiration en marche, bouchez ou pincez la tubulure et enfoncez la valve régulatrice d'aspiration (sur le système d'aspiration sous vide), de manière à régler la puissance à une valeur appropriée. Relâchez la valve.

- À l'aide du ventilateur, procédez à l'hyperoxygénation et à l'hyperventilation des poumons de la personne.
- Débloquez le mécanisme de régulation d'aspiration si le fabricant en indique la nécessité.
- Poussez le cathéter d'aspiration vers l'avant dans la gaine de plastique, avec la main dominante, et stabilisez la pièce en T avec l'autre main.
- Enfoncez la valve régulatrice d'aspiration et aspirez pendant 10 secondes au plus, puis retirez doucement le cathéter.
- Refaites le même procédé autant de fois que nécessaire en effectuant l'hyperoxygénation et l'hyperventilation au besoin.
- Lorsque l'aspiration est terminée, repoussez le cathéter dans sa gaine et fermez s'il y a lieu la valve d'accès. *Si le système n'est pas muni d'une valve d'accès côté patient, l'infirmière doit s'assurer que le cathéter ne pénètre pas dans la canule, ce qui obstruerait celle-ci.*
- Rincez le cathéter en instillant de la solution physiologique par l'orifice d'irrigation et en aspirant. Répétez cette manœuvre jusqu'à ce que le cathéter soit propre.
- Fermez l'orifice d'irrigation et la valve d'aspiration.

ÉVALUATION

- Effectuez un examen de suivi de la personne pour déterminer l'efficacité de l'aspiration. Observez par exemple la fréquence, l'amplitude et les caractéristiques de la respiration ; les bruits respiratoires ; la coloration de la peau et du lit des ongles ; la nature et la quantité des sécrétions aspirées ; tout changement dans les signes vitaux.

- Comparez les résultats avec les données d'évaluation antérieures si celles-ci sont disponibles.
- Signaler au médecin tout écart important par rapport à la normale.

LES ÂGES DE LA VIE

Aspiration d'une canule de trachéostomie ou d'une canule endotrachéale

NOURRISSONS ET ENFANTS

- Demander à un membre du personnel d'immobiliser l'enfant de manière que ses mains ne gênent pas l'infirmière. L'aidant doit garder la tête de l'enfant en position médiane (Bindler et Ball, 2003, p. 107).

PERSONNES ÂGÉES

- Un grand nombre de personnes âgées souffrent d'une affection cardiaque ou respiratoire, ce qui accroît le risque

d'hypoxémie durant l'aspiration. Surveiller attentivement les signes d'hypoxémie et, si on en décèle, arrêter immédiatement d'aspirer et hyperoxygéner la personne.

- Effectuer une évaluation complète des poumons avant et après l'aspiration pour déterminer l'efficacité de l'intervention et déceler tout problème particulier.

SOINS À DOMICILE

Aspiration d'une canule de trachéostomie ou d'une canule endotrachéale

- Inciter la personne à dégager le plus possible ses voies respiratoires en toussant.
- La personne devra apprendre à effectuer l'aspiration si elle est incapable de tousser de façon efficace.
- Il faut enfiler des gants propres pour effectuer une aspiration endotrachéale à domicile (American Association for Respiratory Care, 1999).
- Enseigner au proche aidant comment déterminer à quel moment il est nécessaire d'effectuer l'aspiration et comment procéder à celle-ci afin d'éviter les complications associées à l'aspiration.
- Insister sur l'importance d'une hydratation adéquate, car celle-ci liquéfie les sécrétions, ce qui aide à les éliminer par la toux ou l'aspiration.

supérieure antérieure du thorax dans le cas d'un pneumothorax, tandis qu'on insère généralement le drain destiné à permettre l'écoulement de liquide dans la partie inférieure latérale de la paroi thoracique.

Une fois inséré, un drain thoracique doit être raccordé à un système de drainage étanche ou à une valve antiretour qui permet l'évacuation de l'air et du liquide de la cavité thoracique, mais fait obstacle à la pénétration de l'air ambiant. On emploie un système de drainage stérile jetable pour empêcher l'air ambiant de pénétrer dans le drain thoracique. La plupart de ces systèmes comprennent un récipient collecteur des produits de drainage, qui est relié à un compartiment d'étanchéité humide ou sec (figure 48-40 ■). Dans le cas d'un système fermé à eau, quand la personne inspire, l'eau empêche l'air ambiant de pénétrer dans le système de drainage ; cependant, durant l'expiration, l'air peut sortir de la cavité thoracique en créant des bulles dans l'eau. On peut ajouter au système un mécanisme d'aspiration pour faciliter l'évacuation de l'air et des sécrétions que contient la cage thoracique.

! ALERTE CLINIQUE
On doit placer en tout temps le système de drainage plus bas que le thorax de la personne afin d'éviter que l'eau et les produits de drainage ne soient refoulés dans la cavité thoracique. ■

On peut utiliser une valve de Heimlich ou un dispositif équivalent pour les personnes ambulatoires souffrant d'un pneumothorax. Les valves de ce type laissent l'air s'échapper de la cavité thoracique, mais elles se ferment durant l'inspiration, ce qui empêche la pénétration de l'air ambiant.

L'insertion et le retrait d'un drain thoracique doivent se faire suivant une technique stérile, sans qu'il y ait introduction d'air ou de microorganismes dans la cavité pleurale.

Le personnel infirmier a notamment les responsabilités suivantes relativement à un système de drainage :

- Surveiller et maintenir le dégagement et l'intégrité du système de drainage.
- Observer les signes vitaux, la saturation en oxygène et l'état cardiovasculaire et respiratoire de la personne.

- Garder des pinces à clamper et un ensemble à pansement occlusif stérile au chevet de la personne. Si le cathéter se débranche du système collecteur, il faut en immerger l'extrémité dans 2,5 cm de solution physiologique ou d'eau stérile *afin d'en maintenir l'étanchéité*. Si on retire accidentellement le drain thoracique, il faut couvrir immédiatement la plaie avec un pansement stérile sec. Si on entend un bruit de fuite d'air au siège de la plaie, il faut s'assurer que le pansement n'est pas occlusif. *Si l'air ne peut s'échapper, cela provoquera un pneumothorax.*

- Appliquer les précautions universelles et utiliser l'équipement de protection individuelle pour manipuler le système et aider à l'insertion ou au retrait du drain.

- Examiner le pansement au moins toutes les quatre heures. S'assurer qu'il n'y a pas d'écoulement excessif ou anormal, comme des saignements ou un écoulement fétide. Palper la zone entourant le pansement et noter si des crépitants indiquent la présence d'emphysème sous-cutané. *Cette complication survient notamment si l'étanchéité au siège d'insertion du drain thoracique n'est pas parfaite.*

- Déterminer le degré de malaise lors d'activités et au repos, et administrer un analgésique au besoin.

- Inciter la personne à respirer profondément et à faire des exercices de toux toutes les deux heures (à moins que ce ne soit contre-indiqué, par exemple pour les personnes ayant subi l'ablation d'un poumon). Demander à la personne de s'asseoir bien

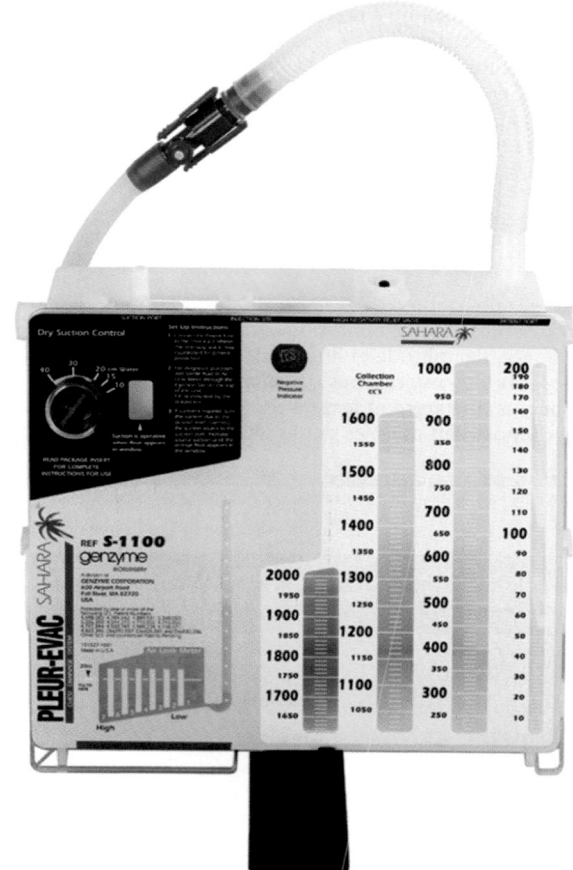

FIGURE **48-40** ■ Système de drainage thoracique jetable.
(Pleur-evac® Chest Drainage System. Source : Teleflex Medical.)

droit pour faire les exercices et immobiliser la zone entourant le siège d'insertion du drain avec un oreiller ou la main afin de réduire au minimum la douleur.

■ Changer la position de la personne toutes les deux heures. Si elle est couchée sur le côté où se trouve la plaie, placer des serviettes enroulées près de la tubulure. *Un changement fréquent de position favorise le drainage, prévient les complications et accroît le bien-être. Le fait de placer des serviettes enroulées près de la tubulure prévient le risque que le poids de la personne occlue le drain thoracique.*

■ Aider la personne à faire des exercices qui améliorent l'amplitude du mouvement de l'épaule touchée, trois fois par jour, afin de maintenir la mobilité de l'articulation.

■ Si on doit transporter la personne ou la faire marcher :
  a) Fixer des pinces à clamper à la chemise d'hôpital de la personne pour les avoir sous la main en cas d'urgence.
  b) Maintenir le système fermé à eau à la verticale et plus bas que le thorax.
  c) Débrancher le système de drainage du dispositif d'aspiration avant de déplacer la personne et s'assurer que la soupape d'évacuation d'air est ouverte.

Le retrait d'un drain thoracique est une procédure brève, mais passablement douloureuse. Il faut administrer un analgésique à la personne avant d'y procéder. On enlève le pansement entourant le drain et on prépare le pansement qui servira à couvrir le siège d'insertion. S'il n'y a pas de suture formant cordon autour du siège d'insertion, on emploie un pansement occlusif pour empêcher l'air de pénétrer dans le thorax. C'est généralement le médecin qui retire le drain.

Évaluation

En se fondant sur les objectifs et les résultats escomptés déterminés à l'étape de la planification, l'infirmière recueille des données utiles pour évaluer l'efficacité des interventions. Si les résultats escomptés n'ont pas été obtenus, l'infirmière, la personne et, le cas échéant, les proches aidants doivent en examiner les raisons avant de modifier le plan de soins et de traitements. Par exemple, si on n'a pas obtenu les résultats « Facilité respiratoire » et « Fréquence respiratoire dans l'intervalle des valeurs normales », on devrait se poser entre autres les questions suivantes :

■ Comment la personne perçoit-elle le problème ?
■ La personne se plaint-elle d'avoir le souffle court ou de la difficulté à respirer ?
■ La personne prend-elle ses médicaments et reçoit-elle les traitements prescrits, comme la percussion, la vibration et le drainage postural ?
■ La personne a-t-elle souffert d'une infection des voies respiratoires supérieures qui a des effets sur la respiration ?
■ Devrait-on prendre en compte d'autres facteurs, tel le degré de stress psychologique de la personne ?

Par ailleurs, si on n'a pas obtenu le résultat « Peut accomplir les activités de la vie quotidienne sans ressentir de fatigue », on devrait se poser les questions suivantes :

■ Quels sont les autres facteurs susceptibles de réduire la capacité de la personne à accomplir les activités de la vie quotidienne ?
■ La personne dort-elle suffisamment ? Sinon, qu'est-ce qui l'empêche de se reposer ?
■ Le fait d'utiliser des aides techniques (par exemple, un siège de douche, des vêtements faciles à enfiler, etc.) pourrait-il permettre à la personne d'atteindre plus facilement l'objectif visé ?
■ La personne a-t-elle besoin d'aide pour effectuer les travaux ménagers et les autres activités de la vie quotidienne ?
■ La diète de la personne satisfait-elle ses besoins nutritionnels ?

PLAN DE SOINS ET DE TRAITEMENTS INFIRMIERS

Dégagement inefficace des voies respiratoires

COLLECTE DES DONNÉES		*DIAGNOSTIC INFIRMIER*	RÉSULTATS DE SOINS INFIRMIERS [Nº CRSI/NOC] ET INDICATEURS*
Anamnèse Jeanne Sicard est une secrétaire de 39 ans. Au moment où elle a été admise à l'hôpital, elle présentait de la fièvre, de la fatigue, une respiration rapide et laborieuse, et une légère déshydratation. L'anamnèse révèle que Mme Sicard a un « mauvais rhume » depuis plusieurs semaines, dont elle n'arrive pas à se défaire. Elle a suivi un régime durant plusieurs mois et a sauté des repas. Elle mentionne qu'en plus de travailler à temps plein comme secrétaire, elle suit des cours au collège deux soirs	**Examen physique** Taille : 1,68 m (5 pi 6 po) Poids : 54,4 kg (120 lb) Température : 39,4 °C Pouls : 68 bpm, amplitude augmentée, rythme régulier Fréquence respiratoire : 24 respirations/minute Pression artérielle : 118/70 mm Hg Teint pâle ; joues rouges ; frissons ; battement des ailes du nez ; utilisation des muscles accessoires ;	*Dégagement inefficace des voies respiratoires,* relié à des expectorations épaisses consécutives à une pneumonie et à de la fatigue (manifesté par une respiration rapide, le battement des ailes du nez et des bruits respiratoires surajoutés [ou adventices])	État respiratoire : Ventilation [0410] non perturbée, manifestée par : • L'absence de fièvre • Une fréquence respiratoire dans l'intervalle des valeurs normales • L'évacuation des expectorations pulmonaires • L'absence de bruits respiratoires surajoutés (ou adventices)

PLAN DE SOINS ET DE TRAITEMENTS INFIRMIERS (SUITE)

Dégagement inefficace des voies respiratoires (suite)

COLLECTE DES DONNÉES		DIAGNOSTIC INFIRMIER	RÉSULTATS DE SOINS INFIRMIERS [N° CRSI/NOC] ET INDICATEURS*
par semaine. Elle fume un paquet de cigarettes par jour depuis l'âge de 18 ans. La radiographie pulmonaire confirme le diagnostic de pneumonie.	crépitants inspiratoires et bruits respiratoires atténués à la base du poumon droit ; expectorations épaisses et jaunâtres. **Examens paracliniques** Radiographie pulmonaire : infiltration lobaire droite Numération des globules blancs : 14 000 pH : 7,49 $PaCO_2$: 33 mm Hg HCO_3^- : 20 mmol/L PaO_2 : 80 mm Hg SaO_2 : 95 %		

INTERVENTIONS INFIRMIÈRES [N° CISI/NIC] ET ACTIVITÉS CHOISIES*	JUSTIFICATION SCIENTIFIQUE
Stimulation de la toux [3250] • Aider Mme Sicard à adopter une position assise, la tête légèrement inclinée, les épaules détendues et les genoux fléchis.	*La position couchée entraîne un déplacement des organes abdominaux vers le haut, ce qui comprime les poumons et rend la respiration plus difficile.*
• Lui demander de prendre plusieurs respirations profondes.	*La respiration profonde favorise l'oxygénation avant la toux contrôlée.*
• Lui demander d'inspirer profondément, de maintenir sa respiration 1 ou 2 secondes, et de tousser ensuite 2 ou 3 fois.	*La toux contrôlée consiste à fermer la glotte et à expulser l'air de façon explosive en utilisant les muscles de l'abdomen et du thorax.*
• Conseiller la stimulation à l'aide d'un inspiromètre d'incitation si nécessaire.	*Les exercices de respiration contribuent à maximiser la ventilation.*
Surveillance de l'état respiratoire [3350] • Vérifier la fréquence, le rythme, l'amplitude et les efforts respiratoires.	*Ces informations fournissent des données de référence pour évaluer la qualité de la ventilation.*
• Noter le mouvement du thorax en observant la symétrie de la respiration, l'utilisation des muscles accessoires et les rétractions des muscles supraclaviculaires et intercostaux.	*Le battement des ailes du nez et l'utilisation des muscles respiratoires accessoires constituent une réponse à une ventilation inefficace.*
• Ausculter les poumons afin de discerner des régions de ventilation décrue ou absente, et des bruits surajoutés (ou adventices).	*Lorsqu'il y a une accumulation de liquide et de mucus, on entend des bruits respiratoires anormaux, tels des crépitants, et les bruits respiratoires sont atténués, car les alvéoles et les bronchioles sont remplies de liquide, et le volume des poumons se trouve réduit.*
• Ausculter la personne à la recherche de bruits pulmonaires après les traitements, afin d'en constater les effets.	*Le fait d'ausculter la personne après les traitements aide à évaluer ceux-ci et les résultats de la personne.*
• Vérifier la capacité de la personne à tousser efficacement.	*Les infections du système respiratoire modifient la quantité et les caractéristiques des sécrétions. Une toux inefficace n'assure pas le dégagement des voies respiratoires et ne permet pas l'évacuation du mucus.*
• Examiner les expectorations de la personne.	*Les personnes atteintes de pneumonie produisent souvent des expectorations purulentes de couleur rouille.*
• Surveiller l'accroissement de l'agitation, de l'anxiété et de la recherche d'air.	*Ces signes cliniques sont les premiers indicateurs de l'hypoxie.*

INTERVENTIONS INFIRMIÈRES [N° CISI/NIC] ET ACTIVITÉS CHOISIES*	JUSTIFICATION SCIENTIFIQUE
• Noter les changements de la saturation artérielle en O_2, de la saturation veineuse en O_2 et en CO_2 à la fin de l'expiration du volume courant, ainsi que des mesures des gaz artériels, si nécessaire.	*Le fait de surveiller ces aspects permet d'évaluer l'état d'oxygénation, la ventilation et l'équilibre acidobasique.*
Oxygénothérapie [3320]	
• Informer Mme Sicard de l'importance de maintenir en place le dispositif d'oxygénation.	*Les affections fébriles et le stress physique font croître la demande en oxygène. Si la PO_2 atmosphérique est faible, la saturation en oxygène diminue rapidement; il est donc important de maintenir l'oxygénothérapie, surtout pendant les activités.*
• Vérifier régulièrement l'appareil d'oxygénation afin de s'assurer que la concentration prescrite est fournie à la personne.	*L'administration d'une quantité trop faible ou trop élevée d'oxygène peut être nocive, en particulier chez les personnes ayant déjà fumé.*
• Surveiller les signes d'hypoventilation induite par l'oxygène.	*Chez les personnes atteintes d'une affection pulmonaire chronique, le stimulus de la respiration est un faible taux d'oxygène plutôt qu'un taux élevé de gaz carbonique. Ces personnes risquent de souffrir de BPCO parce qu'elles ont fumé longtemps. Pour celles-ci, l'administration d'oxygène à une concentration élevée est susceptible de provoquer une hypoventilation.*

ÉVALUATION

Les résultats escomptés ont été partiellement atteints. Mme Sicard tousse et respire profondément, délibérément, toutes les heures ou les deux heures durant le jour. Sa consommation de liquide est d'environ 1 500 mL par jour. La toux entraîne toujours l'évacuation d'expectorations modérément épaisses, de couleur rouille. On entend encore des crépitants inspiratoires dans le lobe inférieur droit. La PaO_2 s'élève à 85 mm Hg et la SaO_2 passe à 97 %.

* Les résultats, interventions et activités présentés ici sont simplement des exemples de ceux qui sont proposés par les systèmes CRSI/NOC et CISI/NIC. Ils doivent être personnalisés en fonction du cas de chaque personne.

EXERCICES D'INTÉGRATION

1. Quels facteurs ont probablement poussé le personnel de santé à penser que Mme Sicard n'avait pas simplement un très mauvais rhume?

2. Mme Sicard présentait déjà des signes de détresse respiratoire. Lesquels indiquaient que son état était peut-être en train de dégénérer en une situation plus urgente? Comment l'infirmière devrait-elle réagir dans une telle situation?

3. Il semble qu'on n'ait pas effectué de culture des expectorations de la personne. Pour les soins de celle-ci, de quel guide de prévention des infections a-t-on besoin?

4. Pour l'oxygénothérapie, on a prescrit à Mme Sicard un masque facial et un débit de 6 L/min. Cependant, elle retire continuellement le masque, et l'infirmière le trouve toujours sur le drap. Quelle intervention pourrait-elle faire?

5. Le plan de soins et de traitements est centré sur les soins actifs prodigués à la personne. Lorsque celle-ci ira beaucoup mieux, l'infirmière devra procéder à l'enseignement en vue du congé. De quels sujets devrait-elle traiter?

Voir l'appendice A: Exercices d'intégration – Pistes de réflexion.

SCHÉMA DU PLAN DE SOINS ET DE TRAITEMENTS INFIRMIERS

Dégagement inefficace des voies respiratoires

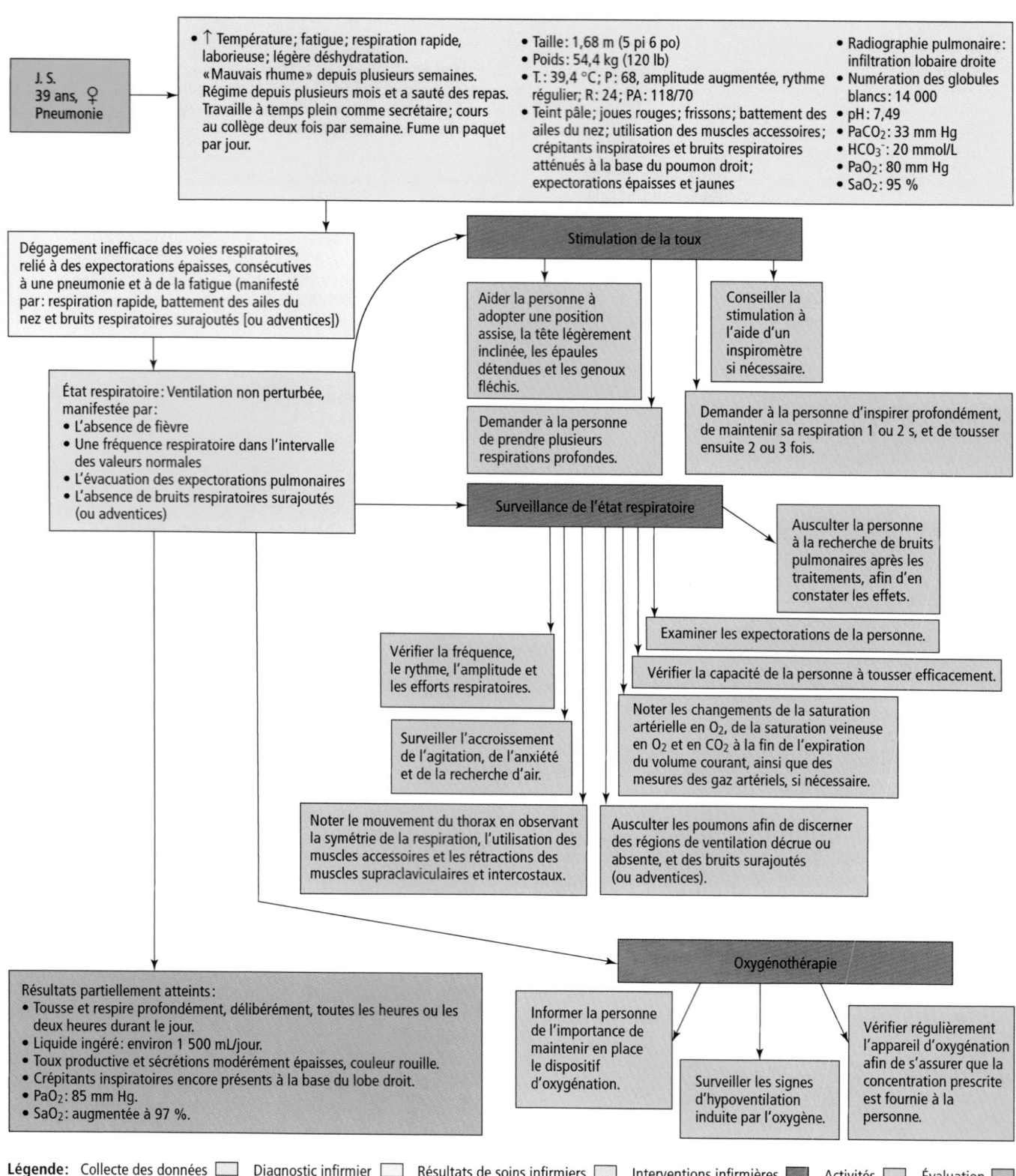

J. S.
39 ans, ♀
Pneumonie

- ↑ Température; fatigue; respiration rapide, laborieuse; légère déshydratation. «Mauvais rhume» depuis plusieurs semaines. Régime depuis plusieurs mois et a sauté des repas. Travaille à temps plein comme secrétaire; cours au collège deux fois par semaine. Fume un paquet par jour.

- Taille: 1,68 m (5 pi 6 po)
- Poids: 54,4 kg (120 lb)
- T.: 39,4 °C; P: 68, amplitude augmentée, rythme régulier; R: 24; PA: 118/70
- Teint pâle; joues rouges; frissons; battement des ailes du nez; utilisation des muscles accessoires; crépitants inspiratoires et bruits respiratoires atténués à la base du poumon droit; expectorations épaisses et jaunes

- Radiographie pulmonaire: infiltration lobaire droite
- Numération des globules blancs: 14 000
- pH: 7,49
- $PaCO_2$: 33 mm Hg
- HCO_3^-: 20 mmol/L
- PaO_2: 80 mm Hg
- SaO_2: 95 %

Dégagement inefficace des voies respiratoires, relié à des expectorations épaisses, consécutives à une pneumonie et à de la fatigue (manifesté par: respiration rapide, battement des ailes du nez et bruits respiratoires surajoutés [ou adventices])

État respiratoire: Ventilation non perturbée, manifestée par:
- L'absence de fièvre
- Une fréquence respiratoire dans l'intervalle des valeurs normales
- L'évacuation des expectorations pulmonaires
- L'absence de bruits respiratoires surajoutés (ou adventices)

Stimulation de la toux

Aider la personne à adopter une position assise, la tête légèrement inclinée, les épaules détendues et les genoux fléchis.

Conseiller la stimulation à l'aide d'un inspiromètre si nécessaire.

Demander à la personne de prendre plusieurs respirations profondes.

Demander à la personne d'inspirer profondément, de maintenir sa respiration 1 ou 2 s, et de tousser ensuite 2 ou 3 fois.

Surveillance de l'état respiratoire

Ausculter la personne à la recherche de bruits pulmonaires après les traitements, afin d'en constater les effets.

Examiner les expectorations de la personne.

Vérifier la fréquence, le rythme, l'amplitude et les efforts respiratoires.

Vérifier la capacité de la personne à tousser efficacement.

Surveiller l'accroissement de l'agitation, de l'anxiété et de la recherche d'air.

Noter les changements de la saturation artérielle en O_2, de la saturation veineuse en O_2 et en CO_2 à la fin de l'expiration du volume courant, ainsi que des mesures des gaz artériels, si nécessaire.

Noter le mouvement du thorax en observant la symétrie de la respiration, l'utilisation des muscles accessoires et les rétractions des muscles supraclaviculaires et intercostaux.

Ausculter les poumons afin de discerner des régions de ventilation décrue ou absente, et des bruits surajoutés (ou adventices).

Oxygénothérapie

Résultats partiellement atteints:
- Tousse et respire profondément, délibérément, toutes les heures ou les deux heures durant le jour.
- Liquide ingéré: environ 1 500 mL/jour.
- Toux productive et sécrétions modérément épaisses, couleur rouille.
- Crépitants inspiratoires encore présents à la base du lobe droit.
- PaO_2: 85 mm Hg.
- SaO_2: augmentée à 97 %.

Informer la personne de l'importance de maintenir en place le dispositif d'oxygénation.

Surveiller les signes d'hypoventilation induite par l'oxygène.

Vérifier régulièrement l'appareil d'oxygénation afin de s'assurer que la concentration prescrite est fournie à la personne.

Légende: Collecte des données ☐ Diagnostic infirmier ☐ Résultats de soins infirmiers ☐ Interventions infirmières ■ Activités ☐ Évaluation ☐

RÉVISION DU CHAPITRE

Concepts clés

- La respiration est le processus par lequel se font les échanges gazeux entre un individu et l'environnement.

- Le système respiratoire assure l'efficacité de la respiration grâce à la ventilation pulmonaire (le mouvement de l'air entre l'atmosphère et les poumons) et à la diffusion d'oxygène et de gaz carbonique à travers la membrane alvéolocapillaire.

- Les points de contact entre les parois des alvéoles et des capillaires qui les entourent forment la membrane alvéolo-capillaire, à travers laquelle se produisent les échanges gazeux entre les poumons et le sang.

- Les éléments suivants sont essentiels à une ventilation pulmonaire adéquate : le dégagement des voies respira-toires ; l'intégrité du système nerveux central, du centre respiratoire, de la cage thoracique et de la musculature du thorax ; une compliance (étirement) pulmonaire et une rétraction élastique adéquates.

- Les échanges gazeux se produisent par diffusion : les molécules de gaz se déplacent d'une zone où la concentra-tion a une valeur donnée vers une zone où la concentration est plus faible. L'oxygène passe des alvéoles dans le sang, à travers la membrane alvéolocapillaire, tandis que le gaz carbonique passe du sang aux alvéoles.

- La plus grande partie de l'oxygène (98,5 %) est transporté vers les tissus après avoir formé une liaison plus ou moins solide avec l'hémoglobine des globules rouges. L'anémie, caractérisée par un nombre insuffisant de globules rouges ou un taux trop faible d'hémoglobine, perturbe le transport de l'oxygène.

- La fréquence respiratoire est normalement maximale chez les nouveau-nés ; elle diminue graduellement chez les enfants et les adolescents, jusqu'à ce qu'elle atteigne la valeur normale chez les adultes.

- Le vieillissement affecte le système respiratoire : la paroi thoracique devient plus rigide, et les poumons perdent de leur élasticité.

- Les autres facteurs influant sur l'oxygénation comprennent l'environnement, le mode de vie, l'état de santé, la con-sommation d'analgésiques opioïdes, le stress et la capacité d'adaptation.

- L'hypoxie, ou déficit d'oxygène dans les tissus, est due notamment à la perturbation de la ventilation (hypoventi-lation) ou de la diffusion, ou à un transport insuffisant d'oxygène vers les tissus, causé par de l'anémie ou une diminution de la fréquence cardiaque.

- La respiration normale est silencieuse et aisée ; les modes de respiration perturbée comprennent la tachypnée, la bradypnée, l'hyperventilation, l'hypoventilation et la dyspnée. L'essoufflement correspond à la sensation de « manquer d'air ».

- L'obstruction des voies respiratoires nuit à la ventilation. Un ronflement grave, un stridor ou des bruits respiratoires anormaux accompagnent généralement l'obstruction partielle des voies respiratoires. Un effort inspiratoire extrême, en l'absence de mouvement du thorax, indique une obstruction complète des voies respiratoires supérieures.

- L'anamnèse comprend des questions sur les problèmes respiratoires actuels ou passés, le mode de vie, la présence de symptômes comme la toux ou l'essoufflement, la consommation de tabac et d'autres facteurs de risque, et la médication.

- L'examen physique devrait comprendre un examen général, de même qu'un examen spécifique du système respiratoire.

- Les examens paracliniques destinés à évaluer l'oxygéna-tion comprennent : l'analyse des expectorations et des prélèvements de gorge ; des analyses sanguines, comme celle des gaz sanguins veineux et artériels ; les tests de fonction respiratoire et le débit de pointe ; la radiographie, la scintigraphie pulmonaire, la laryngoscopie et la bron-choscopie.

- Voici quelques diagnostics infirmiers qu'on peut poser chez les personnes présentant des problèmes d'oxygéna-tion : *Dégagement inefficace des voies respiratoires, Mode de respiration inefficace, Échanges gazeux perturbés* et *Intolérance à l'activité*. Ces problèmes peuvent constituer l'étiologie de plusieurs autres diagnostics infirmiers, tels : *Anxiété, Fatigue, Peur, Sentiment d'impuissance, Habitudes de sommeil perturbées* et *Isolement social*.

- Lors de la planification du congé ou des soins à domicile, l'infirmière évalue les capacités de la personne en matière de soins personnels, le besoin d'aides techniques, le domi-cile, le respect de la médication et le niveau de connais-sances. Elle évalue également la capacité de la famille et des proches aidants à fournir l'aide et le soutien financier requis, et à s'adapter aux changements nécessaires. Elle évalue enfin les facteurs communautaires, tels l'environ-nement et les ressources.

- L'infirmière enseigne à la personne les activités à effectuer à domicile pour maintenir les voies respiratoires dégagées et des échanges gazeux adéquats, et favoriser un mode de respiration sain. Elle lui fournit également des informa-tions sur les modifications à apporter au régime alimen-taire, les médicaments prescrits et les procédés particuliers. Enfin, elle l'oriente au besoin vers des organismes com-munautaires.

- Les interventions infirmières visant à favoriser l'oxygéna-tion comprennent : la promotion de la santé du système respiratoire et du système cardiovasculaire ; l'incitation à respirer profondément, à tousser et à s'hydrater ; l'adminis-tration de médicaments ; l'application de mesures visant à éliminer les sécrétions (l'emploi de l'inspiromètre d'incitation, la percussion, la vibration et le drainage postural, par exemple) ; l'application et la surveillance de l'oxygénothérapie ; l'application de procédés destinés à maintenir les voies respiratoires dégagées (l'installation

RÉVISION DU CHAPITRE (SUITE)

Concepts clés (suite)

d'une canule et l'aspiration des sécrétions, par exemple) ou l'assistance lors de tels procédés ; les soins relatifs à une trachéostomie ; la surveillance d'un système de drainage thoracique.

■ L'évaluation des interventions infirmières s'effectue en fonction des objectifs et des résultats escomptés, déterminés lors de l'étape de la planification dans la démarche systématique. Si un objectif n'a pas été atteint, l'infirmière doit se poser des questions pertinentes pour en découvrir les raisons.

Questions de révision

48-1. Le pourtour des lèvres d'une personne atteinte d'une BPCO est de couleur bleuâtre. Dans ce cas, l'observation la plus précise est :
a) hypoxie.
b) hypoxémie.
c) dyspnée.
d) cyanose.

48-2. L'infirmière doit aider une personne à effectuer des exercices de toux et de respiration profonde pour prévenir des complications postopératoires. La meilleure façon de procéder est de planifier :
a) des exercices de toux une heure avant les repas et des exercices de respiration profonde une heure après les repas.
b) des exercices de toux contrôlée aussi souvent que la personne le tolère.
c) des exercices de toux avec expiration prolongée toutes les deux heures ou au besoin.
d) de 5 à 10 respirations diaphragmatiques avec les lèvres pincées quatre fois par jour.

48-3. Une personne souffrant d'une BPCO a besoin d'oxygène d'appoint. L'infirmière prévoit qu'on peut sans danger lui administrer de l'oxygène :
a) à un débit de 2 L/min au moyen de lunettes nasales.
b) à un débit de 6 L/min au moyen d'un masque facial.
c) à un débit de 8 L/min au moyen d'un masque de réinspiration partielle.

d) à un débit de 10 L/min au moyen d'un masque sans réinspiration.

48-4. Laquelle des directives suivantes correspond à une technique appropriée d'aspiration des sécrétions d'une canule nasopharyngée ?
a) Lubrifier le cathéter d'aspiration avec de la vaseline avant la première insertion et entre deux insertions successives.
b) Aspirer de façon intermittente pendant l'insertion du cathéter d'aspiration.
c) Faire tourner le cathéter pendant l'aspiration.
d) Hyperoxygéner la personne avec de l'oxygène à 100 % pendant 30 minutes avant et après le procédé d'aspiration.

48-5. Laquelle des affirmations suivantes indique que la personne a bien compris comment utiliser un inspiromètre d'incitation ?
a) « Je dois expirer dans l'appareil, le plus rapidement et le plus fort possible. »
b) « Je dois inspirer lentement de façon constante pour garder les billes en haut. »
c) « Je dois utiliser l'appareil trois fois par jour, après les repas. »
d) « Je dois laver l'appareil à fond, avec de l'eau savonneuse, une fois par semaine. »

Voir l'appendice B : Réponses aux questions de révision.

BIBLIOGRAPHIE

En anglais

American Association for Respiratory Care. (1999). AARC clinical practice guideline : Suctioning of the patient in the home. *Respiratory Care, 44*(1), 99–104.

Anonymous. (2000). Information from your doctor : Using oxygen at home. *Patient Care, 34*(10), 74.

Belza, B., Steele, B. G., Hunziker, J., Lakshminaryan, S., Holt, L., & Buchner, D. M. (2001). Correlates of physical activity in chronic obstructive pulmonary disease. *Nursing Research, 50,* 195–202.

Bindler, R. C., & Ball, J. W. (2003). *Clinical skills manual for pediatric nursing : Caring for*

children (3rd ed.). Upper Saddle River, NJ : Prentice Hall Health.

Carroll, P. (1998). Closing in on safer suctioning. *RN, 61*(5), 22–26.

Carroll, P. (2002). A guide to mobile chest drains. *RN, 65*(5), 56–60, 65.

Day, T., Franell, S., & Wilson-Barnett, J. (2002). Suctioning : A review of current research recommendations. *Intensive and Critical Care Nursing, 18*(2), 79–89.

Fink, J. B., & Hunt, G. E. (1999). *Clinical practice in respiratory care.* Philadelphia : Lippincott Williams & Wilkins.

Goodfellow, L. T., & Jones, M. (2002). Bronchial hygiene therapy. *American Journal of Nursing, 102*(1), 37–43.

Griggs, A. (1999). Tracheostomy : Suctioning and humidification. *Emergency Nurse, 6*(9), 33–40.

Harman, R. (1999). Management of COPD with oxygen therapy at home. *Community Nurse, 5*(7), 25–26.

Hess, D. R. (1999). Managing the artificial airway. *Respiratory Care, 44,* 759–776.

Humphrey, C. J. (1998). *Home care nursing handbook* (3rd ed.). Gaithersburg, MD : Aspen.

Johnson, M., Maas, M., & Moorhead, S. (Eds.). (2000). *Nursing outcomes classification (NOC)* (2nd ed.). St. Louis, MO : Mosby.

Kinloch, D. (1999). Instillation of normal saline during endotracheal suctioning : Effects on mixed venous oxygen saturation. *American Journal of Critical Care, 8,* 231–242.

Lazzara, D. (2002). Eliminate the air of mystery from chest tubes. *Nursing, 32*(6), 36–43.

Little, C. (2000). Manual ventilation. *Nursing, 30*(3), 50–51.

Little, K. (1998). As needed in line suction catheter changes were as safe as and less expensive than daily scheduled catheter changes during mechanical ventilation. *Evidence Based Nursing, 1*(3), 82.

McCloskey, J. C., & Bulechek, G. M. (Eds.). (2000). *Nursing interventions classification (NIC)* (3rd ed.). St. Louis, MO: Mosby.

McConnell, E. A. (2000). Dos & don'ts: Suctioning a tracheostomy tube. *Nursing, 30*(1), 80.

McConnell, E. A. (2002). Dos & don'ts: Providing tracheostomy care. *Nursing, 32*(1), 17.

NANDA International. (2003). *NANDA Nursing diagnoses: Definitions and classification 2003-2004.* Philadelphia: Author.

Paul-Allen J., & Ostrow, C. L. (2000). Survey of nursing practices with closed-system suctioning. *American Journal of Critical Care, 9*(1), 9–17.

Perkins, L. A., & Shortall, S. P. (2000). Ventilation without intubation. *RN, 63*(1), 34–38.

Pope, B. B. (2002). Asthma. *Nursing, 32*(5), 44–45.

Schreiber, D. (2001). Trach care at home. *RN, 64*(7), 43–36.

Schultz, T. R. (2000). Airing differences in pediatric nebulizer therapy. *Nursing, 30*(9), 55–57.

Seay, S. J., Gay, S. L., & Strauss, M. (2002). Tracheostomy emergencies. *American Journal of Nursing, 102*(3), 59, 61, 63.

En français

Association nord-américaine pour le diagnostic infirmier (ANADI). (2004). *Diagnostics infirmiers. Définitions et classification 2003-2004*, Paris: Masson.

Association pulmonaire du Canada. (2004). *Maîtrise de l'asthme*, (page consultée le 16 septembre 2004), [en ligne], <http://www.poumon.ca/asthme/manage/peakflow.html>.

Ball, J. et Bindler, R. (2003). *Soins infirmiers en pédiatrie*, Saint-Laurent: Éditions du Renouveau Pédagogique.

Belleau, R., Bérubé, C., Fournier, M. C., Bellavance, J. C. et Leclère, H. (1999). *Apprendre à vivre avec la bronchite chronique ou l'emphysème pulmonaire*, Saint-Nicolas: Presses de l'Université Laval.

Carpenito, L. J. (2003). *Manuel de diagnostics infirmiers*, traduction de la 9ᵉ édition, Saint-Laurent: Éditions du Renouveau Pédagogique.

Gagné, L., Pépin, J. et Michaud, C. (2000). Les crises de dyspnée à domicile: l'expérience de couples, *L'infirmière du Québec, 7*(6), 20-30.

Gélinas, C. (2004). Prévenir la dépression respiratoire liée à certains médicaments, *Perspective infirmière, 2*(2), 23-27.

Godard, P., Pujol, J. L., Chanez, P. et Michel, F.B., sous la direction de Perlemuter, L., Quevauvilliers, J., Perlemuter, G., Amar, B. et Aubert, L. (2002). *Soins infirmiers aux personnes atteintes d'affections respiratoires*, 3ᵉ éd., Nouveaux cahiers de l'infirmière, Paris: Masson.

Johnson, M. et Maas, M. (dir.). (1999). *Classification des résultats de soins infirmiers CRSI/NOC*, Paris: Masson.

Mallay, D. (dir.). (1999). *Modulo pratique: Pneumologie*, Paris: Estem.

McCloskey, J. C. et Bulechek, G. M. (dir.). (2000). *Classification des interventions de soins infirmiers CISI/NIC*, 2ᵉ éd., Paris: Masson.

Pagana, K. D. et Pagana, T. J. (2000). *L'infirmière et les examens paracliniques*, 5ᵉ éd., Saint-Hyacinthe: Edisem/Maloine.

Roberge, D., Fournier, M., Michaud, C. et Pépin, J. (2003). La qualité des soins: qu'en pensent les personnes atteintes d'une MPOC?, *L'infirmière du Québec, 10*(5), 14-26.

Similowski, T., Muir, J. F. et Derenne, J. P. (1999). *Les bronchopneumopathies chroniques obstructives*, Paris: John Libbey eurotext.

Tortora, G. J. et Grabowski, S. R. (2001). *Principes d'anatomie et de physiologie*, Saint-Laurent: Éditions du Renouveau Pédagogique.

Voyer, P., Cloutier, L. et Michaud, D. (2003). Les infections des voies respiratoires: un problème critique chez les aînés l'hiver, *Perspective infirmière, 1*(1), 45-50

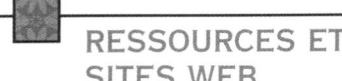

RESSOURCES ET SITES WEB

Association pulmonaire du Canada
http://www.poumon.ca/

Association pulmonaire du Québec
http://www.pq.poumon.ca/

Après avoir étudié ce chapitre, vous pourrez :

- Décrire la fonction cardiovasculaire.

- Reconnaître les principaux facteurs de risque d'apparition des coronaropathies.

- Reconnaître d'autres facteurs influant sur la fonction cardiovasculaire.

- Discuter des facteurs déterminants de la fonction cardiovasculaire.

- Discuter des manifestations de certaines affections de la fonction cardiovasculaire et des réponses physiologiques à ces affections.

- Décrire les trois principales anomalies de la fonction cardiovasculaire.

- Déterminer et décrire les interventions infirmières favorisant la circulation sanguine.

- Décrire l'importance de la réanimation cardiorespiratoire.

CIRCULATION

Adaptation française :
Sophie Longpré, inf., M.Sc.
Professeure, Département des sciences infirmières
Université du Québec à Trois-Rivières

L a fonction cardiovasculaire assure la circulation du sang, qui transporte l'oxygène, les liquides, les électrolytes et les produits du métabolisme en provenance ou en direction des tissus.

Physiologie de la fonction cardiovasculaire

La fonction respiratoire et la fonction cardiovasculaire sont intimement liées et dépendent l'une de l'autre en ce qui concerne l'apport de l'oxygène aux tissus de l'organisme. Des anomalies dans le fonctionnement de l'une de ces deux fonctions risquent de nuire à l'autre et de conduire à l'**hypoxie** des tissus, c'est-à-dire à une diminution de l'apport d'oxygène.

Le cœur et les vaisseaux sanguins constituent la fonction cardiovasculaire. Avec le sang, celle-ci forme le plus important système de transport de l'organisme, apportant de l'oxygène et des nutriments aux cellules et véhiculant une partie des déchets à éliminer. Le cœur est la pompe du système ; il propulse le sang dans les vaisseaux.

Cœur

Le cœur est un organe creux de forme conique de la grosseur d'un poing. Situé dans le médiastin, entre les poumons et en dessous du sternum, il est entouré par une double membrane fibreuse appelée **péricarde**. Le péricarde fibreux protège le cœur et le maintient en place dans le médiastin, tout en lui permettant une liberté de mouvement suffisante pour se contracter vigoureusement. Sous le péricarde fibreux s'étend le péricarde séreux, constitué d'une membrane plus mince formée de deux feuillets. Le feuillet externe, adhérant au péricarde fibreux, se nomme feuillet pariétal du péricarde séreux. Le feuillet interne, qui porte le nom de feuillet viscéral du péricarde séreux ou **épicarde**, adhère fermement à la surface du cœur. L'espace entre ces deux feuillets se nomme cavité péricardique et contient quelques millilitres de liquide péricardique. Constituant la première tunique du cœur, l'épicarde entoure deux autres tuniques : le **myocarde** et l'**endocarde**. Composé de cellules musculaires, le myocarde forme la masse essentielle du cœur et il en assure les contractions. Quant à l'endocarde, il tapisse l'intérieur des cavités du cœur et des gros vaisseaux (figure 49-1 ■).

Le cœur est formé de quatre cavités internes : les deux **oreillettes**, dans sa partie supérieure, et les deux **ventricules**, situés dans sa partie inférieure. Ces cavités sont séparées longitudinalement par une cloison, constituée du **septum interauriculaire** et du **septum interventriculaire**, ce qui forme deux pompes parallèles (figure 49-2 ■).

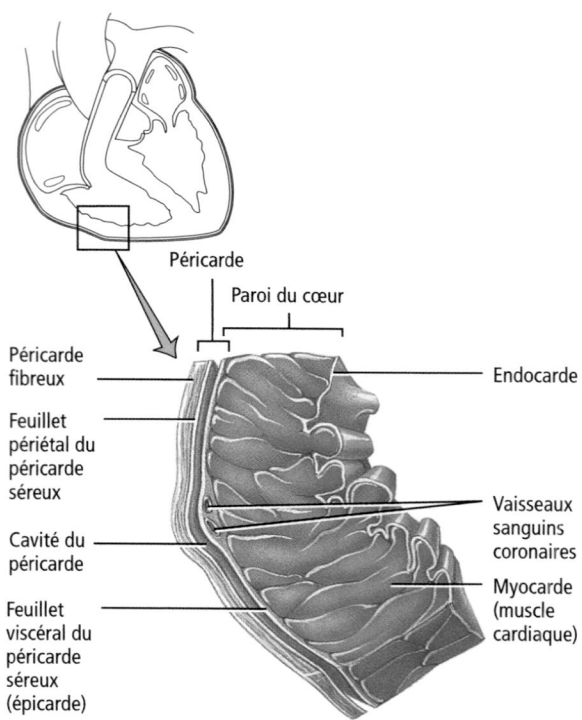

Péricarde

Paroi du cœur

Péricarde fibreux

Endocarde

Feuillet pariétal du péricarde séreux

Cavité du péricarde

Vaisseaux sanguins coronaires

Feuillet viscéral du péricarde séreux (épicarde)

Myocarde (muscle cardiaque)

FIGURE **49-1** ■ Tuniques de la paroi du cœur : épicarde, myocarde et endocarde. (Source : *Principles of Anatomy and Physiology*, 9e éd., (p. 639), de G. J. Tortora et S. R. Grabowski, © 2000. Reproduit avec l'autorisation de John Wiley & Sons.)

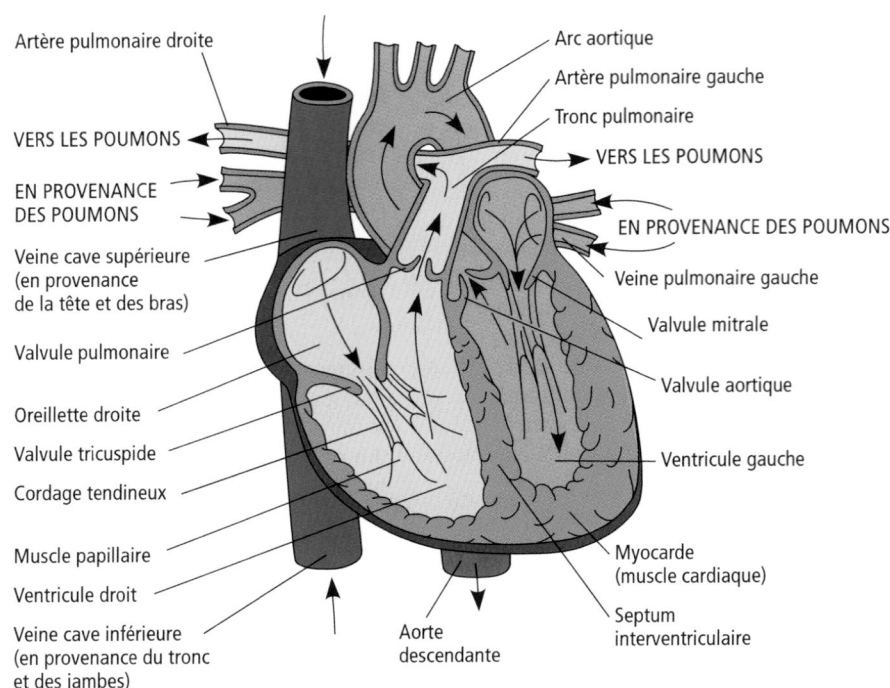

Artère pulmonaire droite

VERS LES POUMONS

EN PROVENANCE
DES POUMONS

Veine cave supérieure
(en provenance
de la tête et des bras)

Valvule pulmonaire

Oreillette droite

Valvule tricuspide

Cordage tendineux

Muscle papillaire

Ventricule droit

Veine cave inférieure
(en provenance du tronc
et des jambes)

Arc aortique

Artère pulmonaire gauche

Tronc pulmonaire

VERS LES POUMONS

EN PROVENANCE DES POUMONS

Veine pulmonaire gauche

Valvule mitrale

Valvule aortique

Ventricule gauche

Myocarde
(muscle cardiaque)

Septum
interventriculaire

Aorte
descendante

FIGURE 49-2 ■ Structures du cœur. Le diagramme montre la circulation du sang à travers les veines caves, l'oreillette droite, la valvule tricuspide, le ventricule droit, la valvule pulmonaire, les artères pulmonaires, les veines pulmonaires, l'oreillette gauche, la valvule mitrale, le ventricule gauche, la valvule aortique et l'aorte.

Les oreillettes et les ventricules sont séparés les uns des autres par les **valvules auriculoventriculaires** ; la valvule auriculoventriculaire droite est appelée valvule tricuspide, et la valvule auriculoventriculaire gauche porte le nom de valvule mitrale ou bicuspide. Les valvules sont nommées en fonction du côté du cœur où elles se trouvent ou du nombre de cuspides qui les composent. Par ailleurs, des **valvules semi-lunaires**, ainsi nommées en raison de leur forme en croissant de lune, sont situées à la base du tronc pulmonaire (valvule pulmonaire) et de l'aorte (valvule aortique) ; elles empêchent le sang de refluer dans les ventricules.

Le sang désoxygéné en provenance des veines entre dans l'oreillette droite par les veines caves supérieure et inférieure. Il passe alors dans le ventricule droit, qui le propulse dans l'artère pulmonaire jusqu'aux poumons, où s'effectue l'échange gazeux dans les capillaires de la membrane alvéolaire. Le sang oxygéné retourne ensuite à l'oreillette gauche en passant par les veines pulmonaires, avant de se diriger dans le ventricule gauche et d'être propulsé dans la circulation systémique par l'aorte.

CIRCULATION CORONARIENNE

Le muscle cardiaque pompe le sang vers les poumons et les tissus périphériques, mais l'oxygène et les nutriments dont il a besoin ne proviennent pas du sang qui se trouve dans ses cavités. Le cœur est plutôt alimenté par un réseau de vaisseaux appelé circulation coronarienne ou, plus couramment, **artères coronaires**. Les artères coronaires prennent naissance à la base de l'aorte pour ensuite encercler le myocarde et pénétrer dans toute la paroi myocardique. Les artères coronaires se remplissent lorsque le cœur se relâche (diastole), apportant du sang oxygéné

au myocarde (figure 49-3 ■). Si des plaques d'arthérome ou un caillot bloquent ces artères, une partie du myocarde se trouve privée partiellement ou totalement d'oxygène. La personne peut alors ressentir des douleurs à la poitrine (angine) ou subir un infarctus du myocarde (crise cardiaque). Les veines du cœur drainent le sang désoxygéné du myocarde vers le sinus coronaire qui se déverse dans l'oreillette droite.

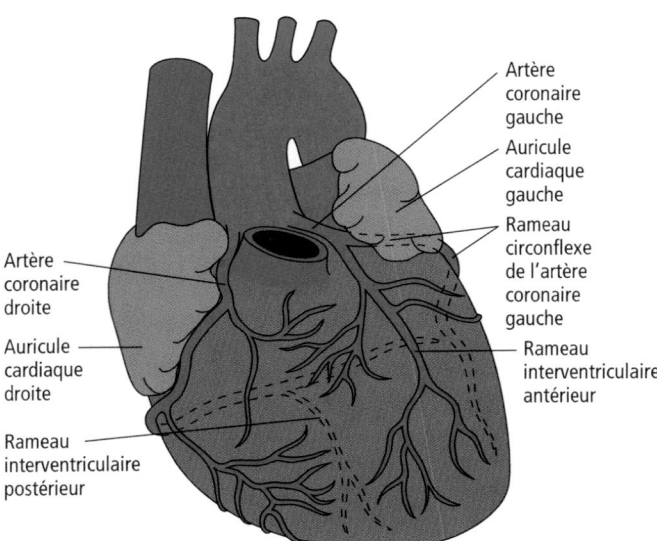

Artère
coronaire
gauche

Auricule
cardiaque
gauche

Rameau
circonflexe
de l'artère
coronaire
gauche

Rameau
interventriculaire
antérieur

Artère
coronaire
droite

Auricule
cardiaque
droite

Rameau
interventriculaire
postérieur

FIGURE 49-3 ■ Les artères coronaires apportent du sang oxygéné au muscle cardiaque.

CYCLE CARDIAQUE

À chaque battement, le myocarde effectue un cycle de contraction (*systole*) et de relaxation (*diastole*). La **systole** est la contraction du muscle cardiaque au cours de laquelle le cœur éjecte du sang dans la circulation pulmonaire et systémique. La **diastole** est le moment où les ventricules se relâchent, se dilatent et se remplissent ainsi de sang. La phase diastolique du cycle cardiaque est deux fois plus longue que la phase systolique. Cette phase est importante, car la diastole (ou remplissage ventriculaire) est un processus surtout passif. En étant plus longue, la phase diastolique permet le remplissage. Les oreillettes se contractent (systole auriculaire) à la fin de la phase diastolique, ce qui envoie un volume de sang additionnel dans les ventricules. Ce volume est aussi appelé « *kick* » *auriculaire*. Le tableau 49-1 fait le lien entre les phases du cycle cardiaque et les bruits normaux du cœur.

TABLEAU 49-1	
Cycle cardiaque et bruits du cœur	
Bruit	**Phase du cycle cardiaque**
B₁ – premier bruit	Début de la systole ventriculaire : le bruit est provoqué par la fermeture des valvules auriculoventriculaires – la valvule tricuspide et la valvule mitrale.
B₂ – deuxième bruit	Début de la diastole ventriculaire : le bruit provient de la fermeture des valvules semi-lunaires – la valvule aortique et la valvule pulmonaire.

SYSTÈME DE CONDUCTION DU CŒUR

La contraction du muscle cardiaque est un processus mécanique qui se produit en réaction à une stimulation électrique émise par le cœur lui-même. Le muscle cardiaque est unique en cela, car il peut produire une impulsion électrique et se contracter sans l'intervention du système nerveux, contrairement aux muscles squelettiques. Cette propriété particulière du cœur est appelée automaticité. Elle est assurée par un réseau de fibres musculaires cardiaques spécialisées, qui forme le système de conduction du cœur et coordonne l'activité électrique et la contraction du cœur.

Le principal stimulateur du cœur, ou **centre d'automatisme primaire**, est le **nœud sinusal**, situé à l'endroit où la veine cave supérieure pénètre dans l'oreillette droite. Le nœud sinusal produit des potentiels d'action qui se transmettent à travers le cœur et qui entraînent les contractions auriculaire et ventriculaire. Chez l'adulte, ce centre de stimulation électrique produit, à un rythme régulier, entre 60 et 100 potentiels d'action par minute, la fréquence cardiaque « normale ». Le potentiel d'action se propage ensuite à travers les oreillettes en passant par le réseau de fibres musculaires interauriculaires qui convergent vers le **nœud auriculoventriculaire**, qui retarde légèrement la transmission du potentiel d'action aux ventricules. Ce délai permet aux oreillettes de finir de se contracter tout juste avant

le début de la contraction ventriculaire. À partir du nœud auriculoventriculaire, le potentiel d'action descend à travers le **faisceau auriculoventriculaire (faisceau de His)**. Il pénètre ensuite dans les branches droite et gauche du faisceau auriculoventriculaire qui parcourt le septum interventriculaire, puis il atteint les **fibres de conduction cardiaque (fibres de Purkinje)**. Ces fibres conduisent le potentiel d'action au muscle ventriculaire et en provoquent la contraction (figure 49-4 ▪).

DÉBIT CARDIAQUE

Lorsque les ventricules se contractent durant la systole, ils éjectent le sang qu'ils contiennent et le projettent dans les gros vaisseaux de la circulation systémique et pulmonaire. Ensuite, le muscle cardiaque se relâche et entre dans la phase diastolique. Au cours de cette phase, les ventricules se remplissent et le muscle cardiaque est irrigué. La séquence constituée par cette contraction et cette relaxation du cœur se nomme *cycle cardiaque* ou *battement cardiaque*. Provoqué par les potentiels d'action induits par le nœud sinusal, ce cycle se répète de 60 à 100 fois par minute chez l'adulte. Le nombre de battements par minute se nomme **fréquence cardiaque (FC)**.

À chaque contraction, un certain volume de sang, ou volume systolique, est éjecté des ventricules vers la circulation. Chez l'adulte, le volume d'éjection systolique moyen est de l'ordre de 70 mL par battement. Le **débit cardiaque (DC)** représente le volume de sang éjecté des ventricules en une minute. Le débit cardiaque se calcule en multipliant le **volume systolique (VS)**, le volume de sang éjecté à chaque contraction, par la fréquence cardiaque (FC) :

$$DC \ (mL/min) = VS \ (mL/battement) \times FC \ (battements/min)$$

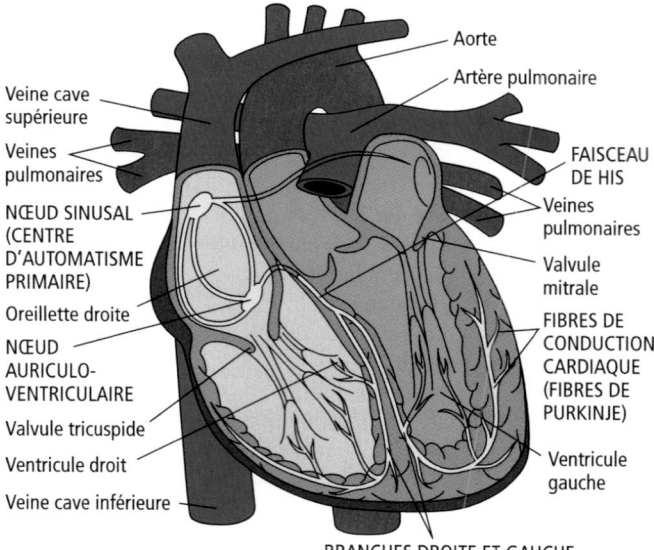

FIGURE **49-4** ▪ Système de conduction du cœur. Le potentiel d'action est induit par le nœud sinusal ; il se dirige ensuite vers le nœud auriculoventriculaire, puis vers le faisceau auriculoventriculaire (faisceau de His, branches gauche et droite), pour enfin atteindre les fibres de Purkinje.

Le débit cardiaque est un indicateur important du bon fonctionnement de la pompe cardiaque. Si le débit cardiaque est faible, l'irrigation des tissus en souffre et l'oxygène et les nutriments n'atteignent pas les cellules adéquatement.

Les facteurs énumérés ci-dessous influent sur le débit cardiaque.

Fréquence cardiaque. Une augmentation de la fréquence cardiaque accroît le débit cardiaque bien que le volume systolique reste le même. Inversement, le débit cardiaque diminue lorsque la fréquence cardiaque chute tandis que le volume systolique demeure constant. Il y a cependant des limites physiologiques à ces variations. Par exemple, une fréquence cardiaque très rapide, supérieure à 150 battements par minute, peut ne pas laisser suffisamment de temps aux ventricules pour se remplir, ce qui provoque une diminution du volume d'éjection. Il s'ensuit donc, éventuellement, une baisse du débit cardiaque. Par ailleurs, la fréquence cardiaque dépend elle-même de plusieurs facteurs, tels l'activité du système nerveux autonome, la pression artérielle, les hormones comme les hormones thyroïdiennes et certains médicaments.

Précharge. La **précharge** est le degré d'étirement des fibres musculaires des ventricules à la fin de la période de relaxation (diastole), juste avant leur contraction. La précharge dépend largement de la quantité de sang qui revient au cœur en provenance de la circulation veineuse : une augmentation du volume de sang dans les ventricules provoque un plus grand étirement des fibres musculaires cardiaques, ce qui leur permet de se contracter plus fortement. Ce phénomène physiologique est appelé loi de Starling. La longueur des fibres musculaires des ventricules (étirées) à la fin de la diastole influe directement sur la puissance de la contraction. Par exemple, l'exercice augmentant le retour veineux et la quantité de sang dans les ventricules avant la contraction, le cœur se contracte avec plus de force, entraînant une augmentation du volume systolique et du débit cardiaque durant l'exercice.

Contractilité. La **contractilité** est la capacité qu'ont les fibres musculaires cardiaques de se raccourcir ou de se contracter d'elles-mêmes. Si la contractilité est faible, le volume systolique diminue et le débit cardiaque aussi. La contractilité est également influencée par le système nerveux autonome et certaines substances. Les substances qui agissent sur la contractilité sont appelées agents inotropes. Les agents inotropes positifs stimulent la contractilité et les agents inotropes inhibiteurs la diminuent.

Postcharge. La **postcharge** est la résistance à laquelle le cœur doit s'opposer pour propulser le sang dans la circulation. Le sang passe d'un endroit où la pression est haute vers un endroit où la pression est plus basse. Pour propulser le sang dans le système circulatoire, les ventricules doivent produire une pression suffisamment forte pour vaincre la résistance vasculaire ou la pression dans les artères, nommée postcharge. Le ventricule droit pompe le sang dans la circulation pulmonaire. Ce système subissant une faible pression, la pression produite par le ventricule droit est relativement faible. Le ventricule gauche, au contraire, pompe le sang dans la circulation systémique. Comme la pression y est plus élevée, le ventricule gauche doit produire une plus forte pression, ce qui demande un plus grand effort. La vasoconstriction systémique augmente la pression artérielle

et la postcharge, ce qui accroît l'effort cardiaque. D'un autre côté, la vasodilatation réduit la pression artérielle et l'effort cardiaque.

Le tableau 49-2 résume les facteurs qui déterminent la fonction cardiaque.

Vaisseaux sanguins

À chaque battement cardiaque, le cœur propulse le sang dans un système fermé de vaisseaux sanguins. Ces vaisseaux transportent le sang vers les tissus puis le ramènent ensuite au cœur. Le cœur est la pompe de deux systèmes circulatoires : la circulation pulmonaire, où la pression est basse, et la circulation systémique, où la pression est plus haute.

Le sang désoxygéné en provenance du ventricule droit entre dans la circulation pulmonaire en passant par les artères pulmonaires. Ces artères se divisent en artères bronchiques qui suivent les bronches dans les poumons. Dans ces organes, elles se divisent pour former les artérioles et le dense réseau de capillaires qui entoure les alvéoles. En passant dans la paroi des alvéoles, le sang absorbe l'oxygène et rejette le gaz carbonique. Plus précisément, ces échanges gazeux s'effectuent dans la membrane alvéolocapillaire. Poursuivant sa trajectoire, le sang quitte les poumons et retourne dans le côté gauche du cœur en empruntant les veinules et les veines pulmonaires. Notez que le système vasculaire pulmonaire est la seule partie du système circulatoire (à part les vaisseaux ombilicaux de la circulation fœtale) où les artères (qui transportent le sang en provenance du cœur) contiennent du sang désoxygéné et où les veines (qui amènent le sang vers le cœur) transportent du sang oxygéné.

Le ventricule gauche du cœur pompe le sang oxygéné vers l'aorte. Le sang passe ensuite dans les artères principales qui se divisent à partir de l'aorte en artères de plus en plus petites, les artérioles, pour finalement constituer les fins lits capillaires des organes et des tissus. C'est dans ces lits capillaires que l'oxygène et les nutriments passent dans les tissus et que le

TABLEAU 49-2 **Facteurs déterminant la fonction cardiaque**	
Indicateur	**Définition**
Débit cardiaque (DC)	Volume de sang éjecté du cœur par minute : DC = VS × FC.
Volume systolique (VS)	Volume de sang éjecté du cœur à chaque battement.
Fréquence cardiaque (FC)	Nombre de battements par minute.
Contractilité	État inotropique du myocarde ; force de la contraction.
Précharge	Degré d'étirement du cœur avant qu'il ne se contracte : volume de sang qui entre dans les ventricules avant la diastole (volume télédiastolique).
Postcharge	Résistance à laquelle le cœur doit s'opposer.

sang se charge des déchets métaboliques. Le sang désoxygéné retourne ensuite au cœur en passant par une suite de veinules et de veines dont le diamètre devient de plus en plus large, et qui se déversent finalement dans les veines caves supérieure et inférieure.

À l'exception des capillaires, les parois des vaisseaux sanguins comportent trois enveloppes distinctes ou tuniques. L'enveloppe la plus profonde, la tunique interne ou intima, est un épithélium simple pavimenteux qui facilite l'écoulement du sang. La tunique moyenne est composée de fibres élastiques et de fibres musculaires innervées par le système nerveux autonome, ce qui permet aux vaisseaux de se contracter ou de se dilater en fonction des besoins de l'organisme. La tunique moyenne des artères est plus épaisse et plus musclée que celle des veines, une caractéristique qui contribue à maintenir la pression artérielle et une circulation constante vers les tissus. La tunique externe est composée d'une couche de fibres élastiques et de fibres collagènes qui supportent, protègent et fixent les vaisseaux aux tissus avoisinants. Les capillaires ne sont constitués que d'une seule et mince tunique interne (l'endothélium), ce qui permet aux gaz et aux molécules de se diffuser entre le sang et les tissus.

CIRCULATION ARTÉRIELLE

La circulation artérielle apporte aux tissus le sang pompé par le cœur, en maintenant un débit constant aux lits capillaires, malgré l'action intermittente du cœur.

Le *débit sanguin*, le volume de sang qui circule dans un vaisseau, un organe ou toute la circulation pour une période de temps donnée, est déterminé par des différences de pression et de résistance. Le sang circule toujours d'une zone de haute pression vers une zone où la pression est plus basse. Le débit sanguin sera d'autant plus grand que la différence de pression entre les deux zones est importante. La **pression artérielle (PA)** est la pression que le sang exerce sur la paroi des artères. (Voir le chapitre 33 🔗 pour une explication plus complète de la pression artérielle.) La **pression artérielle moyenne (PAM)** représente la pression qu'exerce le débit sanguin sur les tissus au cours du cycle cardiaque. C'est le produit du débit cardiaque (DC) multiplié par la **résistance périphérique (RP)**:

$$PAM = DC \times RP$$

La résistance s'oppose au débit; la résistance périphérique s'oppose donc au débit sanguin en direction des tissus. La RP est déterminée par:

- La viscosité (ou l'«épaisseur») du sang
- La longueur totale des vaisseaux sanguins
- Le rayon moyen des vaisseaux sanguins

RETOUR VEINEUX

À l'opposé de la pression du système artériel, qui est élevée, la pression veineuse est trop faible pour permettre au sang des tissus périphériques de retourner adéquatement vers le cœur. Les muscles squelettiques participent au retour veineux par un effet de pompe musculaire, car les contractions des muscles profonds entourant les veines contribuent à pousser le sang vers le cœur. Par ailleurs, les valvules des veines jouent un rôle déterminant dans cet effet de pompe, car une fois que le sang a franchi une valvule, cette dernière l'empêche de refluer et de

s'éloigner du cœur. Enfin, la pompe respiratoire participe également au retour veineux, en favorisant l'aspiration de sang en direction du cœur par suite des changements de pression dans la cage thoracique au cours de la respiration, particulièrement lors de la phase inspiratoire. La figure 49-5 ■ illustre les relations entre les artères et les veines, ainsi qu'avec la totalité du système circulatoire.

Sang

Le sang est le moyen de transport de la fonction cardiovasculaire, qui apporte aux cellules l'oxygène et les nutriments de l'environnement (en provenance des poumons et de l'appareil

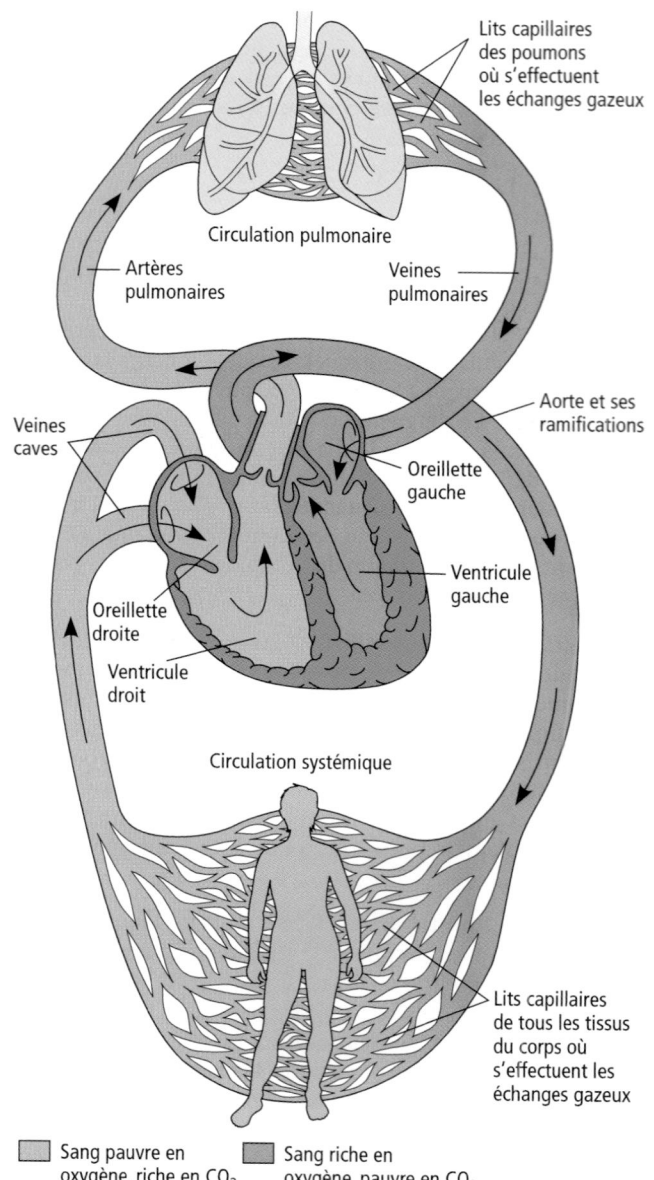

Sang pauvre en oxygène, riche en CO_2 Sang riche en oxygène, pauvre en CO_2

FIGURE **49-5** ■ Le cœur et les vaisseaux sanguins. Le côté gauche du cœur pompe le sang oxygéné dans les artères. Le sang désoxygéné retourne dans le côté droit du cœur en passant par le système veineux.

digestif). Le sang est un mélange complexe d'éléments figurés (les cellules sanguines) en suspension dans un liquide (le plasma). Ses fonctions principales sont :

- Le transport de l'oxygène, des nutriments et des hormones aux cellules et la collecte des déchets de l'organisme à éliminer

- La régulation de la température corporelle, du pH et du volume liquidien

- La prévention des infections et des pertes de sang

Comme on l'a vu au chapitre 48 , la plus grande partie de l'oxygène transporté est liée à l'hémoglobine. L'**hémoglobine** est un constituant majeur des globules rouges (les érythrocytes), qui prédominent largement dans le sang. L'oxygène se combine facilement à l'hémoglobine et il est libéré dans les tissus de l'organisme. Lorsque les quatre hèmes de la molécule d'hémoglobine sont combinés avec de l'oxygène, on dit qu'elle est *saturée*. Plusieurs facteurs influent sur la combinaison avec l'oxygène, notamment la pression partielle de l'oxygène (PO_2), la température, le pH et la pression partielle du gaz carbonique (PCO_2). Jusqu'à un certain point (environ 70 mm Hg), plus la PO_2 est élevée, plus l'affinité de l'hémoglobine pour l'oxygène est grande, et plus les molécules d'hémoglobine sont saturées. La relation entre la température, le pH et la PCO_2 est à l'opposé : une température plus élevée, une plus grande concentration en ions hydrogène (un pH plus bas) ou une PCO_2 plus élevée entraînent une diminution de l'affinité de l'hémoglobine pour l'oxygène ; il s'ensuit une libération des molécules d'oxygène fixées sur l'hémoglobine. En raison du rôle capital de l'hémoglobine dans le transport de l'oxygène, l'anémie (causée par un manque d'érythrocytes, le manque d'hémoglobine ou des molécules d'hémoglobine anormales) nuit au transport de l'oxygène vers les tissus, ce qui cause de la fatigue et de l'intolérance à l'activité.

Modifications de la fonction cardiovasculaire de la naissance à l'âge adulte

À la naissance, la fonction cardiovasculaire subit d'importantes modifications. Au fur et à mesure que les poumons se déploient, la pression dans le système vasculaire pulmonaire chute, modifiant le rapport de pression avec le cœur. Situé entre les oreillettes, le foramen ovale du cœur se ferme à mesure que la pression diminue dans le côté droit du cœur et qu'elle s'accroît dans le côté gauche. La PO_2 artérielle augmente et la PCO_2 artérielle diminue, accélérant la fermeture du canal artériel entre l'artère pulmonaire et l'aorte.

La fréquence cardiaque des nouveau-nés est plus élevée et plus irrégulière que celle des adultes. Au repos, leur fréquence cardiaque varie entre 80 et 200 battements par minute ; puis elle baisse progressivement pour se situer entre 80 et 150 chez le nourrisson et le jeune enfant. Vers 10 ans, la fréquence cardiaque est comparable à celle d'un adulte, c'est-à-dire entre 60 et 100 battements par minute. Une fréquence cardiaque irrégulière, qui augmente et diminue à chaque respiration, est courante chez les nourrissons et les jeunes enfants. On donne le nom d'arythmie sinusale à cette fluctuation normale de la fréquence cardiaque.

À mesure que la circulation fœtale se modifie et que la pression dans le côté gauche du cœur augmente, la pression artérielle s'élève. Immédiatement après la naissance (entre un et trois jours), la pression artérielle moyenne est d'environ 73/55 mm Hg. Vers un mois, elle se situe environ à 90/55 puis elle augmente graduellement jusqu'à l'âge de 16 ans, où elle atteint la valeur moyenne « normale » de l'adulte, soit 120/80. Avec l'âge, la pression artérielle peut augmenter encore en raison de l'artériosclérose, qui réduit la lumière et la compliance (capacité d'étirement) des vaisseaux sanguins.

Les nourrissons et les enfants souffrent parfois de malformations congénitales du cœur, mais il est rare qu'un enfant contracte une affection cardiaque. Le rhumatisme articulaire aigu est une inflammation systémique aiguë qui peut survenir à la suite d'une infection causée par des streptocoques (comme l'angine streptococcique). Généralement, le cœur continue de bien fonctionner durant l'âge adulte avancé, sauf si une affection des vaisseaux sanguins entrave l'irrigation du muscle cardiaque. L'athérosclérose, qui se manifeste par l'accumulation de plaques lipidiques à l'intérieur des artères, est le principal facteur de maladies cardiovasculaires, lesquelles représentent la plus importante cause de mortalité en Amérique du Nord.

Les enfants souffrent rarement d'une affection des vaisseaux sanguins. Cependant, chez les adultes d'âge moyen, la fréquence de l'hypertension (élévation de la pression artérielle) augmente de façon importante. Asymptomatique, l'hypertension est un tueur silencieux qui représente un facteur de risque important de mort cardiaque subite chez les adultes d'âge moyen.

Facteurs influant sur la fonction cardiovasculaire

Plusieurs facteurs influent sur la fonction cardiovasculaire. Certains d'entre eux constituent des facteurs de risque, car ils augmentent le risque d'affections cardiovasculaires comme la coronaropathie, l'hypertension et les affections vasculaires périphériques.

Facteurs de risque

Les principaux facteurs de risque des affections cardiaques en général se subdivisent en facteurs *non modifiables* et en facteurs *modifiables* (voir le tableau 49-3). Les premiers ne peuvent être corrigés, tandis qu'il est possible d'atténuer les seconds.

FACTEURS DE RISQUE NON MODIFIABLES

Les facteurs de risque non modifiables comprennent l'hérédité, l'âge et le sexe.

Hérédité. Il existe des prédispositions génétiques au regard des coronaropathies. Ainsi, une personne risque davantage de souffrir d'une affection cardiaque si un membre de sa famille en a déjà été atteint.

Âge. Les coronaropathies touchent surtout les personnes de plus de 60 ans. Les personnes plus jeunes peuvent également en être atteintes, mais le risque augmente généralement avec l'âge.

LES ÂGES DE LA VIE

Personnes âgées

Les changements normaux causés par le vieillissement favorisent habituellement l'apparition de problèmes circulatoires chez les personnes âgées :

- Les vaisseaux sanguins perdent de leur élasticité et tendent à se calcifier, ce qui entraîne une diminution du débit sanguin et une réduction de l'apport en oxygène et en nutriments aux tissus cardiaques, périphériques et cérébraux.
- L'altération du fonctionnement des valvules du cœur résulte souvent d'une perte d'élasticité et d'une augmentation de la calcification ; ce mauvais fonctionnement entraîne une réduction du débit cardiaque.
- Une diminution du tonus musculaire du cœur provoque une diminution du débit cardiaque.
- La réponse des barorécepteurs aux changements de pression artérielle diminue, ce qui réduit l'adaptabilité du cœur à l'exercice et au stress, et provoque souvent des étourdissements, des chutes, de l'hypotension orthostatique et des modifications de l'état mental.
- Une diminution de la capacité de conduction du cœur rend cet organe moins sensible aux changements et aux stress, ce qui risque de provoquer également des étourdissements, des chutes, de l'hypotension orthostatique et des modifications de l'état mental.

Tous ces facteurs deviennent importants si la personne doit faire face à des agents stressants comme l'exercice, le stress, la fièvre, une chirurgie ou d'autres changements. Mis à l'épreuve, le système circulatoire des personnes âgées ne réagit pas aussi efficacement ou ne retrouve pas aussi rapidement son état normal.

Les personnes subissant les changements normaux causés par le vieillissement ou souffrant d'affections du système circulatoire doivent apprendre à équilibrer leur alimentation, leur médication et leurs activités physiques. Les infirmières ont un important rôle à jouer auprès de ces personnes : elles doivent effectuer les interventions appropriées et leur enseigner comment maintenir un fonctionnement optimal. Il est très important d'apprendre aux personnes à reconnaître tout changement dans leur état de santé. Le cas échéant, elles doivent communiquer avec leur médecin et apporter les modifications nécessaires. Le fait de modifier leur style de vie et d'ajuster leur médication peut être décisif pour ces personnes, et les infirmières devraient participer à ces ajustements à toutes les étapes de la démarche systématique.

TABLEAU 49-3
Facteurs de risque des coronaropathies

Facteurs de risque non modifiables

- Hérédité
- Âge
- Sexe (le risque augmente chez les femmes ménopausées)

Facteurs de risque modifiables

- Augmentation du taux de lipides sériques
- Hypertension
- Tabagisme
- Diabète
- Obésité
- Sédentarité

Autres facteurs de risque

- Chaleur et froid
- État de santé antérieur
- Stress et réponse au stress
- Alimentation
- Consommation d'alcool
- Niveau élevé d'homocystéine

Sexe. Chez les femmes d'âge moyen (jusqu'à la ménopause), les œstrogènes exercent un effet protecteur qui ralentit la progression de l'athérosclérose et réduit le risque d'affections cardiovasculaires. Cet effet s'estompe à la ménopause, mais l'hormonothérapie substitutive *peut* réduire ce risque chez les femmes âgées. Il faut évaluer les bienfaits possibles de l'hormonothérapie en fonction des risques possibles. Il s'agit d'une analyse complexe qui exige un dialogue entre la femme et son médecin. Dans la tranche d'âge des 40 à 50 ans, les hommes souffrent plus souvent d'hypertension que les femmes.

FACTEURS DE RISQUE MODIFIABLES

Les facteurs de risque modifiables comprennent un taux élevé de lipides sériques, l'hypertension, le tabagisme, le diabète, l'obésité et la sédentarité.

Taux élevé de lipides sériques. Il existe une étroite corrélation entre un taux élevé de lipides sériques et l'apparition des coronaropathies. Les lipoprotéines circulent dans le sang principalement sous forme de cholestérol, de triglycérides ou de phospholipides. Une alimentation riche en graisses saturées constitue le plus important facteur d'augmentation du taux de lipides sériques. La Fondation des maladies du cœur du Canada (2004a) émet les recommandations suivantes au sujet de la consommation quotidienne de matières grasses :

> une consommation de matières grasses ne dépassant pas de 20 à 35 % de la totalité des calories quotidiennes (soit de 45 à 75 g par jour chez les femmes et de 60 à 105 g par jour chez les hommes) ;

> une quantité accrue d'acides gras polyinsaturés – particulièrement d'acides gras oméga-3 (poissons gras, graines de lin, huile de canola, huile de soja, noix, produits d'œufs liquides, etc.) – et de gras monoinsaturés (huile d'olive, huile de canola, avocats, noix, etc.) ;

> une quantité réduite de gras trans et saturés.

Hypertension. L'hypertension augmente le risque de coronaropathie de plusieurs façons. Premièrement, elle augmente l'effort cardiaque, ce qui accroît les besoins en oxygène du cœur et augmente le débit sanguin coronarien. Cette augmentation de l'effort cardiaque provoque également l'hypertrophie du cœur. Avec le temps, cette situation peut conduire à l'insuffisance cardiaque. Deuxièmement, l'hypertension provoque des dommages endothéliaux aux vaisseaux sanguins, ce qui favorise l'apparition de l'athérosclérose. Au Canada, l'hypertension artérielle touche une personne sur cinq, et cette proportion passe à une sur trois après l'âge de 45 ans. Les personnes les plus à risque sont celles qui ont des antécédents familiaux d'hypertension artérielle, qui fument, qui ont un excédent de poids ou qui sont sédentaires, qui consomment une quantité importante d'alcool et qui souffrent de diabète. Or, les nouvelles lignes directrices canadiennes sur l'hypertension artérielle recommandent entre autres de consommer moins de sel, de gras saturés et d'alcool, de manger plus de fruits et de légumes frais, de perdre du poids et de faire de l'exercice régulièrement. En ce qui a trait au mode de vie, il semblerait que l'activité physique constitue le facteur qui contribue le plus à la réduction de l'hypertension artérielle (Fondation des maladies du cœur du Canada, 2004b).

Tabagisme. La fonction cardiovasculaire est également altérée par le tabagisme. Le monoxyde de carbone réduit la quantité d'oxygène dans le sang, forçant ainsi le cœur à travailler plus fort pour fournir l'oxygène nécessaire à l'organisme. La nicotine accroît la résistance périphérique en provoquant une vasoconstriction des vaisseaux sanguins, ce qui fait augmenter la pression artérielle et la fréquence cardiaque. De plus, la nicotine favorise la formation de plaques d'athéromes dans la lumière des vaisseaux sanguins, ce qui augmente la postcharge et la pression artérielle, en plus de favoriser la formation de caillots. Dans les endroits où les vaisseaux sont déjà plus étroits en raison de l'athérosclérose, la vasoconstriction peut nuire à l'oxygénation des tissus.

La Fondation des maladies du cœur du Canada (2001b) a publié plusieurs données concernant les risques des fumeurs :

- Le risque de souffrir d'une affection cardiovasculaire est 70 % plus élevé chez les fumeurs.
- Les fumeurs courent de deux à trois fois plus de risques de faire un infarctus que les non-fumeurs.
- Les fumeurs qui souffrent d'hypertension artérielle courent quatre fois plus de risques de subir un infarctus que les non-fumeurs dont la pression artérielle est normale.
- Les fumeurs dont la pression artérielle et le cholestérol sanguin sont élevés courent huit fois plus de risques de subir un infarctus que les non-fumeurs dont la pression artérielle et le cholestérol sanguin sont normaux.
- Les fumeurs courent trois fois plus de risques de subir un AVC que les non-fumeurs.
- Les fumeurs sont plus exposés à l'athérosclérose que les non-fumeurs.
- Les fumeurs diabétiques courent un risque beaucoup plus grand de souffrir d'affections vasculaires périphériques.

Le tabagisme est le facteur le plus important dans l'apparition des affections vasculaires périphériques et représente la plus importante cause évitable d'affection cardiaque, d'accident vasculaire cérébral et de divers problèmes touchant la fonction pulmonaire. Selon la Fondation des maladies du cœur du Canada (2001b), chaque année, 80 000 Canadiennes et Canadiens meurent des suites d'un infarctus ou d'un accident vasculaire cérébral. Au moins 20 000 de ces décès sont causés par le tabagisme, ce qui représente 55 personnes par jour !

Diabète. Les deux types de diabète s'accompagnent d'un risque plus élevé d'hypertension artérielle, de coronaropathies, d'infarctus du myocarde, d'affections vasculaires périphériques et d'accidents vasculaires cérébraux, surtout si la glycémie est mal équilibrée. Les personnes résistantes à l'insuline courent plus de risques de souffrir d'affections cardiovasculaires. L'hyperglycémie, de même que des taux élevés de lipides sériques et de triglycérides, est associée à une évolution plus rapide de l'athérosclérose. Plus de 80 % des diabétiques meurent des suites d'une maladie du cœur ou des vaisseaux sanguins. Un suivi constant de la glycémie chez les diabétiques et la vérification de la glycémie des personnes soignées est une des tâches importantes des infirmières. L'équilibre optimal de la glycémie contribue à réduire grandement les risques de l'athérosclérose et son évolution.

Embonpoint et obésité. Les personnes souffrant d'embonpoint ou d'obésité courent le risque de faire de l'hypertension artérielle, de l'hyperlipidémie ou du diabète, des facteurs par ailleurs connus pour augmenter les risques d'affections cardiovasculaires. Le tour de taille constitue un indice qu'il faut considérer (voir le chapitre 45 ⮌). On peut prévenir les maladies du cœur en s'efforçant d'atteindre et de conserver un poids-santé (poids normal). Santé Canada a établi une grille des poids-santé pour les Canadiens adultes âgés de 20 à 65 ans, en se basant sur l'indice de masse corporelle (IMC), que l'on obtient en divisant le poids de la personne par sa taille élevée au carré. On a établi à 24,9 la limite d'un poids-santé ; un IMC égal ou supérieur à 25 indique un excédent de poids.

Voici quelques-unes des recommandations de la Fondation des maladies du cœur du Canada (2001a) pour contrer l'embonpoint :

- Atteindre et maintenir un poids-santé en mangeant bien et en ayant un mode de vie actif.
- Perdre du poids progressivement, car l'objectif d'atteindre un poids-santé devrait être un engagement à long terme ; éviter les régimes « miracles ».
- Bien manger, c'est-à-dire consommer plus de fruits et de légumes, plus de glucides complexes (pâtes alimentaires et riz), plus de fibres alimentaires (pains et céréales à grains entiers).
- Réduire sa consommation de matières grasses et utiliser moins de matières grasses pour la cuisson. Faire cuire les aliments au four, sur le gril, à la vapeur, au four à microondes, sur le barbecue, ou encore les faire bouillir.
- Boire beaucoup d'eau.
- Diminuer la taille des portions.
- Faire de l'activité physique régulièrement. Choisir une activité qu'on peut faire pendant la journée (une promenade à l'heure du dîner, par exemple).
- Au lieu d'affronter le stress en mangeant trop, essayer de découvrir la source du stress et adopter de nouvelles manières

de réagir dans les situations stressantes (au lieu de se tourner vers la nourriture, faire une promenade ou prendre un bain chaud, par exemple).

■ Opter pour des collations santé, telles que des fruits ou du maïs éclaté nature plutôt que des croustilles et des tablettes de chocolat.

Sédentarité. L'activité physique augmente la fréquence cardiaque et, par conséquent, la demande en oxygène du corps. Des exercices vigoureux effectués régulièrement augmentent la puissance et l'efficacité du muscle cardiaque. Les exercices aérobiques ralentissent l'apparition de l'athérosclérose, ce qui réduit le risque d'affections cardiovasculaires. Les personnes sédentaires courent donc plus de risques de souffrir de maladies cardiovasculaires que les personnes actives.

AUTRES FACTEURS INFLUANT SUR LA FONCTION CARDIOVASCULAIRE

D'autres facteurs peuvent influer sur la fonction cardiovasculaire, notamment les facteurs environnementaux tels que la chaleur et le froid, l'état de santé antérieur, le stress et la réponse au stress, l'alimentation, la consommation d'alcool et un niveau élevé d'homocystéine.

Chaleur et froid. En réaction à la chaleur, les vaisseaux périphériques se dilatent, ce qui entraîne une augmentation du débit sanguin cutané. Puisque plus de sang circule dans les vaisseaux sanguins, il se dissipe plus de chaleur corporelle à la surface du corps. La vasodilatation agrandit la lumière des vaisseaux sanguins, ce qui diminue la résistance au débit sanguin. Le cœur réagit en augmentant son débit afin de maintenir la pression artérielle. Cette augmentation du débit cardiaque accroît la demande en oxygène, et cette demande est satisfaite par une augmentation de la fréquence et de l'amplitude respiratoires.

En réaction au froid, les vaisseaux sanguins périphériques se contractent. Cette vasoconstriction contribue à réduire la déperdition normale de chaleur par la peau.

État de santé. Chez une personne en bonne santé, la fonction cardiovasculaire (de concert avec la fonction respiratoire) est en mesure de fournir suffisamment d'oxygène pour combler les besoins de l'organisme. Les affections cardiovasculaires altèrent souvent le transport de l'oxygène aux cellules, perturbant ainsi le fonctionnement cellulaire. L'organisme dispose de « mécanismes de compensation » qui s'activent lorsque la quantité d'oxygène diminue. Ces mécanismes comprennent l'augmentation de la fréquence cardiaque, l'augmentation de la force des contractions cardiaques, la vasoconstriction et la libération de certaines hormones, comme l'aldostérone. L'état de santé d'une personne peut déterminer comment le corps arrive à tolérer la compensation et la diminution de la disponibilité de l'oxygène. Une personne sans antécédents médicaux importants et ayant un bon état nutritionnel tolérera mieux de courtes périodes de diminution de l'oxygène qu'une personne qui souffre de multiples affections ou dont l'état nutritionnel est médiocre.

Une affection telle que l'anémie, décrite dans la section intitulée « Anomalies du sang » plus loin dans ce chapitre, diminue la capacité du sang à transporter l'oxygène et entrave donc la fonction cardiovasculaire.

Stress et réponse au stress. Le stress entraîne une réponse neurohormonale, marquée par plusieurs réactions et par des effets interreliés. L'un des plus importants effets du stress est la libération d'hormones médullosurrénales : l'épinéphrine et la norépinéphrine. L'épinéphrine exerce plusieurs effets, comme l'augmentation de la contractilité du muscle cardiaque, l'augmentation de la fréquence cardiaque et la stimulation de la vasoconstriction périphérique. La norépinéphrine cause une vasoconstriction généralisée, ce qui augmente la pression artérielle.

Alimentation. L'alimentation influe elle aussi sur la fonction cardiovasculaire. Une alimentation saine, permettant un apport énergétique approprié ainsi qu'un apport suffisant de protéines et d'autres nutriments indispensables, contribue à maintenir le bon état du système immunitaire et à renforcer la résistance aux affections. De concert avec certaines vitamines et certains minéraux, les protéines jouent aussi un rôle dans la prévention de l'anémie. Un apport élevé en sel de table peut altérer la pression artérielle et favoriser l'apparition de l'hypertension artérielle de deux manières. Premièrement, le sel stimule la synthèse de l'hormone natriurétique, une hormone qui intervient indirectement dans la genèse de l'hypertension artérielle. Deuxièmement, le sodium contenu dans le sel de table stimule les mécanismes vasopresseurs responsables de la vasoconstriction. Il a également été démontré que d'autres facteurs comme un faible apport en potassium, en calcium et en magnésium favorisaient la vasoconstriction et l'hypertension artérielle.

Alcool. De récentes études suggèrent qu'une consommation modérée d'alcool (de 30 à 60 mL par jour) réduirait les risques de maladies cardiaques. Cependant, un abus d'alcool nuit à l'oxygénation de plusieurs manières. L'alcool est un dépresseur de la fonction respiratoire ; autrement dit, il ralentit la respiration. Les personnes qui abusent de l'alcool sont souvent sous-alimentées, ce qui accroît les risques d'anémie et d'infections. L'excès d'alcool augmente également le risque d'hypertension artérielle.

Niveau élevé d'homocystéine. L'homocystéine est un acide aminé dont on a observé l'augmentation chez plusieurs personnes atteintes d'athérosclérose. Les personnes dont l'homocystéine est élevée présentent un risque accru d'infarctus du myocarde et d'accident vasculaire cérébral. Elles peuvent toutefois réduire leur niveau d'homocystéine en prenant un supplément de folate et de vitamine B_{12} (Reeder, Hoffman, Magdic et Rodgers, 2000).

Anomalies de la fonction cardiovasculaire

La fonction cardiovasculaire peut être compromise par des troubles touchant les aspects suivants :

1. La fonction de la pompe cardiaque

2. Le débit sanguin vers les organes et les tissus périphériques

3. La composition du sang et sa capacité de transporter l'oxygène et le gaz carbonique

Les trois principales anomalies de la fonction cardiovasculaire sont la diminution du débit cardiaque, une mauvaise irrigation des tissus et les problèmes touchant la composition du sang ou la quantité de sang disponible pour transporter les gaz respiratoires.

Diminution du débit cardiaque

Bien que le cœur soit normalement en mesure d'augmenter la fréquence et la force de ses contractions afin d'accroître le débit cardiaque durant l'exercice, lors de fièvres ou dans d'autres circonstances, certains états pathologiques peuvent compromettre ces mécanismes.

L'athérosclérose ou un caillot sanguin obstruent parfois les vaisseaux coronariens, ce qui interrompt l'irrigation d'une partie du myocarde et provoque alors la nécrose et la mort du tissu cardiaque. C'est l'**infarctus du myocarde (IM)** ou *crise cardiaque*. Si une grande partie du muscle cardiaque est infarcie, surtout dans le ventricule gauche, le débit cardiaque chute, car la zone musculaire touchée devient incapable de se contracter. Les signes et les symptômes d'un infarctus du myocarde sont variés :

- Douleurs à la poitrine : rétrosternales, ou irradiant dans le bras gauche et la mâchoire, ou les deux
- Nausées
- Essoufflement
- Diaphorèse

Une **insuffisance cardiaque** peut se produire si le cœur n'est pas en mesure de satisfaire les besoins de l'organisme en oxygène et en nutriments. L'insuffisance cardiaque survient généralement à la suite d'un infarctus du myocarde, mais elle peut également résulter d'un surmenage chronique du cœur, comme chez les personnes dont l'hypertension n'est pas maîtrisée ou qui sont atteintes d'artériosclérose sévère. Lorsque l'insuffisance touche le côté gauche du cœur, les vaisseaux du système pulmonaire sont congestionnés ou engorgés par le sang. Il s'ensuit une fuite de liquide dans les alvéoles, que l'on appelle *œdème pulmonaire*, et une perturbation des échanges gazeux. Voici plusieurs signes d'insuffisance cardiaque.

- Insuffisance cardiaque gauche :
  - Congestion pulmonaire et bruits surajoutés (adventices) dans les poumons (crépitants)
  - Dyspnée de décubitus
  - Augmentation de la fréquence cardiaque
  - Augmentation de la fréquence respiratoire
- Insuffisance cardiaque droite :
  - Vasoconstriction périphérique et extrémités froides et pâles
  - Distension des veines du cou
  - Œdème périphérique

D'autres affections comme la myocardite et la cardiomyopathie peuvent aussi toucher le muscle cardiaque et compromettre sa capacité de se contracter et de propulser le sang. Le tableau 49-4 présente des troubles susceptibles de conduire à l'insuffisance cardiaque.

Une fréquence cardiaque irrégulière, trop rapide ou trop lente peut diminuer le débit cardiaque. Au cours de telles perturbations, les ventricules sont incapables de se remplir adéquatement entre les battements, ce qui cause une diminution du volume systolique (la quantité de sang éjecté à chaque battement). Si la fréquence cardiaque est trop lente, le cœur peut être inca-

TABLEAU 49-4

Exemples de troubles entraînant une insuffisance cardiaque

Augmentation de la précharge
- Hypervolémie
- Problèmes valvulaires comme la sténose ou l'insuffisance mitrale (régurgitation mitrale)
- Malformations congénitales comme la persistance du canal artériel

Augmentation de la postcharge
- Hypertension artérielle

Troubles de la fonction myocardique
- Infarctus du myocarde
- Cardiomyopathie
- Coronaropathie

pable d'augmenter suffisamment le volume systolique afin de maintenir le débit cardiaque. Les anomalies de la fréquence cardiaque sont appelées arythmies et se révèlent par l'électrocardiogramme (ECG).

Des anomalies de la structure du cœur altèrent également le débit cardiaque. Les malformations cardiaques congénitales provoquent un débit sanguin anormal, voire le mélange du sang veineux et artériel, ce qui compromet l'oxygénation des tissus. Les affections cardiaques acquises, comme les endocardites bactériennes et le rhumatisme articulaire aigu, peuvent endommager les valvules du cœur. Le débit sanguin à l'intérieur du cœur et des gros vaisseaux est alors perturbé. Par exemple, si la valvule mitrale (bicuspide) est scarifiée et rétrécie (sténose mitrale), elle risque de ne pas s'ouvrir complètement et d'empêcher ainsi le remplissage complet du ventricule gauche. À l'opposé, si la valvule mitrale ne se ferme pas complètement (insuffisance mitrale), le sang risque de refluer dans l'oreillette gauche au lieu d'être poussé dans l'aorte chaque fois que le ventricule gauche se contracte (régurgitation mitrale).

Réduction de l'irrigation des tissus

L'athérosclérose est de loin la cause la plus courante de réduction du débit sanguin vers les organes et les tissus. À mesure que la lumière des vaisseaux se rétrécit et s'obstrue, les tissus en aval reçoivent moins de sang, d'oxygène et de nutriments. L'**ischémie** désigne un manque d'irrigation sanguine causé par l'obstruction de la circulation. L'athérosclérose peut toucher toutes les artères de l'organisme, quoique ses manifestations soient souvent associées aux artères coronaires, aux carotides et aux artères des tissus périphériques. L'obstruction des artères coronaires provoque l'ischémie myocardique et conduit souvent à l'angine de poitrine. L'atteinte des vaisseaux cérébraux peut entraîner un *accident ischémique transitoire* (AIT) ou un accident vasculaire cérébral (AVC). Les affections vasculaires périphériques provoquent l'ischémie des tissus périphériques, comme ceux des jambes ou des pieds. Cette mauvaise irrigation risque de provoquer la gangrène et d'exiger l'amputation du membre touché. Parmi les signes d'une mauvaise circulation périphérique, mentionnons les suivants :

- Diminution des pouls périphériques
- Coloration pâle de la peau
- Extrémités froides
- Diminution de la pilosité

Les facteurs de risque de l'athérosclérose périphérique sont semblables à ceux de la coronaropathie : tabagisme, forte consommation de matières grasses, obésité (particulièrement l'obésité abdominale), sédentarité et syndrome métabolique. L'hypertension et le diabète augmentent aussi le risque d'athérosclérose, surtout si la pression artérielle ou la glycémie ne sont pas maintenues autour des valeurs normales.

Bien qu'ils soient moins fréquents, d'autres problèmes comme l'inflammation des vaisseaux, les spasmes vasculaires et les caillots sanguins entraînent également l'obstruction des vaisseaux sanguins et causent de l'ischémie. L'œdème des tissus peut compromettre la circulation dans les vaisseaux et augmenter la distance que doivent parcourir l'oxygène et les nutriments pour atteindre les cellules.

Dans le cas des veines, le dysfonctionnement des valvules risque de causer une stagnation du sang dans les veines, ce qui provoque de l'œdème et diminue le retour veineux au cœur. Une inflammation peut également altérer la paroi des veines. Il s'ensuit un rétrécissement de la lumière de ces vaisseaux, qui entraîne à son tour une réduction du débit sanguin et un risque plus grand que se forme un thrombus (caillot). Parfois, le thrombus se fractionne, formant alors des emboles, c'est-à-dire des débris qu'emporte la circulation. Si l'embole s'arrête au niveau des poumons, il cause une embolie pulmonaire, empêchant alors l'irrigation sanguine des capillaires de la membrane alvéolocapillaire. Même si la ventilation alvéolaire de la zone atteinte reste souvent adéquate, il ne peut y avoir d'échange gazeux à cet endroit par suite de l'obstruction du débit sanguin. Les signes d'embolie pulmonaire aiguë peuvent varier et être non spécifiques, mais on observe généralement ceux-ci :

- Essoufflement soudain
- Douleurs thoraciques non spécifiques
- Fièvre
- Tachycardie

Anomalies du sang

Puisque la plus grande partie de l'oxygène est apportée aux tissus après s'être combinée à l'hémoglobine, l'oxygénation des tissus risque d'être compromise par des problèmes comme une défectuosité des globules rouges, une faible quantité d'hémoglobine ou une structure anormale de l'hémoglobine. L'anémie a plusieurs origines : une perte de globules rouges et d'autres composants du sang consécutive à un saignement aigu ou chronique, une alimentation pauvre en fer (anémie ferriprive) ou en acide folique (empêchant la formation adéquate des globules rouges et celle de l'hémoglobine). De plus, certains problèmes provoquent une dégradation excessive des globules rouges (anémie hémolytique). Enfin, les personnes atteintes de drépanocytose produisent une forme anormale d'hémoglobine et peuvent souffrir d'ischémie tissulaire lorsque la maladie s'aggrave. Parmi les signes d'anémie, mentionnons les suivants :

- Fatigue chronique
- Pâleur

- Essoufflement
- Hypotension

Le volume sanguin influe également sur l'oxygénation des tissus. Si le volume sanguin est insuffisant (hypovolémie) par suite d'une hémorragie ou d'une importante déshydratation, la pression artérielle et le débit cardiaque chutent, ce qui risque de provoquer une ischémie tissulaire. Inversement, l'hypervolémie (un volume sanguin excessif), consécutive à une rétention de liquide ou à une insuffisance rénale, peut entraîner une insuffisance cardiaque et de l'œdème périphérique, ce qui provoque aussi de l'ischémie tissulaire.

DÉMARCHE SYSTÉMATIQUE
dans la pratique infirmière

Collecte des données

L'évaluation infirmière de l'état cardiovasculaire comprend l'anamnèse, l'examen physique, le monitorage cardiaque et plusieurs examens paracliniques.

Anamnèse

L'anamnèse effectuée par l'infirmière doit inclure des données concernant :

- Les problèmes cardiovasculaires passés et actuels.
- Les antécédents familiaux de problèmes cardiovasculaires, comme l'hypertension artérielle, une hypercholestérolémie et les accidents vasculaires cérébraux.
- D'autres antécédents médicaux, notamment le diabète et les affections respiratoires.
- L'activité physique.
- Le tabagisme.
- L'alimentation, en particulier la consommation de sel et de gras, d'alcool et de caféine (ce qui comprend les boissons gazeuses contenant du cola et le chocolat).
- La présence de symptômes tels que des douleurs, de l'essoufflement, de la fatigue, des palpitations, de la toux et des évanouissements.
- La médication pour le cœur, la pression artérielle, la circulation et le cholestérol.
- Le mode de vie, incluant le soutien social, les sources de stress et les modes de gestion du stress.

Examen physique

Pour examiner la fonction cardiovasculaire, l'infirmière commence par évaluer la pression artérielle dans les deux bras en position assise (si les résultats varient de plus de 10 mm Hg entre les bras, elle retient la valeur la plus élevée). Elle palpe ensuite les pouls périphériques pour en vérifier la fréquence, l'amplitude et la régularité. Il faut ausculter le pouls apical pour vérifier la fréquence et le rythme cardiaques, ainsi que la qualité des bruits cardiaques. L'infirmière ausculte également les artères carotides afin de détecter un bruit de turbulence, soit un souffle, qui peut indiquer de

ENTREVUE D'ÉVALUATION

Circulation

PROBLÈMES CARDIOVASCULAIRES PASSÉS OU ACTUELS

- Faites-vous de l'hypertension?
- Avez-vous déjà souffert de maladies cardiaques, comme l'angine, des crises cardiaques ou de l'insuffisance cardiaque? Avez-vous déjà subi un cathétérisme cardiaque, une angiographie ou une angioplastie? A-t-on déjà diagnostiqué chez vous un rhumatisme articulaire aigu, une endocardite, une péricardite ou une autre affection cardiaque? Si oui, quand? Avez-vous subi une chirurgie cardiaque ou vous a-t-on posé une endoprothèse vasculaire?
- Vous a-t-on déjà dit que vous souffriez d'une affection vasculaire périphérique? Avez-vous déjà ressenti des douleurs dans les mollets ou les jambes quand vous marchez? Pendant combien de temps pouvez-vous marcher avant de ressentir ces douleurs? Que faites-vous pour soulager ces douleurs? Avez-vous déjà subi une chirurgie vasculaire?
- Vous arrive-t-il de constater que vos chevilles et vos pieds enflent ou deviennent très froids? Ressentez-vous des engourdissements, des picotements ou des douleurs dans les pieds? Ces douleurs disparaissent-elles ou s'atténuent-elles quand vous changez de position?
- L'activité physique vous fatigue-t-elle de façon extrême?
- Vous a-t-on déjà dit que vous faisiez de l'anémie?

MÉDICATION

- Prenez-vous ou avez-vous déjà pris des médicaments en vente libre ou d'ordonnance pour le cœur, la pression artérielle ou pour augmenter le débit sanguin?
- Prenez-vous des anticoagulants ou d'autres médicaments pour éclaircir le sang (par exemple, Coumadin ou aspirine)?

MODE DE VIE

- Fumez-vous? Si oui, combien de cigarettes par jour, par semaine?
- Faites-vous de l'exercice? Quel type d'exercices et à quelle fréquence?
- Quelle est votre consommation d'alcool?

■ Examens paracliniques

Plusieurs examens paracliniques permettent de détecter les différentes affections cardiovasculaires. Ils contribuent également à dépister l'augmentation ou la réduction du risque d'apparition d'une dysfonction cardiovasculaire. Le taux de lipides sériques en est un exemple. Si une personne présente un taux élevé de lipides sériques, il faut l'informer des effets de l'alimentation sur la santé cardiovasculaire et lui faire comprendre qu'il est important de réduire sa consommation de lipides afin de diminuer le risque de coronaropathies.

MONITORAGE CARDIAQUE. Le monitorage cardiaque permet la surveillance continue du rythme cardiaque. Le monitorage cardiaque est l'enregistrement de l'activité électrique du cœur. Il est utilisé en plusieurs occasions: chez les personnes atteintes d'affections cardiovasculaires ou qui semblent l'être, durant une chirurgie ou après, pour surveiller les réactions à une médication et pour surveiller d'éventuelles complications graves comme un état de choc. On place des électrodes sur la poitrine de la personne et on les relie à l'aide de fils que l'on branche à un moniteur placé près du lit. Le moniteur est muni d'alarmes permettant de signaler d'éventuels problèmes comme une fréquence cardiaque très rapide, très faible ou irrégulière. Par exemple, il est possible de régler l'alarme pour qu'elle se déclenche si l'appareil enregistre 20 battements de plus ou de moins que la moyenne de la personne. Pour les adultes, on fixe généralement la limite supérieure entre 100 et 110 battements/min et la limite inférieure entre 50 et 55 battements/min. Pour les personnes ambulatoires (hospitalisées ou à domicile), les électrodes sont branchées à une unité de transmission (procédé appelé télémétrie). Cette unité envoie le signal à un moniteur central qui affiche ou enregistre les données que l'on consultera ultérieurement dans le cabinet du médecin. Ce type de monitorage ambulatoire est également appelé Holter. La personne est branchée au moniteur durant 24 heures. L'appareil enregistre l'électrocardiogramme en continu, c'est-à-dire pendant les activités quotidiennes de la personne, et on analyse le tracé ultérieurement afin d'en détecter les irrégularités.

ANALYSES SANGUINES. On prélève des échantillons de sang veineux afin d'effectuer plusieurs types d'analyses qui donnent des indications sur certains aspects du fonctionnement cardiovasculaire.

> **ALERTE CLINIQUE** *Il importe de se rappeler que l'électrocardiogramme correspond à l'enregistrement de l'activité électrique du cœur et qu'il ne donne aucun renseignement sur la contraction ni sur le débit cardiaque. Il faut TOUJOURS examiner la personne afin d'évaluer la fonction cardiaque. L'ECG ne suffit pas pour évaluer l'état de la personne.* ■

l'athérosclérose et une sténose (voir le chapitre 33). Les bruits pulmonaires constituent un autre indicateur important de l'état de la fonction cardiovasculaire. L'auscultation pulmonaire permet de détecter la présence de bruits surajoutés (crépitants), révélant une congestion pulmonaire consécutive à une diminution du débit cardiaque.

On obtient également beaucoup d'informations sur l'état de la fonction cardiovasculaire en évaluant la couleur de la peau, la température, la pilosité, les lésions et l'œdème. Les personnes atteintes d'une affection vasculaire périphérique étendue peuvent avoir les pieds froids, un pouls pédieux difficilement perceptible; la peau des membres inférieurs est parfois d'aspect brillant et presque dépourvue de poils. Les personnes atteintes d'insuffisance cardiaque présentent parfois des œdèmes prenant le godet au niveau des pieds et des chevilles. Voir le chapitre 34 pour les techniques spécifiques d'évaluation des fonctions respiratoire et cardiovasculaire.

Puisque l'hémoglobine est la molécule qui se combine à l'oxygène, elle peut renseigner sur la capacité du sang à transporter l'oxygène. En présence d'une affection cardiovasculaire, une diminution de l'hémoglobine augmente le risque de déficit en oxygène des tissus.

La mesure des électrolytes sanguins est importante chez les personnes présentant des problèmes cardiovasculaires, car un taux anormal d'électrolytes, comme l'hyperkaliémie et l'hypokaliémie (augmentation et diminution du potassium sanguin), peut être nocif pour le cœur. Il est également important d'évaluer les niveaux de magnésium, de calcium, de sodium et de phosphore.

Le dosage des enzymes constitue une partie importante de l'évaluation diagnostique des personnes souffrant de douleurs à la poitrine. Au cours d'un IM, on observe la libération dans le sang de certaines enzymes par suite des lésions que subissent les membranes des cellules du myocarde. C'est le cas notamment de la **créatine kinase (CK)** et de la **troponine**. Des niveaux élevés de ces enzymes permettent de différencier plus facilement un IM (lorsque les cellules se nécrosent) des douleurs à la poitrine causées par un autre type d'affection, telles l'angine ou les douleurs pleurétiques.

EXAMENS HÉMODYNAMIQUES. L'*hémodynamie* est l'étude des forces ou des pressions en jeu dans la circulation sanguine. Le monitorage et les examens hémodynamiques permettent d'évaluer l'état des liquides et la fonction cardiovasculaire. Les paramètres évalués durant ces examens comprennent la fréquence cardiaque, la pression artérielle, la pression veineuse centrale (PVC), la pression de l'artère pulmonaire (PAP), la pression capillaire pulmonaire bloquée (PCPB ou Wedge) et le débit cardiaque. On mesure directement ces paramètres à l'aide d'un cathéter traversant l'oreillette droite, le ventricule droit et l'artère pulmonaire. Les examens hémodynamiques nécessitent un consentement éclairé. Les personnes hospitalisées dans les unités de soins intensifs et de soins cardiaques peuvent subir un monitorage hémodynamique continu afin qu'on puisse évaluer leur état cardiovasculaire et les effets des interventions. Il incombe aux infirmières travaillant dans ces unités de s'assurer qu'une évaluation des systèmes de monitorage est faite régulièrement afin de maintenir l'exactitude des mesures et l'intégrité des systèmes.

Analyse

NANDA propose les diagnostics infirmiers suivants concernant les personnes atteintes de problèmes circulatoires :

- *Irrigation tissulaire inefficace* (cardiopulmonaire ou respiratoire) : Diminution de la nutrition et de l'oxygénation cellulaires, consécutive à la circulation capillaire insuffisante
- *Débit cardiaque diminué :* Volume insuffisant de sang pompé par le cœur pour répondre aux besoins métaboliques
- *Intolérance à l'activité :* Manque d'énergie physique ou psychique pour poursuivre ou mener à bien les activités quotidiennes requises ou désirées

L'encadré *Diagnostics infirmiers, résultats de soins infirmiers et interventions* donne des exemples de l'application de ces diagnostics infirmiers avec la CISI/NIC et la CRSI/NOC.

Planification

Lors de la planification des soins, l'infirmière doit déterminer les interventions infirmières qui aideront la personne à atteindre ces deux objectifs généraux :

- Maintenir ou améliorer l'irrigation des tissus.
- Maintenir ou rétablir un débit cardiaque adéquat.

Bien sûr, des interventions préventives et curatives spécifiques sont élaborées selon le diagnostic infirmier et les caractéristiques de la personne. Parmi les interventions de la CISI/NIC concernant la diminution du débit cardiaque et de l'irrigation des tissus, mentionnons les suivantes :

- Prévention des troubles circulatoires
- Soins circulatoires : appareil d'assistance mécanique
- Soins cardiaques
- Régulation hémodynamique

Pour favoriser le transport de l'oxygène et du gaz carbonique, l'infirmière doit optimiser le débit cardiaque en réduisant le stress, en organisant les activités appropriées et en installant la personne de manière à améliorer la circulation sanguine (voir l'encadré *Diagnostics infirmiers, résultats de soins infirmiers et interventions*).

Interventions
■ Favoriser la circulation

La plupart des personnes en bonne santé ne se préoccupent pas de leur fonction cardiovasculaire. Le changement fréquent de position, les déplacements et l'exercice pourvoient généralement au bon fonctionnement cardiovasculaire. Voir les encadrés *Enseignement* pour d'autres façons de favoriser la santé du cœur.

L'immobilité nuit à la fonction cardiovasculaire. Si les muscles des mollets et des jambes ne se contractent pas, le sang s'accumule dans les veines des membres inférieurs. Cette stagnation du sang peut entraîner la formation de caillots (thrombose veineuse). Plusieurs interventions infirmières ont pour objectif d'aider les personnes à maintenir leur fonction cardiovasculaire. Ces interventions peuvent viser la circulation ou le cœur lui-même.

INTERVENTIONS FAVORISANT LA CIRCULATION

- Surélever les jambes pour favoriser le retour veineux au cœur, surtout chez les personnes souffrant d'une dysfonction veineuse. Il faut cependant éviter cette position pour les personnes présentant une insuffisance cardiaque, car, en surélevant les jambes, on augmente la précharge et on risque de congestionner un cœur dysfonctionnel.
- Éviter de placer un oreiller sous les genoux ou de fléchir les jambes de la personne de plus de 15 degrés afin d'améliorer le débit sanguin dans les membres inférieurs et de réduire la stase veineuse.
- Encourager les personnes alitées à faire des exercices pour les jambes (comme la flexion et l'extension des pieds, la contraction et la relaxation des muscles des mollets) et les inciter à marcher dès que leur état le permet.
- Encourager les personnes à changer fréquemment de position ou effectuer régulièrement des changements de position.

INTERVENTIONS DIMINUANT LA SURCHARGE CARDIAQUE

- Placer la personne en position de Fowler haute pour diminuer la précharge et réduire la congestion pulmonaire.
- Surveiller les ingesta et les excreta. La restriction liquidienne n'est généralement pas nécessaire pour les personnes atteintes d'une dysfonction cardiaque légère ou modérée. Dans les cas d'insuffisance cardiaque grave, une telle restriction est souvent de mise.

■ Médications

On peut administrer plusieurs types de médicaments aux personnes atteintes d'affections cardiovasculaires. Des produits comme

DIAGNOSTICS INFIRMIERS, RÉSULTATS DE SOINS INFIRMIERS ET INTERVENTIONS

Débit cardiaque diminué

COLLECTE DES DONNÉES	DIAGNOSTIC INFIRMIER: DÉFINITION	EXEMPLE DE RÉSULTATS DE SONS INFIRMIERS [Nº CRSI/NOC]: DÉFINITION	INDICATEURS	INTERVENTION CHOISIE [Nº CISI/NIC]: DÉFINITION	EXEMPLES D'ACTIVITÉS CISI/NIC
Edmond William, un entrepreneur à la retraite de 67 ans, a subi un infarctus du myocarde il y a un an. Au cours des deux dernières semaines, il a pris 4 kg. Il affirme ne pas pouvoir monter un escalier sans s'essouffler et il dort avec trois oreillers. Ses chevilles sont enflées et il dit parfois sentir son cœur « battre trop fort ». L'examen physique révèle que la veine jugulaire est distendue de plus de 3 cm; le pouls est de 86 battements/min; on observe un œdème prenant le godet aux pieds, aux chevilles et au bas des jambes, et on note des crépitants à l'auscultation des deux lobes inférieurs.	*Débit cardiaque diminué:* Volume insuffisant de sang pompé par le cœur pour répondre aux besoins métaboliques.	Efficacité de la pompe cardiaque [0400]: *Quantité de sang éjecté par minute par le ventricule gauche afin d'assurer la pression du système artériel.*	Légèrement perturbé: • Pression artérielle normale. • Fréquence cardiaque normale. • Absence de turgescence des veines jugulaires. • Absence d'œdème périphérique. • Absence de bruits pulmonaires surajoutés. • Tolérance à l'activité normale.	Soins cardiaques [4040]: *Limitation des complications résultant d'un déséquilibre entre l'apport et les besoins en oxygène chez les personnes qui présentent des symptômes de dysfonctionnement cardiaque.*	• Procéder à un examen détaillé de la circulation périphérique. • Évaluer l'état respiratoire de façon à déceler les signes de défaillance cardiaque. • Surveiller l'état hydrique (y compris les ingesta et les excreta, le poids quotidien). • Planifier les périodes d'activité et de repos de manière à éviter la fatigue. • Évaluer la tolérance à l'activité de la personne.

ENSEIGNEMENT

Circulation

MAINTIEN DU DÉBIT CARDIAQUE ET DE L'IRRIGATION DES TISSUS

■ Enseignez à la personne et à sa famille les manifestations de l'insuffisance cardiaque et insistez sur le moment où il devient nécessaire de demander une assistance médicale.

■ Expliquez à la personne qu'il faut faire régulièrement de l'activité physique afin de favoriser la circulation et la santé vasculaire. Insistez sur la nécessité d'augmenter graduellement l'intensité de l'activité physique pour atteindre un total de 20 minutes d'exercice (marche, natation, entraînement avec poids et haltères ou exercices aérobiques recommandés par le médecin) quatre ou cinq fois par semaine.

■ Expliquez à la personne qu'il faut éviter l'exposition au froid, en portant des vêtements chauds si nécessaire.

■ Enseignez les rudiments de la réanimation cardiorespiratoire ou donnez le nom de quelqu'un qui pourrait l'enseigner à la personne et à sa famille.

CHANGEMENTS DANS L'ALIMENTATION

■ Informez la personne et sa famille des restrictions alimentaires prescrites, comme une alimentation pauvre en sel. Au besoin, dirigez-les vers une diététiste pour qu'ils obtiennent plus d'information.

■ Discutez de mesures alimentaires permettant de réduire le risque d'athérosclérose, comme la réduction de l'apport lipidique total et des graisses saturées, la perte de poids en cas d'obésité et l'augmentation de la consommation de fibres.

MÉDICATION

■ Informez la personne et sa famille au sujet des médicaments prescrits, des effets recherchés, des effets secondaires et du mode d'administration.

ENSEIGNEMENT

Favoriser la santé du cœur

- Faites de l'exercice régulièrement, au moins 20 minutes (40 minutes de préférence) d'exercices vigoureux, quatre ou cinq fois par semaine.
- Ne fumez pas.
- Gardez un poids santé.
- Consommez peu de lipides, de graisses saturées et de cholestérol.
- Consommez de l'alcool avec modération ; ne consommez pas plus d'un apéritif ou ne dépassez pas un verre à un verre et demi de vin ou une bière par jour.
- Réduisez le stress et maîtrisez votre colère.
- Maîtrisez efficacement votre diabète et votre hypertension en maintenant votre glycémie et votre pression artérielle dans des limites normales.
- Si vous êtes une femme, discutez avec votre médecin des avantages et des risques de l'hormonothérapie substitutive après la ménopause.
- Consultez votre médecin pour savoir s'il est recommandé pour vous de prendre de l'aspirine à faible dose pour mieux prévenir les risques de maladies cardiovasculaires.

les nitrates, les bloquants des canaux calciques et les inhibiteurs de l'enzyme de conversion de l'angiotensine (IECA) réduisent l'effort du cœur et favorisent la dilatation. Plusieurs médicaments permettent de traiter les dysrythmies cardiaques. Des agents inotropes positifs, comme la digoxine, augmentent la force de contraction du cœur. On peut administrer des bêtabloquants, comme le propranolol ou le métroprolol, pour contrecarrer l'action du système nerveux sympathique sur le cœur et diminuer ainsi la consommation d'oxygène. Il est également possible de recourir à des vasodilatateurs directs chez les personnes atteintes d'affections vasculaires périphériques, voire d'hypertension artérielle. Les personnes souffrant d'affections cardiovasculaires prennent souvent de nombreux médicaments, et l'une des tâches importantes de l'infirmière consiste à les aider à comprendre l'utilité, les effets recherchés et les effets secondaires de ces différents médicaments.

L'administration de médicaments est une fonction capitale de l'infirmière. Il lui incombe d'évaluer les effets des médicaments et aussi d'anticiper d'éventuelles complications. Par exemple :

- Lorsqu'une personne reçoit des diurétiques, l'infirmière évalue les ingesta et les excreta ainsi que le taux de potassium, car plusieurs diurétiques peuvent faire baisser le taux de potassium.
- Lorsqu'on administre des agents inotropes positifs, l'infirmière doit évaluer la pression artérielle, la fréquence cardiaque, les pouls périphériques et les bruits pulmonaires, car ce sont des indicateurs du débit cardiaque.
- Lorsque des médicaments antihypertenseurs sont administrés, il est crucial que l'infirmière surveille la pression artérielle. De plus, certains médicaments antihypertenseurs peuvent causer de l'hypotension orthostatique.

■ Prévention de la stase veineuse

Chez les personnes alitées ou à mobilité limitée, le retour veineux vers le cœur se fait difficilement et le risque de stase veineuse aug-

mente. L'immobilité ne concerne pas seulement les personnes malades ou affaiblies : elle touche également les voyageurs qui restent assis, les jambes immobiles, durant de longues heures dans un véhicule automobile ou dans un avion. La stase veineuse risque d'entraîner la formation d'un thrombus et d'œdème aux membres inférieurs.

La prévention de la stase veineuse est une intervention infirmière importante afin de réduire les risques de complications après une chirurgie, un traumatisme ou un problème médical grave. La question du positionnement et des exercices des jambes ainsi que celle des bas de compression sont traitées au chapitre 41 🔗. L'utilisation d'appareils de pressothérapie intermittente est une mesure supplémentaire qui contribue à prévenir la stase veineuse.

APPAREILS DE PRESSOTHÉRAPIE INTERMITTENTE. Les personnes subissant une intervention chirurgicale ou immobilisées en raison d'une affection ou d'une blessure peuvent bénéficier de l'utilisation d'un appareil de pressothérapie intermittente destiné à favoriser le retour veineux au niveau des jambes. Cet appareil est constitué de jambières de plastique raccordées par des tubes à une pompe à air qui gonfle et dégonfle alternativement des sections de la jambière à une pression prédéterminée. La région de la cheville se gonfle en premier, ensuite la région du mollet et finalement celle des cuisses. Ces pressions intermittentes aident les muscles à comprimer les veines ramenant le sang vers le cœur (figure 49-6 ■).

Les bas de compression se portent sous l'appareil de pressothérapie intermittente ; ils fournissent un support supplémentaire et protègent la peau des irritations causées par le plastique. On retire l'appareil pour les déplacements et on cesse généralement son emploi lorsque la personne reprend ses activités. L'appareil de pressothérapie intermittente contribue à prévenir les thrombi et les œdèmes provoqués par la stase veineuse, mais il est contre-

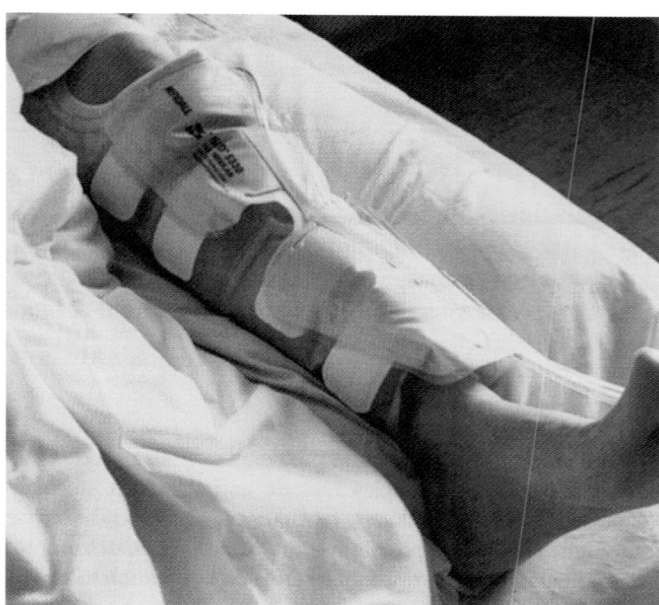

FIGURE **49-6** ■ L'appareil de pressothérapie intermittente améliore le retour veineux. Il en existe deux modèles : à la hauteur du genou ou au-dessus du genou.

indiqué chez les personnes atteintes d'insuffisance artérielle, de cellulite, d'infections des membres inférieurs ou qui souffrent déjà d'une thrombose veineuse.

La pressothérapie s'ajoute souvent à d'autres mesures préventives. Le niveau de risque de thrombose veineuse profonde ou d'embolie pulmonaire détermine souvent les mesures préventives utilisées. Par exemple, une personne à faible risque peut avoir

uniquement besoin de bas de compression. Une personne à risque modéré peut avoir besoin de bas de compression ainsi que d'un appareil de pressothérapie intermittente. Le médecin peut prescrire des bas de compression, de la pressothérapie et des anti-coagulants pour une personne à risque élevé.

Le procédé 49-1 explique la marche à suivre pour installer un appareil de pressothérapie intermittente.

PROCÉDÉ 49-1

Appareil de pressothérapie intermittente

Objectifs
- Favoriser le retour veineux dans les jambes.
- Diminuer le risque de thrombose veineuse profonde ou d'embolie pulmonaire.

COLLECTE DES DONNÉES

Évaluez
- L'état cardiovasculaire, y compris la fréquence et le rythme cardiaques, les pouls périphériques et le remplissage capillaire.
- La couleur et la température des extrémités, particulièrement des membres inférieurs.
- Le mouvement et la sensation au niveau des pieds et des jambes, et le signe de Homans.

PLANIFICATION

Vérifiez le type d'appareil de pressothérapie intermittente que demande le médecin. Il existe des modèles pour les cuisses et pour les jambes.

Matériel
- Ruban à mesurer
- Bas de compression (bas élastiques)
- Appareil de pressothérapie intermittente, jambières jetables, pompe à air et boyaux de raccordement

INTERVENTION

Exécution
1. Expliquez à la personne ce que vous allez faire et pourquoi vous allez le faire, et décrivez les étapes de l'installation de l'appareil de pressothérapie intermittente. *La personne collaborera mieux si elle comprend pourquoi on installe cet appareil, et son bien-être s'en trouvera amélioré.*
2. Respectez les mesures de prévention des infections.
3. Assurez-vous que l'intimité de la personne est préservée.
4. Préparez la personne.
   - Placez-la en position couchée, en décubitus dorsal ou en position semi-assise.
   - Mesurez la jambe selon les indications du fabricant s'il faut employer une jambière jusqu'à la cuisse. *Les jam-*

bières jusqu'au genou ne sont que d'une seule taille; la circonférence de la cuisse détermine la taille requise de la jambière qui va jusqu'à la cuisse.
   - Installez les bas de compression (voir le procédé 41-2 à la page 1260). Assurez-vous qu'il n'y a pas de plis dans les bas. *Les bas de compression procurent un support supplémentaire et réduisent l'irritation causée par les jambières de compression.*
5. Installez les jambières de compression.
   - Placez une jambière sous chaque jambe, l'ouverture vers le genou.
   - Attachez la jambière solidement autour de la jambe avec les bandes velcro (figure 49-7 ■). Laissez l'espace de deux doigts entre la jambière et la jambe. *Cet espace fait en sorte que la jambière n'entrave pas la circulation lorsqu'elle se gonfle.*

6. Branchez les jambières à l'unité de contrôle et ajustez la pression au besoin.
   - Raccordez les tubes aux jambières et à l'unité de contrôle, en vous assurant que les flèches sur la prise et le raccord sont alignées et que les tuyaux ne sont pas entortillés ou tordus.

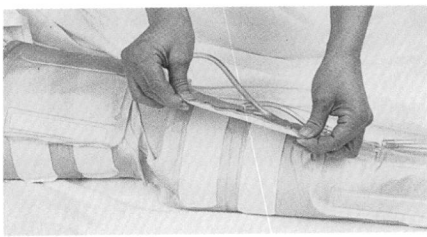

FIGURE 49-7 ■ Installation d'un appareil de pressothérapie intermittente sur une jambe.

PROCÉDÉ 49-1 (SUITE)

Appareil de pressothérapie intermittente (suite)

INTERVENTION (suite)

Un alignement inadéquat ou une obstruction des tubes par les entortillements ou les torsions nuirait au fonctionnement de l'appareil.

• Mettez en marche l'unité de contrôle et réglez les alarmes et la pression selon les besoins. La commande de refroidissement de la jambière et l'alarme doivent être en marche. La pression à la cheville est habituellement réglée entre 35 et 55 mm Hg. *Il est important de mettre en marche la commande de refroidissement de*

la jambière pour assurer le confort et réduire le risque d'irritation de la peau causée par l'humidité sous la jambière. Les alarmes signalent les problèmes de fonctionnement de l'unité de contrôle.

7. Consignez au dossier les données du procédé.
   • Notez la mesure des valeurs initiales et l'heure de l'installation de l'appareil. Notez les mesures de l'unité de contrôle.

• Évaluez et faites le suivi de l'intégrité de la peau et de l'état neurovasculaire des membres inférieurs au moins toutes les huit heures lorsque l'appareil est en place. Retirez l'appareil et informez le médecin si la personne ressent un engourdissement, des picotements ou des douleurs dans les jambes, car ces manifestations peuvent être causées par la compression d'un nerf.

ÉVALUATION

■ Effectuez les évaluations appropriées, comme l'état cardiovasculaire, ce qui comprend le pouls pédieux, la couleur, la température et l'intégrité de la peau, ainsi que l'état neurovasculaire, ce qui comprend le mouvement et la sensation.

■ Comparez avec les mesures initiales si elles sont disponibles.
■ Signalez tout écart important au médecin.

LES ÂGES DE LA VIE

Appareil de pressothérapie intermittente

ENFANTS
■ Les appareils de pressothérapie intermittente sont rarement utilisés chez les enfants.

PERSONNES ÂGÉES
■ Les appareils de pressothérapie intermittente peuvent se relâcher lorsque les personnes bougent dans leur lit. Vérifiez que les jambières sont bien fixées et placées correctement.

SOINS À DOMICILE

Appareil de pressothérapie intermittente

Il est possible d'utiliser un appareil de pressothérapie intermittente à domicile. Enseignez à la personne ou au proche aidant comment installer et faire fonctionner l'appareil correctement. Expliquez également comment répondre à une alarme.

■ Réanimation cardiorespiratoire

La *réanimation cardiorespiratoire (RCR)* est une combinaison de la réanimation orale (bouche-à-bouche), qui apporte de l'oxygène aux poumons, et du massage cardiaque, qui a pour but de rétablir la fonction cardiaque et la circulation du sang.

Les arrêts cardiaques sont souvent soudains et inattendus. Lorsqu'ils se produisent, le cœur ne pompe plus le sang vers les organes. La respiration s'arrête, la personne perd conscience et s'affaisse ; elle est cliniquement morte au bout de 20 à 40 secondes. Après quatre à six minutes, le manque d'oxygène au cerveau provoque des dommages graves et permanents.

Les trois plus importants signes d'arrêt cardiaque sont l'apnée, l'absence de pouls carotidien ou fémoral et la dilatation des pupilles. La peau est froide et pâle ou grisâtre. La cyanose causée par l'insuffisance respiratoire est souvent évidente avant l'arrêt cardiaque.

Un arrêt respiratoire survient souvent lorsque les voies respiratoires sont obstruées, mais il peut également se produire à la suite d'un arrêt cardiaque ou pour d'autres raisons. Un arrêt respiratoire peut être soudain ou être précédé par de courtes respirations superficielles qui deviennent de plus en plus laborieuses.

Il est essentiel que chaque infirmière soit formée pour effectuer la RCR afin d'intervenir immédiatement en cas d'arrêt cardiaque ou respiratoire. Les infirmières jouent également un rôle déterminant dans la sensibilisation de la population quant à la nécessité de suivre une formation en soins immédiats ou en RCR afin de pouvoir assurer ce type de soins. Au Québec, la Fondation des maladies du cœur assure la formation en soins immédiats et en RCR. Par exemple, il existe des programmes particuliers pour les sauveteurs non professionnels tels qu'une formation en soins immédiats de niveau A (Cardiosecours) et de niveau B (Cardio-secours plus). Elle offre également plusieurs types de formation pour les *intervenants désignés*, c'est-à-dire les médecins, les infirmières, les policiers, etc. À titre d'exemple, mentionnons la formation en soins immédiats de niveau C (Soins immédiats) et de niveau D (Cardio-bébé), les soins avancés en réanimation cardiorespiratoire (SARC) et les soins d'urgence en réanimation (SUR). L'Alliance québécoise pour la santé du cœur, une initiative de la Fondation des maladies du cœur du Québec, a élaboré en 2000 de nouvelles lignes directrices canadiennes sur les soins d'urgence cardiovasculaire et la RCR. L'étudiante infirmière doit obligatoirement suivre une formation spécifique dispensée par la Fondation des maladies du cœur. L'infirmière diplômée est tenue de maintenir ses connaissances et ses compétences à jour (Fondation des maladies du cœur, http://ww2.fmcoeur.ca).

L'encadré 49-1 présente certains des grands principes de l'intervention auprès d'une personne qu'on trouve inconsciente ailleurs que dans un établissement de soins.

Par ailleurs, on emploie des méthodes et des protocoles particuliers lors d'une RCR en établissement de soins. Chaque établissement de soins a ses propres politiques et procédures pour annoncer un arrêt cardiaque ou respiratoire et pour amorcer les interventions. Plusieurs qualifient de **code** cet appel d'urgence et emploient l'expression « annoncer un code ». Chaque établissement implante sa propre procédure pour annoncer un code. Il peut s'agir d'un bouton spécial à la tête de chaque lit, d'un numéro de poste spécial sur le téléphone ou d'un téléphone spécial destiné à signaler l'urgence. Il est essentiel que chaque membre de l'équipe de soins connaisse la procédure pour annoncer un code. À l'annonce d'un code, une équipe spécialisée intervient sur les lieux de l'urgence. Cette équipe est composée de membres du personnel spécialement formés pour répondre à ce type d'urgence. L'équipe comprend des personnes chargées de pratiquer la res-

piration artificielle, d'effectuer le massage cardiaque, d'administrer des médicaments et de consigner les opérations de l'équipe. Une personne doit jouer le rôle de chef d'équipe afin de coordonner les activités des autres membres de l'équipe.

Certaines personnes demandent, à l'avance, de ne pas être réanimées en cas d'arrêt cardiorespiratoire. Toute personne a le droit d'exprimer à l'avance ses volontés. Si quelqu'un ne veut pas être réanimé, le médecin doit, après en avoir discuté avec la personne, sa famille et l'équipe de soins, inscrire dans le dossier médical « Pas de code », « Pas de RCR » ou « Ne pas réanimer ».

Évaluation

En fonction des objectifs globaux déterminés à l'étape de la planification, l'infirmière recueille les données nécessaires à l'évaluation de l'efficacité des interventions. On trouvera des exemples de résultats escomptés dans l'encadré *Diagnostics infirmiers, résultats de soins infirmiers et interventions* plus avant dans ce chapitre.

Si les résultats escomptés n'ont pas été obtenus, l'infirmière, la personne et le proche aidant (selon le cas) doivent tenter de comprendre les causes de cet échec et modifier en conséquence le plan de soins et de traitements infirmiers. Par exemple, si on n'a pas obtenu les résultats escomptés concernant l'efficacité de la pompe cardiaque, on pourrait se poser les questions suivantes :

- Les autres objectifs concernant le maintien d'un débit cardiaque adéquat ont-ils été atteints ?
- Les médicaments prescrits ont-ils été administrés adéquatement ?
- Y a-t-il d'autres facteurs qui soumettent le cœur à un stress ?
- Y a-t-il un équilibre entre les facteurs qui concernent le débit cardiaque, comme la précharge et la postcharge ?
- Y a-t-il des signes d'un surplus de liquide (un gain de poids, par exemple) ?

Quelques principes de l'intervention auprès d'une personne trouvée inconsciente ailleurs que dans un établissement de soins	**49-1**

1. S'assurer que rien n'entrave la sécurité de la personne ou de l'intervenant.
2. Évaluer l'état de conscience de la personne (en l'appelant, en lui frottant une épaule).
3. Si la personne ne répond pas, appeler du secours immédiatement (composer le 911 ou s'assurer qu'une autre personne le fait).
4. Évaluer la respiration (dégager les voies respiratoires, écouter les bruits respiratoires, sentir le souffle ou regarder la respiration).
5. Si la personne ne respire pas, pratiquer la technique de la respiration artificielle, à un ou à deux intervenants.
6. Évaluer la circulation en recherchant le pouls carotidien.
7. En l'absence d'une pulsation carotidienne, commencer les manœuvres de réanimation par des compressions thoraciques tout en poursuivant les insufflations par intermittence.
8. Réévaluer régulièrement le pouls carotidien, principal signe d'un retour de la circulation sanguine.
9. Poursuivre jusqu'à l'arrivée des secours médicaux.

RÉSULTATS DE RECHERCHE

Traitement des personnes atteintes d'infarctus aigu du myocarde : réduction des délais d'intervention

Chez une personne qui fait un infarctus du myocarde, les délais d'intervention influent grandement sur l'ampleur des lésions du muscle cardiaque. L'étude de Meils, Kaleta et Mueller (2002) avait pour but de réduire le temps nécessaire pour entreprendre une thérapie thrombolytique ou effectuer une intervention au laboratoire de cathétérisme (par exemple, cathétérisme cardiaque ou angioplastie coronarienne transluminale percutanée) permettant de rétablir l'irrigation du myocarde. Ils ont sélectionné trois variables : (a) le temps écoulé entre le passage de la porte de l'urgence et le transport dans la salle de réanimation ; (b) le temps nécessaire pour commencer la thérapie thrombolytique ; (c) le temps nécessaire à l'intervention dans le laboratoire de cathétérisme. Les données ont été recueillies en utilisant la base de données du National Registry of Myocardial Infarction et une base de données interne mise au point par l'équipe de recherche. L'analyse des données a permis de distinguer plusieurs facteurs clés susceptibles de réduire les délais d'intervention. Parmi ces facteurs, on trouve la synchronisation des horloges au mur avec les appareils à ECG,

la formation continue du personnel au sujet des symptômes, la disponibilité en permanence d'appareils à ECG près des lits et une disponibilité accrue d'un cardiologue.

Les chercheurs ont pu réduire de façon importante le temps écoulé entre le passage des portes de l'urgence jusqu'à la salle de réanimation, mais ils n'ont jamais réussi à réduire de façon significative le temps nécessaire pour amorcer une thérapie thrombolytique. Ils sont toutefois arrivés à réduire le temps d'intervention dans le laboratoire de cathétérisme.

Implications : La réduction des délais d'intervention représente un défi de taille pour les hôpitaux. Il est clair que le temps représente un facteur crucial qui influe sur l'évolution d'un infarctus du myocarde. Cette étude a démontré que le travail en commun d'une équipe multidisciplinaire peut avoir un effet positif sur la personne atteinte d'infarctus aigu du myocarde.

Source : « Treatment of the Client with Acute Myocardial Infarction : Reducing time Delays », de C. M. Meils, K. A. Kaleta et C. L. Mueller, 2002, *Journal of Nursing Care Quality, 17*(1), p. 83-89.

EXERCICES D'INTÉGRATION

Mme Gloria Papineau se plaint que sa qualité de vie diminue continuellement, car elle ne peut plus marcher au-delà d'un pâté de maisons sans ressentir d'intenses douleurs dans les mollets. La douleur se calme si elle se repose durant quelques minutes, mais elle revient quand elle recommence à marcher. Ses pieds sont froids et pâles ; il est impossible de prendre son pouls pédieux et tibial postérieur, et on ressent difficilement son pouls fémoral. Elle habite dans un appartement du centre-ville et, une fois par semaine, elle emprunte les transports en commun pour traverser la ville afin de se recueillir sur la tombe de son mari.

1. À quoi l'infirmière peut-elle relier les difficultés à la marche de Mme Papineau ? Quels facteurs de risque l'infirmière peut-elle découvrir dans les antécédents médicaux de Mme Papineau pour justifier sa réponse ?

2. Nommez deux diagnostics infirmiers appropriés pour Mme Papineau. Lequel est le plus important et pourquoi ?

3. Le médecin conseille à Mme Papineau de ne plus aller au cimetière, car elle doit marcher une longue distance pour se rendre sur la tombe de son mari. L'infirmière devrait-elle approuver cette recommandation ? Si oui, pourquoi et si non, pourquoi ? Qu'est-ce qui détermine ce choix ?

4. Mme Papineau porte des bas de soutien (bas de compression) parce que son amie lui a dit qu'ils favorisent la circulation sanguine dans les jambes. Que devrait lui répondre l'infirmière ?

Voir l'appendice A : Exercices d'intégration – Pistes de réflexion.

RÉVISION DU CHAPITRE

Concepts clés

- Le cœur et les vaisseaux sanguins constituent la fonction cardiovasculaire. Ce système forme, avec le sang, le principal transporteur de l'oxygène et des nutriments vers les tissus ; il contribue également à l'élimination d'une partie des déchets de l'organisme.

- Le côté droit du cœur reçoit le sang désoxygéné provenant de l'organisme et le pompe vers les poumons par l'entre-

mise des artères pulmonaires. Le côté gauche du cœur reçoit le sang oxygéné en provenance des poumons et l'envoie dans l'organisme en l'éjectant dans l'aorte.

- Les artères coronaires apportent de l'oxygène et des nutriments au muscle cardiaque.

- Le cycle cardiaque est constitué par la systole et la diastole.

Concepts clés (suite)

- Le système de conduction du cœur commande l'activité électrique du cœur et le cycle cardiaque : la systole est marquée par la contraction du muscle cardiaque et l'éjection du sang ; la diastole représente la période au cours de laquelle le cœur se relâche et les ventricules se remplissent de sang.

- Le débit cardiaque est déterminé par le volume systolique (la quantité de sang éjecté durant la systole) et la fréquence cardiaque.

- Les vaisseaux sanguins systémiques transportent le sang aux tissus en empruntant un réseau d'artères, d'artérioles et de capillaires. Le sang retourne ensuite au cœur en passant par les veinules, les veines et les veines caves.

- La pression artérielle augmente graduellement de la naissance jusqu'à l'adolescence ; elle atteint alors le niveau qu'on observe chez l'adulte.

- L'athérosclérose se caractérise par la formation de plaques lipidiques dans la paroi des artères.

- Les principaux problèmes cardiovasculaires susceptibles de nuire à l'oxygénation des tissus sont la diminution du débit cardiaque, une irrigation inadéquate des tissus et des anomalies de la composition du sang.

- Le débit cardiaque peut chuter après un infarctus du myocarde (IM), ou par suite d'une insuffisance cardiaque, d'arythmies ou d'anomalies structurelles du cœur (une anomalie des valvules, par exemple).

- L'athérosclérose constitue la cause la plus courante de réduction du débit sanguin dans les vaisseaux irriguant les tissus, ce qui peut conduire à l'ischémie tissulaire et causer de la douleur.

- Le monitorage cardiaque permet de surveiller de façon continuelle la fréquence et le rythme cardiaques.

- Les pratiques infirmières qui favorisent la circulation comprennent : le port de bas de compression et l'utilisation d'appareils de pressothérapie intermittente afin de prévenir la stase veineuse et l'œdème, ainsi que l'exécution de manœuvres de réanimation cardiorespiratoire.

- On recourt à la réanimation cardiorespiratoire (RCR) en cas d'arrêt cardiorespiratoire. Chaque infirmière doit connaître les politiques de l'hôpital et les procédures à suivre en cas d'urgence.

Questions de révision

49-1. La pratique régulière d'une activité physique d'intensité croissante favorise tout particulièrement :
   a) le débit cardiaque et l'irrigation des tissus.
   b) la perfusion rénale et la formation d'urine.
   c) la capacité de transporter l'oxygène des globules blancs.
   d) une respiration efficace et la désobstruction des voies aériennes.

49-2. L'objectif établi pour une personne est de « démontrer une irrigation adéquate des tissus ». Que devrait-on rechercher pour évaluer l'atteinte de cet objectif ?
   a) Observer si l'expansion de la poitrine est symétrique.
   b) Évaluer le résultat de l'exercice qui consiste à souffler contre résistance respiratoire par la méthode des lèvres pincées.
   c) Observer la rapidité du remplissage capillaire.
   d) Évaluer l'intolérance à l'activité.

49-3. Parmi les personnes suivantes, laquelle court le plus grand risque de souffrir d'un faible débit cardiaque ?
   a) Une personne qui vient d'achever ses exercices physiques.
   b) Une personne dont le volume systolique est de 70 mL par battement et la fréquence cardiaque, de 70 battements/min.

   c) Une personne qui maintient une fréquence cardiaque de 150 battements/min.
   d) Une personne qui prend des agents inotropes positifs.

49-4. Quels sont les principaux signes d'arrêt cardiaque ?
   a) Une peau froide et pâle, l'inconscience, l'absence de pouls radial.
   b) La cyanose, un pouls faible, la dilatation des pupilles.
   c) L'absence de pouls, la peau rouge, la contraction des pupilles.
   d) L'apnée, l'absence de pouls carotidien et fémoral, la dilatation des pupilles.

49-5. Les appareils de pressothérapie intermittente sont utilisés pour :
   a) favoriser la circulation artérielle.
   b) favoriser le retour veineux des jambes.
   c) diminuer la postcharge.
   d) réduire la douleur postopératoire.

Voir l'appendice B : Réponses aux questions de révision.

BIBLIOGRAPHIE

En anglais

Anonymous. (2002). ACE inhibitors for heart failure : No race issue here. *Nursing, 32*(11), CC8.

Anonymous. (2002). Excess weight linked to the development of heart failure. *Geriatrics, 57*(10), 16–17.

Anonymous. (2002). Quick blood test identifies heart failure. *Nursing, 32*(6), 34.

Anonymous. (2002). "Resetting" the heart helps heart failure patients. *Nursing, 32*(10), CC8.

Anonymous. (2002). Teaching your patient about cardiovascular tests. *Nursing, 32*(1), 62–64.

Asselin, M. E., & Cullen, H. A. (2001). What you need to know about the new BLS guidelines. *Nursing, 31*(3), 48–50.

Bauer, J. (2002). Implantable defibrillators cut risk of death for MI patients. *RN, 65*(5), 20.

Bosen, D. M. (2002). What you need to know about the new heart failure guidelines. *Nursing, 32*(6), CC8–CC9.

Chorzempa, A. (2002). Post myocardial infarction treatment in the older adult. *Dimensions of Critical Care Nursing, 21*(1), 20–26.

Davis, S. L. (2002). How the heart failure picture has changed. *Nursing, 32*(11), 36–46.

Haddad, A. (2002). Ethics in action : Family presence during codes. *RN, 65*(11), 31–34.

Hohm, S. (2002). Code blue. *Nursing, 32*(4), 64.

Hussar, D. A. (2002). New drugs 2002, part III. *Nursing, 32*(7), 55–64.

Johnson, M., Maas, M., & Moorhead, S. (Eds.). *Nursing outcomes classification (NOC)* (2nd ed.). St. Louis, MO : Mosby.

Lanza, M. (2002). Right ventricular myocardial infarction : When the power fails. *Dimensions of Critical Care Nursing, 21*, 122–126.

McCance, K. L., & Huether, S. E. (2002). *Pathophysiology : The biologic basis for disease in adults and children* (4th ed.). St. Louis, MO : Mosby.

McCloskey, J. C., & Bulechek, G. M. (Eds.). (2000). *Nursing interventions classification (NIC)* (3rd ed.). St. Louis, MO : Mosby.

McConnell, E. A. (2001). Applying cardiac monitor electrodes. *Nursing, 31*(18), 17.

McVeigh, J. P., & Musto, J. (1999). Acute myocardial infarction. *Australian Nursing Journal, 7*(2), CU1–CU4.

Meils, C. M., Kaleta, K. A., & Mueller, C. L. (2002). Treatment of the patient with acute myocardial infarction : Reducing time delays. *Journal of Nursing Care Quality, 17*(1), 83–89.

Miranda, M. B. (2002). An evidence-based approach to improving care of patients with heart failure across the continuum. *Journal of Nursing Care Quality, 17*(1), 1–15.

Nagle, B., & Nee, C. (2002). Recognizing and responding to acute myocardial infarction. *Nursing, 32*(10), 50–54.

NANDA International. (2003). *NANDA nursing diagnoses : Definitions and classification 2003-2004.* Philadelphia : Author.

Parker, K. P. (2002). Sleep and heart failure. *The Journal of Cardiovascular Nursing, 17*(1), 30–42.

Pope, B. B. (2002). Heart failure. *Nursing, 32*(8), 50–51.

Reeder, S. J., Hoffman, R. L., Magdic, K. S., & Rodgers, J. M. (2000). Homocysteine : The latest risk factor for heart disease. *Dimensions of Critical Care Nursing, 19*(1), 22–28.

Rodgers, J. M. (2002). Managing heart failure. *Nursing Management, 33*(10), 48A–57A.

Sarter, B. (2002). Coenzyme Q10 and cardiovascular disease : A review. *The Journal of Cardiovascular Nursing, 16*(4), 9–20.

Segers, P., Belgrado, J. P., Leduc, A., Leduc, O., & Verdonck, P. (2002). Excessive pressure in multichambered cuffs used for sequential compression therapy. *Physical Therapy, 82*, 1000–1008.

Stryer, D. B. (2002). The development and role of predictive instruments in acute coronary events : Improving diagnosis and management. *The Journal of Cardiovascular Nursing, 16*(3), 1–8.

Vernarec, E. (2002). Clot-buster approved for clearing central caths. *RN, 65*(1), 93.

Walton, J. (2002). Discovering meaning and purpose during recovery from an acute myocardial infarction. *Dimensions of Critical Care Nursing, 21*(1), 36–44.

Williams, J. M. (2002). Family presence during resuscitation : To see or not to see ? *Nursing Clinics of North America, 37*, 211–221.

Zuzelo, P. R. (2002). Gender and acute myocardial infarction symptoms. *Medsurg Nursing, 11*, 126–137.

En français

Alliance québécoise pour la santé du cœur ; une initiative de la Fondation des maladies du cœur du Québec. *Nouvelles lignes directrices canadiennes 2000 : Soins d'urgence cardiovasculaire et RCR,* (page consultée le 6 juillet 2004), [en ligne], <http://www.santeducoeur.org/docs/soins/french/LD2000.pdf>.

Brûlé, M., Cloutier, L. et Doyon, O. (dir.). (2002). *L'examen clinique dans la pratique infirmière,* Saint Laurent : Éditions du Renouveau Pédagogique.

Carpenito, L. J. (2003). *Manuel de diagnostics infirmiers,* traduction de la 9ᵉ édition, Saint-Laurent : Éditions du Renouveau Pédagogique.

Fondation des maladies du cœur du Canada. (2001a). *Facteur de risque : embonpoint,* (page consultée le 6 juillet 2004), [en ligne], <http://ww1.fmcoeur.ca/Page.asp ?PageID=907 ArticleID=593&Src=heart&From=SubCategory>.

Fondation des maladies du cœur du Canada. (2001b). *Facteur de risque : tabagisme,* (page consultée le 6 juillet 2004), [en ligne], <http://ww1.fmcoeur.ca/Page.asp ?PageID=907&ArticleID=594&Src=heart&From=SubCategory>.

Fondation des maladies du cœur du Canada. (2004a). *Les acides gras « trans », les maladies du cœur et les AVC : recommandations sur les gras,* (page consultée le 6 juillet 2004), [en ligne], <http://ww1.fmcoeur.ca/ Page.asp ?PageID=1613&ContentID=16216&ContentTypeID=1>.

Fondation des maladies du cœur du Canada. (2004b). *Nouvelles lignes directrices canadiennes sur l'hypertension artérielle,* (page consultée le 6 juillet 2004), [en ligne], <http://ww1.fmcoeur.ca/Page.asp ?PageID=1613&ContentID=15948&ContentTypeID=1>.

Fondation des maladies du cœur du Canada. (2004c). *Soins d'urgence/RCR – Formation en RCR – Une approche étape par étape,* (page consultée le 15 septembre 2004), [en ligne], <http://ww1.fmcoeur.ca/Page.asp ? PageID=1613&ContentID=16216&ContentTypeID=1>.

Julliard, A. (1999). *Cardiologie et soins infirmiers,* module nᵒ 2, Paris : Lamarre.

Johnson, M. et Maas, M. (dir.). (1999). *Classification des résultats de soins infirmiers CRSI/NOC,* Paris : Masson.

McCloskey, J. C. et Bulechek, G. M. (dir.). (2000). *Classification des interventions de soins infirmiers CISI/NIC,* 2ᵉ éd., Paris : Masson.

NANDA International. (2004). *Diagnostics infirmiers : Définitions et classification 2003-2004,* Paris : Masson.

Timmis, A. D. et Sullivan, I. D. (2001). *Cardiologie en bref,* Bruxelles : De Boeck.

Tortora, G. J. et Grabowski, S. R. (2001). *Principes d'anatomie et de physiologie,* Saint-Laurent : Éditions du Renouveau Pédagogique.

RESSOURCES ET SITES WEB

Fondation des maladies du cœur du Canada : Québec. Page d'accueil, <http://ww1.fmcoeur.ca/Page.asp ?PageID=906&CategoryID=22>.

OBJECTIFS D'APPRENTISSAGE

Après avoir étudié ce chapitre, vous pourrez :

- Expliquer la fonction, la distribution, le mouvement et la régulation des liquides et des électrolytes dans l'organisme.

- Décrire la régulation de l'équilibre acidobasique dans l'organisme et expliquer le rôle des systèmes tampons, des poumons et des reins.

- Énumérer des facteurs qui influent sur l'équilibre hydrique, électrolytique et acidobasique.

- Nommer les facteurs de risque, les causes et les effets des déséquilibres hydriques, électrolytiques et acidobasiques.

- Recueillir des données sur l'équilibre hydrique, électrolytique et acidobasique d'une personne.

- Donner des exemples de diagnostics infirmiers, de résultats de soins infirmiers et d'interventions infirmières relatifs à des personnes qui présentent un déséquilibre hydrique, électrolytique ou acidobasique.

- Enseigner à la personne des mesures permettant de maintenir l'équilibre hydrique et électrolytique.

- Exécuter des interventions visant à corriger les déséquilibres hydriques, électrolytiques ou acidobasiques, comme la rééquilibration entérale ou parentérale et les transfusions sanguines.

- Évaluer l'effet des interventions infirmières et des interventions en collaboration sur l'équilibre hydrique, électrolytique ou acidobasique de la personne.

CHAPITRE 50

ÉQUILIBRE HYDRIQUE, ÉLECTROLYTIQUE ET ACIDOBASIQUE

Adaptation française :
Sophie Longpré, inf., M.S
Professeure, Départemen
des sciences infirmières
Université du Québec
à Trois-Rivières

Dans un organisme en bonne santé, de nombreux processus physiologiques maintiennent les liquides, les électrolytes ainsi que les acides et les bases dans un état d'équilibre appelé **homéostasie**. Ces processus régissent l'apport et la déperdition hydrique, ainsi que le mouvement de l'eau et des substances qui y sont dissoutes entre les compartiments hydriques.

Presque toutes les affections compromettent plus ou moins directement l'équilibre hydrique, électrolytique et acidobasique. Même dans la vie quotidienne, il arrive que les températures excessives ou une activité physique intense perturbent cet équilibre par suite d'un apport insuffisant en eau et en ions. En outre, certaines interventions thérapeutiques, comme l'administration de diurétiques et l'aspiration nasogastrique, risquent de perturber l'homéostasie si on ne remplace pas l'eau et les électrolytes éliminés.

Liquides et électrolytes dans l'organisme

La proportion de liquides dans l'organisme humain a de quoi étonner. En effet, l'eau, le principal liquide organique, représente entre 46 et 60 % environ du poids d'un adulte. Par ailleurs, le volume d'eau demeure relativement constant : en 24 h, le poids d'une personne en bonne santé varie de moins de 0,2 kg, quel que soit le volume de liquide ingéré.

L'eau est essentielle à la santé et au fonctionnement normal des cellules, car elle :

- Est un solvant universel pour les substances ionisées ou polaires.
- Fournit un milieu aux réactions métaboliques à l'intérieur des cellules.
- Transporte les nutriments, les déchets et d'autres substances.
- Sert de lubrifiant et d'isolant et est indispensable aux systèmes tampons.
- Contrôle et maintient la température corporelle.

Le pourcentage d'eau par rapport au poids corporel varie selon l'âge, le sexe et l'adiposité. Il est de 70 à 80 % chez le nourrisson, mais il diminue avec l'âge et ne représente plus qu'environ 50 % du poids corporel des personnes de plus de 60 ans. Le tissu adipeux ne contient presque pas d'eau, contrairement au tissu maigre. Par conséquent, le pourcentage d'eau par rapport au poids corporel est plus élevé chez une personne mince que chez une personne obèse. De même, ce rapport est plus élevé chez les hommes que chez les femmes, car elles possèdent plus de tissu adipeux.

Distribution des liquides organiques

Les liquides organiques sont répartis en deux compartiments principaux, le compartiment intracellulaire et le compartiment extracellulaire. Le **liquide intracellulaire (LI)** est contenu dans les cellules. Il constitue environ les deux tiers des liquides organiques chez l'adulte. Le **liquide extracellulaire (LE)** entoure les cellules et représente environ le tiers des liquides organiques. Il comprend plusieurs compartiments, les deux principaux étant le compartiment intravasculaire et le compartiment interstitiel. Le **liquide intravasculaire**, ou **plasma**, est contenu dans le système vasculaire, tandis que le **liquide interstitiel** baigne les cellules. Les autres compartiments du LE sont la lymphe et les **liquides transcellulaires,** comme la bile ainsi que les liquides cérébrospinal, péricardique, pancréatique, pleural, intraoculaire, péritonéal et synovial (figure 50-1 ■).

Les cellules ne peuvent fonctionner normalement sans liquide intracellulaire. En effet, ce liquide contient des solutés (particules dissoutes dans un liquide) comme l'oxygène, les électrolytes et le glucose, et il fournit un milieu propice au déroulement des réactions métaboliques cellulaires.

Le liquide extracellulaire est contenu dans le plus petit des deux compartiments, mais il joue un rôle déterminant, car il transporte les nutriments aux cellules et emporte les déchets cellulaires. Ainsi, le plasma transporte l'oxygène provenant des poumons et le glucose fourni par le système digestif jusqu'aux capillaires du système vasculaire. Ces substances traversent les membranes des capillaires, puis elles entrent dans les espaces interstitiels, franchissent les membranes plasmiques et pénètrent dans les cellules. Les déchets parcourent le trajet inverse ; par exemple, le gaz carbonique produit par les cellules est transporté vers les poumons, tandis que les sous-produits acides du métabolisme aboutissent dans les reins. Le liquide interstitiel, qui constitue les trois quarts du LE, transporte les déchets des cellules par l'entremise du système lymphatique ou du plasma (après leur traversée des capillaires).

Composition des liquides organiques

Le liquide extracellulaire et le liquide intracellulaire contiennent de l'oxygène provenant des poumons, des nutriments dissous provenant du système digestif, des sous-produits du métabolisme, comme le gaz carbonique, et des particules chargées électriquement appelées **ions**.

Dans l'eau, les molécules de nombreux sels se dissocient en ions. Par exemple, la molécule de chlorure de sodium (le sel ordinaire) se sépare en un ion sodium (Na^+) et un ion chlorure (Cl^-). Parce qu'elles portent une charge électrique, ces particules conduisent le courant électrique ; d'où leur nom d'**électrolytes**. Les ions chargés positivement sont appelés **cations**, tandis que les ions chargés négativement se nomment **anions**. Le sodium (Na^+), le potassium (K^+), le calcium (Ca^{2+}) et le magnésium (Mg^{2+}) sont des cations, tandis que le chlorure (Cl^-), le bicarbonate (HCO_3^-), le phosphate (HPO_4^{2-}) et le sulfate (SO_4^{2-}) sont des anions.

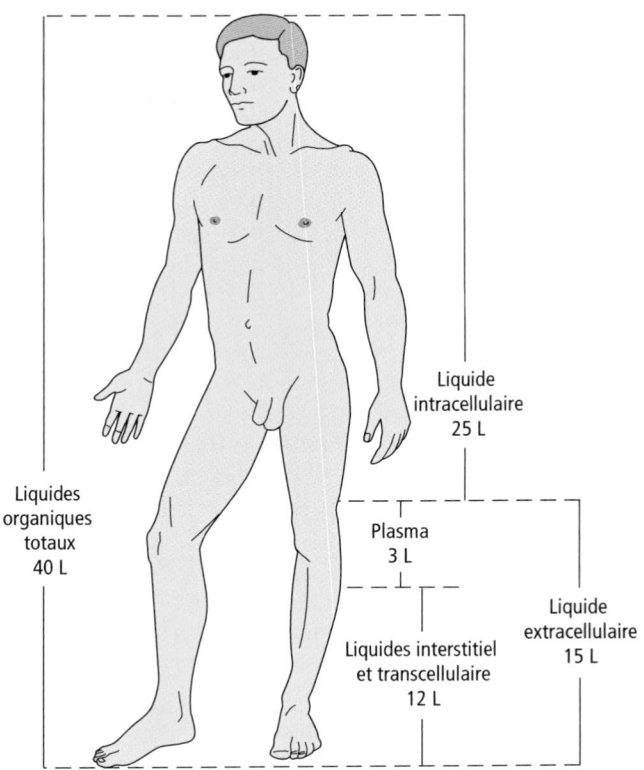

FIGURE 50-1 ■ Le volume des liquides organiques est de 40 L chez un homme adulte de 70 kg (154 lb).

On mesure généralement les électrolytes en millimoles par litre d'eau (mmol/L). La **millimole** exprime la concentration de cations ou d'anions dans un volume donné de solution.

L'infirmière doit se rappeler que les épreuves de laboratoire se font généralement sur du plasma, c'est-à-dire sur du liquide extracellulaire. Les résultats indiquent donc ce qui se déroule dans le LE, mais non à l'intérieur des cellules. En règle générale, il est impossible de mesurer directement les concentrations d'électrolytes cellulaires.

La composition ionique des liquides varie d'un compartiment à l'autre. Le liquide extracellulaire contient principalement du sodium, du chlorure et du bicarbonate. On y trouve aussi, mais en moindre quantité, du potassium, du calcium et du magnésium. Le plasma et le liquide interstitiel, les deux principaux composants du LE, contiennent pour l'essentiel les mêmes électrolytes et les mêmes solutés, à l'exception des protéines. En effet, le plasma est riche en protéines, et tout particulièrement en albumine, contrairement au liquide intertitiel, qui ne contient pas de protéines, ou très peu.

La composition du liquide intracellulaire diffère considérablement de celle du LE, puisque ses principaux cations sont le potassium et le magnésium, et ses principaux anions, le phosphate et le sulfate. Les autres électrolytes y sont beaucoup moins abondants.

Les volumes et la composition électrolytique des liquides doivent demeurer stables dans les différents compartiments. Le maintien de l'homéostasie exige donc que les pertes de liquides et d'électrolytes, normales ou non, soient compensées.

D'autres liquides organiques, tels que les sécrétions gastriques et intestinales, contiennent aussi des électrolytes. Les pertes liquidiennes importantes causées notamment par les vomissements, la diarrhée et l'aspiration gastrique sont particulièrement préoccupantes, car elles peuvent entraîner des déséquilibres hydriques et électrolytiques.

Mouvement des liquides organiques et des électrolytes

Les compartiments hydriques sont séparés les uns des autres par les membranes plasmiques des cellules et par la paroi des capillaires. Aussi appelées membranes semi-perméables, ces membranes se caractérisent par leur **perméabilité sélective**, qui désigne la propriété de ne laisser passer que certaines substances. Ainsi, les particules, comme les ions, l'oxygène et le gaz carbonique, franchissent facilement les parois cellulaires, contrairement à des molécules comme le glucose et les protéines.

Quatre mécanismes assurent le mouvement des électrolytes et des autres solutés : l'osmose, la diffusion, la filtration et le transport actif.

OSMOSE

L'**osmose** est la diffusion des molécules d'eau (c'est-à-dire du solvant) à travers les membranes plasmiques, qui sont des membranes semi-perméables. Ce déplacement s'effectue de la solution la moins concentrée en solutés vers la solution la plus concentrée. L'eau se déplace jusqu'à ce que les concentrations de soluté s'équilibrent de part et d'autre de la membrane (figure 50-2 ■).

Les **solutés** sont des substances dissoutes dans un liquide. Par exemple, le sucre ajouté dans le café est un soluté. Les solutés peuvent être des **cristalloïdes**, c'est-à-dire des sels qui se dissolvent facilement dans des solutions vraies, ou des **colloïdes**, des substances comme les grosses molécules de protéines qui ne se dissolvent pas dans des solutions vraies. Le **solvant** est une substance dans laquelle se dissout un soluté. Ainsi, dans notre exemple, l'eau du café est le solvant du sucre.

Dans l'organisme, l'eau est le principal solvant ; les électrolytes, l'oxygène, le gaz carbonique, le glucose, l'urée, les acides aminés et les protéines sont des exemples de solutés. Il y a osmose, c'est-à-dire déplacement d'eau, lorsque la concentration des solutés d'un côté d'une membrane semi-perméable, comme la paroi des capillaires, est plus élevée que de l'autre côté. Par exemple, un coureur de marathon perd une importante quantité d'eau en transpirant, ce qui augmente la concentration des solutés dans le plasma. Cette élévation de la concentration en solutés attire vers le compartiment vasculaire l'eau contenue dans les espaces interstitiels et les cellules afin que s'équilibrent les concentrations de solutés dans tous les compartiments. L'osmose est un mécanisme crucial dans le maintien de l'homéostasie et de l'équilibre hydrique.

L'**osmolalité** est la concentration moléculaire de toutes les particules de soluté (osmotiquement actives) contenues dans une solution. Cette concentration s'exprime en osmoles (ou milliosmoles) par kilogramme de solvant. On l'exprime donc en parties de soluté (milliosmoles) par *kilogramme* d'eau (mOsm/kg). L'osmolarité est une notion voisine, mais elle indique plutôt la concentration moléculaire de toutes les particules de soluté contenues dans une solution ; elle s'exprime en osmoles (ou milliosmoles) par *litre* de solvant, soit par le symbole mOsm/L.

Le sodium est de loin le principal déterminant de l'*osmolalité sérique*, quoique le glucose et l'urée y contribuent également. De leur côté, le potassium, le glucose et l'urée sont les principaux facteurs de l'osmolalité du liquide intracellulaire. On peut employer le terme *tonicité* pour désigner l'osmolalité d'une solution. Une solution **isotonique** a la même osmolalité que les liquides organiques. Le soluté physiologique (également appelé *normal salin*), une solution de chlorure de sodium à 0,9 %, est isotonique. L'osmolalité d'une solution **hypertonique** est supérieure à celle des liquides organiques, alors que celle d'une solution **hypotonique** est inférieure. Ainsi, une solution de chlorure de sodium à 3 % est hypertonique, tandis qu'une solution de chlorure de sodium à 0,45 % est hypotonique.

La **pression osmotique** est la capacité d'une solution d'attirer l'eau à travers une membrane semi-perméable. Quand deux solutions de concentrations différentes sont séparées par une telle membrane, la solution la plus concentrée exerce une pression osmotique supérieure et attire l'eau à travers la membrane jusqu'à l'égalisation des concentrations. Par exemple, la perfusion intraveineuse d'une solution hypertonique comme le dextrose 10 % attire l'eau contenue dans les érythrocytes et entraîne leur plasmolyse, c'est-à-dire leur contraction sous l'effet de la perte d'eau. À l'inverse, l'administration par voie intraveineuse d'une solution hypotonique fait entrer de l'eau dans les érythrocytes, qui se gonflent et risquent d'éclater (ce qui provoquerait une hémolyse). Dans l'organisme, les protéines plasmatiques exercent une forme particulière de pression osmotique, la **pression osmotique colloïdale** ou **pression oncotique**. Les protéines attirent vers le compartiment vasculaire l'eau contenue dans l'espace interstitiel. Ce mécanisme contribue largement au maintien du volume vasculaire.

DIFFUSION

La **diffusion** résulte de l'agitation constante des molécules dans les liquides, les solides et les gaz, sous l'effet du mouvement aléatoire des molécules. Par exemple, deux gaz se mélangent, car leurs molécules se déplacent constamment. Les substances peuvent même diffuser à travers une membrane, si celle-ci leur est perméable ; elles se déplacent alors de la solution la plus concentrée vers la solution la moins concentrée. Dans l'organisme, la diffusion de l'eau, des électrolytes et d'autres substances s'effectue à travers la membrane plasmique.

Plusieurs facteurs influent sur la vitesse de diffusion des substances. Les plus importants sont : (a) la taille ou la masse des molécules ; (b) la concentration de la solution ; (c) la température de la solution. Les grosses molécules se déplacent moins rapidement que les petites, car leurs mouvements nécessitent plus d'énergie. Pendant la diffusion, les molécules se déplacent de la solution la plus concentrée vers la solution la moins concentrée (figure 50-3 ■). L'élévation de la température accélère les déplacements des molécules et, par conséquent, la vitesse de diffusion.

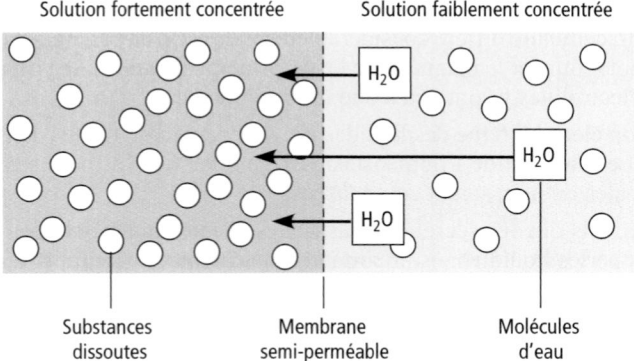

FIGURE **50-2** ■ Osmose. Les molécules d'eau se déplacent de la solution la moins concentrée en solutés vers la solution la plus concentrée jusqu'à l'égalisation des concentrations du soluté de part et d'autre de la membrane.

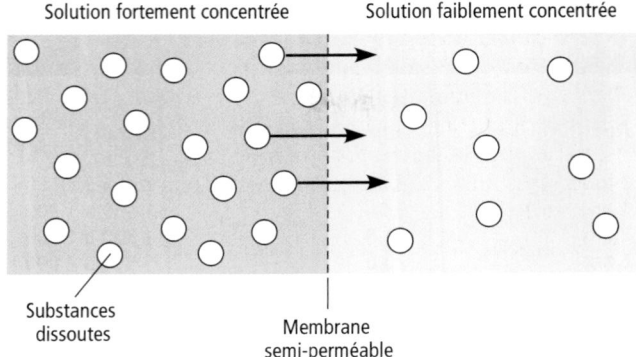

FIGURE 50-3 ■ Diffusion. Les molécules traversent une membrane semi-perméable de la solution la plus concentrée vers la solution la moins concentrée.

FILTRATION

La **filtration** est le processus par lequel un liquide et ses solutés traversent une membrane séparant deux compartiments, en se déplaçant d'une région de pression élevée vers une région de pression plus faible. Le mouvement de l'eau et des nutriments contenus dans les capillaires vers le liquide interstitiel entourant les cellules est un exemple de filtration. La pression qui provoque le déplacement du liquide et de ses solutés vers l'extérieur du compartiment est appelée **pression de filtration**. On appelle **pression hydrostatique** la pression exercée par un liquide sur les parois du récipient qui le contient dans un système fermé. La pression hydrostatique du sang représente la force exercée par le sang contre les parois des vaisseaux sanguins. Le principe sous-jacent à la pression hydrostatique veut que les liquides s'écoulent d'une région de pression élevée vers une région de pression plus faible. Dans les vaisseaux sanguins, les protéines plasmatiques exercent une pression osmotique colloïdale, ou pression oncotique (voir la section intitulée «Osmose»), qui s'oppose à la pression hydrostatique et retient le liquide dans le compartiment vasculaire de manière à maintenir le volume sanguin. Quand la pression hydrostatique est supérieure à la pression osmotique, le liquide filtre à l'extérieur des vaisseaux sanguins. Dans cet exemple, la pression de filtration correspond à la différence entre la pression hydrostatique et la pression osmotique (figure 50-4 ■).

TRANSPORT ACTIF

Le **transport actif** permet aux substances de traverser la membrane plasmique des cellules et de déplacer les solutés vers le compartiment le plus concentré (figure 50-5 ■). Contrairement à la diffusion et à l'osmose, le transport actif nécessite une dépense d'énergie métabolique (sous forme d'ATP) et fait intervenir des transporteurs. Pour traverser la membrane plasmique, une molécule de soluté doit se lier à un transporteur particulier situé sur la face externe de la membrane. Le transporteur fait passer la molécule à travers la membrane cellulaire. Une fois à l'intérieur de la cellule, la substance se sépare du transporteur; elle est libérée dans le cytoplasme, tandis que le transporteur s'apprête à capter une autre molécule de soluté dans le liquide extracellulaire.

Un des rôles déterminants du transport actif est de maintenir les différences de concentration des ions sodium et potassium dans le LE et le LI. Dans des conditions normales, les concentrations de sodium sont plus élevées dans le LE et les concentrations de potassium sont plus élevées dans le LI. Pour conserver ces

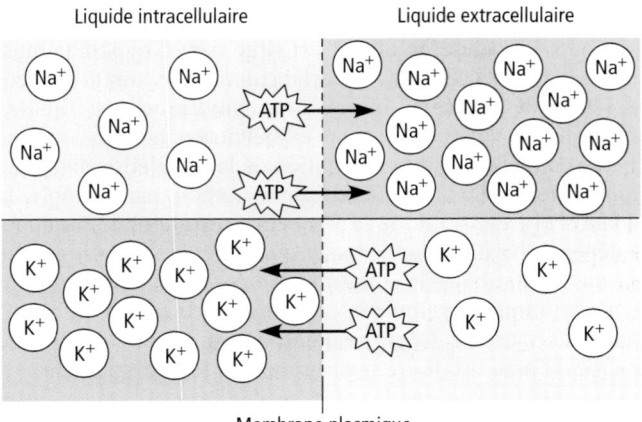

FIGURE 50-5 ■ Exemple de transport actif. Il faut de l'énergie (ATP) pour déplacer les ions sodium et potassium à travers une membrane semi-perméable contre leurs gradients de concentration (c'est-à-dire vers le compartiment le plus concentré).

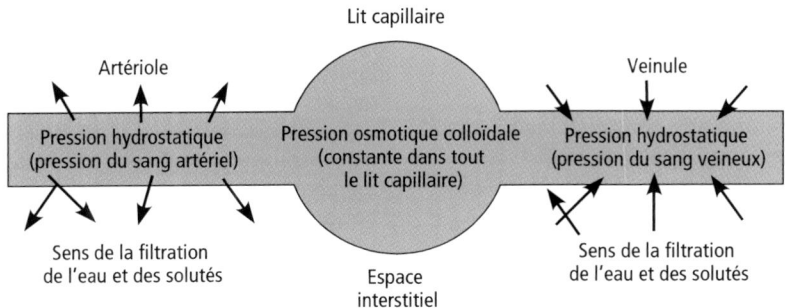

FIGURE 50-4 ■ Représentation schématique des variations de la pression de filtration dans un lit capillaire. Du côté de l'artériole, la pression hydrostatique du sang est supérieure à la pression osmotique colloïdale, si bien que l'eau et les solutés passent du lit capillaire vers l'espace interstitiel. Du côté de la veinule, la pression du sang est inférieure à la pression osmotique colloïdale, si bien que l'eau et les solutés pénètrent dans le lit capillaire.

proportions, le mécanisme de transport actif (la pompe à sodium et à potassium) se déclenche ; il expulse le sodium des cellules et y fait entrer du potassium.

Régulation des liquides organiques

Chez une personne en bonne santé, le volume et la composition chimique des compartiments hydriques sont étroitement contrôlés. Habituellement, l'apport et la déperdition hydriques s'équilibrent, mais il peut arriver qu'une affection perturbe cet équilibre et provoque un surplus ou un manque de liquide.

APPORT HYDRIQUE

Un adulte qui s'adonne à des activités physiques modérées dans un environnement tempéré consomme environ 1 500 mL de liquide par jour, mais ses besoins sont de 2 500 mL. Il assure cet apport supplémentaire nécessaire de 1 000 mL avec l'eau provenant des aliments et des réactions métaboliques. Riches en eau, les aliments fournissent environ 750 mL. En moyenne, les légumes frais en contiennent 90 %, les fruits frais 85 % et les viandes maigres 60 %. Enfin, les réactions métaboliques apportent la majeure partie du reste de l'eau nécessaire aux besoins de l'organisme.

La soif est le principal mécanisme régulateur de l'apport hydrique. Le centre de la soif est situé dans l'hypothalamus, une région de l'encéphale. Un certain nombre de stimuli activent ce centre de contrôle : la pression osmotique des liquides organiques, le volume vasculaire et l'angiotensine, une hormone libérée en réponse à une diminution de la circulation sanguine dans les reins. Chez un coureur de marathon, par exemple, la sudation et l'élévation de la fréquence respiratoire entraînent la déperdition d'une importante quantité d'eau. Il en résulte une augmentation de la concentration des solutés et de la pression osmotique des liquides organiques. Le centre de la soif s'en trouve stimulé. Le coureur éprouve alors une sensation de soif qui le pousse à boire pour remplacer le liquide perdu.

L'ingestion d'une petite quantité de liquide, suffisante pour humecter la muqueuse buccale, permet normalement de soulager la soif, avant même que le liquide soit absorbé par l'appareil digestif. Mais ce soulagement n'est que temporaire, car la soif se manifeste de nouveau au bout d'une quinzaine de minutes. Cette sensation disparaît une seconde fois lorsque le liquide ingéré distend les parois de l'estomac et de l'intestin grêle. Ce mécanisme prévient un apport excessif de liquide, car il faut de 30 à 60 minutes pour que le liquide ingéré soit absorbé et distribué dans tout l'organisme. Le tableau 50-1 présente les besoins moyens en liquide.

DÉPERDITION HYDRIQUE

La déperdition hydrique quotidienne contrebalance l'apport moyen de liquide, comme le montre le tableau 50-2. Les quatre voies de la déperdition hydrique sont :

1. L'excrétion urinaire
2. La perspiration insensible cutanée (transpiration) et pulmonaire (vapeur d'eau contenue dans l'air expiré)
3. Les pertes sensibles à travers la peau
4. L'excrétion des matières fécales

Urine. L'excrétion de l'urine formée dans les reins et emmagasinée dans la vessie est la principale voie de déperdition

TABLEAU 50-1		
Besoins quotidiens moyens en liquide selon l'âge et le poids		
Âge	**Poids approximatif (kg)**	**mL/24 h**
3 jours	3,0	250 à 300
1 an	9,5	1 150 à 1 300
2 ans	11,8	1 350 à 1 500
6 ans	20,0	1 800 à 2 000
10 ans	28,7	2 000 à 2 500
14 ans	45,0	2 200 à 2 700
18 ans (adulte)	54,0	2 200 à 2 700

Source : *Nelson Textbook of Pediatrics,* 1992, (p. 107), de R. E. Behrman, Philadelphie : Saunders. Reproduit avec l'autorisation de Elsevier.

TABLEAU 50-2	
Déperdition hydrique quotidienne moyenne chez l'adulte	
Voie	**Volume (mL)**
Urine	1 400 à 1 500
Perspiration insensible	
■ Perte par la peau	350 à 400
■ Pertes par les poumons	350 à 400
Sueur	100
Matières fécales	100 à 200
Total	2 300 à 2 600

hydrique. Le débit urinaire de l'adulte s'établit normalement entre 1 400 et 1 500 mL par 24 h, ou au moins à 0,5 mL par kilogramme et par heure. Chez une personne en bonne santé, le débit urinaire varie sensiblement d'une journée à l'autre. Le volume de l'urine augmente avec l'apport hydrique. Cependant, si la transpiration entraîne une importante déperdition de liquide, la production d'urine diminue afin que l'équilibre hydrique soit maintenu.

Perspiration insensible. La **perspiration insensible** se produit par la peau et les poumons. L'adjectif « insensible » signifie que cette perte de liquide est inapparente et qu'elle n'est pas mesurable. La diffusion et la transpiration sont les deux mécanismes responsables de la perspiration insensible. La déperdition due à la diffusion est inapparente, mais elle représente habituellement une perte quotidienne de 350 à 400 mL. Les pertes liquidiennes augmentent considérablement lorsque des brûlures ou des abrasions étendues détruisent la couche protectrice naturelle que forme la peau. Plusieurs facteurs influent sur la transpiration, comme la température ambiante et l'activité métabolique. La fièvre et l'exercice intensifient l'activité métabolique et la production de chaleur, ce qui amplifie la perte de liquide à travers la peau.

La perspiration insensible pulmonaire provient du fait que l'air que nous expirons contient de la vapeur d'eau. L'adulte perd ainsi de 350 à 400 mL d'eau par jour. Ces pertes augmentent avec l'élévation de la fréquence respiratoire qui accompagne, par exemple, l'intensification de l'activité physique ou l'élévation de la température corporelle.

Matières fécales. Le chyme qui passe de l'intestin grêle dans le côlon contient de l'eau et des électrolytes. Habituellement, il entre chaque jour environ 1 500 mL de chyme dans le côlon d'un adulte. Mais la moitié proximale du gros intestin n'en réabsorbe pas plus de 100 mL.

Certaines pertes liquidiennes sont nécessaires au fonctionnement normal de l'organisme. C'est pourquoi on les appelle **pertes obligatoires**. Les reins d'un adulte doivent excréter environ 500 mL de liquide par jour pour éliminer les déchets métaboliques de l'organisme. De même, l'organisme élimine de l'eau par la respiration, dans les matières fécales et par la peau afin d'évacuer ses déchets et de réguler sa température. Les pertes quotidiennes totales s'élèvent aux environs de 1 300 mL.

MAINTIEN DE L'HOMÉOSTASIE

Plusieurs mécanismes homéostasiques assurent le contrôle du volume et de la composition des liquides organiques. Cette régulation fait intervenir les reins, le système endocrinien, le système cardiovasculaire, les poumons et le système digestif. Elle fait aussi appel à plusieurs hormones, comme l'hormone antidiurétique (ADH), le système rénine-angiotensine-aldostérone et le peptide natriurétique auriculaire. Enfin, plusieurs autres mécanismes entrent en jeu pour détecter les variations du volume vasculaire et assurer son maintien.

Reins. Les reins sont les principaux régulateurs de l'équilibre hydrique et électrolytique. Ils régulent le volume et l'osmolalité du liquide extracellulaire en modulant l'excrétion de l'eau et des électrolytes. Ils règlent la réabsorption de l'eau du filtrat selon les besoins physiologiques et, finalement, la quantité d'eau excrétée sous forme d'urine. Chez l'adulte, les reins filtrent normalement de 135 à 180 L de plasma par jour, mais ils ne produisent qu'environ 1,5 L d'urine. L'équilibre électrolytique repose sur la sélectivité de la rétention et de l'excrétion rénales. Par ailleurs, les reins jouent un rôle déterminant dans la régulation de l'équilibre acidobasique en excrétant des ions hydrogène (H^+) et en retenant des ions bicarbonate.

Hormone antidiurétique. L'hormone antidiurétique (ADH) régit l'excrétion d'eau par les reins. Elle est synthétisée dans la partie antérieure de l'hypothalamus en réponse à l'élévation de l'osmolalité sérique. Cette hormone fait augmenter la perméabilité des tubules collecteurs des néphrons, de sorte qu'une quantité accrue d'eau retourne dans la circulation sanguine. À mesure que l'eau est réabsorbée, le débit urinaire diminue ; tout comme l'osmolalité sérique, puisque l'eau dilue les liquides organiques. À l'inverse, une diminution de l'osmolalité sérique entraîne une inhibition de la sécrétion d'ADH, une diminution de la perméabilité des tubules collecteurs et une augmentation du débit urinaire. D'autres facteurs influent aussi sur la production et la libération d'ADH, dont le volume sanguin, la température, la douleur, le stress et diverses substances, comme les opioïdes, les barbituriques et la nicotine.

Système rénine-angiotensine-aldostérone. Les cellules juxtaglomérulaires des néphrons portent des récepteurs spécialisés qui réagissent aux variations de la perfusion rénale. Les changements détectés par ces récepteurs stimulent le **système rénine-angiotensine-aldostérone**. La diminution de la pression du sang dans les reins entraîne tout d'abord la libération de rénine. Cette hormone provoque la conversion de l'angiotensinogène en angiotensine I, qui est à son tour transformée en angiotensine II par l'enzyme de conversion de l'angiotensine. L'angiotensine II agit directement sur les néphrons de manière à favoriser la rétention du sodium et de l'eau. De plus, elle induit la sécrétion d'aldostérone par le cortex surrénal. L'aldostérone favorise elle aussi la rétention du sodium et, par conséquent, celle de l'eau dans la partie distale du néphron. En retenant le sodium et l'eau, le système rénine-angiotensine-aldostérone a pour effet net de rétablir le volume sanguin (et la perfusion rénale).

Peptide natriurétique auriculaire. Le peptide natriurétique auriculaire (ANP) provient de cellules situées dans les oreillettes du cœur. Il est sécrété par suite d'une forte augmentation du volume sanguin et d'un grand étirement de la paroi des oreillettes. Le peptide natriurétique auriculaire agit sur les néphrons ; il favorise l'excrétion du sodium et exerce de puissants effets diurétiques, si bien qu'il contribue à réduire le volume vasculaire. Enfin, il inhibe la soif, ce qui entraîne une diminution de l'apport hydrique.

Régulation des électrolytes

Les électrolytes sont des substances capables de se dissocier en ions. Ils sont présents dans tous les liquides organiques et dans tous les compartiments hydriques. Le maintien de l'équilibre électrolytique est aussi vital pour le fonctionnement normal de l'organisme que le maintien de l'équilibre hydrique. La concentration des divers électrolytes varie d'un compartiment hydrique à l'autre, mais il existe toujours un équilibre entre les cations (ions positifs) et les anions (ions négatifs). Les électrolytes jouent un rôle important dans :

- Le maintien de l'équilibre hydrique
- La régulation de l'équilibre acidobasique
- Le déroulement des réactions enzymatiques
- La transmission des influx nerveux dans les muscles

La plupart des électrolytes entrent dans l'organisme avec les aliments et sont excrétés dans l'urine. Certains, comme le sodium et le chlorure, ne sont pas emmagasinés dans l'organisme et doivent être remplacés quotidiennement. En revanche, le potassium et le calcium sont stockés dans les cellules et les os, respectivement. Ils passent dans la circulation sanguine lorsque leurs concentrations sériques diminuent. Le tableau 50-3 résume les fonctions des principaux électrolytes et les mécanismes régulateurs.

SODIUM (Na$^+$)

Le sodium est le cation le plus abondant du liquide extracellulaire, et il contribue largement à l'osmolalité sérique. Il intervient principalement dans l'équilibre hydrique. La réabsorption du sodium dans les tubules rénaux s'accompagne de celle du chlorure et de l'eau, ce qui stabilise le volume du LE. Parmi les nombreux aliments qui contiennent du sodium, on compte le bacon, le jambon, le fromage fondu, le ketchup, le sel de table, ainsi que de nombreux aliments régulièrement dénoncés pour leur forte teneur en sel tels que les aliments préparés, les conserves, les chips, les amuse-gueule.

POTASSIUM (K$^+$)

Le potassium est le principal cation du liquide intracellulaire, alors que le plasma et le liquide interstitiel en contiennent très peu. Dans le LI, le potassium joue un rôle identique à celui du

TABLEAU
50-3

Fonctions et mécanismes régulateurs des électrolytes

Électrolytes	Fonctions	Mécanismes régulateurs
Sodium (Na$^+$)	■ Régulation du volume et de la répartition du LE ■ Maintien du volume sanguin ■ Transmission des influx nerveux et contraction musculaire	■ Réabsorption et excrétion rénales. ■ L'aldostérone accroît la réabsorption de Na$^+$ dans les tubules collecteurs des néphrons.
Potassium (K$^+$)	■ Maintien de l'osmolalité du LI ■ Transmission des influx nerveux et des autres signaux électriques ■ Régulation de la contraction musculaire et de la transmission des influx dans le cœur ■ Contraction des muscles squelettiques et des muscles lisses ■ Régulation de l'équilibre acidobasique	■ Excrétion et conservation rénales. ■ L'aldostérone accroît l'excrétion de K$^+$. ■ Mouvements vers l'intérieur et l'extérieur des cellules. ■ L'insuline favorise l'entrée du K$^+$ dans les cellules; les lésions tissulaires et l'acidose font passer le K$^+$ des cellules vers le LE.
Calcium (Ca^{2+})	■ Formation des os et des dents ■ Transmission des influx nerveux ■ Régulation de la contraction musculaire ■ Fonctionnement du système automatique de contraction du cœur ■ Coagulation du sang ■ Activation d'enzymes comme la phospholipase et la lipase pancréatique	■ Redistribution entre les os et le LE. ■ L'hormone parathyroïdienne et le calcitriol font augmenter la concentration sérique de Ca^{2+}; la calcitonine la fait diminuer.
Magnésium (Mg^{2+})	■ Métabolisme intracellulaire ■ Fonctionnement de la pompe à sodium-potassium ■ Relâchement musculaire ■ Transmission des influx nerveux ■ Régulation de la fonction cardiaque	■ Conservation et excrétion rénales. ■ La vitamine D et l'hormone parathyroïdienne font augmenter l'absorption intestinale du Mg^{2+}.
Chlorure (Cl$^-$)	■ Production de HCl ■ Régulation de l'équilibre du LE et du volume vasculaire ■ Régulation de l'équilibre acidobasique ■ Système tampon dans l'échange d'oxygène et de gaz carbonique dans les érythrocytes	■ Excrété et réabsorbé avec le sodium dans les reins. ■ L'aldostérone fait augmenter la réabsorption du chlorure et du sodium.
Phosphate (HPO$_4^{2-}$)	■ Formation des os et des dents ■ Métabolisme des glucides, des protéines et des lipides ■ Métabolisme cellulaire; production d'ATP et synthèse d'ADN ■ Fonctionnement des muscles, des nerfs et des érythrocytes ■ Régulation de l'équilibre acidobasique ■ Régulation des concentrations de calcium	■ Excrété et réabsorbé par les reins. ■ L'hormone parathyroïdienne abaisse la concentration sérique de HPO$_4^{2-}$ en amplifiant l'excrétion rénale. ■ En relation réciproque avec le calcium; l'augmentation de la concentration sérique de calcium entraîne la diminution de la concentration de phosphate et la diminution de la concentration sérique de calcium fait augmenter la concentration de phosphate.
Bicarbonate (HCO$_3^-$)	■ Principal constituant du système tampon intervenant dans la régulation de l'équilibre acidobasique	■ Excrété et réabsorbé par les reins. ■ Régénéré par les reins.

sodium contenu dans le LE : il contribue à maintenir l'équilibre hydrique. De plus, le potassium participe à l'activité des muscles squelettiques, du muscle cardiaque et des muscles lisses, ainsi qu'au maintien de l'équilibre acidobasique et à diverses réactions enzymatiques intracellulaires. On trouve du potassium dans de nombreux fruits et légumes, dans la viande et dans le poisson (voir l'encadré 50-1).

CALCIUM (Ca^{2+})

Les os et les dents contiennent 99 % du calcium présent dans l'organisme. Quoiqu'il soit présent en faible quantité dans le liquide extracellulaire, le calcium n'en joue pas moins un rôle essentiel dans la régulation des fonctions musculaire, neuromusculaire et cardiaque. La concentration du calcium du LE est régie par l'interaction complexe de l'hormone parathyroï-

Aliments riches en potassium 50-1

LÉGUMES	FRUITS
Avocat	Fruits secs (raisins et dattes)
Carotte crue	Banane
Pomme de terre au four	Abricot
Tomate crue	Cantaloup
Épinard	Orange
VIANDES ET POISSONS	**BOISSONS**
Bœuf	Lait
Morue	Jus d'orange
Porc	Nectar d'abricot
Veau	

dienne, de la calcitonine et du calcitriol, un métabolite de la vitamine D. Lorsque la concentration de calcium diminue dans le LE, l'hormone parathyroïdienne et le calcitriol stimulent la libération de calcium des os et favorisent l'absorption intestinale de ce cation. À l'inverse, la calcitonine provoque le dépôt de calcium dans les os, ce qui réduit la concentration sanguine du calcium.

Avec l'âge, l'intestin absorbe le calcium moins efficacement, et les reins en excrètent davantage. Pour maintenir l'équilibre calcique, le calcium passe donc des os au LE. Mais cette redistribution du calcium tend à accroître les risques d'ostéoporose. C'est pourquoi les fractures du poignet, des vertèbres et des hanches augmentent chez les personnes âgées. De plus, ces risques augmentent avec la carence en vitamine D consécutive à une exposition insuffisante au soleil et le manque d'exercice des articulations portantes. (L'exercice contribue à maintenir le calcium dans les os.)

Le lait et les produits laitiers sont les plus riches sources de calcium, suivis par les légumes feuillus vert sombre et le saumon en conserve. Les personnes qui ne consomment pas suffisamment d'aliments riches en calcium ont avantage à prendre des suppléments de calcium.

MAGNÉSIUM (Mg^{2+})

Le magnésium se trouve surtout dans le squelette et le liquide intracellulaire. Il joue un rôle important dans le métabolisme intracellulaire, car il intervient dans la production et l'utilisation de l'ATP; de plus, le magnésium participe à la synthèse des protéines et à celle de l'ADN. Le LE contient seulement 1 % de la quantité totale de magnésium présente dans l'organisme. Là, le magnésium contribue à réguler les fonctions neuromusculaire et cardiaque. Le maintien de concentrations adéquates de magnésium constitue d'ailleurs un aspect important des soins aux personnes atteintes d'affections cardiaques. Les céréales, les noix, les fruits secs, les légumineuses, les légumes verts feuillus, les produits laitiers, la viande et le poisson sont de bonnes sources alimentaires de magnésium.

CHLORURE (Cl^-)

Le chlorure est le principal anion du LE. Avec le sodium, il régit l'osmolalité sérique et le volume sanguin. La régulation de la concentration de chlorure dans le LE est liée à celle du sodium, puisque ces deux ions sont généralement réabsorbés dans les reins. Le chlorure intervient dans la régulation de l'équilibre acidobasique et, sous forme d'acide chlorhydrique (HCl), il constitue un important composant des sucs gastriques. En outre, le chlorure agit comme système tampon pendant l'échange d'oxygène et de gaz carbonique dans les érythrocytes. On trouve du chlorure dans les aliments qui contiennent du sodium.

PHOSPHATE (HPO_4^{2-})

Le phosphate est le principal anion du liquide intracellulaire. Il est également présent dans le LE, les os, les muscles squelettiques et le tissu nerveux. La concentration de phosphate est beaucoup plus élevée chez l'enfant que chez l'adulte; elle est presque deux fois plus importante chez le nouveau-né que chez l'adulte. Cette différence s'explique probablement par la forte concentration d'hormone de croissance et le développement rapide du squelette chez l'enfant. Le phosphate participe à de nombreuses réactions chimiques cellulaires; il est essentiel aux activités musculaires et nerveuses, ainsi qu'au fonctionnement des érythrocytes. Il intervient aussi dans le métabolisme des protéines, des lipides et des glucides. Il est absorbé dans l'intestin et de nombreux aliments en contiennent, tels le poisson, la volaille, les produits laitiers et les légumineuses.

BICARBONATE (HCO_3^-)

On trouve du bicarbonate dans les liquides intracellulaire et extracellulaire. C'est un composant essentiel du système tampon acide carbonique-bicarbonate et, à ce titre, sa principale fonction est la régulation de l'équilibre acidobasique. La concentration extracellulaire de bicarbonate est régie par les reins. Ces organes régénèrent et réabsorbent les ions bicarbonate nécessaires, puis ils excrètent les ions en trop dans l'urine. Contrairement aux autres électrolytes, qui doivent être apportés par les aliments, le bicarbonate est produit en quantité suffisante par les processus métaboliques.

Équilibre acidobasique

La régulation de l'acidité ou de l'alcalinité des liquides organiques représente un aspect important de leur équilibre chimique et de l'homéostasie. Un **acide** est une substance qui libère des ions hydrogène (H^+). Les acides forts, comme l'acide chlorhydrique, libèrent la majorité ou la totalité de leurs ions hydrogène, tandis que les acides faibles, comme l'acide carbonique, n'en libèrent que quelques-uns. Les **bases**, ou *alcalis*, ont une attraction pour les ions hydrogène et peuvent en capter en solution. Le **pH** exprime l'acidité ou l'alcalinité relative d'une solution. Il traduit la concentration d'ions hydrogène disponibles dans la solution : plus cette concentration est élevée (et plus la solution est acide), plus le pH est bas. L'eau a un pH de 7 et est neutre. Autrement dit, elle n'est ni acide ni alcaline. Les solutions dont le pH est inférieur à 7 sont acides, et celles dont le pH est supérieur à 7 sont alcalines. L'échelle de pH est logarithmique, ce qui signifie qu'une solution de pH 5 est 10 fois plus acide qu'une solution de pH 6.

Régulation de l'équilibre acidobasique

Les liquides organiques sont légèrement alcalins. Le pH normal du sang artériel varie entre 7,35 et 7,45 (figure 50-6 ■). Or, le métabolisme produit sans cesse des acides. C'est pourquoi différents systèmes, dont les systèmes tampons, le système respiratoire et le système rénal, travaillent inlassablement à maintenir le pH à l'intérieur des étroites limites propices au fonctionnement optimal de l'organisme. Les systèmes tampons contribuent au maintien de l'équilibre acidobasique en neutralisant les acides ou les bases en excès. Les poumons et les reins contribuent également à cet équilibre en excrétant ou en retenant des acides et des bases.

SYSTÈMES TAMPONS

Les **systèmes tampons** préviennent les variations excessives du pH en captant ou en libérant des ions hydrogène. Si les liquides organiques contiennent un excès d'ions hydrogène, les tampons fixent des ions hydrogène, ce qui atténue la variation du pH. Si, au contraire, les liquides organiques deviennent trop alcalins, les tampons libèrent des ions hydrogène. Les tampons agissent de façon immédiate, mais limitée, dans le maintien ou le rétablissement de l'équilibre acidobasique.

Le principal système tampon du liquide extracellulaire est le système acide carbonique (H_2CO_3)-bicarbonate (HCO_3^-). Quand on ajoute un acide fort comme l'acide chlorhydrique (HCl), celui-ci se lie au bicarbonate, une base faible, et le pH ne diminue que légèrement. Les quantités de bicarbonate et d'acide carbonique varient dans l'organisme, mais le pH demeure à l'intérieur des limites normales, soit entre 7,35 et 7,45, tant que subsiste un rapport de 20 parties de bicarbonate pour 1 partie d'acide carbonique (figure 50-7 ■). Un grand nombre d'ions H^+ dans le LE peut modifier ce rapport puisque la neutralisation épuise le bicarbonate. Le pH diminue, ce qui provoque l'**acidose**. La diminution de la concentration des ions H^+ dans le LE peut aussi modifier le rapport acide carbonique-bicarbonate, car l'acide carbonique capte les ions H^+ libres et s'épuise. Dans ce cas, le pH augmente et entraîne l'**alcalose**.

En plus du système acide carbonique-bicarbonate, d'autres systèmes tampons participent à l'équilibre acidobasique des liquides organiques. Ce sont les protéines plasmatiques, l'hémoglobine et les phosphates.

RÉGULATION RESPIRATOIRE

Les poumons contribuent à la régulation de l'équilibre acidobasique et du pH par l'intermédiaire de la fréquence et de l'amplitude respiratoires. Ainsi, ils éliminent ou retiennent le gaz carbonique (CO_2), qui forme de l'acide carbonique en réagissant avec l'eau ($CO_2 + H_2O \rightleftharpoons H_2CO_3$). Cette réaction chimique est réversible ; l'acide carbonique se dissocie en gaz carbonique et en eau. Le système respiratoire réagit en quelques minutes seulement aux variations du pH.

Le gaz carbonique est un puissant stimulant du centre de contrôle de la respiration. L'augmentation des concentrations sanguines d'acide carbonique et de gaz carbonique stimule le centre respiratoire, de sorte que la fréquence et l'amplitude respiratoires augmentent. L'expiration évacue le gaz carbonique et la concentration d'acide carbonique diminue. D'un autre côté, l'augmentation excessive de la concentration de bicarbonate entraîne une diminution de la fréquence et de l'amplitude respiratoires. Le gaz carbonique demeure à l'intérieur de l'organisme, la concentration d'acide carbonique s'élève et l'excès de bicarbonate est neutralisé.

On mesure la concentration sanguine de gaz carbonique en déterminant la pression partielle du gaz dissous dans le sang. La PCO_2 exprime la pression partielle du gaz carbonique dans le sang veineux, et la $PaCO_2$, la pression partielle du gaz carbonique dans le sang artériel. La $PaCO_2$ normale varie entre 35 et 45 mm Hg.

RÉGULATION RÉNALE

Les systèmes tampons et le système respiratoire arrivent à compenser les variations du pH, mais ce sont les reins qui assurent la régulation à long terme de l'équilibre acidobasique. Plus lents à réagir aux changements, ils peuvent mettre des heures, voire des jours, à corriger les déséquilibres. En revanche, leur réaction est plus durable et plus sélective que celle des autres systèmes.

Les reins maintiennent l'équilibre acidobasique en excrétant ou en retenant sélectivement des ions bicarbonate et hydrogène. Lorsque les ions hydrogène s'accumulent et que le pH diminue (acidose), les reins réabsorbent et régénèrent des ions bicarbonate et excrètent des ions hydrogène. Dans la situation inverse (alcalose), les reins excrètent les ions bicarbonate en excès et

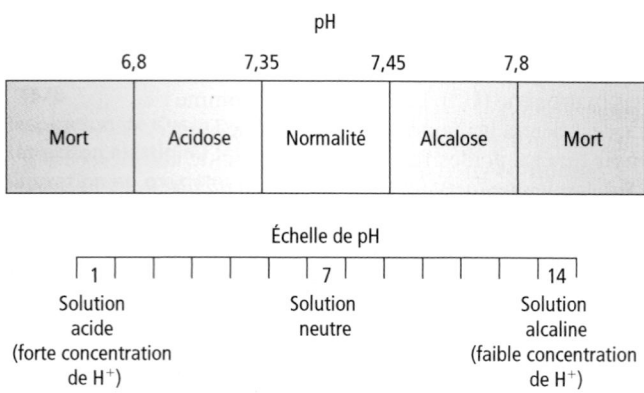

FIGURE 50-6 ■ Normalement, les liquides organiques sont légèrement alcalins, car leur pH se situe entre 7,35 et 7,45.

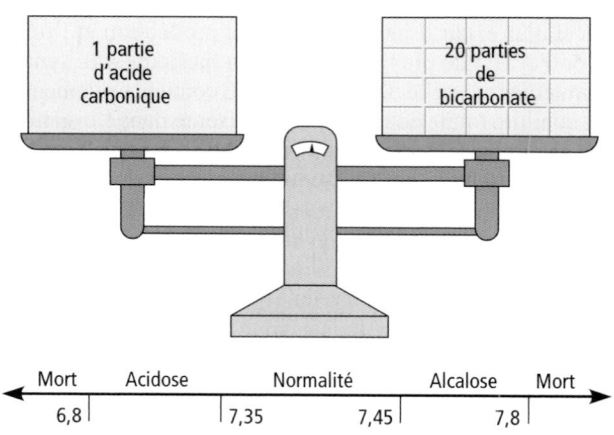

FIGURE 50-7 ■ Rapport acide carbonique-bicarbonate et pH.

retiennent les ions hydrogène. La concentration sérique artérielle normale de bicarbonate se situe entre 22 et 26 mmol/L.

L'encadré 50-2 présente un complément d'information sur la relation entre la régulation rénale et la régulation respiratoire de l'équilibre acidobasique.

Facteurs influant sur l'équilibre hydrique, électrolytique et acidobasique

La capacité de l'organisme d'assurer l'équilibre hydrique, électrolytique et acidobasique dépend de l'âge, du sexe et de la stature, de la température ambiante et du mode de vie.

Âge

Le nourrisson et l'enfant ont un métabolisme très intense et subissent d'importantes déperditions hydriques, si bien que les liquides organiques se renouvellent beaucoup plus rapidement chez ceux-ci que chez l'adulte. Chez le nourrisson, le débit urinaire est élevé, car ses reins sont immatures et ne peuvent concentrer l'urine. Par ailleurs, sa respiration est plus rapide et sa surface corporelle plus étendue que celles de l'adulte, ce qui accroît la perspiration insensible. Ajoutées au renouvellement rapide des liquides, les déperditions causées par une affection risquent d'engendrer de graves déséquilibres hydriques beaucoup plus rapidement que chez l'adulte.

Le processus normal de vieillissement peut nuire à l'équilibre hydrique. La sensation de soif s'émousse souvent chez les personnes âgées. La concentration d'hormone antidiurétique reste normale ou augmente parfois, mais les néphrons y réagissent moins fortement. De plus, l'augmentation de la concentration de peptide natriurétique auriculaire observée chez les personnes âgées compromet encore davantage la capacité de conserver l'eau. Ces changements sont normaux, mais ils accentuent la vulnérabilité des personnes âgées à la déshydratation. Compte tenu des risques de cardiopathie, de problèmes rénaux et des effets de la polychimiothérapie (emploi simultané ou successif de plusieurs médicaments), les personnes âgées sont fortement prédisposées aux déséquilibres hydriques et électrolytiques. Enfin, il ne faut pas oublier que, chez ces personnes, la peau et la paroi des veines deviennent minces et fragiles, ce qui peut rendre la ponction veineuse difficile.

Sexe et stature

Le sexe et la stature influent sur la quantité totale de liquides contenus dans l'organisme. L'eau constitue environ 60 % du poids d'un homme adulte, mais elle ne représente que 52 % de celui d'une femme adulte. En effet, la femme possède plus de tissu adipeux que l'homme, et les cellules adipeuses ont une faible teneur en eau. D'ailleurs, l'eau peut ne représenter que de 30 à 40 % du poids d'une personne obèse.

Température ambiante

La chaleur prédispose les personnes atteintes d'une affection à des déséquilibres hydriques et électrolytiques, tout comme celles qui s'adonnent à une activité physique intense. Quand il fait très chaud, l'organisme tente de dissiper la chaleur accumulée au moyen de la transpiration. Or, l'excrétion de grandes quantités de sueur accroît les pertes liquidiennes. Cette déperdition est encore plus importante chez les personnes qui résistent mal à la chaleur.

La transpiration entraîne des pertes de sel (NaCl) et d'eau. Or, l'apport d'eau ne compense pas la perte de sel. La déplétion sodée peut causer de la fatigue, de la faiblesse, des céphalées et des symptômes gastro-intestinaux, comme l'anorexie et les nausées. Les conséquences sont plus graves si l'eau perdue n'est pas remplacée. Avec l'élévation de la température corporelle, le risque d'épuisement par la chaleur ou de coup de chaleur augmente. Le coup de chaleur survient lorsque l'organisme ne parvient plus à dissiper la chaleur qu'il produit. Durant les périodes de canicule, ce déséquilibre menace les personnes âgées et celles qui sont atteintes de certaines affections. Il guette également les athlètes et les personnes travaillant à l'extérieur.

La consommation de quantités suffisantes de liquides frais réduit le risque de coup de chaleur, surtout en période d'activité physique intense. Il est recommandé de boire des boissons réhydratantes contenant des solutions équilibrées d'électrolytes ou des solutions de glucides et d'électrolytes.

Mode de vie

Le régime alimentaire, l'exercice et le stress influent sur l'équilibre hydrique, électrolytique et acidobasique.

L'apport de liquides et d'électrolytes dépend du régime alimentaire. De graves déséquilibres hydriques et électrolytiques guettent les personnes atteintes de boulimie ou d'anorexie nerveuse. Les personnes anorexiques ont un apport alimentaire insuffisant ou déséquilibré, ou encore elles se font vomir et utilisent des diurétiques et des laxatifs afin de ne pas prendre de poids. La dénutrition grave entraîne une diminution de la concentration sérique d'albumine, ce qui occasionne parfois de l'œdème, car la pression osmotique ne suffit pas à attirer le liquide dans le compartiment vasculaire. Lorsque l'apport

---

ENCADRÉ

| **Régulation physiologique de l'équilibre acidobasique** | **50-2** |

Poumons   **Reins**

$$CO_2 + H_2O \longleftrightarrow H_2CO_3 \longleftrightarrow H^+ + HCO_3^-$$

Gaz carbonique   Ion hydrogène
+   Acide carbonique   +
eau   bicarbonate

Les poumons et les reins travaillent sans relâche à la régulation de l'équilibre acidobasique. Les réactions biochimiques représentées ici sont toutes réversibles et s'effectuent dans un sens ou dans l'autre, selon les besoins de l'organisme. Les poumons, qui interviennent très rapidement, retiennent ou éliminent le gaz carbonique en modifiant la fréquence et l'amplitude respiratoires. Les reins réagissent beaucoup plus lentement : il leur faut parfois plusieurs heures, voire plusieurs jours, pour rétablir l'équilibre en excrétant ou en retenant les ions hydrogène et bicarbonate. Dans des conditions normales, les poumons et les reins fonctionnent de concert pour maintenir l'homéostasie.

LES ÂGES DE LA VIE

Personnes âgées

Certains changements associés au vieillissement prédisposent les personnes âgées aux déséquilibres hydriques et électrolytiques par suite de la perturbation des mécanismes homéostasiques. Parmi ces changements, on compte:

- Une diminution de la sensation de soif.
- Une diminution de la capacité des reins de concentrer l'urine.
- Une diminution de la quantité de liquide intracellulaire et de la quantité totale de liquides organiques.
- Une diminution de la réaction aux hormones qui régulent l'équilibre hydrique et électrolytique.

D'autres facteurs risquent de compromettre l'équilibre hydrique et électrolytique chez les personnes âgées:

- La prise de diurétiques visant à traiter l'hypertension et certaines affections cardiaques.
- La diminution de l'apport nutritionnel et liquidien, qui guette surtout les personnes atteintes de démence et celles qui ne mangent ni ne boivent de façon autonome.

- La préparation à certains examens paracliniques, qui exige une longue période de jeûne ou l'utilisation d'un laxatif. Par ailleurs, l'utilisation de colorants lors des artériogrammes et des cathétérismes cardiaques entraîne parfois des problèmes rénaux. On doit toujours veiller à l'hydratation de la personne avant, pendant et après de tels examens afin de faciliter la dilution et l'excrétion du colorant. Si la personne a jeûné avant l'examen, il faut vérifier avec le médecin si une réhydratation intraveineuse est nécessaire.
- L'altération de la fonction rénale, notamment celle qu'entraîne le diabète.
- Toute situation susceptible de perturber les mécanismes normaux de compensation, comme la fièvre, la grippe, une intervention chirurgicale et l'exposition à la chaleur.

Un déséquilibre hydrique et électrolytique peut survenir brutalement et s'aggraver rapidement. Il incombe à l'infirmière de prévenir ce déséquilibre en observant attentivement la personne et en agissant promptement. Elle doit prêter une attention particulière aux changements de l'état mental, car ils constituent un signal précoce de ces déséquilibres.

énergétique ne comble pas les besoins de l'organisme, celui-ci compense en dégradant ses réserves de lipides et en libérant des acides gras, ce qui accroît le risque d'acidose.

Pratiquées régulièrement, les activités physiques comme la marche, la course ou la bicyclette, qui mobilisent les articulations portantes, ont un effet bénéfique sur l'équilibre du calcium. L'exercice ralentit la perte osseuse chez les femmes ménopausées et les hommes âgés, et atténue les risques d'ostéoporose.

Le stress exerce plusieurs effets sur l'organisme. Il accroît le métabolisme cellulaire et fait monter la glycémie et la concentration de catécholamines; il stimule également la production d'hormone antidiurétique, ce qui se traduit par une diminution du débit urinaire. La réponse globale de l'organisme au stress entraîne donc une augmentation du volume sanguin.

D'autres éléments du mode de vie se répercutent sur l'équilibre hydrique, électrolytique et acidobasique. Une forte consommation d'alcool cause une diminution des concentrations de calcium, de magnésium et de phosphate. Elle entraîne également un risque d'acidose par suite de la dégradation du tissu adipeux.

Perturbations de l'équilibre hydrique, électrolytique et acidobasique

Les causes de perturbation de l'équilibre hydrique, électrolytique et acidobasique sont nombreuses et variées. Les personnes désorientées ou incapables d'exprimer leurs besoins risquent de ne pas boire suffisamment. Les vomissements, la diarrhée et l'aspiration nasogastrique entraînent d'importantes pertes liquidiennes. Les traumatismes, les brûlures notamment, causent une déperdition de liquide et d'électrolytes. La diminution de

la perfusion rénale consécutive à un dérèglement de la fonction cardiaque stimule le système rénine-angiotensine-aldostérone et provoque une rétention du sodium et de l'eau. Les médicaments comme les diurétiques et les corticostéroïdes entraînent parfois des pertes anormales d'électrolytes et une déperdition ou une rétention liquidienne. Enfin, les affections comme le diabète et la bronchopneumopathie chronique obstructive (BPCO) peuvent compromettre l'équilibre acidobasique.

Déséquilibres hydriques

Les déséquilibres hydriques sont soit isotoniques, soit osmolaires. Les *déséquilibres isotoniques* se manifestent lorsque l'organisme perd ou absorbe de l'eau et des électrolytes en proportions égales, de sorte que l'osmolalité des liquides organiques demeure constante. Les *déséquilibres osmolaires* résultent de la perte ou du gain d'eau seulement, ce qui entraîne une modification de l'osmolalité sérique. Il existe donc quatre formes de déséquilibres hydriques: (a) une perte isotonique d'eau et d'électrolytes; (b) un gain isotonique d'eau et d'électrolytes; (c) une perte hyperosmolaire d'eau seulement; (d) un gain hypo-osmolaire d'eau seulement. Il s'agit respectivement du déficit de volume liquidien, de l'excès de volume liquidien, de la déshydratation et de la surhydratation.

DÉFICIT DE VOLUME LIQUIDIEN

Le **déficit de volume liquidien (DVL)** survient lorsque le liquide extracellulaire perd autant d'eau que d'électrolytes. Comme le compartiment intravasculaire est le premier affecté, le DVL se traduit généralement par une **hypovolémie**.

Le DVL fait généralement suite: (a) à des pertes liquidiennes anormales par la peau, le tractus gastro-intestinal ou les reins; (b) à une diminution de l'apport liquidien; (c) au déplacement du liquide dans un troisième espace. (Voir ci-après la section intitulée « Syndrome du troisième compartiment ».)

Le tableau 50-4 présente les facteurs de risque et les signes cliniques du déficit de volume liquidien.

Syndrome du troisième compartiment. Le **syndrome du troisième compartiment** se caractérise par un déplacement du liquide du compartiment vasculaire vers une région où il est inaccessible. Le liquide demeure dans l'organisme, mais il est inutilisable. Il y a donc un déficit de volume liquidien isotonique. Le liquide peut être retenu dans l'intestin, dans l'espace interstitiel (où il cause de l'œdème), dans un tissu enflammé ou dans des espaces virtuels, comme les cavités péritonéale ou pleurale.

Quoiqu'elle présente un déficit liquidien isotonique, la personne atteinte de ce syndrome peut ne manifester ni perte liquidienne ni perte pondérale apparentes. Il incombe à l'infirmière de procéder à un examen rigoureux afin de dépister ce syndrome et d'intervenir rapidement, le cas échéant. Elle doit aussi surveiller d'éventuelles manifestations de surcharge liquidienne ou d'hypervolémie, car, au bout d'un certain temps, le liquide retenu finit par retourner dans le compartiment vasculaire.

EXCÈS DE VOLUME LIQUIDIEN

L'**excès de volume liquidien (EVL)** se produit lorsque l'organisme retient l'eau et le sodium dans des proportions semblables à celles du LE. Cet état est communément appelé **hypervolémie** (augmentation du volume sanguin). La concentration sérique de sodium demeure normale, puisque l'organisme retient tant l'eau que le sodium. L'EVL survient toujours après une augmentation de la quantité totale de sodium dans l'organisme. Il est causé par : (a) un apport excessif de chlorure de sodium ; (b) la perfusion trop rapide de solutions contenant du sodium, particulièrement chez les personnes souffrant de perturbations des mécanismes de régulation ; (c) une affection qui perturbe les mécanismes de régulation, comme l'insuffisance cardiaque, l'insuffisance rénale, la cirrhose du foie et le syndrome de Cushing.

Le tableau 50-5 présente un résumé des facteurs de risque et des manifestations cliniques de l'EVL.

Œdème. L'excès de volume liquidien entraîne une augmentation de la teneur en eau et en sodium des compartiments intravasculaire et interstitiel. L'excès de liquide interstitiel est appelé **œdème**. On l'observe surtout dans les régions où la pression des tissus est faible, autour des yeux par exemple, et dans les régions déclives (œdème déclive), où la pression hydrostatique capillaire est élevée.

Plusieurs mécanismes causent l'œdème. Les trois principaux sont l'élévation de la pression hydrostatique capillaire, la diminution de la pression oncotique plasmatique et l'augmentation de la perméabilité des capillaires.

TABLEAU
50-4

Déficit de volume liquidien isotonique

Facteurs de risque	Manifestations cliniques	Interventions infirmières
Pertes d'eau et d'électrolytes attribuables aux facteurs suivants : ■ Vomissements ■ Diarrhée ■ Sudation excessive ■ Polyurie ■ Fièvre ■ Aspiration nasogastrique ■ Écoulements anormaux (plaies) Apports liquidiens insuffisants attribuables aux facteurs suivants : ■ Anorexie ■ Nausées ■ Accès insuffisant aux liquides ■ Déglutition difficile ■ Désorientation, dépression	Faiblesse et soif Perte pondérale ■ 2 % = DVL léger ■ 5 % = DVL modéré ■ 8 % = DVL grave Ingesta inférieurs aux excreta Diminution de l'élasticité de la peau Sécheresse des muqueuses, yeux creux, diminution de la production de larmes Température inférieure à la normale Pouls rapide et de faible amplitude Diminution de la pression artérielle Hypotension orthostatique (chute de plus de 15 mm Hg de la PA lors du passage de la position couchée à la position assise ou debout) Veines du cou (jugulaires) aplaties ; diminution du temps de remplissage capillaire Diminution de la pression veineuse centrale Diminution du débit urinaire (< 30 mL/h) Augmentation de la densité urinaire (> 1,030) Augmentation de l'hématocrite Augmentation de l'urée	Examiner la personne afin de dépister les manifestations cliniques du DVL. Peser la personne et prendre ses signes vitaux, y compris sa température. Évaluer l'élasticité de la peau. Ausculter les poumons. Mesurer les ingesta et les excreta. Prendre connaissance des résultats des examens paracliniques, particulièrement des épreuves de laboratoire. Administrer des liquides par voie orale et intraveineuse s'il y a lieu. Prodiguer fréquemment des soins de la bouche. Mettre en œuvre des mesures visant à prévenir les lésions de l'épiderme. Assurer la sécurité de la personne, et notamment l'aider à se lever du lit.

TABLEAU

50-5

Excès de volume liquidien

Facteurs de risque	Manifestations cliniques	Interventions infirmières
■ Apport excessif de liquides intraveineux contenant du sodium ■ Apport excessif de sodium dans le régime alimentaire ou les médicaments (antiacides au bicarbonate de sodium, comme Alka-Seltzer, ou lavements hypertoniques, comme Fleet) ■ Perturbation de la régulation de l'équilibre hydrique reliée à : • L'insuffisance cardiaque • L'insuffisance rénale • La cirrhose du foie	Gain pondéral ■ 2 % = EVL léger ■ 5 % = EVL modéré ■ 8 % = EVL grave Ingesta supérieurs aux excreta Muqueuses humides Pouls bondissant ; tachycardie Élévation de la pression artérielle et de la pression de la veine jugulaire Distension des veines du cou (jugulaires) et des veines périphériques Crépitants ; dyspnée, essoufflement Désorientation	Examiner la personne afin de dépister les manifestations cliniques de l'EVL. Peser la personne et prendre ses signes vitaux. Dépister la présence d'œdème. Ausculter les poumons. Mesurer les ingesta et les excreta. Prendre connaissance des résultats des examens paracliniques, particulièrement des épreuves de laboratoire. Placer la personne en position de Fowler. Administrer des diurétiques selon l'ordonnance. Réduire l'apport liquidien s'il y a lieu. Limiter l'apport alimentaire de sodium selon l'ordonnance. Mettre en œuvre des mesures visant à prévenir les lésions de la peau.

■ L'élévation de la pression hydrostatique capillaire, parfois consécutive à un EVL, force la filtration de liquide dans les tissus interstitiels. Sous l'effet de la gravité, l'œdème apparaît alors dans les régions déclives comme les pieds, les chevilles et le sacrum.

■ L'œdème causé par la diminution de la pression oncotique plasmatique provient d'une diminution de la concentration plasmatique des protéines consécutive à la malnutrition ou encore à une affection hépatique ou rénale. Par conséquent, le liquide baignant les tissus interstitiels n'est plus attiré dans les capillaires.

■ Enfin, des lésions tissulaires et les réactions allergiques provoquent l'augmentation de la perméabilité des capillaires, ce qui permet au liquide de s'échapper dans les tissus interstitiels. L'obstruction de la circulation lymphatique gêne également le retour du liquide interstitiel vers le compartiment vasculaire et un œdème qui ne prend pas le godet apparaît.

L'œdème qui prend le godet est un œdème qui garde l'empreinte du doigt. La petite dépression que laisse l'application d'une pression sur la région œdémateuse est causée par le déplacement du liquide vers le tissu adjacent (figure 50-8 ■).

DÉSHYDRATATION

La **déshydratation**, ou déséquilibre hyperosmolaire, est une perte d'eau sans perte importante d'électrolytes. Comme le sodium demeure dans l'organisme, l'osmolalité sérique et la concentration sérique de sodium augmentent. L'eau contenue dans les espaces interstitiels et les cellules est attirée dans le compartiment vasculaire, ce qui entraîne la déshydratation des cellules. Les personnes âgées sont prédisposées à la déshydratation, car la sensation de soif s'émousse avec l'âge. La déshydratation

peut aussi se manifester chez les personnes en hyperventilation, qui souffrent de fièvre prolongée ou d'une acidocétose diabétique, ou encore qui reçoivent une alimentation entérale, mais avec un apport liquidien insuffisant.

SURHYDRATATION

La **surhydratation**, aussi appelée déséquilibre hypo-osmolaire ou *intoxication par l'eau*, se caractérise par un gain d'eau supérieur au gain d'électrolytes, ce qui entraîne une diminution de l'osmolalité sérique et de la concentration sérique de sodium. L'eau est attirée dans les cellules, qui se dilatent. La surhydratation peut causer un œdème cérébral et une altération de la fonction neurologique. L'intoxication par l'eau survient souvent chez des personnes qui compensent seulement la perte d'eau après une déperdition hydrique et électrolytique comme celle qu'occasionne une sudation excessive. Elle est également reliée au syndrome d'antidiurèse inappropriée, un dérèglement associé à certains cancers, au sida, à un traumatisme crânien ou à l'administration de certains médicaments (barbituriques, opioïdes et anesthésiques, par exemple).

Déséquilibres électrolytiques

Les électrolytes qui font l'objet des déséquilibres les plus fréquents et les plus sérieux sont le sodium, le potassium, le calcium, le magnésium, le chlorure et le phosphate.

SODIUM

Le sodium (Na^+), le cation le plus abondant du LE, est soumis à différents mouvements : il se déplace vers l'intérieur ou l'extérieur de l'organisme et circule également entre les trois compar-

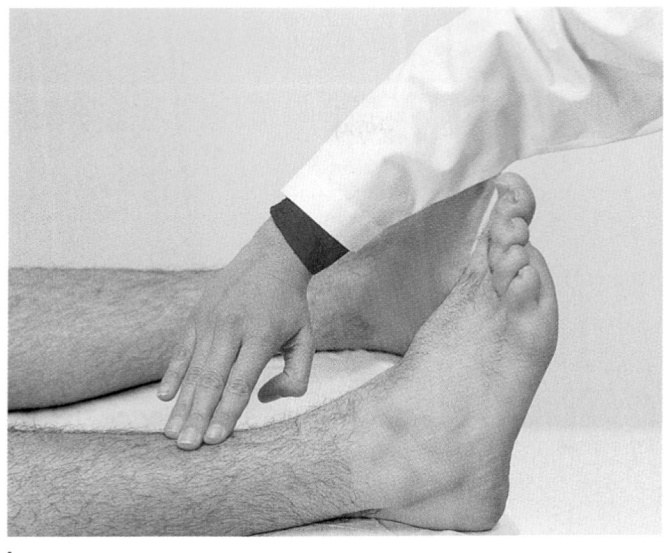

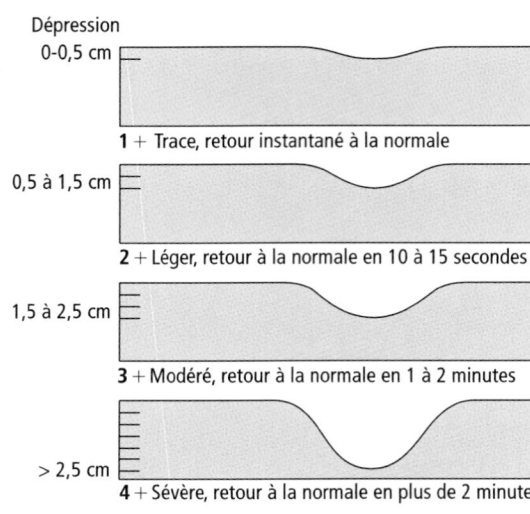

Dépression

0-0,5 cm

1 + Trace, retour instantané à la normale

0,5 à 1,5 cm

2 + Léger, retour à la normale en 10 à 15 secondes

1,5 à 2,5 cm

3 + Modéré, retour à la normale en 1 à 2 minutes

> 2,5 cm

4 + Sévère, retour à la normale en plus de 2 minutes

A

B

FIGURE 50-8 ■ Évaluation de l'œdème. *A,* Palper la région située au-dessus du tibia, derrière la malléole interne et sur la face supérieure du pied. *B,* Échelle en quatre points pour l'évaluation de l'œdème.

timents hydriques. Presque toutes les sécrétions en contiennent, comme la salive, les sucs gastriques et intestinaux, la bile et le liquide pancréatique. Par conséquent, l'excrétion continue d'un de ces liquides (à la suite d'une aspiration gastrique, par exemple) risque d'entraîner un déficit en sodium. Étant donné le rôle que joue le sodium dans la régulation de l'équilibre hydrique, les déséquilibres du sodium s'accompagnent généralement de déséquilibres hydriques.

L'**hyponatrémie** est un déficit en sodium ; elle correspond à une concentration sérique de sodium inférieure à 135 mmol/L. L'hyponatrémie entraîne habituellement une diminution de l'osmolalité sérique, puisque le sodium est un important facteur de l'osmolalité du LE. L'eau du compartiment vasculaire est attirée dans les tissus interstitiels et les cellules (figure 50-9 ■, *A*), ce qui engendre les manifestations cliniques du déséquilibre.

L'**hypernatrémie** est un excès de sodium dans le LE et correspond à une concentration sérique de sodium supérieure à 145 mmol/L. Comme la pression osmotique du LE augmente,

L'eau du LE entre dans la cellule et en cause la dilatation.

L'eau contenue dans la cellule passe dans le LE et la cellule se contracte.

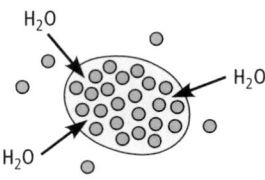

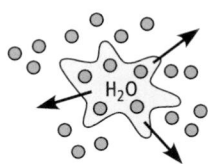

A
Hyponatrémie :
Na^+ inférieur à 135 mmol/L

B
Hypernatrémie :
Na^+ supérieur à 145 mmol/L

FIGURE 50-9 ■ La concentration extracellulaire de sodium influe sur la taille des cellules. *A,* L'hyponatrémie entraîne une dilatation des cellules. *B,* L'hypernatrémie entraîne la rétraction des cellules par suite de la diminution du volume cellulaire.

l'eau des cellules gagne ce compartiment (figure 50-9 ■, *B*). Par conséquent, les cellules se déshydratent et se rétractent.

Le tableau 50-6 présente les facteurs de risque et les signes cliniques de l'hyponatrémie et de l'hypernatrémie.

POTASSIUM

Le liquide extracellulaire contient une faible quantité de potassium (K^+), mais cet électrolyte n'en est pas moins essentiel aux fonctions neuromusculaire et cardiaque. Le potassium est généralement excrété par les reins. Cependant, ces organes ne contrôlent pas l'excrétion du potassium aussi efficacement que l'excrétion du sodium, de telle sorte qu'un déficit aigu en potassium peut survenir rapidement. Parmi toutes les sécrétions de l'organisme, ce sont les sécrétions gastro-intestinales qui contiennent le plus de potassium.

L'**hypokaliémie** est un déficit en potassium et correspond à une concentration sérique de potassium inférieure à 3,5 mmol/L. Elle est souvent causée par les pertes de potassium consécutives aux vomissements et à l'aspiration gastrique. L'hypokaliémie est également associée à l'usage de diurétiques qui augmentent l'excrétion du potassium, comme les diurétiques thiazidiques et les diurétiques de l'anse (le furosémide, par exemple).

L'**hyperkaliémie** est un excès de potassium dans le sang et correspond à une concentration sérique de potassium supérieure à 5 mmol/L. Moins fréquente que l'hypokaliémie, elle survient rarement chez les personnes dont la fonction rénale est normale. Elle est cependant plus dangereuse que l'hypokaliémie, car elle risque d'entraîner un arrêt cardiaque. Le tableau 50-6 présente les facteurs de risque et les signes cliniques de l'hypokaliémie et de l'hyperkaliémie.

CALCIUM

La régulation des concentrations de calcium (Ca^{2+}) dans l'organisme est plus complexe que celle des autres électrolytes, puisque l'équilibre calcique dépend de nombreux facteurs. Les déséquilibres du calcium sont relativement fréquents.

Déséquilibres électrolytiques

Facteurs de risque	Manifestations cliniques	Interventions infirmières
Hyponatrémie *Perte de sodium* ■ Perte de liquide par la voie gastro-intestinale ■ Sudation ■ Usage de diurétiques *Gain d'eau* ■ Administration de préparations hypotoniques par sonde endogastrique ■ Ingestion d'eau ■ Administration d'une quantité excessive de D5 % (dextrose dans de l'eau) par voie intraveineuse *Syndrome d'antidiurèse inappropriée* ■ Traumatisme crânien ■ Sida ■ Tumeurs malignes	Léthargie, désorientation, appréhension Mouvements musculaires saccadés Crampes abdominales Anorexie, nausées, vomissements Céphalée Crises convulsives, coma *Résultats des épreuves de laboratoire :* Concentration sérique de sodium inférieure à 135 mmol/L Osmolalité sérique inférieure à 280 mOsm/kg	Examiner la personne afin de dépister les manifestations cliniques. Mesurer les ingesta et les excreta. Prendre connaissance des résultats des examens paracliniques, particulièrement des épreuves de laboratoire (notamment la concentration sérique de sodium). Surveiller étroitement la personne si elle reçoit des solutions salines hypertoniques. Inciter la personne à consommer des aliments et des liquides riches en sodium, s'ils lui sont permis (sel ordinaire, bacon, jambon, fromage fondu, par exemple). Réduire l'apport d'eau, s'il y a lieu.
Hypernatrémie *Perte de liquide* ■ Perspiration insensible (hyperventilation ou fièvre) ■ Diarrhée *Déficit en eau* ■ Apport excessif de sel ■ Administration parentérale de solutions salines ■ Administration de préparations hypertoniques par sonde endogastrique avec apport d'eau insuffisant ■ Consommation excessive de sel de table (une cuillère à thé contient 2 300 mg de sodium) *Affections telles que :* ■ Diabète insipide ■ Coup de chaleur	Soif Muqueuses sèches et collantes Langue rouge, sèche et œdémateuse Faiblesse Hypotension orthostatique, dyspnée Hypernatrémie grave : ■ Fatigue, agitation ■ Diminution du niveau de conscience ■ Désorientation ■ Crises convulsives *Résultats des épreuves de laboratoire :* Concentration sérique de sodium supérieure à 145 mmol/L Osmolalité sérique supérieure à 300 mOsm/kg	Mesurer les ingesta et les excreta. Surveiller l'apparition de changements de comportement (agitation ou désorientation, par exemple). Prendre connaissance des résultats des examens paracliniques, notamment des épreuves de laboratoire (dont la concentration sérique de sodium). Inciter la personne à consommer des liquides selon l'ordonnance. Adapter le régime alimentaire selon l'ordonnance (par exemple, réduire la consommation de sel de table et d'aliments riches en sodium).
Hypokaliémie *Perte de potassium* ■ Vomissements et aspiration gastrique ■ Diarrhée ■ Sudation abondante *Usage de médicaments augmentant l'excrétion du potassium* (tels les diurétiques) *Apport insuffisant de potassium* (chez les personnes affaiblies, alcooliques ou anorexiques, par exemple) *Hyperaldostéronisme*	Faiblesse musculaire, crampes dans les jambes Fatigue, léthargie Anorexie, nausées, vomissements Diminution des bruits intestinaux et de la motilité intestinale Dysrythmies cardiaques Diminution des réflexes tendineux profonds *Résultats des épreuves de laboratoire et des examens paracliniques :* Concentration sérique de potassium inférieure à 3,5 mmol/L Mesure des gaz du sang artériel pouvant indiquer une alcalose Aplatissement de l'onde T et abaissement du segment S-T dans l'ECG	Surveiller la fréquence et le rythme cardiaques. Surveiller de près les personnes qui reçoivent de la digitaline (de la digoxine notamment), car l'hypokaliémie accroît le risque de toxicité. Administrer du potassium par voie orale selon l'ordonnance, avec des aliments ou des liquides afin de prévenir l'irritation gastrique. Administrer les solutions intraveineuses de potassium à un débit inférieur à 10 à 20 mmol/h ; ne jamais administrer du potassium non dilué par voie intraveineuse. Surveiller l'apparition de douleur et d'inflammation autour du point d'insertion chez les personnes qui reçoivent du potassium par voie intraveineuse. Renseigner la personne sur les aliments riches en potassium.

Facteurs de risque	Manifestations cliniques	Interventions infirmières
		Enseigner à la personne la manière de prévenir les pertes excessives de potassium (par exemple, éviter l'usage excessif de diurétiques et de laxatifs).
Hyperkaliémie *Diminution de l'excrétion du potassium* ▪ Insuffisance rénale ▪ Hypoaldostéronisme ▪ Diurétiques épargneurs de potassium *Apport élevé de potassium* ▪ Usage excessif de substituts du sel de table contenant du K^+ ▪ Perfusion intraveineuse de potassium excessive ou trop rapide *Déplacement du potassium des cellules vers le plasma* (à la suite d'infections, de brûlures ou d'une acidose, par exemple)	Hyperactivité gastro-intestinale, diarrhée Irritabilité, apathie, désorientation Arythmies ou arrêt cardiaque Faiblesse musculaire, aréflexie (absence de réflexes) Paresthésies et engourdissement des membres *Résultats des épreuves de laboratoire et des examens paracliniques:* Concentration sérique de potassium supérieure à 5 mmol/L Modifications de l'ECG (onde T haute et pointue et élargissement du complexe QRS)	Surveiller étroitement l'état cardiaque et l'ECG. Administrer les diurétiques et les autres médicaments, tels le glucose et l'insuline, selon l'ordonnance. Cesser l'administration de suppléments de potassium et de diurétiques épargneurs de potassium. Surveiller de près la concentration sérique de K^+; le passage du potassium du plasma aux cellules peut entraîner une baisse rapide de la concentration plasmatique. Enseigner à la personne à éviter les substituts du sel de table et les aliments riches en potassium.
Hypocalcémie *Ablation chirurgicale des glandes parathyroïdes* *Affections telles que:* ▪ Hypoparathyroïdie ▪ Pancréatite aiguë ▪ Hyperphosphatémie ▪ Carcinome thyroïdien *Apport insuffisant de vitamine D* ▪ Malabsorption ▪ Hypomagnésémie ▪ Alcalose ▪ Septicémie ▪ Abus d'alcool	Engourdissement ou sensation de picotement dans les membres et la région péribuccale Crampes et tremblements musculaires évoluant parfois vers la tétanie et les crises convulsives Dysrythmies cardiaques; diminution du débit cardiaque Signes de Trousseau et de Chvostek positifs (voir le tableau 50-8) Confusion, anxiété, psychoses possibles *Résultats des épreuves de laboratoire:* Concentration sérique de calcium inférieure à 2,4 mmol/L (total) ou à 1,17 mmol/L (ionisé)	Surveiller étroitement l'état respiratoire et cardiovasculaire. Assurer la sécurité de la personne désorientée. Administrer des suppléments de calcium. par voie orale ou parentérale selon l'ordonnance. Si le calcium est administré par voie intraveineuse, surveiller étroitement l'état cardiaque et l'ECG pendant la perfusion. Renseigner les personnes prédisposées à l'ostéoporose sur: ▪ Les sources alimentaires de calcium. ▪ L'apport quotidien recommandé de 1 000 à 1 500 mg. ▪ Les suppléments de calcium. ▪ Les bénéfices d'un exercice régulier. ▪ L'œstrogénothérapie de substitution pour les femmes ménopausées.
Hypercalcémie *Immobilisation prolongée* *Affections telles que:* ▪ Hyperparathyroïdie ▪ Tumeur osseuse ▪ Maladie osseuse de Paget	Léthargie, faiblesse Diminution des réflexes tendineux profonds Anorexie, nausées, vomissements Constipation Polyurie, hypercalciurie Douleur du flanc causée par la présence de calculs urinaires Arythmies; risque de bloc AV *Résultats des épreuves de laboratoire:* Concentration sérique de calcium supérieure à 2,6 mmol/L (total) ou 1,3 mmol/L (ionisé)	Inciter la personne à bouger et à faire de l'exercice. Encourager la personne à boire des liquides, si cela lui est permis, afin de diluer l'urine. Enseigner à la personne à limiter sa consommation d'aliments et de liquides riches en calcium. Inciter la personne à consommer des aliments riches en fibres pour prévenir la constipation. Protéger la personne désorientée; dépister les fractures pathologiques chez les personnes qui présentent une hypercalcémie de longue date. Inciter la personne à consommer des boissons acides (jus de pruneau ou de canneberge, par exemple) afin de prévenir le dépôt de sels de calcium dans l'urine.

TABLEAU

50-6

Déséquilibres électrolytiques (suite)

Facteurs de risque	Manifestations cliniques	Interventions infirmières
Hypomagnésémie *Perte excessive par le tractus gastro-intestinal* (aspiration nasogastrique, diarrhée, écoulement d'une fistule, etc.) *Usage prolongé de certains médicaments* (comme les diurétiques et les aminosides) *Affections telles que :* ■ Alcoolisme chronique ■ Pancréatite ■ Brûlures	Irritabilité neuromusculaire avec tremblements Augmentation des réflexes, tremblements, crises convulsives Signes de Chvostek et de Trousseau positifs (voir le tableau 50-8) Tachycardie, augmentation de la pression artérielle, dysrythmies Désorientation Vertiges *Résultats des épreuves de laboratoire :* Concentration sérique de magnésium inférieure à 0,65 mmol/L	Dépister les signes de toxicité chez la personne qui reçoit de la digitaline. L'hypomagnésémie accroît le risque de toxicité. Prendre les mesures de précaution nécessaires en cas d'éventuelles crises convulsives. ■ Déterminer si la personne est capable d'avaler de l'eau avant d'amorcer une alimentation par voie orale. ■ Prendre les précautions nécessaires pour prévenir les blessures pendant les crises convulsives. ■ Administrer les sels de magnésium avec précaution, selon l'ordonnance. Inciter la personne à consommer des aliments riches en magnésium, si cela lui est permis (céréales entières, viande, fruits de mer et légumes verts feuillus, par exemple). Orienter la personne vers un centre de traitement de l'alcoolisme, s'il y a lieu.
Hypermagnésémie *Rétention anormale du magnésium associée à :* ■ L'insuffisance rénale ■ L'insuffisance surrénale	Vasodilatation périphérique, bouffées de chaleur Nausées, vomissements Faiblesse musculaire, paralysie Hypotension, bradycardie Diminution des réflexes tendineux profonds Léthargie, somnolence Dépression respiratoire, coma Arrêt respiratoire et cardiaque en cas d'hypermagnésémie grave *Résultats des épreuves de laboratoire et des examens paracliniques :* Concentration sérique de magnésium supérieure à 1,05 mmol/L Allongement de l'intervalle QT dans l'ECG ; risque de bloc AV	Prendre les signes vitaux et surveiller l'état de conscience de la personne à risque. Signaler au médecin l'absence du réflexe patellaire (rotulien). Conseiller à la personne atteinte d'une affection rénale de consulter son médecin avant de prendre des médicaments en vente libre.

⚠ ALERTE CLINIQUE *On peut traiter l'hypokaliémie grave en administrant du potassium par voie intraveineuse. On doit TOUJOURS le diluer de manière appropriée et ne JAMAIS l'administrer par bolus IV direct. La concentration habituelle du potassium injecté par voie intraveineuse est de 20 à 40 mmol/L.* ■

L'**hypocalcémie** est un déficit en calcium et correspond à une concentration sérique totale de calcium inférieure à 2,4 mmol/L et à une concentration sérique de calcium ionisé inférieure à 1,17 mmol/L. Un grave déficit en calcium peut causer une tétanie, accompagnée de spasmes musculaires et de paresthésies, voire de crises convulsives. L'ablation des glandes parathyroïdes prédispose à l'hypocalcémie. Cette intervention est souvent associée à une thyroïdectomie totale ou à une intervention chirurgicale bilatérale au niveau du cou destinée à traiter un cancer. L'hypomagnésémie (diminution de la concentration sérique de magnésium) et l'alcoolisme chronique accroissent également le risque d'hypocalcémie.

L'**hypercalcémie**, qui correspond à une concentration sérique de calcium supérieure à 2,6 mmol/L, survient généralement à la suite d'une mobilisation du calcium osseux. Elle peut être consécutive à un cancer ou à une immobilisation prolongée.

Le tableau 50-6 présente les facteurs de risque et les manifestations cliniques des déséquilibres du calcium.

MAGNÉSIUM

Les déséquilibres du magnésium (Mg^{2+}) sont relativement répandus chez les personnes hospitalisées, bien qu'ils puissent passer inaperçus. Plus fréquente que l'hypermagnésémie, l'**hypomagnésémie** accompagne souvent l'alcoolisme chronique. D'ailleurs, un déficit en magnésium aggrave parfois les manifestations du syndrome de sevrage alcoolique, tel le delirium tremens. L'augmentation de la concentration sérique de magnésium, ou **hypermagnésémie**, résulte d'un apport excessif ou d'une excrétion insuffisante de magnésium. Elle est souvent iatrogène, c'est-à-dire qu'elle découle d'un traitement médical.

Le tableau 50-6 présente les facteurs de risque et les manifestations cliniques des déséquilibres du magnésium.

CHLORURE

Les ions sodium étant surtout liés aux ions chlorure (Cl^-), les déséquilibres du chlorure sont généralement associés à des déséquilibres du sodium. L'**hypochlorémie** est une diminution de la concentration sérique de chlorure ; elle est habituellement reliée à une perte excessive de chlorure par l'appareil digestif, les reins ou la transpiration. L'hypochlorémie prédispose à l'alcalose et peut entraîner des secousses musculaires, des tremblements ou une tétanie.

Les facteurs responsables de la rétention du sodium peuvent aussi engendrer une augmentation de la concentration sérique de chlorure, ou **hyperchlorémie**. Une rééquilibration excessive du chlorure de sodium ou du chlorure de potassium risque d'entraîner les mêmes résultats. L'hyperchlorémie se manifeste notamment par l'acidose, la faiblesse et la léthargie. Parfois, elle cause également des arythmies et le coma.

PHOSPHATE

Le phosphate (HPO_4^{2-}) est un anion présent dans le liquide intracellulaire et dans le liquide extracellulaire. La majeure partie du phosphore contenu dans l'organisme se présente sous forme de HPO_4^{2-}. Cet ion joue un rôle capital dans le métabolisme cellulaire, car c'est un composant fondamental de l'adénosine triphosphate (ATP).

Les déséquilibres du phosphate accompagnent fréquemment les traitements d'autres affections. L'administration de glucose et d'insuline ainsi que l'alimentation parentérale totale peuvent causer l'**hypophosphatémie**, c'est-à-dire la diminution de la concentration sérique de phosphate consécutive au passage dans les cellules du phosphate provenant du LE. Les autres causes possibles de l'hypophosphatémie sont le syndrome de sevrage alcoolique, les déséquilibres acidobasiques et l'usage d'antiacides qui se lient au phosphate dans l'appareil digestif. L'hypophosphatémie se manifeste par des paresthésies, de la faiblesse et des douleurs musculaires, des changements de l'état mental et parfois des crises convulsives.

L'**hyperphosphatémie** survient lorsque le phosphate passe des cellules au liquide extracellulaire par suite d'une lésion tissulaire ou d'une chimiothérapie antinéoplasique. Elle peut aussi provenir d'une insuffisance rénale, voire de l'administration ou de l'ingestion d'une quantité excessive de phosphate. Elle touche parfois les nourrissons nourris au lait de vache ainsi que les personnes qui utilisent des lavements ou des laxatifs contenant du phosphate. L'hyperphosphatémie se manifeste par

un engourdissement ou des sensations de picotement autour de la bouche et au bout des doigts, des spasmes musculaires et une tétanie.

Déséquilibres acidobasiques

Les déséquilibres acidobasiques sont qualifiés de *respiratoires* ou de *métaboliques* selon leur cause générale ou sous-jacente. La concentration d'acide carbonique est normalement régulée par la rétention ou l'excrétion pulmonaires du gaz carbonique, de sorte que les troubles de la régulation pulmonaire du CO_2 engendrent l'acidose ou l'alcalose respiratoires. Par ailleurs, les concentrations d'ions bicarbonate et hydrogène étant régies par les reins, les troubles de la régulation rénale entraînent l'acidose ou l'alcalose métaboliques. Normalement, les systèmes de régulation tentent de corriger les déséquilibres acidobasiques au moyen d'un processus appelé **compensation**.

ACIDOSE RESPIRATOIRE

L'hypoventilation et la rétention du gaz carbonique provoquent une augmentation de la concentration d'acide carbonique et une chute du pH à une valeur inférieure à 7,35, un état appelé **acidose respiratoire**. Les affections pulmonaires graves comme l'asthme et la BPCO sont des causes fréquentes de l'acidose respiratoire. L'affaiblissement du système nerveux central par suite d'une anesthésie ou sous l'action d'une dose excessive d'opioïdes peut ralentir suffisamment la fréquence respiratoire pour provoquer une rétention du gaz carbonique. En présence d'une acidose respiratoire, les reins retiennent le bicarbonate afin de rétablir le rapport adéquat entre l'acide carbonique et le bicarbonate. Cependant, les reins réagissent assez lentement aux variations de l'équilibre acidobasique, de sorte qu'il peut s'écouler des heures, voire des jours, avant que le pH ne revienne à la normale.

ALCALOSE RESPIRATOIRE

L'hyperventilation entraîne une diminution de la concentration d'acide carbonique et une augmentation de pH au-dessus de 7,45, un état appelé **alcalose respiratoire**. Une hyperventilation psychogène ou reliée à l'anxiété, la fièvre ou les infections respiratoires peuvent entraîner une alcalose respiratoire. Pour la compenser, les reins excrètent du bicarbonate afin de ramener le pH à l'intérieur des limites habituelles. Cependant, il arrive souvent que la cause de l'hyperventilation disparaisse spontanément et que le pH revienne à la normale avant même que ne se produise la compensation rénale.

ACIDOSE MÉTABOLIQUE

L'**acidose métabolique** correspond à une diminution de la concentration de bicarbonate par rapport à celle de l'acide carbonique, ainsi qu'à une diminution du pH. Elle peut provenir d'une insuffisance rénale ou de l'incapacité des reins d'excréter les ions hydrogène et de produire du bicarbonate. Elle peut également faire suite à une production excessive d'acide causée par l'acidocétose ou l'inanition, un état durant lequel l'organisme dégrade ses tissus adipeux afin de produire de l'énergie. L'acidose métabolique stimule le centre respiratoire, qui commande l'augmentation de la fréquence et de l'amplitude respiratoires. L'élimination du gaz carbonique fait baisser la concentration d'acide carbonique, ce qui atténue la variation du pH. La compensation respiratoire se déclenche dans les minutes qui suivent la perturbation du pH.

ALCALOSE MÉTABOLIQUE

L'**alcalose métabolique** est marquée par une concentration bicarbonate-acide carbonique supérieure au rapport normal de 20 :1. Elle survient notamment par suite de l'ingestion de bicarbonate de sodium visant à traiter l'acidité gastrique, ou après des vomissements répétés, qui causent une perte d'acide chlorhy-drique. Il s'ensuit une dépression du centre respiratoire qui entraîne une diminution de la fréquence et de l'amplitude respiratoires. La rétention du gaz carbonique fait augmenter la concentration d'acide carbonique afin de compenser l'excès de bicarbonate.

Le tableau 50-7 présente les facteurs de risque et les manifestations cliniques des déséquilibres acidobasiques. L'encadré 50-3 présente les facteurs de risque des déséquilibres hydriques, électrolytiques et acidobasiques.

TABLEAU

50-7

Déséquilibres acidobasiques

Facteurs de risque	Manifestations cliniques	Interventions infirmières
Acidose respiratoire Affections pulmonaires aiguës nuisant à l'échange gazeux dans les alvéoles (comme la pneumonie, l'œdème pulmonaire aigu, l'aspiration d'un corps étranger et la quasi-noyade) Affections pulmonaires chroniques (comme l'asthme, la fibrose kystique et l'emphysème) Dose excessive d'opioïdes ou de sédatif causant une diminution de la fréquence et de l'amplitude respiratoires Traumatisme crânien touchant le centre respiratoire	Augmentation de la fréquence du pouls et de la respiration Céphalée, étourdissements Désorientation, diminution du niveau de conscience Convulsions Peau chaude et rouge **Chronique :** Faiblesse Céphalée *Résultats des épreuves de laboratoire :* pH du sang artériel inférieur à 7,35 $PaCO_2$ supérieure à 45 mm Hg Concentration de HCO_3^- normale ou légèrement élevée dans l'acidose respiratoire aiguë et supérieure à 26 mmol/L dans l'acidose respiratoire chronique	Évaluer fréquemment l'état respiratoire et ausculter régulièrement les poumons. Surveiller de près la perméabilité des voies respiratoires et la ventilation ; procéder à une intubation et se préparer à établir une ventilation assistée en cas de besoin. Prodiguer des traitements respiratoires comme l'inhalothérapie, la percussion, le drainage postural et l'administration de bronchodilatateurs et d'antibiotiques selon l'ordonnance. Mesurer les ingesta et les excreta, prendre les signes vitaux et obtenir une mesure des gaz du sang artériel. Administrer des opioïdes antagonistes selon l'ordonnance. Maintenir une hydratation adéquate (de 2 à 3 L de liquide par jour).
Alcalose respiratoire Hyperventilation : ■ Anxiété extrême ■ Fièvre ■ Ventilation assistée excessive ■ Hypoxie ■ Dose excessive de salicylate	Essoufflement, oppression thoracique Sensation ébrieuse avec paresthésies péribuccales et picotements dans les extrémités Difficultés de concentration Tremblements, vision trouble *Résultats des épreuves de laboratoire* (dans l'alcalose respiratoire non compensée) : pH du sang artériel supérieur à 7,45 $PaCO_2$ inférieure à 35 mm Hg	Prendre les signes vitaux et obtenir une mesure des gaz du sang artériel. Aider la personne à respirer lentement. Aider la personne à respirer dans un sac de papier ou à utiliser un masque de réinspiration partielle (pour lui faire inhaler du CO_2).
Acidose métabolique Affections entraînant une augmentation de la concentration sanguine d'acides non volatils (comme les affections rénales, le diabète et l'inanition) Affections entraînant une diminution de la concentration de bicarbonate (comme la diarrhée prolongée)	Respiration de Kussmaul (profonde et rapide) Léthargie, désorientation Céphalée Faiblesse Nausées et vomissements *Résultats des épreuves de laboratoire :* pH du sang artériel inférieur à 7,35	Surveiller étroitement les mesures des gaz du sang artériel, les ingesta et les excreta, ainsi que le niveau de conscience. Administrer avec précaution du bicarbonate de sodium par voie intraveineuse selon l'ordonnance. Traiter le problème sous-jacent selon l'ordonnance.

Facteurs de risque	Manifestations cliniques	Interventions infirmières
Perfusion excessive de liquides intraveineux contenant du chlorure (sous forme de NaCl, par exemple)	Concentration sérique de bicarbonate inférieure à 22 mmol/L PaCO$_2$ inférieure à 38 mm Hg avec compensation respiratoire	
Alcalose métabolique Pertes excessives d'acide : ■ Vomissements ■ Aspiration gastrique Usage excessif de diurétiques augmentant l'excrétion du potassium Sécrétion excessive d'hormones corticosurrénales : ■ Syndrome de Cushing ■ Hyperaldostéronisme Apport excessif de bicarbonate : ■ Antiacides ■ Administration de NaHCO$_3$ par voie parentérale	Diminution de la fréquence et de l'amplitude respiratoires Étourdissements Paresthésies péribuccales, engourdissement et picotements des membres Hypertonicité musculaire, tétanie *Résultats des épreuves de laboratoire :* pH du sang artériel supérieur à 7,45 Concentration sérique de bicarbonate supérieure à 26 mmol/L PaCO$_2$ supérieure à 45 mm Hg avec compensation respiratoire	Surveiller de près les ingesta et les excreta. Surveiller étroitement les signes vitaux, la respiration en particulier, et le niveau de conscience. Administrer avec précaution les liquides intraveineux prescrits. Traiter l'affection sous-jacente.

ENCADRÉ

Facteurs de risque des déséquilibres hydriques, électrolytiques et acidobasiques

50-3

AFFECTIONS CHRONIQUES
- Affections pulmonaires chroniques (BPCO, asthme, fibrose kystique)
- Insuffisance cardiaque
- Insuffisance rénale
- Diabète sucré
- Syndrome de Cushing ou maladie d'Addison
- Cancers
- Malnutrition, anorexie mentale, boulimie
- Iléostomie

AFFECTIONS AIGUËS
- Gastroentérite aiguë
- Obstruction intestinale
- Traumatisme crânien ou diminution du niveau de conscience
- Traumatismes (brûlures et lésions par écrasement)

- Intervention chirurgicale
- Fièvre, plaies purulentes, fistules

MÉDICAMENTS
- Diurétiques
- Corticostéroïdes
- Anti-inflammatoires non stéroïdiens

TRAITEMENTS
- Chimiothérapie
- Thérapie intraveineuse et alimentation parentérale totale
- Aspiration nasogastrique
- Alimentation entérale
- Ventilation assistée

AUTRES FACTEURS
- Âge (personnes très âgées ou très jeunes)
- Incapacité de manger et de boire de manière autonome

DÉMARCHE SYSTÉMATIQUE
dans la pratique infirmière

Collecte des données

La collecte des données reliées aux déséquilibres hydriques, électrolytiques et acidobasiques constitue un important aspect des soins infirmiers. Elle comprend : (a) l'anamnèse ; (b) l'examen physique ; (c) les mesures cliniques ; (d) les examens paracliniques.

■ Anamnèse

L'anamnèse est une étape cruciale du dépistage des déséquilibres hydriques, électrolytiques et acidobasiques. En effet, les renseignements que fournit la personne révèlent la présence de facteurs susceptibles de perturber les équilibres normaux. Il s'agit généralement soit d'affections particulières, comme une BPCO ou le diabète, soit de la prise de médicaments destinés à traiter des affections chroniques, tels les diurétiques prescrits contre l'hypertension artérielle. L'infirmière doit aussi prendre en considération les facteurs de risque fonctionnels, développementaux et socioéconomiques. Ainsi, le risque de déséquilibres hydriques et électrolytiques est particulièrement élevé chez les personnes âgées, les très jeunes enfants, les personnes qui ne peuvent ni manger ni boire de manière autonome et celles qui ne peuvent se préparer des repas équilibrés. L'encadré *Entrevue d'évaluation* présente des exemples de questions à poser pour dépister les déséquilibres hydriques, électrolytiques et acidobasiques.

■ Examen physique

L'examen physique visant à évaluer l'équilibre hydrique, électrolytique et acidobasique chez une personne porte surtout sur la peau, la cavité buccale, les muqueuses et les yeux, ainsi que sur les fonctions cardiovasculaire, respiratoire, neurologique et musculosquelettique. Les données obtenues au moyen de l'examen physique servent à compléter et à vérifier les informations obtenues durant l'anamnèse. Le tableau 50-8 présente les grandes lignes de l'examen physique ; de plus, les tableaux 50-4 à 50-8 indiquent les valeurs anormales associées aux divers déséquilibres.

■ Mesures cliniques

L'infirmière effectue quotidiennement la pesée, la prise des signes vitaux et la mesure des ingesta et des excreta.

PESÉE QUOTIDIENNE. La pesée quotidienne fournit une indication relativement précise de l'état hydrique d'une personne. Une importante variation de poids au cours d'une courte période (de quelques jours à une semaine) indique un déséquilibre aigu. Un gain ou une perte de 1 kg équivaut à un gain ou une perte de 1 L de liquide. Une telle variation révèle un changement de la quantité totale de liquide organique et non d'un compartiment particulier, comme le compartiment intravasculaire. Les pertes ou les gains rapides de 5 à 8 % du poids corporel sont des signes de déficits ou de surcharges de volume liquidien de modérés à graves.

La vérification régulière du poids revêt une importance particulière chez les personnes à risque soignées à domicile ou qui séjournent dans un établissement de soins prolongés. Il est parfois impossible de mesurer les ingesta et les excreta de ces personnes en raison de leur mode de vie ou de problèmes d'incontinence. C'est pourquoi la pesée régulière, qu'elle ait lieu tous les jours, tous les deux jours ou toutes les semaines, fournit de précieux renseignements sur leur état hydrique.

SIGNES VITAUX. Les variations des signes vitaux révèlent des déséquilibres hydriques, électrolytiques et acidobasiques existants, mais elles peuvent également les devancer. Ainsi, une augmentation de la température corporelle peut être soit le résultat d'une déshydratation, soit la cause d'une déperdition hydrique.

ENTREVUE D'ÉVALUATION

Équilibre hydrique, électrolytique et acidobasique

ANTÉCÉDENTS MÉDICAUX
- Consultez-vous actuellement un médecin pour une affection chronique comme une affection des reins, une maladie du cœur, une hypertension artérielle, un diabète, ou encore pour un trouble de la glande thyroïde ou des glandes parathyroïdes ?
- Avez-vous récemment souffert d'une affection aiguë comme une gastroentérite, une blessure grave, un traumatisme crânien, ou avez-vous subi une intervention chirurgicale ? Si oui, décrivez ce qui vous est arrivé.

MÉDICAMENTS ET TRAITEMENTS
- Actuellement, prenez-vous régulièrement des médicaments comme des diurétiques, des stéroïdes, des suppléments de potassium ou de calcium, des hormones, des substituts du sel, des antiacides ou des produits en vente libre ?
- Avez-vous récemment reçu des traitements comme une dialyse, une alimentation parentérale, une alimentation par sonde endogastrique ou une ventilation assistée ? Si oui, quand et pourquoi avez-vous reçu ces traitements ?

APPORT D'ALIMENTS ET DE LIQUIDES
- Quel volume de liquide buvez-vous chaque jour ? Quels types de liquides consommez-vous ?
- Décrivez ce que vous mangez au cours d'une journée normale. (Accordez une attention particulière à la consommation d'aliments riches en sodium, de protéines, de céréales entières, de fruits et de légumes.)
- Vos habitudes de consommation d'aliments et de liquides ont-elles changé récemment, en raison d'un régime amaigrissant, par exemple ?

- Suivez-vous une diète spéciale ?
- Votre consommation d'aliments et de liquides a-t-elle diminué récemment en raison d'une perte d'appétit, de nausées ou de difficultés respiratoires ?

DÉPERDITIONS HYDRIQUES
- Avez-vous remarqué des changements dans la fréquence de vos mictions ou dans la quantité d'urine émise ?
- Avez-vous souffert récemment de vomissements, de diarrhée ou de constipation ? Si oui, quand et pendant combien de temps ?
- Avez-vous remarqué des pertes inhabituelles de liquide, une transpiration excessive, par exemple ?

DÉSÉQUILIBRES HYDRIQUES, ÉLECTROLYTIQUES ET ACIDOBASIQUES
- Avez-vous gagné ou perdu du poids au cours des dernières semaines ?
- Avez-vous très soif ? Votre peau, vos muqueuses sont-elles sèches ? Votre urine est-elle sombre ou concentrée ? Comment est votre débit urinaire ?
- Avez-vous les mains, les chevilles ou les pieds enflés ? Vous arrive-t-il d'avoir de la difficulté à respirer, surtout en position couchée ? Combien d'oreillers utilisez-vous pour dormir ?
- Avez-vous ressenti récemment l'un des symptômes suivants : difficultés de concentration ou désorientation ; étourdissements ou sensation de faiblesse ; faiblesse musculaire, mouvements musculaires saccadés, crampes ou spasmes ; fatigue excessive ; sensations anormales d'engourdissement, de picotements ou de brûlures ; crampes ou distension abdominales et palpitations ?

TABLEAU

50-8

Examen physique axé sur les déséquilibres hydriques, électrolytiques et acidobasiques

Système	Objet de l'évaluation	Technique	Particularités possibles
Peau	Couleur, température, humidité	Inspecter, palper la peau.	Rouge, chaude, très sèche. Humide ou couverte de sueur. Fraîche et pâle.
	Élasticité	Pincer doucement la peau au-dessus du sternum ou sur la face interne de la cuisse chez l'adulte, sur l'abdomen ou la face interne de la cuisse chez l'enfant.	Perte d'élasticité : la peau demeure soulevée pendant quelques secondes au lieu de reprendre immédiatement sa position.
	Œdème	Rechercher un œdème visible autour des yeux, au niveau des doigts et dans des membres inférieurs.	La peau autour des yeux est bouffie, les paupières paraissent œdématiées ; les bagues sont serrées autour des doigts (elles devraient être retirées) ; les chaussures laissent des marques sur la peau des pieds.
		Comprimer la peau sur la face supérieure du pied, autour des chevilles, au-dessus du tibia et dans la région sacrée.	L'œdème prend le godet. (Voir l'échelle présentée à la figure 50-8.)
Muqueuses	Couleur, humidité	Inspecter les muqueuses.	Muqueuses sèches, d'aspect mat ; langue sèche et craquelée.
Yeux	Fermeté	Demander à la personne de fermer les paupières et palper délicatement le globe oculaire.	Le globe oculaire est souple à la palpation.
Fontanelles (nourrisson)	Fermeté, niveau	Inspecter et palper délicatement la fontanelle antérieure.	Fontanelle proéminente et ferme. Fontanelle enfoncée et souple.
Fonction cardiovasculaire	Fréquence cardiaque	Ausculter et procéder au monitorage cardiaque.	Tachycardie, bradycardie, rythme irrégulier, arythmies.
	Pouls périphériques	Palper les pouls périphériques.	Pouls filant ou bondissant.
	Pression artérielle	Mesurer la PA.	Hypotension.
		Mesurer la PA en position couchée et assise.	Hypotension orthostatique.
	Remplissage capillaire	Palper pour évaluer le remplissage capillaire.	Remplissage capillaire lent.
	Remplissage veineux	Inspecter les veines jugulaires et les veines des mains.	Distension des veines jugulaires ; aplatissement des veines jugulaires, remplissage veineux lent.
Fonction respiratoire	Fréquence et amplitude respiratoires	Vérifier la fréquence et l'amplitude respiratoires.	Augmentation ou diminution de la fréquence et de l'amplitude respiratoires.
	Bruits pulmonaires	Ausculter et rechercher les bruits pulmonaires.	Crépitants fins ou rudes.
Fonction neurologique	Niveau de conscience	Observer et stimuler la personne pour évaluer son niveau de conscience.	Diminution du niveau de conscience, léthargie, stupeur ou coma.
	Orientation, cognition	Interroger la personne.	Désorientation ; difficultés de concentration.
	Fonction motrice	Vérifier la force motrice.	Faiblesse, diminution de la force motrice.
	Réflexes ostéotendineux	Vérifier les réflexes tendineux profonds.	Exagération ou diminution.
	Réflexes anormaux	Rechercher le *signe de Chvostek* : percussion du nerf facial à environ 2 cm à l'avant du tragus.	Mouvements saccadés du muscle facial mobilisant les paupières et les lèvres du côté du stimulus.
		Rechercher le *signe de Trousseau* : placer un brassard de sphygmomanomètre sur le bras de la personne et gonfler jusqu'à ce que la pression dans le brassard dépasse la pression systolique de 20 mm Hg ; laisser en place de 2 à 5 min.	Spasme carpien : contraction de la main et des doigts du côté touché.

La tachycardie est un signe précoce de l'hypovolémie. Un DVL entraîne une diminution de la force du pouls, tandis qu'un EVL entraîne son augmentation. Il arrive que les déséquilibres électrolytiques se manifestent également par un pouls irrégulier. Les variations de la fréquence et de l'amplitude respiratoires causent parfois des déséquilibres acidobasiques ou servent de mécanismes de compensation dans l'acidose ou l'alcalose métaboliques.

La pression artérielle, qui traduit les variations du volume sanguin, diminue parfois considérablement en cas de DVL et d'hypovolémie ; à l'inverse, la pression artérielle augmente légèrement en cas d'EVL. Le DVL et l'hypovolémie se manifestent également par une hypotension orthostatique.

INGESTA ET EXCRETA. La mesure et l'enregistrement des ingesta et des excreta sur une période de 24 heures fournissent d'importants renseignements sur l'équilibre hydrique et électrolytique. En règle générale, on soumet à ces mesures les personnes à risque hospitalisées.

On évalue les ingesta et les excreta en millilitres (mL). Pour mesurer l'apport liquidien, l'infirmière doit souvent convertir des volumes usuels comme le « verre », la « tasse » et le « bol à soupe » en unités du SI. La plupart des établissements ont mis au point des tables de conversion, car les dimensions des récipients contenant les boissons et les aliments varient d'un établissement à l'autre. L'encadré 50-4 donne quelques exemples de telles équivalences.

La plupart du temps, les infirmières notent la nature et la quantité des ingesta et des excreta dans un formulaire spécial qu'elles laissent au chevet des personnes (figure 50-10 ■).

Il est important d'indiquer à la personne, aux membres de sa famille et à tout le personnel soignant qu'il faut mesurer exactement les ingesta et les excreta de liquide. Il incombe également à l'infirmière de leur expliquer pourquoi il en est ainsi et de demander à la personne d'utiliser un bassin hygiénique, un urinal, une chaise d'aisances ou un dispositif de prélèvement d'urine pour les toilettes (sauf si elle porte une sonde vésicale). En outre, il faut demander à la personne de ne pas laisser de papier hygiénique dans le récipient contenant l'urine. Si la personne veut participer à la mesure de ses ingesta et de ses excreta, il faut lui expliquer comment inscrire les résultats et lui donner une liste d'aliments considérés comme des liquides.

Pour mesurer les ingesta, l'infirmière note dans le formulaire toutes les quantités de liquide ingérées (si la personne ne l'a pas déjà fait), en précisant l'heure et le type de liquide. Elle doit tenir compte de tous les liquides suivants :

- Liquides par voie orale. Eau, lait, jus, boissons gazeuses, café, thé, crème, soupe et autres boissons, sans oublier l'eau prise avec les médicaments. Pour mesurer la quantité d'eau prélevée d'un pichet, on mesure ce qui reste et on soustrait cette quantité du volume du pichet plein. On remplit ensuite le pichet.

- Glaçons. Le volume de liquide équivaut approximativement à la moitié de celui des glaçons. Par exemple, si la personne a consommé tous les glaçons contenus dans un récipient de 200 mL, elle a ingéré l'équivalent de 100 mL de liquide.

- Aliments se liquéfiant à la température ambiante. Crème glacée, sorbet, flan et gelées. Ne pas mesurer les aliments en purée, car ce sont simplement des aliments solides apprêtés différemment.

- Alimentation par sonde (de gastrostomie ou de jéjunostomie, par exemple). Ne pas oublier d'ajouter les 30 à 60 mL d'eau utilisés pour rincer la sonde à la fin d'une alimentation intermittente ou pendant une alimentation continue.

- Liquides par voie parentérale. Il faut prendre en compte les transfusions sanguines et mesurer exactement les liquides administrés par voie intraveineuse, puisque certains récipients contiennent parfois plus de liquide que le volume indiqué.

- Médicaments par voie intraveineuse. L'infirmière doit également noter les médicaments préparés avec des solutions comme le soluté physiologique et administrés au moyen d'une perfusion intermittente ou continue (par exemple, la ceftazidime administrée à raison de 1 g dans 50 mL de soluté physiologique). La plupart des médicaments administrés par voie intraveineuse sont mélangés dans 50 ou 100 mL de solution isotonique.

- Solutions d'irrigation pour les cathéters et les sondes. Il faut mesurer et noter les liquides utilisés pour irriguer les sondes vésicales, les sondes nasogastriques et les sondes intestinales, sauf s'ils sont évacués immédiatement.

Pour la mesure des excreta, il faut observer les mesures appropriées de prévention des infections et noter les volumes suivants :

- Débit urinaire. Après chaque miction, on doit verser l'urine dans un récipient gradué, lire le volume et noter la quantité et l'heure dans le formulaire. Si la personne porte une sonde vésicale, il faut mesurer le contenu du sac collecteur à la fin du quart de travail (ou plus souvent, si nécessaire). On note le volume d'urine. Dans les unités de soins intensifs, on note le débit urinaire toutes les heures. Si la personne présente une incontinence urinaire, on doit estimer et noter les quantités. On peut, par exemple, inscrire : « Incontinence × 3 » ou « Drap souillé sur un diamètre de 30 cm ». Une méthode plus précise pour évaluer le débit urinaire des nourrissons et des personnes incontinentes consiste à peser la couche ou la serviette quand elles sont sèches puis lorsqu'elles sont souillées. Chaque augmentation de 1 g de la masse de la couche correspond à l'excrétion de 1 mL d'urine. Si l'urine est souvent souillée de selles, on peut noter le nombre de mictions plutôt que le volume de l'urine.

ENCADRÉ

Volume de récipients courants 50-4

Verre à eau	200 mL
Verre à jus	120 mL
Tasse	180 mL
Bol à soupe	
■ Adulte	180 mL
■ Enfant	100 mL
Théière	240 mL
Godet (crème ou lait)	15 mL
Pichet à eau	1 000 mL
Plat de gelée ou de flan	100 mL
Plat de crème glacée	120 mL
Gobelet de papier	
■ Grand	200 mL
■ Petit	120 mL

DOSAGE INGESTA/EXCRETA

DATE_____

HEURES	INGESTA						EXCRETA					REMARQUES
	SOLUTÉS et I.V.			N/G	PER OS	SONDE	URINE	DRAINS				RÉS. GASTRIQUES
RESTE				IRRIG.	MÉD.	IRRIG.	IRRIG.					PROD. SANGUINS
				GAVAGE			SONDE	N/G			VOMIS.	UTRES
09:00												
10:00												
11:00												
12:00												
13:00												
14:00												
15:00												
16:00												
TOTAL												
	TOTAL :						TOTAL :					SIG.
RESTE												
17:00												
18:00												
19:00												
20:00												
21:00												
22:00												
23:00												
24:00												
TOTAL												
	TOTAL :						TOTAL :					SIG.
RESTE												
01:00												
02:00												
03:00												
04:00												
05:00												
06:00												
07:00												
08:00												
TOTAL												
	TOTAL :						TOTAL :					
T:24												
GRAND TOTAL DES 24 HEURES :				/								
	BALANCE :							SIG.				

FIGURE 50-10 ■ Exemple de formulaire pour le bilan de 24 heures des ingesta et des excreta.
(Reproduit avec l'aimable autorisation du Centre hospitalier régional de Trois-Rivières.)

- Vomissements et selles liquides. Il faut préciser la quantité et le type de liquide, ainsi que l'heure où il été émis.

- Liquides évacués de l'estomac ou de l'intestin au moyen d'une sonde.

- Plaies et fistules avec écoulement. Pour noter la quantité de liquide qui s'écoule d'une plaie, inscrire le type et le nombre de pansements ou de draps saturés ou mesurer exactement l'écoulement au moyen d'un système de drainage par gravité ou par pression négative (comme Hemovac).

L'infirmière doit additionner les mesures des ingesta et des excreta à la fin de son quart de travail et noter les totaux dans le dossier de la personne. Habituellement, le personnel de nuit se charge de faire la somme des ingesta et des excreta notés pendant chaque quart de travail et il inscrit le total sur 24 heures.

Pour déterminer si les excreta sont proportionnels aux ingesta ou si l'état hydrique de la personne a changé, l'infirmière : (a) compare les mesures des ingesta et des excreta de 24 heures ; (b) compare ces mesures avec les résultats antérieurs. Le débit urinaire équivaut normalement à la quantité de liquide ingérée, ce qui représente entre 1 500 et 2 000 mL par 24 heures ou entre 40 et 80 mL par heure (0,5 mL/kg/h). Un débit urinaire largement supérieur aux ingesta traduit un possible déficit liquidien, tandis que l'inverse peut indiquer une rétention liquidienne. Lors de l'évaluation de l'équilibre hydrique, il est important de tenir compte des facteurs susceptibles d'influer sur les ingesta et les excreta. La personne qui présente une diaphorèse extrême ou une respiration rapide et profonde subit des déperditions hydriques impossibles à mesurer, mais dont il faut tenir compte dans l'évaluation de l'état hydrique.

L'infirmière doit prévenir l'infirmière responsable ou le médecin si elle constate un écart important entre les ingesta et les excreta, ou si les ingesta ou les excreta sont insuffisants (par exemple, un débit urinaire inférieur à 500 mL par 24 heures ou à 0,5 mL par kilogramme par heure chez un adulte).

Examens paracliniques

De nombreuses épreuves de laboratoire permettent de déterminer l'état hydrique, électrolytique et acidobasique d'une personne. Voici les plus courantes.

IONOGRAMME SANGUIN. L'ionogramme sanguin (électrolytes sanguins) fournit une mesure des concentrations sériques des électrolytes. Il sert à dépister les déséquilibres électrolytiques et acidobasiques à l'admission dans un établissement de soins de santé. On effectue régulièrement des ionogrammes chez les personnes à risque qui reçoivent des soins à domicile, en particulier celles qui prennent des diurétiques pour traiter l'hypertension ou l'insuffisance cardiaque. On mesure habituellement les concentrations des ions sodium, potassium, chlorure, magnésium et bicarbonate. L'encadré 50-5 présente les valeurs normales des électrolytes les plus fréquemment dosés.

FORMULE SANGUINE. La formule sanguine complète, ou hémogramme, comprend généralement un **hématocrite**, qui permet d'établir le volume des érythrocytes par rapport à celui du sang total. Comme le résultat est fonction du volume du plasma, il augmente en cas de déshydratation grave et diminue dans le cas contraire. Les valeurs normales de l'hématocrite sont de 40 à 54 % chez l'homme et de 37 à 47 % chez la femme.

ENCADRÉ 50-5	
Valeurs normales des électrolytes chez l'adulte*	
SANG VEINEUX	
Sodium	135 à 145 mmol/L
Potassium	3,5 à 5,0 mmol/L
Calcium (total)	2,4 à 2,6 mmol/L
(ionisé)	56 % du calcium total 1,17 à 1,3 mmol/L
Magnésium	0,65 à 1,05 mmol/L
Phosphate (phosphoreux)	0,85 à 1,3 mmol/L
Osmolalité sérique	280 à 300 mOsm/kg

* Les valeurs normales varient selon les établissements.

OSMOLALITÉ. L'*osmolalité sérique* détermine la concentration de solutés (ions sodium, glucose et urée) dans le sang. Comme le sodium et les ions chlorure qui lui sont associés constituent les principaux déterminants de l'osmolalité sérique, on peut l'estimer en multipliant par deux la concentration sérique de sodium. Les valeurs de l'osmolalité sérique servent principalement à évaluer l'équilibre hydrique. Les valeurs normales varient entre 280 et 300 mOsm/kg. Une augmentation indique un déficit de volume liquidien et une diminution, un excès de volume liquidien.

pH DE L'URINE. On peut obtenir le pH de l'urine au moyen d'une analyse de laboratoire ou encore d'une bandelette réactive que l'on trempe dans un échantillon frais d'urine. La mesure du pH de l'urine permet de déterminer si les reins réagissent adéquatement aux déséquilibres acidobasiques. Normalement, l'urine est relativement acide, avec un pH moyen de 6,0 ; on considère cependant comme normales les valeurs comprises entre 4,6 et 8,0. Le pH de l'urine devrait diminuer dans l'acidose métabolique, à mesure que les reins excrètent des ions hydrogène, et il devrait augmenter dans l'alcalose métabolique.

DENSITÉ DE L'URINE. La **densité** de l'urine indique la concentration de l'urine ; elle peut être mesurée rapidement et facilement par l'infirmière. La densité normale de l'urine varie entre 1,005 et 1,030 (entre 1,010 et 1,025 habituellement). Elle augmente quand la concentration de solutés dans l'urine est élevée et diminue dans le cas contraire.

MESURE DES GAZ DU SANG ARTÉRIEL. La **mesure des gaz du sang artériel** sert à évaluer l'équilibre acidobasique et l'oxygénation du sang. On mesure les gaz du sang artériel parce que ce dernier témoigne plus fidèlement que le sang veineux de l'efficacité de l'échange gazeux dans les poumons. L'épreuve peut être réalisée par des médecins, des inhalothérapeutes ou des infirmières possédant les compétences nécessaires. Ces infirmières peuvent procéder aux prélèvements de sang artériel, par l'intermédiaire d'une canule artérielle. Si le médecin effectue une ponction directe de l'artère, il faut appliquer ensuite une pression sur le point de ponction pendant cinq minutes, afin de réduire les risques de saignement ou d'ecchymose.

On s'appuie généralement sur six valeurs pour interpréter la mesure des gaz du sang artériel :

- Le pH, qui mesure l'acidité ou l'alcalinité relatives du sang.
- La PaO_2, qui exprime la pression exercée par l'oxygène dissous dans le sang artériel, et qui indique indirectement la teneur en oxygène du sang.
- La $PaCO_2$, qui révèle la pression partielle du gaz carbonique dans le sang artériel et qui représente la composante respiratoire de l'équilibre acidobasique.
- Les bicarbonates (HCO_3^-), qui mesurent la composante métabolique de l'équilibre acidobasique.
- La saturation en oxygène (SaO_2), qui indique le pourcentage d'hémoglobine saturée en oxygène.

Les valeurs normales des gaz du sang artériel figurent dans l'encadré 50-6, et les variations associées aux déséquilibres acidobasiques les plus fréquents, dans le tableau 50-9. La PaO_2 et la SaO_2 témoignent de l'état respiratoire, mais non de l'équilibre acidobasique. C'est pourquoi ces deux valeurs n'apparaissent pas dans le tableau 50-9.

Pour déterminer l'équilibre acidobasique à partir des résultats de la mesure des gaz du sang artériel, il est important d'employer une démarche systématique comme celle que présente l'encadré 50-7. L'infirmière doit étudier chaque mesure individuellement puis rechercher des relations entre l'ensemble des données afin de déterminer le type de déséquilibre acidobasique de la personne.

Analyse

Voici les diagnostics infirmiers reliés aux déséquilibres hydriques et acidobasiques :

- *Déficit de volume liquidien :* situation où une personne qui ne suit pas une diète absolue présente ou risque de présenter une déshydratation vasculaire, interstitielle ou intracellulaire.
- *Excès de volume liquidien :* augmentation de la rétention de liquide isotonique.
- *Risque de déséquilibre de volume liquidien :* risque d'augmentation, de diminution ou de passage rapide de l'un vers l'autre, des liquides intravasculaire, interstitiel ou intracellulaire. Cela fait référence à une perte, à un excès (ou les deux à la fois) de liquides corporels.
- *Risque de déficit de volume liquidien :* risque de déshydratation vasculaire, cellulaire ou intracellulaire.
- *Échanges gazeux perturbés :* excès ou manque d'oxygénation ou d'élimination du gaz carbonique au niveau de la membrane alvéolocapillaire.

Des applications cliniques de quelques diagnostics infirmiers sont présentées dans les encadrés *Diagnostics infirmiers, résultats de soins infirmiers et interventions* (pages 1671 et 1672), ainsi que dans le *Plan de soins et de traitements infirmiers* (pages 1701-1703) et le *Schéma du plan de soins et de traitements infirmiers* (page 1704).

Les déséquilibres hydriques, électrolytiques et acidobasiques se répercutent sur de nombreuses parties de l'organisme et contribuent, de ce fait, à l'étiologie des diagnostics infirmiers suivants :

- *Atteinte de la muqueuse buccale,* reliée à un déficit de volume liquidien.
- *Atteinte à l'intégrité de la peau,* reliée à la déshydratation, à l'œdème ou aux deux.
- *Débit cardiaque diminué,* relié à une hypovolémie ou à des dysrythmies cardiaques (ou aux deux) consécutives à un déséquilibre électrolytique (K^+ ou Mg^{2+}).
- *Irrigation tissulaire inefficace,* reliée à un débit cardiaque diminué par suite d'un déficit de volume liquidien ou d'un œdème.
- *Intolérance à l'activité,* reliée à l'hypervolémie.
- *Risque de blessure,* relié au déplacement du calcium des os vers le liquide extracellulaire.
- *Confusion aiguë,* reliée à un déséquilibre électrolytique.

ENCADRÉ

Valeurs normales des gaz du sang artériel*

50-6

pH	7,35 à 7,45
PaO_2	80 à 100 mm Hg
$PaCO_2$	35 à 45 mm Hg
HCO_3^-	22 à 26 mmol/L
Saturation en O_2	95 à 98 %

* Certaines valeurs normales varient selon le type d'épreuve réalisée en laboratoire. Pour interpréter les résultats des épreuves, l'infirmière devrait s'appuyer sur celles qui sont en usage dans l'établissement où elle travaille.

TABLEAU

Valeurs des gaz du sang artériel dans des déséquilibres acidobasiques répandus

50-9

Affection	pH	$PaCO_2$	HCO_3^-
Acidose respiratoire	< 7,35	> 45 mm Hg (excès de CO_2 et d'acide carbonique)	Normal ; > 26 mmol/L, avec compensation rénale
Alcalose respiratoire	> 7,45	< 35 mm Hg (concentrations inadéquates de CO_2 et d'acide carbonique)	Normal ; < 22 mmol/L, avec compensation rénale
Acidose métabolique	< 7,35	Normale ; < 35 mm Hg, avec compensation respiratoire	< 22 mmol/L (concentration inadéquate de bicarbonate)
Alcalose métabolique	> 7,45	Normale ; > 45 mm Hg, avec compensation respiratoire	> 26 mmol/L (concentration excessive de bicarbonate)

Interprétation de la mesure des gaz du sang artériel

1. Prenez connaissance du pH.
   a) Si le pH est inférieur à 7,35, il s'agit d'une acidose.
   b) Si le pH est supérieur à 7,45, il s'agit d'une alcalose.

2. Prenez connaissance de la $PaCO_2$.
   a) Si la $PaCO_2$ est inférieure à 35 mm Hg, la quantité de gaz carbonique expirée est supérieure à la normale.
   b) Si la $PaCO_2$ est supérieure à 45 mm Hg, la quantité de gaz carbonique expirée est inférieure à la normale (rétention de CO_2).

3. Étudiez la relation entre le pH et la $PaCO_2$ pour détecter un éventuel problème respiratoire.
   a) Si le pH est inférieur à 7,35 (acidose) et la $PaCO_2$ supérieure à 45 mm Hg, le gaz carbonique en excès cause l'acidose respiratoire.
   b) Si le pH est supérieur à 7,45 (alcalose) et la $PaCO_2$ inférieure à 35 mm Hg, la faible pression de gaz carbonique provoque l'alcalose respiratoire.

4. Prenez connaissance de la concentration de bicarbonate.
   a) Une concentration de HCO_3^- inférieure à 22 mmol/L est au-dessous de la normale.
   b) Une concentration de HCO_3^- supérieure à 26 mmol/L est au-dessus de la normale.

5. Vérifiez le pH et la concentration de HCO_3^- afin de détecter un éventuel problème métabolique.
   a) Si le pH est inférieur à 7,35 (acidose) et la concentration de HCO_3^- inférieure à 22 mmol/L, la faible concentration de bicarbonate cause l'acidose métabolique.
   b) Si le pH est supérieur à 7,45 (alcalose) et la concentration de HCO_3^- supérieure à 26 mmol/L, la forte concentration de bicarbonate provoque l'alcalose métabolique.

6. Cherchez des signes de compensation.
   a) Dans l'acidose respiratoire (pH < 7,35 ; $PaCO_2$ > 45 mm Hg), si la concentration de HCO_3^- est supérieure à 26 mmol/L, les reins retiennent le bicarbonate pour atténuer l'acidose : compensation rénale.
   b) Dans l'alcalose respiratoire (pH > 7,45 ; $PaCO_2$ < 35 mm Hg), si la concentration de HCO_3^- est inférieure à 22 mmol/L, les reins excrètent le bicarbonate pour atténuer l'alcalose : compensation rénale.
   c) Dans l'acidose métabolique (pH < 7,35 ; HCO_3^- < 22 mmol/L), si la $PaCO_2$ est inférieure à 35 mm Hg, les poumons rejettent du gaz carbonique pour atténuer l'acidose : compensation respiratoire.
   d) Dans l'alcalose métabolique (pH > 7,45 ; HCO_3^- > 26 mmol/L), si la $PaCO_2$ est supérieure à 45 mm Hg, les poumons retiennent le gaz carbonique pour compenser : compensation respiratoire.

Planification

À l'étape de la planification, l'infirmière détermine les interventions infirmières qui permettront à la personne d'atteindre les objectifs généraux suivants :

- Maintenir ou retrouver un équilibre hydrique normal.
- Faire en sorte que les compartiments intracellulaire et extracellulaire maintiennent ou retrouvent leur équilibre électrolytique normal.
- Maintenir ou retrouver une ventilation pulmonaire et une oxygénation adéquates.
- Prévenir les risques associés (lésions des tissus, diminution du débit cardiaque, désorientation et autres signes neurologiques).

Bien entendu, les objectifs varient selon le diagnostic infirmier et les caractéristiques propres à chaque personne. Il incombe à l'infirmière d'établir les mesures préventives appropriées et les interventions correctives pertinentes. Elle peut choisir, parmi les interventions infirmières, celles qui répondront adéquatement aux besoins de la personne. Des exemples d'applications sont présentés dans les encadrés *Diagnostics infirmiers, résultats de soins infirmiers et interventions* (pages 1671 et 1672) ainsi que dans le *Plan de soins et de traitements infirmiers* (pages 1701-1703) et le *Schéma du plan de soins et de traitements infirmiers* (page 1704). Voici les principales interventions infirmières CISI/NIC reliées à l'équilibre hydrique, électrolytique et acidobasique :

- Traitement d'un déséquilibre acidobasique
- Traitement d'un déséquilibre électrolytique
- Traitement d'un déséquilibre hydrique
- Traitement de l'hypovolémie
- Thérapie intraveineuse

Nous traitons à la section suivante des activités infirmières permettant d'atteindre les résultats escomptés en cas de déséquilibres hydriques, électrolytiques et acidobasiques. Elles consistent notamment à :

a) Mesurer les ingesta et les excreta, surveiller l'état cardiovasculaire et respiratoire, et prendre connaissance des résultats des épreuves de laboratoire.

b) Peser la personne ; déterminer le siège et l'étendue de l'œdème s'il y a lieu, évaluer l'état et l'élasticité de la peau, mesurer la densité de l'urine et évaluer le niveau de conscience et l'état mental.

c) Modifier l'apport liquidien.

d) Modifier le régime alimentaire.

e) Administrer des liquides, des électrolytes et du sang par voie parentérale.

f) Prendre les autres mesures appropriées, par exemple administrer les médicaments et l'oxygène prescrits, prodiguer des soins de la peau et de la bouche, placer la personne dans une position appropriée et prévoir des périodes de repos.

■ Planification des soins à domicile

Pour assurer le suivi des soins, il incombe à l'infirmière d'évaluer les besoins de la personne en matière d'aide à fournir aux soins à domicile. Elle doit estimer les ressources et les capacités de la personne et de sa famille et, si nécessaire, l'orienter vers les professionnels et les services appropriés. L'encadré *Évaluation pour les soins à domicile* présente les données à recueillir au moment de la planification des soins à domicile. L'infirmière s'appuie sur ces données pour élaborer un plan d'enseignement à l'intention de

DIAGNOSTICS INFIRMIERS, RÉSULTATS DE SOINS INFIRMIERS ET INTERVENTIONS

Excès de volume liquidien

COLLECTE DES DONNÉES	*DIAGNOSTIC INFIRMIER : DÉFINITION*	EXEMPLE DE RÉSULTAT DE SOINS INFIRMIERS [Nº CRSI/NOC]: *DÉFINITION*	INDICATEURS	INTERVENTION CHOISIE [Nº CISI/NIC]: *DÉFINITION*	EXEMPLES D'ACTIVITÉS CISI/NIC
Joseph Béland, un retraité de 67 ans présentant des antécédents de maladie cardiaque, a pris entre 4 et 5 kg au cours du mois dernier. Il dit que ses bagues sont si serrées qu'il ne peut les retirer, que ses chevilles sont enflées, que son cœur s'emballe par moments, qu'il s'essouffle quand il fournit un effort et qu'il se sent ballonné. L'examen physique révèle une distension de plus de 3 cm de la veine jugulaire droite, une vidange lente des veines de la main, un pouls bondissant (86 bpm), un œdème qui prend le godet au niveau des pieds, des chevilles et des jambes, ainsi que des crépitants lors de l'auscultation pulmonaire.	*Excès de volume liquidien : Augmentation de la rétention de liquide isotonique.*	Équilibre hydrique [0601]: *Équilibre de l'eau dans les compartiments intra-cellulaire et extracellu-laire de l'organisme.*	Non perturbés : • Équilibre entre les ingesta et les excreta de 24 heures • Absence de bruits surajoutés (adventices) • Poids stable • Absence de distension des veines du cou	Traitement d'un déséquilibre hydrique [4120]: *Mise en œuvre des moyens visant à favoriser l'équilibre hydrique et à prévenir les complications résultant d'un déficit ou d'un excès de volume liquidien.*	• Évaluer le siège et l'importance de l'œdème, si nécessaire, sur une échelle de 1+ à 4+. • Détecter les signes d'une surcharge ou d'une rétention liquidienne (crépitants, augmentation de la PA, œdème, distension des veines du cou), s'il y a lieu. • Mesurer et noter les ingesta et les excreta avec précision. • Peser la personne tous les jours et inscrire les variations de poids. • Consulter le médecin si les signes et les symptômes d'excès de volume liquidien persistent ou s'aggravent.

la personne et de sa famille. (Voir les encadrés *Enseignement – Promotion de l'équilibre hydrique et électrolytique* et *Ensei-gnement – Équilibre hydrique, électrolytique et acidobasique*.)

Interventions

▪ Promotion du bien-être

La plupart des gens accordent généralement peu d'attention à leur équilibre hydrique, électrolytique et acidobasique. Ils savent qu'il est important de boire suffisamment de liquide et de prendre des repas équilibrés, mais ils ignorent les conséquences d'éventuelles négligences en ce domaine. L'infirmière peut favoriser la santé des personnes en leur apprenant comment conserver un équilibre hydrique et électrolytique.

▪ Rééquilibration hydrique et électrolytique orale

Pour assurer un apport de liquide et d'électrolytes par voie orale, à domicile ou en établissement de santé, il faut que l'état de santé de la personne le permette. Cette personne ne vomit pas, sa

DIAGNOSTICS INFIRMIERS, RÉSULTATS DE SOINS INFIRMIERS ET INTERVENTIONS

Échanges gazeux perturbés

COLLECTE DES DONNÉES	DIAGNOSTIC INFIRMIER : DÉFINITION	EXEMPLE DE RÉSULTAT DE SOINS INFIRMIERS [Nº CRSI/NOC] : DÉFINITION	INDICATEURS	INTERVENTION CHOISIE [Nº CISI/NIC] : DÉFINITION	EXEMPLES D'ACTIVITÉS CISI/NIC
Frédéric Chamberland a été admis au service des urgences après qu'on eut trouvé à côté de son lit un flacon de comprimés de morphine vide. Il paraît très léthargique, voire stuporeux ; son pouls est à 112, et sa respiration, très superficielle, à 12. La mesure des gaz du sang artériel révèle un pH de 7,28, une $PaCO_2$ de 49 mm Hg et une concentration de HCO_3^- de 25 mmol/L.	*Échanges gazeux perturbés : Excès ou manque d'oxygénation ou d'élimination du gaz carbonique au niveau de la membrane alvéolocapillaire.*	État respiratoire : ventilation [0403] : *Mouvement de l'air à l'inspiration et à l'expiration pulmonaire.*	Non perturbés : • Amplitude à l'inspiration • Bruits respiratoires à l'auscultation	Traitement d'un déséquilibre acidobasique : acidose respiratoire [1913] : *Mise en œuvre des moyens visant à favoriser l'équilibre acidobasique et à prévenir les complications résultant d'une élévation anormale de la pression partielle du gaz carbonique (PCO_2) dans le sang.*	• Surveiller l'amplitude respiratoire. • Analyser les gaz artériels afin de déceler une baisse du pH. • Surveiller l'état neurologique de la personne (le niveau de conscience, par exemple). • Procéder à l'oxygénothérapie si nécessaire. • Recourir à la ventilation assistée si nécessaire.

ÉVALUATION POUR LES SOINS À DOMICILE

Équilibre hydrique, électrolytique et acidobasique

PERSONNE

- Facteurs de risque : âge de la personne, usage de médicaments (diurétiques et corticostéroïdes, par exemple), présence d'affections chroniques (diabète, affection cardiaque ou pulmonaire, démence, etc.). (Voir l'encadré 50-3.)
- Capacité de la personne de manger et de boire adéquatement et par elle-même : mobilité ; capacité de mastiquer et d'avaler, de boire et de réagir à la soif, d'acheter ses aliments et de préparer des repas équilibrés.
- Niveau de connaissances actuel de la personne sur les points suivants, selon le cas : le régime recommandé, la réduction de l'apport liquidien, les limitations de l'activité physique, les modes d'action et les effets secondaires des médicaments prescrits, la pesée régulière, l'entretien de la sonde gastrique, l'alimentation entérale, l'entretien du cathéter veineux périphérique court ou du cathéter veineux central introduit par voie périphérique et l'apport de liquide et d'aliments par voie parentérale.

FAMILLE

- Disponibilité, habiletés et réactions des proches aidants : capacité et volonté d'assumer la responsabilité des soins, connaissances et capacité d'aider la personne à préparer ses repas et à conserver une alimentation adéquate (aliments et liquides), connaissance des facteurs de risque et des signes précoces des problèmes.
- Modifications des rôles familiaux et adaptation au changement : conséquences financières, exercice des rôles parental et social, et relations de couple.
- Suppléant au proche aidant ou services de relève : autres membres de la famille, bénévoles, membres de la communauté religieuse, services rémunérés de soins ou d'entretien du domicile, services de relève (centre de jour pour adultes, centre pour personnes âgées).

COMMUNAUTÉ

- Connaissances et expérience en matière de ressources communautaires : services de soins à domicile, organismes proposant de l'aide pour la préparation et la livraison de repas à domicile, ou assurant le service de repas (dans les maisons pour personnes âgées, par exemple), pharmacies, services de soins respiratoires à domicile.

ENSEIGNEMENT

Promotion de l'équilibre hydrique et électrolytique

- Buvez de six à huit verres d'eau par jour.
- Évitez les aliments et les boissons riches en sel, en sucre et en caféine.
- Ayez un régime alimentaire équilibré. Consommez des quantités adéquates de lait et de produits laitiers afin d'absorber du calcium.
- Limitez la consommation d'alcool, en raison de son effet diurétique.
- Augmentez l'apport liquidien avant, pendant et après un exercice physique intense, surtout lorsqu'il fait chaud. Remplacez les électrolytes perdus dans la transpiration avec des solutions réhydratantes offertes sur le marché.
- Conservez un poids normal (poids-santé).

- Renseignez-vous sur les réactions indésirables et les effets secondaires des médicaments qui agissent sur l'équilibre hydrique et électrolytique (comme les diurétiques), surveillez l'apparition de ces réactions et apprenez à les neutraliser.
- Prêtez attention aux facteurs de risque des déséquilibres hydriques et électrolytiques, tels les vomissements prolongés ou répétés, la diarrhée et l'incapacité de consommer des liquides reliée à l'affection.
- Consultez un professionnel de la santé dès l'apparition des premiers signes d'un déséquilibre hydrique : une perte ou un gain de poids soudains, une diminution du débit urinaire, un œdème des chevilles, un essoufflement, des étourdissements ou une désorientation, par exemple.

déperdition hydrique n'est pas excessive, son appareil digestif fonctionne correctement et ses réflexes pharyngé et palatin sont normaux. Il est à noter, par ailleurs, que certaines personnes incapables d'ingérer des aliments solides gardent la capacité d'avaler des liquides.

MODIFICATIONS DE L'APPORT LIQUIDIEN. On prescrit souvent une augmentation de l'apport liquidien aux personnes qui présentent un déficit de volume liquidien établi ou prévisible consécutif à une diarrhée légère ou encore à une fièvre légère ou modérée, par exemple. L'encadré *Conseils pratiques* présente quelques stratégies destinées à aider la personne à augmenter son apport liquidien.

Inversement, il peut s'avérer nécessaire de restreindre l'apport liquidien d'une personne qui présente une rétention liquidienne (excès de volume liquidien) consécutive à l'insuffisance rénale, à l'insuffisance cardiaque congestive, au syndrome d'antidiurèse inappropriée ou à un autre processus morbide. Le médecin peut interdire à cette personne de consommer des liquides par voie orale (NPO) ou ne l'autoriser à en boire seulement une quantité limitée. Certaines personnes trouvent pénible cette réduction de l'apport liquidien, surtout si elles souffrent de la soif. L'encadré *Conseils pratiques* présente quelques stratégies pour aider la personne à réduire son apport liquidien.

MODIFICATIONS DU RÉGIME ALIMENTAIRE. Certains déséquilibres hydriques et électrolytiques exigent des modifications simples du régime alimentaire. Ainsi, les personnes qui reçoivent des diurétiques augmentant l'excrétion du potassium doivent connaître les aliments riches en potassium (comme les bananes, les oranges et les légumes verts feuillus). Certaines personnes qui présentent une rétention liquidienne doivent éviter les aliments riches en sodium. Enfin, celles qui sont en bonne santé ont intérêt, pour la plupart, à consommer des aliments riches en calcium (comme les fruits secs et les produits laitiers).

SUPPLÉMENTS D'ÉLECTROLYTES ADMINISTRÉS PAR VOIE ORALE. Les suppléments d'électrolytes administrés par voie orale peuvent être indiqués pour certaines personnes. C'est le cas de celles qui prennent un médicament agissant sur l'équilibre

électrolytique, qui ne consomment pas suffisamment d'un électrolyte donné dans leur régime alimentaire, ou de celles qui présentent une importante déperdition hydrique ou électrolytique causée par une transpiration excessive, par exemple.

Il arrive qu'un médecin prescrive des suppléments de potassium aux personnes qui prennent des médicaments, comme de nombreux diurétiques, qui augmentent l'excrétion du potassium. On doit conseiller à la personne de prendre les suppléments de potassium avec du jus, afin de masquer le goût désagréable du produit et de prévenir les malaises gastriques. Il faut souligner qu'il est important de prendre le médicament selon l'ordonnance et de consulter le médecin régulièrement. Une personne ne devrait jamais décider d'elle-même d'augmenter ses doses de potassium, car l'hyperkaliémie engendre parfois de graves complications cardiaques. En outre, on doit signaler aux personnes concernées que la plupart des substituts du sel contiennent du potassium et qu'elles doivent obtenir l'accord de leur médecin avant d'en consommer.

Les personnes qui ne boivent pas suffisamment de lait et de produits laitiers ont intérêt à prendre des suppléments de calcium. L'apport quotidien recommandé pour le calcium est de 1 000 à 1 500 mg. On préconise généralement aux femmes ménopausées d'absorber 1 500 mg de calcium par jour afin de prévenir l'ostéoporose. Dans certains cas, l'usage prolongé de corticostéroïdes entraîne un déficit de calcium osseux, mais les suppléments de calcium compensent généralement les pertes. Les personnes qui prennent des suppléments de calcium doivent conserver un apport liquidien d'au moins 2 500 mL par jour (sauf contre-indication), afin de prévenir la formation de calculs rénaux (souvent composés de sels de calcium).

Il n'est pas recommandé à la population en général de consommer des suppléments d'autres électrolytes. En revanche, la prise quotidienne de comprimés de multivitamines et de minéraux peut s'avérer bénéfique pour les personnes qui ont de mauvaises habitudes alimentaires, qui souffrent de dénutrition ou qui ont de la difficulté à se procurer ou à manger des fruits et des légumes frais. Il faut encourager les personnes exposées à la chaleur, quand elles pratiquent une activité physique exténuante, à remplacer l'eau et les électrolytes perdus avec la sueur en consommant des boissons réhydratantes pour sportifs, comme le Gatorade.

ENSEIGNEMENT

Équilibre hydrique, électrolytique et acidobasique

MESURE DES INGESTA ET DES EXCRETA

- Enseignez à la personne, et à sa famille s'il y a lieu, comment mesurer les ingesta et les excreta. Expliquez comment utiliser une chaise d'aisances ou un dispositif de prélèvement d'urine pour les toilettes; montrez de quelle façon vider le sac collecteur relié à une sonde vésicale et en mesurer le contenu; si nécessaire, montrez comment compter ou peser les culottes d'incontinence.
- Demandez à la personne de se peser régulièrement, toujours à la même heure, avec le même pèse-personne et avec des vêtements semblables.
- Indiquez à la personne et à sa famille les signes et les symptômes qui devraient l'inciter à consulter un professionnel de la santé: changement important du débit urinaire; perte ou gain de 2 kg ou plus en une semaine ou moins; épisodes prolongés de vomissements, de diarrhée ou d'incapacité de manger et de boire; muqueuses sèches et collantes; soif extrême; œdème des doigts, des pieds, des chevilles ou des jambes; difficultés respiratoires, essoufflement, fréquence cardiaque rapide; changements de comportement ou perturbation de l'état mental.

APPORT NUTRITIONNEL ET HYDRIQUE

- Indiquez à la personne et à sa famille des aliments et des liquides à éviter, les aliments riches en sel par exemple. Demandez les services d'une diététiste.
- Expliquez aux membres de la famille qu'il est important de faire boire régulièrement la personne incapable de le faire par ses propres moyens en raison de son âge, d'une mobilité réduite, de son état mental ou d'autres facteurs, comme les difficultés de déglutition consécutives à un accident vasculaire cérébral.
- Si la personne reçoit des aliments ou des liquides par voie entérale ou intraveineuse à domicile, enseignez aux proches aidants les modes d'administration et les soins appropriés. Obtenez pour la personne des services de soins à domicile.

SÉCURITÉ

- Demandez à la personne de changer de position lentement, surtout lorsqu'elle passe de la position couchée à la position assise ou lorsqu'elle se lève.
- Conseillez à la personne de bouger fréquemment et de garder les pieds surélevés quand elle reste assise pendant de longues périodes.
- Insistez sur l'importance des soins de la bouche et de la peau.
- Enseignez à la personne et à sa famille les soins de la sonde gastrique ou du point d'insertion d'un cathéter intraveineux. Expliquez la conduite à tenir si la sonde se déloge.

MÉDICAMENTS

- Soulignez qu'il est important de prendre les médicaments selon l'ordonnance.
- Conseillez à la personne de prendre les diurétiques le matin. Si on lui a prescrit une deuxième dose quotidienne, elle devrait la prendre à la fin de l'après-midi afin d'éviter de se lever la nuit pour uriner.
- Renseignez la personne sur les possibles réactions indésirables et effets secondaires des médicaments prescrits et sur la manière de les contrecarrer (par exemple, en mangeant plus d'aliments riches en potassium si elle prend un diurétique qui augmente l'excrétion du potassium; inversement, en évitant les aliments riches en potassium, comme les substituts du sel, si elle prend un diurétique épargneur de potassium).
- Indiquez à la personne les situations qui dictent une consultation avec un professionnel de la santé: incapacité de prendre un médicament prescrit ou signes d'une réaction allergique ou toxique à un médicament.

MESURES ADAPTÉES AU PROBLÈME DE LA PERSONNE

- Fournissez tous les renseignements relatifs au déséquilibre hydrique, électrolytique ou acidobasique particulier que présente la personne, tel que:
  a) Déficit de volume liquidien
  b) Risque de déficit de volume liquidien
  c) Excès de volume liquidien

ORIENTATION VERS UN SPÉCIALISTE OU UN ÉTABLISSEMENT SPÉCIALISÉ

- Dirigez la personne vers les services et les organismes susceptibles de lui fournir de l'aide pour les repas, les perfusions intraveineuses, l'alimentation entérale, l'entretien de son domicile et les activités de la vie quotidienne.

ORGANISMES COMMUNAUTAIRES ET AUTRES SOURCES D'AIDE

- Renseignez la personne et sa famille sur les sociétés ou les organismes qui vendent ou louent du matériel médical: chaises d'aisances, fauteuils releveurs, lits d'hôpital, etc.
- Donnez à la personne et à sa famille une liste des endroits où elle peut se procurer des articles comme des cathéters, des sacs collecteurs, des mesures, des formules nutritives complètes pour l'alimentation entérale et des boissons réhydratantes.
- Donnez à la personne et à sa famille les coordonnées d'organismes d'information et de soutien, comme l'Association des diététistes du Québec, la Fondation des maladies du cœur ou l'Association pulmonaire du Québec.

On donne souvent des suppléments nutritionnels liquides aux personnes qui souffrent de malnutrition ou dont les habitudes alimentaires sont inadéquates. On en offre également aux personnes âgées afin d'augmenter leur apport énergétique et d'améliorer leur état nutritionnel. Il est très important de bien lire les étiquettes de ces produits pour en connaître la composition. Les suppléments très riches en protéines et en potassium ne conviennent pas aux personnes dont la fonction rénale est déficiente.

▨ Rééquilibration hydrique et électrolytique parentérale

La thérapie intraveineuse s'impose pour les personnes incapables de consommer des aliments et des liquides par voie orale. Il s'agit d'une méthode efficace pour introduire des liquides directement dans le compartiment intravasculaire et compenser les pertes électrolytiques. Le médecin prescrit la thérapie intraveineuse, mais

CONSEILS PRATIQUES

Stratégies pour favoriser l'apport liquidien

- Expliquez à la personne pourquoi elle doit augmenter son apport liquidien et consommer le volume fixé. Vous favoriserez ainsi l'observance du traitement.
- Établissez un horaire de 24 heures pour l'ingestion des liquides. À la personne hospitalisée ou vivant dans un centre d'hébergement et de soins de longue durée, on donne la moitié du volume total pendant le quart de jour, et on répartit l'autre moitié entre le quart de soir (majeure partie du volume restant) et le quart de nuit. Si, par exemple, la personne doit ingérer 2 500 mL de liquide en 24 heures, on peut lui donner 1 500 mL entre 7 h et 15 h, 700 mL entre 15 h et 23 h et 300 mL entre 23 h et 7 h. Autant que possible, n'offrez pas de grandes quantités de liquide juste avant le coucher pour que la personne n'ait pas à se lever pendant la nuit pour uriner.
- Fixez des objectifs réalistes à court terme. Proposez par exemple à la personne de boire un verre de liquide toutes les heures durant la journée ou un pichet d'eau dans la matinée.

- Offrez à la personne ses boissons préférées, y compris des jus de fruits, des boissons gazeuses et du lait (si elle peut en boire). Rappelez-vous que le café et le thé ont un effet diurétique et qu'il faut en limiter la consommation.
- Conseillez à la personne de choisir des aliments qui se liquéfient à la température ambiante (comme des gelées, de la crème glacée, du sorbet et du flan), si elle peut en consommer.
- Fournissez des pailles ainsi que des tasses et des verres appropriés à la personne alitée et placez les liquides à sa portée.
- Assurez-vous que les liquides sont servis à la personne à la température appropriée ; ni les boissons chaudes ni les boissons froides ne devraient tiédir.
- Encouragez la personne à noter elle-même les quantités de liquide ingérées. Elle pourra ainsi mesurer elle-même l'atteinte des objectifs fixés.
- Informez-vous sur les croyances et les interdits culturels reliés aux aliments et aux boissons.

CONSEILS PRATIQUES

Stratégies pour réduire l'apport liquidien

- Expliquez à la personne pourquoi elle doit réduire son apport liquidien et indiquez-lui les liquides et les quantités qui lui sont permis. De nombreuses personnes ignorent que les glaçons, les gelées et la crème glacée sont considérés comme des liquides.
- Aidez la personne à déterminer la quantité de liquide qu'elle prendra à chaque repas, entre les repas, au coucher et avec ses médicaments. À la personne hospitalisée ou vivant dans un centre de soins de longue durée, on donne la moitié du volume total pendant le quart de jour, période pendant laquelle la personne est plus active, mange deux repas et prend la plupart de ses médicaments administrés par voie orale. On réserve la majeure partie du reste au quart de soir afin que la personne puisse boire en prenant son repas et en recevant des visiteurs.
- Offrez à la personne ses boissons favorites, sauf contre-indication. Ainsi, une personne qui n'a droit qu'à 200 mL de liquide au déjeuner devrait recevoir sa boisson préférée.

- Fixez des objectifs à court terme qui rendent le rationnement plus supportable. Par exemple, proposez à la personne de boire une quantité donnée de liquide toutes les deux heures entre les repas. Certaines personnes préfèrent absorber toute la quantité permise entre les repas si les aliments qu'elles consomment durant les repas étanchent leur soif.
- Versez les liquides dans de petits récipients, comme des verres à jus de 125 mL, bien remplis, ce qui donne l'impression de boire davantage.
- De temps en temps, ajoutez des glaçons dans les boissons, car le volume des glaçons est deux fois plus grand que celui de l'eau dont ils sont formés.
- Prodiguez fréquemment des soins de la bouche pour atténuer la sensation de soif.
- Conseillez à la personne d'éviter de consommer ou de mastiquer des aliments salés ou sucrés (comme les bonbons et la gomme à mâcher), car ils ont tendance à donner soif. Suggérez à la personne de mâcher de la gomme sans sucre.
- Encouragez la personne à noter elle-même les quantités de liquide ingérées.

il incombe à l'infirmière de l'administrer et, s'il y a lieu, d'expliquer à la personne et à ses proches comment poursuivre le traitement à domicile.

SOLUTIONS INTRAVEINEUSES. Les solutions intraveineuses sont isotoniques, hypotoniques ou hypertoniques. La plupart sont *isotoniques*, c'est-à-dire que les solutés ont une concentration

identique à celle du plasma sanguin. On y recourt souvent pour rétablir le volume vasculaire. Les solutions *hypertoniques* ont une concentration de solutés supérieure à celle du plasma, tandis que la concentration des solutions *hypotoniques* est plus faible. Le tableau 50-10 présente quelques solutions intraveineuses de même que les répercussions de leur utilisation sur les soins infirmiers.

RÉSULTATS DE RECHERCHE

Les personnes qui vivent en centre d'hébergement et de soins de longue durée boivent-elles suffisamment ?

S'interrogeant sur la consommation de liquides chez les personnes vivant en centre de soins de longue durée, Gaspar (1999) a réalisé une étude visant à évaluer leur apport liquidien et à explorer les variables associées.

Gaspar et ses collègues ont recueilli leurs données au cours de deux périodes d'observation de 24 heures. Ils ont aussi passé en revue les dossiers des personnes afin d'obtenir leur poids, leur taille et leur débit urinaire. Les chercheurs ont employé plusieurs outils pour assurer l'exactitude et la précision de leurs données. Ils ont notamment mis au point un outil incitant les personnes à manifester leur soif, à exprimer leur peur de l'incontinence, à décrire leur état de santé et à signaler leurs nausées. De plus, les chercheurs ont tenu compte de plusieurs autres facteurs, comme le degré d'autonomie et la capacité de déglutition. Ils ont enfin utilisé une échelle des plaies de pression afin de déterminer le niveau

général de fonctionnement des personnes. L'étude a porté sur 99 sujets dont l'âge moyen était de 85 ans. Seulement huit des sujets recevaient un apport liquidien égal ou supérieur aux normes.

Implications : S'assurer que les personnes ont un apport liquidien adéquat est une importante responsabilité infirmière. Or, on peut déduire des conclusions de cette étude que de nombreuses personnes âgées ne consomment pas assez de liquides. Les auteurs font plusieurs suggestions pour améliorer la situation. Ils proposent notamment d'identifier les personnes à risque et de multiplier les occasions de boire.

Source : « Water Intake of Nursing Home Residents », de P. M. Gaspar, 1999, *Journal of Gerontological Nursing*, 25(4), p. 22-29.

TABLEAU
50-10

Quelques solutions intraveineuses

Type et exemples	Commentaires/Répercussions sur les soins infirmiers
SOLUTIONS ISOTONIQUES Soluté isotonique de chlorure de sodium 0,9 % (NaCl 0,9 % ; Chlorure de sodium 0,9 % injectable) Lactate Ringer (solution électrolytique équilibrée ; Lactate Ringer injectable) Solution de glucose à 5 % dans l'eau (D5 % E ; Dextrose 5 % injectable)	Les solutions isotoniques comme le soluté physiologique et le soluté de lactate Ringer demeurent un certain temps dans le compartiment intravasculaire et augmentent le volume vasculaire. Surveillez étroitement la personne afin de détecter des signes d'hypervolémie, comme un pouls bondissant et un essoufflement. Initialement, le D5 % est isotonique. Toutefois, la dégradation du dextrose s'accompagne de la production d'eau libre, ce qui augmente le volume des liquides intracellulaire et extracellulaire. Le D5 % peut entraîner une aggravation de l'œdème cérébral ; on évite de l'administrer aux personnes dont la pression intracrânienne risque d'augmenter.
SOLUTIONS HYPOTONIQUES Soluté de chlorure de sodium à 0,45 % (NaCl 0,45 % ; Chlorure de sodium 0,45 % injectable)	Les solutions hypotoniques servent à fournir de l'eau libre et à corriger la déshydratation cellulaire. Elles favorisent l'élimination rénale des déchets. Ne les administrez pas à des personnes dont la pression intracrânienne risque d'augmenter ou qui présentent un syndrome du troisième compartiment.
SOLUTIONS HYPERTONIQUES Soluté de dextrose 5 % dans une solution saline normale (D5 % NS ; Dextrose 5 % et chlorure de sodium 0,9 % injectable) Soluté de dextrose 5 % dans un soluté de chlorure de sodium à 0,45 % (D5 % 1/2 salin ; Dextrose 5 % et chlorure de sodium 0,45 % injectable) Soluté de dextrose 10 % dans l'eau (Dextrose 10 % injectable)	Les solutions hypertoniques attirent dans le compartiment intravasculaire l'eau des compartiments intracellulaire et interstitiel. Elles augmentent donc le volume vasculaire. Ne les administrez pas aux personnes atteintes d'une affection rénale ou cardiaque, ni aux personnes déshydratées. Surveillez étroitement d'éventuels signes d'hypervolémie.

On classe aussi les solutions intraveineuses selon leur fonction. Les *solutions nutritives* contiennent un glucide (comme le dextrose ou le glucose) et de l'eau, ce qui permet de couvrir simultanément les besoins énergétiques et hydriques. Par exemple, 1 L de soluté de dextrose 5 % fournit 710 kJ. Les solutions nutritives permettent de prévenir la déshydratation et la cétose, sans toutefois fournir suffisamment d'énergie pour favoriser la cicatrisation des plaies, ou permettre le gain pondéral ou la croissance normale chez l'enfant. Les solutions nutritives les plus souvent administrées sont le soluté de dextrose 5 % (D5 %) ainsi que le soluté de dextrose 5 % et de chlorure de sodium 0,45 % (D5 % ½ salin).

Les *solutions électrolytiques* contiennent diverses quantités de cations et d'anions. Les plus fréquemment utilisées sont le soluté physiologique (solution de chlorure de sodium à 0,9 %) et le lactate Ringer (qui contient du sodium, du chlorure, du potassium, du calcium et du lactate). Le lactate est métabolisé par le foie et forme du bicarbonate (HCO_3^-) dans des conditions aérobies. Les solutions salines et électrolytiques équilibrées servent généralement à rétablir le volume vasculaire, en particulier après un traumatisme ou une intervention chirurgicale. Elles peuvent aussi servir au remplacement du liquide et des électrolytes chez les personnes qui présentent des déperditions continuelles, en raison de l'aspiration gastrique ou du drainage d'une plaie, par exemple.

Le soluté de lactate Ringer est une *solution alcalinisante* qui permet de traiter l'acidose métabolique s'il y a suffisamment d'O_2. À l'inverse, pour remédier à l'alcalose métabolique, on administre des *solutions acidifiantes* comme le soluté de dextrose 5 % dans un soluté de chlorure de sodium 0,45 % ou le soluté physiologique.

Les **solutions de remplissage vasculaire** ont pour fonction d'augmenter le volume sanguin après une perte de sang (hémorragie) ou de plasma (associée par exemple à des brûlures graves, marquées par l'accumulation de grandes quantités de plasma au siège de la lésion). Parmi les solutions de remplissage vasculaire, on compte le dextran, le plasma, le pentastarch (Pentaspan) et l'albumine.

POINTS DE PERFUSION. Le point, ou site, d'injection choisi pour une perfusion intraveineuse varie selon l'âge de la personne, la durée prévue de la perfusion, le type de solution utilisé et l'état des veines. Chez l'adulte, on utilise généralement les veines de la main et du bras, alors qu'on se sert des veines du cuir chevelu et de la face supérieure du pied chez le nourrisson. On choisit de préférence une grosse veine pour les perfusions rapides et les solutions irritantes (certains médicaments, par exemple).

On utilise généralement les veines métacarpienne, basilique et céphalique pour les perfusions intermittentes ou continues (figure 50-11 ■, *B*). Le cubitus et le radius servent alors d'attelles naturelles, ce qui donne à la personne une plus grande liberté de mouvement. Les sections de la veine basilique et de la veine médiane du coude situées dans la fosse cubitale sont des sites commodes, mais on les réserve habituellement aux prélèvements sanguins, aux injections de bolus et à l'insertion de cathéters veineux centraux introduits par voie périphérique (voir la figure 50-11 ■, *A*). L'encadré *Conseils pratiques*, indique comment choisir un point d'injection pour une perfusion intraveineuse.

Dans le cas d'une alimentation parentérale, d'une thérapie intraveineuse prolongée, ou de l'administration par voie intraveineuse de médicaments qui endommagent les vaisseaux sanguins (au cours d'une chimiothérapie, par exemple), on peut installer un **cathéter veineux central**. On l'insère généralement

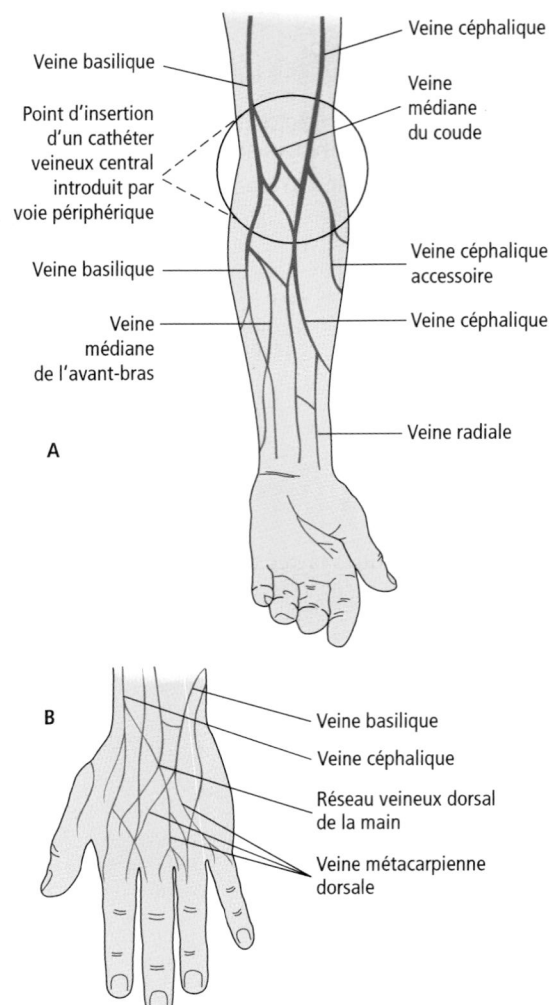

FIGURE **50-11** ■ Sites de perfusion veineuse fréquemment utilisés dans : *A*, le bras ; *B*, la main. La figure A montre également le point d'insertion d'un cathéter veineux central introduit par voie périphérique.

dans la veine subclavière (ou sous-clavière) ou dans la veine jugulaire, en faisant reposer l'extrémité distale de ce dispositif dans la veine cave supérieure, juste au-dessus de l'oreillette droite (figure 50-12 ■). Il est possible d'installer ce type de cathéter soit au chevet de la personne, soit par voie chirurgicale. Un cathéter veineux central inséré dans la veine subclavière préserve la liberté de mouvement de la personne, mais son insertion risque de causer un pneumothorax. Il faut alors surveiller étroitement la personne après l'insertion du cathéter, afin de dépister les manifestations d'un pneumothorax, telles que l'essoufflement, la douleur thoracique, la toux, l'hypotension artérielle, la tachycardie et l'anxiété.

On utilise un cathéter à chambre implantable (figures 50-13 ■ et 50-14 ■) chez les personnes souffrant d'une affection chronique qui nécessite une thérapie intraveineuse à long terme (pour la chimiothérapie, l'alimentation parentérale totale et les prélèvements sanguins fréquents, par exemple). Ce dispositif est conçu pour permettre un accès répété au système veineux, tout en évitant les complications et les désagréments associés à des ponctions veineuses multiples. Après l'administration d'un anesthésique local,

CONSEILS PRATIQUES

Choix d'un point d'injection pour une perfusion intraveineuse

- Utilisez les veines distales du bras, de préférence.
- Utilisez le bras non dominant de la personne, si possible.
- Choisissez une veine:
  a) Facilement palpable, souple et pleine.
  b) Naturellement soutenue par un os.
  c) Dont le calibre est suffisant pour permettre une circulation adéquate autour du cathéter.
- Évitez d'utiliser les veines:
  a) Situées dans une zone de flexion (comme la fosse cubitale).

b) Très visibles, car elles tendent à s'écarter de l'aiguille.
c) Endommagées par des ponctions antérieures, une phlébite, une infiltration ou une sclérose.
d) Continuellement distendues par le sang, noueuses ou tortueuses.
e) Situées dans un membre blessé ou touché par une intervention chirurgicale (comme une mastectomie), car le cathéter pourrait entraver la circulation et causer de la douleur.

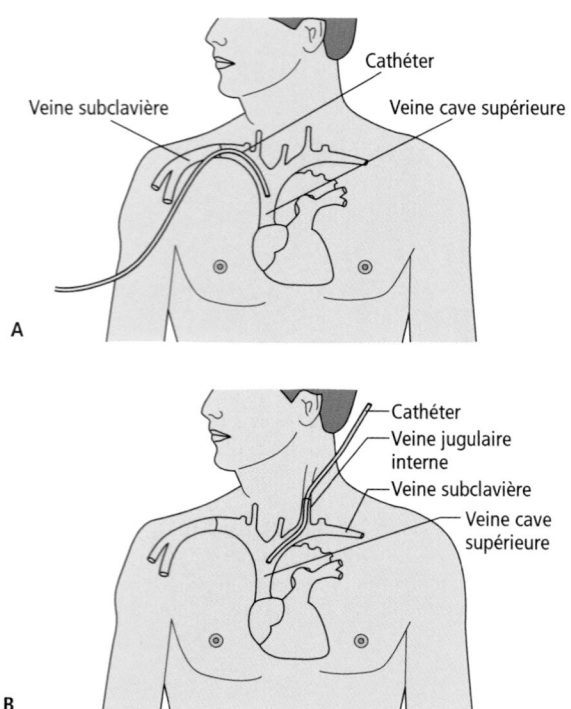
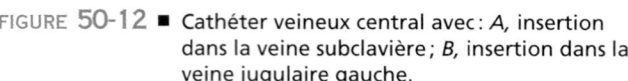

FIGURE 50-12 ■ Cathéter veineux central avec: *A,* insertion dans la veine subclavière; *B,* insertion dans la veine jugulaire gauche.

le chirurgien insère la chambre implantable dans une petite poche sous-cutanée située généralement dans la partie supérieure du thorax. Il place l'extrémité distale du cathéter dans la veine sub-clavière ou dans la veine jugulaire. Il existe différents types de cathéters à chambre implantable; certains sont tunnellisables, c'est-à-dire que le cathéter parcourt une certaine distance à l'in-térieur des vaisseaux.

L'infirmière qui travaille auprès de personnes porteuses d'un cathéter veineux central ou d'un cathéter à chambre implantable doit prendre des précautions spéciales pour en maintenir la per-méabilité et en assurer l'asepsie. L'encadré *Conseils pratiques* donne un aperçu des soins infirmiers à prodiguer à ces personnes.

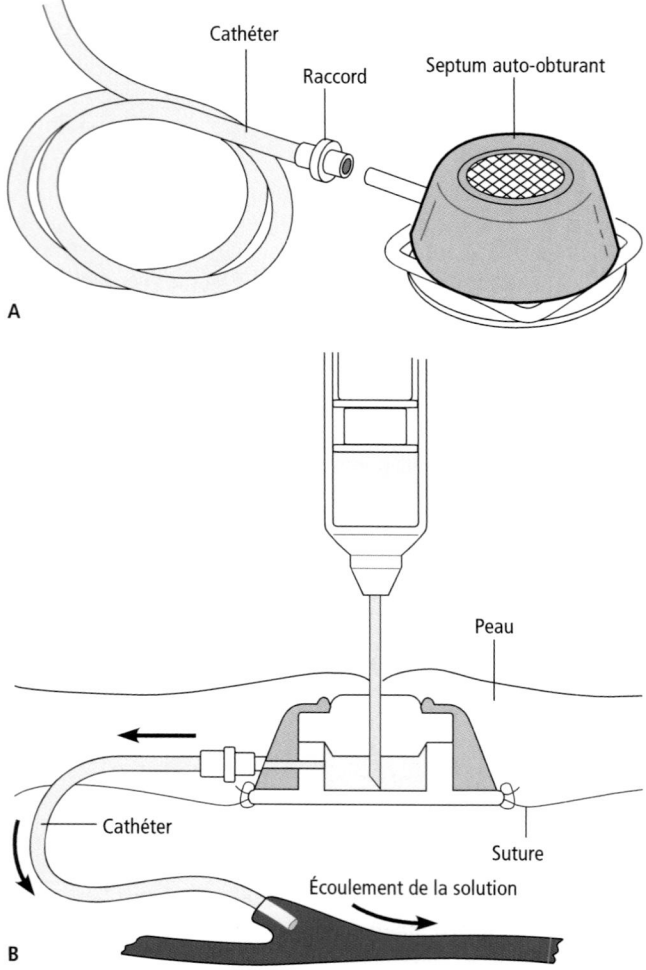

FIGURE 50-13 ■ Cathéter à chambre implantable: *A,* composantes; *B,* dispositif en place.

Un autre type de cathéter veineux central, le **cathéter veineux central introduit par voie périphérique**, peut être installé dans la veine céphalique ou dans la veine basilique, juste au-dessus ou au-dessous de la fosse cubitale droite. L'extrémité du cathéter

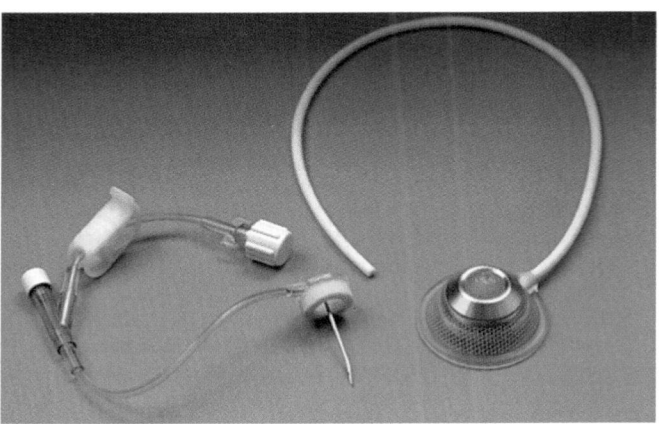

FIGURE 50-14 ■ Cathéter à chambre implantable (à droite) et aiguille de Huber avec tubulure.

repose dans la veine cave supérieure. L'installation de ce dispositif ne risque pas de causer un pneumothorax. On l'utilise souvent pour l'accès veineux à long terme chez une personne qui reçoit une thérapie intraveineuse à domicile. Or, le paragraphe 8 de l'article 36 de la *Loi sur les infirmières et les infirmiers* prévoit, depuis l'entrée en vigueur de la *Loi modifiant le Code des professions et d'autres dispositions législatives dans le domaine de la santé*, qu'une infirmière peut exécuter des techniques invasives (OIIQ, 2003). L'insertion du cathéter veineux central introduit par voie périphérique fait partie de ces techniques. Toutefois, la complexité de cette opération invasive, et les risques de complications qu'elle comporte, incitent les différentes instances à exiger une formation d'appoint adéquate, ainsi que l'établissement de mesures d'encadrement et de soutien professionnel. L'encadré *Conseils pratiques* donne, à titre indicatif, quelques interventions infirmières liées à l'insertion du cathéter veineux central introduit par voie périphérique.

CONSEILS PRATIQUES

Soins de la personne portant un cathéter veineux central ou un cathéter à chambre implantable

- Au moment de l'insertion, notez : la date ; le point d'insertion ; le nom du cathéter et le type ; le calibre ; le nombre de lumières ; la longueur du cathéter ; la position de l'extrémité du cathéter (vérifiée par radiographie) ; la longueur du segment externe ; le numéro du cathéter ; ainsi que la teneur de l'enseignement donné à la personne. N'utilisez pas le dispositif d'accès intraveineux tant que sa position n'a pas été vérifiée par radiographie.

SOINS DU POINT D'INSERTION

- Utilisez une technique d'asepsie stricte quand vous manipulez un dispositif d'accès intraveineux à long terme.
- Changez le pansement tous les trois à sept jours, selon le point d'insertion. Changez-le aussi dès qu'il est desserré ou souillé.
- Examinez le point d'insertion pour y détecter une rougeur, un œdème, une sensibilité ou un écoulement. Comparez la longueur de la partie externe du cathéter à la longueur notée au dossier afin de déceler un éventuel déplacement. Demandez une radiographie pulmonaire pour déterminer la position de l'extrémité du cathéter si vous n'en êtes pas certaine. Notez au dossier tout déplacement du cathéter ou tout signe d'infection.
- Choisissez les solutions de nettoyage et les pansements conformément au protocole de l'établissement.
- Avant d'injecter un liquide dans la chambre du cathéter, nettoyez une région de 5 cm de diamètre en périphérie avec un tampon stérile imbibé d'une solution aseptique. Allez du centre vers la périphérie d'un mouvement circulaire ferme. Répétez avec la povidone-iode. Laissez sécher à l'air libre.
- Stabilisez le cathéter ; recouvrez le point d'insertion et la partie externe du cathéter avec un pansement occlusif.
- Après l'implantation d'un cathéter à chambre, procédez aux soins de l'incision de la manière habituelle jusqu'au moment de la guérison. Une fois refermée, l'incision ne nécessite pas de soins particuliers, du moins quand la chambre n'est pas utilisée.

SOINS ET RINÇAGE DU CATHÉTER

- Changez le bouchon du cathéter conformément au protocole, habituellement tous les trois à sept jours.
- Rincez la chambre avec du soluté physiologique, une solution de rinçage héparinée (10 unités/mL ou 100 unités/mL), ou conformément au protocole pour le type de chambre utilisé. Après l'injection de médicaments ou de solutés, rincez la chambre avec du soluté physiologique avant d'utiliser de la solution héparinée.
- Après chaque usage, rincez le cathéter avec une solution de 10 unités d'héparine dans une seringue de 10 mL. La fréquence des rinçages entre les usages peut varier d'une fois toutes les 12 heures à une fois par semaine ou moins, selon le type de cathéter.
- Rappelez-vous de rincer toutes les voies d'un cathéter à voies multiples.
- Utilisez une aiguille spécialement conçue pour l'accès aux chambres implantables. Pour les injections, on utilise généralement une aiguille pliée à 90 degrés, car elle est plus facile à stabiliser et la personne ressent moins de douleur. Stabilisez la chambre entre le pouce et l'index de votre main non dominante, insérez l'aiguille au centre de la chambre jusqu'à ce que vous sentiez la résistance de la plate-forme.
- Une fois le traitement terminé, stabilisez la chambre et retirez l'aiguille d'un mouvement régulier. Maintenez la pression positive en retirant l'aiguille au moment où vous injectez le dernier millilitre de la solution de rinçage.
- Quand la chambre implantable n'est pas utilisée, rincez-la avec de la solution physiologique héparinée, conformément au protocole de l'établissement ou au moins toutes les huit semaines.

CONSEILS PRATIQUES (SUITE)

ENSEIGNEMENT
Donnez à la personne les directives suivantes :

- Portez un bracelet MedicAlert si le dispositif doit rester en place pendant une longue période.
- Si vous portez un cathéter à chambre implantable, vous n'avez pas à réduire vos activités. Rappelez-vous cependant que la chambre ou l'extrémité du cathéter peuvent se déplacer. Un déplacement de la chambre se traduit par une mobilité du dispositif, un œdème ou des difficultés d'accès. Par ailleurs, un déplacement de l'extrémité du cathéter se manifeste par de la douleur dans le cou ou l'oreille du côté touché, des bruits de glissement ou de gargouillement, ou encore des palpitations. Avisez le médecin si un de ces

signes apparaît ou si vous présentez des symptômes d'infection.
- Ne laissez personne prendre votre pression artérielle sur le bras dans lequel est inséré un cathéter veineux central introduit par voie périphérique.
- Si vous portez un cathéter veineux central introduit par voie périphérique, vous n'avez pas à limiter vos activités. Évitez seulement d'immerger votre bras. Vous pouvez prendre une douche si le point d'insertion et le cathéter sont recouverts d'un pansement occlusif.

Source : « Getting a Line on Central Vascular Access Devices », de S. Masoorli et T. Angeles, 2002, *Nursing, 32*(4), p. 36-43.

CONSEILS PRATIQUES

Quelques interventions infirmières liées à l'insertion du cathéter veineux central introduit par voie périphérique

Avant de procéder à l'insertion du cathéter, l'infirmière doit effectuer les interventions suivantes :

- Obtenir le consentement libre et éclairé du client ou de sa famille.
- Assurer le confort du client en le positionnant adéquatement, en appliquant un anesthésique topique au site d'insertion et en lui administrant la sédation prescrite.
- Choisir le meilleur site d'insertion.
- Mesurer la longueur du cathéter en respectant les recommandations du fabricant.
- Choisir le matériel et le dispositif appropriés aux besoins du client.
- Renseigner de nouveau le client ou sa famille sur la procédure d'insertion, les complications potentielles et les précautions à prendre pour assurer le bon fonctionnement du cathéter.
- Vérifier leur compréhension des informations reçues, clarifier au besoin certains éléments et répondre à leurs questions.
- S'assurer d'avoir tout le matériel et l'équipement nécessaires pour procéder à l'insertion du cathéter et pour intervenir en cas de complications ou d'urgence.
- S'assurer de pouvoir communiquer rapidement avec un médecin, si nécessaire.
- S'assurer que le lieu prévu pour la pose du cathéter permet d'en effectuer l'insertion de façon sécuritaire pour le client et pour elle-même.

Au moment de la procédure d'insertion du cathéter, l'infirmière doit notamment :

- Expliquer la procédure d'insertion au client.
- Appliquer les mesures de prévention des infections.
- Préparer le site d'insertion.
- Procéder à l'insertion en respectant la technique établie et en prêtant une attention particulière à ne pas endommager les parois de la veine.
- Stabiliser le cathéter.
- Appliquer le pansement approprié.
- Sécuriser les jonctions.
- Vérifier le site après l'insertion du cathéter afin de détecter tout signe de suintement, d'induration, de froideur.
- Vérifier la présence d'un retour veineux.
- Être attentive à tout signe d'inconfort chez le client.

À la suite de l'insertion du cathéter, l'infirmière doit :
- Confirmer l'emplacement du cathéter par une radiographie avant la première perfusion, selon une ordonnance.
- Commencer la thérapie prescrite.
- Observer la réaction du client lors de l'administration des produits et détecter les signes de complications éventuelles.
- Consigner les données au dossier du client.

Source : *Lignes directrices. Application de techniques invasives par les infirmières et les infirmiers : insertion du cathéter veineux central introduit par voie périphérique,* (p. 44), de S. Durand et C. Thibault, 2004, Montréal : OIIQ.

MATÉRIEL POUR PERFUSION INTRAVEINEUSE. Comme le matériel varie selon les fabricants, l'infirmière doit se familiariser avec celui qu'on utilise dans l'établissement où elle travaille.

Les sacs de soluté sont offerts en formats de 50, 100, 250, 500 ou 1 000 mL ; on utilise souvent les plus petits formats pour l'administration des médicaments. À l'heure actuelle, la plupart des

solutés sont contenus dans des sacs de plastique (figure 50-15 ■). Cependant, il faut utiliser des bouteilles de verre si les médicaments administrés sont incompatibles avec le plastique. Les bouteilles de verre doivent être munies d'une prise d'air (prenant la forme d'un tube intérieur) afin que de l'air puisse remplacer le liquide qui s'écoule. Si la bouteille ne comporte pas de prise d'air,

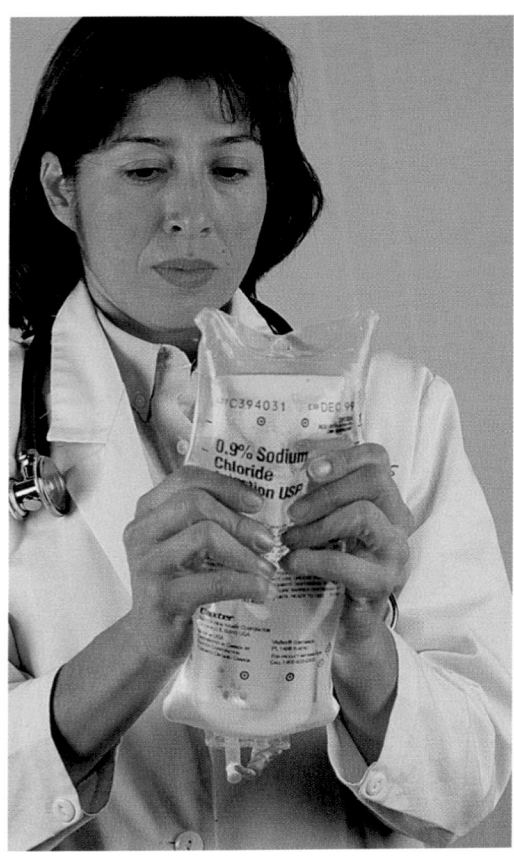

FIGURE 50-15 ■ Soluté intraveineux dans un sac de plastique.

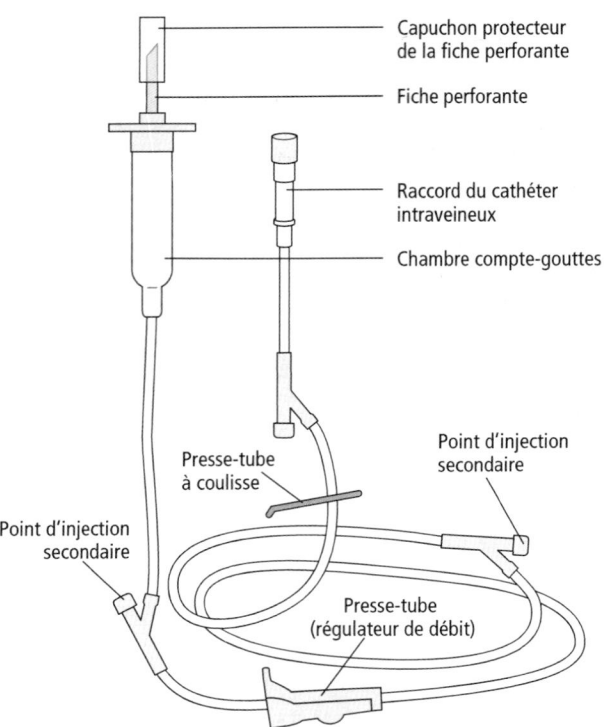

Capuchon protecteur de la fiche perforante

Fiche perforante

Raccord du cathéter intraveineux

Chambre compte-gouttes

Point d'injection secondaire

Presse-tube à coulisse

Point d'injection secondaire

Presse-tube (régulateur de débit)

FIGURE 50-16 ■ Nécessaire à perfusion intraveineuse ordinaire.

le nécessaire de perfusion doit en comprendre un. Les prises d'air sont généralement munies d'un filtre qui empêche les contaminants en suspension dans l'air de pénétrer dans la bouteille. Les sacs de plastique ne comportent pas de prise d'air, car ils s'affaissent sous l'effet de la pression atmosphérique à mesure que le soluté s'écoule dans la veine.

Le soluté doit être stérile et limpide. La turbidité indique que le sac a déjà été ouvert, et les fuites signalent une contamination possible. Vérifiez toujours la date de péremption imprimée sur l'étiquette. Retournez tous les solutés douteux ou contaminés à la pharmacie.

Les nécessaires à perfusion contiennent généralement une fiche perforante, une chambre compte-gouttes, un presse-tube, une tubulure avec des points d'injection secondaires et un capuchon protecteur recouvrant l'adaptateur de l'aiguille (figure 50-16 ■). La fiche perforante, qui doit demeurer stérile, s'insère dans le sac de soluté au moment de commencer la perfusion. La chambre compte-gouttes permet d'injecter une quantité déterminée de liquide. Il existe des chambres de 10 à 20 gouttes qui fournissent des macrogouttes par millilitre de solution et des systèmes à 60 gouttes, qui délivrent des microgouttes par millilitre de solution. Le presse-tube (régulateur de débit), qui comprime la lumière de la tubulure, permet de contrôler le débit du soluté. Le capuchon protecteur placé sur l'adaptateur de l'aiguille maintient la stérilité de l'extrémité de la tubulure afin qu'on puisse la raccorder à une aiguille stérile insérée dans la veine.

La plupart des nécessaires à perfusion comportent un ou plusieurs points d'injection permettant d'administrer des médicaments par voie intraveineuse ou des perfusions secondaires. On utilise de plus en plus les systèmes sans aiguille, car ils réduisent le risque de piqûre accidentelle et de contamination de la perfusion intraveineuse. Un système sans aiguille est composé d'une canule que l'on insère dans un point d'injection spécial ou dans un adaptateur de la tubulure intraveineuse (figure 50-17 ■). De nombreux nécessaires à perfusion comprennent un filtre intégré qui retient les particules et les microorganismes. On peut avoir besoin d'un nécessaire à perfusion spécial si une pompe volumétrique contrôle le débit de la perfusion.

On utilise des cathéters et des aiguilles pour les perfusions intraveineuses. Pour les adultes, on utilise souvent des cathéters à aiguille interne. Le cathéter en plastique recouvre une aiguille qui sert à perforer la peau et la paroi de la veine (figure 50-18 ■). Une fois qu'il est inséré dans la veine, le cathéter reste en place, mais on retire l'aiguille et on la jette. Avec les cathéters intraveineux, les personnes sont plus mobiles ; de plus, ces dispositifs se délogent rarement de la veine, ce qui évite l'écoulement du liquide dans les espaces interstitiels.

Dans certaines situations, on emploie une aiguille à ailettes, communément appelée aiguille papillon (figure 50-19 ■). On maintient fermement les ailettes en plastique l'une contre l'autre pour stabiliser l'aiguille pendant l'insertion, puis on les déploie sur la peau et on les fixe avec du ruban adhésif.

Il existe plusieurs types de potences pour suspendre un sac de solution. Les unes sont fixées au lit, tandis que d'autres se posent au sol ou pendent du plafond. À la maison, on peut se servir d'un crochet pour les plantes ou les vêtements, d'un bouton de porte

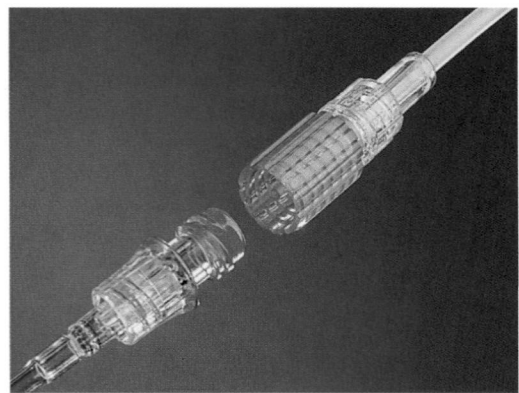
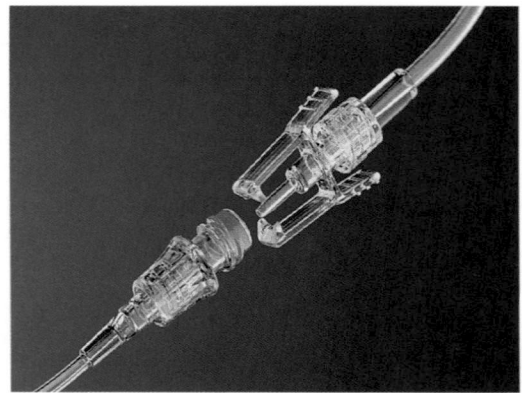

FIGURE **50-17** ■ Canules utilisées pour raccorder des tubulures supplémentaires à la perfusion primaire : *A,* canule à raccord fileté ; *B,* canule à raccord rapide. (Photos reproduites avec l'autorisation de (BD) Becton, Dickinson and Company et de Baxter Healthcare Corporation. Tous droits réservés.)

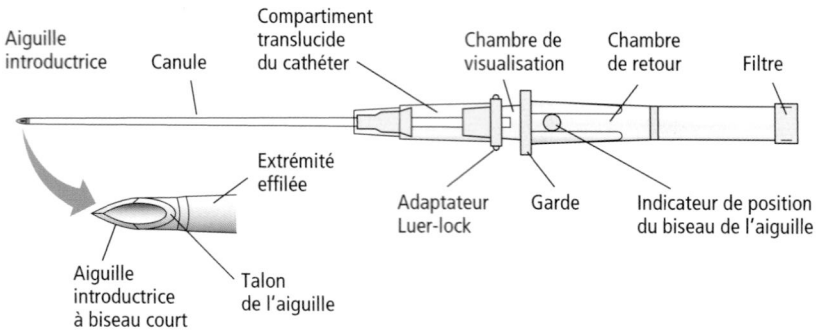

FIGURE **50-18** ■ Schéma d'un cathéter à aiguille interne.

d'armoire, voire d'un crochet en S placé sur une porte, pour suspendre les sacs de soluté. La hauteur de la plupart des potences est ajustable. Plus le sac est haut, plus la force de l'écoulement est grande et plus le débit est rapide.

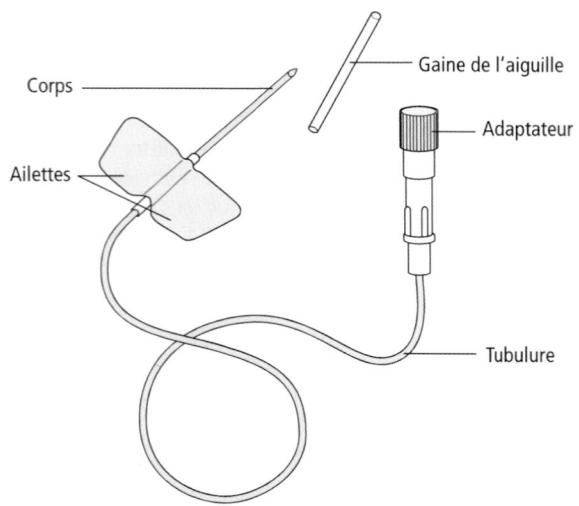

FIGURE **50-19** ■ Schéma d'une aiguille à ailettes avec adaptateur.

MISE EN PLACE D'UNE PERFUSION INTRAVEINEUSE.

C'est le médecin qui prescrit une thérapie intraveineuse, mais c'est l'infirmière qui met en place, surveille et maintient la perfusion, que ce soit dans un établissement de soins de santé, dans un établissement de soins prolongés, dans une clinique ou au domicile de la personne.

Avant de commencer une perfusion, l'infirmière vérifie l'ordonnance du médecin pour connaître :

■ Le type et la quantité de solution à administrer.

■ Les doses exactes de médicaments à ajouter à une solution compatible.

■ Le débit de la perfusion ou le laps de temps sur lequel elle s'étendra.

Si les solutions proviennent de la pharmacie ou d'un autre service, l'infirmière doit s'assurer que la solution fournie correspond exactement à l'ordonnance du médecin.

Il est aussi important de comprendre l'objectif de la perfusion que d'évaluer la personne. Ainsi, l'infirmière pourrait remettre en question une ordonnance de soluté de dextrose 5 % à un débit de 150 mL/h si la personne présente un œdème périphérique et d'autres signes de surcharge liquidienne.

Le procédé 50-1 décrit les étapes à suivre pour la mise en place d'une perfusion intraveineuse.

PROCÉDÉ 50-1

Mise en place d'une perfusion intraveineuse

Avant de préparer la perfusion, l'infirmière doit d'abord vérifier l'ordonnance sur laquelle le médecin a inscrit le type de solution, la quantité à administrer, le débit de la perfusion, et indiqué les allergies dont souffre la personne (au ruban adhésif ou à la povidone-iode, par exemple).

Objectifs

- Fournir des liquides à une personne incapable d'obtenir un volume suffisant par voie orale.

- Fournir les sels nécessaires au maintien de l'équilibre électrolytique.
- Fournir du glucose (dextrose), le principal combustible du métabolisme.
- Fournir des vitamines et des médicaments hydrosolubles.
- Établir un accès veineux pour l'administration de médicaments.

COLLECTE DES DONNÉES

Évaluez

- Les signes vitaux initiaux (pouls, respiration et pression artérielle)
- L'élasticité de la peau
- Les allergies au ruban adhésif ou à l'iode

- La tendance au saignement
- La présence d'une affection ou d'une lésion touchant les extrémités
- L'état des veines (en vue de choisir un point de ponction approprié)

PLANIFICATION

Avant de mettre en place la perfusion intraveineuse, pensez à sa durée prévue, aux types de liquides à administrer et aux médicaments que la personne reçoit ou pourrait recevoir. Ces facteurs peuvent influer sur le choix du site de ponction et du calibre du cathéter.

Matériel

- Dispositif à perfusion (tubulure de perfusion à microgouttes, à macrogouttes, tubulure pour pompe volumétrique)
- Sac de solution parentérale stérile, selon l'ordonnance
- Potence (tige à soluté mobile ou fixe)
- Ruban adhésif ou ruban adhésif hypoallergène
- Pansement transparent (Tegaderm, Opsite)
- Gants jetables

- Garrot
- Tampons antiseptiques (chlorexidine)
- Onguent antiseptique, par exemple un onguent de povidone-iode (facultatif)
- Petite compresse
- Cathéter intraveineux court de calibre approprié (n° 16, 18, 20 ou 22); voir plus loin la section intitulée *Variante* pour l'utilisation d'une aiguille à ailettes
- Planchette (attelle) au besoin
- Serviette ou piqué plastifié
- Dispositif de régulation électronique ou pompe volumétrique
- Contenant biomédical (pour récupérer les aiguilles souillées)

INTERVENTION

Préparation

1. Préparez la personne.
   - Expliquez le procédé à la personne. L'installation d'une perfusion intraveineuse peut causer une légère douleur passagère, mais la perfusion proprement dite devrait être indolore. Pour un enfant, faites la démonstration du procédé avec une poupée et expliquez-en le déroulement aux parents. Les personnes veulent souvent savoir combien de temps durera la perfusion. Cette information apparaît parfois sur l'ordonnance, par exemple : « 3 000 mL en 24 heures ».
   - À moins que la perfusion ne soit urgente, prodiguez tous les soins

prévus à l'horaire avant de la mettre en place *afin de limiter les mouvements par la suite.*
   - Veillez à ce que la personne puisse retirer ses vêtements après la mise en place de la perfusion. Dans certains établissements, on fournit des chemises d'hôpital qui s'ouvrent le long de l'épaule et de la manche.

Exécution

Lavez-vous les mains.

1. Ouvrez et préparez le dispositif à perfusion.
   - Retirez la tubulure de l'emballage et dépliez-la.
   - Faites glisser le presse-tube le long de la tubulure jusque sous la chambre

compte-gouttes pour en faciliter l'accès.
   - Fermez le presse-tube.
   - Laissez les capuchons de plastique sur les extrémités de la tubulure jusqu'au moment de commencer la perfusion. *Vous maintiendrez ainsi la stérilité des extrémités de la tubulure.*

2. Insérez la fiche perforante dans le sac de soluté.
   - Retirez la gaine protectrice qui recouvre l'ouverture du dispositif du sac de solution intraveineuse. Pour les solutions en flacon, retirez le capuchon métallique ainsi que le dispositif en caoutchouc placé sous le capuchon.

PROCÉDÉ 50-1 (SUITE)

Mise en place d'une perfusion intraveineuse (suite)

INTERVENTION (suite)

- Retirez le capuchon protecteur de la fiche perforante et insérez-la dans l'ouverture du sac (figure 50-20 ■). Conformez-vous aux directives du fabricant.

3. Si un médicament est ajouté au soluté, collez l'étiquette appropriée sur le sac.
   - Dans de nombreux établissements, les étiquettes sont collées à la pharmacie; sinon, collez l'étiquette de façon à ne pas masquer le nom du composant initial et dans le même sens que ces écritures sur le sac. *Il sera ainsi plus facile de connaître le produit et de lire l'étiquette quand le sac sera suspendu.*

4. Apposez une bande horaire sur le sac.
   - Certains établissements de soins de santé préconisent toujours de fixer une bande horaire, d'autres ne se soumettent plus à cette pratique. Conformez-vous aux règles de l'établissement. Nous traitons plus loin de la régulation du débit de la perfusion.

5. Suspendez le sac de soluté à la potence.
   - Ajustez la hauteur de la potence de manière à placer le sac à environ 1 m au-dessus de la tête de la personne. *La hauteur doit être telle que la force de gravité dépasse la pression veineuse et facilite l'écoulement du soluté dans la veine.*

6. Remplissez partiellement la chambre compte-gouttes avec du soluté.
   - Comprimez délicatement la chambre compte-gouttes jusqu'à ce qu'elle soit à moitié remplie (figure 50-21 ■).

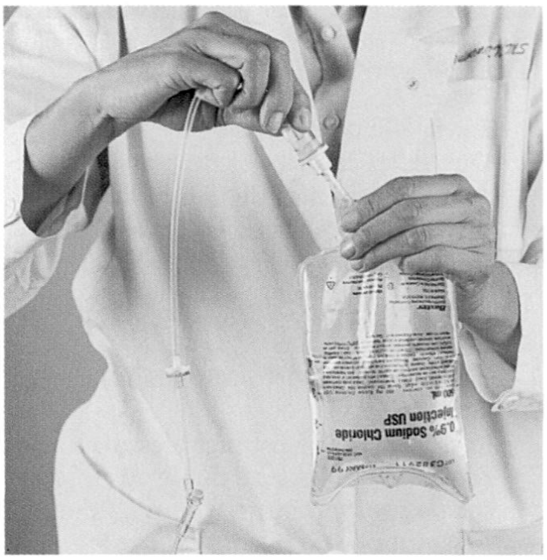

7. Purgez la tubulure.
   - Retirez le capuchon protecteur et tenez la tubulure au-dessus d'un récipient. Maintenez la stérilité de l'extrémité de la tubulure et du capuchon.
   - Ouvrez le presse-tube et laissez le liquide s'écouler dans la tubulure jusqu'à disparition de toutes les bulles d'air. Au besoin, tapotez la tubulure du bout des doigts pour accélérer le mouvement des bulles. *On purge la tubulure pour prévenir l'injection de bulles d'air.* Habituellement, les bulles d'air de moins de 0,5 mL n'entraînent pas de problèmes dans les perfusions intraveineuses périphériques.
   - Refermez le presse-tube et replacez le capuchon de la tubulure en utilisant toujours la technique aseptique.
   - Si le capuchon est muni d'une prise d'air, ne le retirez pas au moment de purger la tubulure. *En effet, l'écoulement du soluté cessera dans la tubulure si une goutte de soluté touche au capuchon.*
   - Si vous utilisez une pompe volumétrique, un dispositif électronique ou un régulateur, conformez-vous aux directives du fabricant pour raccorder la tubulure et régler le débit de la perfusion.

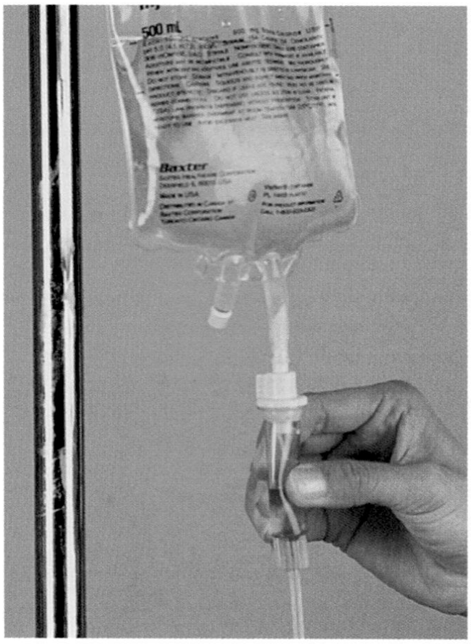

8. Si nécessaire, lavez-vous les mains à nouveau juste avant de toucher à la personne.

9. Choisissez le point de ponction.
   - Utilisez le bras non dominant de la personne, sauf indication contraire. Repérez des points de ponction possibles en cherchant des veines relativement droites et non sclérosées. Tenez compte de la longueur du cathéter; cherchez un point situé assez loin en aval du coude ou du poignet pour que l'extrémité du cathéter ne touche pas un point de flexion. *La mise en place et le maintien de la perfusion intraveineuse peuvent être difficiles dans une veine sclérosée. Un cathéter inséré dans un point de flexion risque d'irriter la paroi veineuse.*
   - Coupez les poils près du point de ponction si la pilosité y est abondante. *Le rasage risquerait de provoquer de légères abrasions susceptibles de favoriser l'infection.*
   - Placez une serviette ou un piqué sous le membre *afin de protéger la literie (ou les meubles, si la personne est chez elle).*

10. Dilatez la veine.
    - Placez le membre en position déclive (plus bas que le cœur de la personne). *La gravité ralentit le retour veineux et distend les veines, ce qui facilite l'insertion de l'aiguille.*
    - Placez le garrot de 15 à 20 cm au-dessus du point de ponction (figure 50-22 ■). Expliquez à la personne que le garrot sera serré. *Le garrot doit obstruer la circulation veineuse mais non la circulation artérielle. L'obstruction de la circulation artérielle inhibe le remplissage veineux. Si vous pouvez palper le pouls radial, c'est que la circulation artérielle n'est pas obstruée.*
    - Si la veine n'est pas suffisamment dilatée :
      a) Massez la veine en aval du point de ponction et en direction du retour veineux (vers le cœur). *Cette manœuvre favorise le remplissage de la veine.*
      b) Demandez à la personne de serrer et desserrer le poing. *La contraction des muscles comprime les veines distales et les dilate en poussant le sang sur leur trajet.*

FIGURE 50-20 ■ Insertion de la fiche perforante dans l'ouverture du sac.

FIGURE 50-21 ■ Compression de la chambre compte-gouttes.

INTERVENTION (suite)

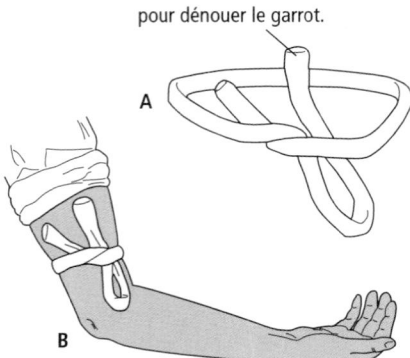

Tirez sur cette extrémité pour dénouer le garrot.

A

B

FIGURE 50-22 ■ Mise en place d'un garrot.

c) Tapotez légèrement la veine du bout des doigts. *Cette manœuvre peut dilater la veine.*

• Si les manœuvres précédentes n'ont pas suffi à dilater la veine au point de la rendre palpable, retirez le garrot et appliquez de la chaleur sur le membre entier pendant 10 à 15 min. *La chaleur entraîne la dilatation des vaisseaux sanguins superficiels et favorise leur remplissage.* Répétez ensuite l'étape 10.

11. Mettez des gants propres et nettoyez le point de ponction. *Le port de gants protège l'infirmière contre la contamination par le sang.*

• Désinfectez la peau au point de ponction avec un tampon antiseptique de chlorhexidine à 2 % (figure 50-23 ■). Dans certains établissements, on utilise une solution anti-infectieuse comme la povidone-iode (vérifiez le protocole de l'établisse-

ment). Demandez à la personne si elle est allergique à l'iode ou aux fruits de mer avant d'appliquer des produits iodés sur sa peau.

• Désinfectez quelques centimètres carrés de peau d'un mouvement circulaire, en allant du centre vers la périphérie. *Ce mouvement éloigne les microorganismes du point d'insertion.*

• Laissez sécher la solution sur la peau. *Pour agir, la povidone-iode doit rester en contact avec la peau pendant 1 min.*

12. Insérez le cathéter intraveineux court et commencez la perfusion.

• Avec votre main non dominante, tendez la peau juste en aval du point d'insertion. *Ce faisant, vous stabiliserez la veine et faciliterez la pénétration de l'aiguille dans la peau. La ponction sera moins douloureuse.*

• Tenez le cathéter à aiguille interne à un angle de 15 à 30 degrés, biseau vers le haut, et introduisez-le jusque dans la veine d'un mouvement continu (figure 50-24 ■). Vous sentirez un relâchement soudain de la résistance lorsque l'aiguille aura pénétré à l'intérieur de la veine.

• Quand vous verrez du sang dans la chambre du cathéter ou que vous sentirez céder la résistance, diminuez l'angle du cathéter jusqu'à ce qu'il soit presque parallèle à la peau (figure 50-25 ■). Avancez l'aiguille et le cathéter d'environ 0,5 à 1,0 cm dans la veine. Tout en maintenant la stabilité de l'aiguille, enfoncez le cathéter jusqu'à ce que l'embase repose sur le point de ponction. *On avance le cathéter*

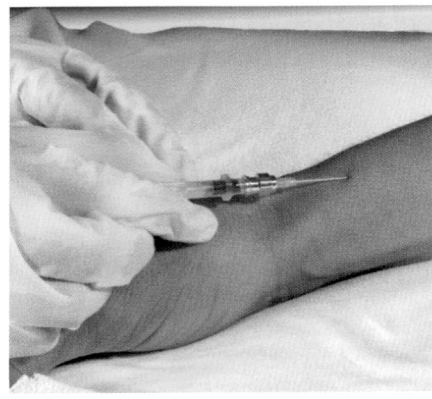

FIGURE 50-25 ■ Retour veineux visible dans la chambre du cathéter, diminution de l'angle d'insertion.

pour s'assurer qu'on a introduit non seulement l'aiguille de métal mais aussi le cathéter dans la veine. Les détails de la technique à employer varient selon le type de cathéter utilisé.

• Dénouez le garrot.

• Retirez le capuchon protecteur de l'extrémité distale de la tubulure ; en maintenant la stérilité de l'extrémité, préparez-vous à la raccorder au cathéter.

• Retirez précautionneusement l'aiguille (figure 50-26 ■), insérez-la dans le contenant biomédical et raccordez l'extrémité de la tubulure à l'embase du cathéter (figure 50-27 ■).

• Ouvrir doucement le presse-tube (régulateur de débit) afin d'assurer la perméabilité du cathéter et commencez la perfusion.

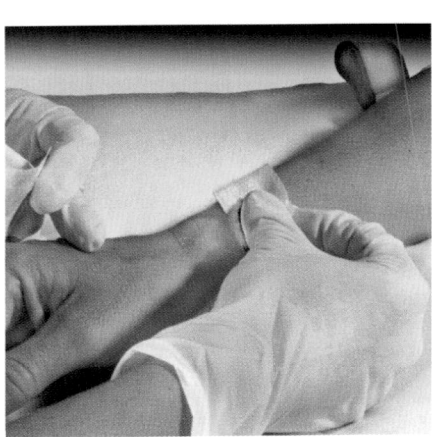

FIGURE 50-23 ■ Désinfection du site de ponction avec un tampon antiseptique de chlorhexidine à 2 %.

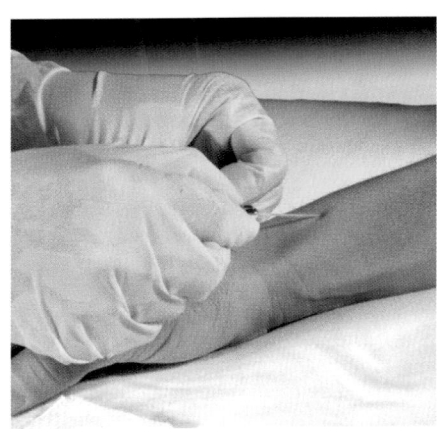

FIGURE 50-24 ■ Angle d'insertion du cathéter veineux périphérique court.

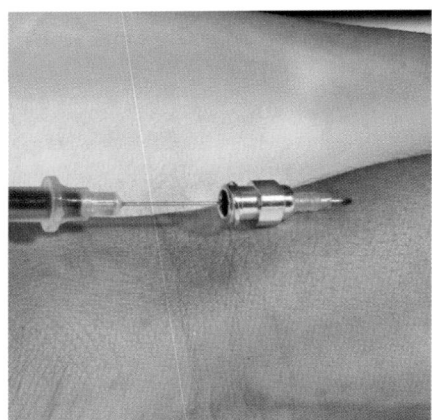

FIGURE 50-26 ■ Aiguille insérée jusqu'à l'embase et retrait de l'aiguille avec précaution.

PROCÉDÉ 50-1 (SUITE)

Mise en place d'une perfusion intraveineuse (suite)

INTERVENTION (suite)

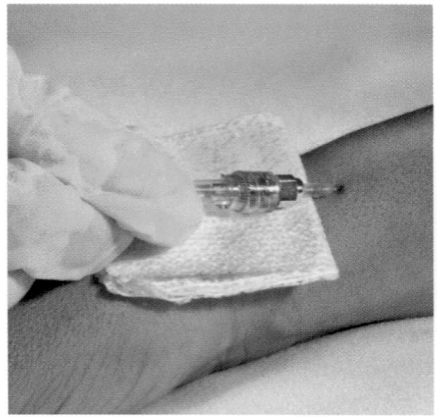

FIGURE 50-27 ■ Raccordement de l'extrémité de la tubulure à l'embase du cathéter.

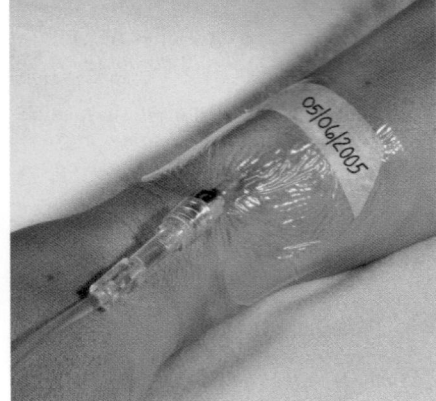

FIGURE 50-28 ■ Fixation d'un pansement transparent au site de perfusion.

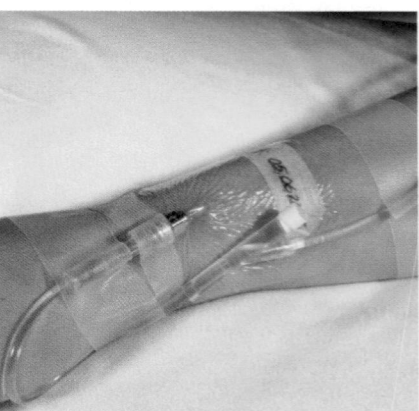

FIGURE 50-29 ■ Fixation de la tubulure d'une perfusion intraveineuse.

13. Fixez le cathéter. Généralement, l'infirmière applique un pansement occlusif transparent stérile, qui permet d'observer le point de ponction. Ce pansement peut rester en place pendant 72 heures.
    - Enlevez délicatement un côté du papier détachable du pansement transparent. *Si on détache complètement le papier, le pansement risque de s'enrouler sur lui-même et de se coller avant d'être apposé.*
    - Fixez la partie autocollante du pansement transparent sur un côté du site.
    - Rabattez délicatement le reste du pansement en le collant sur l'autre côté du site.
    - Il est important que le pansement transparent n'adhère que sur l'embase et non sur la tubulure (figure 50-28 ■). *Si le pansement transparent adhère à la tubulure, il sera plus difficile de changer celle-ci, par exemple.*
    - Enroulez la tubulure et fixez-la avec du ruban adhésif et selon les directives préconisées dans l'établissement de soins de santé. *Vous préviendrez ainsi les tractions sur l'aiguille ou le cathéter causées par les mouvements et le poids de la tubulure.*
    - Apposez sur le pansement une étiquette indiquant la date et l'heure de l'insertion du cathéter, ainsi que vos initiales (figure 50-29 ■).

14. Réglez le débit de perfusion.
    - Réglez le débit conformément à l'ordonnance.

15. Étiquetez la tubulure intraveineuse.
    - Apposez sur la tubulure une étiquette indiquant la date et l'heure du raccord, ainsi que vos initiales (figure 50-30 ■). Vous pouvez aussi procéder à cet étiquetage au moment de commencer la perfusion. *On étiquette la tubulure afin de s'assurer qu'elle soit changée à intervalles réguliers (c'est-à-dire toutes les 24 à 96 heures, selon les règles de l'établissement).*

16. Installez une attelle rembourrée pour immobiliser l'articulation, si nécessaire.

17. Notez les données pertinentes, dont celles que vous avez obtenues lors de l'évaluation.
    - Notez l'heure du début de la perfusion dans le dossier de la personne. Dans certains établissements, on consigne ces renseignements dans un formulaire spécial. Inscrivez la date et l'heure de la ponction veineuse, la quantité et le type de soluté ainsi que la quantité et le type de médicaments ajoutés; indiquez également le débit de perfusion, le type et le calibre de l'aiguille ou du cathéter, le site de ponction et la réaction générale de la personne.

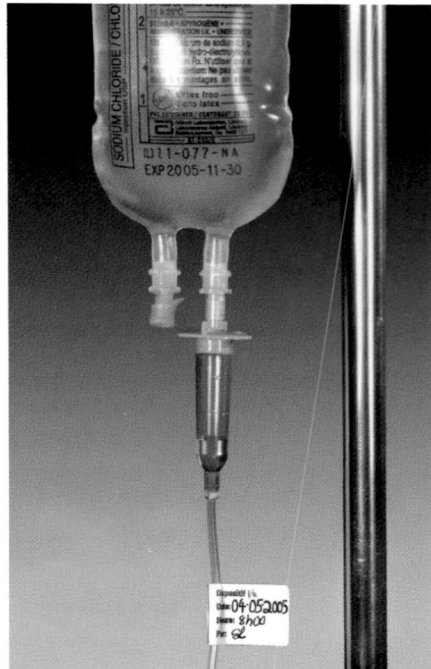

FIGURE 50-30 ■ Tubulure portant une étiquette qui indique la date et l'heure du raccord, ainsi que les initiales de l'infirmière.

Variante : insertion d'une aiguille à ailettes

- Tenez l'aiguille pointée en direction de l'écoulement du sang à un angle de 30 degrés, biseau vers le haut. Percez la

INTERVENTION (suite)

peau à côté de la veine, à environ 1 cm du point prévu pour la ponction de la veine.

- Une fois l'aiguille introduite dans la peau, abaissez-la jusqu'à ce qu'elle soit presque parallèle à la peau. *Vous diminuerez ainsi le risque de percer les deux parois de la veine.* Suivez le trajet de la veine et pénétrez-la de côté. Vous sentirez un relâchement soudain de la résistance lorsque le sang entrera dans l'aiguille.

- Lorsque le sang reflue dans la lumière de l'aiguille, enfoncez l'aiguille jusqu'à l'embase.

- Dénouez le garrot, raccordez la tubulure et amorcez l'écoulement le plus rapidement possible. *Un raccord rapide de la tubulure empêche le sang de coaguler et d'obstruer l'aiguille.*

- Fixez l'aiguille à ailettes fermement par la méthode croisée (figure 50-31 ■). Placez un petit carré de gaze sous l'aiguille au besoin. *Le carré de gaze stabilise l'aiguille dans la veine.*

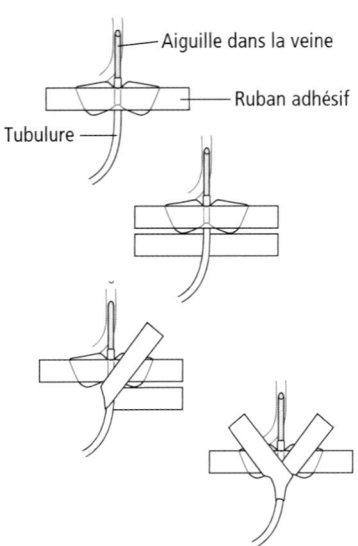

FIGURE 50-31 ■ Méthode croisée pour la fixation d'une aiguille à ailettes avec du ruban adhésif.

ÉVALUATION

- État de la peau au point d'insertion (elle devrait être chaude et ne pas présenter de sensibilité, de rougeur et d'œdème).
- État du pansement.
- Débit de la perfusion conforme à l'ordonnance.

- Capacité de la personne d'effectuer ses soins personnels ; compréhension des limites imposées à sa mobilité, s'il y a lieu.
- Comparaison des signes vitaux actuels aux signes vitaux initiaux.

RÉGULATION ET SURVEILLANCE DES PERFUSIONS INTRAVEINEUSES. Les ordonnances de perfusions intraveineuses peuvent prendre les formes suivantes, par exemple : « 3 000 mL en 24 heures » ; « 1 000 mL toutes les 8 heures × 24 heures » ; « 125 mL/h jusqu'au rétablissement d'un apport suffisant par voie orale ». L'infirmière qui commence la perfusion intraveineuse calcule le débit, règle la perfusion et observe les réactions de la personne. Si elle n'utilise pas de dispositif régulateur, elle ajuste le nombre de gouttes par minute à l'aide d'un presse-tube à roulette, de manière à administrer la quantité prescrite de soluté à l'intérieur du laps de temps fixé. Un réglage inadéquat du débit risque d'entraîner une hypervolémie ou une hypovolémie, ou encore de perturber l'administration des médicaments.

Le nombre de gouttes obtenues par millilitre de solution, ou **facteur d'écoulement** (gouttes/mL), varie selon les marques et les types de nécessaires à perfusion. La plupart du temps, il est indiqué sur les emballages des nécessaires. Avec les systèmes macrogouttes, les facteurs d'écoulement varient d'un fabricant à l'autre. Par exemple, une tubulure Abbott donne 15 gouttes/mL, alors qu'on en obtient 10 avec une Baxter, et 20 avec une McGaw ou une Cutter. En revanche, il est toujours de 60 gouttes/mL avec les systèmes microgouttes (figure 50-32 ■).

Pour calculer le débit d'une perfusion, l'infirmière doit connaître le volume de liquide à administrer et la durée précise de la perfusion. Les méthodes utilisées pour régler le débit reposent sur le calcul du nombre de millilitres à administrer en 1 heure (mL/h) et sur le nombre de gouttes à administrer en 1 minute (gouttes/min). Hegstad et Hayek (2004) proposent une méthode en trois étapes.

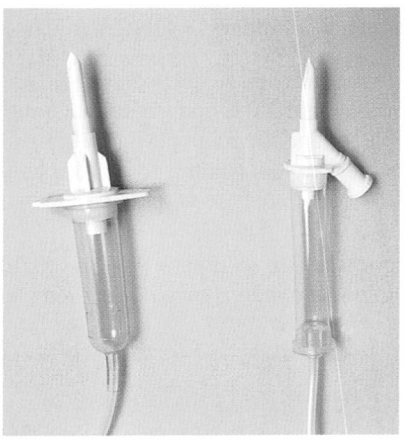
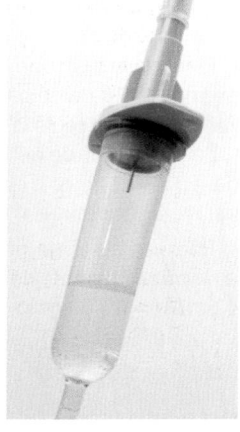

FIGURE 50-32 ■ Fiches perforantes et chambres comptegouttes ; système macrogouttes sans prise d'air, système macrogouttes avec prise d'air et système microgouttes avec prise d'air.

1re étape : Millilitres par heure (mL/h). On calcule le débit horaire de la perfusion en divisant le volume total de soluté par le nombre d'heures fixé. Si, par exemple, on doit administrer 3 000 mL en 24 h, le nombre de millilitres par heure est de :

$$\frac{\text{Quantité totale de mL à administrer (mL)}}{\text{Heures de perfusion (h)}} = \text{mL/h}$$

$$\frac{3\ 000\ \text{mL (volume total de soluté)}}{24\ \text{h (durée totale de la perfusion)}} = 125\ \text{mL/h}$$

Généralement, le médecin indique le débit à respecter, par exemple, 100 mL/h. L'infirmière doit vérifier la perfusion toutes les heures au moins, afin de s'assurer que le débit prescrit est effectivement administré et que le circuit demeure perméable. Pour ce faire, elle peut graduer le sac de soluté à l'aide d'une bande de ruban adhésif sur laquelle elle inscrit les heures et les volumes. Dans certains établissements, on utilise des étiquettes préimprimées.

2e étape : Millilitres/minute (mL/min). Connaissant la quantité de solution à perfuser en une heure, il s'agit maintenant de calculer la quantité qui s'écoulera en une minute, afin de faciliter le calcul et la surveillance du débit. On divise donc par 60 minutes :

$$\frac{\text{Millilitres à l'heure (mL/h)}}{60\ \text{minutes (min)}} = \text{(mL/min)}$$

3e étape : Gouttes par minute (gte/min). L'infirmière qui installe et surveille une perfusion doit régler le nombre de gouttes par minute, afin de s'assurer que la personne recevra la quantité prescrite de soluté. Voici comment calculer le nombre de gouttes par minute :

$$\text{mL/min} \times \text{facteur d'écoulement (gte/mL)} = \text{(gte/min)}$$

Exemple :

Si le volume total est de 1 000 mL en 8 h et le facteur d'écoulement de 20 gouttes/mL, le nombre de gouttes par minute se calcule ainsi :

1re étape : $\dfrac{1\ 000\ \text{mL}}{8\text{h}} = 125\ \text{mL/h}$

2e étape : $\dfrac{125\ \text{mL}}{60\ \text{min}} = 2{,}1\ \text{mL/min}$

3e étape : $2{,}1\ \text{mL/min} \times 20\ \text{gte/mL} = 42\ \text{gte/min}$

L'infirmière arrondit le résultat à deux décimales près. Par exemple, 125 divisé par 60 donnant 2,08, on arrondit à 2,1 mL. Par la suite, on règle le débit en fermant ou en ouvrant le presse-tube régulateur de débit ; après quoi on compte les gouttes pendant 15 secondes, c'est-à-dire en divisant le nombre de gte/min par 4 : 42 gte/min ÷ 4 = 10,5 ou 11 gtes/15 sec.

Pour un système microgouttes, le volume à l'heure (mL/h) équivaut au nombre de gouttes par minute (gte/min). Par exemple, 42 mL/h = 42 gte/min.

Un certain nombre de facteurs peuvent influer sur le débit (voir l'encadré 50-8).

DISPOSITIFS ÉLECTRONIQUES DE RÉGULATION DU DÉBIT. Plusieurs dispositifs permettent de contrôler le débit d'une perfusion. Les *dispositifs électroniques* règlent le débit selon des limites prédéterminées. Ils sont munis d'une alarme qui se déclenche lorsque le sac est presque vide, que la tubulure contient de l'air

- **Position de l'avant-bras.** Il arrive qu'un changement de position du bras entraîne une diminution du débit. L'infirmière peut alors demander à la personne de placer son bras en légère pronation, supination ou extension, ou encore de poser l'avant-bras sur un oreiller.
- **Position et perméabilité de la tubulure.** Le débit risque de diminuer si la tubulure est coincée sous la personne, entortillée ou obstruée par un presse-tube trop serré, ou si un segment de la tubulure se trouve plus bas que le point de ponction.
- **Hauteur du sac de soluté.** Élever le sac de quelques centimètres augmente la pression et peut accélérer le débit.
- **Possibilité d'infiltration ou de fuite.** Un œdème, une sensation de froid et une sensibilité autour du point d'insertion peuvent indiquer une infiltration.
- **Rapport entre le calibre du cathéter et celui de la veine.** Un cathéter de gros calibre peut nuire à l'écoulement du liquide en bloquant le flux sanguin normal.

ALERTE CLINIQUE *Il faut utiliser un dispositif électronique de régulation du débit pour administrer des liquides intraveineux aux enfants, aux personnes âgées, aux personnes dont la condition exige un contrôle strict des ingesta, ou à celles qui reçoivent une médication particulière. Les enfants et les personnes âgées sont fortement prédisposés aux complications de la surcharge liquidienne consécutives à l'administration rapide de liquides intraveineux.*

et que la hauteur de la tubulure est insuffisante. Par ailleurs, si on doit contrôler rigoureusement le volume de liquide administré, il est préférable d'utiliser un dispositif de perfusion muni d'un *régulateur de volume*, qui permet d'administrer des doses liquides et des médicaments avec une plus grande précision. Le *Volutrol*, par exemple, est un dispositif qui contient 100 mL de soluté au maximum et que l'on fixe entre le sac de soluté et la chambre compte-gouttes. On l'utilise fréquemment dans les unités de pédiatrie, où il est impératif de contrôler rigoureusement le volume administré (voir la figure 39-61).

Une pompe volumétrique (figures 50-33 ■ et 50-34 ■) exerce une pression positive sur la tubulure ou sur le liquide. Si rien ne s'oppose à l'écoulement du liquide, la pompe exerce une pression semblable à celle de la gravité. En revanche, si l'écoulement diminue (par suite de l'augmentation de la résistance veineuse, par exemple), la pompe maintient l'écoulement en exerçant une pression plus forte.

Contrairement au fonctionnement d'une pompe, celui d'un régulateur repose seulement sur la force gravitationnelle. La pression dépend de la hauteur du récipient par rapport à celle du point d'insertion. Le récipient doit être placé à au moins 76 cm au-dessus du point d'insertion. Un régulateur ne crée pas de pression dans le circuit et ne surmonte pas les résistances à l'écoulement du liquide.

Le procédé 50-2 décrit les étapes à suivre pour surveiller une perfusion intraveineuse.

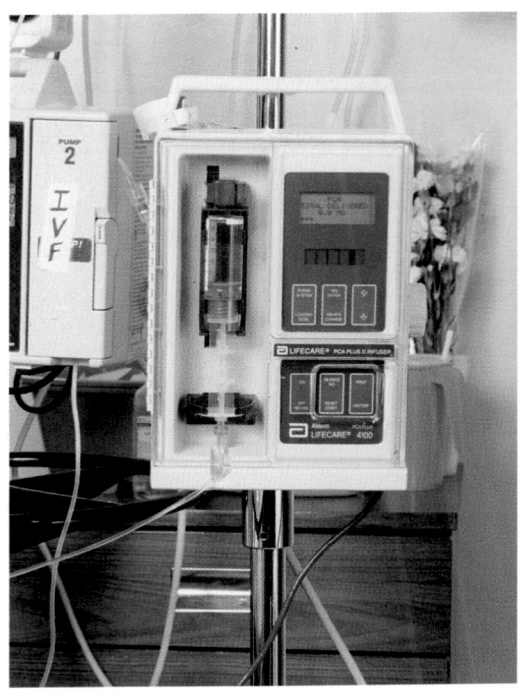

FIGURE 50-33 ■ Pompe volumétrique.

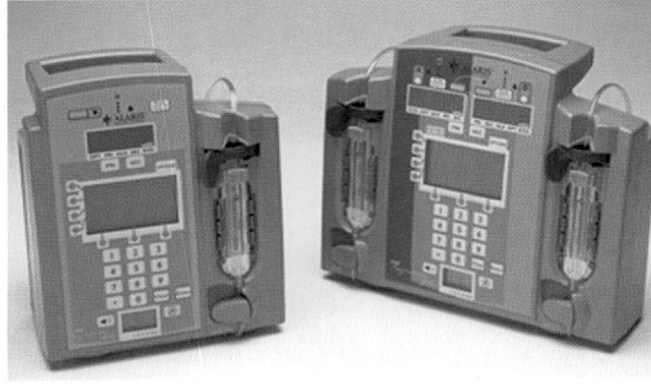

FIGURE 50-34 ■ **Pompes volumétriques programmables.**
(Avec la permission de ALARIS Medical Systems, Inc., San Diego, Californie.)

PROCÉDÉ 50-2

Surveillance d'une perfusion intraveineuse

Objectifs
- Maintenir le débit prescrit.
- Prévenir les complications associées à la thérapie intraveineuse.

COLLECTE DES DONNÉES

Évaluez
- L'aspect du point d'insertion et la perméabilité du circuit
- Le type de liquide administré et le débit
- La réaction de la personne

PLANIFICATION

Inspectez le matériel à l'extérieur de la chambre de la personne. Lisez toutes les notices et vérifiez le type de tubulure, de régulateur ou de pompe à utiliser.

INTERVENTION

Préparation
1. Recueillez les données pertinentes.
   - Lisez l'ordonnance du médecin afin de connaître le type et l'ordre des solutés à administrer.
   - Déterminez le débit et l'horaire de la perfusion.

Exécution
1. Assurez-vous que la personne reçoive le soluté approprié.
   - Dans le cas contraire, réglez le débit au minimum pour maintenir la perméabilité du cathéter. *L'arrêt de la perfusion pourrait entraîner la forma-*

tion d'un thrombus dans le cathéter. Le cas échéant, il faut retirer le cathéter et effectuer une autre ponction veineuse avant de reprendre la perfusion.
   - Installez le soluté approprié. Notez l'erreur conformément au protocole de l'établissement.

PROCÉDÉ 50-2 (SUITE)

Surveillance d'une perfusion intraveineuse (suite)

INTERVENTION (suite)

2. Vérifiez le débit toutes les heures.
   - Comparez régulièrement le débit à l'horaire de perfusion, toutes les heures, par exemple. *Les perfusions trop rapides ou trop lentes peuvent être dommageables.*
   - Si le débit est trop rapide, ralentissez-le afin de terminer la perfusion à l'heure prévue. *Une perfusion trop rapide peut entraîner une augmentation importante du volume du sang circulant (qui est d'environ 6 L chez l'adulte). L'hypervolémie risque de causer l'œdème pulmonaire et l'insuffisance cardiaque.* Examinez la personne *pour détecter les manifestations de l'hypervolémie et de ses complications.* Recherchez des signes comme une dyspnée, une respiration rapide et laborieuse, de la toux, des crépitants à la base des poumons, une tachycardie et un pouls bondissant.
   - Si le débit est trop lent, vérifiez ce que stipulent les règles de l'établissement à ce sujet. Il se peut que l'infirmière soit autorisée à ajuster le débit jusqu'à un certain point, au-delà duquel elle doit obtenir une ordonnance médicale. *Une perfusion trop lente peut fournir à la personne une quantité insuffisante de liquide, d'électrolytes ou de médicaments.*
   - Si le débit est de 150 mL/h ou plus, vérifiez-le plus fréquemment, soit toutes les 15 à 30 minutes.

3. Vérifiez la perméabilité de la tubulure et de l'aiguille.
   - Observez la position du sac. S'il est suspendu à moins de 1 m au-dessus du point d'insertion, placez-le à la hauteur voulue. *Une hauteur insuffisante peut empêcher l'écoulement du soluté dans la veine, car la pression exercée par la gravité ne suffit pas à surmonter la pression du sang dans la veine.*
   - Observez la chambre compte-gouttes. Si elle n'est pas remplie à moitié, comprimez-la afin de permettre l'écoulement de la quantité appropriée de liquide.
   - Ouvrez le régulateur de débit et vérifiez si le liquide s'écoule rapidement du sac vers la chambre compte-gouttes. Ensuite, fermez partiellement le régulateur de débit pour rétablir le débit prescrit. *L'écoulement rapide du liquide dans la chambre compte-gouttes indique que la tubulure est perméable. En fermant le régulateur de débit jusqu'à l'obtention du débit prescrit, on prévient la surcharge liquidienne.*
   - Assurez-vous que la tubulure n'est ni pincée ni entortillée. Disposez-la de manière qu'elle s'enroule souplement et ne subisse aucune pression. Il arrive que la tubulure se coince sous la personne.
   - Observez la position de la tubulure. Si elle pend au-dessous du point d'insertion, enroulez-la doucement sur le lit. *L'écoulement ne peut se faire à l'encontre de la gravité.*
   - Abaissez le sac sous le niveau du point d'insertion et observez s'il se produit un retour sanguin. *Un retour sanguin indique que l'aiguille est perméable et qu'elle se trouve dans la veine. Dans ce cas, le sang reflue parce que la pression veineuse est supérieure à la pression du liquide dans la tubulure. L'absence de retour sanguin peut indiquer que l'aiguille est sortie de la veine ou que l'extrémité du cathéter est partiellement obstruée par un thrombus, la paroi de la veine ou une valvule dans la veine.*
   - Déterminez si le biseau du cathéter est coincé contre la paroi de la veine. Le cas échéant, tirez délicatement sur le cathéter, tournez-le doucement. Vous pouvez aussi ouvrir ou fermer légèrement l'angle d'insertion. Placez un tampon de gaze stérile sous le cathéter *pour protéger la peau et changer la position du biseau.*
   - Si vous observez un écoulement, recherchez-en l'origine. S'il se situe à la jonction du cathéter et de la tubulure, solidifiez le raccord. Si l'écoulement ne s'arrête pas, ralentissez le débit sans l'arrêter complètement et installez une nouvelle tubulure stérile. Si la perte de solution est substantielle, estimez-en le volume.

4. Inspectez le point d'insertion pour détecter une infiltration.
   - Quand une aiguille se déloge de la veine, le liquide s'écoule dans les tissus interstitiels. Ce phénomène est appelé *infiltration* et se manifeste par un œdème localisé ; de plus, la zone autour du point d'insertion est froide, pâle et sensible.
   - Si une infiltration s'est produite, arrêtez la perfusion et retirez le cathéter.
   Installez la perfusion à un autre endroit.
   - Appliquez une compresse chaude sur la région de l'infiltration. *La chaleur soulage la douleur et favorise la vasodilatation, ce qui facilite l'absorption du liquide qui s'est écoulé dans les tissus interstitiels.*

5. Si vous ne décelez pas de signes d'infiltration, alors que le liquide ne s'écoule pas, vérifiez si l'aiguille s'est délogée de la veine.
   - Pincez délicatement la tubulure à proximité de l'aiguille. Si l'aiguille se trouve dans la veine, le sang refluera dans la tubulure.
   - À l'aide d'une seringue stérile remplie de soluté physiologique, aspirez du liquide au point d'injection situé à proximité du point d'insertion. S'il n'y a pas de retour sanguin, cessez la perfusion.

6. Inspectez le point d'insertion pour dépister les signes de thrombophlébite superficielle (inflammation de la veine).
   - Inspectez et palpez le point d'insertion toutes les huit heures au moins. Une phlébite peut apparaître à la suite d'une lésion de la veine causée notamment par un traumatisme mécanique ou une irritation chimique. L'administration intraveineuse d'électrolytes (notamment de potassium et de magnésium) risque d'entraîner une lésion chimique de la veine. Les signes cliniques de la phlébite sont une rougeur, une chaleur et un œdème autour du point d'insertion ainsi qu'une douleur brûlante ressentie le long du trajet de la veine.
   - Si vous dépistez une phlébite, arrêtez la perfusion et appliquez des compresses chaudes autour du point d'insertion. Ne faites plus de ponction dans la veine atteinte.

7. Inspectez le point d'insertion pour détecter un saignement.
   - Un suintement ou un saignement peuvent se produire dans les tissus environnants si le liquide s'écoule librement, mais ils surviennent plus fréquemment après le retrait de l'aiguille.
   - L'observation du point d'insertion revêt une importance primordiale si la personne est prédisposée aux saignements, si elle reçoit des anticoagulants, par exemple.

INTERVENTION (suite)

8. Donnez des directives à la personne. Demandez-lui par exemple :
   - D'éviter les mouvements soudains du bras portant l'aiguille ou le cathéter.
   - D'éviter de tirer sur la tubulure ou de la tendre.
   - D'éviter de laisser pendre la tubulure au-dessous du niveau de l'aiguille.
   - D'aviser une infirmière si :
     a) Le débit change brusquement ou le soluté cesse de s'égoutter.
     b) Le sac de soluté est presque vide.
     c) La tubulure contient du sang.
     d) Une douleur ou un œdème apparaissent autour du point d'insertion.

9. Notez toute information pertinente.

ÉVALUATION

- Quantité de liquide administrée conformément à l'horaire
- Intégrité du circuit intraveineux
- Aspect du point d'insertion (sécheresse, infiltration, douleur)
- Débit urinaire comparé à l'apport liquidien
- Élasticité des tissus ; densité de l'urine
- Signes vitaux et bruits pulmonaires comparés aux valeurs de base

---

CHANGEMENT DU SAC, DE LA TUBULURE ET DU PANSEMENT. L'infirmière doit changer le sac de solution intraveineuse quand il ne reste plus qu'une petite quantité de liquide dans le goulot et qu'il en reste encore dans la chambre compte-gouttes. Cependant, il faut changer systématiquement les sacs toutes les 24 heures, quelle que soit la quantité restante, afin de réduire le risque de contamination. Par ailleurs, l'infirmière doit renouveler la tubulure et le pansement toutes les 48 à 96 heures, selon le protocole de l'établissement. Le procédé 50-3 décrit les étapes à suivre pour changer un sac, une tubulure et un pansement.

PROCÉDÉ 50-3

Changement du sac, de la tubulure et du pansement

Objectifs

- Maintenir l'administration de liquides.
- Maintenir la stérilité du circuit intraveineux et prévenir la phlébite et l'infection.
- Maintenir la perméabilité de la tubulure.
- Prévenir l'infection au point d'insertion et l'introduction de microorganismes dans la circulation sanguine.

COLLECTE DES DONNÉES

Évaluez

- La présence d'infiltration, de saignement ou de thrombophlébite superficielle au point d'insertion
- Les réactions allergiques au ruban adhésif ou à l'iode
- Le débit de perfusion et la quantité administrée
- Les obstructions dans le circuit intraveineux
- L'aspect du pansement : intégrité, humidité et changement nécessaire
- La date et l'heure du changement de pansement précédent

PLANIFICATION

Matériel

- Sac contenant le type et la quantité appropriés de solution stérile
- Nécessaire de perfusion comprenant une tubulure stérile et une chambre compte-gouttes stérile
- Bande horaire (si nécessaire)

Pansement

- Gants propres
- Pansement transparent
- Tampons de chlorhexidine
- Savon doux et eau
- *Facultatif :* onguent antiseptique (onguent de povidone-iode ou autre onguent recommandé par l'établissement)
- Ruban adhésif hypoallergène
- Serviette ou piqué plastifié

PROCÉDÉ 50-3 (SUITE)

Changement du sac, de la tubulure et du pansement (suite)

INTERVENTION

Préparation

1. Procurez-vous le soluté approprié.
   - Lisez l'étiquette du nouveau sac.
   - Vérifiez la solution, les médicaments ajoutés (s'il y a lieu), la dose (nombre de sacs ou volume total prescrits) et le bracelet d'identité de la personne.

Exécution

1. Lavez-vous les mains.
2. Installez le nouveau sac et apposez toutes les étiquettes nécessaires. Voir les étapes 1 à 8 du procédé 50-1.
   - Purgez la tubulure.
   - Apposez une bande horaire sur le sac, si nécessaire.
   - Étiquetez la tubulure comme l'indique la figure 50-30.
3. Placez le ruban adhésif hypoallergène et le pansement transparent au chevet de la personne.
   - Préparez des bandes de ruban adhésif hypoallergène.
   - Collez l'extrémité des bandes de ruban adhésif hypoallergène au bord d'une table. *Vous aurez ainsi les bandes à la portée de la main.*
   - Ouvrez l'emballage des tampons, du pansement et de l'onguent. *Ces manipulations seront plus faciles les mains nues.*
   - Placez une serviette ou un piqué plastifié sous le membre de la personne. *Vous éviterez ainsi de souiller la literie.*
   - Mettez des gants propres.
4. Retirez le pansement souillé et tout le ruban adhésif, sauf celui qui maintient l'aiguille ou le cathéter en place.
   - Retirez le ruban adhésif couche par couche. *Vous éviterez ainsi de déloger l'aiguille ou le cathéter si jamais la tubulure se prend entre les couches de pansement.*
   - Décollez les rubans adhésifs en tirant, si possible, dans le sens de la pousse des poils. *Le retrait de l'adhésif sera moins douloureux pour la personne.*
   - Jetez le tout dans le sac à rebuts.
5. Examinez le point d'insertion.
   - Cherchez les signes d'infiltration ou d'inflammation. *La présence d'inflam-mation ou d'infiltration impose le retrait de l'aiguille ou du cathéter afin de limiter les lésions des tissus.*
   - Passez à l'étape 6 ou changez le point d'insertion si indiqué. Voir les procédés 50-1 et 50-4.
6. Retirez l'ancienne tubulure.
   - Placez un tampon stérile sous l'embase du cathéter. *Le tampon absorbera le liquide qui pourrait s'écouler au moment du retrait de la tubulure.*
   - Clampez la tubulure.
   - En tenant l'embase du cathéter avec votre main non dominante, retirez la tubulure d'un mouvement de traction et de rotation. *En maintenant le cathé-ter, vous le stabilisez dans la veine.*
   - Retirez la vieille tubulure et placez-la au-dessus d'un récipient ou d'un sac à rebuts.
7. Raccordez la nouvelle tubulure et rétablissez la perfusion.
   - En tenant toujours le cathéter, sai-sissez la nouvelle tubulure avec votre main dominante.
   - Retirez le capuchon protecteur et, en maintenant la stérilité, insérez solide-ment l'extrémité de la tubulure dans l'embase du cathéter. Imprimez-lui un mouvement de rotation pour bien la fixer.
   - Ouvrez le presse-tube pour permettre au liquide de s'écouler.
8. Retirez le pansement transparent qui maintient le cathéter en place.
   - Pendant que vous retirez ce panse-ment et que vous nettoyez le point d'insertion, stabilisez d'une main l'embase de l'aiguille ou du cathéter. *Vous éviterez ainsi de déloger acci-dentellement l'aiguille ou le cathéter.*
9. Nettoyez le point d'insertion.
   - Enlevez les restes d'adhésif avec un savon doux et de l'eau *afin de favo-riser l'adhérence du nouveau panse-ment.*
   - Nettoyez une région de 5 cm de diamètre autour du point d'insertion avec des tampons imbibés de chlorexi-dine ou de povidone-iode. Procédez du centre vers la périphérie. *Vous éviterez ainsi de contaminer le point d'insertion avec des bactéries prove-nant des régions voisines. Les anti-septiques réduisent le nombre de microorganismes et, par conséquent, le risque d'infection.*
   - Procédez au nettoyage en vous con-formant au protocole de l'établisse-ment.
10. Appliquez un onguent ou une solution antiseptique si indiqué, et placez le pansement.
    - Appliquez l'onguent ou la solution de povidone-iode sur le point d'insertion en vous conformant au protocole de l'établissement. *Les antiseptiques réduisent le nombre de bactéries et, par conséquent, le risque d'infection. Les solutions sont préférables aux onguents si on applique un pansement transparent, car elles favorisent l'adhérence. Elles peuvent cependant abîmer la peau.*
    - Appliquez le pansement transparent sur le point d'insertion.
11. Fixez le cathéter avec le pansement transparent.
    - Avec une aiguille à ailettes, employez la méthode croisée (figure 50-31).
    - Avec un cathéter, employez la mé-thode illustrée dans la figure 50-29.
    - Retirez les gants.
12. Étiquetez le pansement et fixez la tubulure.
    - Inscrivez la date et l'heure du changement de pansement, ainsi que vos initiales sur l'étiquette recouvrant le pansement.
    - Fixez la tubulure à l'aide de ruban adhésif au besoin.
13. Réglez le débit de la perfusion confor-mément à l'ordonnance.
14. Notez toute information pertinente.
    - Notez le changement du sac, de la tubulure et du pansement à l'endroit approprié dans le dossier de la per-sonne. Notez également l'apport liquidien comme l'exige l'établisse-ment, ainsi que les résultats de la collecte des données.

ÉVALUATION

- État du point d'insertion
- Perméabilité du circuit intraveineux

- Précision du débit

Quand la perfusion intraveineuse n'est plus nécessaire à l'apport liquidien ou à l'administration des médicaments, on peut soit retirer le cathéter, soit installer un dispositif d'injection intermittente avec du soluté physiologique ou de l'héparine. Les procédés 50-4 et 50-5 décrivent respectivement les étapes à suivre pour arrêter une perfusion intraveineuse et installer un dispositif d'injection intermittente.

PROCÉDÉ 50-4

Arrêt d'une perfusion intraveineuse

- Cesser une perfusion intraveineuse lorsque le traitement est terminé ou qu'on doit changer de point d'insertion.

COLLECTE DES DONNÉES

Évaluez
- L'aspect du point d'insertion.
- La quantité de liquide administrée.
- L'aspect du cathéter.

PLANIFICATION

Révisez l'ordonnance médicale.

Matériel
- Gants propres

- Tampons secs ou imbibés d'un antiseptique, selon les pratiques de l'établissement
- Petit pansement stérile et ruban adhésif hypoallergène

INTERVENTION

Exécution
1. Préparez le matériel.
   - Clampez la tubulure. *Vous éviterez ainsi que le liquide contenu dans l'aiguille se déverse sur la personne ou dans le lit.*
   - Retirez le ruban adhésif hypoallergène près du point d'insertion en tenant l'aiguille fermement et en exerçant une contre-traction sur la peau. *Le mouvement de l'aiguille peut endommager la veine et causer de la douleur. La contre-traction évite de tirer la peau et de causer de la douleur.*
   - Mettez des gants propres et tenez un tampon de gaze stérile au-dessus du point d'insertion.
2. Retirez l'aiguille ou le cathéter de la veine.
   - Tirez sur l'aiguille ou le cathéter dans le sens de la veine. *Vous éviterez ainsi d'endommager la veine.*

- Avec un tampon de gaze stérile, appuyez fermement sur le point d'insertion pendant deux ou trois minutes. *La pression arrête le saignement et prévient la formation d'un hématome.*
- Élevez le membre de la personne au-dessus de son corps si le saignement persiste. *L'élévation du membre ralentit la circulation.*

3. Examinez le cathéter.
   - Vérifiez l'intégrité du cathéter. *Un morceau demeuré dans la veine peut se déplacer en direction du cœur et des poumons et causer de graves problèmes.*
   - Signalez immédiatement tout bris à l'infirmière responsable ou au médecin.
   - Si vous palpez un morceau de cathéter demeuré dans la veine, posez un garrot au-dessus du point d'insertion.

L'application d'un garrot diminue le risque de déplacement en attendant le médecin.

4. Recouvrez le point d'insertion avec un pansement stérile.
   - Fixez le pansement à l'aide d'un ruban adhésif hypoallergène. *Le pansement maintient la pression et recouvre l'ouverture pratiquée dans la peau, ce qui prévient l'infection.*
   - Jetez le sac de solution et le matériel usagé dans le contenant approprié.
5. Notez toute information pertinente.
   - Notez la quantité de liquide administrée dans le bilan des ingesta et des excreta, le type de solution, l'heure de l'arrêt de la perfusion, ainsi que la réaction de la personne.

ÉVALUATION

- Aspect du point d'insertion
- Pouls
- Respiration, couleur de la peau, œdème, expectorations, toux et débit urinaire
- Sensations physiques et psychologiques exprimées par la personne

PROCÉDÉ 50-5

Mise en place d'un dispositif d'injection intermittente

Objectif

- Permettre l'administration intermittente de médicaments ou de liquides par voie intraveineuse.

COLLECTE DES DONNÉES

Évaluez

- La perméabilité du cathéter.

- L'aspect du point d'insertion (signes d'inflammation ou d'infiltration).

PLANIFICATION

Révisez l'ordonnance médicale.

- Le médecin peut avoir explicitement prescrit la mise en place d'un dispositif d'injection intermittente, mais il arrive aussi que l'ordonnance soit implicite. Par exemple, un médecin peut demander en même temps de cesser l'administration intraveineuse de liquides et d'administrer un antibiotique ou des analgésiques par voie intraveineuse à heures fixes.

Matériel

- Bouchon
- Gants propres
- Compresse de gaze stérile de 5 cm × 5 cm
- Seringue de 3 mL avec dispositif d'injection sans aiguille contenant du soluté physiologique (sans agent de conservation) ou de l'héparine (10 ou 100 U/mL), selon les protocoles de l'établissement
- Tampon de chlorexidine
- Ruban adhésif hypoallergène
- Bassin réniforme propre

INTERVENTION

Préparation

1. Préparez la personne.
   - Expliquez le procédé à la personne et dites-lui pourquoi vous laissez le cathéter intraveineux en place. La seule douleur susceptible de survenir lors de la mise en place d'un dispositif d'injection intermittente se fait sentir au retrait du ruban adhésif hypoallergène.

Exécution

1. Préparez le matériel.
   - Lavez-vous les mains.
   - Examinez le point d'insertion (s'il est visible) et vérifiez la perméabilité du cathéter (voir le procédé 50-2). *Si le cathéter n'est pas complètement perméable ou que vous détectez des signes de phlébite ou d'inflammation, procédez à l'installation d'un nouveau site de perfusion.*
   - Découvrez l'embase du cathéter et retirez le ruban adhésif hypoallergène qui maintient la tubulure en place, *car il pourrait gêner l'insertion du bouchon.*
   - Clampez la tubulure *pour interrompre l'écoulement du liquide.*
   - Ouvrez l'emballage de la compresse de gaze et placez celle-ci sous l'embase du cathéter.

   - Ouvrez l'emballage du tampon de chlorexidine et du bouchon. Laissez le bouchon dans l'emballage.

2. Retirez la tubulure et insérez le bouchon dans le cathéter.
   - Mettez des gants.
   - Stabilisez le cathéter avec votre main non dominante et, avec votre petit doigt, exercez une légère pression sur la veine au-dessus de l'extrémité du cathéter. En faisant un mouvement de torsion, dégagez l'adaptateur de la tubulure du cathéter et retirez-le. Placez l'extrémité de la tubulure dans un bassin réniforme propre.
   - Prenez le bouchon dans son emballage et retirez le manchon protecteur de l'adaptateur mâle en faisant en sorte qu'il reste stérile. Insérez le bouchon dans le cathéter avec un mouvement de torsion ou engagez l'adaptateur Luer-lock.

3. Instillez le soluté physiologique ou l'héparine conformément à la politique de l'établissement. *Le soluté physiologique et l'héparine servent à maintenir la perméabilité du cathéter entre les injections.*

4. Fixez le bouchon à l'aide de ruban adhésif hypoallergène en suivant la méthode croisée. *Le ruban adhésif hypoallergène empêche le bouchon de se déloger du cathéter ou de s'accrocher dans les vêtements ou la literie.*

5. Donnez les directives suivantes à la personne:
   - Évitez de manipuler le cathéter ou le bouchon et empêchez-les de s'accrocher dans vos vêtements ou dans vos draps. Vous pouvez recouvrir le bouchon d'un bandage de gaze entre les utilisations pour le protéger.
   - Recouvrez le point d'insertion d'un pansement occlusif avant de prendre une douche; évitez d'immerger le point d'insertion.
   - À la maison, rincez le cathéter avec du soluté physiologique ou de l'héparine en vous conformant aux directives que vous avez reçues.
   - Avisez une infirmière ou un médecin si le bouchon ou le cathéter se déloge, si le point d'insertion devient rouge, œdématié ou douloureux et si vous observez un écoulement ou un saignement.

6. Notez toute information pertinente.

- Perméabilité du cathéter
- Aspect du point d'insertion

- Facilité du rinçage

■ Transfusions sanguines

L'administration de liquides intraveineux peut suffire à rétablir le volume intravasculaire (sanguin). Cependant, elle ne change en rien le pouvoir oxyphorique du sang, c'est-à-dire sa capacité de transporter l'oxygène. Quand une hémorragie ou une affection entraîne une perte d'érythrocytes, de leucocytes, de plaquettes ou de protéines sanguines, il peut être nécessaire de les remplacer afin de maintenir le liquide extracellulaire dans le compartiment intravasculaire et de redonner au sang la capacité de transporter l'oxygène et le gaz carbonique, de coaguler et de combattre l'infection.

GROUPES SANGUINS. On classe le sang humain en quatre groupes (A, B, AB et O). La surface des érythrocytes porte des protéines appelées **antigènes** qui sont propres à chaque personne. On connaît de nombreux antigènes sanguins, mais la détermination des groupes sanguins repose principalement sur les antigènes A, B et Rh. Ces antigènes sont aussi appelés **agglutinogènes**, car ils provoquent l'*agglutination* des cellules sanguines. Les érythrocytes des personnes du groupe A portent l'antigène ou agglutinogène A ; les érythrocytes des personnes du groupe B portent l'antigène B ; les érythrocytes des personnes du groupe AB portent à la fois les antigènes A et B. Enfin, les érythrocytes des personnes du groupe O ne portent ni l'antigène A ni l'antigène B.

Le plasma contient des **agglutinines**, c'est-à-dire des **anticorps** préformés qui agglutinent les érythrocytes portant l'antigène correspondant. Ainsi, les personnes du groupe A possèdent les agglutinines B ; les personnes du groupe B possèdent les agglutinines A ; les personnes du groupe O possèdent les agglutinines A et B. Quant aux personnes du groupe AB, elles ne possèdent ni les agglutinines A ni les agglutinines B (voir le tableau 50-11). Lors d'une transfusion sanguine, les groupes sanguins du donneur et du receveur doivent être compatibles, sinon il se produit une réaction antigène-anticorps et une hémolyse (destruction) des érythrocytes.

FACTEUR RHÉSUS (RH). Les érythrocytes d'environ 85 % des habitants de l'Amérique du Nord portent un agglutinogène appelé facteur Rhésus. Le sang qui contient le facteur Rhésus est dit Rh positif (Rh^+), tandis que celui qui n'en contient pas est Rh négatif (Rh^-). Le sang Rh^- ne contient pas d'anticorps anti-Rh. Cependant, l'exposition à du sang contenant le facteur Rh entraîne la formation d'anticorps anti-Rh. C'est ce qui se produit, par exemple, quand une femme Rh^- porte un fœtus Rh^+ ou quand une personne Rh^- reçoit du sang d'un donneur Rh^+. Les expositions subséquentes à du sang Rh^+ provoqueront une réaction antigène-anticorps et une hémolyse des érythrocytes.

DÉTERMINATION DU GROUPE SANGUIN ET ÉPREUVE DE COMPATIBILITÉ CROISÉE. Pour éviter les incompatibilités transfusionnelles, il faut procéder à la *détermination du groupe sanguin* du donneur et du receveur. Cette épreuve indique les groupes sanguins dans les systèmes ABO et Rh. On la fait subir également aux femmes enceintes et aux nouveau-nés afin de déterminer si les unes ou les autres ont été exposées à du sang d'un groupe incompatible (notamment pour ce qui est du facteur Rh).

Comme la détermination du groupe sanguin détecte seulement la présence des antigènes ABO et Rh, il faut aussi effectuer une *épreuve de compatibilité croisée* avant de transfuser du sang afin de prévenir d'éventuelles interactions entre d'autres antigènes et les anticorps correspondants. On mélange des érythrocytes du donneur à du sérum du receveur, on ajoute un réactif (sérum de Coombs) et on examine le mélange. L'absence de réaction d'agglutination visible indique que le sérum du receveur ne contient aucun anticorps susceptible d'attaquer les érythrocytes du donneur, et que le risque de réaction transfusionnelle est faible.

DON DE SANG. La collecte de sang s'effectue selon des critères rigoureux qui visent à protéger les donneurs contre les effets indésirables du don de sang, d'une part, et les receveurs contre les affections transmises par le sang, d'autre part. Les donneurs sont des volontaires non rémunérés. On ne peut accepter les dons des personnes qui ont des antécédents d'hépatite, d'infection par le VIH (ou qui présentent des facteurs de risque d'une infection par le VIH), d'affection cardiaque, de cancer, d'asthme grave, de troubles hémorragiques et de crises convulsives. En outre, le don de sang n'est pas recommandé aux personnes atteintes de paludisme, d'anémie, d'hypertension ou d'hypotension, ni à celles qui ont été exposées au paludisme ou à l'hépatite. Enfin, les femmes enceintes, les personnes qui viennent de subir une intervention chirurgicale et les personnes qui prennent certains médicaments devraient s'abstenir de donner du sang.

Au Québec, Héma-Québec a pour mission « de fournir avec efficience des composants, des substituts sanguins et des tissus humains sécuritaires, de qualité optimale et en quantité suffisante pour répondre aux besoins de la population québécoise ; d'offrir et de développer une expertise, des services et des produits spécialisés et novateurs dans les domaines de la médecine transfusionnelle et de la greffe de tissus humains » (2004). Pour assurer la sécurité des receveurs, Héma-Québec sélectionne les donneurs en s'appuyant sur un certain nombre de critères. En voici quelques-uns :

		TABLEAU
Groupes sanguins, agglutinogènes et agglutinines		**50-11**

Groupes sanguins	Antigènes des érythrocytes (agglutinogènes)	Anticorps du plasma (agglutinines)
A	A	B
B	B	A
AB	A et B	–
O	–	A et B

- Être en bonne santé.
- Être âgé de 18 à 70 ans. (S'il s'agit du premier don, il faut avoir entre 18 et 60 ans.) Les donneurs de plus de 66 ans doivent avoir donné du sang au cours des deux dernières années.
- Peser plus de 50 kilos (110 livres).
- Se sentir bien la journée du don.
- Faire vérifier sa médication, s'il y a lieu. Par exemple, les donneurs qui prennent des antibiotiques par la bouche doivent attendre 24 heures après la fin du traitement. Pour les traitements donnés au moyen d'injections, il faut attendre trois semaines après la fin du traitement. Les personnes soumises à une insulinothérapie ne peuvent donner du sang.
- Espacer les dons de sang d'au moins huit semaines.
- Attendre six mois après un accouchement, et six mois après le début de l'allaitement.
- Attendre la fin des symptômes en cas de mal de gorge, de grippe, de rhume ou d'allergie.
- Attendre 12 mois après un tatouage, un perçage ou une transfusion sanguine.

Pour assurer la sécurité du receveur, chaque donneur doit aussi répondre à un questionnaire afin d'établir qu'il est en « bonne santé ». Le donneur seul répond à la première partie du questionnaire, tandis qu'une infirmière remplit la seconde au cours d'une entrevue. En outre, chaque don de sang est soumis à des tests de dépistage avant d'être déclaré conforme aux normes de sécurité nationales édictées par Santé Canada et fixées par la *Loi et le Règlement sur les aliments et drogues relativement à la collecte et au traitement du sang et de ses dérivés*. Par ailleurs, dans le système québécois de gestion du sang, les hôpitaux sont responsables de la qualité et de la sécurité des transfusions sanguines. De son côté, le Comité d'hémovigilance est responsable de la santé publique. Cet organisme est tenu de surveiller les risques liés à la transfusion sanguine et d'en faire rapport au ministre de la Santé et des Services sociaux.

Pour la sécurité du donneur, Héma-Québec a aussi établi certaines règles de sécurité. Ces mesures comprennent la lecture obligatoire d'une brochure d'information, la prise des signes vitaux, l'évaluation de l'hémoglobine et le consentement du donneur exprimé par la signature d'un formulaire.

SANG ET PRODUITS SANGUINS DESTINÉS À LA TRANSFUSION. Rares sont les personnes qui ont besoin d'une transfusion de sang entier. La plupart du temps, il est plus approprié de transfuser seulement un composant du sang. Le tableau 50-12 présente les produits sanguins les plus fréquemment transfusés.

RÉACTIONS TRANSFUSIONNELLES. La transfusion de sang incompatible peut causer une **réaction hémolytique**, marquée par une destruction des érythrocytes transfusés. Cette réaction risque d'entraîner une atteinte rénale ou une insuffisance rénale. En outre, les transfusions sanguines causent parfois des réactions fébriles, des réactions allergiques, une surcharge circulatoire ou une septicémie. Un bon nombre de ces réactions apparaissent une trentaine de minutes après le début de la transfusion ; il faut donc surveiller étroitement la personne durant cette période. Si l'infirmière observe les signes d'une réaction, elle doit interrompre immédiatement la transfusion. Le tableau 50-13 présente les réactions transfusionnelles, leurs signes cliniques et les interventions infirmières appropriées.

ADMINISTRATION DE SANG. L'administration de sang exige de l'infirmière qu'elle prenne des précautions spéciales.

On doit demander le sang à la banque de sang juste avant la transfusion. Il ne faut pas placer le sang dans le réfrigérateur de l'unité, car les variations de température risquent de l'endommager. On doit se conformer aux règles de l'établissement pour

TABLEAU
50-12

Produits sanguins destinés à la transfusion

Produits	Usages
Sang entier	Rarement transfusé, sauf dans les cas extrêmes d'hémorragies aiguës. Rétablit le volume sanguin et fournit tous les produits sanguins : érythrocytes, plasma, protéines plasmatiques, plaquettes fraîches et facteurs de coagulation.
Érythrocytes	Augmentent le pouvoir oxyphorique du sang en cas d'anémie, d'intervention chirurgicale et de saignements prolongés. L'administration d'une unité de sang augmente l'hématocrite d'environ 4 %.
Érythrocytes autologues	Remplacent le sang perdu lors d'une intervention chirurgicale non urgente. La personne fait un don de sang autologue quatre à cinq semaines avant l'intervention.
Plaquettes	Remplacent les plaquettes chez les personnes atteintes de troubles hémorragiques ou d'une déficience en plaquettes. Les plaquettes fraîches sont les plus efficaces.
Plasma frais congelé	Augmente le volume sanguin et fournit des facteurs de coagulation. Comme il ne contient pas d'érythrocytes, il est inutile de déterminer le groupe sanguin et d'effectuer l'épreuve de compatibilité.
Albumine et fraction protéique plasmatique	Augmente le volume sanguin et apportent des protéines plasmatiques.
Facteurs de coagulation et cryoprécipité	Administrés aux personnes atteintes de déficiences en facteurs de coagulation. Chaque produit fournit différents facteurs intervenant dans les différentes étapes de la coagulation ; le cryoprécipité contient aussi du fibrinogène.

TABLEAU

50-13

Réactions transfusionnelles

Réactions : causes	Signes cliniques	Interventions infirmières*
Réaction hémolytique : incompatibilité entre le sang de la personne et celui du donneur	Frissons, fièvre, céphalée, dorsalgie, dyspnée, cyanose, douleur thoracique, tachycardie, hypotension	1. Cessez immédiatement la transfusion. NOTE : Retirez la tubulure en même temps que vous cessez la transfusion. Utilisez une nouvelle tubulure pour administrer du soluté physiologique. 2. Conservez l'accès veineux à l'aide d'une perfusion de soluté physiologique, ou conformément au protocole de l'établissement. 3. Expédiez le sang restant, un échantillon de sang de la personne et un échantillon d'urine au laboratoire. 4. Avisez immédiatement le médecin. 5. Prenez les signes vitaux. 6. Mesurez les ingesta et les excreta.
Réaction fébrile : sensibilité du sang de la personne aux leucocytes, aux plaquettes ou aux protéines plasmatiques	Fièvre, frissons, peau chaude et rouge, céphalée, anxiété, spasmes musculaires	1. Cessez immédiatement la transfusion. 2. Administrez des antipyrétiques selon l'ordonnance. 3. Avisez le médecin. 4. Conservez l'accès veineux à l'aide d'une perfusion de soluté physiologique.
Réaction allergique (légère) : sensibilité aux protéines plasmatiques transfusées	Érythème, démangeaisons, urticaire, sibilants, wheezing	1. Cessez la transfusion ou diminuez-en le débit, selon le protocole de l'établissement. 2. Avisez le médecin. 3. Administrez des antihistaminiques selon l'ordonnance.
Réaction allergique (grave) : réaction antigène-anticorps	Dyspnée, douleur thoracique, collapsus circulatoire, arrêt cardiaque	1. Cessez la transfusion. 2. Conservez l'accès veineux à l'aide d'une perfusion de soluté physiologique. 3. Avisez immédiatement le médecin. 4. Prenez les signes vitaux. Procédez à la réanimation cardiorespiratoire si nécessaire. 5. Administrez les médicaments (par exemple, l'adrénaline) et l'oxygène selon l'ordonnance.
Surcharge circulatoire : transfusion trop rapide	Toux, dyspnée, crépitants, distension des jugulaires, tachycardie, hypertension	1. Faites asseoir la personne, les pieds en position déclive. 2. Administrez les diurétiques et l'oxygène selon l'ordonnance. 3. Avisez le médecin. 4. Cessez la transfusion ou diminuez-en le débit.
Septicémie : transfusion de sang contaminé	Fièvre élevée, frissons, vomissements, diarrhée, hypotension	1. Cessez la transfusion. 2. Expédiez le sang restant au laboratoire. 3. Contactez le médecin. 4. Prélevez un échantillon de sang et demandez une culture au laboratoire. 5. Administrez les liquides intraveineux et les antibiotiques selon l'ordonnance. 6. Conservez l'accès veineux à l'aide d'une perfusion de soluté physiologique.

* Les interventions varient selon les établissements. L'infirmière doit se conformer au protocole de l'établissement où elle travaille.

vérifier l'unité de sang. On administre le sang au moyen d'un cathéter ou d'une aiguille de calibre 18 ou 19. L'utilisation d'une aiguille de calibre inférieur pourrait ralentir la perfusion et endommager les cellules sanguines. (Il peut cependant être nécessaire d'utiliser cette sorte d'aiguilles pour les jeunes enfants et les personnes dont les veines sont fragiles et de petit diamètre.) On

utilise une tubulure en Y munie d'un filtre (intégré ou ajouté), comme l'illustre la figure 50-35 ■. On raccorde l'une des branches de la tubulure au sac de sang et l'autre à un sac de soluté physiologique (NaCl à 0,9 %). Le soluté physiologique sert à purger la tubulure et à rincer l'aiguille avant la transfusion. Il permet également de conserver l'accès veineux ouvert, advenant une réaction

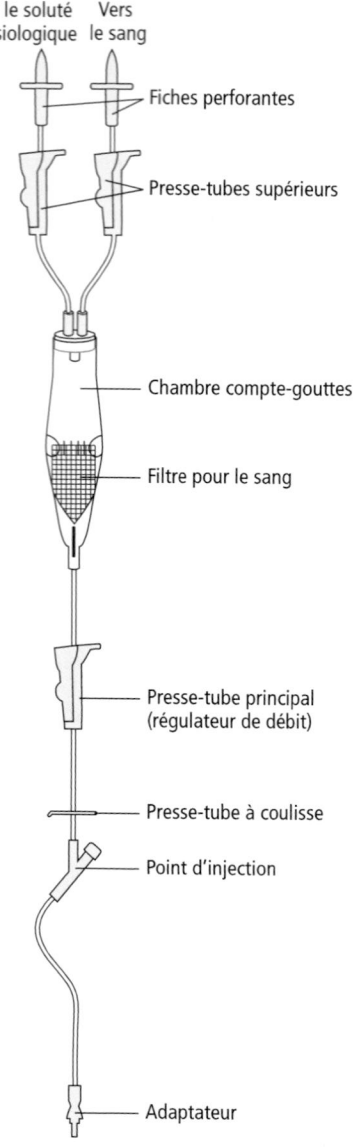

Vers le soluté physiologique

Vers le sang

Fiches perforantes

Presse-tubes supérieurs

Chambre compte-gouttes

Filtre pour le sang

Presse-tube principal (régulateur de débit)

Presse-tube à coulisse

Point d'injection

Adaptateur

transfusionnelle. On n'administre pas d'autres solutions intra-veineuses en même temps que le sang, car elles pourraient le faire coaguler. Une transfusion ne doit pas durer plus de quatre heures, car le risque de septicémie augmente si le sac de sang reste suspendu plus longtemps. On change la tubulure après avoir administré entre quatre et six unités, selon les règles de l'établissement, et après la transfusion.

Le procédé 50-6 décrit les étapes à suivre pour mettre en place, surveiller et arrêter une transfusion sanguine.

> **! ALERTE CLINIQUE** *Il faut toujours utiliser du soluté physiologique lorsqu'on procède à une transfusion. Si la personne reçoit une perfusion de dextrose, arrêtez-la et rincez la tubulure avec du soluté physiologique avant d'amorcer la transfusion. Les autres types de solutés risquent d'endommager les composants du sang.* ■

FIGURE 50-35 ■ Schéma d'une tubulure de perfusion en Y pour une transfusion sanguine.

PROCÉDÉ 50-6

Mise en place, surveillance et arrêt d'une transfusion sanguine administrée avec une tubulure en Y

Objectifs

- Rétablir le volume sanguin après une hémorragie grave.
- Rétablir le pouvoir oxyphorique du sang.

- Apporter des facteurs de coagulation, comme les facteurs VIII et IX, ou des concentrés de plaquettes *pour prévenir ou traiter l'hémorragie.*

COLLECTE DES DONNÉES

Évaluez

- Les signes cliniques de réaction (frissons, fièvre, nausées, démangeaisons, éruption, dorsalgie basse, dyspnée d'apparition soudaine, par exemple)

- Les manifestations de l'hypervolémie
- L'état du site d'insertion
- Tout symptôme inhabituel

PLANIFICATION

- Vérifiez l'ordonnance de transfusion.
- Assurez-vous que la personne a signé un formulaire de consentement.
- Prenez les signes vitaux initiaux (pression artérielle, pouls, fréquence et amplitude respiratoires, température).
- Demandez à la personne si elle a déjà souffert de réactions allergiques d'origine transfusionnelle ou de réactions indésirables au sang.
- Prenez note des signes particuliers reliés à l'affection de la personne et du motif de la transfusion. Pour une personne anémique, par exemple, notez l'hémoglobine et l'hématocrite.

Matériel

- Unité de sang entier ou d'érythrocytes concentrés
- Nécessaire de transfusion sanguine
- 250 mL de soluté physiologique
- Potence (tige à soluté)
- Nécessaire pour perfusion intraveineuse, comprenant un cathéter ou une aiguille de calibre 18 ou 19 (si l'accès veineux n'a pas encore été pratiqué). Si le produit sanguin doit être administré rapidement, employez un cathéter de gros calibre (14, par exemple) ou une aiguille de calibre 15
- Tampons de chlorhexidine
- Ruban adhésif hypoallergène
- Gants propres

INTERVENTION

Préparation

1. Préparez la personne.
   - Expliquez le procédé et sa raison d'être à la personne. Demandez-lui d'aviser promptement une infirmière si elle ressent soudainement des frissons, des nausées, des démangeaisons, une éruption, une dyspnée, une dorsalgie ou tout autre symptôme inhabituel.
   - Si la personne reçoit déjà un soluté intraveineux, vérifiez s'il s'agit d'un soluté physiologique et si l'aiguille est de calibre 18 ou 19. *La solution de dextrose (qui cause la lyse des érythrocytes), le soluté de lactate Ringer, les médicaments et les autres additifs, ainsi que les solutions d'hyperalimentation parentérale, sont incompatibles avec le sang.* Reportez-vous à l'étape 5 si la solution administrée est incompatible avec le produit sanguin à administrer.
   - Si la personne ne reçoit pas déjà un soluté intraveineux, vérifiez les règles de l'établissement concernant la transfusion. Dans certains établissements, on ne peut demander de sang à la banque de sang avant d'avoir installé une perfusion. Le cas échéant, vous devrez d'abord installer une perfusion intraveineuse de soluté physiologique (voir le procédé 50-1).

Exécution

1. Procurez-vous le produit approprié.
   - Confrontez l'ordonnance médicale et le formulaire de commande.
   - Avec la collaboration d'une autre infirmière, confrontez le formulaire de commande et l'étiquette apposée sur le sac. Vérifiez tout particulièrement le nom de la personne, son numéro d'identification, son groupe sanguin (A, B, AB ou O et Rh$^+$ ou Rh$^-$), le numéro du donneur et la date de péremption du sang. Assurez-vous que

le sang a une couleur normale et qu'il ne contient pas de caillots, de bulles ni de corps étrangers. Retournez le sang impropre à la banque de sang.
   - Avec une autre infirmière, comparez le bordereau du laboratoire avec :
     a) Le nom et le numéro d'identification de la personne
     b) Le numéro apparaissant sur l'étiquette du sac
     c) Le groupe sanguin (selon les systèmes ABO et Rh) indiqué sur l'étiquette du sac
   - À la moindre différence, avisez l'infirmière responsable et la banque de sang. N'administrez pas le sang tant que les divergences n'ont pas été corrigées ou expliquées.
   - Avec l'autre infirmière, signez le formulaire approprié conformément aux règles de l'établissement.
   - Ne laissez pas le sang plus de 30 minutes à la température ambiante avant de commencer la transfusion. *Les érythrocytes se détériorent et perdent leur efficacité s'ils demeurent plus de deux heures à la température ambiante. La lyse des érythrocytes libère du potassium dans la circulation sanguine et provoque une hyperkaliémie. De plus, le réchauffement des composants du sang favorise le risque de croissance bactérienne.* Le laps de temps au bout duquel on doit retourner le sang à la banque de sang varie selon les établissements. Si la transfusion est inopinément retardée, retournez le sang à la banque de sang. Ne l'entreposez pas dans le réfrigérateur de l'unité. *Il pourrait être soumis à des variations de température et se détériorer.*

2. Vérifiez l'identité de la personne.
   - Demandez à la personne de se nommer.
   - Vérifiez le nom et le numéro d'identité inscrits sur son bracelet d'identité.

N'administrez pas de sang à une personne qui ne porte pas de bracelet d'identité.

3. Préparez le matériel de transfusion.
   - Assurez-vous que le filtre contenu à l'intérieur de la chambre compte-gouttes convient à la tranfusion du sang entier ou des composants à administrer. Reliez la tubulure de transfusion au filtre, au besoin. *Les filtres pour le sang laissent passer les composants du sang mais retiennent les caillots.*
   - Mettez des gants.
   - Fermez tous les presse-tubes placés sur la tubulure en Y, c'est-à-dire le presse-tube principal (régulateur de débit) et ceux qui se trouvent sur les branches du Y.
   - D'un mouvement de rotation, insérez une fiche perforante dans le sac de soluté physiologique.
   - Suspendez le sac à la potence à environ 1 m au-dessus du point de ponction prévu.

4. Purgez la tubulure.
   - Ouvrez le presse-tube qui ferme la tubulure de perfusion et comprimez la chambre compte-gouttes jusqu'à ce que la solution recouvre le filtre et le tiers de la chambre compte-gouttes située au-dessus du filtre.
   - Tapotez la chambre compte-gouttes *afin d'expulser l'air qui pourrait rester dans le filtre.*
   - Retirez le capuchon de l'adaptateur à l'extrémité de la tubulure de transfusion.
   - Ouvrez le presse-tube principal et purgez la tubulure avec de la solution saline normale.
   - Fermez les deux presse-tubes.

5. Commencez la perfusion de soluté physiologique.
   - Si la personne reçoit un soluté intraveineux incompatible avec le sang à

PROCÉDÉ 50-6 (SUITE)

Mise en place, surveillance et arrêt d'une transfusion sanguine administrée avec une tubulure en Y (suite)

INTERVENTION (suite)

transfuser, arrêtez la perfusion et jetez le soluté et la tubulure, conformément aux procédures de l'établissement.

• Raccordez la tubulure de transfusion préalablement purgée avec du soluté physiologique au cathéter intraveineux.

• Ouvrez le presse-tube principal et celui de la tubulure de perfusion, puis ajustez le débit. Utilisez seulement le presse-tube principal pour régler le débit.

• Laissez passer une petite quantité de soluté physiologique afin de vous assurer qu'elle s'écoule bien et que le point d'insertion est intact. *Cette manœuvre permet également de vider le cathéter des solutés ou des médicaments incompatibles.*

6. Préparez le sac de sang.

• Agitez délicatement le sac en le basculant de haut en bas à quelques reprises, afin de mélanger les cellules au plasma. *Une manipulation trop vigoureuse peut endommager les cellules.*

• Dénudez l'ouverture du sac de sang en tirant sur les rabats (figure 50-36 ■).

• Insérez la fiche perforante de la tubulure de transfusion dans l'ouverture du sac de sang.

• Suspendez le sac de sang.

• Fermez le presse-tube de la tubulure de perfusion.

• Ouvrez le presse-tube de la tubulure de transfusion et purgez la tubulure.

7. Amorcez la transfusion sanguine.

• Le sang s'écoule dans la chambre compte-gouttes remplie de soluté physiologique. Au besoin, comprimez

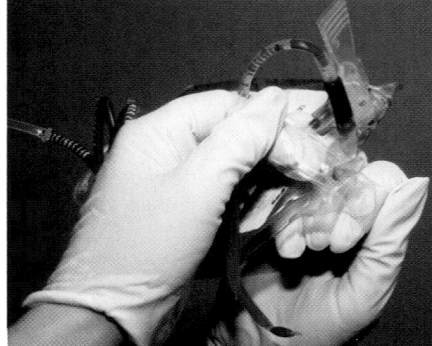

FIGURE 50-36 ■ Traction exercée sur les rabats pour dénuder l'ouverture d'un sac de sang.

la chambre compte-gouttes pour la remplir au tiers. (Tapotez le filtre pour en expulser l'air.)

• Ajustez le débit au moyen du presse-tube principal, si nécessaire.

8. Observez la personne de près pendant les cinq à dix premières minutes.

• Réglez le débit à 20 gouttes par minute pendant les 15 premières minutes.

• Notez les réactions indésirables comme les frissons, les nausées, les vomissements, les éruptions cutanées ou la tachycardie. *Souvent, les réactions qui se manifestent peu après le début de la transfusion sont les plus graves. Vous en atténuerez les conséquences si vous les détectez promptement.*

• Rappelez à la personne d'appeler immédiatement une infirmière si elle observe un symptôme inhabituel pendant la transfusion.

• Si une réaction transfusionnelle survient, avertissez immédiatement l'infirmière responsable et procédez aux interventions infirmières appropriées (voir le tableau 50-13).

9. Notez toute information pertinente.

• Notez l'heure du début de la transfusion, les signes vitaux, le groupe sanguin, le numéro de l'unité de sang, le numéro d'ordre (par exemple, une unité sur les trois commandées), l'emplacement du point d'insertion, le calibre de l'aiguille et le facteur d'écoulement.

10. Surveillez la personne.

• Quinze minutes après le début de la transfusion, vérifiez ses signes vitaux. Si vous n'observez aucun signe de réaction, passez au débit prescrit. La plupart des adultes peuvent tolérer l'administration d'une unité de sang en une heure et demie ou deux heures. La transfusion d'une unité de sang ne devrait pas dépasser quatre heures.

• Évaluez la personne et prenez ses signes vitaux toutes les 30 minutes, ou plus souvent, si son état de santé l'exige, pendant la durée de la transfusion et une heure après. Si la personne présente une réaction et que vous arrêtez la transfusion, expédiez le sac de sang au laboratoire pour le faire analyser.

11. Terminez la transfusion.

• Enfilez des gants propres.

• Si l'administration de sang est terminée, clampez la tubulure de transfusion et retirez l'aiguille. Si la personne doit recevoir une autre unité de sang, clampez la tubulure de transfusion et ouvrez la tubulure de perfusion. On doit changer les tubulures de transfusion toutes les 24 heures ou après l'administration de quatre à six unités de sang, selon le protocole de l'établissement.

• Si la personne doit continuer à recevoir du soluté physiologique, rincez la tubulure avec cette solution. Détachez la tubulure de transfusion et rétablissez la perfusion intraveineuse avec une nouvelle tubulure. Réglez le débit. On continue généralement d'administrer du soluté physiologique ou une autre solution au cas où surviendrait une réaction tardive.

• Déposez les aiguilles usagées dans le contenant approprié. Jetez les sacs de sang vides et les tubulures usagées dans un sac étiqueté que vous enverrez au service de décontamination. Conformez-vous aux procédures de l'établissement.

• Retirez les gants.

• Prenez à nouveau les signes vitaux.

12. Retournez le sac de sang à la banque de sang en vous conformant au protocole de l'établissement.

• Inscrivez l'heure de la fin de la transfusion et la quantité transfusée sur le formulaire de commande attaché à l'unité de sang.

• Placez une copie du formulaire de commande dans le dossier de la personne et une autre sur le sac de sang vide.

• Retournez le sac de sang et le formulaire de commande à la banque de sang.

13. Notez les données pertinentes.

• Notez l'heure de la fin de la transfusion, la quantité de sang administrée, le numéro de l'unité de sang et les signes vitaux. Si la personne reçoit une perfusion intraveineuse primaire, notez l'heure où vous l'avez amorcée. Notez aussi la transfusion sur la feuille de route de la perfusion intraveineuse et sur le bilan des ingesta et des excreta.

ÉVALUATION

- Changements des signes vitaux ou de l'état de santé

- Présence de frissons, de nausées, de vomissements ou d'une éruption cutanée

Évaluation

À l'étape de l'évaluation, l'infirmière recueille des données afin de déterminer l'efficacité de ses interventions, compte tenu des objectifs généraux établis à l'étape de la planification. Rappelons que ces objectifs sont : maintenir ou rétablir l'équilibre hydrique, maintenir ou rétablir la ventilation pulmonaire et l'oxygénation, maintenir ou rétablir l'équilibre électrolytique, et prévenir les déséquilibres hydriques, électrolytiques et acidobasiques.

Si elles n'obtiennent pas les résultats escomptés, l'infirmière et la personne, de même qu'un de ses proches aidants au besoin, doivent trouver les raisons de cet échec avant de modifier le plan de soins et de traitements infirmiers. Supposons que le résultat escompté prévoyait d'obtenir un débit urinaire supérieur à 1 300 mL par jour et inférieur d'au plus 500 mL à l'apport liquidien. On peut alors se poser les questions suivantes :

- Les autres critères de résultat relatifs à l'atteinte de l'équilibre hydrique ont-ils été satisfaits ?
- La personne comprend-elle l'apport liquidien qui lui a été prescrit ? Consomme-t-elle la quantité de liquide voulue ?
- Le débit urinaire a-t-il été mesuré en entier ?
- La personne a-t-elle perdu une quantité inhabituelle ou excessive de liquide par une voie dont on n'a pas tenu compte (aspiration gastrique, diaphorèse, fièvre, fréquence respiratoire élevée, plaie purulente) ?
- La personne a-t-elle pris ou reçu les médicaments prescrits ?

PLAN DE SOINS ET DE TRAITEMENTS INFIRMIERS

Déficit de volume liquidien

COLLECTE DES DONNÉES		*DIAGNOSTIC INFIRMIER*	RÉSULTATS DE SOINS INFIRMIERS [Nº CRSI/NOC] ET INDICATEURS*
Anamnèse Myriam Charbonneau, une vendeuse de 27 ans, se plaint de faiblesse, de malaise et de symptômes grippaux qui durent depuis trois ou quatre jours. Elle a soif, mais elle ne peut tolérer les liquides, car elle a des nausées et des vomissements. Elle a de deux à quatre selles liquides par jour.	**Examen physique** Taille : 1,60 m (5 pi 3 po) Poids : 66,2 kg (146 lb) Température : 38,6 °C Pouls : 86 bpm Respiration : 24/min Faible débit urinaire PA : 102/84 mm Hg Muqueuse buccale sèche, langue plicaturée, lèvres crevassées **Examens paracliniques** Densité de l'urine : 1,035 Concentration sérique de sodium : 155 mmol/L Concentration sérique de potassium : 3,2 mmol/L Radiographie pulmonaire sans particularité	*Déficit de volume liquidien*, relié aux nausées, aux vomissements et à la diarrhée, se manifestant par une diminution du débit urinaire, une augmentation de la concentration de l'urine, de la faiblesse, de la fièvre, une diminution de l'élasticité de la peau, une sécheresse des muqueuses, une augmentation de la fréquence du pouls et une diminution de la pression artérielle.	Équilibre électrolytique et acidobasique [0600], manifesté par des concentrations sériques d'électrolytes à l'intérieur des limites normales. Équilibre hydrique [0601], manifesté par : • La personne maintient un débit urinaire > 1 300 mL/jour. • La personne maintient une pression artérielle, un pouls et une température à l'intérieur des limites attendues. • La personne maintient une bonne élasticité de la peau, et la langue et les muqueuses sont humides. • La personne explique les mesures permettant de traiter ou de prévenir le déficit de volume liquidien. • La personne décrit les symptômes indiquant qu'il faut consulter un professionnel de la santé.

PLAN DE SOINS ET DE TRAITEMENTS INFIRMIERS (SUITE)

Déficit de volume liquidien (suite)

INTERVENTIONS INFIRMIÈRES [N° CISI/NIC] ET ACTIVITÉS CHOISIES*	JUSTIFICATION SCIENTIFIQUE
Traitement d'un déséquilibre électrolytique: hypokaliémie [2007]	
• Prélever les échantillons requis pour les analyses de la concentration de potassium et des autres électrolytes (gaz artériels, urine, sérum, par exemple).	*La mesure des concentrations sérique et urinaire de potassium renseigne sur la concentration extracellulaire de potassium. On ne peut pas mesurer le K^+ intracellulaire.*
• Administrer les suppléments de potassium prescrits (par voie orale, nasogastrique ou intraveineuse) selon la politique de l'établissement.	*L'hypokaliémie est dangereuse; Mme Charbonneau pourrait avoir besoin de suppléments de potassium.*
• Surveiller l'apparition des manifestations neurologiques et neuromusculaires de l'hypokaliémie (faiblesse musculaire, léthargie et diminution du niveau de conscience).	*Le potassium est un électrolyte essentiel à la contraction musculaire.*
• Surveiller l'apparition des manifestations cardiaques de l'hypokaliémie (hypotension, tachycardie, pouls de faible amplitude, arythmies).	*L'hypokaliémie peut causer plusieurs troubles du rythme cardiaque. Elle exige une surveillance étroite de la fonction cardiaque.*
Traitement d'un déséquilibre électrolytique: hypernatrémie [2004]	
• Prélever les échantillons requis pour les analyses du déséquilibre de la concentration de sodium (par exemple, sodium sérique et urinaire, chlorure sérique et urinaire, osmolalité, densité urinaire).	*La mesure des concentrations sérique et urinaire de sodium fournit des renseignements sur la rétention ou la perte de sodium ainsi que sur la capacité des reins de concentrer ou de diluer l'urine en réaction aux variations du volume liquidien.*
• Pratiquer les soins d'hygiène buccale de façon régulière.	*La perte de liquide dans les espaces interstitiels rend la muqueuse buccale sèche et collante.*
• Surveiller l'apparition de manifestations neurologiques et neuromusculaires de l'hypernatrémie (comme la léthargie, l'irritabilité, les crises convulsives et l'hyperréflexie).	*Étant donné la diminution du volume liquidien, l'hypernatrémie rend le compartiment vasculaire hypertonique, ce qui provoque une sortie d'eau des cellules, neurones compris, d'où les symptômes neurologiques.*
• Surveiller l'apparition de manifestations cardiaques de l'hypernatrémie (tachycardie, hypotension orthostatique, aplatissement des jugulaires).	*La diminution du volume liquidien provoque une diminution de la pression artérielle et un aplatissement des jugulaires. Pour compenser l'hypotension, la fréquence cardiaque accélère, ce qui entraîne une augmentation du débit cardiaque et de la pression artérielle.*
Traitement d'un déséquilibre hydrique [4120]	
• Peser Mme Charbonneau tous les jours et noter les variations de poids.	*Le poids est un indicateur de l'équilibre hydrique.*
• Mesurer et noter les ingesta et les excreta avec précision.	*Il est essentiel de disposer d'un bilan exact pour évaluer l'équilibre hydrique.*
• Surveiller les signes vitaux.	*Une augmentation de la fréquence cardiaque, une diminution de la pression artérielle et une augmentation de la température sont des signes d'hypovolémie.*
• Administrer les liquides nécessaires.	*À mesure que les nausées s'atténueront, Mme Charbonneau pourra ingérer des liquides, ce qui contribuera à rétablir son volume liquidien.*
• Administrer la thérapie intraveineuse selon l'ordonnance.	*Mme Charbonneau présente les signes d'un grave déficit de volume liquidien. Elle aura probablement besoin d'une rééquilibration par voie intraveineuse, d'autant plus que les nausées et les vomissements limitent son apport hydrique par voie orale.*

ÉVALUATION

Résultats escomptés obtenus. Mme Charbonneau a été hospitalisée pendant 48 heures. Elle a reçu 5 L de liquide par voie intraveineuse. Sa pression artérielle est montée à 122/74, la fréquence de son pouls au repos est passée à 74 bpm (régulier, amplitude normale) et sa fréquence respiratoire est descendue à 12/min (régulière, amplitude normale). Son débit urinaire a augmenté à mesure qu'elle a reçu des liquides, et il s'établissait à > 0,5 mL/kg/h (adéquat) quand elle a reçu son congé. Mme Charbonneau prenait des liquides par voie orale et était capable de décrire les symptômes de déficit de volume liquidien qui l'amèneraient à consulter un professionnel de la santé en cas de besoin.

*Les résultats, interventions et activités présentés ici sont simplement des exemples de ceux qui sont proposés par les systèmes CRSI/NOC et CISI/NIC. Ils doivent être personnalisés en fonction du cas de chaque personne.

EXERCICES D'INTÉGRATION

1. Que doit faire l'infirmière si le rythme cardiaque de Mme Charbonneau devient irrégulier ?

2. Mme Charbonneau répond aux questions de l'infirmière de manière inintelligible et elle semble désorientée. À quoi l'infirmière pourrait-elle attribuer cette situation ?

3. Comment l'infirmière peut-elle aider Mme Charbonneau à augmenter son apport liquidien ?

4. Mme Charbonneau demande à l'infirmière pourquoi elle la pèse tous les matins. Que lui répond-elle ?

Voir l'appendice A: Exercices d'intégration – Pistes de réflexion.

SCHÉMA DU PLAN DE SOINS ET DE TRAITEMENTS INFIRMIERS

Déficit de volume liquidien

M. C.
27 ans, ♀

→

- Vendeuse. Présente de la faiblesse, un malaise et des symptômes grippaux depuis trois ou quatre jours. A soif mais ne peut tolérer les liquides en raison des nausées et des vomissements. A de deux à quatre selles liquides par jour.

- Taille: 1,60 m (5 pi 3 po)
- Poids: 66,2 kg (146 lb)
- T: 38,6 °C P: 86 bpm R: 24 PA: 102/84

- Densité de l'urine: 1,035
- Sodium sérique: 155 mmol/L
- Potassium sérique: 3,2 mmol/L
- Radiographie pulmonaire sans particularité

Traitement d'un déséquilibre hydrique

- Peser Mme Charbonneau tous les jours et noter les variations de poids.
- Mesurer et noter les ingesta et les excreta avec précision.
- Surveiller les signes vitaux.
- Administrer les liquides nécessaires.
- Administrer la thérapie intraveineuse selon l'ordonnance.

Déficit de volume liquidien relié aux nausées, aux vomissements et à la diarrhée, se manifestant par une diminution du débit urinaire, une augmentation de la concentration de l'urine, de la faiblesse, de la fièvre, la diminution de l'élasticité de la peau, la sécheresse des muqueuses, un pouls plus rapide et une diminution de la pression artérielle.

Traitement d'un déséquilibre électrolytique: hypernatrémie

- Prélever les échantillons requis pour les analyses du déséquilibre de la concentration de sodium (par exemple, sodium sérique et urinaire, chlorure sérique et urinaire, osmolalité, densité urinaire).
- Pratiquer les soins d'hygiène buccale de façon régulière.
- Surveiller l'apparition de manifestations neurologiques et neuromusculaires de l'hypernatrémie (comme la léthargie, l'irritabilité, les crises convulsives et l'hyperréflexie).
- Surveiller l'apparition de manifestations cardiaques de l'hypernatrémie (comme la tachycardie, l'hypotension orthostatique et l'aplatissement des jugulaires).

Équilibre hydrique, manifesté par:
- Maintien du débit urinaire > 1 300 mL/jour.
- Maintien de la pression artérielle, du pouls et de la température corporelle à l'intérieur des limites attendues.
- Maintien de l'élasticité de la peau et de l'humidité de la langue et des muqueuses.
- Explication des mesures pouvant servir à traiter ou à prévenir le déficit de volume liquidien.
- Description des symptômes dictant la consultation d'un professionnel de la santé.

Équilibre électrolytique et acidobasique, manifesté par des concentrations sériques d'électrolytes à l'intérieur des limites normales.

Traitement d'un déséquilibre électrolytique: hypokaliémie

- Prélever les échantillons requis pour les analyses de la concentration de potassium et des autres électrolytes (par exemple, gaz artériels, urine, sérum).
- Surveiller l'apparition de manifestations neurologiques et neuromusculaires de l'hypokaliémie (faiblesse musculaire, léthargie et diminution du niveau de conscience).
- Administrer les suppléments de potassium prescrits (par voie orale, nasogastrique ou intraveineuse) selon les règles en vigueur dans l'établissement.
- Surveiller l'apparition de manifestations cardiaques de l'hypokaliémie (comme l'hypotension, la tachycardie, la faiblesse du pouls et les dysrythmies).

Résultats escomptés obtenus
- Hospitalisée pendant 48 heures.
- A reçu 5 L de liquide par voie intraveineuse.
- PA: 122/74.
- P: 74, régulier, amplitude normale.
- R: 12, régulière, amplitude normale.
- Le débit urinaire a augmenté à mesure que Mme Charbonneau recevait des liquides. Au moment du congé, il s'établissait à > 0,5 mL/kg/h (adéquat).
- Prise de liquides par voie orale sans avoir de nausées.

Légende: Collecte des données ☐ Diagnostics infirmiers ☐ Résultats de soins infirmiers ☐ Interventions infirmières ■ Activités ☐ Évaluation ☐

RÉVISION DU CHAPITRE

Concepts clés

- L'équilibre hydrique, électrolytique et acidobasique est nécessaire au maintien de la vie et de la santé.

- Les liquides organiques sont répartis en deux compartiments principaux, le compartiment intracellulaire et le compartiment extracellulaire.

- Le liquide extracellulaire (LE) est subdivisé en deux compartiments, le compartiment intravasculaire (plasma) et le compartiment interstitiel. Il représente environ le tiers des liquides organiques.

- Le liquide extracellulaire circule constamment dans l'organisme. Il constitue le système de transport des nutriments et des déchets des cellules.

- Le pourcentage d'eau par rapport au poids corporel varie selon l'âge, le sexe et la quantité de tissu adipeux. Il est plus élevé chez les personnes jeunes que chez les personnes âgées, chez les personnes minces que chez les personnes grasses, et chez les hommes que chez les femmes.

- L'organisme contient deux types d'électrolytes (ions) : les ions chargés positivement (cations) et les ions chargés négativement (anions).

- Les principaux ions du LE sont le sodium et le chlorure ; les principaux ions du LI sont le potassium et le phosphate.

- Les liquides et les électrolytes se déplacent entre les compartiments par osmose, diffusion, filtration et transport actif.

- Le mouvement des liquides et des électrolytes entre les compartiments crée une pression osmotique et une pression hydrostatique.

- L'eau contenue dans l'organisme provient des liquides absorbés par voie orale, des aliments ingérés et des réactions métaboliques. L'apport liquidien est contrôlé par le mécanisme de la soif.

- Les quatre voies de la déperdition hydrique sont l'excrétion d'urine, la transpiration, l'expulsion des matières fécales et la perspiration insensible.

- Chez un adulte en bonne santé, l'apport hydrique et la déperdition hydrique mesurables devraient s'équilibrer (à environ 1 500 mL par jour). Le débit urinaire équivaut normalement à l'apport liquidien par voie orale. Le gain d'eau relié aux aliments et à leur métabolisme équivaut aux pertes reliées à la transpiration, à la respiration et à l'expulsion des matières fécales.

- Les reins, la fonction endocrinienne, la fonction cardio-vasculaire, les poumons et le système digestif participent à la régulation du volume des liquides organiques et de leur composition. Les reins sont les principaux régulateurs de l'équilibre hydrique et électrolytique.

- L'hormone antidiurétique, le système rénine-angiotensine-aldostérone et le facteur natriurétique auriculaire interviennent également dans le maintien de l'équilibre hydrique.

- Les déséquilibres hydriques sont :
  a) Le déficit de volume liquidien (DVL), aussi appelé hypovolémie.
  b) L'excès de volume liquidien (EVL), aussi appelé hypervolémie.
  c) La déshydratation, qui consiste en un déficit d'eau seulement.
  d) La surhydratation, qui consiste en un excès d'eau seulement.

- Les déséquilibres électrolytiques les plus fréquents sont les déficits ou les excès de sodium, de potassium et de calcium.

- Pour que l'organisme conserve son équilibre acidobasique, le pH des liquides organiques doit demeurer à l'intérieur de limites étroites, soit entre 7,35 et 7,45.

- L'équilibre acidobasique est régi par : les systèmes tampons, qui neutralisent les acides ou les bases en excès ; les poumons, qui éliminent ou retiennent le gaz carbonique ; les reins, qui excrètent ou conservent les ions bicarbonate et hydrogène.

- Un déséquilibre acidobasique survient lorsque la concentration de bicarbonate par rapport à celle de l'acide carbonique s'écarte du rapport normal de 20:1. Le déséquilibre peut être d'origine respiratoire ou métabolique et prendre la forme d'une acidose ou d'une alcalose.

- L'âge, le sexe, la stature, la température ambiante et le mode de vie influent sur l'équilibre hydrique, électrolytique et acidobasique. Les affections, les traumas, les interventions chirurgicales et certains médicaments prédisposent aux déséquilibres hydriques, électrolytiques et acidobasiques.

- L'analyse du plasma en laboratoire constitue la manière la plus précise de déterminer les déséquilibres hydriques, électrolytiques et acidobasiques.

- La collecte des données relatives aux déséquilibres hydriques, électrolytiques et acidobasiques comprend : (a) l'anamnèse ; (b) l'examen physique de la peau, de la cavité buccale, des yeux, des veines jugulaires, des veines de la main et de la fonction neurologique ; (c) les mesures telles que la pesée, la prise des signes vitaux et l'enregistrement des ingesta et des excreta ; (d) des examens paracliniques, notamment les analyses sanguines et urinaires.

- L'anamnèse permet de recueillir des données sur les éléments suivants : l'apport liquidien et nutritionnel, la déperdition hydrique, les signes de déséquilibres hydriques, électrolytiques et acidobasiques, les médicaments, les traitements ou les processus morbides susceptibles de perturber les équilibres.

- Les diagnostics infirmiers reliés spécifiquement aux déséquilibres hydriques, électrolytiques et acidobasiques sont *Déficit de volume liquidien*, *Excès de volume*

RÉVISION DU CHAPITRE (SUITE)

Concepts clés (suite)

liquidien, *Risque de déséquilibre de volume liquidien*, *Risque de déficit de volume liquidien* et *Échanges gazeux perturbés*. Les autres diagnostics infirmiers reliés à ces déséquilibres sont : *Atteinte de la muqueuse buccale*, *Atteinte à l'intégrité de la peau*, *Débit cardiaque diminué*, *Irrigation tissulaire inefficace*, *Intolérance à l'activité*, *Risque de blessure* et *Confusion aiguë*.

■ La plupart du temps, les personnes qui présentent un déficit liquidien ou qui y sont prédisposées peuvent recevoir des liquides et des électrolytes par voie orale. L'infirmière doit respecter les préférences de la personne en matière de liquides et, avec sa collaboration, elle établit un horaire pour l'ingestion de la quantité nécessaire de liquides sur une période de 24 heures.

■ Les personnes qui présentent une rétention liquidienne doivent limiter leur consommation de liquides. Pour leur faciliter la tâche, l'infirmière doit établir un horaire et formuler des objectifs à court terme.

■ Les pertes liquidiennes excessives exigent l'administration de liquides et d'électrolytes par voie intraveineuse. L'infirmière doit observer une technique aseptique méticuleuse quand elle prodigue des soins à une personne recevant une perfusion intraveineuse.

■ La prévention de complications, telles l'infiltration, la phlébite, l'hypervolémie (surcharge circulatoire) et l'infection, est un aspect important de la thérapie intraveineuse.

■ L'administration d'une transfusion sanguine exige de l'infirmière qu'elle vérifie scrupuleusement la correspondance entre le groupe sanguin du donneur et celui du receveur, qu'elle identifie correctement le receveur et qu'elle observe la personne tout au long de la transfusion afin de déceler d'éventuelles réactions transfusionnelles.

Questions de révision

50-1. Quels sont les deux principaux électrolytes du liquide intracellulaire ?
 a) Le sodium et le bicarbonate.
 b) Le chlorure et le calcium.
 c) Le potassium et le phosphate.
 d) L'albumine et le magnésium.

50-2. Quel électrolyte contribue à la régulation de la contraction musculaire et de la transmission de l'influx dans le cœur ?
 a) Le sodium.
 b) Le calcium.
 c) Le chlorure.
 d) Le potassium.

50-3. Une personne manifeste des signes de déficit liquidien isotonique, sans pertes liquidiennes apparentes, et son poids demeure stable. Elle présente vraisemblablement :
 a) Un déficit de volume liquidien.
 b) Un excès de volume liquidien.
 c) Une déshydratation.
 d) Un syndrome du troisième compartiment.

50-4. Une personne a pris 2 kg au cours des trois derniers jours. Quel est, approximativement, le gain de liquide correspondant ?
 a) 2 L.
 b) 1 L.
 c) 0,5 L.
 d) 3 L.

50-5. Une personne pesant 80 kg souffre d'insuffisance cardiaque congestive. Au cours des quatre dernières heures, son apport liquidien s'est chiffré à 500 mL et son débit urinaire à 100 mL. Que devrait faire l'infirmière ?
 a) Mettre en place une sonde vésicale à demeure.
 b) Continuer à mesurer les ingesta et les excreta.
 c) Aviser le médecin ou l'infirmière responsable.
 d) Augmenter l'apport liquidien de la personne.

Voir l'appendice B : Réponses aux questions de révision.

BIBLIOGRAPHIE

En anglais

Anonymous. (1999). Understanding imbalances caused by GI fluid loss. *Nursing, 29*(8), 72.

Aschenbrenner, D. S. (2000). A matter of practice : Skin preps and protocols. *American Journal of Nursing, 100*(4), 78.

Behrman, R. E. (1992). *Nelson textbook of pediatrics.* Philadelphia : Saunders.

Beyerle, K. (2001). Focus on autotransfusion : Recycling blood lost from a chest wound eliminates incompatibility risk and saves precious time. *Nursing, 31*(12), 49–51.

Burke, S. (2001). Boning up on osteoporosis. *Nursing, 31*(10), 38.

Carlson, K. R. (1999). Correct utilization and management of peripherally inserted central catheters and midline catheters in the alternate care setting. *Journal of Intravenous Nursing, 22*(6 Suppl.) : S46–S50.

Centers for Disease Control and Prevention. (2002). Guidelines for the prevention of intra-vascular catheter-related infections. *Mortality and Morbidity Weekly Report, 51*(10), 1–29.

Cook, N. (1999). Central venous catheters : Preventing infection and occlusion. *British Journal of Nursing, 8,* 980, 982, 984, 986–988.

Cooper, A., & Moore, M. (1999). IV fluid therapy. *Australian Nursing Journal, 7*(5), 1–5.

Copstead, L. C., & Banasik, J. L. (2000). *Pathophysiology : Biological and behavioural perspectives* (2nd ed.). Philadelphia : Saunders.

Creamer, E., McCarthy, G., Tighe, I., & Smyth, E. (2002). A survey of nurses' assessment of peripheral intravenous catheters. *British Journal of Nursing, 11,* 999–1007.

Dougherty, L. (2000). Central venous access devices. *Nursing Standard, 14*(43), 45–50, 53–54.

Drewett, S. R. (2000) Complications of central venous catheters : Nursing care. *British Journal of Nursing, 9,* 466, 468, 470–478.

Fitzpatrick, L. (2002). When to administer modified blood products. *Nursing, 32*(5), 36–42.

Gaspar, P. M. (1999). Water intake of nursing home residents. *Journal of Gerontological Nursing, 25*(4), 23–29.

Hadaway, L. C. (2002). IV Rounds : Choosing the right vascular access device, Part I. *Nursing, 32*(9), 75.

Hadaway, L. C. (2002) IV Rounds : Choosing the right vascular access device, Part II. *Nursing, 32*(10), 74.

Hadaway, L. C. (2002). What you can do to prevent catheter related infections. *Nursing, 32*(9), 46–48.

Johnson, M., Maas, M., & Moorhead, S. (Eds.). (2000). *Nursing outcomes classification (NOC).* St. Louis, MO : Mosby.

Josephson, D. L. (1999). *Intravenous infusion therapy for nurses : Principles and practice.* Albany, NY : Delmar.

Klein, T. (2001). PICCs and midlines—fine tuning your care. *RN, 64*(8), 26–29.

Kobriger, A. M. (1999). Dehydration : Stopping a sentinel event. *Nursing Homes, 48*(10), 60–65.

Lee, C. A. B., Barrett, C. A., & Ignatavicius, D. D. (1996). *Fluids and electrolytes : A practical approach* (4th ed.). Philadelphia : F. A. Davis.

Leigh, G. (2001). Securing an IV insertion site. *Nursing, 31*(4), 46–47.

Masoorli, S., & Angeles, T. (2002). Getting a line on central vascular access devices. *Nursing 2002, 32*(4), 36–43.

McCloskey, J. C., & Bulechek, G. M. (Eds.). (2000). *Nursing interventions classification (NIC)* (3rd ed.). St. Louis, MO : Mosby.

McConnell, E. A. (1999). Vascular access devices : Lines to live by. *Nursing Management, 30*(12), 49–52.

McConnell, E. A. (2000). Clinical do's and don'ts : Changing a central venous catheter dressing. *Nursing, 30*(4), 24.

McConnell, E. A. (2000). Clinical do's and don'ts : Infusing packed RBC's. *Nursing, 30*(2), 17.

McConnell, E. A. (2000). Infusion perfusion : IV pumps for every need. *Nursing Management, 31*(4), 53–55.

Mentes, J. C. (2000). Hydration management protocol. *Journal of Gerontological Nursing, 26*(10), 6–15.

Metheny, N. M. (2000). *Fluid and electrolyte balance : Nursing considerations* (4th ed.). Philadelphia : Lippincott.

Milliam, D. A., & Hadaway, L. C. (2000). On the road to successful IV starts. *Nursing, 30*(4), 34–48.

NANDA International. (2003). *NANDA nursing diagnoses : Definitions and classification 2003-2004.* Philadelphia : Author.

Pagana, K. D., & Pagana, J. P. (2002). *Mosby's manual of diagnostic and laboratory tests* (2nd ed.). St. Louis, MO : Mosby-Year Book.

Parker, L. (1999). IV devices and related infections : Causes and complications. *British Journal of Nursing, 8,* 1491, 1493, 1495, 1497–1498.

Przybylek, C. (2002), Two ways to avoid a "sticky" IV situation. *Nursing, 32*(11), 47–49.

Todd, J. (1999). Peripherally inserted central catheters and their use in IV therapy. *British Journal of Nursing, 8,* 140, 142, 144, 146–148.

Workman, B. (1999). Peripheral intravenous therapy management. *Nursing Standard, 14*(4), 53–60, 62.

En français

Brûlé, M., Cloutier, L. et Doyon, O. (dir.). (2002). *L'examen clinique dans la pratique infirmière,* Saint-Laurent : Éditions du Renouveau Pédagogique.

Carpenito, L. J. (2003). *Manuel de diagnostics infirmiers,* traduction de la 9e édition, Saint-Laurent : Éditions du Renouveau Pédagogique.

Handanos, D. (2001). L'administration intraveineuse des médicaments à domicile, *Le Médecin du Québec, 36*(6), 83-90.

Hegstad, L. N. et Hayek, W. (2004). *La dose exacte : de la lecture de l'ordonnance à l'administration du médicament,* Saint-Laurent : Éditions du Renouveau Pédagogique.

Héma-Québec (2004). Mission, (page consultée le 21 octobre 2004), [en ligne], <http://www.hema-quebec.qc.ca/F/francais.htm>.

Johnson, M. et Maas, M. (dir.). (1999). *Classification des résultats de soins infirmiers CRSI/NOC,* Paris : Masson.

Ladegaillerie, G. (2001). Le cathéter veineux périphérique court : les recommandations pour la pratique clinique (avril 2000), *Revue de l'infirmière, 69,* p. 50-51.

McCloskey, J. C. et Bulechek, G. M. (dir.). (2000). *Classification des interventions de soins infirmiers CISI/NIC,* 2e éd., Paris : Masson.

NANDA International. (2004). *Diagnostics infirmiers : Définitions et classification 2003-2004,* Paris : Masson.

Ordre des infirmières et infirmiers du Québec. (avril 2003). *Guide d'application de la nouvelle Loi sur les infirmières et infirmiers et de la Loi modifiant le Code des professions et d'autres dispositions législatives dans le domaine de la santé,* Montréal : OIIQ.

Ordre des infirmières et infirmiers du Québec / Durand, S. et Thibault, C. (2004). *Lignes directrices. Application de techniques invasives par les infirmières et les infirmiers : Insertion du cathéter veineux central introduit par voie périphérique,* Montréal : OIIQ.

Tortora, G. J. et Grabowski, S. R. (2001). *Principes d'anatomie et de physiologie,* Saint-Laurent : Éditions du Renouveau Pédagogique.

EXERCICES D'INTÉGRATION – PISTES DE RÉFLEXION

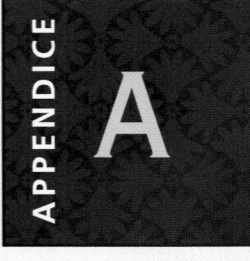

APPENDICE **A**

Chapitre 1 Les soins infirmiers d'hier à aujourd'hui

1. L'adoption par l'Assemblée législative du Québec de la *Loi modifiant le Code des professions et d'autres dispositions législatives dans le domaine de la santé* (L.Q. 2002, c. 33).

2. Le champ d'exercice de la profession a été actualisé, 14 activités professionnelles (L.R.Q., c. I-8, art. 36) ont été réservées aux infirmières et une disposition sur l'exercice par des infirmières habilitées de cinq activités réservées aux médecins (art. 36.1) a été ajoutée au texte de la loi (voir le chapitre 4 🔗).

3. Les *Perspectives de l'exercice de la profession d'infirmière* (OIIQ, 2004b).

4. Les personnes qui quittent les services de soins aigus pour retourner dans la communauté ont encore besoin de soins. Par ailleurs, la population est de plus en plus consciente des coûts des soins de santé.

Chapitre 2 Formation et recherche infirmières au Québec et dans le reste du Canada

1. a) Il est important de recueillir l'information suivante afin d'être en mesure de répondre adéquatement à Marie.

    • Quelles connaissances a-t-elle des soins infirmiers ? Connaît-elle une infirmière qui travaille actuellement dans le réseau de la santé ? Ses représentations mentales de l'infirmière et des soins infirmiers sont-elles basées sur les stéréotypes véhiculés par les médias ? Connaît-elle les différentes voies de formation pour devenir infirmière ?

    • A-t-elle été hospitalisée dernièrement ou a-t-elle eu à recevoir des soins à l'urgence ? Si oui, comment ces expériences influent-elles sur son choix de carrière ?

    • Quel est son niveau de formation scolaire ? A-t-elle suivi d'autres formations ?

    • Quels sont ses objectifs professionnels et combien de temps prévoit-elle investir dans sa formation ?

    • Quelle est sa situation financière ?

    • Y a-t-il un cégep à proximité de chez elle ? Une université ? Sinon, a-t-elle les moyens de se déplacer ?

    Les réponses à ces questions vont vous permettre d'obtenir des informations pertinentes qui vous guideront dans les réponses à donner.

    b) • Acquérir les habiletés à communiquer, les habiletés interpersonnelles et les habiletés psychomotrices.

    • Parfaire ses compétences en leadership et sa capacité à travailler en équipe.

    • Parfaire ses connaissances en sciences infirmières, en biologie, en sciences humaines et en sciences sociales.

    c) Réponse personnelle.

2. a) • Faire preuve d'esprit d'analyse dans les situations caractéristiques de la pratique.

    • Consulter des résultats de recherche susceptibles d'exercer une influence positive sur les soins infirmiers.

    • Aider les chercheuses à recueillir des données.

    • Discuter avec ses pairs des connaissances acquises par l'appréciation critique de travaux de recherche pertinents à sa pratique.

    b) • Un comité d'éthique a-t-il donné son approbation au projet ?

    • Comment l'étude bénéficiera-t-elle aux personnes ?

    • Qu'attend-on des participants à l'étude ?

    • En tant qu'étudiant en soins infirmiers, comment puis-je contribuer à cette étude ?

    c) • Jean doit lire l'information que les chercheuses vont remettre aux participants à l'étude.

    • Jean doit s'assurer que les chercheuses répondent aux questions des participants.

    • Jean doit indiquer aux participants comment entrer en communication avec les chercheuses ou comment se retirer de l'étude s'ils le souhaitent.

Chapitre 3 Pensée philosophique et soins infirmiers

1. Nous nous tournons vers la pensée philosophique chaque fois que nous vérifions le bien-fondé d'une observation dans notre pratique et que nous essayons de déterminer la meilleure façon d'agir dans une situation. La pensée philosophique nous incite à examiner les postulats et les croyances qui orientent notre pensée et qui ont une influence sur nos paroles et sur nos faits et gestes. La pensée philosophique nous aide à comprendre comment utiliser les concepts et comment leur donner un sens ; elle nous aide à évaluer les arguments que nous avançons pour défendre ou pour critiquer certaines façons de penser.

2. Les quatre concepts sont les suivants :

    • La *personne*, c'est-à-dire celle qui reçoit les soins infirmiers (il peut s'agir d'une seule personne, d'une famille, d'un groupe ou d'une communauté).

    • L'*environnement*, c'est-à-dire les conditions internes et externes qui influent sur la personne. L'environnement sous-entend aussi l'entourage, comme la famille, les amis et les proches.

• La *santé*, c'est-à-dire le degré de bien-être et de prédisposition à la santé de la personne.

• Les *soins infirmiers*, c'est-à-dire les attributs, les caractéristiques et les actions de l'infirmière qui prodigue des soins à la personne, en collaboration avec cette dernière.

Chapitre 4 Cadre juridique de la profession infirmière

1. Pour s'assurer que Mme Jiminez donne un consentement éclairé à l'intervention médicale, l'infirmière a les responsabilités suivantes :

   • Elle doit savoir en quoi consiste l'intervention.

   • Elle doit vérifier que Mme Jiminez est au courant des objectifs de l'intervention.

   • Idéalement, elle devrait assister à la conversation entre le médecin et Mme Jiminez. Elle doit garder à l'esprit que le consentement éclairé à une intervention médicale relève de la responsabilité du médecin ; si le consentement ne lui semble pas éclairé, elle doit en aviser le médecin.

2. Avant de donner un consentement éclairé à une intervention médicale, la personne doit être pleinement informée par le médecin, y compris en ce qui concerne les risques encourus et les bienfaits escomptés. Le formulaire de consentement éclairé est une preuve que ce consentement a bel et bien été obtenu par le médecin. Dans le cas présent, le médecin n'a rien expliqué à Mme Jiminez et l'infirmière incite cette dernière à signer quand même le formulaire sans informer le médecin de la situation.

3. L'infirmière n'a pas un comportement approprié :

   • Elle incite Mme Jiminez à signer le formulaire sans lui donner les informations nécessaires pour le faire.

   • Elle explique les bienfaits de l'intervention à Mme Jiminez, mais elle ne lui parle pas des risques potentiels, sans compter qu'elle n'a peut-être pas toutes les connaissances médicales nécessaires pour le faire puisqu'il s'agit d'une intervention médicale et non infirmière.

   • Elle ne tient pas compte des inquiétudes exprimées par Mme Jiminez.

   • Elle n'explique pas à Mme Jiminez le déroulement de l'intervention et ne lui parle pas de son état postopératoire.

   • Elle ne demande pas au médecin si Mme Jiminez a été informée des risques potentiels de l'intervention.

4. L'infirmière doit tenir compte des facteurs suivants : barrières linguistiques, âge (par exemple, personne mineure ou adulte), capacité de décision, état de conscience (par exemple, désorientation ou sédation) et niveau de conscience.

5. Une voie de fait est une atteinte à l'intégrité de la personne. Or, l'accomplissement d'une intervention effractive sur une personne sans son consentement éclairé constitue une telle atteinte, peu importe que le formulaire de consentement ait été signé ou non. La signature d'une personne sur le formulair ne signifie pas obligatoirement que la personne a été informée adéquatement.

Chapitre 5 Valeurs, morale et éthique

1. Les valeurs personnelles sont souvent fondées sur des croyances et des attitudes, que celles-ci soient familiales, culturelles, religieuses ou autres. L'infirmière ne doit jamais présumer des valeurs personnelles de la personne. Elle doit plutôt s'en enquérir afin de les confirmer en discutant ouvertement avec la personne dans un climat de soutien.

2. Les valeurs et les décisions de la personne sont influencées par toutes sortes de facteurs : le soutien de sa famille, son expérience des soins de santé, l'importance qu'elle donne à la maladie (et à son pied), ses buts personnels. Le chirurgien possède des informations sur l'état de santé général de la personne, sur ses possibles antécédents chirurgicaux ainsi que sur les valeurs et les croyances personnelles de la personne en ce qui a trait aux conséquences d'une amputation. L'infirmière doit effectuer l'anamnèse si ce n'est déjà fait, puis l'analyser pour dégager les facteurs susceptibles d'influer sur les valeurs et les décisions de la personne. Elle doit aussi examiner les antécédents médicaux et les résultats de l'examen physique, puis recueillir les données manquantes auprès de la personne ou du chirurgien.

3. La responsabilité de l'infirmière consiste à s'assurer que la personne dispose de toutes les informations nécessaires pour prendre une décision éclairée. Ainsi, les informations que l'infirmière doit transmettre à la personne ne se limitent pas à sa santé physique ; elles incluent tout ce qui peut aider la personne à prendre sa décision, par exemple ce que prévoit la police d'assurance pour les soins en phase aiguë ainsi que pour la réadaptation. Les croyances personnelles de l'infirmière quant à ce que la personne devrait faire ou ce que le chirurgien devrait recommander ne doivent pas l'empêcher d'assumer cette responsabilité.

4. Il est parfois difficile pour l'infirmière de trouver un terrain d'entente, car elle veut à la fois défendre les droits de la personne et ne pas interférer dans la relation entre le chirurgien et cette personne. Par ailleurs, la décision éclairée de la personne va parfois à l'encontre de la pratique médicale habituelle ou recommandée.

5. Le code de déontologie des infirmières ou la charte des droits de la personne peuvent aider l'infirmière à se rappeler les principes susceptibles d'orienter ses décisions lorsqu'un dilemme éthique se présente. Les décisions de l'infirmière doivent se baser sur une théorie éthique et des normes éthiques plutôt que sur son point de vue personnel.

Chapitre 6 Système de distribution des soins et des services de santé

1. Cette expression désigne la prestation de services à la personne de manière à faciliter le passage d'un milieu à un autre ; autrement dit, il s'agit de la prestation ininterrompue de soins dans divers milieux.

2. La famille et les amis de Mme Dicaire peuvent lui fournir des services de soutien informel, comme faire les courses, l'aider à prendre soin des enfants et l'accompagner à ses rendez-vous.

Faites une recherche dans Internet pour trouver trois organismes de santé qui seraient susceptibles de venir en aide à Mme Dicaire, en supposant qu'elle habite dans votre localité.

3. L'infirmière peut s'assurer que Mme Dicaire reçoit à domicile les soins liés au drain ou elle peut montrer à Mme Dicaire comment s'occuper elle-même du drain. Elle peut lui fournir une liste d'organismes communautaires susceptibles de l'aider à prendre soin des enfants.

Chapitre 7 Soins de santé communautaire et continuité des services

1. On devrait accorder plus d'importance aux facteurs culturels et ethniques, de même qu'aux composantes spirituelles de la santé.

2. Les soins infirmiers communautaires exigent la connaissance de techniques de processus de groupe et de stratégies d'évaluation de la communauté, de même que des habiletés en enseignement de groupe.

3. Le milieu peut favoriser la santé par des facteurs positifs, comme un approvisionnement adéquat en denrées alimentaires et en eau saine, mais la présence de polluants dans le milieu risque de réduire la qualité de ces dernières.

Chapitre 8 Promotion de la santé

1. L'infirmière doit se rappeler, entre autres, les éléments suivants :
   • En écoutant attentivement la personne, on l'amène à vérifier sa compréhension de l'information transmise.
   • Il est important de bien faire comprendre à la personne qu'elle peut faire des choix et qu'elle a la maîtrise en la matière. C'est à elle de décider si elle veut agir et concentrer ses efforts sur un comportement donné.
   • Il faut évaluer la motivation à changer de façon continue, y compris dans ses aspects de l'importance accordée au changement et de la confiance en ses capacités de changer.
   • Les rechutes sont fréquentes : la personne revient alors à un stade antérieur du processus de changement de comportement.

2. Voici quelques exemples de questions pertinentes :
   • « Pourriez-vous me décrire une journée normale de votre vie et me dire la place que [le comportement] y occupe ? »
   • « Vous avez nommé la consommation de tabac, l'exercice, les habitudes alimentaires et la perte de poids. Aimeriez-vous discuter de l'un de ces sujets ou préférez-vous aborder un autre sujet ? » L'infirmière donne ainsi à la personne l'occasion de choisir le sujet le plus important pour elle au moment de l'entrevue.
   • « Lequel de ces comportements pouvez-vous le plus facilement envisager de changer ? »
   • « Il est parfois utile d'examiner le pour et le contre de [le comportement]. Pensez-vous que cela vous aiderait de le faire ? »
   • « Qu'est-ce qui vous préoccupe le plus au sujet de [le comportement] ? »
   • « Aimeriez-vous avoir plus d'information à propos de [le comportement] ? »
   • « Quel lien voyez-vous entre [le comportement] et [un autre comportement] ? »

3. M. Brien est au stade de contemplation, car il se demande s'il ne devrait pas changer et il est prêt à en parler. Les personnes qui ont atteint ce stade veulent changer, mais elles éprouvent une certaine résistance au changement. La prise de conscience est importante durant ce stade. Il faut déterminer si M. Brien veut de l'information et lui en donner, s'il y a lieu. On doit l'aider à prendre davantage conscience de son comportement et de ses motivations. Pourquoi veut-il changer ? Quels sont les avantages et les inconvénients du changement ?

Chapitre 9 Soins à domicile

1. Plusieurs aspects du rôle de l'infirmière sont identiques dans les deux cas. Certaines techniques comme l'administration de médicaments par voie intraveineuse comportent les mêmes étapes, mais il faut parfois les adapter parce qu'on manque d'une partie du matériel habituel. (On devra peut-être utiliser par exemple un crochet fixé à une porte à défaut de la tige à soluté classique.) L'infirmière en soins à domicile doit, par ailleurs, considérer la famille de la personne soignée comme faisant partie des intervenants, ce qui n'est pas le cas dans le contexte hospitalier.

2. La personne qui reçoit des soins à domicile bénéficie des droits reconnus aux personnes soignées dans un établissement de soins de santé, mais elle peut de surcroît exiger que les manières de soigner concordent avec son milieu culturel ; elle peut refuser les recommandations et les interventions de l'infirmière.

3. En matière de sécurité : tous les éléments du domicile ou des activités de la vie quotidienne qui favoriseraient la progression du diabète (par exemple, une température ambiante trop élevée ou trop basse) ou qui représenteraient un risque de blessures (comme une rampe d'escalier inadéquate). En matière de prévention des infections : le manque d'accès aux dispositifs indispensables à l'hygiène personnelle ; l'incapacité de participer au changement des pansements et au soin des plaies en raison d'une vision déficiente, d'un manque de dextérité ou de toute autre limitation physique. L'absence de soutien adéquat au proche aidant.

4. En plus de bénéficier du bien-être émotionnel associé au fait d'être chez soi, la personne soignée peut rester en contact avec plusieurs personnes et poursuivre certaines activités, par exemple des tâches comme le paiement des factures et le soin des animaux domestiques.

Chapitre 10 Informatique en soins infirmiers

Point de vue de la personne

• Le droit à la vie privée de la personne a été violé puisqu'elle n'a pas autorisé des gens qui ne lui fournissent pas directement des soins à examiner son dossier.

• La confidentialité a été violée puisque l'établissement n'a pas protégé l'information concernant cette personne, le rapport de laboratoire étant resté affiché à l'écran d'un ordinateur.

- L'intégrité des données concernant cette personne a été assurée puisqu'on a ajouté dans le dossier une note corrigeant le résultat initial de l'épreuve de laboratoire.

- Comme le droit à la vie privée de la personne a été violé et que des gens ont pu avoir accès à son dossier sans restriction, l'établissement devrait revoir ses politiques en matière de sécurité de l'information et instaurer de nouvelles pratiques à cet égard, telle la nécessité de fournir un mot de passe pour avoir accès aux ordinateurs ou à certains dossiers.

Point de vue de l'infirmière

- L'infirmière a respecté la confidentialité et le droit de la personne à la vie privée en ne discutant pas avec sa collègue des informations contenues dans le dossier de santé électronique en question.

- L'intégrité des données est préservée par l'ajout d'une correction qui reflète l'état de santé réel de la personne.

- Des mesures de sécurité telles que l'emploi d'un mot de passe ne sont efficaces que si le personnel respecte les règlements, qui consistent par exemple à fermer tout dossier de santé électronique avant de s'éloigner de l'écran.

Point de vue de la collègue

- La collègue a violé le droit à la vie privée de la personne, qui s'attend à ce que toute information sur son état de santé soit communiquée uniquement aux personnes qui lui prodiguent directement des soins.

- Elle a contrevenu aux consignes de confidentialité en discutant de ce qu'elle avait lu à l'écran avec l'infirmière et les autres personnes assises à la table.

- N'ayant pas lu la totalité du rapport, elle n'a pas vu que celui-ci avait été corrigé. L'intégrité des données a cependant été respectée.

- Elle a eu accès au dossier de la personne sans avoir à fournir un mot de passe. Il ne s'agit pas d'un manque de sécurité informatique, mais d'une erreur humaine, car la dernière personne qui a consulté le dossier l'a laissé ouvert en quittant le terminal.

Chapitre 11 Conceptions de la santé et de la maladie

1. Jean a une attitude positive et se perçoit comme étant en bonne santé, alors que Joël a une attitude négative et pense qu'il est malade. Il s'agit ici de repérer et de comparer les données illustrant la dimension psychologique (concept de soi, relation entre le corps et l'esprit, approche émotionnelle de la santé) pour les deux personnes, puis de réfléchir à la façon dont les différences entre leurs perceptions peuvent se répercuter sur leur rétablissement et leur guérison.

2. Jean est probablement une personne ayant un lieu de contrôle « interne » parce qu'il a pris sa santé en charge en modifiant son régime alimentaire, en commençant un programme d'exercice et en s'efforçant de réduire son niveau de stress. Joël, quant à lui, est sans doute une personne ayant un lieu de contrôle « externe » parce qu'il ne réussit pas à prendre sa santé en main. Il croit peut-être que sa santé est essentiellement le jouet de forces extérieures sur lesquelles il n'a aucun pouvoir d'action.

3. Les données indiquent que, dans le cas de Jean, davantage de facteurs externes positifs interviennent (activités, travail, une épouse qui le soutient, par exemple).

4. La perception qu'a Joël de son affection et, par conséquent, sa capacité de réagir de façon positive sont peut-être minées par des antécédents familiaux de cardiopathie et par sa conviction qu'il présente des risques élevés et ne peut rien faire pour améliorer son état de santé. De plus, les obstacles qu'il perçoit (coût, temps, manque de soutien social) semblent entraver toute action. Enfin, peut-être suppose-t-il que les avantages du rôle de malade l'emportent sur ceux que comporterait la guérison.

5. Vérifier si Joël accorde de l'importance aux avantages que pourrait avoir le fait de cesser de fumer ; évaluer ses connaissances sur les effets du tabagisme et lui fournir l'information nécessaire ou corriger ses idées fausses ; manifester un intérêt sincère à Joël et renforcer positivement les changements qu'il entreprend ; lui permettre de prendre ses propres décisions et lui manifester confiance et respect. Plusieurs autres interventions sont possibles.

Chapitre 12 Santé de l'individu, de la famille et de la communauté

1. L'état émotionnel de la personne peut avoir un effet sur plusieurs problèmes de santé. S'il s'agit d'arthrite rhumatoïde, la personne peut avoir des crises lorsqu'elle est soumise à un stress. De plus, certains médicaments utilisés pour traiter l'arthrite peuvent provoquer des changements d'humeur et d'autres effets nocifs désagréables. Tout aspect d'un problème de santé ayant un effet sur le fonctionnement quotidien d'un membre de la famille se répercutera sur la capacité d'adaptation de tous les autres membres.

2. La famille est touchée parce que le rôle de Linda est remis en question. Les autres membres de la famille doivent peut-être assumer des tâches supplémentaires qui incomberaient habituellement à Linda. De plus, la réaction émotionnelle de Linda en ce qui concerne la maladie peut entraver sa capacité d'offrir le soutien psychologique nécessaire à ses enfants et à son conjoint et, par conséquent, plonger ces derniers dans une grande détresse.

3. Surmonter un problème de santé en tant que cellule familiale rapproche souvent les membres du groupe, même ceux qui semblent habituellement plus distants sur les plans physique ou émotionnel. Par contre, le stress, le coût et les responsabilités supplémentaires que doivent assumer les membres du groupe font partie des inconvénients lorsque survient un problème de santé dans la famille. La personne malade peut ressentir une profonde culpabilité en raison du surplus de travail que les autres doivent assumer. Les autres membres du groupe peuvent ressentir de la fatigue, être incapables de soutenir la personne malade ou simplement refuser de le faire.

4. Chaque membre de la famille existe comme élément d'un tout. Chacun d'entre eux entretient des relations avec les

autres et avec son environnement. La famille est devenue un système plus replié sur lui-même (avec des limites plus difficiles à franchir) qu'en temps normal puisque les parents souhaitent éviter de recourir aux ex-conjoints et de subir toute ingérence de leur part. Les systèmes biologiques de Linda fonctionnent peut-être mal, ce qui se répercute sur le fonctionnement de ses autres systèmes et de ceux de la famille. Par exemple, une rétroaction sous forme de douleur lui indiquera quels sont les types d'activités physiques qui lui conviennent le mieux et l'intensité avec laquelle elle pourra les pratiquer.

5. Le problème de santé de Linda est individuel et ne rend pas vraiment compte de la santé de la communauté (comme une affection contagieuse le ferait, par exemple). Linda et sa famille ont besoin d'une attention et de soins personnalisés, ce qui correspond exactement aux fonctions d'une infirmière en soins à domicile.

Chapitre 13 Culture et ethnicité

1. • La culture de Rachel est mixte, car ses valeurs, ses croyances, ses normes, ses habitudes de vie, ses décisions et ses actions sont influencées par la culture juive et par la culture italienne. Rachel est donc biculturelle, car elle a intégré à la fois les habitudes et les valeurs de sa mère juive et celles de son beau-père italien et catholique.
   • L'ethnicité de Rachel est marquée par ses origines juives (conscience d'appartenir à un groupe qui se différencie des autres par des repères symboliques), comme l'illustre le fait qu'elle observe à la fois les traditions juives et catholiques.
   • Née de parents juifs, Rachel est de race juive ; elle en a les caractéristiques biologiques et les traits génétiques.

2. Les valeurs culturelles déterminent souvent les interactions familiales et le rôle de chacun des membres de la famille ; l'infirmière doit donc déterminer qui a le «pouvoir» de prendre les décisions au nom de la personne et de décider du degré de participation de la famille aux soins. Sans indications claires sur les pratiques culturelles de Rachel, il sera difficile, voire impossible, de prodiguer à Rachel des soins adaptés à sa culture au cours de cette importante période de sa vie.

3. • L'évaluation culturelle est particulièrement importante pour Rachel en ce moment, d'une part pour la réconforter et, d'autre part, pour s'assurer qu'elle mourra dans le respect de ses croyances et de ses traditions.
   • Il est également important de bien connaître le réseau de soutien de Rachel, de préserver ou de respecter ses préférences culturelles et religieuses et d'offrir un soutien, aussi bien à Rachel qu'à sa famille, tout en faisant preuve de sensibilité et de compétence.

4. • L'infirmière risque de ne pas comprendre les habitudes ou les comportements d'une personne dont l'origine est différente de la sienne.
   • L'infirmière pourrait ne pas être en mesure de prodiguer des soins adaptés à la culture de la personne.

Chapitre 14 Approches complémentaires et parallèles en santé

1. Le nom de la personne, Tim Lee, laisse supposer qu'elle est d'ascendance asiatique (le cancer de l'estomac est plus courant chez les populations asiatiques que chez les autres groupes ethniques). Les parents de Tim ne parlent ni français ni anglais, leur culture d'origine n'est pas occidentale. Dans de nombreux peuples asiatiques, on a régulièrement recours à des ACPS pour rester en bonne santé. Souvent, les personnes atteintes d'un cancer qui ne réagissent pas aux traitements traditionnels recourent à des ACPS pour traiter l'affection ou en maîtriser les symptômes.

2. Le toucher thérapeutique, la rétroaction biologique, la prière, la musicothérapie, la méditation et d'autres ACPS du même genre pourraient certainement aider M. Lee à surmonter la douleur et même à augmenter son apport nutritionnel. Des plantes médicinales, remèdes homéo-pathiques et produits utilisés en médecine chinoise tradi-tionnelle ne présentent aucun danger quand on les combine à des traitements occidentaux. Toutefois, l'infirmière devrait rechercher de plus amples informations à ce sujet.

3. L'infirmière pourrait feindre de n'avoir rien trouvé, mais ce serait ne pas tenir compte du risque d'interactions médicamenteuses nocives avec les médicaments que prend M. Lee. L'infirmière pourrait questionner M. Lee ou sa femme sur le contenu des sacs et ensuite chercher à en déterminer l'innocuité.

4. Selon que l'infirmière est en faveur du recours aux ACPS ou non, ses relations avec la personne et sa famille ne seront pas orientées de la même façon. L'infirmière doit prendre conscience de ses préjugés et veiller à produire des soins professionnels, peu importe ses propres croyances. Elle doit rester ouverte et à l'écoute des croyances de la personne ; elle doit soutenir cette dernière dans son droit d'agir conformément à ses convictions.

Chapitre 15 Pensée critique et pratique infirmière

1. Sur quels faits cette hypothèse s'appuie-t-elle ? Quelles sont les autres explications possibles de l'état de cette personne ? Que pourrait en penser une autre infirmière ? Y a-t-il des faits qui mèneraient à une autre conclusion et si oui, lesquels ?

2. La confiance dans le raisonnement incite à croire que la pensée critique amènera des conclusions appropriées. Une attitude de confiance dans le raisonnement exige que l'on examine l'influence des émotions sur sa pensée et que l'on recoure à la logique pour tirer des conclusions. Indiquez de quelle manière vous considérez et mettez en pratique ces différents éléments.

3. Si la conclusion de l'infirmière est juste et qu'elle agit en conséquence, elle contribue à atténuer le problème de la personne grâce à une prompte intervention. La personne peut ainsi recevoir un traitement approprié, et l'infirmière peut élaborer un plan de soins et de traitements pour aider cette personne et sa famille à composer avec la situation. Si l'hypothèse de départ est fausse, l'infirmière ne peut arriver à la bonne conclusion ; elle perd donc son temps et l'état de la personne pourrait empirer. Cette situation engendrerait des frustrations, du gaspillage de ressources et diverses autres conséquences négatives.

4. L'infirmière pourrait demander ce qu'éprouve la personne à propos de sa retraite. Comme son épouse travaille toujours, elle pourrait aussi demander quelles sont les répercussions de cette situation. De plus, elle pourrait s'enquérir du rôle que pourrait jouer l'approche des Fêtes dans l'état de cette personne.

Chapitre 16 Collecte des données

1. Il est extrêmement important de se renseigner au moins sur les allergies, les affections concomitantes et les interventions chirurgicales antérieures de la personne.

2. Il faut obtenir en premier lieu des données sur la fonction musculosquelettique de la personne puisque c'est une affection touchant cette fonction qui motive son hospitalisation. Il est important également d'obtenir des données sur les fonctions cardiorespiratoire et tégumentaire, en raison de l'âge de la personne et de la période d'immobilité qui suivra l'intervention chirurgicale.

3. L'infirmière peut poser plusieurs questions pertinentes. Quoi qu'il en soit, ses questions devraient être ouvertes et inciter la personne à fournir le renseignement recherché. (Il serait inutile, par exemple, de demander à la personne où elle habite.) Voici un exemple de question appropriée : « Vous ne pourrez probablement pas rester seule à la maison à votre retour de l'hôpital. Quel genre d'aide pensez-vous avoir lors de votre retour à la maison ? »

4. La famille et les personnes significatives de son entourage, ses dossiers cliniques antérieurs ainsi que d'autres professionnels de la santé.

Chapitre 17 Analyse et interprétation des données

1. Insomnie, agitation, xérostomie, accélération du pouls et de la respiration, augmentation de la pression artérielle, courte durée d'attention.

2. Incertitude du pronostic, manque de connaissances sur la maladie et son traitement, et peur de la douleur.

3. *Stratégies d'adaptation inefficaces*, *Chagrin chronique*, *Détresse spirituelle*, *Sentiment d'impuissance*, *Inadaptation à un changement dans l'état de santé*, *Dégagement inefficace des voies respiratoires* ou *Mode de respiration inefficace*, *Deuil anticipé*.

4. Le diagnostic de cancer est peut-être exact, mais il s'agit d'un diagnostic médical. Un diagnostic infirmier décrit une réaction à un état de santé ou à un problème de santé. De plus, le facteur favorisant (tabagisme) n'est pas un problème que l'infirmière est apte à résoudre par des interventions autonomes.

Chapitre 18 Planification

1. L'infirmière présuppose que le plan de soins et de traitements type est assez détaillé et que les éléments d'individualisation qu'elle y apportera suffiront à le compléter.

2. Le dernier résultat escompté relié à *Anxiété* (soit « Exprime librement ses inquiétudes à propos de l'exercice de ses rôles professionnel et parental, et énumère les solutions possibles à ce problème ») et les ordonnances correspondantes. En effet, les rôles en question s'exercent à l'extérieur de l'établissement de soins.

3. L'infirmière doit prévoir un moment pour discuter du plan avec Mme Aquilini, en tête à tête ou en compagnie de membres de la famille ou de l'équipe de soins. Elle peut lui présenter le plan verbalement ou par écrit. L'infirmière peut amorcer la discussion au moment de confirmer le plan auprès de la personne ; elle peut aussi convenir avec la personne de la liste des problèmes, des diagnostics infirmiers, des objectifs de soins, des résultats escomptés et des interventions après lui avoir présenté les données de l'examen clinique.

4. L'infirmière peut omettre l'indication de temps si les politiques de l'établissement précisent la fréquence des interventions infirmières et que cette fréquence est appropriée au plan de soins et de traitements. De même, l'infirmière peut omettre la fréquence si elle doit exécuter l'intervention à chacune de ses interactions avec la personne (par exemple, « Rester calme et paraître confiante »).

5. Les diagnostics infirmiers reliés aux voies respiratoires sont souvent prioritaires, car ils décrivent des situations qui menacent la survie des personnes. Au moment de réviser l'ordre de priorité, l'infirmière doit tenir compte des nouveaux problèmes de même que des progrès vers l'atteinte des objectifs. Si l'état des voies respiratoires s'améliore, son niveau de priorité changera, et d'autres diagnostics monteront dans l'ordre de priorité.

Chapitre 19 Interventions et évaluation

1. Pour *Dégagement inefficace des voies respiratoires*, l'objectif général n'est pas atteint. La personne est capable d'une toux productive, mais il faut maintenir, en le modifiant, le plan de soins et de traitements infirmiers pour atteindre tous les objectifs. Pour *Anxiété*, l'objectif général est en grande partie atteint. Il est indiqué de poursuivre l'observation et la collecte des données.

2. Certains résultats ne sont pas accompagnés de nouvelles ordonnances infirmières parce que les interventions n'ont pas été correctement exécutées (et qu'elles sont encore nécessaires) ou parce qu'il faut attendre que leurs effets se manifestent.

3. Il pourrait être opportun de maintenir le diagnostic infirmier au cas où le problème réapparaîtrait. D'un autre côté, on peut obtenir les résultats qu'il reste à obtenir (la fréquence respiratoire, par exemple) au moyen d'interventions continues (comme l'enseignement) ou de plans reliés à d'autres diagnostics infirmiers.

4. Elles les trouvent dans la documentation des soins infirmiers (voir le chapitre 20 🔗).

Chapitre 20 Tenue de dossier

1. L'infirmière n'a pas indiqué la date ni écrit les heures selon le système international d'unités. Elle a porté un jugement sur la personne (utilisation du mot « plaignard »). Elle n'a pas fait preuve de complétude. (Que lui a dit la personne pendant les 20 minutes qu'elle a passées à l'écouter ? Cette information pourrait-elle servir à améliorer les soins ? L'infirmière a-t-elle pris la pression artérielle de la personne dans deux positions différentes

ou à deux moments différents ?) Elle ne dit rien sur les raisons pour lesquelles la personne a refusé le repas. Elle présuppose que la personne est tombée du lit. L'a-t-elle vue tomber ou l'a-t-elle trouvée par terre en entrant dans la chambre ? Enfin, l'infirmière ne démontre pas qu'elle structure sa tenue de dossier selon la démarche systématique.

2. Le dossier aurait dû être structuré selon la démarche systématique. Il aurait dû rendre compte des résultats de l'examen physique reliés aux caractéristiques détermi-nantes de la douleur. Il aurait dû indiquer les interventions exécutées pour soulager la douleur ainsi que les réactions de la personne à ces interventions. Il aurait dû également faire état de l'enseignement donné à la personne (le cas échéant) et des réactions de celle-ci.

3. 05-06-06 Nº 1 Douleur.
   S : « Douleur vive comparable à un coup de poignard naissant dans le bas du dos et irradiant jusque dans la jambe gauche. »
   Évalue la douleur à 8 sur 10.
   « Je n'ai pas dormi la nuit dernière. »
   O : PA 210/90, P72, R18.
   Dernière dose reçue il y a 5 heures.
   A : Apparition de douleur en l'absence de la médication analgésique.
   P : Administrer les analgésiques prescrits.
   Appliquer un coussin chauffant dans le bas du dos.
   Placer la personne sur le côté, des oreillers derrière le dos.
   I : Analgésiques opioïdes administrés selon l'ordonnance.
   Coussin chauffant appliqué dans le bas du dos.
   Installé en décubitus latéral droit, avec des oreillers dans le dos.
   E : « Je me sens mieux. » (Après les interventions.)
   R : Ajouter au plan de soins et de traitements d'offrir des analgésiques jour et nuit q 4 h plutôt que prn.

4. 05-06-06 Douleur.
   D : « Douleur vive comparable à un coup de poignard naissant dans le bas du dos et irradiant jusque dans la jambe gauche. »
   Évalue la douleur à 8 sur 10.
   « Je n'ai pas dormi la nuit dernière. »
   PA 210/90, P72, R18.
   A reçu la dernière dose il y a 5 heures.
   Apparition de douleur en l'absence de la médication analgésique.
   A : Analgésiques opioïdes administrés selon l'ordonnance.
   Coussin chauffant appliqué dans le bas du dos.
   Installé en décubitus latéral droit, avec des oreillers derrière le dos.
   Ajouter au plan de soins et de traitements d'offrir des analgésiques jour et nuit q 4 h plutôt que prn.
   R : « Je me sens mieux » (après les interventions).

Chapitre 21 Croissance et développement

1. Benoît est au stade de la petite enfance (de 18 mois à 3 ans).
   • Sa principale tâche consiste à trouver l'équilibre entre l'autonomie, d'une part, et la honte et le doute, d'autre part.

• À ce stade, les objectifs de l'enfant sont les suivants :
   – Exercer une maîtrise sans perdre l'estime de lui-même.
   – Apprendre à coopérer avec les autres.
   – S'affirmer.
   • Intervention de l'infirmière : Inviter M. Savard à offrir à Benoît des choix balisés.

2. Selon Piaget, Benoît se trouve au stade préopératoire.
   • Devant les exigences de son environnement, il adopte une approche égocentrique.
   • À cet âge, tout ce qui se rapporte à soi est signifi-catif. L'enfant explore son environnement et acquiert rapidement le langage en associant des mots aux objets.
   • Intervention de l'infirmière : Laisser l'enfant explorer ce nouvel environnement (la clinique) en toute sécurité ; profiter de cette occasion pour lui enseigner le nom de l'équipement et des objets qui se trouvent dans la pièce.

3. Donner à M. Savard les conseils suivants :
   • Limiter les choix de l'enfant à ceux qui ne posent pas de danger pour lui.
   • Le laisser explorer tout en le surveillant.
   • Si l'enfant refuse de se tenir tranquille, essayer de le distraire ou le placer à l'écart (par exemples : le faire asseoir sur une chaise ou dans une pièce à part pendant une à deux minutes pour qu'il se calme).
   • Lui offrir un éventail d'expériences et de stimuli.
   Intervention de l'infirmière : Analyser les principes de la croissance et du développement en compagnie de M. Savard et élaborer un plan de comportement ciblé qui convient à l'enfant et à sa famille.

Chapitre 22 Promotion de la santé, de la conception à la fin de l'adolescence

1. Selon son comportement, Brigitte est en train d'établir son identité et elle a besoin d'indépendance. Son groupe de pairs joue un rôle très important dans sa vie et lui procure un sentiment d'appartenance et de fierté ainsi que des possibilités nombreuses d'apprentissage social et de consolidation des rôles sexuels. L'infirmière devrait inviter Brigitte à faire le point sur son identité et son degré d'indépendance. Elle pourrait aussi lui demander de dresser la liste de ses objectifs et d'établir un plan pour les atteindre. Il faudrait aussi lui demander si elle se sent en sécurité dans son environnement familial et dans sa rela-tion avec son petit ami.

2. Brigitte se situe au stade des opérations formelles ; elle peut penser au-delà du présent et au-delà du monde réel. Ce type de pensée exige logique, organisation et cohé-rence. Les adolescents de cet âge sont capables d'élaborer des raisonnements déductifs et d'envisager le futur. L'infirmière demandera à Brigitte de s'imaginer dans 10 ans. Que fait-elle ? Où vit-elle ? Vit-elle en couple ou seule ? Quel a été son parcours jusque-là ?

3. Dans un premier temps, il faut déterminer si Brigitte est enceinte en effectuant un test de grossesse. Si c'est le cas, l'infirmière explorera avec elle les sentiments que provoque cette nouvelle réalité. Il est primordial d'offrir à Brigitte un soutien empreint d'empathie et exempt de tout

jugement. L'infirmière l'invitera à parler à son petit ami et à sa famille afin de prendre une décision réfléchie quant à la poursuite de sa grossesse. Dans le but de lui offrir un suivi adéquat, l'infirmière proposera à Brigitte de fixer une autre rencontre afin de connaître sa décision et de lui présenter les possibilités de soins prénataux s'il y a lieu. Si Brigitte n'est pas enceinte, elle lui indiquera, ainsi qu'à son petit ami, les méthodes contraceptives qui s'offrent à eux. Dans un deuxième temps, elle incitera Brigitte à consulter régulièrement le médecin et le dentiste. Enfin, elle lui expliquera pourquoi il est important d'avoir une alimentation saine et lui indiquera les facteurs susceptibles de causer des problèmes nutritionnels.

Chapitre 23 Promotion de la santé chez l'adulte

1. Le terme *ostéoporose* signifie « os poreux ». Cette affection se caractérise par l'amincissement des structures osseuses, ce qui augmente considérablement le risque de fractures. Elle touche particulièrement les femmes âgées. L'infirmière peut expliquer le phénomène à la personne à l'aide de clichés radiographiques. Elle devra lui souligner le fait que cette affection est sérieuse, mais que des mesures préventives ainsi que des traitements peuvent être mis en œuvre pour préserver la santé des os.

2. La liste des facteurs de risque doit comprendre des paramètres physiques, notamment les suivants : ménopause précoce, ossature frêle, consommation de stéroïdes, polyarthrite rhumatoïde, antécédents familiaux de maladies, antécédents de fractures.

3. Les facteurs de risque modifiables sont notamment les suivants : tabagisme, alimentation pauvre en calcium, insuffisance de l'exposition au soleil (le rayonnement solaire accroît la quantité de vitamine D dans l'organisme), consommation excessive de caféine ou d'alcool, manque d'exercice physique.

4. La plupart des médicaments utilisés pour traiter l'ostéoporose diminuent la résorption des os, c'est-à-dire qu'ils permettent au moins de maintenir la masse osseuse à son niveau actuel. Certains de ces médicaments présentent toutefois d'importants effets secondaires gastro-intestinaux et peuvent augmenter le risque de formation de caillots sanguins. L'infirmière doit donc expliquer à la personne les effets secondaires possibles et lui indiquer qu'elle devra appeler le médecin sans tarder si elle présente des symptômes inhabituels. Dans le cas présent, puisque des médicaments expérimentaux lui sont prescrits, il est recommandé à la personne de passer une tomodensitométrie à intervalles réguliers pour mesurer l'efficacité du traitement.

5. Les mesures à envisager pour diminuer le risque de fracture sont notamment les suivantes : évaluation du domicile et détermination des mesures de sécurité à mettre en place, installation d'un éclairage adéquat dans les escaliers et les passages, port de chaussures bien ajustées et munies de semelles antidérapantes, retrait des tapis non fixés au sol, dégagement du sol en enlevant les fils (rallonges électriques, fils de téléphone ou de câble) susceptibles de faire trébucher la personne. Pour maintenir sa masse osseuse, la personne pourra augmenter sa consommation de calcium alimentaire et prendre des suppléments, entamer un programme d'exercices et prendre des médicaments pour prévenir l'aggravation de la déperdition osseuse.

Chapitre 24 Caring, compassion et communication thérapeutique

1. Le comportement non verbal de Mme Maltais laisse voir des changements, notamment dans la posture, dans l'expression du visage et dans une absence d'expression verbale. La communication non verbale de Mme Maltais exprime la peur, la déception, la perte, l'anxiété, un sentiment de désarroi et plus encore.

2. L'infirmière manifeste les attitudes de caring suivantes : elle s'assoit avec Mme Maltais, elle l'écoute et lui donne toute son attention. Elle a aussi des gestes compatissants : elle parle d'une voix douce, elle rassure, touche, propose sa présence et offre du café. De toute évidence, ces gestes de l'infirmière montrent un souci de caring et de réconfort puisque Mme Maltais consent à partager ses sentiments.

3. Lorsqu'une personne traverse des émotions éprouvantes, il importe de lui donner les renseignements essentiels et d'établir une relation d'aide qui inspire confiance. En outre, la communication efficace permet d'aider les familles à réduire le stress, à comprendre les options de traitement et à prendre des décisions judicieuses.

4. L'infirmière montre qu'elle écoute attentivement en s'assoyant avec Mme Maltais, en étant attentive autant à son langage verbal que non verbal, en respectant des pauses silencieuses et en lui accordant une attention soutenue. Ne pas interrompre la personne, tenir compte de la congruence entre son langage verbal et non verbal, l'encourager à parler, réfléchir avant de répondre, voilà quelques exemples parmi d'autres d'une écoute attentive.

Chapitre 25 Enseignement

1. Mme Loti semble préoccupée ; ce n'est probablement pas le moment idéal pour lui enseigner quoi que ce soit. Elle a besoin de temps pour accepter les mauvaises nouvelles qu'elle vient de recevoir et le fait que l'état de son cœur influera sur sa vie. Lorsqu'elle sera disposée à apprendre, elle pourra vous accorder toute son attention, poser des questions et manifester de l'intérêt.

2. L'évaluation des besoins permet d'obtenir des renseignements sur de nombreux facteurs qui influent sur l'apprentissage, et non uniquement sur les capacités cognitives. Il ne faut pas présumer que les personnes instruites possèdent tous les renseignements nécessaires pour prendre des décisions relatives à leur santé ou que les personnes moins instruites n'ont pas la capacité de comprendre.

   • Une évaluation des besoins permettra d'obtenir des renseignements, notamment sur les connaissances de Mme Loti à propos de son affection cardiaque, sur tous les facteurs culturels ou liés à la santé qui peuvent influer sur l'acceptation ou le rejet des changements nécessaires dans sa situation, sur la méthode d'apprentissage qu'elle préfère et sur le réseau de soutien dont elle dispose.

3. En utilisant votre évaluation des besoins d'apprentissage, estimez de quelle manière Mme Loti préfère apprendre.
   - Remettez à Mme Loti de la documentation pour qu'elle puisse la lire ou des vidéocassettes qu'elle pourra regarder.
   - Planifiez des séances d'apprentissage courtes plutôt que de longues séances fatigantes, utilisez du matériel pédagogique, répétez souvent l'information et favorisez l'apprentissage actif. Permettez à Mme Loti de prendre sa place.

4. Si Mme Loti est capable de choisir correctement les aliments qui doivent composer son régime, si elle est capable de bien planifier un programme d'exercice et si elle peut faire des suggestions visant à diminuer son niveau de stress, votre enseignement aura été efficace.
   - Ne confondez pas la non-observance du traitement avec un enseignement inefficace. Une personne peut décider de ne pas suivre le régime qui lui est prescrit, même si elle a parfaitement compris l'enseignement reçu.

5. Les méthodes d'enseignement peuvent être différentes selon le matériel disponible ; toutefois, les principes d'enseignement devraient demeurer les mêmes.
   - L'évaluation des besoins d'apprentissage reste utile, la réceptivité de la personne et sa motivation demeurent importantes et le retour sur les objectifs d'apprentissage constitue toujours un excellent critère d'évaluation.
   - L'apprenante et sa famille devraient avoir un plus grand pouvoir décisionnel sur le contexte d'apprentissage, notamment l'horaire, la durée et l'endroit.

Chapitre 26 Délégation, gestion et leadership

1. M. Carrier a les caractéristiques d'un leader démocratique (ou participatif). Il est très élogieux au sujet des capacités de son personnel à établir des objectifs et à prendre des décisions. Il favorise la contribution de chacun et il est ouvert aux nouvelles idées. Le style de leadership de Mme Turcotte est plutôt autocratique. Elle explique ses attentes et parle de la mise en place de ses programmes.

2. Peut-être n'êtes-vous pas certaine des caractéristiques qui vous plaisent le plus ? Réfléchissez aux aspects suivants : la manière dont ils exercent leur influence sur les autres, leur habileté à créer des liens, la liberté qu'ils accordent aux autres ou le contrôle qu'ils exercent, leur utilisation des divers styles de leadership (autoritaire, démocratique, laisser-faire, administratif), leur niveau d'énergie et leur créativité.

3. Les stratégies utiles pour faire face au changement comprennent notamment les suivantes : reconnaître qu'une certaine résistance au changement est normale, examiner les raisons qui motivent le changement, mettre l'accent sur les répercussions positives du changement, former un groupe de soutien et examiner les étapes du processus de changement (revoir les encadrés 26-5 et 26-6).

4. Tant en soins de première ligne qu'en soins infirmiers, l'infirmière peut déléguer des tâches à d'autres infirmières ou à un autre membre du personnel infirmier. Cependant, en soins intégraux, l'infirmière sur place prodigue généralement le plus de soins directs possible, elle a la responsabilité de superviser les soins 24 heures sur 24 et, par définition, elle délègue les soins au personnel des autres quarts de travail. Un système d'équipe nécessite qu'on nomme une équipe d'au moins deux intervenants pour soigner un groupe de personnes. Ces membres de l'équipe se partagent les soins à donner selon des affectations convenues à l'avance, affectations qui comprennent la délégation, par l'infirmière, de tâches appropriées.

Chapitre 27 Perception sensorielle

1. Depuis son arrivée dans l'unité des soins intensifs, Mme Daniel risque surtout la surcharge sensorielle. Elle est incommodée par le bruit des moniteurs et du respirateur, qu'elle pourrait de surcroît percevoir d'une manière déformée ou ne pas comprendre à cause des analgésiques. La douleur de Mme Daniel et son incapacité à communiquer peuvent également favoriser la surcharge sensorielle, car elles aggravent le sentiment d'impuissance et d'accablement.

2. Les manifestations de la surcharge sensorielle sont entre autres les suivantes : agitation, nervosité, confusion, désorientation, hallucinations, résistance au repos ou au sommeil. Les manifestations de la privation sensorielle sont notamment les suivantes : apathie, détachement affectif, dépression. Souvent, les manifestations de la privation sensorielle et de la surcharge sensorielle se confondent. L'infirmière doit par conséquent examiner la personne et dégager les facteurs qui accroissent le risque le plus grave du point de vue sensoriel.

3. Les interventions envisageables sont entre autres les suivantes : atténuer l'éclairage, réduire le plus possible le niveau de bruit (fermer les portes et les rideaux), appliquer des mesures de réconfort, expliquer tous les procédés, aider la personne à se repérer dans le temps, dans l'espace, par rapport aux personnes et aux situations, parler lentement et d'une voix douce, restreindre le nombre et la durée des visites.

4. Les personnes soignées à domicile sont aussi exposées à un risque de privation ou de surcharge sensorielle. La surcharge est à craindre si la personne vit parmi beaucoup d'autres ou dans un milieu bruyant et agité. À l'inverse, l'isolement social, le repli sur soi et la perte d'intérêt envers les activités habituelles sont à craindre si la personne vit seule, entretient peu de relations avec autrui et peu de communication avec ses proches. Les interventions au domicile et en unité de soins intensifs sont les mêmes et doivent dans les deux cas être adaptées aux besoins particuliers de la personne.

Chapitre 28 Concept de soi

1. À cet âge, les traits fondamentaux du concept de soi devraient être bien établis. L'accident n'exercera donc sans doute pas d'effet négatif de ce point de vue. En revanche, l'amputation pourrait altérer : son image corporelle, car elle modifiera la manière dont il voit son corps ; son identité personnelle, car il se considérait comme un athlète ; l'exercice du rôle en tant qu'étudiant et capitaine de l'équipe ; son estime de soi.

2. L'humeur sombre de Charles, son incapacité à regarder son moignon et son refus de parler du programme de rééducation constituent des indices importants d'une détérioration de l'estime de soi. Si ces comportements se maintiennent ou que de nouvelles réactions négatives se manifestent, l'estime de soi du jeune homme pourrait se détériorer encore plus. Étant incapable de faire face à l'amputation, le père de Charles le prive également d'un soutien potentiel important.

3. De nombreux facteurs peuvent intervenir : l'attitude de l'infirmière ; les compétences des différents intervenants et de l'équipe de rééducation ; le soutien de la famille et des amis ; la capacité de Charles à s'adapter à la situation nouvelle, à revoir ses objectifs et à utiliser les ressources dont il dispose. La présence de sa mère constitue certainement une source d'encouragement et de réconfort, sauf si elle incite ainsi son fils à accroître sa dépendance à son égard.

4. La personne âgée éprouve souvent plus de difficultés que le jeune adulte à s'adapter au changement. Comme elle craint la dépendance plus que les enfants, les adolescents ou les jeunes adultes, les pertes majeures telles que celle de Charles représentent chez elle un risque plus grand de détérioration de l'estime de soi. En outre, la personne âgée guérit et retrouve ses capacités moins rapidement qu'un jeune adulte, et cette « lenteur » à recouvrer la santé constitue souvent pour elle un facteur négatif (dont découle une aggravation de la dégradation de son estime de soi). Ces considérations mises à part, les interventions s'avèrent similaires d'un groupe d'âge à l'autre : soutien et encouragement, participation de la personne à ses propres soins, détermination de ses forces et de ses ressources, etc.

5. Parmi les autres groupes de personnes à risque, on compte : les personnes ayant une affection mentale chronique, celles souffrant d'un cancer, celles qui souffrent d'une affection faisant l'objet d'un stigmatisme social (sida, tuberculose, obésité, infection transmissible sexuellement) et celles qui présentent des altérations de la silhouette ou du physique (défigurement, par exemple).

Chapitre 29 Sexualité

1. La plupart des gens hésitent à discuter d'un sujet aussi intime avec des inconnus (par exemple, l'infirmière), à moins que leur interlocuteur (ou leur interlocutrice) leur fasse comprendre qu'il est tout à fait normal de s'interroger sur la sexualité et d'en parler. L'infirmière doit donner à la personne la « permission » d'exprimer ses préoccupations et l'assurer qu'elle ne sera pas dénigrée ni ridiculisée. Indiquez les avantages de la technique de la permission. Comment vous sentiriez-vous si vous deviez parler de votre propre sexualité à un inconnu ?

2. Plusieurs facteurs peuvent déterminer la capacité de l'infirmière à analyser les préoccupations sexuelles de la personne avec elle, par exemple, sa connaissance de sa propre sexualité et son degré d'aisance dans ce domaine ; son point de vue sur la normalité et l'acceptabilité de la sexualité (considère-t-elle qu'elle constitue une fonction humaine importante ou qu'il vaut mieux ne pas s'en occuper ?) ; sa connaissance de l'impact de la santé sur la sexualité ; et, d'une manière générale, ses compétences en communication.

3. Il existe un rapport direct entre la santé et le fonctionnement sexuel. En général, plus on est en santé, plus on a de désir sexuel et plus on est en mesure de bien fonctionner sexuellement.
   - La santé physique et mentale détermine le potentiel du fonctionnement sexuel.
   - Des affections telles que les affections cardiaques, l'hypertension, le diabète, l'insuffisance rénale, les lésions à la moelle épinière et les douleurs peuvent amoindrir le désir sexuel et diminuer la fonction sexuelle. Les troubles mentaux tels que la dépression peuvent également atténuer le désir.

4. L'infirmière doit réaliser une évaluation complète de la santé sexuelle de la personne afin de recueillir les données de base indispensables.
   - Les deux problèmes primaires de la personne devront être abordés : sa crainte de reprendre l'activité sexuelle et les effets du médicament antihypertenseur.
   - Les interventions spécifiques qui pourront être mises en œuvre sont les suivantes : informer la personne ; corriger l'information erronée sur laquelle elle se fonde ; indiquer à la personne qu'elle peut reprendre son activité sexuelle sans risque ; lui indiquer des positions sexuelles qui exigent moins d'énergie (si les relations sexuelles la fatiguent d'une manière excessive).
   - Consulter le médecin de M. Curry pour déterminer s'il serait possible de lui prescrire des antihypertenseurs moins susceptibles d'altérer la fonction sexuelle.

Chapitre 30 Spiritualité

1. Être religieux, c'est s'inscrire dans un système organisé de culte – par exemple, une église ou une synagogue. Thomas voulait peut-être simplement dire par là qu'il ne fréquente plus l'église méthodiste et qu'il ne se réclame pas d'une religion organisée.

   La spiritualité repose sur la croyance en une divinité et sur la relation établie avec elle : une puissance supérieure, la force de création, un être divin, une source infinie d'énergie telle que Dieu ou Allah. Une personne peut avoir une vie spirituelle très riche sans pour autant appartenir à un système organisé de culte. Thomas affirme qu'il n'est pas très religieux. Dans la description de son cas, rien ne permet cependant de conclure qu'il n'a pas de vie spirituelle. Au contraire, en déclarant que sa maladie est un châtiment, il montre qu'il croit en une puissance supérieure (qui le punit, en l'occurrence, pour n'avoir pas suffisamment fréquenté l'église).

2. Thomas déclare : « Il vaudrait mieux que je meure tout de suite » ; « Je ne guérirai jamais » ; « Je suis puni. » La détresse spirituelle de cette personne est causée à la fois par son état physiologique et par son inquiétude quant à ses manquements envers la religion.

3. Les convictions spirituelles et religieuses peuvent prendre plus d'importance dans les périodes d'épreuve. Frappées par la maladie, nombreuses sont les personnes qui retournent à leurs racines religieuses dans l'espoir qu'une intervention divine les guérira.

4. L'évaluation spirituelle serait d'une grande aide pour l'infirmière comme pour Thomas. Elle permettrait à

l'infirmière de s'informer sur la vie spirituelle de la personne, sur sa religion et sur l'étendue de sa détresse spirituelle. Elle lui permettrait ainsi d'élaborer des interventions ciblées qui pourront ensuite être mises en œuvre.

Pour Thomas, les avantages possibles de cette démarche consisteraient notamment, mais pas exclusivement, à l'aider : à puiser dans ses ressources intérieures d'une manière plus efficace pour affronter ses difficultés physiques et émotionnelles actuelles ; à trouver un sens à la vie et à reprendre espoir même s'il est actuellement très malade ; à accéder à des ressources spirituelles adéquates, par exemple des entretiens avec un ministre du culte.

Chapitre 31 Stress et adaptation

1. Il est difficile de déterminer si cette personne peut mieux s'adapter aux suites d'une chirurgie mammaire conservatrice, ou si son état d'esprit actuel reflète plutôt sa difficulté à faire face au diagnostic et à l'intervention chirurgicale. Sa réaction pourrait dépendre du volume de sa poitrine et de la taille de la tumeur à exciser. Chaque personne réagit différemment à des situations dans lesquelles elles n'ont pas la possibilité de dissimuler leur affection et à des affections qui ont une influence directe sur leur rôle (par exemple, dans le cas présent, le rôle de dessinatrice de mode).

2. Le stress de Mme Soucy s'inscrit dans le modèle du stimulus : le diagnostic, l'intervention chirurgicale et les conséquences du cancer constituent les stimuli du stress à l'origine des impacts physiques et émotifs (par exemple, l'incapacité d'exercer le rôle familial). Cependant, son stress s'inscrit également dans le modèle de réponse, car l'intervention chirurgicale et les autres traitements antinéoplastiques, auxquels s'ajoute la consommation d'alcool, vont infliger à cette personne un stress psychologique et physique.

3. L'infirmière devrait reconnaître qu'en effet elle ne peut pas savoir avec précision ce que ressent Mme Soucy (à supposer qu'elle n'ait pas elle-même subi une mastectomie). Elle devrait cependant lui expliquer qu'elle a soigné tout au long de sa carrière de nombreuses personnes atteintes d'affections graves, voire mortelles. L'infirmière pourrait proposer à cette personne de la mettre en contact avec d'autres femmes qui ont le cancer du sein ou qui l'ont eu, mais cette intervention serait destinée à répondre aux propos de la personne. L'infirmière doit d'abord répondre à la charge émotive que représentent les paroles de Mme Soucy : sa colère, sa frustration et son sentiment d'impuissance.

4. La soudaineté du diagnostic et l'intensité de la réaction de Mme Soucy (consommation d'alcool ; difficulté à exercer le rôle familial) traduisent un état de crise. À ces paramètres s'ajoute l'incapacité (ou le refus) de la personne d'exprimer ses sentiments et de prévoir le réseau de soutien dont elle aura besoin. Dans ces circonstances, l'équipe soignante doit manifester de l'empathie empreinte de fermeté dans les soins et dans les décisions. La personne pourrait en outre bénéficier d'une thérapie ou de conseils psychologiques.

5. Nombreuses sont les réponses qui pourraient convenir ici. La personne ne semble pas recourir au déni. Elle pourrait par contre faire appel à la projection pour tenter de trouver la cause de son cancer ; cette stratégie constituerait une adaptation inefficace à la situation car, en général, la cause du cancer du sein est inconnue.

Chapitre 32 Perte, deuil et mort

1. Le fils aîné se situe sans doute au stade de la prise de conscience. Il ressent pleinement la perte que représente la mort de sa mère, mais il arrive quand même à reprendre ses activités normales. Son frère cadet présente les caractéristiques du stade de conservation et de retrait. Il a besoin d'être seul, et il présente des symptômes physiques et psychologiques du deuil. Le benjamin est en état de choc. Il a du mal à croire que sa mère est véritablement morte et il présente plusieurs symptômes physiques.

2. Les facteurs susceptibles d'exercer une influence sur les réactions des fils sont notamment les suivants : le degré de proximité ou de conflit avec la mère ; le temps consacré à leur mère et les soins qu'ils lui ont prodigués ; l'importance de la mère dans la relation ; leurs convictions et leurs pratiques spirituelles ; le sentiment de culpabilité éprouvé par rapport à l'attention portée et aux soins prodigués à leur mère dans ses dernières années ou pendant sa maladie.

3. Les signes non physiques de l'imminence de la mort sont en particulier les suivants : la personne veut parler de la mort, elle évoque des souvenirs et dresse le bilan de sa vie, elle s'isole, devient pensive et se replie sur elle-même, elle laisse son entourage prendre en charge ses soins physiques, elle souhaite voir au plus vite les gens qu'elle aime.

4. Le principal facteur à considérer est la volonté de la personne mourante : si celle-ci souhaite que ses douleurs soient soulagées, ce désir doit primer sur les préférences et les craintes des membres de la famille (qui peuvent redouter, par exemple, que les analgésiques hâtent la mort). Si la personne mourante n'arrive plus à communiquer, l'équipe soignante doit prendre en considération le degré probable de sa souffrance actuelle et les désirs qu'elle a exprimés antérieurement. Le cas échéant, les directives préalables seront d'une aide précieuse à cet égard.

5. Si l'infirmière a connu plusieurs expériences positives par rapport à la mort ou si elle a déjà rencontré un cas analogue à celui de Mme Govinda, elle peut partager ses réflexions avec la famille. Elle doit cependant tenir compte des caractéristiques particulières de cette situation (perte soudaine ou prévisible, âge de Mme Govinda, liens entre les fils et leur mère, etc.) et de l'efficacité des structures de soutien pendant le deuil.

Chapitre 33 Signes vitaux

1. Vous devez déterminer ce qui préoccupe la personne. Est-ce parce que vous tombez à un mauvais moment ? Demandez-lui si on a déjà pris sa pression artérielle auparavant. Si c'est le cas, comment cela s'était-il déroulé ? Que se passera-t-il, selon elle, si vous prenez sa pression ?

- Expliquez les facteurs qui peuvent influer sur l'attitude des gens à l'égard de l'évaluation des signes vitaux (surtout les facteurs liés au milieu de soins proprement dit : établissement de soins de longue durée, hôpital, clinique, cabinet du médecin).

2. Chaque infirmière met au point sa propre stratégie visant à trouver une solution dans ce genre de situation. Vous devrez vous aussi inventer la vôtre, autrement vous n'aurez pas l'air sincère. En règle générale, cependant, expliquez la situation sans blâmer qui que ce soit. Par exemple, vous pourriez dire « Je n'ai pas pu entendre votre pression artérielle cette fois », plutôt que « Je n'ai pas encore beaucoup d'expérience, alors je n'arrive pas toujours à bien prendre la pression ».

   - Si vous êtes certaine que votre matériel fonctionne bien, vous pourriez reprendre la pression, mais par palpation plutôt que par auscultation ; vous serez ainsi en mesure de déterminer la présence du pouls périphérique avant de commencer.

   - Si vous avez peu d'expérience en ce qui concerne la mesure de la pression artérielle, vous pourriez demander à une autre infirmière de le faire à votre place cette fois-ci. Si vous disposez d'un stéthoscope d'enseignement, utilisez-le afin de pouvoir écouter la pression en même temps que l'autre infirmière.

   - Imaginez un jeu de rôles sur cette situation avec d'autres étudiants ou avec des amis. Essayez différentes réactions, jusqu'à ce que vous vous sentiez à l'aise et que la « personne soignée » ait confiance en votre façon de faire.

3. Lorsque vous prenez la pression artérielle d'une personne pour la première fois, vous devez comparer la valeur obtenue à la valeur mesurée antérieurement ou à la valeur escomptée. Il faut s'enquérir de la mesure la plus récente ; même si la pression artérielle de la personne est élevée, elle est peut-être plus basse que la dernière fois. Déterminez également les facteurs de stress ou les médicaments qui sont susceptibles d'influer sur la pression artérielle de la personne.

4. Le taux de saturation en oxygène est incompatible avec les autres signes vitaux. Pour commencer, assurez-vous que votre sphygmooxymètre fonctionne correctement et que vous l'avez appliqué correctement et au bon endroit.

Chapitre 34 Examen physique

1. Il faut effectuer un examen ciblé de la fonction neurologique, notamment évaluer l'état mental de la personne, ses fonctions motrice et sensitive, ainsi que ses réactions pupillaires. La personne a peut-être eu un accident vasculaire cérébral, ou alors un coup à la tête lorsqu'elle est tombée. L'examen de la fonction musculosquelettique est aussi une priorité étant donné que la personne peut s'être fracturé la hanche avant ou après sa chute ou s'être infligé une autre blessure. Chez l'adulte âgé qui semble être blessé, on doit également examiner l'enveloppe tégumentaire en raison du risque élevé de lésion cutanée et d'ecchymose. Il peut être également justifié de choisir d'examiner d'autres fonctions.

2. L'infirmière doit veiller à poser des questions ouvertes auxquelles il est impossible de ne répondre que par oui ou par non. Les questions ouvertes commencent souvent par des mots tels que « comment », « qu'est-ce que » ou « parlez-moi de ». Il faut aussi utiliser une bonne gestuelle de communication, par exemple se placer à la même hauteur que la personne et la regarder dans les yeux.

3. L'infirmière doit tout de même utiliser l'approche qui consiste à procéder de la tête aux pieds, mais il peut être préférable de faire toute la partie antérieure du corps en premier, puis d'aider la personne à se tourner pour l'examen de la partie postérieure. En fait, l'infirmière peut examiner les membres supérieurs et une bonne partie des membres inférieurs sans même tourner la personne. Il ne faut cependant pas omettre l'examen de la partie postérieure sous prétexte que cela incommoderait la personne. Il est extrêmement important de rechercher la présence de certaines données anormales, par exemple une consolidation du poumon ou une lésion cutanée.

4. Pour commencer, l'infirmière doit s'informer auprès des membres de la famille de la personne. Même si celle-ci vit seule, elle a peut-être des contacts réguliers avec ses enfants, ses petits-enfants ou d'autres membres de sa parenté. Il faut s'enquérir de l'endroit où la personne reçoit habituellement des soins de santé. Des voisins ou des organisations dont la personne fait partie (groupe paroissial, club social, etc.) peuvent aussi fournir quelques renseignements. Si la personne a un médecin, l'infirmière doit s'assurer qu'il a été avisé de l'admission de sa patiente et elle doit chercher à savoir si la personne l'a consulté récemment ou si le cabinet du médecin peut fournir des antécédents médicaux pertinents.

Chapitre 35 Asepsie

1. Par exemple, l'âge de Mme Cortez (le vieillissement s'accompagne d'un affaiblissement des défenses immunitaires), la déshydratation et les carences alimentaires (qui entraînent une réduction de la capacité à synthétiser des anticorps) et l'affection respiratoire chronique.

2. Il convient d'effectuer un examen de santé complet de la personne.

   - On devrait en particulier examiner l'état immunitaire de Mme Cortez, son affection chronique, l'exposition à des personnes potentiellement atteintes d'une infection, la prise de médicaments qui peuvent accroître la sensibilité à l'infection, le degré de stress et les antécédents d'infections de toute nature.

   - Évaluer l'état de la peau et des muqueuses, et vérifier si les signes vitaux de Mme Cortez indiquent la présence possible d'une infection.

   - Déterminer chez Mme Cortez les caractéristiques spirituelles, culturelles et intellectuelles susceptibles d'influer sur ses croyances et sa compréhension des choses ainsi que ses préférences en matière de soins et de pratiques.

3. L'application des pratiques de base ne suffirait pas à elle seule à prévenir la transmission de l'infection respiratoire dont souffre Mme Cortez (si elle est contagieuse) à d'autres personnes puisque ces pratiques n'ont pas été conçues

pour prévenir la transmission d'agents pathogènes par voie aérienne. En fait, les pratiques de base ne concernent pas les expectorations, les sécrétions nasales ou l'urine à moins qu'elles ne soient contaminées par du sang.

4. Selon le type de microorganismes qui causent l'infection des voies respiratoires dont souffre Mme Cortez, il peut être nécessaire d'appliquer des précautions additionnelles spécifiques. Seule la détermination du type de microorganismes permet de décider du genre de masque à porter et des autres précautions qui s'imposent.

   • Les interventions suivantes sont notamment susceptibles de prévenir la propagation des infections : se laver les mains minutieusement et régulièrement ; inciter les personnes à se couvrir la bouche avec un mouchoir de papier lorsqu'elles toussent ou éternuent ; jeter les mouchoir de papier souillés dans un récipient de chevet approprié ; s'assurer que l'équipement réutilisable est nettoyé ou stérilisé de façon adéquate ; manipuler le linge souillé de manière à prévenir la contamination croisée.

5. Vous devriez féliciter le membre du personnel infirmier pour s'être lavé les mains après avoir été en contact avec une personne. Cependant, vous devriez aussi lui suggérer d'améliorer sa technique : se laver les mains pendant au moins 10 secondes et fermer les robinets à l'aide d'une serviette en papier.

Chapitre 36 Sécurité

1. On ne devrait utiliser des mesures de contrôle, y compris les mesures de contention, qu'en dernier recours. En voici quelques raisons : selon les études, la contention ne prévient ni les chutes ni les blessures ; les mesures de contention restreignent la liberté de mouvement et l'autonomie de la personne, ce qui constitue une violation des droits ; elles peuvent intensifier l'état d'agitation de la personne ; elles peuvent causer des blessures (plaies de pression, déchirures de la peau, décès) ; elles peuvent nuire au traitement ; elles peuvent provoquer des problèmes de santé (par exemple, troubles de la circulation sanguine) ; elles sont une source d'embarras pour l'intéressé et ses proches.

2. Plusieurs facteurs pourraient compromettre la sécurité de M. Michaud. En voici quelques-uns :

   • M. Michaud a plus de 65 ans ; il a des antécédents de chute ; l'intervention qu'il a subie récemment pourrait restreindre sa mobilité ; il est possible que cette intervention ait affaibli M. Michaud ; les médicaments qu'il prend pourraient nuire à sa sécurité (par exemple, hypotenseurs, diurétiques, analgésiques).

   • M. Michaud pourrait reprendre ses activités normales avant d'avoir récupéré toutes ses forces.

   • Comme il devra préparer lui-même deux repas par jour, il pourrait avoir du mal à satisfaire ses besoins nutritionnels. Il court aussi davantage de risques de se blesser en préparant ses repas.

   • M. Michaud ne comprend peut-être pas les précautions à prendre pour assurer sa propre sécurité.

3. Il faudra évaluer les dangers que présente le domicile de M. Michaud. Voici quelques conseils à donner à M. Michaud pour améliorer sa sécurité à la maison :

   • Comme la majorité des blessures subies par les adultes sont liées à des chutes, prenez garde aux carpettes, à votre chat et à votre chien quand vous vous déplacez.

   • Faites installer des barres d'appui dans la salle de bain.

   • Éclairez bien toutes les pièces et installez des veilleuses.

   • Assurez-vous que les tapis sont en bon état et ne cirez pas les planchers de bois franc.

   • Installez des détecteurs de fumée s'il n'y en a pas déjà et vérifiez régulièrement les piles. Placez vos appareils téléphoniques dans des endroits facilement accessibles en cas d'urgence.

4. Dans la situation de M. Michaud, les points forts sont les suivants : cet homme est actif et autonome, tant sur le plan physique que sur le plan social ; les membres de sa famille sont très solidaires (son fils lui rendra visite tous les jours) ; M. Michaud a accès aux ressources locales ; sa maison est petite et tient sur un seul étage ; il possède deux animaux de compagnie ; il ne souffre d'aucune affection chronique qui risquerait de compromettre le processus de guérison.

Chapitre 37 Hygiène

1. Si on examine les indicateurs et les facteurs favorisants, on constate que peu de données étayent l'hypothèse selon laquelle la personne est incapable de prendre elle-même un bain et d'effectuer ses soins d'hygiène. Elle s'est manifestement occupée d'elle, elle est capable de marcher et elle ne présente pas de déficit physique.

   Les facteurs suivants influent sur les pratiques d'un individu en matière d'hygiène : la culture, la religion, le milieu, le degré de développement, l'état de santé, la quantité d'énergie et les goûts personnels.

2. Vérifier si des malaises ou la douleur, la fatigue, la gêne, les croyances culturelles ou les goûts personnels influent sur la décision de la personne de ne pas effectuer ses soins personnels.

   Voici quelques questions que l'on pourrait poser à la personne : « Êtes-vous mal à l'aise ? » « Êtes-vous plus fatiguée aujourd'hui qu'hier ? » « Préférez-vous attendre d'être de retour chez vous ? »

3. En général, il est essentiel de se laver et d'effectuer ses soins personnels pour les raisons suivantes : préserver l'intégrité de la peau et des muqueuses, réduire le risque d'infections, accroître le confort, favoriser un sentiment de bien-être et la relaxation, réduire au minimum les odeurs corporelles, activer la circulation, etc.

   Les soins personnels procurent à la personne notamment les avantages suivants : ils réduisent le risque d'infection de la plaie chirurgicale et accroissent le confort et la capacité de relaxation. Les soins buccodentaires réduisent le risque d'infection et permettent de mieux goûter les aliments.

4. Décrire à la personne plusieurs avantages que lui procurerait le fait de prendre un bain et d'effectuer ses soins personnels, en insistant sur la nécessité de prévenir les infections.

   • Offrir à la personne de l'aider et lui demander où elle préfère se laver : au chevet de son lit ou dans la salle de bain. Rassembler ses articles de toilette et lui procurer l'intimité dont elle a besoin.

- S'assurer que la personne dispose d'eau chaude et de serviettes propres.
- Intervenir au besoin en se fondant sur les raisons énoncées par la personne pour justifier le fait qu'elle ne veut pas effectuer ses soins personnels (par exemple, les effets des analgésiques).

5. Il est possible de recueillir des informations et d'effectuer des évaluations pendant le bain. De plus, l'infirmière peut faire comprendre à la personne qu'elle a le temps de voir à son confort et qu'elle souhaite le faire.

Chapitre 38 Examens paracliniques

1. Examiner les causes possibles. Le doigt est-il en vasoconstriction par suite de la diminution du débit sanguin ? Cela aiderait-il de réchauffer le doigt avec un linge chaud et de demander à la personne de tenir la main penchée pour favoriser les effets de la gravité ? Vérifier si le matériel (par exemple, l'autopiqueur) fonctionne correctement. La technique utilisée était-elle la bonne ? Il arrive souvent qu'une infirmière novice n'exerce pas une pression suffisamment forte et n'appuie pas l'autopiqueur fermement contre la peau, ou encore qu'elle ne tienne pas l'instrument parfaitement perpendiculaire à la peau. On ne peut obtenir une ponction profonde et nette si l'on ne remplit pas ces deux conditions. Une fois que l'infirmière a compris pourquoi elle n'avait pas obtenu assez de sang, elle doit piquer un autre doigt pour prélever suffisamment de sang et obtenir une lecture exacte.

2. Les résultats de l'analyse de laboratoire suggèrent la présence d'une infection ainsi qu'une déshydratation. Il serait utile que l'infirmière puisse comparer le résultat de l'hématocrite (Ht) avec un résultat précédent afin de les comparer. Les interventions infirmières devraient concerner à la fois l'infection et la déshydratation : signes vitaux, vérification de la présence d'hypotension orthostatique, analyse et culture d'urine, interventions pour favoriser l'hydratation.

3. Tenir compte du fait que Mme Angers n'a pas gardé de liquides depuis trois jours. L'infirmière n'a pas de renseignements sur l'antibiotique prescrit (par exemple le mode d'administration et le type d'antibiotique). Or, ces renseignements peuvent être importants. Certains antibiotiques s'avèrent parfois néphrotoxiques. Avant d'entreprendre l'antibiothérapie, on doit obtenir un échantillon d'urine afin de détecter s'il y a choc cardiogénique ; autrement, les résultats risquent être faussés. Par conséquent, il faut, en priorité, installer la perfusion intraveineuse qui permettra de commencer à réhydrater la personne et aidera peut-être aussi à obtenir un échantillon d'urine. Ensuite, on doit obtenir l'échantillon d'urine. L'infirmière devra alors vérifier si la personne a besoin d'aide pour fournir un échantillon d'urine stérile ; en effet, puisqu'elle n'a ni mangé ni bu depuis trois jours, elle doit être très faible. Pour l'aider, l'infirmière doit peut-être l'installer sur un bassin et faire le nettoyage qui s'impose avant de recueillir l'échantillon. Finalement, la troisième priorité est l'administration de l'antibiotique. Toutes ces interventions doivent être effectuées rapidement et dans l'ordre puisqu'elles sont toutes très importantes.

4. La diminution de l'hématocrite illustre le fait que la personne était déshydratée et qu'elle commence à se réhydrater ; le premier résultat d'Ht était élevé en raison justement de l'hémoconcentration. Après la réhydratation, l'Ht est plus juste. Le nombre de leucocytes indique que l'infection régresse.

5. Évaluer les connaissances de la personne à propos de l'IRM et, si nécessaire, expliquer en quoi consiste l'examen : son but, la méthode, les avantages et les risques. Si la personne est claustrophobe ou si elle est incapable de rester immobile pendant l'examen, il faut administrer un sédatif. Expliquer qu'on utilisera un système de communication bidirectionnelle de manière à ce qu'elle puisse faire des commentaires et être sous supervision pendant l'examen. Expliquer qu'elle entendra des bruits assez forts pendant l'examen, mais qu'elle peut mettre des bouchons d'oreille si elle le désire. Inscrire à son dossier ses questions et l'enseignement prodigué. Si elle continue d'éprouver de l'anxiété, informer le médecin.

Chapitre 39 Administration des médicaments

1. Voici les principales différences entre une réaction allergique et des effets secondaires :

- Les effets secondaires ne sont pas liés à une réaction allergique et ils ne produisent pas les mêmes symptômes que ceux provoqués par une allergie. Les réactions allergiques se manifestent notamment par des éruptions cutanées, du prurit, un œdème de Quincke, une rhinite, des larmoiements, des nausées et des vomissements ou de la diarrhée, une respiration sifflante ou de la dyspnée.
- Une réaction allergique grave porte le nom de choc anaphylactique ; elle peut entraîner un collapsus respiratoire si un traitement d'urgence n'est pas immédiatement entrepris.
- L'hypersensibilité à un médicament, ou allergie médicamenteuse, fait souvent partie des effets systémiques que décrivent les ouvrages traitant des médicaments.

2. En fait, M. Quirion peut présenter des allergies à n'importe quel médicament. Peut-être prend-il déjà un autre médicament sur ordonnance, ou consomme-t-il de l'alcool, du tabac ou des médicaments en vente libre susceptibles d'interagir avec un ou plusieurs médicaments qui lui ont été prescrits. Il se peut aussi qu'il souffre d'une affection qui restreint le type de médicaments qu'il peut prendre en toute sécurité, ou qu'il soit allergique à la pénicilline, etc.

3. Faire les évaluations suivantes :

- Examiner et palper le site d'insertion intraveineuse afin de découvrir tout signe d'infection, d'infiltration ou de déplacement du cathéter.
- Examiner la peau environnante afin de découvrir tout signe de rougeur, de pâleur ou d'œdème.
- Palper les tissus environnants afin de voir s'ils sont froids et vérifier la présence d'œdème, ce qui indiquerait que le soluté s'infiltre dans les tissus.

- Prendre les signes vitaux de la personne à titre de données de référence, particulièrement sa fréquence respiratoire.
- Vérifier si la personne présente des allergies médicamenteuses.
- Vérifier la compatibilité des médicaments et du soluté.
- Vérifier l'action spécifique du médicament, ses effets secondaires, ses réactions indésirables, la dose normale, le moment idéal pour l'administrer et le moment de l'effet maximal de la morphine.
- Vérifier la perméabilité de la perfusion IV en évaluant le débit.

4. Il faut prendre les mêmes précautions avec les médicaments administrés par voie intraveineuse qu'avec les autres types de médicaments : vérification de l'identité de la personne, de la dose, de la voie d'administration, etc. Parmi les précautions additionnelles, mentionnons, sans toutefois s'y limiter, qu'il faut vérifier la compatibilité de l'antibiotique et de la solution intraveineuse, confirmer la stérilité du système et l'intégrité du sac de solution à médicaments, s'assurer qu'il n'y a pas d'air dans le dispositif de perfusion, désinfecter le point d'insertion de l'aiguille avant d'y insérer celle-ci et vérifier les antécédents pharmaceutiques de M. Quirion afin de rechercher d'éventuelles allergies.

5. Certains médicaments sont mieux absorbés lorsqu'ils sont administrés alors que l'estomac est vide, tandis que d'autres doivent être pris en même temps qu'un repas ou après, car ils peuvent irriter le tube digestif.

Chapitre 40 Intégrité de la peau et soins des plaies

1. Plusieurs indices laissent présager de la vulnérabilité de M. Saint-Jean aux plaies de pression, notamment son âge, le ralentissement de ses activités, sa perte de mobilité et son état nutritionnel (sa minceur par rapport à sa taille). En fait, il montre au niveau des hanches et du coccyx des plaies de pression au stade I.

2. L'infirmière doit évaluer dans quelle mesure M. Saint-Jean a subi une perte de sensibilité, juger s'il se rend compte de son incontinence, déterminer la fréquence de cette dernière, mesurer les intervalles entre les promenades (s'il peut se promener), établir son taux de protéines sériques afin de connaître son état nutritionnel et constater s'il est en mesure de pourvoir à ses besoins.

3. L'infirmière doit prendre les mesures suivantes, sans toutefois s'y limiter : lui servir des repas et des collations à valeur nutritive, et l'aider à manger, au besoin ; lui faire changer de position toutes les deux heures ; éviter la friction et le cisaillement lorsqu'elle le déplace ou qu'elle le change de position ; faire en sorte que sa peau demeure propre et sèche ; soulager sa peau des pressions subies en utilisant les surfaces de soutien indiquées et l'inciter à faire des activités ; lui expliquer les avantages propres à chacune de ces mesures. Par ailleurs, l'infirmière doit prendre en considération le coût de ces mesures et le temps nécessaire à un soignant pour accomplir les tâches appropriées ; elle doit établir l'ordre de priorité des mesures et expliquer à M. Saint-Jean les raisons de chacune.

4. Bien qu'aucune rupture de la peau ne soit manifeste, M. Saint-Jean présente les signes du stade I de plaies de pression. Or, si aucune intervention n'est tentée, ces plaies progresseront en augmentant le risque de rupture de la peau.

Chapitre 41 Soins périopératoires

1. Les facteurs de risque liés à la chirurgie de M. Teng sont les suivants : son âge (comme il a 77 ans, il court donc plus de risques que les jeunes adultes), son état respiratoire précaire (le risque de souffrir d'atélectasie ou d'infection pulmonaire postopératoire est plus grand), les médicaments (il prend peut-être des médicaments qui retardent la guérison, comme des corticostéroïdes).

2. L'un des inconvénients majeurs de l'anesthésie générale est qu'elle déprime les fonctions respiratoire et circulatoire ; le chirurgien et l'anesthésiste ont probablement choisi de ne pas aggraver inutilement l'état respiratoire de M. Teng. La préférence de la personne concernant le type d'anesthésie est aussi prise en compte dans le choix de l'anesthésie.

3. La préparation préopératoire qu'a reçue M. Teng devait porter, entre autres, sur les points suivants : l'enseignement préopératoire concernant la préparation à la chirurgie ; ce à quoi il faut s'attendre après la chirurgie ; les exercices de respiration profonde, les exercices de toux contrôlée et les exercices pour les jambes ; comment soutenir son abdomen lorsqu'il bouge ou qu'il tousse ; un bain ou une douche ; des bas de compression et une médication pour lui assurer une bonne nuit de repos avant la chirurgie.

4. Même si M. Teng a eu une rachianesthésie et qu'il est éveillé, on effectue les mêmes examens généraux afin de déceler tout problème actuel ou potentiel. Il n'aura pas à passer à travers les phases de réveil et ses réflexes ne seront pas touchés. On évaluera le retour de la sensibilité dans les membres inférieurs afin de déterminer l'effet restant de l'anesthésie. Le monitorage postopératoire dont il bénéficiera ne différera en rien de celui des autres personnes.

5. Les précautions supplémentaires à prendre sont, entre autres, les suivantes : une bonne hydratation pour remplacer les liquides perdus au cours de la chirurgie et du jeûne préopératoire ; le lever et l'ambulation précoces, pour maximiser l'amplitude pulmonaire et prévenir les infections pulmonaires ; les exercices de respiration profonde, pour que M. Teng puisse excréter le mucus et qu'on prévienne la stase des sécrétions dans les poumons ; la maîtrise de la douleur, pour qu'il puisse marcher et tousser plus efficacement ; les exercices pour les jambes, afin de prévenir la thrombose veineuse profonde.

Chapitre 42 Activité et exercice

1. Une dyspnée causée par un léger effort est un signe préoccupant ; son intolérance à l'activité s'accentuera s'il demeure immobile. Son œdème indique que le retour veineux est insuffisant, surtout si l'on tient compte du temps qu'il passe en position assise ; d'autres problèmes s'ensuivront.

2. Inspecter les lieux pour déceler tout obstacle éventuel, choisir un cadre de marche assez léger pour qu'on puisse le manipuler aisément, veiller à le régler à la bonne hauteur, s'assurer que les embouts sont en bon état et faire des exercices pour entretenir la force des mains et des bras.

3. L'obésité contribue certainement au problème et on devrait en tenir compte. Il faudra faire une évaluation pour déterminer depuis combien de temps M. Caillé a une surcharge pondérale et quelles sont ses habitudes alimentaires.

4. Il y a un rapport entre la santé physique et la santé émotionnelle ; la personne « désire » améliorer son état de santé.

5. En cas d'affection chronique, on peut mettre plus de temps à atteindre les résultats de soins infirmiers qu'en cas d'affection aiguë, parce que le problème persiste depuis longtemps. Il faut donc miser sur de modestes progrès. Il est souvent préférable de réviser les attentes à la baisse afin de ne pas décourager la personne avec des attentes trop élevées.

Chapitre 43 Sommeil et repos

1. Un journal permettrait de cerner les facteurs pouvant l'empêcher d'adopter ou de maintenir de bonnes habitudes de sommeil. Très souvent, les gens n'ont pas conscience du lien de cause à effet entre les activités qu'ils effectuent avant le coucher et la qualité ou la quantité de leur sommeil. Le journal aiderait aussi M. Hébert à mesurer avec plus de précision la durée exacte de ses périodes de sommeil et d'insomnie.

2. Parmi les autres données pouvant être utiles, on relève notamment : les activités effectuées habituellement juste avant le coucher ; le niveau de bruit ambiant ; les aliments et boissons consommés juste avant le coucher ; la consommation éventuelle de médicaments pour le sommeil ; l'horaire et le rituel de lever ; la consommation de tabac.

3. Recommandez à la personne de lire ou d'effectuer toute autre activité paisible avant de s'endormir (mais pas de regarder la télévision ni de faire du sport) ; de s'en tenir à un horaire régulier de lever et de coucher ; d'essayer différentes méthodes non pharmacologiques susceptibles de favoriser le sommeil ; etc.

4. Le dossier de M. Hébert indique que son insomnie est un trouble primaire du sommeil. Si c'était son bras blessé qui l'empêchait de dormir à cause de la douleur ou s'il souffrait du syndrome post-traumatique, ses perturbations du sommeil constitueraient un trouble secondaire du sommeil.

5. Les causes les plus fréquentes des perturbations du sommeil sont les suivantes : souffrance physique ; bruit ; fatigue intense ; modification des horaires de travail ; détresse émotionnelle ; consommation d'alcool et autres excitants ; tabagisme.

Chapitre 44 Soulagement de la douleur

page 1418

1. Il existe des données subjectives (évaluation du degré de douleur à 5) et des données objectives (signes vitaux, position, soutien de l'abdomen, position rigide) attestant que Mme Longval éprouve de la douleur. Cependant, on ne peut tirer aucune conclusion quant à l'intensité, au siège, à la qualité et à la fréquence de sa douleur.

2. Il serait incorrect de supposer que Mme Longval n'a besoin d'aucune intervention pour soulager la douleur. Les gens évaluent leur douleur en fonction de leurs expériences passées, de leur tolérance, de leurs valeurs ethniques et culturelles, etc. Il faut plutôt lui demander si elle sent qu'elle a besoin de mesures de soulagement.

3. Mme Longval éprouve vraisemblablement une douleur aiguë consécutive à l'intervention chirurgicale. Elle peut éprouver également une douleur viscérale plus ou moins intense, selon les manipulations pratiquées sur son intestin et ses vaisseaux sanguins abdominaux.

4. Plusieurs interventions pourraient être utiles : aider Mme Longval à changer de position, lui masser le dos, utiliser la stimulation cutanée, lui proposer des activités de diversion (lui faire écouter de la musique douce, par exemple), etc.

5. L'indicateur le plus fiable sera l'avis de la personne elle-même. L'infirmière peut aussi s'appuyer sur des données objectives comme les suivantes : une diminution du pouls, de la pression artérielle et de la fréquence respiratoire par rapport aux valeurs mesurées avant l'intervention ; l'observation de la personne calme ou endormie ; un teint rosé ; l'absence de nausée et de transpiration ; une expression détendue, etc.

page 1420

1. L'infirmière devrait tenter d'obtenir des renseignements sur les facteurs déterminants dans la perception de la douleur et la réaction à la douleur : hospitalisations antérieures ; expériences de douleur passées ; valeurs culturelles relatives à la douleur ; aidants naturels ; effets de l'environnement ; niveau d'anxiété et de stress.

2. L'ACP pourrait être bénéfique durant les quelques jours suivant l'intervention chirurgicale. Considérez la douleur comme le cinquième signe vital : évaluez-la chaque fois que vous mesurez les signes vitaux. Évaluez jusqu'à quel point M. Carrier a le sentiment de jouer un rôle dans le soulagement de la douleur.

3. L'ACP pourrait mieux soulager sa douleur. M. Carrier a besoin de sentir qu'il joue un plus grand rôle dans le soulagement de la douleur.

4. En plus d'administrer les analgésiques avant la toux et la respiration profonde, l'infirmière devrait :
   • Lui enseigner comment soutenir l'incision à l'aide d'un oreiller.
   • Souligner l'importance de la toux et de la respiration profonde et expliquer qu'elle désire qu'il se sente assez bien pour les pratiquer.
   • Évaluer si les analgésiques le soulagent suffisamment pour qu'il puisse les exécuter. Aurait-il besoin d'un opioïde et d'un non-opioïde ?
   • Demander s'il a déjà utilisé des techniques de relaxation ; évaluer s'il désire y recourir. Dans le cas contraire, lui demander ce qui pourrait le soulager.

Chapitre 45 Nutrition et alimentation

1. Les réserves adipeuses d'une femme sont plus élevées que celles d'un homme de stature équivalente. Mme Santini est âgée de 59 ans et elle commence certainement à constater certains changements dans la configuration de son corps ; elle n'a plus besoin d'un apport énergétique aussi important pour maintenir son poids-santé ; elle doit cependant continuer de consommer des nutriments en quantité suffisante. Comme elle vit seule, les repas ne constituent plus pour elle une occasion d'entretenir des contacts sociaux ; elle a par conséquent tendance à manger mal. Comme son nom est d'origine italienne, il faudrait chercher à savoir si sa culture influe sur ses opinions et ses croyances liées à l'alimentation et au poids.

2. Quelles étaient les habitudes alimentaires de Mme Santini avant la mort de son mari ? Quels sont les aliments qu'elle préfère et ceux qu'elle aime le moins ? Quel genre d'aliments grignote-t-elle ? Possède-t-elle les ressources financières nécessaires pour acheter des aliments de qualité ? Son cadre de vie lui permet-il de cuisiner et d'entreposer correctement les aliments ?

3. On pourrait faire de nombreuses recommandations à Mme Santini, notamment : s'occuper les mains quand elle regarde la télé (par exemple, tricoter) ; grignoter de préférence des aliments santé, tels que des bâtonnets de carottes ou de céleri ; ne pas garder d'amuse-gueule salés ni de sucreries à la maison.

4. Les tableaux de référence et les autres formules de calcul permettent de déterminer le poids-santé. Cependant, le poids normal dépend en fait de nombreux facteurs, impossibles à prendre en considération dans ces calculs : le niveau d'activité de la personne considérée, son IMC, la configuration de son corps, etc. Mme Santini a mentionné sa sveltesse habituelle et son ossature délicate ; on peut donc supposer qu'elle souhaite retrouver cette silhouette – dans la mesure du possible, compte tenu de son âge. L'infirmière ne doit pas indiquer de poids précis à atteindre. La détermination des objectifs doit se faire en collaboration avec la personne.

Chapitre 46 Élimination intestinale

1. Il faudrait s'informer du nombre de selles et de leur volume pour déterminer s'il s'agit réellement d'une diarrhée ou s'il y a présence d'un fécalome. Il faudrait ensuite évaluer le régime alimentaire, l'apport liquidien quotidien, l'apport quotidien en fibres, les activités quotidiennes, les médicaments et les autres facteurs pouvant être responsables de la constipation et, s'il y a lieu, d'un fécalome.

2. On peut effectuer un toucher rectal pour vérifier s'il y a un fécalome. On peut aussi administrer un lavement huileux, suivi d'un lavement évacuateur, d'un suppositoire ou d'un émollient. Si toutes ces mesures échouent, il faudra peut-être retirer manuellement le fécalome.

3. Il faudrait envisager des interventions favorisant une défécation régulière, notamment augmenter la consommation de liquides, observer un horaire régulier de défécation et respecter l'envie de déféquer. Afin d'inciter la personne à consommer davantage de fibres, l'infirmière lui fournira une liste d'aliments riches en fibres. Elle fera aussi l'inventaire des provisions de la personne et lui indiquera les aliments riches en fibres. L'infirmière pourra proposer à la personne de rencontrer ses voisines pour planifier des menus équilibrés, partager ses repas, etc., et la diriger vers un service de physiothérapie ou d'autres services pouvant l'inciter à entreprendre un programme d'exercice adapté aux personnes âgées, comme l'aquaforme.

4. L'usage chronique de laxatifs rendra Mme Brodeur encore plus sujette à la constipation et à la formation d'un fécalome en raison de la perte de tonus musculaire que la consommation de ces produits entraîne. Augmenter l'apport en fibres et la consommation de fruits et de légumes, entre autres mesures, est un moyen naturel beaucoup plus sûr pour traiter la constipation.

Chapitre 47 Élimination urinaire

1. La pollakiurie pourrait être un signe d'infection attribuable à d'autres causes que l'hypertrophie de la prostate. On ne fournit ici aucune donnée sur les autres problèmes de santé éventuels ni sur les médicaments qui pourraient être en cause. Une collecte exhaustive de données s'impose.

2. L'infirmière doit veiller à ce que la personne comprenne tout ce qui lui est proposé ainsi que les résultats escomptés. On doit toujours soupeser le résultat escompté par rapport au risque que représente l'intervention. Le type de chirurgie est-il considéré comme acceptable sur le plan culturel ? Même s'il n'est pas possible de connaître tous les détails relatifs à l'intervention, l'expérience montre qu'elle ne permet pas toujours d'obtenir le succès escompté. Comment la personne est-elle susceptible de réagir si les épisodes d'incontinence se poursuivent après l'intervention ?

3. Sauf contre-indication, le médecin observera souvent un protocole médical établi. S'il détermine que l'hypertrophie est grave et irréversible, la chirurgie pourrait se révéler le seul choix possible. Dans pareil cas, l'infirmière pourra se renseigner sur les autres traitements que le médecin aurait pu envisager, et expliquer à la personne pourquoi ils semblent moins indiqués qu'une intervention chirurgicale.

4. L'infirmière doit évaluer en profondeur si la personne comprend bien son état et les mesures éventuelles qui permettraient de réduire les conséquences que celui-ci aura sur les AVQ et sa qualité de vie. Si la personne montre qu'elle a bien évalué la situation et qu'elle a fait un choix éclairé, l'infirmière aura alors la responsabilité de l'appuyer en ce sens.

Chapitre 48 Oxygénation

1. L'examen physique révèle la présence de fièvre, l'utilisation des muscles accessoires, des bruits respiratoires surajoutés (ou adventices) et des expectorations jaunes. Toutes ces observations suggèrent qu'il ne s'agit pas simplement d'un mauvais rhume. L'infirmière aurait certainement supposé qu'il y avait une cause sous-jacente plus importante.

2. L'altération de l'état mental constitue un signe qui peut s'avérer très utile pour déterminer qu'une personne souffre d'hypoxie. De plus, une augmentation des fréquences respiratoire et cardiaque et un essoufflement marqué constituent des signes positifs d'une aggravation de la situation. Si ce n'est déjà fait, il faudrait commencer à surveiller de façon constante la saturation en oxygène, effectuer des évaluations fréquentes et avertir le médecin au besoin. L'infirmière devrait avoir à portée de main le matériel requis pour l'aspiration des sécrétions. Il pourrait être nécessaire de transférer la personne à un service de soins infirmiers qui s'occupe de cas plus graves.

3. On devrait toujours appliquer les précautions universelles de prévention des infections. L'infirmière devrait toujours porter des gants lorsqu'elle se trouve en contact avec les sécrétions de la personne. Elle devrait de plus porter un masque si la personne risque de lui tousser ou de cracher au visage par inadvertance, en raison d'une absence de contrôle.

4. Le masque facial pourrait incommoder la personne, faire en sorte qu'elle se sente confinée ou favoriser un sentiment de claustrophobie. Si elle ne le porte pas, il n'est d'aucune utilité. L'infirmière devrait discuter de l'utilisation du masque avec la personne et lui demander pourquoi elle l'enlève. S'il est impossible de modifier le masque en fonction des raisons que la personne invoque, l'infirmière doit le remplacer par des lunettes nasales et ajuster le débit d'oxygène en conséquence.

5. Mme Sicard a un mode de vie passablement stressant: elle travaille à plein temps en plus de suivre des cours et s'expose à des facteurs de stress physique non négligeables (une diète médiocre, et une consommation de tabac depuis plus de 20 ans). Au cours de l'enseignement préparatoire au congé, l'infirmière pourrait notamment examiner avec la personne lesquels de ces facteurs de risque pourraient entrer dans un plan de modification du mode de vie à court terme et à long terme.

Chapitre 49 Circulation

1. Cette personne présente une réduction de la circulation artérielle au niveau des pieds. Lorsque les tissus sont ischémiés, l'accumulation d'acide lactique provoque de la douleur. La douleur que mentionne Mme Papineau va de pair avec la *claudication intermittente*. Les facteurs de risque des affections vasculaires périphériques comprennent le tabagisme, une alimentation riche en lipides, l'obésité, la sédentarité, l'hypertension et le diabète.

2. L'*Irrigation tissulaire inefficace (périphérique)* et l'*Intolérance à l'activité* sont deux diagnostics infirmiers probables. Il se peut que la question de l'*Intolérance à l'activité* constitue la priorité pour l'infirmière, qui pourra

probablement concevoir un plan de soins et de traitements infirmiers susceptible d'aider cette personne à mieux se déplacer et qui lui permettra d'améliorer sa qualité de vie. Les résultats escomptés et les interventions concernant l'*Irrigation tissulaire inefficace* mettront l'accent sur l'application d'un plan de traitements médicaux et de prévention des blessures. Il faut cependant se rappeler qu'un plan de soins ne peut être efficace sans une participation active de la personne. Si ce n'est pas le cas, l'examen des priorités ne peut être que suggéré.

3. Le plan de soins et de traitements infirmiers ne doit pas porter uniquement sur les aspects physiologiques; il faut aussi tenir compte des aspects psychologiques, ce qui est toujours une tâche délicate. L'infirmière doit étudier les réactions de la personne à l'égard des recommandations qui lui sont faites. Si la personne ne les accepte pas, il faut essayer de trouver avec elle des solutions acceptables, par exemple réduire ses déplacements ou utiliser un fauteuil roulant.

4. Les bas de soutien (bas de compression) favorisent le retour veineux. Or, cette personne souffre d'une circulation artérielle compromise. Si les bas sont trop serrés, ils risquent de nuire au débit sanguin artériel vers les extrémités. Il faut expliquer cela à la personne de façon à ce qu'elle le comprenne.

Chapitre 50 Équilibre hydrique, électrolytique et acidobasique

1. Une arythmie peut être causée par l'hypokaliémie. Il s'agit d'une urgence, et l'infirmière doit aviser sans délai le médecin et l'infirmière responsable. Il se peut que des mesures d'urgence s'imposent. Lors de l'évaluation d'une arythmie, l'infirmière doit chercher à discerner des tendances. Il est important qu'elle prenne la pression artérielle, car ce signe vital constitue un indicateur de la fonction cardiaque et des effets de l'arythmie.

2. Le déficit de volume liquidien entraîne une hypertonie du compartiment vasculaire, ce qui expulse l'eau des cellules, neurones compris. Les symptômes neurologiques sont inhérents à la déshydratation cellulaire.

3. L'infirmière peut notamment lui proposer une boisson qu'elle apprécie ou qui soulage ses nausées. Elle peut également s'assurer que les boissons lui sont servies à la température appropriée, lui fournir des pailles et lui servir de petites quantités. Elle pourrait aussi lui donner un antiémétique, s'il est prescrit.

4. La pesée quotidienne est un moyen facile et rapide de vérifier l'équilibre hydrique. L'infirmière peut expliquer à Mme Charbonneau qu'une perte de 1 kg indique une perte liquidienne d'environ 1 L.

Chapitre 1 Les soins infirmiers d'hier à aujourd'hui

1. c); 2. b); 3. b); 4. a).

Évaluez votre réponse

1. Administrer un vaccin est une activité de prévention de la maladie. Quant aux activités **b** et **d**, elles sont reliées au processus thérapeutique.

2. Une infirmière clinicienne spécialisée est une experte dans un domaine de spécialité. L'infirmière sage-femme donne des soins prénataux aux femmes enceintes et dirige des accouchements considérés comme n'étant pas à risque de complications. Quant aux infirmières enseignantes, elles s'occupent principalement de la formation des futures infirmières. Pour leur part, les infirmières chercheuses se consacrent à l'avancement des connaissances par divers travaux d'érudition.

3. La débutante démontre une performance acceptable. La performante possède de 3 à 5 années d'expérience et a acquis une compréhension holistique de la situation de la personne soignée. L'experte, pour sa part, démontre, lors de nouvelles situations, de très grandes habiletés basées à la fois sur son intuition et sur une analyse rigoureuse de la situation clinique.

4. Toutes ces forces sociales auront un impact sur la profession d'infirmière, mais c'est le vieillissement de la population qui influera le plus sur l'offre de personnel infirmier par rapport à la demande de soins. Le vieillissement de la population contribuera à une augmentation du nombre de personnes âgées nécessitant des soins spécialisés. Le vieillissement des infirmières enseignant dans les collèges et les universités, dont une bonne partie prendront leur retraite, mettra en péril la formation des futures générations d'infirmières. De même, un grand nombre d'infirmières en exercice atteindront l'âge de la retraite, ce qui contribuera au déficit de main-d'œuvre infirmière. Un écart se creusera donc entre la demande et l'offre de services infirmiers.

Chapitre 2 Formation et recherche infirmières au Québec et dans le reste du Canada

1. c); 2. b); 3. a); 4. c); 5. d).

Évaluez votre réponse

1. La formation continue fait référence à une formation systématique qui permet de développer les habiletés psychomotrices de l'infirmière et d'approfondir ses connaissances. Les autres exemples d'activités permettent certes d'augmenter les connaissances de l'infirmière, mais elles sont moins formelles.

2. Le vécu de personnes atteintes d'une affection étant une expérience personnelle, la chercheuse devrait retenir une approche qualitative. En effet, ce type d'approche permet d'investiguer un phénomène à partir du point de vue de la personne qui le vit. Le constructivisme est une philosophie qui est souvent associée à une démarche qualitative. Quant au positivisme, il s'agit d'une philosophie associée à une démarche de type quantitatif; l'approche quantitative ne convient pas à cet objet de recherche, car il est impossible de mesurer le phénomène étudié.

3. La recherche quasi expérimentale ou expérimentale est utilisée pour vérifier notamment l'influence d'une variable indépendante, c'est-à-dire qui est identique d'une personne à l'autre dans le projet de recherche, sur une variable dépendante, c'est-à-dire qui se modifie au cours de l'expérience. Dans la situation **a**, la chercheuse veut vérifier si un programme d'enseignement (variable indépendante) influe sur les habitudes de sommeil (variable dépendante).
Il est possible de noter des changements dans les habitudes de sommeil avant et après le programme d'enseignement et de mesurer ces changements à l'aide de différents outils. Les autres réponses portent sur des expériences subjectives.

4. L'étude de la perception de mort imminente renvoie à une expérience subjective. De plus, la méthode d'investigation est le discours des personnes ayant subi ce type d'intervention. Les autres exemples font référence à des phénomènes qui peuvent être mesurés à l'aide d'outils standardisés.

5. Le droit à l'autodétermination signifie que la personne participant à un projet de recherche doit se sentir libre de contraintes et de pressions indues. Cet exemple ne permet pas de détecter si la personne a subi d'autres violations de ses droits.

Chapitre 3 Pensée philosophique et soins infirmiers

1. c); 2. b); 3. d); 4. a); 5. b).

Évaluez votre réponse

1. La théorie (**c**) est une hypothèse ou un système d'idées qu'on propose pour expliquer un phénomène donné.
Un concept (**a**) est une idée abstraite ou une image mentale qui représente un phénomène. Les concepts traduisent les propriétés et le sens d'un objet, d'un événement ou d'une chose. Un cadre conceptuel (**b**) est un groupe de concepts apparentés. Il donne une vue d'ensemble ou une orientation générale qui schématise des pensées. Un paradigme

(d) est une manière de penser, fondée sur un ensemble de croyances, de valeurs et de postulats.

2. Un cadre conceptuel (**b**) est un groupe de concepts apparentés. Il donne une vue d'ensemble ou une orientation générale qui schématise des pensées. La philosophie (**a**) est une discipline scientifique qui pose des questions sur l'idée que nous nous faisons de notre expérience, de l'univers et des choses humaines, et qui explore ces questions pour tenter d'y répondre. Une théorie (**c**) est une hypothèse ou un système d'idées qu'on propose pour expliquer un phénomène donné. Un paradigme (**d**) est une manière de penser, fondée sur un ensemble de croyances, de valeurs et de postulats.

3. Un paradigme (**d**) est une manière de penser, fondée sur un ensemble de croyances, de valeurs et de postulats. Un concept (**a**) est une idée abstraite ou une image mentale qui représente un phénomène. Les concepts traduisent les propriétés et le sens d'un objet, d'un événement ou d'une chose. Un cadre conceptuel (**b**) est un groupe de concepts apparentés. Il donne une vue d'ensemble ou une orientation générale qui schématise des pensées. Les disciplines orientées vers la pratique disciplinaire (**c**) puisent dans les théories et les connaissances tant pour la recherche que pour l'avancement de cette pratique.

4. Les disciplines orientées vers la pratique disciplinaire puisent dans les théories et les connaissances tant pour la recherche que pour l'avancement de cette pratique. Elles s'intéressent en premier lieu à la performance et au rôle professionnel. Les disciplines qui ne sont pas centrées sur la performance ne sont donc pas orientées vers la pratique disciplinaire. On peut étudier la physique (**a**) sans toutefois appliquer dans la pratique les connaissances acquises. La psychologie (**b**), les soins infirmiers (**c**) et la gestion (**d**) sont axés sur la pratique disciplinaire.

5. Les concepts centraux du métaparadigme infirmier sont la personne, l'environnement, la santé et les soins infirmiers (**b**). Le processus infirmier, le diagnostic infirmier, la théorie infirmière et la recherche en soins infirmiers (**a**) sont des concepts liés à divers champs d'activité de l'infirmière. La collecte des données, l'analyse, la planification et l'évaluation (**c**) représentent quatre des cinq étapes de la démarche systématique dans la pratique infirmière. L'individu, la famille, le groupe ou la communauté (**d**) constituent la « personne » qui reçoit les soins infirmiers.

Chapitre 4 Cadre juridique de la profession infirmière

1. d) ; 2. d) ; 3. c) ; 4. b) ; 5. b).

Évaluez votre réponse

1. La *Cour d'appel* est la plus haute instance au Québec. S'il en va de l'intérêt national ou si la question porte sur un point de droit, il peut y avoir appel devant la *Cour suprême*, la plus haute instance au Canada.

2. Les dates charnières sont 1920, 1946, 1973, 1980 et 2002. Dès 1920, le législateur a reconnu les infirmières en protégeant leur exercice et en leur accordant le titre de « garde

malade enregistrée ». En 1946, une autre loi obligeait les infirmières à devenir membre d'une association pour avoir le droit d'exercer. Puis, en 1973, le législateur a défini le cadre juridique de l'exercice infirmier. En 1980, des règlements sur la délégation d'actes médicaux et infirmiers ont été adoptés. Finalement, en 2002, la *Loi modifiant le Code des professions et d'autres dispositions législatives dans le domaine de la santé* a clarifié le rôle des infirmières en plus de légitimer les pratiques qui s'étaient développées en marge depuis 1973.

3. Les quatre éléments qui constituent les fondements de la responsabilité civile sont la capacité de discernement, le dommage, la faute et la causalité. La capacité de discernement est l'aptitude mentale qui permet à un individu d'évaluer les conséquences et la portée des actes. Le dommage est l'élément essentiel en vue d'obtenir une compensation financière. La faute est l'élément déterminant la responsabilité. La causalité est le lien qui doit démontrer que le dommage subi est la conséquence directe du comportement reproché.

4. La Chambre criminelle n'entend que les plaintes pour une infraction prévue au *Code criminel du Canada* (L.R.C., 1985, c. C-46). Lorsqu'une infirmière commet une infraction en vertu du *Code de déontologie des infirmières et infirmiers*, la plainte sera soumise à l'OIIQ, qui fera enquête. S'il y a lieu, la plainte sera ensuite entendue par le comité de discipline selon le processus prévu dans le *Code des professions*.

5. L'étudiante infirmière ne fait pas uniquement le suivi auprès de la professeure. Elle doit également le faire auprès de l'infirmière soignante. En effet, les soins prodigués et les personnes soignées demeurent sous la responsabilité de l'infirmière.

Chapitre 5 Valeurs, morale et éthique

1. a) ; 2. b) ; 3. a) ; 4. c) ; 5. d).

Évaluez votre réponse

1. Dans un dilemme éthique, les actes de l'infirmière doivent être basés sur des normes morales et éthiques. L'infirmière peut avoir des croyances personnelles très fortes, mais prendre ses distances par rapport à la situation nuit à la personne. Une équipe n'est pas toujours obligée de prendre des décisions ; de son côté, l'infirmière n'est pas obligée de se conformer aux désirs de la personne lorsqu'elle estime que ceux-ci peuvent avoir des conséquences négatives pour soi ou les autres.

2. Sur le plan éthique, l'infirmière est tenue d'agir dans le cas où elle sait qu'un autre soignant agit de manière risquée ou incompétente. Un grand nombre de pratiques médicales sont controversées, mais elles ne vont pas nécessairement à l'encontre de l'éthique. Bien que certains considèrent les grèves d'infirmières comme non éthiques, appuyer des employés en grève est une décision personnelle. Même si le fait pour une personne de se confier à une infirmière comporte certains éléments éthiques, cela ne constitue pas automatiquement un dilemme éthique.

3. L'autonomie est le droit de la personne (ou de son mandataire) de prendre ses propres décisions. Rappelez-vous

que l'infirmière est obligée de respecter la décision éclairée de la personne. Les parents peuvent modifier leur décision au fur et à mesure que le temps passe et que l'état de leur enfant (ou leurs sentiments) évolue. Cette situation n'est pas vraiment un cas de malfaisance (faire du mal) ou de bienveillance (faire du bien) étant donné que plusieurs éléments appartiennent aux deux. Si l'enfant semblait souffrir ou si on lui refusait un traitement efficace, ces principes pourraient s'appliquer. La justice (équité) s'applique généralement lorsqu'on doit comparer les droits d'une personne avec ceux d'une autre.

4. Dans la clarification des valeurs, on aide la personne à réfléchir aux facteurs qui influent sur ses croyances et ses décisions. Tout jugement de la part de l'infirmière qui constituerait un jugement sur la justesse ou la non-justesse des pensées ou des actes de la personne est une entrave à cette clarification.

5. Un des principaux rôles de la protectrice des intérêts de la personne est d'agir comme médiatrice entre les parties. Même si une personne compétente a le droit de décider pour elle-même et même si le médecin est d'accord, il est crucial de favoriser la compréhension et la coopération entre les membres de la famille. Une action en justice devrait représenter le dernier recours.

Chapitre 6 Système de distribution des soins et des services de santé

1. c); 2. b); 3. a); 4. c); 5. d).

Évaluez votre réponse

1. La prévention primaire correspond aux actions qui permettent de prévenir la maladie ou de la détecter précocement. Le traitement d'une maladie est de l'ordre de la prévention secondaire alors que la réadaptation relève de la prévention tertiaire.

2. Les Centres de santé et de services sociaux ont pour mission d'offrir à la population d'un territoire une gamme variée de services de première ligne. Les centres hospitaliers accueillent non seulement des personnes qui doivent être hospitalisées mais également des personnes qui consultent dans les cliniques externes ou à l'urgence. Depuis le virage ambulatoire, les centres hospitaliers offrent aussi des services de chirurgie d'un jour. Enfin, la réadaptation des personnes après un problème de santé ou une chirurgie commence en milieu hospitalier.

3. Le médecin omnipraticien qui pratique en clinique privée ou dans un groupe de médecine familiale est habituellement le premier professionnel de la santé qu'une personne consulte. Les autres professionnels interviennent généralement lorsque la consultation a donné lieu au diagnostic d'un problème de santé.

4. Les nouveaux traitements et médicaments sont l'un des facteurs importants dans la croissance des coûts de la santé au Canada et au Québec.

5. La gestionnaire de suivi systématique a comme principales responsabilités d'évaluer les besoins de la personne soignée ainsi que son domicile et son environnement; de coordonner et de planifier les soins de la personne; de collaborer avec les autres professionnels de la santé; de surveiller les progrès de la personne; d'évaluer les résultats des interventions.

Chapitre 7 Soins de santé communautaire et continuité des services

1. b); 2. c); 3. d); 4. a); 5. c).

Évaluez votre réponse

1. Il est important que la personne sache comment vont se poursuivre ses soins à son retour à domicile et qui va lui prodiguer des soins. Par ailleurs, la visite de l'infirmière des soins à domicile devrait permettre de faire une évaluation des habitudes de vie et des ressources de la personne et de son environnement. La réponse **b** permet de voir que la personne connaît les services de soins à domicile et accepte d'y recourir.

2. Le travail en équipe interdisciplinaire suppose que tous les partenaires, y compris la personne et sa famille, participent à la recherche des meilleures solutions en regard de la situation. Habituellement, les rencontres de l'équipe interdisciplinaire doivent être placées sous la responsabilité du professionnel de la santé qui a une vision globale de la situation. Une fois que le plan thérapeutique interdisciplinaire est déterminé, il peut être mis en œuvre par les différents membres de l'équipe interdisciplinaire.

3. Les responsables des différents comités qui ont étudié les systèmes canadien et québécois sont d'avis que les soins de santé primaires constituent une solution intéressante pour remédier à certains problèmes. Ils préconisent également que les infirmières praticiennes assument un rôle plus important dans la prestation des soins.

4. Les objectifs couramment cités en relation avec les soins de santé primaires sont : l'efficacité, la continuité, la qualité, la productivité, la réactivité et l'accessibilité.

5. L'infirmière doit remplir les conditions suivantes pour garantir la continuité des soins : inciter la personne et sa famille à participer à toutes les étapes (évaluation de la personne, planification, mise en application et évaluation des soins) de l'entrée et du congé au cours d'un changement de milieu; collaborer et communiquer au besoin avec d'autres professionnels de la santé; s'assurer que les services requis pour obtenir des résultats positifs sont disponibles et coordonnés de manière que les soins soient prodigués sans interruption.

Chapitre 8 Promotion de la santé

1. c); 2. b); 3. d); 4. a); 5. d).

Évaluez votre réponse

1. L'énoncé **a** correspond au stade de précontemplation; l'énoncé **b**, au stade de préparation; l'énoncé **d**, au stade de maintien.

2. La perception de l'efficacité personnelle (**b**) est la confiance en ses capacités d'obtenir les résultats escomptés. La réponse **a** correspond à la perception relative au manque de temps, aux inconvénients, aux coûts et à la

difficulté de réaliser une action. La réponse **c** correspond à la perception que la personne a des autres (comportements, croyances et attitudes). La réponse **d** renvoie à la perception que la personne a du milieu de vie, qui peut l'inciter ou la décourager dans sa tentative de changer de comportement.

3. La femme âgée de 50 ans dont le mari est décédé il y a un mois (**a**) présente le risque le plus élevé de contracter une affection dans un proche avenir : l'échelle de Holmes-Rahe attribue une cote de 100 au décès du conjoint, alors qu'elle assigne une cote de 50 à l'événement décrit en **a**, une cote de 47 à l'événement décrit en **b**, et une cote de 26 à l'événement décrit en **c**.

4. La réponse **b** décrit une stratégie utilisée pendant le stade de contemplation ; la réponse **c**, une stratégie utilisée pendant le stade de préparation ; la réponse **d**, une stratégie utilisée pendant le stade de maintien.

5. Le changement est un processus complexe. L'infirmière ne devrait donc pas baisser les bras ou supposer que la personne ne veut pas changer (**a**). Une approche rigoureuse risque d'intimider la personne, ce qui renforcera sa résistance ; cette approche ne donne de bons résultats qu'avec certaines personnes (**b**). L'objectif de l'enseignement est d'aider la personne à devenir en quelque sorte elle-même experte (**c**).

Chapitre 9 Soins à domicile

1. c) ; 2. a) ; 3. b) ; 4. a) ; 5. d).

Évaluez votre réponse

1. Bien que, depuis quelque temps, les établissements de soins de santé se montrent plus accueillants envers les familles, l'un des principaux avantages des soins à domicile est la présence et la participation de la famille et des proches. Il est possible d'appliquer des mesures curatives ou d'importance vitale aussi bien au domicile qu'à l'hôpital. L'infirmière en soins à domicile est capable de réagir devant des symptômes complexes, ce qui inclut les interventions visant à soulager la douleur. Toutefois, les responsabilités légales sont les mêmes qu'en établissement de soins de longue durée ou qu'à l'hôpital.

2. Dans le cas où l'état de la personne est stable, l'alimentation et le bain sont des tâches qui entrent dans les compétences d'une auxiliaire familiale. L'enseignement à la personne soignée en matière de médication, le réglage du débit d'oxygène et toute forme d'évaluation sont des tâches réservées aux infirmières.

3. L'infirmière doit encourager chez la personne soignée l'expression de ses sentiments et des raisons de son refus afin de clarifier tout malentendu et de chercher des solutions de rechange. Les interventions **a** et **c** n'aident nullement à déterminer les raisons du comportement de la personne. L'intervention **d** représente une menace et reflète une attitude paternaliste : la personne reste libre devant les recommandations qu'on lui fait.

4. S'il existe des risques pour la santé du proche aidant lui-même, c'est souvent un signe qu'il est surchargé. Il est souhaitable qu'il demande de l'aide ou s'informe

de la façon dont il pourrait mieux aider la personne soignée. La tristesse associée à un pronostic défavorable est une réaction normale et prévisible, tant qu'elle ne mène pas à la dépression.

5. Il est indispensable qu'une infirmière de l'accueil des services à domicile du CSSS fasse une évaluation détaillée des besoins de la personne pour que le CSSS commence à fournir les soins. La protection d'une assurance n'est pas essentielle puisque la Régie de l'assurance maladie du Québec couvre les coûts des soins à domicile. Beaucoup de gens reçoivent des soins à domicile même sans l'accompagnement d'un proche aidant. Les problèmes de santé auxquels répondent les services de soins à domicile comprennent des affections chroniques ou aiguës et des affections qui nécessitent des mesures préventives ou curatives. Des soins palliatifs sont également fournis.

Chapitre 10 Informatique en soins infirmiers

1. d) ; 2. c) ; 3. d) ; 4. c) ; 5. a).

Évaluez votre réponse

1. La normalisation des données, à l'origine des classifications infirmières, permet aux infirmières de se doter d'un langage commun. Cette normalisation facilite aussi l'extraction des données, car chaque élément contenu dans les diverses classifications est codé et donc facilement interprétable par les ordinateurs. La possibilité d'extraire les données grâce à la normalisation permet le partage des données tout au long de la prestation des soins.

2. Les questions concernant l'accès à l'information (qui peut y avoir accès ?) que contiennent les dossiers de santé électroniques demeurent les plus importantes. Les ordinateurs coûtent de moins en moins cher et sont de plus en plus performants. Par ailleurs, grâce à divers logiciels spécifiquement conçus à cet égard, les données informatisées sont bien plus précises que les données obtenues manuellement. Enfin, en raison de la facilité avec laquelle il est possible de copier un dossier et d'en effectuer des copies de sauvegarde, les données électroniques jouissent d'une pérennité peu comparable.

3. Dans la mesure où les étudiants qui recourent à la formation à distance effectuent leurs travaux en ligne en fonction de périodes horaires différentes et qu'ils font la plupart de leur travaux sans être branchés au réseau Internet, il leur est plus difficile d'acquérir un sentiment d'appartenance à un groupe. Cependant, grâce aux partages de fichiers audio et vidéo ou à la vidéoconférence, ils peuvent voir leur établissement d'enseignement, leur professeur et leurs condisciples, profitant ainsi d'une communication interpersonnelle. Enfin, certains étudiants évoluent plus rapidement dans un système de formation à distance que dans une classe traditionnelle, tandis que d'autres nécessiteront plus de temps pour terminer leurs études dans un tel système.

4. Bien qu'il ne soit pas nécessaire d'utiliser l'ordinateur pour mener à bien toutes les étapes du processus d'une recherche, il demeure que l'analyse informatique des données quantitatives apporte rapidité et précision à l'étape de l'analyse des résultats.

5. Plusieurs sites Web reçoivent l'appui et le parrainage d'organismes reconnus tels que l'Institut national du cancer du Canada. Ils mettent souvent en ligne, les rendant ainsi accessibles, les résultats de recherches exhaustives. Cependant, chaque site est différent, et le médecin traitant doit absolument évaluer un site pour déterminer s'il est fiable, de même qu'il devrait évaluer les traitements proposés pour s'assurer qu'ils ne sont pas nocifs pour la personne et qu'ils sont en mesure de lui venir en aide.

Chapitre 11 \ Conceptions de la santé et de la maladie

1. c) ; 2. b) ; 3. a) ; 4. a) ; 5. d).

Évaluez votre réponse

1. La frustration est un exemple d'émotion. Le choix d'aliments sains est associé à l'aspect physique ; suivre des cours sur l'art d'être parent, à l'aspect intellectuel ; et s'inscrire à une ligue de quilles, aux aspects physique et social.

2. La mère assume le rôle de personne malade et s'attend donc à être dispensée de ses responsabilités habituelles. Dans le rôle de malade, la personne ne se considère pas comme responsable de son affection, contrairement à la personne obèse. Dans le rôle de malade, la personne s'efforce d'aller mieux, contrairement à l'homme qui ne se présente pas à ses rendez-vous de physiothérapie. L'attitude de la personne âgée ne correspond pas à ce qu'on attend d'une personne qui adopte le rôle de malade, à savoir faire appel à une aide compétente.

3. Mme Paradis a probablement des croyances sur la gravité de son affection, croyances qui influent sur ses actes. Toutefois, le modèle des croyances en matière de santé est le plus utile pour déterminer si les personnes concernées sont susceptibles de participer à des activités de promotion de la santé. Or, Mme Paradis est déjà passée à l'action. Le modèle clinique met l'accent sur les signes et les symptômes de l'affection, ce dont on ne parle pas ici. Le modèle fonctionnel renvoie à la capacité de la personne d'assumer son rôle ou d'accomplir son travail. Le modèle agent-hôte-environnement est axé sur la prévision de l'affection.

4. Il n'a pas été démontré que l'instruction était un facteur favorisant l'observance. Par contre, il y a de bonnes raisons de croire qu'une relation de confiance avec le professionnel de la santé, l'efficacité de la médication, si elle est démontrée, et une posologie moins complexe encouragent l'observance.

5. Même si elle n'est pas toujours possible, l'observation directe reste la méthode la plus efficace pour mesurer l'observance (par exemple, observer un héroïnomane prenant sa dose de méthadone). L'observance du traitement ne garantit pas toujours l'absence de complications, ni que les analyses de laboratoire rendront compte de l'administration adéquate des médicaments. De plus, les rapports ou les souvenirs de la personne sont parfois flous, même si cette dernière est convaincue de dire la vérité.

Chapitre 12 Santé de l'individu, de la famille et de la communauté

1. c) ; 2. d) ; 3. a) ; 4. b) ; 5. d).

Évaluez votre réponse

1. Le concept d'holisme suppose de tenir compte de tous les aspects de la vie de la personne et non pas uniquement de ses problèmes physiologiques. Même s'il est tout à fait pertinent de prévoir des soins à domicile, de se soucier de spiritualité et de proposer des ressources pour s'adapter à la situation, l'infirmière applique véritablement une vision holistique des soins lorsqu'elle examine, avec la personne, de quelles façons le problème de santé influe sur les multiples aspects de la vie de cette dernière.

2. Étant donné que le comportement de l'enfant entraîne un changement dans le comportement de la famille, on considère qu'il s'agit de rétroaction, et aussi d'un type de rétro-inhibition puisque plus l'enfant pleure, plus le père retarde son départ. D'une certaine façon, le comportement de l'enfant est également un stimulus parce qu'il est absorbé par le système (le père) puis traité par le centre de régulation (du père), ce qui mène le père à prendre une décision.

3. Les antécédents médicaux des partenaires de vie actuels de la personne constituent une information capitale du fait que nombre d'affections sont transmissibles ou d'origine environnementale. De plus, en donnant ce conseil, l'infirmière reconnaît la composition de la famille donnée par la personne interrogée. Les antécédents médicaux des parents biologiques sont également très importants et devraient toujours être indiqués.

4. Lorsqu'une personne se sent suffisamment forte, un besoin de niveau inférieur (comme le repos) peut être différé jusqu'à ce qu'un besoin de niveau supérieur (réussite, sécurité) soit satisfait. Il est très probable qu'aucune autre personne ne pourra répondre à ce besoin en ce qui concerne la personne en question ; les besoins de niveau inférieur devront être satisfaits, quoi qu'il arrive.

5. L'infirmière en santé communautaire mettra l'accent sur des activités qui exerceront une influence sur l'ensemble du groupe et des personnes touchées. Il s'agit donc de prévenir et de surveiller les maladies infectieuses, et de prendre les mesures qui s'imposent pour promouvoir la santé des multiples personnes concernées (par exemple, nourriture et abri). L'infirmière en soins à domicile travaille habituellement avec des personnes ou des familles, individuellement, et répond à leurs besoins précis, qui peuvent ressembler à ceux d'autres personnes ou familles, ou au contraire en être très différents.

Chapitre 13 Culture et ethnicité

1. c) ; 2. b) ; 3. c) ; 4. d) ; 5. c).

Évaluez votre réponse

1. Les statistiques montrent que la proportion de personnes qui sont nées à l'extérieur du Canada ou qui ont des parents d'origine ethnique autre que canadienne est de plus en plus importante. Le portrait démographique du

Canada et celui du Québec s'en trouvent transformés. Par conséquent, les infirmières sont appelées à intervenir auprès de personnes qui ont des valeurs, des croyances ainsi que des habitudes de vie différentes de celles mises de l'avant par la médecine occidentale.

2. La sensibilité culturelle implique que l'infirmière connaisse, au moins de manière minimale, les traditions de plusieurs autres cultures. De plus, elle doit avoir des attitudes d'ouverture envers les personnes des autres cultures qu'elle soigne. La réponse **a** est incorrecte, car la formation aux soins transculturels se donne habituellement aux deuxième et troisième cycles universitaires. Quant aux deux autres réponses, elles ont trait aux soins en général, ce qui n'est pas l'objet de la question.

3. L'infirmière doit indiquer à la personne soignée qu'elle est ouverte à lui prodiguer des soins qui sont en accord avec ses valeurs et ses croyances en matière de santé. La réponse **a** part d'un *a priori* à l'effet que les personnes de certaines cultures ne boivent pas d'eau froide. L'infirmière doit toujours vérifier les habitudes de la personne soignée. Il est intéressant de s'initier à la culture de la personne (**b**) mais, dans le contexte des soins qui lui sont prodigués, cette manière de faire n'est pas la plus appropriée. Finalement, la réponse **d** n'est pas correcte car elle démontre une fermeture aux manières de faire de l'autre. L'infirmière doit démontrer de la souplesse dans l'application des règlements des établissements de soins.

4. Une infirmière culturellement compétente connaît l'ensemble de la situation de la personne immigrante soignée. Elle a une connaissance de la situation de la personne avant son immigration, elle est en mesure de déterminer les facteurs de stress associés à la migration et elle est capable d'évaluer l'importance du choc culturel à l'arrivée dans le pays d'accueil.

5. La culture n'est pas associée à la dimension physique d'une personne. Elle n'est pas limitée à un groupe et n'est pas non plus un comportement appris lors de la socialisation.

Chapitre 14 Approches complémentaires et parallèles en santé

1. b); 2. d); 3. c); 4. a); 5. b).

Évaluez votre réponse

1. Les ACPS comprennent des thérapeutiques variées et d'origines culturelles diversifiées. Toutefois, certaines de ces approches sont interreliées et s'inscrivent dans un système de guérison plus vaste, comme la médecine chinoise traditionnelle. Les ACPS comprennent, entre autres, la chiropratique, la médecine chinoise traditionnelle, les thérapies par le toucher, la naturopathie et l'homéopathie. Dans certains cas, les traitements médicaux occidentaux sont certainement plus efficaces que les ACPS, mais ce n'est pas toujours vrai. Dans le cas de certaines affections, il est tout à fait sensé de recourir d'abord à une ACPS et, en cas d'échec, de passer ensuite à la médecine occidentale, plutôt que de procéder à l'inverse.

2. Il s'agit là de l'un des principaux problèmes quand une personne qui recourt à une ACPS ne se sent pas à l'aise

pour en parler à son médecin. Il est vrai que l'infirmière peut soutenir la personne dans ses décisions relatives aux ACPS et que certaines thérapies liées aux ACPS peuvent être plus efficaces que des traitements occidentaux. Cependant, la principale raison pour laquelle l'infirmière doit poser ces questions au cours de l'anamnèse vise à protéger la personne contre les interactions médicamenteuses nocives qui pourraient survenir entre des plantes médicinales et des médicaments pharmaceutiques.

3. La personne *n'apprend pas à maîtriser consciemment* des processus physiologiques comme sa circulation sanguine, sa pression artérielle ou sa fréquence respiratoire. La personne apprend plutôt à se détendre, ce qui influe par la suite sur les processus physiologiques.

4. On ne maîtrise pas la respiration pendant la méditation. On se contente de l'observer. Atteindre un état de paix, favoriser la guérison et la relaxation, libérer la peur, l'anxiété et les doutes sont autant d'effets bénéfiques possibles de la méditation, mais l'objectif essentiel est de pacifier le psychisme et de se concentrer sur l'instant présent. Toutes les autres approches de la méditation sont qualifiées d'« instrumentales » (on s'y adonne pour produire l'effet recherché). En méditation, il n'y a pas de différence entre la pratique et l'objectif.

5. Selon la MCT, le yin, le yang, les pensées, les émotions et les relations sociales sont tous des éléments importants, mais les principes de cette approche reposent sur le flux du qi.

Chapitre 15 Pensée critique et pratique infirmière

1. b); 2. a); 3. d); 4. a); 5. d)

Évaluez votre réponse

1. L'infirmière a tiré une conclusion (probablement erronée) de faits insuffisants. L'ordonnance et la diarrhée sont des faits. Affirmer qu'on ne devrait pas administrer le laxatif parce qu'il aggraverait la diarrhée relève du jugement et de l'opinion. (Note : La pensée critique devrait pousser l'infirmière à examiner ses hypothèses et à recueillir des données supplémentaires avant de passer à l'action.)

2. L'infirmière doit être consciente d'un nombre important d'hypothèses en matière d'alimentation et devrait vérifier, par exemple, si la nourriture proposée est conforme aux habitudes culturelles de cette personne. Les réponses **b** et **c** équivalent à des conclusions non fondées sur des faits. En **d**, l'infirmière émet un jugement ou une opinion qui pourraient ne pas être exacts.

3. La pensée critique pousse l'infirmière à poursuivre sa recherche d'information jusqu'à ce qu'elle trouve une solution ou une réponse acceptable. S'incliner, trop se questionner ou douter de ses propres croyances, et sauter des échelons de la hiérarchie sont des réactions qui vont à l'encontre de trois des attitudes propres à la pensée critique, soit l'intégrité, le courage et la confiance dans le raisonnement.

4. La méthode scientifique est une technique de résolution de problèmes fondée sur la recherche. L'approche par tâtonnement et l'intuition ne comportent ni collecte de

données ni expérimentation. La démarche systématique suppose généralement que l'on procède à des interventions déjà expérimentées et provenant des résultats de la méthode scientifique.

5. Il est important, pour l'infirmière, d'anticiper les problèmes qui pourraient compromettre le plan d'action et d'être préparée à les surmonter. Le but visé doit être clair dès le départ et ne plus nécessiter de réflexion à cette étape. Il faut consulter la personne et sa famille au moment où on établit le but visé et les critères. Déterminer divers moyens d'atteindre les résultats visés équivaut à analyser les solutions possibles.

Chapitre 16 Collecte des données

1. a) ; 2. c) ; 3. b) ; 4. c) ; 5. d).

Évaluez votre réponse

1. L'étape de l'élaboration de diagnostics infirmiers est aussi appelée «analyse», car elle suppose qu'on détermine les implications des données.

2. À l'étape de la collecte des données, l'infirmière obtient, organise, valide et consigne des données. Elle émet des hypothèses à l'étape de l'analyse, fixe des objectifs à l'étape de la planification et consigne les soins apportés à l'étape des interventions.

3. Les données primaires proviennent de la personne, tandis que les données secondaires proviennent d'autres sources (dossier clinique, famille, etc.). Les données subjectives sont indirectes (rapportées ou reliées à une opinion), tandis que les données objectives sont mesurables et vérifiables (poids, œdème, etc.). Si le mari de la personne hospitalisée mentionnait que sa femme n'a pris qu'une rôtie et du thé dans la journée, il s'agirait d'une donnée secondaire objective (mesurée).

4. Pour amener une personne à exprimer ses sentiments, l'infirmière doit poser une question ouverte à laquelle il est impossible de répondre en un mot (**b**) ou par de l'information factuelle (**a**). La question portant sur la réaction de la famille (**d**) pourrait peut-être inciter la personne à parler de ses sentiments personnels, mais ce n'est pas le meilleur moyen d'y parvenir.

5. Les autres membres de l'équipe de soins peuvent utiliser des modèles théoriques très différents de ceux des infirmières. Le modèle théorique a un caractère contraignant ; l'infirmière qui a recours à ce modèle ne peut pas tenir compte de tous les éléments importants de la collecte des données, car celui-ci lui laisse peu d'initiative. Contrairement au recours à la démarche systématique, l'utilisation d'un modèle théorique pour la collecte des données ne permet pas à elle seule de réaliser une collecte des données exhaustive.

Chapitre 17 Analyse et interprétation des données

1. b) ; 2. c) ; 3. a) ; 4. d) ; 5. a).

Évaluez votre réponse

1. À la deuxième étape de la démarche systématique, l'infirmière analyse les données tirées de la collecte des données et elle détermine les problèmes, les facteurs de risque et les forces de la personne avant de formuler un diagnostic. Le choix des interventions fait partie des étapes de planification et d'exécution de la démarche de soins infirmiers.

2. La pâleur, l'hypertension et la tachycardie pourraient être des caractéristiques déterminantes présentées par la personne, autrement dit des éléments qui justifient la formulation du diagnostic. Seule la malnutrition constitue un facteur causal.

3. Le problème doit être différent du facteur causal (tomber et s'effondrer sont synonymes). Le facteur causal ne doit pas être une caractéristique présentée par la personne (les vomissements sont un signe de nausées). Enfin, le diagnostic doit être précis et orienter le plan de soins et de traitements (la fatigue est, dans certains cas, la conséquence de la privation de sommeil, mais elle ne guide pas l'intervention).

4. Le S dans l'acronyme PES signifie «signes et symptômes». Comme son appellation l'indique, le diagnostic en trois parties est plus long que le diagnostic en une ou deux parties. Tout diagnostic correctement formulé est précis, mais la forme PES rend compte du raisonnement de son auteure. Enfin, un diagnostic possible ne peut comprendre trois parties puisqu'il ne comprend ni signes ni symptômes.

5. Un problème est à traiter en collaboration (interdisciplinaire) lorsque la prévention ou le traitement du problème nécessite aussi bien des interventions médicales que des interventions infirmières. Un diagnostic infirmier est indiqué si les soins infirmiers suffisent à eux seuls à résoudre le problème. Enfin, un diagnostic médical est indiqué si seuls des soins médicaux peuvent résoudre le problème.

Chapitre 18 Planification

1. d) ; 2. a) ; 3. b) ; 4. c) ; 5. c).

Évaluez votre réponse

1. L'infirmière doit faire une planification initiale, car M. Leroux amorce un premier séjour dans l'unité d'orthopédie. Elle doit aussi effectuer une planification continue afin de déterminer les soins qui s'imposent pendant le quart de travail. La planification du congé est continue et doit s'amorcer dès l'admission.

2. Les plans de soins types et les protocoles sont destinés aux personnes pour lesquelles on a formulé des diagnostics infirmiers ou médicaux semblables. En règle générale, ils ne portent pas sur les horaires ni sur les besoins non médicaux des personnes. Les manuels de politiques et de procédures contiennent des renseignements relatifs à la conduite à tenir dans certaines situations. *Note :* Même les politiques d'un établissement de soins ne sont pas absolues. Chaque situation doit être analysée et abordée individuellement.

3. L'infirmière aurait besoin de données plus poussées pour établir l'ordre de priorité hors de tout doute. Cependant, la présence de nausées intenses au point d'inhiber l'apport de liquides par voie orale est le problème le plus susceptible d'entraîner des complications. Il dicte par conséquent

une intervention infirmière immédiate. Le degré de douleur n'a rien d'extrême compte tenu du laps de temps écoulé depuis l'intervention, et on peut supposer que les interventions visant à soulager la douleur sont efficaces. Le problème de constipation est presque anormal, mais l'infirmière pourrait se contenter pour l'instant d'un traitement par voie orale. Or les nausées rendent un tel traitement impossible. Les traitements plus envahissants, tels le lavement et le suppositoire, ne sont généralement pas administrés le premier jour suivant l'intervention chirurgicale. Le risque d'infection de la plaie existe, mais aucune donnée n'indique qu'il oblige à une modification du plan de soins et de traitements.

4. Le résultat escompté doit décrire l'opposé du problème. Les changements de position, l'application de lotion et l'utilisation d'un matelas de soutien constituent des interventions pouvant mener à l'obtention du résultat escompté.

5. Il existe peut-être des politiques relatives à la fréquence de la mesure des ingesta et des excreta, mais l'infirmière doit la préciser (par exemple, «toutes les 4 heures»). Par ailleurs, l'exercice de la pensée critique amènera l'infirmière à mesurer les ingesta et les excreta plus fréquemment qu'il est prescrit si l'examen physique donne des résultats anormaux.

Chapitre 19 Interventions et évaluation

1. c) ; 2. d) ; 3. a) ; 4. b) ; 5. b).

Évaluez votre réponse

1. L'infirmière procède d'abord à une nouvelle collecte des données pour établir si l'activité est toujours sûre et indiquée. Deuxièmement, elle détermine ses besoins en matière d'assistance. Troisièmement, elle exécute l'ordonnance. Enfin, elle documente son intervention.

2. Il n'est jamais acceptable de consigner une activité infirmière avant son exécution. En effet, bien des facteurs peuvent entraîner le report ou l'annulation d'une activité, et le fait de l'avoir notée à l'avance peut avoir de graves conséquences. Dans de rares situations, on peut tolérer que l'infirmière note les activités fréquentes ou habituelles après un certain temps, à la fin de son quart de travail ou toutes les 4 heures par exemple, plutôt que tout de suite après.

3. Les résultats escomptés et les indicateurs sont les critères en fonction desquels on évalue le plan de soins et de traitements infirmiers. Une personne peut atteindre un objectif même si les activités infirmières n'ont pas été exécutées ou n'ont pas été efficaces. Bien que, par définition, un résultat escompté corresponde à un changement quelconque dans l'état de la personne (comportement, connaissance ou attitude), le succès du plan de soins et de traitements infirmiers ne se mesure qu'en fonction de changements précis (résultats escomptés).

4. Il n'y a pas lieu de retirer ou de remplacer le diagnostic ni de modifier son ordre de priorité, car les facteurs de risque qui le justifient sont toujours présents.

5. Comme cette évaluation porte sur la *manière* dont les soins sont prodigués, il s'agit d'une évaluation des processus. Une évaluation des structures porterait sur le milieu (sur le fonctionnement du matériel, par exemple), tandis qu'une évaluation des résultats porterait sur les changements dans l'état des personnes (et révélerait par exemple si le degré de satisfaction varie selon le type de personne qui répond à l'appel). Une vérification consisterait en un examen d'un dossier ou d'un document.

Chapitre 20 Tenue de dossier

1. c) ; 2. a) ; 3. b) ; 4. d) ; 5. d).

Évaluez votre réponse

1. L'établissement de soins est propriétaire du dossier, mais la personne a le droit de le consulter et d'en obtenir une copie. L'établissement de soins peut cependant imposer des droits de copie et assujettir la consultation du dossier à certaines exigences comme la présence d'un représentant de l'établissement apte à répondre aux questions. Cependant, le professionnel peut en outre communiquer un renseignement protégé par le secret professionnel, en vue de prévenir un acte de violence, dont un suicide, lorsqu'il a un motif raisonnable de croire qu'un danger imminent de mort ou de blessures graves menace une personne ou un groupe de personnes identifiables.

2. Le plan de cheminement clinique convient surtout aux personnes ayant reçu un seul diagnostic. La réponse **b** est plausible, mais les personnes sont susceptibles d'avoir de nombreux besoins particuliers. Comme on ne connaît pas ces besoins, **a** constitue la *meilleure* réponse.

3. OV = ordonnance verbale ; gttes = gouttes ; OD = œil droit ; ac = avant les repas ; qd = tous les jours.

4. La réponse **d** est la plus complète. De nombreux auteurs déconseillent d'inscrire le mot *erreur*. Il est important d'inscrire son nom ou ses initiales à côté des mots *inscription erronée*.

5. L'inscription **d** est la meilleure, même si l'infirmière aurait dû consigner la réponse du médecin. L'inscription **a** est vague, car elle n'indique pas si l'infirmière a vu la personne tomber ou si elle l'a trouvée par terre en entrant dans la chambre. L'inscription **b** exprime un jugement envers la personne. Il aurait été préférable de décrire des signes et des symptômes comme «démarche chancelante», «parler inarticulé» et «haleine sentant l'alcool». L'inscription **c** est vague et devrait plutôt se lire : «Ecchymose de 2 cm × 3 cm à mi-hauteur de la face interne de la cuisse. »

Chapitre 21 Croissance et développement

1. c) ; 2. d) ; 3. b) ; 4. b) ; 5. a).

Évaluez votre réponse

1. Les stades du développement surviennent toujours dans le même ordre, mais pas toujours aux mêmes âges. La durée et les impacts de chacun des stades varient également d'une personne à l'autre. Pour la réponse **a**,

le mot *exactement* est incorrect. La réponse **b** est incorrecte parce que l'ordre des stades est prévisible. En ce qui concerne la réponse **d**, il est vrai que chaque enfant est unique ; cependant, l'ordre des étapes du développement est le même pour tous et est donc prévisible.

2. L'analyse doit porter à la fois sur la croissance (paramètres physiques) et sur le développement (fonctions et aptitudes). La réponse **a** évoque uniquement la croissance. La réponse **b** évoque uniquement le développement. La réponse **c** indique simplement des facteurs environnementaux susceptibles d'influer sur la croissance et sur le développement.

3. La fille est une préadolescente. À ce stade, les pairs exercent une influence croissante sur le comportement de l'individu. Les développements physique, cognitif et social sont accélérés et les aptitudes de communication s'affinent. Les parents doivent laisser l'enfant consacrer du temps et de l'énergie à ses passe-temps et à ses activités scolaires, le féliciter pour ses réussites et l'aider à réaliser d'autres exploits. La réponse **a** est un jugement de valeur erroné, car la situation décrite n'est pas inhabituelle et ne témoigne en rien des difficultés familiales. En ce qui concerne la réponse **c**, il est en effet important d'offrir du soutien à l'enfant d'âge scolaire ; cependant, les parents risquent de susciter en lui colère et rancune s'ils l'obligent à rester à la maison. La réponse **d** correspond également à un jugement de valeur. Même si le phénomène est tout à fait normal pour une jeune fille de cet âge, ce commentaire n'est pas acceptable.

4. Au stade de l'enfant d'âge préscolaire selon Erikson, le principal défi psychosocial consiste à trouver un équilibre entre les initiatives et la culpabilité. L'enfant commence à évaluer son propre comportement et à mieux saisir l'impact de l'affirmation de soi sur son environnement. La réponse **a** est incorrecte parce que Fowler s'est intéressé au développement spirituel. Les théoriciens des réponses **c** et **d** ont étudié les adultes, et non les enfants.

5. Pour Piaget, ce stade est celui de l'intelligence intuitive et il se caractérise par les comportements suivants : la perspective égocentrique régresse, l'enfant pense à une chose à la fois, il intègre les autres à son environnement, ses mots expriment aussi des pensées. Pour Erikson, ce stade du développement est celui de la recherche de l'équilibre entre l'initiative et la culpabilité. L'enfant apprend en outre l'impact de la maîtrise qu'il cherche à exercer sur son environnement et de l'affirmation de soi. Il commence à évaluer son propre comportement. Pour Fowler, ce stade est celui de l'intuition–projection : les représentations et les croyances transmises par les personnes de confiance se mêlent aux expériences propres de l'enfant et aux produits de son imagination. Alertée de toutes ces notions théoriques, l'infirmière peut en conclure que cet enfant déploie une imagination normale et qu'il a besoin de se familiariser avec la machine : connaître son utilité et son fonctionnement grâce à des explications à sa portée. En ce qui concerne la réponse **b**, l'expression de l'imaginaire est tout à fait normale à cet âge et il serait contre-productif de qualifier les propos de l'enfant de « stupides », et de lui dire qu'il est « trop grand » pour avoir ce genre de comportement. La réponse **c** est incorrecte

parce que les capacités langagières de l'enfant sont en plein développement et parce qu'il a besoin de comprendre le monde qui l'entoure. La réponse **d** est également incorrecte : en alimentant les peurs de l'enfant, l'infirmière risque d'attiser son angoisse et sa méfiance.

Chapitre 22 Promotion de la santé, de la conception à la fin de l'adolescence

1. b) ; 2. a) ; 3. c) ; 4. a) ; 5. a).

Évaluez votre réponse

1. La plupart des nouveau-nés ont la tête déformée par le modelage qui se produit au cours du passage dans la filière génitale. Ce phénomène est rendu possible par la présence des fontanelles (espaces membraneux situés entre deux surfaces articulaires des os du crâne) et par le chevauchement des sutures (espaces non ossifiés de la structure osseuse du crâne et constitués de tissus conjonctifs). Cette asymétrie disparaît en général dans la semaine qui suit la naissance. Réponse **a** – En s'allongeant sur le côté, la future mère atténue effectivement la pression qui s'exerce sur la tête du fœtus engagée dans la filière pelvienne ; cependant, la position assise ne contribue pas au modelage de la tête. Réponse **c** – Les futurs parents sont en effet exposés à un volume important d'information erronée ; cependant, il n'est pas forcément indispensable ni même souhaitable de rectifier ces faussetés sur-le-champ. Réponse **d** – Tous les bébés n'ont pas la tête déformée ; de même, il est important d'évaluer l'origine de l'asymétrie de la tête avant de mentionner aux parents que tout se corrige dans la première semaine de vie (par exemple, en présence de céphalhématome, cela peut prendre plusieurs semaines).

2. Les trottineurs aiment explorer leur environnement, mais ils ont besoin de le faire en présence d'une personne en qui ils ont confiance. Les parents doivent savoir que les enfants de cette tranche d'âge souffrent d'une forte angoisse de la séparation et que leur pire crainte est d'être abandonnés. Réponse **b** – Ce comportement est tout à fait normal chez le trottineur. Réponse **c** – L'enfant ne montre aucunement qu'elle est manipulatrice. Réponse **d** – Ce comportement ne témoigne pas d'une régression (retour à un stade antérieur du développement).

3. Certaines activités doivent être adaptées ou limitées pour que la blessure guérisse. Réponse **a** – Certaines activités doivent au contraire être limitées ou modifiées. Réponse **b** – Il est tout à fait irréaliste d'espérer contraindre un enfant d'âge préscolaire à rester assis en permanence. Réponse **d** – La bicyclette et la corde à sauter constituent des activités trop violentes dans ce cas, surtout au début de la convalescence.

4. Au stade des opérations concrètes, l'enfant passe dans ses interactions de l'égocentrisme à la coopération. Il comprend mieux les concepts associés aux objets. Il apprend à additionner et à soustraire et comprend les relations de cause à effet. Réponse **b** – Cette attitude est caractéristique de la phase préopératoire, car elle révèle une approche égocentrique reposant sur la pensée magique. Réponse **c** – Ce phénomène révèle que l'enfant

se trouve au stade des opérations formelles : il raisonne de manière déductive et peut envisager le futur. Réponse **d** – Cet apprentissage révèle simplement que l'enfant a atteint un certain stade de développement physique et moteur.

5. La formation des seins constitue souvent le premier indice visible de la puberté chez les filles ; cependant, le développement de la pilosité sur les grandes lèvres la précède dans certains cas. Réponse **b** – Chez les garçons, la poussée de croissance et les changements physiques majeurs et soudains commencent généralement entre 12 et 16 ans. La poussée de croissance des filles survient entre 10 et 14 ans. Réponse **c** – Les glandes eccrines sont réparties sur presque toute la surface du corps et sécrètent la sueur particulièrement riche en sel (chlorure de sodium) et en eau. Les glandes apocrines se développent aux aisselles, dans la région anale, dans la région génitale et dans les conduits auditifs externes ainsi qu'autour du nombril et de l'aréole des seins. Réponse **d** – Les principales causes de décès chez les adolescents sont les accidents de la route, le suicide, les homicides et les blessures non intentionnelles.

Chapitre 23 Promotion de la santé chez l'adulte

1. c) ; 2. b) ; 3. c) ; 4. b) ou d) ; 5. d).

Évaluez votre réponse

1. L'incidence du cancer du poumon augmente chez les femmes, probablement parce qu'elles sont de plus en plus nombreuses à fumer. Les autres cancers de la liste constituent des problèmes de santé très sérieux. Du point de vue strictement statistique, l'augmentation du nombre de cancers du poumon chez les femmes représente néanmoins une menace plus grave. La sensibilisation du public et les campagnes antitabac pourraient contribuer à réduire l'incidence du cancer pulmonaire.

2. Le deuil est une étape normale après le décès d'un être cher. Les comportements décrits dans les autres réponses sont les signes d'un deuil vécu normalement. Quand la personne se comporte d'une manière extrême et se néglige, c'est souvent parce qu'elle a du mal à s'adapter à la disparition de l'être aimé. L'infirmière doit alors évaluer le problème en profondeur et, le cas échéant, mettre en œuvre les différentes ressources dont la personne a besoin.

3. La plupart des personnes âgées subissent des changements dégénératifs de l'oreille qui se traduisent par une détérioration de leurs capacités auditives. Ces changements sont en général irréversibles. La déficience auditive causée par le vieillissement s'appelle la *presbyacousie*. La personne qui en est atteinte a du mal à entendre les fréquences élevées et perçoit mieux les voix graves. Les appareils auditifs ne conviennent pas à toutes les personnes présentant des déficiences de l'ouïe. Celles-ci doivent être examinées par un spécialiste qui déterminera si l'appareil peut leur être d'une quelconque utilité.

4. L'évocation des souvenirs du temps passé et les « bilans de vie » constituent des activités psychosociales tout à fait normales pour la personne âgée, surtout s'ils sont exprimés d'une manière positive. Ils permettent à la personne âgée de se rappeler ses réussites passées et le rôle qu'elle a joué dans la société, et ainsi d'améliorer son concept de soi. L'infirmière doit consulter un psychiatre gériatrique si elle constate des problèmes de comportement ou des troubles significatifs de la mémoire ; ce n'est cependant pas le cas ici. L'infirmière peut inciter la personne à prendre part à différentes conversations et activités, mais elle ne doit pas déprécier l'importance des anecdotes que cette dernière raconte.

5. Quand une personne atteinte de démence commence à s'agiter, l'infirmière doit tout d'abord diminuer la quantité et l'intensité des stimuli auxquels elle est exposée – mais elle ne doit pas la laisser seule. Pour apaiser cette personne, l'infirmière doit rester en sa compagnie, la distraire et la traiter d'une manière calme et délicate. Si l'infirmière touche la personne, elle doit le faire avec douceur afin de ne pas la surprendre ni l'effrayer.

Chapitre 24 Caring, compassion et communication thérapeutique

1. c) ; 2. b) ; 3. a) ; 4. a) ; 5. b).

Évaluez votre réponse

1. L'attitude non verbale qui consiste ici à toucher avec douceur a toute son importance. Parler d'une voix forte pourrait blesser la personne, lui donner des directives écrites ne serait probablement d'aucune utilité et l'absence d'expression faciale pourrait l'effrayer.

2. L'étude de la distance dans les relations.

3. Seule la réponse **a** illustre un comportement d'écoute ; les autres représentent des obstacles à l'écoute.

4. La bonne réponse réside dans le respect, qui permet de reconnaître le sentiment de la personne. Ce n'est pas l'authenticité que l'infirmière met en pratique ici puisque, avant d'être authentique, elle donne de l'information. Le réalisme consiste à donner un exemple précis. L'infirmière ne confronte pas la personne, elle la soutient en respectant ses sentiments.

5. La bonne réponse est l'inadaptation à un changement dans l'état de santé ; les attitudes décrites dans les autres réponses découlent de la situation.

Chapitre 25 Enseignement

1. b) ; 2. c) ; 3. b) ; 4. a) ; 5. c).

Évaluez votre réponse

1. La bonne réponse est **b**. Les réponses **a** et **c** relèvent du domaine psychomoteur et **d** relève du domaine cognitif.

2. Les réponses **a** et **b** indiquent des méthodes d'apprentissage passif. L'apprentissage est plus rapide et la personne mémorise mieux ce qu'elle apprend lorsqu'elle participe activement à l'apprentissage. À la réponse **d**, on favorise un apprentissage affectif, qui permet à la personne d'apprendre à s'adapter à son état chronique, ce qui est important. Cependant, la question porte sur l'apprentissage du nouveau régime adapté à l'état de Mme Dupuis. La bonne réponse est **c**, car elle permet d'individualiser

l'apprentissage à partir des connaissances et du vécu de la personne tout en favorisant son engagement.

3. La bonne réponse est **b**. Puisque les parents sont présents, l'enfant ne vivra pas l'angoisse de la séparation. Le livre de conte pourra aider l'enfant à comprendre un peu mieux ce qu'est l'hôpital et l'amener à poser des questions. L'homme de la réponse **a** est préoccupé par son problème de santé. La femme de la réponse **c** est souffrante. Il serait préférable d'attendre que sa douleur ait suffisamment diminué avant de commencer l'enseignement ; il serait aussi utile de vérifier si la médication n'a pas d'effets sédatifs qui pourraient nuire à sa concentration. L'homme de la réponse **d** sera probablement fatigué à la suite de sa physiothérapie ; il faudra évaluer sa capacité d'attention.

4. Le test évoqué en **b** permet d'évaluer l'aptitude à la lecture et à l'écriture ; toutefois, la meilleure réponse est **a**. Aux réponses **c** et **d**, il faut faire participer d'autres personnes, alors qu'il est préférable de consulter d'abord le premier intéressé.

5. À la réponse **a**, le fait de ne pas connaître un médicament ne démontre pas un état de confusion ; il faudrait évaluer davantage l'état mental avant de formuler un tel diagnostic. La réponse **b** fait référence au fait que la personne entreprend des actions afin d'atteindre un meilleur niveau de santé ; ce diagnostic infirmier n'est pas mauvais, mais un autre, plus pertinent, préciserait davantage les interventions infirmières. À la réponse **d**, le diagnostic de *Non-observance* ne s'applique pas ici puisque ce n'est pas une question de non-observance mais plutôt de connaissances insuffisantes ; rien n'indique que la personne n'observe pas la thérapie médicamenteuse parce qu'elle ne connaît pas cette pilule jaune. La bonne réponse est **c** : cette personne a tout simplement des connaissances insuffisantes concernant ce médicament.

Chapitre 26 Délégation, gestion et leadership

1. a) ; 2. a) ; 3. b) ; 4. c) ; 5. d).

Évaluez votre réponse

1. La situation nécessite que le personnel soit dirigé. Le style démocratique pourrait provoquer une perte de temps en raison des discussions et de la participation du groupe à la prise de décision. Le leadership de type laisser-faire n'apportera ni le contrôle ni le sens des responsabilités nécessaires à la situation. Un leader administratif, qui mettrait l'accent sur les règlements et les politiques de l'organisation, pourrait ne pas prendre les décisions pertinentes.

2. Le leader transformationnel est créatif, il fait appel à la collaboration et cherche à rendre les autres plus autonomes. Les sous-groupes ou les groupes de travail sont parfois des structures sous-jacentes du partage de l'autorité. Le leader transactionnel utilise les récompenses et les incitatifs. Le leader situationnel adapte son approche au contexte.

3. Dans la réponse **a**, l'infirmière gestionnaire possède l'autorité, mais elle n'a pas l'obligation de rendre compte ; en **c**, elle a seulement la responsabilité ; en **d**, elle a la responsabilité et l'obligation de rendre compte. Ce n'est

qu'en **b** que l'infirmière gestionnaire a l'obligation de rendre compte (évaluation du personnel), mais pas l'autorité (elle ne peut ni embaucher ni congédier des employés).

4. Un membre du personnel infirmier expérimenté sera capable d'effectuer de manière sécuritaire le transfert d'une personne, qu'un nouveau modèle de fauteuil roulant soit en cause ou qu'il s'agisse d'une personne âgée ; on n'a pas à tenir compte de ces détails (à moins qu'on ait omis de mentionner dans la question certaines caractéristiques relatives au nouveau fauteuil ou à la personne âgée). De plus, il n'y a aucune raison de penser qu'un congé ait diminué les compétences de l'employé. Cependant, une personne qui vient tout juste d'être opérée est, par définition, dans un état instable, et l'infirmière doit évaluer et superviser le premier transfert.

5. Bien qu'il soit utile de justifier un changement, il n'est pas essentiel de mettre l'accent sur les motifs, puisque la résistance est plus souvent d'origine émotive que rationnelle. L'infirmière gestionnaire qui a établi la nécessité d'un changement verra son autorité diminuée si elle agit de manière autocratique (**b**) ou renonce (**c**). Par ailleurs, on peut espérer que les opposants et les partisans en arrivent à un compromis en discutant. L'infirmière gestionnaire doit être ouverte et prête à accepter des modifications justifiées.

Chapitre 27 Perception sensorielle

1. d) ; 2. c) ; 3. b) ; 4. b) ; 5. d).

Évaluez votre réponse

1. Quand une personne est hospitalisée d'urgence pour subir une opération chirurgicale, une quantité considérable de procédés l'attendent (prélèvements, radiographies, signature des formulaires, etc.), malgré la douleur et d'autres malaises. Il ne reste pas beaucoup de temps pour l'aider à se repérer dans ce contexte. Après l'intervention chirurgicale, la personne sera probablement souffrante et pourrait être transférée dans une unité de soins intensifs. Les réponses **a** et **b** renvoient plutôt à un risque de privation sensorielle ; la réponse **c**, à une activité courante chez les adolescents.

2. Le transfert dans un autre établissement peut entraîner une modification dans la quantité, l'intensité ou la nature des stimuli et, en outre, une diminution, une exagération, une déformation ou une perturbation des réactions aux stimuli. La réponse **a** ne convient pas puisque rien n'indique que la personne souffre d'une détérioration ancienne ou progressive de ses capacités intellectuelles ou de sa personnalité. La réponse **d** est incorrecte puisque le diagnostic infirmier *Opérations de la pensée perturbées* s'applique aux personnes incapables d'interpréter correctement les stimuli en raison d'une altération de leurs capacités cognitives (dans un cas de démence, par exemple).

3. Atteinte de paraplégie (paralysie du bas du corps), la personne ne peut éprouver ni douleur ni sensations désagréables. L'infirmière lui indiquera qu'elle doit se soulever, si possible toutes les dix minutes, en s'appuyant sur ses accoudoirs. La réponse **a** décrit un problème réel plutôt qu'éventuel. La réponse **c** renvoie simplement à une

personne qui porte des lunettes pour corriger sa vue. La réponse **d** correspond plutôt au diagnostic *Risque d'accident*.

4. Cette personne gagnerait à utiliser un dispositif qui active une lumière clignotante quand on sonne à sa porte. La réponse **a** se rapporte à la sécurité plutôt qu'à l'altération sensorielle. Les réponses **c** et **d** décrivent la manière dont la personne s'adapte à la détérioration de ses facultés sensorielles.

5. La réponse **d** est la seule qui permette à la personne de mieux se repérer dans l'espace et qui témoigne de respect envers elle.

Chapitre 28 Concept de soi

1. a); 2. c); 3. b); 4. a); 5. d).

Évaluez votre réponse

1. Sylvie ne perçoit pas correctement son image corporelle. L'identité personnelle tient au sentiment que l'on a d'être unique. Les attentes envers soi-même constituent des objectifs que l'on estime devoir atteindre. Les traits fondamentaux du concept de soi correspondent aux certitudes les plus vitales que l'on a à l'égard de sa propre identité.

2. Ces étudiants s'exposent à un risque de conflit de rôles, car tous leurs rôles exigent un déploiement important de temps, d'énergie et de compétences. L'ambiguïté du rôle résulte d'attentes floues. Les tensions dans l'exercice du rôle naissent du sentiment d'inadéquation par rapport au rôle. Le renforcement du rôle est une intervention infirmière.

3. La restauration de l'estime de soi constitue un objectif vague et non mesurable. L'enseignement est une intervention, non un résultat. L'atténuation des inquiétudes entourant l'altération de soi renvoie plus à l'image corporelle qu'à l'estime de soi.

4. La réponse **a** incite la personne à continuer de s'exprimer et à s'attarder aux dimensions plus positives de sa vie. La réponse **b** est méprisante et élimine toute possibilité de discussion. Les réponses **c** et **d** ne tiennent pas compte du contenu émotionnel des propos de la personne et ne l'aident pas à surmonter son sentiment d'inutilité et d'incompétence.

5. Pour affirmer son indépendance (au lieu de suivre l'avis général en toutes circonstances), il faut avoir résolu de manière efficace le dilemme que représente cette tâche de développement. L'incapacité à exprimer ses désirs est symptomatique d'un échec dans la résolution de la tâche « Autonomie/Honte et doute », caractéristique de la petite enfance (trottineurs). Les difficultés à travailler en équipe témoignent d'un échec de la résolution de la tâche « Compétence/Infériorité », associée à l'âge scolaire.

Chapitre 29 Sexualité

1. d); 2. a); 3. c); 4. b); 5. d).

Évaluez votre réponse

1. La sexualité est encore souvent entourée d'un grand sentiment de honte et de malaise. Les gens estiment généralement que les professionnels de la santé sont très bien informés sur le sujet; la plupart auraient par ailleurs beaucoup de questions à poser et de préoccupations à soumettre au médecin ou à l'infirmière. Certaines femmes ont effectivement plus de facilité à parler de problèmes sexuels à d'autres femmes, mais les infirmiers peuvent tout à fait assurer les évaluations et les interventions auprès des personnes de sexe féminin.

2. Par ces propos, l'infirmière dénonce clairement le comportement de la personne auprès de la personne elle-même; elle fixe ses propres limites mais elle tente aussi de comprendre ce que la personne essaie de lui dire implicitement. Ce n'est pas en réprimandant la personne, en la menaçant ou en ignorant ce qu'elle essaie de dire qu'elle la comprendra et qu'elle pourra résoudre le problème.

3. Les femmes assument encore l'essentiel des tâches ménagères et des soins des enfants. Les hommes n'ont pas le « droit » de porter des vêtements de femmes et la société ne les encourage guère à se montrer tendres. Les femmes sont censées exprimer ouvertement leurs émotions, voire avec une certaine exubérance.

4. Les antidépresseurs peuvent réduire le désir sexuel. Le traitement pourrait en effet accroître la satisfaction sexuelle de la partenaire s'il règle la dépression de la personne, mais cette intervention présente l'inconvénient de porter plutôt sur la partenaire que sur la personne elle-même. L'éjaculation rétrograde et l'hypersensibilité cutanée ne comptent pas au nombre des effets secondaires des antidépresseurs.

5. La réponse **d** montre à la personne qu'elle a été entendue et l'invite à exprimer ses sentiments d'une manière plus précise. La réponse **a** la rassure faussement. Réponse **b** : La personne peut évidemment parler à son médecin mais l'infirmière doit lui répondre, puisque c'est à elle qu'elle s'est adressée. La réponse **c** ne ferait qu'aggraver les problèmes d'image de soi de la personne et constitue un cas flagrant d'expression déplacée de l'opinion personnelle de l'infirmière.

Chapitre 30 Spiritualité

1. d); 2. c); 3. c); 4. c); 5. b).

Évaluez votre réponse

1. Les réponses **a** et **b** se rapportent à l'évaluation et au diagnostic et non à la planification. En ce qui concerne la réponse **c**, il ne suffit pas de trouver une activité à la personne pour l'aider à se sentir épanouie et à donner un sens à sa vie.

2. La première étape consiste à évaluer la situation. La réponse **a** pourrait être interprétée comme une manifestation de distance ou de froideur. La réponse **b** évoque les convictions personnelles de l'infirmière, ce qui n'est généralement pas indiqué dans le cadre de la relation thérapeutique. La réponse **d** ne convient pas à une personne qui vous demande de l'aide.

3. La réponse **c** est correcte d'après les notions étudiées dans le chapitre. La réponse **a** est fausse; la réponse **b** décrit la présence active partielle; la réponse **d** décrit la présence active transcendante.

4. Cette personne ne manifeste aucun signe de détresse spirituelle ni de risque de détresse spirituelle. Elle montre plutôt un potentiel d'amélioration de son bien-être spirituel, potentiel généré par la transformation qu'elle a vécue à l'occasion de sa maladie. La réponse **d** ne constitue pas un diagnostic valide.

5. Réponse **a** : la personne ne serait peut-être pas d'accord avec l'infirmière, mais pourrait néanmoins profiter grandement d'une discussion à cœur ouvert avec elle. Réponse **c** : rares sont les infirmières qui pourraient obtenir ce résultat ; en outre, il ne correspond pas au souhait de la personne. La réponse **d** pourrait indiquer que l'infirmière a contourné le problème et qu'elle n'a pas engagé de véritable discussion thérapeutique sur les interrogations de la personne ; le fait de mettre en communication la personne avec des représentants du clergé ne règle pas forcément tous les cas de détresse spirituelle.

Chapitre 31 Stress et adaptation

1. c) ; 2. d) ; 3. a) ; 4. c) ; 5. b).

Évaluez votre réponse

1. L'expression des sentiments (en tête-à-tête ou en groupe) et le divertissement pourraient constituer des stratégies efficaces d'adaptation. L'alourdissement de la charge de travail ne ferait qu'accroître le stress. En outre, si vous niez les difficultés que vous éprouvez à la suite de ces décès multiples, vous serez sans doute incapable de répondre aux besoins émotionnels des personnes auxquelles vous prodiguez des soins.

2. Le port de verres correcteurs constitue un autre exemple de mise en œuvre d'une stratégie visant à régler un problème chronique de santé. L'entrevue d'embauche est un facteur de stress situationnel très ponctuel. Les stratégies d'adaptation qui se sont avérées efficaces pendant l'adolescence ne sont plus nécessairement applicables dans la cinquantaine. Le divorce est un agent stressant au niveau du rôle et de la position sociale ; à ce titre, il diffère nettement d'un problème de santé.

3. Selon le modèle transactionnel, le stress est considéré comme éminemment personnel et très variable d'un individu à l'autre. La réponse **b** définit le stress comme stimulus et la réponse **c**, le stress comme réponse. Les ressources externes et le réseau de soutien constituent des facteurs aidant à déterminer le niveau de stress, mais ils ne tiennent pas compte des dimensions cruciales que constituent les paramètres personnels et internes.

4. En situation de stress, la respiration s'accélère, les pupilles se dilatent, les vaisseaux sanguins périphériques se contractent et la fréquence cardiaque s'élève.

5. Il est encore trop tôt pour diagnostiquer une *Tension dans l'exercice de l'aidant naturel*, d'autant plus que l'enfant est hospitalisé (il ne vit pas chez lui). Le *Déni* et la *Peur* sont des réactions très courantes devant des menaces de ce type. Par la difficulté qu'il éprouve à soutenir sa famille, le père déploie aussi des *Stratégies d'adaptation familiale compromises*.

Chapitre 32 Perte, deuil et mort

1. d) ; 2. b) ; 3. a) ; 4. c) ; 5. c).

Évaluez votre réponse

1. Le chagrin dysfonctionnel peut être non résolu, inhibé ou pathologique. Le chagrin abrégé est normal, mais, en moyenne, il est plus court que les autres types de chagrins. Le chagrin anticipé est vécu avant que la mort ou la perte survienne réellement ; il n'est toutefois nullement malsain. Le chagrin dissimulé fait partie de la vie intime ; il ne s'exprime pas publiquement.

2. Dans toute la mesure du possible, l'équipe soignante doit envisager la possibilité de faire exception au règlement de l'établissement afin de respecter les souhaits de la personne et de sa famille. Le médecin ne peut pas modifier le règlement. Le transfert de la personne et l'affectation d'un préposé constitueraient ici des décisions individuelles et unilatérales, inacceptables dans les circonstances, d'autant plus que cela suppose le recours à des ressources humaines affectées en principe à d'autres tâches.

3. Le premier énoncé (**a**) permet à l'infirmière de montrer d'une manière sobre et discrète qu'elle comprend le chagrin de la famille. Il faut éviter les propos qui pourraient paraître trop impersonnels (**b**), faussement réconfortants (**c**) ou brutaux (**d**). Il existe d'autres façons convenables d'accueillir les proches dans les mêmes circonstances.

4. L'ordonnance de ne pas réanimer porte uniquement sur la réanimation cardiorespiratoire et les autres mesures similaires de maintien des fonctions vitales. Elle n'a aucune incidence sur les autres soins. Si la personne est apte à consentir, elle peut décider des soins qui doivent lui être prodigués, y compris les soins qui sont liés à l'ordonnance de ne pas réanimer. La validité de ce document ne dépend aucunement du moment anticipé de la mort. Les établissements de soins exigent qu'une nouvelle ordonnance de ne pas réanimer soit présentée à chaque hospitalisation, car l'état de santé de la personne et son point de vue sur la mort peuvent avoir changé. Une fois que la personne est admise à l'hôpital, l'ordonnance reste en vigueur jusqu'à ce qu'elle soit modifiée ou jusqu'à ce qu'elle cesse d'être valide aux termes du règlement de l'établissement.

5. Jusqu'à l'âge d'environ cinq ans, les enfants pensent que la mort est réversible. De cinq à neuf ans, ils savent qu'elle est définitive, mais ils ne la considèrent pas forcément comme inéluctable. Entre 9 et 12 ans, l'enfant prend conscience du fait qu'il mourra un jour. Entre 12 et 18 ans, l'adolescent approfondit ses convictions et peut redouter la mort, bien qu'il fasse en général semblant de ne pas s'en inquiéter.

Chapitre 33 Signes vitaux

1. b) ; 2. c) ; 3. d).

Évaluez votre réponse

1. Cette température est plutôt basse, même pour le matin. Il serait préférable de savoir quelle est habituellement la température de la personne, qui est peut-être plutôt basse.

Selon les données du dossier à ce sujet, vous voudrez peut-être reprendre la température en utilisant un autre thermomètre pour vous assurer que le vôtre fonctionne correctement. Si tout marche bien, notez la température de la personne et vérifiez si elle ne souffre pas d'hypothermie.

2. Si le rythme cardiaque de la personne est irrégulier, le pouls apexien est le plus fiable et le plus révélateur. Si la personne est en état de choc, utilisez le pouls carotidien ou fémoral. On prend le pouls radial pour déterminer les changements orthostatiques de la fréquence cardiaque et pour vérifier les signes vitaux postopératoires chez les personnes dont le pouls est régulier.

3. La décision de remettre l'évaluation à plus tard peut sembler discutable. Il s'agit vraiment d'une situation qui fait appel au jugement et au sens critique. Il n'est probablement pas nécessaire de déranger la personne en lui demandant de mettre fin à sa conversation téléphonique, ni de perdre votre temps à attendre à son chevet qu'elle ait terminé son appel, sauf si la personne doit partir immédiatement pour subir ses examens et qu'il faut absolument vérifier la fréquence respiratoire avant d'effectuer ces examens. Étant donné que les respirations doivent être comptées pendant que la personne est au repos, vous ne pouvez pas vous contenter de les compter pendant que la personne fait une pause dans sa conversation téléphonique. Enfin, ce sont les règles en vigueur dans l'établissement qui déterminent si l'infirmière doit noter qu'elle remet l'évaluation à plus tard ou si elle n'inscrit rien avant d'avoir effectué l'évaluation en question.

Chapitre 34 Examen physique

1. b) ; 2. d) ; 3. a) ; 4. a) ; 5. b).

Évaluez votre réponse

1. Le tympanisme est perçu vis-à-vis de l'estomac (rempli d'air) ; l'hypersonorité n'est jamais une donnée normale ; la matité est perçue au-dessous (et non au-dessus) du dixième espace intercostal.

2. Pour la palpation de l'abdomen, du cœur et des seins, la personne doit être couchée sur le dos.

3. Pour que l'absence de bruits intestinaux soit considérée comme anormale, elle doit durer de trois à cinq minutes. Des bruits intestinaux continus sont perçus vis-à-vis de la valvule iléocæcale après les repas. Les bruits intestinaux sont beaucoup plus souvent irréguliers que réguliers.

4. Lorsqu'on perçoit le pouls pédieux, qui est plus distal que le pouls poplité, on peut conclure que la circulation artérielle dans la jambe est adéquate même si l'on n'a pas palpé le pouls poplité. La présence d'un pouls fémoral ne pourrait pas confirmer qu'il y a un débit artériel dans la région située sous ce point. Pour prendre la pression artérielle dans la cuisse, il faut avoir trouvé le pouls poplité. Étant donné que le pouls poplité donne des renseignements sur la circulation artérielle dans la jambe, l'infirmière devrait prendre le pouls distal avant de demander l'aide d'une autre infirmière.

5. L'acuité visuelle diminue souvent avec l'âge. Les poils du visage ont plutôt tendance à devenir plus rêches. L'odorat s'émousse. La fréquence et le rythme respiratoires devraient être réguliers au repos ; cependant, les deux peuvent changer rapidement à l'effort et, chez les personnes âgées, ils prennent davantage de temps à retourner aux valeurs de repos que chez les adultes plus jeunes.

Chapitre 35 Asepsie

1. b) ; 2. a) ; 3. c) ; 4. a) ; 5. d).

Évaluez votre réponse

1. En empêchant les microorganismes de quitter le réservoir, on préviendrait efficacement la propagation de l'infection à toute autre personne. Mais comme le réservoir est le porteur des microorganismes et qu'il s'agit d'une infection chronique, il est impossible d'éliminer le réservoir. On peut bloquer la porte d'entrée chez un hôte ou réduire la sensibilité de ce dernier, mais ces mesures sont efficaces pour un seul individu ; il est donc préférable de bloquer la porte de sortie du réservoir.

2. Le lavage systématique des mains, effectué régulièrement, constitue le moyen le plus efficace pour prévenir le transfert d'une substance potentiellement infectieuse. L'équipement de protection individuelle est indiqué dans les situations où les pratiques de base l'exigent et on applique les précautions additionnelles lorsqu'on sait qu'une personne souffre d'une affection transmissible. L'administration systématique d'antibiotiques n'est pas efficace et peut même s'avérer nocive, étant donné l'incidence des surinfections et l'apparition de nouvelles souches résistantes de microorganismes.

3. Les pratiques de base comprennent déjà toutes les précautions contre la transmission par contact, à l'exception de l'installation de la personne dans une chambre individuelle. C'est lorsqu'on travaille au-dessus d'une plaie stérile, et non d'une plaie infectée, qu'il est recommandé de porter un masque. Il n'est pas nécessaire d'utiliser un plateau-repas jetable, ni d'appliquer une technique stérile (ou l'asepsie chirurgicale) chaque fois qu'on est en contact avec la personne.

4. On utilise des lunettes de protection à plusieurs reprises, à moins qu'elles n'aient été très contaminées par des éclaboussures d'une substance infectieuse qu'il est impossible d'éliminer efficacement. On devrait utiliser une blouse une seule fois, puis la jeter ou la mettre à laver, selon le cas. On ne lave ni ne réutilise jamais un masque chirurgical ou des gants.

5. Il ne devrait pas être nécessaire de replier la partie du poignet qui a roulé vers l'intérieur. Le plus important, c'est de maintenir stérile la partie du gant qui recouvre les doigts et la main (qui serviront à effectuer l'intervention aseptique). La portion du gant qui a roulé vers l'intérieur est contaminée : l'infirmière ne doit donc pas la replier, ni demander à une collègue de le faire, car cette portion contaminée se trouverait alors tout à côté de la portion stérile.

Chapitre 36 Sécurité

1. b) ; 2. a) ; 3. c) ; 4. b) ; 5. d).

Évaluez votre réponse

1. La sécurité de la personne (la protéger et l'éloigner du danger) demeure toujours la priorité. La réponse **a** implique qu'il faut laisser la personne seule, ce qui n'assure pas sa sécurité. Les réponses **c** et **d** constituent des mesures importantes, mais on ne doit les prendre qu'après avoir secouru la personne.

2. La réponse **b** correspond à la principale cause de décès chez l'enfant d'âge scolaire. Les réponses **c** et **d** correspondent respectivement à la principale cause de décès chez la personne âgée et chez l'adolescent.

3. Laisser la lumière allumée dans les toilettes (**a**) est une mesure utile, mais elle n'empêcherait pas forcément la personne de tomber dans sa hâte de se rendre aux toilettes. L'infirmière n'est pas autorisée à différer l'administration de médicaments sans avoir consulté le médecin. La chaise d'aisances (**c**) répond de façon sécuritaire au besoin de la personne et c'est une mesure que l'infirmière peut prendre de son propre chef. Quant aux ridelles du lit (**d**), elles favorisent les chutes au lieu de les prévenir.

4. Le trottineur est actif et curieux, ce qui l'expose à des risques d'intoxication (par exemple, saturnisme, produits toxiques rangés sous l'évier ou dans un tiroir). Le risque de suffocation est bien réel, mais moindre que chez le nouveau-né et le nourrisson. On avertit d'ailleurs les parents de nouveau-nés et de nourrissons de bien garder en main le biberon pendant l'allaitement et de ne pas le caler contre un objet, de couper les aliments en petits morceaux et de choisir des jouets sans petits accessoires détachables. La réponse **b** correspond à la rubrique diagnostique générale sous laquelle sont classées les cinq sous-catégories de diagnostics. La réponse **d** s'applique à la personne alitée.

5. La contention (**a**) peut intensifier l'état d'agitation et de confusion de la personne et elle restreint son autonomie. La réponse **b** est une solution envisageable mais non réaliste. La réponse **c** ne correspond pas non plus à une solution réaliste, cette fois-ci pour l'infirmière. Le détecteur de mouvement (**d**) accroît le sentiment d'autonomie de la personne et signale à l'infirmière et aux autres membres du personnel infirmier que la personne a besoin d'aide. C'est la solution la plus réaliste ; en outre, elle offre l'avantage de favoriser la sécurité de la personne.

Chapitre 37 Hygiène

1. c) ; 2. c) ; 3. b) ; 4. a) ; 5. d).

Évaluez votre réponse

1. La description de la personne correspond aux indicateurs du degré de fonctionnement qualifié de semi-dépendant (voir le tableau 37-2).

2. On devrait allonger la personne sur le côté après avoir abaissé la tête du lit, car il y a un risque d'aspiration. L'absence du réflexe nauséeux indique à l'infirmière que la personne ne possède pas de moyen de défense naturelle, et qu'elle présente donc un risque élevé d'aspiration. Toutes les autres réponses correspondent à des évaluations que l'on devrait plutôt faire avant de donner un bain.

3. L'application de lotion contribuerait à hydrater la peau. Les lotions parfumées contiennent de l'alcool, qui assèche la peau. Faire tremper ses pieds fréquemment ou durant une longue période assèche également la peau. L'application d'une poudre pour les pieds est indiquée pour prévenir ou éliminer les odeurs désagréables. Le port de mi-bas risque de ralentir la circulation.

4. Vérifier qu'il y a bien une pile dans l'appareil de correction auditive. Mettre celui-ci en position ARRÊT et s'assurer que le volume est réglé au niveau le plus bas, car un volume trop élevé sera désagréable pour la personne. On nettoie une prothèse intraconque à l'aide d'un chiffon humide.

5. Le fait de préparer un lit de chirurgie et de le mettre à la hauteur maximale sont deux mesures qui facilitent le transfert de la personne de la civière au lit. Dans un lit fermé, la literie est tirée jusqu'à la tête du lit et placée sous les oreillers.

Chapitre 38 Examens paracliniques

1. b) ; 2. c) ; 3. b) ; 4. d) ; 5. c).

Évaluez votre réponse

1. La réponse **b** indique un résultat très bas qui peut mener au décès. Toutes les autres réponses indiquent des résultats normaux.

2. La réponse **a** est fausse puisqu'il faut éliminer la première miction. On utilise un récipient propre pour recueillir l'urine (**b**). C'est le genre de test effectué qui permet de déterminer s'il faut s'il faut réfrigérer le contenant (**d**).

3. L'examen mentionné dans la réponse **b** est une radiographie des reins, des uretères et de la vessie. Pour l'UIV et l'urographie antérograde, on injecte à la personne une substance de contraste. Pour la cystoscopie, on utilise un instrument muni d'un source lumineuse (cystoscope) que l'on insère dans l'urètre.

4. La réponse correcte est **d**. Les types d'examen dont il est question dans les autres réponses fournissent des renseignements d'ordre anatomique.

5. La réponse **a** fait référence à une biopsie du foie, **b** à une thoracentèse et **d** à une ponction lombaire. La bonne réponse est donc **c**.

Chapitre 39 Administration des médicaments

1. c) ; 2. d) ; 3a. d) ; 3b. a) ; 4. d) ; 5a. b) ; 5b. c) ; 5c. a) ; 5d. d).

Évaluez votre réponse

1. La réponse **a** signifie que le médicament doit être administré toutes les heures, la réponse **b**, deux fois par jour et la réponse **d**, chaque jour. Si l'on n'est pas certain du sens des abréviations, il est préférable de s'informer plutôt que de risquer de commettre une erreur.

2. Pour assurer la sécurité de la personne, l'infirmière aurait dû répondre **d**. Elle devrait écouter la personne et chercher à obtenir tout autre renseignement qu'elle pourrait lui fournir sur ce médicament, par exemple la posologie lorsqu'elle le prend à la maison. L'infirmière ne doit pas administrer le médicament pour le moment et doit dire à la personne qu'elle va d'abord vérifier le dossier. Elle ne doit pas non plus laisser le médicament à son chevet. Elle doit examiner le dossier afin de s'assurer que l'ordonnance du médecin concorde avec la feuille d'administration des médicaments. Elle doit vérifier les notes d'évolution du traitement inscrites par le médecin puisque celui-ci a peut-être décidé d'augmenter ou de réduire la dose. Elle doit également s'informer auprès du pharmacien ; en effet, la couleur et la forme des comprimés varient selon les compagnies pharmaceutiques qui les fabriquent. L'infirmière doit faire part de ses conclusions à la personne, qui appréciera qu'elle ait pris le temps de s'assurer qu'elle reçoit le médicament approprié. Même si cette vérification prend du temps, l'infirmière sera satisfaite de savoir qu'elle a évité une possible erreur dans l'administration d'un médicament.

3. a) La demi-vie est le temps à l'issue duquel la concentration du médicament a diminué de moitié dans l'organisme. Si la digoxine a une demi-vie de 36 heures, il faudra 1,5 jour ou 36 heures pour que sa concentration dans l'organisme soit de 50 %. La question mentionne une période de 24 heures, donc plus courte que la période de demi-vie, qui serait alors supérieure à 50 %.

  b) Il s'agit d'une question d'ordre mathématique :
  36 heures = 50 %
  72 heures = 25 %
  108 heures = 12,5 %
  144 heures = 6,25 %
  180 heures = 3,125 %
  180 heures ÷ 24 heures = 7,5 jours

4. La réponse est **d** puisqu'on ne donne aucune posologie pour cette ordonnance. Toutes les autres réponses indiquent le nom du médicament, la posologie, la voie et la fréquence d'administration.

5. a) La réponse est **b**. La quantité prescrite (5 mL) est trop grande pour être injectée dans un seul site. L'infirmière doit donc préparer deux injections de 2,5 mL chacune et utiliser une seringue de 3 mL. La longueur de l'aiguille dépend du développement musculaire de la personne, que l'infirmière doit évaluer. Dans le cas présent, d'après les renseignements fournis, la masse musculaire de la personne est normale. L'ordonnance précise que le médicament doit être administré par IM profonde ; l'aiguille employée mesurera donc 3,5 cm. Cela signifie aussi que le médicament devrait être administré dans la région la plus appropriée pour une IM – le muscle fessier antérieur, qui est le plus épais de tous les muscles fessiers. Le calibre de l'aiguille devant servir à une injection dans le muscle fessier antérieur peut varier de 20 à 23. L'infirmière doit aussi vérifier la viscosité du médicament à injecter. Une aiguille de petit calibre endommagera moins les tissus ;

par ailleurs, si la solution est visqueuse, il faudra peut-être utiliser un calibre plus gros (par exemple, 20 ou 21).

  b) La réponse est **c**. Le type de seringue approprié pour administrer une injection sous-cutanée dépend du médicament à administrer. Comme le médicament n'est pas de l'insuline, on n'utilisera pas une seringue à insuline. Pour la plupart des injections sous-cutanées, on se sert d'une seringue de 2 mL ; la grosseur et la longueur de l'aiguille dépendent de la masse corporelle de la personne, de l'angle prévu pour l'injection et du point d'injection. Pour un adulte de poids normal, on utilise en général une aiguille de calibre 25 et de 2 cm de longueur, que l'on insère à 45°. Si l'infirmière peut pincer environ 5 cm de tissu au site d'injection, elle devrait alors administrer le médicament à un angle de 90°, afin qu'il atteigne le tissu sous-cutané.

  c) La réponse est **a**. On administre le test de tuberculine par injection intradermique. On utilise une seringue à tuberculine puisque la dose injectée sera d'environ 0,1 mL. L'aiguille doit être courte et fine pour ne pas atteindre le tissu sous-cutané ; elle doit être munie d'un biseau court, et être d'un calibre de 25 à 27 et d'une longueur de 0,5 à 1,5 cm.

  d) La réponse est **d**. Si l'infirmière tient compte uniquement de la quantité de médicament à injecter (0,5 mL), le muscle deltoïde constitue le meilleur site d'injection. Cependant, il est essentiel qu'elle connaisse et évalue la situation de la personne. Une personne âgée et amaigrie a probablement des muscles moins développés ou atrophiés. L'infirmière doit considérer le choix du muscle fessier antérieur pour effectuer l'injection, parce que ce dernier présente une masse musculaire plus importante que le muscle deltoïde.

Chapitre 40 Intégrité de la peau et soins des plaies

1. b) ; 2. a) ; 3. c) ; 4. a) ; 5. c).

Évaluez votre réponse

1. On considère qu'un adulte qui affiche un score de 18 ou moins encourt un risque et qu'il est indiqué de prévoir un horaire afin de le retourner dans son lit. Un score de 13 ou 14 indique un risque moyen, un score oscillant entre 10 et 12 traduit un risque élevé et un score de 9 ou moins, un risque très élevé.

2. Il faut prélever les échantillons devant servir à une culture dans une région propre de la plaie. Divers organismes sont présents dans un écoulement. En général, l'infirmière ne procède pas au débridement d'une plaie afin d'obtenir un échantillon. Dès lors que la personne reçoit des antibiotiques systémiques, l'intervalle qui en suit l'administration n'aura pas d'incidence marquée sur le taux de concentration d'organismes dans la plaie.

3. Les pansements hydrocolloïdes protègent les plaies peu profondes et entretiennent un milieu favorable à la cicatrisation. On emploie les pansements à fibres d'alginate en présence d'un écoulement abondant ; la compresse sèche

adhérera aux tissus de granulation. Un pansement est nécessaire afin de protéger la plaie et de favoriser la cicatrisation.

4. Il faut enlever le coussin chauffant. Après 30 minutes d'une application de chaleur ou de froid, les vaisseaux sanguins de la région touchée commenceront à montrer l'effet de rebond, soit le contraire de l'effet recherché.

5. Il faut changer de position les personnes immobiles et dépendantes au moins toutes les deux heures. Il faut signaler les rougeurs lorsque la peau ne retrouve pas sa teinte normale. On pourrait employer une peau de mouton afin de soulager la pression. L'eau tempérée et l'hydratation de la peau humide sont indiquées.

Chapitre 41 Soins périopératoires

1. c) ; 2. b) ; 3. d) ; 4. b) ; 5. c).

Évaluez votre réponse

1. La réponse **a** évalue l'état des liquides et des électrolytes ; la réponse **b**, l'état des reins ; la réponse **d**, l'état nutritionnel.

2. Le *deuil anticipé* est l'état vécu par un individu qui réagit à la perte appréhendée d'une personne ou d'une chose importante. La définition pour la réponse **a** est « une image mentale de soi perturbée » et se traduit souvent par des réactions négatives, comme la honte, la gêne, la culpabilité et le dégoût. La réponse **c**, la *peur*, se caractérise par des sentiments de crainte, de frayeur, d'appréhension ou de panique. L'*incapacité à s'adapter*, la réponse **d**, se traduit habituellement par une incapacité à exprimer sa détresse ou à demander de l'aide, par un emploi inapproprié des mécanismes de défense et l'incapacité de remplir les obligations inhérentes à son rôle.

3. La réponse **a** est incorrecte et ne répond pas aux nouvelles règles de l'American Society of Anesthesiologists (ASA) concernant le jeûne préopératoire. La réponse **b** est incorrecte, car on enseigne à la personne opérée comment tousser et exercer une contention sur l'incision afin de prévenir les complications. La réponse **c** est incorrecte parce que les anticoagulants font partie des médicaments dont on cesse l'emploi quelques jours avant la chirurgie pour éviter des pertes de sang postopératoires trop importantes.

4. Les signes et symptômes décrits évoquent une hypovolémie. La thrombose veineuse profonde (**a**) se manifeste par une rougeur, une chaleur et un œdème au membre. Une pneumonie d'aspiration (**c**) présente des signes et des symptômes respiratoires ainsi que de la fièvre. La déhiscence de la plaie (**d**) touche les caractéristiques de la plaie (en principe, l'infirmière ne voit pas la plaie couverte par un pansement chirurgical).

5. Les réponses **a** et **b** sont incorrectes parce qu'une personne opérée bénéficie de l'analgésie contrôlée par la personne (ACP) durant la période postopératoire initiale. Comme la douleur diminue habituellement à partir du deuxième ou du troisième jour après l'intervention, la réponse **d** n'est donc pas la meilleure.

Chapitre 42 Activité et exercice

1. b) ; 2. a) ; 3. a) ; 4. d) ; 5. c).

Évaluez votre réponse

1. Le fait d'écarter les pieds améliore la stabilité. Se pencher vers l'arrière fait dévier l'axe de gravité du polygone de sustentation. Contracter les muscles abdominaux et plier les genoux sont deux techniques utiles quand on veut déplacer des objets lourds.

2. Les exercices isotoniques améliorent le tonus musculaire. Les exercices isométriques et aérobiques améliorent l'endurance et les exercices isocinétiques accroissent le volume des muscles. Les exercices anaérobiques épuisent l'oxygène (ce qui n'est pas souhaitable).

3. Le fait que les signes vitaux ne reviennent pas à leur valeur initiale cinq minutes après un exercice indique une intolérance à l'activité à ce moment précis. Il s'agit d'un problème réel et non pas simplement d'un « risque ». Rien n'indique que la personne a besoin d'aide (mobilité réduite), ni qu'elle est immobile (syndrome d'immobilité).

4. Dans un premier temps, la personne s'assoit au bord du fauteuil ; elle s'y enfonce par la suite. On ne devrait jamais tenir le cou de l'infirmière parce que cela pourrait lui faire perdre l'équilibre et provoquer une blessure au cou. L'infirmière peut se balancer de l'avant vers l'arrière, et non l'inverse. Le fauteuil devrait être parallèle au lit.

5. Même si, dans la majorité des cas, on utilise des béquilles (ou une canne) en même temps que la jambe affaiblie, pour descendre un escalier, on n'avance d'abord que la jambe affaiblie. Tous les autres énoncés sont exacts.

Chapitre 43 Sommeil et repos

1. c) ; 2. a) ; 3. b) ; 4. c) ; 5. d).

Évaluez votre réponse

1. Le sommeil paradoxal s'accompagne d'une certaine agitation. En quantité excessive, il nuit en fait au repos et induit une dégradation du sommeil en général. La détente caractérise le stade I du sommeil lent. C'est au stade II que le sujet peut se réveiller facilement. On observe dans certains cas une baisse de la pression artérielle au stade III.

2. L'apnée du sommeil peut mener à des problèmes cardiaques comme des arythmies et une hausse de la pression artérielle. La déviation de la cloison nasale, la douleur thoracique et l'insomnie ne sont pas des effets de l'apnée du sommeil.

3. L'objectif doit être que la personne se sente reposée. Très souvent, les personnes âgées n'ont pas besoin de plus de six heures de sommeil par nuit. L'établissement d'un plan de résolution de tous les problèmes financiers de la personne n'est certainement pas réaliste. La personne devrait par ailleurs maintenir ses habitudes de sommeil, ne pas amorcer d'activités nouvelles avant d'aller se coucher et ne pas se mettre au lit plus tôt ou plus tard qu'à l'accoutumée.

4. L'infirmière doit verser l'huile de massage au creux de sa main, et non directement sur la peau de la personne. Elle

doit masser la personne à traits fermes et continus avec ses paumes pendant trois à cinq minutes environ.

5. On ne doit pas suspendre brutalement une consommation de somnifères qui dure depuis un certain temps, mais l'arrêter graduellement par tiers. Aucune recherche n'indique qu'une personne puisse être complètement incapable de se passer de somnifères ou que le sevrage en une fin de semaine puisse s'avérer efficace.

Chapitre 44 Soulagement de la douleur

1. c); 2. b); 3. a); 4. a); 5. d).

Évaluez votre réponse

1. Pendant la phase de transduction, la lésion tissulaire déclenche la libération de médiateurs biochimiques comme les prostaglandines. Or, l'ibuprofène inhibe la production de ces substances. Les médicaments adjuvants (**a**) agissent pendant la phase de modulation, car ils inhibent le recaptage de la noradrénaline et de la sérotonine. Les opioïdes (**b**) inhibent la libération de neurotransmetteurs, de la substance P en particulier, ce qui bloque la douleur au niveau de la moelle épinière pendant la phase de transmission. La diversion (**d**) est indiquée pendant la phase de perception, au moment où la personne devient consciente de la douleur. Ainsi, la musique, la visualisation et la télévision peuvent détourner l'attention de la personne de la douleur.

2. Il est important de mesurer les signes vitaux, d'autant plus que plusieurs experts considèrent maintenant l'intensité de la douleur comme le cinquième signe vital. De même, il est important de connaître le siège de la douleur. Cependant, **b** est la meilleure réponse, car de fréquentes évaluations de l'intensité de la douleur après une intervention chirurgicale permettent de soulager efficacement la personne. Les antécédents de douleur ne constituent pas une information importante dans un cas de douleur aiguë. La priorité, dans une telle situation, est d'évaluer l'intensité de la douleur. La personne est plus réceptive aux questions de l'infirmière une fois qu'elle a été soulagée.

3. Une évaluation de 6 sur une échelle de 1 à 10 indique une douleur intense et dicte une intervention immédiate.

4. Une importante somnolence indique un fort degré de sédation, ce qui peut être le signe avant-coureur d'une dépression respiratoire et dicte une intervention comme le signalement au médecin. Une fréquence respiratoire de 18 par minute est normale. Une légère somnolence peut indiquer une augmentation de la sédation, mais moins préoccupante qu'en **a**. Une évaluation de 1 ou 2 sur 10 témoigne d'un degré de douleur tolérable.

5. La perception de la personne et l'évaluation qu'elle fait de sa douleur sont les signes les plus importants, même si d'autres signes peuvent laisser croire qu'elle ne souffre pas. Une évaluation de 5 dicte l'administration de la dose maximale de morphine prescrite au besoin. Les interventions **a** et **c** ne correspondent pas à la perception ou à l'évaluation de la personne. L'intervention **b** ne serait pas indiquée non plus, car la recherche démontre que les cas de dépendance sont rares ; de plus, cette personne ne

présente aucun signe de dépendance. L'infirmière lui fournirait donc une dose insuffisante.

Chapitre 45 Nutrition et alimentation

1. b); 2. d); 3. a); 4. c); 5. a).

Évaluez votre réponse

1. Un IMC supérieur à 30,0 témoigne d'une obésité de classe I, II ou III. Un IMC inférieur à 18,5 correspond à une insuffisance pondérale. Cette personne ne présente pas un risque nutritionnel : le problème est déjà présent, la malnutrition est avérée. Rien ne permet de conclure que cette personne a des *connaissances insuffisantes*.

2. Selon le *Guide alimentaire canadien pour manger sainement*, un adulte devrait consommer quotidiennement de 2 à 4 portions de produits laitiers, de 5 à 10 portions de légumes et de fruits, de 5 à 12 portions de produits céréaliers et 2 ou 3 portions de viandes et substituts.

3. Les œufs brouillés ne doivent pas figurer au régime alimentaire de la personne avant qu'elle ne soit autorisée à passer à un régime à texture molle. La crème-dessert, le jus de tomate et les bonbons durs sont par contre autorisés dans le contexte d'un régime alimentaire liquide.

4. Un pH inférieur à 6 indique que les sécrétions gastriques sont acides. Si la sonde se trouvait dans les voies aériennes de la personne, celle-ci aurait du mal à parler. Les haut-le-cœur ne sont pas rares au moment de l'insertion, mais ils n'indiquent nullement que la sonde a atteint l'estomac. L'écoulement des liquides dans la tubulure n'indique pas que la sonde est bien ou mal placée.

5. Pour que le liquide s'écoule bien, le sac doit être suspendu 30 cm au-dessus du point d'insertion de la sonde. Le gavage suivant doit être administré selon la politique de l'établissement de santé : moins de 100 mL, moins de 150 mL, selon la condition de la personne. Un résidu de 25 mL n'est pas suffisant pour supprimer le gavage suivant. La personne doit garder la position de Fowler pendant le gavage. Le produit doit être porté à température ambiante avant l'administration afin d'éviter les crampes et la diarrhée.

Chapitre 46 Élimination intestinale

1. a); 2. b); 3. d); 4. c); 5. b).

Évaluez votre réponse

1. Réprimer l'envie de déféquer de façon répétée peut provoquer la constipation, puisque le réflexe naturel disparaît et que les fèces s'accumulent dans le côlon. Cette habitude ne peut pas causer la diarrhée. Au contraire, étant donné que les fèces restent dans le côlon, la réabsorption de l'eau devient plus probable, ce qui durcit les fèces. Réussir à réprimer l'envie de déféquer indique que le sphincter est fort et qu'il n'y a donc pas de risque d'incontinence associée à la faiblesse du sphincter. La formation d'hémorroïdes accompagne l'assèchement prononcé des selles, ce qui provoque le besoin répété de forcer au moment de la défécation.

2. Les laxatifs salins peuvent être très irritants et ne sont pas recommandés en cas de constipation occasionnelle chez les personnes âgées. Par ailleurs, nombre de personnes âgées n'ont pas l'habitude d'aller à la selle tous les jours.

3. Pour nettoyer l'intestin distal, le rectum et l'anus, on utilise fréquemment une solution conditionnée pour lavement à faible volume. Les lavements huileux ont pour but de ramollir les fèces dures et d'expulser les flatuosités ; les lavements hauts à volume élevé servent à nettoyer le côlon transverse et le côlon ascendant.

4. Une stomie bien établie devrait avoir une teinte rose foncé, semblable à la couleur de la muqueuse buccale ; elle devrait faire légèrement saillie. Après le retrait du support adhésif, la peau située sous l'appareil pourra conserver une coloration rosâtre ou rougeâtre pendant un moment. Les fèces évacuées par une colostomie ascendante sont très liquides, celles d'une colostomie transverse le sont un peu moins et celles d'une colostomie descendante ou sigmoïdienne sont solides.

5. Une fois qu'on a déterminé la cause de la diarrhée et pris des mesures pour la traiter, les habitudes d'élimination de la personne devraient revenir à la normale. Il ne s'agit pas ici d'un cas d'allergie aux antibiotiques, mais d'une conséquence courante : les organismes intestinaux que le médicament n'a pas éliminés prolifèrent. L'administration d'antidiarrhéiques n'est pas normalement indiquée ; on ne devrait pas non plus en faire une consommation prolongée. La consommation accrue de fibres solubles, comme l'avoine et les pommes de terre, peut contribuer à l'absorption de l'excès de liquides, mais ce n'est pas le cas pour les fibres insolubles.

Chapitre 47 Élimination urinaire

1. d) ; 2. c) ; 3. b) ; 4. a) ; 5. c).

Évaluez votre réponse

1. La capacité de la vessie peut diminuer avec l'âge, mais le muscle s'affaiblit et peut aussi provoquer de la rétention. Les personnes âgées ne répriment pas le besoin d'uriner, mais peuvent éprouver de la difficulté à se rendre aux toilettes à temps. Avec l'âge, les reins concentrent l'urine de moins en moins efficacement.

2. Les antihistaminiques causent la rétention d'urine, et non pas l'incontinence. Le périnée peut devenir irrité sous l'action de l'urine. L'apport liquidien normal s'élève au moins à 1 500 mL par jour, et les personnes souffrant d'incontinence réduisent souvent leur consommation de liquides pour tenter de maîtriser les fuites. Les infections urinaires constituent un facteur pouvant contribuer à l'incontinence.

3. On doit examiner le pénis et le condom urinaire 30 minutes après l'installation du condom pour vérifier s'il n'est pas trop serré. On doit laisser un espace de 2,5 cm entre l'extrémité du pénis et le condom urinaire. Il faut changer le condom urinaire toutes les 24 heures ; la tubulure doit être fixée à la jambe ou raccordée à un sac qui se porte sur la jambe. On fixe la sonde à demeure sur le haut de la cuisse.

4. Si elle a été introduite dans le vagin, la sonde est contaminée et ne peut être réutilisée. La laisser en place permet d'éviter de confondre l'orifice du vagin et le méat urétral. Le fait de ne pas avoir réussi un cathétérisme à la première tentative n'indique pas qu'il faille faire appel à une autre infirmière ; toutefois, la présence d'une autre infirmière pourrait s'avérer utile pour bien repérer le méat urétral.

5. Prendre un bain peut accroître le risque d'exposition aux bactéries. Les autres énoncés révèlent une bonne connaissance des soins relatifs aux sondes à demeure.

Chapitre 48 Oxygénation

1. d) ; 2. c) ; 3. a) ; 4. c) ; 5. d).

Évaluez votre réponse

1. On appelle en effet « cyanose » la coloration bleuâtre des muqueuses. L'hypoxie se manifeste couramment par la pâleur de la peau. On ne peut confirmer l'hypoxémie que par la saturation du sang en oxygène, et la dyspnée correspond à la difficulté à respirer.

2. Une forte toux contribue au dégagement des voies respiratoires et au détachement des sécrétions. Il faut procéder aux exercices de respiration profonde et de toux au même moment. La toux contrôlée fatigue rapidement la personne. La respiration diaphragmatique avec lèvres pincées est une technique qu'utilisent les personnes atteintes d'une BPCO.

3. On ne doit administrer de l'oxygène qu'à un faible débit aux personnes souffrant d'une BPCO, soit généralement pas plus de 2 L/min.

4. On lubrifie un cathéter d'aspiration seulement avec de l'eau ou un lubrifiant hydrosoluble (la vaseline est à base d'huile). Il ne faut jamais aspirer pendant l'insertion du cathéter, car cela risque d'endommager les tissus. On hyperoxygène la personne durant quelques minutes seulement, avant et après l'aspiration, et cette intervention est réservée aux personnes intubées ou trachéotomisées.

5. L'utilisation appropriée d'un inspiromètre d'incitation consiste à prendre des inspirations lentes et régulières 5 à 10 fois de suite, à toutes les heures ou à toutes les deux heures. Seul l'embout buccal peut être lavé ou essuyé. Il ne faut pas immerger l'appareil dans l'eau.

Chapitre 49 Circulation

1. a) ; 2. c) ; 3. d) ; 4. c) ; 5. d).

Évaluez votre réponse

1. L'activité physique régulière favorise un fonctionnement cardiaque sain et améliore l'irrigation des tissus. Une meilleure irrigation des tissus peut également favoriser la perfusion rénale, mais ce n'est pas l'objectif le plus important. La réponse c est fausse, car ce sont les globules rouges qui transportent l'oxygène. L'activité physique favorise une meilleure ventilation pulmonaire mais n'a pas pour but de désobstruer les voies aériennes.

2. Le remplissage capillaire est l'évaluation du débit sanguin dans les capillaires et, par conséquent, de l'irrigation des

tissus. L'expansion symétrique de la poitrine permet d'évaluer la fonction respiratoire. Par ailleurs, l'exercice qui consiste à souffler contre résistance par la méthode des lèvres pincées est une technique utilisée pour venir en aide aux personnes atteintes d'une maladie pulmonaire obstructive.

3. Une fréquence cardiaque très rapide empêche les ventricules de se remplir complètement, ce qui abaisse le débit cardiaque. La réponse **a** représente un cas normal. L'activité physique augmente le retour veineux et la quantité de sang dans les ventricules avant la contraction ; par conséquent, le cœur se contracte avec plus de force, ce qui accroît le volume systolique et le débit cardiaque au cours de l'exercice. La réponse **b** nous donne un débit cardiaque normal de 4 900 mL par minute. La formule est $DC = VS \times FC$, ce qui donne environ 5 L/min. En ce qui concerne la réponse **d**, les agents inotropes positifs (comme la digoxine) augmentent la contractilité du muscle cardiaque, amplifiant ainsi le volume systolique et, par conséquent, le débit cardiaque.

4. Les trois plus importants signes d'arrêt cardiaque sont l'absence de battements cardiaques, l'arrêt de la respiration (apnée) et l'absence de circulation, qui se traduit par la dilatation des pupilles.

5. Les appareils de pressothérapie intermittente favorisent le retour veineux des jambes. Ces appareils gonflent et dégonflent de façon intermittente des jambières entourant les jambes pour favoriser la circulation veineuse. En se gonflant et en se dégonflant alternativement, les jambières empêchent la stase veineuse dans les extrémités inférieures.

Chapitre 50 Équilibre hydrique, électrolytique et acidobasique

1. c) ; 2. d) ; 3. d) ; 4. a) ; 5. c).

Évaluez votre réponse

1. Le potassium et le phosphate sont les principaux ions du liquide intracellulaire. Le magnésium est aussi un important électrolyte du liquide intracellulaire, mais l'albumine se trouve dans le liquide extracellulaire (compartiment intravasculaire), où elle détermine la majeure partie de la pression osmotique colloïdale. Le calcium est surtout présent dans la fonction musculosquelettique. Le sodium et le chlorure sont d'importants ions du liquide extracellulaire. Enfin, le bicarbonate se trouve tant dans le liquide intracellulaire que dans le liquide extracellulaire.

2. Le potassium joue un rôle déterminant dans la régulation de la contraction musculaire et de la transmission de l'influx dans le cœur. Le magnésium ne faisait pas partie des choix de réponses, mais il intervient aussi dans la fonction cardiaque. Le sodium participe à la transmission des influx nerveux et exerce un effet important sur la régulation et la distribution du liquide extracellulaire. Le chlorure intervient également dans l'équilibre du liquide extracellulaire, mais il joue aussi le rôle de tampon dans la régulation de l'équilibre acidobasique. Le calcium est un facteur de la formation des os et des dents, de la régulation des contractions musculaires et du maintien de l'autorythmicité cardiaque.

3. La personne manifeste des signes de déficit liquidien, tels un pouls rapide et de faible amplitude, une diminution de la pression artérielle, une hypotension orthostatique, un aplatissement des jugulaires et une diminution du débit urinaire. Cependant, la stabilité de son poids indique que le liquide se trouve encore dans son organisme. (Le poids est un bon indicateur de l'état hydrique.) La personne souffre par conséquent du syndrome du troisième compartiment. Si elle présentait un déficit de volume liquidien ou une déshydratation, son poids diminuerait. Il augmenterait en présence d'un excès de volume liquidien.

4. Un gain de poids de 1 kg équivaut à un gain de 1 L de liquide. Il s'agit d'une augmentation du volume total des liquides organiques et non d'un compartiment particulier.

5. Le débit urinaire de la personne s'établit à 25 mL par heure, ce qui est inférieur à la normale (30 mL par heure ou 0,5 mL par kilogramme par heure, soit 40 mL par heure dans le cas de cette personne). La perfusion rénale et la fonction rénale sont donc compromises. L'infirmière devrait aviser le médecin ou l'infirmière responsable. Elle doit en outre continuer de mesurer les ingesta et les excreta, mais cette intervention revêt moins d'importance. La mise en place d'une sonde vésicale à demeure doit être prescrite par un médecin. Enfin, il pourrait être dangereux d'augmenter l'apport liquidien d'une personne qui présente un excès de volume liquidien et une insuffisance cardiaque.

DIAGNOSTICS INFIRMIERS

Activités de loisirs insuffisantes

Alimentation déficiente

Alimentation excessive

Allaitement maternel efficace

Allaitement maternel inefficace

Allaitement maternel interrompu

Angoisse face à la mort

Anxiété

Atteinte à l'intégrité de la peau

Atteinte à l'intégrité des tissus

Atteinte de la muqueuse buccale

Automutilation

Bien-être altéré*

Capacité adaptative intracrânienne diminuée

Chagrin chronique

Champ énergétique perturbé

Communication altérée*

Communication verbale altérée

Concept de soi perturbé*

Conflit décisionnel

Conflit face au rôle parental

Confusion*

Confusion aiguë

Confusion chronique

Connaissances insuffisantes (préciser)

Constipation

Débit cardiaque diminué

Déficit de soins personnels : effectuer les activités indispensables au maintien à domicile*

Déficit de soins personnels : s'alimenter

Déficit de soins personnels : se laver / effectuer ses soins d'hygiène

Déficit de soins personnels : se vêtir et/ou soigner son apparence

Déficit de soins personnels : utiliser les toilettes

Déficit de volume liquidien

Dégagement inefficace des voies respiratoires

Déni non constructif

Dentition altérée

Désorganisation comportementale chez le nouveau-né / nourrisson

Détresse spirituelle

Deuil*

Deuil anticipé

Deuil dysfonctionnel

Diarrhée

Difficulté à la marche

Difficulté lors d'un transfert

Diminution chronique de l'estime de soi

Diminution situationnelle de l'estime de soi

Douleur aiguë

Douleur chronique

Dynamique familiale perturbée

Dynamique familiale dysfonctionnelle : alcoolisme

Dysfonctionnement sexuel

Dysréflexie autonome

Échanges gazeux perturbés

Élimination urinaire altérée

Entretien inefficace du domicile

Enurésie de croissance*

Errance

Estime de soi perturbée*

Excès de volume liquidien

Exercice du rôle parental perturbé

Exercice du rôle perturbé

Fatigue

Habitudes de sommeil perturbées

Habitudes sexuelles perturbées

Hyperthermie

Hypothermie

Identité personnelle perturbée

Image corporelle perturbée

Inadaptation à un changement dans l'état de santé

Incontinence fécale

Incontinence urinaire à l'effort

Incontinence urinaire complète (vraie)

Incontinence urinaire fonctionnelle

Incontinence urinaire par besoin impérieux

Incontinence urinaire réflexe

Interactions sociales perturbées

Intolérance à l'activité

Intolérance au sevrage de la ventilation assistée

Irrigation tissulaire inefficace (préciser : cérébrale, cardio-pulmonaire, gastro-intestinale, périphérique, rénale)

Isolement social

Maintien inefficace de l'état de santé

Mécanismes de protection inefficaces

Mobilité physique réduite

Mobilité réduite au lit

Mobilité réduite en fauteuil roulant

Mode de respiration inefficace

Mode l'alimentation inefficace chez le nouveau-né / nourrisson

Motivation à améliorer l'exercice du rôle parental

Motivation à améliorer la dynamique familiale

Motivation à améliorer la prise en charge de son programme thérapeutique

Motivation à améliorer le concept de soi

Motivation à améliorer sa communication

Motivation à améliorer ses connaissances (préciser)

Motivation à améliorer ses stratégies d'adaptation

Motivation à améliorer son alimentation

Motivation à améliorer son bien-être spirituel

Motivation à améliorer son élimination urinaire

Motivation à améliorer son équilibre hydrique

Motivation à améliorer son sommeil

Motivation d'une collectivité à améliorer ses stratégies d'adaptation

Motivation d'une famille à améliorer ses stratégies d'adaptation

Nausée

Négligence de l'hémicorps

Non-observance (préciser)

Opérations de la pensée perturbées

Perceptivité du nouveau-né / nourrisson à progresser dans son organisation comportementale

Perte d'élan vital

Perte d'espoir

Peur

Prise en charge efficace du programme thérapeutique

Prise en charge inefficace du programme thérapeutique

Prise en charge inefficace du programme thérapeutique par la famille

Prise en charge inefficace du programme thérapeutique par une collectivité

Privation de sommeil

Pseudo-constipation

Réaction allergique au latex

Recherche d'un meilleur niveau de santé (préciser les comportements)

Respiration spontanée altérée

Rétablissement post-opératoire retardé

Retard de la croissance et du développement

Rétention urinaire

Risque d'accident

Risque d'alimentation excessive

Risque d'altération de la fonction respiratoire*

Risque d'atteinte à l'intégrité de la peau

Risque d'autodestruction*

Risque d'automutilation

Risque d'incontinence urinaire par besoin impérieux

Risque d'infection

Risque d'intolérance à l'activité

Risque d'intolérance au sevrage de la ventilation assistée

Risque d'intoxication

Risque de blessure en périopératoire

Risque de chute

Risque de constipation

Risque de contagion*

Risque de croissance anormale

Risque de déficit de volume liquidien

Risque de déséquilibre de volume liquidien

Risque de désorganisation comportementale chez le nouveau-né / nourrisson

Risque de détresse spirituelle

Risque de diminution situationnelle de l'estime de soi

Risque de dysfonctionnement neuro-vasculaire périphérique

Risque de dysréflexie autonome

Risque de fausse route (risque d'aspiration)

Risque de perturbation dans l'exercice du rôle parental

Risque de perturbation de l'attachement parent-enfant

Risque de réaction allergique au latex

Risque de retard du développement

Risque de sentiment d'impuissance

Risque de sentiment de solitude

Risque de suffocation

Risque de suicide

Risque de syndrome d'immobilité

Risque de syndrome d'inadaptation à un changement de milieu

Risque de syndrome post-traumatique

Risque de température corporelle anormale

Risque de tension dans l'exercice du rôle de l'aidant naturel

Risque de trauma

Risque de violence envers les autres

Risque de violence envers soi

Risque du syndrome de mort subite du nourrisson

Sentiment d'impuissance

Stratégies d'adaptation défensives

Stratégies d'adaptation familiales compromises

Stratégies d'adaptation familiales invalidantes

Stratégies d'adaptation inefficaces

Stratégies d'adaptation inefficaces d'une collectivité

Syndrome d'inadaptation à un changement de milieu

Syndrome d'interprétation erronée de l'environnement

Syndrome du traumatisme de viol

Syndrome du traumatisme de viol : réaction mixte

Syndrome du traumatisme de viol : réaction silencieuse

Syndrome post-traumatique

Tension dans l'exercice du rôle de l'aidant naturel

Thermorégulation inefficace

Trouble de la perception sensorielle (préciser : visuelle, auditive, kinesthésique, gustative, tactile, olfactive)

Troubles de la déglutition

Troubles de la mémoire

---

*Les diagnostics suivis d'un astérisque sont tirés de Carpenito (2003).

Sources : *Diagnostics infirmiers : Définitions et classification 2003-2004*, de NANDA International, 2004, Paris : Masson ; *Manuel de diagnostics infirmiers*, traduction de la 9e édition, de L. J. Carpenito, 2003, Saint-Laurent : Éditions du Renouveau Pédagogique.

TAXINOMIE DE LA CISI/NIC

Niveau 1	Niveau 2
Domaines	**Classes (précédées d'une lettre pour faciliter les renvois)**
1. Physiologique de base Soins qui aident au fonction-nement physique.	**A. Gestion des activités et de l'exercice** Interventions visant à organiser ou à aider l'activité physique et la dépense/économie d'énergie. **B. Gestion de l'élimination** Interventions visant à établir et à maintenir une élimination intestinale régulière et un rythme d'élimination urinaire, et à prendre en charge les complications inhérentes à une altération de ces rythmes. **C. Gestion de l'immobilité** Interventions visant à prendre en charge une restriction des mouvements corporels et ses séquelles. **D. Aide à la nutrition** Interventions visant à modifier ou à maintenir l'état nutritionnel. **E. Promotion du confort physique** Interventions visant à promouvoir le confort grâce à l'emploi de techniques physiques. **F. Facilitation des soins personnels** Interventions visant à prodiguer ou à aider à réaliser des activités habituelles de la vie quotidienne.
2. Physiologique complexe Soins qui aident à la régulation homéostasique.	**G. Gestion hydroélectrolytique et acido-basique** Interventions visant à réguler l'équilibre hydroélectrolytique et acido-basique et à prévenir les complications. **H. Gestion des médicaments** Interventions visant à faciliter la survenue des effets désirés des agents pharmacologiques. **I. Fonction neurologique** Interventions visant à optimiser les fonctions neurologiques. **J. Soins périopératoires** Interventions visant à prodiguer des soins avant, pendant et immédiatement après une intervention chirurgicale. **K. Fonction respiratoire** Interventions visant à favoriser la perméabilité des voies aériennes et les échanges gazeux. **L. Gestion de la peau et des plaies** Interventions visant à maintenir ou à restaurer l'intégrité des tissus. **M. Thermorégulation** Interventions visant à maintenir la température du corps dans les limites de la normale. **N. Perfusion tissulaire** Interventions visant à optimiser la circulation du sang et des fluides vers les tissus.

Niveau 1	Niveau 2
Domaines	**Classes (précédées d'une lettre pour faciliter les renvois)**
3. Comportement Soins qui aident au fonction- nement psychosocial et qui facilitent les modifications du style de vie.	*O. Thérapie comportementale* Interventions visant à renforcer ou à promouvoir des comportements souhaités ou à modifier des comportements indésirables. *P. Thérapie cognitive* Interventions visant à renforcer ou à promouvoir des fonctions cognitives souhaitées ou à modifier des fonctions cognitives indésirables. *Q. Amélioration de la communication* Interventions visant à faciliter l'émission et la réception de messages verbaux et non verbaux. *R. Aide aux stratégies d'adaptation* Interventions visant à aider quelqu'un à construire sur ses propres points forts, à s'adapter à un changement de sa fonction ou à atteindre un niveau de fonctionnement supérieur. *S. Éducation de la personne* Interventions visant à faciliter l'apprentissage. *T. Promotion du bien-être psychologique* Interventions visant à promouvoir le bien-être en ayant recours à des techniques psychologiques.
4. Sécurité Soins qui aident à la protection contre les dangers.	*U. Gestion de la crise* Interventions visant à apporter une aide immédiate et à court terme lors de crises psychologiques et physiologiques. *V. Gestion du risque* Interventions visant à mener des actions de réduction des risques et à poursuivre la surveillance des risques dans la durée.
5. Famille Soins qui soutiennent l'unité familiale.	*W. Soins liés à la naissance des enfants* Interventions visant à aider à la compréhension des modifications psychologiques et physiologiques liées à la naissance des enfants et à permettre l'adoption de stratégies d'adaptation. *Z. Éducation d'un enfant* Interventions visant à faciliter l'éducation d'un enfant. *X. Soins relatifs au cycle de vie* Interventions visant à faciliter le fonctionnement de l'unité familiale et à promouvoir la santé et le bien-être de ses membres tout au long de leur vie.
6. Système de santé Soins qui permettent une utilisa- tion efficace du système de soins de santé.	*Y. Médiation au sein des systèmes de santé* Interventions visant à faciliter l'interface entre la personne / famille et le système de santé. *a. Gestion du système de santé* Interventions visant à procurer les services de délivrance de soins et à les améliorer. *b. Gestion de l'information* Interventions visant à faciliter la communication entre les professionnels de la santé.
7. Collectivité Soins qui favorisent la santé de la collectivité.	*c. Santé communautaire* Interventions visant à promouvoir la santé de la collectivité entière. *d. Gestion des risques communautaires* Interventions visant à détecter et à prévenir les risques pour la santé de la collectivité entière.

Sources : *Classification des interventions de soins infirmiers CISI/NIC*, 2ᵉ éd., (p. 66-67), de J. C. McCloskey et G. M.
Bulechek (dir.), 2000, Paris : Masson ; *Nursing Interventions Classification (NIC)*, 3ᵉ éd., (p. 90-91), de J. C. McCloskey et G.
M. Bulechek (dir.), 2000, St. Louis, Missouri : Mosby.

ÉCHELLE D'ÉVALUATION EMPLOYÉE DANS LA CRSI/NOC

N° Échelle					
1	Extrêmement perturbé	Fortement perturbé	Modérément perturbé	Légèrement perturbé	Non perturbé
2	Écart extrême par rapport aux normes	Écart important par rapport aux normes	Écart modéré par rapport aux normes	Écart léger par rapport aux normes	Aucun écart par rapport aux normes
3	Est totalement dépendant	A besoin de l'aide d'une personne et d'aides techniques	A besoin de l'aide d'une personne	A besoin d'aides techniques	Est complètement autonome
4	Aucune amplitude	Amplitude limitée	Amplitude modérée	Amplitude importante	Amplitude totale
5	Pas du tout	Faiblement	Modérément	En grande partie	En très grande partie
6	Inadéquat	Peu adéquat	Modérément adéquat	Largement adéquat	Tout à fait adéquat
7	Plus de 9	7-9	4-6	1-3	Aucun
8	Intense	Important	Modéré	Limité	Aucun
9	Aucune	Limitée	Modérée	Importante	Totale
10	Aucune	Faible	Modérée	Importante	Totale
11	Jamais positive	Rarement positive	Parfois positive	Souvent positive	Toujours positive
12	Très faible	Faible	Modérée	Forte	Très forte
13	Jamais démontré	Rarement démontré	Quelquefois démontré	Souvent démontré	Constamment démontré
14	Sévère	Importante	Modérée	Légère	Aucune
15	Absence de preuve	Peu probable	Probable	Très probable	Incontestable
16	Retard majeur par rapport à la normalité	Retard important par rapport à la normalité	Retard modéré par rapport à la normalité	Retard léger par rapport à la normalité	Aucun retard par rapport à la normalité

Source : *Classification des résultats de soins infirmiers CRSI/NOC,* (p. 54-63), de M. Johnson et M. Maas (dir.), 1999, Paris : Masson.

ABRÉVIATIONS, SYMBOLES, PRÉFIXES ET SUFFIXES COURANTS

Abréviations

A

AA	Amplitude articulaire
AAA	Amplitude articulaire active
AAP	Amplitude articulaire passive
AAS	Acide acétylsalicylique
AB	Avant-bras ; antibiotique
abd.	Abdomen
ABD	Avant-bras droit
ABG	Avant-bras gauche
ac	Avant les repas
ACP	Analgésie contrôlée par la personne
ad	Jusqu'à
AD	Oreille droite
ad lib	À volonté
adm.	Admission
AEG	Atteinte de l'état général
AINS	Anti-inflammatoire non stéroïdien
AL ; AS	Oreille gauche
AM ; am ; a.m.	Avant-midi
amp.	Ampoule
A / N	Au niveau
ant.	Antérieur
AOC	Artériopathie oblitérante chronique
APT	Alimentation parentérale totale
aq	Eau
AS ; AL	Oreille gauche
ATCD	Antécédents
AU	Chaque oreille
AVC	Accident vasculaire cérébral
AVD	Activités de la vie domestique
AVQ	Activités de la vie quotidienne
Ax.	Axillaire

B

BB	Bébé
B_1 ; B_2	Bruits cardiaques normaux
B_3 ; B_4	Bruits cardiaques anormaux
BD	Bras droit
BG	Bras gauche
bid	Deux fois par jour
BPCO	Bronchopneumopathie chronique obstructive
bpm	Battements par minute
brady.	Bradycardie

C

$\overline{c}$	Avec
°C	Celsius
C + A	Culture et antibiogramme
c.-à-d.	C'est-à-dire
cal	Calorie
caps	Capsule
c.a.s.	Cuillère à soupe
c.a.t.	Cuillère à thé
c.a.T.	Cuillère à table
cc	Pendant les repas
CC	Avec correction ; en mangeant, avec nourriture
CEPI	Candidate à l'exercice de la profession infirmière
Chol.	Cholestérol
chir. ; Chx	Chirurgie
cm	Centimètre
co	Comprimé
CO_2	Gaz carbonique

D

D (5 %)	Dextrose (5 %)
DA	Dossier antérieur
Db	Diabète
DC	Débit cardiaque
DCD	Décédé
DDM	Date des dernières menstruations
DID	Diabète insulinodépendant
Die	Une fois par jour
dil	Dilué
dlr ; doul.	Douleur
DNID	Diabète non insulinodépendant
DRS	Douleur rétrosternale
Dx	Diagnostic

E

E^+	Électrolytes
ECG	Électrocardiogramme
e.g. ; ex.	Exemple
élix.	Élixir
exp.	Expiration
ext.	Externe ; extérieur

F

FAD	Feuille au dossier
FC	Fréquence cardiaque
FID	Fosse iliaque droite
FIG	Fosse iliaque gauche
Flex.	Flexion
FR	Fréquence respiratoire
fs.	Feuille spéciale
FSC	Formule sanguine complète
Fx	Fracture

G

g	Gramme
GB	Globule blanc
glyc.	Glycémie
gluc.	Glucose
GR	Globule rouge
gr	Grain
gr. sang	Groupe sanguin
gte	Goutte

H

h ; hre	Heure
H_2O	Eau
HAIV	Hyperalimentation intraveineuse
Hb	Hémoglobine
HCO_3^-	Bicarbonates
HD	Hypocondre droit
HIV	Virus du sida
hs	Au coucher
Ht	Hématocrite
HTA	Hypertension artérielle

I

IC	Insuffisance cardiaque
ICT	Ischémie cérébrale transitoire
ID ; id	Intradermique
id. ; idem	La même chose
I/E	Ingesta / excreta
i.e.	C'est-à-dire
IM	Intramusculaire ; infarctus du myocarde
IMC	Indice de masse corporelle
Inf.	Infirmière
ins.	Inspiratoire
int.	Intérieur ou interne
IO	Intraoculaire
IR	Intrarectal ; insuffisance respiratoire ; insuffisance rénale
IRM	Imagerie par résonance magnétique
irr.	Irrégulier
ITS	Infection transmissible sexuellement
IV	Intraveineux
IVRS	Infection des voies respiratoires supérieures

K

K	Potassium
Kcal	Kilocalorie
KCL	Chlorure de potassium
kg	Kilogramme
Kj	Kilojoule

L

L ; l	Litre
liq.	Liquide
LID	Lobe inférieur droit
LIG	Lobe inférieur gauche
LM	Lobe moyen
LN	Lunette nasale
LR	Lactate Ringer
LSD	Lobe supérieur droit
LSG	Lobe supérieur gauche

M

max.	Maximum
MCAS	Maladie cardiaque artériosclérotique
MCV	Maladie cardiovasculaire
Md	Médecin
MEC	Mise en charge
mg	Milligramme
MI	Membres inférieurs
MID	Membre inférieur droit
MIG	Membre inférieur gauche
Min.	Minute
mL	Millilitre
mm Hg	Millimètre de mercure
MS	Membres supérieurs
MSD	Membre supérieur droit
MSG	Membre supérieur gauche
Mvnt	Mouvement
MV	Murmure vésiculaire

N

Nº	Nausée
Na	Sodium
NaCl	Chlorure de sodium
nb	Nombre
NG	Nasogastrique
NPO	Rien par la bouche (*nil per os*)
NS	Normal salin
NVD	Nausées, vomissements et diarrhée

O

O_2	Oxygène
OAP	Œdème aigu du poumon
OD	Œil droit
OL ; OS	Œil gauche
Ong	Onguent
OU	Chaque œil, les deux yeux
OV	Ordre verbal

P

PA	Pression artérielle
$PaCO_2$	Pression partielle du gaz carbonique dans le sang
pans.	Pansement
PaO_2	Pression partielle de l'oxygène dans le sang
Pap (test)	Test de Papanicolaou
pc	Après les repas
PDSB	Principes pour le déplacement sécuritaire des bénéficiaires
Pls ; P	Pouls
PM ; pm ; p.m.	Après-midi
PO ; po ; per os	Par la bouche
Post-op.	Postopératoire
Pré-op.	Préopératoire
PRN ; prn	Au besoin
PT	Temps de prothrombine
PTT	Temps de céphaline

Q

q	Chaque
qh	Chaque heure
q2h	Chaque deux heures
qAM	Chaque matin
qd ; die	Chaque jour
qid	Quatre fois par jour
QID	Quadrant inférieur droit
QIG	Quadrant inférieur gauche
qod	Chaque deux jours ; un jour sur deux
qq	Quelque
QSD	Quadrant supérieur droit
QSG	Quadrant supérieur gauche

R

R	Rectal
R ; resp.	Respiration ; respiratoire
RC	Rythme cardiaque
RCR	Réanimation cardiorespiratoire
Rdvs	Rendez-vous
Rég.	Régulier
R-OH	Alcool
RSS	Régime sans sel
R_x	Ordonnance ou traitement
RX	Radiographie ; rayon-X

S

s	Sans
SaO_2	Saturation en oxygène
Sat.	Saturométrie
SC	Sans correction
SC ; sc	Sous-cutanée
SL	Sublingual
SNA	Système nerveux autonome
SNC	Système nerveux central
SNP	Système nerveux périphérique
SNV	Signes neurovasculaires
sol	Solution
s.op.	Salle d'opération
SS	Sans symptôme
STAT ; stat	Immédiatement
supp.	Suppositoire
susp.	Suspension
SV	Signes vitaux

T

T°	Température
TA	Tension artérielle
tachy.	Tachycardie
teint.	Teinture
tid	Trois fois par jour
tjrs	Toujours
TVP	Thrombose veineuse profonde
Tx	Traitement

U

U	Unité
µg ; mcg	Microgramme

V

V°	Vomissements
Vag	Vaginal
Vfs	Voir feuille spéciale
VIH	Virus de l'immunodéficience humaine
VM	Ventimask
VR	Voie respiratoire
VRI	Voie respiratoire inférieure
VRS	Voie respiratoire supérieure

Symboles

Abréviation	Description
≈	Approximatif, presque, environ, peu différent de
↑	Augmenté
c̄	Avec
♥	Cardiaque
#	Chiffre, nombre
↓	Diminué
=	Égal
≤	Inférieur ou égal à
<	Inférieur, plus petit que
@ - Ad.	Jusqu'à, environ
m̂	Même
(-)	Négatif, moins, il manque
Ⓝ	Normal
/	Par
⌘	Pas de manœuvre extraordinaire (pas de code)
Ø	Pas de, rien, sans, nil
±	Plus ou moins
+	Plus, positif, implique l'excès
R$_X$	Prescription
s̄	Sans
♀	Sexe féminin
♂	Sexe masculin
>	Supérieur à
≥	Supérieur ou égal à

Quelques préfixes courants

a ; an	Absence
brady	Lent
cardio	Cœur
céphal	Tête
cérébro	Cerveau
di	Deux
dys	Difficulté
micro	Petit
novo	Nouveau
ocul	Œil
ophtalmo	Œil
ostéo	Os
oto	Oreille
péri	Autour
pneumo	Poumon
poly	Plusieurs
post	Après
pré	Avant
quadri	Quatre
sub	Sous
supra	Au-dessus de
sus	En dessous de
tachy	Vite

Quelques suffixes courants

algie	Douleur
cèle	Hernie
ectasie	Dilatation
ectomie	Ablation
ectopie	Hors de sa place
esthésie	Sensibilité
graphie	Examen
ite	Inflammation
logie	Étude
lyse	Destruction
phagie	Manger
phasie	Langage
plégie	Paralysie
pnée	Respiration
ptysie	Cracher
scopie	Examen
stomie	Abouchement
tonie	Tonus musculaire

Sources : *Ma petite mémoire,* 3e éd., de A. Amyot, 1999, Pierrefonds : Plume au vent ; *Pharma-fiches*, 3e éd., de B. Cloutier et N. Ménard, 2001, Boucherville : Gaëtan Morin ; *Lexique des abréviations médicales*, de HMR, 2003, Montréal : Direction des soins infirmiers ; *Terminologie médicale et étymologies*, 3e éd., de G. Laurendeau, M. Fernandes et N. Poirier, 2001, OKA : CPPA.

OUTIL PUSH

Nom de la personne : _____   N° : _____

Siège de la plaie : _____   Date : _____

INSTRUCTIONS :

Observez et mesurez la plaie de pression. Évaluez la plaie en fonction de sa superficie, de l'exsudat et du type de tissu. Notez un score pour chacune de ces caractéristiques. Additionnez les scores pour obtenir un score global. En comparant les scores globaux obtenus au cours d'une période de temps, vous aurez une indication de l'amélioration ou de la détérioration de l'état de la plaie.

	0	**1**	**2**	**3**	**4**	**5**	**Score**
Longueur sur largeur	$0\ cm^2$	$< 0{,}3\ cm^2$	$0{,}3 - 0{,}6\ cm^2$	$0{,}7 - 1{,}0\ cm^2$	$1{,}1 - 2{,}0\ cm^2$	$2{,}1 - 3{,}0\ cm^2$	
	6	**7**	**8**	**9**	**10**		
	$3{,}1\ cm^2 - 4{,}0\ cm^2$	$4{,}1 - 8{,}0\ cm^2$	$8{,}1 - 12{,}0\ cm^2$	$12{,}1 - 24{,}0\ cm^2$	$> 24\ cm^2$		
Quantité d'exsudat	**0**	**1**	**2**	**3**			**Score**
	Aucun	Léger	Modéré	Abondant			
Type de tissu	**0**	**1**	**2**	**3**	**4**		**Score**
	Fermé	Tissu épithélial	Tissu de granulation	Escarre	Tissu nécrotique		
							Score global

Longueur sur largeur : Mesurez la longueur totale (de la tête aux pieds) et la largeur totale (d'un côté à l'autre) au moyen d'une règle en centimètres. Multipliez ces deux mesures (longueur × largeur) pour obtenir une estimation de la superficie en centimètres carrés (cm^2).
Attention : N'essayez pas de deviner la taille de la plaie. Utilisez toujours une règle en centimètres et utilisez la même méthode chaque fois que vous mesurez la plaie.

Quantité d'exsudat : Évaluez la quantité d'exsudat (écoulement) présent après le retrait du pansement et avant l'application d'un agent topique sur la plaie.

Type de tissu : Cette catégorie concerne les types de tissus présents dans le lit de la plaie. Donnez un score de 4 s'il y a du tissu nécrotique. Donnez un score de 3 s'il y a une escarre, mais pas de tissu nécrotique. Donnez un score de 2 si la plaie est propre et contient du tissu de granulation. Une plaie superficielle qui est en train de s'épithélialiser obtient un score de 1. Lorsque la plaie est fermée, donnez un score de 0.

- **4 – Tissu nécrotique :** tissu noir, brun ou ocre qui adhère fermement au lit de la plaie ou à ses bords ; peut être plus ferme ou plus souple que la peau de la région.
- **3 – Escarre :** tissu jaune ou blanc qui adhère au lit de l'ulcère en filaments ou en amas ; peut aussi être mucinoïde.
- **2 – Tissu de granulation :** tissu rose ou rouge, brillant, humide et granuleux.
- **1 – Tissu épithélial :** dans les plaies superficielles, nouveau tissu rose ou brillant (peau) qui croît à partir des bords de la plaie ou sous forme d'îlots dans la plaie.
- **0 – Fermée :** la plaie est complètement recouverte d'épithélium (nouvelle peau).

Source : PUSH Tool – Version 3.0, 1998, © National Pressure Ulcer Advisory Panel.

Glossaire

Abouchement Orifice créé dans la paroi abdominale par la stomie.

Absorption Processus par lequel un médicament passe dans le sang.

Accessibilité Critère de la *Loi canadienne sur la santé* en vertu duquel un accès raisonnable aux services hospitaliers, médicaux et de chirurgie buccale assurés est garanti aux résidents d'une province ou d'un territoire.

Accommodation Mécanisme de changement par lequel les processus cognitifs d'une personne acquièrent suffisamment de maturité pour lui permettre de résoudre des problèmes jusquelà insolubles pour elle.

Accoutumance Forme de dépendance psychologique légère.

Acculturation Intégration, souvent forcée, des valeurs, des attitudes, des croyances ou des habitudes d'un groupe social dominant.

Acide Substance qui libère des ions hydrogène.

Acide gras insaturé Acide gras qui peut fournir plus d'atomes de carbone qu'il n'en possède.

Acide gras monoinsaturé Acide gras contenant une liaison double.

Acides aminés essentiels Acides aminés que l'organisme ne peut pas produire et qu'il doit obtenir par ingestion de protéines alimentaires.

Acides aminés non essentiels Acides aminés produits par l'organisme.

Acides gras Unités structurales fondamentales de la plupart des lipides composées de chaînes de carbone et d'hydrogène.

Acides gras polyinsaturés Acides gras contenant au moins deux liaisons doubles.

Acides gras saturés Acides dont tous les atomes de carbone sont saturés d'hydrogène.

Acides gras trans Acides gras polyinsaturés transformés en acides gras saturés par hydrogénation.

Acidose État qui résulte d'une augmentation de l'acide carbonique sanguin ou d'une diminution du bicarbonate sanguin ; pH sanguin inférieur à 7,35.

Acidose métabolique Déficience d'ions bicarbonate dans l'organisme par rapport à la quantité d'acide carbonique ; pH inférieur à 7,35.

Acidose respiratoire (hypercapnie) État caractérisé par un excès de dioxyde de carbone dans l'organisme.

Action communautaire pour la santé Efforts entrepris par des personnes, des groupes cibles et des communautés pour donner suite aux priorités en santé locale et accroître la maîtrise des déterminants de la santé.

Action politique Interventions dont le but est d'influer sur les décideurs qui élaborent des politiques ayant une incidence sur les conditions de santé et de bien-être de l'ensemble de la population.

Activité physique Mouvement corporel produit par les muscles squelettiques, qui requiert une dépense énergétique et qui a des avantages progressifs pour la santé.

Activités Actes infirmiers spécifiques nécessaires pour réaliser les interventions ou les ordonnances infirmières.

Activités réservées Ensemble d'opérations ou d'interventions qui doivent être réalisées dans le cadre d'un champ d'exercice de la profession.

Activités réservées à l'infirmière Dans le cadre de l'exercice infirmier, ensemble de 14 activités réservées à l'infirmière en raison notamment de leur complexité et de leur caractère effractif.

Acuité visuelle Capacité de l'œil de discerner les détails dans une image.

Acupression (digitopuncture) Technique selon laquelle le thérapeute exerce une pression à l'aide de ses doigts sur des points spécifiques de l'organisme, semblables à ceux qui sont utilisés en acupuncture et dans le massage shiatsu.

Acupuncture Technique qui vise à restaurer l'équilibre et à libérer le flux du qi afin d'aider le corps à se guérir.

Adaptation Processus qui consiste à changer pour répondre à des conditions nouvelles, changeantes ou différentes.

Adhésion Acceptation d'un régime de vie ou d'un traitement, ou engagement de le respecter.

Adolescence Période durant laquelle une personne atteint la maturité physique et psychologique et acquiert une identité personnelle.

Aérobie Qui nécessite la présence d'oxygène.

Aérosol-doseur Petit contenant sous pression renfermant un médicament que la personne absorbe au moyen d'un embout nasal ou buccal.

Afébrile Qui ne présente pas de fièvre.

Affectation Fait, pour une personne, de transférer à une autre personne de niveau hiérarchique inférieur ou égal la responsabilité d'une activité de même que l'obligation de rendre compte du résultat.

Affection (maladie) Anomalie détectable de la fonction normale d'un tissu.

Affection aiguë Apparition soudaine de symptômes qui s'atténuent assez rapidement.

Affection transmissible (maladie transmissible) Affection provoquée par un agent pathogène transmissible, que ce soit par contact direct ou indirect, par vecteur, par véhicule ou par voie aérienne.

Agent stressant Facteur producteur de stress ou perturbateur de l'équilibre du corps.

Agents de changement Personnes ou groupes qui amorcent un changement ou qui aident d'autres personnes à apporter des changements à leur vie ou au système.

Agents pathogènes transmissibles par le sang Microorganismes qui sont à l'origine d'infections virales comme l'hépatite B, l'hépatite C et le sida.

Agglutinine Anticorps spécifique formé dans le sang.

Agglutinogène Substance qui agit comme antigène et qui stimule la production d'agglutinine.

Agnostique Personne qui doute de l'existence de Dieu ou d'un être suprême ou qui croit que l'existence de Dieu n'est pas prouvée.

Agoniste Médicament qui interagit avec un récepteur pour produire une réaction.

Alcalose État qui résulte d'une augmentation du bicarbonate sanguin ou d'une diminution de l'acide carbonique sanguin ; pH sanguin supérieur à 7,45.

Alcalose métabolique Excès d'ions bicarbonate dans l'organisme par rapport à la quantité d'acide carbonique ; pH supérieur à 7,45.

Alcalose respiratoire État caractérisé par une déficience de dioxyde de carbone dans l'organisme.

Algohallucinose Sensation douloureuse perçue dans une partie du corps absente ou paralysée à la suite d'une lésion médullaire.

Alimentation à la demande Mode d'alimentation selon lequel on nourrit le nouveau-né chaque fois qu'il manifeste sa faim.

Alimentation entérale (gavage) Alimentation administrée par l'injection directe de la nourriture dans le système gastro-intestinal.

Alimentation parentérale ([AP], alimentation parentérale totale [APT], hyperalimentation intraveineuse [HAIV]) Alimentation administrée par voie intraveineuse.

Alitement Confinement au lit (repos complet) ou confinement avec permission d'utiliser une chaise d'aisances ou d'aller à la salle de bain.

Allergie médicamenteuse Réaction immunologique à un médicament.

Alopécie Chute des cheveux.

Ambiguïté du rôle Non-clarté des attentes associées à un rôle ; la personne ne sait pas quoi faire ni comment faire ses tâches et est incapable de prédire la réaction des autres.

Amblyopie Acuité visuelle réduite d'un œil.

Amélioration de la qualité Engagement d'une organisation envers un processus d'amélioration continue de l'ensemble de ses opérations dans le but de répondre aux attentes et aux résultats attendus par les personnes et de les dépasser.

Amplitude du mouvement articulaire (AMA) Mouvement maximal accompli par une articulation.

Amplitude du pouls Force du pouls ; poussée exercée par le sang à chaque battement.

Ampoule Tube de verre renfermant une dose unitaire d'un médicament.

Anabolisme Processus par lequel des substances simples sont transformées par les cellules de l'organisme en substances plus complexes (par exemple, tissus d'édification, bilan azoté positif, synthèse des protéines).

Anaérobie Qui vit seulement en l'absence d'oxygène.

Analgésie contrôlée par la personne (ACP) Méthode interactive de soulagement de la douleur qui permet à la personne de s'administrer elle-même des doses d'analgésiques.

Analgésie préventive Administration d'analgésiques avant une intervention effractive afin de traiter la douleur avant qu'elle n'apparaisse.

Analgésique adjuvant Analgésique qui accroît les effets des autres analgésiques ou qui possède ses propres propriétés.

Analgésique agoniste Agoniste complet, c'est-à-dire médicament opioïde qui se lie étroitement à des sites récepteurs mu, ce qui produit une inhibition maximale de la douleur, un effet agoniste.

Analgésique agoniste-antagoniste Médicament agoniste-antagoniste qui peut agir comme un opioïde et soulager la douleur (effet agoniste) si on l'administre à une personne qui n'a pris aucun opioïde pur.

Analgésique agoniste partiel Analgésique qui a un effet de plafonnement, car il n'active que partiellement les récepteurs mu.

Analyse critique Série de questions que l'on peut appliquer à une situation ou à un concept particuliers pour en dégager l'information et les idées essentielles et pour éliminer celles qui sont superflues.

Andragogie Art et science visant à aider les adultes dans leur apprentissage.

Andropause (climatère masculin) Diminution de l'activité sexuelle chez l'homme.

Anémie Diminution du nombre d'érythrocytes dans le sang ou de leur teneur en hémoglobine.

Anémie ferriprive Forme d'anémie causée par un apport insuffisant en fer pour la synthèse de l'hémoglobine.

Anesthésie de surface (topique) Anesthésie appliquée directement sur la peau et les muqueuses, les plaies à vif, les blessures et les brûlures.

Anesthésie épidurale (péridurale) Injection d'un agent anesthésique dans l'espace épidural.

Anesthésie locale (par infiltration) Injection d'un agent anesthésique dans une partie précise du corps pour des interventions chirurgicales mineures.

Anesthésie locorégionale intraveineuse (bloc de Bier) Anesthésie utilisée le plus souvent pour des interventions au bras, au poignet ou à la main.

Anesthésie par bloc nerveux (par blocage nerveux) Injection d'un agent anesthésique dans un nerf, près d'un nerf ou dans un petit groupe de nerfs qui desservent une région déterminée du corps.

Anesthésie rachidienne (rachianesthésie) Anesthésie provoquée par l'injection d'un agent anesthésique dans l'espace sous-arachnoïdien entourant la moelle épinière ; aussi appelée anesthésie sous-arachnoïdienne.

Anesthésie régionale Interruption temporaire de la transmission des influx nerveux en provenance ou en direction d'une région donnée du corps ; la personne perd ainsi toute sensation dans cette région, mais demeure consciente.

Angiographie Intervention diagnostique qui permet l'examen visuel radiographique du système vasculaire après injection d'un produit de contraste.

Angle manubriosternal (angle de Louis) Jonction entre le corps du sternum et le manubrium ; point de départ pour situer les côtes antérieures.

Angoisse de la séparation Peur et frustration du jeune enfant lorsqu'il est séparé de ses parents.

Anions Ions qui portent une charge négative ; incluent le chlorure (Cl^-), le bicarbonate (HCO_3^-), le phosphate (HPO_4^{2-}) et le sulfate (SO_4^{2-}).

Ankylose Perte de mobilité d'une articulation.

Anorexie Perte ou diminution de l'appétit.

Anorexie mentale Maladie qui se caractérise par l'incapacité ou le refus de manger, une perte de poids rapide et l'émaciation chez une personne qui continue par ailleurs de se trouver grosse.

Antagonistes purs (spécifiques) Médicaments qui n'ont pas d'action pharmacologique propre, mais qui inhibent ou bloquent l'action d'un agoniste.

Anthélix Courbe antérieure du bord supérieur du pavillon.

Anticorps (immunoglobulines) Immunoglobulines qui font partie des protéines plasmatiques de l'organisme et qui défendent surtout contre les phases extracellulaires des infections bactériennes et virales.

Antiflatulents Médicaments qui favorisent la coalescence des bulles de gaz et facilitent leur évacuation par éructation ou leur expulsion par l'anus.

Antigène Substance capable de déclencher la formation d'anticorps.

Anti-inflammatoire non stéroïdien (AINS) Médicament qui soulage la douleur en agissant sur les terminaisons nerveuses périphériques pour inhiber la formation des prostaglandines qui tendent à rendre les nerfs sensibles à la douleur ; produit des effets analgésiques, antipyrétiques et anti-inflammatoires ; inclut l'aspirine et l'ibuprofène.

Antiseptique Agent qui inhibe la croissance de certains microorganismes.

Anurie Incapacité des reins de produire de l'urine, ce qui entraîne une absence totale de miction ou un débit urinaire inférieur à 100 mL par jour chez un adulte.

Anuscopie Examen visuel du canal anal.

Anxiété État mental de malaise, d'appréhension ou de peur qui accroît le niveau d'activation causé par une menace imminente ou anticipée envers soi ou envers ses proches.

Aphasie Toute incapacité ou difficulté à s'exprimer oralement ou par écrit ou de comprendre le langage parlé ou écrit, due à une affection ou à une lésion du cortex cérébral.

Apnée Absence totale de mouvements respiratoires.

Apnée du sommeil Cessation périodique de la respiration pendant le sommeil.

Appareils de surveillance Appareils électroniques qui signalent qu'une personne cherche à bouger ou à sortir de son lit.

Apports nutritionnels de référence (ANREF) Évaluation de l'alimentation d'une personne selon quatre composantes : les besoins moyens estimés (BME), les apports nutritionnels recommandés (ANR), les apports suffisants (AS) et les apports maximaux tolérés (AMT).

Apprentissage Progrès dans la disposition ou dans la capacité d'un individu qui persiste pendant une période de temps et que la croissance seule ne peut expliquer.

Approche céphalocaudale Examen physique pendant lequel l'examinatrice procède de la tête aux pieds.

Approche communautaire Approche qui se concentre sur les soins de santé primaires et les partenariats avec le milieu communautaire.

Approche par programme Ensemble de moyens coordonnés afin d'atteindre des objectifs déterminés par les besoins de la clientèle.

Approche populationnelle Approche utilisée auprès de différents sous-groupes ou de certaines populations.

Approches complémentaires et parallèles en santé (ACPS) Thérapeutiques ne faisant pas partie du système dominant de prise en charge de la santé et de la maladie.

Aromathérapie clinique Utilisation calculée d'huiles essentielles pour obtenir des résultats précis et mesurables.

Artères coronaires Réseau de vaisseaux qui composent la circulation coronaire.

Artériosclérose Détérioration du tissu élastique et musculaire des artères, qui est remplacé par du tissu fibreux.

Arythmie Pouls dont le rythme est irrégulier.

Ascite Accumulation de liquide dans la cavité péritonéale.

Asepsie Absence d'agents pathogènes ; méthode qui vise à prévenir l'infection ou la contamination du matériel utilisé pour les soins.

Asepsie chirurgicale (technique stérile) Ensemble des pratiques visant à maintenir un espace ou un objet exempt de tout microorganisme.

Asepsie médicale Ensemble des pratiques visant à circonscrire un microorganisme donné dans une zone donnée et à réduire le nombre, la croissance et la propagation des microorganismes.

Aspiration des sécrétions Aspiration faite au moyen d'un cathéter relié à une source d'aspiration et à un régulateur d'aspiration.

Assimilation Processus par lequel l'intelligence accueille un problème qui déborde les schèmes de pensée déjà acquis ; processus par lequel un individu s'identifie fortement à la société d'accueil et délaisse les valeurs et les croyances de sa société d'origine.

Assurance responsabilité (assurance responsabilité civile professionnelle) Assurance qui protège l'infirmière contre les fautes ou les négligences professionnelles qu'elle pourrait commettre.

Astigmatisme Courbure inégale de la cornée qui empêche la convergence des rayons verticaux et horizontaux sur la rétine.

Atélectasie Réduction de la ventilation associée à une accumulation obstructive de sécrétions dans une région déclive d'une bronchiole.

Athée Personne qui dénie l'existence de Dieu.

Atrophie Fonte ; diminution de volume d'un organe ou d'un tissu vivant.

Attitudes Disposition mentale qui se compose de différentes croyances ; comportent habituellement une idée négative ou positive à l'égard d'une personne, d'un objet ou d'une idée.

Auditif Lié à l'audition.

Auscultation Technique consistant à écouter les bruits produits par les organes du corps à l'aide d'un stéthoscope.

Autoantigène Antigène qui appartient à l'organisme d'une personne.

Autonomie (autodétermination) État d'indépendance et d'autodirection, sans contrôle extérieur, qui permet de prendre ses propres décisions.

Autopsie Examen post mortem du corps qui vise à déterminer la cause du décès et à en savoir plus sur le processus morbide.

Autorégulation Mécanismes homéostasiques qui sont automatiques chez une personne en santé.

Autorité Pouvoir accordé par une organisation pour diriger le travail des autres ; droit d'agir.

B

B_1 Premier bruit cardiaque produit lorsque les valvules auriculo-ventriculaires (valvules AV) se ferment, c'est-à-dire juste avant la contraction ventriculaire.

B_2 Second bruit cardiaque, plus intense et plus court que B_1, produit lorsque les valvules sigmoïdes se ferment, c'est-à-dire lorsque les ventricules ont chassé le sang dans l'aorte et dans les artères pulmonaires, au début de la relaxation ventriculaire.

Baccalauréat en sciences infirmières Programme universitaire qui comporte entre 90 et 108 crédits.

Bactéricide Qui tue les bactéries.

Bactérie Microorganisme infectieux le plus répandu.

Bactériémie Présence de bactéries dans le sang.

Bactéries pyogènes Bactéries qui produisent du pus.

Bactériocines Substances produites par certaines flores normales (par exemple, entérobactéries) et qui peuvent être mortelles pour des souches bactériennes apparentées.

Bain à des fins d'hygiène Bain donné principalement pour des raisons d'hygiène.

Bain de siège Bain servant à laver la région pelvienne d'une personne.

Bain thérapeutique Bain administré pour ses effets physiques, par exemple pour adoucir la peau ou traiter une partie du corps (notamment le périnée).

Baisse du désir sexuel (inappétence sexuelle, anaphrodisie, trouble du désir sexuel) Absence persistante ou récurrente de pensées sexuelles ou manque complet d'intérêt pour l'activité sexuelle.

Bandage (bande) Bande de tissu utilisée pour envelopper une partie du corps.

Base (alcali) Qui possède une faible concentration d'ions hydrogène et peut accepter des ions hydrogène dans une solution.

Bassin hygiénique Récipient servant à recueillir les urines et les fèces.

Besoin d'apprentissage Désir ou demande d'une personne d'apprendre une chose qu'elle ignore.

Bien-être Perception subjective d'équilibre, d'harmonie, de vitalité.

Bien-être spirituel Sensation de paix intérieure et sentiment de vivre une vie qui a un but et un sens ; ce sentiment est enraciné dans les valeurs spirituelles ou les croyances religieuses.

Bienfaisance Obligation morale de faire du bien ou d'accomplir des gestes qui bénéficient aux personnes et à leurs proches.

Bienveillance Devoir de ne pas causer de tort.

Bilan alimentaire complet Liste exhaustive des aliments liquides et solides consommés.

Bilan alimentaire des 24 heures Liste complète des aliments et des boissons consommés pendant une période de 24 heures.

Bilan azoté Mesure du degré d'anabolisme et de catabolisme des protéines ; résultat net de l'apport et de la perte d'azote.

Bilan hydrique Formulaire d'enregistrement systématique indiquant les quantités et les voies de l'apport et de la déperdition hydrique.

Biochimie sanguine Tests effectués sur le sérum sanguin.

Bioéthique Règles ou principes éthiques qui régissent la bonne conduite à l'égard de la vie.

Biopsie Ablation et examen d'un tissu de l'organisme.

Biorythmes Rythmes intérieurs qui semblent commander divers processus biologiques.

Biseau Partie oblique au bout de l'aiguille.

Boulimie Compulsion irrépressible qui incite une personne à manger de grandes quantités de nourriture pour ensuite se purger en se faisant vomir ou en prenant des laxatifs.

Bradycardie Pouls anormalement lent, inférieur à 60 battements par minute.

Bradypnée Fréquence respiratoire anormalement lente, habituellement inférieure à 10 respirations par minute.

Bruits de Korotkoff Les cinq bruits artériels produits par le sang dans l'artère à chaque contraction ventriculaire.

Bruits respiratoires surajoutés ou adventices Bruits respiratoires anormaux ou acquis.

Bruits surajoutés (adventices) Bruits qui se produisent lorsque l'air passe dans des voies respiratoires rétrécies ou remplies de liquide ou de mucosités, ou lorsque le revêtement de la plèvre est enflammé.

Brûlure Blessure causée par une exposition excessive à un agent d'origine thermique, chimique, électrique ou radioactive.

Ça Source de toutes les pulsions instinctives et inconscientes.

Cadence Nombre de pas à la minute.

Cadre conceptuel Groupe de concepts apparentés.

Cadre intermédiaire Cadre qui supervise un certain nombre de cadres subalternes et qui est responsable des activités dans les services qu'il supervise.

Cadre subalterne Cadre dont la responsabilité est de diriger le travail du personnel non cadre ainsi que les activités quotidiennes d'un groupe de travailleurs donné.

Cadre supérieur Gestionnaire dont la principale responsabilité est de formuler des objectifs et d'établir des plans stratégiques.

Calibre Diamètre de la canule de l'aiguille.

Canaux semi-circulaires Canaux situés dans l'oreille interne ; renferment les organes de l'équilibre.

Candidate à l'exercice de la profession d'infirmière Statut de l'étudiante qui a terminé son programme de formation et obtenu un diplôme donnant ouverture au permis de l'OIIQ.

Canule (tige) Partie de l'aiguille formée d'un petit tuyau creux rattaché à l'embase ; tube creux que l'on insère dans une cavité ou un conduit, souvent assorti d'un trocart durant l'insertion.

Capacité vitale Quantité maximale d'air qui peut être expirée après une inhalation profonde.

Caractères sexuels primaires Organes vitaux pour la reproduction, comme les testicules, le pénis, le vagin et l'utérus.

Caractères sexuels secondaires Caractéristiques physiques qui différencient l'homme de la femme, mais qui ne sont pas directement liées à la reproduction.

Caractéristiques de la respiration Aspects de la respiration qui diffèrent de l'eupnée, par exemple l'effort requis pour respirer et le bruit respiratoire.

Caractéristiques déterminantes Signes et symptômes qui doivent exister pour confirmer un diagnostic infirmier.

Cardex Nom commercial d'une méthode de classement qui utilise des fiches pour organiser et enregistrer de façon concise les données relatives aux personnes soignées et aux activités infirmières quotidiennes, en particulier les données relatives aux soins, qui changent fréquemment et qui nécessitent une mise à jour.

Carie dentaire Une des deux affections dentaires les plus répandues ; habituellement associée aux dépôts de plaque et de tartre.

Caring Aspect essentiel de la pratique infirmière ; idéal moral de l'infirmière qui non seulement soigne, mais nourrit l'intention et la volonté de le faire ; s'appuie sur un ensemble de valeurs universelles dont la bienveillance, l'ouverture à l'autre, l'amour de soi et des autres.

Casher Aliment préparé selon la loi judaïque.

Catabolisme Réactions chimiques qui dégradent des substances complexes en substances plus simples (par exemple, dégradation d'un tissu, décomposition des protéines).

Cataracte Opacification du cristallin de l'œil ou de la capsule du globe oculaire.

Cathéter veineux central Cathéter habituellement inséré dans la veine subclavière ou jugulaire, et dont l'extrémité distale repose dans la veine cave supérieure juste au-dessus de l'oreillette droite.

Cathéter veineux central introduit par voie périphérique Cathéter inséré dans la veine céphalique ou dans la veine basilique de la fosse cubitale droite, tout juste au-dessus ou au-dessous de l'espace antébrachial (pli du coude).

Cations Ions de charge positive ; incluent le sodium (Na^+), le potassium (K^+), le calcium (Ca^{2+}) et le magnésium (Mg^{2+}).

Centre d'automatisme primaire Principal stimulateur du cœur.

Centre de chirurgie ambulatoire Établissement où l'on pratique des interventions chirurgicales qui ne nécessitent pas d'hospitalisation.

Centre de gravité Point correspondant au centre de toute la masse corporelle.

Centre de jour Centre qui offre une programmation diversifiée d'activités thérapeutiques, individuelles et de groupe : physiothérapie, séances d'exercices, activités de stimulation et de mémoire, suivi infirmier et suivi de la médication, ateliers de cuisine, de peinture et de motricité fine, etc.

Centre de régulation Centre qui traite les stimuli afin qu'ils soient utiles pour le système qui les a absorbés.

Centre d'hébergement et de soins de longue durée (CHSLD) Centre dont la mission est d'offrir, de façon temporaire ou permanente, des services d'hébergement, d'assistance, de soutien, de surveillance ainsi que des services psychosociaux, infirmiers, pharmaceutiques, médicaux et de réadaptation aux personnes en perte d'autonomie fonctionnelle ou psychosociale, principalement les personnes âgées, qui ne peuvent plus demeurer dans leur milieu de vie naturel.

Centre thermorégulateur Groupe de neurones de la région antérieure de l'hypothalamus qui régule la température corporelle.

Centres de santé et de services sociaux (CSSS) Centres nés de la fusion de centres locaux de services communautaires (CLSC), de centres d'hébergement et de soins de longue durée (CHSLD) et, dans la majorité des cas, d'un centre hospitalier. Le CSSS agit comme assise du réseau local de services (RLS), assurant l'accessibilité, la continuité et la qualité des services destinés à la population du territoire local ; il crée des couloirs de services avec, d'une part, les centres hospitaliers, les centres de réadaptation et les centres de protection de l'enfance et de la jeunesse, et, d'autre part, avec les établissements privés.

Certification Processus volontaire et périodique par lequel un groupe spécialisé et organisé atteste que les compétences d'une infirmière dans sa spécialité satisfont aux normes établies par l'AIIC.

Cérumen Cire de l'oreille qui lubrifie et protège le conduit.

Chagrin Ensemble des réactions suscitées par l'impact affectif de la perte.

Chagrin anticipé Chagrin vécu avant l'arrivée de l'événement affligeant.

Chagrin (deuil) dysfonctionnel Chagrin ou deuil n'étant pas vécu sainement : il peut notamment être inhibé ou ne jamais se résorber.

Chaise d'aisances Structure portative semblable à une chaise et servant de toilettes.

Champ de compétence Ce qui définit une profession et la décrit de façon générale en faisant ressortir la nature et la finalité de sa pratique professionnelle et ses principales activités. Le champ d'exercice de la profession infirmière est décrit dans la *Loi sur les infirmières et les infirmiers*.

Champ stérile Zone spécifique considérée comme libre de microorganismes.

Champ visuel Espace qu'une personne peut voir lorsqu'elle regarde droit devant elle.

Changement non planifié Changement fortuit qui survient sans l'influence d'un individu ou d'un groupe.

Changement planifié Tentative délibérée faite par un individu, un groupe ou une organisation pour modifier son propre *statu quo* ou celui d'une autre organisation ou situation.

Charte d'Ottawa pour la promotion de la santé Charte qui s'appuie sur la *Déclaration d'Alma-Ata* portant sur les soins primaires ; on y adopte une perspective globale de l'examen des déterminants de la santé et on y précise les conditions indispensables à la santé.

Chéloïde Cicatrice hypertrophique qui contient une quantité anormale de collagène.

Cheminement critique Démarche ou outil interdisciplinaire servant à gérer les soins prodigués à une personne.

Chimiotactisme Processus par lequel les leucocytes sont attirés par les cellules atteintes.

Chiropratique Terme provenant d'un mot grec signifiant « fait à la main » et désignant un traitement qui consiste à corriger la colonne vertébrale et les articulations. La chiropratique suppose que le maintien de l'alignement de la colonne et des articulations favorise le flux d'énergie dans tout l'organisme, y compris les systèmes nerveux, circulatoire, respiratoire, gastro-intestinal et limbique.

Chirurgie majeure Chirurgie qui comporte de grands risques pour diverses raisons, notamment sa complexité ou sa durée ; des pertes de sang importantes peuvent se produire, de même que des complications postopératoires.

Chirurgie mineure Chirurgie qui comporte peu de risques, souvent pratiquée dans un service de chirurgie d'un jour.

Chirurgie non urgente (élective) Traitement choisi par le médecin pour soigner une affection qui ne met pas la vie de la personne en danger ou pour améliorer le bien-être et la qualité de vie de la personne.

Chirurgie urgente Chirurgie pratiquée sans délai afin de préserver une fonction ou la vie de la personne.

Choc (phase de) Première étape de la réaction d'alarme où l'agent stressant est perçu consciemment ou inconsciemment par la personne.

Choc apexien (choc de pointe) Zone de la pointe du cœur où le pouls apexien est le plus clairement audible et palpable.

Choc culturel Trouble qui survient en réaction à la transition d'un milieu culturel à un autre.

Cholestérol Lipide qui ne contient pas d'acide gras mais qui possède plusieurs des propriétés chimiques et physiques d'autres lipides.

Chordotomie Section chirurgicale qui oblitère la sensation douloureuse et thermique sous la portion spinothalamique de la voie antérolatérale sectionnée ; habituellement pratiquée pour la douleur dans les jambes et le tronc.

Chyme Produits de la digestion qui quittent l'estomac par l'intestin grêle et passent par la valve iléocæcale.

Cicatrice Tissu fibreux, assez ferme, qui résulte du rétrécissement du tissu de granulation et de la contraction des fibres de collagène.

Cicatrisation par deuxième intention Cicatrisation d'une plaie où les tissus de surface ne sont pas rapprochés et qui présente une perte importante de tissu ; formation excessive de tissu de granulation et de tissu cicatriciel.

Cicatrisation par première intention Cicatrisation d'une plaie dont les bords ont été rapprochés ; occasionne peu ou pas de perte de tissus et une granulation minimale.

Cicatrisation par troisième intention Cicatrisation d'une plaie ouverte qui a fait l'objet d'un drainage temporaire.

Cinquième signe vital Évaluation de la douleur.

Circonférence brachiale (périmètre brachial) Mesure de la graisse, des muscles et des os du bras.

Circonférence musculaire brachiale (périmètre musculaire brachial) Estimation de la masse maigre du corps (ou réserves musculaires squelettiques).

Clairance de la créatinine Épreuve utilisant l'urine et les niveaux de créatinine sériques des 24 dernières heures pour déterminer le débit de filtration glomérulaire, un indicateur sensible de la fonction rénale.

Clarification des valeurs Processus par lequel un individu définit ses propres valeurs.

Classification des interventions de soins infirmiers (CISI/NIC) Taxinomie des interventions infirmières comprenant trois niveaux : les domaines, les classes et les interventions proprement dites.

Classification des résultats de soins infirmiers (CRSI/NOC) Systématisation des résultats de soins infirmiers visés par les interventions infirmières.

Client Personne qui reçoit les conseils ou les services d'une personne qualifiée pour le faire.

Cochlée Structure de l'oreille interne, en forme de coquillage, qui est essentielle à la transmission du son et à l'audition.

Codage Processus qui consiste à choisir des signes ou des symboles spécifiques (codes) pour transmettre un message (par exemple, le langage, les mots, le ton et les gestes).

Code Appel d'urgence en cas d'arrêt cardiaque ou respiratoire.

Code de déontologie Énoncé officiel des idéaux et des valeurs d'un groupe ; ensemble de principes éthiques qu'ont en commun les membres d'un groupe, qui reflètent leurs jugements moraux et qui servent de normes aux actes professionnels.

Code de déontologie des infirmières et infirmiers Règlement dont les dispositions décrivent l'ensemble des devoirs et des obligations d'application morale propres à la profession.

Code des professions Loi-cadre du système professionnel qui s'applique à l'ensemble des ordres et qui s'accompagne de 25 lois particulières conférant aux membres de chacun des ordres le droit exclusif d'exercer leurs activités dans un champ professionnel.

Cohérence de l'héritage culturel Concept décrivant dans quelle mesure le mode de vie d'une personne rend compte de sa culture tribale.

Colère État émotionnel qui se caractérise par un sentiment subjectif d'animosité ou de déplaisir marqué.

Collagène Protéine contenue dans le tissu conjonctif ; substance protéique blanchâtre qui donne aux plaies une résistance à la traction.

Collecte des données Formulaire rempli par l'infirmière lors de l'admission de la personne dans l'unité de soins ; processus consistant à recueillir, organiser, valider et consigner les données au sujet de l'état de santé d'une personne.

Collectivité Ensemble de personnes ayant une caractéristique commune.

Colloïdes Substances telles que des grosses molécules protéiques qui ne se dissolvent pas tout de suite dans une solution vraie.

Colonisation Présence d'organismes dans les sécrétions ou les excrétions du corps, dans lesquels certaines souches bactériennes deviennent partie intégrante de la flore normale sans toutefois causer d'affection.

Coloscopie Examen visuel de l'intérieur du côlon à l'aide d'un coloscope.

Colostomie Abouchement du côlon à la paroi abdominale.

Comité de discipline Comité de l'Ordre des infirmières et infirmiers du Québec chargé de toute plainte déposée contre un membre de l'Ordre pour une infraction aux dispositions du *Code des professions*, de la *Loi sur les infirmières et les infirmiers* et des règlements de cette dernière.

Comité d'inspection professionnelle Comité de l'Ordre des infirmières et infirmiers du Québec ayant pour mandat de surveiller l'exercice de la profession par les membres de l'Ordre.

Common law (droit commun) Ensemble de principes qui émanent de la jurisprudence.

Commotion électrique (choc électrique) Choc qui se produit lorsqu'un courant électrique traverse le corps pour se rendre dans le sol ou que de l'électricité statique s'accumule dans le corps.

Communauté Groupe de personnes qui partagent certains aspects de leur vie quotidienne ; système social structuré de personnes vivant à l'intérieur d'un espace géographique précis.

Communication Processus bilatéral qui comporte un émetteur et un récepteur de messages.

Communication congruente Communication dans laquelle les aspects verbaux et non verbaux d'un message concordent tout à fait.

Communication non verbale Communication autre que verbale, notamment par des gestes, des attitudes et des expressions faciales.

Communication sur la santé Démarche de mise en relation de personnes ou de groupes qui ont un intérêt certain pour la santé.

Communication thérapeutique Processus interactif entre une infirmière et une personne ; aide cette dernière à maîtriser un stress temporaire, à côtoyer d'autres personnes, à s'adapter aux réalités inchangeables et à surmonter les blocages psychologiques qui empêchent la réalisation de soi.

Communication verbale Communication qui utilise la parole ou l'écriture.

Communicatrice Rôle de l'infirmière qui consiste à déterminer les problèmes de la personne et à les communiquer verbalement ou par écrit aux autres membres de l'équipe soignante.

Compassion Attitude qui consiste à soutenir la personne soignée et ses proches devant la détresse et les multiples effets de la maladie.

Compensateur Qui vise à maintenir l'équilibre.

Compensation Mécanisme de défense qui fait qu'une personne remplace une activité par une autre qu'elle préférerait faire ou ne peut pas faire ; processus destiné à corriger les déséquilibres acidobasiques.

Compétence culturelle Connaissance, utilisation et reconnaissance de la culture de l'autre pour résoudre un problème.

Complétude Caractère de ce qui est complet ; se dit d'une information consignée au dossier d'une personne.

Compliance pulmonaire Élasticité des poumons.

Comportement de personne malade Mécanisme d'adaptation correspondant à la façon dont la personne décrit, surveille et interprète ses symptômes, prend des mesures correctives et recourt au système de soins de santé.

Comportement moral Façon de percevoir les exigences nécessaires pour vivre en société et de se conduire par rapport à ces exigences.

Comportements en matière de santé Comportements qu'une personne adopte pour comprendre son état de santé, pour maintenir une santé optimale, pour prévenir la maladie et les blessures, et pour parvenir à son plein potentiel physique et mental.

Compresse Morceau de gaze que l'on applique comme pansement sur une plaie ouverte.

Compte rendu d'entretien Rapport textuel d'une conversation entre l'infirmière et la personne soignée ; peut être enregistré ou écrit et comporte également toutes les interactions non verbales.

Concept de soi global Ensemble des perceptions et des convictions ou croyances qu'une personne entretient sur elle-même, ainsi que des attitudes qui en découlent.

Concepts Idées abstraites ou images mentales d'un phénomène ou de la réalité.

Conciliation Lorsqu'une plainte a été déposée contre une infirmière, mesure prise si la protection du public n'est pas compromise et que l'enquête du syndic n'a révélé aucun acte dérogatoire.

Conduction Transfert de chaleur d'une molécule à une autre par contact direct.

Conduit auditif externe Partie de l'oreille externe.

Confiance Capacité de pouvoir compter sur quelqu'un sans être envahi par trop de doutes ou de questions à son sujet.

Confidentialité Principe qui exige que les renseignements fournis par la personne ne soient pas divulgués sans son consentement.

Conflit de rôles Conflit qui naît des tiraillements entre des attentes opposées ou incompatibles entre elles.

Conjonctivite Inflammation de la conjonctive bulbaire et palpébrale.

Connaissances Résultat d'une synthèse de l'information visant à déterminer les relations qu'entretiennent des phénomènes donnés.

Conscience Capacité de percevoir les stimuli environnementaux et les réactions du corps et d'y réagir adéquatement par la pensée et l'action.

Conscience culturelle Reconnaissance consciente et informée des différences et des similarités entre divers groupes culturels ou ethniques.

Conscience incarnée Désigne le fait que les souvenirs, les pensées et les processus régissant les comportements sont inscrits dans toutes les parties du corps.

Conseil interprofessionnel du Québec Organisme reconnu en vertu du *Code des professions* comme organisme-conseil auprès de l'autorité gouvernementale ; tous les ordres professionnels y sont représentés.

Consentement éclairé Autorisation que donne une personne pour accepter un traitement ou une intervention en toute connaissance de cause.

Consentement explicite Acceptation qu'une personne donne clairement (verbalement ou par écrit) au sujet de traitements ou d'interventions.

Consentement implicite Autorisation non verbale que donne une personne pour indiquer qu'elle accepte le traitement ou l'intervention.

Consentement libre et éclairé Autorisation que donne une personne pour accepter un traitement ou une intervention en toute connaissance de cause ; contrat entre la chercheuse et le participant.

Consignation Action d'inscrire des données dans le dossier d'une personne.

Consommateur Individu, groupe ou communauté qui utilise un service ou un produit.

Constipation Passage de selles petites, sèches et dures ou absence de selles pendant une période prolongée.

Consultation en situation de crise Thérapie axée sur la résolution de problèmes immédiats concernant des individus, des groupes ou des familles en crise.

Contact direct Transfert immédiat de microorganismes d'une personne à une autre par le toucher, une éclaboussure, une morsure, un baiser ou des relations sexuelles.

Contact indirect Transfert de microorganismes qui s'effectue soit par véhicule, soit par vecteur.

Contention Mesure de contrôle qui consiste à empêcher ou à limiter la liberté de mouvement d'une personne en utilisant la force humaine, un moyen mécanique ou en la privant d'un moyen qu'elle utilise pour pallier un handicap.

Contexte d'intervention non planifiée Intervention réalisée en réponse à un comportement inhabituel et par conséquent non prévu qui met en danger de façon imminente la sécurité de la personne et celle d'autrui.

Contexte d'intervention planifiée Utilisation de mesures de contrôle dans une situation donnée, par exemple dans le cas d'une désorganisation comportementale récente, susceptible de se répéter et pouvant comporter un danger réel pour la personne elle-même ou pour autrui.

Continuité des soins Coordination des services de soins de santé fournis par un professionnel de la santé aux personnes qui passent d'un établissement de soins à un autre et d'un professionnel de la santé à un autre.

Contractilité Capacité inhérente des fibres du muscle cardiaque de se raccourcir ou de se contracter.

Contractions haustrales Mouvement de va-et-vient du chyme dans les haustrations.

Contracture Raccourcissement permanent d'un muscle.

Contrechoc Second stade de la réaction d'alarme, au cours duquel les changements organiques qui se sont produits au stade du choc s'inversent.

Convection Dispersion de la chaleur par déplacement d'air.

Coordination Processus qui permet de vérifier la réalisation d'un plan et d'en évaluer les résultats.

Cor Forme de kératose causée par le frottement et la pression qu'une chaussure exerce sur le pied.

Coroner Fonctionnaire qui n'est pas nécessairement médecin ; nommé ou élu pour enquêter sur les causes d'un décès.

Corps-esprit (corps-psyché) État global qui intègre le corps, le psychisme et l'esprit.

Créatine kinase (CK) Enzyme libérée dans le sang durant un infarctus du myocarde.

Créatinine Déchet azoté qui est excrété dans l'urine.

Créativité Pensée qui entraîne l'évolution de nouvelles idées et de nouveaux produits.

Crépitants Bruits surajoutés entendus lors de l'auscultation pulmonaire et traduisant la présence de liquide (sécrétions, sang ou pus) dans les alvéoles ; les crépitants peuvent être fins ou rudes.

Crépitation Sensation de craquement ou de grincement palpable ou audible produit par le mouvement de l'articulation.

Cristalloïde Sel qui se dissout rapidement dans une solution vraie.

Croissance Changement physique accompagné d'une augmentation de taille.

Croyances Interprétations ou conclusions qu'une personne considère comme vraies.

Croyances en matière de santé Concepts qu'une personne considère comme vrais au sujet de la santé.

Culture Combinaison de différentes caractéristiques abstraites, telles que les valeurs, les croyances, les attitudes et les coutumes, qu'un groupe de personnes partagent et se transmettent de génération en génération ; méthode de laboratoire qui consiste à faire croître des microorganismes dans un milieu approprié.

Culture matérielle Objets (par exemple, vêtements, objets d'art, objets rituels, ustensiles de cuisine) et façon de les utiliser propres à une groupe particulier.

Culture non matérielle Ensemble des valeurs, des croyances, des normes et des comportements propres à un groupe particulier ; mode de vie, façon de voir et de communiquer qui donne à une personne une manière d'être avec les autres.

Cyanose Coloration anormale de la peau et des muqueuses causée par une diminution de l'oxygène dans le sang.

Cyphose Déviation de la colonne vertébrale où la convexité formée par les vertèbres T1 à T8 est anormalement accentuée vers l'extérieur.

Cystoscope Instrument muni d'une lumière et permettant d'examiner l'intérieur de la vessie.

Cystoscopie Examen visuel de la vessie au moyen d'un cystoscope.

Dacryocystite Inflammation du sac lacrymal.

Débit cardiaque (DC) Volume de sang éjecté par le cœur à chaque contraction ventriculaire.

Débitmètre expiratoire de pointe Appareil servant à mesurer le débit aérien, c'est-à-dire la vitesse à laquelle l'air circule dans les voies aériennes.

Débridement Retrait des tissus infectés et nécrosés d'une plaie.

Dec-Bacc en formation infirmière intégrée Programme de formation infirmière intégrée qui s'échelonne sur cinq ans ; l'étudiante s'inscrit au programme collégial de soins infirmiers à temps complet, y suit sa formation pendant trois ans et poursuit ses études à l'université pendant deux ans.

Décès neurologique (mort cérébrale) État où le cortex et le tronc cérébral, siège des fonctions mentales supérieures, sont irréversiblement détruits.

Déclaration de décès Document qui établit le décès et permet d'obtenir un certificat de décès ou une copie de l'acte de décès.

Décodage Intégration du message perçu dans les connaissances ou l'expérience emmagasinées par le récepteur, suivie d'une clarification du sens.

Décubitus dorsal Position dans laquelle la personne repose sur le dos, la tête et les épaules légèrement surélevées par un petit oreiller.

Décubitus latéral Position dans laquelle la personne est allongée sur l'un des côtés du corps.

Décubitus ventral Position dans laquelle la personne repose sur l'abdomen, la tête tournée sur le côté.

Défécation Expulsion de selles du rectum et de l'anus.

Défenses non spécifiques Défenses du corps qui protègent la personne contre les microorganismes, quelle que soit l'exposition antérieure à ces microorganismes.

Défenses spécifiques (immunologiques) Fonctions immunitaires dirigées contre certaines souches de bactéries, de virus, de champignons et d'autres agents infectieux.

Déficit de volume liquidien Perte d'eau et d'électrolytes du liquide extracellulaire dans des proportions semblables.

Déficit sensoriel Déficience totale ou partielle d'un organe sensoriel.

Déhiscence Rupture partielle ou complète d'une plaie suturée.

Délai d'action Temps écoulé entre l'administration d'un médicament et le moment où celui-ci produit son effet.

Délégation d'actes Fait, pour une personne, de transférer à une autre la responsabilité de l'exécution d'une activité tout en conservant l'obligation de rendre compte du résultat.

Demande de services interétablissements (DSIE) Outil informatisé d'échange d'information clinique conçu pour les demandes de services d'un établissement à l'autre ou dans un même établissement.

Démarche Façon dont une personne marche.

Démarche systématique dans la pratique infirmière Méthode rationnelle et systématique pour la planification et la prestation des soins infirmiers.

Démence Déficit global de la fonction cognitive qui est habituellement progressif et qui peut être permanent ; entrave les activités sociales et récréatives normales.

Demi-vie du médicament Temps nécessaire pour que la concentration d'un médicament dans l'organisme diminue de moitié par rapport au moment de son administration.

Démographie Étude de la population, notamment les statistiques sur la répartition selon l'âge et le lieu de résidence, la mortalité et la morbidité.

Densité urinaire Indication de la concentration de l'urine.

Dénutrition (sous-alimentation) Apport nutritionnel insuffisant pour combler les besoins énergétiques quotidiens en raison d'une déficience de l'ingestion de nourriture, de la digestion ou de l'absorption.

Dépendance physique Dépendance causée par des changements biochimiques dans les tissus de l'organisme, particulièrement dans le système nerveux.

Dépendance psychologique Lien émotionnel avec un médicament qu'une personne consomme dans le but d'éprouver un sentiment de bien-être.

Dépression Sentiment de tristesse et de découragement, souvent accompagné par des changements physiologiques tels qu'une diminution de la capacité de fonctionner.

Déshydratation Perte d'eau sans perte importante d'électrolytes.

Désinfectants Agents qui détruisent les agents pathogènes autres que les spores.

Désir Phase du cycle de la réponse sexuelle qui se caractérise par une attirance sexuelle consciente.

Déterminants de la santé Catégories pouvant être associées à des facteurs personnels, sociaux, économiques et environnementaux ; peuvent comprendre des facteurs de risque et des facteurs de protection.

Détresse spirituelle Perturbation des croyances ou du système de valeurs qui procurent habituellement force et espoir à la personne et qui donnent un sens à sa vie.

Détrusor (muscle vésical, musculeuse) Couches de muscle lisse de la vessie.

Deuil Processus de résolution du chagrin.

Développement Capacité de fonctionnement croissante d'une personne, liée à la croissance.

Développement cognitif Manière dont une personne apprend à penser, à raisonner et à utiliser la langue.

Développement du rôle Aspect du développement qui comporte la socialisation dans un rôle particulier.

Développement moral Processus d'apprentissage servant à faire la différence entre le bien et le mal, entre ce que l'on doit faire et ne pas faire.

Diagnostic Énoncé ou conclusion sur la nature d'un phénomène.

Diagnostic infirmier actuel Diagnostic qui décrit un problème présent au moment de la collecte des données, fondé sur la présence de signes et de symptômes et confirmé cliniquement par la présence de caractéristiques essentielles.

Diagnostic infirmier de syndrome Diagnostic infirmier associé à un ensemble d'autres diagnostics.

Diagnostic infirmier de type risque Jugement clinique relatif à la présence de facteurs de risque selon lequel une personne, une famille ou une communauté est plus susceptible de présenter un problème de santé.

Diagnostic infirmier possible (potentiel) Diagnostic posé lorsque les données sur un problème de santé sont incomplètes ou imprécises.

Diagnostics infirmiers Jugements cliniques posés par l'infirmière au sujet des réactions de la personne, de sa famille ou de son entourage à l'égard de problèmes de santé réels ou potentiels, et qui permettent de déterminer les interventions infirmières susceptibles de produire les résultats attendus dont l'infirmière doit rendre compte.

Dialogue Contexte dans lequel la personne mourante et son entourage savent que la mort est imminente et en parlent librement.

Dialyse Technique par laquelle des liquides et des molécules traversent une membrane semi-perméable selon les principes de l'osmose.

Diapédèse Migration des globules sanguins à travers la paroi d'un vaisseau sanguin.

Diarrhée Défécation de selles liquides et fréquentes.

Diastole Période durant laquelle les ventricules se relâchent.

Diffusion Mouvement de gaz ou de particules d'une zone où la pression ou la concentration a une valeur donnée vers une zone de plus faible pression ou concentration.

Direction Fonction de gestion qui consiste à communiquer les tâches à accomplir et à fournir de l'aide et de la supervision.

Directives préalables (directives de fin de vie) Variété de documents légaux ou non qui permettent à une personne d'indiquer les soins qu'elle désire recevoir dans l'éventualité où elle serait incapable de communiquer ses préférences à cet égard.

Disaccharides Sucres composés de molécules doubles.

Discrimination Traitement inégal de personnes et de groupes selon des critères comme la race, l'ethnie, le sexe, la classe sociale ou l'atypie (manque de conformité par rapport à un groupe donné).

Discrimination tactile Capacité de ressentir une stimulation en un ou deux points par une pression sur la peau.

Discussion Exploration orale non structurée d'un sujet par deux professionnels de la santé ou plus et visant à définir un problème ou à établir des stratégies pour le résoudre.

Distribution Transport d'un médicament du site d'absorption vers le site d'action.

Diurétique Agent qui accroît la sécrétion d'urine.

Diversité culturelle Fait d'être différent ou état correspondant à cette différence.

Documentation des soins infirmiers Activité essentielle de la pratique infirmière consistant à consigner l'ensemble de l'information relative aux soins infirmiers de la personne dans son dossier, qu'il soit informatisé ou non.

Domaine affectif Domaine des sentiments, dont les différentes catégories indiquent l'intensité de la réaction émotionnelle d'une personne à des tâches ; inclut les sentiments, les émotions, les intérêts, les attitudes et les appréciations.

Domaine cognitif Domaine de la pensée ; compte six aptitudes mentales et processus de réflexion, notamment le savoir et la compréhension ; est en relation avec l'analyse, la synthèse et l'évaluation.

Domaine psychomoteur Domaine de l'adresse, de la dextérité ; comprend, par exemple, les habiletés motrices nécessaires pour donner une injection.

Données Éléments d'information ; observations brutes isolées qui n'ont pas fait l'objet d'une interprétation.

Données objectives (signes, données directes) Données observables, pouvant être mesurées ou vérifiées en fonction d'une norme reconnue.

Données subjectives (symptômes, données indirectes) Données perceptibles seulement pour la personne concernée et ne pouvant être décrites ou vérifiées que par elle.

Doses analgésiques équivalentes Doses d'un analgésique différent de celui qui a été prescrit initialement mais ayant les mêmes effets thérapeutiques ; un analgésique équivalent est souvent utilisé pour contrer les effets indésirables d'un autre analgésique ; des tableaux d'équivalences existent.

Dossier Document écrit ou informatisé dans lequel on consigne de façon formelle et légale les progrès de la personne.

Dossier clinique Document officiel, à caractère légal, qui constitue la preuve des soins prodigués à la personne.

Dossier de santé électronique Recueil longitudinal de renseignements sanitaires concernant une personne, que des professionnels de la santé ont saisis ou acceptés, se trouvant stockés sur un support électronique.

Dossier informatisé Dossier permettant à l'infirmière d'accéder aux données, d'ajouter de nouvelles données, de créer et de réviser des plans de soins et de traitements infirmiers et de rendre compte des progrès de la personne.

Dossier médical informatisé Dossier contenant des données démographiques sur la personne, le diagnostic médical et des informations détaillées relatives aux évaluations et aux interventions des professionnels de la santé effectuées au cours d'une période de soins et dans un même établissement de santé.

Dossier orienté vers la source Dossier dans lequel chaque personne ou chaque service fait des annotations dans une section séparée de la feuille de surveillance de la personne.

Dossier orienté vers les problèmes Compte rendu où les données concernant la personne sont consignées en fonction du problème de la personne plutôt qu'en fonction de la source d'information.

Dossier personnel de santé Copie d'un dossier médical informatisé remise à la personne, qu'il soit imprimé ou électronique.

Douleur Toute sensation désignée comme de la douleur par la personne qui l'éprouve, au moment où elle dit l'éprouver.

Douleur aiguë Douleur qui dure seulement pendant la durée du rétablissement prévu (moins de six mois), quels que soient son intensité et son mode d'apparition (soudain ou progressif).

Douleur chronique Douleur prolongée, habituellement récurrente ou persistant plus de six mois, et nuisant au fonctionnement normal.

Douleur cutanée Douleur qui émane de la peau ou d'un tissu sous-cutané.

Douleur irradiante Douleur ressentie à sa source ainsi que dans les tissus environnants.

Douleur irréductible Douleur qui résiste au traitement ou au soulagement.

Douleur neuropathique Douleur provenant d'une perturbation du système nerveux périphérique ou central, associée ou non à un processus continu de détérioration des tissus.

Douleur projetée (ou référée) Douleur dont la source perçue est différente de la source réelle.

Douleur somatique profonde Douleur qui provient des ligaments, des tendons, des os, des vaisseaux sanguins et des nerfs.

Douleur viscérale Douleur produite par la stimulation des récepteurs de la douleur situés dans la cavité abdominale, le crâne et le thorax.

Drain de Penrose Drain flexible en caoutchouc.

Drainage postural Évacuation par gravité des sécrétions des différents segments du poumon.

Drogue Substance qui engendre une dépendance, comme l'héroïne, la cocaïne et les amphétamines.

Drogues illicites Drogues vendues dans la rue.

Droit à l'autodétermination Droit des personnes de se sentir libres de toute contrainte, coercition ou influence indue relativement à leur participation à une étude.

Droit civil Droit qui régit les litiges, tels les fautes professionnelles et les préjudices qui touchent un individu ou un bien et qui ne constituent pas une menace pour la société.

Droit pénal Droit portant sur les comportements et les actions qui constituent une menace pour la sécurité.

Durée Longueur d'un son (son long ou court).

Durillon Masse kératosique formée par un épaississement de l'épiderme.

Dynamique de groupe Forces qui déterminent le comportement du groupe et les relations entre les membres du groupe.

Dysfonction érectile (impuissance) Incapacité à atteindre ou à maintenir une érection suffisante pour être satisfait sexuellement et pour satisfaire son ou sa partenaire.

Dysménorrhée Règles douloureuses.

Dysphagie Difficulté ou incapacité d'avaler.

Dyspnée Respiration difficile ou laborieuse.

Dysurie Miction douloureuse ou difficile.

Ébouillantage Brûlure occasionnée par un liquide très chaud ou par de la vapeur.

Écart Objectif non atteint dans la prestation de soins ; anomalie qui se répercute sur les soins planifiés ou les réactions de la personne aux soins prodigués.

Écart type Mesure de dispersion la plus utilisée ; moyenne des écarts par rapport à la moyenne arithmétique d'une série statistique ; habituellement noté *S*.

Échantillon Segment de population visé par la collecte des données.

Échocardiographie Épreuve non effractive qui utilise les ultrasons pour faire l'examen visuel des structures du cœur et pour évaluer la fonction ventriculaire gauche.

Échographie Utilisation des ultrasons pour produire l'image d'un organe ou d'un tissu.

Écocarte Diagramme ayant pour but de démontrer visuellement les liens entretenus par la personne avec sa famille et son entourage.

Écoute attentive Écoute active qui sollicite tous les sens, par opposition à une écoute passive n'utilisant que l'oreille.

Ectoderme Couche externe de tissu formée au cours de la seconde semaine de vie embryonnaire.

Éducation pour la santé Méthodes servant à fournir des occasions d'apprentissage de connaissances, d'attitudes et de comportements favorables à la santé ; méthode qui favorise les échanges entre le savoir populaire (la population) et le savoir professionnel (les intervenants).

Effet cumulatif Effet croissant obtenu par l'administration de doses répétées d'un médicament ; survient lorsque le rythme d'administration dépasse le rythme de son métabolisme ou de son excrétion.

Effet idiosyncrasique Effet différent, inattendu ou individuel d'un médicament par rapport à l'effet habituellement escompté ; occurrence de symptômes imprévisibles et inexplicables.

Effet inhibiteur Diminution de l'effet d'un ou de plusieurs médicaments.

Effet potentialisateur Augmentation de l'effet d'un ou de plusieurs médicaments.

Effet secondaire Effet non souhaité d'un médicament ; habituellement prévisible, il peut être inoffensif ou potentiellement dangereux.

Effet synergique Effet des médicaments qui agissent en stimulant l'activité enzymatique ou la production d'hormone.

Effet thérapeutique Premier effet recherché d'un médicament et, par conséquent, raison pour laquelle le médicament est prescrit.

Efficacité Mesure de la qualité ou de la quantité des services fournis.

Efficience Mesure des ressources utilisées pour assurer la prestation de soins infirmiers.

Effleurage Technique de massage par effleurements.

Éjaculation Expulsion de liquide séminal et de sperme.

Éjaculation précoce Incapacité de l'homme de retarder son éjaculation suffisamment pour satisfaire son ou sa partenaire.

Éjaculation retardée Difficulté ou incapacité à éjaculer dans les temps habituellement observés.

Électrocardiogramme (ECG) Tracé de l'activité électrique du cœur.

Électrocardiographie Enregistrement graphique de l'activité électrique du cœur.

Électroencéphalogramme (EEG) Tracé de l'activité électrique du cerveau.

Électrolytes Substances chimiques qui produisent une charge électrique et qui peuvent conduire un courant électrique lorsqu'elles se trouvent dans l'eau ; ions.

Électrostimulation transcutanée (TENS) Application d'une stimulation électrique de faible intensité directement sur une région douloureuse, sur un point d'acupression, le long du nerf périphérique qui parcourt la région douloureuse ou le long de la colonne vertébrale.

Embase Partie de l'aiguille à laquelle s'adapte la seringue.

Embole Caillot de sang qui s'est détaché.

Embout Partie de la seringue qui s'ajuste à l'embase de l'aiguille.

Emmétropie Réfraction normale qui permet aux yeux de converger l'image sur la rétine.

Empathie Capacité de comprendre ce que l'autre vit et de lui communiquer que l'on comprend ses sentiments ainsi que le comportement et l'expérience qui y sont associés.

Emphysème Affection pulmonaire chronique qui se caractérise par une dilatation et une distension des alvéoles.

Empowerment Postulat fondé sur la croyance que les personnes et les groupes possèdent ou sont en mesure d'acquérir les capacités leur permettant d'effectuer les transformations nécessaires pour favoriser leur bien-être.

Enclume Os de l'oreille moyenne.

Endocarde Membrane qui tapisse l'intérieur de la cavité cardiaque et ses annexes.

Endoderme (entoderme) Couche interne de l'embryon dont le développement donne l'intestin primitif et la vésicule ombilicale.

Endogène Qui provient de l'intérieur.

Énoncé d'évaluation Énoncé composé d'une conclusion et d'une justification.

Enseignement Ensemble structuré d'activités qui favorise l'apprentissage.

Ensemble de valeurs Toutes les valeurs, qu'elles soient personnelles, professionnelles ou religieuses, auxquelles une personne adhère.

Entrepreneur de pompes funèbres (directeur de funérailles) Personne qui s'occupe du corps après le décès.

Entrevue Communication ou conversation planifiée dont le but est d'obtenir ou de donner de l'information, de circonscrire les problèmes qui préoccupent l'infirmière et la personne, d'évaluer le degré d'un changement, d'enseigner, de donner du soutien ou encore de prodiguer des conseils ou un traitement ; sert notamment à établir l'anamnèse de la personne lors de son admission.

Entrevue directive Entrevue fortement structurée visant l'obtention de renseignements particuliers.

Entrevue non directive Entrevue au cours de laquelle l'infirmière laisse la personne décider de l'objectif, du sujet et du rythme des échanges ; axée sur l'établissement d'un rapprochement.

Énurésie Incontinence d'urine ; passage involontaire d'urine chez un enfant une fois que celui-ci est propre.

Énurésie nocturne Miction involontaire pendant la nuit.

Enzymes Catalyseurs biologiques qui accélèrent les réactions chimiques.

Épicarde Péricarde viscéral qui adhère à la surface du cœur et en forme le feuillet externe.

Épistémologie Étude de la nature du savoir.

Épreuve de l'effort (ECG à l'effort) ECG servant à évaluer la réaction d'une personne à un travail cardiaque accru pendant l'exercice.

Épuisement (phase d') Troisième étape du syndrome d'adaptation lorsque l'adaptation faite à la deuxième étape ne peut être maintenue.

Épuisement professionnel Syndrome complexe de comportements que l'on peut associer au stade d'épuisement du syndrome d'adaptation, plus général ; sensation envahissante qui peut entraîner l'épuisement mental et physique, une attitude et une image de soi négatives ainsi que des sentiments d'impuissance et de désespoir.

Équilibre État de stabilité.

Équilibre sensoriel Seuil d'éveil optimal ; niveau de vigilance confortable.

Érythème Rougeur associée à différentes éruptions.

Érythrocytes Globules rouges.

Escarre Nécrose tissulaire épaisse causée par une brûlure, par un contact avec un agent corrosif ou par une mortification du tissu associée à une interruption de l'irrigation sanguine, à une invasion bactérienne et à la putréfaction.

Espace personnel Distance qu'une personne souhaite conserver dans ses interactions avec les autres.

Espoir (espérance) Concept multidimensionnel qui réside dans la perception d'attentes et de buts réalistes, la motivation à atteindre ces objectifs, l'anticipation des résultats, l'établissement de liens de confiance et de relations interpersonnelles, la confiance en ses ressources internes et externes, ainsi que la détermination de tendre vers l'avenir.

Estime de soi globale Affection ou respect qu'une personne se porte dans son ensemble.

Estime de soi spécifique Acceptation ou approbation d'une personne envers une partie précise d'elle-même.

Établissement d'un ordre de priorité Regroupement des diagnostics infirmiers selon leur priorité : élevée, moyenne ou faible.

État de mal épileptique Crises convulsives à répétition.

État de santé Santé d'une personne à un moment donné.

Étendue Mesure de variabilité qui représente la différence entre la valeur la plus élevée et la valeur la plus basse dans une distribution de résultats.

Éthique Ensemble de règles et de principes qui dictent la bonne conduite sur le plan moral.

Éthique infirmière Questions éthiques soulevées dans la pratique infirmière.

Ethnicité Conscience d'appartenir à un groupe qui se distingue des autres par ses repères symboliques (culture, biologie, territoire) ; repose sur les liens établis au cours d'un passé commun et sur l'intérêt ethnique perçu.

Ethnicité biculturelle Assimilation de deux cultures, de deux modes de vie et de deux systèmes de valeurs.

Ethnocentrisme Tendance à considérer comme supérieures les valeurs et les croyances du groupe ethnique auquel on appartient par rapport à celles d'autres cultures.

Ethnométhodologie Méthode servant à décrire un phénomène culturel du point de vue des personnes qui partagent la culture étudiée.

Ethnorelativité Capacité d'apprécier la richesse des autres cultures et d'en respecter les points de vue.

Étiologie Relation de cause à effet entre un problème et les facteurs de risque ou facteurs associés.

Étrier Os de l'oreille moyenne.

Étude phénoménologique Étude qui vise à comprendre un phénomène, à en saisir l'essence du point de vue de ceux et celles qui en font ou en ont fait l'expérience.

Eupnée Respiration normale, non laborieuse.

Euthanasie (suicide assisté) Actes qui permettent de provoquer la mort d'une personne atteinte d'une maladie incurable ou extrêmement souffrante.

Euthanasie active Mesures qui causent directement le décès de la personne avec ou sans son consentement.

Euthanasie passive Non-utilisation ou retrait des mesures de maintien de la vie afin de permettre à une personne de mourir.

Évaluation Activité continue et planifiée qui permet à la personne et aux professionnels de la santé de comparer les résultats escomptés avec les résultats obtenus.

Évaluation des processus Partie de l'assurance de la qualité qui est axée sur la façon dont les soins sont donnés.

Évaluation des résultats Évaluation portant sur les changements vérifiables dans l'état de santé de la personne qui résultent des soins infirmiers.

Évaluation des risques pour la santé Évaluation servant à indiquer les risques qu'encourt une personne de contracter une affection ou d'être blessée au cours des dix prochaines années.

Évaluation des structures Évaluation de l'environnement où les soins sont prodigués.

Évaporation Perte continue d'humidité provenant des voies respiratoires, des muqueuses de la bouche et de la peau.

Éviscération Extrusion des organes internes.

Exacerbation Phase d'une affection chronique où les symptômes réapparaissent après une période de rémission.

Exactitude Qualité des données d'un dossier qui expriment des faits ou des observations et non des opinions ou des interprétations.

Examen des fonctions Examen physique pendant lequel l'examinatrice procède fonction par fonction.

Excès de poids (embonpoint, surpoids, surplus de poids, surcharge pondérale) Excès correspondant à un indice de masse corporelle de 25 à 29,9.

Excès de volume liquidien Rétention d'eau et de sodium dans des proportions semblables dans le liquide extracellulaire.

Excitation/plateau Phase du cycle de la réponse sexuelle qui se caractérise par la vasodilatation.

Excoriation Perte des couches superficielles de la peau.

Excrétion Processus par lequel les métabolites et les médicaments sont éliminés de l'organisme.

Exercice Mouvement corporel planifié, structuré et répétitif, spécifiquement destiné à améliorer ou à maintenir un ou plusieurs éléments de l'aptitude physique.

Exercice du rôle Mesure de la pertinence des comportements de la personne par rapport aux attentes qui pèsent sur elle dans le cadre de son rôle.

Exercice infirmier Pratique professionnelle qui consiste à évaluer l'état de santé d'une personne, à déterminer et à assurer la réalisation du plan de soins et de traitements infirmiers, à produire les soins et les traitements infirmiers et médicaux dans le but de maintenir la santé, de la rétablir et de prévenir la maladie, ainsi qu'à fournir les soins palliatifs.

Exercices aérobiques Activité durant laquelle l'organisme absorbe une quantité d'oxygène égale ou supérieure à celle qu'il dépense.

Exercices anaérobiques Activité durant laquelle les muscles n'ont pas accès à suffisamment d'oxygène issu de la circulation sanguine.

Exercices d'amplitude des mouvements articulaires actifs Exercices isotoniques qui consistent à bouger chaque articulation dans toute son amplitude, en étirant au maximum tous les groupes musculaires dans chaque plan de l'articulation.

Exercices d'amplitude des mouvements articulaires passifs Exercices que l'infirmière exécute et qui consistent à bouger chacune des articulations de la personne dans toute son amplitude, ce qui permet d'étirer au maximum tous les groupes musculaires dans chaque plan.

Exercices isocinétiques (contre résistance) Exercices qui font intervenir une contraction musculaire ou une tension contre une force résistante.

Exercices isométriques (statiques) Exercices qui provoquent la tension d'un muscle contre une résistance externe immobile qui ne change pas la longueur du muscle ou qui ne produit pas de mouvement articulaire.

Exercices isotoniques (dynamiques) Exercices qui produisent une tension musculaire constante et un raccourcissement du muscle qui entraîne sa contraction et le mouvement actif.

Exhalation (expiration) Mouvement des gaz qui sortent des poumons vers l'atmosphère.

Exogène Qui provient de l'extérieur.

Exophtalmie Protrusion des globes oculaires accompagnée d'une élévation des paupières supérieures.

Expectorations Sécrétions muqueuses des poumons, des bronches et de la trachée.

Expectorer Tousser en expulsant des mucosités ou d'autres matières.

Exposition professionnelle Exposition cutanée, oculaire, muqueuse ou parentérale avec du sang ou toute autre matière potentiellement contaminée qui peut survenir dans le cadre des activités professionnelles d'un employé.

Exsudat Substance, par exemple un liquide ou des cellules, qui s'échappe des vaisseaux sanguins durant le processus inflammatoire et qui se dépose dans ou sur un tissu.

Exsudat purulent Exsudat composé de leucocytes, de restes de tissus liquéfiés ainsi que de bactéries vivantes et mortes.

Exsudat sanguinolent Exsudat contenant une grande quantité de globules rouges.

Exsudat séreux Substance inflammatoire composée de sérum et dérivée du sang et des membranes séreuses du corps, par exemple le péritoine, la plèvre, le péricarde et les méninges ; a une apparence aqueuse et contient peu de cellules.

Exsudat sérosanguinolent Exsudat composé de liquide clair et teinté de sang.

Externat en soins infirmiers Travail d'une étudiante infirmière à titre d'externe dans un établissement de santé (du 15 mai au 31 août et du 15 décembre au 20 janvier) après qu'elle a terminé sa deuxième année de formation et que l'Ordre des infirmières et infirmiers du Québec a confirmé son admissibilité à l'externat.

Extinction Incapacité de percevoir le toucher sur un côté du corps lorsque deux endroits symétriques du corps sont touchés simultanément.

Facteur d'écoulement (débit d'écoulement) Nombre de gouttes par millilitre de solution administrées à l'aide d'une chambre compte-gouttes donnée.

Facteur de protection Ressources internes et externes qui protègent la santé des individus.

Facteurs de risque Facteurs qui rendent une personne vulnérable à l'apparition d'un problème de santé.

Faisceau auriculoventriculaire (faisceau de His) Branches droite et gauche des voies de conduction ventriculaire.

Famille Unité de base de la société, qui comprend les individus, de sexe masculin ou féminin, enfants ou adultes, légalement apparentés ou non, génétiquement apparentés ou non, qui sont considérés comme les proches d'une personne.

Famille élargie Famille qui inclut la parenté proche de la famille nucléaire (par exemple, grands-parents, tantes, oncles).

Famille nucléaire Famille composée des parents et de leurs enfants.

Fardeau des proches aidants Forme de stress subi par les personnes qui doivent s'occuper d'un membre de leur famille à domicile.

Fasciculations Mouvements fins, rapides et saccadés touchant habituellement un petit nombre de fibres musculaires.

Fébrile Qui a rapport à la fièvre ; fiévreux.

Fécalome Masse ou accumulation de selles durcies dont la consistance ressemble à du mastic et qui se trouve dans les replis du rectum.

Fèces (selles) Déchets du corps et matière non digérée éliminés par l'intestin.

Fête religieuse Événement soulignant l'observance d'un précepte religieux.

Feuille de surveillance Feuille sur laquelle l'infirmière note certaines données comme les signes vitaux, l'équilibre liquidien ou les médicaments administrés ; a souvent la forme d'un tracé.

Fibres de conduction cardiaque (fibres de Purkinje) Fibres des voies de conduction ventriculaire qui se terminent dans le muscle ventriculaire et stimulent sa contraction.

Fibrine Protéine insoluble formée par le fibrinogène lors de la coagulation du sang.

Fibrinogène Protéine plasmatique qui est convertie en fibrine lorsqu'elle est libérée dans les tissus et qui, avec la thromboplastine et les plaquettes, forme un réseau enchevêtré faisant office de barrière pour protéger une zone de l'organisme.

Fiche de médicaments Formulaire d'enregistrement systématique qui indique diverses données relatives à l'ordonnance et à la prise de médicaments.

Fidélité (fiabilité) Degré de constance avec lequel un instrument mesure un concept ou une variable.

Fièvre Température corporelle élevée.

Fièvre constante Température corporelle qui varie peu mais qui demeure constamment au-dessus de la normale.

Fièvre intermittente Température corporelle caractérisée par une succession de périodes de fièvre et de périodes normales ou sous-normales.

Fièvre récurrente Fièvre qui se caractérise par l'alternance de périodes fébriles de quelques jours avec des périodes afébriles de un ou deux jours.

Fièvre rémittente Fièvre qui se caractérise par de fortes fluctuations de températures (plus de 2 °C) sur une période de 24 heures.

Filtration Processus par lequel du liquide et des solutés traversent ensemble une membrane d'un compartiment à un autre.

Fiole Petite bouteille de verre ou de plastique scellée par un bouchon de caoutchouc et renfermant un médicament liquide ou en poudre.

Fissures Crevasses profondes provoquées par la sécheresse et le fendillement de la peau.

Fixation Immobilisation ou incapacité de la personnalité de passer au prochain stade de développement à cause de l'anxiété.

Flasques Se dit des muscles qui manquent de tonus musculaire.

Flatulence Présence de quantités excessives de gaz dans l'estomac ou les intestins.

Flatuosités Gaz ou air normalement présent dans l'estomac ou les intestins.

Flore microbienne normale Microorganismes dont la présence est normale sur la peau, sur les muqueuses, dans l'arbre respiratoire et dans le tube digestif.

Foi Façon active d'être en relation avec l'autre, dans laquelle on investit engagement, croyance, amour et espoir.

Fonctions autonomes Domaine des soins de santé propre à la profession infirmière, séparé et différent de la gestion médicale.

Fonctions selon une ordonnance Au regard des diagnostics médicaux, thérapies et traitements qui sont prescrits par le médecin et que l'infirmière doit exécuter.

Fontanelles Espaces membraneux non ossifiés entre les os du crâne du nouveau-né et qui rendent possible le modelage de la tête lors de l'accouchement.

Force de cisaillement Mélange de friction et de pression qui, appliqué à la peau, endommage les vaisseaux sanguins et les tissus.

Formation à distance Mode d'enseignement permettant de recevoir une formation à domicile ou sur les lieux de travail.

Formation continue Activités d'apprentissage organisées accomplies par l'infirmière après sa formation de base.

Forme PES Les trois éléments essentiels des énoncés diagnostiques, incluant la description du problème, l'étiologie du problème, et les caractéristiques déterminantes ou regroupements de signes et de symptômes.

Formulaire d'enregistrement systématique Forme de notes d'évolution servant à documenter les activités d'intervention.

Formule sanguine complète (FSC, hémogramme) Analyse d'échantillons de sang veineux ; comprend la mesure de l'hémoglobine et de l'hématocrite, la numération érythrocytaire, la leucocytémie, l'étude des constantes globulaires et la formule leucocytaire.

Fosse triangulaire Dépression de l'anthélix.

Fractures pathologiques Fractures qui surviennent de manière spontanée.

Frémissement Sensation de tremblement comme celui produit par le ronronnement d'un chat ou l'eau circulant dans un tuyau d'arrosage.

Fréquence cardiaque (FC) Nombre de battements par minute.

Friction Frottement ; force qui s'oppose à un mouvement.

Gale Infestation contagieuse causée par un arachnide, le sarcopte de la gale.

Gastrostomie Abouchement de l'estomac à la paroi abdominale.

Gastrostomie percutanée endoscopique (GPE) Introduction d'un cathéter d'alimentation à travers la peau et les tissus sous-cutanés jusqu'à l'estomac.

Gaz sanguins artériels Désignent un échantillon de sang artériel qui permet d'évaluer l'oxygénation, la ventilation et l'équilibre acidobasique.

Gencives Muqueuses recouvrant la racine des dents.

Générativité Volonté de « passer le flambeau » à la génération suivante et de la guider dans ses choix.

Génogramme Diagramme de la famille comprenant au moins trois générations.

Genre Identité sexuelle des personnes, d'un point de vue personnel ou social plutôt que strictement biologique.

Géragogie Processus qui consiste à stimuler et à favoriser l'apprentissage chez les personnes âgées.

Gestion de cas (suivi systématique de clientèles) Méthode de prestation de soins infirmiers selon laquelle l'infirmière est responsable d'une charge professionnelle dans le continuum des soins de santé.

Gestion des risques Mise en place d'un système de réduction des risques pour les personnes et le personnel soignant.

Gestion participative Approche qui favorise la prise de décision par l'ensemble des membres du groupe.

Gestion publique Critère de la *Loi canadienne sur la santé* en vertu duquel une autorité publique sans but lucratif doit gérer les régimes d'assurance-maladie provinciaux et territoriaux.

Gestionnaire Personne qui occupe un poste au sein d'une organisation lui accordant le pouvoir d'orienter et de diriger le travail d'autres personnes.

Gestionnaire de cas ou de suivi systématique Infirmière qui travaille avec l'équipe de soins multidisciplinaire pour mesurer l'efficacité du plan de gestion de cas et évaluer les résultats.

Gingivite Rougeur et tuméfaction des gencives.

Glandes apocrines Glandes sébacées situées principalement dans les régions axillaires et anogénitales ; commencent à fonctionner à la puberté sous l'influence des androgènes.

Glandes eccrines Petites glandes sudoripares disséminées presque partout sur le corps.

Glandes sébacées Glandes qui sont actives sous l'influence des hormones androgènes tant chez les hommes que chez les femmes et qui sécrètent du sébum.

Glandes sudoripares (sudorifères) Glandes du derme qui sécrètent la sueur.

Glaucome Altération de la circulation de l'humeur aqueuse qui entraîne une augmentation de la pression intraoculaire.

Glomérule Bouquet de vaisseaux capillaires entouré par la capsule de Bowman.

Glossite Inflammation de la langue.

Glycéride Lipide le plus courant, qui se compose d'une molécule de glycérol pour un à trois acides gras.

Glycogène Principal glucide stocké dans l'organisme, surtout dans le foie et les muscles.

Glycogenèse Processus de formation du glycogène.

Graisses Lipides qui sont solides à température ambiante.

Grief Plainte faite par un employé, un syndicat ou un employeur au sujet d'un conflit, d'un différend, d'une controverse ou d'un désaccord en rapport avec les conditions d'emploi.

Groupe Deux personnes ou plus qui partagent des besoins et des objectifs communs.

Groupe de pairs Groupe très important qui a un certain nombre de fonctions : sentiment d'appartenance, fierté, socialisation et rôles sexuels. La plupart des groupes de pairs possèdent des modes de comportements acceptables bien définis et déterminés par le sexe masculin ou féminin ; à l'adolescence, les groupes de pairs changent avec l'âge.

Groupe ethnique Groupe dont les membres partagent un patrimoine culturel et social commun, transmis de génération en génération.

Gustatif Qui a rapport au sens du goût.

Habiletés cognitives Habiletés intellectuelles qui comprennent la résolution de problèmes, la prise de décision, la pensée critique et la créativité.

Habiletés interpersonnelles Ensemble des activités verbales et non verbales que la personne utilise pour communiquer directement avec les autres.

Habiletés techniques Habiletés « pratiques » comme celles qui sont requises pour manipuler du matériel, faire une injection ou déplacer une personne.

Habitudes en matière d'activité et d'exercice Ce que fait d'ordinaire une personne dans ce domaine (exercice, activité physique et loisirs).

Haustrations Poches qui se forment dans le gros intestin lorsque les muscles longitudinaux sont plus courts que le côlon.

Hébergement alternatif Hébergement qui se situe à mi-chemin entre le domicile et le CHSLD.

Hébergement temporaire Programme d'hébergement offert par les CHSLD, ce qui permet le maintien dans la communauté de personnes en perte d'autonomie, qui demeurent à domicile grâce au soutien de leur entourage.

Hélix Courbe postérieure du bord supérieur du pavillon.

Hématocrite Proportion des globules rouges (érythrocytes) par rapport au volume sanguin total.

Hématome Accumulation de sang dans un tissu, un organe ou un espace, causée par une rupture de la paroi d'un vaisseau.

Hémoglobine Dans les globules rouges, partie rouge qui transporte l'oxygène.

Hémoglobine A_{1C} Désigne un examen de laboratoire qui mesure la glycémie liée à l'hémoglobine.

Hémoptysie Présence de sang dans les expectorations.

Hémorragie Perte excessive de sang du système vasculaire.

Hémorroïdes Veines distendues dans le rectum.

Hémostase Arrêt d'une hémorragie.

Hémothorax Accumulation de sang dans la cavité pleurale.

Henderson, Virginia En 1966, elle fut l'une des premières infirmières modernes à définir les soins infirmiers.

Hernie Saillie d'un segment d'intestin dans la paroi inguinale ou le canal inguinal.

Hippocratisme digital Élévation de la face proximale de l'ongle et ramollissement du lit unguéal.

Hirsutisme Développement excessif de la pilosité.

Holisme Théorie selon laquelle la nature tend à rapprocher les choses pour former des organismes complets, considérés comme des ensembles et non comme la somme de leurs parties.

Homéopathie Méthode thérapeutique non traditionnelle selon laquelle la maladie réside dans la maladie elle-même ; par conséquent, le traitement se fait avec des quantités extrêmement diluées des mêmes substances qui produiraient, à une concentration plus élevée, les symptômes de la maladie.

Homéostasie État d'équilibre des liquides, des électrolytes, des acides et des bases de l'organisme.

Homéostasie psychologique Équilibre ou sensation de bien-être émotionnel ou psychologique.

Hôpital de jour Établissement qui offre pour des périodes temporaires des services d'évaluation et des soins médicaux et psychosociaux ainsi que des traitements de réadaptation.

Hôte affaibli Personne qui présente un risque élevé d'infection.

Huiles Lipides qui sont liquides à température ambiante.

Humidificateur Instrument qui ajoute de la vapeur d'eau à l'air inspiré.

Humour En soins infirmiers, fait d'aider une personne à percevoir, à apprécier et à exprimer ce qui peut être drôle, amusant ou ridicule afin qu'elle puisse établir des relations avec les autres, dissiper ses tensions, libérer sa colère, faciliter son apprentissage ou faire face aux sensations douloureuses.

Hygiène Ensemble des soins que s'administre une personne et qui comprend le bain, l'hygiène corporelle générale et le soin qu'elle apporte à son apparence.

Hyperalgésie Sensibilité extrême à la douleur.

Hypercalcémie Excès de calcium dans le plasma sanguin.

Hypercapnie Accumulation de dioxyde de carbone dans le sang.

Hyperchlorémie Excès de chlorure dans le plasma sanguin.

Hyperémie Augmentation localisée du débit sanguin.

Hyperémie réactive Mécanisme enclenché par l'organisme afin de prévenir les plaies de pression.

Hyperkaliémie Excès de potassium dans le plasma sanguin.

Hypermagnésémie Excès de magnésium dans le plasma sanguin.

Hypermétropie Réfraction anormale qui fait que les rayons lumineux convergent derrière la rétine ; hyperopie.

Hypernatrémie Excès de sodium dans le plasma sanguin.

Hyperoxygénation Administration d'oxygène au moyen d'un ballon de réanimation manuel ou d'un ventilateur ; augmente l'apport d'oxygène (habituellement à 100 %) avant l'aspiration et entre deux aspirations.

Hyperphosphatémie Excès de phosphate dans le plasma sanguin.

Hypersomnie Sommeil excessivement prolongé.

Hypersonorité Son fort qui se fait entendre sur un poumon emphysémateux.

Hypertension Pression artérielle anormalement élevée ; pression systolique supérieure à 140 mm Hg et (ou) pression diastolique supérieure à 90 mm Hg.

Hyperthermie Température corporelle très élevée (par exemple, 41 °C).

Hypertonique Se dit d'une solution qui a une osmolalité plus élevée que celle des liquides corporels.

Hypertrophie Augmentation de volume d'un muscle ou d'un organe.

Hyperventilation (hyperventilation alvéolaire) Respirations très profondes et rapides.

Hypervolémie Augmentation anormale du volume sanguin.

Hypnose État de conscience modifié dans lequel la personne est concentrée et où la distraction est minimale ; utilisée pour maîtriser la douleur, modifier des fonctions physiologiques et changer des habitudes de vie.

Hypocalcémie Insuffisance de calcium dans le plasma sanguin.

Hypochlorémie Insuffisance de chlorure dans le plasma sanguin.

Hypokaliémie Insuffisance de potassium dans le plasma sanguin.

Hypomagnésémie Insuffisance de magnésium dans le plasma sanguin.

Hyponatrémie Insuffisance de sodium dans le plasma sanguin.

Hypophosphatémie Insuffisance de phosphate dans le plasma sanguin.

Hypotension Pression artérielle anormalement basse ; pression systolique inférieure à 100 mm Hg chez l'adulte.

Hypotension orthostatique Diminution de la pression artérielle lorsque la personne passe de la position couchée ou assise à la position debout.

Hypothermie Abaissement de la température corporelle centrale sous la limite inférieure de la normale.

Hypotonique Se dit d'une solution qui a une osmolalité inférieure à celle des liquides organiques.

Hypoventilation Respirations très superficielles.

Hypovolémie Diminution anormale du volume sanguin.

Hypoxémie Insuffisance d'oxygène dans le sang.

Hypoxie Insuffisance d'oxygène dans l'organisme.

Identification Perception de soi qui se constitue sur le modèle d'une autre personne.

Identité culturelle Sentiment acquis par un membre appartenant à un groupe ethnique.

Identité personnelle Conscience qu'une personne a des caractéristiques qui la rendent unique, lesquelles évoluent tout au long de la vie.

Identité sexuelle Image de soi en tant qu'homme ou en tant que femme ; comporte une caractérisation biologique et repose sur des dimensions sociales et culturelles.

Iléostomie Abouchement de l'iléum (section distale du petit intestin) à la paroi abdominale.

Iléus paralytique Interruption temporaire de l'élimination intestinale.

Image corporelle Idée qu'une personne a de sa taille, de son apparence et du fonctionnement de son corps ou d'une partie de son corps.

Image de soi sexuelle Manière dont la personne se considère en tant qu'être sexuel.

Imagerie mentale (visualisation) Application de l'usage conscient de la puissance de l'imagination avec l'intention de déclencher une guérison biologique, psychologique ou spirituelle.

Imagerie par résonance magnétique (IRM) Technique non effractive de visualisation consistant à placer la personne dans un champ magnétique.

Imagination Partie importante de la vie de l'enfant d'âge préscolaire, qui est doté d'une imagination active qu'il exploite en jouant.

Imitation Conduite qui consiste à copier les comportements et les attitudes d'une autre personne.

Immatriculation Enregistrement obligatoire des étudiantes en soins infirmiers à l'ordre professionnel.

Immobilité Restriction prescrite ou inévitable du mouvement dans tout domaine de la vie d'une personne.

Immunité Résistance spécifique de l'organisme à l'infection ; peut être active ou passive.

Immunité active Résistance de l'organisme à l'infection ; l'organisme hôte produit ses propres anticorps en réponse à des antigènes naturels ou artificiels.

Immunité à médiation cellulaire Réponse immunitaire déclenchée par le système des lymphocytes T.

Immunité humorale Défense liée à la présence d'anticorps ; repose sur les lymphocytes B et sur la médiation des anticorps produits par les lymphocytes B.

Immunité passive (immunité acquise) Résistance du corps à une infection pour laquelle l'hôte reçoit des anticorps naturels ou artificiels produits par une autre source.

Immunité spécifique Fonctions immunitaires dirigées contre certaines souches de bactéries, de virus, de champignons et d'autres agents infectieux.

Inconscient Vie mentale qui se déroule à l'insu de la personne.

Incontinence fécale Perte de la capacité de maîtriser volontairement l'évacuation des gaz et des fèces par le sphincter anal.

Incontinence urinaire Incapacité temporaire ou permanente du muscle sphincter externe de freiner le débit urinaire de la vessie.

Indicateurs Données subjectives ou objectives que l'infirmière peut observer directement.

Indice d'Apgar Indice servant à évaluer le nouveau-né.

Indice de masse corporelle (IMC) Indice qui indique si la masse d'une personne est appropriée à sa taille.

Indice globulaire Indications sur le volume, le poids et la concentration d'hémoglobine des globules rouges.

Indisposition Sensation ou état subjectif dans lequel une ou plusieurs des dimensions de la personne (physique, émotionnelle, intellectuelle, sociale, développementale ou spirituelle) sont perçues comme étant diminuées.

Infarctus du myocarde (IM) Interruption de l'irrigation d'une partie du myocarde provoquée par l'artériosclérose ou un caillot sanguin ; entraîne la nécrose et la mort du tissu cardiaque.

Infection Invasion et prolifération de microorganismes dans des tissus.

Infection aiguë Infection qui apparaît généralement de manière soudaine ou qui dure peu de temps.

Infection chronique Infection lente, qui dure très longtemps, parfois des mois ou des années.

Infection généralisée Infection qui survient quand des agents pathogènes se disséminent et atteignent différentes parties du corps.

Infection iatrogène Infection qui découle directement d'une épreuve diagnostique ou d'un procédé thérapeutique.

Infection locale Infection limitée à la partie du corps où se trouvent les microorganismes.

Infection nosocomiale Infection associée à la prestation de soins dans un établissement de santé.

Inférences Interprétations ou conclusions que l'infirmière formule à partir d'indicateurs.

Infirmière en service externe Infirmière qui aide les infirmières en service interne ainsi que les chirurgiens durant les interventions chirurgicales.

Infirmière en service interne Infirmière qui assiste le chirurgien.

Infirmière première assistante en chirurgie Infirmière qui apporte une aide clinique et technique au chirurgien ; elle peut effectuer, par exemple, la suture des fascias, des tissus sous-cutanés et de la peau, et manipuler un laparoscope.

Inflammation Réaction tissulaire de défense non spécifique et locale à une lésion ou à la destruction de cellules.

Influence Stratégie informelle utilisée pour obtenir la coopération des autres sans exercer d'autorité formelle.

Information Données qu'on a interprétées, organisées et structurées de manière qu'elles prennent un sens.

Informatique en soins infirmiers Intégration des technologies de l'information et de la communication aux soins infirmiers.

Ingestion Acte d'absorber des aliments.

Inhalation (inspiration) Action d'inspirer ; apport d'air ou d'autres substances dans les poumons.

Injection intradermique (ID) Injection d'un médicament dans le derme.

Injection intramusculaire (IM) Injection d'un médicament dans le tissu musculaire.

Insomnie Incapacité d'avoir un sommeil en quantité suffisante ou de qualité adéquate.

Inspection Examen visuel, c'est-à-dire effectué à l'aide du sens de la vue.

Inspiromètre d'incitation Appareil servant à mesurer le volume d'air inhalé.

Insuffisance cardiaque Incapacité du cœur de maintenir les besoins des tissus en oxygène et en nutriments ; apparaît généralement après un infarctus du myocarde, mais peut également être due à un surmenage chronique du cœur.

Intégralité Critère de la *Loi canadienne sur la santé* en vertu duquel les provinces ou les territoires doivent prodiguer tous les services de santé assurés fournis par les hôpitaux, les médecins ou les dentistes.

Intégrité des données Collecte, stockage et transmission des données de manière à en préserver l'exactitude et l'intégralité.

Intensité Force d'un bruit (fort ou faible).

Interaction médicamenteuse Interaction bénéfique ou néfaste d'un médicament avec un autre médicament.

Interprète Individu qui sert d'intermédiaire entre deux personnes qui parlent une langue différente et qui doit traduire sans ajouter ni omettre des renseignements, déformer ou reformuler le message.

Intervention en situation de crise Processus d'aide de courte durée qui consiste à aider une personne à sortir d'une situation de crise et à retrouver son fonctionnement d'avant.

Intervention infirmière Traitement fondé sur le jugement clinique et les connaissances de l'infirmière et que celle-ci applique pour améliorer l'état de la personne.

Interventions Étape de la démarche systématique dans la pratique infirmière qui consiste à accomplir et à documenter les activités.

Interventions autonomes Activités que l'infirmière est autorisée à amorcer en se basant sur ses connaissances et ses compétences.

Interventions en collaboration Actions que l'infirmière accomplit de concert avec d'autres membres de l'équipe de soins, tels les physiothérapeutes, les travailleurs sociaux, les diététistes et les médecins, en collaboration avec la personne et ses proches.

Interventions selon une ordonnance Activités que l'infirmière accomplit à la suite d'une ordonnance médicale, sous la surveillance du médecin et conformément à des méthodes spécifiées.

Intitulé (énoncé diagnostique) Énoncé utilisé pour formuler un diagnostic infirmier ; extrait de la taxinomie standardisée de NANDA.

Intolérance au lactose Incapacité de digérer le lait d'origine animale et ses dérivés en raison d'une déficience en lactase.

Intradermique Se dit d'une injection effectuée dans le derme, sous l'épiderme.

Intramusculaire Se dit d'une injection effectuée dans un muscle.

Intrathécale (rachidienne) Se dit d'une injection effectuée dans le canal rachidien.

Intraveineuse Se dit d'une injection effectuée dans une veine.

Introjection Assimilation des attributs d'une autre personne.

Intuition Compréhension ou apprentissage d'une chose sans l'utilisation consciente du raisonnement.

Ions Atomes ou groupe d'atomes qui transportent une charge électrique positive ou négative ; électrolytes.

Irrigation (lavage) Lavage ou rinçage d'une cavité, d'un organe ou d'une plaie avec une solution particulière, médicamentée ou non.

Irrigation tissulaire Passage de liquides à travers un organe ou une partie du corps.

Irrigation vésicale Technique de rinçage de la vessie par instillation d'une solution spécifique.

Ischémie Insuffisance de l'apport sanguin due à une obstruction de la circulation dans la partie atteinte.

Isolement Mesure de contrôle qui consiste à confiner une personne dans un lieu d'où elle ne peut sortir librement pour un temps déterminé.

Isotonique Se dit d'une solution qui a la même osmolalité que les liquides corporels.

Jéjunectomie percutanée endoscopique (JPE) Introduction d'un cathéter d'alimentation à travers la peau et les tissus sous-cutanés jusqu'au jéjunum.

Jéjunostomie Abouchement du jéjunum à la paroi abdominale.

Journal alimentaire Bilan détaillé des portions de tous les aliments et de tous les liquides consommés par la personne au cours d'une période donnée, habituellement de trois à sept jours.

Justice Équité.

Justification scientifique Énoncé du principe sur lequel repose le choix d'une intervention infirmière.

Kilojoule (kJ) Unité du système international (système métrique) qui désigne la quantité d'énergie requise pour qu'une force de 1 newton (N) déplace 1 kg de masse sur une distance de 1 m.

Kinesthésique (proprioceptif) Qui permet la conscience de sa posture et du mouvement des parties du corps.

Lanugo Poil ou duvet fin et laineux sur les épaules, le dos, le sacrum et le lobe des oreilles du fœtus.

Lavement Solution introduite dans le rectum et le côlon sigmoïde pour éliminer les selles ou les gaz.

Laxatif Médicament qui stimule l'activité intestinale et favorise l'élimination fécale.

Leader Personne qui motive d'autres personnes à travailler ensemble pour atteindre un but commun.

Leader administratif Leader qui ne fait confiance à personne ; s'appuie plutôt sur les directives et les règlements pour prendre les décisions.

Leader autocratique (autoritaire) Leader qui prend les décisions pour le groupe.

Leader charismatique Leader dont le style se caractérise par la relation affective qui l'unit aux membres du groupe.

Leader de type laisser-faire (non directif ou permissif) Leader qui reconnaît les besoins du groupe en matière d'autonomie et d'esprit de discipline ; croit à l'approche non interventionniste.

Leader démocratique (coopératif ou participatif) Leader qui favorise les discussions et les prises de décision collectives.

Leader formel Leader choisi par une organisation, laquelle lui confie officiellement l'autorité de prendre des décisions et d'agir.

Leader informel Leader qui n'est pas désigné officiellement, mais qui, en raison de son ancienneté, de son âge, de son charisme ou de ses habiletés particulières, est choisi comme leader par le groupe.

Leader situationnel Leader qui adapte son style de leadership en fonction des capacités des employés, de sa connaissance de la nature des tâches à accomplir et de sa sensibilité au contexte ou à l'environnement dans lequel ces tâches seront accomplies.

Leader transactionnel Théorie contemporaine du leadership fondée sur l'échange de ressources comme récompense de la loyauté et de l'accomplissement.

Leader transformationnel Leader qui favorise la créativité, la prise de risque, l'engagement et la collaboration en permettant au groupe de participer à la vision de l'organisation.

Leadership infirmier Leadership dont les objectifs sont l'amélioration de l'état de santé des individus et des familles, l'accroissement de l'efficacité et du degré de satisfaction des collègues de travail ainsi que l'amélioration des attitudes et des attentes des citoyens ou des législateurs à l'égard de la profession infirmière.

Leadership partagé Théorie contemporaine du leadership qui reconnaît des capacités de leadership à chaque membre d'un groupe professionnel et qui suppose que le leadership nécessaire émergera de la résolution des problèmes auxquels le groupe se heurte.

Leucocytes Globules blancs.

Leucocytose Augmentation du nombre de globules blancs.

Libido Pulsion ou désir axé sur l'activité sexuelle.

Lieu de contrôle Concept découlant de la théorie sociale cognitive et permettant de déterminer dans quelle mesure une personne considère qu'elle peut exercer une maîtrise sur sa santé.

Ligne de gravité Ligne verticale imaginaire traversant le centre de gravité du corps.

Limite (d'un système) Ligne réelle ou imaginaire qui permet de distinguer un système d'un autre système ou de son environnement.

Linceul Grand morceau de tissu ou de plastique utilisé pour envelopper le corps après le décès.

Lipides Substances organiques grasses et insolubles dans l'eau, mais solubles dans l'alcool ou l'éther.

Lipoprotéines Composés solubles faits de différents lipides et d'une protéine.

Liquide extracellulaire Liquide se trouvant à l'extérieur des cellules de l'organisme.

Liquide interstitiel Liquide dans lequel baignent les cellules et qui comprend la lymphe.

Liquide intracellulaire Liquide se trouvant à l'intérieur des cellules de l'organisme.

Liquide intravasculaire Plasma.

Liquide transcellulaire Compartiment de liquides extracellulaires ; comprend les liquides suivants : cérébrospinal, péricardique, pancréatique, pleural, intraoculaire, biliaire, péritonéal et synovial.

Lithiase rénale (calculs urinaires) Concrétions pierreuses qui se forment dans les reins et qui peuvent migrer dans les uretères et la vessie.

Lividité cadavérique (*livor mortis*) Décoloration de la peau causée par la décomposition des globules rouges ; survient après la cessation de la circulation sanguine ; apparaît dans les régions déclives du corps.

Lobule Lobe de l'oreille.

Loi modifiant le* Code des professions *et d'autres dispositions législatives dans le domaine de la santé Loi qui offre un nouveau cadre définissant le champ d'exercice et de nouvelles activités réservées aux infirmières ; cette loi clarifie le rôle des infirmières dans les équipes soignantes, en plus de légitimer des pratiques qui s'étaient développées en marge durant les 30 années précédentes.

Loi sur la santé publique Loi qui encadre l'ensemble des actions en santé publique : surveillance de l'état de santé de la population, promotion de la santé, prévention de la maladie et protection de la santé.

Loi sur les infirmières et les infirmiers Loi qui définit l'exercice infirmier et la pratique infirmière.

Lordose Courbure physiologique du rachis lombaire, qui se creuse vers l'avant.

Loyauté Fidélité aux ententes et aux promesses.

Lymphocytes T Cellules spécialisées qui interviennent lors de la réponse immunitaire à médiation cellulaire.

Macération Atrophie ou ramollissement d'un solide par trempage ; souvent utilisée pour décrire les changements dégénératifs suivis d'une possible désintégration.

Macrominéraux Minéraux dont la dose à prendre est supérieure à 100 mg.

Macrophages Gros phagocytes.

Maîtrise du rôle Accomplissement des fonctions d'un rôle qui satisfait les attentes de la société.

Maladie iatrogénique Affection causée involontairement par une thérapie médicale.

Malformations du tube neural (MTN) Malformations du fœtus telles que le spina bifida, l'anencéphalie et l'encéphalocèle.

Malnutrition Trouble de la nutrition ; apport nutritionnel insuffisant ou inadéquat aux cellules du corps.

Malnutrition protéinoénergétique Problème résultant d'une déficience à long terme de l'apport énergétique ; se caractérise par une carence en protéines viscérales (par exemple, l'albumine), une perte de poids et une atrophie musculaire.

Mandat en cas d'inaptitude Document qui permet à toute personne majeure et saine d'esprit de nommer un mandataire qui verra à sa protection ou à l'administration de ses biens dans l'éventualité où elle deviendrait inapte à le faire.

Manœuvre de Credé Pression manuelle exercée sur la vessie pour pousser l'urine à l'extérieur des voies urinaires.

Manœuvre de Heimlich (poussée abdominale) Technique qui permet de dégager les voies respiratoires par l'expulsion d'un corps étranger.

Manœuvre de Valsalva Forte pression exercée lors de l'expiration, glotte fermée, ce qui augmente la pression intrathoracique et, par le fait même, perturbe le retour du sang veineux vers le cœur.

Manomètre Instrument servant à mesurer la pression d'un liquide ou d'un gaz.

Manque de sommeil Syndrome résultant de perturbations du sommeil.

Manubrium Partie supérieure du sternum qui se joint aux clavicules.

Marche Action de marcher ; fonction naturelle pour la plupart des gens.

Margination Agrégation ou alignement de substances (par exemple, agrégation de globules blancs contre la paroi d'un vaisseau sanguin dans la réaction inflammatoire).

Marketing social Forme d'intervention utilisant les mêmes techniques qu'emploient les promoteurs de certains produits de consommation.

Marteau Os de l'oreille moyenne.

Massage thérapeutique (massothérapie) Massage qui détend les muscles tendus, libère l'acide lactique accumulé pendant l'exercice, améliore la circulation sanguine et lymphatique, étire et soulage les articulations ankylosées, soulage la douleur en libérant des endorphines et réduit la congestion.

Matité franche Bruit extrêmement mat produit par un tissu très dense, comme un muscle ou un os.

Maturité État maximal de fonctionnement et d'intégration ; état correspondant au développement optimal.

Méat Ouverture, passage ou canal.

Mécanisme d'adaptation Moyen inné ou acquis de réagir au changement ou aux problèmes.

Mécanisme de défense Toute réaction qui sert à se protéger contre une chose physiquement ou psychologiquement nuisible ; mécanisme mental qui se met en action quand la personne essaie de se défendre, de trouver un compromis entre ses pulsions conflictuelles et de soulager ses tensions internes.

Méconium Première matière fécale produite par le nouveau-né ; s'étend habituellement sur une période de 24 heures après la naissance.

Médecin légiste (expert médicolégal) Médecin habituellement spécialisé en pathologie ou en médecine légale qui détermine la cause d'un décès.

Médecine chinoise traditionnelle (MCT) Médecine qui a cours depuis des milliers d'années et qui prend naissance dans un système complexe intégrant des théories médicales, des théories philosophiques et une longue tradition empirique documentée.

Médecine traditionnelle Ensemble des croyances et des pratiques liées à la prévention et à la guérison de la maladie, qui proviennent de traditions culturelles plutôt que d'une source scientifique moderne.

Médiane Valeur située exactement au milieu d'une série statistique ; sépare la série en deux groupes de valeurs égaux.

Médicament Substance qu'on administre dans le but d'établir un diagnostic, de guérir, traiter ou soulager un ou plusieurs symptômes, ou de prévenir une affection.

Médicaments auriculaires Médicaments qui s'administrent dans le conduit auditif externe sous forme d'irrigation ou d'instillation.

Médicaments ophtalmiques Médicaments qui s'administrent dans l'œil sous forme d'irrigation ou d'instillation.

Méditation Action de focaliser ses pensées ou de s'absorber dans la contemplation ou dans la réflexion sur soi.

Membrane alvéolocapillaire Endroit où se produit l'échange gazeux entre l'air du côté alvéolaire et le sang du côté capillaire ; les parois alvéolaires et capillaires forment la membrane pulmonaire.

Membrane du tympan (tympan) Membrane fibreuse qui sépare le conduit auditif externe de l'oreille moyenne.

Mémoire à court terme (mémoire récente) Mémoire où est entreposée l'information pour usage immédiat ; ce à quoi pense une personne à un moment précis.

Mémoire à long terme (mémoire ancienne) Mémoire où est entreposée l'information pour des périodes excédant 72 heures, habituellement des semaines et des années.

Mémoire sensorielle Perception momentanée d'un stimulus par les sens.

Ménarche Apparition des premières règles.

Ménisque Dôme en forme de croissant d'un manomètre au mercure.

Ménopause (climatère) Arrêt de la menstruation.

Menstruations (règles) Écoulements sanguins menstruels qui commencent à la puberté.

Mentor Personne expérimentée qui agit comme guide ou conseillère et qui assume la responsabilité de promouvoir le perfectionnement et l'avancement professionnel d'individus moins expérimentés.

Mésoderme Couche intermédiaire de tissu embryonnaire qui se forme pendant les trois premières semaines de la gestation.

Mesure des gaz du sang artériel Mesure servant à évaluer l'équilibre acidobasique et l'oxygénation du sang.

Mesures de contrôle Recours à la contention, à l'isolement et aux substances chimiques.

Mesures de dispersion (mesures de variabilité) Mesures des séries statistiques qui comprennent l'étendue, l'écart type et la variance.

Mesures de précaution en cas de crise convulsive Série de mesures prises afin de protéger la personne contre des blessures éventuelles lors d'une crise convulsive.

Mesures de remplacement (mesures alternatives) Mesures efficaces, efficientes et respectueuses de la personne, de son autonomie, de son environnement et de ses proches ; mesures préalables à l'utilisation d'une mesure de contrôle.

Mesures de tendance centrale Mesures des séries statistiques qui comprennent la moyenne, la médiane et le mode.

Métabolisme Somme de tous les processus physiques et chimiques grâce auxquels une substance vivante existe et se maintient, et par lesquels de l'énergie devient disponible pour l'organisme.

Métabolisme basal Dépense énergétique minimale requise pour maintenir les activités essentielles de l'organisme, comme la respiration.

Métabolisme d'un médicament (biotransformation) Processus par lequel l'organisme transforme un médicament en une forme moins active.

Métabolites Produits du processus de biotransformation.

Métaparadigme en sciences infirmières Terme provenant des mots grecs *meta*, qui signifie « ce qui dépasse », et *paradigma*, « exemple » ; modèle fondé sur quatre concepts théoriques des sciences infirmières : la personne, l'environnement, la santé et les soins.

Méthode APIE Méthode de documentation selon laquelle on regroupe les renseignements portés au dossier d'une personne en quatre catégories : analyse, problèmes, interventions et évaluation des soins infirmiers.

Méthode de gestion de cas Méthode de documentation qui vise la prestation de soins de qualité lors d'un séjour d'une durée déterminée.

Méthode des notes ciblées Méthode de documentation selon laquelle l'infirmière se concentre sur les soins et les besoins de la personne, sur ses problèmes et ses forces ainsi que sur l'évolution de sa situation de santé.

Méthode des notes d'exception Méthode de documentation selon laquelle l'infirmière note seulement les résultats anormaux ou importants, ou encore ceux qui s'écartent de la norme.

Méthode des notes narratives Méthode de documentation permettant de noter de façon continue et chronologique tous les événements, soins, traitements et autres interventions se rapportant à la personne.

Méthode des soins intégrés (méthode des cas) Modèle de distribution des soins infirmiers centré sur la personne.

Méthode fonctionnelle en soins infirmiers Modèle de distribution des soins infirmiers centré sur les tâches à accomplir.

Méthode scientifique Acquisition de connaissances par l'observation et l'expérience.

Méthode SOAPIER Méthode de documentation selon laquelle on consigne au dossier de la personne les données subjectives (S), les données objectives (O), l'analyse de la situation à partir des données recueillies (A), l'intervention planifiée devant les problèmes définis (P), les interventions (I), l'évaluation (E) et la révision (R).

Microminéraux (oligoéléments) Vitamines ou minéraux dont la dose à prendre est inférieure à 100 mg.

Miction Processus de vidange de la vessie.

Miction impérieuse Envie d'uriner irrépressible.

Migration Passage des leucocytes des vaisseaux sanguins aux espaces interstitiels des tissus endommagés.

Millimole Concentration de cations ou d'anions dans un volume donné de solution.

Minéraux Substances présentes dans les composés organiques sous forme de composés inorganiques et d'ions libres.

Mobilité Capacité de se mouvoir librement, facilement, de façon harmonieuse et délibérée dans l'environnement.

Mode Valeur la plus fréquente d'une série statistique.

Mode alimentaire Vogue de courte durée suivie par un nombre important de personnes et reposant sur la conviction que certains aliments possèdent des caractéristiques particulières.

Mode de vie Façon générale dont une personne vit.

Modelage Observation du comportement de personnes qui ont réussi à atteindre les buts que l'on vise soi-même, puis, par observation, acquisition de comportements ou de stratégies pour y parvenir aussi.

Modèle conceptuel Représentation d'un cadre conceptuel sous la forme d'une illustration ou d'un diagramme.

Modèle de pratique différenciée en soins infirmiers Modèle de distribution des soins infirmiers qui vise à fournir des soins de qualité à un coût abordable.

Modèle des événements de vie Échelle permettant d'évaluer les répercussions de certains événements sur la santé.

Modèle des partenaires de pratique Modèle de distribution des soins infirmiers qui repose sur l'association entre une infirmière autorisée expérimentée et une personne qui l'assiste sur le plan technique.

Modèle des soins infirmiers en équipe Distribution de soins infirmiers individualisés par une équipe de soins infirmiers que dirige une infirmière professionnelle.

Modèle des soins infirmiers intégraux Modèle de distribution des soins infirmiers qui met à profit les connaissances techniques et les habiletés de gestion de l'infirmière. L'infirmière en soins intégraux est la gestionnaire de premier niveau des soins prodigués aux personnes, avec toutes les responsabilités que cette tâche comporte.

Modèle des stades de changement de comportement (modèle transthéorique de changement de comportement, MTT) Modèle de changement de comportement élaboré par Prochaska, Norcross et DiClemente dans les années 1980 ; modèle qualifié de transthéorique ou de métathéorique, car il fait appel à plusieurs théories et comporte plusieurs construits.

Modèle des traditions en matière de santé Modèle en vertu duquel la santé est considérée comme un phénomène complexe comprenant trois aspects interdépendants, c'est-à-dire l'équilibre entre les dimensions corporelle, psychique et spirituelle de la personne.

Modèle du stimulus Modèle qui définit le stress comme un stimulus, un événement de la vie ou un ensemble de circonstances qui provoque des réactions physiologiques et psychologiques susceptibles d'accroître la vulnérabilité d'un individu à la maladie.

Modèles centrés sur la personne Modèles cliniques individualisés destinés à répondre aux besoins ponctuels, généraux ou spécialisés d'une personne.

Modèles communautaires Modèles cliniques qui reposent sur la responsabilité envers les communautés, l'accent mis sur la santé et le bien-être des communautés, l'offre de continuums globaux de services sans rupture et la reconnaissance explicite d'une gestion en contexte de ressources limitées.

Modèles communautaires intégrés Modèles servant à répondre aux besoins en matière de santé d'une population dans une région donnée et à appuyer le développement communautaire (par exemple, CLSC des régions rurales au Québec).

Modèles communautaires non intégrés Modèles servant à répondre aux besoins en matière de santé d'une population dans une région donnée et à appuyer le développement communautaire (par exemple, CLSC des zones urbaines au Québec).

Modèles de collaboration Modèles cliniques qui visent l'intégration par la coopération entre les partenaires.

Modèles de distribution des soins infirmiers Série de méthodes différentes d'organisation et de gestion de la distribution des soins infirmiers.

Modèles de gestion de la maladie Modèles cliniques centrés sur l'amélioration des processus cliniques pour assurer que les meilleures pratiques sont incorporées avec un minimum de variations.

Modèles de soins et services coordonnés Modèles cliniques qui valorisent la coordination et le temps consacré à la personne.

Modèles de soins et services intégrés Modèles cliniques qui font le lien entre les secteurs de la santé, les secteurs sociaux et les secteurs communautaires.

Modèles professionnels de contact Modèles qui ont pour but d'assurer aux personnes l'accessibilité aux services de première ligne (par exemple, cabinet d'un médecin ou cliniques médicales sans rendez-vous).

Modèles professionnels de coordination Modèles qui visent à fournir aux personnes des services médicaux en garantissant la continuité et la bonne coordination des services ; dans ce modèle, les médecins sont souvent payés selon le principe de la capitation.

Modulation de l'activité mentale Processus qui permet au cerveau, d'une part, de convertir des messages neuronaux (pensées, attitudes, sensations et émotions) en messagers moléculaires neurohormonaux et, d'autre part, de transmettre ces derniers à tous les systèmes physiologiques évoquant un état de santé ou de maladie.

Moi Instance psychique régie par le principe de réalité, qui gère les exigences pulsionnelles du ça en fonction des limites imposées par le réel, soit les circonstances sociales, physiques ou autres.

Monosaccharides Sucres composés de molécules simples.

Monothéisme Croyance dans l'existence d'un seul dieu.

Monoxyde de carbone (CO) Gaz très toxique, inodore, incolore et insipide ; l'exposition à ce gaz peut provoquer des maux de tête, des étourdissements, de la faiblesse, des nausées, des vomissements et une perte de la maîtrise musculaire ; l'exposition prolongée peut entraîner une perte de conscience, des lésions cérébrales et même la mort.

Moral Qui a rapport au bien et au mal.

Moralité Doctrine ou système indiquant ce qui est bien ou mal sur le plan du comportement, de la conduite ou de l'attitude.

Mort cardiorespiratoire Ensemble des signes cliniques classiques de décès : cessation du pouls apexien, de la respiration et de la pression artérielle.

Motivation Désir d'apprendre.

Mouvements de masse Puissante onde musculaire qui se déplace dans une bonne partie du côlon ; survient habituellement après les repas.

Moyenne Somme de toutes les valeurs d'une série statistique divisée par le nombre de valeurs ; habituellement notée $\bar{X}$ ou M.

Musicothérapie Science du comportement qui repose sur l'utilisation systématique de la musique pour produire un état de relaxation et les changements souhaités sur les plans émotionnel, comportemental et physiologique.

Mutisme partagé Contexte dans lequel la personne, sa famille et les membres de l'équipe soignante savent que la mort est imminente mais n'en parlent pas.

Mutisme unilatéral Contexte dans lequel la personne n'est pas informée de l'imminence de sa mort.

Mycètes Levures et moisissures.

Mydriase Dilatation exagérée de la pupille.

Myocarde Feuillet de la paroi cardiaque ; cellules du muscle cardiaque qui composent la principale partie du cœur et qui se contractent à chaque battement.

Myopie Réfraction anormale qui fait que les rayons lumineux convergent en avant de la rétine et que la personne voit moins bien les objets qui se situent loin d'elle.

Myosis Contraction exagérée de la pupille.

Narcolepsie Affection qui se caractérise par une envie irrépressible de dormir ou par des crises de sommeil pendant le jour.

Naturopathie Pratique centrée sur la nutrition, les herbes, l'homéopathie, l'acupuncture, l'hydrothérapie, la médecine physique, la relation thérapeutique et les chirurgies mineures.

Négligence Faute professionnelle qui se produit lorsqu'une infirmière administre un traitement à une personne qu'elle n'a pas suffisamment informée.

Négociation collective Processus décisionnel organisé que les représentants de l'employeur et les représentants du syndicat utilisent pour négocier les salaires et les conditions de travail.

Neuropeptides Messagers moléculaires composés d'acides aminés et produits dans différentes parties du corps.

Névrotomie Section d'un nerf périphérique ou crânien visant à soulager une douleur localisée.

Nightingale, Florence Considérée comme la fondatrice des soins infirmiers modernes, elle a contribué à développer la formation, la pratique et la gestion infirmières.

Niveau maximal Niveau supérieur de la concentration sérique thérapeutique.

Niveau minimal Niveau inférieur de la concentration sérique thérapeutique.

Nocicepteur Récepteur de la douleur.

Nociception Processus physiologique de perception de la douleur.

Nœud auriculoventriculaire Voies de conduction qui retardent légèrement la transmission de l'impulsion électrique des oreillettes vers les ventricules du cœur.

Nœud sinusal Principal mécanisme de régulation du cœur situé à la jonction de la veine cave supérieure et de l'oreillette droite.

Nom chimique Nom scientifique d'un médicament.

Nom commercial (marque de commerce déposée) Nom donné au médicament par le fabricant.

Nom générique Nom d'un médicament adopté d'un commun accord par les organismes de réglementation pharmaceutique.

Nom officiel Nom utilisé pour désigner un médicament dans les publications officielles.

Norme Règle, modèle, comportement ou mesure généralement acceptés.

Notes d'évolution Relevé descriptif des données relatives à la personne et des interventions infirmières appliquées, rédigé en phrases et en paragraphes.

Nutriment Substance organique ou inorganique contenue dans les aliments et dont le corps a besoin pour fonctionner.

Nutrition Somme de toutes les interactions entre un organisme et la nourriture qu'il ingère.

Nycturie Miction fréquente (deux fois ou plus) durant la nuit.

Obésité Excès de poids correspondant à un indice de masse corporelle de 30 et plus.

Objectifs de soins Ce qui devra être accompli par la personne grâce aux interventions infirmières.

Obligation de rendre compte (responsabilisation) Capacité et volonté d'assumer la responsabilité de ses actions et d'accepter les conséquences de ses comportements.

Obligation légale (obligation juridique) Lien de droit en vertu duquel une personne peut être contrainte de donner, de faire ou de ne pas faire quelque chose.

Observance Degré d'adéquation entre la conduite d'une personne (lorsqu'elle prend des médicaments, suit un régime ou change son mode de vie) et les conseils qu'elle a reçus en matière de santé ; adhésion à un traitement.

Œdème Excès de liquide interstitiel dans l'organisme.

Œdème qui prend le godet Œdème dans lequel une dépression qui dure plusieurs secondes se forme lorsqu'on applique une pression ferme des doigts sur la peau.

Office des professions du Québec Organisme qui dispose d'un pouvoir d'intervention et de recommandation auprès du gouvernement.

Olfactif Lié à l'odorat.

Oligurie Production d'une quantité anormalement faible d'urine par les reins.

Ongle incarné Ongle qui s'enfonce en croissant dans les tissus mous bordant le sillon latéral continu.

Ontologie Étude de la nature de l'être.

Ordonnance Prescription donnée à un professionnel par un médecin, un dentiste ou un autre professionnel habilité par la loi, ayant notamment pour objet les médicaments, les traitements, les examens ou les soins à prodiguer à une personne ou à un groupe de personnes, les circonstances dans lesquelles ils peuvent l'être de même que les contre-indications possibles.

Ordonnance collective Ordonnance s'adressant à un groupe de personnes.

Ordonnance de ne pas réanimer (ordre de non-réanimation) Ordonnance d'un médecin qui indique de ne prendre aucune mesure pour réanimer la personne en phase terminale ou atteinte d'une maladie irréversible dans l'éventualité d'un arrêt respiratoire ou cardiaque.

Ordonnance immédiate (STAT) Ordonnance qui indique qu'un médicament doit être donné immédiatement et à une seule reprise.

Ordonnance individuelle Ordonnance ne visant qu'une personne en particulier.

Ordonnance infirmière Demande d'exécuter les activités infirmières individualisées qui aideront la personne à atteindre les objectifs de soins établis.

Ordonnance non renouvelable Ordonnance qui ne peut être utilisée qu'une fois ; médicament devant être administré une fois à un moment particulier.

Ordonnance permanente Ordonnance permettant aux infirmières de procéder à des examens paracliniques, d'administrer et d'ajuster des doses de médicaments, d'effectuer des traitements médicaux à des groupes particuliers et d'entreprendre des mesures diagnostiques et thérapeutiques, sans attendre une ordonnance individuelle.

Ordonnance PRN Ordonnance qui autorise l'infirmière à donner le médicament lorsqu'elle juge que la personne en a besoin.

Oreillettes Chacune des deux cavités creuses de la partie supérieure du cœur.

Organisation Processus continu qui consiste à déterminer le travail à accomplir, à évaluer les ressources humaines et matérielles nécessaires, puis à décomposer la somme de travail en unités plus petites.

Organisation communautaire Organisation s'appuyant sur un processus éducatif qui vise à la fois les individus et les communautés.

Orgasme Phase du cycle de la réponse sexuelle qui constitue l'apogée involontaire de la tension sexuelle.

Orgelet Rougeur, œdème et sensibilité d'un follicule ciliaire et des glandes qui débouchent sur le bord des paupières.

Orientation sexuelle Attirance que l'on éprouve envers les personnes de l'autre sexe, du même sexe, ou des deux sexes.

Orthopnée Capacité de respirer uniquement en position verticale (assis ou debout).

Osmolalité Concentration de soluté dans une solution.

Osmolalité sérique Concentration de soluté dans le sang.

Osmolalité urinaire Concentration de soluté dans l'urine ; mesure plus exacte que la densité urinaire.

Osmose Passage d'un solvant à travers une membrane semi-perméable, d'un endroit où la concentration de soluté est plus faible à un endroit où la concentration de soluté est plus élevée.

Osselets de l'ouïe Nom donné aux trois os de l'oreille moyenne, qui servent à la transmission du son, soit le marteau, l'enclume et l'étrier.

Ostéoporose Baisse de la densité osseuse.

Otoscope Instrument servant à l'examen des oreilles.

Oxyhémoglobine Composé d'oxygène et d'hémoglobine.

Pâleur Absence de coloration rouge dans la peau ; facilement détectable sur la muqueuse buccale.

Palpation Examen du corps à l'aide du sens du toucher.

Paracentèse abdominale Évacuation d'une accumulation de liquide de la cavité péritonéale.

Paradigme (vision du monde) Compréhension et hypothèses communes portant sur la réalité et le monde.

Parasites Microorganismes qui vivent aux dépens d'un organisme, à l'extérieur ou à l'intérieur de celui-ci.

Parasomnie Comportement éveillé qui apparaît durant le sommeil, par exemple le somnambulisme et l'énurésie (incontinence urinaire) nocturne.

Parodontite Inflammation de la gencive associée aux dépôts de plaque et de tartre.

Parodontopathie Affection des gencives ; principale cause de la perte des dents.

Parotidite Inflammation de la glande parotide.

Partenariat Partage négocié du pouvoir entre les professionnels de la santé et les partenaires (individus, communauté), dans le but d'augmenter la capacité de ces derniers à agir plus efficacement sur leur santé et leur bien-être.

Particularités culturelles Valeurs, croyances et comportements qui semblent relever d'une culture donnée.

Pathogénicité (pouvoir pathogène) Capacité de causer une affection ; un agent pathogène est un microorganisme susceptible de provoquer un problème de santé.

Patient Personne en attente d'un traitement et de soins médicaux ou qui est en train de les recevoir.

Pavillon Partie extérieure de l'oreille.

Pédagogie Discipline qui s'intéresse à l'apprentissage.

Pédiculose Infestation par des poux.

Pellicules Squames sèches ou huileuses provenant du cuir chevelu.

Pensée critique Processus intellectuel systématique qui consiste à conceptualiser, appliquer, analyser, synthétiser et évaluer, de manière active et judicieuse, l'information obtenue ou engendrée par l'observation, l'expérience, la réflexion, le raisonnement ou la communication, en vue de structurer ses croyances ou ses actions.

Pensée philosophique Pensée qui aide à mieux comprendre les valeurs, les croyances et les postulats qui nourrissent la réflexion et qui déterminent les paroles ainsi que les faits et gestes.

Perception Capacité d'interpréter l'environnement à l'aide des sens.

Perception sensorielle Organisation et interprétation d'un stimulus en information signifiante.

Percussion Méthode qui consiste à percuter la surface de la peau pour produire des sons audibles ou des vibrations palpables.

Percutanée Se dit de l'absorption à travers la peau.

Perfuseur de précision Petits contenants pour liquides fixés sous le perfuseur principal pour permettre l'administration d'un médicament par voie intraveineuse.

Perfusion sanguine Apport de sang aux membres.

Péricarde Membrane fibreuse à double couche qui enveloppe le cœur ; le feuillet pariétal sert à protéger le cœur et à le rattacher aux structures environnantes.

Période périopératoire Période qui comprend les phases préopératoire, peropératoire et postopératoire.

Période peropératoire Période qui débute lorsque la personne est transférée sur la table d'opération et qui se termine lorsqu'elle est admise à la salle de réveil.

Période postopératoire Période qui débute lorsque la personne est admise à la salle de réveil et qui se termine avec le retour à la santé.

Période préopératoire Période qui débute lorsque la décision de pratiquer une intervention chirurgicale est prise et qui se termine lorsque la personne est transférée sur la table d'opération.

Péristaltisme Mouvement ondulatoire produit par les fibres musculaires circulaires ou longitudinales de la paroi intestinale ; ce mouvement fait progresser le contenu de l'intestin.

Permanence Dans le dossier d'une personne, état des données, qui sont écrites de façon à ce qu'elles ne puissent pas être modifiées.

Perméabilité sélective Caractéristique des membranes cellulaires qui permettent aux substances de les traverser avec différents degrés de facilité.

Permis d'exercice Permis délivré par l'Ordre des infirmières et infirmiers du Québec à l'étudiante qui a réussi l'examen professionnel prévu au règlement et rempli toutes les conditions et modalités également prévues au règlement.

Personnalité Expression du soi intériorisé.

Personne soignée Personne qui reçoit des conseils, des services ou des soins de santé.

Personnel infirmier (PI) Membres du personnel qui ne sont pas des infirmières : brancardiers, infirmières auxiliaires, aides familiales, préposés aux bénéficiaires, etc.

Perspiration insensible Perte de liquide inapparente et non mesurable se produisant par la peau et les poumons (par la transpiration et la diffusion).

Perte Anomalie, indisponibilité ou disparition (réelle ou redoutée) d'un bien ou d'un avantage particulièrement valorisé par la personne.

Perte anticipée Sentiment de perte éprouvé avant la perte proprement dite.

Perte insensible d'eau Perte d'eau continue qui passe inaperçue.

Perte insensible de chaleur Perte de chaleur résultant de la perte insensible d'eau ; représente environ 10 % de la perte de chaleur basale.

Perte réelle Perte reconnaissable par les autres et pouvant survenir soit en réaction à un événement, soit par anticipation.

Perte ressentie Perte éprouvée par une personne, mais invérifiable pour autrui.

Pertes obligatoires Pertes liquidiennes essentielles au maintien des fonctions corporelles.

Peur Réaction émotionnelle à un danger réel et présent.

pH Mesure de l'alcalinité ou de l'acidité d'une solution ; mesure de la concentration des ions hydrogène.

Phagocytes Cellules qui ingèrent les microorganismes, d'autres cellules et les corps étrangers.

Phagocytose Processus où des cellules englobent des microorganismes, d'autres cellules ou des corps étrangers.

Pharmacie Art de préparer, de composer et de distribuer les médicaments ; endroit où l'on prépare et distribue les médicaments.

Pharmacien Professionnel de la santé titulaire d'une licence l'autorisant à préparer, conserver et remettre des médicaments.

Pharmacocinétique Étude de l'absorption, de la distribution, du métabolisme et de l'excrétion des médicaments.

Pharmacodépendance Dépendance qu'éprouve une personne envers un médicament ou une drogue, ou besoin qu'elle ressent d'en consommer.

Pharmacodynamie Étude de l'action d'un médicament sur la physiologie cellulaire.

Pharmacologie Étude de l'effet des médicaments sur les organismes vivants.

Pharmacopée Recueil officiel qui contient la liste des produits utilisés en médecine ; décrit les produits, les tests chimiques utilisés pour en établir la nature ainsi que les formules et les modes de préparation.

Philosophie Tentative de définir des phénomènes qui servent de base à des formulations théoriques.

Pic de concentration plasmatique (pic d'action) Niveau maximal de concentration plasmatique atteint avec une seule dose de médicament lorsque le taux d'élimination est égal au taux d'absorption.

Pic de fièvre Élévation rapide de la température au-dessus de la normale suivie d'un retour à la normale en quelques heures.

Placebo Toute forme de traitement qui produit un effet en raison de l'intention plutôt qu'en raison des propriétés chimiques ou physiques du traitement.

Placenta Organe en forme de disque aplati, très vascularisé, qui se forme habituellement dans la partie supérieure de l'endomètre de l'utérus ; assure les échanges nutritionnels et gazeux entre le fœtus et la mère.

Plagiocéphalie positionnelle Déformation et aplatissement de la tête chez le nourrisson.

Plaie de pression Lésion des tissus mous due à la compression entre deux plans durs, notamment l'os et le lit ; aussi appelée escarre de décubitus, lésion de pression, plaie de lit et plaie de décubitus.

Plaie fermée Atteinte des tissus sans lésion de la peau.

Plan de cheminement clinique Plan type élaboré par les membres de l'équipe interdisciplinaire, qui décrit les soins à prodiguer aux personnes pour lesquelles on a établi un diagnostic répandu et prévisible.

Plan de congé Processus qui consiste à planifier les besoins de la personne après sa sortie de l'établissement de soins.

Plan de soins et de traitements infirmiers formel Guide manuscrit ou informatisé qui présente de façon structurée l'information relative aux soins de la personne.

Plan de soins et de traitements infirmiers individualisé Plan adapté aux besoins précis d'une personne en particulier, c'est-à-dire aux besoins qui ne sont pas pris en considération dans le plan de soins et de traitements infirmiers type.

Plan de soins et de traitements infirmiers informel Ensemble des stratégies que l'infirmière envisage d'utiliser.

Plan de soins et de traitements infirmiers traditionnel Plan de soins conçu sur mesure pour répondre aux besoins uniques de la personne, auxquels le plan de soins type ne répond pas entièrement.

Plan de soins et de traitements infirmiers type (standardisé) Plan formel qui décrit les soins infirmiers à prodiguer aux personnes ayant des besoins communs.

Plan de soins multidisciplinaire Plan de soins élaboré par les membres de l'équipe multidisciplinaire.

Plan d'intervention interdisciplinaire Ensemble des interventions planifiées de façon concertée par les membres de l'équipe interdisciplinaire, en collaboration avec la personne et ses proches, en vue de répondre aux besoins de la personne au cours d'un épisode de soins, dans un même établissement et d'un établissement à l'autre.

Plan thérapeutique infirmier État des constats de l'évaluation représenté par l'identification des problèmes et besoins prioritaires du client et comprenant un ensemble de directives infirmières en vue d'assurer un suivi clinique particulier au niveau de la surveillance clinique, des soins et des traitements.

Planification Processus continu qui comporte l'évaluation d'une situation, l'établissement de buts et d'objectifs fondés sur une évaluation de la situation ou des tendances ainsi que l'élaboration d'un plan d'action qui définit les priorités, précise les responsabilités de chacun, fixe les échéances et décrit comment le résultat escompté sera atteint et évalué.

Planification du congé Processus qui consiste à prévoir les besoins de la personne après sa sortie de l'établissement de santé ainsi que les moyens d'y répondre.

Plantes médicinales Plantes utilisées pour prévenir et guérir les affections, et dont les propriétés sont reconnues.

Plaque dentaire Film invisible qui adhère à l'émail des dents ; renferme des bactéries, de la salive ainsi que des morceaux de cellules épithéliales et de leucocytes.

Plasma Partie fluide du sang dans laquelle flottent les cellules sanguines.

Plateau Maintien de la concentration plasmatique du médicament pendant l'administration de doses successives.

Plessimètre Pendant la percussion, majeur de la main non dominante pressé fermement sur la peau de la personne examinée.

Pli cutané tricipital (PCT) Mesure servant à évaluer les réserves de tissu adipeux.

Pneumothorax Accumulation d'air dans l'espace pleural.

Poids-santé (poids normal) Poids optimal recommandé pour garder un état de santé optimal.

Point de jonction (piggyback) Dans une perfusion intraveineuse, type de dispositif en dérivation dans lequel un deuxième ensemble relie le second sac de solution à la tubulure du sac de solution intraveineuse principal au point de jonction principal, soit le point de jonction le plus haut.

Politiques Règles élaborées par une organisation pour régir la marche à suivre dans des situations qui se présentent fréquemment.

Pollakiurie Besoin fréquent d'uriner.

Pollution nocturne Orgasme et émission de sperme pendant le sommeil.

Polydipsie Sensation de soif exagérée qui peut entraîner un apport liquidien excessif.

Polyglobulie État d'une personne lorsque les valeurs de l'hémoglobine sont plus élevées que la normale.

Polygone de sustentation Base sur laquelle le corps repose.

Polymorphisme du médicament Variation de la réponse à un médicament en fonction de l'âge, du sexe, de la taille et de la constitution chimique de l'organisme.

Polypnée Accélération anormale de la respiration.

Polysaccharides Chaîne ramifiée composée de douzaines, et parfois de centaines, de molécules de glucose ; amidon.

Polysomnographie Méthode permettant de mesurer objectivement le sommeil dans un laboratoire spécialisé.

Polythéisme Croyance en l'existence de plusieurs dieux.

Polyurie Production de grandes quantités d'urine par les reins en l'absence d'une augmentation de l'apport liquidien.

Ponction Prélèvement de liquide de l'organisme.

Ponction lombaire Opération qui consiste à prélever du liquide cérébrospinal à l'aide d'une aiguille insérée dans l'espace sous-arachnoïdien du canal vertébral, entre les troisième et quatrième vertèbres lombaires ou entre les quatrième et cinquième vertèbres lombaires.

Ponction veineuse Ponction d'une veine afin de prélever un échantillon de sang.

Porteur Personne ou animal qui abrite un agent infectieux donné, qui est une source potentielle d'infection, mais qui ne manifeste encore aucun signe clinique de la maladie.

Position de Fowler Position semi-assise utilisée pour les personnes alitées.

Position de Fowler haute Position dans laquelle la tête et le tronc de la personne sont élevés de 60° à 90°, les genoux fléchis ou droits.

Position de Sims Position se situant entre le décubitus latéral et le décubitus ventral.

Position dorsale Position dans laquelle la tête et les épaules de la personne ne sont pas surélevées.

Position du tripode Position debout qu'une personne doit adopter lorsqu'elle a des béquilles ; les béquilles sont placées à environ 15 cm en avant du pied et à environ 15 cm de chaque côté, créant une base large pour le soutien.

Position orthopnéique Position dans laquelle la personne est assise dans son lit ou au bord du lit et utilise une table de chevet pour appuyer le haut de son corps afin de maintenir une expansion thoracique maximale.

Position semi-Fowler (position de Fowler basse) Position dans laquelle la tête et le tronc de la personne sont surélevés et forment un angle de 15° à 45°.

Postcharge Résistance à laquelle le cœur doit s'opposer pour propulser le sang dans la circulation.

Postulat Proposition donnée comme vraie et dont l'admission est nécessaire.

Pouls Poussée du flux sanguin dans une artère, créée par la contraction du ventricule gauche du cœur.

Pouls apexien Pouls central mesuré à l'apex du cœur.

Pouls apexien-radial Compte simultané des battements à l'apex et à l'artère radiale.

Pouls déficitaire Différence entre la fréquence du pouls apexien et la fréquence du pouls radial.

Pouls périphérique Pouls situé en périphérie du corps (par exemple, pied, poignet).

Poussée de croissance de l'adolescence Période de la puberté où des changements physiques marqués et soudains surviennent.

Pouvoir Capacité d'influer d'une quelconque manière sur une autre personne ou de provoquer un changement.

Pouvoir de coercition Pouvoir basé sur la peur d'une vengeance ou du retrait de privilèges.

Pouvoir de prééminence (pouvoir de l'expertise) Pouvoir basé sur le respect de ses capacités, de ses connaissances et de ses compétences.

Pouvoir de récompense Pouvoir fondé sur les primes qu'un dirigeant peut offrir.

Pouvoir de référence Pouvoir associé à l'admiration et au respect pour un chef en raison de son charisme et de sa réussite.

Pouvoir légitime Pouvoir associé à une autorité détenant un poste ou un rôle spécifique.

Pratique disciplinaire Exercice d'une profession (par exemple, pratique infirmière, enseignement, gestion).

Pratique fondée sur des résultats probants Approche où l'infirmière utilise les meilleurs résultats probants disponibles, tout en tenant compte des préférences des personnes, afin d'établir une conduite thérapeutique qui assure des soins efficaces et efficients.

Pratiques de base Mesures de prévention contre les infections s'appliquant à toutes les personnes hospitalisées, indépendamment du diagnostic ou de la possibilité d'un état infectieux.

Précautions additionnelles contre la transmission par contact Mesures visant à réduire l'exposition aux agents infectieux qui se transmettent facilement par contact direct avec la personne ou par contact avec des objets de son environnement.

Précautions additionnelles contre la transmission par gouttelettes Mesures visant à réduire l'exposition aux agents infectieux transmis par les gouttelettes en suspension dans l'air, dont le diamètre est supérieur ou égal à 5 µm.

Précautions additionnelles contre la transmission par voie aérienne Mesures visant à réduire l'exposition aux agents infectieux transmis par les gouttelettes en suspension dans l'air, dont le diamètre est inférieur à 5 µm.

Précautions applicables aux liquides organiques (PLO) Mesures de prévention générale contre les infections que l'on prend pour toutes les personnes, sauf celles qui sont atteintes d'une maladie transmissible par les gouttelettes en suspension dans l'air.

Précautions universelles (PU) Techniques utilisées avec toutes les personnes pour réduire le risque d'infection ; les précautions universelles comprennent les précautions applicables aux liquides organiques.

Préceptrice Infirmière expérimentée qui aide une infirmière novice à améliorer ses compétences et son jugement professionnels.

Prédisposition à la santé Attitude d'une personne à l'égard de sa santé et qui détermine son degré de bien-être.

Préjugé Croyance négative ou préférence généralisée à propos d'un groupe ; favorise les idées préconçues.

Prélèvement des urines d'une période déterminée Technique de prélèvement d'un échantillon d'urine pour divers tests liés à des problèmes de santé particuliers.

Prélèvement par miction spontanée (au hasard) Technique de prélèvement d'un échantillon d'urine pour les examens d'urine de routine.

Prélèvement par mi-jet (prélèvement stérile) Technique de prélèvement d'un échantillon d'urine pour les cultures d'urine.

Presbyacousie Perte de l'ouïe liée au vieillissement.

Presbytie Perte d'élasticité du cristallin, ce qui amène la perte de la capacité de voir les objets rapprochés.

Présence active Présence nécessitant les attitudes suivantes : être enraciné dans l'instant présent ; être totalement disponible, mobiliser toutes les dimensions de soi à l'écoute de l'autre ; écouter en étant conscient de bénéficier d'un grand privilège ; être présent d'une manière qui soit significative pour l'autre.

Pression Facteur déterminant du développement des plaies de pression.

Pression artérielle (PA) Mesure de la pression exercée par le sang lorsqu'il passe dans les artères.

Pression artérielle moyenne (PAM) Pression qu'exerce le débit sanguin sur les tissus au cours du cycle cardiaque.

Pression de filtration Dans un compartiment, pression qui provoque le déplacement de liquides et de substances dissoutes dans ce liquide vers l'extérieur du compartiment.

Pression diastolique Pression du sang contre les parois artérielles lorsque les ventricules du cœur sont au repos et que la valve aortique est refermée.

Pression différentielle Différence entre la pression systolique et la pression diastolique.

Pression hydrostatique Pression exercée par un liquide sur les parois du récipient qui le contient.

Pression intrapleurale Pression dans la cavité pleurale entourant les poumons.

Pression intrapulmonaire Pression à l'intérieur des poumons.

Pression osmotique Pression exercée par les solutés dans une solution ; pression requise pour arrêter le passage de l'eau à travers une membrane.

Pression osmotique colloïdale (pression oncotique) Force de traction exercée par les colloïdes, qui aident à maintenir la teneur du sang en eau.

Pression partielle Pression exercée par chaque gaz dans un mélange, selon sa concentration dans le mélange.

Pression systolique Pression du sang contre les parois des artères lorsque les ventricules du cœur se contractent.

Prévention primaire Activités axées sur la protection ou l'évitement de risques potentiels pour la santé.

Prévention secondaire Activités visant le diagnostic précoce et le traitement d'une maladie.

Prévention tertiaire Activités conçues pour redonner à une personne handicapée un niveau optimal de fonctionnement.

Prière Communication avec le divin et les entités spirituelles.

Prière d'intercession Prière offerte en faveur d'une personne.

Principe de l'information complète Droit fondamental qui signifie qu'on ne trompera pas la personne, que ce soit en ne divulguant pas toute l'information nécessaire au sujet de sa participation à l'étude ou en lui donnant une information fausse ou trompeuse.

Prise de décision Processus inhérent à la pensée critique, qui permet de déterminer les interventions qui favoriseront le plus l'atteinte d'un objectif.

Privation sensorielle Stimulation sensorielle insuffisante qui empêche une personne de fonctionner.

Procédés Conduites à tenir dans des situations fréquentes.

Processus mastoïde Saillie osseuse derrière l'oreille.

Productivité Dans les soins de santé, se mesure souvent en fonction de la quantité des ressources infirmières utilisées par personne soignée ou en fonction du nombre d'heures réellement consacrées à donner des soins par rapport au nombre d'heures prévues.

Profession Métier qui nécessite une formation supérieure ou qui exige des connaissances, des compétences et une préparation particulières.

Programme d'assurance de la qualité (AQ) Processus systématique et continu d'évaluation des soins donnés aux personnes et de promotion de l'excellence.

Programme national de santé publique Programme proposé en 2003 par le ministère de la Santé et des Services sociaux ; on y précise les activités à mettre en œuvre au cours des prochaines années afin d'agir sur les déterminants qui influent sur la santé, dans ses dimensions physique et psychosociale, de façon à favoriser la santé et à empêcher que surgissent ou se développent des problèmes de santé et des problèmes psychosociaux à l'échelle de la population québécoise.

Promotion de la santé Ensemble des activités qu'une personne accomplit pour rehausser son niveau de santé et de bien-être.

Propre Libre d'agents potentiellement infectieux.

Propriocepteurs Terminaisons nerveuses sensorielles sensibles au mouvement et à la position du corps.

Proprioception Conscience du mouvement et de la position du corps.

Protecteur des usagers en matière de santé et de services sociaux Au Québec, organisme ayant pour mandat de défendre les intérêts des personnes malades.

Protection de la santé (prévention de la maladie) Comportement motivé par le désir d'éviter activement la maladie, de la détecter précocement ou de maintenir son fonctionnement dans les limites d'une maladie.

Protectrice des intérêts de la personne Rôle de l'infirmière qui consiste à faire respecter les droits de la personne qu'elle soigne et à l'aider dans les situations où ses droits sont lésés.

Protéines complètes (protéines de haute valeur biologique) Protéines qui contiennent tous les acides aminés essentiels et de nombreux acides aminés non essentiels.

Protéines incomplètes (protéines de basse valeur biologique) Protéines auxquelles il manque au moins un acide aminé ; habituellement dérivées des légumes.

Protéines partiellement complètes Protéines qui ne contiennent pas tous les acides aminés essentiels en quantité suffisante.

Protocole Document imprimé qui indique les activités qui concernent habituellement un groupe particulier de personnes.

Proxémie Étude de l'espace entre les gens au cours de leurs interactions.

Psychoneuro-immunologie Domaine qui étudie l'intégration du corps et de l'esprit, tout particulièrement les interactions entre le stress, le système immunitaire et la santé.

Puberté Première étape de l'adolescence, caractérisée par le développement des organes sexuels.

Pus Liquide épais accompagnant une inflammation et composé de cellules, de liquide, de microorganismes et de bactéries vivantes.

Pyorrhée Stade avancé de la parodontopathie, caractérisé par un ébranlement des dents atteintes et par une suppuration que l'on observe lorsqu'on presse la gencive.

Pyrexie Température corporelle anormale, fièvre.

Qi (chi) Énergie vitale du corps.

Qualité Description subjective d'un son (par exemple, bruissement, sifflement ou gargouillement).

Question dirigée Question fermée qui dicte la réponse à la personne pendant une entrevue directive.

Question fermée Question à laquelle on peut répondre seulement par oui ou non, ou par un énoncé court et factuel.

Question neutre Question ouverte qui ne suggère aucune direction de réponse.

Question ouverte Question qui incite la personne à analyser, expliciter, clarifier ou illustrer ses pensées et ses sentiments.

Questionnement socratique Technique utilisée pour aller au-delà des apparences, poser et étudier des hypothèses, trouver les incohérences, examiner des points de vue multiples et distinguer ce que l'on sait de ce que l'on croit.

Race Groupe de personnes présentant des caractéristiques biologiques et des traits (ou marqueurs) génétiques communs.

Racisme Forme de discrimination liée à l'ethnocentrisme ; selon les théories racistes, la race est le principal déterminant des traits de caractère et des habiletés d'un individu ou d'un groupe donné d'individus, et les différences raciales confèrent une supériorité inhérente à une race donnée.

Radiation Transfert de chaleur de la surface d'un objet à la surface d'un autre objet sans contact entre les deux objets.

Radiopharmaceutique Marqueur radioactif utilisé pour la scintigraphie.

Raisonnement déductif Raisonnement qui produit des observations spécifiques à partir de généralisations.

Raisonnement inductif Raisonnement qui exprime des généralisations à partir de données spécifiques.

Rapport Communication verbale, écrite ou informatisée qui vise à transmettre de l'information.

Rapport d'incident-accident Rapport dans lequel l'infirmière doit consigner tout accident ou incident susceptible d'entraîner des conséquences sur l'état de santé ou le bien-être de la personne.

Rapport de relève Rapport que les infirmières d'un quart de travail remettent aux infirmières du quart suivant.

Rapport téléphonique Rapport fait ou reçu par téléphone.

Rapprochement Rapport de compréhension entre l'infirmière et la personne.

Réactif Substance utilisée dans une réaction chimique pour détecter une substance spécifique.

Réaction à la douleur Réaction du système nerveux autonome ou réaction comportementale à la douleur.

Réaction anaphylactique Réaction allergique grave qui se produit immédiatement après l'administration d'un médicament.

Réaction d'alarme Réaction initiale de l'organisme au stress, laquelle stimule les défenses du corps.

Réaction hémolytique Réaction marquée par une destruction des érythrocytes transfusés et pouvant entraîner une atteinte rénale ou une insuffisance rénale.

Réactions indésirables Effets secondaires sérieux d'un médicament, qui justifient parfois l'interruption du traitement.

Récapitulatif de la fréquence de consommation des produits alimentaires Liste des groupes alimentaires ou des aliments précis consommés, accompagnés de la fréquence de consommation pendant une période donnée.

Réception sensorielle Processus de réception d'un stimulus de l'environnement.

Réceptivité Ensemble de comportements ou de signaux qui indiquent la motivation de l'apprenant à un moment précis.

Recherche appliquée Utilisation des connaissances existantes pour résoudre des problèmes concrets ; recherche qui vise à trouver des solutions à des problèmes cliniques et à induire des changements dans la pratique des soins.

Recherche en sciences infirmières Étude systématique et objective de phénomènes (expériences, événements, circonstances) qui revêtent une importance pour les soins infirmiers.

Recherche fondamentale (recherche pure) Recherche qui sert à vérifier des théories, des lois scientifiques, des principes de base ; la finalité de ce genre de recherche est d'accroître le savoir et non d'améliorer les pratiques.

Rechute Régression qui ramène la personne au stade de précontemplation ou de contemplation.

Réconfort Ensemble d'interventions infirmières qui sont basées sur les signes de détresse de la personne et qui visent le bien-être de celle-ci.

Reconstitution Technique au cours de laquelle on ajoute un solvant à un médicament en poudre avant de l'administrer.

Rectisigmoïdoscopie Examen visuel du rectum et du côlon sigmoïde.

Rectoscopie Examen visuel du rectum.

Réflexe Réponse automatique du corps à un stimulus.

Réflexe gastrocolique Augmentation du péristaltisme du côlon après l'arrivée de la nourriture dans l'estomac.

Réflexologie Traitement basé sur le massage du pied pour soulager des symptômes dans d'autres parties du corps.

Reflux Retour d'un liquide dans le sens opposé au sens physiologique.

Reflux urinaire Retour de l'urine vers la vessie.

Refroidissement cadavérique (*algor mortis*) Baisse graduelle de la température du corps après la mort.

Régénération Renouveau, nouvelle croissance et remplacement des cellules d'un tissu détruit par des cellules dont la structure ou la fonction est identique ou semblable.

Régime de textures adaptées Régime adapté aux besoins de la personne : aliments de texture liquide ou semi-liquide, en purée, hachés, mous ou durs.

Régime liquide strict Régime prescrit à court terme et ne comportant aucun aliment solide.

Régime progressif Régime mis en œuvre quand des changements sont à prévoir quant aux aspects suivants : appétit, capacité de mastication, de déglutition ou de digestion, tolérance envers certains aliments.

Régime semi-liquide Régime composé d'aliments solides ou semi-liquides.

Règles morales Prescriptions spécifiques régissant la conduite.

Régression Mécanisme de défense par lequel une personne adopte un ancien comportement sécurisant pour surmonter un malaise et une insécurité ; retour à un stade antérieur du développement.

Régurgitation Reflux, ou retour dans la bouche, d'aliments non digérés.

Reiki Mot japonais qui signifie « énergie vitale universelle ». Dans cette thérapie, la praticienne place ses mains sur la personne pour lui transmettre un flux d'énergie.

Reins, uretères et vessie Expression qui désigne l'examen radiologique évaluant la fonction urinaire.

Relation contractuelle Relation qui varie d'un milieu de pratique à l'autre, qui peut ressembler à une relation indépendante ou employeur-employé.

Relation d'aide Relation thérapeutique entre l'infirmière et la personne ; processus axé sur la croissance qui vise essentiellement à aider la personne à mieux s'aider elle-même.

Relaxation progressive Technique selon laquelle la personne tend et relâche successivement des groupes musculaires précis et concentre son attention sur ce qu'elle ressent pendant chacune de ces phases afin de distinguer clairement ses sensations.

Religion Système de croyances, de pratiques et de valeurs ethniques relatives à des pouvoirs divins ou surhumains.

Rémission Dans une maladie chronique, période durant laquelle les symptômes diminuent ou s'estompent.

Rendre des comptes Capacité et disposition à assumer la responsabilité de ses actes et à accepter les conséquences de sa conduite.

Renforcement positif Expérience agréable telle que des éloges et des encouragements favorisant la répétition d'un comportement positif.

Réponse Énergie, matière ou information provenant d'un système à la suite du traitement des stimuli par le centre de régulation.

Repos Calme, relaxation sans stress émotionnel et sans anxiété.

Répression Mécanisme de défense où les pensées, les expériences et les impulsions douloureuses sont effacées de la conscience.

Réseautage Processus par lequel les gens d'une même profession tissent des liens pour communiquer, mettre en commun des idées et de l'information, s'apporter du soutien et se conseiller mutuellement.

Réseaux locaux de services (RLS) Ensemble de 95 réseaux, dont chacun se compose d'un nouvel établissement appelé centre de santé et de services sociaux (CSSS). Chaque réseau doit responsabiliser tous les intervenants afin qu'ils assurent de façon continue, à la population de son territoire, l'accès à une large gamme de services de santé et de services sociaux généraux, spécialisés et surspécialisés.

Réservoirs (sources) Sources de microorganismes.

Résistance (phase de) Deuxième étape du syndrome d'adaptation, qui concerne l'adaptation du corps.

Résistance périphérique (RP) Résistance qui s'oppose au débit sanguin en direction des tissus.

Résistance vasculaire (RV) Résistance opposée à l'écoulement du sang par les vaisseaux ; déterminée par la viscosité du sang, la longueur et le diamètre des vaisseaux sanguins.

Résolution Phase du cycle de la réponse sexuelle qui constitue le retour au calme.

Résolution de problèmes Processus consistant à recueillir des éléments d'information pour clarifier la nature d'un problème et suggérer des solutions possibles.

Respect de la vie privée Droit de tout individu de régir la transmission d'informations personnelles le concernant et liberté de refuser toute intrusion non justifiée dans sa vie privée.

Respiration Action de respirer ; processus qui comprend le transport de l'oxygène de l'atmosphère jusqu'aux cellules et le transport du dioxyde de carbone des cellules jusqu'à l'atmosphère.

Respiration costale (thoracique) Respiration qui sollicite les muscles intercostaux externes et les muscles accessoires tel le sternocléidomastoïdien.

Respiration de Biot Suite de respirations superficielles et irrégulières interrompues par des périodes d'apnée.

Respiration de Cheyne-Stokes Suite de respirations d'amplitude croissante et décroissante (de très profondes à très superficielles) entrecoupées de périodes d'apnée et souvent associées à une insuffisance cardiaque, à une hypertension intracrânienne ou à une lésion cérébrale.

Respiration de Kussmaul Hyperventilation associée à l'acidose métabolique, au cours de laquelle l'organisme essaie de compenser en expirant du dioxyde de carbone par une respiration rapide et profonde.

Respiration diaphragmatique (abdominale) Contraction et relâchement du diaphragme qui se produisent lors du mouvement vertical du diaphragme et que l'on peut observer par le mouvement de l'abdomen.

Respiration externe Échange d'oxygène et de dioxyde de carbone entre les alvéoles des poumons et le sang pulmonaire.

Respiration interne (cellulaire) Échange d'oxygène et de dioxyde de carbone entre le sang circulant et les cellules des tissus.

Responsabilité Obligation de mener une tâche à bien.

Responsabilité civile Responsabilité dont les quatre éléments suivants constituent les fondements : capacité de discernement, dommage, faute et causalité.

Responsabilité du fait d'autrui Doctrine en vertu de laquelle un employeur est tenu responsable sur le plan juridique des fautes professionnelles commises par un employé.

Résultats escomptés Ce qui devra être accompli par la personne grâce aux interventions infirmières.

Résultats statistiquement significatifs Résultats qui font état de changements attribuables à l'intervention.

Retard à la miction Hésitation ou difficulté dans le déclenchement de la miction ; souvent associé à la dysurie.

Retard staturopondéral Syndrome caractérisé soit par le fait que l'enfant se situe au-dessous du cinquième percentile de taille et de poids selon la courbe de croissance normale, soit par le fait qu'il régresse sur sa propre courbe de croissance.

Rétention urinaire Accumulation d'urine dans la vessie et incapacité de vider la vessie.

Rétraction élastique Tendance des poumons à se contracter en s'éloignant de la cage thoracique.

Rétroaction (*feedback*) Mécanisme par lequel une partie de la réponse du système est retournée vers le système comme stimulus ; information qui associe la performance d'une personne à un objectif souhaité ; réponse ou message que le récepteur retourne à l'émetteur au cours d'une communication.

Rétroaction biologique (*biofeedback*) Technique de gestion du stress qui consiste à maîtriser consciemment des processus corporels normalement considérés comme involontaires.

Rétroactivation Mécanisme qui amplifie ou fait augmenter le stimulus de départ.

Rétro-inhibition Mécanisme qui met fin au stimulus de départ ou réduit son intensité.

Révocation de l'immatriculation Révocation du droit de pratique pour l'une des raisons suivantes : renvoi d'un établissement d'enseignement, conduite contraire à l'éthique en milieu clinique, condamnation criminelle, narcomanie, alcoolisme, troubles d'ordre physique ou psychologique incompatibles avec l'exercice des soins infirmiers, tout acte dérogatoire à la dignité de la profession.

Rhizotomie Section d'une racine nerveuse antérieure ou postérieure entre le ganglion et le cordon ; habituellement effectuée sur la racine du nerf cervical pour soulager la douleur de la tête et du cou.

Rien par la bouche (NPO) Mention apparaissant sur une ordonnance lorsque la personne ne peut rien prendre par voie orale, y compris la médication.

Rigidité cadavérique (*rigor mortis*) Raidissement du corps après le décès.

Risque de préjudice Exposition à une atteinte possible qui dépasse les situations de la vie quotidienne ; peut être d'ordre physique, affectif, légal, financier ou social.

Rituels du deuil Processus comportementaux qui permettent à la personne endeuillée d'atténuer ou d'éliminer l'affliction.

Rôle Ensemble des attentes quant à la façon dont une personne doit s'acquitter de ses fonctions.

Rythme du pouls Caractéristiques des intervalles entre les battements cardiaques.

Rythme respiratoire Caractéristiques des intervalles entre deux cycles respiratoires.

S

Salive Liquide clair sécrété par les glandes salivaires dans la bouche ; parfois appelée crachat.

Salle de réveil (salle postanesthésique) Salle où l'on transfère la personne après une intervention chirurgicale.

Sang occulte Sang microscopique.

Santé Équilibre de la personne, tant intérieur, sur le plan physique, mental et spirituel, qu'extérieur, sur le plan naturel, communautaire et métaphysique.

Santé communautaire Secteur dont les soins s'adressent à un groupe donné de la communauté, défini en fonction de frontières géographiques, d'un employeur, d'une commission scolaire ou d'un besoin ou d'une caractéristique de nature médicale.

Santé holistique Caractérise la personne considérée dans sa globalité ou sa totalité et la qualité générale de son mode de vie ; est constituée des composantes physiques, mentales, émotives et spirituelles de la santé, de même que de leurs interrelations.

Santé publique Secteur qui contribue à améliorer la santé, à prolonger la vie et à donner une meilleure qualité de vie à toute la population.

Santé sexuelle Intégration des dimensions somatiques, affectives, intellectuelles et sociales de l'être sexué qui favorise l'épanouissement personnel et l'enrichissement de la personnalité, de la communication et de l'amour.

Saturation en oxygène (SaO_2) Évaluation approximative de la teneur en oxygène dans le sang.

Savoir populaire Savoir qui se définit à partir de trois sources : une source non professionnelle (croyances et conceptions populaires de la santé et de la maladie), une source professionnelle (culture thérapeutique diffusée par les professionnels de la santé) et une source idiosyncrasique (savoir résultant des expériences personnelles de santé et de maladie).

Schéma Diagramme dans lequel les idées ou les données sont inscrites à l'intérieur de figures géométriques (cercles, rectangles, etc.) formant des ensembles reliés par des lignes ou des flèches représentant leurs rapports logiques.

Scintigraphie pulmonaire Enregistrement des émissions des radio-isotopes qui mesurent la circulation des gaz et du sang dans les poumons.

Sébum Sécrétion grasse et lubrifiante produite par les glandes sébacées de la peau.

Sécurité Politiques et technologies requises pour restreindre l'accès aux renseignements médicaux et en maintenir l'intégrité.

Sédation Dépression minimale du niveau de conscience durant laquelle la personne conserve la capacité de garder consciemment la perméabilité de ses voies respiratoires et de répondre de manière appropriée aux stimuli verbaux et physiques.

Sensation douloureuse Sensation ressentie lorsque le seuil de la douleur est atteint.

Sensibilité culturelle Reconnaissance et respect des comportements culturels de l'autre, dans le but de comprendre son point de vue.

Sepsie Présence d'organismes pathogènes ou de leurs toxines dans le sang ou les tissus de l'organisme.

Septicémie Affection qui survient lorsqu'une bactériémie entraîne une infection systémique.

Septum Séparation, par exemple entre les cavités cardiaques ou entre les deux côtés du nez.

Seringue à insuline Seringue semblable à une seringue hypodermique, mais calibrée spécialement pour l'insuline, c'est-à-dire divisée en unités d'insuline.

Seringue à tuberculine Seringue conçue à l'origine pour administrer la tuberculine, calibrée en dixièmes et en centièmes de millilitre.

Seringue hypodermique Sorte de seringue offerte en format de 2 mL, de 2,5 mL et de 3 mL, généralement calibrée en millilitres et en minimes.

Seuil de la douleur Quantité de stimulation douloureuse dont une personne a besoin pour sentir de la douleur.

Sexe Terme utilisé le plus couramment pour distinguer les hommes des femmes du point de vue biologique.

Sexualité Dimension dynamique de l'être humain qui évolue tout au long de la vie ; caractéristiques collectives qui différencient l'homme et la femme, leur constitution et leur vie sexuelle.

Signes vitaux (paramètres fondamentaux) Mesure des fonctions physiologiques : la température du corps, le pouls, la respiration et la pression artérielle ; peut inclure la douleur et la sphygmooxymétrie.

Socialisation Processus par lequel une personne est éduquée dans une culture et acquiert les caractéristiques de son groupe d'appartenance.

Soi idéal Concept qui correspond à ce que la personne pense qu'elle devrait être ou à ce qu'elle aimerait être.

Soins à domicile Soins prodigués au domicile de la personne.

Soins culturellement adaptés Soins de santé professionnels qui sont culturellement appropriés et compétents ; essentiels en cette ère de mondialisation.

Soins de fin de vie (soins palliatifs) Soins donnés dans les semaines ou les jours précédant la mort.

Soins de santé holistiques Système qui englobe toutes les composantes de la santé : la promotion de la santé, le maintien de la santé, l'éducation à la santé, la prévention de la maladie, les soins de rétablissement et de réadaptation.

Soins de santé primaires Soins de santé essentiels basés sur des méthodes pratiques scientifiquement reconnues et socialement acceptables ainsi que sur des technologies universellement accessibles aux individus et aux familles de la communauté, avec leur participation pleine et entière et à un coût que la communauté et le pays peuvent assumer à chaque étape de leur développement dans un esprit d'autonomie et de libre disposition.

Soins infirmiers à domicile Services et produits destinés aux personnes à domicile et nécessaires pour maintenir, rétablir ou favoriser leur bien-être physique, psychologique et social.

Soins infirmiers axés sur la famille Soins infirmiers qui considèrent la santé de la famille comme un tout en plus de viser la santé des membres individuels de cette famille.

Soins infirmiers dans la communauté Soins communautaires destinés expressément à une population ou à un groupe de la communauté ; des soins primaires, secondaires ou tertiaires peuvent être fournis à des groupes ou à des individus.

Soins infirmiers en santé communautaire Soins infirmiers qui s'adressent à une collectivité ou à un groupe donné de la communauté : les soins sont prodigués à des personnes ou à des groupes, et ils sont conçus en fonction des personnes qui doivent se déplacer entre différents milieux de soins.

Soins infirmiers holistiques Soins s'articulant autour de cinq groupes de valeurs fondamentales : philosophie et éducation holistiques ; éthique, théories et recherche holistiques ; soins personnels holistiques de l'infirmière ; communication holistique, environnement thérapeutique et diversité culturelle ; processus de soins holistiques.

Soins infirmiers palliatifs Soins fréquemment donnés aux personnes en phase terminale à leur domicile ; souvent considérés comme une sous-spécialité des soins infirmiers de santé publique.

Soins infirmiers transculturels Domaine des soins infirmiers centré sur l'étude et l'analyse comparées des différentes cultures et sous-cultures du monde, en ce qui a trait à l'empathie, aux soins infirmiers et aux valeurs, croyances et habitudes de comportement relatifs à la santé et à la maladie. Cette approche a pour but d'élaborer un ensemble de connaissances scientifiques et humanistes visant à prodiguer des soins infirmiers axés à la fois sur les spécificités et l'universalité culturelles.

Soins médicaux primaires Soins prodigués par un seul professionnel de la santé, soit le médecin.

Soins primaires (SP) Soins qui reposent sur des spécialistes ; ils impliquent une démarche descendante de la part des professionnels de la santé, qui conseillent les individus et les communautés sur ce qui est le mieux pour leur santé.

Solutés Particules dissoutes dans un liquide.

Solution de remplissage vasculaire Solution ayant pour fonction d'augmenter le volume sanguin après une perte de sang ou de plasma.

Solvant Liquide servant à la dissolution d'un liquide.

Sommeil Altération de la conscience qui réduit la perception et la réaction à l'environnement d'un individu.

Sommeil lent (SL) Sommeil profond et réparateur.

Sommeil paradoxal Période du sommeil caractérisée par des mouvements oculaires rapides.

Sonde nasoentérique Tube inséré dans une narine vers le nasopharynx jusqu'au tube digestif.

Sonde nasogastrique Tube inséré dans le nasopharynx jusqu'à l'estomac pour permettre un apport nutritif ou l'évacuation des sécrétions gastriques.

Sonde vésicale suspubienne Sonde insérée dans la paroi abdominale, au-dessus de la symphyse pubienne, jusqu'à la vessie.

Sonorité Bruit creux comme celui produit par des poumons normaux remplis d'air.

Souffle Bruissement produit par une turbulence du flux sanguin.

Souillé (sale, contaminé) Qui porte des microorganismes, y compris des agents pathogènes.

Soulagement de la douleur Ensemble des mesures destinées à éliminer la douleur ou à l'apaiser jusqu'à un niveau acceptable pour la personne.

Sous-culture Sous-groupe composé habituellement de personnes possédant une identité distincte, tout en appartenant à un groupe culturel plus grand.

Sous-cutanée (hypodermique) Se dit d'une injection effectuée dans les tissus sous-cutanés, juste sous la peau.

Sous-système Éléments d'un système.

Soutien à domicile Passage graduel du mode de prise en charge traditionnel, en établissement, au soutien dans le milieu de vie.

Spastiques Se dit des muscles dont le tonus musculaire est très élevé.

Sphygmooxymètre Appareil non effractif qui mesure la saturation en oxygène dans le sang artériel au moyen d'un capteur fixé au doigt.

Sphygmooxymétrie Mesure directe de la quantité d'oxyhémoglobine dans le sang artériel.

Spiritualité Croyance en un être suprême, en une force créatrice ou qui donne un sens à la vie, à une source infinie d'énergie ; relation avec cet être ou cette force.

Stade d'action Stade où une personne applique activement des stratégies cognitives et comportementales pour rompre d'anciens modes de comportement et en adopter de nouveaux ; ce stade nécessite un investissement de temps et d'énergie.

Stade de conclusion Stade où l'objectif est atteint : la personne est intimement convaincue que son problème initial ne présente plus ni tentation ni danger.

Stade de contemplation Stade au cours duquel une personne reconnaît avoir un problème, envisage sérieusement de changer des comportements inadaptés, recueille activement des informations et énonce des plans pour changer ses comportements dans un avenir proche.

Stade de maintien Période où la personne intègre dans son style de vie des modèles de comportement nouvellement acquis.

Stade de précontemplation Période durant laquelle la personne nie avoir un problème, croit que ce sont les autres qui ont un problème et, par conséquent, veut modifier le comportement des autres.

Stade de préparation Stade au cours duquel la personne prend la décision de changer et a l'intention d'entreprendre une action dans un délai rapproché.

Stade embryonnaire Stade de développement du fœtus qui commence le 15e jour après la conception et se poursuit jusqu'à la fin de la 8e semaine.

Stade fœtal Stade de développement du fœtus de la 9e semaine à la fin de la gestation.

Stagnation État de la personne qui n'assume pas les responsabilités inhérentes à l'âge mûr et qui souffre d'un ennui profond et d'une détérioration importante de sa qualité de vie.

Stase urinaire Arrêt ou ralentissement du flux urinaire.

Statistique descriptive Ensemble de méthodes qui permet de synthétiser une grande quantité de données.

Stéatorrhée Quantité excessive de gras dans les excréments ; peut révéler une mauvaise absorption de gras dans l'intestin grêle.

Stéréognosie Reconnaissance des objets par le toucher et la manipulation.

Stéréotypage Attitude qui consiste à déduire que tous les membres d'un groupe culturel ou ethnique sont semblables.

Stérilisation Processus qui détruit tous les microorganismes, y compris les spores et les virus.

Sternum Os plat, allongé, situé au milieu de la face antérieure du thorax, s'articulant avec les sept premières paires de côtes et, par son segment supérieur, avec les deux clavicules.

Stimulation de la moelle épinière (SME) Mise en place directement sur la moelle épinière d'une électrode dont le câble est relié à un appareil qui envoie des influx électriques.

Stimulus Information, matériel ou énergie qui entre dans un système.

Stomie Abouchement du tube digestif, du tractus urinaire ou des voies respiratoires à la peau.

Strabisme Déviation des yeux ; mouvement non coordonné des yeux.

Stress Événement ou ensemble de circonstances qui provoque une réaction perturbée ; perturbation causée par un stimulus ou un agent stressant négatif.

Stridor Bruit strident produit à l'inspiration et causé par la constriction des voies respiratoires supérieures.

Style de leadership Désigne les traits, les comportements, les motivations et les choix qui font qu'une personne influence efficacement d'autres personnes.

Submatité Bruit sourd produit par un tissu dense comme le foie, la rate ou le cœur.

Substance chimique Mesure de contrôle qui consiste à limiter la capacité d'action d'une personne en lui administrant un médicament.

Suffocation (asphyxie) Manque d'oxygène provoqué par l'arrêt de la respiration.

Suicide assisté Forme d'euthanasie active qui consiste à donner à la personne les moyens de mettre fin à ses jours.

Suppositoire Substances médicamenteuses solides en forme de cône qui s'insèrent dans le rectum, le vagin ou l'urètre.

Suppuration Formation de pus.

Suprasystème Système situé au-dessus d'un autre système.

Surcharge sensorielle Surabondance de stimulation sensorielle.

Surdité de perception (perte neurosensorielle) Surdité due à une atteinte de l'oreille interne, du nerf auditif ou du centre de l'audition situé dans le cerveau.

Surdité de transmission (perte conductive) Surdité due à l'interruption de la transmission du son à travers les structures de l'oreille externe et de l'oreille moyenne.

Surdité mixte Surdité qui combine une surdité de perception et une surdité de transmission.

Surfactant Agent tensioactif (par exemple, savon ou détergent synthétique) ; en physiologie pulmonaire, mélange de phospholipides sécrétés par les cellules alvéolaires dans les alvéoles et les voies aériennes, qui réduit la tension de surface des liquides pulmonaires et qui, par conséquent, contribue aux propriétés élastiques du tissu pulmonaire.

Surhydratation (déséquilibre hypoosmolaire, intoxication par l'eau) Gain d'eau supérieur au gain d'électrolytes.

Surmoi Conscience de la personnalité ; source des sentiments de culpabilité, de honte et d'inhibition.

Surnutrition (suralimentation) Apport énergétique qui excède les besoins quotidiens et qui entraîne un stockage d'énergie sous forme de tissus adipeux.

Surveillance de l'état de la peau Formulaire d'enregistrement systématique qui permet de consigner les résultats des examens de la peau.

Surveillance des signes vitaux Formulaire d'enregistrement systématique, présenté sous forme de graphique, qui indique les signes vitaux et d'autres données cliniques importantes.

Suture Technique utilisée pour coudre ensemble des tissus de l'organisme.

Sutures Lignes de jonction entre les os du crâne.

Sympathectomie Résection d'une partie du système sympathique du système nerveux central ; élimine des spasmes vasculaires, améliore le flux sanguin périphérique et contribue au traitement d'affections vasculaires douloureuses.

Synchronisation circadienne Phénomène qui fait que la personne est éveillée au moment où les rythmes physiologiques et psychologiques sont les plus actifs, et qu'elle est endormie au moment où les rythmes physiologiques et psychologiques sont les plus inactifs.

Syndic Personne chargée de faire une enquête, de rédiger un rapport et de prendre les mesures qui s'imposent lorsqu'une plainte écrite contre la conduite d'une infirmière ou sa pratique est soumise à l'Ordre des infirmières et infirmiers du Québec.

Syndrome de mort subite du nourrisson (SMSN) Décès soudain, inattendu et inexpliqué d'un enfant âgé de moins de un an, d'apparence saine et sans antécédent pathologique.

Syndrome du bébé secoué Résultat de secousses violentes assénées à un enfant par les épaules ou les bras et causant un coup de fouet cervical pouvant provoquer de graves lésions.

Syndrome du biberon Caries ou problèmes de dentition causés par le contact prolongé des dents avec le liquide sucré du biberon.

Syndrome du troisième compartiment Déplacement de liquides du compartiment vasculaire vers une région où ils sont difficilement accessibles comme liquides extracellulaires.

Syndrome général d'adaptation (SGA) Réaction d'excitation générale de l'organisme à l'égard d'un agent stressant, caractérisée par certains événements physiologiques et régie par le système nerveux sympathique.

Syndrome local d'adaptation (SLA) Réaction d'un organe ou d'une partie du corps au stress.

Système Ensemble d'éléments ou de composants identifiables qui interagissent entre eux.

Système d'aide à la décision Système qui analyse les données brutes et les anamnèses, et propose des diagnostics infirmiers et des recommandations d'interventions.

Système de drainage sous vide Drain relié à un appareil d'aspiration électrique ou à un appareil de succion portatif, comme le Hemovac ou le Jackson-Pratt.

Système de santé Ensemble des services de santé offerts par tous les professionnels de la santé.

Système de valeurs Chez un individu, organisation des valeurs sur un continuum en fonction de leur importance relative.

Système d'information de gestion (SIG) Système conçu pour faciliter l'organisation et l'utilisation des données servant à gérer une entreprise ou un service.

Système d'information hospitalier Programme de logiciels utilisé pour gérer les données concernant la personne ainsi que les données financières et administratives.

Système fermé Système qui n'échange pas d'énergie, de matière ou d'information avec son environnement.

Système ouvert Système où l'énergie, la matière et l'information entrent et sortent par les limites du système.

Système rénine-angiotensine-aldostérone Système mis en marche par les récepteurs spécialisés des cellules juxtaglomérulaires des néphrons du rein qui réagissent aux changements de la perfusion rénale.

Système tampon Système qui prévient les variations excessives du pH en captant ou en libérant des ions hydrogène.

Systèmes de doses unitaires (doses uniques) Médicaments injectables à usage unique qui se présentent sous la forme d'ampoules-seringues prêtes à l'usage ou de cartouches stériles préremplies, avec des aiguilles que l'on doit fixer à un système d'injection avant de les utiliser.

Systole Période pendant laquelle le ventricule se contracte.

Tâches de développement Habiletés ou modes de comportement qui s'apprennent lors des différents stades du développement.

Tachycardie Pouls anormalement rapide, supérieur à 100 battements par minute.

Tachypnée Respiration anormalement rapide; habituellement supérieure à 24 respirations par minute.

Tactile Qui a rapport au toucher.

Tandem Dans une perfusion intraveineuse, type de dispositif en dérivation dans lequel on fixe un second sac de solution à la perfusion principale au point de jonction secondaire le plus bas.

Tartre dentaire Dépôt dur et visible de plaque et de bactéries mortes qui adhère au collet des dents.

Taux métabolique de base (vitesse du métabolisme basal) Vitesse à laquelle le corps doit métaboliser les aliments pour maintenir le niveau d'énergie d'une personne éveillée et au repos.

Taxinomie Système de classification ou ensemble de catégories, comme les diagnostics infirmiers, fondé sur un seul principe ou ensemble cohérent de principes.

Teigne du pied Pied d'athlète, causé par un mycète.

Télénursing Méthodes de pratique infirmière axées sur les personnes et fondées sur les télécommunications ou des moyens électroniques.

Télésanté Utilisation des technologies de l'information et de la communication pour la prestation de services de santé et la transmission d'information sur de grandes et de courtes distances.

Témoin expert Personne qui possède une formation avancée, une expérience ou des compétences dans un domaine particulier et qui est autorisée par un tribunal à offrir son opinion sur certains sujets.

Température centrale Température des tissus profonds de l'organisme (par exemple, de la cavité abdominale ou de la cavité pelvienne); se maintient à 37 °C environ.

Température corporelle Équilibre entre la chaleur produite par le corps et la chaleur perdue.

Température de surface Température de la peau, des tissus sous-cutanés et des tissus adipeux.

Temps de remplissage capillaire Temps nécessaire au retour du sang dans les vaisseaux périphériques après qu'on a exercé une pression pour l'éjecter; permet d'évaluer la circulation périphérique.

Teneur énergétique Quantité d'énergie qu'un aliment ou un nutriment procure à l'organisme.

Tension dans l'exercice du rôle État généralisé de frustration ou d'anxiété attribuable au stress lié à un conflit de rôle et à l'ambiguïté.

Tension dans l'exercice du rôle d'aidant naturel Stress physique, émotionnel, social et financier touchant les personnes qui s'occupent d'un proche à domicile.

Tératogène Qualité de tout élément (matière ou autre) pouvant perturber le développement cellulaire de l'embryon ou du fœtus.

Territorialité Concept de l'espace et des choses qu'une personne considère comme lui appartenant.

Test au gaïac Test visant à établir la présence de sang occulte.

Test de Denver II Test de dépistage utilisé pour évaluer les enfants de la naissance à six ans.

Test de Papanicolaou (test Pap) Méthode qui consiste à prélever un échantillon de cellules sur le col de l'utérus pour les analyser au microscope afin de détecter des cellules malignes.

Testament Déclaration dans laquelle une personne explique comment elle veut qu'on dispose de ses biens après sa mort.

Testament biologique (testament de vie, testament de fin de vie) Document qui stipule les traitements médicaux qu'une personne refuse d'avance de recevoir dans l'éventualité où elle serait incapable de prendre ces décisions.

Théorie Système d'idées proposées pour expliquer un phénomène donné (par exemple, théorie de la gravité).

Théorie ancrée Méthode ayant pour but d'examiner un processus et de générer une théorie à partir des données recueillies sur le terrain et auprès des personnes possédant une expérience pertinente.

Théorie béhavioriste de l'apprentissage Théorie qui étudie ce qui doit être enseigné, la reconnaissance immédiate des bonnes réactions et la gratification de celles-ci.

Théorie cognitive de l'apprentissage Théorie qui reconnaît différents niveaux développementaux pour les apprenants et qui reconnaît l'importance de la motivation et de l'environnement de l'apprenant.

Théorie de l'activité Théorie selon laquelle le maintien de l'activité physique et mentale à un niveau suffisant constitue le meilleur moyen de bien vieillir.

Théorie de la continuité Théorie selon laquelle l'être humain, en vieillissant, conserve ses valeurs, ses habitudes et ses comportements.

Théorie du désengagement Théorie selon laquelle le vieillissement entraîne un éloignement mutuel (désengagement) entre la personne âgée et son entourage.

Théorie humaniste de l'apprentissage Théorie qui met surtout l'accent sur les sentiments et les attitudes des apprenants, sur la nécessité pour la personne de déterminer ses besoins d'apprentissage et d'en assumer la responsabilité, ainsi que sur sa motivation à acquérir son autonomie et son indépendance.

Théorie transactionnelle du stress Théorie selon laquelle le stress est provoqué par une demande interne ou externe, égale ou supérieure aux capacités d'adaptation de la personne ou du système social.

Théories basées sur les conséquences (téléologiques) Éthique consistant à juger de la moralité d'une action.

Théories basées sur les principes (déontologiques) Théories axées sur les droits individuels, les devoirs et les obligations.

Théories basées sur les relations humaines (humanistes) Théories axées sur le courage, la générosité, l'engagement et le besoin de cultiver et de maintenir des relations.

Thérapies complémentaires Pratiques thérapeutiques qui ne font pas partie intégrante de la pratique médicale allopathique traditionnelle.

Thérapies corps-esprit Thérapies qui visent à équilibrer les pensées, les émotions ou la respiration.

Thermogenèse chimique Stimulation de la production de chaleur dans l'organisme par l'augmentation du métabolisme cellulaire causée par la libération accrue de thyroxine.

Thermorégulation Phénomène selon lequel la quantité de chaleur produite par l'organisme demeure égale à la quantité de chaleur perdue.

Thoracentèse Insertion d'une aiguille dans la cavité pleurale à des fins diagnostiques ou thérapeutiques.

Thrombose veineuse profonde (thrombophlébite) Inflammation d'une veine suivie de la formation d'un caillot.

Thrombus Masse solide de fraction sanguine dans le système circulatoire ; caillot.

Timbre transdermique Mode d'administration d'un médicament de nature topique ou dermatologique.

Tiques Petits parasites gris-brun qui piquent les tissus et sucent le sang ; peuvent transmettre plusieurs affections aux humains, dont la fièvre pourprée des montagnes Rocheuses, la maladie de Lyme et la tularémie.

Tissu de granulation Tissu conjonctif récent doté de nouveaux capillaires formés au cours du processus de cicatrisation.

Tissu fibreux (cicatriciel) Tissu conjonctif qui participe à la cicatrisation des plaies avec des tissus qui peuvent proliférer malgré une ischémie et une altération du pH.

Tolérance à l'activité Type et quantité d'exercice ou d'activités quotidiennes qu'une personne peut faire sans effets contraires, c'est-à-dire sans que cela nuise à sa santé ou à son bien-être.

Tolérance à la douleur Intensité et durée maximales de la douleur qu'une personne tolère.

Tolérance aux médicaments Réponse physiologique aux médicaments inférieure à la normale.

Tomodensitométrie (TDM) Technique radiographique sans douleur et non effractive ; plus sensible que la radiographie, elle permet de distinguer des différences minimes de densité des tissus.

Tomographie par émission de positrons (TEP) Examen radiologique non effractif qui consiste à injecter ou à faire inhaler un radio-isotope.

Tonalité (fréquence) Fréquence des vibrations (nombre de vibrations par seconde).

Toucher thérapeutique (TT) Méthode par laquelle de l'énergie est transmise ou transférée d'une personne à une autre dans le but de potentialiser le processus de guérison chez une personne malade ou blessée.

Tour de hanches Mesure prise au niveau de la symphyse pubienne et du renflement fessier maximal.

Tour de taille Mesure du tour de taille prise à mi-chemin entre la douzième côte et la crête iliaque.

Toxicité médicamenteuse Effets nocifs d'un médicament sur un organisme ou un tissu.

Toxicomanie Consommation inappropriée d'une substance, soit continuellement, soit périodiquement.

Tradition empiriste Paradigme en vertu duquel il n'existe qu'une seule réalité, indépendante de la connaissance que nous pouvons en avoir.

Tradition interprétative Paradigme en vertu duquel on ne peut pas mesurer les connaissances en se fondant sur une réalité unique et immuable.

Tragus Saillie cartilagineuse à l'entrée du conduit auditif.

Traits fondamentaux du concept de soi Certitudes les plus vitales à l'identité de la personne.

Transcendance Prise de conscience de l'existence d'une entité différente de soi ou supérieure ; quête et valorisation de cette entité supérieure, qu'il s'agisse d'un être, d'une force ou d'une valeur suprême.

Transduction de l'information Conversion (ou transformation) de l'information ou de l'énergie d'une forme en une autre.

Transférabilité Critère de la *Loi canadienne sur la santé* en vertu duquel les résidents qui déménagent dans une autre province ou un autre territoire sont couverts par le régime de leur province ou de leur territoire d'origine pendant toute la période d'attente imposée par la nouvelle province ou le nouveau territoire.

Transmission aérienne (transmission par voie aérienne, transmission par l'air) Transmission d'un agent infectieux par les gouttelettes ou la poussière en suspension dans l'air.

Transmission par vecteur Transmission d'un agent infectieux par l'intermédiaire d'un animal ou d'un insecte volant ou rampant.

Transmission par véhicule Transmission d'une substance qui sert d'intermédiaire dans le transport et la transformation d'un agent infectieux en hôte susceptible de pénétrer par une voie d'accès.

Transport actif Mouvement des substances à travers la membrane cellulaire contre un gradient de concentration.

Tremblement de repos Tremblement qui apparaît lorsque la personne est au repos et qu'elle diminue son activité.

Tremblement intentionnel Tremblement involontaire lors d'un mouvement volontaire.

Tremblements Agitation qui peut faire intervenir des groupes importants de fibres musculaires ou de petits faisceaux de fibres musculaires.

Triglycérides Substances qui contiennent trois acides gras ; constituent plus de 90 % des lipides dans les aliments et dans le corps humain.

Trigone Région triangulaire située à la base de la vessie délimitée par les ostiums des uretères et l'ostium interne de l'urètre.

Trimestre Chacune des trois périodes de trois mois qui marquent un changement développemental significatif chez la mère et chez le fœtus.

Trocart Instrument à bout pointu qui s'insère dans une canule et qui est utilisé pour percer les tissus du corps.

Trompe auditive (trompe d'Eustache) Partie de l'oreille moyenne qui relie celle-ci au nasopharynx ; stabilise la pression de l'air entre l'atmosphère externe et l'oreille moyenne, ce qui prévient la rupture du tympan et les malaises causés par les variations de pression importantes.

Troponine Enzyme libérée dans le sang pendant l'infarctus du myocarde.

Trou auscultatoire Disparition temporaire des bruits normalement perçus sur l'artère brachiale lorsque la pression indiquée par le sphygmomanomètre est élevée et que les bruits réapparaissent à un niveau inférieur.

Trouble de l'excitation sexuelle Incapacité d'atteindre ou de maintenir un niveau adéquat de lubrification vaginale, ou atténuation marquée des sensations clitoridiennes et labiales.

Trouble de l'orgasme (trouble orgasmique, trouble orgastique, anorgasmie) Difficulté ou incapacité à atteindre l'orgasme malgré la stimulation et l'excitation.

Troubles primaires du sommeil Troubles du sommeil qui constituent le principal problème de la personne ; inclut l'insomnie, l'hypersomnie, la narcolepsie, l'apnée du sommeil et le manque de sommeil.

Troubles secondaires du sommeil Perturbations du sommeil qui découlent d'un autre problème clinique.

Troubles sexuels avec douleur Troubles entraînant des rapports sexuels douloureux, par exemple la dyspareunie, le vaginisme et les douleurs génitales.

Tubule Structure en forme de petit tube.

Tympanisme Bruit musical ou bourdonnant produit par exemple par un estomac rempli d'air.

Unité de réadaptation fonctionnelle intensive (URFI) Unité dont le programme s'adresse aux adultes qui présentent une incapacité motrice significative et persistante après un accident de la route, une chute, un accident vasculaire cérébral, un anévrisme ou une maladie dégénérative.

Unité de soins palliatifs Unité qui accueille des personnes de la communauté franchissant les dernières étapes de leur vie.

Universalité Critère de la *Loi canadienne sur la santé* en vertu duquel tous les résidents assurés de la province ou du territoire ont le droit de bénéficier des services de santé assurés offerts par le régime d'assurance-maladie provincial ou territorial.

Universalité culturelle Points communs, liés aux valeurs, aux normes de comportement et aux modes de vie, que partagent différentes cultures.

Urée Substance qui se retrouve dans l'urine, le sang et la lymphe ; principal élément azoté du sang.

Urine résiduelle (résidu postmictionnel) Quantité d'urine qui reste dans la vessie après la miction.

Urographie antérograde Examen radiographique utilisé pour examiner le tractus urinaire : la substance de contraste est injectée directement dans un calice rénal à l'aide d'une ponction percutanée à l'aiguille.

Urographie intraveineuse Examen radiographique utilisé pour examiner le tractus urinaire : la substance de contraste injectée par intraveineuse est filtrée par les glomérules, puis elle passe dans les tubules rénaux, les uretères et la vessie.

Urographie rétrograde Examen radiographique utilisé pour examiner le tractus urinaire : la substance de contraste est injectée par cathétérisme urétéral.

Utilitarisme (utilité) Théorie éthique particulière basée sur les conséquences, selon laquelle une action juste est une action qui présente le plus d'avantages et le moins d'inconvénients pour le plus grand nombre de personnes. L'utilitarisme est souvent utilisé dans les décisions concernant le financement et la prestation des soins de santé.

Valeur Chose considérée comme précieuse ; croyance à laquelle une personne accorde de l'importance.

Valeur nutritive Contenu en substances nutritives d'une quantité déterminée de nourriture.

Valeurs personnelles Valeurs sociétales ou culturelles intériorisées par l'individu.

Valeurs professionnelles Valeurs acquises au cours de la socialisation de l'infirmière grâce à la connaissance du code de déontologie, à ses expériences infirmières, au contact de ses enseignantes et au contact de ses pairs.

Validation Vérification des données afin de s'assurer qu'elles sont exactes et reposent sur des faits précis.

Validité Degré d'adéquation entre ce qu'un instrument mesure et ce qu'il est censé mesurer.

Valvules auriculoventriculaires Valvules situées entre les oreillettes et les ventricules du cœur ; la valvule bicuspide (ou mitrale) est à gauche, tandis que la valvule tricuspide est à droite.

Valvules semi-lunaires Valvules en forme de croissant situées entre les ventricules cardiaques et l'artère pulmonaire (valvule sigmoïde pulmonaire) et l'aorte (valvule sigmoïde).

Variance Valeur égale au carré de l'écart type.

Vasoconstriction Diminution du calibre (lumière) d'un vaisseau sanguin.

Vasodilatation Augmentation du calibre (lumière) d'un vaisseau sanguin.

Ventilation Mouvement de va-et-vient de l'air dans les poumons ; processus d'inspiration et d'expiration.

Ventricule Chacune des deux cavités inférieures du cœur.

Véracité Principe moral qui exige de dire la vérité et non de mentir.

Vernix caseosa Pellicule protectrice qui recouvre la peau du fœtus ; substance blanchâtre et crémeuse qui adhère à la peau et qui peut atteindre une épaisseur de 0,5 cm à la naissance.

Verrue plantaire Verrue modérément contagieuse qui apparaît sur la plante du pied ; causée par le virus *Papovavirus hominis*.

Vessie neurogène Perturbation des mécanismes normaux d'élimination de l'urine ; la personne ne sent pas que sa vessie est pleine et est incapable de maîtriser ses sphincters.

Vessie neurogène hypotonique (flaccide) Vessie dont les muscles sont affaiblis et lâches.

Vestibule Partie de l'oreille interne ; contient les organes de l'équilibre.

Vibration Série de tapes vigoureuses appliquées sur le dos pour détacher les sécrétions épaisses.

Virulence Capacité de provoquer une affection.

Virus Agents infectieux constitués d'acide nucléique.

Viscéral Qui se rapporte à tous les grands organes internes du corps.

Viscosité sanguine Consistance du sang lorsque l'hématocrite dépasse 0,60 à 0,65.

Vision Image mentale d'un état futur possible et désirable.

Visuel Lié à la vue.

Vitamines hydrosolubles Vitamines que le corps ne peut emmagasiner et qu'il doit puiser dans le régime quotidien ; comprennent la vitamine C et le complexe de la vitamine B.

Vitamines liposolubles Vitamines A, D, E et K, que le corps peut entreposer.

Vitiligo Plaques d'hypopigmentation de la peau provoquées par la destruction de mélanocytes.

Voie buccogingivale Administration d'un médicament placé et gardé contre les muqueuses du côté de la bouche jusqu'à dissolution complète.

Voie de fait Administration d'un traitement à une personne sans son consentement ou après un refus de sa part.

Voie orale Administration d'un médicament par la bouche (la personne avale le médicament).

Voie parentérale Toute forme d'administration d'un médicament autre que par voie orale ou respiratoire, et que l'on effectue notamment par une injection.

Voie sublinguale Administration d'un médicament placé et maintenu sous la langue jusqu'à dissolution complète.

Voie topique Administration d'un médicament au moyen de son application localisée sur une région déterminée du corps.

Volume courant Volume d'air qui est normalement inspiré ou expiré, soit environ 500 mL.

Volume systolique (VS) Quantité de sang éjectée à chaque contraction cardiaque.

Yoga Union des pouvoirs du corps, du psychisme et de l'esprit qui vise une vie équilibrée ; démarche fondée sur d'anciens enseignements qu'on trouve dans les textes spirituels hindous.

Sources des photographies et illustrations

Toutes les photographies et illustrations qui ne sont pas accompagnées d'une source et qui ne sont pas dans la liste ci-dessous ont été réalisées à la demande de Pearson Education/Prentice Hall Health, qui en détient les droits.

Elena Dorfman :
Figures 11-1 (Partie 3, photo du centre), 22-1, 22-2, 22-11, 22-14 (Partie 5, photo du centre), 23-1, 23-2, 23-3, 23-5, 24-5, 25-3, 33-6, 34-98, 35-3, 35-4, 35-5, 35-6, 35-19, 35-20, 37-29, 37-30, 38-5 a et b, 38-12, 39-10 a et b, 39-15, 39-21, 39-22 a, b et c, 39-24, 39-25, 39-32, 39-33, 39-34, 39-40, 39-54, 39-55, 40-8, 40-21, 40-22, 41-4, 41-5, 41-6, 41-7, 42-75, 42-78 a, 45-16, 45-21, 46-9, 46-11, 46-15, 48-11, 48-12, 48-24, 48-27, 50-15, 50-20, 50-21.

Jenny Thomas :
Figures 33-7, 33-8, 33-13, 33-38, 35-33, 35-34, 35-35, 35-36, 35-37, 36-14, 36-15, 36-17, 36-19, 37-1, 37-2, 37-31, 38-6, 39-30, 39-31, 39-43, 39-64, 39-65, 39-68, 39-69, 39-72, 39-83, 39-84, 40-13, 41-21, 42-53, 42-54, 42-77, 44-15, 46-10, 48-10, 48-13, 48-14, 48-28, 48-33, 48-37, 48-38, 49-7, 50-33.

Université du Québec à Trois-Rivières, Service des ressources pédagogiques et des médias, Claude Demers :
Figures 33-10, 33-11, 33-12, 33-14 (Partie 8, photo du centre), 33-15, 33-18, 33-19 b, f et g, 33-20, 33-21 a et b, 33-22, 33-23, 33-24, 33-27, 33-32, 33-33, 33-34 a et b, 33-37, 34-31, 34-32 a et b, 34-83 b, 37-11, 38-1, 38-2, 38-3, 38-4, 39-50, 39-53 a et b, 39-56, 39-63, 41-11, 41-26, 45-9, 48-5, 50-23, 50-24, 50-25, 50-26, 50-27, 50-28, 50-29, 50-30.

Les données des tableaux 13-1, 13-2 et 13-3 proviennent de Statistique Canada. Cette information est utilisée en vertu d'une permission du ministre de l'Industrie, à titre de ministre responsable de Statistique Canada. On peut obtenir de l'information sur la disponibilité de la vaste gamme de données de Statistique Canada par l'entremise des bureaux régionaux de Statistique Canada, de son site Internet à l'adresse <http://www.statcan.ca> et de son numéro d'appels sans frais au 1-800-263-1136.

Index

B

C

E

H

I

M

Q

R

S